Handkonkordanz zum Griechischen Neuen Testament

Alfredi Schmoller

Concordantiae

Novi Testamenti Graeci

Württembergische Bibelanstalt Stuttgart

Alfred Schmoller

Handkonkordanz
zum Griechischen Neuen Testament

Württembergische Bibelanstalt Stuttgart

Der hochwürdigen Evangelisch-theologischen Fakultät

der Universität Tübingen

dankt ehrerbietig für die Verleihung der theologischen Doktorwürde

der Verfasser

ISBN 3 438 05131 1

15. Auflage 1973. Korrigierter Nachdruck der 7. Auflage von 1938

© 1938 Württembergische Bibelanstalt Stuttgart

Herstellung: Biblia-Druck Stuttgart

Vorwort zur 7. Auflage

Diesem Buch, das mein † Vater im Jahr 1869 zum ersten Mal herausgegeben hat, liegt jetzt der Text des Neuen Testaments in der Fassung von Nestle (15. und 16. Auflage) zugrunde. Wichtige Varianten sind mit dem Zeichen vl beigefügt; manche hat die von unsrem Text abweichende Übersetzung der Vulgata (vg) gefordert. An Varianten wird wohl dem einen Benützer des Buches zu viel, dem andern zu wenig gegeben sein.

Es ist Wert darauf gelegt worden, die Zitate so zu bemessen, dass der Leser den Sinn des Satzes erkennen kann und nicht immer das Neue Testament aufschlagen muss. Auch so sagt ihm die Konkordanz mehr oder weniger, je nachdem er mit dem Neuen Testament vertraut ist oder nicht. Zu dieser Vertrautheit möchte ihm unser Buch helfen und deshalb lesbar und nicht nur ein Wortregister sein.

Vermehrt ist diese 7. Auflage durch zwei Beigaben, zu denen schon früher Sachverständige geraten haben. Einmal ist der Wortschatz des Neuen Testaments mit dem der Septuaginta verglichen; mit dem Zeichen S° wurden diejenigen griechischen Stichworte bezeichnet, die nicht von der Septuaginta gebraucht werden; alle andern sind dem Wortschatz der Septuaginta und dem des Neuen Testaments gemeinsam. — Zum andern findet man jetzt bei jedem griechischen Stichwort (ausser den Eigennamen) angegeben, wie die Vulgata dieses Wort wiedergibt. Was der Vulgata entstammt, ist kursiv gedruckt. Verweisbuchstaben geben an, welches lateinische Wort in jeder Stelle gebraucht ist. Vorangestellt ist jeweils das von der Vulgata am häufigsten benützte Wort. (Der Verweisbuchstabe ᵃ ist jedoch beim ersten der Vulgataworte und dann auch bei den entsprechenden Stellen im Text meist weggelassen, damit der Text übersichtlicher bleibt.) Beigezogen ist die Vulgata um ihrer selbst willen, der Geschichte und des Verständnisses des griechischen Textes wegen und zum Vergleich mit Luthers Übersetzung.

Eine „Handkonkordanz" muss kürzen. Das kann geschehen durch Übergehen und durch Auswählen. Übergangen sind z. B. unter dem sehr umfassenden Buchstaben Π folgende Worte: πλήν, πόθεν, ποῖος, πολλάκις, ποτέ (enclit.), πού (enclit.), πρίν, πρό, πῶς und πώς (enclit.). Eine Auswahl von Stellen ist aufgeführt unter πάλιν, παρά, παραγίνεσθαι, πᾶς, πέμπειν, πέντε, περί, περιπατεῖν (im eigentlichen Sinn), πίπτειν, πλείων, ποιεῖν, πολύς, πορεύεσθαι, πόσος, ποῦ, πούς, πρός, προσέρχεσθαι, πρῶτον, πρῶτος. Ein * beim Stichwort kennzeichnet die Artikel, bei denen nicht alle Stellen aufgeführt sind. Alle Artikel ohne Stern sind vollständig; ihre Zahl ist wesentlich vermehrt worden. — Unvermeidlich ist ferner, wenn an Raum gespart werden soll, dass manche Schriftstellen nur mit Zahlen, ohne Text, angegeben werden.

Innerhalb der einzelnen Artikel ist Verwandtes zusammengestellt. Teils sind an ein Zitat andere Stellen ähnlichen Wortlautes oder Sinnes angeschlossen, teils ist nach den verschiedenen Bedeutungen des Stichwortes gruppiert. Dies Zusammenfassen spart viel Raum und ist manchem Leser besonders willkommen. Dass man mit diesem Gruppieren vorsichtig sein muss, weiss ich wohl. Es ist in dieser Auflage seltener als früher angewendet.

Von manchen Benützern des Buches habe ich je und dann ein Wort darüber bekommen, was ihnen aufgefallen ist, was einer vermisst hat, was sonst gebessert werden könnte. Dafür danke ich und gerne habe ich verwertet, was ich nach Anlage des Buches verwerten konnte. Möchte dieses manchem Studenten und Pfarrer eine Hilfe zur Vertiefung in Sprache und Gedanken des Neuen Testaments werden und etwas davon sich bewahrheiten, was ein freundlicher Beurteiler ausgesprochen hat: es sei aus der Konkordanz, wenn man sie fleissig zu Rat ziehe, mehr zu lernen als aus manchem Kommentar.

Eine grosse Hilfe ist mir gewesen, dass Herr D. Erwin Nestle eine erste Korrektur für das ganze Buch gelesen und mir während eines längeren Krankseins gar die ganze Arbeit der Korrektur abgenommen hat. Von Herzen danke ich ihm für diesen selbstlosen Dienst.

Kirchheim-Teck. **A. Schmoller.**

Erklärung der Abkürzungen und Zeichen.

S⁰ = nicht im Sprachgebrauch der Septuaginta.

vg = Vulgata — vg⁰ = nicht in der Vulgata an der betreffenden Stelle.

vl = varia lectio — vl⁰ und vl om = eine Variante lässt das Wort aus.

vl + = in der Variante ist ein Wort oder sind Worte zugefügt.

> Beispiele: Seite 345 links 5. Zeile von unten steht (20 vl vg); das heisst: V. 20 steht nicht im Text aber als Variante νεκρά und ebendies Wort gibt vg wieder. — Seite 345 rechts bei νέος und Luc 22 26 ist angemerkt, dass die vg im Text *minor* hat und als Variante *iunior*.

* beim Stichwort oder Beginn eines Abschnitts zeigt an, dass hier nur eine Auswahl von Stellen gegeben ist.

.... bezeichnet ausgelassene Wortteile, – ausgelassene Worte.

„“ entspricht dem Fettdruck der alttestamentlichen Zitate und Anspielungen bei Nestle.

sc = scilicet.   fort. = fortasse.   ‖ steht vor Parallelstellen.

Praefatio

Index hic biblicus, qui „Concordantiae Novi Testamenti Graeci" inscribitur, locos allatos sumit ex editione Novi Testamenti, quam D. Eberhard Nestle et post patris obitum D. Erwin Nestle elaboraverunt. (Editio quinta decima 1932, editio sexta decima 1936). Variae lectiones insignes additae sunt (signum: vl; vl° et vl om = vl omittit vocem vel voces; vl + = vl vocem vel voces addit.) Nonnullas varias lectiones discrepantia Vulgatae postulavit (signum vg). Alteri in addendis variis lectionibus nimium, alteri iusto minus factum esse videbitur.

Loci citati spero fore ut ita formati sint, ut sine dubio sententia cognosci possit. Non mihi videtur licere adeo verbis parcere, ut saepe tamen Testamentum ipsum consulendum sit. Liber noster id sequitur, ut legi possit, ut plus sit quam index verborum.

Aucta est septima haec editio duobus additamentis. Comparatus est Testamenti sermo cum sermone Septuaginta interpretum; signo S° notata sunt quae Testamenti vocabula non occurrunt in illa versione. — Deinde vocabulis graecis (exceptis nominibus propriis) addita est latina Vulgatae interpretatio, obliquis literis scripta. Quae imprimis usitata sunt Vulgatae vocabula primo loco posita sunt. Literae minutae (omissa plerumque litera ª) indicio sunt, qua quoque loco voce Vulgata utatur. Latina versio adhibita est et suae ipsius causa et quae multum conferat ad textum graecum recte constituendum et intelligendum versionemque Lutheri melius diiudicandam.

Quo modo liber in angustius deductus sit praetermittendo et deligendo, exemplo docemus in praefatione germanica. Illi qui delectos solum locos praebent articuli, signo * anteposito denotati sunt. Ubi deest asteriscus, omnes invenis locos.

Intra singulos articulos quae propinqua sunt sive verbis sive sententia copulata sunt. Partim uni loco laudato alii eiusdem sermonis aut vis adiuncti sunt, partim omnes eiusdem articuli loci dispositi sunt secundum varias verbi notiones. Caute semper dispositum est.

Nonnulli, qui iam prioribus huius libri editionibus utebantur, brevi mihi perscripserunt, quae quis desideraverat, quae poterant emendari. Quo, ubi potui, grate usus sum consilio. — Sit septima quoque haec editio studiosis et ministris verbi idoneo adiumento, quo familiares iis fiant Novi Testamenti et sermo et sententia. Vere dixerit velim aequus ille libri existimator, qui plus disci posse scripsit e Concordantiis quam ex uno alterove commentario.

Preface

The present work which my late father edited for the **first time in 1869** is based on Nestle's text of the New Testament (15th and 16th editions). Important variant readings have been added under the sign vl, many of them being necessitated by the discrepancies between our text and the Vulgate translation (vg). Some readers will probably find the number of these alternative readings too many, others will perhaps find them too few, but all have been inserted with good cause.

We have made a point of making the quotations such that the general reader can comprehend the gist of the sentence without constantly having to refer to his New Testament. Nevertheless the real value of the Concordance will depend upon a knowledge of the New Testament, and it is just this familiarity with the text that the present volume is designed to encourage. It is not intended for use as a mere register of words.

The present edition has been enlarged in two directions, both of which have been previously suggested by other experts. First the list of words in the New Testament has been compared with that in the LXX (the sign S° being used to denote words not used by the LXX as opposed to those which are common to both the LXX and the New Testament). Secondly — with the exception of proper names — the Latin translation of the Vulgate has been given under each key-word. Words thus taken from the Vulgate are printed in italics, different signs being used to denote which Latin synonym has been used in each case. The first place has been allotted to the word most frequently used by the Vulgate. (The sign ª, however, has as a rule been omitted in the first of the words from the Vulgate, and has in consequence been omitted in the corresponding passages of the text; this has been done to make the text stand out more clearly). The readings from the Vulgate have been inserted on account of their merit and their history and for the light they throw on the Greek text (and also for comparison with Luther's translation).

A concordance must of necessity be brief, and this can only be achieved by careful selection and omission. We have therefore left out under the comprehensive letter Π πλήν, πόθεν, ποῖος, πολλάκις, ποτέ (enclit.), πού (enclit.), πρίν, πρό, πῶς and πώς (enclit.). A selection of passages has been given under πάλιν, παρά, παραγίνεσθαι, πᾶς, πέμπειν, πέντε, περί, περιπατεῖν (in the original sense), πίπτειν, πλείων, ποιεῖν, πολύς, πορεύεσθαι, πόσος, ποῦ, πούς, πρός, προσέρχεσθαι, πρῶτος, πρῶτον. An asterisk after the key-word denotes those paragraphs in which not all the available passages have been quoted. All paragraphs without asterisk are complete. Their number has been considerably enlarged, but in order to save space many passages have been referred to by figures and not quoted in their full text.

Within the paragraphs themselves kindred subjects have been grouped together, sometimes on account of their similar wording or sense, and sometimes on account of the different meanings of the key-word which they bring out. This condensation saves much space and has been approved of by those who have used earlier editions. We are fully aware of the dangers of such a method, and the grouping in this edition has consequently been more sparing than heretofore.

Some readers of the book have from time to time been kind enough to suggest various improvements. I would take this opportunity of thanking them all for their suggestions. These suggestions I have been glad to adopt as far as the plan of the book would allow. It is our sincere hope that this Concordance will enable many students and ministers to delve deeper into the language and thought of the New Testament, and thus appreciate the truth expressed by one critic of this book, when he said: "You can learn more from a Concordance, provided that you consult it regularly, than from many a commentary".

My thanks are due to Dr. Erwin Nestle for his great kindness in reading the (first) proofs of this work, and for taking over the burden of editorship during a somewhat prolonged illness of mine.

Explanation of abbreviations and signs:

S° = not in the vocabulary of the LXX.

vg = Vulgate.   vg° = not in the Vulgate in the corresponding passage.

vl = variant reading.   vl° and vl om = a variant reading omits the word.

vl + = in the variant reading a word or words are added.

* denotes that only a selection of passages is given.

.... denotes parts of words omitted, – words omitted.

„" corresponds to the bold type quotations and allusions from the Old Testament in Nestle.

sc = scilicet.   fort. = fortasse.

‖ before parallel passages.

A

Ἀαρών Luc 1 5 Act 7 40 Hb 5 4 7 11 9 4

Ἀβαδδών Ap 9 11 ὄνομα αὐτῷ Ἑβραϊστὶ Ἀβ.

ἀβαρής S⁰ – *sine onere* 2 Co 11 9 ἀβαρῆ
ἐμαυτὸν ὑμῖν ἐτήρησα καὶ τηρήσω

ἀββά S⁰ – *abba* Mar 14 36 ἀ. ὁ πατήρ, πάντα δυ-
νατά σοι Rm 8 15 πνεῦμα υἱοθεσίας, ἐν ᾧ
κράζομεν· ἀ. ὁ π. Gal 4 6 κρᾶζον· ἀ. ὁ π.

Ἄβελ Mat 23 35 ‖ Luc 11 51 – Hb 11 4 12 24

Ἀβιά Mat 1 7 Luc 1 5   Ἀβιαθάρ Mar 2 26

Ἀβιληνή Luc 3 1   Ἀβιούδ Mat 1 13

Ἀβραάμ
Mat 1 1.2 ‖ Luc 3 34 – Mat 1 17 ἀπὸ Ἀ. ἕως Δαυ.
3 9 πατέρα ἔχομεν τὸν Ἀ.· – ἐγεῖραι τέκ-
να τῷ Ἀ. ‖ Luc 3 8 – Joh 8 33.37.39 s
8 11 ἀνακλιθήσονται μετὰ Ἀ. ‖ Luc 13 28
ὅταν ὄψησθε Ἀ. – ἐν τῇ βασ. τ. θεοῦ
22 32 „ὁ θεὸς Ἀ." ‖ Mar 12 26 Luc 20 37 – Act
3 13 „ἐδόξασεν τὸν παῖδα αὐτοῦ – 7 32
Luc 1 55 „τῷ Ἀ." καὶ τῷ „σπέρματι" αὐτοῦ
– 73 „ὤμοσεν πρὸς Ἀ." τὸν πατέρα ἡμῶν
13 16 ταύτην δὲ θυγατέρα Ἀ. οὖσαν – οὐκ
ἔδει λυθῆναι –; 19 9 καθότι καὶ αὐ-
τὸς υἱὸς Ἀ. [ἐστιν] (sc Zachaeus)
16 22 ἀπενεχθῆναι – εἰς τὸν κόλπον Ἀ. 23
ὁρᾷ Ἀ. ἀπὸ μακρόθεν 24 πάτερ Ἀ.,
ἐλέησόν με 25.29.30 οὐχί, πάτερ Ἀ.,
ἀλλ' ἐάν τις ἀπὸ νεκρῶν πορευθῇ
Joh 8 33 σπέρμα Ἀ. ἐσμεν 37 οἶδα ὅτι σπ. Ἀ.
ἐστε 39 ὁ πατὴρ ἡμῶν Ἀ. ἐστιν. – εἰ
τέκνα τοῦ Ἀ. ἐστε, τὰ ἔργα τοῦ Ἀ.
ποιεῖτε (vl ἐποιεῖτε) 40 τοῦτο Ἀ. οὐκ
ἐποίησεν
– 52 Ἀ. ἀπέθανεν 53 μὴ σὺ μείζων εἶ τοῦ
πατρὸς ἡμῶν Ἀ. –; 56 Ἀ. ὁ πατὴρ
ὑμῶν ἠγαλλιάσατο 57 Ἀ. ἑώρακας; (vl

ἑ..κέν σε) 58 πρὶν Ἀ. γενέσθαι ἐγὼ εἰμί
Act 3 25 πρὸς Ἀ.· „καὶ ἐν τῷ σπέρματί σου"
7 2 ὤφθη τῷ πατρὶ ἡμῶν Ἀ. –· „ἔξελθε"
– 16 „ἐν τῷ μνήματι ᾧ ὠνήσατο Ἀ."
– 17 ἐπαγγελίας ἧς ὡμολόγησεν – τῷ Ἀ.
13 26 ἄνδρες ἀδελφοί, υἱοὶ γένους Ἀ.
Rm 4 1 τί – ἐροῦμεν εὑρηκέναι Ἀ. τὸν προ-
πάτορα ἡμῶν κατὰ σάρκα;
– 2 εἰ γὰρ Ἀ. ἐξ ἔργων ἐδικαιώθη cfr
Jac 2 21 Ἀ. ὁ πατὴρ ἡμῶν οὐκ ἐξ ἔρ-
γων ἐδικαιώθη, ἀνενέγκας Ἰσαάκ –;
– 3 „ἐπίστευσεν δὲ Ἀ. τῷ θεῷ, καὶ ἐλο-
γίσθη αὐτῷ εἰς δικαιοσύνην" Gal 3 6
Jac 2 23 – Rm 4 9 λέγομεν γάρ· „ἐλο-
γίσθη τῷ Ἀ. ἡ πίστις εἰς δικ."
– 12 τοῖς στοιχοῦσιν τοῖς ἴχνεσιν τῆς ἐν
ἀκροβυστίᾳ πίστεως τοῦ π. ἡμ. Ἀ.
– 13 οὐ – διὰ νόμου ἡ ἐπαγγελία τῷ Ἀ.
– 16 τῷ σπέρματι, – καὶ τῷ ἐκ πίστεως Ἀ.
9 7 οὐδ' ὅτι εἰσὶν σπέρμα Ἀ., – τέκνα
11 1 καὶ γὰρ ἐγὼ – ἐκ σπέρματος Ἀ.
2 Co 11 22 σπέρμα Ἀ. εἰσιν; κἀγώ
Gal (3 6 → Rm 4 3) 3 7 οἱ ἐκ πίστεως, οὗτοι υἱοί
εἰσιν Ἀ. 9 οἱ ἐκ πίστεως εὐλογοῦνται
σὺν τῷ πιστῷ Ἀ.
– 8 ἡ γραφή – προευηγγελίσατο τῷ Ἀ.
ὅτι „ἐνευλογηθήσονται ἐν σοὶ – ἔθνη"
– 14 ἵνα εἰς τὰ ἔθνη ἡ εὐλογία τοῦ Ἀ. γέν.
– 16 τῷ – Ἀ. ἐρρέθησαν αἱ ἐπαγγελίαι καὶ
τῷ σπέρματι αὐτοῦ 18 τῷ – Ἀ. δι'
ἐπαγγελίας κεχάρισται ὁ θεός
– 29 εἰ δὲ ὑμεῖς Χοῦ, ἄρα τοῦ Ἀ. σπέρμα
ἐστέ, κατ' ἐπαγγελίαν κληρονόμοι
4 22 γέγραπται – ὅτι Ἀ. δύο υἱοὺς ἔσχεν
Hb 2 16 ἀλλὰ „σπέρματος Ἀ. ἐπιλαμβάνεται"
6 13 τῷ γὰρ Ἀ. ἐπαγγειλάμενος ὁ θεός
7 1.2.4.5.6 δεδεκάτωκεν Ἀ. 9 δι' Ἀ. καὶ
Λευὶς – δεδεκάτωται
11 8 πίστει καλούμενος Ἀ. ὑπήκουσεν
– 17 πίστει „προσενήνοχεν Ἀ. τὸν Ἰσαάκ"
Jac 2 21 → Rm 4 2 – Jac 2 23 → Rm 4 3
1 Pe 3 6 ὡς Σάρρα ὑπήκουσεν τῷ Ἀβραάμ

ἄβυσσος *abyssus*
Luc 8 31 ἵνα μὴ ἐπιτάξῃ – εἰς τὴν ἄ. ἀπελθεῖν
Rm 10 7 „τίς καταβήσεται εἰς τὴν ἄβυσσον;"
Ap 9 1 ἡ κλεὶς τοῦ φρέατος τῆς ἀ. 2 20 1
– 11 βασιλέα τὸν ἄγγελον τῆς ἀβύσσου
11 7 τὸ „θηρίον" τὸ „ἀναβαῖνον ἐκ τῆς ἀ-
βύσσου" 17 8
20 3 ἔβαλεν αὐτὸν (sc τὸν Σατ.) εἰς τὴν ἄ.

Ἄγαβος Act 11 28 21 10 προφήτης ὀνόματι Ἄ.

ἀγαθοεργεῖν S⁰ – *bene agere* → ..ουργεῖν
1 Ti 6 18 τοῖς πλουσίοις – παράγγελλε – ἀ..εῖν

ἀγαθοποιεῖν *benefacere* ᵇ*bene facere*
Luc 6 9 εἰ ἔξεστιν τῷ σαββ. ἀ..ῆσαι –; (vl ᵇ)
– 33 ἐὰν ἀ..ῆτε τοὺς ἀ..οῦντας ὑμᾶς
– 35 ἀγαπᾶτε τ. ἐχθροὺς κ. ἀ..εῖτε (vl ᵇ)
1 Pe 2 15 ἀ..οῦντας φιμοῦν τὴν – ἀγνωσίαν
– 20 εἰ ἀ..οῦντες ᵇ καὶ πάσχοντες ὑπομε-
νεῖτε 3 17 κρεῖττον – ἀ..οῦντας – πά-
σχειν ἢ κακοποιοῦντας
3 6 ἧς (Sarae) ἐγενήθητε τέκνα ἀ..οῦσαι
3 Jo 11 ὁ ἀγαθοποιῶν ἐκ τοῦ θεοῦ ἐστιν

ἀγαθοποιΐα S⁰ – *benefactum*
1 Pe 4 19 πιστῷ κτίστῃ παρατιθέσθωσαν τὰς
ψυχὰς – ἐν ἀ..ᾳ (vl ..αις vg ..is)

ἀγαθοποιός *bonus*
1 Pe 2 14 πεμπομένοις εἰς – ἔπαινον – ἀ..ῶν

ἀγαθός *bonus, ..um, ..a* ᵇ*optimus* ᶜ*benignus*
ᵈ(ἀ..ὸν ποιεῖν) *benefacere*

1) homines, Deus
Mat 5 45 ἐπὶ πονηροὺς καὶ ἀ..ούς 22 10 συνή-
γαγον πάντας –, πον. τε καὶ ἀ..ούς
12 35 ὁ ἀγ. ἄνθρωπος ἐκ τοῦ ἀγ. θησαυ-
ροῦ ἐκβάλλει ἀ..ά ‖ Luc 6 45 τὸ ἀγ.
19 16 τί ἀ..ὸν ποιήσω –; 17 τί με ἐρωτᾷς
περὶ τοῦ ἀγ.; εἷς ἐστιν ὁ ἀγ. ‖ Mar
10 17 διδάσκαλε ἀ..έ 18 τί με λέγεις
ἀ..όν; οὐδεὶς ἀ..ὸς εἰ μὴ εἷς ὁ θεός
Luc 18 18. 19
20 15 ἢ ὁ ὀφθαλμός σου πονηρός ἐστιν ὅτι
ἐγὼ ἀγαθός εἰμι;
25 21 εὖ, δοῦλε ἀ..ὲ καὶ πιστέ 23 ‖ Luc 19 17
Luc 23 50 Ἰωσὴφ –, ἀνὴρ ἀγαθὸς καὶ δίκαιος
Joh 7 12 οἱ μὲν ἔλεγον ὅτι ἀγαθός ἐστιν
Act 11 24 ὅτι ἦν ἀνὴρ ἀγαθός (Barnabas)
(Rm 5 7 ὑπὲρ γὰρ τοῦ (cj γάρ του) ἀγαθοῦ
τάχα τις καὶ τολμᾷ ἀποθανεῖν)

Tit 2 5 τὰς νέας – εἶναι – ἀγαθάς ᶜ
1 Pe 2 18 οὐ μόνον τοῖς ἀ..οῖς καὶ ἐπιεικέσιν

2) res bonae
a) subst.: (τὸ) ἀγαθόν, (τὰ) ἀγαθά
Mat 7 11 δώσει ἀγαθὰ τοῖς αἰτοῦσιν αὐτόν
12 34 πῶς δύνασθε ἀ..ὰ λαλεῖν πονηροὶ ὄν-
τες; – 35 ‖ Luc 6 45 → supra sub 1)
19 16 τί ἀ..ὸν ποιήσω –; 17 → supra sub 1)
Mar 3 4 ἔξεστιν τοῖς σάββασιν ἀ..ὸν ποιῆσαι ᵈ
ἢ κακοποιῆσαι (vg *an male*);
Luc 1 53 „πεινῶντας ἐνέπλησεν ἀγαθῶν"
12 18 συνάξω ἐκεῖ – τὰ ἀγαθά μου
– 19 ψυχή, ἔχεις πολλὰ ἀγαθὰ κείμενα
16 25 ἀπέλαβες τὰ ἀ. σου ἐν τῇ ζωῇ σου
Joh 1 46 ἐκ Ναζ. δύναταί τι ἀγαθὸν εἶναι;
5 29 οἱ τὰ ἀγ. ποιήσαντες εἰς ἀνάστ. ζωῆς
Rm 2 10 εἰρήνη παντὶ τῷ ἐργαζομένῳ τὸ ἀγ.
3 8 ποιήσωμεν τὰ κακὰ ἵνα ἔλθῃ τὰ ἀγ.;
5 7 → supra sub 1)
7 13 τὸ – ἀγ. ἐμοὶ ἐγένετο θάνατος; – ἀλ-
λὰ ἡ ἁμαρτία – διὰ τοῦ ἀγ. μοι κατ-
εργαζομένη θάνατον 18 οὐκ οἰκεῖ ἐν
ἐμοὶ – ἀ..όν 19 οὐ – ὃ θέλω ποιῶ ἀ..όν
8 28 πάντα συνεργεῖ [ὁ θεός] εἰς ἀ..όν
9 11 μηδὲ πραξάντων τι ἀγ. ἢ φαῦλον
10 15 „οἱ πόδες τῶν εὐαγγελιζομένων ἀ..ά"
12 2 τί τὸ θέλημα τοῦ θεοῦ, τὸ ἀγ. καὶ
– 9 ἀποστυγοῦντες τὸ πονηρόν, κολλώ-
μενοι τῷ ἀγ. 21 νίκα ἐν τῷ ἀγ. τὸ κακόν
13 3 τὸ ἀγ. ποίει, καὶ ἕξεις ἔπαινον ἐξ αὐ-
τῆς (sc τῆς ἐξουσίας) 4 θεοῦ γὰρ διά-
κονός ἐστιν σοὶ εἰς τὸ ἀγαθόν
14 16 μὴ βλασφημείσθω οὖν ὑμῶν τὸ ἀγ.
15 2 ἕκαστος – τῷ πλησίον ἀρεσκέτω εἰς
τὸ ἀγ. 16 19 ὑμᾶς σοφοὺς – εἰς τὸ ἀγ.
2 Co 5 10 ἃ ἔπραξεν, εἴτε ἀ..ὸν εἴτε φαῦλον
Gal 6 6 κοινωνείτω – τῷ κατηχοῦντι ἐν πᾶ-
σιν ἀγαθοῖς 10 ἐργαζώμεθα τὸ ἀγ.
πρὸς πάντας, μάλιστα – πρὸς τούς
Eph 4 28 ἐργαζόμενος ταῖς ἰδ. χερσὶν τὸ ἀγ.
6 8 ἕκαστος ἐάν τι ποιήσῃ ἀγαθόν, τοῦτο
κομίσεται παρὰ κυρίου
1 Th 5 15 πάντοτε τὸ ἀγ. διώκετε εἰς ἀλλήλους
Phm 6 ἐν ἐπιγνώσει παντὸς ἀγαθοῦ τοῦ ἐν
ἡμῖν (vl ὑμῖν) εἰς Χόν 14 ἵνα μὴ ὡς
κατὰ ἀνάγκην τὸ ἀγαθόν σου ᾖ
Hb 9 11 Χὸς – ἀρχιερεὺς τῶν γενομένων (vl
μελλόντων vg) ἀγαθῶν 10 1 σκιὰν –
ἔχων ὁ νόμος τῶν μελλόντων ἀγ.
13 21 θεός – καταρτίσαι ὑμᾶς ἐν παντὶ ἀγ.
1 Pe 3 11 „καὶ ποιησάτω ἀ..όν" 13 τίς ὁ κα-

κώσων ὑμᾶς ἐὰν τοῦ ἀγ. ζηλωταί
3 Jo 11 μὴ μιμοῦ τὸ κακὸν ἀλλὰ τὸ ἀγαϑόν

b) in coniunctione cum substantivis

Mat 7 11 οἴδατε δόματα ἀ..ὰ διδόναι ‖ Luc 11 13
  – 17 πᾶν δένδρον ἀγ. 18 οὐ δύν. δένδ. ἀγ.
  12 35 ‖ Luc 6 45 → supra 1) Mat 12 35
Luc 8 8 ἕτερον ἔπεσεν εἰς τὴν γῆν τὴν ἀγ.
  – 15 ἐν καρδίᾳ καλῇ καὶ ἀγαθῇ b
  10 42 τὴν ἀγαθὴν b μερίδα ἐξελέξατο
Act 9 36 ἦν πλήρης ἔργων ἀγ. καὶ ἐλεημοσυ.
  23 1 πάσῃ συνειδήσει ἀ..ῇ πεπολίτευμαι
Rm 2 7 τοῖς μὲν καθ' ὑπομονὴν ἔργου ἀ..οῦ
  7 12 ἡ ἐντολὴ ἁγία καὶ δικαία καὶ ἀγαθή
  12 2 δοκιμάζειν – τί τὸ θέλημα τοῦ θεοῦ,
    τὸ ἀγαθόν → Rm 12 2 sub 2a)
  13 3 οὐκ εἰσὶν φόβος τῷ ἀγαθῷ ἔργῳ (vl
    ἀγαθοεργῷ) ἀλλὰ τῷ κακῷ
2 Co 9 8 ἵνα – περισσεύητε εἰς πᾶν ἔργον ἀγ.
Eph 2 10 κτισθέντες – ἐπὶ ἔργοις ἀγ., οἷς
  4 29 εἴ τις (sc λόγος) ἀγ. πρὸς οἰκοδομήν
Phl 1 6 ὁ ἐναρξάμενος ἐν ὑμῖν ἔργον ἀγ.
Col 1 10 ἐν παντὶ ἔργῳ ἀγ. καρποφοροῦντες
1 Th 3 6 ὅτι ἔχετε μνείαν ἡμῶν ἀ..ὴν πάντοτε
2 Th 2 16 ὁ – δοὺς – ἐλπίδα ἀ..ὴν ἐν χάριτι
  – 17 στηρίξαι (sc ὑμῶν τὰς καρδίας) ἐν
    παντὶ ἔργῳ καὶ λόγῳ ἀγαθῷ
1 Ti 1 5 ἀγάπη ἐκ – συνειδήσεως ἀγαθῆς
  – 19 ἔχων πίστιν καὶ ἀγαθὴν συνείδησιν
  2 10 κοσμεῖν ἑαυτάς, –, δι' ἔργων ἀ..ῶν
  5 10 εἰ παντὶ ἔργῳ ἀγ. ἐπηκολούθησεν
2 Ti 2 21 σκεῦος – εἰς πᾶν ἔργ. ἀγ. ἡτοιμασμ.
  3 17 πρὸς πᾶν ἔργον ἀγ. ἐξηρτισμένος
Tit 1 16 πρὸς πᾶν ἔργον ἀγαθὸν ἀδόκιμοι
  2 10 πᾶσαν πίστιν ἐνδεικνυμένους ἀ..ήν
  3 1 πρὸς πᾶν ἔργον ἀγ. ἑτοίμους εἶναι
Jac 1 17 πᾶσα δόσις ἀγαθή (datum optimum)
  3 17 ἡ δὲ ἄνωθεν σοφία – μεστὴ ἐλέους
    καὶ καρπῶν ἀγαθῶν
1 Pe 3 10 „ὁ – θέλων – ἰδεῖν ἡμέρας ἀγαθάς"
  – 16 ἀλλὰ – συνείδησιν ἔχοντες ἀγαθήν, ἵνα
    – καταισχυνθῶσιν οἱ ἐπηρεάζοντες
    ὑμῶν τὴν ἀ..ὴν ἐν Χῷ ἀναστροφήν
  – 21 συνειδήσεως ἀ..ῆς ἐπερώτημα εἰς θ.

ἀγαθουργεῖν S° – benefacere → ἀ..οεργεῖν
Act 14 17 οὐκ ἀμάρτυρον αὐτὸν ἀφῆκεν ἀ..ῶν

ἀγαθωσύνη bonitas
Rm 15 14 καὶ αὐτοὶ μεστοί ἐστε ἀγαθωσύνης
    (vl ἀγάπης, vg dilectione)
Gal 5 22 ὁ – καρπὸς τοῦ πνεύματός ἐστιν – ἀγ.

Eph 5 9 ὁ – καρπὸς τοῦ φωτὸς ἐν πάσῃ ἀ..ῃ
2 Th 1 11 ἵνα – πληρώσῃ πᾶσαν εὐδοκίαν ἀ..ης

ἀγαλλιᾶσθαι, -ᾶν exultare b laetari
Mat 5 12 χαίρετε καὶ ἀγαλλιᾶσθε Ap 19 7
Luc 1 47 „ἠγ..ίασεν" τὸ πνεῦ. μου ἐπὶ τ. θεῷ
Act 2 26 „ἠγ..άσατο ἡ γλῶσσά μου"
  10 21 ἠγαλλιάσατο τῷ πνεύματι τῷ ἁγίῳ
Joh 5 35 ὑμεῖς δὲ ἠθελήσατε ἀγαλλιαθῆναι
    πρὸς ὥραν ἐν τῷ φωτὶ αὐτοῦ
  8 56 Ἀβρ. – ἠγ..άσατο ἵνα ἴδῃ τ. ἡμέραν
Act 16 34 ἠγαλλιάσατο b πανοικεὶ πεπιστευκώς
1 Pe 1 6 ἐν καιρῷ ἐσχάτῳ. ἐν ᾧ ἀγ..ᾶσθε
  – 8 εἰς ὃν – πιστεύοντες – ἀγαλλιᾶσθε
    (vl ..ᾶτε) χαρᾷ ἀνεκλαλήτῳ
  4 13 ἵνα καὶ ἐν τῇ ἀποκαλύψει τῆς δόξης
    αὐτοῦ χαρῆτε ἀγαλλιώμενοι

ἀγαλλίασις exultatio b gaudium c laetitia
Luc 1 14 ἔσται χαρά σοι καὶ ἀγαλλίασις 44 b
Act 2 46 ἐν ἀγ..ει καὶ ἀφελότητι καρδίας
Hb 1 9 „ἔχρισέν σε – ἔλαιον ἀ..εως" (vl c)
Jud 24 ὑμᾶς – στῆσαι – ἀμώμους ἐν ἀγ..ει

ἄγαμος, ὁ et ἡ, ἄγαμοι a non nupti b innupta
    c qui sine uxore est
1 Co 7 8 λέγω – τοῖς ἀγ. a καὶ ταῖς χήραις 11
    μενέτω ἀγ. b 32 ὁ ἄγ. c μεριμνᾷ τὰ τοῦ
    κυρίου 34 ἡ γυνὴ ἡ ἄγ. b καὶ ἡ παρθένος
    μεριμνᾷ τὰ τοῦ κυρίου, ἵνα ᾖ ἁγία

ἀγανακτεῖν indignari b indigne ferre
Mat 20 24 οἱ δέκα ἠγ..ησαν ‖ Mar 10 41 – Mat
    21 15 οἱ ἀρχιερεῖς καὶ οἱ γραμματεῖς 26 8
    οἱ μαθηταί ‖ Mar 14 4 ἦσαν δέ τινες ἀγ..οῦν-
    τες b πρὸς ἑαυτούς – 10 14 Ἰησοῦς ἠγ-
    ανάκτησεν b Luc 13 14 ὁ ἀρχισυνάγωγος

ἀγανάκτησις indignatio 2 Co 7 11

ἀγαπᾶν diligere b amare

1) absolute dictum, sine accusativo
Luc 7 47 ὅτι ἠγάπησεν πολύ · – ὀλίγον ἀγαπᾷ
1 Jo 3 14 ὁ μὴ ἀγαπῶν (vl sub 2) μένει ἐν τῷ
    θανάτῳ 18 μὴ ἀγαπῶμεν λόγῳ μηδὲ τῇ
    γλώσσῃ, ἀλλὰ ἐν ἔργῳ καὶ ἀληθείᾳ 4 7 πᾶς
    ὁ ἀγαπῶν ἐκ τοῦ θεοῦ γεγέννηται 8 ὁ
    μὴ ἀγ. οὐκ ἔγνω τὸν θεόν 19 ἡμεῖς ἀγα-
    πῶμεν (vl τὸν θεὸν vg) ὅτι αὐτὸς πρῶτος

2) homines, Jesum, Deum diligere
Mat 5 43 „ἀγαπήσεις τὸν πλησίον σου"

Mat 19 19 „ὡς σεαυτόν" 22 39 ‖ Mar 12 31. 33
τὸ „ἀγ..ᾶν τὸν πλησίον ὡς ἑαυτόν"
περισσότερόν ἐστιν Luc 10 27 — Rm
13 9 Gal 5 14 Jac 2 8
5 44 ἀγαπᾶτε τοὺς ἐχθροὺς ὑμῶν ‖
Luc 6 27. 35
— 46 ἐὰν – ἀγαπήσητε τοὺς ἀγαπῶντας
ὑμᾶς ‖ Luc 6 32 εἰ ἀγ..ᾶτε —, ποία ὑμῖν
χάρις ἐστίν; καὶ – οἱ ἁμαρτωλοὶ τοὺς
ἀγ..ῶντας αὐτοὺς ἀγ..ῶσιν
6 24 τὸν ἕτερον (sc κύριον) ἀγ..ήσει ‖ Luc
16 13
22 37 „ἀγαπήσεις κύριον τὸν θεόν σου
ἐν ὅλῃ τῇ καρδίᾳ σου" ‖ Mar 12 30 ἐξ
ὅλης 33 τὸ ἀγ..ᾶν αὐτόν Luc 10 27
Mar 10 21 Ἰησοῦς ἐμβλέψας αὐτῷ ἠγ..ησεν αὐτόν
Luc 7 5 ἀγαπᾷ γὰρ τὸ ἔθνος ἡμῶν
— 42 τίς – αὐτῶν πλεῖον ἀγαπήσει αὐτόν;
Joh 3 16 οὕτως – ἠγάπησεν ὁ θεὸς τὸν κόσμον
— 35 ὁ πατὴρ ἀγαπᾷ τὸν υἱόν 10 17 διὰ
τοῦτό με ὁ πατὴρ ἀγαπᾷ ὅτι ἐγὼ τί-
θημι τὴν ψυχήν μου 15 9 καθὼς ἠγά-
πησέν με ὁ πατήρ 17 23 καθὼς ἐμὲ
ἠγάπησας 24 τὴν δόξαν –, ἣν δέδω-
κάς μοι ὅτι ἠγάπησάς με πρὸ κατα-
βολῆς κόσμου 26 ἵνα ἡ ἀγάπη ἣν
ἠγάπησάς με ἐν αὐτοῖς ᾖ
8 42 ἠγαπᾶτε ἂν ἐμέ 14 15 ἐὰν ἀγαπᾶτέ με
21 ἐκεῖνός ἐστιν ὁ ἀγαπῶν με· ὁ δὲ
ἀγαπῶν με ἀγαπηθήσεται ὑπὸ τοῦ
πατρός μου 23 ἐάν τις ἀγαπᾷ με, –,
καὶ ὁ πατήρ μου ἀγαπήσει αὐτόν 24
ὁ μὴ ἀγαπῶν με 28 εἰ ἠγαπᾶτέ με,
ἐχάρητε ἂν 21 15 ἀγαπᾷς με πλέον
τούτων; – οἶδας ὅτι φιλῶ [b] σε 16 ἀγα-
πᾷς με; – σὺ οἶδας ὅτι φιλῶ [b] σε
11 5 ἠγάπα δὲ ὁ Ἰησοῦς τὴν Μάρθαν καὶ
13 1 ἀγαπήσας τοὺς ἰδίους τοὺς ἐν τῷ κόσ-
μῳ, εἰς τέλος ἠγάπησεν αὐτούς
— 23 ὃν ἠγάπα ὁ Ἰησοῦς 19 26 21 7. 20
— 34 ἐντολὴν καινὴν –, ἵνα ἀγαπᾶτε ἀλλή-
λους, καθὼς ἠγάπησα ὑμᾶς ἵνα καὶ
ὑμεῖς ἀγαπᾶτε ἀλλήλους 15 12. 17
14 21 ἀγαπηθήσεται ὑπὸ τοῦ πατρός
μου, κἀγὼ ἀγαπήσω αὐτόν 23 ὁ πα-
τήρ μου ἀγαπήσει αὐτόν 15 9 κἀγὼ
ὑμᾶς ἠγάπησα 17 23 ὅτι σὺ – ἠγάπη-
σας αὐτοὺς καθὼς ἐμὲ ἠγάπησας
— 31 ἵνα γνῷ ὁ κόσμος ὅτι ἀγαπῶ τὸν
πατέρα
Rm 8 28 τοῖς ἀγαπῶσιν τ. θεὸν πάντα συνεργεῖ
— 37 ὑπερνικῶμεν διὰ τοῦ ἀ..ήσαντος ἡμᾶς

Rm 9 13 „τὸν Ἰακὼβ ἠγάπησα, – ἐμίσησα"
— 25 „τὴν οὐκ ἠγαπημένην ἠγ..μένην"
13 8 εἰ μὴ τὸ ἀλλήλους ἀ..ᾶν· ὁ γὰρ ἀ..ῶν
τὸν – νόμον πεπλήρωκεν 9 → Mat 5 43
1 Co 2 9 „ὅσα" ἡτοίμασεν „ὁ θεὸς τοῖς ἀγα-
πῶσιν αὐτόν" → Jac 1 12 2 5
8 3 εἰ δέ τις ἀγαπᾷ τὸν θεόν, – ἔγνωσται
2 Co 9 7 „ἱλαρὸν" γὰρ „δότην" ἀγαπᾷ „ὁ θεός"
11 11 διὰ τί; ὅτι οὐκ ἀγαπῶ ὑμᾶς;
12 15 εἰ περισσοτέρως ὑμᾶς ἀγαπῶ, ἧσσον
ἀγαπῶμαι;
Gal 2 20 ἐν πίστει ζῶ τῇ – τοῦ ἀγαπήσαντός
με καὶ παραδόντος ἑαυτόν – 5 14
→ Mat 5 43
Eph 1 6 ἐχαρίτωσεν ἡμᾶς ἐν τῷ ἠγαπημένῳ
2 4 διὰ τὴν πολλὴν ἀγάπην αὐτοῦ ἣν
ἠγάπησεν ἡμᾶς
5 2 καθὼς καὶ ὁ Χρ. ἠγάπησεν ὑμᾶς
— 25 ἀγαπᾶτε τὰς γυναῖκας, καθὼς καὶ ὁ
Χρ. ἠγάπησεν τὴν ἐκκλησίαν 28 ἀγα-
πᾶν τὰς – γυν. ὡς τὰ ἑαυτῶν σώματα·
ὁ ἀ..ῶν τὴν – γυν. ἑαυτὸν ἀγαπᾷ 33
Col 3 19
6 24 μετὰ πάντων τῶν ἀγαπώντων τὸν κύ-
ριον ἡμῶν Ἰ. Χόν ἐν ἀφθαρσίᾳ
Col 3 12 ὡς ἐκλεκτοὶ – ἠγαπημένοι 1 Th 1 4 ἀ-
δελφοὶ ἠγ. ὑπὸ [τοῦ] θεοῦ 2 Th 2 13
„ὑπὸ κυρίου" Jud 1 τοῖς ἐν θεῷ πα-
τρὶ ἠγαπημένοις – κλητοῖς
1 Th 4 9 θεοδίδακτοί ἐστε εἰς τὸ ἀγ. ἀλλήλους
2 Th 2 16 ὁ θεὸς –, ὁ ἀγαπήσας ἡμᾶς καὶ δοὺς
Hb 12 6 „ὃν γὰρ ἀγαπᾷ κύριος παιδεύει"
Jac 1 12 τὸν στέφανον τῆς ζωῆς, ὃν ἐπηγγείλα-
το τοῖς ἀγαπῶσιν αὐτόν 2 5 τῆς βασιλείας
ἧς ἐπηγγ. τοῖς ἀγ. αὐτόν – 2 8 → Mat 5 43
1 Pe 1 8 Ἰ. Χοῦ, ὃν οὐκ ἰδόντες ἀγαπᾶτε
— 22 ἐκ καρδίας ἀλλήλους ἀγαπήσατε ἐκτε-
νῶς 2 17 τὴν ἀδελφότητα ἀγαπᾶτε
1 Jo 2 10 ὁ ἀγαπῶν τὸν ἀδελφὸν αὐτοῦ
— 3 10 ὁ μὴ ἀγ. τὸν ἀδ. αὐτοῦ 14 ὅτι ἀγα-
πῶμεν τοὺς ἀδελφούς· ὁ μὴ ἀγ. (vl
τὸν ἀδ.) 4 20 ὁ – μὴ ἀγ. τὸν ἀδ. αὐτοῦ
ὃν ἑώρακεν 21 ἵνα – ἀγαπᾷ καὶ τὸν ἀδ.
3 11 αὕτη ἐστὶν ἡ ἀγγελία –, ἵνα ἀγ..ῶμεν
ἀλλήλους 23 4 7 ἀγ..ῶμεν ἀλλ. 11 ὀ-
φείλομεν ἀλλ. ἀγαπᾶν 12 ἐὰν ἀγ..ῶμεν
ἀλλ. 2 Jo 5 ἐντολὴν –, ἣν εἴχομεν
ἀπ᾽ ἀρχῆς, ἵνα ἀγ..ῶμεν ἀλλήλους
4 10 οὐχ ὅτι ἡμεῖς ἠγαπήκαμεν τὸν θεόν,
ἀλλ᾽ ὅτι αὐτὸς ἠγάπησεν ἡμᾶς 11
εἰ οὕτως ὁ θεὸς ἠγ. ἡμᾶς 19 πρῶτος
ἠγάπησεν ἡμᾶς

1 Jo 4 20 ἐάν τις εἴπῃ ὅτι ἀγαπῶ τὸν θεόν,
– τὸν θεὸν ὃν οὐχ ἑώρακεν οὐ δύνα-
ται ἀγαπᾶν 21 ἵνα ὁ ἀγαπῶν τὸν θεὸν
ἀγαπᾷ καὶ τὸν ἀδελφὸν αὐτοῦ
.5 1 πᾶς ὁ ἀγαπῶν τὸν γεννήσαντα ἀγαπᾷ
τὸν γεγεννημένον ἐξ αὐτοῦ 2 γινώσκο-
μεν ὅτι ἀ..ῶμεν τὰ τέκνα τοῦ θεοῦ,
ὅταν τὸν θεὸν ἀγ..ῶμεν

2 Jo 1 οὓς ἐγὼ ἀγαπῶ ἐν ἀληθείᾳ 3 Jo 1 ὄν
Ap 1 5 τῷ ἀγαπῶντι ἡμᾶς καὶ λύσαντι
3 9 ἵνα – γνῶσιν ὅτι „ἐγὼ ἠγάπησά σε"

3) bona huius et aeternae vitae amore
amplecti, mundum, vitam, iustitiam,
spem

Luc 11 43 ἀγαπᾶτε τὴν πρωτοκαθεδρίαν
Joh 3 16 θεὸς τὸν κόσμον → sub 2)
– 19 ἠγάπησαν οἱ ἄνθρωποι μᾶλλον τὸ
σκότος ἢ τὸ φῶς
12 43 ἠγάπησαν – τὴν δόξαν τῶν ἀνθρώπων
μᾶλλον ἤπερ τὴν δόξαν τοῦ θεοῦ
2 Ti 4 8 τοῖς ἠγαπηκόσι τὴν ἐπιφάνειαν αὐτοῦ
– 10 Δημᾶς – ἀγαπήσας τὸν νῦν αἰῶνα
Hb 1 9 „ἠγάπησας δικαιοσύνην κ. ἐμίσησας"
1 Pe 3 10 ὁ γὰρ „θέλων ζωὴν ἀγαπᾶν"
2 Pe 2 15 ὃς μισθὸν ἀδικίας ἠγάπησεν b
1 Jo 2 15 μὴ ἀγ..ᾶτε τὸν κόσμον μηδὲ τὰ ἐν τῷ
κόσμῳ. ἐάν τις ἀγ..ᾷ τὸν κό., οὐκ
Ap 12 11 οὐκ ἠγάπησαν τὴν ψυχὴν αὐτῶν ἄχρι
θανάτου
20 9 τὴν πόλιν „τὴν ἠγαπημένην"

ἀγάπη charitas (car.) b dilectio c (αἱ ἀγά-
παι) epulae d (vl αἱ ἀγ.) convivia e (φίλη-
μα τῆς ἀγ.) osculum sanctum
Mat 24 12 ψυγήσεται ἡ ἀγάπη τῶν πολλῶν
Luc 11 42 παρέρχεσθε – τὴν ἀγάπην τοῦ θεοῦ
Joh 5 42 τὴν ἀγ.b τ. θεοῦ οὐκ ἔχετε ἐν ἑαυτοῖς
13 35 ἐὰν ἀγάπην b ἔχητε ἐν ἀλλήλοις
15 9 μείνατε ἐν τῇ ἀγ.b τῇ ἐμῇ 10 μενεῖτε
ἐν τῇ ἀγ.b μου, καθὼς ἐγὼ – μένω
αὐτοῦ ἐν τῇ ἀγ.b
– 13 μείζονα ταύτης ἀγάπην b οὐδεὶς ἔχει
17 26 ἵνα ἡ ἀγ.b ἣν ἠγάπησάς με ἐν αὐτοῖς
ᾖ κἀγὼ ἐν αὐτοῖς
Rm 5 5 ἡ ἀγ. τ. θεοῦ ἐκκέχυται ἐν ταῖς καρδ.
– 8 συνίστησιν δὲ τὴν ἑαυτοῦ ἀγ. εἰς ἡμᾶς
ὁ θεὸς ὅτι ἔτι ἁμαρτωλῶν ὄντων ἡμῶν
Χὸς ὑπὲρ ἡμῶν ἀπέθανεν 1 Jo 4 10
8 35 τίς ἡμᾶς χωρίσει ἀπὸ τῆς ἀγ. τ. Χοῦ
(vl θεοῦ); 39 δυνήσεται ἡμᾶς χωρίσαι
ἀπὸ τῆς ἀγ. τοῦ θεοῦ τῆς ἐν Χῷ Ἰου

Rm 12 9 ἡ ἀγ.b ἀνυπόκριτος 2 Co 6 6 ἐν ἀγ. ἀν.
13 10 ἡ ἀγ.b τῷ πλησίον κακὸν οὐκ ἐργά-
ζεται· πλήρωμα οὖν νόμου ἡ ἀγ.b
14 15 οὐκέτι κατὰ ἀγάπην περιπατεῖς
15 30 παρακαλῶ – διὰ τῆς ἀγ. τοῦ πνεύμ.
1 Co 4 21 ἐν ῥάβδῳ ἔλθω –, ἢ ἐν ἀγάπῃ –;
8 1 ἡ δὲ ἀγ. οἰκοδομεῖ Eph 4 16 αὔξησιν
τοῦ σώματος – εἰς οἰκοδομὴν ἐν ἀγ.
13 1 ἐὰν –, ἀγάπην δὲ μὴ ἔχω 2.3.4 ἡ ἀγ.
μακροθυμεῖ, χρηστεύεται ἡ ἀγ., –,
ἡ ἀγ. οὐ περπερεύεται 8 ἡ ἀγ. οὐδέ-
ποτε πίπτει 13 μένει πίστις, ἐλπίς, ἀγ.,
– μείζων δὲ – ἡ ἀγ. 14 1 διώκετε τ. ἀγ.
16 14 πάντα ὑμῶν ἐν ἀγάπῃ γινέσθω
– 24 ἡ ἀγ. μου μετὰ πάντων ὑμῶν ἐν Χῷ
2 Co 2 4 τὴν ἀγ. ἵνα γνῶτε ἣν ἔχω – εἰς ὑμ.
– 8 παρακαλῶ – κυρῶσαι εἰς αὐτὸν ἀγ..ην
5 14 ἡ γὰρ ἀγάπη τοῦ Χοῦ συνέχει ἡμᾶς
8 7 περισσεύετε, – τῇ ἐξ ἡμῶν ἐν ὑμῖν (vl
ὑμ. ἐν ἡμ. – vestra in nos) ἀγ. 8 τὸ
τῆς ὑμετέρας ἀγ. γνήσιον δοκιμάζων
– 24 τὴν οὖν ἔνδειξιν τῆς ἀγ. ὑμῶν – εἰς
αὐτοὺς ἐνδεικνύμενοι
13 11 ὁ θεὸς τῆς ἀγ.b καὶ εἰρήνης – μεθ'
ὑμῶν 13 ἡ ἀγ. τοῦ θεοῦ – μετὰ πάντων
Gal 5 6 πίστις δι' ἀγάπης ἐνεργουμένη
– 13 διὰ τῆς ἀγάπης δουλεύετε ἀλλήλοις
– 22 ὁ δὲ καρπὸς τοῦ πνεύματός ἐστιν ἀγ.
Eph 1 4 ἐν ἀγάπῃ προορίσας ἡμᾶς εἰς υἱοθεσ.
– 15 ἀκούσας – τὴν ἀγ.b τὴν εἰς πάντας
τοὺς ἁγίους Col 1 4 b Phm 5
2 4 διὰ τὴν πολλὴν ἀγ. αὐτοῦ (sc θεοῦ)
3 17 ἐν ἀγάπῃ ἐρριζωμένοι καὶ τεθεμελ.
– 19 γνῶναί τε τὴν ὑπερβάλλουσαν τῆς
γνώσεως ἀγάπην τοῦ Χοῦ
4 2 ἀνεχόμενοι ἀλλήλων ἐν ἀγάπῃ 15 ἀλη-
θεύοντες – ἐν ἀγ. 16 εἰς οἰκοδομὴν –
ἐν ἀγ. 5 2 περιπατεῖτε ἐν ἀγ.b
6 23 εἰρήνη – καὶ ἀγάπη μετὰ πίστεως
Phil 1 9 ἵνα ἡ ἀγ. ὑμῶν ἔτι – περισσεύῃ
– 16 Χὸν κηρύσσουσιν· οἱ μὲν ἐξ ἀγάπης
2 1 εἴ τι παραμύθιον ἀγάπης, εἴ τις κοιν.
– 2 τὴν αὐτὴν ἀγ. ἔχοντες, σύμψυχοι
Col 1 (4 → Eph 1 15) 8 ὁ καὶ δηλώσας (Epaphr.)
ἡμῖν τὴν ὑμῶν ἀγ.b ἐν πνεύματι
– 13 εἰς τὴν βασιλείαν τοῦ υἱοῦ τῆς ἀγ.b
2 2 συμβιβασθέντες ἐν ἀγάπῃ   [αὐτοῦ
3 14 ἐπὶ πᾶσιν δὲ τούτοις τὴν ἀγ., ὅ ἐστιν
1 Th 1 3 τοῦ ἔργου τῆς πίστεως καὶ τοῦ κόπου
τῆς ἀγ. 3 6 τὴν πίστιν καὶ τὴν ἀγ. ὑμῶν
2 Th 1 3 ἡ πίστις ὑμῶν καὶ πλεονάζει
ἡ ἀγ. ἑνὸς ἑκάστου – ὑμῶν εἰς ἀλλήλ.

1 Th 3 12 ὑμᾶς δὲ ὁ κύριος – περισσεύσαι τῇ
ἀγ. εἰς ἀλλήλους καὶ εἰς πάντας
5 8 „θώρακα" πίστεως καὶ ἀγάπης
– 13 ἡγεῖσθαι αὐτοὺς ὑπερεκπερ. ἐν ἀγ..ῃ
2 Th 2 10 τὴν ἀγ. τῆς ἀληθείας οὐκ ἐδέξαντο
3 5 ὁ δὲ κύριος κατευθύναι ὑμῶν τὰς
καρδίας εἰς τὴν ἀγάπην τοῦ θεοῦ
1 Ti 1 5 ἀγ. ἐκ καθαρᾶς καρδίας καὶ συνειδ.
– 14 μετὰ πίστεως καὶ ἀγάπης ᵇ τῆς ἐν Χῷ
'Ι. 2 Ti 1 13 ἐν π. καὶ ἀγ. ᵇ τῇ ἐν 'Ι. Χῷ
2 15 ἐὰν μείνωσιν ἐν πίστει καὶ ἀγάπῃ ᵇ
4 12 τύπος γίνου – ἐν ἀγάπῃ, ἐν πίστει
6 11 δίωκε – πίστιν, ἀγάπην 2 Ti 2 22
2 Ti 1 7 πνεῦμα – δυνάμεως καὶ ἀγάπης ᵇ
3 10 παρηκολούθησάς μου – τῇ ἀγάπῃ ᵇ
Tit 2 2 ὑγιαίνοντας τῇ πίστει, τῇ ἀγάπῃ ᵇ
Phm 5 ἀκούων σου τὴν ἀγ. καὶ τὴν πίστιν –
πρὸς τὸν κύριον 'Ιησοῦν καὶ εἰς πάν-
τας τοὺς ἁγίους
7 χαρὰν – πολλὴν ἔσχον – ἐπὶ τῇ ἀγ. σου
9 διὰ τὴν ἀγάπην μᾶλλον παρακαλῶ
Hb 6 10 τῆς ἀγ. ᵇ ἧς ἐνεδείξασθε εἰς τὸ ὄνομα
αὐτοῦ, διακονήσαντες τοῖς ἁγίοις
10 24 εἰς παροξυσμὸν ἀγάπης καὶ – ἔργων
1 Pe 4 8 τὴν εἰς ἑαυτοὺς ἀγ. ἐκτενῆ ἔχοντες,
ὅτι „ἀγ. καλύπτει" πλῆθος „ἁμαρτιῶν"
5 14 ἀσπάσασθε – ἐν φιλήματι ἀγάπης ᵉ
2 Pe 1 7 ἐν δὲ τῇ φιλαδελφίᾳ τὴν ἀγάπην
(2 13 vl ἐν ταῖς ἀγ. ᵈ αὐτῶν)
1 Jo 2 5 ἐν τούτῳ ἡ ἀγ. τοῦ θεοῦ τετελείωται
– 15 οὐκ ἔστιν ἡ ἀγ. τοῦ πατρὸς ἐν αὐτῷ
3 17 πῶς ἡ ἀγ. τ. θεοῦ μένει ἐν αὐτῷ;
3 1 ποταπὴν ἀγ. δέδωκεν ἡμῖν ὁ πατήρ
– 16 ἐν τούτῳ ἐγνώκαμεν τὴν ἀγ. 4 9 ἐφα-
νερώθη ἡ ἀγ. τοῦ θεοῦ ἐν ἡμῖν 10 ἐν
τούτῳ ἐστὶν ἡ ἀγ., οὐχ ὅτι ἡμεῖς ἠγα-
πήκαμεν τὸν θεόν 16 πεπιστεύκαμεν
τὴν ἀγ. ἣν ἔχει ὁ θεὸς ἐν ἡμῖν
4 7 ἡ ἀγ. ἐκ τοῦ θεοῦ ἐστιν 8 ὁ θεὸς ἀγά-
πη ἐστίν 16 ὁ θεὸς ἀγ. ἐστίν, καὶ ὁ
μένων ἐν τῇ ἀγ. ἐν τῷ θεῷ μένει
– 12 ἡ ἀγ. αὐτοῦ τετελειωμένη ἐν ἡμῖν ἐστιν
– 17 ἐν τούτῳ τετελείωται ἡ ἀγ. μεθ' ἡμῶν
– 18 φόβος οὐκ ἔστιν ἐν τῇ ἀγ., ἀλλ' ἡ τε-
λεία ἀγ. ἔξω βάλλει τὸν φόβον, – ὁ
δὲ φοβούμενος οὐ τετελ. ἐν τῇ ἀγ.
5 3 αὕτη γάρ ἐστιν ἡ ἀγ. τοῦ θεοῦ, ἵνα
τὰς ἐντολὰς αὐτοῦ τηρῶμεν 2 Jo 6
2 Jo 3 παρὰ 'Ι. Χοῦ –, ἐν ἀληθείᾳ καὶ ἀγάπῃ
3 Jo 6 οἳ ἐμαρτύρησάν σου τῇ ἀγ. ἐνώπιον
Jud 2 ἔλεος ὑμῖν – καὶ ἀγ. πληθυνθείη
12 οἱ ἐν ταῖς ἀγ. ᶜ ὑμῶν (vl αὐτῶν) σπι-

λάδες συνευωχούμενοι
Jud 21 ἑαυτοὺς ἐν ἀγάπῃ ᵇ θεοῦ τηρήσατε
Ap 2 4 τὴν ἀγ. σου τὴν πρώτην ἀφῆκας
– 19 οἶδά σου τὰ ἔργα καὶ τὴν ἀγάπην

ἀγαπητός   *charissimus (car.)*   ᵇ*dilectus*
    (*dilectissimus*)
Mat 3 17 „ὁ υἱός" μου „ὁ ἀγαπητός ᵇ" ‖ Mar 1 11 ᵇ
Luc 3 22 ᵇ – Mat 17 5 ᵇ ‖ Mar 9 7 2 Pe 1 17 ᵇ –
Mat 12 18 „ὁ ἀγαπητός ᵇ μου"
Mar 12 6 ἔτι ἕνα εἶχεν, υἱὸν ἀ..όν ‖ Luc 20 13 ᵇ
Act 15 25 σὺν τοῖς ἀγαπητοῖς ἡμῶν Βαρναβᾷ
καὶ Παύλῳ, alibi cum nominibus per-
sonarum : Rm 16 5 ᵇ 8 τὸν ἀγ. ᵇ μου ἐν
κυρίῳ 9 ᵇ 12 τὴν ἀγ..ήν Eph 6 21 ὁ ἀγ. ἀδελ-
φός Col 1 7 τοῦ ἀγ. συνδούλου ἡμῶν 4 7 ὁ
ἀγ. ἀδελφός 9. 14 ὁ ἰατρὸς ὁ ἀγ. 2 Ti 1 2
ἀγαπητῷ τέκνῳ (cfr 1 Co 4 17) Phm 1 τῷ
ἀγαπητῷ ᵇ – 2 Pe 3 15 ὁ ἀγ. ἡμῶν ἀδελφὸς
Παῦλος – 3 Jo 1
Rm 1 7 τοῖς – ἐν Ῥώμῃ ἀγαπητοῖς ᵇ θεοῦ
11 28 κατὰ δὲ τὴν ἐκλογὴν ἀγαπητοί
12 19 ἀγαπητοί. alibi in alloquendo :
1 Co 10 14 μου 15 58 ἀδελφοί μου ἀγ. ᵇ
2 Co 7 1 12 19 Phl 2 12 μου 4 1 ἀδελφοί
μου ἀγ. καὶ ἐπιπόθητοι, – , ἀγαπη-
τοί – Hb 6 9 ᵇ – Jac 1 16 ἀδ. μου ἀγ. ᵇ
19 ᵇ 2 5 ᵇ – 1 Pe 2 11 4 12 2 Pe 3 1.8.
14. 17 (vg°) – 1 Jo 2 7 3 2.21 4 1.7.11
Jud 3. 17. 20
1 Co 4 14 ὡς τέκνα μου ἀγαπητὰ νουθετῶν
– 17 ὅς ἐστίν μου τέκνον ἀγαπητόν
Eph 5 1 μιμηταὶ τοῦ θεοῦ, ὡς τέκνα ἀγ..ά
1 Th 2 8 διότι ἀγαπητοὶ ἡμῖν ἐγενήθητε
1 Ti 6 2 ὅτι πιστοί εἰσιν καὶ ἀγαπητοί ᵇ
Phm 16 ὑπὲρ δοῦλον, ἀδελφὸν ἀ..όν, – ἐμοί
3 Jo 2 ἀγαπητέ 5.11

Ἀγάρ   Gal 4 24.25 τὸ δὲ Ἁ. Σινὰ ὄρος ἐστίν

ἀγγαρεύειν   Sᵒ – *angariare* Mat 5 41 ὅστις σε
ἀ..εύσει μίλιον ἕν 27 32 ‖ Mar 15 21

ἀγγεῖον   *vas* Mat 25 4 ἔλαιον ἐν τοῖς ἀγγ.

ἀγγελία   *annunciatio* 1 Jo 1 5 ἔστιν αὕτη ἡ
ἀγγ. ἣν ἀκηκόαμεν ἀπ' αὐτοῦ, ὅτι 3 11 ἡ
ἀγγ. ἣν ἠκούσατε ἀπ' ἀρχῆς, ἵνα

ἀγγέλλειν   ᵃ*annunciare*   ᵇ*nunciare*
Joh (4 51 vl ἤγγειλαν ᵇ ὅτι ὁ παῖς αὐτοῦ ζῇ)
20 18 ἀγγέλλουσα ᵃ – ὅτι ἑώρακα τ. κύριον

ἄγγελος *angelus* [b]*nuncius*
Mat 1 20 ἄγγελος κυρίου – ἐφάνη 24 2 13.19
28 2 (5 ὁ ἄγγ.) Luc 1 11 (13 ὁ ἄγγ. 18.19.26
ὁ ἄγγ. Γαβριὴλ 30.34.35.38) 2 9 ἄγγ. κυρίου
ἐπέστη (10 ὁ ἄγγ. 13.15 οἱ ἄγγ. 21 κληθὲν
ὑπὸ τοῦ ἄγγ.) – Act 5 19 ἄγγ. δὲ κυρίου
8 26 12 7 (8 ὁ ἄγγ. 9.10) 11 ἐξαπέστειλεν ὁ
κύριος τὸν ἄγγ. αὐτοῦ 23 ἐπάταξεν αὐτὸν
ἄγγ. κυρίου – 10 3 ἄγγελον τοῦ θεοῦ εἰσελ-
θόντα (7 ὁ ἄγγ. 22 ὑπὸ ἀγγέλου ἁγίου
11 13) 27 23 τοῦ θεοῦ οὗ εἰμι, – ἄγγελος
4 6 „τοῖς ἄγγ. αὐτοῦ ἐντελεῖται" ‖ Luc 4 10
– 11 ἄγγελοι – διηκόνουν αὐτῷ ‖ Mar 1 13
cfr Joh 1 51 ὄψεσθε τοὺς ἄγγ. τοῦ θε-
οῦ – καταβαίνοντας ἐπὶ τὸν υἱὸν τοῦ
ἀνθρώπου
11 10 „ἀποστέλλω τὸν ἄγγ. μου πρὸ προσ-
ώπου σου" ‖ Mar 1 2 Luc 7 27
13 39 οἱ δὲ θερισταὶ ἄγγελοί εἰσιν 41.49 ἐξ-
ελεύσονται οἱ ἄγγ. καὶ ἀφοριοῦσιν –
24 31 ‖ Mar 13 27
16 27 μέλλει – ἔρχεσθαι – μετὰ τῶν ἄγγ. αὐ-
τοῦ ‖ Mar 8 38 τῶν ἁγίων Luc 9 26 –
Mat 25 31 καὶ „πάντες οἱ ἄγγ. μετ'
αὐτοῦ" 2 Th 1 7 μετ' ἀγγέλων δυνάμε-
ως αὐτοῦ
18 10 οἱ ἄγγ. αὐτῶν ἐν οὐρ. – βλέπουσι
22 30 ὡς ἄγγελοι (vl θεοῦ vg) ἐν τῷ οὐ-
ρανῷ εἰσιν ‖ Mar 12 25 ἐν τοῖς οὐρανοῖς
24 36 οὐδὲ οἱ ἄγγ. τῶν οὐρ. ‖ Mar 13 32 ἐν οὐρ.
25 41 τῷ διαβόλῳ καὶ τοῖς ἄγγ. αὐτοῦ
cfr 2 Co 12 7 ἄγγελος σατανᾶ 2 Pe 2 4
ἀγγέλων ἁμαρτησάντων οὐκ ἐφείσατο
Jud 6 ἀγγέλους τε τοὺς μὴ τηρήσαν-
τας τὴν ἑαυτῶν ἀρχήν Ap 9 11 βασιλέα
τὸν ἄγγ. τῆς ἀβύσσου 12 7 ὁ δράκων
– καὶ οἱ ἄγγ. αὐτοῦ 9 οἱ ἄγγ. αὐ-
τοῦ – ἐβλήθησαν
26 53 πλείω δώδεκα λεγιῶνας ἀγγέλων;
Luc 7 24 ἀπελθόντων – τῶν ἄγγ. [b] Ἰωάννου
9 52 ἀπέστειλεν ἀγγέλους [b] πρὸ προσώπ.
12 8 ὁμολογήσει ἐν αὐτῷ ἔμπροσθεν
τῶν ἄγγ. τοῦ θεοῦ (Ap 3 5 ὁμ..ω τὸ
ὄνομα αὐτοῦ – ἐνώπιον τῶν ἄγγ. αὐ-
τοῦ) 9 ἀπαρνηθήσεται ἐνώπ. τῶν ἄγγ.
τοῦ θεοῦ 15 10 γίνεται χαρὰ ἐνώπ. κτλ
16 22 ἀπενεχθῆναι αὐτὸν ὑπὸ τῶν ἄγγ.
22 43 ὤφθη δὲ αὐτῷ ἄγγ. ἀπ' οὐρανοῦ
24 23 καὶ ὀπτασίαν ἀγγέλων ἑωρακέναι
Joh 1 51 → Mat 4 11 – Joh 12 29 ἄγγ. αὐτῷ λελάλ.
20 12 θεωρεῖ δύο ἀγγέλους ἐν λευκοῖς
Act 5 19 etc ἄγγ. κυρίου, θεοῦ → Mat 1 20

Act 6 15 τὸ πρόσωπον αὐτοῦ ὡσεὶ πρόσ. ἀ..ου
7 30 „ὤφθη – ἄγγ. ἐν φλογὶ – βάτου"
35 ἀπέσταλκεν σὺν χειρὶ ἀγγέλου 38
– 53 ἐλάβετε τὸν νόμον εἰς διαταγὰς ἀγ-
γέλων Gal 3 19 διαταγεὶς δι' ἀγγέλων
Hb 2 2 ὁ δι' ἀ..ων λαληθεὶς λόγος
12 15 ὁ ἄγγ. ἐστιν αὐτοῦ. ὁ δὲ Πέτρος
23 8 μὴ εἶναι ἀνάστασιν μήτε ἄγγελον
– 9 εἰ δὲ πνεῦμα ἐλάλησεν αὐτῷ ἢ ἄγγ.
Rm 8 38 οὔτε ἄ..οι οὔτε ἀρχαὶ – δυνήσεται
1 Co 4 9 θέατρον – ἀγγέλοις καὶ ἀνθρώποις
6 3 οὐκ οἴδατε ὅτι ἀγγέλους κρινοῦμεν;
11 10 ἐξουσίαν – ἐπὶ τῆς κεφ. διὰ τοὺς ἀ.
13 1 ἐὰν ταῖς γλώσσαις – λαλῶ – τῶν ἀ.
2 Co 11 14 ὁ σατανᾶς μετασχηματίζεται εἰς ἄγ-
γελον φωτός – 12 7 → Mat 25 41
Gal 1 8 καὶ ἐὰν ἡμεῖς ἢ ἄ..ος ἐξ οὐρανοῦ
3 19 → Act 7 53 | 2 Th 1 7 → Mat 16 27
4 14 ὡς ἄγγελον θεοῦ ἐδέξασθέ με
Col 2 18 ἐν – θρησκείᾳ τῶν ἀγγέλων
1 Ti 3 16 ὤφθη ἀ..οις, ἐκηρύχθη ἐν ἔθνεσιν
5 21 ἐνώπιον – τῶν ἐκλεκτῶν ἀγγέλων
Hb 1 4 τοσούτῳ κρείττων γενόμενος τῶν ἀ.
– 5 τίνι γὰρ εἶπέν ποτε τῶν ἀγγ. 13
– 6 „προσκυνησάτωσαν – ἄγγελοι θεοῦ"
– 7 πρὸς μὲν τοὺς ἀ. λέγει· „ὁ ποιῶν τοὺς
ἀ. αὐτοῦ πνεύματα" | 2 2 → Act 7 53
2 5 οὐ γὰρ ἀ..οις ὑπέταξεν τὴν οἰκουμ.
– 7 „βραχύ τι παρ' ἀγγέλους" 9
– 16 οὐ γὰρ δήπου ἀ..ων ἐπιλαμβάνεται
12 22 προσεληλύθατε – μυριάσιν ἀγγέλων,
πανηγύρει καὶ ἐκκλησίᾳ πρωτοτόκων
13 2 ἔλαθόν τινες ξενίσαντες ἀγγέλους
Jac 2 25 ὑποδεξαμένη τοὺς ἀγγέλους [b]
1 Pe 1 12 εἰς ἃ ἐπιθυμοῦσιν ἄ..οι παρακύψαι
3 22 ὑποταγέντων αὐτῷ ἀγγέλων
2 Pe 2 4 Jud 6 → Mat 25 41
– 11 ἄγγελοι – δυνάμει μείζονες ὄντες
Ap 1 1 ἀποστείλας διὰ τοῦ ἄγγ. αὐτοῦ
– 20 ἄγγελοι τῶν ἑπτὰ ἐκκλησιῶν εἰσιν
2 1.8.12.18 3 1.7.14 | 3 5 → Luc 12 8
5 2 ἄγγελον ἰσχυρόν 10 1 ἄλλον ἄγγ. ἰσχ.
(5.8.9.10) 18 21 εἷς ἄγγ. ἰσχυρός
– 11 ἤκουσα φωνὴν ἀγγέλων πολλῶν 7 11
7 1 τέσσαρας ἀγγέλους 2 ἄλλον ἄγγ.
– καὶ ἔκραξεν – τοῖς τέσσαρσιν ἄγγ.
cfr 9 14 λῦσον τοὺς τέσσ. ἀγγ. 15
8 2 τοὺς ἑπτὰ ἀγγ. – ἐνώπιον τοῦ θεοῦ
6.8.10.12.13 9 1.13.14 10 7 11 15 ὁ ἕβδο-
μος ἄγγ. ἐσάλπισεν – 15 1 ἀγγέλους
ἑπτὰ ἔχοντας πληγὰς ἑπτά 6.7.8 16 1
17 1 εἷς ἐκ τῶν ἑ. ἀ. 7 21 9 22 6.8.16

Ap 8 3 ἄλλος ἄ. – ἔχων λιβανωτὸν χρυσ. 4.5
(– 13 vl ἄ..ου πετομένου) – 911 127 →
Mat 2541
12 7 ὁ „Μιχαὴλ" καὶ οἱ ἄγγελοι αὐτοῦ
14 6 ἄλλον ἄγγ. – ἔχοντα εὐαγγέλιον αἰώ-
νιον 8 ἄλλος ἄγγ. δεύτερος 9 τρίτος 15
ἄλλος ἄγγ. ἐξῆλθεν ἐκ τοῦ ναοῦ 17.
18.19 ἔβαλεν ὁ ἄγγ. τὸ δρέπανον
– 10 ἐνώπιον ἄ..ων ἁγίων καὶ – τοῦ ἀρν.
16 5 τοῦ ἀγγ. τῶν ὑδάτων λέγοντος
18 1 ἄλλον ἄγγ. – ἔχοντα ἐξουσίαν μεγά-
λην 201 τὴν κλεῖν τῆς ἀβύσσου
1917 ἕνα ἄγγελον ἑστῶτα ἐν τῷ ἡλίῳ
2112 ἐπὶ τοῖς πυλῶσιν ἀγγέλους δώδεκα
– 17 μέτρον ἀνθρώπου, ὅ ἐστιν ἀγγέλου

ἄγγος vas Mat 1348 τὰ καλὰ εἰς ἄγγη

ἄγε, ἄγωμεν eamus ᵇecce ᶜagite
Mat 2646 Mar 138 1442 Joh 117.15.16 1431
Jac 413 ἄγεᵇ 51 ἄγεᶜ νῦν οἱ πλούσιοι

*ἄγειν ᵃadducere ᵇagere, agi
ᶜducere, ..i (Luc 2421 infra)
Mat 1018 ἐπὶ – βασιλεῖς ἀχθήσεσθεᶜ Mar 1311ᶜ
Luc 4 1 ἤγετοᵇ ἐν τῷ πνεύματι ἐν τῇ ἐρήμῳ
2421 τρίτην – ἡμέρ. ἄγει (tertia dies est)
Joh 1016 κἀκεῖνα δεῖ με ἀγαγεῖνᵃ (sc πρόβ.)
Act 1938 ἀγοραῖοι (conventus forenses) ἄγον-
Rm 2 4 εἰς μετάνοιάν σε ἄγει;ᵃ   [ταιᵇ
814 ὅσοι γὰρ πνεύματι θεοῦ ἄγονταιᵇ
Gal 518 εἰ δὲ πνεύματι ἄγεσθεᶜ
1 Co 12 2 πρὸς τὰ εἴδωλα – ὡς ἂν ἤγεσθεᶜ (vl
ἀνήγεσθε, cj ὡσὰν ἤγεσθε)
1 Th 414 τοὺς κοιμηθέντας – ἄξειᵃ σὺν αὐτῷ
2 Ti 3 6 ἀγόμεναᶜ ἐπιθυμίαις ποικίλαις
Hb 210 πολλοὺς υἱοὺς εἰς δόξαν ἀγαγόνταᵃ

ἀγέλη grex Mat 830ss ‖ Mar 511.13 Luc 832s

ἀγενεαλόγητος Sᵒ – sine genealogia
Hb 7 3 ἀπάτωρ, ἀμήτωρ, ἀγεν., μήτε ἀρχήν

ἀγενής Sᵒ – ignobilis
1 Co 128 τὰ ἀγενῆ τοῦ κόσμου – ἐξελέξατο

ἁγιάζειν sanctificare – (Act 2618 infra)
Mat 6 9 ἁγιασθήτω τὸ ὄνομά σου ‖ Luc 112
2317 ὁ ναὸς ὁ ἁγιάσας τὸν χρυσόν 19 τὸ
θυσιαστήριον τὸ ἁγιάζον τὸ δῶρον
Joh 1036 ὃν ὁ πατὴρ ἡγίασεν καὶ ἀπέστειλεν
1717 ἁγίασον αὐτοὺς ἐν τῇ ἀληθείᾳ

Joh 1719 ὑπὲρ αὐτῶν – ἁγιάζω ἐμαυτόν, ἵνα ὦ-
σιν καὶ αὐτοὶ ἡγιασμένοι ἐν ἀληθείᾳ
Act 2032 „κληρονομίαν" ἐν „τοῖς ἡγιασμένοις
πᾶσιν" 2618 κλῆρον ἐν τοῖς ἡγ. (inter
sanctos) πίστει τῇ εἰς ἐμέ
Rm 1516 προσφορὰ – ἡγιασμένη ἐν πνεύματι ἁ.
1 Co 1 2 ἡγιασμένοις ἐν Χῷ Ἰ., κλητοῖς ἁγίοις
611 ἀλλὰ ἡγιάσθητε, ἀλλὰ ἐδικαιώθητε
714 ἡγίασται – ὁ ἀνὴρ ὁ ἄπιστος ἐν τῇ
γυναικί, καὶ ἡγίασται ἡ γυνὴ ἡ ἄπι-
στος ἐν τῷ ἀδελφῷ
Eph 526 ἵνα αὐτὴν (sc τὴν ἐκκλησίαν) ἁγιάσῃ
καθαρίσας τῷ λουτρῷ τοῦ ὕδατος
1 Th 523 θεὸς – ἁγιάσαι ὑμᾶς ὁλοτελεῖς
1 Ti 4 5 ἁγιάζεται γὰρ διὰ λόγου θεοῦ
2 Ti 221 ἔσται σκεῦος εἰς τιμήν, ἡγιασμένον
Hb 211 ὁ – ἁγιάζων καὶ οἱ ἁγ..όμενοι ἐξ ἑνός
913 ἁγιάζει πρὸς τὴν τ. σαρκὸς καθαρότ.
1010 ἐν ᾧ θελήματι ἡγιασμένοι ἐσμέν 14
τετελείωκεν – τοὺς ἁγιαζομένους
– 29 τὸ αἷμα τῆς διαθήκ. –, ἐν ᾧ ἡγιάσθη
1312 διὸ καὶ Ἰησοῦς, ἵνα ἁγιάσῃ διὰ τοῦ
ἰδίου αἵματος τὸν λαόν
1 Pe 315 Χὸν „ἁγιάσατε" ἐν τ. καρδίαις ὑμῶν
Ap 2211 καὶ ὁ ἅγιος ἁγιασθήτω ἔτι

ἁγιασμός sanctificatio ᵇsanctimonia
Rm 619 τὰ μέλη ὑμῶν δοῦλα τῇ δικαιοσύνῃ
εἰς ἁγ..όν 22 ἔχετε τὸν καρπὸν – εἰς ἁγ..όν
1 Co 130 ὃς ἐγενήθη – ἡμῖν – ἁγ. καὶ ἀπολύ-
1 Th 4 3 θέλημα τοῦ θεοῦ, ὁ ἁγ. ὑμῶν [τρωσις
– 4 κτᾶσθαι ἐν ἁγιασμῷ καὶ τιμῇ
– 7 ἐκάλεσεν ἡμᾶς – ἐν ἁγ..ῷ (s..em)
2 Th 213 ἐν ἁγ..ῷ πνεύματος 1 Pe 1 2 (s..em)
1 Ti 215 ἐὰν μείνωσιν ἐν – ἀγάπῃ καὶ ἁγ..ῷ
Hb 1214 διώκετε – τὸν ἁγ..όνᵇ, οὗ χωρὶς οὐ-
δεὶς ὄψεται τὸν κύριον

ἅγιος sanctus (πνεῦμα ἅγιον → πνεῦμα)

1) personae sanctae
a) θεός, Χριστός
Mar 124 οἶδά σε τίς εἶ, ὁ ἅγιος τοῦ θεοῦ ‖
Luc 434 – Joh 669 ὅτι σὺ εἶ ὁ ἅγιος
τ. θεοῦ (vl ὁ χριστὸς ὁ υἱ. τ. θ. vg)
Luc 135 τὸ γεννώμενον „ἅγιον κληθήσεται"
Joh 1711 πάτερ ἅγιε, τήρησον αὐτοὺς ἐν
Act 314 τὸν ἅγιον καὶ δίκαιον ἠρνήσασθε
427 ἐπὶ τὸν ἅγιον παῖδά σου Ἰησοῦν 30
1 Pe 115 κατὰ τὸν καλέσαντα ὑμᾶς ἅγιον καὶ
αὐτοὶ ἅγιοι – γενήθητε 16 „ἅγιοι ἔ-
σεσθε, ὅτι ἐγὼ ἅγιος"

1 Jo 2 20 ὑμεῖς χρῖσμα ἔχετε ἀπὸ τοῦ ἁγίου
Ap 3 7 λέγει ὁ ἅγιος, ὁ ἀληθινός, ὁ ἔχων
4 8 „ἅγιος ἅγ. ἅγ. κύριος ὁ θεός"
6 10 „ὁ δεσπότης" ὁ ἅγιος καὶ ἀληθινός

b) ἄγγελοι

Mar 8 38 ὅταν ἔλθῃ – μετὰ τῶν ἀγγ. τῶν ἁγίων
‖ Luc 9 26 ἐν τῇ δόξῃ αὐτοῦ – καὶ τῶν ἁγ.
ἀγγέλων – Jud 14 ἦλθεν κύριος ἐν ἁγίαις
μυριάσιν αὐτοῦ
Act 10 22 ἐχρηματίσθη ὑπὸ ἀγγέλου ἁγίου
1 Th 3 13 2 Th 1 10 → infra sub d)
Ap 14 10 ἐνώπιον ἀγγέλων ἁγ. καὶ – τοῦ ἀρνίου

c) προφῆται, ἀπόστολοι

Luc 1 70 διὰ στόματος τῶν ἁγ. – προφητῶν Act
3 21 – Eph 3 5 ὡς νῦν ἀπεκαλύφθη τοῖς ἁγ. ἀπο-
στόλοις αὐτοῦ καὶ προφήταις – 2 Pe 3 2 τῶν προ-
ειρημένων ῥημάτων ὑπὸ τῶν ἁγ. προφητῶν

d) οἱ ἅγιοι, ἅγιοι ἀδελφοί

Mat 27 52 σώματα τῶν κεκοιμημένων ἁγίων
Act 9 13 ὅσα κακὰ τοῖς ἁγίοις σου ἐποίησεν
– 32 πρὸς τοὺς ἁγ. τοὺς κατοικ. Λύδδα
– 41 φωνήσας – τοὺς ἁγ. καὶ τὰς χήρας
26 10 πολλοὺς – τῶν ἁγ. ἐγὼ – κατέκλεισα
Rm 1 7 κλητοῖς ἁγίοις 1 Co 1 2 2 Co 1 1
σὺν τοῖς ἁγ. πᾶσιν Eph 1 1 τοῖς ἁγ.
τοῖς οὖσιν [ἐν Ἐφ.] Phl 1 1 πᾶσιν τοῖς
ἁγ. ἐν Χῷ Ἰ. τοῖς οὖσιν ἐν Φιλ. Col
1 2 τοῖς ἐν Κολ. ἁγίοις καὶ πιστοῖς
ἀδελφοῖς
8 27 κατὰ θεὸν ἐντυγχάνει ὑπὲρ ἁγίων
12 13 ταῖς χρείαις τῶν ἁγ. κοινωνοῦντες
15 25 διακονῶν τοῖς ἁγ. 26 κοινωνίαν – εἰς
τοὺς πτωχοὺς τῶν ἁγίων τῶν ἐν
Ἱερουσαλήμ 31 ἡ διακονία – εὐ-
πρόσδεκτος τοῖς ἁγ. γένηται – 1 Co
16 1 περὶ δὲ τῆς λογείας τῆς εἰς τοὺς
ἁγ. 2 Co 8 4 τὴν κοινωνίαν τῆς διακο-
νίας τῆς εἰς τοὺς ἁγ. 9 1.12 προσανα-
πληροῦσα τὰ ὑστερήματα τῶν ἁγίων
16 2 αὐτὴν προσδέξησθε – ἀξίως τῶν ἁγ.
– 15 ἀσπάσασθε – τοὺς σὺν αὐτοῖς πάν-
τας ἁγίους Phl 4 21 πάντα ἅγιον ἐν
Χῷ 2 Co 13 12 ἀσπάζονται – οἱ ἅγιοι
πάντες Phl 4 22 Hb 13 24 ἀσπάσασθε –
πάντας τοὺς ἁγ.
1 Co 6 1 κρίνεσθαι – οὐχὶ ἐπὶ τῶν ἁγίων;
– 2 ὅτι οἱ ἁγ. τὸν κόσμον κρινοῦσιν;
14 33 ὡς ἐν πάσαις ταῖς ἐκκλησ. τῶν ἁγ
16 15 εἰς διακονίαν τοῖς ἁγ. ἔταξαν ἑαυτ.
Eph 1 15 τὴν ἀγάπην τὴν εἰς πάντας τοὺς ἁ-

γίους Col 1 4 Phm 5
Eph 1 18 τίς ὁ πλοῦτος – τῆς „κληρονομίας"
αὐτοῦ „ἐν τοῖς ἁγίοις" Col 1 12 τοῦ
κλήρου τῶν ἁγίων ἐν τῷ φωτί
2 19 ἐστὲ συμπολῖται τῶν ἁγ. καὶ οἰκεῖοι
3 8 ἐμοὶ τῷ ἐλαχιστοτέρῳ πάντων ἁγίων
– 18 καταλαβέσθαι σὺν πᾶσιν τοῖς ἁγίοις
4 12 πρὸς – καταρτισμὸν τῶν ἁγ. εἰς ἔργον
5 3 μηδὲ ὀνομαζέσθω ἐν ὑμῖν, καθὼς
πρέπει ἁγίοις
6 18 ἐν πάσῃ – δεήσει περὶ πάντων τῶν ἁγ.
Col 1 26 νῦν δὲ ἐφανερώθη τοῖς ἁγ. αὐτοῦ
3 12 ὡς ἐκλεκτοὶ τοῦ θεοῦ ἅγιοι καὶ ἠγ.
1 Th 3 13 ἐν τῇ παρουσίᾳ – Ἰησοῦ μετὰ πάντων
τῶν ἁγίων αὐτοῦ 2 Th 1 10 „ὅταν ἔλθῃ
ἐνδοξασθῆναι ἐν τοῖς ἁγίοις αὐτοῦ"
1 Ti 5 10 εἰ ἁγίων πόδας ἔνιψεν (sc χήρα)
Phm 7 τὰ σπλάγχνα τῶν ἁγ. ἀναπέπαυται
Hb 3 1 ἀδελφοὶ ἅγιοι 6 10 διακονήσαντες τοῖς
ἁγ. καὶ διακονοῦντες – 13 24 → Rm 16 15
Jud 3 τῇ – παραδοθείσῃ τοῖς ἁγίοις πίστει
Ap 5 8 αἵ εἰσιν „αἱ προσευχαὶ" τῶν ἁγ. 8 3.4
11 18 δοῦναι τὸν μισθὸν – τοῖς ἁγίοις
13 7 „ποιῆσαι πόλεμον μετὰ τῶν ἁγ."
– 10 ὧδέ ἐστιν ἡ ὑπομονὴ – τῶν ἁγ. 14 12
16 6 αἷμα ἁγίων καὶ προφητῶν 18 24 17 6
18 20 εὐφραίνου –, οὐρανὲ καὶ οἱ ἅγιοι
19 8 τὸ – βύσσινον τὰ δικαιώματα τῶν ἁγ.
20 9 ἐκύκλευσαν τὴν παρεμβολὴν τῶν ἁγ.

e) alibi personis attributum

Mar 6 20 ἄνδρα δίκαιον καὶ ἅγιον (Joh.)
Luc 2 23 „πᾶν ἄρσεν – ἅγιον τῷ κυρίῳ κληθ."
1 Co 7 14 νῦν δὲ ἅγιά ἐστιν (sc τὰ τέκνα)
– 34 ἡ ἄγαμος – μεριμνᾷ –, ἵνα ᾖ ἁγία
καὶ τῷ σώματι καὶ τῷ πνεύματι
Eph 1 4 εἶναι ἡμᾶς ἁγίους καὶ ἀμώμους Col
1 22 Eph 5 27 τὴν ἐκκλησίαν, – ἵνα ᾖ
ἁγία καὶ ἄμωμος
1 Pe 1 15 καὶ αὐτοὶ ἅγιοι – γενήθητε 16 „ἅγιοι
ἔσεσθε, ὅτι ἐγὼ ἅγιος cfr 1) a)
2 5 εἰς ἱεράτευμα ἅγιον 9 „ἔθνος ἅγιον"
3 5 οὕτως – αἱ ἅγιαι γυναῖκες – ἐκόσμουν
Ap 20 6 μακάριος καὶ ἅγιος ὁ ἔχων μέρος
22 11 καὶ ὁ ἅγιος ἁγιασθήτω ἔτι

2) de rebus dictum
a) τὸ ἅγιον, τὰ ἅγια

Mat 7 6 μὴ δῶτε τὸ ἅγιον τοῖς κυσίν
Hb 8 2 τῶν ἁγίων λειτουργός 9 1 εἶχε – καὶ ἡ
πρώτη (sc διαθήκη) δικαιώματα λατρείας
τό τε ἅγιον κοσμικὸν 2 σκηνὴ –, ἥτις λέ-

γεται Ἅγια 3 ἡ λεγομένη Ἅγια Ἁγίων 8
μήπω πεφανερῶσθαι τὴν τῶν ἁγίων ὁδόν
12 Χὸς – εἰσῆλθεν ἐφάπαξ εἰς τὰ ἅγια 24
οὐ γὰρ εἰς χειροποίητα εἰσῆλθεν ἅγια Χός
25 ὁ ἀρχιερεὺς εἰσέρχεται εἰς τὰ ἅγια κατ᾽
ἐνιαυτόν 1311 ὢν – εἰσφέρεται ζῴων τὸ αἷ-
μα – εἰς τὰ ἅγια
Hb 1019 ἔχοντες – παρρησίαν εἰς τὴν εἴσοδον
τῶν ἁγίων –, ἣν ἐνεκαίνισεν ἡμῖν

b) cum nominibus rerum

Mat 4 5 εἰς τὴν ἁγίαν πόλιν 2753
2415 „τὸ βδέλυγμα" – ἑστὸς „ἐν τόπῳ ἁγ."
Act 613 ῥήματα κατὰ τοῦ τόπου τοῦ
ἁγίου 2128 κεκοίνωκεν τὸν ἁγ. τόπον
Luc 149 καὶ „ἅγιον τὸ ὄνομα αὐτοῦ"
– 72 μνησθῆναι διαθήκης ἁγίας αὐτοῦ
Act 733 „ὁ γὰρ τόπος – γῆ ἁγία ἐστίν"
Rm 1 2 ὃ προεπηγγείλατο – ἐν γραφαῖς ἁγ.
712 ὁ – νόμος ἅγιος καὶ ἡ ἐντολὴ ἁγία
1116 εἰ – ἡ ἀπαρχὴ ἁγία -᾽ – εἰ ἡ ῥίζα ἁγ
12 1 τὰ σώματα – θυσίαν ζῶσαν ἁγίαν
1616 ἀσπάσασθε ἀλλήλους ἐν φιλήματι
ἁγίῳ 1 Co 1620 2 Co 1312 1 Th 526
1 Co 317 ὁ γὰρ ναὸς τοῦ θεοῦ ἅγιός ἐστιν
Eph 221 αὔξει εἰς ναὸν ἅγιον ἐν κυρίῳ
2 Ti 1 9 τοῦ – καλέσαντος κλήσει ἁγίᾳ
2 Pe 118 σὺν αὐτῷ ὄντες ἐν τῷ ἁγίῳ ὄρει
221 ὑποστρέψαι ἐκ τῆς – ἁγίας ἐντολῆς
311 ἐν ἁγίαις ἀναστροφαῖς καὶ εὐσεβείαις
Jud 20 ἐποικοδομοῦντες ἑαυτοὺς τῇ ἁγιωτά-
τῃ (sanctissimae) ὑμῶν πίστει
Ap 11 2 τὴν πόλιν τὴν ἁγίαν „πατήσουσιν"
21 2 „τὴν πόλιν τὴν ἁγ. Ἰερουσ." καινὴν
εἶδον καταβαίνουσαν 10 2219 ἀφελεῖ ὁ θεὸς
τὸ μέρος αὐτοῦ – ἐκ τῆς πόλεως τῆς ἁγ.

ἁγιότης sanctificatio 2 Co 112 ὅτι ἐν ἁγιότη-
τι (vl ἁπλότητι vg simplicitate cordis)
καὶ εἰλικρινείᾳ – ἀνεστράφημεν
Hb 1210 εἰς τὸ μεταλαβεῖν τῆς ἁγ. αὐτοῦ

ἁγιωσύνη ᵃsanctificatio ᵇsanctitas
Rm 1 4 κατὰ πνεῦμα ἁγιωσύνης ᵃ
2 Co 7 1 ἐπιτελοῦντες ἁγ..ην ᵃ ἐν φόβῳ θεοῦ
1 Th 313 τὰς καρδίας ἀμέμπτους ἐν ἁγ..ῃ ᵇ

ἀγκάλαι ulnae Luc 228 εἰς τὰς ἀγκάλας

ἄγκιστρον hamus Mat 1727 βάλε ἄγκιστρον

ἄγκυρα Sᵒ – anchora Act 2729.30.40

Hb 619 ἐλπίδος· ἣν ὡς ἄγκυραν ἔχομεν τῆς
ψυχῆς ἀσφαλῆ – καὶ „εἰσερχομένην"

ἄγναφος Sᵒ – rudis Mat 916 Mar 221

ἁγνεία castitas
1 Ti 412 τύπος γίνου τῶν πιστῶν – ἐν ἁγνείᾳ
5 2 παρακάλει – νεωτέρας – ἐν πάσῃ ἁγν.

ἁγνίζειν ᵃcastificare ᵇpurificare, ..i
ᶜ(se) sanctificare [τούς
Joh 1155 πρὸ τοῦ πάσχα, ἵνα ἁγνίσωσιν ᶜ ἑαυ-
Act 2124 ἁγνίσθητι ᶜ σὺν αὐτοῖς 26 ἁγνισθεὶς ᵇ
εἰσῄει εἰς τὸ ἱερόν 2418 μὲ ἡγνισμένον ᵇ
Jac 4 8 ἁγνίσατε ᵇ καρδίας, δίψυχοι
1 Pe 122 τὰς ψυχὰς ὑμῶν ἡγνικότες ᵃ ἐν τῇ
ὑπακοῇ τῆς ἀληθείας εἰς φιλαδελφίαν
1 Jo 3 3 ἁγνίζει ᶜ ἑαυτὸν καθὼς ἐκεῖνος ἁγνός

ἁγνισμός purificatio Act 2126

ἀγνοεῖν ignorare ᵇ(part. pass.) ignotus
Mar 932 ἠγνόουν τὸ ῥῆμα ‖ Luc 945
Act 1327 οἱ ἄρχοντες – τοῦτον ἀγνοήσαντες
1723 ὃ – ἀγνοοῦντες εὐσεβεῖτε, τοῦτο ἐγώ
Rm 113 οὐ θέλω – ὑμᾶς ἀγ. 1125 ἀγ. – τὸ μυ-
στήριον 1 Co 101 121 2 Co 18 1 Th 413
2 4 ἀγνοῶν ὅτι τὸ χρηστὸν τοῦ θεοῦ εἰς
6 3 ἀγνοεῖτε ὅτι ὅσοι ἐβαπτίσθημεν –;
7 1 ἀγνοεῖτε – ὅτι ὁ νόμος κυριεύει –;
10 3 ἀγνοοῦντες – τὴν τοῦ θεοῦ δικαιοσύ.
1 Co 1438 εἰ δέ τις ἀγνοεῖ, ἀγνοεῖται (vll ..είτω
et ..εῖτε, vg ignorabitur)
2 Co 211 οὐ γὰρ αὐτοῦ τὰ νοήματα ἀ..οῦμεν
6 9 ὡς ἀ..ούμενοι ᵇ καὶ ἐπιγινωσκόμενοι
Gal 122 ἤμην – ἀ..ούμενος ᵇ τῷ προσώπῳ ταῖς
1 Ti 113 ἀλλὰ ἠλεήθην, ὅτι ἀ..ῶν ἐποίησα
Hb 5 2 μετριοπαθεῖν δυνάμενος τοῖς ἀ..οῦσιν
2 Pe 212 ἐν οἷς ἀγνοοῦσιν βλασφημοῦντες

ἀγνόημα ignorantia Hb 97 τοῦ λαοῦ

ἄγνοια ignorantia
Act 317 οἶδα ὅτι κατὰ ἄγνοιαν ἐπράξατε
1730 τοὺς – χρόνους τῆς ἀγνοίας ὑπεριδὼν
Eph 418 διὰ τὴν ἄγνοιαν τὴν οὖσαν ἐν αὐτοῖς
1 Pe 114 ταῖς – ἐν τῇ ἀγνοίᾳ ὑμῶν ἐπιθυμίαις

ἁγνός ᵃcastus ᵇincontaminatus
ᶜpudicus ᵈsanctus
2 Co 711 ἑαυτοὺς ἁγνοὺς ᵇ εἶναι τῷ πράγματι
11 2 ὑμᾶς – παρθένον ἁγνὴν ᵃ παραστῆσαι

Phl 4 8 ὅσα δίκαια, ὅσα ἁγνά ᵈ, ὅσα προσ-
1 Ti 5 22 σεαυτὸν ἁγνὸν ᵃ τήρει   [φιλῆ
Tit 2 5 τὰς νέας – σώφρονας, ἁγνάς ᵃ
Jac 3 17 ἡ δὲ ἄνωθεν σοφία – ἁγνή ᶜ ἐστιν
1 Pe 3 2 τὴν – ἁγνὴν ᵃ ἀναστροφὴν ὑμῶν
1 Jo 3 3 καθὼς ἐκεῖνος ἁγνός ᵈ ἐστιν

ἁγνότης castitas 2 Co 6 6 συνιστάνοντες ἑαυ-
τοὺς ὡς θεοῦ διάκονοι, – ἐν ἁγνότητι 11 3
μή πως – φθαρῇ τὰ νοήματα ὑμῶν ἀπὸ –
[– τῆς ἁγνότητος vg ᵒ] τῆς εἰς Χόν

ἁγνῶς Sᵒ – sincere Phil 1 17 οἱ δὲ ἐξ ἐριθείας
τ. Χὸν καταγγέλλουσιν, οὐχ ἁγνῶς

ἀγνωσία ignorantia
1 Co 15 34 ἀγνωσίαν γὰρ θεοῦ τινες ἔχουσιν
1 Pe 2 15 φιμοῦν τὴν τῶν ἀφρόνων – ἀγ..αν

ἄγνωστος ignotus Act 17 23 ἀ..ῳ θεῷ

ἀγορά forum
Mat 11 16 καθημένοις ἐν ταῖς ἀγοραῖς ‖ Luc 7 32
20 3 ἑστῶτας ἐν τῇ ἀγορᾷ ἀργούς
23 7 φιλοῦσιν τοὺς ἀσπασμοὺς ἐν ταῖς ἀγ.
(in foro) ‖ Mar 12 38 Luc 11 43 20 46
Mar 6 56 ἐν ταῖς ἀγ. (vl πλατείαις vg) ἐτίθε-
σαν τοὺς ἀσθενοῦντας
7 4 ἀπ' ἀγορᾶς (aforo vl a foro venien-
tes) ἐὰν μὴ ῥαντίσωνται
Act 16 19 17 17 διελέγετο ἐν τῇ ἀγ. κατὰ – ἡμέρ.

ἀγοράζειν emere, emi ᵇredimere

1) redemptio per Christum (→ ἐξα..ειν)

1 Co 6 20 ἠγοράσθητε γὰρ τιμῆς 7 23 τιμ. ἠγ.
2 Pe 2 1 τὸν ἀγοράσαντα αὐτοὺς δεσπότην
Ap 5 9 ἠγόρασας ᵇ τῷ θεῷ ἐν τῷ αἵματί σου
ἐκ πάσης φυλῆς
14 3 οἱ ἠγορασμένοι ἀπὸ τῆς γῆς 4 ἠγο-
ράσθησαν – ἀπαρχὴ τῷ θεῷ

∗2) sententia propria

Mat 21 12 ἐξέβαλεν – τοὺς – ἀγ..οντας ‖ Mar 11 15
Luc 14 18 ἀγρὸν ἠγόρασα 19 ζεύγη βοῶν – πέντε
17 28 ἤσθιον, ἔπινον, ἠγόραζον, ἐπώλουν
Joh 13 29 ἀγόρασον ὧν χρείαν ἔχομεν
1 Co 7 30 οἱ ἀγοράζοντες ὡς μὴ κατέχοντες
Ap 3 18 ἀγοράσαι παρ' ἐμοῦ χρυσίον
13 17 ἵνα μὴ τις δύναται ἀγοράσαι ἢ πωλ.

ἀγοραῖοι Sᵒ – ᵃde vulgo ᵇconventus foren-
ses Act 17 5 τῶν ἀ..ων ᵃ 19 38 ἀ. ᵇ ἄγονται

ἄγρα (ἰχθύων) Sᵒ – captura Luc 5 4.9

ἀγράμματος Sᵒ – sine litteris
Act 4 13 ὅτι ἄνθρωποι ἀ..οί εἰσιν καὶ ἰδιῶται

ἀγραυλεῖν Sᵒ – vigilare Luc 2 8

ἀγρεύειν capere Mar 12 13 λόγῳ

ἀγριέλαιος Sᵒ – oleaster Rm 11 17.24

ἄγριος ᵃsilvestris ᵇferus
Mat 3 4 μέλι ἄγριον ᵃ ‖ Mar 1 6 ᵃ – Jud 13 ᵇ

Ἀγρίππας (Herodes Agrippa II)
Act 25 13.22-26 – 26 1.2.19.27.28.32

ἀγρός ager ᵇvilla
Mat 6 28 καταμάθετε τὰ κρίνα τοῦ ἀγροῦ 30
τὸν χόρτον τοῦ ἀγροῦ ‖ Luc 12 28
13 24 καλὸν σπέρμα ἐν τῷ ἀ. 27.31 44 θη-
σαυρῷ – ἐν τῷ ἀ., – ἀγοράζει τὸν ἀ.
– 36 τὴν παραβολὴν τῶν ζιζανίων
τοῦ ἀ. 38 ὁ δὲ ἀ. ἐστιν ὁ κόσμος
19 29 ὅστις ἀφῆκεν – ἀγρούς ‖ Mar 10 29.30
22 5 ἀπῆλθον, ὃς μὲν εἰς τὸν ἴδιον ἀ-
γρόν ᵇ ‖ Luc 14 18 ἀγρὸν ᵇ ἠγόρασα
24 18 ὁ ἐν τῷ ἀ. μὴ ἐπιστρεψάτω ‖ Mar 13 16
ὁ εἰς τὸν ἀ. Luc 17 31 ὁ ἐν ἀγρῷ
– 40 τότε ἔσονται δύο ἐν τῷ ἀ. (Luc 17 36 vl)
27 7 τὸν ἀ. τοῦ κεραμέως 10. 8 ἐκλήθη ὁ
ἀγρὸς ἐκεῖνος ἀγρὸς αἵματος
Mar 5 14 ‖ Luc 8 34 ᵇ – Mar 6 36 ᵇ 56 ᵇ ‖ Luc 9 12 ᵇ
11 8 15 21 ἐρχόμενον ἀπ' ἀγροῦ ᵇ ‖ Luc 23 26 ᵇ
16 12 δυσὶν – πορευομένοις εἰς ἀγρόν ᵇ
Luc 15 15 ἔπεμψεν αὐτὸν εἰς τοὺς ἀ. ᵇ αὐτοῦ 25
ἦν δὲ ὁ υἱὸς αὐτοῦ ὁ πρεσβύτερος ἐν ἀ-
γρῷ – 17 7 εἰσελθόντι ἐκ τοῦ ἀ. – Act 4 37

ἀγρυπνεῖν vigilare ᵇpervigilare
Mar 13 33 βλέπετε, ἀ..εῖτε Luc 21 36 ἀ..εῖτε
– δεόμενοι – Eph 6 18 εἰς αὐτὸ ἀ..οῦντες
ἐν – δεήσει – Hb 13 17 ἀ..οῦσιν ᵇ ὑπὲρ τῶν
ψυχῶν ὑμῶν

ἀγρυπνίαι vigiliae
2 Co 6 5 ἐν ἀ..αις 11 27 ἐν ἀ..αις πολλάκις

ἀγωγή institutio
2 Ti 3 10 παρηκολούθησάς μου – τῇ ἀγωγῇ

ἀγών   certamen ᵇsolicitudo
Phl   1 30 τὸν αὐτὸν ἀγῶνα ἔχοντες οἶον εἴδετε
Col   2 1 ἡλίκον ἀγῶναᵇ ἔχω ὑπὲρ ὑμῶν
1 Th 2 2 λαλῆσαι – τὸ εὐαγγ. – ἐν πολλῷ ἀγ.ᵇ
1 Ti 6 12 τὸν καλὸν ἀγ. τῆς πίστεως 2 Ti 4 7
Hb   12 1 τρέχωμεν τὸν προκείμενον ἡμῖν ἀγ.

ἀγωνία   agonia Luc 22 44 γενόμ. ἐν ἀγ..ᾳ

ἀγωνίζεσθαι   ᵃcertare   ᵇcontendere
           ᶜdecertare   ᵈ(part.) solicitus
Luc 13 24 ἀγ..θεᵇ εἰσελθεῖν διὰ τῆς στενῆς θύ.
Joh 18 36 οἱ ὑπηρέται ἂν οἱ ἐμοὶ ἠγ..οντοᶜ ἵνα
1 Co 9 25 πᾶς δὲ ὁ ἀγ..όμενοςᵇ (qui in agone
          contendit) πάντα ἐγκρατεύεται
Col   1 29 κοπιῶ ἀγ..όμενοςᵃ 1 Ti 4 10 ἀγ..όμεθα
          (vl ὀνειδιζόμεθα, vg maledicimur)
          4 12 πάντοτε ἀγωνιζόμενοςᵈ ὑπὲρ ὑμῶν
          ἐν ταῖς προσευχαῖς
1 Ti 6 12 ἀγωνίζουᵃ τὸν καλὸν ἀγῶνα τῆς πί-
          στεως 2 Ti 4 7 τὸν κ. ἀγ. ἠγώνισμαιᵃ

Ἀδάμ   Luc 3 38 τοῦ Ἀ. τοῦ θεοῦ – Rm 5 14
       ἐβασίλευσεν ὁ θάνατος ἀπὸ Ἀ. – καὶ ἐπὶ
       τοὺς μὴ ἁμαρτήσαντας ἐν τῷ ὁμοιώματι
       τῆς παραβάσεως Ἀ. 1 Co 15 22 ἐν τῷ Ἀ. –
       ἀποθνήσκουσιν, – ἐν τῷ Χῷ – ζωοποιηθή-
       σονται 45 ὁ πρῶτος – Ἀ. – ˙ ὁ ἔσχατος Ἀ.
       1 Ti 2 13 Ἀ. – πρῶτος ἐπλάσθη 14 Ἀ. οὐκ
       ἠπατήθη – Jud 14 ἐπροφήτευσεν – τούτοις
       ἕβδομος ἀπὸ Ἀ. Ἐνώχ

ἀδάπανος   Sᵒ   – sine sumptu 1 Co 9 18 ἵνα
       εὐαγγελιζόμενος ἀδ..ον θήσω τὸ εὐαγγ.

Ἀδδί   Luc 3 28   ᾄδειν   cantare → ᾠδή

ἀδελφή   soror

1) sorores germanae

Mat 13 56 καὶ αἱ ἀδελφαὶ αὐτοῦ πᾶσαι ‖ Mar
       6 3 – 3 32 αἱ ἀδ. σου ἔξω ζητοῦσίν σε
       19 29 ὅστις ἀφῆκεν – ἀδελφάς ‖ Mar 10 29. 30
       – Luc 14 26 εἴ τις – οὐ μισεῖ – τὰς ἀδ.
Luc 10 39 ἀδ. καλουμένη Μαριάμ 40 Joh 11 1. 3.
       5. 28. 39 – 19 25 ἡ ἀδ. τ. μητρός αὐτοῦ
Act 23 16 ὁ υἱός τῆς ἀδ. Παύλου – Rm 16 15
1 Ti 5 2 παρακάλει – νεωτέρας ὡς ἀδ..άς

2) animo fideque coniunctae

Mat 12 50 αὐτός μου – καὶ ἀδελφή ‖ Mar 3 35
Rm 16 1 Φοίβην τὴν ἀδ. ἡμῶν Phm 2 Ἀπφίᾳ

1 Co 7 15 οὐ δεδούλωται – ἡ ἀδ. ἐν – τοιούτοις
       9 5 ἀ..ἠν γυναῖκα περιάγειν, ὡς καὶ
Jac 2 15 ἐὰν ἀ..ὸς ἢ ἀδ. γυμνοὶ ὑπάρχωσιν
2 Jo 13 ἀσπάζεταί σε τὰ τέκνα τῆς ἀδελφῆς
       σου τῆς ἐκλεκτῆς

ἀδελφός   frater

1) fratres germani
   a) Jesu fratres

Mat 12 46 ἡ μήτηρ καὶ οἱ ἀδ. αὐτοῦ [47] 48 τίνες
       εἰσὶν οἱ ἀδ. μου; ‖ Mar 3 31 ss Luc 8 19 s –
       Mat 13 55 καὶ οἱ ἀδ. αὐτοῦ Ἰάκ. καὶ Ἰωσὴφ
       καὶ Σίμων καὶ Ἰούδας ‖ Mar 6 3
Joh   2 12 ἡ μήτηρ αὐτοῦ καὶ οἱ ἀδ. καὶ οἱ μα-
       θηταὶ αὐτοῦ 7 3 εἶπον – πρὸς αὐτὸν οἱ ἀδ.
       αὐτοῦ 5 οὐδὲ – οἱ ἀδ. αὐτοῦ ἐπίστευον 10
Act   1 14 σὺν – Μαριάμ – καὶ σὺν τοῖς ἀδ. αὐτ.
1 Co 9 5 ὡς καὶ – οἱ ἀδελφοὶ τοῦ κυρίου
Gal   1 19 εἰ μὴ Ἰάκωβον τὸν ἀδ. τοῦ κυρίου

   b) alii fratres nomine noti

Mat 1 2. 11 4 18 (Sim. et Andr. 10 2 Mar 1 16 Luc
       6 14 Joh 1 40. 41 6 8) – 4 21 (Jac. et Joh. 10 2 17 1
       Mar 1 19 3 17 5 37 cfr Mat 20 24 οἱ δέκα ἠγανά-
       κτησαν περὶ τῶν δύο ἀδελφῶν Act 12 2 ἀνεῖλεν
       – Ἰάκωβον τὸν ἀδ. Ἰωάννου) – 14 3 (Phil.,
       Herodis frater Mar 6 17 s Luc 3 1. 19) – Joh 11 2
       (Lazarus 19. 21. 23. 32) – Act 7 13 Josephi fratres
1 Jo 3 12 Abel Jud 1 Ἰούδας – ἀδ. Ἰακώβου

   c) cognati non nomine notati

Mat 10 21 παραδώσει – ἀδ. ἀ..όν ‖ Mar 13 12 Luc
       21 16 παραδοθήσεσθε – ὑπὸ – ἀδ..ῶν
       19 29 ὅστις ἀφῆκεν – ἀδελφούς ‖ Mar 10 29.
       30 ἐὰν μὴ λάβῃ – ἀδελφούς Luc 18 29
       22 24 „ἐπιγαμβρεύσει ὁ ἀδ. αὐτοῦ τὴν γυ-
       ναῖκα κτλ” 25 ‖ Mar 12 19 s Luc 20 28 s
Luc 12 13 εἰπὲ τῷ ἀδ. μου μερίσασθαι μετ’ ἐμοῦ
       14 12 μὴ φώνει – μηδὲ τοὺς ἀδ. σου μηδέ
       – 26 εἴ τις – οὐ μισεῖ – καὶ τοὺς ἀδ. καί
       15 27 ὅτι ὁ ἀδ. σου ἥκει 32 ὅτι ὁ ἀδ. σου
       οὗτος νεκρὸς ἦν καὶ ἔζησεν
       16 28 ἔχω γὰρ πέντε ἀδελφούς

2) populares, fidei socii
   a) in alloquio orationis vel epistolae

Act 1 16 ἄνδρες ἀδελφοί 2 29. 37 7 2 (καὶ πατέ-
       ρες) 13 15. 26. 38 15 7. 13 22 1 23 1-6
       28 17 – 3 17 ἀδελφοί 6 3 23 5
       15 23 οἱ ἀπόστολοι καὶ οἱ πρεσβύτεροι ἀδ.
       τοῖς – ἀδ. τοῖς ἐξ ἐθνῶν χαίρειν

Act 21 20 θεωρεῖς, ἀδελφέ, πόσαι μυριάδες
Rm 1 13 ἀδελφοί 7 1.4 μου 8 12 10 1 11 25 12 1
15 14 μου 30 16 17
1 Co 1 10 ἀδελφοί 11 μου 26 21 31 46 7 24.29 10 1
11 33 μου 12 1 14 6.20.26.39 μου 15 1.31.50.58
μου ἀγαπητοί 16 15 – 2 Co 1 8 8 1 13 11
Gal 1 11 ἀδελφοί 3 15 4 12.28.31 5 11.13 6 1.18
Eph 6 23 εἰρήνη τοῖς ἀδελφοῖς καὶ ἀγάπη
Phl 1 12 ἀδελφοί 3 1 μου 13.17 4 1 μου ἀγαπη-
τοὶ καὶ ἐπιπόθητοι 8
Col 1 2 τοῖς – ἁγίοις καὶ πιστοῖς ἀδ. ἐν Χῷ
1 Th 1 4 ἀ..οὶ ἠγαπημένοι ὑπὸ [τοῦ] θεοῦ 2 1
ἀ..οί 9.14.17 3 7 4 1.10.13 5 1.4.12.14.25
2 Th 1 3 ἀδελφοί 2 1.13 ἠγαπ. ὑπὸ κυρίου 15
3 1.6.13 – Phm 7 ἀδελφέ 20
Hb 3 1 ἀδελφοὶ ἅγιοι 12 ἀ..οί 10 19 13 22
Jac 1 2 ἀδελφοί μου 2 1.14 3 1.10.12 5 10.12.19 –
1 16 ἀδ. μου ἀγαπητοί 19 2 5 – ἀδελφοί
4 11 5 7.9 – 2 Pe 1 10 ἀδελφοί 1 Jo 3 13

b) fratres nomine appellati

Apollos 1 Co 16 12 – Epaphr. Phl 2 25 – Johannes
Ap 1 9 ἐγὼ Ἰ., ὁ ἀδ. ὑμῶν – Onesimus Col 4 9 τῷ
πιστῷ καὶ ἀγ. ἀδ. cfr Phm 16 ὡς – ἀδελφὸν ἀγ.
– Paulus 2 Pe 3 15 ὁ ἀγ. ἡμῶν ἀδ. – Quartus
Rm 16 23 – Saulus Act 9 17 Σ. ἀδελφέ 22 13 – Sil-
vanus 1 Pe 5 12 τοῦ πιστοῦ ἀδ. – Sosthenes 1 Co
1 1 – Timotheus 2 Co 1 1 Col 1 1 1 Th 3 2 Phm 1
Hb 13 23 τὸν ἀδ. ἡμῶν – Titus 2 Co 2 13 τὸν ἀδ.
μου – Tychicus Eph 6 21 ὁ ἀγ. ἀδ. καὶ πιστὸς
διάκονος Col 4 7 καὶ σύνδουλος

c) reliquis locis = proximus (ὁ πλη-
σίον), = familiaris fidei (οἰκεῖος τῆς
πίστεως), eiusdem Dei patris filius

Mat 5 22 ὁ ὀργιζόμενος τῷ ἀδ. αὐτοῦ – ˙ ὃς δ᾽
ἂν εἴπῃ τῷ ἀδ. αὐτοῦ ῥακά 23 ὅτι ὁ
ἀδ. σου ἔχει τι κατὰ σοῦ 24 διαλλά-
γηθι τῷ ἀδ. σου, καὶ τότε – πρόσφερε
– 47 ἐὰν ἀσπάσησθε τοὺς ἀδ. ὑμῶν μόνον
7 3 τὸ κάρφος τὸ ἐν τῷ ὀφθαλμῷ τοῦ ἀδ.
σου 4 πῶς ἐρεῖς τῷ ἀδ. σου˙ 5 ‖ Luc 6
41.42 τῷ ἀδ. σου˙ ἀδελφέ, ἄφες
12 48 τίνες εἰσὶν οἱ ἀδ. μου; 49 ἰδοὺ – οἱ ἀδ.
μου 50 αὐτός μου ἀδ. ‖ Mar 3 33.34.35
Luc 8 21 ἀδελφοί μου – οἱ – ἀκούοντες
18 15 ἐὰν δὲ ἁμαρτήσῃ ὁ ἀδ. σου – , ἐκέρ-
δησας τὸν ἀδ. σου ‖ Luc 17 3
– 21 ποσάκις ἁμαρτήσει εἰς ἐμὲ ὁ ἀδ. μου
καὶ ἀφήσω αὐτῷ; 35 ἐὰν μὴ ἀφῆτε
ἕκαστος τῷ ἀδ. αὐτοῦ
23 8 πάντες δὲ ὑμεῖς ἀδελφοί ἐστε

Mat 25 40 ἐφ᾽ ὅσον – ἑνὶ τούτων τῶν ἀδ. μου τῶν
ἐλαχίστων, ἐμοὶ ἐποιήσατε
28 10 ἀπαγγείλατε τοῖς ἀδ. (vl μαθη.) μου
Luc 22 32 ἐπιστρέψας στήρισον τοὺς ἀδ. σου
Joh 20 17 πορεύου δὲ πρὸς τοὺς ἀδ. μου
21 23 ἐξῆλθεν – οὗτος ὁ λόγος εἰς τοὺς ἀδ.
Act 1 15 ἀναστὰς Πέτρος ἐν μέσῳ τῶν ἀδ.
3 22 „προφήτην – ἐκ τῶν ἀδ. ὑμῶν" 7 37
7 23 ἐπισκέψασθαι „τοὺς ἀδ. αὐτοῦ" 25.26
9 30 οἱ ἀδ. κατήγαγον αὐτὸν εἰς Καισάρ.
10 23 τινὲς τῶν ἀδ. τῶν ἀπὸ Ἰόππης
11 1 οἱ ἀπόστολοι καὶ οἱ ἀδ. οἱ ὄντες κατὰ
τὴν Ἰουδαίαν 29 τοῖς – ἐν τῇ Ἰουδ. ἀδ.
– 12 σὺν ἐμοὶ καὶ οἱ ἓξ ἀδελφοὶ οὗτοι
12 17 ἀπαγγείλατε Ἰακώβῳ καὶ τοῖς ἀδ.
14 2 τὰς ψυχὰς τῶν ἐθνῶν κατὰ τῶν ἀδ.
15 1 ἐδίδασκον τοὺς ἀδ. ὅτι ἐὰν μή
– 3 ἐποίουν χαρὰν μεγάλην πᾶσιν τοῖς ἀδ.
– 22 ἄνδρας ἡγουμένους ἐν τοῖς ἀδ.
– 23 οἱ ἀπόστολοι καὶ οἱ πρεσβύτεροι ἀδ.
τοῖς – ἀδ. τοῖς ἐξ ἐθνῶν χαίρειν
– 32 παρεκάλεσαν τοὺς ἀδελφοὺς 16 40
– 33 ἀπελύθησαν μετ᾽ εἰρήνης ἀπὸ τῶν ἀδ.
– 36 ἐπισκεψώμεθα τοὺς ἀδ. 40 ἐξῆλθεν,
παραδοθεὶς τῇ χάριτι τοῦ κυρίου ὑπὸ
τῶν ἀδ. 18 18 τοῖς ἀδ. ἀποταξάμενος
16 2 ὃς ἐμαρτυρεῖτο ὑπὸ τῶν – ἀδελφῶν
17 6 ἔσυρον Ἰάσονα καί τινας ἀδελφούς
– 10 οἱ – ἀδ. – ἐξέπεμψαν τόν τε Παῦλ. 14
18 27 οἱ ἀδ. ἔγραψαν τοῖς μαθηταῖς
21 7 ἀσπασάμενοι τοὺς ἀδ. ἐμείναμεν 17
ἀσμένως ἀπεδέξαντο ἡμᾶς οἱ ἀδ.
22 5 ἐπιστολὰς δεξάμενος πρὸς τοὺς ἀδ.
28 14 οὗ εὑρόντες ἀδελφοὺς παρεκλήθημεν
– 15 οἱ ἀδ. ἀκούσαντες τὰ περὶ ἡμῶν
– 21 οὔτε – τις τῶν ἀδ. ἀπήγγειλέν – τι
Rm 8 29 εἶναι – πρωτότοκον ἐν πολλοῖς ἀδ.
9 3 ἀνάθεμα εἶναι – ὑπὲρ τῶν ἀδ. μου τῶν
συγγενῶν μου κατὰ σάρκα
14 10 τί κρίνεις τὸν ἀδ. σου; – τί ἐξουθενεῖς
τὸν ἀδ. σου; 13 τὸ μὴ τιθέναι πρόσ-
κομμα τῷ ἀδ. 15 εἰ – ὁ ἀδ. σου λυπεῖ-
ται 21 μηδὲ ἐν ᾧ ὁ ἀδ. σου προσκόπτει
16 14 ἀσπάσασθε – τοὺς σὺν αὐτοῖς ἀ-
δελφούς Col 4 15 τοὺς ἐν Λαοδ. ἀδ.
1 Th 5 26 τοὺς ἀδ. πάντας 1 Co 16 20
ἀσπάζονται ὑμᾶς οἱ ἀδ. πάντες Phl
4 21 οἱ σὺν ἐμοὶ ἀδ. 2 Ti 4 21 οἱ ἀδ.
πάντες
1 Co 5 11 ἐάν τις ἀδ. ὀνομαζόμενος ᾖ πόρνος
6 5 οὐδεὶς σοφός, ὃς δυνήσεται διακρῖναι
ἀνὰ μέσον τοῦ ἀδ. (vl add καὶ τοῦ

ἀδελφοῦ) αὐτοῦ; 6 ἀλλὰ ἀδελφὸς με-
τὰ ἀδελφοῦ κρίνεται –;
1 Co 6 8 ὑμεῖς ἀδικεῖτε –, καὶ τοῦτο ἀδελφούς
7 12 εἴ τις ἀδελφὸς γυναῖκα ἔχει ἄπι-
στον 14 ἡγίασται ἡ γυνὴ – ἐν τῷ ἀδ.
(vl ἀνδρί, vg vir) 15 οὐ δεδούλωται
ὁ ἀδ. – ἐν τοῖς τοιούτοις
8 11 ἀπόλλυται –, ὁ ἀδ. δι' ὃν Χὸς ἀπέθαν-
εν 12 ἁμαρτάνοντες εἰς τοὺς ἀδ. 13 εἰ
βρῶμα σκανδαλίζει τὸν ἀδ. μου, – ,
ἵνα μὴ τὸν ἀδ. μου σκανδαλίσω
15 6 ὤφθη – πεντακοσίοις ἀδ. ἐφάπαξ
16 11 ἐκδέχομαι – αὐτὸν μετὰ τῶν ἀδ.
– 12 ἵνα ἔλθῃ πρὸς ὑμᾶς μετὰ τῶν ἀδ.
2 Co 8 18 συνεπέμψαμεν – μετ' αὐτοῦ τὸν ἀδ.
(vg vl fr. nostrum) 22 αὐτοῖς τὸν
ἀδ. ἡμῶν 12 18 συναπέστειλα τὸν ἀδ.
– 23 εἴτε ἀδελφοὶ ἡμῶν, ἀπόστολοι ἐκκλη-
σιῶν cfr 9 3.5 παρακαλέσαι τοὺς ἀδ.
11 9 προσανεπλήρωσαν οἱ ἀδ. – ἀπὸ Μακ.
Gal 1 2 Παῦλος – καὶ οἱ σὺν ἐμοὶ πάντες ἀδ.
Phl 1 14 τοὺς πλείονας τῶν ἀδ. – τολμᾶν
1 Th 4 6 μὴ – πλεονεκτεῖν – τὸν ἀδ. αὐτοῦ
– 10 καὶ γὰρ ποιεῖτε αὐτὸ εἰς πάντας τοὺς
ἀδ. – ἐν ὅλῃ τῇ Μακεδονίᾳ
5 27 ἀναγνωσθῆναι τὴν ἐπιστολὴν πᾶσιν
τοῖς (vl add ἁγίοις vg) ἀδελφοῖς
2 Th 3 6 ἀπὸ παντὸς ἀδ. ἀτάκτως περιπατοῦν-
– 15 ἀλλὰ νουθετεῖτε ὡς ἀδελφόν   [τος
1 Ti 4 6 ταῦτα ὑποτιθέμενος τοῖς ἀδελφοῖς
5 1 παρακάλει – νεωτέρους ὡς ἀδελφούς
6 2 πιστοὺς – δεσπότας μὴ καταφρονείτω-
σαν, ὅτι ἀδελφοί εἰσιν
Hb 2 11 οὐκ ἐπαισχύνεται „ἀδελφοὺς" αὐτοὺς
καλεῖν 12 „ἀπαγγελῶ τὸ ὄνομά σου
τοῖς ἀδ. μου" 17 „τοῖς ἀδ." ὁμοιωθῆναι
7 5 ἀποδεκατοῦν – τοὺς ἀδ. αὐτῶν
8 11 „οὐ μὴ διδάξωσιν – ἕκαστος τὸν ἀδ."
Jac 1 9 καυχάσθω – ὁ ἀδ. ὁ ταπεινὸς ἐν τῷ
2 15 ἐὰν ἀ..ὸς ἢ ἀ..ὴ γυμνοὶ ὑπάρχωσιν
4 11 ὁ καταλαλῶν ἀδελφοῦ ἢ κρίνων τὸν
ἀδ. αὐτοῦ καταλαλεῖ νόμου
1 Jo 2 9 ὁ – τὸν ἀδ. αὐτοῦ μισῶν 11 3 15 4 20
– 10 ὁ ἀγαπῶν τὸν ἀδ. αὐτοῦ 3 14 4 21
3 10 ὁ μὴ ἀγαπῶν τὸν ἀδ. αὐτοῦ 4 20
– 16 ὑπὲρ τῶν ἀδ. τὰς ψυχὰς θεῖναι
– 17 θεωρῇ τὸν ἀδ. – χρείαν ἔχοντα
5 16 ἴδῃ τὸν ἀδ. αὐτοῦ ἁμαρτάνοντα
3 Jo 3 ἐχάρην – ἐρχομένων ἀδ. καὶ μαρτυρ.
5 πιστὸν – ὃ ἐὰν ἐργάσῃ εἰς τοὺς ἀδ.
10 οὔτε αὐτὸς ἐπιδέχεται τοὺς ἀδ.
Ap 6 11 ἕως πληρωθῶσιν – καὶ οἱ ἀδ. αὐτῶν

Ap 12 10 ἐβλήθη ὁ κατήγωρ τῶν ἀδ. ἡμῶν
19 10 σύνδουλός σού εἰμι καὶ τῶν ἀδ. σου
τῶν ἐχόντων τὴν μαρτυρίαν Ἰησοῦ
22 9 καὶ τῶν ἀδ. σου τῶν προφητῶν

ἀδελφότης   fraternitas
1 Pe 2 17 πάντας τιμήσατε, τὴν ἀδ. ἀγαπᾶτε
5 9 τῇ ἐν τῷ κόσμῳ ὑμῶν ἀδελφότητι

ἄδηλος   ᵃquae non apparent (vl parent)
ᵇincertus   Luc 11 44 ὡς τὰ μνημεῖα τὰ
ἄδηλαᵃ   1 Co 14 8 ἐὰν ἄδηλονᵇ σάλπιγξ
φωνὴν δῷ, τίς παρασκευάσεται – ;

ἀδηλότης   Sᵒ   – incertum   1 Ti 6 17 μηδὲ ἠλ-
πικέναι ἐπὶ πλούτου ἀδηλότητι

ἀδήλως   Sᵒ   – in incertum
1 Co 9 26 ἐγὼ – οὕτως τρέχω ὡς οὐκ ἀδήλως

ἀδημονεῖν   Sᵒ   – maestum (moe..) esse
ᵇtaedēre
Mat 26 37 ἤρξατο – ἀδ. ‖ Mar 14 33ᵇ – Phl 2 26

ᾅδης   ᵃinfernus   ᵇinferus
Mat 11 23 „ἕως ᾅδουᵃ (in inf.) καταβήσῃ" ‖
Luc 10 15 τοῦ ᾅδουᵃ (ad inf.)
16 18 πύλαι ᾅδουᵇ οὐ κατισχύσουσιν αὐτῆς
Luc 16 23 ἐν τῷ ᾅδῃᵃ ἐπάρας τοὺς ὀφθαλμούς
(vl 22 ἐτάφη ἐν τῷ ᾅδῃ. vgᵃ)
Act 2 27 „οὐκ ἐγκαταλείψεις τὴν ψυχήν μου
εἰς ᾅδην" (in inferno) 31 „οὔτε ἐγ-
κατελείφθη εἰς ᾅδην" (in inferno)
Ap 1 18 ἔχω τὰς κλεῖς – τοῦ ᾅδουᵃ
6 8 „ὁ ᾅδηςᵃ" ἠκολούθει μετ' αὐτοῦ
20 13 ὁ θάνατος καὶ ὁ ᾅδηςᵃ ἔδωκαν τοὺς
νεκροὺς τοὺς ἐν αὐτοῖς 14ᵃ ἐβλήθη-
σαν εἰς τὴν λίμνην τοῦ πυρός

ἀδιάκριτος   non iudicans Jac 3 17 ἡ – ἄνωθεν
σοφία – ἀδιάκριτος, ἀνυπόκριτος (vg vl
iudicans sine simulatione)

ἀδιάλειπτος   Sᵒ   – ᵃcontinuus ᵇsine inter-
missione   Rm 9 2 ἀδ.ᵃ ὀδύνη τῇ καρδίᾳ
μου   2 Ti 1 3 ἀδιάλειπτονᵇ ἔχω – μνείαν

ἀδιαλείπτως   sine intermissione
Rm 1 9 ἀδ. μνείαν ὑμῶν ποιοῦμαι 1 Th 1 2
1 Th 2 13 εὐχαριστοῦμεν τῷ θεῷ ἀδιαλείπτως
5 17 πάντοτε χαίρετε, ἀδ. προσεύχεσθε

ἀδικεῖν, ..εῖσθαι ᵃinique gerere
ᵇiniuriam accipere ᶜiniu. facere
ᵈiniu. pati ᵉlaedere ᶠnocēre
Mat 2013 εἶπεν· ἑταῖρε, οὐκ ἀδικῶᶜ σε
Luc 1019 καὶ οὐδὲν ὑμᾶς οὐ μὴ ἀδικήσειᶠ
Act 724 ἰδών τινα ἀδικούμενονᵈ 26 ἱνατί ἀδι-
κεῖτεᶠ ἀλλήλους; 27 „ὁ δὲ ἀδικῶνᶜ τὸν
πλησίον"
2510 Ἰουδαίους οὐδὲν ἠδίκηκαᶠ 11 εἰ μὲν
οὖν ἀδικῶᶠ (nocui)
1 Co 6 7 διὰ τί οὐχὶ μᾶλλον ἀ..εῖσθε;ᵇ 8 ἀλλὰ
ὑμεῖς ἀ..εῖτεᶜ–, καὶ τοῦτο ἀδελφούς
2 Co 7 2 οὐδένα ἠδικήσαμενᵉ 12 οὐχ ἕνεκεν
τοῦ ἀ..ήσαντοςᶜ οὐδὲ ἕν. τοῦ ἀ..η-
Gal 412 οὐδέν με ἠδικήσατεᵉ [θέντοςᵈ
Col 325 ὁ γὰρ ἀ..ῶνᶜ κομίσεται ὃ ἠ..ησενᵃ
Phm 18 εἰ δέ τι ἠ..ησένᶠ σε ἢ ὀφείλει
2 Pe 213 ἀδικούμενοι (vl κομιούμενοι, vg per-
cipientes) μισθὸν ἀδικίας
Ap 211 οὐ μὴ ἀδικηθῇᵉ ἐκ τοῦ θανάτου τοῦ
δευτέρου – 66 τὸν οἶνον μὴ ἀ..ήσῃςᵉ 72
ἀ..ῆσαιᶠ τὴν γῆν 3ᶠ 94 ἵνα μὴ ἀ..ήσουσινᵉ
τὸν χόρτον 10 ἀ..ῆσαιᶠ τοὺς ἀνθρώπους
19ᶠ 115 εἴ τις αὐτοὺς θέλει ἀ..ῆσαιᶠ· –
ἀ..ῆσαιᵉ – 2211 ὁ „ἀ..ῶνᶠ ἀ..ησάτωᶠ" ἔτι

ἀδίκημα ᵃiniquitas ᵇiniquum
Act 1814 εἰ μὲν ἦν ἀδ.ᵇ τι – 2420ᵃ
Ap 18 5 ἐμνημόνευσεν ὁ θεὸς τὰ ἀδ.ᵃ αὐτῆς

ἀδικία ᵃiniquitas ᵇiniustitia ᶜiniuria
Luc 1327 „πάντες ἐργάται ἀδικίας"ᵃ
16 8 ἐπήνεσεν–τὸν οἰκονόμον τῆς ἀδ.ᵃ
– 9 φίλους ἐκ τοῦ μαμωνᾶ τῆς ἀδ.ᵃ
18 6 τί ὁ κριτὴς τῆς ἀδικίαςᵃ λέγει
Joh 718 καὶ ἀδικίαᵇ ἐν αὐτῷ οὐκ ἔστιν
Act 118 χωρίον ἐκ μισθοῦ τῆς ἀδικίαςᵃ
823 εἰς–„σύνδεσμον ἀ..αςᵃ" ὁρῶ σε ὄντα
Rm 118 ὀργὴ θεοῦ–ἐπὶ–ἀ..ανᵇ ἀνθρώπων
τῶν τὴν ἀλήθ. ἐν ἀ..αᵇ κατεχόντων
– 29 πεπληρωμένους πάσῃ ἀδικίᾳᵃ
2 8 πειθομένοις δὲ τῇ ἀ..ᾳᵃ, ὀργή
3 5 εἰ δὲ ἡ ἀδ.ᵃ ἡμῶν θεοῦ δικαιοσύνην
συνίστησιν, τί ἐροῦμεν;
613 μηδὲ–τὰ μέλη ὑμῶν ὅπλα ἀ..ᾳᵃ
914 μὴ ἀδικίαᵃ παρὰ τῷ θεῷ; μὴ γένοιτο
1 Co 13 6 οὐ χαίρει ἐπὶ τῇ ἀδικίᾳᵃ
2 Co 1213 χαρίσασθέ μοι τὴν ἀδ.ᶜ ταύτην
2 Th 210 ἐν πάσῃ ἀπάτῃ ἀδικίαςᵃ 12 πάντες
οἱ–εὐδοκήσαντες τῇ ἀδικίᾳᵃ
2 Ti 219 ἀποστήτω ἀπὸ ἀ..αςᵃ πᾶς ὁ ὀνομάζ.
Hb 812 „ἵλεως ἔσομαι ταῖς ἀ..αιςᵃ αὐτῶν"

Jac 3 6 ἡ γλῶσσα πῦρ, ὁ κόσμος τῆς ἀ..αςᵃ
2 Pe 213 ἀδικούμενοι (vl κομιούμενοι) μισθὸν
ἀ..αςᵇ 15 ὃς μισθὸν ἀ..αςᵃ ἠγάπησεν
1 Jo 1 9 καθαρίσῃ ἡμᾶς ἀπὸ πάσης ἀ..αςᵃ
517 πᾶσα ἀδικίαᵃ ἁμαρτία ἐστίν

ἄδικος ᵃiniquus ᵇiniustus
Mat 545 βρέχει ἐπὶ δικαίους καὶ ἀδίκουςᵇ
Luc 1610 ὁ ἐν ἐλαχίστῳ ἄδ.ᵃ καὶ ἐν πολλῷ
ἄδ.ᵃ ἐστιν 11 ἐν τῷ ἀδίκῳᵃ μαμωνᾷ
1811 ὥσπερ οἱ λοιποί–, ἅρπαγες, ἄ..οιᵇ
Act 2415 ἀνάστασιν–δικαίων τε καὶ ἀδίκωνᵃ
Rm 3 5 μὴ ἄδ.ᵃ ὁ θεὸς ὁ ἐπιφέρων τὴν ὀρ-
γήν; Hb 610 οὐ γὰρ ἄδικος ὁ θεὸς
ἐπιλαθέσθαι τοῦ ἔργου ὑμῶν
1 Co 6 1 τολμᾷ τις–κρίνεσθαι ἐπὶ τῶν ἀδ.ᵃ–;
– 9 ἄδ..οιᵃ θεοῦ βασιλείαν οὐ κληρονομ.
1 Pe 318 ἀπέθανεν, δίκαιος ὑπὲρ ἀδίκωνᵇ
2 Pe 2 9 οἶδεν κύριος–ἀδίκουςᵃ–εἰς ἡμέραν
κρίσεως κολαζομένους τηρεῖν

ἀδίκως iniuste 1 Pe 219 πάσχων ἀδίκως

Ἀδμίν Luc 333

ἀδόκιμος reprobus
Rm 128 παρέδωκεν αὐτοὺς–εἰς ἀ..ον νοῦν
1 Co 927 μή πως–αὐτὸς ἀδόκιμος γένωμαι
2 Co13 5 εἰ μήτι ἀ..οί ἐστε 6 ἡμεῖς οὐκ ἐσμὲν
ἀ..οι 7 ἵνα–ἡμεῖς–ὡς ἀ..οι ὦμεν
2 Ti 3 8 ἄνθρωποι–ἀ..οι περὶ τὴν πίστιν
Tit 116 πρὸς πᾶν ἔργον ἀγαθὸν ἀδόκιμοι
Hb 6 8 (γῆ) ἀδόκιμος καὶ „κατάρας" ἐγγύς

ἄδολος Sᵒ – sine dolo 1 Pe 22 ἄ..ον γάλα

Ἀδραμυττηνὸν πλοῖον Act 272

Ἀδρίας Act 2727 διαφερομένων ἡμ. ἐν τῷ Ἀ.

ἁδρότης Sᵒ – plenitudo 2 Co 820

ἀδυνατεῖν impossibile esse
Mat 1720 καὶ οὐδὲν ἀδυνατήσει ὑμῖν
Luc 137 „οὐκ ἀδ..ήσει παρὰ–θεοῦ πᾶν ῥῆμα"

ἀδύνατος impossibilis ᵇinfirmus
Mat 1926 παρὰ ἀνθρώποις τοῦτο ἀδ..όν ἐστιν
|| Mar 1027 ἀλλ' οὐ παρὰ θεῷ Luc 1827 τὰ
ἀδ. παρὰ ἀνθρώποις δυνατὰ παρὰ τῷ θ.
Act 14 8 ἀνὴρ ἀδ..οςᵇ–τοῖς ποσὶν ἐκάθητο
Rm 8 3 τὸ γὰρ ἀδ. τοῦ νόμου, ἐν ᾧ ἠσθένει

Rm 15 1 τὰ ἀσθενήματα τῶν ἀδ.^b βαστάζειν
Hb 6 4 ἀδύνατον – ἀνακαινίζειν εἰς μετάνοι-
αν 18 ἐν οἷς ἀδ..ον ψεύσασθαι θεόν
104 ἀδ..ον γὰρ αἷμα ταύρων – ἀφαι-
ρεῖν ἁμαρτίας 116 χωρὶς δὲ πίστεως
ἀδ..ον „εὐαρεστῆσαι"

ἀετός aquila Mat 2428 συναχθήσονται οἱ
ἀετοί ‖ Luc 1737 – Ap 47 ὅμοιον „ἀετῷ"
πετομένῳ 813 ἤκουσα – ἀετοῦ (vl ἀγγέ-
λου) πετομένου ἐν μεσουρανήματι – 1214

ἄζυμος, τὰ ἄζυμα azymus, Azyma
Mat 2617 τῇ δὲ πρώτῃ τῶν ἀζ. ‖ Mar 141.12
Luc 221.7 – Act 123 ἡμέραι τῶν ἀζ. 206
1 Co 5 7 καθώς ἐστε ἄζυμοι 8 ἑορτάζωμεν – ἐν
ἀζύμοις εἰλικρινείας καὶ ἀληθείας

Ἀζώρ Mat 113.14 Ἄζωτος Act 840

ἀήρ aër Act 2223 1 Co 926 149
Eph 2 2 τὸν ἄρχοντα τῆς ἐξουσίας τοῦ ἀέρος
1 Th 417 ἁρπαγησόμεθα – εἰς ἀπάντησιν τοῦ
κυρίου εἰς ἀέρα – Ap 92 1617

ἀθανασία immortalitas
1 Co 1553 δεῖ – τὸ θνητὸν – ἐνδύσασθαι ἀ..αν 54
1 Ti 616 ὁ μόνος ἔχων ἀθανασίαν

ἀθέμιτος ^aabominatus ^billicitus
Act 1028 ὡς ἀθέμιτόν^a ἐστιν ἀνδρὶ Ἰουδαίῳ
1 Pe 4 3 πεπορ. ἐν – ἀθ..οις^b εἰδωλολατρίαις

ἄθεος S^o – sine deo
Eph 212 ἦτε τῷ καιρῷ – ἄθεοι ἐν τῷ κόσμῳ

ἄθεσμος ^ainsipiens ^bnefandus
2 Pe 2 7 καταπονούμενον ὑπὸ τῆς τῶν ἀθ.^b –
ἀναστροφῆς 317 τῇ τῶν ἀθ.^a πλάνη

ἀθετεῖν ^aabiicere ^bcontristare ^cirritum fa-
cere ^dreprobare ^espernere
Mar 626 οὐκ ἠθέλησεν ἀθετῆσαι^b αὐτήν
7 9 καλῶς ἀθ..εῖτε^c τὴν ἐντολὴν τ. θεοῦ
Luc 730 βουλὴν τοῦ θ. ἠθ..ησαν^e εἰς ἑαυτούς
1016 ὁ ἀθ..ῶν^e ὑμᾶς ἐμὲ ἀθ..εῖ^e· ὁ δὲ ἐμὲ
ἀθ..ῶν^e ἀθ..εῖ^e τὸν ἀποστείλαντά με
Joh 1248 ὁ ἀθ..ῶν^e ἐμὲ – ἔχει τὸν κρίνοντα
1 Co 119 „τὴν σύνεσιν τῶν συνετῶν ἀθ..ήσω^d"
Gal 221 οὐκ ἀθετῶ^a τὴν χάριν τοῦ θεοῦ
315 ἀνθρώπου κεκυρωμένην διαθήκην οὐ-
δεὶς ἀθ..εῖ^e (vl^c)

1 Th 4 8 ὁ ἀθ..ῶν^e οὐκ ἄνθρ. ἀθ..εῖ^e ἀλλὰ τ. θ.
1 Ti 512 ὅτι τὴν πρώτην πίστιν ἠθέτησαν^c
Hb 1028 ἀθετήσας^c τις νόμον Μωϋσέως
Jud 8 κυριότητα δὲ ἀθετοῦσιν^e

ἀθέτησις ^adestitutio (destruct.) ^breprobatio
Hb 718 ἀθ.^b – γίνεται προαγούσης ἐντολῆς
926 εἰς ἀθ..ιν^a τῆς ἁμαρτίας – πεφανέρω.

Ἀθῆναι Act 1715.16 181 1 Th 31 καταλειφθῆ-
ναι ἐν Ἀ..αις – Ἀθηναῖοι Act 1721.22

ἀθλεῖν S^o – ^acertare in agone ^bcertare
2 Ti 2 5 ἐὰν – καὶ ἀθλῇ^a τις, οὐ στεφανοῦται
ἐὰν μὴ νομίμως ἀθλήσῃ^b

ἄθλησις S^o – certamen Hb 1032 παθημάτων

ἀθροίζειν congregare Luc 2433

ἀθυμεῖν pusillo animo fieri
Col 321 τὰ τέκνα ὑμῶν, ἵνα μὴ ἀθυμῶσιν

ἀθῷος innocens Mat 274 παραδοὺς αἷμα
ἀθ..ν (vl δίκαιον vg iustum) 24 ἀθ. εἰμι

αἴγειος caprinus Hb 1137 (δέρμα)

αἰγιαλός littus (litus)
Mat 13 2.48 Joh 214 Act 215 2739.40

Αἰγύπτιος Act 722.24.28 2138 Hb 1129

Αἴγυπτος Mat 213-15.19 Act 210 79-40 1317
Hb 316 89 1126s Jud 5 Ap 118 πόλεως –
ἥτις καλεῖται πνευματικῶς – Αἴγυπτος

ἀΐδιος ^aaeternus ^bsempiternus Rm 120 ἡ
– ἀ.^b αὐτοῦ δύναμις Jud 6 δεσμοῖς ἀ.^a

αἰδώς verecundia 1 Ti 29 μετὰ αἰδοῦς καὶ
σωφροσύνης κοσμεῖν ἑαυτάς

Αἰθίοψ Act 827 εὐνοῦχος

αἷμα sanguis
1) sanguis victimarum
Hb 9 7 οὐ χωρὶς αἵματος ὃ προσφέρει 18
– 12 οὐδὲ δι' αἵματος τράγων 13 εἰ γὰρ τὸ
αἷ. τράγων – ἁγιάζει 19 λαβὼν τὸ αἷ.
– 20 „τοῦτο τὸ αἷ. τῆς διαθήκης" 21 τὴν
σκηνὴν – τῷ αἵ. ἐρράντισεν 22 ἐν αἵ.

πάντα καθαρίζεται 25 ὁ ἀρχιερεὺς
εἰσέρχεται – ἐν αἵματι ἀλλοτρίῳ
Hb 10 4 ἀδύνατον – αἷμα ταύρων καὶ τράγων
ἀφαιρεῖν ἁμαρτίας
11 28 πεποίηκεν – τὴν πρόσχυσιν „τοῦ αἷμ."
13 11 ὦν – „εἰσφέρεται" ζῴων „τὸ αἷ. περὶ
ἁμαρτίας εἰς τὰ ἅγια"

2) sanguis Christi

Mat 26 28 „τὸ αἷμά" μου „τῆς διαθήκης" ‖ Mar
14 24 Luc 22 20 ἡ καινὴ „διαθ." ἐν „τῷ
αἷμ." μου 1 Co 11 25 τῷ ἐμῷ „αἷμ."
27 4 παραδοὺς αἷ. ἀθῷον 6 τιμὴ αἵματος
– 24 ἀθῷός εἰμι ἀπὸ τοῦ αἵ. τούτου
– 25 τὸ αἷ. αὐτοῦ ἐφ᾽ ἡμᾶς καὶ ἐπὶ τά
Joh 6 53 ἐὰν μὴ φάγητε τὴν σάρκα τοῦ υἱοῦ
τοῦ ἀνθρ. καὶ πίητε αὐτοῦ τὸ αἷ. 54 ὁ
τρώγων μου τὴν σάρκα καὶ πίνων μου
τὸ αἷ. 55 ἡ – σάρξ μου ἀληθής ἐστιν
βρῶσις καὶ τὸ αἷ. μου ἀληθής ἐστιν
πόσις 56 ὁ τρώγων μου τὴν σάρκα
καὶ πίνων μου τὸ αἷ. ἐν ἐμοὶ μένει
κἀγὼ ἐν αὐτῷ
19 34 ἐξῆλθεν εὐθὺς αἷμα καὶ ὕδωρ
Act 5 28 ἐπαναγεῖν ἐφ᾽ ἡμᾶς τὸ αἷ. τοῦ ἀνθρ.
20 28 „τὴν ἐκκλησίαν τοῦ θεοῦ", ἣν „περι-
εποιήσατο" διὰ τοῦ αἵ. τοῦ ἰδίου
Rm 3 25 ἱλαστήριον – ἐν τῷ αὐτοῦ αἵματι
5 9 δικαιωθέντες νῦν ἐν τῷ αἵ. αὐτοῦ
1 Co 10 16 οὐχὶ κοινωνία ἐστιν τοῦ αἵ. τοῦ Χοῦ;
11 27 ἔνοχος ἔσται – τοῦ αἵ. τοῦ κυρίου
Eph 1 7 τὴν ἀπολύτρωσιν διὰ τοῦ αἵ. αὐτοῦ
2 13 ἐγενήθητε ἐγγὺς ἐν τῷ αἵ. τοῦ Χοῦ
Col 1 20 εἰρηνοποιήσας διὰ τοῦ αἵματος τοῦ
σταυροῦ αὐτοῦ
Hb 9 12 διὰ – τοῦ ἰδίου αἵ. εἰσῆλθεν ἐφάπαξ
– 14 τὸ αἷ. τοῦ Χοῦ – καθαριεῖ τὴν συνείδ.
10 19 παρρησίαν εἰς τὴν εἴσοδον τῶν ἁγίων
ἐν τῷ αἵματι Ἰησοῦ
– 29 ὁ – „τὸ αἷ. τῆς διαθήκης" κοινὸν ἡ-
γησάμενος, ἐν ᾧ ἡγιάσθη
12 24 προσεληλύθατε – αἵματι ῥαντισμοῦ
κρεῖττον λαλοῦντι παρὰ τὸν Ἄβελ
13 12 ἵνα ἁγιάσῃ διὰ τοῦ ἰδίου αἵ. τ. λαόν
– 20 „ἐν αἵματι διαθήκης αἰωνίου"
1 Pe 1 2 εἰς – ραντισμὸν αἵματος Ἰοῦ Χοῦ
– 19 ἐλυτρώθητε – τιμίῳ αἵματι – Χοῦ
1 Jo 1 7 τὸ αἷ. Ἰησοῦ – καθαρίζει ἡμᾶς
5 6 ὁ ἐλθὼν δι᾽ ὕδατος καὶ αἵματος – ·–
ἐν τῷ ὕδατι καὶ ἐν τῷ αἵ. 8 τὸ πνεῦ-
μα καὶ τὸ ὕδωρ καὶ τὸ αἷμα
Ap 1 5 λύσαντι ἡμᾶς – ἐν τῷ αἵ. αὐτοῦ 5 9

ἠγόρασας τῷ θεῷ ἐν τῷ αἵματί σου
Ap 7 14 „ἔπλυναν τὰς στολὰς αὐτῶν – ἐν τῷ
αἵματι" τοῦ ἀρνίου 12 11 ἐνίκησαν αὐ-
τὸν διὰ τὸ αἷ. τοῦ ἀρνίου

3) sanguis caede effusus, s. martyrum

Mat 23 30 κοινωνοὶ ἐν τῷ αἵ. τῶν προφητῶν
– 35 πᾶν αἷ. δίκαιον ἐκχυννόμενον – ἀπὸ
τοῦ αἵ. Ἄβελ – ἕως τοῦ αἵ. Ζαχαρίου
‖ Luc 11 50 πάντων τῶν προφητῶν 51
27 4 παραδοὺς αἷ. ἀθῷον 6 τιμὴ αἵματός
ἐστιν 8 ἀγρός αἵ..τος Act 1 19 χωρίον
Luc 13 1 ὦν τὸ αἷ. Πιλᾶτος ἔμιξεν μετά
Act 18 6 τὸ αἷ. ὑμῶν ἐπὶ τὴν κεφαλὴν ὑμῶν
20 26 καθαρός εἰμι ἀπὸ τοῦ αἵ. πάντων
22 20 ὅτε ἐξεχύννετο τὸ αἷ. Στεφάνου
Rm 3 15 „ὀξεῖς οἱ πόδες αὐτῶν ἐκχέαι αἷ."
Hb 12 4 οὔπω μέχρις αἵματος ἀντικατέστητε
Ap 6 10 „ἕως πότε" – οὐ – „ἐκδικεῖς τὸ αἷ."
ἡμῶν – ; 19 2 „ἐξεδίκησεν τὸ αἷ. τῶν
δούλων" αὐτοῦ
14 20 ἐξῆλθεν αἷμα ἐκ τῆς ληνοῦ
16 6 „αἷ." ἁγίων καὶ προφητῶν „ἐξέχεαν",
καὶ „αἷ. αὐτοῖς" δέδωκας „πεῖν"
17 6 μεθύουσαν ἐκ τοῦ αἵ. τῶν ἁγίων καὶ
ἐκ τοῦ αἵ. τῶν μαρτύρων Ἰησοῦ 18 24
19 13 ἱμάτιον βεβαμμένον αἵματι

4) voces σὰρξ καὶ αἷμα coniunctae
caro et sanguis
(caro et sanguis Christi → 2) Joh 6 53)

Mat 16 17 σὰρξ καὶ αἷ. οὐκ ἀπεκάλυψέν σοι
Joh 1 13 οἳ οὐκ ἐξ αἱμάτων οὐδὲ ἐκ θελήματος
σαρκὸς – ἐγεννήθησαν
1 Co 15 50 σὰρξ καὶ αἷ. βασιλείαν θεοῦ κληρονο-
μῆσαι οὐ δύναται (vl ..ανται)
Gal 1 16 οὐ προσανεθέμην σαρκὶ καὶ αἵματι
Eph 6 12 οὐκ ἔστιν ἡμῖν ἡ πάλη πρὸς αἷμα
καὶ σάρκα, ἀλλὰ πρὸς τὰς ἀρχάς
Hb 2 14 ἐπεὶ οὖν „τὰ παιδία" κεκοινώνηκεν
αἵματος καὶ σαρκός, καὶ αὐτός

5) reliqui loci

Mar 5 25 γυνὴ – ἐν ῥύσει αἵ..τος 29 ‖ Luc 8 43 s
Luc 22 44 ὁ ἱδρὼς – ὡσεὶ θρόμβοι αἵματος
Act 2 19 σημεῖα – , „αἷ. καὶ πῦρ" 20 „ἡ σελήνη
εἰς αἷ." – 15 20 ἀπέχεσθαι – πνικτοῦ
καὶ τοῦ αἵ. 29 21 25 φυλάσσεσθαι – αἷ.
17 26 ἐξ ἑνὸς (vl + αἵματος) πᾶν ἔθνος
Ap 6 12 „ἡ σελήνη" – ἐγένετο ὡς „αἷ." 8 7 χά-
λαζα καὶ πῦρ μεμιγμένα ἐν „αἵματι" 8 τὸ
τρίτον τῆς θαλάσσης αἷ. 16 3 εἰς – θάλασ-

σαν· „καὶ ἐγένετο αἷμα" ὡς νεκροῦ 4 –
11 6 „στρέφειν – (sc τὰ ὕδατα) εἰς αἷμα"

αἱματεκχυσία S⁰ – *sanguinis effusio*
Hb 9 22 χωρὶς αἱ..ας οὐ γίνεται ἄφεσις

αἱμορροεῖν *sanguinis fluxum pati* Mat 9 20

Αἰνέας Act 9 33. 34 **Αἰνών** Joh 3 23

αἰνεῖν τὸν θεόν *laudare* ᵇ*collaudare*
ᶜ*laudem dicere*
Luc 2 13 (στρατιὰ οὐράνιος) 20 (ποιμένες)
19 37 (μαθηταί) (24 53 vl) – Act 2 47ᵇ (οἱ
πιστεύσαντες) 3 8. 9 Rm 15 11 „αἰνεῖτε, πάν-
τα τὰ ἔθνη, τὸν κύριον" Ap 19 5 „αἰνεῖτε ᶜ"
τῷ θεῷ ἡμῶν, „πάντες οἱ δοῦλοι" αὐτοῦ

αἴνεσις *laus* Hb 13 15 „θυσίαν αἰνέσως"

αἴνιγμα *aenigma* 1 Co 13 12 ἐν αἱ..τι

αἶνος *laus* Mat 21 16 Luc 18 43 θεῷ

αἴρειν *tollere* ᵇ*ferre* – (*sustuli* bis: Act 27 13
Ap 18 12; alibi pro ἦρα et ἦρκα: *tuli*)
– ᶜ*auferre* ᵈ*elevare* (*oculos*) ᵉ*le-
vare* (*manum, vocem*) ᶠ*portare*
Mat 4 6 „ἐπὶ χειρῶν ἀροῦσίν σε" ‖ Luc 4 11
9 6 ἆρόν σου τὴν κλίνην ‖ Mar 2 9. 11. 12
Luc 5 24. 25ᵇ (*tulit*) Joh 5 8-12
16 αἴρει – τὸ πλήρωμα – ἀπὸ τοῦ ἱματίου
‖ Mar 2 21ᶜ
11 29 ἄρατε τὸν ζυγόν μου ἐφ' ὑμᾶς
13 12 ὃ ἔχει ἀρθήσεται ᶜ ἀπ' αὐτοῦ 25 29ᶜ
‖ Luc 19 26ᶜ – Mar 4 25ᶜ ‖ Luc 8 18ᶜ
14 12 ἦραν ᵇ τὸ πτῶμα ‖ Mar 6 29ᵇ
– 20 ἦραν ᵇ τὸ περισσεῦον ‖ Mar 6 43 Luc
9 17 – Mat 15 37ᵇ ‖ Mar 8 8 (19. 20ᵇ)
16 24 ἀράτω τὸν σταυρὸν αὐτοῦ ‖ Mar 8 34
Luc 9 23 καθ' ἡμέραν
17 27 τὸν ἀναβάντα πρῶτον ἰχθὺν ἆρον
20 14 ἆρον τὸ σὸν καὶ ὕπαγε
21 21 ἄρθητι καὶ βλήθητι ‖ Mar 11 23
– 43 ἀρθήσεται ᶜ ἀφ' ὑμῶν ἡ βασιλεία
24 17 μὴ καταβάτω ἆραι τὰ ἐκ τῆς οἰκίας
18 ‖ Mar 13 15. 16 Luc 17 31 sc τὰ σκεύη
– 39 ὁ κατακλυσμὸς – ἦρεν ᵇ ἅπαντας
25 28 ἄρατε οὖν ἀπ' αὐτοῦ τὸ τάλαντον ‖
Luc 19 24ᶜ τὴν μνᾶν
27 32 ἵνα ἄρῃ τ. σταυρὸν αὐτοῦ ‖ Mar 15 21
Mar 2 3 παραλυτικὸν αἱρόμενον ᶠ ὑπὸ τεσσάρ.

Mar 4 15 ὁ σατανᾶς – αἴρει ᶜ τ. λόγον ‖ Luc 8 12
6 8 ἵνα μηδὲν αἴρωσιν εἰς ὁδόν ‖ Luc 9 3ᵇ
15 24 βάλλοντες κλῆρον – τίς τί ἄρῃ
[16 18 ὄφεις ἀροῦσιν]
Luc 6 29 αἴροντός ᶜ σου τὸ ἱμάτιον 30 ᶜ τὰ σά
11 22 τὴν πανοπλίαν αὐτοῦ αἴρει ᶜ
– 52 ἤρατε ᵇ τὴν κλεῖδα τῆς γνώσεως
17 13 ἦραν ᵉ φωνήν Act 4 24ᵉ
19 21 αἴρεις ὃ οὐκ ἔθηκας 22 αἴρων
22 36 νῦν ὁ ἔχων βαλλάντιον ἀράτω
23 18 αἶρε τοῦτον Joh 19 15 ἆρον ἆρον Act
21 36 22 22 αἶρε ἀπὸ τῆς γῆς
Joh 1 29 ὁ ἀμνὸς τοῦ θεοῦ ὁ αἴρων τὴν ἁμαρ-
τίαν τοῦ κόσμου 1 Jo 3 5 ἐφανερώθη
ἵνα τὰς ἁμαρτίας (vl + ἡμῶν) ἄρῃ
2 16 ἄρατε ᶜ ταῦτα ἐντεῦθεν 11 39 τὸν λί-
θον 41 ἦραν ᵇ – τὸν λ. 20 1 ἠρμένον
8 59 ἦραν ᵇ – λίθους ἵνα βάλωσιν ἐπ' αὐτόν
10 18 οὐδεὶς ἦρεν (vl αἴρει) αὐτὴν (sc τὴν
ψυχὴν) ἀπ' ἐμοῦ, ἀλλ' ἐγὼ τίθημι
– 24 ἕως πότε τὴν ψυχὴν ἡμῶν αἴρεις;
11 41 Ἰησοῦς ἦρεν ᵈ τοὺς ὀφθαλμοὺς ἄνω
– 48 οἱ Ῥωμαῖοι – ἀροῦσιν ἡμῶν – τὸ ἔθνος
15 2 κλῆμα – μὴ φέρον καρπόν, αἴρει
16 22 τὴν χαρὰν ὑμῶν οὐδεὶς αἴρει (vl ἀ-
ρεῖ) ἀφ' ὑμῶν
17 15 ἵνα ἄρῃς αὐτοὺς ἐκ τοῦ κόσμου
19 31 ἵνα – ἀρθῶσιν (sc de cruce) 38 ἵνα
ἄρῃ τὸ σῶμα τοῦ Ἰησοῦ –. ἦλθεν οὖν
καὶ ἦρεν ᵇ (vl ..ον καὶ ἦραν)
20 2 ἦραν ᵇ τὸν κύριον ἐκ τοῦ μνημείου 13ᵇ
κύριόν μου 15 κἀγὼ αὐτὸν ἀρῶ
Act 8 33 „ἡ κρίσις αὐτοῦ ἤρθη· – ὅτι αἴρεται
(*tolletur* vl *tollitur*) ἀπὸ τῆς γῆς ἡ
ζωὴ αὐτοῦ"
20 9 ἤρθη νεκρός – 21 11 ἄρας ᵇ τὴν ζώνην
τοῦ Παύλου – 27 13 ἄραντες (sc τὰς
ἀγκύρας) 17 ἦν (sc σκάφην) ἄραντες
1 Co 5 2 ἵνα ἀρθῇ ἐκ μέσου ὑμῶν ὁ – πράξας
6 15 ἄρας – τὰ μέλη τοῦ Χοῦ ποιήσω –;
Eph 4 31 πᾶσα – βλασφημία ἀρθήτω ἀφ' ὑμῶν
Col 2 14 τὸ καθ' ὑμῶν χειρόγραφον – ἦρκεν ᵇ
ἐκ τοῦ μέσου – 1 Jo 3 5 → Joh 1 29
Ap 10 5 „ἦρεν ᵉ τὴν χεῖρα" 18 21 ἦρεν – λίθον

αἱρεῖσθαι *eligere* Phl 1 22 τί αἱρήσομαι οὐ
γνωρίζω 2 Th 2 13 εἵλατο ὑμᾶς ὁ θεὸς –
εἰς σωτηρίαν Hb 11 25 μᾶλλον ἑλόμενος
συγκακουχεῖσθαι τῷ λαῷ τοῦ θεοῦ

αἵρεσις *haeresis* ᵇ*secta*
Act 5 17 τῶν Σαδδ. 15 5 τῶν Φαρ. 26 5 κατὰ

τὴν ἀκριβεστάτην αἵρεσιν[b] – ἔζησα Φαρισαῖος – 245[b] τῶν Ναζωρ. 14 κατὰ τὴν ὁδὸν (vg sectam) ἣν λέγουσιν αἵρεσιν 2822 περὶ – τῆς αἱ.[b] ταύτης γνωστὸν ἡμῖν ἐστιν 1 Co 1119 δεῖ – καὶ αἱρέσεις ἐν ὑμῖν εἶναι Gal 520 διχοστασίαι, αἱρέσεις[b], φθόνοι 2 Pe 2 1 παρεισάξουσιν αἱρέσεις[b] ἀπωλείας

αἱρετίζειν eligere Mat 1218 „ὃν ἡρέτισα"

αἱρετικός S[o] – haereticus Tit 310 αἱ..ὸν ἄνθρωπον μετὰ – νουθεσίαν παραιτοῦ

αἰσθάνεσθαι sentire Luc 945 sc τὸ ῥῆμα

αἴσθησις sensus Phl 1 9 ἐν – πάσῃ αἱ..ει

αἰσθητήρια, τά sensus Hb 514 αἰ. γεγυμνασμ.

αἰσχροκερδής S[o] – [a]turpe lucrum sectans [b]turpis lucri cupidus 1 Ti 3 8 διακόνους – μὴ αἰ..εῖς[a] Tit 1 7 δεῖ – ἐπίσκοπον – εἶναι – μὴ αἰσχροκερδῆ[b]

αἰσχροκερδῶς S[o] – turpis lucri gratia 1 Pe 5 2 μηδὲ αἰ. ἀλλὰ προθύμως, μηδ' ὡς

αἰσχρολογία S[o] – turpis sermo Col 38

αἰσχρός turpis 1 Co 11 6 εἰ – αἰσχρὸν γυναικὶ τὸ κείρασθαι 1435 αἰσχρὸν – γυναικὶ λαλεῖν ἐν ἐκκλησίᾳ Eph 512 τὰ – κρυφῇ γινόμενα ὑπ' αὐτῶν αἰσχρόν ἐστιν καὶ λέγειν Tit 1 11 διδάσκ. ἃ μὴ δεῖ αἰ..οῦ κέρδους χάρ.

αἰσχρότης S[o] – turpitudo Eph 54

αἰσχύνεσθαι [a]confundi [b]erubescere Luc 16 3 ἐπαιτεῖν αἰ..ομαι[b] 2 Co 108[b] 1 Pe 416[b] Phl 120 ὅτι ἐν οὐδενὶ αἰσχυνθήσομαι[a] 1 Jo 228 ἵνα – μὴ αἰ..θῶμεν[a] – ἐν τῇ παρουσίᾳ

αἰσχύνη confusio [b]dedecus [c]rubor Luc 149 μετ' αἰ..ης[c] 2 Co 42 ἀπειπάμεθα τὰ κρυπτὰ τῆς αἰ.[b] Phl 319 ὧν – ἡ δόξα ἐν τῇ αἰ. αὐτῶν Hb 122 ὑπέμεινεν σταυρὸν αἰ..ης καταφρονήσας Jud 13 ἐπαφρίζοντα τὰς ἑαυτῶν αἰ. Ap 318 ἡ αἰ. τῆς γυμνότητός σου

αἰτεῖν, αἰτεῖσθαι petere [b]poscere [c]postulare [d]rogare Mat 542 τῷ αἰτοῦντί σε δός ‖ Luc 630 παντί

Mat 6 8 πρὸ τοῦ ὑμᾶς αἰτῆσαι αὐτόν 7 7 αἰτεῖτε, καὶ δοθήσεται ὑμῖν 8 πᾶς γὰρ ὁ αἰτῶν λαμβάνει ‖ Luc 119.10 – 9 αἰτήσει ὁ υἱὸς αὐτοῦ ἄρτον 10 ἰχθύν ‖ Luc 1111.12 ᾠόν – 711 δώσει ἀγαθὰ τοῖς αἰτ. αὐτόν ‖ Luc 1113 πνεῦμα ἅγ. 14 7 δοῦναι ὃ ἐὰν αἰτήσηται[c] ‖ Mar 622-25 1819 περὶ – οὗ ἐὰν αἰτήσωνται 2020 αἰτοῦσά τι ἀπ' αὐτοῦ 22 οὐκ οἴδατε τί αἰτεῖσθε ‖ Mar 1035.38 2122 ὅσα ἂν αἰτήσητε – πιστεύοντες ‖ Mar 1124 ὅσα – αἰτεῖσθε, πιστεύετε ὅτι 2720 ἵνα αἰτήσωνται τὸν Βαραββᾶν Mar 158 ἤρξατο αἰ..σθαι[d] καθὼς ἐποίει αὐτοῖς Luc 2325 Act 314 φονέα – 58 ἠτήσατο τὸ σῶμα ‖ Mar 1543 Luc 2352 Luc 163 αἰτήσας[c] πινακίδιον – Act 32 ἐλεημοσύνην 746 εὑρεῖν σκήνωμα 92 ἐπιστολάς 1220 ἠτοῦντο[c] εἰρήνην 1321 ἠτήσαντο[c] βασιλέα 1629 φῶτα 253 αἰτούμενοι[c] χάριν 15[c] καταδίκην 1248 περισσότερον αἰτήσουσιν αὐτόν 2323 αἰτούμενοι[c] αὐτὸν σταυρωθῆναι Act 1328 ᾐτήσαντο – ἀναιρεθῆναι αὐτόν Joh 4 9 παρ' ἐμοῦ πεῖν αἰτεῖς[b] –; 10 σὺ ἂν ᾔτησας αὐτὸν καὶ ἔδωκεν ἄν σοι 1122 ὅσα ἂν αἰτήσῃ[b] τὸν θεὸν δώσει σοι 1413 ὅ τι ἂν αἰτήσητε ἐν τῷ ὀνόματί μου 14 ἐάν τι αἰ. με 157 ὃ ἐὰν θέλητε αἰτήσασθε 16 ὅ τι ἂν αἰτήσητε τὸν πατέρα ἐν τῷ ὀν. μου 1623.24 ἕως ἄρτι οὐκ ᾐτήσατε οὐδὲν ἐν τῷ ὀν. μου· αἰτεῖτε, καὶ λήμψεσθε 26 ἐν ἐκείνῃ τῇ ἡμέρᾳ ἐν τῷ ὀν. μου αἰτήσεσθε 1 Co 122 Ἰουδαῖοι σημεῖα αἰτοῦσιν Eph 313 διὸ αἰτοῦμαι μὴ ἐγκακεῖν – 20 ὑπερεκπερισσοῦ ὧν αἰτούμεθα Col 1 9 οὐ παυόμεθα – αἰτούμενοι[c] ἵνα πληρ. Jac 1 5 αἰτείτω[c] παρὰ – θεοῦ 6 αἰτείτω[c] δὲ ἐν πίστει 42 οὐκ ἔχετε διὰ τὸ μὴ αἰτεῖσθαι[c] ὑμᾶς 3 αἰτεῖτε καὶ οὐ λαμβάνετε, διότι κακῶς αἰ..σθε 1 Pe 315 παντὶ τῷ αἰτοῦντι[b] ὑμᾶς λόγον 1 Jo 322 ὃ ἐὰν αἰτῶμεν λαμβάνομεν 514 ἐάν τι αἰτώμεθα κατὰ τὸ θέλημα αὐτοῦ ἀκούει ἡμῶν 15 ἀκούει ἡμῶν ὃ ἐὰν αἰτώμεθα, – ἔχομεν τὰ αἰτήματα ἃ ᾐτήκαμεν[c] ἀπ' αὐτοῦ – 16 ἐάν τις ἴδῃ – ἀδελφὸν – ἁμαρτάνοντα –, αἰτήσει, καὶ δώσει αὐτῷ ζωήν

αἴτημα petitio Luc 2324 γενέσθαι τὸ αἴτ.

Phl 4 6 τὰ αἰτήματα ὑμῶν γνωριζέσθω πρὸς
τὸν θεόν – 1 Jo 5 15 → αἰτεῖν

αἰτία *causa*

1) = causa, ratio rei

Mat 19 3 κατὰ πᾶσαν αἰτίαν (*quacumque ex
causa*) Luc 8 47 Act 10 21 22 24 28 20 2 Ti 1 6.12
δι' ἣν αἰτίαν – ταῦτα πάσχω Tit 1 13 Hb 2 11

2) = culpa, crimen

Mat 27 37 τὴν αἰτ. αὐτοῦ γεγραμμένην ‖ Mar
15 26 – Joh 18 38 οὐδεμίαν εὑρίσκω ἐν αὐτῷ αἰ.
19 4.6 Act 13 28 θανάτου 28 18 – 23 28 25 18.27

3) = res (res ita se habet)

Mat 19 10 εἰ οὕτως ἐστὶν ἡ αἰ. τοῦ ἀνθρώπου
(vl ἀνδρὸς) μετὰ τῆς γυναικός

αἴτιος et **αἴτιον, τό** [a]*causa* [b]*obnoxius*
Luc 23 4 οὐδὲν εὑρίσκω αἴτιον[a] ἐν τῷ ἀνθρώ-
πῳ 14[a] 22[a] θανάτου ἐν αὐτῷ
Act 19 40 μηδενὸς αἰτίου[b] ὑπάρχοντος (vg *cum
nullus obnoxius sit*)
Hb 5 9 ἐγένετο – αἴτιος[a] „σωτηρίας αἰωνίου"

αἰτιώματα S[o] – *causae* Act 25 7 βαρέα

αἰφνίδιος *repentinus*
Luc 21 34 ἡ ἡμέρα ἐκείνη 1 Th 5 3 ὄλεθρος

αἰχμαλωσία *captivitas* Eph 4 8 Ap 13 10

αἰχμαλωτεύειν *captivum ducere* Eph 4 8

αἰχμαλωτίζειν [a]*captivum ducere* [b]*capti-
vare* [c]*in captivitatem redigere*
Luc 21 24[a] Rm 7 23 ἕτερον νόμον – αἰ..οντά[b] με
2 Co 10 5 αἰ..οντες[c] πᾶν νόημα 2 Ti 3 6[a] γυναικ.

αἰχμάλωτος *captivus* Luc 4 18

αἰών

1) ἀπὸ, ἐκ, πρὸ αἰῶνος (αἰώνων)
saeculum, saecula

Luc 1 70 τῶν – ἀπ' αἰῶνος προφητῶν Act 3 21
Joh 9 32 ἐκ τοῦ αἰῶνος οὐκ ἠκούσθη ὅτι
Act 15 18 „γνωστὰ ἀπ' αἰῶνος"
1 Co 2 7 ἣν προώρισεν ὁ θεὸς πρὸ τῶν αἰ.
Eph 3 9 ἀποκεκρυμμ. ἀπὸ τῶν αἰ. Col 1 26
Jud 25 πρὸ παντὸς τοῦ αἰ. καὶ νῦν καὶ εἰς

πάντας τοὺς αἰ. (vl + τῶν αἰ.)

2) εἰς τὸν αἰῶνα (τοῦ αἰ.), ἡμέραν αἰ..ος
in saeculum, ..a [b]*in aeternum* [c]*in
diem, dies aeternitatis* [d]*in sempi-
ternum*

Mat 21 19 οὐ μηκέτι ἐκ σοῦ καρπὸς γένηται εἰς
τὸν αἰ.[d] ‖ Mar 11 14[b]
Mar 3 29 οὐκ ἔχει ἄφεσιν εἰς τὸν αἰ.[b]
Luc 1 55 καὶ τῷ σπέρματι – εἰς τὸν αἰ. (*s..a*)
Joh 4 14 οὐ μὴ διψήσει εἰς τὸν αἰ.[b]
6 51 ζήσει εἰς τὸν αἰ.[b] 58[b] 8 51 θάνατον
οὐ μὴ θεωρήσῃ εἰς – [b] 52[b] 10 28 οὐ μὴ
ἀπόλωνται εἰς – [b] 11 26 οὐ μὴ ἀποθά-
νῃ εἰς – [b]
8 35 ὁ – δοῦλος οὐ μένει ἐν τῇ οἰκίᾳ εἰς
– [b]· ὁ υἱὸς μένει εἰς – [b]
12 34 ὅτι ὁ χριστὸς μένει εἰς τὸν αἰ.[b]
13 8 οὐ μὴ νίψῃς μου τοὺς πόδας εἰς[b]
14 16 παράκλητον –, ἵνα ᾖ μεθ' ὑμῶν εἰς[b]
1 Co 8 13 οὐ μὴ φάγω κρέα εἰς τὸν αἰ.[b]
2 Co 9 9 „ἡ δικαιοσύνη αὐτοῦ μένει εἰς τὸν αἰ."
(vg *in saeculum s..i* vl[b])
Hb 1 8 „ὁ θρόνος σου – εἰς τὸν αἰ. τοῦ αἰ."
5 6 „σὺ ἱερεὺς εἰς – [b] 7 17[b] 21[b] – 6 20 ἀρ-
χιερεὺς – εἰς – [b] 7 24 διὰ τὸ μένειν –
εἰς – [b] ἀπαράβατον ἔχει τ. ἱερωσύνην
7 28 υἱὸν εἰς τὸν αἰ.[b] τετελειωμένον
1 Pe 1 25 „ῥῆμα κυρίου μένει εἰς τὸν αἰ."[b]
2 Pe 3 18 καὶ νῦν καὶ εἰς ἡμέραν αἰῶνος[c]
1 Jo 2 17 ὁ δὲ ποιῶν τὸ θέλημα – μένει εἰς – [b]
2 Jo 2 μεθ' ἡμῶν ἔσται (ἡ ἀλήθεια) εἰς – [b]
Jud 13 οἷς ὁ ζόφος – εἰς αἰῶνα[b] τετήρηται

3) εἰς τοὺς αἰῶνας
in saecula [b]*in aeternum*

(Mat 6 13 vl σοῦ – ἡ δόξα εἰς –, vg[o])
Luc 1 33 βασιλεύσει ἐπὶ τὸν οἰκ. Ἰακ. εἰς – [b]
Rm 1 25 ὅς ἐστιν εὐλογητὸς εἰς – 9 5 2 Co 11 31
11 36 αὐτῷ ἡ δόξα εἰς – (vl *s..a s..orum*)
Hb 13 8 καὶ σήμερον ὁ αὐτὸς καὶ εἰς – [b]
Jud 25 καὶ εἰς πάντας τοὺς αἰ. (*s..a s..orum*)

4) εἰς τοὺς αἰῶνας τῶν αἰώνων
in saecula saeculorum

Rm 16 27 μόνῳ σοφῷ θεῷ, – ᾧ ἡ δόξα εἰς – -
Gal 1 5 θεοῦ καὶ πατρὸς ἡμῶν, ᾧ ἡ δόξα
εἰς – Phl 4 20 τῷ δὲ θεῷ – ἡ δόξα εἰς – 1 Ti
1 17 2 Ti 4 18 Hb 13 21 Χοῦ, ᾧ ἡ δόξα εἰς –
cfr Eph 3 21 αὐτῷ ἡ δόξα – εἰς πάσας τὰς
γενεὰς τοῦ αἰῶνος τῶν αἰώνων (vg *s..i
s..orum* vl *s..is s..orum*)

1 Pe 4 11 δοξάζηται ὁ θεὸς διὰ Ἰ. Χοῦ, ᾧ ἐστιν
   ἡ δόξα – εἰς – 5 11 αὐτῷ τὸ κράτος εἰς –
Ap 1 6 αὐτῷ ἡ δόξα καὶ τὸ κράτος εἰς – 5 13
   τῷ „καθημένῳ ἐπὶ τῷ θρόνῳ" – εἰς –
   – 18 ζῶν εἰμι εἰς – 4 9 τῷ ζῶντι εἰς – 10
   7 12 καὶ ἡ ἰσχὺς τῷ θεῷ ἡμῶν εἰς –
   10 6 15 7 τοῦ θεοῦ τοῦ ζῶντος εἰς –
   11 15 βασιλεύσει εἰς – 22 5 β..ουσιν εἰς –
   14 11 ὁ καπνὸς τοῦ βασανισμοῦ αὐτῶν εἰς
   αἰῶνας αἰώνων ἀναβαίνει 19 3 20 10

  5) ὁ αἰών, ὁ αἰὼν οὗτος – ἐκεῖνος, ὁ νῦν –
    ὁ μέλλων, ὁ ἐνεστώς – ὁ ἐρχόμενος, ἡ
    συντέλεια τοῦ αἰῶνος, τῶν αἰώνων
    [e]hoc saeculum [f]istud s. [g]illud –
    [h]praesens [i]futurum [k]venturum –
    [l]consummatio saeculi, s..orum

Mat 12 32 οὐκ ἀφεθήσεται αὐτῷ οὔτε ἐν τούτῳ[e]
   τῷ αἰῶνι οὔτε ἐν τῷ μέλλοντι[i]
  13 22 ἡ μέριμνα τοῦ αἰ. (vl + τούτου, vg[f]) ‖
   Mar 4 19 αἱ μέρ. τοῦ αἰ. (saeculi)
  – 39 ὁ δὲ θερισμὸς συντέλεια αἰῶνός[l]
   ἐστιν 40 οὕτως ἔσται ἐν τῇ σ. τοῦ αἰ.[l]
   49[l] 24 3 τί τὸ σημεῖον τῆς – σ. τοῦ αἰ.[l];
   28 20 μεθ' ὑμῶν εἰμι – ἕως τῆς σ. τοῦ
   αἰ.[l] – Hb 9 26 ἅπαξ ἐπὶ σ..ᾳ τῶν αἰ-
   ώνων[l] (s..orum) – πεφανέρωται
Mar 10 30 ἐν τῷ καιρῷ τούτῳ οἰκίας –, καὶ ἐν
   τῷ αἰ. τ. ἐρχ.[i] ζωὴν αἰών. ‖ Luc 18 30[k]
Luc 16 8 οἱ υἱοὶ τοῦ αἰ. τούτου[e] φρονιμώτεροι
  20 34 οἱ υἱοὶ τοῦ αἰ. τ.[e] γαμοῦσιν 35 οἱ δὲ
   καταξιωθέντες τοῦ αἰ. ἐκεί.[g] τυχεῖν
Rm 12 2 μὴ συσχηματίζεσθε τῷ αἰ. τούτῳ[e]
1 Co 1 20 ποῦ συζητητὴς τοῦ αἰ. τούτου[e];
  2 6 σοφίαν – οὐ τοῦ αἰ. τ.[e] οὐδὲ τῶν ἀρ-
   χόντων τοῦ αἰ. τ.[e] 8[e] 3 18 εἴ τις δοκεῖ
   σοφὸς εἶναι ἐν ὑμῖν ἐν τῷ αἰ. τ.[e]
2 Co 4 4 ὁ θεὸς τοῦ αἰ. τούτου[e] ἐτύφλωσεν
Gal 1 4 ἐκ τοῦ αἰ. τοῦ ἐνεστῶτος[h] πονηροῦ
Eph 1 21 ὀνόματος ὀνομαζομένου οὐ μόνον ἐν
   τῷ αἰ. τ.[e] ἀλλὰ καὶ ἐν τ. μέλλ.[i]
  2 2 περιεπατήσατε κατὰ τὸν αἰ. (secun-
   dum saeculum) τοῦ κόσμου τούτου
  – 7 ἐν τοῖς αἰῶσιν τοῖς ἐπερχομένοις
   (supervenientibus) τὸ πλοῦτος
1 Ti 6 17 τοῖς πλουσίοις ἐν τῷ νῦν αἰῶνι[e]
2 Ti 4 10 ἀγαπήσας τὸν νῦν αἰῶνα[e]
Tit 2 12 εὐσεβῶς ζήσωμεν ἐν τῷ νῦν αἰῶνι[e]
Hb 6 5 γευσαμένους – δυνάμεις τε μέλλοντος
   αἰῶνος[k] – 9 26 → Mat 13 39

  6) οἱ αἰῶνες = mundus, mundi
    saecula

1 Co 10 11 εἰς οὓς τὰ τέλη τῶν αἰ. κατήντηκεν
Eph 3 11 κατὰ πρόθεσιν τῶν αἰ. ἣν ἐποίησεν
1 Ti 1 17 τῷ δὲ βασιλεῖ τῶν αἰ., – μόνῳ θεῷ
Hb 1 2 δι' οὗ καὶ ἐποίησεν τοὺς αἰῶνας
  11 3 κατηρτίσθαι τοὺς αἰ. ῥήματι θεοῦ
(Ap 15 3 vl ὁ βασιλεὺς τῶν αἰώνων vg)

αἰώνιος aeternus [b]caelestis [c]saecularis
    [d]sempiternus   αἰώνιος ζωή → ζωή
Mat 18 8 εἰς τὸ πῦρ τὸ αἰ. 25 41.46 εἰς κόλασιν
   αἰ..ον Jud 7 πυρὸς αἰ..ου δίκην
Mar 3 29 ἔνοχός ἐστιν αἰ..ου ἁμαρτήματος
  [16 brevior clausula τὸ – ἄφθαρτον κή-
   ρυγμα τῆς αἰ. σωτηρίας vg[o]]
Luc 16 9 δέξωνται ὑμᾶς εἰς τὰς αἰ. σκηνάς
Rm 16 25 μυστηρίου χρόνοις αἰ..οις σεσιγημέ-
   νου 2 Ti 1 9 χάριν, τὴν δοθεῖσαν ἡ-
   μῖν – πρὸ χρόνων αἰ.[c] Tit 1 2 ἐπηγ-
   γείλατο ὁ ἀψευδὴς θ. πρὸ χρ. αἰ.[c]
  – 26 κατ' ἐπιταγὴν τοῦ αἰωνίου θεοῦ
2 Co 4 17 αἰώνιον βάρος δόξης κατεργάζεται
  – 18 τὰ δὲ μὴ βλεπόμενα αἰώνια
  5 1 οἰκίαν – αἰώνιον ἐν τοῖς οὐρανοῖς
2 Th 1 9 δίκην τίσουσιν ὄλεθρον αἰώνιον
  2 16 ὁ – δοὺς παράκλησιν αἰωνίαν
1 Ti 6 16 ᾧ τιμὴ καὶ κράτος αἰώνιον[d]
2 Ti 2 10 σωτηρίας – μετὰ δόξης αἰ.[b] 1 Pe 5 10 ὁ
   καλέσας – εἰς τὴν αἰ. αὐτοῦ δόξαν
Phm 15 ἵνα αἰώνιον (vl in aet.) αὐτὸν ἀπέχῃς
Hb 5 9 ἐγένετο – αἴτιος σωτηρίας αἰωνίου
  6 2 κρίματος αἰωνίου (sc διδαχήν)
  9 12 αἰωνίαν λύτρωσιν εὑράμενος
  – 14 διὰ πνεύματος αἰωνίου (vl ἁγίου vg)
   ἑαυτὸν προσήνεγκεν – τῷ θεῷ
  – 15 οἱ κεκλημένοι τῆς αἰ. κληρονομίας
  13 20 „ἐν αἵματι διαθήκης αἰωνίου"
2 Pe 1 11 ἡ εἴσοδος εἰς τὴν αἰ. βασιλείαν
Ap 14 6 εὐαγγέλιον αἰώνιον εὐαγγελίσαι

ἀκαθαρσία immunditia [b]spurcitia
Mat 23 27 ἔσωθεν – γέμουσιν – πάσης ἀ..ας[b]
Rm 1 24 παρέδωκεν αὐτοὺς ὁ θεὸς – εἰς ἀκ.
  6 19 τὰ μέλη ὑμῶν δοῦλα τῇ ἀκαθ.
2 Co 12 21 τῶν – μὴ μετανοησάντων ἐπὶ τῇ ἀκ.
Gal 5 19 τὰ ἔργα τῆς σαρκός, – πορνεία, ἀκ.
   Eph 5 3 πορν. – καὶ ἀκ. πᾶσα Col 3 5
Eph 4 19 εἰς ἐργασίαν ἀκαθαρσίας πάσης
1 Th 2 3 ἡ – παράκλησις ἡμῶν οὐκ – ἐξ ἀ..ας
  4 7 οὐ γὰρ ἐκάλεσεν ἡμᾶς – ἐπὶ ἀ..ᾳ

ἀκάθαρτος immundus [b]immunditia
   πνεῦμα, πνεύματα ἀκ. → πνεῦμα 2)

Act 10 14 οὐδέποτε ἔφαγον – κοινὸν καὶ ἀ..ον
    11 8 10 28 μηδένα – ἀ..ον λέγειν ἄνθρ.
1 Co 7 14 ἐπεὶ – τὰ τέκνα ὑμῶν ἀ..τά ἐστιν
2 Co 6 17 „ἀκαθάρτου μὴ ἅπτεσθε"
Eph 5 5 πᾶς πόρνος ἢ ἀκ. – οὐκ ἔχει κληρον.
Ap 17 4 τὰ ἀκάθαρτα [b] τῆς πορνείας αὐτῆς
    18 2 φυλακὴ παντὸς ὀρνέου ἀ..ου

ἀκαιρεῖσθαι S° – occupatum esse
Phl 4 10 ἐφ' ᾧ καὶ ἐφρονεῖτε, ἠκαιρεῖσθε δέ

ἀκαίρως importune 2 Ti 4 2 εὐκαίρως ἀκ.

ἄκακος innocens Rm 16 18 Hb 7 26

ἄκανθαι spinae Mat 7 16 ἀπὸ ἀ..ῶν σταφυ-
    λάς ‖ Luc 6 44 σῦκα – Mat 13 7 ἔπεσεν
    ἐπὶ τὰς ἀκ. 22 ‖ Mar 4 7.18 Luc 8 7 ἐν μέ-
    σῳ τῶν ἀκ., καὶ συμφυεῖσαι αἱ ἄκ. 14 –
    Mat 27 29 στέφανον ἐξ ἀκ. Joh 19 2 – Hb
    6 8 „γῆ – ἐκφέρουσα – ἀκάνθας"

ἀκάνθινος στέφ. spineus Mar 15 17 Joh 19 5

ἄκαρπος [a] infructuosus [b] sine fructu
Mat 13 22 καὶ ἄκαρπος [b] γίνεται ‖ Mar 4 19
1 Co 14 14 ὁ δὲ νοῦς μου ἄκαρπός [b] ἐστιν
Eph 5 11 τοῖς ἔργοις τοῖς ἀκ. [a] τοῦ σκότους
Tit 3 14 ἵνα μὴ ὦσιν ἀ..οι [a] (sc οἱ ἡμέτεροι)
2 Pe 1 8 οὐκ ἀργοὺς οὐδὲ ἀ..ους [b] (sc ὑμᾶς vg)
    καθίστησιν εἰς τὴν – Χοῦ ἐπίγνωσιν
Jud 12 δένδρα φθινοπωρινὰ ἄκαρπα [a]

ἀκατάγνωστος irreprehensibilis
Tit 2 8 λόγον ὑγιῆ ἀ..ον, ἵνα ὁ ἐξ ἐναντίας

ἀκατακάλυπτος non velatus 1 Co 11 5.13

ἀκατάκριτος S° – indemnatus Act 16 37 22 25

ἀκατάλυτος insolubilis Hb 7 16 ζωή

ἀκατάπαυστος (vl ..παστ.) S° – incessabilis
2 Pe 2 14 ὀφθαλμοὺς – ἀκ..ους ἁμαρτίας

ἀκαταστασία [a] dissensio [b] inconstantia
    [c] seditio Luc 21 9 πολέμους καὶ ἀ..ας [c]
    1 Co 14 33 οὐ γάρ ἐστιν ἀ..ας [a] ὁ θεός 2 Co
    6 5 ἐν ἀ..αις [c] 12 20 μήπως – ἀ..αι [c] Jac 3 16
    ἐκεῖ ἀκ. [b] καὶ πᾶν φαῦλον πρᾶγμα

ἀκατάστατος [a] inconstans [b] inquietus

Jac 1 8 ἀνὴρ δίψυχος, ἀκ. [a] 3 8 ἀ..ον [b] κακόν

Ἀκελδαμάχ Act 1 19 χωρίον αἵματος

ἀκέραιος simplex
Mat 10 16 γίνεσθε – ἀ..οι ὡς αἱ περιστεραί
Rm 16 19 ὑμᾶς – εἶναι – ἀ..ους – εἰς τὸ κακόν
Phl 2 15 ἵνα γένησθε ἄμεμπτοι καὶ ἀ..οι

ἀκλινής indeclinabilis Hb 10 23 κατέχωμεν
    τὴν ὁμολογίαν τῆς ἐλπίδος ἀκλινῆ

ἀκμάζειν maturum esse Ap 14 18 σταφυλαί

ἀκμήν S° – adhuc Mat 15 16 ἀσύνετοι –;

ἀκοή auditus [b] auris, ..es [c] fama
    [d] opinio [e] rumor [f] audire

    1) auditus, auris: Mat 13 14 Mar 7 35 ἠνοί-
γησαν – αἱ ἀκοαί [b] Luc 7 1 εἰς τὰς ἀκοὰς [b] τοῦ
λαοῦ Act 17 20 [b] ἡμῶν 28 26 [b] – 1 Co 12 17 ποῦ
ἡ ἀκοή; 2 Ti 4 3 κνηθόμενοι τὴν ἀκοήν [b] 4 ἀπὸ
– ἀληθείας τὴν ἀκ. ἀποστρέψουσιν Hb 5 11 νω-
θροὶ – ταῖς ἀκοαῖς [f] (ad audiendum) 2 Pe 2 8
βλέμματι – καὶ ἀκοῇ – ψυχὴν δικαίαν ἀνόμοις
ἔργοις ἐβασάνιζεν

    2) fama, rumor: Mat 4 24 ἀπῆλθεν ἡ ἀκ. [d]
αὐτοῦ Mar 1 28 [e] – Mat 14 1 ἤκουσεν – τὴν ἀκ. [c]
Ἰησοῦ – 24 6 πολέμους καὶ ἀκοὰς [d] πολέμων
Mar 13 7 [d]

    3) praedicatio auditus
Joh 12 38 „τίς ἐπίστευσεν τῇ ἀκ. ἡμ.;" Rm 10 16
Rm 10 17 ἄρα ἡ πίστις ἐξ ἀκοῆς, ἡ δὲ ἀκοὴ
    διὰ ῥήματος Χοῦ
Gal 3 2 ἢ ἐξ ἀκοῆς πίστεως; 5 idem
1 Th 2 13 παραλαβόντες λόγον ἀ..ῆς Hb 4 2

ἀκολουθεῖν sequi cfr ἐπακολουθεῖν
    1) Jesum sequi, facere cum Jesu
Mat 4 20 ἠκολούθησαν· αὐτῷ 22 8 23 Mar 1 18 6 1
    Luc 5 11 Joh 1 37.38.40 – Luc 22 39
    – 25 ἠκολούθησαν αὐτῷ ὄχλοι 8 1 12 15
    14 13 19 2 20 29 (ὄχλος) Mar 3 7 (πολὺ
    πλῆθος) 5 24 Luc 7 9 9 11 23 27 Joh 6 2
    8 10 εἶπεν τοῖς ἀκολουθοῦσιν 21 9 (οἱ
    προάγοντες καὶ οἱ ἀκ. ἔκραζον Mar
    11 9) Mar 10 32 οἱ – ἀκ. ἐφοβοῦντο
    – 19 ἀκολουθήσω σοι ‖ Luc 9 57.61
    – 22 ἀκολούθει μοι ‖ Luc 9 59 – Mat 9 9
    (Matth.) ‖ Mar 2 14 (Levi) Luc 5 27.28
    – Mat 19 21 (iuveni:) δεῦρο ἀκ. μοι

|| Mar 10 21 Luc 18 22 – Joh 1 43 (Phil.)
12 26 ἐὰν ἐμοί τις διακονῇ, ἐμοὶ ἀκο-
λουϑείτω 21 19 (Petro:) ἀκ..ει μοι 22
– 20 βλέπει τὸν μαθητὴν ὃν ἠγάπα
ὁ Ἰησοῦς ἀκολουϑοῦντα
Mat 9 27 ἠκολούϑησαν δύο τυφλοί 20 34 || Mar
10 52 ἠκολούϑει αὐτῷ Luc 18 43
10 38 ὃς οὐ λαμβάνει τὸν σταυρὸν αὐτοῦ
καὶ ἀκ..εῖ ὀπίσω μου 16 24 ἀράτω τὸν
στ. – καὶ ἀκ..είτω μοι || Mar 8 34 Luc
9 23 – Joh 12 26 → Mat 8 22
19 27 ἠκ..ήσαμέν σοι || Mar 10 28 Luc 18 28
– 28 ὑμεῖς οἱ ἀκολουϑήσαντές μοι
26 58 Πέτρος ἠκολούϑει αὐτῷ || Mar 14 54
Luc 22 54 Joh 18 15 καὶ ἄλλος μαϑη.
27 55 γυναῖκες –, αἵτινες ἠκ..ησαν τῷ Ἰησ.
|| Mar 15 41 ἠκ..ουν καὶ διηκόνουν
Mar 2 15 ἠκολούϑουν αὐτῷ (sc τελῶναι)
9 38 εἴδομέν τινα –, ὃς οὐκ ἀκ..εῖ ἡμῖν,
καὶ ἐκωλύομεν αὐτόν, ὅτι οὐκ ἠκ..ει
ἡμῖν (vg om ὅτι – ἡμῖν) || Luc 9 49
Joh 8 12 ὁ ἀκ..ῶν μοι οὐ μὴ περιπατήσῃ ἐν τῇ
σκοτίᾳ, ἀλλ᾽ ἕξει τὸ φῶς
10 4 τὰ πρόβατα αὐτῷ ἀκ..εῖ 5 ἀλλοτρίῳ
-- οὐ μὴ ἀκ..ήσουσιν 27 ἀκ..οῦσίν μοι
13 36 οὐ δύνασαί μοι νῦν ἀκ..ῆσαι, ἀκολου-
ϑήσεις δὲ ὕστερον 37 διὰ τί οὐ δύνα-
μαί σοι ἀκολουϑῆσαι ἄρτι;
1 37. 38. 40 → Mat 4 20 – Joh 1 43 12 26 21 19.
20. 22 → Mat 8 22 – Joh 6 2 → Mat 4 25
Joh 18 15 → Mat 26 58
Ap 14 4 οἱ ἀκ..οῦντες τῷ ἀρνίῳ ὅπου – ὑπάγῃ

2) reliqui loci

Mat 9 19 Mar 14 13 || Luc 22 10 – Joh 11 31 20 6 21 20
Act 12 8. 9 13 43 ἠκ..ησαν πολλοὶ τῶν Ἰουδ. καὶ
τῶν – προσηλύτων τῷ Παύλῳ 21 36 – 1 Co 10 4
ἐκ – ἀκ..ούσης πέτρας – Ap 6 8 ὁ ᾅδης ἠκ..ει
μετ᾽ αὐτοῦ 14 8. 9. 13 τὰ γὰρ ἔργα αὐτῶν ἀκ..εῖ
μετ᾽ αὐτῶν – 19 14 τὰ στρατεύματα τὰ ἐν τῷ
οὐρανῷ ἠκ..ει αὐτῷ ἐφ᾽ ἵπποις λευκοῖς

*ἀκούειν audire ᵇexaudire
Mat 7 24 ὅστις ἀκούει μου τοὺς λόγους –
καὶ ποιεῖ 26 πᾶς ὁ ἀκούων – καὶ μὴ
ποιῶν || Luc 6 47 ἀ..ων μου τῶν λό-
γων 49 cfr Luc 8 21 οἱ τὸν λόγον
τοῦ ϑεοῦ ἀ..οντες καὶ ποιοῦντες
11 28 καὶ φυλάσσοντες Joh 12 47 ἐὰν
τίς μου ἀκούσῃ τῶν ῥημάτων καὶ μὴ
φυλάξῃ cfr 5 24 ὁ τὸν λόγον μου ἀ..ων
καὶ πιστεύων τῷ πέμψαντί με

Mat 10 14 ὃς ἂν μὴ – ἀ..σῃ τοὺς λόγους ὑμῶν
– 27 ὃ εἰς τὸ οὖς ἀκούετε, κηρύξατε
11 5 κωφοὶ ἀ..ουσιν || Luc 7 22 cfr Mar 7 37
τοὺς κωφοὺς ποιεῖ ἀκούειν
– 15 ὁ ἔχων ὦτα ἀκουέτω 13 9. 43 –
Mar 4 9 ὃς ἔχει ὦτα ἀ..ειν ἀ..έτω 23
Luc 8 8 14 35 cfr Ap 2 7 ὁ ἔχων οὖς
ἀ..σάτω τί τὸ πνεῦμα λέγει 11. 17. 29
3 6. 13. 22 13 9
13 13 ἀ..οντες οὐκ ἀ..ουσιν 16 ὑμῶν δὲ μα-
κάριοι –, καὶ τὰ ὦτα – ὅτι ἀ..ουσιν 17
πολλοὶ – ἐπεθύμησαν – ἀ..οῦσαι ἃ ἀ..
ετε καὶ οὐκ ἤκ..σαν || Mar 4 12 Luc 8 10
10 24 cfr Mat 13 14 „ἀκοῇ ἀκούσετε
καὶ οὐ μὴ συνῆτε" 15 „βαρέως ἤκου-
σαν – μήποτε – τοῖς ὠσὶν ἀκούσωσιν"
Act 28 26. 27 cfr Rm 11 8
– 19. 20 οὗτός ἐστιν ὁ τὸν λόγον ἀκούων
καὶ – λαμβάνων 22. 23 καὶ συνιείς ||
Mar 4 15. 16. 18. 20 Luc 8 12-15
15 10 ἀκούετε καὶ συνίετε || Mar 7 14
17 5 ἀκούετε αὐτοῦ || Mar 9 7 Luc 9 35
18 15 ἐάν σου ἀκούσῃ (ὁ ἀδελφός) 16 μή
Mar 4 24 βλέπετε τί ἀ..ετε || Luc 8 18 πῶς ἀ..ετε
Luc 10 16 ὁ ἀκούων ὑμῶν ἐμοῦ ἀκούει
12 3 ὅσα ἐν τῇ σκοτίᾳ εἴπατε ἐν τῷ φωτὶ
ἀκουσθήσεται (vg dicentur)
15 1 ἐγγίζοντες – τελῶναι – ἀ..ειν αὐτοῦ
16 2 τί τοῦτο ἀκούω περὶ σοῦ; ἀπόδος
– 29 ἀκουσάτωσαν αὐτῶν 31 εἰ Μωϋσέως
καὶ τῶν προφητῶν οὐκ ἀκούουσιν
Joh 3 8 τὴν φωνὴν αὐτοῦ ἀ..εις, ἀλλ᾽ οὐκ
– 32 ὃ ἑώρακεν καὶ ἤκουσεν, – μαρτυρεῖ
cfr 8 26 ἃ ἤκουσα παρ᾽ αὐτοῦ, – λαλῶ
40 τὴν ἀλήθειαν –, ἣν ἤ..σα παρὰ τοῦ
ϑεοῦ (38 ὑμεῖς – ἃ ἠ..σατε (vl ἑωρά-
κατε vg) παρὰ τοῦ πατρὸς (vl + ὑμῶν)
ποιεῖτε) 15 15 πάντα ἃ ἤκουσα – ἐγνώ-
ρισα ὑμῖν
4 42 αὐτοὶ γὰρ ἀκηκόαμεν, καὶ οἴδαμεν
5 25 οἱ νεκροὶ ἀκούσουσιν τῆς φωνῆς
τοῦ υἱοῦ τοῦ ϑεοῦ καὶ οἱ ἀκούσαντες
ζήσουσιν 28 – 5 24 → Mat 7 24
– 30 καθὼς ἀκούω κρίνω, καὶ ἡ κρίσις
– 37 οὔτε φωνὴν αὐτοῦ πώποτε ἀκηκόατε
6 45 πᾶς ὁ ἀκούσας παρὰ τοῦ πατρὸς καὶ
μαϑὼν ἔρχεται πρός με
– 60 τίς δύναται αὐτοῦ ἀκούειν;
8 43 οὐ δύνασθε ἀ..ειν τὸν λόγον τὸν ἐμόν
– 47 ὁ ὢν ἐκ τοῦ ϑεοῦ τὰ ῥήματα τ. ϑεοῦ
ἀ..ει᾽ – ὑμεῖς οὐκ ἀ..ετε, ὅτι 18 37 ὁ ὢν
ἐκ τῆς ἀληϑ. ἀ..ει μου τῆς φωνῆς

Joh 9 27 εἶπον ὑμῖν – καὶ οὐκ ἠ..σατε· τί πάλιν
θέλετε ἀ..ειν; 31 ὁ θεὸς ἁμαρτωλῶν
οὐκ ἀ..ει, ἀλλ' ἐάν τις θεοσεβὴς ἦ –,
τούτου ἀκούει[b]
10 3 τὰ πρόβατα τῆς φωνῆς αὐτοῦ ἀ..ει
8 οὐκ ἤ..σαν αὐτῶν τὰ πρόβατα 16
τῆς φωνῆς μου ἀ..σουσιν 27 ἀ..ουσιν
– 20 μαίνεται· τί αὐτοῦ ἀκούετε;
11 41 εὐχαριστῶ σοι ὅτι ἤκουσάς μου 42
12 34 ἠ..σαμεν ἐκ τοῦ νόμου ὅτι ὁ χριστὸς
μένει εἰς τὸν αἰῶνα – 47 → Mat 7 24
14 24 ὁ λόγος ὃν ἀ..ετε οὐκ ἔστιν ἐμός
16 13 ὅσα ἀ..ει (sc τὸ πνεῦμα) λαλήσει
Act 2 33 ἐξέχεεν τοῦτο ὃ ὑμεῖς – ἀ..ετε
3 22 „αὐτοῦ ἀ..σεσθε" 23 „ψυχὴ ἥτις ἐὰν
μὴ ἀκούσῃ τοῦ προφήτου ἐκείνου"
4 19 εἰ δίκαιόν ἐστιν –, ὑμῶν ἀκούειν μᾶλ-
λον ἢ τοῦ θεοῦ, κρίνατε 20 οὐ δυνά-
μεθα – ἀ – ἠ..σαμεν μὴ λαλεῖν
13 7 ἐπεζήτησεν ἀκοῦσαι τὸν λόγον τοῦ
θεοῦ 44 19 10 τοῦ κυρίου – 15 7 ἀ..σαι
τὰ ἔθνη τὸν λόγον τοῦ εὐαγγελίου
17 21 λέγειν τι ἢ ἀ..ειν τι καινότερον
– 32 ἀ..σαντες – ἀνάστασιν νεκρῶν, –, οἱ
δὲ εἶπαν· ἀ..σόμεθά σου – πάλιν
24 24 ἤκουσεν αὐτοῦ περὶ τῆς – πίστεως
28 28 αὐτοὶ (sc τὰ ἔθνη) καὶ ἀ..σονται
Rm 10 14 πῶς – πιστεύσωσιν οὗ οὐκ ἤ..σαν; πῶς
– ἀ..σωσιν χωρὶς κηρύσσοντος; 18 ἀλ-
λὰ λέγω, μὴ οὐκ ἤ..σαν;
15 21 „οἳ οὐκ ἀκηκόασιν συνήσουσιν"
1 Co 2 9 ἃ – „οὓς οὐκ ἤκουσεν"
5 1 ὅλως ἀκούεται ἐν ὑμῖν πορνεία
Eph 1 13 ἀκούσαντες τὸν λόγον τῆς ἀληθ.
4 21 τὸν Χόν, εἴ γε αὐτὸν ἠκούσατε
1 Ti 4 16 σεαυτὸν σώσεις καὶ τοὺς ἀ..οντάς σου
2 Ti 2 14 ἐπὶ καταστροφῇ τῶν ἀκ.
Hb 2 1 δεῖ – προσέχειν ἡμᾶς τοῖς ἀ..σθεῖσιν
3 7 „ἐὰν τῆς φωνῆς αὐτοῦ ἀ..σητε" 15 4 7
Jac 1 19 πᾶς ἄνθρ. ταχὺς εἰς τὸ ἀκοῦσαι
2 Pe 1 18 τὴν φωνὴν – ἠ..σαμεν ἐξ οὐρανοῦ
1 Jo 1 1 ὃ ἀκηκόαμεν 3 ὃ – ἀκηκόαμεν, ἀπαγ-
γέλλομεν καὶ ὑμῖν 5 ἔστιν αὕτη ἡ ἀγ-
γελία ἣν ἀκηκόαμεν ἀπ' αὐτοῦ
2 7 ὁ λόγος ὃν ἠ..σατε 24 ὃ ἠ..σατε ἀπ'
ἀρχῆς, ἐν ὑμῖν μενέτω. κτλ 3 11 ἡ ἀγ-
γελία ἣν ἠ..σατε ἀπ' ἀρχῆς
– 18 καθὼς ἠ..σατε ὅτι ἀντίχριστος ἔρχε-
ται 4 3 ὃ ἀκηκόατε ὅτι ἔρχεται
4 5 ὁ κόσμος αὐτῶν ἀκούει 6 ὁ γινώσκων
τὸν θεὸν ἀ..ει ἡμῶν, ὃς οὐκ ἔστιν ἐκ
τοῦ θεοῦ οὐκ ἀ..ει ἡμῶν

1 Jo 5 14 ἐάν τι αἰτώμεθα – ἀκούει ἡμῶν 15
ἀκούει ἡμῶν ὃ ἐὰν αἰτώμεθα
Ap 2 7ss 36ss 13 9 → Mat 11 15

ἀκρασία *incontinentia* Mat 23 25 γέμουσιν ἐξ
– ἀ..ας (vl ἀκαθαρσίας vg *immunditia*)
– 1 Co 7 5 ἵνα μὴ πειράζῃ ὑμᾶς ὁ σατα-
νᾶς διὰ τὴν ἀκρασίαν [ὑμῶν]

ἀκρατής *incontinens* 2 Ti 3 3 ἀκρατεῖς

ἄκρατος (οἶνος) *merum* Ap 14 10

ἀκρίβεια *veritas* Act 22 3 τοῦ – νόμου

ἀκριβής *certus* Act 26 5 αἵρεσις

ἀκριβοῦν Sº – [a]*diligenter discere* [b]*exquire-
re* Mat 2 7 ἠ..ωσεν[a] – τὸν χρόνον 16[b]

ἀκριβῶς, ..έστερον *diligenter* [b]*diligentius*
[c]*caute* [d]*certius* [e]*certissime*
Mat 2 8 Luc 1 3 Act 18 25.26[b] 23 15[d] 20[d] 24 22[e]
Eph 5 15 βλέπετε – ἀκ.[c] πῶς (vl πῶς ἀκ. vg)
περιπατεῖτε – 1 Th 5 2 ἀκ. οἴδατε

ἀκρίδες *locustae* Mat 3 4 Mar 1 6 Ap 9 3.7

ἀκροατήριον Sº – *auditorium* Act 25 23

ἀκροατής *auditor* Rm 2 13 οὐ γὰρ οἱ ἀκ.
νόμου δίκαιοι – Jac 1 22 γίνεσθε δὲ – μὴ
ἀ..αὶ μόνον 23 εἴ τις ἀ..ὴς λόγου ἐστίν 25
οὐκ ἀ..ὴς ἐπιλησμονῆς γενόμενος

ἀκροβυστία *praeputium*
Act 11 3 εἰσῆλθες πρὸς ἄνδρας ἀ..αν ἔχοντας
Rm 2 25 ἡ περιτομή σου ἀκ. γέγονεν 26 ἐὰν
ἡ ἀκ. τὰ δικαιώματα τοῦ νόμου φυ-
λάσσῃ, οὐχ ἡ ἀκ. αὐτοῦ εἰς περιτο-
μὴν λογισθήσεται; 27 καὶ κρινεῖ ἡ ἐκ
φύσεως ἀκ. τὸν νόμον τελοῦσα σὲ
τὸν – παραβάτην νόμον
3 30 δικαιώσει – ἀ..αν διὰ τῆς πίστεως
4 9 ὁ μακαρισμὸς – ἐπὶ τὴν ἀκ.; 10 πῶς –
ἐλογίσθη; ἐν περιτομῇ ὄντι ἢ ἐν ἀ..
ᾳ; – ἐν ἀ..ᾳ 11 σφραγῖδα τῆς δικαιο-
σύνης τῆς πίστεως τῆς ἐν τῇ ἀκ., εἰς
τὸ εἶναι – πατέρα – τῶν πιστευόντων
δι' ἀ..ας 12 τοῖς στοιχοῦσιν τοῖς ἴχνε-
σιν τῆς ἐν ἀ..ᾳ πίστεως τοῦ – Ἀβραάμ
1 Co 7 18 ἐν ἀ..ᾳ κέκληταί τις; 19 ἡ ἀκ. οὐδέν

ἐστιν, – ἀλλὰ τήρησις ἐντολῶν
Gal 2 7 ὅτι πεπίστευμαι τὸ εὐαγγ. τῆς ἀκρ.
5 6 ἐν – Χῷ οὔτε περιτομή τι ἰσχύει οὔτε
ἀκ., ἀλλὰ πίστις δι᾽ ἀγάπης ἐνεργου-
μένη 615 ἀλλὰ καινὴ κτίσις
Eph 211 ὑμεῖς τὰ ἔθνη –, οἱ λεγόμενοι ἀκ.
Col 213 ὑμᾶς νεκροὺς – τῇ ἀκ. τῆς σαρκός
311 ὅπου οὐκ ἔνι – περιτομὴ καὶ ἀκ.

ἀκρογωνιαῖος (λίθος) *summus angularis*
1 Pe 2 6 Eph 220 ὄντος „ἀ..ου" αὐτοῦ Χοῦ Ἰ.

ἀκροθίνια, τά Sᵒ – *praecipua* Hb 74

ἄκρον *summum* ᵇ*extremum* ᶜ*fastigium*
ᵈ*terminus* Mat 2431ᵃ et ᵈ ‖ Mar 1327 –
Luc 1624ᵇ τοῦ δακτύλου Hb 1121ᶜ

Ἀκύλας Act 182.18.26 Rm 163 1 Co 1619 2 Ti 419

ἀκυροῦν *irritum facere* ᵇ*rescindere*
Mat 15 6 ἠκυρώσατε τὸν λόγον (vl νόμον et
τὴν ἐντολὴν) τοῦ θεοῦ ‖ Mar 713ᵇ
Gal 317 διαθήκην – ὁ – νόμος οὐκ ἀκυροῖ

ἀκωλύτως Sᵒ – *sine prohibitione* Act 2831

ἄκων *invitus* 1 Co 917 εἰ δὲ ἄκων

ἀλάβαστρος, ..ον μύρου *alabastrum*
Mat 26 7 ‖ Mar 143 τὴν (vl τόν, τό) ἀ. Luc 737

ἀλαζονεία *superbia* Jac 416 καυχᾶσθε ἐν
ταῖς ἀλ. ὑμῶν 1 Jo 216 ἡ ἀλ. τοῦ βίου

ἀλαζόνες *elati* Rm 130 2 Ti 32

ἀλαλάζειν ᵃ*eiulare* ᵇ*tinnire* Mar 538ᵃ πολ-
λά 1 Co 131 γέγονα – κύμβαλον ἀ..ονᵇ

ἀλάλητος Sᵒ – *inenarrabilis* Rm 826 τὸ
πνεῦμα ὑπερεντυγχάνει στεναγμοῖς ἀ..οις

ἄλαλος *mutus* Mar 737 ποιεῖ – ἀ..ους λαλεῖν
917 πνεῦμα ἄ..ον 25 τὸ ἄ. πνεῦμα

ἅλας (vl ἅλα) *sal* Mat 513 ὑμεῖς ἐστε τὸ
ἅλας τῆς γῆς· ἐὰν δὲ τὸ ἅλας μωρανθῇ
‖ Luc 1434 καλόν – τὸ ἅλας· ἐὰν δὲ καὶ
τὸ ἅλ. μωρ. Mar 950 καλὸν τὸ ἅλας· ἐὰν
δὲ τὸ ἅλας ἄναλον γένηται –; ἔχετε ἐν
ἑαυτοῖς ἅλα (49 vl πᾶς – πυρὶ ἁλισθήσε-

ται καὶ πᾶσα θυσία ἁλὶ ἁλισθήσεται vg,
vl om ἁλί)
Col 4 2 ὁ λόγος ὑμῶν –, ἅλατι ἠρτυμένος

ἁλεεύς *piscator* Mat 418 Mar 116 Luc 52
Mat 419 ἁλεεῖς ἀνθρώπων ‖ Mar 117

ἀλείφειν *ungere*
Mat 617 νηστεύων ἄλειψαί σου τὴν κεφαλήν
Mar 613 ἤλειφον ἐλαίῳ – ἀρρώστους καὶ ἐθε-
ράπευον Jac 514 ἀλείψαντες ἐλαίῳ
161 – Luc 738 ἤλ..εν – μύρῳ 46 Joh 112 123

ἀλεκτοροφωνία Sᵒ – *galli cantus* Mar 1335

ἀλέκτωρ *gallus* Mat 2634.74 s ‖ Mar 1430.68.
72 Luc 2234.60 s Joh 1338 1827

Ἀλεξανδρεύς Act 69 1824 Ἀπολλῶς

Ἀλεξανδρῖνον (πλοῖον) Act 276 2811

Ἀλέξανδρος Mar 1521 Simonis Cyrenaei
filius – Act 46 ἐκ γένους ἀρχιερατικοῦ
– 1933 Judaeus quidam Ephesius –
1 Ti 120 περὶ τὴν πίστιν ἐναυάγησαν· ὧν
ἐστιν – Ἀλ. 2 Ti 414 Ἀλ. ὁ χαλκεύς

ἄλευρον *farina* Mat 1333 ‖ Luc 1321

ἀλήθεια *veritas* ᵇ(ἐπ᾽ ἀ..ας) *vere*
Mat 2216 τὴν ὁδὸν τοῦ θεοῦ ἐν ἀ..ᾳ διδάσκεις
‖ Mar 1214 ἐπ᾽ ἀ..ας Luc 2021 – Mar
1232 ἐπ᾽ ἀλ. εἶπες Luc 425 ἐπ᾽ ἀλ.
λέγω ὑμῖν 2259 ἐπ᾽ ἀλ.ᵇ καὶ οὗτος
μετ᾽ αὐτοῦ ἦν Act 427 συνήχθησαν –
ἐπ᾽ ἀλ.ᵇ – ἐπὶ τὸν – παῖδά σου 1034
ἐπ᾽ ἀλ. καταλαμβάνομαι
Mar 533 εἶπεν αὐτῷ πᾶσαν τὴν ἀλήθειαν
Joh 114 πλήρης χάριτος καὶ ἀληθείας 17 ἡ
χάρις καὶ ἡ ἀλ. διὰ Ἰ. Χοῦ ἐγένετο
321 ὁ – ποιῶν τὴν ἀλ. 1 Jo 16 οὐ ποιοῦμεν
423 προσκυνήσουσιν – ἐν πνεύματι καὶ ἀλ.
24 ἐν πν. καὶ ἀλ. δεῖ προσκυνεῖν
533 μεμαρτύρηκεν (sc Ἰω.) τῇ ἀληθείᾳ
cfr 1837 ἵνα μαρτυρήσω τῇ ἀλ. 3 Jo 3
μαρτυρούντων σου τῇ ἀλ.
832 γνώσεσθε τὴν ἀλ., καὶ ἡ ἀλ. ἐλευθε-
ρώσει ὑμᾶς 2 Jo 1 οἱ ἐγνωκότες τ. ἀλ.
– 40 ὃς τὴν ἀλ. ὑμῖν λελάληκα, ἣν ἤκου-
σα 45 ὅτι τὴν ἀλ. λέγω 46 εἰ ἀ..αν λέ-
γω, διὰ τί –; 167 τὴν ἀλ. λέγω ὑμῖν

Joh 8 44 ἐν τῇ ἀλ. οὐκ ἔστηκεν, ὅτι οὐκ ἔστιν
ἀλήθεια ἐν αὐτῷ – 1 Jo 1 8 ἡ ἀλ.
οὐκ ἔστιν ἐν ἡμῖν 2 4 ἐν τούτῳ ἡ ἀλ.
οὐκ ἔστιν
14 6 ἐγώ εἰμι ἡ ὁδὸς καὶ ἡ ἀλήθεια
– 17 δώσει ὑμῖν – τὸ πνεῦμα τῆς ἀλ. 15 26
16 13 τὸ πν. τῆς ἀλ., ὁδηγήσει ὑμᾶς
εἰς τὴν ἀλ. πᾶσαν 1 Jo 4 6 γινώσκομεν
τὸ πν. τῆς ἀλ. καὶ τὸ πν. τ. πλάνης
17 17 ἁγίασον αὐτοὺς ἐν τῇ ἀλ.· ὁ λόγος ὁ
σὸς ἀλήθειά ἐστιν 19 ἵνα ὦσιν καὶ αὐ-
τοὶ ἡγιασμένοι ἐν ἀληθείᾳ
18 37 πᾶς ὁ ὢν ἐκ τῆς ἀληθείας ἀκού-
ει μου τῆς φωνῆς 1 Jo 2 21 πᾶν ψεῦ-
δος ἐκ τῆς ἀλ. οὐκ ἔστιν 3 19 γνωσό-
μεθα ὅτι ἐκ τῆς ἀλ. ἐσμέν
– 38 ὁ Πιλᾶτος· τί ἐστιν ἀλήθεια;
Act 26 25 ἀ..ας καὶ σωφροσύνης ῥήματα
Rm 1 18 ἀνθρώπων τῶν τὴν ἀλ. (vl + τοῦ θεοῦ
vg) ἐν ἀδικίᾳ κατεχόντων
– 25 μετήλλαξαν τὴν ἀλ. τοῦ θεοῦ ἐν τῷ
ψεύδει 3 7 εἰ δὲ ἡ ἀλ. τ. θ. ἐν τῷ ἐμῷ
ψεύσματι ἐπερίσσευσεν εἰς τὴν δόξαν
αὐτοῦ 15 8 Χὸν διάκονον γεγενῆσθαι
περιτομῆς ὑπὲρ ἀληθείας θεοῦ
2 2 τὸ κρίμα τοῦ θεοῦ ἐστιν κατὰ ἀ..αν
– 8 τοῖς – ἀπειθοῦσι τῇ ἀληθείᾳ
– 20 ἔχοντα τὴν μόρφωσιν τῆς γνώσεως
καὶ τῆς ἀληθείας ἐν τῷ νόμῳ
9 1 ἀ..αν λέγω ἐν Χῷ 1 Ti 2 7 ἀ..αν λέγω
1 Co 5 8 ἐν ἀζύμοις εἰλικρινείας καὶ ἀ..ας
13 6 συγχαίρει δὲ τῇ ἀληθείᾳ
2 Co 4 2 φανερώσει τῆς ἀλ. συνιστάνοντες ἑ-
αυτούς 6 7 ἐν λόγῳ ἀληθείας
7 14 ὡς πάντα ἐν ἀ..ᾳ ἐλαλήσαμεν ὑμῖν,
– ἡ καύχησις ἡμῶν – ἀλ. ἐγενήθη
11 10 ἔστιν ἀλ. Χοῦ ἐν ἐμοί, ὅτι ἡ καύχ.
12 6 οὐκ ἔσομαι ἄφρων, ἀ..αν γὰρ ἐρῶ
13 8 οὐ γὰρ δυνάμεθά τι κατὰ τῆς ἀλη-
θείας, ἀλλὰ ὑπὲρ τῆς ἀληθείας
Gal 2 5 ἵνα ἡ ἀλ. τοῦ εὐαγγελίου διαμείνῃ
πρὸς ὑμᾶς 14 ὅτι οὐκ ὀρθοποδοῦσιν
πρὸς τὴν ἀλήθειαν τοῦ εὐαγγελίου
5 7 τίς – ἐνέκοψεν ἀ..ᾳ μὴ πείθεσθαι;
Eph 1 13 ἀκούσαντες τὸν λόγον τῆς ἀ..ας
4 21 καθὼς ἐστιν ἀλήθεια ἐν τῷ Ἰησοῦ
– 24 κατὰ θεὸν κτισθέντα ἐν – ὁσιότητι
τῆς ἀλ. 25 „λαλεῖτε ἀ..αν – μετά“
5 9 καρπὸς τοῦ φωτὸς ἐν πάσῃ – ἀ..ᾳ
6 14 „περιζωσάμενοι τὴν ὀσφὺν – ἐν ἀ..ᾳ“
Phl 1 18 παντὶ τρόπῳ, εἴτε προφάσει εἴ. ἀ..ᾳ
Col 1 5 ἐλπίδα –, ἥν προηκούσατε ἐν τῷ λό-

γῳ τῆς ἀλ. τοῦ εὐαγγ. 6 ἐπέγνωτε
τὴν χάριν τοῦ θεοῦ ἐν ἀ..ᾳ
2 Th 2 10 τὴν ἀγάπην τῆς ἀλ. οὐκ ἐδέξαντο
– 12 οἱ μὴ πιστεύσαντες τῇ ἀλ. 13 εἵλατο
ὑμᾶς ὁ θεὸς – ἐν – πίστει ἀ..ας
1 Ti 2 4 2 Ti 2 25 3 7 Tit 1 1 → ἐπίγνωσις
– 7 διδάσκαλος ἐθνῶν ἐν πίστει καὶ ἀλ.
3 15 στῦλος καὶ ἑδραίωμα τῆς ἀληθείας
4 3 τοῖς πιστοῖς καὶ ἐπεγνωκόσι τὴν ἀλ.
6 5 ἀνθρώπων – ἀπεστερημένων τῆς ἀλ.
2 Ti 3 8 ἀνθίστανται τῇ ἀλ. 4 4 ἀπὸ
– τῆς ἀλ. τὴν ἀκοὴν ἀποστρέψουσιν
Tit 1 14 ἀποστρεφομένων τὴν ἀλήθ.
2 Ti 2 15 ὀρθοτομοῦντα τὸν λόγον τῆς ἀλ.
– 18 οἵτινες περὶ τὴν ἀλ. ἠστόχησαν
Hb 10 26 → ἐπίγνωσις 1 Ti 2 4
Jac 1 18 ἀπεκύησεν ἡμᾶς λόγῳ ἀληθείας
3 14 μὴ – ψεύδεσθε κατὰ τῆς ἀληθείας
5 19 ἐάν τις ἐν ὑμῖν πλανηθῇ ἀπὸ τ. ἀλ.
1 Pe 1 22 τὰς ψυχὰς ὑμῶν ἡγνικότες ἐν τῇ ὑπα-
κοῇ τῆς ἀλ. (vg charitatis)
2 Pe 1 12 ἐστηριγμένους ἐν τῇ παρούσῃ ἀλ.
2 2 δι' οὓς ἡ ὁδὸς τῆς ἀλ. βλασφημηθή-
1 Jo 1 6.8 2 4 → Joh 3 21 8 44 [σεται
2 21 οὐκ ἔγραψα ὑμῖν ὅτι οὐκ οἴδατε τὴν
ἀλ., ἀλλ' ὅτι οἴδ. αὐτήν → Joh 18 37
3 18 ἀγαπῶμεν – ἐν ἔργῳ καὶ ἀληθείᾳ
– 19 → Joh 18 37 – 1 Jo 4 6 → Joh 14 17
5 6 ὅτι τὸ πνεῦμά ἐστιν ἡ ἀλήθεια
2 Jo 1 οὓς – ἀγαπῶ ἐν ἀ..ᾳ, – καὶ πάντες οἱ
ἐγνωκότες τὴν ἀλ. – 3 Jo 1
2 διὰ τὴν ἀλ. τὴν μένουσαν ἐν ἡμῖν
3 ἔσται μεθ' ἡμῶν χάρις – ἐν ἀ..ᾳ
4 περιπατοῦντας ἐν ἀ..ᾳ 3 Jo 3.4
3 Jo 3 → Joh 5 33 – 8 συνεργοὶ γινώμεθα τῇ ἀλ.
12 Δημητρίῳ μεμαρτύρηται ὑπὸ πάντων
καὶ ὑπὸ αὐτῆς τῆς ἀληθείας

ἀλήθειν molere Mat 24 41 ‖ Luc 17 35

ἀληθεύειν [a]verum dicere [b]veritatem facere
Gal 4 16 ἐχθρὸς ὑμῶν γέγονα ἀ..ων[a] ὑμῖν;
Eph 4 15 ἀ..οντες[b] – ἐν ἀγάπῃ αὐξήσωμεν

ἀληθής verus [b]verax [c]vere
Mat 22 16 οἴδαμεν ὅτι ἀληθὴς[b] εἶ ‖ Mar 12 14[b]
Joh 3 33 ὅτι ὁ θεὸς ἀλ.[b] ἐστιν 8 26 ὁ πέμψας
με ἀλ.[b] ἐστιν Rm 3 4 γινέσθω – ὁ θ.
ἀλ.[b], „πᾶς δὲ ἄνθρ. ψεύστης“
4 18 τοῦτο ἀ..ὲς[c] εἴρηκας 10 41 ὅσα εἶπεν
Ἰωάννης περὶ τούτου ἀ..ῆ ἦν 19 35
ἐκεῖνος οἶδεν ὅτι ἀ..ῆ λέγει

Joh 5 31 ἐὰν – περὶ ἐμαυτοῦ, ἡ μαρτυρία
μου οὐκ ἔστιν ἀλ. 32 οἶδα ὅτι ἀλ. ἐ-
στιν ἡ μαρτ. 8 13 ἡ μαρτ. σου οὐκ ἔ-
στιν ἀλ. 14 κἂν – περὶ ἐμαυτοῦ, ἀλ.
ἐστιν ἡ μαρτ. μου 17 ὅτι δύο ἀνθρώ-
πων ἡ μαρτ. ἀλ. ἐστιν 21 24 ἀλ. αὐτοῦ
(sc τοῦ μαθητοῦ) ἡ μαρτ. ἐστιν 3 Jo 12
οἶδας ὅτι ἡ μαρτ. ἡμῶν ἀλ. ἐστιν
Tit 1 13 ἡ μαρτ. αὕτη ἐστὶν ἀλ.
6 55 ἡ – σάρξ μου ἀ..ής (vl ..ῶς c) ἐστιν
βρῶσις, καὶ τὸ αἷμα μου ἀ..ής (vl
..ῶς c) ἐστιν πόσις
7 18 ὁ – ζητῶν τὴν δόξαν τοῦ πέμψαντος
αὐτόν, οὗτος ἀλ. b ἐστιν
Act 12 9 οὐκ ᾔδει ὅτι ἀ..ές ἐστιν τὸ γινόμενον
2 Co 6 8 ὡς πλάνοι καὶ ἀληθεῖς b
Phl 4 8 ὅσα ἐστιν ἀληθῆ, ὅσα σεμνά
1 Pe 5 12 ταύτην εἶναι ἀ..ῆ χάριν τοῦ θεοῦ
2 Pe 2 22 συμβέβηκεν – τὸ τῆς ἀ..οῦς παροιμίας
1 Jo 2 8 ὅ ἐστιν ἀ..ές ἐν αὐτῷ καὶ ἐν ὑμῖν
– 27 τὸ – χρῖσμα διδάσκει ὑμᾶς –, καὶ ἀ..ές
ἐστιν καὶ οὐκ ἔστιν ψεῦδος

ἀληθινός verus b verax
Luc 16 11 τὸ ἀληθινὸν τίς ὑμῖν πιστεύσει;
Joh 1 9 ἦν τὸ φῶς τὸ ἀ..όν 1 Jo 2 8 τὸ φῶς
τὸ ἀληθινὸν ἤδη φαίνει
4 23 νῦν ἐστιν, ὅτε οἱ ἀ..οὶ προσκυνηταί
– 37 ἐν – τούτῳ ὁ λόγος ἐστιν ἀ..ὸς ὅτι
6 32 τὸν ἄρτον ἐκ τοῦ οὐρανοῦ τὸν ἀ..όν
7 28 ἀλλ' ἔστιν ἀ..ὸς ὁ πέμψας με
8 16 ἡ κρίσις ἡ ἐμὴ ἀληθινή ἐστιν
15 1 ἐγώ εἰμι ἡ ἄμπελος ἡ ἀληθινή
17 3 γινώσκωσιν σὲ τὸν μόνον ἀ..ὸν θεόν
19 35 ἀ..ῆ αὐτοῦ ἐστιν ἡ μαρτυρία
1 Th 1 9 δουλεύειν θεῷ ζῶντι καὶ ἀληθινῷ
Hb 8 2 λειτουργὸς – τῆς σκηνῆς τῆς ἀ..ῆς
9 24 οὐ γὰρ εἰς χειροποίητα εἰσῆλθεν ἅ-
για –, ἀντίτυπα τῶν ἀληθινῶν
10 22 προσερχώμεθα μετὰ ἀ..ῆς καρδίας
1 Jo 5 20 ἵνα γινώσκομεν τὸν (vl τὸ) ἀ..ὸν (vl
θεόν, vg verum Deum)· καὶ ἐσμὲν ἐν
τῷ ἀλ., ἐν τῷ υἱῷ αὐτοῦ –. οὗτός
ἐστιν ὁ ἀλ. θεὸς καὶ ζωὴ αἰώνιος
Ap 3 7 τάδε λέγει ὁ ἅγιος, ὁ ἀλ. 6 10 ὁ δε-
σπότης ὁ ἅγ. καὶ ἀλ. – 3 14 ὁ ἀμήν,
ὁ μάρτυς ὁ πιστὸς καὶ ἀλ. 19 11 πι-
στὸς καλούμενος καὶ ἀλ. b
15 3 „δίκαιαι καὶ ἀ..αὶ αἱ ὁδοί" σου 16 7
„αἱ κρίσεις σου" 19 2 „αὐτοῦ"
19 9 οὗτοι οἱ λόγοι (vl + οἱ) ἀλ. τοῦ θεοῦ
εἰσιν 21 5 πιστοὶ καὶ ἀ..οί 22 6

ἀληθῶς vere
Mat 14 33 ἀλ. θεοῦ υἱὸς εἶ 27 54 ἦν οὗτος ‖ Mar
15 39 ἀλ. οὗτος – υἱὸς θεοῦ ἦν
26 73 ‖ Mar 14 70 – Luc 9 27 12 44 21 3
Joh 1 47 ἴδε ἀλ. Ἰσραηλίτης, ἐν ᾧ δόλος οὐκ
4 42 οὗτός ἐστιν ἀλ. ὁ σωτὴρ τοῦ κόσμου
6 14 ὁ προφήτης ὁ ἐρχόμ. 7 40 ὁ προφ.
7 26 – 8 31 ἐὰν –, ἀλ. μαθηταί μού ἐστε
17 8 ἔγνωσαν ἀλ. ὅτι παρὰ σοῦ ἐξῆλθον
Act 12 11 – 1 Th 2 13 ἐδέξασθε – καθὼς ἀλ. ἐ-
στιν λόγον θεοῦ – 1 Jo 2 5 ἀλ. ἐν τού-
τῳ ἡ ἀγάπη τοῦ θεοῦ τετελείωται

ἁλιεύειν piscari Joh 21 3 ὑπάγω ἁ..ειν

ἁλίζειν salire (vl sallire) Mat 5 13 ἐν τίνι ἁ-
λισθήσεται – Mar 9 49 → ἅλας

ἀλίσγημα S o – contaminatio Act 15 20

ἀλλάσσειν mutare b immutare
Act 6 14 ἀλλάξει τὰ ἔθη ἃ παρέδωκεν – Μωϋ.
Rm 1 23 „ἤλλαξαν τὴν δόξαν" τοῦ – θεοῦ „ἐν"
1 Co 15 51 πάντες δὲ ἀλλαγησόμεθα b 52 b
Gal 4 20 ἤθελον – ἀ..ξαι τ. φωνήν μου – Hb 1 12

ἀλλαχόθεν aliunde Joh 10 1 ἀναβαίνων –
ἀλλαχοῦ S o – vg o Mar 1 38 ἄγωμεν ἀλλ.

ἄλλεσθαι a salire b exilire Joh 4 14 πηγὴ ὕ-
δατος ἁ..ομένου a εἰς ζωὴν αἰώνιον
Act 3 8 περιπατῶν καὶ ἁ..όμενος b 14 10 b

ἀλληγορεῖν S o – per allegoriam dicere
Gal 4 24 ἅτινά ἐστιν ἀλληγορούμενα·

ἀλληλουϊά alleluia Ap 19 1.3.4.6

ἀλλήλων κτλ invicem (ab i., ad i., in i., pro
i.) b alter, alterius c alteruter d in-
ter se, intra se
ἀγαπᾶν ἀλλήλους → ἀγαπᾶν
Mat 24 10 ἀ..ους παραδώσουσιν καὶ μισήσουσιν
ἀ. – 25 32 ἀφορίσει αὐτοὺς ἀπ' ἀλλ.
Mar 4 41 ἔλεγον πρὸς ἀ..ους c 8 16 c 9 34 d –
Luc 2 15 ἐλάλουν πρὸς ἀ..ους 4 36 6
11 8 25 20 14 d 24 14.17 οἱ λόγοι – οὓς
ἀντιβάλλετε πρὸς ἀ..ους 32 7 32 παι-
δίοις – προσφωνοῦσιν ἀ..οις – Joh
4 33 ἔλεγον – πρὸς ἀ..ους 11 56 μετ' ἀ..
ων 16 17 19 24 – Act 26 31 28 4
9 50 εἰρηνεύετε ἐν ἀ..οις d (inter vos)

Mar 15 31 οἱ ἀρχιερεῖς ἐμπαίζοντες πρὸς ἀ.ᶜ

Luc 12 1 ὥστε καταπατεῖν ἀ..ους (se invicem)
   23 12 ἐγένοντο – φίλοι – μετ᾽ ἀ..ῶν (ad in.)

Joh 5 44 δόξαν παρὰ ἀ..ων λαμβάνοντες
   6 43 μὴ γογγύζετε μετ᾽ ἀ..ων (in inv.)
   – 52 ἐμάχοντο – πρὸς ἀ..ους 16 19 ᵈ
   13 14 ἀ..ων ᵇ νίπτειν τοὺς πόδας – 22
   – 35 ἐὰν ἀγάπην ἔχητε ἐν ἀ..οις (ad i.)

Act 4 15 συνέβαλλον πρὸς ἀ..ους – 15 39 ἀπο-
   χωρισθῆναι – ἀπ᾽ ἀ..ων 28 25 (ab inv.)
   – 19 38 ἐγκαλείτωσαν ἀλλήλοις
   7 26 ἱνατί ἀδικεῖτε ἀ..ους;ᶜ (alt..um)
   21 6 ἀπησπασάμεθα ἀλλήλους

Rm 1 12 διὰ τῆς ἐν ἀ..οις πίστεως ὑμῶν τε καὶ
   ἐμοῦ (quae invicem est)
   – 27 ἐξεκαύθησαν – εἰς ἀ..ους (in inv.)
   2 15 μεταξὺ ἀλλήλων (inter se inv.) τῶν
   λογισμῶν κατηγορούντων ἢ καὶ ἀπο-
   λογουμένων
   12 5 τὸ – καθ᾽ εἷς ἀ..ων ᵇ μέλη Eph 4 25 ὅτι
   ἐσμὲν ἀ..ων (inv. vl in inv.) μέλη
   – 10 τῇ φιλαδελφίᾳ εἰς ἀ. φιλόστοργοι, τῇ
   τιμῇ ἀ..ους προηγούμενοι 16 τὸ αὐτὸ
   εἰς ἀ..ους φρονοῦντες 15 5 ᶜ
   14 13 μηκέτι οὖν ἀλλήλους κρίνωμεν
   – 19 τὰ τῆς οἰκοδομῆς τῆς εἰς ἀ..ους
   15 7 προσλαμβάνεσθε ἀ..ους, καθὼς
   – 14 δυνάμενοι καὶ ἀ..ουςᶜ νουθετεῖν
   16 16 ἀσπάσασθε ἀ..ους ἐν φιλήματι ἁγίῳ
   1 Co 16 20 2 Co 13 12 1 Pe 5 14

1 Co 7 5 μὴ ἀποστερεῖτε ἀ..ους, εἰ μήτι ἂν
   11 33 συνερχόμενοι – ἀ..ους ἐκδέχεσθε
   12 25 ἵνα – τὸ αὐτὸ ὑπὲρ ἀ..ῶν (pro inv.)
   μεριμνῶσιν τὰ μέλη

Gal 5 13 διὰ τῆς ἀγάπης δουλεύετε ἀ..οις
   6 2 ἀ..ων ᵇ τὰ βάρη βαστάζετε
   – 15 εἰ δὲ ἀ..ους δάκνετε –, βλέπετε μὴ
   ὑπ᾽ ἀ..ων (ab inv.) ἀναλωθῆτε 26 μὴ
   γινώμεθα – ἀ..ους προκαλούμενοι, ἀ..
   οις φθονοῦντες
   – 17 ταῦτα γὰρ ἀ..οις (sibi inv.) ἀντίκειται

Eph 4 2 ἀνεχόμενοι ἀ..ων ἐν ἀγάπῃ Col 3 13
   – 32 γίνεσθε δὲ εἰς ἀ..ους χρηστοί
   5 21 ὑποτασσόμενοι ἀ..οις ἐν φόβῳ Χοῦ

Phl 2 3 ἀ..ους ἡγούμενοι ὑπερέχοντας ἑαυτ.

Col 3 9 μὴ ψεύδεσθε εἰς ἀλλήλους

1 Th 3 12 περισσεύσαι τῇ ἀγάπῃ εἰς ἀ. (in inv.)
   4 18 παρακαλεῖτε ἀ..ους 5 11 καὶ οἰκοδομ.
   5 15 τὸ ἀγαθὸν διώκετε εἰς ἀ..ους (in i.)

2 Th 1 3 πλεονάζει ἡ ἀγάπη – εἰς ἀ. (in inv.)

Tit 3 3 ἦμεν γάρ ποτε – μισοῦντες ἀ..ους

Hb 10 24 κατανοῶμεν ἀ..ους εἰς παροξυσμὸν

ἀγάπης καὶ καλῶν ἔργων

Jac 4 11 μὴ καταλαλεῖτε ἀ..ων ᶜ 5 9 μὴ στενά-
   ζετε κατ᾽ ἀ..ων ᶜ (in alterutrum)
   5 16 ἐξομολογεῖσθε – ἀ..οις ᶜ τὰς ἁμαρ-
   τίας, – προσεύχεσθε ὑπὲρ ἀ..ων

1 Pe 4 9 φιλόξενοι εἰς ἀ. ἄνευ γογγυσμοῦ
   5 5 πάντες δὲ ἀλλήλοις τὴν ταπεινοφρο-
   σύνην ἐγκομβώσασθε

1 Jo 1 7 κοινωνίαν ἔχομεν μετ᾽ ἀ..ων (ad inv.)

Ap 6 4 ἵνα ἀλλήλους (inv. se) σφάξουσιν
   11 10 δῶρα πέμψουσιν ἀ..οις (vl ad inv.)

ἀλλογενής alienigena Luc 17 18 εἰ μὴ ὁ ἀ.

***ἄλλος** alius ᵇalter ᶜalienus

Mat 5 39 στρέψον αὐτῷ καὶ τὴν ἄλλην ᵇ ‖ Luc
   6 29 πάρεχε καὶ τὴν ἄλλην ᵇ
   27 42 ἄλλους ἔσωσεν ‖ Mar 15 31 Luc 23 35
   – 61 καὶ ἡ ἄλλη ᵇ Μαρία 28 1

Mar 12 31 μείζων – ἄλλη ἐντολὴ οὐκ ἔστιν

Luc 7 19 ἢ ἄλλον (vl ἕτερον) προσδοκῶμεν; 20

Joh 4 37 ἄλλος ἐστὶν ὁ σπείρων καὶ ἄ. ὁ θερί-
   ζων 38 ἄλλοι κεκοπιάκασιν
   5 32 ἄλλος ἐστὶν ὁ μαρτυρῶν περὶ ἐμοῦ
   10 16 καὶ ἄλλα πρόβατα ἔχω ἃ οὐκ ἔστιν
   14 16 ἄλλον παράκλητον δώσει ὑμῖν
   18 15 καὶ ἄ. μαθητής 16 ὁ μαθ. ὁ ἄ. 20 2.3
   ὁ ἄ. μαθ. (ille alius) 4 (ille al.) 8

Act 4 12 οὐκ ἔστιν ἐν ἄλλῳ οὐδενὶ ἡ σωτηρία

1 Co 3 10 ἄλλος – ἐποικοδομεῖ 11 θεμέλιον –
   ἄλλον οὐδεὶς δύναται θεῖναι
   9 27 μὴ πως ἄλλοις κηρύξας αὐτὸς ἀδό-
   κιμος γένωμαι
   10 29 ἱνατί – ἡ ἐλευθερία μου κρίνεται ὑπὸ
   ἄλλης ᶜ συνειδήσεως;

2 Co 1 13 οὐ γὰρ ἄλλα γράφομεν ὑμῖν ἀλλ᾽ ἢ
   11 4 εἰ – ὁ ἐρχόμ. ἄλλον Ἰησοῦν κηρύσσει

Gal 1 7 εἰς ἕτερον εὐαγγ., ὃ οὐκ ἔστιν ἄλλο
   5 10 πέποιθα – ὅτι οὐδὲν ἄλλο φρονήσετε

Hb 4 8 οὐκ ἂν περὶ ἄλλης ἐλάλει – ἡμέρας

Ap 17 10 ὁ εἷς ἔστιν, ὁ ἄλλος οὔπω ἦλθεν

ἀλλοτριεπίσκοπος Sᵒ – alienorum appeti-
tor 1 Pe 4 15 μή – τις – πασχέτω – ὡς ἀλλ.

ἀλλότριος alienus ᵇ(ἀ..οι) exteri

Mat 17 25 ἀπὸ τῶν υἱῶν – ἢ ἀπὸ τῶν ἀλλ.; 26

Luc 16 12 εἰ ἐν τῷ ἀλλ. πιστοὶ οὐκ ἐγένεσθε

Joh 10 5 ἀ..ίῳ – οὐ μὴ ἀκολουθήσουσιν, – ὅτι
   οὐκ οἴδασιν τῶν ἀλλ. τὴν φωνήν

Act 7 6 „ἐν γῇ ἀ..ίᾳ" Hb 11 9 „παρῴκησεν"
   εἰς γῆν τῆς ἐπαγγελίας ὡς ἀ..ίαν

Rm 14 4 τίς εἶ ὁ κρίνων ἀλλότριον οἰκέτην;
15 20 ἵνα μὴ ἐπ᾽ ἀ..ιον θεμέλιον οἰκοδομῶ
2 Co 10 15 οὐκ – καυχώμενοι ἐν ἀ..ίοις κόποις
– 16 οὐκ ἐν ἀ..ίῳ κανόνι – καυχήσασθαι
1 Ti 5 22 μηδὲ κοινώνει ἁμαρτίαις ἀ..ίαις
Hb 9 25 ἐν αἵματι ἀ..ίῳ – 11 9 → Act 7 6
11 34 παρεμβολὰς ἔκλιναν ἀ..ίων ᵇ

ἀλλόφυλος alienigena Act 10 28

ἄλλως aliter 1 Ti 5 25 τὰ ἄλλως ἔχοντα

ἀλοᾶν triturare 1 Co 9 9.10 1 Ti 5 18

ἄλογος ᵃ irrationabilis ᵇ sine ratione ᶜ mu-
tus Act 25 27 ἄλογον ᵇ γάρ μοι δοκεῖ
2 Pe 2 12 ὡς ἄλογα ᵃ ζῷα γεγεννημένα – εἰς
ἅλωσιν Jud 10 ὡς τὰ ἄλογα ᶜ ζῷα

ἀλόη aloe Joh 19 39 σμύρνης καὶ ἀλόης

ἁλυκός salsus Jac 3 12 ἁλυκὸν – ὕδωρ

ἄλυπος S ᵒ – sine tristitia Phl 2 28 ἀ..ότερος

ἅλυσις catena Mar 5 3.4 ‖ Luc 8 29 – Act 12
6.7 21 33 28 20 εἵνεκεν γὰρ τῆς ἐλπίδος τοῦ
Ἰσραὴλ τὴν ἅλ. ταύτην περίκειμαι
Eph 6 20 εὐαγγ., ὑπὲρ οὗ πρεσβεύω ἐν ἀ..ει
2 Ti 1 16 τὴν ἅ. μου οὐκ ἐπαισχύνθη – Ap 20 1

ἀλυσιτελής S ᵒ – non expedit Hb 13 17 ἀ..ές

ἄλφα, τό S ᵒ – vg α Ap 1 8 21 6 22 13

Ἀλφαῖος Mat 10 3 Ἰάκωβος ὁ τοῦ Ἀ. ‖ Mar
3 18 Luc 6 15 Ἰάκ. Ἀλφαίου Act 1 13 – Mar
2 14 Λευὶν τὸν τοῦ Ἀλφαίου

ἅλων area Mat 3 12 τὴν ἅ..α αὐτοῦ ‖ Luc 3 17

ἀλώπηξ vulpes Mat 8 20 ‖ Luc 9 58 – 13 32

ἅλωσις captio 2 Pe 2 12 γεγεννημ. – εἰς ἅ..ιν

ἀμαθής S ᵒ – indoctus 2 Pe 3 16 οἱ ἀ..εῖς

ἀμᾶν metere Jac 5 4 τὰς χώρας ὑμῶν

ἀμαράντινος S ᵒ – immarcescibilis 1 Pe 5 4
κομιεῖσθε τὸν ἀ..ον τῆς δόξης στέφανον

ἀμάραντος immarcescibilis 1 Pe 1 4 εἰς κλη-
ρονομίαν – ἀμίαντον καὶ ἀμ..τον

ἁμαρτάνειν peccare ᵇ delinquere
Mat 18 15 ἐὰν δὲ ἁ..τήσῃ (vl εἰς σέ vg) ὁ ἀδελ-
φός σου 21 ποσάκις ἀ..τήσει εἰς ἐμὲ
ὁ ἀδελφός μου –; ‖ Luc 17 3 ἐὰν ἁ..
τῃ ὁ ἀδ. σου (vg in te vlᵒ) 4 ἐὰν
ἑπτάκις τῆς ἡμέρας ἁ..τήσῃ εἰς σέ
27 4 ἥμαρτον παραδοὺς αἷμα ἀθῷον
Luc 15 18 ἥμαρτον εἰς τὸν οὐρ. καὶ ἐνώπιον 21
Joh 5 14 μηκέτι ἁ..ανε, ἵνα μὴ χεῖρόν σοι γέ-
νηται [8 11 ἀπὸ τοῦ νῦν μηκέτι ἁ..ανε]
9 2 τίς ἥμαρτεν –; 3 οὔτε οὗτος ἥμ. οὔτε
Act 25 8 οὔτε εἰς τὸν νόμον τῶν Ἰουδ. οὔτε εἰς
τὸ ἱερὸν οὔτε εἰς Καίσ. τι ἥμαρτον
Rm 2 12 ὅσοι γὰρ ἀνόμως ἥμαρτον – · καὶ ὅ-
σοι ἐν νόμῳ ἥμαρτον
3 23 πάντες – ἥμαρτον καὶ ὑστεροῦνται
5 12 ἐφ᾽ ᾧ (in quo) πάντες ἥμαρτον 14 θά-
νατος – καὶ ἐπὶ τοὺς μὴ ἁ..ήσαντας
ἐπὶ τῷ ὁμοιώματι τῆς παραβ. Ἀδ.
– 16 οὐχ ὡς δι᾽ ἑνὸς ἁ..ήσαντος (vl ..ήμα-
τος, vg p..tum vl p..antem) τὸ δῶρ.
6 15 ἁ..ήσωμεν (vl ..σομεν, vg ..bimus vl
..vimus), ὅτι οὐκ ἐσμὲν ὑπὸ νόμ. – ;
1 Co 6 18 ὁ – πορνεύων εἰς τὸ ἴδ. σῶμα ἁ..νει
7 28 ἐὰν – γαμήσῃς, οὐχ ἥμαρτες, καὶ ἐὰν
γήμῃ ἡ παρθένος, οὐχ ἥ..τεν
– 36 ὃ θέλει ποιείτω · οὐχ ἁ..ει · γαμείτω.
8 12 οὕτως δὲ ἁμαρτάνοντες εἰς τοὺς ἀ-
δελφοὺς – εἰς Χὸν ἁμαρτάνετε
15 34 ἐκνήψατε δικαίως καὶ μὴ ἁ..άνετε
Eph 4 26 „ὀργίζεσθε καὶ μὴ ἁμαρτάνετε"
1 Ti 5 20 τοὺς ἁ..οντας ἐνώπ. πάντων ἔλεγχε
Tit 3 11 ἁμαρτάνει ᵇ ὢν αὐτοκατάκριτος
Hb 3 17 „προσώχθισεν" – ; οὐχὶ τοῖς ἁ..ήσα-
10 26 ἑκουσίως γὰρ ἁ..όντων ἡμῶν [σιν – ;
1 Pe 2 20 ποῖον – κλέος εἰ ἁ..οντες – ὑπομενεῖτε;
2 Pe 2 4 ἀγγέλων ἁ..ησάντων οὐκ ἐφείσατο
1 Jo 1 10 ἐὰν εἴπωμεν ὅτι οὐχ ἡ..ήκαμεν
2 1 γράφω ὑμῖν ἵνα μὴ ἁμάρτητε. καὶ ἐὰν
τις ἁμάρτῃ, παράκλητον ἔχομεν
3 6 ὁ ἐν αὐτῷ μένων οὐχ ἁ..νει · πᾶς ὁ
ἁ..νων οὐχ ἑώρακεν αὐτὸν οὐδὲ
– 8 ὅτι ἀπ᾽ ἀρχῆς ὁ διάβολος ἁμαρτάνει
– 9 οὐ δύναται ἁμ., ὅτι ἐκ τοῦ θεοῦ γε-
γέννηται 5 18 πᾶς ὁ γεγεννημένος ἐκ
τοῦ θεοῦ οὐχ ἁμαρτάνει
5 16 ἐάν τις ἴδῃ τὸν ἀδελφὸν – ἁ..οντα –
μὴ πρὸς θάνατον, αἰτήσει, καὶ δώσει
αὐτῷ ζωήν, τοῖς ἁ..ουσιν μὴ πρ. θάν.

ἁμάρτημα ᵃ*peccatum* ᵇ*delictum*
Mar 3 28 πάντα ἀφεθήσεται – τὰ ἁ..ταᵃ 29 ἔ-
νοχός ἐστιν αἰωνίου ἁ..τοςᵇ (vl κρί-
σεως et ἁμαρτίας)
Rm 3 25 διὰ τὴν πάρεσιν τῶν προγεγονότων
ἁ..τωνᵇ – (5 16 vl δι' ἑνὸς ἁ..τοςᵃ)
1 Co 6 18 πᾶν ἁμ. ᵃ – ἐκτὸς τοῦ σώματός ἐστιν
(2 Pe 1 9 vl τῶν πάλαι αὐτῶν ἁ..τωνᵇ)

ἁμαρτία *peccatum* ᵇ*delictum*
(ἁμαρτία cum ἄφεσις, ἀφιέναι vide ibi)
Mat 1 21 σώσει τὸν λαὸν – ἀπὸ τῶν ἁμ. αὐτῶν
3 6 ἐξομολογούμενοι τὰς ἁμαρτίας αὐ-
τῶν ‖ Mar 1 5 – cfr Jac 5 16
Joh 1 29 ὁ αἴρων τὴν ἁμ. τοῦ κόσμου 1 Jo 3 5
ἵνα τὰς ἁμ. (vl + ἡμῶν vg) ἄρῃ
8 21 ἐν τῇ ἁμ. ὑμῶν ἀποθανεῖσθε 24 ταῖς
– 34 πᾶς ὁ ποιῶν τὴν ἁμ. δοῦλός ἐστιν τῆς
ἁμ. (vl om τῆς ἁμ.) → Rm 6 16.17
– 46 τίς – ἐλέγχει με περὶ ἁ..ας; → 16 8.9
9 34 ἐν ἁ..αις σὺ ἐγεννήθης ὅλος, – ;
– 41 εἰ τυφλοὶ ἦτε, οὐκ ἂν εἴχετε ἁ..αν·
νῦν δὲ λέγετε – · ἡ ἁμ. ὑμῶν μένει
15 22 εἰ μὴ ἦλθον –, ἁ..αν οὐκ εἴχοσαν·
νῦν δὲ πρόφασιν οὐκ ἔχουσιν περὶ
τῆς ἁμ. αὐτῶν 24 εἰ τὰ ἔργα μὴ ἐποί-
ησα –, ἁ..αν οὐκ εἴχοσαν
16 8 ἐλέγξει τὸν κόσμον περὶ ἁ..ας 9
19 11 ὁ παραδούς μέ σοι μείζονα ἁμ. ἔχει
Act 3 19 πρὸς τὸ ἐξαλειφθῆναι ὑμῶν τὰς ἁμ.
7 60 μὴ στήσῃς αὐτοῖς ταύτην τὴν ἁμ.
22 16 βάπτισαι καὶ ἀπόλουσαι τὰς ἁμ. σου
Rm 3 9 προῃτιασάμεθα – Ἰουδαίους τε καὶ
Ἕλληνας πάντας ὑφ' ἁ..ίαν εἶναι
– 20 διὰ γὰρ νόμου ἐπίγνωσις ἁ..ίας
4 7 „μακάριοι – ὧν ἐπεκαλύφθησαν αἱ ἁμ.
8 οὗ οὐ μὴ λογίσηται κύριος ἁ..αν"
5 12 δι' ἑνὸς – ἡ ἁμ. εἰς τὸν κόσμον εἰσῆλ-
θεν, καὶ διὰ τῆς ἁμ. ὁ θάνατος
– 13 ἁμ. ἦν ἐν κόσμῳ, ἁμ. δὲ οὐκ ἐλλογεῖ-
ται μὴ ὄντος νόμου
– 20 οὗ δὲ ἐπλεόνασεν ἡ ἁμ.ᵇ 21 ὥσπερ
ἐβασίλευσεν ἡ ἁμ. ἐν τῷ θανάτῳ
6 1 ἐπιμένωμεν τῇ ἁμ., ἵνα ἡ χάρις – ;
– 2 οἵτινες ἀπεθάνομεν τῇ ἁμ., πῶς ἔτι
ζήσομεν ἐν αὐτῇ;
– 6 ἵνα καταργηθῇ τὸ σῶμα τῆς ἁμ., τοῦ
μηκέτι δουλεύειν ἡμᾶς τῇ ἁμ.
– 7 ὁ – ἀποθανὼν δεδικαίωται ἀπὸ τ. ἁμ.
– 10 ὃ – ἀπέθανεν, τῇ ἁμ. ἀπέθ. ἐφάπαξ
11 ἑαυτοὺς εἶναι νεκροὺς μὲν τῇ ἁμ.
– 12 μὴ – βασιλευέτω ἡ ἁμ. ἐν τῷ θνητῷ

ὑμῶν σώματι 13 μηδὲ – τὰ μέλη ὑμῶν
ὅπλα ἀδικίας τῇ ἁμ. 14 ἁμαρτία γὰρ
ὑμῶν οὐ κυριεύσει
Rm 6 16 δοῦλοί ἐστε –, ἤτοι ἁ..ας εἰς θάνατον
– 17 χάρις – θεῷ ὅτι ἦτε δοῦλοι τῆς ἁμ.
18 ἐλευθερωθέντες δὲ ἀπὸ τῆς ἁμ. 20
ὅτε γὰρ δοῦλοι ἦτε τῆς ἁμ. 22 νυνὶ
δὲ ἐλευθερωθέντες ἀπὸ τῆς ἁμ.
– 23 τὰ γὰρ ὀψώνια τῆς ἁμ. θάνατος
7 5 τὰ παθήματα τῶν ἁμ. – ἐνηργεῖτο ἐν
– 7 ὁ νόμος ἁμαρτία; – ἀλλὰ τὴν ἁμ. οὐκ
ἔγνων 8 ἀφορμὴν δὲ λαβοῦσα ἡ ἁμ.
– · χωρὶς γὰρ νόμου ἁμαρτία νεκρά
11.9 ἐλθούσης – τῆς ἐντολῆς ἡ ἁμ.
ἀνέζησεν
– 13 ἀλλὰ ἡ ἁμ., ἵνα φανῇ ἁμαρτία, –, ἵνα
γένηται καθ' ὑπερβολὴν ἁμαρτωλὸς
ἡ ἁμ. διὰ τῆς ἐντολῆς
– 14 ἐγὼ δὲ – πεπραμένος ὑπὸ τὴν ἁμ.
– 17 οὐκέτι ἐγὼ – ἀλλὰ ἡ ἐνοικοῦσα ἐν
ἐμοὶ ἁμ. 20 οἰκοῦσα 23 βλέπω δὲ ἕτε-
ρον νόμον – αἰχμαλωτίζοντά με ἐν τῷ
νόμῳ τῆς ἁμ. 25 τῇ δὲ σαρκὶ (sc δου-
λεύω) νόμῳ ἁ..ας 8 2 ἠλευθέρωσέν σε
(vl με) ἀπὸ τοῦ νόμου τῆς ἁμ. καὶ
τοῦ θανάτου
8 3 τὸν ἑαυτοῦ υἱὸν πέμψας ἐν ὁμοιώ-
ματι σαρκὸς ἁ..ας καὶ περὶ ἁ..ας κατ-
έκρινεν τὴν ἁμ. ἐν τῇ σαρκὶ
– 10 τὸ μὲν σῶμα νεκρὸν διὰ ἁμαρτίαν
11 27 „ὅταν ἀφέλωμαι τὰς ἁμ. αὐτῶν"
14 23 πᾶν – ὃ οὐκ ἐκ πίστεως ἁμ. ἐστίν
1 Co 15 3 Χὸς ἀπέθανεν ὑπὲρ τῶν ἁμ. ἡμῶν
– 17 ἔτι ἐστὲ ἐν ταῖς ἁμαρτίαις ὑμῶν
– 56 τὸ δὲ κέντρον τοῦ θανάτου ἡ ἁμ., ἡ
δὲ δύναμις τῆς ἁμ. ὁ νόμος
2 Co 5 21 τὸν μὴ γνόντα ἁ..αν ὑπὲρ ἡμῶν ἁ..αν
ἐποίησεν, ἵνα ἡμεῖς γενώμεθα
11 7 ἁ..αν ἐποίησα ἐμαυτὸν ταπεινῶν – ;
Gal 1 4 Χοῦ, τοῦ δόντος ἑαυτὸν ὑπὲρ τῶν
ἁμαρτιῶν ἡμῶν, ὅπως ἐξέληται ἡμᾶς
2 17 ἆρα Χὸς ἁ..ας διάκονος; μὴ γένοιτο
3 22 συνέκλεισεν – τὰ πάντα ὑπὸ – ἁ..αν
Eph 2 1 ὑμᾶς ὄντας νεκροὺς – ταῖς ἁμ. ὑμῶν
1 Th 2 16 εἰς τὸ „ἀναπληρῶσαι αὐτῶν τὰς ἁμ."
(2 Th 2 3 vl ὁ ἄνθρ. τῆς ἁμ. vg *peccati*)
1 Ti 5 22 μηδὲ κοινώνει ἁ..αις ἀλλοτρίαις
– 24 τινῶν – αἱ ἁμ. πρόδηλοί εἰσιν
2 Ti 3 6 γυναικάρια σεσωρευμένα ἁ..αις
Hb 1 3 καθαρισμὸν τῶν ἁμ. ποιησάμενος
2 17 εἰς τὸ ἱλάσκεσθαι τὰς ἁμ.ᵇ τ. λαοῦ
3 13 μὴ σκληρυνθῇ τις – ἀπάτῃ τῆς ἁμ.

Hb 4 15 πεπειρασμένον δὲ – χωρὶς ἁμαρτίας
5 1 ἵνα προσφέρῃ – θυσίας ὑπὲρ ἁ..ῶν 3
περὶ ἁ..ῶν 7 27 ὑπὲρ τῶν ἰδίων ἁμ.ᵇ
θυσίας ἀναφέρειν 10 6 „περὶ ἁ..ας
οὐκ εὐδόκησας" 8.18 ὅπου δὲ ἄφε-
σις –, οὐκέτι προσφορὰ περὶ ἁ..ας
8 12 „τῶν ἁμ. αὐτῶν οὐ μὴ μνησθῶ" 10 17
cfr 3 ἐν αὐταῖς ἀνάμνησις ἁ..ῶν
9 26 εἰς ἀθέτησιν τῆς ἁμ. – πεφανέρωται
28 ἅπαξ προσενεχθεὶς εἰς τὸ „πολλῶν
ἀνενεγκεῖν ἁμαρτίας"
– 28 ἐκ δευτέρου χωρὶς ἁ..ας ὀφθήσεται
10 2 μηδεμίαν ἔχειν – συνείδησιν ἁ..ῶν
– 4 ἀδύνατον – αἷμα ταύρων – ἀφαιρεῖν
ἁμαρτίας 11 περιελεῖν ἁμαρτίας
– 12 μίαν ὑπὲρ ἁ..ῶν προσενεγκεῖν θυσίαν
– 26 οὐκέτι περὶ ἁ..ῶν ἀπολείπεται θυσία
11 25 πρόσκαιρον ἔχειν ἁ..ας ἀπόλαυσιν
12 1 ἀποθέμενοι – τὴν εὐπερίστατον ἁμ.
– 4 πρὸς τὴν ἁμ. ἀνταγωνιζόμενοι
13 11 „εἰσφέρεται – τὸ αἷμα περὶ ἁ..ας εἰς"

Jac 1 15 ἡ ἐπιθυμία – τίκτει ἁ..αν, ἡ δὲ ἁμ.
ἀποτελεσθεῖσα ἀποκύει θάνατον
2 9 εἰ δὲ προσωπολημπτεῖτε, ἁ..αν ἐργά-
ζεσθε (pecc. operamini)
4 17 εἰδότι – καὶ μὴ ποιοῦντι, ἁμ. αὐτῷ ἐστ.
5 15 κἂν ἁ..ίας ᾖ πεποιηκώς (vg in pecca-
tis sit), ἀφεθήσεται αὐτῷ
– 16 ἐξομολογεῖσθε – ἀλλήλοις τὰς ἁμ.
– 20 „καλύψει" πλῆθος „ἁ..ῶν 1 Pe 4 8 „ἀ-
γάπη καλύπτει" πλῆθος „ἁ..ῶν"

1 Pe 2 22 ὃς ἁ..αν οὐκ ἐποίησεν οὐδὲ – δόλος
– 24 ὃς „τὰς ἁμ." ἡμῶν „αὐτὸς ἀνήνεγκεν"
3 18 Χὸς ἅπαξ περὶ ἁ..ιῶν ἀπέθανεν
4 1 ὁ παθὼν σαρκὶ πέπαυται ἁ..ίας

2 Pe 1 9 λήθην λαβὼν τοῦ καθαρισμοῦ τῶν
πάλαι αὐτοῦ ἁ..ῶνᵇ (vl ἁμ..μάτων)
2 14 ὀφθαλμοὺς – ἀκαταπαύστους ἁ..ίαςᵇ

1 Jo 1 7 αἷμα Ἰησοῦ – καθαρίζει ἡμᾶς ἀπὸ
πάσης ἁ..ίας 8 ἐὰν εἴπωμεν ὅτι ἁ..αν
οὐκ ἔχομεν 9 ἐὰν ὁμολογῶμεν τὰς
ἁμ. ἡμῶν, πιστός ἐστιν –, ἵνα ἀφῇ
ἡμῖν τὰς ἁμαρτίας
2 2 αὐτὸς ἱλασμός ἐστιν περὶ τῶν ἁμ. ἡ-
μῶν 4 10 τὸν υἱὸν ἱλ..ὸν περὶ τῶν ἁμ.
3 4 ὁ ποιῶν τὴν ἁμ. καὶ τὴν ἀνομίαν ποι-
εῖ, καὶ ἡ ἁμ. ἐστὶν ἡ ἀν. – 5 → Joh 1 29
– 5 ἁμαρτία ἐν αὐτῷ οὐκ ἔστιν
– 8 ὁ ποιῶν τὴν ἁμ. ἐκ τοῦ διαβ. ἐστίν
– 9 ὁ γεγενν. ἐκ – θεοῦ ἁ..αν οὐ ποιεῖ
5 16 ἁ..αν μὴ πρὸς θάνατον –. ἔστιν ἁμ.
πρὸς θάν. 17 πᾶσα ἀδικία ἁμ. ἐστίν,

καὶ ἔστιν ἁμ. οὐ (vl ο vgº) πρὸς θάν.
Ap 1 5 τῷ – λύσαντι (vl λούσ. vg) ἡμᾶς ἐκ
τῶν ἁμ. ἡμῶν ἐν τῷ αἵματι αὐτοῦ
18 4 ἵνα μὴ συγκοινωνήσητε ταῖς ἁμ.ᵇ αὐ-
τῆς 5 ἐκολλήθησαν αὐτῆς αἱ ἁμαρ-
τίαι ἄχρι τοῦ οὐρανοῦ

ἁμάρτυρος Sº – sine testimonio Act 14 17
οὐκ ἁ..ον αὐτὸν ἀφῆκεν ἀγαθουργῶν

ἁμαρτωλός peccator ᵇp..trix ᶜpeccans
Mat 9 10 τελῶναι καὶ ἁ..οὶ – συνανέκειντο τῷ
Ἰησοῦ 11 ‖ Mar 2 15.16 Luc 5 30 – Mat
11 19 τελωνῶν φίλος καὶ ἁ..ῶν ‖ Luc
7 34 – 15 1.2 ἁ..οὺς προσδέχεται
– 13 οὐ – καλέσαι δικαίους ἀλλὰ ἁ..οὺς ‖
Mar 2 17 Luc 5 32 εἰς μετάνοιαν
26 45 εἰς χεῖρας ἁ..ῶν ‖ Mar 14 41 Luc 24 7
Mar 8 38 ἐν τῇ γενεᾷ ταύτῃ τῇ – ἁ..ῷᵇ
Luc 5 8 ἔξελθε ἀπ᾽ ἐμοῦ, ὅτι ἀνὴρ ἁμ. εἰμι
6 32 οἱ ἁμ. τοὺς ἀγαπῶντας αὐτοὺς ἀγα-
πῶσιν 33 οἱ ἁμ. τὸ αὐτὸ ποιοῦσιν 34
καὶ ἁ..οὶ ἁ..οῖς δανείζουσιν
7 37 ἰδοὺ γυνὴ – ἁ..όςᵇ 39 ὅτι ἁμ.ᵇ ἐστιν
13 2 ἁ..οὶ παρὰ πάντας τοὺς Γαλ. ἐγέν. –;
15 1 ἐγγίζοντες πάντες – οἱ ἁμ. ἀκούειν
αὐτοῦ 2 οὗτος ἁ..οὺς προσδέχεται
– 7 χαρὰ – ἐπὶ ἑνὶ ἁμ. μετανοοῦντι 10
18 13 ὁ θεός, ἱλάσθητί μοι τῷ ἁμαρτωλῷ
19 7 παρὰ ἁ..ῷ – εἰσῆλθεν καταλῦσαι
Joh 9 16 πῶς δύναται ἄνθρωπος ἁμ. τοιαῦτα
σημεῖα ποιεῖν; 24 οἴδαμεν ὅτι – ἁμ.
ἐστιν 25.31 ὁ θεὸς ἁ..ῶν οὐκ ἀκούει
Rm 3 7 τί ἔτι κἀγὼ ὡς ἁμ. κρίνομαι;
5 8 ἔτι ἁ..ῶν ὄντων ἡμῶν Χὸς ὑπὲρ ἡμ.
– 19 ὥσπ. – ἁ..οὶ κατεστάθησαν οἱ πολλοὶ
7 13 ἵνα γένηται καθ᾽ ὑπερβολὴν ἁμ.ᶜ ἡ
ἁμαρτία διὰ τῆς ἐντολῆς
Gal 2 15 ἡμεῖς – οὐκ ἐξ ἐθνῶν ἁ..οί 17 εἰ δὲ –
εὑρέθημεν καὶ αὐτοὶ ἁ..οί, ἄρα
1 Ti 1 9 ἀσεβέσι καὶ ἁ..οῖς (sc νόμος κεῖται)
– 15 ἦλθεν εἰς τὸν κόσμον ἁ..οὺς σῶσαι
Hb 7 26 ἀρχιερ., – κεχωρισμένος ἀπὸ τῶν ἁμ.
12 3 τοιαύτην – ὑπὸ τῶν ἁμ. – ἀντιλογίαν
Jac 4 8 καθαρίσατε χεῖρας, ἁμαρτωλοί
5 20 ὁ ἐπιστρέψας ἁ..ὸν ἐκ πλάνης ὁδοῦ
1 Pe 4 18 „ὁ ἀσεβὴς καὶ ἁμ. ποῦ φανεῖται;"
Jud 15 ὧν ἐλάλησαν κατ᾽ αὐτοῦ ἁ..οί

ἄμαχος Sº – non litigiosus
1 Ti 3 3 δεῖ – τὸν ἐπίσκοπον – εἶναι – ἁ..ον
Tit 3 2 ὑπομίμνησκε αὐτοὺς – ἁ..ους εἶναι

ἀμέθυστος *amethystus* Ap 21 20

ἀμελεῖν *negligere* Mat 22 5 οἱ δὲ ἀ..ήσαντες
1 Ti 4 14 μὴ ἀμέλει τοῦ ἐν σοὶ χαρίσματος
Hb 2 3 τηλικαύτης ἀ..ήσαντες σωτηρίας
8 9 „κἀγὼ ἠμέλησα αὐτῶν"

ἄμεμπτος, ἀ..ως *sine querela* ᵇ(ἄμεμπτον
εἶναι) *culpa vacare*
Luc 1 6 ἐν – δικαιώμασιν τοῦ κυρίου ἄ..οι
Phl 2 15 ἵνα γένησθε ἄ..οι καὶ ἀκέραιοι
3 6 κατὰ δικαιοσύνην τὴν ἐν νόμῳ – ἄμ.
1 Th 2 10 ὡς – ἀ..ως ὑμῖν – ἐγενήθημεν 5 23 ὑ-
μῶν τὸ πνεῦμα – ἀ..ως ἐν τῇ παρου-
σίᾳ τοῦ κυρίου ἡμῶν – τηρηθείη
3 13 εἰς τὸ στηρίξαι – τὰς καρδίας ἀ..ους
ἐν ἁγιωσύνῃ ἔμπροσθεν τοῦ θεοῦ
Hb 8 7 εἰ – ἡ πρώτη (sc διαθ.) – ἦν ἄ..ος ᵇ

ἀμέριμνος ᵃ*securus* ᵇ*sine solicitudine*
Mat 28 14 ᵃ 1 Co 7 32 θέλω – ὑμᾶς ἀ..ους ᵇ εἶναι

ἀμετάθετος ᵃ*immobilis* ᵇ(τὸ ἀ..ον) *immo-
bilitas* Hb 6 17 τὸ ἀ..ον ᵇ τῆς βουλῆς αὐ-
τοῦ 18 ἵνα διὰ δύο πραγμάτων ἀ..ων ᵃ, –,
ἰσχυρὰν παράκλησιν ἔχωμεν

ἀμετακίνητος Sᵒ – *immobilis* 1 Co 15 58

ἀμεταμέλητος Sᵒ – ᵃ*sine poenitentia* ᵇ*sta-
bilis* Rm 11 29 ἀ..αᵃ – τὰ χαρίσματα καὶ
ἡ κλῆσις τοῦ θεοῦ 2 Co 7 10 μετάνοιαν εἰς
σωτηρίαν ἀ..ον ᵇ ἐργάζεται

ἀμετανόητος Sᵒ – *impoenitens* Rm 2 5 κα-
τὰ – τὴν – ἀ..ον καρδίαν θησαυρίζεις

εἰς τὰ ἄμετρα Sᵒ – *in immensum*
2 Co 10 13 οὐκ εἰς τὰ ἄ. καυχησόμεθα 15

*ἀμήν, ὁ ἀμήν, τὸ ἀμήν *amen*
(ἀμὴν λέγω et ἀ. ἀ. λέγω → λέγειν)
Rm 1 25 ὅς ἐστιν εὐλογητὸς εἰς τοὺς αἰῶνας·
ἀμήν 9 5 11 36 αὐτῷ ἡ δόξα εἰς τοὺς
αἰ.· ἀμήν 15 33 θεὸς – μετὰ πάντων
ὑμῶν· ἀμήν 16 27
1 Co 14 16 πῶς ἐρεῖ τὸ ἀ. ἐπὶ τῇ σῇ εὐχαριστίᾳ;
2 Co 1 20 δι' αὐτοῦ τὸ ἀ. τῷ θεῷ – δι' ἡμῶν
Gal 1 5 ᾧ ἡ δόξα εἰς τοὺς αἰ. –· ἀμήν
6 18 ἡ χάρις τοῦ κυρίου – μετὰ τοῦ πνεύ-
ματος ὑμῶν, ἀδελφοί· ἀμήν
Eph 3 21 αὐτῷ ἡ δόξα – εἰς πάσας τὰς γενεὰς

τοῦ αἰ. τῶν αἰ.· ἀμήν Phl 4 20 1 Ti 1 17
6 16 2 Ti 4 18 – Hb 13 21 – 1 Pe 4 11
ἡ δόξα καὶ τὸ κράτος 5 11 αὐτῷ τὸ
κράτος Jud 25 Ap 1 6 7 12
Ap 1 7 ναί, ἀμήν 5 14 ἔλεγον· ἀμήν 7 12 ἀ-
μήν, ἡ εὐλογία – τῷ θεῷ 19 4 λέγον-
τες· ἀμὴν ἀλληλουϊά 22 20 ἀμήν, ἔρ-
χου κύριε
3 14 τάδε λέγει ὁ ἀμήν, „ὁ μάρτυς ὁ πι-
στὸς" καὶ ἀληθινός

ἀμήτωρ Sᵒ – *sine matre* Hb 7 3 ἀπάτωρ, ἀμ.

ἀμίαντος ᵃ*immaculatus* ᵇ*impollutus* ᶜ*in-
contaminatus* Hb 7 26 ᵇ ἀρχιερεύς
Hb 13 4 τίμιος ὁ γάμος – καὶ ἡ κοίτη ἀμ.ᵃ
Jac 1 27 θρησκεία καθαρὰ καὶ ἀμ.ᵃ παρὰ
1 Pe 1 4 εἰς κληρονομίαν – ἀ..ον ᶜ καὶ ἀμάρ.

Ἀμιναδάβ Mat 1 4 Luc 3 33

ἄμμος *arena* (vl *harena*)
Mat 7 26 ᾠκοδόμησεν – ἐπὶ τὴν ἄμμον
Rm 9 27 „ὡς ἡ ἄ. τῆς θαλ." Hb 11 12 Ap 20 8
Ap 12 18 ἐστάθη ἐπὶ τὴν ἄ. τῆς θαλάσσης

ἀμνός *agnus* Joh 1 29 ἴδε ὁ ἀ. τ. θεοῦ 36
Act 8 32 „ὡς ἀμνὸς ἐναντίον τ. κείροντος"
1 Pe 1 19 τιμίῳ αἵματι ὡς ἀ..οῦ ἀμώμου

ἀμοιβή Sᵒ – *mutuam vicem* (*reddere*)
1 Ti 5 4 μανθανέτωσαν (sc τὰ τέκνα) πρῶτον
– ἀ..ὰς ἀποδιδόναι τοῖς προγόνοις

ἄμπελος *vitis* ᵇ*vinea*
Mat 26 29 οὐ μὴ πίω – ἐκ – τοῦ γενήματος τῆς
ἀμπέλου ἕως ‖ Mar 14 25 Luc 22 18
Joh 15 1 ἐγώ εἰμι ἡ ἄμ. ἡ ἀληθινή 4 ἐὰν μὴ
μένῃ ἐν τῇ ἄμ. 5 ἐγώ εἰμι ἡ ἄμ.
Jac 3 12 μὴ δύναται – ποιῆσαι – ἄμ. σῦκα;
Ap 14 18 τρύγησον τοὺς βότρυας τῆς ἄμ.ᵇ τῆς
γῆς 19 ἐτρύγησεν τὴν ἄμ.ᵇ τῆς γῆς

ἀμπελουργός *cultor vineae* Luc 13 7

ἀμπελών *vinea*
Mat 20 1 μισθώσασθαι ἐργάτας εἰς τὸν ἀ..ῶνα
αὐτοῦ 2.4.7.8 ὁ κύριος τοῦ ἀ..ῶνος
21 28 σήμερον ἐργάζου ἐν τῷ ἀμπελῶνι
– 33 „ἐφύτευσεν ἀ..ῶνα" 39 αὐτὸν ἐξέβα-
λον ἔξω τοῦ ἀ. 40 ὅταν – ἔλθῃ ὁ κύ-
ριος τοῦ ἀ. 41 τὸν ἀ. ἐκδώσεται ἄλλοις

‖ Mar 12 1.2.8.9 Luc 20 9.10.13.15.16
Luc 13 6 συκῆν εἶχέν τις – ἐν τῷ ἀμπ. αὐτοῦ
1 Co 9 7 τίς φυτεύει ἀ..ῶνα καὶ – οὐκ ἐσθίει;

Ἀμπλιᾶτος (vl Ἀμπλιᾶς) Rm 16 8

ἀμύνεσθαι vindicare Act 7 24

ἀμφιάζειν vestire Luc 12 28 τὸν χόρτον

ἀμφιβάλλειν mittere (retia) Mar 1 16

ἀμφίβληστρον rete Mat 4 18 βάλλοντες ἀ.

ἀμφιεννύναι vestire ᵇinduere
Mat 6 30 τὸν χόρτον τοῦ ἀγροῦ – 11 8 ἄνθρω-
πον ἐν μαλακοῖς ἠμφιεσμένον ‖ Luc 7 25 ᵇ

Ἀμφίπολις Act 17 1 διοδεύσαντες – τὴν Ἀ.

ἄμφοδον bivium Mar 11 4 (Act 19 28 vl)

ἀμώμητος Sᵒ – inviolatus 2 Pe 3 14

ἄμωμον Sᵒ – (vl amomum) Ap 18 13

ἄμωμος immaculatus ᵇsine macula
ᶜsine reprehensione
Eph 1 4 εἶναι ἡμᾶς ἁγίους καὶ ἀ..ους Col 1 22
5 27 ἵνα ᾖ ἁγία καὶ ἄμ. (sc ἡ ἐκκλησία)
Phl 2 15 „τέκνα θεοῦ ἄ..α" (vl ἀμώμητα)ᶜ
Hb 9 14 ἑαυτὸν προσήνεγκεν ἄ..ον τῷ θεῷ
1 Pe 1 19 τιμίῳ αἵματι ὡς ἀμνοῦ ἀμώμου
Jud 24 ὑμᾶς – στῆσαι – ἀ..ους ἐν ἀγαλλιάσει
Ap 14 5 παρθένοι γάρ εἰσιν. – ἄ..οίᵇ εἰσιν

Ἀμώς Mat 1 10 (vl Ἀμών) Luc 3 25

ἀνά ἀνὰ μέσον et ἀνὰ μέρος → μέσος
et μέρος; hic ἀνὰ cum numeralibus vi
distributionis singuli, bini etc
Mat 20 9 ἔλαβον ἀνὰ δηνάριον 10 τὸ ἀνὰ δην.
Luc 9 3 μήτε ἀνὰ (vlᵒ vgᵒ) δύο χιτῶνας 14
ἀνὰ πεντήκοντα 10 1 ἀνὰ δύο
Joh 2 6 ἀνὰ μετρητὰς δύο ἢ τρεῖς
Ap 4 8 „ἀνὰ πτέρυγας ἕξ" 21 21 ἀνὰ εἷς ἕ-
καστος τῶν πυλώνων – ἐξ ἑνὸς μαργαρίτ.

ἀναβαθμός gradus Act 21 35.40

*ἀναβαίνειν ascendere
Mat 3 16 ἀνέβη ἀπὸ τοῦ ὕδατος ‖ Mar 1 10
5 1 ἀνέβη εἰς τὸ ὄρος· – καὶ – ἐδίδασκεν

Mat 14 23 κατ᾽ ἰδίαν προσεύξασθαι 15 29
Mar 3 13 ἀναβαίνει εἰς τὸ ὄρος καὶ
προσκαλεῖται οὓς ἤθελεν Luc 9 28
ἀνέβη – προσεύξασθαι
20 17 μέλλων – ἀν. – εἰς Ἱεροσ. 18 ἀ..ομεν ‖
Mar 10 32.33 Luc 18 31
Luc 2 4 εἰς πόλιν Δαυίδ 42 ἀναβαινόντων αὐ-
τῶν (vl εἰς Ἱερ. vg) 18 10 δύο ἀνέβη-
σαν εἰς τὸ ἱερόν 19 28 ἀ..ων εἰς Ἱερ.
24 38 διὰ τί διαλογισμοὶ ἀ..ουσιν – ; Act 7 23
ἀνέβη ἐπὶ τὴν καρδίαν αὐτοῦ
Joh 1 51 ὄψεσθε – τοὺς ἀγγέλους – ἀ..οντας
2 13 ἀνέβη εἰς Ἱεροσ. 5 1 11 55 πολλοί
3 13 οὐδεὶς ἀναβέβηκεν εἰς τὸν οὐρ. εἰ μή
6 62 τὸν υἱὸν – ἀ..οντα ὅπου ἦν τὸ πρότ.
7 8 ὑμεῖς ἀνάβητε εἰς τὴν ἑορτήν· ἐγὼ
οὔπω ἀναβαίνω εἰς 10 ὡς δὲ ἀνέβη-
σαν – εἰς τ. ἑο., – καὶ αὐτὸς ἀνέβη 14
ἀνέβη – εἰς τὸ ἱερόν 12 20 ἐκ τῶν ἀ..
ὄντων ἵνα προσκυνήσωσιν
20 17 οὔπω γὰρ ἀναβέβηκα πρὸς τὸν πα-
τέρα· – ἀναβαίνω πρ. τ. πατέρα μου
Act 2 34 οὐ – Δαυὶδ ἀνέβη εἰς τοὺς οὐραν.
3 1 ἀνέβαινον εἰς τὸ ἱερὸν ἐπὶ τ. ὥραν
10 4 αἱ προσευχαί σου καὶ αἱ ἐλεημοσύ-
ναι ἀνέβησαν εἰς μνημόσυνον
11 2 ἀνέβη – εἰς Ἱερουσ. 15 2 18 22 ἀναβὰς
καὶ ἀσπασάμενος τὴν ἐκκλ. 21 (4 ἐπι-
βαίνειν) 12.15 24 11 – 25 1.9
Rm 10 6 „τίς ἀναβήσεται εἰς τὸν οὐρανόν;"
1 Co 2 9 ἃ – ἐπὶ καρδίαν ἀνθρώπου οὐκ ἀνέβη
Gal 2 1 πάλιν ἀνέβην εἰς Ἱεροσ. 2
Eph 4 8 „ἀναβὰς εἰς ὕψος" 9 τὸ δὲ „ἀνέβη"
τί ἐστιν εἰ μὴ ὅτι καὶ κατέβη – ; 10 ὁ
καταβὰς αὐτός ἐστιν καὶ ὁ „ἀναβάς"
Ap 4 1 „ἀνάβα" ὧδε, καὶ δείξω σοι 11 12 ἀνά-
βατε ὧδε· καὶ ἀνέβησαν εἰς τὸν οὐρανόν

ἀναβάλλεσθαι differre Act 24 22 αὐτούς

ἀναβιβάζειν educere Mat 13 48 σαγήνην

ἀναβλέπειν 1) oculos tollere – ᵃaspicere
ᵇintuēri ᶜrespicere ᵈsuspicere
Mat 14 19 ᵃ εἰς τὸν οὐρ. ‖ Mar 6 41 ᵇ Luc 9 16 ᶜ
Mar 7 34 ᵈ εἰς τὸν οὐρ. – 8 24 ᵃ 16 4 ᶜ
Luc 19 5 ᵈ 21 1 ᶜ Act 22 13 ἀνάβλεψονᶜ. κἀγὼ –
ἀνέβλεψαᶜ εἰς αὐτόν (nisi ad 2)

2) visum recipere – vidēre ᵇrespicere
ᶜvisum recipere
Mat 11 5 „τυφλοὶ ἀναβλέπουσιν" ‖ Luc 7 22

Mat 20 34 εὐθέως ἀνέβλεψαν ‖ Mar 10 51 ἵνα
ἀναβλέψω 52 Luc 18 41.42 ἀνάβλεψον b
43 − Joh 9 11 νιψάμενος ἀνέβλεψα
(video vl vidi) 15.18
Act 9 12 ὅπως ἀναβλέψῃ c 17.18 c − 22 13 b

ἀνάβλεψις visus Luc 4 18 „τυφλοῖς ἀ..ιν"

ἀναβοᾶν clamare Mat 27 46 (Jesus)

ἀναβολή dilatio Act 25 17

ἀνάγαιον S o − coenaculum
Mar 14 15 ἀν. μέγα ἐστρωμένον ‖ Luc 22 12

ἀναγγέλλειν annunciare b nunciare
c referre → ἀπαγγέλλειν
Joh 4 25 ἀναγγελεῖ ἡμῖν ἅπαντα (5 15 vl b)
16 13 τὰ ἐρχόμενα ἀναγγελεῖ ὑμῖν 14.15
Act 14 27 ἀνήγγελλον c ὅσα ἐποίησεν ὁ θεὸς
μετ' αὐτῶν 15 4 − 19 18 20 20.27 τοῦ
μὴ ἀναγγεῖλαι − τὴν βουλὴν τοῦ θ.
Rm 15 21 „ὄψονται οἷς οὐκ ἀνηγγέλη περί"
2 Co 7 7 ἀ..ων c ἡμῖν τὴν ὑμῶν ἐπιπόθησιν
1 Pe 1 12 ἃ νῦν ἀνηγγέλη b ὑμῖν − 1 Jo 1 5 καὶ
ἀ..ομεν ὑμῖν, ὅτι ὁ θεὸς φῶς ἐστιν

ἀνάγειν, ..εσθαι a ascendere b ducere c edu-
cere d ferre e navigare f offerre g per-
ducere h producere i proficisci k tollere
l revocare
Mat 4 1 ἀνήχθη b εἰς τὴν ἔρημον ‖ Luc 4 5 b
Luc 2 22 d εἰς Ἱεροσόλ. 8 22 ἀνήχθησαν a
Act 7 41 „ἀνήγαγον f θυσίαν" τῷ εἰδώλῳ
9 39 b 16 34 g − 12 4 ἀναγαγεῖν h − τῷ λαῷ
13 13 ἀναχθέντες e − ἀπὸ τῆς Πάφου 16 11 e
18 21 i Ἐφέσου 20 3 e εἰς τὴν Συρίαν
13 e ἐπὶ τὴν Ἄσσον 21 1 e 2 e 27 2 k 4 k
12 e 21 μὴ ἀνάγεσθαι k ἀπὸ τῆς Κρή-
της 28 10 e 11 e ἐν πλοίῳ − Ἀλεξάνδρ.
Rm 10 7 Χὸν ἐκ νεκρῶν ἀναγαγεῖν l
Hb 13 20 „ὁ ἀναγαγὼν c" ἐκ νεκρῶν „τὸν ποι-
μένα τῶν προβάτων" τὸν μέγαν

ἀναγεννᾶν a regenerare b renasci
1 Pe 1 3 ὁ − ἀ..ήσας a ἡμᾶς εἰς ἐλπίδα ζῶσαν
− 23 ἀναγεγεννημένοι b − ἐκ σπορᾶς − ἀ-
φθάρτου διὰ λόγου ζῶντος θεοῦ

ἀναγινώσκειν legere
Mat 12 3 οὐκ ἀνέγνωτε τί ἐποίησεν Δαυίδ −;
‖ Mar 2 25 Luc 6 3 − Mat 12 5 ἐν τῷ

νόμῳ −; 19 4 ὅτι ὁ κτίσας 21 16 ὅτι
„ἐκ στόματος νηπίων" 42 ἐν ταῖς γρα-
φαῖς· „λίθον ὄν" ‖ Mar 12 10 − Mat
22 31 τὸ ῥηθὲν ὑμῖν ὑπὸ τοῦ θεοῦ ‖
Mar 12 26 ἐν τῇ βίβλῳ Μωϋσέως ἐπὶ
τοῦ βάτου − Luc 10 26 ἐν τῷ νόμῳ −
πῶς ἀναγινώσκεις;
Mat 24 15 ὁ ἀναγινώσκων νοείτω ‖ Mar 13 14
Luc 4 16 καὶ ἀνέστη ἀναγνῶναι Act 13 27 τὰς
φωνὰς τῶν προφ. τὰς κατὰ πᾶν σαββ.
ἀ..ομένας 15 21 Μωϋσῆς − ἀ..όμενος
Joh 19 20 τὸν τίτλον πολλοὶ ἀνέγνωσαν
Act 8 28.30 ἆρά γε γινώσκεις ἃ ἀ..εις; 32
15 31 ἀναγνόντες δὲ ἐχάρησαν − 23 34
2 Co 1 13 οὐ γὰρ ἄλλα γράφομεν ὑμῖν ἀλλ' ἢ
ἃ ἀ..κετε ἢ καὶ ἐπιγινώσκετε
3 2 ἡ ἐπιστολὴ ἡμῶν ὑμεῖς ἐστε − γινω-
σκομένη καὶ ἀ..ομένη ὑπὸ πάντων
− 15 ἡνίκα ἂν ἀ..ηται Μωϋσῆς κάλυμμα
(Gal 4 21 vl τὸν νόμον οὐκ ἀ..ετε; vg legistis)
Eph 3 4 δύνασθε ἀ..οντες νοῆσαι τὴν σύνεσιν
Col 4 16 ὅταν ἀναγνωσθῇ παρ' ὑμῖν ἡ ἐπιστ.,
− ἵνα καὶ ἐν τῇ Λαοδ. ἐκκλ. ἀναγνω-
σθῇ καὶ τὴν ἐκ Λαοδ. − ὑμεῖς ἀνα-
γνῶτε − 1 Th 5 27 ἀναγνωσθῆναι τὴν
ἐπιστολὴν πᾶσιν τοῖς ἀδελφοῖς
Ap 1 3 μακάριος ὁ ἀ..ων καὶ οἱ ἀκούοντες

ἀναγκάζειν cogere b compellere
Mat 14 22 b ‖ Mar 6 45 − Luc 14 23 ἀ..ασον b εἰσ-
Act 26 11 ἠνάγκαζον b βλασφημεῖν [ελθεῖν
28 19 ἠ..άσθην ἐπικαλέσασθαι Καίσαρα
2 Co 12 11 γέγονα ἄφρων· ὑμεῖς με ἠ..άσατε
Gal 2 3 οὐδὲ Τίτος − ἠ..άσθη b περιτμηθῆναι
6 12 ἀ..ουσιν ὑμᾶς περιτέμνεσθαι
− 14 πῶς τὰ ἔθνη ἀ..ζεις ἰουδαΐζειν;

ἀναγκαῖος necessarius − (ἀ..όν ἐστιν):
b necesse est c oportet
Act 10 24 τοὺς ἀν. φίλους 13 46 ὑμῖν ἦν ἀ..ον c
πρῶτον λαληθῆναι τὸν λόγον τ. θεοῦ
1 Co 12 22 μέλη Tit 3 14 εἰς τὰς ἀν..ας χρείας
2 Co 9 5 ἀ..ον − ἡγησάμην Phl 1 24 τὸ − ἐπιμέ-
νειν τῇ σαρκὶ ἀ..ότερον δι' ὑμᾶς 2 25
Hb 8 3 ὅθεν ἀ..ον b ἔχειν − ὃ προσενέγκῃ

ἀναγκαστῶς S o − coacte 1 Pe 5 2 μὴ ἀν.

ἀνάγκη necessitas b necessitatem habēre
c necesse est d necesse habēre
e pressura
Mat 18 7 ἀν. c γὰρ ἐλθεῖν τὰ σκάνδαλα, πλὴν

Luc 14 18 ἔχω ἀ..ην d – ἰδεῖν αὐτόν (sc ἀγρόν)
21 23 ἔσται γὰρ ἀν. e μεγάλη ἐπὶ τῆς γῆς
Rm 13 5 διὸ ἀν. ὑποτάσσεσθαι (vl ..εσθε vg
nec..tate subditi estote), οὐ μόνον
1 Co 7 26 καλὸν – διὰ τὴν ἐνεστῶσαν ἀ..ην
– 37 ὃς δὲ ἕστηκεν –, μὴ ἔχων ἀ..ην b
9 16 ἀν. – μοι ἐπίκειται (sc εὐαγγελίζ.)
2 Co 6 4 ἐν θλίψεσιν, ἐν ἀ..αις 12 10 εὐδοκῶ –
ἐν ἀ..αις 1 Th 3 7 παρεκλήθημεν – ἐπὶ
πάσῃ τῇ ἀν. καὶ θλίψει ἡμῶν
9 7 μὴ ἐκ λύπης ἢ ἐξ ἀ..ης· „ἱλαρὸν γὰρ
δότην" Phm 14 ἵνα μὴ ὡς κατὰ ἀ..ην
(ex necessitate) τὸ ἀγαθόν σου ᾖ
Hb 7 12 ἐξ ἀ..ης c καὶ νόμου μετάθεσις γίνε-
ται 27 ὃς οὐκ ἔχει – ἀ..ην b – ἀναφέρ.
9 16 θάνατον ἀνάγκη c φέρεσθαι 23 c
Jud 3 ἀ..ην ἔσχον d γράψαι – παρακαλῶν

(ἀναγνωρίζεσθαι vl cognosci Act 7 13)

ἀνάγνωσις lectio Act 13 15 νόμου κ. προφ.
2 Co 3 14 ἐπὶ τῇ ἀν. τῆς παλαιᾶς διαθήκης
1 Ti 4 13 πρόσεχε τῇ ἀν., τῇ παρακλήσει

ἀναδεικνύναι a designare b ostendere
Luc 10 1 a Act 1 24 ἀνάδειξον b ὃν ἐξελέξω

ἀνάδειξις ostensio Luc 1 80 ('Ιωάννου)

ἀναδέχεσθαι suscipere Act 28 7 ἡμᾶς
Hb 11 17 ὁ τὰς ἐπαγγελίας ἀναδεξάμενος

ἀναδιδόναι tradere Act 23 33 ἐπιστολήν

ἀναζῆν S o – revivere Luc 15 24 ὅτι οὗτος
ὁ υἱός μου νεκρὸς ἦν καὶ ἀνέζησεν
Rm 7 9 ἡ ἁμαρτία ἀνέζησεν, ἐγὼ δὲ ἀπέθαν.

ἀναζητεῖν requirere b quaerere
Luc 2 44.45 (Jesum) Act 11 25 b Σαῦλον

ἀναζώννυσθαι succingi 1 Pe 1 13 ὀσφύας

ἀναζωπυρεῖν resuscitare 2 Ti 1 6 χάρισμα

ἀναθάλλειν reflorescere Phl 4 10 ὅτι ἤδη ποτὲ
ἀνεθάλετε τὸ ὑπὲρ ἐμοῦ φρονεῖν

ἀνάθεμα anathema b devotio
Act 23 14 ἀναθέματι b ἀνεθεμάτισαν ἑαυτούς
Rm 9 3 ηὐχόμην – ἀν. εἶναι αὐτὸς ἐγὼ ἀπὸ
τοῦ Χοῦ ὑπὲρ τῶν ἀδελφῶν μου

1 Co 12 3 οὐδεὶς ἐν πνεύματι θεοῦ λαλῶν λέ-
γει· ἀν. 'Ιησοῦς 16 22 εἴ τις οὐ φιλεῖ
τὸν κύριον, ἤτω ἀνάθεμα
Gal 1 8 ἀν. ἔστω 9 εἴ τις –, ἀνάθεμα ἔστω

ἀναθεματίζειν anath..zare b (se) devovēre
Mar 14 71 ὁ δὲ ἤρξατο ἀν. καὶ ὀμνύναι
Act 23 12 b 14 b → ἀνάθεμα 21 b μήτε φαγεῖν

ἀναθεωρεῖν S o – a intuēri b vidēre
Act 17 23 ἀ..ῶν b τὰ σεβάσματα ὑμῶν εὗρον
Hb 13 7 ἀ..οῦντες a τὴν ἔκβασιν τῆς ἀναστρ.

ἀνάθημα donum Luc 21 5 ἀ..σιν κεκόσμηται

ἀναίδεια improbitas Luc 11 8 διὰ – τὴν ἀν.

ἀναιρεῖν interficere b occidere c interimere
d tollere e auferre
Mat 2 16 ἀνεῖλεν b – τοὺς παῖδας – ἐν Βηθλέ.
Luc 22 2 ἐζήτουν – τὸ πῶς ἀνέλωσιν αὐτόν
23 32 ἤγοντο – σὺν αὐτῷ ἀναιρεθῆναι
Act 2 23 προσπήξαντες ἀνείλατε c 10 39 ἀνεῖ-
λαν b „κρεμάσαντες ἐπὶ ξύλου" 13 28
5 33.36 b 7 28 9 23 (Saulum) 24.29 b 12 2 b
(Jacobum) 16 27 22 20 (Stephanum)
23 15 (Paulum) 21.27 25 3 26 10 b
7 21 „ἀνείλατο d αὐτὸν ἡ θυγάτηρ Φαρ."
2 Th 2 8 „ὁ ἄνομος", ὃν ὁ κύριος – „ἀνελεῖ
τῷ πνεύματι τοῦ στόματος αὐτοῦ"
Hb 10 9 ἀναιρεῖ e τὸ πρῶτον ἵνα – στήσῃ

ἀναίρεσις nex Act 8 1 (Stephani)

ἀναίτιος a sine crimine b innocens
Mat 12 5 σάββατον βεβηλοῦσιν καὶ ἀ..οί a εἰσιν
– 7 οὐκ ἂν κατεδικάσατε τοὺς ἀν. b

ἀνακαθίζειν S o – residēre Luc 7 15 Act 9 40

ἀνακαινίζειν renovare Hb 6 6 ἀδύνατον –
τοὺς – παραπεσόντας, – ἀν. εἰς μετάνοιαν

ἀνακαινοῦσθαι S o – renovari
2 Co 4 16 ἀλλ' ὁ ἔσω ἡμῶν (sc ἄνθρ.) ἀ..οῦται
Col 3 10 ἐνδυσάμενοι τὸν νέον τὸν ..ούμενον
εἰς ἐπίγνωσιν κατ' εἰκόνα τοῦ κτίς.

ἀνακαίνωσις S o – a novitas b renovatio
Rm 12 2 μεταμορφοῦσθε τῇ ἀν. a τοῦ νοός
Tit 3 5 διὰ λουτροῦ – ἀ..εως b πνεύμ. ἁγίου

ἀνακαλύπτειν revelare 2 Co 3 14 κάλυμμα

ἐπὶ τῇ ἀναγνώσει τῆς παλαιᾶς διαθήκης μένει, μὴ ἀνακαλυπτόμενον 18 ἡμεῖς δὲ– ἀνακεκαλυμμένῳ προσώπῳ „τὴν δόξαν κυρίου" κατοπτριζόμενοι

ἀνακάμπτειν reverti ᵇredire
Mat 2 12 μὴ ἀ..ψαιᵇ πρὸς Ἡρ. – Act 18 21
Luc 10 6 ἐφ' ὑμᾶς ἀ..ψει (sc ἡ εἰρήνη ὑμῶν)
Hb 11 15 εἶχον ἂν καιρὸν ἀνακάμψαι

ἀνακεῖσϑαι discumbere ᵇrecumbere
Mat 9 10 αὐτοῦ ἀ..μένου ἐν τῇ οἰκία 26 7ᵇ
22 10 ἐπλήσϑη ὁ νυμφὼν ἀ..μένων 11
26 20 ἀνέκειτο μετὰ τῶν δώδεκα ‖ Mar 14 18
Mar 6 26 διὰ τοὺς ὅρκους καὶ τοὺς ἀ..μένους
16 14 ἀ..μένοιςᵇ–τοῖς ἔνδεκα ἐφανερώϑη
Luc 22 27 τίς–μείζων, ὁ ἀ..μενοςᵇ ἢ ὁ διακο-
νῶν; οὐχὶ ὁ ἀ..μενοςᵇ; ἐγὼ δέ
Joh 6 11 διέδωκεν τοῖς ἀνακειμένοις
12 2 Λάζ.–ἦν ἐκ τῶν ἀ..μένων σὺν αὐτῷ
13 23 ἦν ἀ..μενοςᵇ εἷς–ἐν τῷ κόλπῳ–Ἰη-
σοῦ 28 οὐδεὶς ἔγνω τῶν ἀ..μένων

ἀνακεφαλαιοῦσϑαι Sᵒ – instaurare
Rm 13 9 ἐν τ. λόγῳ–ἀ..οῦται–· „ἀγαπήσεις"
Eph 1 10 ἀ..ώσασϑαι τὰ πάντα ἐν τῷ Χῷ

ἀνακλίνειν, ..εσϑαι ᵃaccumbere ᵇaccumb.
facere ᶜdiscumbere ᵈdisc. facere
ᵉreclinare ᶠrecumbere
Mat 8 11 ἀ..ιϑήσονταιᶠ μετὰ Ἀβρ. ‖ Luc 13 29
ἀ..ιϑήσονταιᵃ ἐν τῇ βασιλ. τοῦ ϑεοῦ
14 19 ἀ..ιϑῆναιᶜ ἐπὶ τοῦ χόρτου ‖ Mar 6 39ᵇ
Luc 2 7 ἀνέκλινενᵉ αὐτὸν ἐν φάτνῃ
12 37 ἀνακλινεῖᵈ αὐτοὺς (sc τοὺς δούλους)
καὶ–διακονήσει αὐτοῖς

ἀνακράζειν exclamare
Mar 1 23 ‖ Luc 4 33 cfr 8 28 – Mar 6 49 Luc 23 18

ἀνακρίνειν iudicare ᵇdiiudicare
ᶜinterrogare ᵈinterrogationem habēre
ᵉexaminare ᶠinquisitionem facere
ᵍscrutari
Luc 23 14 ἐγὼ–ἀ..αςᶜ οὐϑὲν εὗρον–αἴτιον
Act 4 9 εἰ ἡμεῖς–ἀ..όμεϑαᵇ (vlᵃ) ἐπὶ εὐερ-
γεσίᾳ – 12 19ᶠ 24 8 28 18ᵈ
17 11 ἀ..οντεςᵍ τὰς γραφὰς εἰ ἔχοι–οὔτ.
1 Co 2 14 ὅτι πνευματικῶς ἀ..εταιᵉ 15 ὁ δὲ πνευ-
ματικὸς ἀ..ει μὲν πάντα, αὐτὸς δὲ
ὑπ' οὐδενὸς ἀ..εται
4 3 ἐμοὶ–εἰς ἐλάχιστόν ἐστιν ἵνα ὑφ'

ὑμῶν ἀ..ιϑῶ–· ἀλλ' οὐδὲ ἐμαυτὸν
ἀ..ω 4 ὁ δὲ ἀ..ων με κύριός ἐστιν
1 Co 9 3 ἡ ἐμὴ ἀπολογία τοῖς ἐμὲ ἀ..ουσινᶜ
10 25 τὸ–πωλούμενον ἐσϑίετε μηδὲν ἀνα-
κρίνοντεςᶜ διὰ τὴν συνείδησιν 27ᶜ
14 24 ἐλέγχεται–, ἀ..εταιᵇ ὑπὸ πάντων

ἀνάκρισις interrogatio Act 25 26

ἀνακυλίειν Sᵒ – revolvere Mar 16 4 λίϑον

ἀνακύπτειν respicere (Luc 13 11 sursum r.)
ᵇse erigere
Luc 13 11 μὴ δυναμένη ἀ..ψαι [Joh 8 7ᵇ 10ᵇ]
21 28 ἀνακύψατε καὶ ἐπάρατε τὰς κεφαλάς

ἀναλαμβάνειν assumere ᵇsuscipere
ᶜrecipere ᵈaccipere ᵉsumere
Mar 16 19 „ἀνελήμφϑη εἰς τὸν οὐρ." Act 1 2.11
ὁ ἀναλημφϑεὶς ἀφ' ὑμῶν 22 ἕως τῆς
ἡμέρας ἧς ἀνελ. 1 Ti 3 16 ἀνελ. ἐν δόξῃ
Act 7 43 „ἀνελάβετεᵇ τὴν σκηνὴν τοῦ Μόλοχ"
10 16 ἀνελήμφϑηᶜ τὸ σκεῦος – 20 13ᵇ Παῦ-
λον 14 23 31 – 2 Ti 4 11 Μᾶρκον
Eph 6 13 ἀναλάβετεᵈ τὴν πανοπλίαν τοῦ ϑεοῦ
– 16 ἀναλαβόντεςᵉ τὸν ϑυρεὸν τῆς πίστ.

ἀνάλημψις Sᵒ – assumptio Luc 9 51 (Jesu)

ἀναλίσκειν (ἀναλοῦν) consumere
Luc 9 54 „πῦρ καταβῆναι–καὶ ἀ..ῶσαι" αὐτ.
Gal 5 15 βλέπετε μὴ ὑπ' ἀλλήλων ἀναλωϑῆτε
(2 Th 2 8 vl ὃν ὁ κύριος–ἀναλοῖ vel ἀναλώ-
σει vg interficiet, → ἀναιρεῖν)

ἀναλογία Sᵒ – ratio Rm 12 6 τῆς πίστεως

ἀναλογίζεσϑαι recogitare Hb 12 3

ἄναλος Sᵒ – insulsus Mar 9 50 ἅλας

ἀναλύειν ᵃreverti ᵇdissolvi
Luc 12 36 πότε ἀναλύσῃᵃ ἐκ τῶν γάμων
Phl 1 23 ἐπιϑυμίαν ἔχων εἰς τὸ ἀναλῦσαιᵇ

ἀνάλυσις Sᵒ – resolutio
2 Ti 4 6 ὁ καιρὸς τῆς ἀ..εώς μου ἐφέστηκεν

ἀναμάρτητος qui sine peccato est
[Joh 8 7 ὁ ἀν. ὑμῶν πρῶτος–βαλέτω λίϑον]

ἀναμένειν expectare
1 Th 1 10 ἀν. τὸν υἱὸν αὐτοῦ ἐκ τῶν οὐρανῶν

ἀναμιμνήσκειν, ..εσθαι ᵃadmonēre
ᵇcommonefacere ᶜrecordari ᵈrememo-
rari ᵉreminisci
Mar 11 21 ἀναμνησθείς ᶜ ὁ Πέτρ. 14 72ᶜ τὸ ῥῆμα
1 Co 4 17 ὃς ὑμᾶς ἀναμνήσει ᵇ τὰς ὁδούς μου
2 Co 7 15 ἀ..ομένου ᵉ τὴν – ὑμῶν ὑπακοήν
2 Ti 1 6 ἀ..ω ᵃ σε ἀναζωπυρεῖν τὸ χάρισμα
Hb 10 32 ἀ..εσθε ᵈ – τὰς πρότερον ἡμέρας

ἀνάμνησις commemoratio
Luc 22 19 ποιεῖτε εἰς τὴν ἐμὴν ἀν. 1 Co 11 24. 25
Hb 10 3 ἐν αὐταῖς ἀν. ἁμαρτιῶν κατ' ἐνιαυτόν

ἀνανεοῦσθαι renovari Eph 4 23 τῷ πνεύ.

ἀνανήφειν Sᵒ – resipiscere 2 Ti 2 26

Ἀνανίας Act 5 1 (christ. Hieros.) 3.5 – 9 10
(christ. Damasc.) 12.13.17 22 12 – 23 2 ὁ δὲ
ἀρχιερεὺς Ἀνανίας 24 1

ἀναντίρρητος Sᵒ – cui contradici non potest
Act 19 36 ἀ..ων οὖν ὄντων τούτων δέον ἐστίν

ἀναντιρρήτως Sᵒ – sine dubitatione Act 10 29

ἀνάξιος indignus
1 Co 6 2 ἀνάξιοί ἐστε κριτηρίων ἐλαχίστων;

ἀναξίως indigne 1 Co 11 27 ὃς ἂν ἐσθίῃ τὸν
ἄρτον ἢ πίνῃ τὸ ποτήριον – ἀναξίως

ἀναπαύειν, ..εσθαι requiescere ᵇreficere
Mat 11 28 δεῦτε πρός με –, κἀγὼ ἀ..σω ᵇ ὑμᾶς
26 45 καθεύδετε – καὶ ἀ..εσθε ‖ Mar 14 41
Mar 6 31 ἀ..σασθε ὀλίγον Luc 12 19 ἀ..ου
1 Co 16 18 ἀνέπαυσαν ᵇ – τὸ ἐμὸν πνεῦμα
2 Co 7 13 ἀναπέπαυται ᵇ τὸ πνεῦμα αὐτοῦ
Phm 7 τὰ σπλάγχνα τῶν ἁγίων ἀναπέπαυ-
ται διὰ σοῦ 20 ἀ..σόν ᵇ μου τὰ σπλ.
1 Pe 4 14 μακάριοι, ὅτι – „τὸ τοῦ θεοῦ πνεῦμα"
ἐφ' ὑμᾶς „ἀναπαύεται"
Ap 6 11 ἵνα ἀ..σωνται ἔτι χρόνον μικρόν
14 13 ἵνα ἀ..αήσονται ἐκ τ. κόπων αὐτῶν

ἀνάπαυσις requies
Mat 11 29 „εὑρήσετε ἀ..ιν ταῖς ψυχαῖς ὑμῶν"
12 43 ζητοῦν ἀ..ιν, κ. οὐχ εὑρίσκ. ‖ Luc 11 24
Ap 4 8 ἀ..ιν οὐκ ἔχουσιν – λέγοντες· 14 11

ἀναπείθειν persuadēre Act 18 13 παρὰ τὸν
νόμον ἀ..ει – τοὺς ἀνθρ. σέβεσθαι – θεόν

ἀναπέμπειν Sᵒ – remittere ᵇmittere
Luc 23 7.11.15 Act 25 21 ᵇ Phm 12 ὃν ἀνέπεμψα

ἀναπηδᾶν exilire Mar 10 50 ἀ..ήσας ἦλθεν

ἀνάπηρος debilis Luc 14 13 κάλει ἀ..ους 21

ἀναπίπτειν discumbere ᵇrecumbere
Mat 15 35 ἀ..σεῖν ἐπὶ – γῆν ‖ Mar 8 6 6 40 Joh 6 10
Luc 11 37 εἰσελθὼν – ἀνέπεσεν ᵇ 22 14 ἀνέπεσεν
καὶ οἱ ἀπόστολοι Joh 13 12 ᵇ 25 ᵇ 21 20
ὃς ἀνέπεσεν ᵇ – ἐπὶ τὸ στῆθος αὐτοῦ
14 10 ἀνάπεσε ᵇ εἰς τὸν ἔσχατον τόπον
17 7 τίς – ἐρεῖ – · εὐθέως – ἀνάπεσε ᵇ – ;

ἀναπληροῦν ᵃadimplēre ᵇimplēre
ᶜsupplēre
Mat 13 14 ἀ..οῦται ᵃ αὐτοῖς ἡ προφητεία Ἠσ.
1 Co 14 16 ὁ ἀ..ῶν ᶜ τὸν τόπον τοῦ ἰδιώτου
16 17 τὸ ὑμέτερον ὑστέρημα – ἀνεπλήρω-
σαν ᶜ Phl 2 30 ἵνα ἀ..ώσῃ ᵇ τὸ ὑμ. ὑστ.
Gal 6 2 οὕτως ἀ..ώσετε ᵃ τὸν νόμον τοῦ Χοῦ
1 Th 2 16 εἰς τὸ „ἀ..ῶσαι ᵇ αὐτῶν τὰς ἁμαρτ."

ἀναπολόγητος Sᵒ – inexcusabilis
Rm 1 20 εἰς τὸ εἶναι αὐτοὺς ἀ..ους 2 1 ἀν. εἶ

ἀνάπτειν ᵃaccendere ᵇincendere
Luc 12 49 τί θέλω εἰ ἤδη ἀνήφθη ᵃ (sc πῦρ)
Jac 3 5 ἡλίκον πῦρ ἡλίκην ὕλην ἀνάπτει ᵇ

ἀναρίθμητος innumerabilis Hb 11 12

ἀνασείειν Sᵒ – ᵃcommovēre ᵇconcitare
Mar 15 11 ᵇ τὸν ὄχλον Luc 23 5 ᵃ τὸν λαόν

ἀνασκευάζειν Sᵒ – evertere Act 15 24 ψυχάς

ἀνασπᾶν Sᵒ – ᵃextrahere ᵇrecipere
Luc 14 5 οὐκ εὐθέως ἀνασπάσει ᵃ αὐτόν –;
Act 11 10 ἀνεσπάσθη ᵇ πάλιν – εἰς τὸν οὐρανόν

ἀνάστασις resurrectio
Mat 22 23 λέγοντες μὴ εἶναι ἀνάστασιν ‖ Mar
12 18 Luc 20 27 ἀντιλέγοντες Act 23 8
– 28 ἐν τῇ ἀν. οὖν τίνος – ἔσται γυνή; ‖
Mar 12 23 Luc 20 33 γίνεται γυνή;
– 30 ἐν γὰρ τῇ ἀν. οὔτε γαμοῦσιν 31 περὶ
δὲ τῆς ἀν. τῶν νεκρῶν οὐκ ἀνέγνω-
τε –; ‖ Luc 20 35 οἱ δὲ καταξιωθέν-
τες – τυχεῖν – τῆς ἀν. τῆς ἐκ νεκρῶν
οὔτε γαμοῦσιν 36 υἱοί εἰσιν θεοῦ τῆς
ἀναστάσεως υἱοὶ ὄντες

Luc 2 34 κεῖται εἰς πτῶσιν καὶ ἀ..ιν πολλῶν
14 14 ἀνταποδοθήσεται γάρ σοι ἐν τῇ ἀνα-
στάσει τῶν δικαίων

Joh 5 29 εἰς ἀ..ιν ζωῆς, – εἰς ἀ..ιν κρίσεως
11 24 ἀναστήσεται ἐν τῇ ἀν. ἐν τῇ ἐσχάτῃ
ἡμέρᾳ 25 ἐγώ εἰμι ἡ ἀν. καὶ ἡ ζωή

Act 1 22 μάρτυρα τῆς ἀν. αὐτοῦ σὺν ἡμῖν
2 31 προϊδὼν ἐλάλ. περὶ τῆς ἀν. τοῦ Χοῦ
4 2 καταγγέλλειν ἐν τῷ Ἰησοῦ τὴν ἀν.
τὴν ἐκ νεκ. 33 τὸ μαρτύριον – τῆς ἀν.
17 18 τὸν Ἰησ. καὶ τὴν ἀν. εὐηγγελίζετο
– 32 ἀκούσαντες δὲ ἀνάστασιν νεκρῶν
23 6 περὶ – ἀ..εως νεκρῶν κρίνομαι 24 21
24 15 ἀ..ιν ἔσεσθαι δικαίων τε καὶ ἀδίκων
26 23 εἰ πρῶτος ἐξ ἀναστάσεως νεκρῶν

Rm 1 4 τοῦ ὁρισθέντος υἱοῦ θεοῦ ἐν δυνά-
μει – ἐξ ἀναστάσεως νεκρῶν
6 5 καὶ τῆς ἀν. ἐσόμεθα (sc σύμφυτοι)

1 Co 15 12 πῶς λέγουσιν – ὅτι ἀν. νεκρῶν οὐκ
ἔστιν; 13 εἰ δὲ ἀν. ν. οὐκ ἔστιν, οὐδὲ
Χὸς ἐγήγερται 21 καὶ δι' ἀνθρώπου
ἀν. ν. 42 οὕτως καὶ ἡ ἀν. τῶν νεκρ.

Phl 3 10 τοῦ γνῶναι αὐτὸν καὶ τὴν δύναμιν
τῆς ἀν. αὐτοῦ → ἐξανάστασις

2 Ti 2 18 (vl τὴν) ἀνάστασιν ἤδη γεγονέναι

Hb 6 2 θεμέλιον – ἀ..εώς (vl τε) νεκρῶν
11 35 ἔλαβον – ἐξ ἀ..εως τοὺς νεκροὺς αὐτ.
– – ἵνα κρείττονος ἀναστάσεως τύχωσιν

1 Pe 1 3 ἀναγεννήσας ἡμᾶς εἰς ἐλπίδα ζῶσαν
δι' ἀ..εως Ἰ. Χοῦ ἐκ νεκρῶν
3 21 σῴζει βάπτισμα – δι' ἀ..εως Ἰ. Χοῦ

Ap 20 5 αὕτη ἡ ἀν. ἡ πρώτη 6 μακάριος – ὁ
ἔχων μέρος ἐν τῇ ἀν. τῇ πρώτῃ

ἀναστατοῦν ᵃconcitare ᵇtumultum con-
citare ᶜconturbare Act 17 6 οἱ τὴν οἰκου-
μένην ἀ..ώσαντεςᵃ 21 38 ὁ – ἀ..ώσαςᵇ
Gal 5 12 ἀποκόψονται οἱ ἀ..οῦντεςᶜ ὑμᾶς

ἀνασταυροῦν Sᵒ – rursum crucifigere
Hb 6 6 ἀ..οῦντας ἑαυτοῖς τὸν υἱὸν τοῦ θεοῦ

ἀναστενάζειν ingemiscere Mar 8 12 τῷ πνεύ.

ἀναστρέφειν, ..σθαι conversari ᵇreverti
Act 5 22ᵇ 15 16 „ἀ..έψωᵇ καὶ ἀνοικοδομήσω"
2 Co 1 12 ἐν ἁγιότητι – ἀνεστράφημεν ἐν τῷ
Eph 2 3 ἐν τοῖς υἱοῖς τῆς ἀπειθείας· ἐν οἷς
καὶ ἡμεῖς πάντες ἀνεστράφημέν ποτε
ἐν ταῖς ἐπιθυμίαις τῆς σαρκός
1 Ti 3 15 πῶς δεῖ ἐν οἴκῳ θεοῦ ἀ..εσθαι
Hb 10 33 κοινωνοὶ τῶν οὕτως ἀ..ομένων

Hb 13 18 ἐν πᾶσιν καλῶς θέλοντες ἀ..εσθαι
1 Pe 1 17 ἐν φόβῳ τὸν τῆς παροικίας ὑμῶν
χρόνον ἀναστράφητε
2 Pe 2 18 τοὺς ὀλίγως ἀποφεύγοντας τοὺς ἐν
πλάνῃ ἀναστρεφομένους

ἀναστροφή conversatio
Gal 1 13 τὴν ἐμὴν ἀν. ποτε ἐν τῷ Ἰουδαϊσμῷ
Eph 4 22 ἀποθέσθαι ὑμᾶς κατὰ τὴν πρωτέραν
ἀ..ὴν τὸν παλαιὸν ἄνθρωπον
1 Ti 4 12 τύπος γίνου τῶν πιστῶν – ἐν ἀ..ῇ
Hb 13 7 ἀναθεωροῦντες τὴν ἔκβασιν τῆς ἀν.
Jac 3 13 δειξάτω ἐκ τῆς καλῆς ἀν. τὰ ἔργα
1 Pe 1 15 αὐτοὶ ἅγιοι ἐν πάσῃ ἀν. γενήθητε
– 18 ἐκ τῆς ματαίας – ἀν. πατροπαραδότ.
2 12 τὴν ἀν. ὑμῶν ἐν τοῖς ἔθνεσιν ἔχον-
τες καλήν 3 16 οἱ ἐπηρεάζοντες ὑμῶν
τὴν ἀγαθὴν ἐν Χῷ ἀ..ήν
3 1 ἵνα – διὰ τῆς τῶν γυναικῶν ἀ..ῆς –
κερδηθήσονται 2 ἐποπτεύοντες τὴν
ἐν φόβῳ ἁγνὴν ἀν. ὑμῶν
2 Pe 2 7 ὑπὸ τῆς – ἐν ἀσελγείᾳ ἀναστροφῆς
3 11 ἐν ἁγίαις ἀ..αῖς καὶ εὐσεβείαις

ἀνατάσσεσθαι Sᵒ – ordinare Luc 1 1 διήγ.

ἀνατέλλειν oriri ᵇexoriri ᶜoriri facere
Mat 4 16 „φῶς ἀνέτειλεν αὐτοῖς"
5 45 τὸν ἥλιον αὐτοῦ ἀ..ειᶜ ἐπὶ πονηροὺς
13 6 ἡλίου δὲ ἀνατείλαντος ἐκαυματίσθη
‖ Mar 4 6ᵇ – Jac 1 11 ἀνέτειλενᵇ – ὁ
ἥλιος σὺν τῷ καύσωνι καὶ ἐξήρανεν
Mar 16 2 μιᾷ τῶν σαββ. – ἀνατείλαντος τ. ἡλ.
Luc 12 54 ὅταν ἴδητε νεφέλην ἀ..ουσαν
Hb 7 14 ἐξ Ἰούδα ἀνατέταλκεν ὁ κύριος
2 Pe 1 19 ἕως οὗ – φωσφόρος ἀνατείλῃ ἐν ταῖς
καρδίαις ὑμῶν

ἀνατίθεσθαι ᵃindicare ᵇconferre cum
Act 25 14ᵃ Gal 2 2 ἀνεθέμηνᵇ αὐτοῖς τὸ εὐαγγ.

ἀνατολή, ἀνατολαί oriens ᵇortus
Mat 2 1 μάγοι ἀπὸ ἀνατολῶν 2 εἴδομεν – αὐ-
τοῦ τὸν ἀστέρα ἐν τῇ ἀνατολῇ 9
8 11 „ἀπὸ ἀ..ῶν καὶ δυσμῶν" ἥξουσιν ‖
Luc 13 29 – [Mar brev. claus. ἀπὸ
ἀ..ῆς καὶ ἄχρι δύσεως ἐξαπέστειλεν
– τὸ ἱερὸν καὶ ἄφθαρτον κήρυγμα]
24 27 ὥσπερ – ἡ ἀστραπὴ ἐξέρχεται ἀπὸ
ἀ..ῶν καὶ φαίνεται ἕως δυσμῶν
Luc 1 78 ἐπισκέψεται ἡμᾶς ἀν. ἐξ ὕψους
Ap 7 2 ἀπὸ ἀ..ῆςᵇ ἡλίου 16 12 ἡ ὁδὸς τῶν

βασιλέων τῶν „ἀπὸ ἀ..ῆς^b ἡλίου"
Ap 21 13 „ἀπὸ ἀ..ῆς πυλῶνες τρεῖς – καὶ ἀπὸ
δυσμῶν πυλῶνες τρεῖς"

ἀνατρέπειν subvertere
Joh 2 15 τὰς τραπέζας ἀνέτρεψεν (vl ..στρεψ.)
2 Ti 2 18 ἀνατρέπουσιν τήν τινων πίστιν
Tit 1 11 ὅλους οἴκους ἀ..ουσιν διδάσκοντες

ἀνατρέφεσθαι nutrire, ..ri (vl Luc 4 16 Jesus)
Act 7 20 (Moyses) 21 (vl enutr.) 22 3 (Paulus)

ἀναφαίνειν, ..εσθαι ^a apparēre (vl parēre)
^b manifestari Luc 19 11 ὅτι παραχρῆμα
μέλλει ἡ βασ. τοῦ θεοῦ ἀναφαίνεσθαι^b
Act 21 3 ἀναφάναντες (vl ..έντες^a) – Κύπρον
(vl cum apparuissemus vl par. Cypro)

ἀναφέρειν offerre ^b perferre ^c exhaurire
^d ducere ^e (ἀ..εσθαι) ferri
Mat 17 1 ἀναφέρει^d αὐτοὺς εἰς ὄρος ‖ Mar 9 2^d
Luc 24 51 (vl ἀνεφέρετο^e εἰς τὸν οὐρανόν)
Hb 7 27 θυσίας ἀναφέρειν – · τοῦτο – ἐποίη-
σεν ἐφάπαξ ἑαυτὸν ἀνενέγκας
9 28 εἰς τὸ „πολλῶν ἀνενεγκεῖν^c ἁμαρτίας
13 15 „ἀ..ωμεν θυσίαν αἰνέσεως – τῷ θεῷ"
Jac 2 21 „ἀνενέγκας Ἰσαὰκ – ἐπὶ τ. θυσιαστ."
1 Pe 2 5 ἀνενέγκαι πνευματικὰς θυσίας
– 24 „τὰς ἁμαρτίας" ἡμῶν „αὐτὸς ἀνή-
νεγκεν"^b ἐν τῷ σώματι – ἐπὶ τὸ ξύλον

ἀναφωνεῖν exclamare Luc 1 42

ἀνάχυσις S° – confusio
1 Pe 4 4 εἰς τὴν αὐτὴν τῆς ἀσωτίας ἀ..ιν

ἀναχωρεῖν secedere ^b recedere ^c reverti
Mat 2 12^c 13^b 14 (vl^b) 22 4 12 εἰς τὴν Γαλιλαίαν
9 24^b 12 15^b (vl^a) ‖ Mar 3 7 – Mat 14 13
15 21 εἰς τὰ μέρη Τύρου – 27 5^b (Judas)
Joh 6 15 ἀνεχώρησεν (vl φεύγει vg) πάλιν
εἰς τὸ ὄρος αὐτὸς μόνος
Act 23 19 26 31 ἀ..ήσαντες ἐλάλουν πρὸς ἀλλήλ.

ἀνάψυξις refrigerium
Act 3 20 ὅπως ἂν ἔλθωσιν καιροὶ ἀ..εως

ἀναψύχειν refrigerare 2 Ti 1 16 μὲ ἀνέψυξεν

ἀνδραποδιστής S° – plagiarius 1 Ti 1 10

Ἀνδρέας Mat 4 18 ‖ Mar 1 16 – Mat 10 2 ‖

Mar 3 18 Luc 6 14 – Mar 1 29 13 3 – Joh
1 40.44 6 8 12 22 – Act 1 13

ἀνδρίζεσθαι viriliter agere 1 Co 16 13

Ἀνδρόνικος Rm 16 7 ἀσπάσασθε Ἀ..ον

ἀνδροφόνος homicida 1 Ti 1 9 ἀ..οις, πόρν.

ἀνέγκλητος ^a irreprehensibilis ^b sine cri-
mine ^c nullum crimen habens
1 Co 1 8 ἀ..ους^b ἐν τῇ ἡμέρᾳ τοῦ κυρ. Col 1 22
παραστῆσαι ὑμᾶς – ἀ..ους^a κατενώπ.
1 Ti 3 10 εἶτα διακονείτωσαν ἀ..οι^c ὄντες
Tit 1 6 πρεσβυτέρους –, εἴ τίς ἐστιν ἀν.^b
– 7 δεῖ – τὸν ἐπίσκοπον ἀ..ον^b εἶναι

ἀνεκδιήγητος S° – inenarrabilis
2 Co 9 15 χάρις – ἐπὶ τῇ ἀ..ήτῳ αὐτοῦ δωρεᾷ

ἀνεκλάλητος S° – inenarrabilis
1 Pe 1 8 ἀγαλλιᾶσθε χαρᾷ ἀ..ήτῳ καὶ δεδοξ.

ἀνέκλειπτος S° – non deficiens
Luc 12 33 θησαυρὸν ἀ..ον ἐν τοῖς οὐρανοῖς

ἀνεκτότερον ἔσται S° – ^a remissius erit
^b tolerabilius erit
Mat 10 15^b γῇ Σοδόμων 11 22^a Τύρῳ καὶ Σι-
δῶνι 24^a ‖ Luc 10 12^a Σοδ. 14^a Τ. κ. Σ.

ἀνελεήμων sine misericordia Rm 1 31

ἀνέλεος S° – sine misericordia
Jac 2 13 ἡ – κρίσις ἀν. τῷ μὴ ποιήσαντι ἔλεος

ἀνεμίζεσθαι S° – a vento movēri Jac 1 6

ἄνεμος ventus
Mat 7 25 ἔπνευσαν οἱ ἄνεμοι καὶ προσέπεσαν 27
8 26 ἐπετίμησεν τοῖς ἀν. 27 ὅτι καὶ οἱ ἄν.
– αὐτῷ ὑπακούουσιν; ‖ Mar 4 37.39
ἐκόπασεν ὁ ἄν. 41 Luc 8 23.24.25
11 7 κάλαμον ὑπὸ ἀ..ου σαλευόμενον; ‖
Luc 7 24
14 24.30 βλέπων – τὸν ἄν. ἐφοβήθη 32 ἐκό-
πασεν ὁ ἄν. ‖ Mar 6 48.51 – Joh 6 18
24 31 „ἐκ τῶν τεσσάρων ἀν. ‖ Mar 13 27
Act 27 4.7.14.15 τῷ ἀν. ἐπιδόντες ἐφερόμεθα
Eph 4 14 κλυδωνιζόμενοι καὶ περιφερόμενοι
παντὶ ἀ..ῳ τῆς διδασκαλίας
Jac 3 4 πλοῖα, – ὑπὸ ἀ..ων σκληρῶν ἐλαυνόμ.

Jud 12 νεφέλαι – ὑπὸ ἀ..ων παραφερόμεναι
Ap 6 13 ὡς συκῆ – ὑπὸ ἀ..ου μεγάλου σειομέ-
νη – 7 1 ἀγγέλους – κρατοῦντας „τοὺς
τέσσ. ἀν." τῆς γῆς, ἵνα μὴ πνέῃ ἄν.

ἀνένδεκτόν ἐστιν S° – *impossibile est*
Luc 17 1 ἀν. ἐστ. τοῦ τὰ σκάνδαλα μὴ ἐλθεῖν

ἀνεξερεύνητος S° – *incomprehensibilis*
Rm 11 33 ὡς ἀν..εύνητα τὰ κρίματα αὐτοῦ

ἀνεξίκακος S° – *patiens*
2 Ti 2 24 δοῦλον – κυρίου – δεῖ – εἶναι – ἀ..ον

ἀνεξιχνίαστος *investigabilis*
Rm 11 33 ὡς – ἀ..οι αἱ ὁδοὶ αὐτοῦ   [Χοῦ
Eph 3 8 εὐαγγελίσασθαι τὸ ἀν. πλοῦτος τοῦ

ἀνεπαίσχυντος S° – *inconfusibilis*
2 Ti 2 15 σεαυτὸν – παραστῆσαι – ἐργάτην ἀν.

ἀνεπίλημπτος S° – *irreprehensibilis*
1 Ti 3 2 (ἐπίσκοπος) 5 7 (χήρα) 6 14 (ἐντολή)

ἀνέρχεσθαι ªsubire ᵇvenire
Joh 6 3ª (vl ἀπῆλθεν) Gal 1 17ᵇ (vl ἀπ.) 18ᵇ

ἄνεσις *requies* ᵇ*remissio* Act 24 23
2 Co 2 13 οὐκ ἔσχηκα ἄνεσιν τῷ πνεύματι 7 5
8 13 οὐ γὰρ ἵνα ἄλλοις ἄ.ᵇ, ὑμῖν θλῖψις
2 Th 1 7 ἀνταποδοῦναι – ὑμῖν – ἄ..ιν μεθ' ἡμῶν

ἀνετάζειν *torquēre* Act 22 24. 29

ἄνευ *sine* 1 Pe 3 1 ἄ. λόγου 4 9 γογγυσμοῦ
Mat 10 29 ἐν – οὐ πεσεῖται – ἄ. τοῦ πατρὸς ὑμ.

ἀνεύθετος S° – *non aptus* Act 27 12

ἀνευρίσκειν *invenire* Luc 2 16 Act 21 4

ἀνέχεσθαι ªpati ᵇsufferre ᶜsupportare
ᵈsustinēre Mat 17 17 ἕως πότε ἀνέξομαιª
ὑμῶν; ‖ Mar 9 19ª Luc 9 41ª – Act 18 14
κατὰ λόγον ἂν ἀνεσχόμηνᵈ ὑμῶν
1 Co 4 12 διωκόμενοι ἀνεχόμεθαᵈ, δυσφημούμ.
2 Co 11 1 ὄφελον ἀνείχεσθέᵈ μου μικρόν τι
ἀφροσύνης· ἀλλὰ καὶ ἀ..σθέᶜ μου 4
εἰ – ἄλλον Ἰησοῦν κηρύσσει –, καλῶς
ἀνέχεσθε (vl ἀνείχεσθε, ἂν εἴχεσθε)ª
– 19 ἡδέως γὰρ ἀνέχεσθεᵇ τῶν ἀφρόνων
– 20 ἀ..σθεᵈ γὰρ εἴ τις ὑμᾶς καταδουλοῖ

Eph 4 2 ἀνεχόμενοιᶜ ἀλλήλων ἐν ἀγάπῃ Col
3 13 ἀν.ᶜ ἀλλ. καὶ χαριζόμενοι ἑαυτοῖς
2 Th 1 4 ἐν – ταῖς θλίψεσιν αἷς ἀνέχεσθεᵈ
2 Ti 4 3 ἔσται – καιρὸς ὅτε τῆς ὑγιαινούσης
διδασκαλίας οὐκ ἀνέξονταιᵈ
Hb 13 22 ἀ..σθεᵇ τοῦ λόγου τῆς παρακλήσεως

ἀνεψιός *consobrinus* Col 4 10 ὁ ἀ. Βαρναβᾶ

ἄνηθον S° – *anethum* Mat 23 23 (Luc 11 42 vl)

ἀνήκει, ἀνῆκεν, τὸ ἀνῆκον ªoportet ᵇquod
ad rem pertinet Eph 5 4 ἃ οὐκ ἀνῆκενᵇ
Col 3 18 ὡς ἀνῆκενª ἐν κυρίῳ Phm 8 παρ-
ρησίαν ἔχων ἐπιτάσσειν σοι τὸ ἀνῆκονᵇ

ἀνήμερος S° – *immitis* 2 Ti 3 3 ἀν..οι

ἀνήρ *vir* ᵇ*homo*

1) vir, a femina distinctus

Mat 1 16 Ἰωσὴφ τὸν ἄνδρα Μαρίας 19 ὁ ἀ. αὐ-
τῆς, δίκαιος ὤν Luc 1 27 ἐμνηστευμέ-
νην ἀνδρί 34 ἐπεὶ ἄνδρα οὐ γινώσκω
14 21 ‖ Mar 6 44 Luc 9 14 (Joh 6 10) – Mat 15 38ᵇ
Mar 10 2 εἰ ἔξεστιν ἀνδρὶ γυναῖκα ἀπολῦσαι
12 ἐὰν αὐτὴ ἀπολύσασα τὸν ἄνδρα
αὐτῆς γαμήσῃ ἄλλον ‖ Luc 16 18 ὁ
ἀπολελυμένην ἀπὸ ἀνδρὸς γαμῶν
μοιχεύει
Luc 2 36 ζήσασα μετὰ ἀνδρὸς ἔτη ἑπτά
Joh 1 13 οὐδὲ ἐκ θελήματος ἀνδρὸς – ἐγεννή-
4 16 φώνησον τὸν ἄνδρα σου 17. 18 [θησαν
Act 5 9. 10. 14 8 3. 12 9 2 17 12 22 4
Rm 7 2 τῷ ζῶντι ἀνδρὶ δέδεται –· ἐὰν δὲ ἀπο-
θάνῃ ὁ ἀνήρ, κατήργηται ἀπὸ τοῦ
νόμου τοῦ ἀνδρός 3 ζῶντος τοῦ ἀν-
δρὸς μοιχαλὶς – ἐὰν γένηται ἀνδρὶ
ἑτέρῳ· ἐὰν δὲ ἀποθάνῃ ὁ ἀνήρ, ἐ-
λευθέρα –, τοῦ μὴ εἶναι μοιχαλίδα
γενομένην ἀνδρὶ ἑτέρῳ
1 Co 7 2 καὶ ἑκάστη τὸν ἴδιον ἄνδρα ἐχέτω
– 3 τῇ γυναικὶ ὁ ἀνὴρ τὴν ὀφειλὴν ἀπο-
διδότω, – καὶ ἡ γυνὴ τῷ ἀνδρί
– 4 ἡ γυνὴ τοῦ ἰδίου σώματος οὐκ ἐξου-
σιάζει ἀλλὰ ὁ ἀνήρ· ὁμοίως δὲ καὶ
ὁ ἀνὴρ τοῦ ἰδίου σώμ. οὐκ ἐξουσ.
– 10 γυναῖκα ἀπὸ ἀνδρὸς μὴ χωρισθῆναι
11 καὶ ἄνδρα γυναῖκα μὴ ἀφιέναι
– 11 ἐὰν δὲ καὶ χωρισθῇ, μενέτω ἄγαμος
ἢ τῷ ἀνδρὶ καταλλαγήτω
– 13 ἥτις ἔχει ἄνδρα ἄπιστον, – μὴ ἀφιέτω

τὸν ἄνδρα 14 ἡγίασται γὰρ ὁ ἀνὴρ
ὁ ἄπιστος ἐν τῇ γυναικί
1 Co 716 τί – οἶδας –, εἰ τὸν ἄνδρα σώσεις; ἢ
τί οἶδας, ἄνερ, εἰ τὴν γυναῖκα σώ.;
– 34 ἡ δὲ γαμήσασα μεριμνᾶ –, πῶς ἀρέ-
σῃ τῷ ἀνδρί
– 39 γυνὴ δέδεται ἐφ' ὅσον – ζῇ ὁ ἀνὴρ
αὐτῆς· ἐὰν δὲ κοιμηθῇ ὁ ἀνὴρ
11 3 παντὸς ἀνδρὸς ἡ κεφαλὴ ὁ Χός ἐ-
στιν, κεφαλὴ δὲ γυναικὸς ὁ ἀνήρ
– 4 πᾶς ἀνὴρ προσευχόμενος 7 ἀνὴρ –
οὐκ ὀφείλει κατακαλύπτεσθαι –· ἡ
γυνὴ δὲ δόξα ἀνδρός ἐστιν
– 8 οὐ γάρ ἐστιν ἀνὴρ ἐκ γυναικός, ἀλλὰ
γυνὴ ἐξ ἀνδρός 9 οὐκ ἐκτίσθη ἀνὴρ
διὰ τὴν γυν., ἀλλὰ γυνὴ διὰ τὸν ἄνδρα
– 11 οὔτε γυνὴ χωρὶς ἀνδρὸς οὔτε ἀνὴρ
χωρὶς γυναικὸς ἐν κυρίῳ· 12 ὥσπερ –
ἡ γυνὴ ἐκ τοῦ ἀνδρός, οὕτως καὶ ὁ
ἀνὴρ διὰ τῆς γυναικός
– 14 ἀνὴρ – ἐὰν κομᾷ, ἀτιμία αὐτῷ ἐστιν
1435 τοὺς ἰδίους ἄνδρας ἐπερωτάτωσαν
2 Co 11 2 ἡρμοσάμην – ὑμᾶς ἑνὶ ἀνδρί
Gal 427 „μᾶλλον ἢ τῆς ἐχούσης τὸν ἄνδρα"
Eph 522 αἱ γυναῖκες τοῖς ἰδίοις ἀνδράσιν ὡς
τῷ κυρίῳ 23 ὅτι ἀνήρ ἐστιν κεφαλὴ
τῆς γυναικός 24 Col 318 1 Pe 31.5
– 25 οἱ ἄνδρες, ἀγαπᾶτε τὰς γυν. 28 οὕ-
τως ὀφείλουσιν [καὶ] οἱ ἄνδρες ἀγα-
πᾶν τὰς ἑαυτῶν γυναῖκας Col 319
– 33 ἡ δὲ γυνὴ ἵνα φοβῆται τὸν ἄνδρα
1 Ti 2 8 προσεύχεσθαι τοὺς ἄνδρας ἐν παντὶ
– 12 οὐδὲ (sc ἐπιτρέπω) αὐθεντεῖν ἀνδρός
3 2 ἐπίσκοπον –, μιᾶς γυναικὸς ἄνδρα
12 διάκονοι ἔστωσαν μι. γυν. ἄνδρες
Tit 16 πρεσβυτέρους, – εἴ τίς ἐστιν
ἀνέγκλητος, μι. γυν. ἀνήρ 1 Ti 59 χή-
ρα καταλεγέσθω –, ἑνὸς ἀνδρὸς γυνή
Tit 2 5 τὰς νέας φιλάνδρους εἶναι, – ὑπο-
τασσομένας τοῖς ἰδίοις ἀνδράσιν
1 Pe 3(1.5 → Eph 522) 7 οἱ ἄνδρες – συνοικοῦν-
τες κατὰ γνῶσιν ὡς ἀσθενεστ. σκεύει
Ap 21 2 ἡτοιμασμένην „ὡς νύμφην κεκοσμη-
μένην" τῷ ἀνδρὶ αὐτῆς

*2) = homo, sexus ratione non habita

Mat 724 ὁμοιωθήσ. ἀνδρὶ φρονίμῳ 26 μωρῷ
1241 ἄνδρες Νινευῖται ἀναστήσ. || Luc 1132
Mar 620 Ἰωάννην, – ἄνδρα δίκαιον καὶ ἅγιον
Luc 5 8 ἀνὴρᵇ ἁμαρτωλός εἰμι 197 ὅτι παρὰ
ἁμ..ῷ ἀνδρὶᵇ εἰσῆλθεν 2350 ἀν. ὀνό-
ματι Ἰωσὴφ –, ἀν. ἀγαθὸς καὶ δίκαι-

ος 2419 ὃς ἐγένετο ἀνὴρ προφήτης
Luc 827 ἀνήρ τις – ἔχων δαιμόνια 38
930 ἄνδρες δύο –, Μωϋσῆς καὶ Ἡλίας 32
1131 μετὰ τῶν ἀνδρῶν τῆς γενεᾶς ταύτης
24 4 ἰδοὺ ἄνδρες δύο ἐπέστησαν αὐταῖς
Joh 130 ὀπίσω μου ἔρχεται ἀνὴρ ὃς ἔμπρ.
Act 110 ἄνδρες δύο παρειστήκεισαν αὐτοῖς
2 5 ἄνδρες εὐλαβεῖς 314 ἄνδρα φονέα
65 Στέφ., ἄνδρα πλήρη πίστεως καὶ
πνεύμ. ἁγ. 82 ἄνδρες εὐλαβεῖς 1022
Κορν. –, ἀν. δίκ. καὶ φοβούμ. τὸν θε-
όν 1124 (Barn.) ἦν ἀν. ἀγαθός 137
Σεργίῳ Π., ἀνδρὶ συνετῷ 1522 ἐκλε-
ξαμένους ἄνδρας –, ἄνδρας ἡγουμέ-
νους ἐν τοῖς ἀδελφοῖς 1824 Ἀπολ-
λῶς – ἀν. λόγιος 2212 Ἁνανίας –, ἀν.
εὐλαβὴς κατὰ τὸν νόμον
1028 ἀθέμιτόν ἐστιν ἀνδρὶ Ἰουδαίῳ 113 εἰσ-
ῆλθες πρὸς ἄνδρας ἀκροβ. ἔχοντας
– 30 ἰδοὺ ἀνὴρ ἔστη ἐνώπιόν μου 169
ἀνὴρ Μακεδών τις ἦν ἑστώς
13 6 εὗρον ἄνδρα τινὰ μάγον ψευδοπροφ.
– 22 „ἄνδρα κατὰ τὴν καρδίαν μου"
1731 κρίνειν τὴν οἰκ. –, ἐν ἀνδρὶ ᾧ ὥρισεν
2523 σὺν – ἀνδράσιν τοῖς κατ' ἐξοχήν
Rm 4 8 „μακάριος ἀν. οὗ οὐ μὴ λογίσηται"
11 4 „κατέλιπον – ἑπτακισχιλίους ἄνδρας"
1 Co 1311 ἐλογιζόμην ὡς νήπιος· ὅτε γέγονα ἀ.
Eph 413 καταντήσωμεν –, εἰς ἄνδρα τέλειον
Jac 1 8 ἀνὴρ δίψυχος, ἀκατάστατος
– 12 μακάριος ἀν. ὃς ὑπομένει πειρασμ.
– 20 ὀργὴ γὰρ ἀνδρὸς δικαιοσύνην θεοῦ
– 23 ἔοικεν ἀνδρὶ κατανοοῦντι τὸ πρόσ.
2 2 ἐὰν – εἰσέλθῃ – ἀν. χρυσοδακτύλιος
3 2 οὗτος τέλειος ἀν., δυνατὸς χαλιναγ.

ἀνθιστάναι, ..ασθαι *resistere*
Mat 539 μὴ ἀντιστῆναι τῷ πονηρῷ
Luc 2115 σοφίαν, ᾗ οὐ δυνήσονται ἀντιστῆναι
Act 610 οὐκ ἴσχυον ἀ. τῇ σοφίᾳ
Act 13 8 ἀ..ατο – αὐτοῖς Ἐλύμας ὁ μάγος
Rm 919 βουλήματι αὐτοῦ τίς ἀνθέστηκεν;
13 2 τῇ τ. θεοῦ διαταγῇ ἀνθέστηκεν· οἱ
δὲ ἀνθεστηκότες ἑαυτοῖς κρίμα
Gal 211 κατὰ πρόσωπον αὐτῷ ἀντέστην
Eph 613 ἀντιστῆναι ἐν τῇ ἡμέρᾳ τῇ πονηρᾷ
2 Ti 3 8 ὃν τρόπον – ἀντέστησαν Μωϋσεῖ, οὕ-
τως – οὗτοι ἀ..νται τῇ ἀληθείᾳ
415 λίαν – ἀντέστη τοῖς ἡμετέροις λόγοις
Jac 4 7 ἀντίστητε δὲ τῷ διαβόλῳ 1 Pe 59

ἀνθομολογεῖσθαι *confitēri* Luc 238 θεῷ

ἄνθος *flos* Jac 1 10 χόρτου 11 1 Pe 1 24

ἀνθρακιά *prunae* Joh 18 18 21 9

ἄνθραξ *carbo* Rm 12 20 „ἄ..ας πυρός"

ἀνθρωπάρεσκος *hominibus placens*
Eph 6 6 μὴ – ὡς ἄ..οι, ἀλλ' ὡς δοῦλοι Χ. Col 3 22

ἀνθρώπινος *humanus*
Act 17 25 οὐδὲ ὑπὸ χειρῶν ἄ..ων θεραπεύεται
Rm 6 19 ἄ..ον λέγω διὰ τὴν ἀσθένειαν – ὑμῶν
1 Co 2 13 οὐκ ἐν διδακτοῖς ἄ..ης σοφίας λόγοις
4 3 ἵνα – ἀνακριθῶ – ὑπὸ ἀν..ης ἡμέρας
10 13 πειρασμὸς ὑμᾶς οὐκ εἴληφεν εἰ μὴ
ἀνθρώπινος· πιστὸς δὲ ὁ θεός
Jac 3 7 δεδάμασται τῇ φύσει τῇ ἀν..ῃ
1 Pe 2 13 ὑποτάγητε πάσῃ ἀν..ῃ κτίσει διά

ἀνθρωποκτόνος S° – *homicida*
Joh 8 44 ἄ..ος ἦν ἀπ' ἀρχῆς 1 Jo 3 15 ὁ μισῶν
τὸν ἀδελφὸν αὐτοῦ ἀν. ἐστίν, καὶ οἴδατε
ὅτι πᾶς ἀν. οὐκ ἔχει ζωὴν αἰώνιον ἐν

*ἄνθρωπος *homo*
ὁ υἱὸς τοῦ ἀνθρώπου → υἱός
Mat 4 4 „οὐκ ἐπ' ἄρτῳ – ζήσεται ὁ ἄ." ‖ Lc 4 4
– 19 ἁλεεῖς ἄ..ων ‖ Mar 1 17 cfr Luc 5 10
5 16 οὕτως λαμψάτω τὸ φῶς ὑμῶν ἔμ-
προσθεν τῶν ἀν. cfr Phl 4 5
6 1 τὴν δικαιοσύνην ὑμῶν μὴ ποιεῖν ἔμ-
προσθεν τῶν ἀν. 2 ὅπως δοξασθῶ-
σιν ὑπὸ τῶν ἀν. 5 φανῶσιν τοῖς ἀν.
16.18 ὅπως μὴ φανῇς 23 5 πρὸς τὸ
θεαθῆναι τοῖς ἀν. 7.28
– 14 ἐὰν – ἀφῆτε τοῖς ἀν. 15 ἐὰν δὲ μὴ
7 12 ἵνα ποιῶσιν ὑμῖν οἱ ἄν. ‖ Luc 6 31
8 9 ἐγὼ ἄν. εἰμι ὑπὸ ἐξουσίαν ‖ Luc 7 8
9 8 τὸν θεὸν τὸν δόντα ἐξουσίαν τοιαύ-
την τοῖς ἀνθρώποις
10 17 προσέχετε δὲ ἀπὸ τῶν ἀνθρώπων
– 32 ὅστις ὁμολογήσει ἐν ἐμοὶ ἔμπροσθεν
τῶν ἀν. 33 ἀρνήσηταί με ‖ Luc 12 8.9
12 12 πόσῳ – διαφέρει ἄν. προβάτου
– 31 πᾶσα ἁμαρτία – ἀφεθήσεται τοῖς ἀν.
‖ Mar 3 28 τοῖς υἱοῖς τῶν ἄ..ων
– 35 ὁ ἀγαθὸς ἄν. – ἐκβάλλει ἀγαθά, – ὁ
πονηρὸς ἄν. – ἐκβ. π..ά ‖ Luc 6 45
15 9 „ἐντάλματα ἄ..ων" ‖ Mar 7 7.8 κρα-
τεῖτε τὴν παράδοσιν τῶν ἀνθρ.
– 11 οὐ – κοινοῖ τὸν ἄν., ἀλλὰ –, τοῦτο
κοι. τ. ἄν. 18.20 ‖ Mar 7 15.18.20.21.23
16 13 ‖ Mar 8 27 τίνα με λέγουσιν οἱ ἄν. –;

Mat 16 23 φρονεῖς – τὰ τῶν ἄν. ‖ Mar 8 33
– 26 τί – ὠφεληθήσεται ἄν. –; τί δώσει ἄν.
ἀντάλλαγμα –; ‖ Mar 8 36.37 Luc 9 25
17 22 εἰς χεῖρας ἄ..ων ‖ Mar 9 31 Luc 9 44
– 24 7 ἄ..ων ἁμαρτωλῶν
19 5 „καταλείψει ἄνθρωπος τὸν πατέρα
καὶ τὴν μητέρα" ‖ Mar 10 7 – Eph 5 31
– 6 ἄνθρωπος μὴ χωριζέτω ‖ Mar 10 9
– 10 ἡ αἰτία τοῦ ἀν. μετὰ τῆς γυναικός
– 12 οἵτινες εὐνουχίσθησαν ὑπὸ τῶν ἀν.
– 26 παρὰ ἄ..οις τοῦτο ἀδύνατον ‖ Mar 10 27
Luc 18 27 τὰ ἀδύνατα παρὰ ἀν. δυν.
21 25 ἐξ οὐρανοῦ ἢ ἐξ ἀνθρώπων; 26 ‖
Mar 11 30.32 Luc 20 4.6
22 16 οὐ γὰρ βλέπεις εἰς πρόσωπον ἄ..ων
‖ Mar 12 14
26 24 οὐαὶ δὲ τῷ ἀν. ἐκείνῳ δι' οὗ – παρα-
δίδοται ‖ Mar 14 21 Luc 22 22
– 72 οὐκ οἶδα τὸν ἄν. 74 ‖ Mar 14 71 τοῦτ.
Mar 2 27 τὸ σάββατον διὰ τὸν ἀν. ἐγένετο, καὶ
οὐχ ὁ ἄν. διὰ τὸ σάββατον
8 24 βλέπω τοὺς ἄν., ὅτι ὡς δένδρα ὁρῶ
15 39 ἀληθῶς οὗτος ὁ ἄν. υἱὸς θεοῦ ἦν ‖
Luc 23 47 ὄντως – δίκαιος ἦν
Luc 1 25 ἀφελεῖν ὄνειδός μου ἐν ἄ..οις
2 14 εἰρήνη ἐν ἄ..οις (vg *hominibus* vl *in
ho.*) εὐδοκίας (*bonae voluntatis*)
– 52 „χάριτι παρὰ θεῷ καὶ ἄ..οις"
6 22 ὅταν μισήσωσιν ὑμᾶς οἱ ἄν. 26 ὅταν
καλῶς ὑμᾶς εἴπωσιν πάντες οἱ ἄν.
16 15 οἱ δικαιοῦντες ἑαυτοὺς ἐνώπ. τῶν ἀν.
–· ὅτι τὸ ἐν ἄ..οις ὑψηλὸν βδέλυγμα
18 2 κριτὴς – ἄ..ον μὴ ἐντρεπόμενος 4
– 11 οὐκ εἰμὶ ὥσπερ οἱ λοιποὶ τῶν ἀνθρ.
Joh 1 4 ἡ ζωὴ ἦν τὸ φῶς τῶν ἀνθρώπων 9 ὃ
φωτίζει πάντα ἄνθρωπον
2 25 οὐ χρείαν εἶχεν ἵνα τις μαρτυρήσῃ
περὶ τοῦ ἀνθρώπου· – ἐγίνωσκεν τί
ἦν ἐν τῷ ἀνθρώπῳ
3 19 ἠγάπησαν οἱ ἄν. μᾶλλον τὸ σκότος
– 27 οὐ δύναται ἄν. λαμβάνειν οὐδέν
5 34 οὐ παρὰ ἄ..ου τὴν μαρτυρίαν λαμ-
βάνω 1 Jo 5 9 εἰ τὴν μ. τῶν ἀν. λαμβ.
– 41 δόξαν παρὰ ἄ..ων οὐ λαμβάνω 12 43
ἠγάπησαν – τὴν δ. τῶν ἀν. μᾶλλον
7 22.23 εἰ περιτομὴν λαμβάνει [ὁ] ἄν. ἐν
σαββάτῳ –, ὅτι ὅλον ἄ..ον ὑγιῆ ἐπ.
8 17 δύο ἄ..ων ἡ μαρτυρία ἀληθής ἐστιν
10 33 σὺ ἄν. ὢν ποιεῖς σεαυτὸν θεόν
11 50 ἵνα εἷς ἄν. ἀποθάνῃ ὑπὲρ τοῦ λαοῦ
18 14 ἕνα ἄ..ον ἀποθανεῖν
16 21 ὅτι ἐγεννήθη ἄνθρ. εἰς τὸν κόσμον

Joh 17 6 ἐφανέρωσά σου τὸ ὄνομα τοῖς ἀν.
οὓς ἔδωκάς μοι ἐκ τοῦ κόσμου
18 17 ἐκ τῶν μαθητῶν – τοῦ ἀν. τούτου;
– 29 τίνα κατηγορίαν φέρετε τοῦ ἀν. τού-
του; 19 5 ἰδοὺ ὁ ἄνθρωπος
Act 5 4 οὐκ ἐψεύσω ἀ..οις ἀλλὰ τῷ θεῷ
– 29 πειθαρχεῖν – θεῷ μᾶλλον ἢ ἀ..οις
– 38 ἐὰν ᾖ ἐξ ἀ..ων ἡ βουλὴ αὕτη
10 26 καὶ ἐγὼ αὐτὸς ἄν. εἰμι 14 15 ὁμοιο-
παθεῖς ἐσμεν ὑμῖν ἄ..οι cfr Jac 5 17
– 28 μηδένα κοινὸν – λέγειν ἄ..ον
12 22 θεοῦ φωνὴ καὶ οὐκ ἀνθρώπου
14 11 οἱ θεοὶ ὁμοιωθέντες ἀ..οις κατέβησαν
17 26 ἐξ ἑνὸς πᾶν ἔθνος ἀ..ων κατοικεῖν
– 29 τέχνης καὶ ἐνθυμήσεως ἀ..ου
21 39 ἄν. – εἰμὶ Ἰουδαῖος 22 25 εἰ ἄ..ον Ῥω-
μαῖον – ἔξεστιν ὑμῖν μαστίζειν;
24 16 πρὸς τὸν θεὸν καὶ τοὺς ἀνθρώπους
Rm 1 18 ἐπὶ πᾶσαν ἀσέβειαν κ. ἀδικίαν ἀ..ων
-- 23 ἐν ὁμοιώματι εἰκόνος φθαρτοῦ ἀ..ου
2 1 ὦ ἄ..ε 3 9 20 – Jac 2 20 ὦ ἄ..ε κενέ
– 9 θλῖψις – ἐπὶ πᾶσαν ψυχὴν ἀ..ου τοῦ
κατεργαζομένου τὸ κακόν
– 16 κρίνει ὁ θεὸς τὰ κρυπτὰ τῶν ἀνθ.
– 29 οὗ ὁ ἔπαινος οὐκ ἐξ ἀ..ων ἀλλ᾽ ἐκ
3 4 θεὸς ἀληθής, „πᾶς δὲ ἄν. ψεύστης”
– 5 κατὰ ἄνθρωπον λέγω Gal 3 15 1 Co
9 8 μὴ κατὰ ἄν. ταῦτα λαλῶ; – 15 32
εἰ κατὰ ἄν. ἐθηριομάχησα – cfr 3 3. 4
– 28 λογιζόμεθα – δικαιοῦσθαι πίστει ἄ..ον
Jac 2 24 ἐξ ἔργων δικαιοῦται ἄν.
5 12 δι᾽ ἑνὸς ἀν. ἡ ἁμαρτία –, καὶ οὕτως
εἰς πάντας ἀν. ὁ θάνατος διῆλθεν
– 15 ἡ δωρεὰ ἐν χάριτι τῇ τοῦ ἑνὸς ἀν.
Ἰησοῦ Χοῦ εἰς τοὺς πολλούς
– 18 ὡς – εἰς πάντας ἀν. εἰς κατάκριμα,
οὕτως – εἰς π. ἀν. εἰς δικαίωσιν ζωῆς
– 19 διὰ τῆς παρακοῆς τοῦ ἑνὸς ἀ..ου
6 6 ὁ παλαιὸς ἡμῶν ἄν. συνεσταυρώθη
Eph 4 22 ἀποθέσθαι ὑμᾶς – τὸν παλ.
ἄν. Col 3 9 ἀπεκδυσάμενοι τὸν π. ἄν.
7 22 συνήδομαι – τῷ νόμῳ – κατὰ τὸν ἔσω
ἄνθρ. Eph 3 16 κραταιωθῆναι – εἰς
τὸν ἔσω ἄν. – 2 Co 4 16 εἰ καὶ ὁ ἔξω
ἡμῶν ἄν. διαφθείρεται, ἀλλ᾽ ὁ ἔσω
ἡμῶν ἀνακαινοῦται
– 24 ταλαίπωρος ἐγὼ ἄνθρωπος
12 17 „προνοούμενοι καλὰ ἐνώπιον πάντων
ἀ..ων” (2 Co 8 21 „προνοοῦμεν”) 19
μετὰ πάντων ἀ..ων εἰρηνεύοντες
14 18 εὐάρεστος τῷ θ. καὶ δόκιμος τοῖς ἀν.
1 Co 1 25 σοφώτερον τῶν ἀνθρώπων ἐστίν, –

ἰσχυρότερον τῶν ἀνθρώπων
1 Co 2 5 ἵνα ἡ πίστις – μὴ ᾖ ἐν σοφίᾳ ἀ..ων
– 11 τίς γὰρ οἶδεν ἀ..ων τὰ τοῦ ἀ..ου εἰ
μὴ τὸ πνεῦμα τοῦ ἀν. τὸ ἐν αὐτῷ
– 14 ψυχικὸς δὲ ἄνθρ. οὐ δέχεται τὰ τοῦ
πνεύματος τοῦ θεοῦ
3 3 οὐχὶ – κατὰ ἄ..ον περιπατεῖτε; 4 οὐκ
ἄνθρωποί ἐστε;
– 21 ὥστε μηδεὶς καυχάσθω ἐν ἀ..οις
4 1 οὕτως ἡμᾶς λογιζέσθω ἄνθρωπος
– 9 θέατρον – ἀγγέλοις καὶ ἀ..οις
7 1 καλὸν ἀ..ῳ γυναικὸς μὴ ἅπτεσθαι 26
καλ. ἀ..ῳ τὸ οὕτως εἶναι cfr 7 πάν-
τας ἀ..ους εἶναι ὡς καὶ ἐμαυτόν
– 23 μὴ γίνεσθε δοῦλοι ἀνθρώπων
11 28 δοκιμαζέτω δὲ ἄνθρωπος ἑαυτόν
13 1 ἐὰν ταῖς γλώσσαις τῶν ἀν. λαλῶ
14 2 ὁ – λαλῶν γλώσσῃ οὐκ ἀ..οις λαλεῖ
3 ὁ – προφητεύων ἀ..οις λ. οἰκοδομήν
15 21 δι᾽ ἀ..ου θάνατος, καὶ δι᾽ ἀ..ου ἀνά-
στασις νεκρῶν – 32 → Rm 3 5
– 39 ἄλλη μὲν ἀνθρώπων (sc σάρξ)
– 45 ὁ πρῶτος ἄνθρωπος Ἀδάμ 47 ὁ
πρῶτος ἄνθρωπος ἐκ γῆς χοϊκός, ὁ
δεύτερος ἄνθρωπος ἐξ οὐρανοῦ
2 Co 4 16 → Rm 7 22 – 5 11 ἀ..ους πείθομεν
12 2 οἶδα ἄ..ον ἐν Χῷ 3 τὸν τοιοῦτον ἄν.
– 4 ῥήματα, ἃ οὐκ ἐξὸν ἀ..ῳ λαλεῖν
Gal 1 1 ἀπόστολος, οὐκ ἀπ᾽ ἀ..ων οὐδὲ δι᾽
ἀ..ου 11 τὸ εὐαγγέλιον – οὐκ ἔστιν
κατὰ ἄ..ον 12 οὐδὲ γὰρ ἐγὼ παρὰ ἀ..
ου παρέλαβον αὐτὸ οὔτε ἐδιδάχθην
– 10 ἀ..ους πείθω ἢ τὸν θεόν; ἢ ζητῶ ἀ..
οις ἀρέσκειν; εἰ ἔτι ἀ..οις ἤρεσκον
2 6 πρόσωπον [ὁ] θεὸς ἀ..ου οὐ λαμβάνει
3 15 κατὰ ἄ..ον λέγω. – ἀ..ου κεκυρωμένην
διαθήκην οὐδεὶς ἀθετεῖ
Eph 2 15 τοὺς δύο κτίσῃ – εἰς ἕνα καινὸν ἄ..ον
3 5 οὐκ ἐγνωρίσθη τοῖς υἱοῖς τῶν ἀ..ων
– 16 → Rm 7 22 – Eph 4 22 Col 3 9 → Rm 6 6
4 8 „ἔδωκεν δόματα τοῖς ἀ..οις”
– 14 περιφερόμενοι – ἐν τῇ κυβίᾳ τῶν ἀν.
– 24 ἐνδύσασθαι τὸν καινὸν ἄ..ον τὸν κατὰ
5 31 → Mat 19 5 – Eph 6 7 δουλεύοντες ὡς
τῷ κυρίῳ καὶ οὐκ ἀ..οις Col 3 23 ὃ
ἐὰν ποιῆτε, – ὡς τῷ κυρ. καὶ οὐκ ἀν.
Phl 2 7 ἐν ὁμοιώματι ἀ..ων γενόμενος· καὶ
σχήματι εὑρεθεὶς ὡς ἄνθρωπος
4 5 τὸ ἐπιεικὲς – γνωσθήτω πᾶσιν ἀ..οις
Col 2 8 κατὰ τὴν παράδοσιν τῶν ἀ..ων
– 22 κατὰ – „διδασκαλίας τῶν ἀ..ων”
1 Th 2 4 οὐχ ὡς ἀ..οις ἀρέσκοντες, ἀλλὰ θεῷ

1 Th 2 6 οὔτε ζητοῦντες ἐξ ἀ..ων δόξαν
  – 13 ἐδέξασϑε οὗ λόγον ἀ..ων ἀλλὰ – ϑεοῦ
  – 15 Ἰουδαίων, – πᾶσιν ἀ..οις ἐναντίων
   4 8 ὁ ἀϑετῶν οὐκ ἄ..ον ἀϑετεῖ ἀλλά
2 Th 2 3 ἐὰν μὴ – πρῶτον – ἀποκαλυφϑῇ ὁ ἄν.
     τῆς ἀνομίας (vl ἁμαρτίας vg)
1 Ti 2 1 δεήσεις – ὑπὲρ πάντων ἀ..ων, ὑπέρ
  – 4 ὃς πάντας ἀ..ους ϑέλει σωϑῆναι
  – 5 εἷς καὶ μεσίτης ϑεοῦ καὶ ἀ..ων, ἄν-
     ϑρωπος Χὸς Ἰησοῦς
   4 10 ϑεῷ –, ὅς ἐστιν σωτὴρ πάντων ἀ..ων
   6 11 σὺ δέ, ὦ ἄνϑρωπε ϑεοῦ, ταῦτα φεῦγε
2 Ti 2 2 ταῦτα παράϑου πιστοῖς ἀ..οις, οἵτινες
     ἱκανοὶ ἔσονται καὶ ἑτέρους διδάξαι
   3 2 ἔσονται γὰρ οἱ ἄνϑρωποι φίλαυτοι
  – 17 ἵνα ἄρτιος ᾖ ὁ τοῦ ϑεοῦ ἄ..ος
Tit   2 11 ἡ χάρις τοῦ ϑεοῦ σωτήριος πᾶσιν ἀ..
   3 10 αἱρετικὸν ἄνϑρωπον – παραιτοῦ [οις
Hb   2 6 „τί ἐστιν ἄν. ὅτι μιμνήσκῃ αὐτοῦ;"
   5 1 ἀρχιερεὺς ἐξ ἀ..ων λαμβανόμενος ὑ-
     πὲρ ἀ..ων καϑίσταται 7 28 ὁ νόμος – ἀ..
     ους καϑίστησιν ἀρχιερέας ἔχοντας
     ἀσϑένειαν
   6 16 ἄ..οι – κατὰ τοῦ μείζονος ὀμνύουσιν
   8 2 ἣν ἔπηξεν ὁ κύριος, οὐκ ἄνϑρωπος
   9 27 ἀπόκειται τοῖς ἀν. ἅπαξ ἀποϑανεῖν,
     μετὰ δὲ τοῦτο κρίσις   [ἄν.;"
  13 6 „κύριος – βοηϑός, – τί ποιήσει μοι
Jac   1 7 μὴ γὰρ οἰέσϑω ὁ ἄν. ἐκεῖνος ὅτι
  – 19 ἔστω δὲ πᾶς ἄν. ταχὺς εἰς τ. ἀκοῦσαι
   2 20 → Rm 2 1 – Jac 2 24 → Rm 3 28
   3 8 γλῶσσαν οὐδεὶς δαμάσαι δύναται ἀ..ων
  – 9 ἐν αὐτῇ καταρώμεϑα τοὺς ἀ..ους τοὺς
     „καϑ᾿ ὁμοίωσιν ϑεοῦ" γεγονότας
   5 17 Ἠλίας ἄν. ἦν ὁμοιοπαϑὴς ἡμῖν
1 Pe 2 4 ὑπὸ ἀ..ων – ἀποδεδοκιμασμένον
   3 4 ὁ κρυπτὸς τῆς καρδίας ἄνϑρωπος
   4 2 μηκέτι ἀ..ων ἐπιϑυμίαις – βιῶσαι
  – 6 ἵνα κριϑῶσι – κατὰ ἀ..ους σαρκί
2 Pe 1 21 οὐ – ϑελήματι ἀ..ου ἠνέχϑη προφη-
     τεία ποτέ, – ὑπὸ πνεύματος ἁγίου
     φερόμενοι ἐλάλησαν ἀπὸ ϑεοῦ ἄ..οι
   2 16 ὑποζύγιον – ἐν ἀ..ου φωνῇ φϑεγξάμ.
1 Jo 5 9 εἰ τὴν μαρτυρίαν τῶν ἀν. λαμβάνομεν
Ap   4 7 ἔχων „τὸ πρόσωπον" ὡς ἀ..ου 9 7
   9 15 ἀποκτείνωσιν τὸ τρίτον τῶν ἀν. 18.20
  11 13 ὀνόματα ἀ..ων χιλιάδες ἑπτά
  13 18 ἀριϑμὸς γὰρ ἀνϑρώπου ἐστίν
  16 18 ἀφ᾿ οὗ ἄ..ος ἐγένετο (vl ..οι ..οντο)
  18 13 οὐδεὶς ἀγοράζει –, καὶ „ψυχὰς ἀ..ων"
  21 3 ἡ σκηνὴ τοῦ ϑεοῦ μετὰ τῶν ἀνϑρ.
  – 17 μέτρον ἀνϑρώπου, ὅ ἐστιν ἀγγέλου

ἀνϑύπατος S⁰ – proconsul Act 13 7.8.12
  18 12 19 38 (vg vl pro consulibus sunt)

ἀνιέναι ᵃsolvere (num ex vl ἀνελύϑη)
     ᵇlaxare ᶜremittere ᵈdeserere
Act 16 26 τὰ δεσμὰ ἀνέϑη ᵃ – 27 40 ᵇ ζευκτηρίας
Eph   6 9 οἱ κύριοι, – ἀνιέντες ᶜ τὴν ἀπειλήν
Hb   13 5 „οὐ μή σε ἀνῶ ᵈ οὐδ᾿ – ἐγκαταλίπω"

ἄνιπτος S⁰ – non lotus
Mat 15 20 τὸ – ἀνίπτοις χερσὶν φαγεῖν ‖ Mar 7 2

ἀνιστάναι, ἀνίστασϑαι cfr ἐγείρειν

1) transitive: ἀναστήσω, ἀνέστησα
     suscitare ᵇresuscitare ᶜerigere
Mat 22 24 „ἀναστήσει σπέρμα τῷ ἀδελφῷ"
Joh   6 39 ἀναστήσω ᵇ αὐτὸ ἐν τῇ ἐσχάτῃ ἡμέρᾳ
     40 ᵇ αὐτόν 44 ᵇ αὐτόν 54 ᵇ αὐτόν
Act   2 24 ὃν ὁ ϑεὸς ἀνέστησεν 32 ᵇ 13 33 ἀναστή-
     σας ᵇ Ἰησοῦν 34 ὅτι δὲ ἀνέστησεν αὐ-
     τὸν ἐκ νεκρῶν 17 31 ἀναστήσας αὐτὸν
     ἐκ νεκρῶν
   3 22 „προφήτην ὑμῖν ἀναστήσει κύριος" 7 37
  – 26 ὑμῖν πρῶτον ἀναστήσας – τὸν παῖδα
   9 41 δοὺς – αὐτῇ χεῖρα ἀνέστησεν ᶜ αὐτήν

2) intransitive: ἀνέστην et formae medii
  a) ad vitam redire
     resurgere ᵇsurgere ᶜexurgere
Mar   8 31 ὅτι δεῖ – μετὰ τρεῖς ἡμέρας ἀναστῆναι
   9 9 εἰ μὴ ὅταν ὁ υἱὸς τοῦ ἀνϑρ. ἐκ νεκρῶν
     ἀναστῇ 10 τί ἐστιν τὸ ἐκ ν. ἀναστῆναι
  – 31 μετὰ τρεῖς ἡμέρας ἀναστήσεται 10 34
     ‖ Luc 18 33 τῇ ἡμέρᾳ τῇ τρίτῃ
  12 23 ἐν τῇ ἀναστάσει, ὅταν ἀναστῶσιν (vl
     om ὅτ. ἀν.), τίνος – ἔσται γυνή; 25 ὅ-
     ταν γὰρ ἐκ νεκρῶν ἀναστῶσιν
  [16 9 ἀναστὰς ᵇ δὲ πρωΐ – ἐφάνη πρῶτον]
Luc   9 8 προφήτης τις τ. ἀρχαίων ἀνέστη ᵇ 19 ᵇ
  16 31 ἐάν τις ἐκ νεκρῶν ἀναστῇ
  24 7 ὅτι δεῖ – τῇ τρίτῃ ἡμέρᾳ ἀναστῆναι
     46 γέγραπται – ἀναστῆναι Joh 20 9
Joh 11 23 ἀναστήσεται ὁ ἀδελφός σου 24 οἶδα
     ὅτι ἀναστήσεται – ἐν τῇ ἐσχάτῃ ἡμέρᾳ
Act   9 40 Ταβιϑά, ἀνάστηϑι ᵇ
  10 41 οἵτινες συνεφάγομεν – αὐτῷ μετὰ τὸ
     ἀναστῆναι αὐτὸν ἐκ νεκρῶν
  17 3 τ. χριστὸν ἔδει – ἀναστῆναι ἐκ νεκρῶν
Eph   5 14 καὶ ἀνάστα ᶜ ἐκ τῶν νεκρῶν
1 Th 4 14 ὅτι Ἰησοῦς ἀπέϑανεν καὶ ἀνέστη
  – 16 οἱ νεκροὶ ἐν Χῷ ἀ..ήσονται πρῶτον

*b) existere, prodire, exoriri
  ᵃexistere ᵇsurgere ᶜexurgere
  ᵈconsurgere
Mat 1241 Νινευῖται ἀναστήσονταιᵇ ‖ Luc 1132ᵇ
Mar 326 εἰ ὁ σατανᾶς ἀνέστηᵈ ἐφ' ἑαυτόν
  1457 τινὲς ἀναστάντεςᵇ ἐψευδομαρτύρουν
Luc 1025 νομικός τις ἀνέστηᵇ ἐκπειράζων
Act 536 ἀνέστηᵃ Θευδᾶς 37ᵃ Ἰούδας ὁ Γαλιλ.
  6 9 ἀνέστησανᵇ δέ τινες τῶν – Λιβερτίν.
  718 „ἀνέστηᵇ βασιλεὺς ἕτερος ἐπ' Αἴγ."
  2030 ἐξ ὑμῶν αὐτῶν ἀναστήσονταιᶜ – λα-
  λοῦντες διεστραμμένα
Rm 1512 „ὁ ἀνιστάμενοςᶜ ἄρχειν ἐθνῶν"
Hb 711 ἕτερον ἀνίστασθαι ἱερέαᵇ 15ᶜ

Ἄννα Luc 236 προφῆτις, θυγάτηρ Φανουήλ

Ἄννας Luc 32 Joh 1813.24 Act 46 (517 vl)

ἀνόητος ᵃinsensatus ᵇinsipiens ᶜstultus
Luc 2425 ὦ ἀνόητοιᶜ καὶ βραδεῖς τῇ καρδίᾳ
Rm 114 σοφοῖς τε καὶ ἀνοήτοιςᵇ ὀφειλέτης
Gal 3 1 ὦ ἀ..οιᵃ Γαλάται 3 οὕτως ἀ..οίᶜ ἐστε;
1 Ti 6 9 εἰς – ἐπιθυμίας πολλὰς ἀνοήτους (vg
  inutilia ex vl ἀνονήτους) καὶ βλαβ.
Tit 3 3 ἦμεν γάρ ποτε καὶ ἡμεῖς ἀνόητοιᵇ

ἄνοια insipientia
Luc 611 – 2Ti 39 ἡ – ἄν. αὐτῶν ἔκδηλος ἔσται

ἀνοίγειν aperire (pass:) apertum esse ᵇpatēre
Mat 211 ἀνοίξαντες τοὺς θησαυροὺς αὐτῶν
  316 ἠνεῴχθησαν οἱ οὐρανοί ‖ Luc 321
  5 2 ἀνοίξας τὸ στόμα – ἐδίδασκεν 1335
  „ἀνοίξω ἐν παραβολαῖς τὸ στόμα
  μου" – Act 835 1034 1814 – Ap 136 ἤ-
  νοιξεν τὸ στόμα αὐτοῦ εἰς βλασφημίας
  7 7 κρούετε, καὶ ἀ..ήσεται ὑμῖν 8 ‖ Lc 119s
  930 ἠνεῴχθησαν αὐτῶν οἱ ὀφθαλμοί 2033
  1727 ἀνοίξας τὸ στόμα αὐτοῦ (sc ἰχθύος)
  2511 κύριε, ἄνοιξον ἡμῖν ‖ Luc 1325
  2752 τὰ μνημεῖα ἀνεῴχθησαν
Mar 735 ἠνοίγησαν αὐτοῦ αἱ ἀκοαί
Luc 164 ἀνεῴχθη δὲ τὸ στόμα αὐτοῦ
  417 ἀνοίξας (vl ἀναπτύξας vg ut revol-
  vit) τὸ βιβλίον εὗρεν [τὸν] τόπον
  1236 ἵνα – εὐθέως ἀνοίξωσιν αὐτῷ
Joh 151 ὄψεσθε τὸν οὐρανὸν ἀνεῳγότα
  910 πῶς ἠνεῴχθησάν σου οἱ ὀφθαλμοί;
  14.17.21.26.30.32 1021 μὴ δαιμόνιον δύ-
  ναται τυφλῶν ὀφθ. ἀνοῖξαι; 1137 οὗ-
  τος ὁ ἀνοίξας τοὺς ὀφθ. τοῦ τυφλοῦ

Joh 10 3 τούτῳ ὁ θυρωρὸς ἀνοίγει
Act 519 ἤνοιξε τὰς θύρας (ianuas) τῆς φυλα-
  κῆς 23 1210 αὐτομάτη ἠνοίγη 14.16
  1626 (ostia) 27 (ianuae)
  832 „οὕτως οὐκ ἀνοίγει τὸ στόμα"
  9 8 ἀνεῳγμένων – τῶν ὀφθ. 40 ἤνοιξεν
  1011 θεωρεῖ τὸν οὐρανὸν ἀνεῳγμένον Ap
  1911 „εἶδον τὸν οὐρ. ἠνεῳγμένον"
  1427 ὅτι ἤνοιξεν τοῖς ἔθνεσιν θύραν (os-
  tium) πίστεως 1 Co 169 θύρα (ost.)
  μοι ἀνέῳγεν μεγάλη καὶ ἐνεργής 2 Co
  212 θύρας (ost.) μοι ἀνεῳγμένης Col
  43 ἵνα ὁ θεὸς ἀνοίξῃ ἡμῖν θύραν (ost.)
  τοῦ λόγου – Ap 38 δέδωκα ἐνώπιόν
  σου θύραν (ost.) ἠνεῳγμένην
  2618 „ἀνοῖξαι ὀφθαλμοὺς αὐτῶν" (sc ἐθν.)
Rm 313 „τάφος ἀνεῳγμένοςᵇ ὁ λάρυγξ"
2 Co 611 τὸ στόμα ἡμῶν ἀνέῳγενᵇ πρὸς ὑμᾶς
Ap 3 7 „ὁ ἀνοίγων καὶ οὐδεὶς κλείσει, καὶ
  κλείων καὶ οὐδεὶς ἀνοίγει"
  – 20 ἐάν τις – ἀνοίξῃ τὴν θύραν (ian.)
  4 1 θύρα (ost.) ἠνεῳγμένη ἐν τῷ οὐρ.
  5 2 τίς ἄξιος ἀνοῖξαι τὸ βιβλίον 3.4 οὐ-
  δεὶς ἄξιος εὑρέθη ἀνοῖξαι 5.9 ἄξιος
  εἶ – ἀνοῖξαι τὰς σφραγῖδας 61.3.5.7.9.
  12 81 – 102 βιβλαρίδιον ἠνεῳγμένον
  8 τὸ βιβλίον τὸ ἠνεῳγμένον – 2012
  „βιβλία ἠνοίχθησαν·" καὶ ἄλλο „βι-
  βλίον" ἠνοίχθη, ὅ ἐστιν „τῆς ζωῆς"
  9 2 ἤνοιξεν τὸ φρέαρ τῆς ἀβύσσου
  1119 ἠνοίγη ὁ ναὸς τ. θεοῦ ὁ ἐν τῷ οὐρ.
  155 „τῆς σκηνῆς τοῦ μαρτυρίου"
  1216 ἤνοιξεν ἡ γῆ τὸ στόμα αὐτῆς
  13 6 → Mat 52 – Ap 38 → Act 1427

ἀνοικοδομεῖν reaedificare Act 1516 „σκηνήν"

ἄνοιξις Sº – apertio Eph 619 στόματος

ἀνομία iniquitas
Mat 723 „οἱ ἐργαζόμενοι τὴν ἀν." 1341 „τὰ
  σκάνδαλα καὶ τοὺς ποιοῦντας τὴν ἀν."
  2328 ἐστὲ μεστοὶ ὑποκρίσεως καὶ ἀνομίας
  2412 διὰ τὸ πληθυνθῆναι τὴν ἀν. ψυγής.
Rm 4 7 „μακάριοι ὧν ἀφέθησαν αἱ ἀνομίαι"
  619 τὰ μέλη – δοῦλα – τῇ ἀν. εἰς τὴν ἀν.
2 Co 614 τίς – μετοχὴ δικαιοσύνη καὶ ἀ..ίᾳ, –;
2 Th 2 3 ἐὰν μὴ – ἀποκαλυφθῇ ὁ ἄνθρωπος
  τῆς ἀν. (vl ἁμαρτίας, vg peccati)
  – 7 τὸ – μυστήριον ἤδη ἐνεργεῖται τῆς ἀν.
Tit 214 „λυτρώσηται" ἡμᾶς „ἀπὸ πάσης ἀν."
Hb 1 9 „καὶ ἐμίσησας ἀ..ίαν" (vl ἀδικίαν)

Hb 10 17 τῶν ἀν. αὐτῶν „οὐ μὴ μνησθήσομαι"
1 Jo 3 4 πᾶς ὁ ποιῶν τὴν ἁμαρτίαν καὶ τὴν ἀν.
ποιεῖ, καὶ ἡ ἁμαρτία ἐστὶν ἡ ἀνομία

ἄνομος iniquus [b]iniustus [c]sine lege
Luc 22 37 „μετὰ ἀνόμων (vg vl [b]) ἐλογίσθη"
Act 2 23 διὰ χειρὸς ἀνόμων – ἀνείλατε
1 Co 9 21 τοῖς ἀνόμοις[c] ὡς ἄνομος[c], μὴ ὢν
ἄν.[c] θεοῦ –, ἵνα κερδάνω τοὺς ἀν.[c]
2 Th 2 8 ἀποκαλυφθήσεται „ὁ ἄ." (ille iniquus)
1 Ti 1 9 δικαίῳ νόμος οὐ κεῖται, ἀνόμοις[b] δέ
2 Pe 2 8 ψυχὴν – ἀ..οις ἔργοις ἐβασάνιζεν

ἀνόμως sine lege Rm 2 12 ὅσοι – ἀν. ἥμαρτον,
ἀν. καὶ ἀπολοῦνται. καὶ ὅσοι ἐν νό.

ἀνορθοῦν erigere Luc 13 13 Act 15 16
Hb 12 12 „τὰ παραλελυμένα γόνατα ἀ..ώσατε"

ἀνόσιος [a]sceleratus [b]scelestus
1 Ti 1 9 νόμος – κεῖται – ἀ..οις[a] καὶ βεβήλοις
2 Ti 3 2 ἔσονται – οἱ ἄνθρωποι – ἀνόσιοι[b]

ἀνοχή [a]patientia [b]sustentatio
Rm 2 4 ἢ τοῦ πλούτου – τῆς ἀ.[a] καταφρονεῖς;
3 26 διὰ τὴν πάρεσιν τῶν προγεγονότων
ἁμαρτημάτων ἐν τῇ ἀν.[b] τοῦ θεοῦ

ἀνταγωνίζεσθαι repugnare
Hb 12 4 πρὸς τὴν ἁμαρτίαν ἀ..όμενοι

ἀντάλλαγμα commutatio
Mat 16 26 ἀντ. τῆς ψυχῆς αὐτοῦ ‖ Mar 8 37

ἀνταναπληροῦν S° – adimplēre
Col 1 24 ἀ..ῶ τὰ ὑστερήματα τῶν θλίψεων τοῦ
Χοῦ ἐν τῇ σαρκί μου ὑπὲρ τοῦ σώματ.

ἀνταποδιδόναι retribuere
Luc 14 14 οὐκ ἔχουσιν ἀ..δοῦναί σοι· ἀνταποδο-
θήσεται γάρ σοι ἐν τῇ ἀναστάσει
Rm 11 35 „καὶ ἀνταποδοθήσεται αὐτῷ;"
12 19 „ἐγὼ ἀ..δώσω" Hb 10 30 (vl reddam)
1 Th 3 9 τίνα – εὐχαριστίαν–τ. θεῷ ἀ..δοῦναι–;
2 Th 1 6 δίκαιον παρὰ θεῷ ἀ..δοῦναι τοῖς θλί-
βουσιν ὑμᾶς θλῖψιν καὶ ὑμῖν τοῖς θλι-
βομένοις ἄνεσιν

ἀνταπόδομα retributio
Luc 14 12 μήποτε – γένηται ἀντ. σοι – Rm 11 9

ἀνταπόδοσις retributio Col 3 24 κληρονομίας

ἀνταποκρίνεσθαι respondēre Luc 14 6
Rm 9 20 σὺ τίς εἶ ὁ ἀ..όμενος τῷ θεῷ;

ἀντειπεῖν contradicere Luc 21 15 Act 4 14

ἀντέχεσθαι [a]adhaerēre [b]amplecti
[c]suscipere [d]sustinēre
Mat 6 24 ἑνὸς ἀνθέξεται[d] καὶ τοῦ ἑτέρου κα-
ταφρονήσει ‖ Luc 16 13 [a]
1 Th 5 14 ἀντέχεσθε[c] τῶν ἀσθενῶν
Tit 1 9 (ἐπίσκ.) ἀ..όμενον[b] τοῦ – πιστοῦ λόγου

ἀντί pro [b]propter [c]quoniam
Mat 2 22 βασιλεύει – ἀντὶ τοῦ πατρὸς αὐτοῦ
5 38 „ὀφθαλμὸν ἀντὶ ὀ..οῦ κ. ὀδόντα ἀ. ὀ."
17 27 δὸς αὐτοῖς ἀντὶ ἐμοῦ καὶ σοῦ
20 28 διακονῆσαι καὶ δοῦναι τὴν ψυχὴν αὐ-
τοῦ λύτρον ἀντὶ πολλῶν ‖ Mar 10 45
Luc 1 20 ἀνθ' ὧν (pro eo quod) οὐκ ἐπίστευ-
σας 19 44 ἀνθ' ὧν (eo quod) οὐκ ἔ-
γνως Act 12 23 ἀ. ὦ. (eo quod) οὐκ ἔ-
δωκεν τὴν δόξαν τῷ θεῷ 2 Th 2 10 ἀ.
ὦ. (eo quod) τὴν ἀγάπην τῆς ἀληθ.
οὐκ ἐδέξαντο – Luc 12 3[c] Eph 5 31
„ἀντὶ[b] τούτου καταλείψει ἄνθρωπος
[τὸν] πατέρα"
11 11 μὴ ἀντὶ ἰχθύος ὄφιν αὐτῷ ἐπιδώσει;
Joh 1 16 ἐλάβομεν, καὶ χάριν ἀντὶ χάριτος
Rm 12 17 μηδενὶ κακὸν ἀντὶ κακοῦ ἀποδιδόν-
τες 1 Th 5 15 1 Pe 3 9 ἢ λοιδ. ἀντὶ λοιδ.
1 Co 11 15 ἡ κόμη ἀντὶ περιβολαίου δέδοται
Hb 12 2 ἀντὶ τῆς προκειμένης αὐτῷ χαρᾶς
(proposito sibi gaudio) – σταυρὸν
– 16 ἀντὶ[b] βρώσεως μιᾶς „ἀπέδοτο"
Jac 4 15 ἀντὶ τοῦ λέγειν (pro eo ut dicatis)

ἀντιβάλλειν conferre Luc 24 17 λόγους

ἀντιδιατίθεσθαι S° – resistere veritati (vl
om ver.) 2 Ti 2 25 ἐν πραΰτητι παιδεύον-
τα τοὺς ἀ..θεμένους, μήποτε δῴη – θεός

ἀντίδικος adversarius Mat 5 25 ἴσθι εὐνοῶν
τῷ ἀν. σου ταχύ – · μήποτέ σε παραδῷ ὁ
ἀν. ‖ Luc 12 58 ὡς – ὑπάγεις μετὰ τοῦ ἀν.
σου ἐπ' ἄρχοντα
Luc 18 3 ἐκδίκησόν με ἀπὸ τοῦ ἀν. μου
1 Pe 5 8 ὁ ἀν. ὑμῶν διάβολος „ὡς λέων"

ἀντίθεσις S° – oppositio 1 Ti 6 20 γνώσεως

ἀντικαθιστάναι resistere Hb 12 4 μέχρις αἵμ.

ἀντικαλεῖν Sº — *reinvitare* Luc 14 12

ἀντικεῖσθαι *adversari* — (part) *adversarius*
Luc 13 17 κατησχύνοντο – οἱ ἀ..μενοι αὐτῷ 21 15
οὐ δυνήσονται ἀντιστῆναι – οἱ ἀ..μενοι
1 Co 16 9 καὶ ἀ..μενοι πολλοί Phl 1 28 μὴ πτυρό-
μενοι ἐν μηδενὶ ὑπὸ τῶν ἀ..μένων
Gal 5 17 ταῦτα γὰρ ἀλλήλοις ἀντίκειται
2 Th 2 4 ὁ ἀ..μενος (*qui adv..tur*) „καὶ ὑπερ-
αιρόμενος ἐπὶ πάντα – θεόν"
1 Ti 1 10 εἴ τι ἕτερον τῇ ὑγιαινούσῃ διδασκα-
λίᾳ ἀντίκειται
5 14 μηδεμίαν ἀφορμὴν – τῷ ἀντικειμένῳ

ἄντικρυς *contra* Act 20 15 ἄ. Χίου

ἀντιλαμβάνεσθαι *suscipere* ᵇ*participem esse*
Luc 1 54 „ἀντελάβετο Ἰσραὴλ παιδὸς αὐτοῦ"
Act 20 35 ὅτι οὕτως – δεῖ ἀντ. τῶν ἀσθενούντων
1 Ti 6 2 οἱ τῆς εὐεργεσίας ἀντιλαμβανόμενοι ᵇ

ἀντιλέγειν *contradicere* ᵇ*negare*
Luc 2 34 οὗτος κεῖται – εἰς σημεῖον ἀ..όμενον
20 27 οἱ ἀ..οντες ᵇ ἀνάστασιν μὴ εἶναι
Joh 19 12 ἀντιλέγει τῷ Καίσαρι
Act 13 45 ἀντέλεγον τοῖς ὑπὸ Π. λαλουμένοις
28 19 ἀ..όντων – τῶν Ἰουδαίων ἠναγκάσθην
– 22 πανταχοῦ ἀντιλέγεται (sc ἡ αἵρεσις)
Rm 10 21 „πρὸς λαὸν ἀπειθοῦντα καὶ ἀ..οντα"
Tit 1 9 δυνατὸς – τοὺς ἀ..οντας ἐλέγχειν
2 9 δούλους –, μὴ ἀντιλέγοντας

ἀντίλημψις *opitulatio*
1 Co 12 28 ἀ..εις, κυβερνήσεις, γένη γλωσσῶν

ἀντιλογία *contradictio* ᵇ*controversia*
Hb 6 16 πάσης – ἀ..ας ᵇ πέρας – ὁ ὅρκος – 7 7
12 3 τὸν τοιαύτην ὑπομεμενηκότα ὑπὸ τῶν
ἁμαρτωλῶν εἰς ἑαυτὸν ἀντιλογίαν
Jud 11 τῇ ἀντιλογίᾳ τοῦ Κόρε ἀπώλοντο

ἀντιλοιδορεῖν Sº – (ex vl) *maledicere*
1 Pe 2 23 οὐκ ἀντελοιδόρει (vl ἐλοιδόρει)

ἀντίλυτρον Sº – *redemptio*
1 Ti 2 6 ὁ δοὺς ἑαυτὸν ἀντίλ. ὑπὲρ πάντων

ἀντιμετρεῖν Sº – *remetiri* Luc 6 38 ὑμῖν

ἀντιμισθία Sº – ᵃ*merces* ᵇ*remuneratio*
Rm 1 27 τὴν ἀ..αν ᵃ ἣν ἔδει – ἀπολαμβάνοντες

2 Co 6 13 τὴν δὲ αὐτὴν ἀντιμισθίαν ᵇ, ὡς τέ-
κνοις λέγω, πλατύνθητε καὶ ὑμεῖς

Ἀντιόχεια τῆς Συρίας: Act 11 19.20.22.26.27
13 1 14 26 15 22.23.30.35 18 22 Gal 2 11 – ἡ
Πισιδία: Act 13 14 14 19.21 2 Ti 3 11

Ἀντιοχεύς Act 6 5 Νικόλαον προσήλ. Ἀ..έα

ἀντιπαρέρχεσθαι ᵃ*pertransire* ᵇ*praeterire*
Luc 10 31 ἰδὼν αὐτὸν ἀ..ῆλθεν ᵇ 32 ᵃ

Ἀντιπᾶς Ap 2 13 ὁ μάρτυς μου ὁ πιστός

Ἀντιπατρίς Act 23 31 εἰς τὴν Ἀντιπατρίδα

ἀντιπέρα Sº – *contra* Luc 8 26 τῆς Γαλιλ.

ἀντιπίπτειν *resistere* Act 7 51 τῷ πνεύματι

ἀντιστρατεύεσθαι Sº – *repugnare*
Rm 7 23 ἀ..όμενον τῷ νόμου τοῦ νοός μου

ἀντιτάσσεσθαι ᵃ*contradicere* ᵇ*resistere*
Act 18 6 ἀ..ομένων ᵃ – αὐτῶν καὶ βλασφημούν.
Rm 13 2 ὁ ἀντιτασσόμενος ᵇ τῇ ἐξουσίᾳ
Jac 4 6 „θεὸς ὑπερηφάνοις ἀ..εται" ᵇ 1 Pe 5 5
5 6 ἐφονεύσατε τὸν δίκαιον· οὐκ ἀ..εται ᵇ
(*restitit* vl *resistit*) ὑμῖν

ἀντίτυπος, -ον ᵃ*exemplar* ᵇ*similis formae*
Hb 9 24 χειροποίητα – ἅγια –, ἀ..α ᵃ τῶν ἀληθ.
1 Pe 3 21 ὃ – ὑμᾶς ἀ..ον ᵇ νῦν σῴζει βάπτισμα

ἀντίχριστος Sº – *antichristus*
1 Jo 2 18 ἠκούσατε ὅτι ἀν. ἔρχεται, καὶ νῦν
ἀ..οι πολλοὶ γεγόνασιν 22 οὗτός ἐστιν
ὁ ἀν. 4 3 τοῦτό ἐστιν τὸ τοῦ ἀ..ου
2 Jo 7 οὗτός ἐστιν ὁ πλάνος καὶ ὁ ἀντίχρ.

ἀντλεῖν *haurire* Joh 2 8.9 4 7.15

ἄντλημα Sº – *in quo haurias* Joh 4 11

ἀντοφθαλμεῖν (ἀνέμῳ) *conari in* Act 27 15

ἄνυδρος ᵃ*aridus* ᵇ*inaquosus* ᶜ*sine aqua*
Mat 12 43 δι' ἀνύδρων ᵃ τόπων || Luc 11 24 ᵇ
2 Pe 2 17 εἰσὶν πηγαὶ ἄνυδροι ᶜ Jud 12 ᶜ νεφέλαι

ἀνυπόκριτος ᵃ*non fictus* ᵇ*simplex*
ᶜ*sine simulatione*
Rm 12 9 ἡ ἀγάπη ἀν. ᶜ 2 Co 6 6 ἐν ἁγ. ἀ..ῳ ᵃ

1 Ti 1 5 ἀγάπη ἐκ – πίστεως ἀνυποκρίτου ᵃ
2 Ti 1 5 ὑπόμνησιν – τῆς ἐν σοὶ ἀ..ου ᵃ πίστεως
Jac 3 17 ἡ δὲ ἄνωθεν σοφία –, ἔπειτα – ἀ..ος ᶜ
1 Pe 1 22 τὰς ψυχὰς – εἰς φιλαδελφίαν ἀ..ον ᵇ

ἀνυπότακτος Sᵒ – ᵃinobediens ᵇnon sub-
ditus ᶜnon subiectus
1 Ti 1 9 νόμος – κεῖται, ἀνόμοις – καὶ ἀ..οις ᵇ
Tit 1 6 τέκνα ἔχων πιστά, μὴ – ἀ..τα ᵇ
– 10 εἰσὶν γὰρ πολλοὶ ἀ..τοι ᵃ, ματαιολόγοι
Hb 2 8 οὐδὲν ἀφῆκεν αὐτῷ ἀ..τον ᶜ

ἄνω ᵃsursum ᵇsupernus ᶜad summum
Joh 2 7 ἐγέμισαν – ἕως ἄ.ᶜ 11 41 τοὺς ὀφθ. ἄ.ᵃ
8 23 ἐγὼ ἐκ τῶν ἄνω ᵇ (de supernis) εἰμί
Act 2 19 „δώσω τέρατα ἐν τῷ οὐρανῷ ἄνω" ᵃ
Gal 4 26 ἡ δὲ ἄνω ᵃ Ἰερουσαλὴμ ἐλευθέρα
Phl 3 14 εἰς τὸ βραβεῖον τῆς ἄνω ᵇ κλήσεως
Col 3 1 τὰ ἄνω ᵃ ζητεῖτε 2 τὰ ἄ.ᵃ φρονεῖτε
Hb 12 15 „μή τις ῥίζα πικρίας ἄνω ᵃ φύουσα"

ἄνωθεν ᵃab initio ᵇa principio ᶜa summo
ᵈdenuo ᵉdesuper ᶠdesursum
Mat 27 51 ᶜ ‖ Mar 15 38 ᶜ – Luc 1 3 ᵇ Joh 19 23 ᵉ
Joh 3 3 ἐὰν μή τις γεννηθῇ (vg renatus fu-
erit vl natus) ἄνωθεν ᵈ 7 δεῖ – γεν-
νηθῆναι (nasci) ἄνωθεν ᵈ
– 31 ὁ ἄν.ᶠ ἐρχόμενος ἐπάνω πάντων
19 11 εἰ μὴ ἦν δεδομένον σοι ἄνωθεν ᵉ
Act 26 5 ᵃ – Gal 4 9 πάλιν ἄν.ᵈ δουλεῦσαι – ;
Jac 1 17 ἄν.ᶠ ἐστιν καταβαῖνον ἀπὸ τ. πατρός
3 15 οὐκ ἔστιν αὕτη ἡ σοφία ἄν.ᶠ κατερ-
χομένη 17 ἡ δὲ ἄν.ᶠ σοφία – ἁγνή ἐστ.

ἀνωτερικός Sᵒ – superior Act 19 1 μέρη

ἀνώτερον superius Luc 14 10 Hb 10 8 λέγων

ἀνωφελής inutilis ᵇ(τὸ ἀ..ές) inutilitas
Tit 3 9 μωρὰς δὲ ζητήσεις – · εἰσὶν γὰρ ἀ..εῖς
Hb 7 18 ἀθέτησις – γίνεται – διὰ τὸ – ἀ..ές ᵇ

ἀξίνη securis Mat 3 10 ‖ Luc 3 9 κεῖται

ἄξιος dignus ᵇcondignus
Mat 3 8 καρπὸν ἄξιον τῆς μετανοίας ‖ Luc 3 8
καρπούς – Act 26 20 ἄ..α τῆς μετ. ἔργα
10 10 ἄξ. – ὁ ἐργάτης τῆς τροφῆς αὐτοῦ ‖
Luc 10 7 τοῦ μισθοῦ 1 Ti 5 18 τ. μισθοῦ
– 11 ἐξετάσατε τίς ἐν αὐτῇ ἄξ. ἐστιν 13 ἐὰν
μὲν ᾖ ἡ οἰκία ἀξία, – μὴ ᾖ ἀξία
– 37 οὐκ ἔστιν μου ἄξιος (bis) 38

Mat 22 8 οἱ δὲ κεκλημένοι οὐκ ἦσαν ἄξιοι
Luc 7 4 ἄξιός ἐστιν ᾧ παρέξῃ τοῦτο
12 48 ὁ –, ποιήσας δὲ ἄξια πληγῶν
15 19 οὐκέτι – ἄξ. κληθῆναι υἱός σου 21
23 15 οὐδὲν ἄξιον θανάτου – Act 23 29 ἢ
δεσμῶν 25 11. 25 26 31 ἢ δεσμῶν
– 41 ἄξια – ὧν ἐπράξαμεν ἀπολαμβάνομεν
Joh 1 27 οὗ οὐκ εἰμὶ – ἄξ. ἵνα λύσω Act 13 25
Act 13 46 ἐπειδὴ – οὐκ ἀξίους (indignos) κρίνε-
τε ἑαυτοὺς τῆς αἰωνίου ζωῆς
Rm 1 32 οἱ τοιαῦτα πράσσοντες ἄξιοι θανάτου
8 18 οὐκ ἄξια ᵇ τὰ παθήματα τοῦ νῦν και-
ροῦ πρὸς τὴν μέλλουσαν δόξαν
1 Co 16 4 ἐὰν δὲ ἄξιον ᾖ τοῦ κἀμὲ πορεύεσθαι
2 Th 1 3 εὐχαριστεῖν ὀφείλομεν – περὶ ὑμῶν,
καθὼς ἄξιόν ἐστιν
1 Ti 1 15 ὁ λόγος – πάσης ἀποδοχῆς ἄξιος 4 9
6 1 πάσης τιμῆς ἀξίους ἡγείσθωσαν
Hb 11 38 ὧν οὐκ ἦν ἄξιος ὁ κόσμος
Ap 3 4 περιπατήσουσιν μετ' ἐμοῦ ἐν λευκοῖς,
ὅτι ἄξιοί εἰσιν – 16 6 (sc κρίσεως)
4 11 ἄξ. εἶ, ὁ κύριος –, λαβεῖν – δόξαν 5 12
5 2 τίς ἄξ. ἀνοῖξαι τὸ βιβλίον – ; 4. 9

ἀξιοῦν ᵃdignari ᵇdignum arbitrari ᶜdi-
gnum habēre ᵈrogare ᵉ(pass.) merēri
Luc 7 7 οὐδὲ ἐμαυτὸν ἠξίωσα ᵇ πρὸς σὲ ἐλθ.
Act 15 38 ᵈ 28 22 ἀξιοῦμεν ᵈ – παρὰ σοῦ ἀκοῦσαι
2 Th 1 11 ἵνα ὑμᾶς ἀξιώσῃ ᵃ τῆς κλήσεως ὁ θεός
1 Ti 5 17 διπλῆς τιμῆς ἀξιούσθωσαν ᶜ
Hb 3 3 πλείονος – δόξης – ἠξίωται ᶜ
10 29 χείρονος ἀξιωθήσεται ᵉ τιμωρίας

ἀξίως digne
Rm 16 2 αὐτὴν προσδέξησθε – ἀ. τῶν ἁγίων
Eph 4 1 ἀ. περιπατῆσαι τῆς κλήσεως
Phl 1 27 ἀ. τοῦ εὐαγγελίου – πολιτεύεσθε
Col 1 10 περιπατῆσαι ἀ. τοῦ κυρίου 1 Th 2 12
3 Jo 6 προπέμψας ἀξίως τοῦ θεοῦ

ἀόρατος invisibilis
Rm 1 20 τὰ γὰρ ἀόρατα αὐτοῦ – καθορᾶται
Col 1 15 ἐστὶν εἰκὼν τοῦ θεοῦ τοῦ ἀοράτου
– 16 ἐκτίσθη –, τὰ ὁρατὰ καὶ τὰ ἀό..α
1 Ti 1 17 ἀφθάρτῳ ἀοράτῳ μόνῳ θεῷ
Hb 11 27 τὸν γὰρ ἀό. ὡς ὁρῶν ἐκαρτέρησεν

*ἀπαγγέλλειν annunciare ᵇnunciare
ᶜpronunciare ᵈrenunciare
Mat 11 4 ἀ..είλατε ᵈ Ἰωάννῃ ‖ Luc 7 22 ᵈ (vl ᵇ)
12 18 „κρίσιν τοῖς ἔθνεσιν ἀπαγγελεῖ" ᵇ
Joh 16 25 ἀλλὰ παρρησίᾳ – ἀπαγγελῶ ὑμῖν

Act 17 30 θεὸς τὰ νῦν ἀπαγγέλλει – μετανοεῖν
26 20 τοῖς ἔθνεσιν ἀπήγγελλον μετανοεῖν
1 Co 14 25 ἀ..ων[c] ὅτι „ὄντως ὁ θεὸς ἐν ὑμῖν"
Hb 2 12 „ἀ..λῶ[b] τὸ ὄνομά σου τοῖς ἀδελφοῖς"
1 Jo 1 2 ἀ..ομεν ὑμῖν τὴν ζωὴν τὴν αἰώνιον
– 3 ὃ ἑωράκαμεν –, ἀ..ομεν καὶ ὑμῖν

*ἀπάγειν [a]ducere [b](ἀ..εσθαι) ire
Mat 7 13 ἡ ὁδὸς ἡ ἀπάγουσα[a] εἰς τὴν ἀπώ-
λειαν 14 ἡ ἀπάγουσα[a] εἰς τὴν ζωήν
1 Co 12 2 πρὸς τὰ εἴδωλα – ὡς ἂν ἤγεσθε ἀπ-
αγόμενοι[b] (ducebamini euntes)

ἀπάγχεσθαι laqueo se suspendere Mat 27 5

ἀπαίδευτος sine disciplina 2 Ti 2 23 ζητήσεις

ἀπαίρεσθαι auferri Mat 9 15 ὅταν ἀπαρθῇ
– ὁ νυμφίος ‖ Mar 2 20 Luc 5 35

ἀπαιτεῖν repetere Luc 6 30 μὴ ἀπαίτει – 12 20
τὴν ψυχήν σου ἀ..οῦσιν ἀπὸ σοῦ

ἀπαλγεῖν S⁰ – Eph 4 19 ἀπηλγηκότες
(vl ἀπηλπικότες desperantes)

ἀπαλλάσσειν [a]liberare, ..ri [b]recedere
Luc 12 58 δὸς ἐργασίαν ἀπηλλάχθαι[a] ἀπ᾽ αὐτ.
Act 19 12 ἀ..εσθαι[b] ἀπ᾽ αὐτῶν τὰς νόσους
Hb 2 15 ἵνα – ἀπαλλάξῃ[a] τούτους, ὅσοι φόβῳ
θανάτου – ἔνοχοι ἦσαν δουλείας

ἀπαλλοτριοῦσθαι alienari (alienati)
Eph 2 12 ἦτε – ἀπηλλοτριωμένοι τῆς πολιτείας
τοῦ Ἰσραὴλ 4 18 τῆς ζωῆς τοῦ θεοῦ
Col 1 21 ὑμᾶς ποτε ὄντας ἀπηλλοτριωμένους

ἀπαλός tener Mat 24 32 ‖ Mar 13 28 κλάδος

ἀπαντᾶν occurrere Mar 14 13 Luc 17 12

ἀπάντησις (εἰς ἀπ.) obviam [b]occurrere
Mat 25 6 – Act 28 15 ἦλθαν εἰς ἀπ.[b] ἡμῖν
1 Th 4 17 ἁρπαγησόμεθα – εἰς ἀπ. τοῦ κυρίου

ἅπαξ semel 2 Co 11 25 Phl 4 16 1 Th 2 18
Hb 6 4 τοὺς ἅ. φωτισθέντας –, κ. παραπεσόν.
9 7.26.27 ἀπόκειται – ἅ. ἀποθανεῖν 28 οὕ-
τως καὶ ὁ Χρ., ἅπαξ προσενεχθείς
10 2 τ. λατρεύοντας ἅπ. κεκαθαρισμένους;
12 26 „ἔτι ἅ. ἐγὼ σείσω" 27 τὸ δὲ „ἔτι ἅ."
1 Pe 3 18 Χρ. ἅπαξ περὶ ἁμαρτιῶν ἀπέθανεν

Jud 3 τῇ ἅ. παραδοθείσῃ τοῖς ἁγίοις πίστε:
5 ὑμᾶς –, εἰδότας ἅπαξ πάντα

ἀπαράβατος S⁰ – sempiternus Hb 7 24

ἀπαρασκεύαστος S⁰ – imparatus 2 Co 9 4

ἀπαρνεῖσθαι negare [b]abnegare [c]denegare
Mat 16 24 ἀ..ησάσθω[b] ἑαυτόν ‖ Mar 8 34[c]
– Mat 26 34 τρὶς ἀ..ήσῃ με 35 οὐ μή σε ἀ..
ήσομαι 75 ‖ Mar 14 30 s.72 Luc 22 34 τρίς
με ἀπ.[b] μὴ εἰδέναι 61
Luc 12 9 ἀ..ηθήσεται (vl[c]) ἐνώπ. τῶν ἀγγέλ.

ἀπ᾽ ἄρτι → ἄρτι

ἀπαρτισμός S⁰ – (εἰς ἀ..όν) ad perficiendum
Luc 14 28 εἰ ἔχει εἰς ἀ..ον; (sc πύργου)

ἀπαρχή primitiae [b]primitivus [c]initium
[d]delibatio
Rm 8 23 τὴν ἀπαρχὴν τοῦ πνεύματος ἔχοντες
11 16 εἰ – ἡ ἀπ.[d] ἁγία, καὶ τὸ φύραμα
16 5 ὅς ἐστιν ἀπ.[b] τῆς Ἀσίας εἰς Χόν
1 Co 15 20 Χὸς –, ἀπ. τῶν κεκοιμημένων 23
16 15 ὅτι ἐστὶν ἀπαρχὴ τῆς Ἀχαίας
(2 Th 2 13 vl εἵλατο ὑμᾶς ὁ θεὸς ἀ..ήν)
Jac 1 18 εἰς τὸ εἶναι ἡμᾶς ἀπαρχήν[c] τινα τῶν
αὐτοῦ κτισμάτων
Ap 14 4 ἀπαρχὴ τῷ θεῷ καὶ τῷ ἀρνίῳ

*ἅπας omnis [b]universus
Mat 6 32 ὅτι χρῄζετε τούτων ἁπάντων
[Mar 16 15 πορευθέντες εἰς τὸν κόσμον ἅπ.[b]]
Luc 4 6 σοὶ δώσω τὴν ἐξουσ. ταύτην ἅπασαν[b]
Act 2 44 εἶχον ἅπαντα κοινά (4 32 vl)
(Gal 3 28 vl ἅπαντες γὰρ εἷς ἐστε ἐν Χῷ)
Eph 6 13 ἅπαντα κατεργασάμενοι στῆναι
Jac 3 2 πολλὰ γὰρ πταίομεν ἅπαντες

ἀπασπάζεσθαι valefacere Act 21 6 ἀλλήλους

ἀπατᾶν seducere cfr ἐξαπατᾶν
Eph 5 6 μηδεὶς ὑμᾶς ἀπατάτω κενοῖς λόγοις
1 Ti 2 14 Ἀδὰμ οὐκ ἠπατήθη, ἡ δὲ γυνή
Jac 1 26 ἀλλὰ ἀπατῶν καρδίαν ἑαυτοῦ

ἀπάτη [a]deceptio [b]error [c]fallacia [d]seductio
Mat 13 22 ἡ ἀπάτη[c] τοῦ πλούτου ‖ Mar 4 19[a]
Eph 4 22 κατὰ τὰς ἐπιθυμίας τῆς ἀπάτης[b]
Col 2 8 διὰ τῆς φιλοσοφίας καὶ κενῆς ἀ..ης[c]
2 Th 2 10 καὶ ἐν πάσῃ ἀπάτῃ[d] ἀδικίας
Hb 3 13 μὴ σκληρυνθῇ τις – ἀ..η[c] τῆς ἁμαρτ.

2 Pe 2 13 ἐντρυφῶντες ἐν ταῖς ἀπάταις (vl ἀγά-
παις, vg conviviis) αὐτῶν

ἀπάτωρ S° – sine patre Hb 7 3 ἀ., ἀμήτωρ

ἀπαύγασμα splendor Hb 1 3 τῆς δόξης

ἀπείθεια incredulitas ᵇdiffidentia
Rm 11 30 ἠλεήθητε τῇ τούτων ἀπειθείᾳ
– 32 συνέκλεισεν – τοὺς πάντας εἰς ἀ..αν
Eph 2 2 ἐν τοῖς υἱοῖς τῆς ἀ..είας ᵇ 5 6 ἔρχεται
ἡ ὀργὴ – ἐπὶ τοὺς υἱοὺς τῆς ἀ..είας ᵇ
Hb 4 6 οὐκ εἰσῆλθον δι' ἀ..αν 11 ἵνα μὴ ἐν τῷ
αὐτῷ τις ὑποδείγματι πέσῃ τῆς ἀ..ας

ἀπειθεῖν ᵃincredulum esse ᵇinfidelem esse
ᶜnon acquiescere ᵈnon credere
Joh 3 36 ὁ – ἀ..ῶν ᵃ τῷ υἱῷ οὐκ ὄψεται ζωήν
Act 14 2 οἱ δὲ ἀπειθήσαντες ᵃ Ἰουδαῖοι
19 9 τινὲς ἐσκληρύνοντο καὶ ἠπείθουν ᵈ
Rm 2 8 τοῖς δὲ – ἀπειθοῦσι ᶜ τῇ ἀληθείᾳ
10 21 „πρὸς λαὸν ἀ..οῦντα ᵈ καὶ ἀντιλέγ."
11 30 ὑμεῖς ποτε ἠπειθήσατε ᵈ τῷ θεῷ
– 31 οὕτως καὶ οὗτοι νῦν ἠπείθησαν ᵈ
15 31 ἀπὸ τῶν ἀ..ούντων ᵇ ἐν τῇ Ἰουδαίᾳ
Hb 3 18 εἰ μὴ τοῖς ἀπειθήσασιν; ᵃ 11 31 οὐ
συναπώλετο τοῖς ἀπειθήσασιν ᵃ
1 Pe 2 (7vlᵈ) 8 προσκόπτουσιν τῷ λόγῳ ἀ..οῦν-
τες ᵈ 3 1 εἴ τινες ἀ..οῦσιν ᵈ τῷ λόγῳ
3 20 ἀπειθήσασίν ᵃ ποτε – ἐν ἡμέραις Νῶε
4 17 τί τὸ τέλος τῶν ἀπειθούντων ᵈ τῷ τοῦ
θεοῦ εὐαγγελίῳ;

ἀπειθής ᵃincredulus ᵇincredibilis
ᶜnon obediens (vl inoboediens)
Luc 1 17 ἐπιστρέψαι – ἀπειθεῖς ᵃ (vlᵇ) ἐν φρο-
νήσει δικαίων, ἑτοιμάσαι κυρίῳ λαόν
Act 26 19 οὐκ – ἀπ.ᵃ τῇ οὐρανίῳ ὀπτασίᾳ
Rm 1 30 γονεῦσιν ἀπειθεῖς ᶜ 2 Ti 3 2 ᶜ
Tit 1 16 βδελυκτοὶ ὄντες καὶ ἀπειθεῖς ᵇ
3 3 ἦμεν γάρ ποτε – ἀνόητοι, ἀπειθεῖς ᵃ

ἀπειλεῖν comminari Act 4 17 μηκέτι λαλεῖν
1 Pe 2 23 πάσχων οὐκ ἠπείλει, παρεδίδου δέ

ἀπειλή minae
Act 4 29 κύριε, ἔπιδε ἐπὶ τὰς ἀπειλὰς αὐτῶν
Act 9 1 Σαῦλος ἔτι ἐμπνέων ἀ..ῆς καὶ φόνου
Eph 6 9 οἱ κύριοι, – ἀνιέντες τὴν ἀπειλήν

ἀπεῖναι, ἀπών abesse, absens
1 Co 5 3 2 Co 10 1.11 13 2.10 Phl 1 27 Col 2 5

ἀπειπεῖν (med) abdicare 2 Co 4 2 τὰ κρυπτά

ἀπείραστος S° – intentator Jac 1 13 ὁ γὰρ
θεὸς ἀπείραστός ἐστιν κακῶν, πειράζει δέ

ἄπειρος expers Hb 5 13 λόγου δικαιοσύνης

ἀπεκδέχεσθαι S° – expectare cfr ἐκδέχεσθαι
Rm 8 19 τὴν ἀποκάλυψιν τῶν υἱῶν τοῦ θεοῦ
ἀ..εται 23 στενάζομεν υἱοθεσίαν ἀ..ό-
μενοι 25 δι' ὑπομονῆς ἀπ..όμεθα
1 Co 1 7 ἀ..ομένους τὴν ἀποκάλυψιν τοῦ κυρ.
Gal 5 5 ἐλπίδα δικαιοσύνης ἀπ..όμεθα
Phl 3 20 ἐξ οὗ καὶ σωτῆρα ἀ..όμεθα κύριον
Hb 9 28 ὀφθήσεται τοῖς αὐτὸν ἀπ..ομένοις
1 Pe 3 20 ὅτε ἀπεξεδέχετο ἡ τ. θεοῦ μακροθυμία
(vg expectabant – patientiam, vl ..bat ..ia)

ἀπεκδύεσθαι S° – expoliare (se)
Col 2 15 ἀ..σάμενος τὰς ἀρχὰς καὶ – ἐξουσίας
3 9 ἀ..σάμενοι (vos) τὸν παλαιὸν ἄνθρ.

ἀπέκδυσις S° – expoliatio
Col 2 11 ἐν τῇ ἀ..ει τοῦ σώματος τῆς σαρκός

ἀπελαύνειν minare Act 18 16 ἀπὸ τ. βήματος

ἀπελεγμός S° – redargutio Act 19 27 εἰς ἀ..όν

ἀπελεύθερος S° – libertus 1 Co 7 22 κυρίου

Ἀπελλῆς Rm 16 10 ἀσπάσασθε Ἀ..ῆν

ἀπελπίζειν inde sperare cfr ἀπαλγεῖν vl
Luc 6 35 δανείζετε μηδὲν ἀπελπίζοντες

ἀπέναντι ᵃante ᵇin conspectu ᶜcontra
Mat 27 61 ᶜ Act 3 16 ᵇ 17 7 ᶜ Rm 3 18 ᵃ cfr κατέναντι

ἀπέραντος interminatus 1 Ti 1 4 γενεαλογίαι

ἀπερισπάστως (S ἀ..ος) – sine impedimento
1 Co 7 35 πρὸς τὸ εὐπάρεδρον τῷ κυρίῳ ἀπερι.

ἀπερίτμητοι incircumcisi Act 7 51 καρδίαις

*ἀπέρχεσθαι abire ᵇire ᶜ(ἀπ. ὀπίσω) sequI
ᵈvadere
Mat 8 19 ὅπου ἐὰν ἀπέρχῃ ᵇ ‖ Luc 9 57 ᵇ
19 22 ἀπῆλθεν λυπούμενος ‖ Mar 10 22
21 29 ἐγὼ κύριε, καὶ οὐκ ἀπῆλθεν ᵇ 30 οὐ
θέλω, – μεταμεληθεὶς ἀπῆλθεν

Mar 1 20 ἀπῆλθον^c ὀπίσω αὐτοῦ Joh 12 19
Joh 6 66 πολλοὶ – ἀπῆλθον εἰς τὰ ὀπίσω (18 6)
 – 68 κύριε, πρὸς τίνα ἀπελευσόμεθα^b;
 16 7 συμφέρει ὑμῖν ἵνα ἐγὼ ἀπέλθω^d
Jud 7 ἀπελθοῦσαι ὀπίσω σαρκὸς ἑτέρας
Ap 21 1 ὁ – πρῶτος οὐρανὸς καὶ ἡ πρώτη γῆ
 ἀπῆλθαν 4 τὰ πρῶτα ἀπῆλθαν

ἀπέχειν, ..εσθαι ᵃrecepisse ᵇhabēre ᶜlonge
 esse a ᵈin spatio esse a ᵉsufficit
 ᶠ(ἀπέχεσθαι) (se) abstinēre
Mat 6 2 ἀπέχουσιν^a τὸν μισθὸν αὐτῶν 5ᵃ 16ᵃ
 14 24 σταδίους πολλοὺς – ἀπεῖχεν (vg°) cfr
 Luc 7 6^c 15 20^c 24 13^d σταδ. ἑξήκοντα
 15 8 „καρδία – πόρρω ἀπέχει"^c ‖ Mar 7 6^c
Mar 14 41 ἀναπαύεσθε· ἀπέχει^e· ἦλθεν ἡ ὥρα
Luc 6 24 ἀπέχετε^b τὴν παράκλησιν ὑμῶν
Act 15 20^f 29 ἀπέχεσθαι^f εἰδωλοθύτων
Phl 4 18 ἀπέχω^b δὲ πάντα καὶ περισσεύω
1 Th 4 3 ἀπέχεσθαι^f ὑμᾶς ἀπὸ τῆς πορνείας
 5 22 „ἀπὸ παντὸς" εἴδους „πονηροῦ ἀπ-
 έχεσθε"^f
1 Ti 4 3 (cj κελευόντων) ἀ..σθαι^f βρωμάτων
Phm 15 ἵνα αἰώνιον αὐτὸν ἀπέχῃς (reciperes)
1 Pe 2 11 ἀπέχεσθαι^f τῶν σαρκικῶν ἐπιθυμιῶν

ἀπιέναι introire Act 17 10 εἰς τ. συναγωγήν

ἀπιστεῖν non credere cfr ἀπειθεῖν
[Mar 16 11 ἀκούσαντες ὅτι ζῇ – ἠπίστησαν
 – 16 ὁ δὲ ἀπιστήσας κατακριθήσεται]
Luc 24 11 ἠπίστουν αὐταῖς 41 ἀπὸ τῆς χαρᾶς
Act 28 24 οἱ δὲ ἠπίστουν (sc τοῖς λεγομένοις)
Rm 3 3 εἰ ἠ..ησάν τινες, μὴ ἡ ἀπιστία αὐτῶν
 τὴν πίστιν τοῦ θεοῦ καταργήσει;
2 Ti 2 13 εἰ ἀπιστοῦμεν, ἐκεῖνος πιστὸς μένει
1 Pe 2 7 ἀ..οῦσιν δὲ – „λίθος προσκόμματος"

ἀπιστία incredulitas ᵇdiffidentia
Mat 13 58 οὐκ ἐποίησεν – δυνάμεις πολλὰς διὰ
 τὴν ἀπ. αὐτῶν ‖ Mar 6 6 ἐθαύμασεν
 διὰ – [16 14 ὠνείδισεν τὴν –]
Mar 9 24 πιστεύω· βοήθει μου τῇ ἀπιστίᾳ
Rm 3 3 → ἀπιστεῖν – 4 20 εἰς – τὴν ἐπαγγε-
 λίαν – οὐ διεκρίθη τῇ ἀπιστίᾳ^b
 11 20 καλῶς· τῇ ἀπιστίᾳ ἐξεκλάσθησαν
 – 23 κἀκεῖνοι δέ, ἐὰν μὴ ἐπιμένωσιν τῇ ἀπ.
1 Ti 1 13 ὅτι ἀγνοῶν ἐποίησα ἐν ἀπιστίᾳ
Hb 3 12 μήποτε ἔσται – καρδία πονηρὰ ἀ..ας
 – 19 οὐκ ἠδυνήθησαν εἰσελθεῖν δι᾽ ἀ..αν

ἄπιστος infidelis ᵇincredulus ᶜincredibilis
Mat 17 17 ὦ γενεὰ ἄπ.^b ‖ Mar 9 19^b Luc 9 41

Luc 12 46 τὸ μέρος αὐτοῦ μετὰ τῶν ἀπ. θήσει
Joh 20 27 μὴ γίνου ἄπιστος^b ἀλλὰ πιστός
Act 26 8 τί ἄπιστον^c κρίνεται παρ᾽ ὑμῖν εἰ ὁ
 θεὸς νεκροὺς ἐγείρει;
1 Co 6 6 κρίνεται, καὶ τοῦτο ἐπὶ ἀπίστων;
 7 12 εἴ τις – γυναῖκα ἔχει ἄπιστον 13 γυνὴ
 ἥτις ἔχει ἄνδρα ἄπιστον 14. 15 εἰ δὲ ὁ
 ἄπιστος χωρίζεται, χωριζέσθω
 10 27 εἴ τις καλεῖ ὑμᾶς τῶν ἀπίστων
 14 22 αἱ γλῶσσαι εἰς σημεῖον – τοῖς ἀπ., ἡ
 δὲ προφητεία οὐ τοῖς ἀπίστοις
 – 23 εἰσέλθωσιν δὲ ἰδιῶται ἢ ἄπιστοι 24
2 Co 4 4 ἐτύφλωσεν τὰ νοήματα τῶν ἀ..ων
 6 14 μὴ γίνεσθε ἑτεροζυγοῦντες ἀ..οις
 – 15 τίς μερὶς πιστῷ μετὰ ἀπίστου;
1 Ti 5 8 καὶ ἔστιν ἀπίστου χείρων
Tit 1 15 τοῖς δὲ – ἀπίστοις οὐδὲν καθαρόν
Ap 21 8 τοῖς δὲ δειλοῖς καὶ ἀ..οις^b – τὸ μέρος

ἁπλότης simplicitas
Rm 12 8 ὁ μεταδιδοὺς ἐν ἁπλότητι
2 Co (1 12 vl vide sub ἁγιότης)
 8 2 εἰς τὸ πλοῦτος τῆς ἁπλότητος αὐτῶν
 9 11 πλουτιζόμενοι εἰς πᾶσαν ἁπλότητα
 – 13 ἐπὶ τῇ – ἁπλ. τῆς κοινωνίας εἰς αὐτούς
 11 3 ἀπὸ τῆς ἁπλότητος – τῆς εἰς Χόν
Eph 6 5 ἐν ἁ..τι τῆς καρδίας ὑμῶν Col 3 22

ἁπλοῦς simplex
Mat 6 22 ἐὰν – ᾖ ὁ ὀφθαλμός σου ἁ. ‖ Luc 11 34

ἁπλῶς affluenter Jac 1 5 αἰτείτω παρὰ τοῦ
 διδόντος θεοῦ πᾶσιν ἁπλῶς καὶ μὴ

ἀποβαίνειν descendere ᵇcontingere in
 ᶜprovenire
Luc 5 2 οἱ δὲ ἁλεεῖς – ἀποβάντες Joh 21 9
 21 13 ἀποβήσεται^b ὑμῖν εἰς μαρτύριον
Phl 1 19 „τοῦτό μοι ἀποβήσεται^c εἰς σωτηρ."

*ἀπό a, ab, abs ᵇde ᶜex ᵈprae ᵉpro
Usum praepositionis ἀπό vide imprimis sub
 his vocabulis:
 ῥύεσθαι, σώζειν, θεραπεύειν, λύειν, λού-
 ειν, ἀθῷος, ὑγιής
 δικαιοῦν, δικαιοῦσθαι
 ἀπέχειν (..εσθαι), ἀποχωρεῖν, ἀφιστάναι,
 παρέρχεσθαι, φεύγειν, φοβεῖσθαι,
 φυλάσσειν
 μετάνοια, μετανοεῖν
 αἴρειν, ἀπαίρεσθαι, ἀφαιρεῖν, ἐκζητεῖν,
 ἐκλέγεσθαι

ἀποκαλύπτειν, ἀποκρύπτειν, κρύπτειν
ἀκούειν, ἐπιγινώσκειν, μανθάνειν
Mat 3 4 ἔνδυμα – ἀπὸ^b τριχῶν καμήλου
5 29 βάλε ἀπὸ σοῦ 30 18 8.9
12 38 θέλομεν ἀπὸ σοῦ σημεῖον ἰδεῖν
13 44 ἀπὸ^d τῆς χαρᾶς 14 26^d τοῦ φόβου
28 4^d Luc 21 26^d 22 45^d τῆς λύπης
24 41^d τῆς χαρᾶς (Act 12 14^d) – Luc
19 3^d τοῦ ὄχλου Joh 21 6^d τοῦ πλή-
θους Act 22 11^d τῆς δόξης
16 21 πολλὰ παθεῖν ἀπὸ τῶν πρεσβυτέρων
|| Luc 9 22 17 25 ἀπὸ τῆς γενεᾶς ταύτης
17 25 ἀπὸ τίνων λαμβάνουσιν τέλη –; 26
18 7 οὐαὶ τῷ κόσμῳ ἀπὸ τῶν σκανδάλων
– 35 ἐὰν μὴ ἀφῆτε – ἀπὸ^b τῶν καρδιῶν ὑμ.
27 21 τίνα – ἀπὸ^b τῶν δύο ἀπολύσω ὑμῖν;
Mar 7 33 ἀπὸ^b τοῦ ὄχλου κατ' ἰδίαν
8 11 σημεῖον ἀπὸ^b τοῦ οὐρανοῦ Luc 21 11^b
12 38 βλέπετε ἀπὸ τῶν γραμματέων
Luc 6 29 ἀπὸ τοῦ αἴροντός σου τὸ ἱμάτιον –
μὴ κωλύσῃς 30 (vg^o) μὴ ἀπαίτει
12 57 τί – ἀφ' ἑαυτῶν οὐ κρίνετε τὸ δίκαι-
ον; 21 30 ἀφ' ἑαυτῶν γινώσκετε
14 18 ἤρξαντο ἀπὸ μιᾶς (vg simul) πάντες
παραιτεῖσθαι
16 30 ἐάν τις ἀπὸ^c νεκρῶν πορευθῇ
Joh 5 19 οὐ δύναται ὁ υἱὸς ποιεῖν ἀφ' ἑαυ-
τοῦ οὐδέν 30 ἀπ' ἐμαυτοῦ 7 17 ἢ
ἐγὼ ἀπ' ἐμαυτοῦ λαλῶ 18 8 28 ἀπ' ἐμ.
ποιῶ οὐδέν 11 51 τοῦτο δὲ ἀφ' ἑαυτοῦ
οὐκ εἶπεν 14 10 16 13 οὐ γὰρ λαλήσει
(sc τὸ πνεῦμα) ἀφ' ἑαυτοῦ – 18 34
ἀφ' ἑαυτοῦ (vl ἀπὸ σεαυτοῦ) σὺ
τοῦτο λέγεις, –;
10 18 ἐγὼ τίθημι αὐτὴν (sc ψυχήν) ἀπ' ἐμ.
Act 2 22 ἄνδρα ἀποδεδειγμένον ἀπὸ τοῦ θεοῦ
11 19 οἱ – διασπαρέντες ἀπὸ τῆς θλίψεως
12 1 κακῶσαί τινας ἀπὸ^b τῆς ἐκκλησίας
15 5 τινὲς ἀπὸ^b τῆς αἱρέσεως τῶν
Φαρ. 27 44 τῶν ἀπὸ^b τοῦ πλοίου
17 2 διελέξατο αὐτοῖς ἀπὸ^b τῶν γραφῶν

Usum praepositionis ἀπό in epistolis vide
(praeter vocabula supra allata) sub:
εἰρήνη, ἐλευθερία, ἐλεύθερος, ἐλευ-
θεροῦν, λυτροῦν, καθαρίζειν, ῥαν-
τίζειν, καταργεῖν, χωρίζειν, ἀνάθε-
μα εἶναι, μέρος (ἀπὸ μέρους)
1 Co 1 30 ὃς ἐγενήθη σοφία ἡμῖν ἀπὸ θεοῦ
11 23 ἐγὼ γὰρ παρέλαβον ἀπὸ τοῦ κυρίου
2 Co 2 3 λύπην – ἀφ'^b ὧν ἔδει με χαίρειν 3 5
οὐχ ὅτι ἀφ' ἑαυτῶν ἱκανοί ἐσμεν

2 Co 3 18 μεταμορφούμεθα ἀπὸ δόξης εἰς δό-
ξαν, καθάπερ ἀπὸ κυρίου πνεύματος
5 6 ἐκδημοῦμεν ἀπὸ τοῦ κυρίου
7 13 ἀναπέπαυται τὸ πνεῦμα αὐτοῦ ἀπὸ
πάντων ὑμῶν
11 3 μή πως – φθαρῇ τὰ νοήμ. ὑμῶν ἀπὸ τ.
ἁπλότητος (vg et excidant a simpl:)
Gal 1 1 οὐκ ἀπ' ἀνθρώπων οὐδὲ δι' ἀνθρώπου
Phl 1 28 ἔνδειξις – σωτηρίας, κ. τοῦτο ἀ. θεοῦ
Col 2 20 ἀπεθάνετε – ἀπὸ τῶν στοιχείων τοῦ
1 Th 2 6 δόξαν, οὔτε ἀφ' ὑμῶν οὔτε ἀπ' ἄλλων
2 Th 1 7 ἐν τῇ ἀποκαλύψει Ἰησ. ἀπ'^b οὐρανοῦ
– 9 ὄλεθρον – „ἀπὸ προσώπου τ. κυρίου
καὶ ἀπὸ τ. δόξης τῆς ἰσχύος αὐτοῦ"
2 2 μὴ – σαλευθῆναι ὑμᾶς ἀπὸ τοῦ νοός
1 Ti 3 7 μαρτυρίαν καλὴν – ἀπὸ τῶν ἔξωθεν
6 10 ἀπεπλανήθησαν ἀπὸ τῆς πίστεως
Hb 5 7 εἰσακουσθεὶς ἀπὸ^e τῆς εὐλαβείας
– 8 ἔμαθεν ἀφ'^c ὧν ἔπαθεν τὴν ὑπακοήν
11 34 ἐδυναμώθησαν ἀπὸ^b ἀσθενείας
12 15 μή τις ὑστερῶν ἀπὸ τῆς χάριτος τοῦ
θεοῦ (vg nequis desit gratiae)
– 25 τὸν ἀπ'^b οὐρανῶν ἀποστρεφόμενοι
Jac 1 13 ὅτι ἀπὸ (vl ὑπὸ) θεοῦ πειράζομαι
– 17 ἀπὸ (vl παρὰ) τοῦ πατρὸς τῶν φώτων
– 27 ἄσπιλον ἑαυτὸν τηρεῖν ἀπὸ τ. κόσμου
5 4 ὁ „μισθὸς" – ὁ ἀφυστερημένος „ἀφ'
ὑμῶν κράζει"
– 19 ἐάν τις – πλανηθῇ ἀπὸ τῆς ἀληθείας
1 Jo 1 1 ὃ ἦν ἀπ' ἀρχῆς 2 13 ἐγνώκατε τὸν ἀπ'
ἀρχῆς 14 (vg vl) cfr ἀρχή
2 20 χρῖσμα ἔχετε ἀπὸ τοῦ ἁγίου 27 ἐλάβ.
– 28 ἵνα – μὴ αἰσχυνθῶμεν ἀπ' αὐτοῦ
3 17 κλείσῃ τὰ σπλάγχνα αὐτοῦ ἀπ' αὐτοῦ
Jud 23 τὸν ἀπὸ τῆς σαρκὸς (vg quae car-
nalis est) ἐσπιλωμένον χιτῶνα
Ap 1 4 ἀπὸ ὁ ὢν καὶ ὁ ἦν καὶ ὁ ἐρχόμενος,
καὶ ἀπὸ τῶν ἑπτὰ πνευμάτων –, καὶ
ἀπὸ Ἰ. Χοῦ, ὁ μάρτυς ὁ πιστός
9 18 ἀπὸ τῶν – πληγῶν – ἀπεκτάνθησαν
12 6 ἔχει – τόπον ἡτοιμασμένον ἀπὸ τ. θεοῦ
18 14 ἀπῆλθεν ἀπὸ σοῦ, – ἀπώλετο ἀπὸ σοῦ
– 15 οἱ πλουτήσαντες ἀπ' αὐτῆς

ἀποβάλλειν ^aproiicere ^bamittere
Mar 10 50 ἀποβαλὼν^a τὸ ἱμάτιον αὐτοῦ
Hb 10 35 μὴ ἀποβάλητε^b – τὴν παρρησίαν ὑμῶν

ἀποβλέπειν aspicere in
Hb 11 26 ἀπέβλεπεν γὰρ εἰς τὴν μισθαποδοσίαν

ἀπόβλητος S^o – reiiciendus 1 Ti 4 4 οὐδέν

ἀποβολή S° – amissio Act 27 22 ψυχῆς
Rm 11 15 εἰ – ἡ ἀπ. αὐτῶν καταλλαγὴ κόσμου

ἀπογίνεσθαι S° – mori 1 Pe 2 24 ἵνα ταῖς
ἁμαρτίαις ἀπογενόμενοι τῇ δικαιοσύνῃ

ἀπογράφεσθαι ᵃdescribi ᵇconscribi
        ᶜprofitēri Luc 21 ª οἰκουμένην 3 ᶜ 5 ᶜ
Hb 12 23 πρωτοτόκων ἀπογεγραμ.ᵇ ἐν οὐρανοῖς

ἀπογραφή descriptio (Luc 2 2) ᵇprofessio
Act 5 37 ἀνέστη – ἐν ταῖς ἡμέραις τῆς ἀπ.ᵇ

ἀποδεικνύναι ᵃapprobare ᵇprobare
            ᶜostendere
Act 2 22 ἀποδεδειγμένον ª ἀπὸ – θεοῦ εἰς ὑμᾶς
    25 7 αἰτιώματα –, ἃ οὐκ ἴσχυον ἀ..δεῖξαι ᵇ
1 Co 4 9 ὁ θεὸς ἡμᾶς τοὺς ἀποστόλους ἐσχά-
        τους ἀπέδειξεν ᶜ ὡς ἐπιθανατίους
2 Th 2 4 ἀ..δεικνύντα ᶜ ἑαυτὸν ὅτι ἐστὶν θεός

ἀπόδειξις ostensio 1 Co 2 4 πνεύματος καί

ἀποδεκατεύειν (Luc 18 12), ἀποδεκατοῦν
    ᵃdecimare ᵇdecimas dare ᶜdec. sumere
Mat 23 23 ª ‖ Luc 11 42 ª – 18 12 ᵇ Hb 7 5 ᶜ

ἀπόδεκτος S° – acceptus 1 Ti 2 3 τοῦτο
    καλὸν καὶ ἀ..ον 5 4 ἐνώπιον τοῦ θεοῦ

ἀποδέχεσθαι ᵃexcipere ᵇrecipere ᶜsuscipere
Luc 8 40 ª 9 11 ª Act 18 27 ᶜ 21 17 ª 24 3 ᶜ 28 30 ᶜ
Act 2 41 οἱ – ἀποδεξάμενοι ᵇ τὸν λόγον αὐτοῦ

ἀποδημεῖν ᵃperegre esse ᵇperegre proficisci
    ἀπόδημος S° – ᶜperegre profectus
Mat 21 33 ᵇ ‖ Mar 12 1 ᵇ Luc 20 9 ª ἀπεδήμησεν
    25 14 ᵇ 15 ᵇ (om peregre) ‖ Mar 13 34 ᶜ
Luc 15 13 ὁ νεώτερος – ἀπεδήμησεν ᵇ εἰς χώραν

ἀποδιδόναι, ..οσθαι reddere ᵇ(med) vendere
    (ἀποδ. λόγον reddere rationem →
    λόγος 3) sub Mat 12 36)
Mat 5 26 ἕως ἂν ἀποδῷς τὸν ἔσχατον κοδράν-
    την ‖ Luc 12 59 τὸ ἔσχατον λεπτόν
    – 33 „ἀποδώσεις – τῷ κυρ.τοὺς ὅρκους σου"
    6 4 ὁ πατήρ σου – ἀποδώσει σοι 6.18
    16 27 τότε „ἀποδώσει ἑκάστῳ κατὰ τὴν
    πρᾶξιν αὐτοῦ" Rm 2 6 τὰ ἔργα 2 Ti
    4 14 (Alexandro) Ap 22 12 „ἀποδοῦναι
    ἑκάστῳ ὡς τὸ ἔργον" ἐστὶν „αὐτοῦ"
    18 25 μὴ ἔχοντος δὲ αὐτοῦ ἀποδοῦναι, ἐ-

κέλευσεν αὐτὸν – πραθῆναι –, καὶ
    ἀποδοθῆναι 26 πάντα ἀποδώσω σοι
    28 ἀπόδος εἴ τι ὀφείλεις 29 καὶ ἀπο-
    δώσω σοι 30 ἕως ἀποδῷ τὸ ὀφειλό-
    μενον 34 πᾶν τὸ ὀφειλόμενον
Mat 20 8 ἀπόδος τὸν μισθόν, ἀρξάμενος ἀπὸ
    21 41 οἵτινες ἀποδώσουσιν – τοὺς καρπούς
    22 21 ἀπόδοτε οὖν τὰ Καίσαρος Καίσαρι
    ‖ Mar 12 17 Luc 20 25
    27 58 ὁ Πιλᾶτος ἐκέλευσεν ἀποδοθῆναι
Luc 4 20 9 42 ἀπέδωκεν αὐτὸν τῷ πατρὶ αὐτοῦ
    7 42 μὴ ἐχόντων αὐτῶν ἀποδοῦναι ἀμφο-
    τέροις ἐχαρίσατο
    10 35 ὅ τι ἂν προσδαπανήσῃς ἐγὼ – ἀπο-
    19 8 ἀποδίδωμι τετραπλοῦν   [δώσω σοι
Act 4 33 δυνάμει – ἀπεδίδουν τὸ μαρτύριον
    5 8 εἰ τοσούτου τὸ χωρίον ἀπέδοσθε ᵇ;
    7 9 „τὸν Ἰωσὴφ ἀπέδοντο ᵇ εἰς Αἴγυπτον"
Rm 2 6 → Mat 16 27
    12 17 μηδενὶ κακὸν ἀντὶ κακοῦ ἀποδιδόν-
    τες 1 Th 5 15 μή τις – ἀποδῷ 1 Pe 3 9
    13 7 ἀπόδοτε πᾶσιν τὰς ὀφειλάς, – φόρον,
1 Co 7 3 τῇ γυναικὶ ὁ ἀνὴρ τὴν ὀφειλὴν ἀπο-
    διδότω, ὁμοίως δὲ καὶ ἡ γυνὴ τῷ
1 Ti 5 4 ἀμοιβὰς ἀποδιδόναι τοῖς προγόνοις
2 Ti 4 8 ὁ – στέφανος, ὃν ἀποδώσει μοι ὁ κύ-
    – 14 Ap 22 12 → Mat 16 27   [ριος
Hb 12 11 καρπὸν εἰρηνικὸν – ἀποδίδωσιν δικ.
    – 16 Ἠσαῦ, – „ἀπέδοτο ᵇ τὰ πρωτοτόκια"
Ap 18 6 „ἀπόδοτε αὐτῇ ὡς καὶ αὐτὴ ἀπέδω-
    κεν" (vl + ὑμῖν vg vobis)
    22 2 ξύλον ζωῆς – ἀποδιδοῦν τὸν καρπόν

ἀποδιορίζειν S° – segregare (se, vl°)
Jud 19 οὗτοί εἰσιν οἱ ἀ..οντες, ψυχικοί

ἀποδοκιμάζειν reprobare
Mat 21 42 „λίθον ὃν ἀπεδοκίμασαν" ‖ Mar 12 10
    Luc 20 17 – 1 Pe 2 4 ὑπὸ ἀνθρώπων
    μὲν ἀποδεδοκιμασμένον 7
Mar 8 31 δεῖ – παθεῖν, καὶ ἀποδοκιμασθῆναι
    ὑπὸ τῶν πρεσβυτέρων ‖ Luc 9 22 ἀπὸ
    τῶν – 17 25 ἀπὸ τῆς γενεᾶς ταύτης
Hb 12 17 ἴστε γὰρ ὅτι – ἀπεδοκιμάσθη (Esau)

ἀποδοχή S° – acceptio
1 Ti 1 15 πάσης ἀ..ῆς ἄξιος (sc ὁ λόγος) 4 9

ἀπόθεσις S° – depositio
1 Pe 3 21 οὐ σαρκὸς ἀπ. ῥύπου ἀλλὰ – ἐπερώτ.
2 Pe 1 14 ταχινή ἐστιν ἡ ἀπ. τοῦ σκηνώματος

ἀποθήκη *horreum* Mat 3 12 ‖ Luc 3 17
Mat 6 26 ‖ Luc 12 24 – Mat 13 30 Luc 12 18

ἀποθησαυρίζειν *thesaurizare*
1 Ti 6 19 ἀ..οντας ἑαυτοῖς θεμέλιον καλόν

ἀποθλίβειν *affligere* Luc 8 45 Jesum

*ἀποθνήσκειν *mori* b*defungi* → θνήσκειν
ex Evv et Act loci delecti, omnes e
reliquis libris
Mat 9 24 οὐ γὰρ ἀπέθανεν τὸ κοράσιον ‖ Mar
5 35 ἡ θυγάτηρ σου ἀπέθανεν 39 τὸ
παιδίον οὐκ ἀπ. Luc 8 42 αὕτη ἀπέ-
θνησκεν 52.53 εἰδότες ὅτι ἀπέθανεν
Luc 20 36 οὐδὲ γὰρ ἀποθανεῖν ἔτι δύνανται
Joh 6 50 ἵνα τις – φάγη καὶ μὴ ἀποθάνη 58
8 21 ἐν τῇ ἁμαρτίᾳ ὑμῶν ἀποθανεῖσθε 24
11 16 ἵνα ἀποθάνωμεν μετ' αὐτοῦ
– 25 ὁ πιστεύων – κἂν ἀποθάνη ζήσεται
26 πᾶς ὁ ζῶν καὶ πιστ. – οὐ μὴ ἀ..άνη
– 50 ἵνα εἷς ἄνθρ. ἀποθάνη ὑπὲρ τοῦ λαοῦ
51 ἐπροφήτευσεν ὅτι ἔμελλεν Ἰησ. ἀπ.
ὑπὲρ τοῦ ἔθνους 18 14 ὅτι συμφέρει
ἕνα ἄνθρωπον ἀ..εῖν ὑπὲρ τοῦ λαοῦ
12 24 ἐὰν μὴ ὁ κόκκος – ἀποθάνη
– 33 ποίῳ θανάτῳ ἤμελλεν ἀ..κειν 18 32
19 7 κατὰ τὸν νόμον ὀφείλει ἀποθανεῖν
21 23 ἐξῆλθεν – ὁ λόγος – ὅτι ὁ μαθητὴς –
οὐκ ἀ..κει· οὐκ εἶπεν δὲ – ὅτι οὐκ ἀ..
κει, ἀλλ'· ἐὰν αὐτὸν θέλω μένειν
Act 21 13 ἀλλὰ καὶ ἀποθανεῖν – ἑτοίμως ἔχω
ὑπὲρ τοῦ ὀνόματος τοῦ κυρίου Ἰησοῦ
25 11 οὐ παραιτοῦμαι τὸ ἀποθανεῖν
Rm 5 6 ὑπὲρ ἀσεβῶν ἀπέθανεν 7 μόλις – ὑ-
πὲρ δικαίου τις ἀποθανεῖται· ὑπὲρ
γὰρ τοῦ ἀγαθοῦ τάχα τις καὶ τολμᾷ
ἀποθανεῖν 8 ὅτι ἔτι ἁμαρτωλῶν ὄντων
ἡμῶν Χὸς ὑπὲρ ἡμῶν ἀπέθανεν
– 15 εἰ γὰρ τῷ τοῦ ἑνὸς παραπτώματι οἱ
πολλοὶ ἀπέθανον
6 2 οἵτινες ἀπεθάνομεν τῇ ἁμαρτίᾳ 7 ὁ
γὰρ ἀ..ὼν δεδικαίωται ἀπὸ τῆς ἁμαρτ.
– 8 εἰ δὲ ἀπεθάνομεν σὺν Χῷ 9 Χὸς ἐ-
γερθεὶς – οὐκέτι ἀποθνήσκει 10 ὃ γὰρ
ἀπέθανεν, τῇ ἁμαρτίᾳ ἀπέθ. ἐφάπαξ
7 2 ἐὰν δὲ ἀποθάνη ὁ ἀνήρ 3.6 ἀποθα-
νόντες ἐν ᾧ κατειχόμεθα 10 ἡ ἁμαρ-
τία ἀνέζησεν, ἐγὼ δὲ ἀπέθανον
8 13 εἰ – κατὰ σάρκα ζῆτε, μέλλετε ἀ..ειν
– 34 Χὸς Ἰ. ὁ ἀποθανών, μᾶλλον δὲ ἐγ.
14 7 καὶ οὐδεὶς ἑαυτῷ ἀ..κει 8 ἐάν τε ἀ..

κωμεν, τῷ κυρίῳ ἀ..κομεν. ἐάν τε οὖν
ζῶμεν, ἐάν τε ἀ..κωμεν, τοῦ κυρίου
ἐσμέν 9 εἰς τοῦτο γὰρ Χὸς ἀπέθανεν
καὶ ἔζησεν, ἵνα
Rm 14 15 μὴ τῷ βρώματί σου ἐκεῖνον ἀπόλλυε,
ὑπὲρ οὗ Χὸς ἀπέθανεν
1 Co 8 11 ἀπόλλυται – ὁ ἀσθενῶν ἐν τῇ σῇ γνώ-
σει, ὁ ἀδελφὸς δι' ὃν Χὸς ἀπέθανεν
9 15 καλὸν γάρ μοι μᾶλλον ἀποθανεῖν ἤ –
15 3 ὅτι Χὸς ἀπέθανεν ὑπὲρ τῶν ἁμαρτι-
ῶν ἡμῶν κατὰ τὰς γραφάς
– 22 ὥσπερ – ἐν τῷ Ἀδὰμ πάντες ἀ..ουσιν
– 31 καθ' ἡμέραν ἀποθνήσκω
– 32 „αὔριον γὰρ ἀποθνήσκομεν"
– 36 σὺ ὃ σπείρεις, οὐ ζωοποιεῖται ἐὰν
μὴ ἀποθάνη
2 Co 5 14 ὅτι εἷς ὑπὲρ πάντων ἀπέθανεν· ἄρα
οἱ πάντες ἀπέθανον· 15 καὶ ὑπὲρ πάν-
των ἀπέθανεν ἵνα – ζῶσιν – τῷ ὑπὲρ
αὐτῶν ἀποθανόντι καὶ ἐγερθέντι
6 9 ὡς „ἀποθνησκοντες" κ. ἰδοὺ „ζῶμεν"
Gal 2 19 ἐγὼ – διὰ νόμου νόμῳ ἀπέθανον
– 21 ἄρα Χὸς δωρεὰν ἀπέθανεν
Phl 1 21 ἐμοὶ γὰρ – καὶ τὸ ἀποθανεῖν κέρδος
Col 2 20 εἰ ἀπεθάνετε σὺν Χῷ ἀπὸ τῶν στοι-
χείων τοῦ κόσμου 3 3 ἀπεθάνετε γάρ,
καὶ ἡ ζωὴ ὑμῶν κέκρυπται – ἐν τ. θεῷ
1 Th 4 14 ὅτι Ἰησοῦς ἀπέθανεν καὶ ἀνέστη
5 10 διὰ τοῦ κυρίου ἡμῶν Ἰησοῦ Χοῦ, τοῦ
ἀποθανόντος περὶ (vl ὑπὲρ) ἡμῶν
Hb 7 8 δεκάτας ἀ..κοντες ἄνθρ. λαμβάνουσιν
9 27 ἀπόκειται τοῖς ἀνθρ. ἄπαξ ἀ..νεῖν
10 28 „ἐπὶ – τρισὶν μάρτυσιν ἀποθνησκει"
11 4 Ἄβελ – ἀποθανὼν b ἔτι λαλεῖ
– 13 κατὰ πίστιν ἀπέθανον b οὗτοι πάντες
– 21 πίστει Ἰακὼβ ἀ..σκων – εὐλόγησεν
– 37 ἐν φόνῳ μαχαίρης ἀπέθανον
1 Pe 3 18 Χὸς ἄπαξ περὶ ἁμαρτιῶν ἀπέθανεν
(vl ἔπαθεν), δίκαιος ὑπὲρ ἀδίκων
Jud 12 δένδρα – ἄκαρπα δὶς ἀποθανόντα
Ap 3 2 στήρισον – ἃ ἔμελλον ἀποθανεῖν
8 9 ἀπέθανεν τὸ τρίτον τῶν κτισμάτων
– 11 πολλοὶ – ἀπέθανον ἐκ τῶν ὑδάτων
9 6 οἱ ἄνθρ. – ἐπιθυμήσουσιν ἀποθανεῖν
14 13 μακάριοι – οἱ ἐν κυρίῳ ἀ..σκοντες
16 3 πᾶσα ψυχὴ ζωῆς ἀπέθανεν

ἀποκαθιστάναι, ..άνειν *restituere*
Mat 12 13 ἀπεκατεστάθη ὑγιής ‖ Mar 3 5 ἡ χεὶρ
αὐτοῦ Luc 6 10 – Mar 8 25 ἀπεκατέστη
17 11 „Ἠλίας – ἀποκαταστήσει" πάντα ‖
Mar 9 12 „ἀποκαθιστάνει" πάντα

Act 1 6 ἀ..άνεις τὴν βασιλείαν τῷ ᾿Ισραήλ;
Hb 13 19 ἵνα τάχιον ἀποκατασταϑῶ ὑμῖν

ἀποκαλύπτειν *revelare*
Mat 10 26 ὃ οὐκ ἀποκαλυφϑήσεται ‖ Luc 12 2
   11 25 ἀπεκάλυψας αὐτὰ νηπίοις ‖ Luc 10 21
   – 27 ᾧ ἐὰν βούληται ὁ υἱὸς ἀποκαλύψαι
      ‖ Luc 10 22
   16 17 σὰρξ καὶ αἷμα οὐκ ἀπεκάλυψέν σοι
Luc 2 35 ὅπως ἂν ἀ..φϑῶσιν – διαλογισμοί
   17 30 ᾗ ἡμέρᾳ ὁ υἱὸς τοῦ ἀνϑρ. ἀ..εται
Joh 12 38 „βραχίων κυρίου τίνι ἀπεκαλύφϑη;"
Rm 1 17 δικαιοσύνη – ϑεοῦ ἐν αὐτῷ ἀ..εται
   – 18 ἀ..εται γὰρ ὀργὴ ϑεοῦ ἀπ᾿ οὐρανοῦ
   8 18 οὐκ ἄξια τὰ παϑήματα – πρὸς τὴν
      μέλλουσαν δόξαν ἀ..φϑῆναι εἰς ἡμᾶς
1 Co 2 10 ἡμῖν γὰρ ἀπεκάλυψεν ὁ ϑεὸς διὰ τοῦ
      πνεύματος (vl + αὐτοῦ, vg *suum*)
   3 13 δηλώσει, ὅτι ἐν πυρὶ ἀποκαλύπτεται
   14 30 ἐὰν δὲ ἄλλῳ ἀ..φῇ καϑημένῳ
Gal 1 16 ὅτε δὲ εὐδόκησεν – ἀποκαλύψαι τὸν
      υἱὸν αὐτοῦ ἐν ἐμοί
   3 23 εἰς τὴν μέλλουσαν πίστιν ἀ..φϑῆναι
Eph 3 5 ὡς νῦν ἀπεκαλύφϑη (sc myst.Christi)
      τοῖς ἁγίοις ἀποστόλοις – καὶ προφήτ.
Phl 3 15 καὶ τοῦτο ὁ ϑεὸς ὑμῖν ἀποκαλύψει
2 Th 2 3 ἐὰν μὴ – πρῶτον,– ἀποκαλυφϑῇ ὁ ἄν-
      ϑρωπος τῆς ἀνομίας 6 εἰς τὸ ἀποκα-
      λυφϑῆναι αὐτὸν ἐν τῷ αὐτοῦ καιρῷ
   8 τότε ἀποκαλυφϑήσεται ὁ ἄνομος
1 Pe 1 5 εἰς σωτηρίαν ἑτοίμην ἀποκαλυφϑῆναι
      ἐν καιρῷ ἐσχάτῳ
   – 12 οἷς ἀπεκαλύφϑη ὅτι οὐχ ἑαυτοῖς
      ὑμῖν δὲ διηκόνουν αὐτά
   5 1 ὁ καὶ τῆς μελλούσης ἀποκαλύπτε-
      σϑαι δόξης κοινωνός

ἀποκάλυψις *revelatio* [b]*apocalypsis*
Luc 2 32 „φῶς εἰς ἀποκάλυψιν ἐϑνῶν"
Rm 2 5 ἐν ἡμέρᾳ – ἀ..εως δικαιοκρισίας
   8 19 ἡ γὰρ ἀποκαραδοκία τῆς κτίσεως τὴν
      ἀπ. τῶν υἱῶν τοῦ ϑεοῦ ἀπεκδέχεται
   16 25 κατὰ ἀ..ιν μυστηρίου – σεσιγημένου
1 Co 1 7 ἀπεκδεχομένους τὴν ἀπ. τοῦ κυρίου
   14 6 τί ὑμᾶς ὠφελήσω, ἐὰν μὴ ὑμῖν λα-
      λήσω ἢ ἐν ἀ..ει ἢ ἐν γνώσει –;
   – 26 ἕκαστος – ἀ..ιν[b] ἔχει, γλῶσσαν ἔχει
2 Co 12 1 ἐλεύσομαι δὲ εἰς – ἀ..εις κυρίου
   – 7 καὶ τῇ ὑπερβολῇ τῶν ἀ..εων. (vg *ne
      magnitudo r..um extollat me*)
Gal 1 12 παρέλαβον αὐτὸ – δι᾿ ἀ..εως ᾿Ι. Χοῦ
   2 2 ἀνέβην δὲ κατὰ ἀ..ιν· καὶ ἀνεϑέμην

Eph 1 17 δώη ὑμῖν πνεῦμα σοφίας καὶ ἀ..εως
   3 3 κατὰ ἀ..ιν ἐγνωρίσϑη μοι τὸ μυστήρ.
2 Th 1 7 ἐν τῇ ἀπ. τοῦ κυρίου ᾿Ιησοῦ ἀπ᾿ οὐρ.
1 Pe 1 7 εἰς ἔπαινον καὶ δόξαν καὶ τιμὴν ἐν
      ἀ..ει ᾿Ιησοῦ Χοῦ 13 ἐλπίσατε ἐπὶ τὴν
      φερομένην ὑμῖν χάριν ἐν ἀ..ει ᾿Ι. Χοῦ
   4 13 ἵνα καὶ ἐν τῇ ἀποκαλύψει τῆς δόξης
      αὐτοῦ χαρῆτε
Ap 1 1 ἀπ.[b] ᾿Ιησ. Χοῦ, ἣν ἔδωκεν – ὁ ϑεός

ἀποκαραδοκία S° (Aqu.) – *expectatio*
Rm 8 19 → ἀποκάλυψις
Phl 1 20 κατὰ τὴν ἀποκαρ. καὶ ἐλπίδα μου

ἀποκαταλλάσσειν *reconciliare*
Eph 2 16 ἵνα – ἀ..άξῃ τοὺς ἀμφοτέρους ἐν ἑνὶ
      σώματι τῷ ϑεῷ διὰ τοῦ σταυροῦ
Col 1 20 δι᾿ αὐτοῦ ἀ..άξαι τὰ πάντα εἰς αὐτόν
   22 νυνὶ δὲ ἀ..ήλλαξεν (vl ..ηλλάγητε
      et ἀ..αγέντες) ἐν τῷ σώματι τῆς σαρ-
      κὸς αὐτοῦ διὰ τοῦ ϑανάτου

ἀποκατάστασις S° – *restitutio*
Act 3 21 ἄχρι χρόνων ἀ..εως πάντων

ἀποκεῖσϑαι *repositum esse* [b]*statutum esse*
Luc 19 20 ἡ μνᾶ σου, ἣν εἶχον ἀ..μένην ἐν
Col 1 5 διὰ τὴν ἐλπίδα τὴν ἀ..μένην ὑμῖν ἐν
      τοῖς οὐρανοῖς 2 Ti 4 8 ἀπόκειταί μοι
      ὁ τῆς δικαιοσύνης στέφανος
Hb 9 27 ἀπόκειται[b] τοῖς ἀνϑρ. – ἀποϑανεῖν

ἀποκεφαλίζειν *decollare*
Mat 14 10 ᾿Ιωάννην ‖ Mar 6 16.27 Luc 9 9

ἀποκλείειν *claudere* (vl *clud.*) Luc 13 25

ἀποκόπτειν *abscidere* (*..in.*) [b]*amputare*
Mar 9 43 ἡ χείρ –, ἀπόκοψον αὐτήν 45[b] αὐτόν
Joh 18 10 τὸ ὠτάριον 26 Act 27 32 τὰ σχοινία
Gal 5 12 ὄφελον καὶ ἀποκόψονται

ἀπόκριμα S° – *responsum* 2 Co 1 9 ἐν ἑαυ-
      τοῖς τὸ ἀπ. τοῦ ϑανάτου ἐσχήκαμεν

*****ἀποκρίνεσϑαι** *respondēre*
Mat 15 23 ὁ δὲ οὐκ ἀπεκρίϑη αὐτῇ λόγον
   22 46 οὐδεὶς ἐδύνατο ἀ..ϑῆναι – λόγον
   26 62 οὐδὲν ἀ..ῃ, –; 27 12 οὐδὲν ἀπεκρίνατο
   14 οὐκ ἀπεκρίϑη αὐτῷ πρὸς οὐδὲ ἓν
      ῥῆμα ‖ Mar 14 60.61 15 4.5 – Luc
   22 68 ἐὰν δὲ ἐρωτήσω, οὐ μὴ ἀποκρι-
      ϑῆτε 23 9 οὐδὲν ἀπεκρίνατο

3

Mar 11 29 ἐπερωτήσω ὑμᾶς –, – ἀ..κρίθητέ μοι
12 28 εἰδὼς ὅτι καλῶς ἀπεκρίθη αὐτοῖς 34
ἰδὼν αὐτὸν ὅτι νουνεχῶς ἀπεκρίθη
Col 4 6 πῶς δεῖ ὑμᾶς ἑνὶ ἑκάστῳ ἀ..εσθαι

ἀπόκρισις *responsum* Luc 2 47 20 26
Joh 1 22 19 9 ἀπόκρισιν οὐκ ἔδωκεν αὐτῷ

ἀποκρύπτειν *abscondere*
Luc 10 21 ὅτι ἀπέκρυψας ταῦτα ἀπὸ σοφῶν
1 Co 2 7 ἀλλὰ λαλοῦμεν θεοῦ σοφίαν ἐν μυ-
στηρίῳ, τὴν ἀποκεκρυμμένην
Eph 3 9 τοῦ μυστηρίου τοῦ ἀποκεκρυμμένου
ἀπὸ τῶν αἰώνων ἐν τῷ θεῷ Col 1 26

ἀπόκρυφος *absconditus* [b] *occultus*
Mar 4 22 οὐδὲ ἐγένετο ἀπόκρυφον [b], ἀλλ' ἵνα
ἔλθῃ εἰς φανερόν ‖ Luc 8 17
Col 2 3 „οἱ θησαυροὶ τῆς σοφίας – ἀ..οι"

ἀποκτείνειν, ἀποκτέννειν
    occidere [b] *interficere* [c] *perdere*
Mat 10 28 ἀπὸ τῶν ἀποκτεννόντων τὸ σῶμα,
τὴν δὲ ψυχὴν μὴ δυναμένων ἀπο-
κτεῖναι ‖ Luc 12 4.5 φοβήθητε τὸν
μετὰ τὸ ἀ..εῖναι ἔχοντα ἐξουσίαν
14 5 θέλων αὐτὸν ἀποκτεῖναι ‖ Mar 6 19
16 21 ὅτι δεῖ αὐτὸν – παθεῖν – καὶ ἀποκταν-
θῆναι ‖ Mar 8 31 Luc 9 22
17 23 καὶ ἀποκτενοῦσιν αὐτόν ‖ Mar 9 31 id.
καὶ ἀποκτανθεὶς – ἀναστήσεται
21 35 ὃν δὲ ἀπέκτειναν 38 δεῦτε ἀποκτεί-
νωμεν αὐτόν 39 ἐξέβαλον – καὶ ἀπ-
έκτειναν ‖ Mar 12 5.7.8 Luc 20 14.15
22 6 τοὺς δούλους – ὕβρισαν κ. ἀπέκτειναν
23 34 ἐξ αὐτῶν ἀποκτενεῖτε 37 ἡ ἀποκτεί-
νουσα τοὺς προφήτας ‖ Luc 11 47
οἱ δὲ πατέρες ὑμῶν ἀπέκτειναν αὐ-
τούς 48.49 13 34 ἡ ἀποκτείνουσα τοὺς
προφ. – Act 7 52 Rm 11 3 „τοὺς προ-
φήτας σου ἀπέκτειναν" → 1 Th 2 15
24 9 τότε – ἀποκτενοῦσιν ὑμᾶς
26 4 ἵνα τὸν Ἰησοῦν – ἀ..είνωσιν ‖ Mar 14 1
Mar 3 4 ψυχὴν σῶσαι ἢ ἀποκτεῖναι; [c]
10 34 καὶ μαστιγώσουσιν αὐτὸν καὶ ἀπο-
κτενοῦσιν [b] ‖ Luc 18 33
Luc 13 4 ἔπεσεν ὁ πύργος – κ. ἀπέ..εν αὐτούς
– 31 Ἡρῴδης θέλει σε ἀποκτεῖναι
Joh 5 18 μᾶλλον ἐζήτουν αὐτὸν – ἀποκτεῖναι [b]
7 1 [b] 19 τί με ζητεῖτε ἀπ.; [b] 20 τίς σε
ζητεῖ ἀπ.; [b] 25 [b] 8 37 ζητεῖτέ με ἀπ. [b]
40 [b] – 11 53 ἐβουλεύσαντο ἵνα ἀποκτεί-

νωσιν [b] αὐτόν – 12 10 καὶ τὸν Λάζ. [b]
Joh 8 22 μήτι ἀποκτενεῖ [b] ἑαυτόν –;
16 2 πᾶς ὁ ἀ..είνας [b] ὑμᾶς δόξῃ λατρείαν
18 31 ἡμῖν οὐκ ἔξεστιν ἀποκτεῖναι [b] οὐδένα
Act 3 15 τὸν – ἀρχηγὸν τῆς ζωῆς ἀπεκτείνατε [b]
21 31 ζητούντων τε αὐτὸν (sc Παῦλον) ἀ..
εἶναι 23 12.14 – 27 42 τοὺς δεσμώτας
Rm 7 11 ἡ γὰρ ἁμαρτία – διὰ τῆς ἐντολῆς
ἐξηπάτησέν με καὶ – ἀπέκτεινεν
2 Co 3 6 τὸ γὰρ γράμμα ἀποκτείνει (vl ..έννει)
Eph 2 16 ἀποκτείνας [b] τὴν ἔχθραν ἐν αὐτῷ
1 Th 2 15 τῶν καὶ τὸν κύριον ἀποκτεινάντων
Ἰησοῦν καὶ τοὺς προφήτας
Ap 2 13 Ἀντιπᾶς –, ὃς ἀπεκτάνθη παρ' ὑμῖν
– 23 τέκνα αὐτῆς ἀποκτενῶ [b] ἐν θανάτῳ
6 8 ἐδόθη αὐτοῖς ἐξουσία – ἀποκτεῖναι [b]
– 11 οἱ ἀδελφοὶ – οἱ μέλλοντες ἀπ..σθαι [b]
9 5.15.18.20 11 5.7.13 13 15 19 21
13 10 „εἴ τις ἐν μαχαίρῃ" ἀποκτενεῖ, δεῖ
αὐτὸν „ἐν μαχαίρῃ" ἀποκτανθῆναι

ἀποκύειν [a] *generare* [b] *gignere*
Jac 1 15 ἁμαρτία – ἀποκύει (vl ..εῖ) [a] θάνατον
– 18 ἀπεκύησεν [b] ἡμᾶς λόγῳ ἀληθείας

ἀποκυλίειν *revolvere*
Mat 28 2 ἀπεκύλισεν τ. λίθον ‖ Mar 16 3 Luc 24 2

ἀπολαμβάνειν, ..εσθαι *recipere* [b] *accipere*
    [c] (med) *apprehendere*
Mar 7 33 ἀπολαβόμενος [c] αὐτὸν – κατ' ἰδίαν
Luc 6 34 δανείζουσιν ἵνα ἀπολάβωσιν τὰ ἴσα
15 27 ὅτι ὑγιαίνοντα αὐτὸν ἀπέλαβεν
16 25 ἀπέλαβες τὰ ἀγαθά σου ἐν τῇ ζωῇ
23 41 ἄξια – ὧν ἐπράξαμεν ἀ..άνομεν
Rm 1 27 τὴν ἀντιμισθίαν ἣν ἔδει τῆς πλάνης
αὐτῶν ἐν ἑαυτοῖς ἀπολαμβάνοντες
Gal 4 5 ἵνα τὴν υἱοθεσίαν ἀπολάβωμεν
Col 3 24 ἀπὸ κυρίου ἀπολήμψεσθε [b] τὴν ἀντ-
απόδοσιν τῆς κληρονομίας
2 Jo 8 ἵνα – μισθὸν πλήρη ἀπολάβητε [b]

ἀπόλαυσις [a] *ad fruendum* [b] *iucunditas*
1 Ti 6 17 παρέχοντι ἡμῖν πάντα – εἰς ἀ..ιν [a]
Hb 11 25 πρόσκαιρον ἔχειν ἁμαρτίας ἀ..ιν [b]

ἀπολείπειν *relinquere* [b] *derelinquere*
    [c] (pass) *superesse*
2 Ti 4 13.20 Tit 1 5 ἀπέλιπόν σε ἐν Κρήτῃ
Hb 4 6 ἀ..εται [c] τινὰς εἰσελθεῖν εἰς αὐτήν (sc
τὴν κατάπαυσιν) 9 ἄρα ἀ..εται σαβ-
βατισμὸς τῷ λαῷ τοῦ θεοῦ

Hb 1026 οὐκέτι περὶ ἁμαρτιῶν ἀ..εται θυσία

Jud 6 ἀγγέλους τε τοὺς – ἀπολιπόντας b τὸ ἴδιον οἰκητήριον

ἀπολλύειν, ..ύναι – ἀπόλλυσθαι

1) vi activa vel transitiva *perdere*

Mat 213 ζητεῖν τὸ παιδίον τοῦ ἀπολέσαι αὐτό
1028 τὸν δυνάμενον καὶ ψυχὴν καὶ σῶμα ἀπολέσαι ἐν γεέννη Jac 412 ὁ δυνάμενος σῶσαι καὶ ἀπολέσαι
– 39 ὁ εὑρὼν τὴν ψυχὴν αὐτοῦ ἀπολέσει αὐτήν, καὶ ὁ ἀπολέσας τ. ψ. αὐ. ἕνεκεν ἐμοῦ εὑρήσει αὐτήν 1625 ὃς – ἐὰν θέλῃ τ. ψ. αὐ. σῶσαι, ἀπολέσει αὐτήν· ὃς δ' ἂν ἀπολέσῃ –, εὑρήσει αὐτήν || Mar 835 Luc 924 1733 – Joh 1225 ὁ φιλῶν τ. ψ. – ἀπολλύει αὐτήν
– 42 ὃς ἐὰν ποτίσῃ ἕνα τῶν μικρῶν –, οὐ μὴ ἀπολέσῃ τ. μισθὸν αὐτοῦ || Mar 941
1214 ὅπως αὐτὸν ἀπολέσωσιν || Mar 36 – 1118 ἐζήτουν πῶς || Luc 1947 ἀπολέσαι
2141 κακοὺς κακῶς ἀπολέσει αὐτούς || Mar 129 ἀπ. τοὺς γεωργούς Luc 2016
22 7 ἀπώλεσεν τοὺς φονεῖς ἐκείνους
2720 ἵνα –, τὸν δὲ Ἰησοῦν ἀπολέσωσιν

Mar 124 ἦλθες ἀπολέσαι ἡμᾶς || Luc 434 –; 922 καὶ εἰς ὕδατα ἵνα ἀπολέσῃ αὐτόν

Luc 6 9 εἰ ἔξεστιν – ψυχὴν σῶσαι ἢ ἀπολέσαι; 925 κερδήσας τὸν κόσμον ὅλον ἑαυτὸν δὲ ἀπολέσας ἢ ζημιωθείς; cfr Mat 1039
(– 56 vl οὐκ ἦλθεν ψυχὰς ἀνθρώπων (vg om ἀνθρ.) ἀπολέσαι ἀλλὰ σῶσαι)
15 4 ἀπολέσας ἐξ αὐτῶν ἓν οὐ – πορεύεται ἐπὶ τὸ ἀπολωλὸς ἕως εὕρῃ –;
– 8 ἐὰν ἀπολέσῃ δραχμὴν μίαν 9
1727 καὶ ἀπώλεσεν (sc diluvium) πάντας 29

Joh 639 ἵνα πᾶν ὃ δέδωκέν μοι μὴ ἀπολέσω ἐξ αὐτοῦ 189 οὓς δέδωκάς μοι, οὐκ ἀπώλεσα ἐξ αὐτῶν οὐδένα
1010 ἵνα κλέψῃ καὶ θύσῃ καὶ ἀπολέσῃ

Rm 1415 μὴ τῷ βρώματί σου ἐκεῖνον ἀπόλλυε

1 Co 119 „ἀπολῶ τὴν σοφίαν τῶν σοφῶν"

Jac 412 → Mat 1028

2 Jo 8 ἵνα μὴ ἀπολέσητε (vl ..σωμεν) ἃ ἠργασάμεθα, ἀλλὰ μισθὸν – ἀπολάβητε

Jud 5 τοὺς μὴ πιστεύσαντας ἀπώλεσεν

2) vi passiva *perire* b *deperire*

Mat 529 ἵνα ἀπόληται ἓν τῶν μελῶν σου 30
825 σῶσον, ἀπολλύμεθα || Mar 438 οὐ μέλει σοι ὅτι ἀπ.; Luc 824 ἀπ..ύμεθα
917 οἱ ἀσκοὶ ἀπόλλυνται || Mar 222 ὁ οἶ-

νος ἀπόλλυται καὶ οἱ ἀσκοί Luc 537

Mat 10 6 πορεύεσθε – πρὸς τὰ πρόβατα τὰ ἀπολωλότα οἴκου Ἰσρ. 1524 ἀπεστάλην
1814 ἵνα ἀπόληται ἓν τῶν μικρῶν τούτων
2652 πάντες – ἐν μαχαίρῃ ἀπολοῦνται

Luc 1151 Ζαχαρίου τοῦ ἀπολομένου μεταξύ
13 3 πάντες ὁμοίως ἀπολεῖσθε 5 ὡσαύτως
– 33 ὅτι οὐκ ἐνδέχεται προφήτην ἀπολέσθαι ἔξω Ἰερουσαλήμ
15 4 τίς ἄνθρωπος – οὐ – πορεύεται ἐπὶ τὸ ἀπολωλὸς ἕως εὕρῃ αὐτό; 6 ὅτι εὗρον τὸ πρόβατόν μου τὸ ἀπολωλός
– 17 ἐγὼ – λιμῷ ὧδε ἀπόλλυμαι 24 ἦν ἀπολωλὼς καὶ εὑρέθη 32
1910 „ζητῆσαι" καὶ σῶσαι „τὸ ἀπολωλός" (Mat 1811 vl, vg in textu)
2118 θρὶξ – οὐ μὴ ἀπόληται Act 2734

Joh 316 ἵνα πᾶς ὁ πιστεύων – μὴ ἀπόληται
612 τὰ – κλάσματα, ἵνα μή τι ἀπόληται
– 27 μὴ τὴν βρῶσιν τὴν ἀπολλυμένην
1028 οὐ μὴ ἀπόλωνται εἰς τὸν αἰῶνα
1150 ἵνα – μὴ ὅλον τὸ ἔθνος ἀπόληται
1712 οὐδεὶς ἐξ αὐτῶν ἀπώλετο εἰ μὴ ὁ

Act 537 κἀκεῖνος ἀπώλετο, καὶ πάντες ὅσοι

Rm 212 ἀνόμως καὶ ἀπολοῦνται

1 Co 118 τοῖς μὲν ἀπολλυμένοις μωρία ἐστίν
811 ἀπόλλυται γὰρ ὁ ἀσθενῶν ἐν τῇ σῇ γνώσει, ὁ ἀδελφὸς δι' ὃν Χὸς ἀπέθανεν
10 9 καὶ ὑπὸ τῶν ὄφεων ἀπώλλυντο
– 10 καὶ ἀπώλοντο ὑπὸ τοῦ ὀλεθρευτοῦ
1518 οἱ κοιμηθέντες ἐν Χῷ ἀπώλοντο

2 Co 215 Χοῦ εὐωδία – καὶ ἐν τοῖς ἀ..υμένοις
43 ἐν τοῖς ἀπ. ἐστιν κεκαλυμμένον
4 9 καταβαλλόμενοι ἀλλ' οὐκ ἀ..ύμενοι

2 Th 210 οὗ ἐστιν ἡ παρουσία – ἐν πάσῃ ἀπάτῃ ἀδικίας τοῖς ἀπολλυμένοις

Hb 111 „αὐτοὶ (sc οἱ οὐρανοὶ) ἀπολοῦνται"

Jac 111 ἡ εὐπρέπεια – αὐτοῦ ἀπώλετο b

1 Pe 1 7 πολυτιμότερον χρυσίου τοῦ ἀπολλυμένου (vg o, vl F *quod perit*)

2 Pe 3 6 ὁ τότε κόσμος – ἀπώλετο
– 9 μὴ βουλόμενός τινας ἀπολέσθαι

Jud 11 τῇ ἀντιλογίᾳ τοῦ Κόρε ἀπώλοντο

Ap 1814 τὰ λαμπρὰ ἀπώλετο ἀπὸ σοῦ

Ἀπολλύων Ap 911 ἐν τῇ Ἑλληνικῇ – Ἀπ.

Ἀπολλωνία Act 171 διοδεύσαντες – Ἀ..ν

Ἀπολλῶς Act 1824 Ἰουδαῖος –, Ἀλεξανδρεὺς τῷ γένει 191 – 1 Co 112 34ss.22 46 1612 περὶ δὲ Ἀπολλῶ τοῦ ἀδελφοῦ Tit 313

ἀπολογεῖσθαι ᵃ*defendere, se defendere*
ᵇ*se excusare* ᶜ*rationem reddere*
ᵈ*respondēre* ᵉ*satisfacere pro*
Luc 12₁₁ μὴ μεριμνήσητε πῶς ἢ τί ἀπολογή-
σησθεᵈ 21₁₄ θέτε – ἐν ταῖς καρδίαις
ὑμῶν μὴ προμελετᾶν ἀπολογηθῆναιᵈ
Act 19₃₃ ἤθελεν ἀπ.ᶜ τῷ δήμῳ 24₁₀ τὰ περὶ
ἐμοῦ ἀ..οῦμαιᵉ 25₈ᶜ 26₁ᶜ 2ᵃ 24ᶜ
Rm 2₁₅ μεταξὺ ἀλλήλων τῶν λογισμῶν κατ-
ηγορούντων ἢ καὶ ἀπολογουμένωνᵃ
2 Co 12₁₉ δοκεῖτε ὅτι ὑμῖν ἀπολογούμεθαᵇ

ἀπολογία *defensio* ᵇ*defendere*
ᶜ*rationem reddere* ᵈ*satisfactio*
Act 22 ₁ᶜ 25₁₆ πρὶν ἢ – τόπον – ἀ..αςᵇ λάβοι
1 Co 9 3 ἡ ἐμὴ ἀπολογία – ἐστὶν αὕτη
2 Co 7₁₁ κατειργάσατο ὑμῖν –, ἀλλὰ ἀ..ίαν
Phl 1 7 ἐν τῇ ἀ..ίᾳ καὶ βεβαιώσει τοῦ εὐαγγ.
– 16 ὅτι εἰς ἀ..ίαν τοῦ εὐαγγελίου κεῖμαι
2 Ti 4₁₆ ἐν τῇ πρώτῃ μου ἀ..ίᾳ οὐδείς μοι
1 Pe 3₁₅ ἕτοιμοι ἀεὶ πρὸς ἀ..ανᵈ παντὶ τῷ αἰ-
τοῦντι ὑμᾶς λόγον περὶ τῆς – ἐλπίδος

ἀπολούεσθαι ᵃ*abluere* ᵇ*ablui*
Act 22₁₆ ἀπόλουσαιᵃ τὰς ἁμαρτίας σου
1 Co 6₁₁ ἀλλὰ ἀπελούσασθεᵇ, ἀλλὰ ἡγιάσθητε

ἀπολύειν, ..εσθαι *dimittere* ᵇ*discedere*
Mat 1₁₉ ἐβουλήθη λάθρα ἀπολῦσαι αὐτήν
5₃₁ „ὃς ἂν ἀπολύσῃ τὴν γυναῖκα αὐ-
τοῦ" 32 πᾶς ὁ ἀπολύων –, καὶ ὃς ἐὰν
ἀπολελυμένην γαμήσῃ ‖ Luc 16₁₈ –
Mat 19₃-₉ ‖ Mar 10₂.₄.₁₁s ἐὰν αὐτὴ
ἀπολύσασα τὸν ἄνδρα–γαμήσῃ ἄλλον
14₁₅ ἀπόλυσον – τοὺς ὄχλους 22s 15₃₉ ‖
Mar 6₃₆.₄₅ 8₉ Luc 9₁₂ – Mat 15₃₂
ἀπολῦσαι αὐτοὺς νήστεις οὐ θέλω ‖
Mar 8₃ – Mat 15₂₃ ἀπόλυσον αὐτήν
18₂₇ σπλαγχνισθεὶς – ἀπέλυσεν αὐτόν
27₁₅ εἰώθει – ἀπολύειν ἕνα τῷ ὄχλῳ 17.21.
26 ‖ Mar 15₆.₉.₁₁.₁₅ Luc 23₁₆ παι-
δεύσας – αὐτὸν ἀπολύσω 18 ἀπόλυσον
– ἡμῖν τὸν Βαρ. 20.22.25 Joh 18₃₉ –
19₁₀ ἐξουσίαν ἔχω ἀπολῦσαί σε 12
ἐζήτει ἀπολῦσαι αὐτόν· – ἐὰν τοῦτον
ἀπολύσῃς – Act 3₁₃ κρίναντος ἐκεί-
νου (sc Πιλάτου) ἀπολύειν
Luc 2₂₉ νῦν ἀπολύεις τὸν δοῦλόν σου
6₃₇ ἀπολύετε, καὶ ἀπολυθήσεσθε
8₃₈ 14₄ ἰάσατο αὐτὸν καὶ ἀπέλυσεν
13₁₂ γύναι, ἀπολέλυσαι τῆς ἀσθενείας σου
22₆₈ ἐὰν δὲ ἐρωτήσω, οὐ μὴ ἀποκριθῆτε

(vl + μοι ἢ ἀπολύσητε vg)
Act 4₂₁ ἀπέλυσαν αὐτούς 23 5₄₀ 17₉ 28₁₈ ἀνα-
κρίναντές με ἐβούλοντο ἀπολῦσαι
13 3 ἐπιθέντες τὰς χεῖρας – ἀπέλυσαν
15₃₀ ἀπολυθέντες κατῆλθον εἰς Ἀντιόχ.
– 33 ἀπελύθησαν μετ᾽ εἰρήνης
16₃₅ ἀπόλυσον τοὺς ἀνθρώπους 36
19₄₀ ταῦτα εἰπὼν ἀπέλυσεν τὴν ἐκκλησίαν
23₂₂ ὁ – χιλίαρχος ἀπέλυσε τὸν νεανίσκον
26₃₂ ἀπολελύσθαι ἐδύνατο ὁ ἄνθρωπος
28₂₅ ἀσύμφωνοι – ὄντες – ἀπελύοντοᵇ
Hb 13₂₃ γινώσκετε – Τιμόθεον ἀπολελυμένον

ἀπολύτρωσις *redemptio*
Luc 21₂₈ διότι ἐγγίζει ἡ ἀπολύτρωσις ὑμῶν
Rm 3₂₄ διὰ τῆς ἀ..εως τῆς ἐν Χῷ Ἰησοῦ
8₂₃ στενάζομεν υἱοθεσίαν ἀπεκδεχόμενοι,
τὴν ἀ..ιν τοῦ σώματος ἡμῶν
1 Co 1₃₀ ὃς ἐγενήθη – ἡμῖν – ἁγιασμὸς καὶ ἀπ.
Eph 1 7 ἐν ᾧ ἔχομεν τὴν ἀπ. διὰ τοῦ αἵματος
αὐτοῦ Col 1₁₄ ἄφεσιν τῶν ἁμαρτιῶν
– 14 εἰς ἀπολύτρωσιν τῆς περιποιήσεως
4₃₀ ἐσφραγίσθητε εἰς ἡμέραν ἀ..εως
Hb 9₁₅ θανάτου γενομένου εἰς ἀ..ιν τῶν ἐπὶ
τῇ πρώτῃ διαθήκῃ παραβάσεων
11₃₅ οὐ προσδεξάμενοι τὴν ἀπολύτρωσιν

ἀπομάσσεσθαι *extergere* Luc 10₁₁ κονιορτόν

ἀπονέμειν *impartire* (vl ..*per.*) 1 Pe 3₇ τιμήν

ἀπονίπτεσθαι *lavare* Mat 27₂₄ χεῖρας

ἀποπίπτειν *cadere* Act 9₁₈ ὡς λεπίδες

ἀποπλανᾶν, ..σθαι ᵃ*seducere* ᵇ*errare a*
Mar 13₂₂ πρὸς τὸ ἀ..ᾶνᵃ – τοὺς ἐκλεκτούς
1 Ti 6₁₀ ἀπεπλανήθησανᵇ ἀπὸ τῆς πίστεως

ἀποπλεῖν Sᵒ – *navigare* Act 13₄ εἰς Κύ-
προν 14₂₆ Ἀντιόχειαν 20₁₅ 27₁ Ἰταλίαν

ἀποπνίγειν *suffocare* Mat 13₇ ‖ Luc 8₇ – 8₃₃

ἀπορεῖν, ..σθαι ᵃ*aporiari* ᵇ*confundi*
ᶜ*mente consternari* ᵈ*haesitare*
Mar 6₂₀ ἀκούσας αὐτοῦ πολλὰ ἠπόρει (vl ἐ-
ποίει, vg *multa faciebat*)
Luc 24 4 ἐν τῷ ἀ..εῖσθαιᶜ αὐτάς – Joh 13₂₂ᵈ
Act 25₂₀ ἀ..ούμενοςᵈ – τὴν περὶ τούτ. ζήτησιν
2 Co 4 8 ἀ..ούμενοιᵃ ἀλλ᾽ οὐκ ἐξαπορούμενοι
Gal 4₂₀ ὅτι ἀποροῦμαιᵇ ἐν ὑμῖν

ἀπορία confusio Luc 21 25 ἐν ἀπορίᾳ (vl καὶ
ἀπορίᾳ) ἤχους θαλάσσης καὶ σάλου

ἀπορίπτειν se emittere (vl mi.) Act 27 43

ἀπορφανίζεσθαι Sᵒ – desolatum esse
1 Th 2 17 ἀ..ισθέντες ἀφ᾽ ὑμῶν – προσώπῳ

ἀποσκίασμα Sᵒ – obumbratio Jac 1 17 παρ᾽
ᾧ οὐκ ἔνι παραλλαγὴ ἢ τροπῆς ἀπ.

ἀποσπᾶν, ..ᾶσθαι ᵃabducere ᵇabstrahi
ᶜavelli ᵈeximere
Mat 26 51 ᵈ τὴν μάχαιραν αὐτοῦ – Luc 22 41 ἀπε-
σπάσθη ᶜ ἀπ᾽ αὐτῶν ὡσεὶ λίθου βολήν
Act 20 30 τοῦ ἀποσπᾶν ᵃ τοὺς μαθητὰς ὀπίσω
ἑαυτῶν – 21 1 ἀ..σθέντες ᵇ ἀπ᾽ αὐτῶν

ἀποστασία discessio
Act 21 21 ἀποστασίαν διδάσκεις ἀπὸ Μωϋσέως
2 Th 2 3 ἐὰν μὴ ἔλθῃ ἡ ἀποστασία πρῶτον

ἀποστάσιον (libellus) repudii
Mat 5 31 „δότω αὐτῇ ἀ..ον" 19 7 ‖ Mar 10 4

ἀποστεγάζειν Sᵒ – nudare Mar 2 4 στέγην

ἀποστέλλειν mittere ᵇdimittere ᶜexpellere
Mat 2 16 14 35 21 1.3 ᵇ 22 16 27 19 ἀπέστ. – ἡ γυνή
8 31 ἀπόστειλον ἡμᾶς εἰς τὴν ἀγέλην τῶν
χοίρων ‖ Mar 5 10 ἵνα μὴ αὐτὰ ἀπο-
στείλῃ ᶜ ἔξω τῆς χώρας
10 5 τούτους τοὺς δώδεκα ἀπέστειλεν 16
ἐγὼ ἀποστέλλω ὑμᾶς ὡς πρόβατα ‖
Luc 10 3 ὡς ἄρνας – Mar 3 14 ἵνα
ἀποστέλλῃ αὐτοὺς κηρύσσειν Luc 9 2
ἀπέστειλεν αὐτοὺς κηρύσσειν
– 40 δέχεται τὸν ἀποστείλαντά με ‖ Mar
9 37 Luc 9 48 – 10 16 ἀθετεῖ τὸν ἀπ. με
11 10 „ἀ..ω τὸν ἄγγελόν μου" ‖ Mr 1 2 Lc 7 27
13 41 ἀποστελεῖ – τοὺς ἀγγέλους αὐτοῦ 24 31
μετὰ σάλπιγγος ‖ Mar 13 27
15 24 οὐκ ἀπεστάλην εἰ μὴ εἰς τὰ πρόβατα
τὰ ἀπολωλότα οἴκου Ἰσραήλ
20 2 ἀπέστειλεν αὐτοὺς εἰς τὸν ἀμπελῶνα
21 34 ἀπέστειλεν τοὺς δούλους 36 ἄλλους
δούλους πλείονας 37 τὸν υἱὸν αὐτοῦ
‖ Mar 12 2 δοῦλον 3 ἀπέστειλαν ᵇ
κενόν 4 ἄλλον δοῦλον 5.6 Luc 20 10
22 3 ἀπέστειλεν τοὺς δούλους – καλέσαι
– εἰς τοὺς γάμους 4 ‖ Luc 14 17

Mat 23 34 ἀποστέλλω πρὸς ὑμᾶς προφήτας 37
ἡ – λιθοβολοῦσα τοὺς ἀπεσταλμένους
πρὸς αὐτήν ‖ Luc 11 49 13 34
Mar 3 31 4 29 (ἀποστέλλει τὸ δρέπανον) 6 17.27
8 26 11 1.3 ᵇ (πῶλον) 12 13 14 13
6 7 ἤρξατο αὐτοὺς ἀποστέλλειν δύο δύο
‖ Luc 10 1 ἑτέρους ἑβδομήκοντα –
καὶ ἀπέστειλεν αὐτοὺς ἀνὰ δύο
Luc 1 19 ἀπεστάλην λαλῆσαι πρὸς σέ 26
4 18 „ἀπέσταλκέν με, κηρῦξαι αἰχμαλώ-
τοις ἄφεσιν –, ἀποστεῖλαι ᵇ τεθραυ-
σμένους ἐν ἀφέσει"
– 43 ἐπὶ τοῦτο ἀπεστάλην (sc εὐαγγελίσ.)
7 3 9 52 14 32 19 14.29.32 20 20 22 8
– 20 Ἰωάννης – ἀπέστειλεν ἡμᾶς πρὸς σέ
22 35 ὅτε ἀπέστειλα ὑμᾶς ἄτερ βαλλαντίου
Joh 1 6 ἄνθρωπος, ἀπεσταλμένος παρὰ θεοῦ
3 28 ἀπεσταλ. εἰμὶ ἔμπροσθεν ἐκείνου
– 19.24 7 32 – 11 3 18 24 ἀπέστ. – Ἄννας
3 17 οὐ γὰρ ἀπέστειλεν ὁ θεὸς τὸν υἱὸν
– ἵνα κρίνῃ 34 ὃν γὰρ ἀπέστειλεν ὁ
θεὸς τὰ ῥήματα τοῦ θεοῦ λαλεῖ
4 38 ἀπέστειλα ὑμᾶς θερίζειν ὃ οὐχ ὑμεῖς
5 33 ὑμεῖς ἀπεστάλκατε πρὸς Ἰωάννην
– 36 ὅτι ὁ πατήρ με ἀπέσταλκεν 38 ὃν
ἀπέστειλεν ἐκεῖνος 6 29 πιστεύητε εἰς
ὃν ἀπέστ. ἐκ. 57 καθὼς ἀπέστ, με ὁ
ζῶν πατήρ 7 29 κἀκεῖνός με ἀπέστ.
8 42 10 36 ὃν – ἀπέστ. εἰς τὸν κόσμον
9 7 Σιλωάμ (ὃ ἑρμηνεύ. ἀπεσταλμένος)
11 42 ὅτι σύ με ἀπέστειλας 17 8.21.23.25
17 3 καὶ ὃν ἀπέστειλας Ἰησοῦν Χόν
– 18 καθὼς ἐμὲ ἀπέστειλας εἰς τὸν κό-
σμον, κἀγὼ ἀπέστειλα αὐτοὺς εἰς τ. κ.
20 21 καθὼς ἀπέσταλκέν με ὁ πατήρ, κἀγὼ
πέμπω (mitto) ὑμᾶς
Act 3 20 ὅπως – ἀποστείλῃ τὸν – χριστὸν Ἰησ.
– 26 ὑμῖν – τὸν παῖδα αὐτοῦ ἀπέστειλεν
5 21 7 14.34.35 8 14 9 38 10 8.17 11 11.13.30 13 15
15 27.33 16 35.36 19 22
9 17 ὁ κύριος ἀπέσταλκέν με, Ἰησοῦς
10 20 ἐγὼ (sc τὸ πνεῦμα) ἀπέσταλκα αὐτούς
– 36 „τὸν λόγον" ὃν „ἀπέστειλεν" – υἱοῖς
26 17 „εἰς οὓς ἐγὼ ἀποστέλλω σε" [Ἰσρ.
28 28 „τοῖς ἔθνεσιν" ἀπεστάλη τοῦτο „τὸ
σωτήριον τοῦ θεοῦ"
Rm 10 15 πῶς – κηρύξωσιν ἐὰν μὴ ἀποσταλῶσιν;
1 Co 1 17 οὐ γὰρ ἀπέστειλέν με Χὸς βαπτίζειν
ἀλλὰ εὐαγγελίζεσθαι
2 Co 12 17 μή τινα ὧν ἀπέσταλκα πρὸς ὑμᾶς
2 Ti 4 12 Τυχικὸν δὲ ἀπέστειλα εἰς Ἔφεσον
Hb 1 14 πνεύματα εἰς διακονίαν ἀ..όμενα

1 Pe 1 12 ἐν πνεύματι ἁγ. ἀποσταλέντι ἀπ' οὐρ.
1 Jo 4 9 τὸν υἱὸν αὐτοῦ τὸν μονογενῆ ἀπέ-
σταλκεν 10 ἀπέστειλεν – ἱλασμόν
– 14 ὁ πατὴρ ἀπέσταλκεν τὸν υἱὸν σωτῆρα
Ap 1 1 ἐσήμανεν ἀποστείλας διὰ τοῦ ἀγγ.
5 6 τὰ ἑπτὰ πνεύματα τοῦ θεοῦ ἀπε-
σταλμένοι εἰς πᾶσαν τὴν γῆν
22 6 ἀπέστειλεν τὸν ἄγγελον αὐτοῦ δεῖξαι

ἀποστερεῖν, ..εῖσθαι ᵃ fraudare ᵇ fraudem
facere ᶜ fraudem pati ᵈ privari
Mar 10 19 μὴ ἀποστερήσῃς ᵇ, „τίμα τ. πατέρα"
1 Co 6 7 διὰ τί οὐχὶ μᾶλλον ἀ..εῖσθε; ᶜ 8 ἀλλὰ
ὑμεῖς – ἀ..εῖτε ᵃ, καὶ τοῦτο ἀδελφούς
7 5 μὴ ἀποστερεῖτε ᵃ ἀλλήλους, εἰ μήτι ἂν
1 Ti 6 5 ἀνθρώπων – ἀπεστερημένων ᵈ τῆς ἀλη-
θείας – (Jac 5 4 vl → ἀφυστερεῖν)

ἀποστολή apostolatus
Act 1 25 τὸν τόπον τῆς διακονίας – καὶ ἀ..ῆς
Rm 1 5 δι' οὗ ἐλάβομεν χάριν καὶ ἀποστολήν
1 Co 9 2 ἡ – σφραγίς μου τῆς ἀ..ῆς ὑμεῖς ἐστε
Gal 2 8 ὁ γὰρ ἐνεργήσας Πέτρῳ εἰς ἀποστο-
λὴν τῆς περιτομῆς – ἐμοὶ εἰς τὰ ἔθνη

ἀπόστολος (S semel vl) – apostolus
Mat 10 2 τῶν – δώδεκα ἀ..ων τὰ ὀνόματα || Luc
6 13 δώδ., οὓς καὶ ἀ..ους ὠνόμασεν
Mar 6 30 συνάγονται οἱ ἀπ. πρὸς τὸν Ἰησ. ||
Luc 9 10 – 17 5 22 14 οἱ ἀπ. σὺν αὐτῷ 24 10
Luc 11 49 ἀποστελῶ εἰς αὐτοὺς προφήτας κ. ἀπ.
Joh 13 16 οὐδὲ ἀ..ος μείζων τοῦ πέμψαντος
Act 1 2 ἐντειλάμενος τοῖς ἀπ. διὰ πνεύματος
– 26 συγκατεψηφίσθη μετὰ τῶν ἕνδεκα ἀπ.
2 37 4 36 5 29 8 1.14 9 27 11 1 14 4.14
– 42 προσκαρτεροῦντες τῇ διδαχῇ τῶν ἀπ.
– 43 σημεῖα διὰ τῶν ἀποστ. ἐγίνετο 5 12
4 33 ἀπεδίδουν τὸ μαρτύριον οἱ ἀπόστολοι
– 35 ἐτίθουν παρὰ τ. πόδας τῶν ἀπ. 36.37
5 2 μέρος τι π. τ. π. τῶν ἀπ. ἔθηκεν
5 18 ἐπέβαλον τὰς χεῖρας ἐπὶ τοὺς ἀπ. 40
6 6 οὓς ἔστησαν ἐνώπιον τῶν ἀποστόλων
8 18 ἰδὼν – ὅτι διὰ τῆς ἐπιθέσεως τῶν χει-
ρῶν τῶν ἀπ. δίδοται τὸ πνεῦμα
15 2 πρὸς τοὺς ἀπ. καὶ πρεσβυτέρους 4.6
22 ἔδοξε τοῖς ἀπ. καὶ τοῖς πρ. σὺν
ὅλῃ τῇ ἐκκλ. 23 16 4 τὰ δόγματα τὰ
κεκριμένα ὑπὸ τῶν ἀπ. καὶ πρεσβυτ.
Rm 1 1 Παῦλος –, κλητὸς ἀπ. 1 Co 1 1 Χοῦ
Ἰησοῦ 2 Co 1 1 ἀπ. Χοῦ Ἰησοῦ Gal 1 1
ἀπ., οὐκ ἀπ' ἀνθρώπων οὐδὲ δι' ἀν-
θρώπου ἀλλὰ διὰ Ἰησοῦ Χοῦ καὶ θεοῦ

πατρός Eph 1 1 ἀπ. Χ. Ἰ. Col 1 1 1 Ti
1 1 2 Ti 1 1 Tit 1 1 δοῦλος θεοῦ, ἀπ.
δὲ Ἰησοῦ Χοῦ
Rm 11 13 ἐφ' ὅσον μὲν – εἰμὶ ἐθνῶν ἀπόστολος
16 7 οἵτινές εἰσιν ἐπίσημοι ἐν τοῖς ἀπ.
1 Co 4 9 ἡμᾶς τοὺς ἀπ. ἐσχάτους ἀπέδειξεν
9 1 οὐκ εἰμὶ ἀπόστολος; 2 εἰ ἄλλοις οὐκ
εἰμὶ ἀπ., ἀλλά γε ὑμῖν 5 γυναῖκα
περιάγειν, ὡς καὶ οἱ λοιποὶ ἀπ.
12 28 οὓς μὲν ἔθετο – πρῶτον ἀ..ους Eph
4 11 ἔδωκεν τοὺς μὲν ἀ..ους, – προφ.
– 29 μὴ πάντες ἀ..οι; μὴ πάντες προφ.;
15 7 ὤφθη –, εἶτα τοῖς ἀποστόλοις πᾶσιν
– 9 ἐγὼ γάρ εἰμι ὁ ἐλάχιστος τῶν ἀπ., ὃς
οὐκ εἰμὶ ἱκανὸς καλεῖσθαι ἀπόστολος
2 Co 8 23 ἀδελφοὶ ἡμῶν, ἀπ..οι ἐκκλησιῶν
11 5 λογίζομαι – μηδὲν ὑστερηκέναι τῶν
ὑπερλίαν ἀ..ων 12 11 οὐδὲν – ὑστέρη-
σα τῶν ὑπ. ἀπ. 12 τὰ μὲν σημεῖα τοῦ
ἀ..ου κατειργάσθη ἐν ὑμῖν
– 13 μετασχηματιζόμενοι εἰς ἀ..ους Χοῦ
Gal 1 17 οὐδὲ ἀνῆλθον – πρὸς τοὺς πρὸ ἐμοῦ
ἀ..ους 19 ἕτερον – τῶν ἀπ. οὐκ εἶδον
Eph 2 20 ἐπὶ τῷ θεμελίῳ τῶν ἀπ. καὶ προφ.
3 5 νῦν ἀπεκαλύφθη τοῖς ἁγίοις ἀπ..οις
αὐτοῦ καὶ προφήταις ἐν πνεύματι
Phl 2 25 Ἐπαφρόδιτον τὸν –, ὑμῶν – ἀ..ον
1 Th 2 7 ἐν βάρει εἶναι ὡς Χοῦ ἀπόστολοι
1 Ti 2 7 εἰς ὃ ἐτέθην ἐγὼ κῆρυξ καὶ ἀπόστο-
λος 2 Ti 1 11 καὶ διδάσκαλος
Hb 3 1 κατανοήσατε τὸν ἀπ. καὶ ἀρχιερέα
τῆς ὁμολογίας ἡμῶν Ἰησοῦν
1 Pe 1 1 Πέτρος ἀπ. Ἰησοῦ Χοῦ 2 Pe 1 1 Συμε-
ὼν Π. δοῦλος καὶ ἀπ. Ἰησοῦ Χοῦ
2 Pe 3 2 μνησθῆναι – τῆς τῶν ἀ..ων ὑμῶν ἐν-
τολῆς τοῦ κυρίου Jud 17 τῶν ῥημά-
των τῶν προειρημένων ὑπὸ τῶν ἀ..ων
Ap 2 2 ἐπείρασας τοὺς λέγοντας ἑαυτοὺς
ἀποστόλους καὶ οὐκ εἰσίν
18 20 καὶ οἱ ἅγιοι καὶ οἱ ἀπ. καὶ οἱ προφ.
21 14 ἐπ' αὐτῶν δώδεκα ὀνόματα τῶν δώ-
δεκα ἀποστόλων τοῦ ἀρνίου

ἀποστοματίζειν Sᵒ – os alicuius opprimere
Luc 11 53 ἤρξαντο – ἀπ. αὐτὸν (vl συμβάλλειν
αὐτῷ) περὶ πλειόνων

ἀποστρέφειν, ..εσθαι ᵃ avertere, averti
ᵇ (se) aversari ᶜ (se) convertere
Mat 5 42 τὸν θέλοντα ἀπὸ σοῦ δανείσασθαι
μὴ ἀποστραφῇς ᵃ (ne avertaris)
26 52 ἀπόστρεψον ᶜ τὴν μάχαιράν σου εἰς

Luc 2314 ὡς ἀποστρέφοντα ᵃ τὸν λαόν

Act 326 ἐν τῷ ἀποστρέφειν ᶜ ἕκαστον ἀπὸ
τῶν πονηριῶν ὑμῶν

Rm 1126 „ἀποστρέψει ᵃ ἀσεβείας ἀπὸ Ἰακώβ"

2 Ti 115 ἀπεστράφησάν ᵃ με (aversi sunt a
me) πάντες οἱ ἐν τῇ Ἀσίᾳ

4 4 ἀπὸ – τῆς ἀληθείας τὴν ἀκοὴν ἀπο-
στρέψουσιν ᵃ Tit 114 ἀνθρώπων ἀπο-
στρεφομένων ᵇ τὴν ἀλήθειαν

Hb 1225 ἡμεῖς οἱ τὸν ἀπ' οὐρανῶν ἀ..όμενοι ᵃ
(qui – nobis avertimus vl ..mur)

ἀποστυγεῖν Sᵒ – odire Rm 129 τὸ πονηρόν

ἀποσυνάγωγος Sᵒ – extra synagogam (fieri,)
e (vl de) sy..a (eiici), absque sy..is (fa-
cere) Joh 922 ἵνα –, ἀπ. γένηται 1242 ἵνα
μὴ ἀ..οι γένωνται 162 ἀ..ους ποιήσουσιν

ἀποτάσσεσθαι ᵃdimittere ᵇrenuntiare (re-
nunciare) ᶜvalefacere

Mar 646 ἀποταξάμενος ᵃ αὐτοῖς ἀπῆλθεν

Luc 961 ἐπίτρεψόν μοι ἀποτάξασθαι ᵇ τοῖς εἰς
τὸν οἶκόν μου 1433 ὃς οὐκ ἀποτάσ-
σεται ᵇ πᾶσιν τοῖς ἑαυτοῦ ὑπάρχουσιν

Act 1818 ᶜ τοῖς ἀδελφοῖς 21 ᶜ 2 Co 213 ᶜ

ἀποτελεῖν, ..σθαι ᵃperficere ᵇconsummari

Luc 1332 ἰάσεις ἀποτελῶ ᵃ σήμερον καὶ αὔριον

Jac 115 ἡ δὲ ἁμαρτία ἀποτελεσθεῖσα ᵇ

ἀποτίθεσθαι ᵃabiicere ᵇdeponere ᶜponere

Mat 14 3 ᶜ ἐν φυλακῇ Act 758 ᵇ ἱμάτια

Rm 1312 ἀποθώμεθα ᵃ (vl ..βαλώμεθα) οὖν
τὰ ἔργα τοῦ σκότους, ἐνδυσώμεθα

Eph 422 ἀποθέσθαι ᵇ ὑμᾶς – τὸν παλαιὸν ἄν-
θρωπον 25 ἀποθέμενοι ᵇ τὸ ψεῦδος

Col 3 8 ἀπόθεσθε ᵇ καὶ ὑμεῖς –, ὀργήν, θυμόν

Hb 12 1 ὄγκον ἀποθέμενοι ᵇ πάντα Jac 121 ᵃ
πᾶσαν ῥυπαρίαν 1 Pe 21 ᵇ πᾶ. κακίαν

ἀποτινάσσειν excutere Luc 95 Act 285

ἀποτίνειν reddere Phm 19 ἐγὼ ἀποτίσω

ἀποτολμᾶν Sᵒ – audēre Rm 1020 Ἠσαΐας

ἀποτομία Sᵒ – severitas

Rm 1122 ἴδε οὖν χρηστότητα καὶ ἀποτομίαν
θεοῦ· ἐπὶ μὲν τοὺς πεσόντας ἀ..ία

ἀποτόμως ᵃdure ᵇdurius

2 Co 1310 ἵνα – μὴ ἀπ. ᵇ χρήσωμαι Tit 113 ᵃ

ἀποτρέπεσθαι devitare 2 Ti 35 ἀποτρέπου

ἀπουσία Sᵒ – absentia Phl 212 ἐν τῇ ἀπ.

ἀποφέρειν, ..εσθαι ᵃauferre ᵇdeferri
ᶜducere ᵈperferre ᵉportari ᶠtollere

Mar 15 1 ᶜ Ἰησοῦν Luc 1622 ᵉ (Laz.) Act 1912 ᵇ

1 Co 16 3 πέμψω ἀπενεγκεῖν ᵈ τὴν χάριν ὑμῶν

Ap 17 3 ἀπήνεγκέν ᵃ με εἰς ἔρημον ἐν πνεύ-
ματι 2110 ᶠ ἐπὶ ὄρος μέγα

ἀποφεύγειν ᵃeffugere ᵇfugere ᶜrefugere

2 Pe 1 4 ἀποφυγόντες ᵇ τῆς ἐν τῷ κόσμῳ –
φθορᾶς 218 τοὺς ὀλίγως ἀ..οντας ᵃ 20
ἀποφυγόντες ᶜ τὰ μιάσματα τ. κόσμου

ἀποφθέγγεσθαι ᵃeloqui ᵇloqui

Act 2 4 καθὼς τὸ πνεῦμα ἐδίδου ἀπ. ᵃ αὐτοῖς
– 14 ᵇ 2625 σωφροσύνης ῥήματα ἀ..ομαι ᵇ

ἀποφορτίζεσθαι Sᵒ – exponere Act 213

ἀπόχρησις Sᵒ – usus Col 222 εἰς φθορὰν τῇ ἀ.

ἀποχωρεῖν discedere Mat 723 „ἀ..εῖτε ἀπ'
ἐμοῦ" – Luc 939 Act 1313 Ἰωάν. – ἀ..ήσας

ἀποχωρίζεσθαι ᵃdiscedere ᵇrecedere

Act 1539 ᵃ – Ap 614 ὁ οὐρανὸς ἀπεχωρίσθη ᵇ

ἀποψύχειν arescere Luc 2126 ἀπὸ φόβου

Ἀππίου φόρον Act 2815 ἄχρι Ἀππίου φόρου

ἀπρόσιτος Sᵒ – inaccessibilis

1 Ti 616 φῶς οἰκῶν ἀπ..ον, ὃν εἶδεν οὐδείς

ἀπρόσκοπος ᵃsine offendiculo ᵇsine offen-
sione ᶜsine offensa

Act 2416 ἀ..ον ᵃ συνείδησιν ἔχειν πρὸς τὸν θ.

1 Co 1032 ἀ..οι ᵇ καὶ Ἰουδαίοις γίνεσθε κ. Ἕλλ.

Phl 1 10 ἵνα ἦτε – ἀ..οι ᶜ εἰς ἡμέραν Χοῦ

ἀπροσωπολήμπτως Sᵒ – sine acceptione
personarum 1 Pe 117 τὸν ἀπρ. κρί-
νοντα κατὰ τὸ ἑκάστου ἔργον

ἄπταιστος sine peccato Jud 24 ὑμᾶς ἀ..ους

ἅπτειν accendere Luc 816 1133 158 Act 282

ἅπτεσθαι tangere

Mat 8 3 ἥψατο αὐτοῦ – · – καθαρίσθητι ‖ Mar
141 Luc 513 – Mat 815 ἥψ. τῆς χειρός

Mat 9 20 ἥψατο τοῦ κρασπέδου – αὐτοῦ 21 ἐὰν
μόνον ἅψωμαι τοῦ ἱματίου αὐτοῦ ‖
Mar 5 27.28.30 τίς μου ἥψατο τῶν ἱμα-
τίων; 31 Luc 8 44-47 — Mat 14 36 ἵνα
μόνον ἅψωνται τοῦ κρασπέδου – · καὶ
ὅσοι ἥψαντο διεσώθησαν ‖ Mar 6 56
– 29 ἥψατο τῶν ὀφθαλμῶν 20 34 – Mar
7 33 τῆς γλώσσης Luc 22 51 τοῦ ὠτίου
17 7 ἁψάμενος – · ἐγέρθητε καὶ μὴ φοβ.
Mar 3 10 ἵνα αὐτοῦ ἅψωνται ‖ Luc 6 19 – Mar 8 22
10 13 παιδία ἵνα αὐτῶν ἅψηται ‖ Luc 18 15
Luc 7 14 ἥψατο τῆς σοροῦ, οἱ δὲ βαστάζοντες
– 39 ποταπὴ ἡ γυνὴ ἥτις ἅπτεται αὐτοῦ
Joh 20 17 μή μου ἅπτου, οὔπω γὰρ ἀναβέβ.
1 Co 7 1 καλὸν – γυναικὸς μὴ ἅπτεσθαι
2 Co 6 17 „ἀκαθάρτου μὴ ἅπτεσθε"
Col 2 21 μὴ ἅψῃ (vg tetigeritis vl tetigeris)
μηδὲ γεύσῃ μηδὲ θίγῃς
1 Jo 5 18 ὁ πονηρὸς οὐχ ἅπτεται αὐτοῦ

Ἀπφία Phm 2 Ἀπφίᾳ τῇ ἀδελφῇ

ἀπωθεῖσθαι repellere Act 7 27.39
Act 13 46 ἐπειδὴ ἀ..σθε αὐτόν (sc λόγον θεοῦ)
Rm 11 1 „μὴ ἀπώσατο ὁ θεὸς τ. λαὸν αὐτοῦ;"
2 „οὐκ ἀπώσατο – τὸν λαὸν αὐτοῦ"
1 Ti 1 19 ἀγαθὴν συνείδησιν, ἥν τινες ἀπωσά-
μενοι περὶ τὴν πίστιν ἐναυάγησαν

ἀπώλεια perditio b interitus
Mat 7 13 ἡ ὁδὸς ὁ ἀπάγουσα εἰς τὴν ἀπώλειαν
26 8 εἰς τί ἡ ἀπώλεια αὕτη; ‖ Mar 14 4
Joh 17 12 οὐδεὶς – ἀπώλετο εἰ μὴ ὁ υἱὸς τῆς ἀπ.
Act 8 20 τὸ ἀργύριόν σου σὺν σοὶ εἴη εἰς ἀπ.
Rm 9 22 „σκεύη ὀργῆς" κατηρτ. εἰς „ἀ..αν" b
Phl 1 28 αὐτοῖς ἔνδειξις ἀ..ας, ὑμῶν δὲ σωτηρ.
3 19 ὧν τὸ τέλος ἀπ. b, ὧν ὁ θεὸς ἡ κοιλ.
2 Th 2 3 ἀποκαλυφθῇ –, ὁ υἱὸς τῆς ἀ..ας
1 Ti 6 9 βυθίζουσιν – εἰς ὄλεθρον καὶ ἀ..αν
Hb 10 39 οὐκ ἐσμὲν ὑποστολῆς εἰς ἀπ..αν
2 Pe 2 1 παρεισάξουσιν αἱρέσεις ἀπωλείας –,
ἐπάγοντες ἑαυτοῖς ταχινὴν ἀπώλει-
αν 3 ἡ ἀπώλεια αὐτῶν οὐ νυστάζει
3 7 εἰς ἡμέραν – ἀ..ας τῶν ἀσεβῶν ἀνθ.
– 16 πρὸς τὴν ἰδίαν αὐτῶν ἀπώλειαν
Ap 17 8 τὸ θηρίον – εἰς ἀ..αν b ὑπάγει 11 b

ἀρά maledictio Rm 3 14 „ἀρᾶς – γέμει"

Ἄραβες, Ἀραβία Act 2 11 – Gal 1 17 4 25

Ἀράμ Mat 1 3.4 (vl Luc 3 33 et vg)

ἀργεῖν cessare 2 Pe 2 3 τὸ κρίμα – οὐκ ἀ..εῖ

ἀργός otiosus b piger c vacuus
Mat 12 36 πᾶν ῥῆμα ἀργὸν ὃ λαλήσουσιν
20 3 ἑστῶτας ἐν τῇ ἀγορᾷ ἀργούς 6
1 Ti 5 13 ἅμα δὲ καὶ ἀργαὶ (vg vl otiose) –,
οὐ μόνον δὲ ἀργαὶ ἀλλὰ κ. φλύαροι
Tit 1 12 Κρῆτες ἀεὶ –, γαστέρες ἀργαί b
Jac 2 20 ὅτι ἡ πίστις χωρὶς τῶν ἔργων ἀργή
(vl νεκρά vg mortua vl otiosa) – ;
2 Pe 1 8 οὐκ ἀργοὺς c οὐδὲ ἀκάρπους – εἰς
τὴν τοῦ κυρίου ἡμῶν – ἐπίγνωσιν

ἀργύριον pecunia b argentum c argenteus
Mat 25 18 ἔκρυψεν τὸ ἀργ. 27 βαλεῖν τὰ ἀργ.
μου τοῖς τραπεζίταις ‖ Luc 19 15.23
26 15 „ἔστησαν" αὐτῷ „τριάκοντα ἀργύρια" c
27 3 ἔστρεψεν τὰ τριάκ. ἀργ. c 5 c 6 c 9
„ἔλαβον τὰ τριάκ. ἀργ." c ‖ Mar 14 11
ἐπηγγείλαντο αὐτῷ ἀργύριον δοῦναι
Luc 22 5 συνέθεντο
28 12 ἀ..ια ἱκανὰ – τοῖς στρατιώταις 15
Luc 9 3 μήτε ἀργ. μήτε ἀνὰ δύο χιτῶνας
Act 3 6 ἀργ. b καὶ χρυσίον οὐχ ὑπάρχει μοι
7 16 τιμῆς ἀ..ίου b 19 19 ἀ..ίου μυρ. πέντε
8 20 τὸ ἀργ. σου σὺν σοὶ εἴη εἰς ἀπώλειαν
20 33 ἀ..ίου b ἢ χρυσ. – οὐδενὸς ἐπεθύμησα
1 Co 3 12 εἰ δέ τις ἐποικοδομεῖ – ἀργύριον b
1 Pe 1 18 οὐ φθαρτοῖς, „ἀργυρίῳ b" ἢ χρυσίῳ,
„ἐλυτρώθητε" ἐκ τῆς ματαίας

ἀργυροκόπος argentarius Act 19 24

ἄργυρος argentum
Mat 10 9 μὴ κτήσησθε χρυσὸν μηδὲ ἄργυρον
Act 17 29 Jac 5 3 ὁ ἄργυρος κατίωται Ap 18 12

ἀργυροῦς argenteus Act 19 24 Ap 9 20
2 Ti 2 20 οὐκ ἔστιν μόνον σκεύη – ἀργυρᾶ

Ἄρειος πάγος Act 17 19.22

Ἀρεοπαγίτης Act 17 34 Διονύσιος ὁ Ἀρ.

ἀρεσκεία Col 1 10 περιπατῆσαι – εἰς πᾶσαν
ἀρεσκείαν per omnia placentes

ἀρέσκειν placēre
Mat 14 6 Ἡρώδῃ ‖ Mar 6 22 – Act 6 5 ὁ λόγος
Rm 8 8 θεῷ ἀρέσαι οὐ δύνανται
15 1 ὀφείλομεν – μὴ ἑαυτοῖς ἀρ. 2 ἕκα-
στος ἡμῶν τῷ πλησίον ἀ..έτω 3 καὶ
γὰρ ὁ Χὸς οὐχ ἑαυτῷ ἤρεσεν

1 Co 7 32 ὁ ἄγαμος μεριμνᾶ –, πῶς ἀρέσῃ τῷ
κυρίῳ 33 ὁ δὲ γαμήσας –, πῶς ἀρέ-
σῃ τῇ γυναικί 34 ἡ δὲ γαμήσασα –,
πῶς ἀρέσῃ τῷ ἀνδρί
10 33 καϑὼς κἀγὼ πάντα πᾶσιν ἀρέσκω
Gal 1 10 ἢ ζητῶ ἀνϑρώποις ἀρέσκειν; εἰ ἔτι
ἀνϑρώποις ἤρεσκον, Χοῦ δοῦλος οὐκ
1 Th 2 4 οὐχ ὡς ἀνϑρώποις ἀρέσκοντες
– 15 Ἰουδαίων, τῶν – ϑεῷ μὴ ἀ..όντων
4 1 πῶς δεῖ – περιπατεῖν καὶ ἀ..ειν ϑεῷ
2 Ti 2 4 ἵνα τῷ στρατολογήσαντι ἀρέσῃ

ἀρεστόν (ἐστιν) ᵃaequum (est) ᵇplacet
ᶜquod placitum est
Joh 8 29 ὅτι – τὰ ἀρ.ᶜ αὐτῷ ποιῶ πάντοτε
Act 6 2 οὐκ ἀρ. ἐστινᵃ ἡμᾶς – διακονεῖν τρα-
πέζαις 12 3 ὅτι ἀρ. ἐστινᵇ τοῖς Ἰουδ.
1 Jo 3 22 τὰ ἀρ.ᶜ ἐνώπιον αὐτοῦ ποιοῦμεν

Ἀρέτας 2 Co 11 32 ὁ ἐϑνάρχης Ἁ..α τοῦ βασ.

ἀρετή virtus
Phl 4 8 εἴ τις ἀρετὴ καὶ εἴ τις ἔπαινος
1 Pe 2 9 „ὅπως τὰς ἀρ. ἐξαγγείλητε" τοῦ ἐκ
2 Pe 1 3 τοῦ καλέσαντος ἡμᾶς ἰδίᾳ δόξῃ καὶ
ἀρετῇ (vl διὰ – ἀ..ῆς) 5 ἐπιχορηγή-
σατε ἐν τῇ πίστει ὑμῶν τὴν ἀρετήν,
ἐν δὲ τῇ ἀρετῇ τὴν γνῶσιν

ἀρήν agnus Luc 10 3 ὡς ἄρνας ἐν μέσῳ

ἀριϑμεῖν ᵃnumerare ᵇdinumerare
Mat 10 30ᵃ ‖ Luc 12 7ᵃ (τρίχες) – Ap 7 9ᵇ

ἀριϑμός numerus Luc 22 3 (vg°)
Joh 6 10 Act 4 4 5 36 6 7 11 21 16 5 Rm 9 27
Ap 5 11 7 4 ἤκουσα τὸν ἀρ. τῶν ἐσφραγισμέ-
νων 9 16 13 17 (τὸ ὄνομα τοῦ ϑηρίου ἢ τὸν
ἀρ. τοῦ ὀνόματος αὐτοῦ 15 2) 13 18 τὸν ἀρ.
τοῦ ϑηρίου· ἀρ. γὰρ ἀνϑρώπου ἐστίν. καὶ
ὁ ἀρ. αὐτοῦ ἑξακόσιοι ἑξήκοντα ἕξ – 20 8

Ἀριμαϑαία
Mat 27 57 ‖ Mar 15 43 Luc 23 51 Joh 19 38

ἀριστᾶν prandēre Luc 11 37 Joh 21 12.15

Ἀρίσταρχος Act 19 29 20 4 27 2 – Col 4 10 Ἁ.
ὁ συναιχμάλωτός μου Phm 24 συνεργ.

ἀριστερός sinister
Mat 6 3 μὴ γνώτω ἡ ἀ..ά σου τί ποιεῖ ἡ δεξ.

Mar 10 37 εἷς ἐξ ἀ..ῶν ‖ Luc 23 33 ὃν δὲ ἐξ ἀ.
2 Co 6 7 διὰ τῶν ὅπλων τῆς δικαιοσύνης τῶν
δεξιῶν καὶ ἀριστερῶν (a sinistris)

Ἀριστόβουλος Rm 16 10 τοὺς ἐκ τῶν Ἁ..ου

ἄριστον prandium Mat 22 4 Luc 11 38 14 12

ἀρκεῖν, ..σϑαι sufficere ᵇcontentum esse
Mat 25 9 Luc 3 14ᵇ Joh 6 7 14 8 ἀ..εῖ ἡμῖν 3 Jo 10
2 Co 12 9 ἀρκεῖ σοι ἡ χάρις μου· ἡ γὰρ δύν.
1 Ti 6 8 ἔχοντες δὲ διατροφὰς καὶ σκεπάσμα-
τα, τούτοις ἀρκεσϑησόμεϑαᵇ
Hb 13 5 ἀρκούμενοιᵇ τοῖς παροῦσιν

ἀρκετός, ..όν S° – sufficit
Mat 6 34 ἀ..όν τῇ ἡμέρᾳ ἡ κακία αὐτῆς
10 25 ἀ..όν τῷ μαϑητῇ ἵνα γένηται ὡς
1 Pe 4 3 ἀ..ὸς – ὁ παρεληλυϑὼς χρόνος τὸ
βούλημα τῶν ἐϑνῶν κατειργάσϑαι

ἄρκος ursus Ap 13 2 πόδες – ὡς ἄρκου

ἅρμα currus Act 8 28.29.38 Ap 9 9

Ἀρμαγεδών Ap 16 16 (vl Ἅρ Μαγ.)

ἁρμόζεσϑαι despondēre 2 Co 11 2 ἡρμοσά-
μην – ὑμᾶς ἑνὶ ἀνδρὶ παρϑένον ἁγνήν

ἁρμός compages Hb 4 12 ἀ..ῶν – κ. μυελῶν

Ἀρνί Luc 3 33 (vl Ἀράμ)

ἀρνεῖσϑαι negare ᵇabnegare
Mat 10 33 ὅστις δ᾽ ἂν ἀρνήσηταί με ἔμπρ. τῶν
ἀνϑρ., ἀρνήσομαι κἀγὼ αὐτὸν ἔμπρ.
τοῦ πατρός μου ‖ Luc 12 9 ὁ – ἀρνη-
σάμενός με – ἀπαρνηϑήσεται
26 70 ὁ δὲ ἠρνήσατο ἔμπρ. πάντων 72 πάλιν
ἠρν. μετὰ ὅρκου ‖ Mar 14 68.70 Luc
22 57 Joh 13 38 ἕως οὗ ἀρνήσῃ με τρίς
18 25 ἠρνήσατο 27 πάλιν ἠρνήσατο
Luc 8 45 ἀρνουμένων δὲ πάντων εἶπεν – Πέτρ.
9 23 ἀρνησάσϑωᵇ ἑαυτὸν καὶ ἀράτω τὸν στ.
Joh 1 20 ὡμολόγησεν καὶ οὐκ ἠρνήσατο
Act 3 13 ὃν ὑμεῖς – ἠρνήσασϑε κατὰ πρόσωπον
Πιλάτου 14 τὸν ἅγιον – ἠρνήσασϑε
4 16 φανερόν, καὶ οὐ δυνάμεϑα ἀ..σϑαι
7 35 Μωϋσῆν, ὃν ἠρνήσαντο
1 Ti 5 8 τὴν πίστιν ἤρνηται καὶ ἔστιν ἄπιστου
2 Ti 2 12 εἰ ἀρνησόμεϑα, κἀκεῖνος ἀρνήσεται

ἡμᾶς 13 εἰ ἀπιστοῦμεν, – πιστὸς μένει,
ἀρνήσασθαι γὰρ ἑαυτὸν οὐ δύναται
2 Ti   3 5 ἔχοντες μόρφωσιν εὐσεβείας τὴν δὲ
δύναμιν αὐτῆς ἠρνημένοι[b]
Tit   1 16 τοῖς δὲ ἔργοις ἀρνοῦνται (sc θεόν)
2 12 ἵνα ἀρνησάμενοι[b] τὴν ἀσέβειαν καὶ
τὰς κοσμικὰς ἐπιθυμίας
Hb   11 24 ἠρνήσατο λέγεσθαι υἱὸς θυγατρός
2 Pe   2 1 τὸν ἀγοράσαντα αὐτοὺς – ἀρνούμενοι
1 Jo   2 22 ὁ ἀρνούμενος ὅτι Ἰησοῦς οὐκ ἔστιν
ὁ χριστός; – ὁ ἀρν. τὸν πατέρα καὶ
τὸν υἱόν 23 πᾶς ὁ ἀρνούμενος τὸν
υἱὸν οὐδὲ τὸν πατέρα ἔχει
Jud   4 τὸν – κύριον ἡμῶν Ἰ. Χὸν ἀρνούμενοι
Ap   2 13 οὐκ ἠρνήσω τὴν πίστιν μου
3 8 οὐκ ἠρνήσω τὸ ὄνομά μου

ἀρνίον   agnus
Joh   21 15 βόσκε τὰ ἀρνία (vl πρόβατα) μου
Ap   5 6 ἀ. ἑστηκὸς ὡς ἐσφαγμένον 12 13 8
– 8 οἱ – πρεσβ. – ἔπεσαν ἐνώπιον τοῦ ἀρ.
– 13 τῷ ἀρνίῳ ἡ εὐλογία 7 10 ἡ σωτηρία
15 3 ᾄδουσιν – τὴν ᾠδὴν τοῦ ἀρνίου
6 1 ἤνοιξεν τὸ ἀρ. μίαν ἐκ τῶν – σφραγ.
– 16 „πέσετε ἐφ᾽ ἡμᾶς καὶ κρύψατε ἡμᾶς"
– ἀπὸ τῆς ὀργῆς τοῦ ἀρνίου
7 9 ὄχλος πολύς, – ἐνώπιον τοῦ ἀρνίου
– 14 ἐλεύκαναν – ἐν τῷ αἵματι τοῦ ἀρνίου
– 17 τὸ ἀ. τὸ ἀνὰ μέσον τοῦ θρόνου ποι-
μανεῖ αὐτοὺς καὶ ὁδηγήσει
12 11 ἐνίκησαν – διὰ τὸ αἷμα τοῦ ἀρνίου
13 11 εἶχεν κέρατα δύο ὅμοια ἀρνίῳ
14 1 τὸ ἀρνίον ἑστὸς ἐπὶ τὸ ὄρος Σιών
– 4 οὗτοι οἱ ἀκολουθοῦντες τῷ ἀρνίῳ –.
– ἠγοράσθησαν – ἀπαρχὴ – τῷ ἀρνίῳ
– 10 βασανισθήσεται – ἐνώπιον τοῦ ἀρνίου
17 14 μετὰ τοῦ ἀρνίου πολεμήσουσιν καὶ
τὸ ἀρνίον νικήσει αὐτούς
19 7 ἦλθεν ὁ γάμος τοῦ ἀ..ου; καὶ ἡ γυ-
νὴ αὐτοῦ ἡτοίμασεν ἑαυτήν 9 μακά-
ριοι οἱ εἰς τὸ δεῖπνον τοῦ γάμου τοῦ
ἀρνίου κεκλημένοι 21 9 δείξω σοι τὴν
νύμφην τὴν γυναῖκα τοῦ ἀρνίου
21 14 ὀνόματα τῶν – ἀποστόλων τοῦ ἀ..ου
– 22 ναὸς αὐτῆς ἐστιν, καὶ τὸ ἀρνίον 23
καὶ ὁ λύχνος αὐτῆς τὸ ἀρνίον
– 27 ἐν τῷ βιβλίῳ τῆς ζωῆς τοῦ ἀρνίου
22 1 ποταμὸν – , ἐκπορευόμενον ἐκ τοῦ
θρόνου τοῦ θεοῦ καὶ τοῦ ἀρνίου 3

ἀροτριᾶν   arare   Luc 17 7 δοῦλον ἀ..ιῶντα
1 Co   9 10 ὀφείλει ἐπ᾽ ἐλπίδι ὁ ἀροτριῶν ἀ..ιᾶν

ἄροτρον   aratrum   Luc 9 62 χεῖρα ἐπ᾽ ἄροτρον

ἁρπαγή   rapina   Mat 23 25 ‖ Luc 11 39
Hb   10 34 τὴν ἁρ. τῶν ὑπαρχόντων – προσεδέξ.

ἁρπαγμός   S° – rapina   Phl 2 6 οὐχ ἁρπαγ-
μὸν ἡγήσατο τὸ εἶναι ἴσα θεῷ, ἀλλά

ἁρπάζειν   rapere   [b]diripere
Mat   11 12 καὶ βιασταὶ ἁρπάζουσιν αὐτήν   [σαι[b]
12 29 τὰ σκεύη αὐτοῦ (sc τοῦ ἰσχ.) ἁρπά-
13 19 ἁ..ει τὸ ἐσπαρμένον ἐν τῇ καρδίᾳ
Joh   6 15 ὅτι μέλλουσιν – ἁρ. αὐτὸν (sc Ἰησοῦν)
10 12 ὁ λύκος ἁ..ει αὐτὰ καὶ σκορπίζει
– 28 οὐχ ἁ..σει τις αὐτὰ ἐκ τῆς χειρός μου
29 οὐδεὶς δύν. ἁρ. ἐκ τ. χ. τοῦ πατρός
Act   8 39 πνεῦμα – ἥρπασεν τὸν Φίλιππον
23 10 ἐκέλευσεν – ἁ..σαι αὐτόν (sc Παῦλ.)
2 Co   12 2 ἁρπαγέντα – ἕως τρίτου οὐρανοῦ
– 4 ὅτι ἡρπάγη εἰς τὸν παράδεισον
1 Th   4 17 ἁρπαγησόμεθα ἐν νεφέλαις εἰς ἀπάν-
τησιν τοῦ κυρίου εἰς ἀέρα
Jud   23 σῴζετε „ἐκ πυρὸς ἁρπάζοντες"
Ap   12 5 ἡρπάσθη τὸ τέκνον – πρὸς τὸν θεόν

ἅρπαξ   rapax   [b]raptor
Mat   7 15 ἔσωθεν δέ εἰσιν λύκοι ἅρπαγες
Luc   18 11 οὐκ εἰμὶ ὥσπερ – , ἅρπαγες[b], ἄδικοι
1 Co   5 10 μὴ συναναμίγνυσθαι – , – ἅρπαξιν
– 11 ἐάν τις ἀδελφὸς ὀνομαζόμενος ἢ
πόρνος – ἢ ἅρπαξ, τῷ τοιούτῳ μηδὲ
6 10 οὐχ ἅρπαγες βασιλείαν θεοῦ κληρον.

ἀρραβών   pignus
2 Co   1 22 θεός, ὁ – δοὺς τὸν ἀρραβῶνα τοῦ
πνεύματος ἐν ταῖς καρδίαις ἡμῶν 5 5
Eph   1 14 ὅς ἐστιν ἀ. τῆς κληρονομίας ἡμῶν

ἄρραφος   S° – inconsutilis   Joh 19 23 χιτών

ἄρρητος   S° – arcanus
2 Co   12 4 ἤκουσεν ἄ..α ῥήματα, ἃ οὐκ ἐξόν

ἄρρωστος   [a]aeger (vl aegrotus)   [b]imbecillis
[c]infirmus   [d]languidus
Mat   14 14 ἐθεράπευσεν τοὺς ἀρρώστους[d] αὐτῶν
Mar   6 5 ὀλίγοις ἀ..οις[c] ἐπιθεὶς τὰς χεῖρας
[16 18[a]] – 6 13 ἤλειφον – πολλοὺς ἀ..ους[a]
1 Co   11 30 διὰ τοῦτο ἐν ὑμῖν πολλοὶ – ἄρρωστοι[b]

ἀρσενοκοίτης   S° – masculorum concubitor
1 Co 6 9   1 Ti 1 10

ἄρσην, ..εν *masculus, ..um* ᵇ*masculinum*
Mat 19 4 ‖ Mar 10 6 – Luc 2 23 πᾶν ἄρσεν ᵇ
Rm 1 27 – Gal 3 28 οὐκ ἔνι ἄρσεν καὶ θῆλυ
Ap 12 5 ἔτεκεν υἱὸν ἄρσεν 13 τὸν ἄρσενα

Ἀρτεμᾶς Tit 3 12 πέμψω Ἀρτεμᾶν πρὸς σέ

Ἄρτεμις Act 19 24.27.28.34.35

ἀρτέμων Sᵒ – *artemon* Act 27 40

*ἄρτι *nunc* *ἀπ' ἄρτι *amodo*
Mat 23 39 οὐ μή με ἴδητε ἀπ' ἄρτι ἕως ἄν
26 29 οὐ μὴ πίω ἀπ' ἄρτι – ἕως τῆς ἡμέρ.
– 64 ἀπ' ἄρτι ὄψεσθε τὸν υἱὸν τοῦ ἀνθρ.
Joh 13 19 ἀπ' ἄρτι λέγω – πρὸ τοῦ γενέσθαι
14 7 ἀπ' ἄρτι γινώσκετε αὐτὸν κ. ἑωράκ.
1 Co 13 12 βλέπομεν γὰρ ἄρτι δι' ἐσόπτρου –·
ἄρτι γινώσκω ἐκ μέρους, τότε δέ
1 Pe 1 6 ὀλίγον ἄρτι – λυπηθέντες 8 εἰς ὃν
ἄρτι μὴ ὁρῶντες πιστεύοντες δέ
Ap 14 13 οἱ ἐν κυρίῳ ἀποθνήσκοντες ἀπ' ἄ.

ἀρτιγέννητος Sᵒ – *modo genitus*
1 Pe 2 2 ὡς ἄ..α βρέφη – γάλα ἐπιποθήσατε

ἄρτιος Sᵒ – *perfectus*
2 Ti 3 17 ἵνα ἄρτιος ᾖ ὁ τοῦ θεοῦ ἄνθρωπος

ἄρτος *panis*
Mat 4 3 ἵνα οἱ λίθοι – ἄ..οι γένωνται ‖ Luc 4 3
– 4 „οὐκ ἐπ' ἄρτῳ μόνῳ ζήσεται" ‖ Luc 4 4
6 11 τὸν ἄρτον ἡμῶν τὸν ἐπιούσιον δὸς ἡ-
μῖν σήμερον ‖ Luc 11 3 τὸ καθ' ἡμέραν
7 9 ὃν αἰτήσει ὁ υἱὸς – ἄ..ον (Luc 11 11 vl)
12 4 „τοὺς ἄρτους τῆς προθέσεως" ἔφαγον
‖ Mar 2 26 Luc 6 4 – Hb 9 2 ἡ πρ. τῶν ἄ.
14 17 οὐκ ἔχομεν ὧδε εἰ μὴ πέντε ἄρ-
τους 19 ‖ Mar 6 37.38.41.44 Luc 9 13.16
Joh 6 5 πόθεν ἀγοράσωμεν ἄρτους –;
7.9.11 ἔλαβεν – τοὺς ἄρτους – καὶ εὐ-
χαριστήσας διέδωκεν 13.23
15 2 οὐ γὰρ νίπτονται τὰς χεῖρας ὅταν
ἄρτον ἐσθίωσιν ‖ Mar 7 2.5
– 26 λαβεῖν τὸν ἄ. τῶν τέκνων ‖ Mar 7 27
– 33 πόθεν ἡμῖν ἐν ἐρημίᾳ ἄρτοι τοσοῦ-
τοι –; 34.36 ἔλαβεν τοὺς ἑπτὰ ἄρ-
τους ‖ Mar 8 4.5.6
16 5 ἐπελάθοντο ἄρτους λαβεῖν 7.8.9 οὐδὲ
μνημονεύετε τοὺς πέντε ἄρτους –;
10.11 οὐ νοεῖτε ὅτι οὐ περὶ ἄρτων εἴ-

πον –; 12 οὐκ – ἀπὸ τῆς ζύμης [τῶν
ἄρτων] ‖ Mar 8 14.16.17.19 – cfr 6 52
Mat 26 26 λαβὼν ὁ Ἰησοῦς ἄρτον καὶ εὐλογή-
σας ἔκλασεν ‖ Mar 14 22 Luc 22 19 εὐ-
χαριστήσας – 1 Co 11 23 εὐχ. ἔκλασεν
Mar 3 20 ὥστε μὴ δύνασθαι – μηδὲ ἄ..ον φαγεῖν
6 8 μὴ ἄρτον, μὴ πήραν ‖ Luc 9 3
– 52 οὐ γὰρ συνῆκαν ἐπὶ τοῖς ἄρτοις
Luc 7 33 Ἰωάννης – μὴ ἐσθίων ἄρτον
11 5 φίλε, χρῆσόν μοι τρεῖς ἄρτους
14 1 φαγεῖν ἄ..ον 15 μακάριος ὅστις φά-
γεται ἄ..ον ἐν τῇ βασιλείᾳ τοῦ θεοῦ
15 17 πόσοι μίσθιοι – περισσεύονται ἄ..ων
24 30 λαβὼν τὸν ἄ. εὐλόγησεν καὶ κλάσας
ἐπεδίδου 35 ἐν τῇ κλάσει τοῦ ἄρτου
Joh 6 23.26 ζητεῖτέ με – ὅτι ἐφάγετε ἐκ τῶν
ἄρτων 31 „ἄρτον ἐκ τοῦ οὐρα-
νοῦ ἔδωκεν αὐτοῖς" 32 οὐ Μωϋσῆς
δέδωκεν – τὸν ἄ. ἐκ τοῦ οὐρ., ἀλλ' ὁ
πατήρ μου δίδωσιν ὑμῖν τὸν ἄ. ἐκ τ.
οὐρ. τὸν ἀληθινόν· 33 ὁ γὰρ ἄ. τοῦ
θεοῦ ἐστιν ὁ καταβαίνων 34 πάντο-
τε δὸς ἡμῖν τὸν ἄρτον τοῦτον
– 35 ἐγώ εἰμι ὁ ἄρτος τῆς ζωῆς 48
– 41 ἐγώ εἰμι ὁ ἄρτος ὁ καταβὰς ἐκ τοῦ
οὐρ. 50 οὗτός ἐστιν ὁ ἄ. – ὁ καταβαί-
νων 51 ἐγώ εἰμι ὁ ἄ. ὁ ζῶν ὁ – κατα-
βάς· ἐάν τις φάγῃ ἐκ τούτου τοῦ ἄ.
–· καὶ ὁ ἄ. δὲ ὃν ἐγὼ δώσω ἡ σάρξ
μού ἐστιν ὑπὲρ τῆς τοῦ κόσμου ζωῆς
58 οὗτός ἐστιν ὁ ἄ. ὁ – καταβάς – · ὁ
τρώγων τοῦτον τὸν ἄρτον ζήσει εἰς
τὸν αἰῶνα
13 18 „ὁ τρώγων μου (vl μετ' ἐμοῦ) τὸν ἄρ."
21 9 ὀψάριον ἐπικείμενον καὶ ἄρτον
– 13 λαμβάνει τὸν ἄρτον καὶ δίδωσιν
Act 2 42 προσκαρτεροῦντες – τῇ κλάσει τοῦ
ἄρ. 46 κλῶντές τε κατ' οἶκον ἄρτον
20 7 συνηγμένων ἡμῶν κλάσαι ἄρτον 11
κλάσας τὸν ἄρτον καὶ γευσάμενος
27 35 λαβὼν ἄρτον εὐχαρίστησεν – κ. κλάσ.
1 Co 10 16 τὸν ἄ. ὃν κλῶμεν, οὐχὶ κοινωνία –;
– 17 εἷς ἄ., ἓν σῶμα οἱ πολλοί ἐσμεν· οἱ
γὰρ πάντες ἐκ τοῦ ἑνὸς ἄ. μετέχομεν
11 23 ἔλαβεν ἄ..ον καὶ εὐχαριστήσας ἔκλα-
σεν 26 ὁσάκις γὰρ ἐὰν ἐσθίητε τὸν ἄ.
τοῦτον 27 ὃς ἂν ἐσθίῃ τὸν ἄ. (vl τοῦ.
vg) 28 οὕτως ἐκ τοῦ ἄρτου ἐσθιέτω
2 Co 9 10 ὁ – ἐπιχορηγῶν – „ἄρτον εἰς βρῶσιν"
2 Th 3 8 οὐδὲ δωρεὰν ἄρτον ἐφάγομεν παρά
τινος 12 ἵνα μετὰ ἡσυχίας ἐργαζόμε-
νοι τὸν ἑαυτῶν ἄρτον ἐσθίωσιν

ἀρτύειν S° – *condire*
Mar 9₅₀ ἐν τίνι αὐτὸ ἀρτύσετε; ‖ Luc 14₃₄
Col 4 ₆ ὁ λόγος ὑμῶν – ἅλατι ἠρτυμένος

Ἀρφαξάδ Luc 3₃₆ τοῦ Σήμ

ἀρχάγγελος S° – *archangelus*
1 Th 4₁₆ ἐν φωνῆ ἀ..ου – Jud 9 „Μιχαὴλ ὁ ἀ."

ἀρχαῖος *antiquus* ᵇ*originalis* ᶜ*prior* ᵈ*vetus*
Mat 5₂₁ ἠκούσατε ὅτι ἐρρέθη τοῖς ἀ..οις 33
Luc 9 ₈ προφήτης τις τῶν ἀρχαίων ἀνέστη 19ᶜ
Act 15 ₇ ἀφ' ἡμερῶν ἀ..ων 21 ἐκ γενεῶν ἀ..ων
21₁₆ Μνάσωνί τινι –, ἀρχαίῳ μαθητῆ
2 Co 5₁₇ τὰ ἀρχ.ᵈ παρῆλθεν, – γέγονεν καινά
2 Pe 2 ₅ ἀρχαίου ᵇ κόσμου οὐκ ἐφείσατο
Ap 12 ₉ ὁ ὄφις ὁ ἀρχαῖος 20₂

ἄρχειν ᵃ*principari* ᵇ*regere* cfr ἄρχων
Mar 10₄₂ οἱ δοκοῦντες ἄ.ᵃ τῶν ἐθνῶν Rm 15₁₂ᵇ

*ἄρχεσθαι *incipere* ᵇ*coepisse*
Mat 20 ₈ ἀρξάμενος ἀπὸ τῶν ἐσχάτων ἕως
Luc 23₅ ἀπὸ – Γαλιλαίας 24₂₇ Μωϋσέως
47 Ἱερουσαλήμ [Joh 8₉ τῶν πρεσβυτέ-
ρων] Act 1₂₂ ἀπὸ τοῦ βαπτίσματος Ἰω-
άννου 8₃₅ ἀπὸ τῆς γραφῆς ταύτης
Luc 3 ₈ μὴ ἄρξησθεᵇ λέγειν ἐν ἑαυτοῖς
– 23 ἦν Ἰησοῦς ἀ..όμενος ὡσεὶ ἐτῶν τριάκ.
Act 1 ₁ ὧν ἤρξατοᵇ ὁ Ἰησοῦς ποιεῖν τε καί
11 ₄ ἀρξάμενος – Πέτρος ἐξετίθετο αὐτοῖς
2 Co 3 ₁ ἀρχόμεθα πάλιν ἑαυτοὺς συνιστάν.;
1 Pe 4₁₇ ὅτι [ὁ] καιρὸς τοῦ ἄρξασθαι τὸ κρίμα
ἀπὸ τοῦ οἴκου τοῦ θεοῦ

Ἀρχέλαος Mat 2₂₂ ὅτι Ἀ. βασιλεύει τῆς Ἰου.

ἀρχή 1) initium, origo
    initium ᵇ*principium* ᶜ*exordium*
    ᵈ*inchoatio*
Mat 19 ₄ ὁ κτίσας ἀπ' ἀρχῆς „ἄρσεν καὶ θῆλυ"
    ‖ Mar 10₆ ἀπὸ δὲ ἀρχῆς κτίσεως – Mat
    19₈ ἀπ' ἀρχῆς δὲ οὐ γέγονεν οὕτως
24 ₈ ἀρχή (*initia*) ὠδίνων ‖ Mar 13₈
– 21 „θλῖψις –, οἵα οὐ γέγονεν ἀπ' ἀρχῆς
    κόσμου ἕως" ‖ Mar 13₁₉ „ἀ. κτίσεως"
Mar 1 ₁ ἀρχὴ τοῦ εὐαγγελίου Ἰησοῦ Χοῦ
Luc 1 ₂ οἳ ἀπ' ἀ..ῆς αὐτόπται καὶ ὑπηρέται
Joh 1 ₁ ἐν ἀρχῆ ᵇ ἦν ὁ λόγος 2ᵇ πρὸς τ. θεόν
    2₁₁ ταύτην ἐποίησεν ἀ..ὴν τῶν σημείων
    6₆₄ ἤδει γὰρ ἐξ ἀρχῆς ὁ Ἰησοῦς τίνες
    8₂₅ τὴν ἀρχὴνᵇ ὅ τι καὶ λαλῶ ὑμῖν

Joh 8₄₄ ἀνθρωποκτόνος ἦν ἀπ' ἀρχῆς
    15₂₇ ὅτι ἀπ' ἀρχῆς μετ' ἐμοῦ ἐστε
    16 ₄ ταῦτα - ὑμῖν ἐξ ἀρχῆς οὐκ εἶπον
Act 10₁₁ τέσσαρσιν ἀρχαῖς καθιέμενον 11₅
    11₁₅ ἐπέπεσεν τὸ πνεῦμα – ἐπ' αὐτοὺς ὥσ-
    περ καὶ ἐφ' ἡμᾶς ἐν ἀρχῆ
    26 ₄ βίωσίν μου – τὴν ἀπ' ἀρχῆς γενομέν.
Phl 4₁₅ ἐν ἀρχῆ ᵇ τοῦ εὐαγγ., ὅτε ἐξῆλθον
Col 1₁₈ ὅς ἐστιν (vl ἥ) ἀρχή ᵇ, πρωτότοκος
    ἐκ τῶν νεκρῶν, – ἐν πᾶσιν – πρωτεύων
2 Th 2₁₃ εἵλατο ὑμᾶς ὁ θεὸς ἀπ' ἀρχῆς (vl
    ἀπαρχήν vg *primitias*) εἰς σωτηρίαν
Hb 1₁₀ „κατ' ἀρχὰς ᵇ – γῆν ἐθεμελίωσας"
    2 ₃ ἥτις (sc σωτηρία) ἀρχὴν λαβοῦσα
    3₁₄ ἐάνπερ τὴν ἀ. τῆς ὑποστάσεως μέ-
    χρι τέλους βεβαίαν κατάσχωμεν
    5₁₂ τὰ στοιχεῖα τῆς ἀρχῆς ᶜ τῶν λογίων
    6 ₁ ἀφέντες τὸν τῆς ἀ.ᵈ τοῦ Χοῦ λόγον
    7 ₃ μήτε ἀρχὴν ἡμερῶν – ἔχων (sc Μελχ.)
2 Pe 3 ₄ οὕτως διαμένει ἀπ' ἀρχῆς κτίσεως
1 Jo 1 ₁ ὃ ἦν ἀπ' ἀρχῆς 2₁₃ ἐγνώκατε τὸν ἀπ'
    ἀρχῆς 14 (vg vl)
    2 ₇ ἐντολὴν παλαιὰν ἣν εἴχετε ἀπ' ἀρχῆς
    24 ὃ ἠκούσατε ἀπ' ἀ. 3₁₁ ἡ ἀγγελία
    ἣν ἠκ. ἀπ' ἀ. 2 Jo 5 ἐντολὴν – ἣν εἴ-
    χομεν ἀπ' ἀ. 6 καθὼς ἠκούσ. ἀπ' ἀ.
    3 ₈ ἀπ' ἀρχῆς ὁ διάβολος ἁμαρτάνει
Ap 3₁₄ „ἡ ἀρχὴ ᵇ τῆς κτίσεως" τοῦ θεοῦ
    21 ₆ ἐγὼ τὸ ἄλφα καὶ τὸ ὦ, ἡ ἀ. καὶ τὸ
    τέλος 22₁₃ ᵇ (textus rec 1₈, vgᵇ)

2) potestas, potestates
    principatus ᵇ*principes* ᶜ*magistratus*
Luc 12₁₁ ἐπὶ τὰς συναγωγὰς καὶ τὰς ἀρχάς ᶜ
    20₂₀ παραδοῦναι – τῆ ἀ. – τοῦ ἡγεμόνος
Rm 8₃₈ οὔτε ἄγγελοι οὔτε ἀρχαί
1 Co 15₂₄ ὅταν καταργήσῃ πᾶσαν ἀρχήν
Eph 1₂₁ ὑπεράνω πάσης ἀρχῆς Col 2₁₀ ὃς
    ἐστιν ἡ κεφαλὴ πάσης ἀ. καὶ ἐξουσ.
    3₁₀ ἵνα γνωρισθῆ νῦν ταῖς ἀρχαῖς (vlᵇ)
    6₁₂ ἡμῖν ἡ πάλη – πρὸς τὰς ἀ.ᵇ, πρὸς τὰς
    ἐξουσίας, πρὸς τοὺς κοσμοκράτορας
Col 1₁₆ ἐν αὐτῷ ἐκτίσθη τὰ πάντα –, – εἴτε
    ἀρχαὶ εἴτε ἐξουσίαι
    2₁₅ ἀπεκδυσάμενος τὰς ἀ. κ. τὰς ἐξουσίας
Tit 3 ₁ ἀρχαῖς ᵇ (vl καὶ) ἐξουσίαις ὑποτάσσ.
Jud 6 ἀγγέλους – τοὺς μὴ τηρήσαντας τὴν
    ἑαυτῶν ἀρχήν

ἀρχηγός ᵃ*auctor* ᵇ*princeps*
Act 3₁₅ τὸν - ἀ..ὸνᵃ τῆς ζωῆς ἀπεκτείνατε
    5₃₁ τοῦτον ὁ θεὸς ἀ..ὸνᵇ καὶ σωτῆρα

ὕψωσεν Hb 2$_{10}$ τὸν ἀ.^{a} τῆς σωτηρίας
αὐτῶν διὰ παθημάτων τελειῶσαι
Hb 12 2 ἀφορῶντες εἰς τὸν τῆς πίστεως ἀ..όν^a

ἀρχιερατικός S^o – *sacerdotalis* Act 4$_6$ γένος

ἀρχιερεύς

1) aetatis Jesu et apostolorum
   princeps sacerdotum ^{b}*summus*
   sacerdos ^{c}*pontifex*

Mat 2 4 τοὺς ἀρχ. καὶ γραμματεῖς τοῦ λαοῦ
16$_{21}$ παθεῖν ἀπὸ τῶν πρεσβ. καὶ ἀ. καὶ γρ.
   ‖ Mar 8$_{31}$^{b} Luc 9$_{22}$ – Mat 20$_{18}$ παρα-
   δοθήσεται τοῖς ἀ. καὶ γρ. ‖ Mar 10$_{33}$
21$_{15}$ ἰδόντες – οἱ ἀ. καὶ οἱ γρ. τὰ θαυμάσια
– 23 προσῆλθον αὐτῷ – οἱ ἀ. καὶ οἱ πρ. τοῦ
   λαοῦ ‖ Mar 11$_{27}$^{b} Luc 20$_1$ (vl ἱερεῖς)
   – Mar 11$_{18}$ ἤκουσαν οἱ ἀ. καὶ οἱ γρ.
   ‖ Luc 19$_{47}$ ἐζήτουν αὐτὸν ἀπολέσαι
– 45 ἀκούσαντες οἱ ἀ. καὶ οἱ Φαρ. τὰς πα-
   ραβολάς ‖ Luc 20$_{19}$ οἱ γραμμ. καὶ οἱ ἀ.
26 3 συνήχθησαν οἱ ἀ. καὶ οἱ πρεσβ. τοῦ
   λαοῦ εἰς τὴν αὐλὴν τοῦ ἀ. ‖ Mar 14$_1$
   οἱ ἀρχ.^{b} καὶ οἱ γραμματεῖς Luc 22$_2$
– 14 Ἰούδας–πρὸς τοὺς ἀ. ‖ Mar 14$_{10}$^{b} Luc
   22$_4$ συνελάλησεν τοῖς ἀ. καὶ στρατηγ.
– 47 ὄχλος – ἀπὸ τῶν ἀ. καὶ πρεσβ. τοῦ
   λαοῦ ‖ Mar 14$_{43}$^{b} – Joh 18$_3$ ἐκ τῶν
   ἀ.^{c} καὶ – Φαρισαίων ὑπηρέτας
– 51 τὸν δοῦλον τοῦ ἀ. ‖ Mar 14$_{47}$^{b} Luc
   22$_{50}$ Joh 18$_{10}$^{c} – 26 ἐκ τῶν δούλ. τοῦ ἀ.^{c}
– 57 ἀπήγαγον πρὸς – τὸν ἀ. 62 ἀναστὰς ὁ
   ἀ. 63.65 ὁ ἀ. διέρρηξεν τὰ ἱμάτια ‖
   Mar 14$_{53}$^{b} 60^b 61 ὁ ἀ.^{b} ἐπηρώτα αὐτόν
   63^b Luc 22$_{54}$
– 58 Πέτρος ἠκολούθει – ἕως τῆς αὐλῆς
   τοῦ ἀ. ‖ Mar 14$_{54}$^{b} 66^b Joh 18$_{15}$ καὶ
   ἄλλος μαθητής. – γνωστὸς τῷ ἀ.^{c} κτλ
   16 ὁ γνωστὸς τοῦ ἀ.^{c} 26^c
– 59 οἱ δὲ ἀ. καὶ τὸ συνέδρ. – ἐζήτουν ψευ-
   δομαρτ. ‖ Mar 14$_{53}$ (*sacerdotes*) 55^b
27 1 συμβούλιον ἔλαβον πάντες οἱ ἀ. καὶ
   οἱ πρεσβ. ‖ Mar 15$_1$^{b} Luc 22$_{66}$ τὸ
   πρεσβυτέριον –, ἀ..εῖς τε καὶ γρ.
– 3 τὰ – ἀργύρια τοῖς ἀ..εῦσιν καὶ πρ. 6
– 12 ἐν τῷ κατηγορεῖσθαι – ὑπὸ τῶν ἀ. καὶ
   πρεσβ. 20.41 ‖ Mar 15$_3$^{b} 10 διὰ φθό-
   νον παραδεδώκεισαν αὐτὸν οἱ ἀ.^{b}
   11^c 31^b – Luc 23$_{10}$ οἱ ἀ. καὶ οἱ γρ.
   εὐτόνως κατηγοροῦντες αὐτοῦ
– 62 συνήχθησαν οἱ ἀ. καὶ οἱ Φαρισαῖοι

Mat 28$_{11}$ ἀπήγγειλαν τοῖς ἀ. – τὰ γενόμενα
Luc 3 2 ἐπὶ ἀρχιερέως Ἅννα καὶ Καϊάφα
   22$_{52}$ εἶπεν – πρὸς τοὺς – ἀ..εῖς καὶ στρατη-
   γοὺς τοῦ ἱεροῦ καὶ πρεσβυτέρους
   23 4 Πιλᾶτος εἶπεν πρὸς τοὺς ἀ. καὶ τοὺς
   ὄχλους 13 συγκαλεσάμενος τοὺς ἀ.
   καὶ τοὺς ἄρχοντας καὶ τὸν λαόν
   24$_{20}$ ὅπως τε παρέδωκαν αὐτὸν οἱ ἀ.^{b} καὶ
   οἱ ἄρχοντες ἡμῶν
Joh 7$_{32}$ ἀπέστειλαν οἱ ἀ. (*principes*) καὶ οἱ
   Φαρισαῖοι 45^c 11$_{47}$^{c} 57^c
   11$_{49}$ Καϊάφας, ἀ.^{c} ὢν τοῦ ἐνιαυτοῦ 51 ἀ.^{c}
   ὢν – ἐπροφήτευσεν 18$_{13}$ ὃς ἦν ἀ.^{c}
   12$_{10}$ ἐβουλεύσ. – οἱ ἀ. ἵνα καὶ τὸν Λάζαρ.
   18$_{19}$ ὁ – ἀ.^{c} ἠρώτησεν τὸν Ἰησοῦν περὶ τ.
   μαθητῶν – καὶ περὶ τῆς διδαχῆς αὐτοῦ
   – 22 οὕτως ἀποκρίνῃ τῷ ἀρχιερεῖ; ^{c}
   – 24 δεδεμένον πρὸς Καϊάφαν τὸν ἀρχ.^{c}
   – 35 τὸ ἔθνος τὸ σὸν καὶ οἱ ἀ.^{c} παρέδω-
   κάν σε ἐμοί – 19$_6$^{c} 21 οἱ ἀ.^{c}
   19$_{15}$ οἱ ἀ..εῖς^c· οὐκ ἔχομεν βασιλέα εἰ
Act (4 1 vl) 4$_6$ Ἅννας ὁ ἀ. καὶ Καϊάφας –
   καὶ ὅσοι ἦσαν ἐκ γένους ἀρχιερατικοῦ
   4$_{23}$ ὅσα – οἱ ἀ. καὶ οἱ πρεσβύτεροι εἶπαν
   5$_{17}$ ἀναστὰς δὲ ὁ ἀ. 21.24 ὅ τε στρατηγὸς
   τοῦ ἱεροῦ καὶ οἱ ἀ., διηπόρουν περὶ
   αὐτῶν 27 ἐπηρώτησεν – ὁ ἀ. 7$_1$
   9 1 Σαῦλος – προσελθὼν τῷ ἀ. ἠτήσατο
   – ἐπιστολάς 14 ἔχει ἐξουσίαν παρὰ
   τῶν ἀ. 26$_{10}$.$_{12}$ – 9$_{21}$ ἀγάγῃ ἐπὶ τοὺς ἀ.
   19$_{14}$ Σκευᾶ Ἰουδαίου ἀ..έως ἑπτὰ υἱοί
   22 5 ὡς καὶ ὁ ἀ. μαρτυρεῖ μοι 30 συνελθεῖν
   τοὺς ἀ. (*sacerdotes*) καὶ – τὸ συνέδ.
   23 2 ὁ δὲ ἀ. Ἀνανίας 4 τὸν ἀ.^{b} τοῦ θεοῦ
   λοιδορεῖς; 5 24$_1$ κατέβη ὁ ἀ. Ἀναν.
   – 14 προσελθόντες τοῖς ἀ..εῦσιν κ. τοῖς πρ.
   25 2 οἱ ἀ. καὶ οἱ πρῶτοι τῶν Ἰουδ. 15 οἱ
   ἀ. καὶ οἱ πρεσβύτεροι τῶν Ἰουδαίων

2) summus sacerdos Veteris Testamenti,
   typus Christi in epist. ad Hebr.
   pontifex ^{b}*princeps sacerdotum*
   ^{c}*sacerdos*

Mar 2$_{26}$ πῶς εἰσῆλθεν (sc Δαυίδ) εἰς τὸν
   οἶκον τοῦ θεοῦ ἐπὶ Ἀβιαθὰρ ἀ..έως^b
Hb 2$_{17}$ ἵνα ἐλεήμων γένηται καὶ πιστὸς ἀρ-
   χιερεὺς τὰ πρὸς τὸν θεόν
   3 1 τὸν ἀπόστολον καὶ ἀ..έα τῆς ὁμολο-
   γίας 4$_{14}$ ἔχοντες οὖν ἀ..έα μέγαν
   4$_{15}$ οὐ γὰρ ἔχομεν ἀ..έα μὴ δυνάμενον
   συμπαθῆσαι ταῖς ἀσθενείαις ἡμῶν
   5 1 πᾶς – ἀ. ἐξ ἀνθρώπων λαμβανόμενος

Hb 5 5 Χὸς οὐχ ἑαυτὸν ἐδόξασεν γενηθῆναι
ἀ..έα 10 προσαγορευθεὶς ὑπὸ τοῦ θε-
οῦ ἀ. ˌκατὰ τὴν τάξιν Μελχισ." 620
726 τοιοῦτος – ἡμῖν – ἔπρεπεν ἀ., ὅσιος
– 27 ὃς οὐκ ἔχει καθ' ἡμέραν ἀνάγκην,
ὥσπερ οἱ ἀ.ᶜ, πρότερον ὑπὲρ τῶν ἰδίων
– 28 ὁ νόμος – ἀνθρώπους καθίστησιν ἀ..
εἷς (vl ἱερεῖς, vgᶜ) ἔχοντας ἀσθένειαν
8 1 τοιοῦτον ἔχομεν ἀ..έα 3 πᾶς γὰρ ἀ.
εἰς τὸ προσφέρειν – θυσίας καθίσταται
9 7 ἅπαξ τοῦ ἐνιαυτοῦ μόνος ὁ ἀρχιερεύς
– 11 Χὸς – ἀ. τῶν γενομένων (vl μελλόν-
των) ἀγαθῶν – εἰσῆλθεν ἐφάπαξ
– 25 οὐδ' ἵνα πολλάκις –, ὥσπερ ὁ ἀρχ.
1311 εἰσφέρεται – αἷμα – διὰ τοῦ ἀρχιερέως

ἀρχιποίμην Sᵒ – *princeps pastorum*
1 Pe 5 4 φανερωθέντος τοῦ ἀ..ενος κομιεῖσθε

Ἄρχιππος Col 417 Phm 2 τῷ συστρατιώτῃ ἡμ.

ἀρχισυνάγωγος Sᵒ – *archisynagogus*
  ᵇ*princeps synagogae* Mar 522 Ἰάϊρος 35 s.
  38 ‖ Luc 849ᵇ – 1314 Act 1315ᵇ – 188
  (Corinthi) Κρῖσπος 17ᵇ Σωσθένης

ἀρχιτέκτων *architectus*
1 Co 310 ὡς σοφὸς ἀ. θεμέλιον ἔθηκα, ἄλλος

ἀρχιτελώνης Sᵒ – *princeps publicanorum*
Luc 19 2 Ζακχαῖος. – ἀ., καὶ αὐτὸς πλούσιος

ἀρχιτρίκλινος Sᵒ – *architriclinus* Joh 28.9

ἄρχων *princeps* ᵇ*magistratus*

1) homines, Christus

Mat 918 ἀ. προσελθὼν προσεκύνει αὐτῷ 23 ‖
  Luc 841 ἀ. τῆς συναγωγῆς ὑπῆρχεν
  2025 οἱ ἄ. τῶν ἐθνῶν κατακυριεύουσιν
Luc 1258 μετὰ τοῦ ἀντιδίκου – ἐπ' ἄρχοντα
  14 1 εἰς οἶκόν τινος τῶν ἀ..των τῶν Φαρ.
  1818 ἐπηρώτησέν τις αὐτὸν ἄρχων
  2313 τοὺς ἀρχιερεῖς καὶ τοὺς ἄρχοντας ᵇ
  – 35 ἐξεμυκτήριζον – καὶ οἱ ἄρχοντες
  2420 οἱ ἀρχιερεῖς καὶ οἱ ἄ..τες ἡμῶν εἰς
Joh 3 1 Νικόδημος –, ἄρχων τῶν Ἰουδαίων
  726 ἔγνωσαν οἱ ἄ. ὅτι οὗτος – ὁ χριστός;
  – 48 μή τις ἐκ τῶν ἀ. ἐπίστευσεν εἰς αὐτ.;
  1242 καὶ ἐκ τῶν ἀ. πολλοὶ ἐπίστευσαν
Act 317 κατὰ ἄγνοιαν ἐπράξατε, ὥσπερ καὶ
  οἱ ἄρχοντες ὑμῶν 1327 αὐτῶν

Act 4 5 συναχθῆναι – τοὺς ἄ. καὶ τοὺς πρεσβ.
  8 ἄρχοντες τοῦ λαοῦ καὶ πρεσβ. 26
  727 „τίς σε κατέστησεν ἄ..τα καὶ δικα-
  στήν –; 35 τοῦτον ὁ θεὸς καὶ ἄρχον-
  τα καὶ λυτρωτὴν ἀπέσταλκεν
  14 5 1619 235 „ἄρχοντα τοῦ λαοῦ σου"
Rm 13 3 οἱ γὰρ ἄ. οὐκ εἰσὶν φόβος τῷ ἀγαθῷ
Ap 1 5 Χοῦ –, „ὁ ἄ. τῶν βασιλέων τῆς γῆς"

  2) τῶν δαιμονίων, τοῦ κόσμου, τοῦ αἰῶνος

Mat 934 ἐν τῷ ἄ. τῶν δαιμονίων ἐκβάλλει τὰ
  δαιμόνια 1224 ἐν τῷ Βεεζεβοὺλ ἄ..τι
  τῶν δαιμονίων ‖ Mar 322 Luc 1115
Joh 1231 νῦν ὁ ἄ. τοῦ κόσμου τούτου ἐκβλη-
  θήσεται 1611 κέκριται 1430 ἔρχεται
  –ˑ καὶ ἐν ἐμοὶ οὐκ ἔχει οὐδέν
1 Co 2 6 σοφίαν – οὐδὲ τῶν ἀ. τοῦ αἰῶνος τού-
  του 8 ἣν οὐδεὶς τῶν ἀ. τοῦ αἰῶνος
  τούτου ἔγνωκεν· εἰ γὰρ ἔγνωσαν
Eph 2 2 περιεπατήσατε – κατὰ τὸν ἄ. τῆς ἐξ-
  ουσίας τοῦ ἀέρος, τοῦ πνεύματος

ἀρώματα *aromata*
Mar 16 1 ‖ Luc 2356 241 Joh 1940

ἀσάλευτος *immobilis* Act 2741
Hb 1228 βασιλείαν ἀ..ον παραλαμβάνοντες

Ἀσάφ (vl Ἀσά) Mat 17.8

ἄσβεστος *inextinguibilis*
Mat 312 πυρὶ ἀ..ῳ ‖ Luc 317 – Mar 943 εἰς τὸ π.

ἀσέβεια *impietas*
Rm 118 ὀργὴ θεοῦ – ἐπὶ πᾶσαν ἀ. καὶ ἀδικ.
  1126 „ἀποστρέψει ἀ..ας ἀπὸ Ἰακώβ"
2 Ti 216 ἐπὶ πλεῖον – προκόψουσιν ἀσεβείας
Tit 212 ἵνα ἀρνησάμενοι τὴν ἀσέβειαν
Jud 15 ἐλέγξαι – περὶ – τ. ἔργων ἀ..ας αὐτῶν
  18 κατὰ τὰς ἑαυτῶν ἐπιθυμίας πορευό-
  μενοι τῶν ἀσεβειῶν

ἀσεβεῖν *impie agere* 2 Pe 26 Jud 15

ἀσεβής *impius*
Rm 4 5 ἐπὶ τὸν δικαιοῦντα τὸν ἀσεβῆ
  5 6 Χὸς – ἔτι – ὑπὲρ ἀσεβῶν ἀπέθανεν
1 Ti 1 9 νόμος – κεῖται, – ἀσεβέσι καὶ ἁμαρτ.
1 Pe 418 „ὁ ἀ. καὶ ἁμαρτωλὸς ποῦ φανεῖται;"
2 Pe 2 5 κατακλυσμὸν κόσμῳ ἀ..ῶν ἐπάξας
  3 7 ἀπωλείας τῶν ἀσεβῶν ἀνθρώπων
Jud 4.15 ἐλέγξαι πάντας τοὺς ἀσεβεῖς

ἀσέλγεια *impudicitia* [b]*luxuria*
Mar 7 22 ἀσέλγεια, ὀφθαλμὸς πονηρός
Rm 13 13 ὡς ἐν ἡμέρᾳ – περιπατήσωμεν, – μὴ
κοίταις καὶ ἀ..αις Gal 5 19 τὰ ἔργα
τῆς σαρκός, – ἀκαθαρσία, ἀσέλγεια
2 Co 12 21 μὴ μετανοησάντων ἐπὶ τῇ – ἀ. ῇ ἔ-
πραξαν Eph 4 19 ἑαυτοὺς παρέδωκαν
τῇ ἀ. εἰς ἐργασίαν ἀκαθαρσίας
1 Pe 4 3 πεπορευμένους ἐν ἀσελγείαις [b]
2 Pe 2 2 πολλοὶ ἐξακολουθήσουσιν αὐτῶν ταῖς
ἀ..αις [b] 7 Λὼτ καταπονούμενον ὑπὸ
τῆς – ἐν ἀ..ᾳ (*luxuriosa*) ἀναστροφῆς
– 18 δελεάζουσιν ἐν ἐπιθυμίαις σαρκὸς
ἀ..αις [b] (vl ..ας, vg *luxuriae*) τούς
Jud 4 τὴν τοῦ θεοῦ ἡμῶν χάριτα μετατι-
θέντες εἰς ἀσέλγειαν [b]

ἄσημος *ignotus* Act 21 39 οὐκ ἀ..ου πόλεως

Ἀσήρ Luc 2 36 ἐκ φυλῆς Ἀ. Ap 7 6

ἀσθένεια *infirmitas*

1) morbus, aegrotatio

Mat 8 17 „τὰς ἀσθενείας ἡμῶν ἔλαβεν καὶ τὰς
νόσους ἐβάστασεν"
Luc 5 15 θεραπεύεσθαι ἀπὸ τῶν ἀ..ῶν αὐτῶν
8 2 γυναῖκες – τεθεραπευμέναι ἀπὸ πνευ-
μάτων πονηρῶν καὶ ἀσθενειῶν
13 11 γυνὴ πνεῦμα ἔχουσα ἀσθενείας 12
ἀπόλυσαι τῆς ἀσθενείας σου
Joh 5 5 τριάκοντα – ἔτη ἔχων ἐν τῇ ἀ. αὐτοῦ
11 4 αὕτη ἡ ἀ. οὐκ ἔστιν πρὸς θάνατον
Act 28 9 οἱ – ἔχοντες ἀ..ας – ἐθεραπεύοντο
Gal 4 13 δι' ἀ..αν τῆς σαρκὸς εὐηγγελισάμην
1 Ti 5 23 διὰ – τὰς πυκνάς σου ἀσθενείας
Hb 11 34 ἐδυναμώθησαν ἀπὸ ἀσθενείας

2) imbecillitas, imperfectio

Rm 6 19 ἀνθρώπινον λέγω διὰ τὴν ἀσθένειαν
τῆς σαρκὸς ὑμῶν
8 26 συναντιλαμβάνεται τῇ ἀσθενείᾳ ἡμῶν
1 Co 2 3 ἐν ἀ..ᾳ καὶ – φόβῳ – ἐγενόμην πρὸς ὑ.
15 43 σπείρεται ἐν ἀ..ᾳ, ἐγείρεται ἐν δυν.
2 Co 11 30 τὰ τῆς ἀ..ας μου καυχήσομαι 12 5
ὑπὲρ δὲ ἐμαυτοῦ οὐ καυχήσομαι εἰ
μὴ ἐν ταῖς ἀ. (vl + μου vg) 9 ἡ γὰρ
δύναμις ἐν ἀ..ᾳ τελεῖται. – μᾶλλον
καυχήσομαι ἐν ταῖς ἀ. 10 εὐδοκῶ ἐν
ἀσθενείαις –, ὑπὲρ Χοῦ
13 4 ἐσταυρώθη ἐξ ἀσθενείας, ἀλλὰ ζῇ ἐκ
δυνάμεως θεοῦ

Hb 4 15 μὴ δυνάμενον συμπαθῆσαι ταῖς ἀ.
ἡμῶν 5 2 αὐτὸς περίκειται ἀσθένειαν
7 28 ἀνθρώπους – ἔχοντας ἀσθένειαν

ἀσθενεῖν *infirmari* [b]*infirmum* (*esse*)
[c]*languēre* [d]*languidum* (*esse*)

1) aegrotare

Mat 10 8 ἀσθενοῦντας [b] θεραπεύετε, νεκρούς
25 36 ἠσθένησα [b] καὶ ἐπεσκέψασθέ με
– 39 πότε δέ σε εἴδομεν ἀσθενοῦντα [b]
Mar 6 56 ἐν ταῖς ἀγοραῖς ἐτίθεσαν τοὺς ἀσθε-
νοῦντας [b] Luc 4 40 ὅσοι εἶχον ἀσθεν. [b]
Joh 4 46 βασιλικὸς οὗ ὁ υἱὸς ἠσθένει
5 3 κατέκειτο πλῆθος τῶν ἀσθενούντων [c]
7 ἀπεκρίθη αὐτῷ ὁ ἀσθενῶν [d]
6 2 τὰ σημεῖα – ἐπὶ τῶν ἀσθενούντων
11 1 ἦν δέ τις ἀσθενῶν [c] 2 Λάζαρος ἠσθέ-
νει 3 ὃν φιλεῖς ἀσθενεῖ 6
Act 9 37 ἀσθενήσασαν αὐτὴν ἀποθανεῖν
19 12 ἐπὶ τοὺς ἀσθενοῦντας [d] – σουδάρια
Phl 2 26 διότι ἠκούσατε ὅτι ἠσθένησεν 27
2 Ti 4 20 ἀπέλιπον ἐν Μιλήτῳ ἀσθενοῦντα [b]
Jac 5 14 ἀσθενεῖ τις ἐν ὑμῖν; προσκαλεσάσθω

2) inopem esse, egenum esse

Act 20 35 ὅτι οὕτως κοπιῶντας δεῖ ἀντιλαμβά-
νεσθαι τῶν ἀσθενούντων [b]

3) invalidum esse animo, fide, vi

Rm 4 19 μὴ ἀσθενήσας τῇ πίστει 14 1 τὸν δὲ
ἀ..οῦντα [b] τῇ πίστει προσλαμβάνεσθε
8 3 τὸ – ἀδύνατον τ. νόμου, ἐν ᾧ ἠσθένει
14 2 ὁ δὲ ἀσθενῶν [b] λάχανα ἐσθίει
(– 21 vl ἐν ᾧ ὁ ἀδελφός σου – σκανδαλίζε-
ται ἢ ἀ..εῖ) 1 Co 8 11 ἀπόλλυται – ὁ
ἀ..ῶν [b] ἐν τῇ σῇ γνώσει, ὁ ἀδελφός
1 Co 8 12 τύπτοντες – τὴν συνείδησιν ἀ..οῦσαν [b]
2 Co 11 21 ὡς ὅτι ἡμεῖς ἠσθενήκαμεν [b]
– 29 τίς ἀσθενεῖ, καὶ οὐκ ἀσθενῶ;
12 10 ὅταν – ἀσθενῶ, τότε δυνατός εἰμι
13 3 Χοῦ, ὃς εἰς ὑμᾶς οὐκ ἀσθενεῖ ἀλλὰ
δυνατεῖ ἐν ὑμῖν 4 ἡμεῖς ἀσθενοῦμεν [b]
ἐν αὐτῷ 9 χαίρομεν – ὅταν ἡμεῖς ἀ-
σθενῶμεν [b], ὑμεῖς δὲ δυνατοὶ ἦτε

ἀσθένημα *imbecillitas* Rm 15 1 ὀφείλομεν –
τὰ ἀ..τα τῶν ἀδυνάτων βαστάζειν

ἀσθενής *infirmus* (Hb ..itas) [b]*aeger*

1) invalidus corpore, aegrotus

Mat 25 43 ἤμην – ἀσθενὴς καὶ ἐν φυλακῇ 44

Luc 10 9 θεραπεύετε τοὺς ἐν αὐτῇ ἀσθενεῖς
Act 4 9 ἐπὶ εὐεργεσίᾳ ἀνθρώπου ἀσθενοῦς
5 15 ὥστε καὶ εἰς τὰς πλατείας ἐκφέρειν
τοὺς ἀ..εῖς 16 ἀ..εῖς b καὶ ὀχλουμένους
1 Co 11 30 ἐν ὑμῖν πολλοὶ ἀ..εῖς καὶ ἄρρωστοι

2) imbecillus, inconstans, contemptus

Mat 26 41 ἡ δὲ σὰρξ ἀσθενής ‖ Mar 14 38
Rm 5 6 εἴ γε Χὸς ὄντων ἡμῶν ἀσθενῶν ἔτι
1 Co 1 25 τὸ ἀ..ὲς τοῦ θεοῦ ἰσχυρότερον τῶν
– 27 τὰ ἀ..ῇ τοῦ κόσμου ἐξελέξατο ὁ θεός
4 10 ἡμεῖς ἀσθενεῖς, ὑμεῖς δὲ ἰσχυροί
8 7 ἡ συνείδησις αὐτῶν ἀσθενὴς οὖσα
– 9 μή πως ἡ ἐξουσία ὑμῶν – πρόσκομ-
μα γένηται τοῖς ἀσθενέσιν 10 ἡ συν-
είδησις αὐτοῦ ἀσθενοῦς ὄντος
9 22 ἐγενόμην τοῖς ἀσθενέσιν ἀσθενής,
ἵνα τοὺς ἀσθενεῖς κερδήσω
12 22 τὰ δοκοῦντα μέλη – ἀσθενέστερα
2 Co 10 10 ἡ δὲ παρουσία τοῦ σώματος ἀ..ής
Gal 4 9 ἐπὶ τὰ ἀσθενῆ καὶ πτωχὰ στοιχεῖα
1 Th 5 14 ἀντέχεσθε τῶν ἀσθενῶν
Hb 7 18 ἀθέτησις – γίνεται – ἐντολῆς διὰ τὸ
αὐτῆς ἀσθενές (infirmitatem)
1 Pe 3 7 ὡς ἀ..εστέρῳ • σκεύει τῷ γυναικείῳ

Ἀσία Act 2 9 6 9 (vl º) 16 6 19 (1 vl) 10. 22. 26.
27 20 (4 vl) 16. 18 21 27 24 19 27 2
Rm 16 5 ὅς ἐστιν ἀπαρχὴ τῆς Ἀσίας εἰς Χόν
1 Co 16 19 αἱ ἐκκλησίαι τῆς Ἀσίας Ap 1 4 ταῖς
ἑπτὰ ἐκκλησίαις ταῖς ἐν τῇ Ἀσίᾳ
2 Co 1 8 2 Ti 1 15 – 1 Pe 11 ἐκλεκτοῖς παρεπιδή-
μοις διασπορᾶς –, Ἀσίας καὶ Βιθυν.

Ἀσιανοί Act 20 4 Ἀ. δὲ Τυχικὸς καὶ Τρόφιμος

Ἀσιάρχαι Asiae principes Act 19 31

ἀσιτία S º – ieiunatio Act 27 21

ἄσιτος S º – ieiunus Act 27 33

ἀσκεῖν studēre
Act 24 16 ἀσκῶ ἀπρόσκοπον συνείδησιν ἔχειν

ἀσκός uter Mat 9 17 ‖ Mar 2 22 Luc 5 37. 38

ἀσμένως libenter Act 21 17 ἀπεδέξαντο

ἄσοφος insipiens Eph 5 15 μὴ ὡς ἄσοφοι

ἀσπάζεσθαι salutare b valedicere
Mat 5 47 ἐὰν ἀσπάσησθε τοὺς ἀδελφοὺς ὑμῶν
μόνον, τί περισσὸν ποιεῖτε;

Mat 10 12 ἀσπάσασθε αὐτήν (sc τὴν οἰκίαν)
Mar 9 15 ἠσπάζοντο αὐτόν 15 18 ἤρξαντο ἀ.
Luc 1 40 ἠσπάσατο τὴν Ἐλισάβετ
10 4 μηδένα κατὰ τὴν ὁδὸν ἀσπάσησθε
Act 18 22 τὴν ἐκκλησίαν 21 7 τοὺς ἀδελφούς
20 1 b 21 19 (Jacobum et seniores) – 25 13
Rm 16 3-15 quindecies ἀσπάσασθε 2 Ti 4 19
– 16 ἀσπάσασθε ἀλλήλους ἐν φιλήματι ἁ-
γίῳ 1 Co 16 20 2 Co 13 12 1 Th 5 26 τ. ἀδελ-
φοὺς πάντας 1 Pe 5 14 ἐν φ. ἀγάπης
– 16 ἀ..ονται ὑμᾶς αἱ ἐκκλησίαι πᾶσαι τοῦ
Χοῦ 1 Co 16 19 αἱ ἐκ. τῆς Ἀσίας 20 οἱ
ἀδελφοὶ πάντες Phl 4 21 οἱ σὺν ἐμοὶ
ἀδελφοί – 2 Co 13 12 οἱ ἅγιοι πάντες Phl
4 22 – Tit 3 15 σὲ οἱ μετ' ἐμοῦ πάντες
– 21 ἀσπάζεται ὑμᾶς Τιμόθεος κτλ 23 bis
1 Co 16 19 ἀσπάζονται ὑμᾶς ἐν κυρίῳ
πολλὰ Ἀκύλας καὶ Πρῖσκα Col 4 10.
12. 14 2 Ti 4 21 Phm 23
– 22 ἀ..ομαι ὑμᾶς ἐγὼ Τέρτιος ὁ γράψας
Phl 4 21 ἀσπάσασθε πάντα ἅγιον ἐν Χῷ
Col 4 15 ἀσπάσασθε τοὺς ἐν Λαοδ. ἀδελφούς
Tit 3 15 ἄσπασαι τοὺς φιλοῦντας ἡμᾶς ἐν
Hb 11 13 μὴ κομισάμενοι τὰς ἐπαγγελίας, ἀλ-
λὰ πόρρωθεν – ἰδόντες καὶ ἀ..σάμενοι
13 24 ἀσπάσασθε πάντας τοὺς ἡγουμένους
ὑμῶν καὶ πάντας τοὺς ἁγίους. ἀσπά-
ζονται ὑμᾶς οἱ ἀπὸ τῆς Ἰταλίας
1 Pe 5 13 ἀ..εται ὑμᾶς ἡ ἐν Βαβ. συνεκλεκτή
2 Jo 13 ἀσπάζεταί σε τὰ τέκνα τῆς ἀδελφῆς
σου 3 Jo 15 ἀσπάζονταί σε οἱ φίλοι.
ἀσπάζου τοὺς φίλους κατ' ὄνομα

ἀσπασμός S º – salutatio b salutari
Mat 23 7 φιλοῦσιν – τοὺς ἀ. ἐν ταῖς ἀγοραῖς
‖ Mar 12 38 βλέπετε ἀπὸ τῶν – θε-
λόντων – ἀσπασμοὺς b Luc 11 43 20 46
Luc 1 29 ποταπὸς εἴη ὁ ἀ. οὗτος 41 Μαρίας 44
1 Co 16 21 ὁ ἀ. τῇ ἐμῇ χειρὶ Col 4 18 2 Th 3 17

ἄσπιλος S º – immaculatus b sine macula
c incontaminatus (vl immaculatus)
1 Ti 6 14 τηρῆσαί σε τὴν ἐντολὴν ἄσπιλον b
Jac 1 27 ἀ..ον ἑαυτὸν τηρεῖν ἀπὸ τοῦ κόσμου
1 Pe 1 19 ὡς ἀμνοῦ ἀμώμου καὶ ἀσπίλου c Χοῦ
2 Pe 3 14 ἀ..οι καὶ ἀμώμητοι αὐτῷ εὑρεθῆναι

ἀσπίς aspis Rm 3 13 „ἰὸς ἀσπίδων ὑπό"

ἄσπονδος S º – sine pace b absque foedere
2 Ti 3 3 ἄστοργοι, ἄσπονδοι Rm 1 31
ἀστόργους (vl add ἀσπόνδους b)

ἀσσάριον, ἀσσάρια δύο[b] S[o] – [a]*as* [b]*dipondium* Mat 10 29[a] ‖ Luc 12 6[b]

ἄσσον (= *propius*) S[o] – per errorem *de* Asson Act 27 13 ἄ. παρελέγοντο – Κρήτην

Ἄσσος Act 20 13 ἀνήχθημεν ἐπὶ τὴν ῎Α. 14

ἀστατεῖν S[o] – *instabilem esse* 1 Co 4 11

ἀστεῖος [a]*gratus* [b]*elegans* Act 7 20 „ἀ.[a]" τῷ θεῷ Hb 11 23 „ἀ.[b]" τὸ παιδίον

ἀστήρ *stella* [b]*sidus* Mat 2 2 εἴδομεν – αὐτοῦ τὸν ἀστέρα 7 τὸν χρόνον τοῦ φαινομένου ἀστέρος 9.10 24 29 „οἱ ἀστέρες πεσοῦνται" Mar 13 25 1 Co 15 41 ἄλλη δόξα ἀστέρων· ἀστὴρ γὰρ ἀστέρος διαφέρει ἐν δόξῃ Jud 13 ἀστέρες[b] πλανῆται (*sidera errantia*) Ap 1 16 ἐν τῇ δεξιᾷ – ἀστέρας ἑπτά 20 τὸ μυστήριον τῶν ἑπτὰ ἀ..ων –· οἱ ἑπτὰ ἀ. ἄγγελοι τῶν ἑ. ἐκκλησιῶν εἰσιν 21 ὁ κρατῶν τοὺς ἑ. ἀ. 31 ὁ ἔχων – τ. ἑ. ἀ. 2 28 δώσω αὐτῷ τὸν ἀ. τὸν πρωϊνόν 22 16 ἐγώ εἰμι – ὁ ἀ. ὁ λαμπρὸς ὁ πρωϊνός 6 13 „οἱ ἀ. τοῦ οὐρανοῦ ἔπεσαν" 8 10 „ἔπεσεν ἐκ τοῦ οὐρανοῦ ἀ." μέγας καιόμενος 11 τὸ ὄνομα τοῦ ἀ. – ὁ ῎Αψινθος 9 1 εἶδον ἀ..α ἐκ τοῦ οὐρ. πεπτωκότα 12 4 σύρει τὸ τρίτον τῶν ἀ..ων 8 12 ἐπλήγη – τὸ τρίτον τῶν ἀστέρων 12 1 ἐπὶ τῆς κεφαλῆς αὐτῆς (sc τῆς γυναικός) στέφανος ἀστέρων δώδεκα

ἀστήρικτος S[o] – *instabilis* 2 Pe 2 14 δελεάζοντες ψυχὰς ἀ..ους 3 16 οἱ ἀμαθεῖς καὶ ἀ.

ἄστοργος S[o] – *sine affectione* Rm 1 31 ἀστόργους, ἀνελεήμονας 2 Ti 3 3

ἀστοχεῖν [a]*aberrare* [b]*excidere a, circa* 1 Ti 1 6 συνειδήσεως ἀγαθῆς καὶ πίστεως ἀνυποκρίτου, ὧν τινες ἀστοχήσαντες[a] 6 21 περὶ τὴν πίστιν ἠστόχησαν[b] 2 Ti 2 18 περὶ τὴν ἀλήθειαν (*a veritate*) ἠστόχησαν[b]

ἀστραπή *fulgur* Mat 24 27 ὥσπερ – ἡ ἀ. ἐξέρχεται ἀπὸ ἀνατολῶν ‖ Luc 17 24 ἡ ἀ. ἀστράπτουσα 28 3 ἦν δὲ ἡ ἰδέα αὐτοῦ ὡς ἀστραπή Luc 10 18 τὸν σατανᾶν ὡς ἀστραπὴν – πεσόντα

Luc 11 36 Ap 4 5 8 5 11 19 16 18

ἀστράπτειν [a]*coruscare* [b]*fulgēre* Luc 17 24[a] 24 4 ἄνδρες – ἐν ἐσθῆτι ἀ..ούσῃ[b]

ἄστρον *stella* [b]*sidus* Luc 21 25 ἔσονται σημεῖα ἐν ἡλίῳ – καὶ ἄστροις Act 7 43[b] 27 20[b] Hb 11 12 „καθὼς τὰ ἄ.[b] τ. οὐρ."

Ἀσύγκριτος Rm 16 14 ἀσπάσασθε ᾽Α..ον

ἀσύμφωνοι *non consentientes* Act 28 25

ἀσύνετος *insipiens* [b]*imprudens* [c]*sine intellectu* Mat 15 16 ἀκμὴν καὶ ὑμεῖς ἀσύνετοί[c] ἐστε; ‖ Mar 7 18[b] – Rm 1 21 ἐσκοτίσθη ἡ ἀσύνετος αὐτῶν καρδία 31 10 19

ἀσύνθετος *incompositus* Rm 1 31

ἀσφάλεια [a]*veritas* [b]*diligentia* [c]*securitas* Luc 1 4 ἵνα ἐπιγνῷς – τὴν ἀ.[a] Act 5 23[b] – 1 Th 5 3 εἰρήνη καὶ ἀσφάλεια[c]

ἀσφαλής [a]*certus* [b](adv.) *diligentius* [c]*necessarius* [d]*tutus* Act 21 34 γνῶναι τὸ ἀ.[a] 22 30[b] 25 26[a] Phl 3 1 τὰ αὐτὰ γράφειν –, ὑμῖν – ἀσφαλές[c] Hb 6 19 ὡς ἄγκυραν – τῆς ψυχῆς ἀσφαλῆ[d]

ἀσφαλίζεσθαι [a]*custodire* [b]*munire* [c]*stringere* Mat 27 64[a] 65[a] 66[b] Act 16 24[c]

ἀσφαλῶς [a]*caute* [b]*certissime* [c]*diligenter* Mar 14 44 ἀπάγετε ἀ.[a] – Act 2 36[b] 16 23[c] τηρεῖν

ἀσχημονεῖν [a]*turpem vidēri* [b]*ambitiosum esse* 1 Co 7 36 ἀσχημονεῖν[a] ἐπὶ τὴν παρθένον – 13 5 ἡ ἀγάπη – οὐκ ἀσχημονεῖ[b]

ἀσχημοσύνη *turpitudo* Rm 1 27 Ap 16 15

ἀσχήμων *inhonestus* 1 Co 12 23 (μέλη)

ἀσωτία *luxuria* Eph 5 18 Tit 1 6 1 Pe 4 4

ἀσώτως S[o] – *luxuriose* Luc 15 13 ζῶν ἀσώτως

ἀτακτεῖν S[o] – *inquietum esse* 2 Th 3 7 ὅτι οὐκ ἠτακτήσαμεν ἐν ὑμῖν

ἄτακτος *inquietus* 1 Th 5 14 νουθετεῖτε τούς

ἀτάκτως Sᵒ – ᵃinordinate ᵇinquiete
2 Th 3 6 ἀπὸ παντὸς ἀδελφοῦ ἀ.ᵃ περιπατοῦν-
τος 11 ἀκούομέν–τινας περιπατοῦντας–ἀ.ᵇ

ἄτεκνος ᵃsine liberis ᵇsine filiis
Luc 20 28ᵃ (vl sine filiis) 29 ἀπέθανεν ἄτεκνος ᵇ

ἀτενίζειν intuēri ᵇintendere in
Luc 4 20 πάντων οἱ ὀφθαλμοὶ – ἦσαν ἀ..οντες ᵇ
αὐτῷ 22 56 Act 1 10 (εἰς τὸν οὐρανόν 7 55 ᵇ)
3 4.12 6 15 10 4 11 6 13 9 14 9 23 1 ᵇ
2 Co 3 7 μὴ δύνασθαι ἀτενίσαι ᵇ – εἰς τὸ πρόσ-
ωπον Μωϋσέως 13 πρὸς τὸ μὴ ἀτενίσαι ᵇ
– εἰς τὸ τέλος τοῦ καταργουμένου

ἄτερ sine Luc 22 6 ὄχλου 35 βαλλαντίου

ἀτιμάζειν ᵃcontumeliis afficere ᵇ(pass.) con-
tumelias pati ᶜexhonorare ᵈinhonorare
Mar 12 4ᵃ ‖ Luc 20 11ᵃ – Joh 8 49 ὑμεῖς ἀ..ετέ με ᵈ
Act 5 41 ὑπὲρ τοῦ ὀνόματος ἀτιμασθῆναι ᵇ
Rm 1 24 τοῦ ἀ..εσθαι ᵃ τὰ σώματα αὐτῶν ἐν
αὐτοῖς 2 23 τὸν θεὸν ἀτιμάζεις ᵈ;
Jac 2 6 ὑμεῖς δὲ ἠτιμάσατε ᶜ τὸν πτωχόν

ἀτιμία ᵃcontumelia ᵇignobilitas ᶜignominia
Rm 1 26 παρέδωκεν – ὁ θεὸς εἰς πάθη ἀ..ας ᶜ
9 21 ὃ δὲ (sc σκεῦος) εἰς ἀ..αν ᵃ; 2 Ti 2 20ᵃ
1 Co 11 14 ἀνὴρ μὲν ἐὰν κομᾷ, ἀ.ᶜ αὐτῷ ἐστιν
15 43 σπείρεται ἐν ἀτιμίᾳ ᵇ, ἐγείρεται ἐν
2 Co 6 8 διὰ δόξης καὶ ἀτιμίας ᵇ |δόξῃ
11 21 κατὰ ἀτιμίαν ᵇ λέγω, ὡς ὅτι ἡμεῖς

ἄτιμος ᵃsine honore ᵇignobilis
Mat 13 57 οὐκ ἔστιν προφήτης ἄτιμος ᵃ εἰ μὴ ἐν
τῇ πατρίδι ‖ Mar 6 4ᵃ
1 Co 4 10 ὑμεῖς ἔνδοξοι, ἡμεῖς δὲ ἄτιμοι ᵇ
12 23 ἃ δοκοῦμεν ἀ..ότερα ᵇ εἶναι (sc μέλη)

ἀτμίς vapor Act 2 19 „ἀτμίδα καπνοῦ"
Jac 4 14 ἀ. γάρ ἐστε ἡ πρὸς ὀλίγ. φαινομένη

ἄτομος Sᵒ – momentum 1 Co 15 52 ἐν ἀ..ῳ

ἄτοπος, ..ον ᵃmalum ᵇcrimen ᶜimportunus
Luc 23 41 οὐδὲν ἄτοπον ᵃ ἔπραξεν Act 25 5 ᵇ
Act 28 6 θεωρούντων μηδὲν ἄ..ον ᵃ – γινόμενον
2 Th 3 2 ἵνα ῥυσθῶμεν ἀπὸ τῶν ἀ.ᶜ – ἀνθρώπ.

Ἀττάλεια Act 14 25 κατέβησαν εἰς Ἀττάλειαν

αὐγάζειν fulgēre 2 Co 4 4 εἰς τὸ μὴ αὐγάσαι
τὸν φωτισμὸν τοῦ εὐαγγελίου

αὐγή lux Act 20 11 ὁμιλήσας ἄχρι αὐγῆς

Αὔγουστος Luc 2 1 δόγμα παρὰ Καίσαρος Ἀ.

αὐθάδης ᵃsuperbus ᵇsibi placens
Tit 1 7 ἐπίσκοπον – μὴ ἀ..η ᵃ – 2 Pe 2 10 ἀ..εις ᵇ

αὐθαίρετος Sᵒ – ᵃvoluntarius ᵇsua voluntate
2 Co 8 3 αὐθαίρετοι ᵃ 17 ᵇ

αὐθεντεῖν Sᵒ – dominari 1 Ti 2 12 ἀνδρός

αὐλεῖν Sᵒ – ᵃcanere ᵇcantare
Mat 11 17 ηὐλήσαμεν ᵃ ὑμῖν καὶ οὐκ ‖ Luc 7 32 ᵇ
1 Co 14 7 πῶς γνωσθήσεται τὸ αὐλούμενον ᵃ – ;

αὐλή atrium ᵇovile
Mat 26 3 τοῦ ἀρχιερέως 58.69 ‖ Mar 14 54.66 Luc
22 55 Joh 18 15 – Mar 15 16 praetorii
Luc 11 21 ὅταν ὁ ἰσχυρὸς – φυλάσσῃ τὴν ἑαυ. αὐ.
Joh 10 1 ᵇ τῶν προβάτων 16 ἃ οὐκ ἔστιν ἐκ τῆς
αὐλῆς ᵇ ταύτης – Ap 11 2 τοῦ ναοῦ

αὐλητής Sᵒ – ᵃtibicen ᵇtibia canens
Mat 9 23 ᵃ Ap 18 22 φωνὴ – αὐ..ῶν ᵇ – οὐ μὴ ἀκ.

αὐλίζεσθαι ᵃmanēre ᵇmorari
Mat 21 17 ᵃ Luc 21 37 ᵇ εἰς τὸ ὄρος – ἐλαιῶν

αὐλός tibia 1 Co 14 7 εἴτε ·αὐ. εἴτε κιθάρα

αὐξάνειν, αὔξειν crescere ᵇaugēre
ᶜincrementum dare
Mat 6 28 τὰ κρίνα τοῦ ἀγροῦ πῶς αὐξάνουσιν
13 32 ὅταν δὲ αὐξηθῇ, μεῖζον ‖ Luc 13 19
Mar 4 8 ἐδίδου καρπὸν – αὐξανόμενα (vl ..νον)
Luc 1 80 τὸ δὲ παιδίον ηὔξανεν 2 40
Joh 3 30 ἐκεῖνον δεῖ .αὐξάνειν, ἐμὲ δὲ ἐλαττ.
Act 6 7 ὁ λόγος τοῦ θεοῦ ηὔξανεν 12 24 τοῦ
κυρίου 19 20 ηὔξανεν καὶ ἴσχυεν
7 17 „ηὔξησεν" ὁ λαὸς „καὶ ἐπληθύνθη"
1 Co 3 6 ὁ θεὸς ηὔξανεν ᶜ 7 ὁ αὐξάνων ᶜ θεός
2 Co 9 10 αὐξήσει ᵇ (augebit incrementa) „τὰ
γενήματα τῆς δικαιοσύνης ὑμῶν"
10 15 αὐξανομένης τῆς πίστεως ὑμῶν
Eph 2 21 πᾶσα οἰκοδομὴ – αὔξει εἰς ναὸν ἅγιον
4 15 αὐξήσωμεν εἰς αὐτὸν τὰ πάντα
Col 1 6 τοῦ εὐαγγ. –, καθὼς καὶ ἐν παντὶ τῷ
κόσμῳ ἐστὶν – αὐξανόμενον
– 10 αὐξανόμενοι τῇ ἐπιγνώσει τοῦ θεοῦ
2 19 πᾶν τὸ σῶμα – αὔξει τὴν αὔξησιν τοῦ
θεοῦ (crescit in augmentum Dei)

1 Pe 2 2 τὸ λογικὸν – γάλα –, ἵνα ἐν αὐτῷ
αὐξηθῆτε εἰς σωτηρίαν
2 Pe 3 18 αὐξάνετε δὲ ἐν χάριτι καὶ γνώσει τοῦ
κυρίου ἡμῶν καὶ σωτῆρος Ἰ. Χοῦ

αὔξησις augmentum
Eph 4 16 πᾶν τὸ σῶμα – τὴν αὔξησιν ποιεῖται
Col 2 19 → αὐξάνειν

αὔριον, εἰς, ἐπὶ τὴν αὔ. cras ᵇcrastinum
(in cr., cr..o) ᶜcrastinus (..a) dies ᵈaltera
die Mat 6 30 αὔριον εἰς κλίβανον βαλλό-
μενον (‖ Luc 12 28) 34 μὴ – μεριμνήσητε εἰς
τὴν αὔριονᵇ, ἡ – αὔριονᶜ μεριμνήσει ἑαυτῆς
Luc 10 35 ἐπὶ τὴν αὔ.ᵈ 13 32 ἰάσεις ἀποτελῶ σή-
μερον καὶ αὔ. 33 αὔ. καὶ τῇ ἐχομένῃ
Act 4 3 εἰς τὴν αὔ.ᵇ 5 ἐπὶ τὴν αὔ.ᵗ 23 20ᶜ 25 22
1 Co 15 32 „αὔριον γὰρ ἀποθνήσκομεν"
Jac 4 13 σήμερον ἢ αὔριονᵇ πορευσόμεθα 14
οὐκ ἐπίστασθε (vl + τὸ) τῆς αὔριονᵇ

αὐστηρός austerus (vl ..is) Luc 19 21.22

αὐτάρκεια S° – sufficientia
2 Co 9 8 ἐν παντὶ πάντοτε πᾶσαν αὐ. ἔχοντες
1 Ti 6 6 πορισμὸς – ἡ εὐσέβεια μετὰ αὐ..ας

αὐτάρκης sufficiens Phl 4 11 ἐγὼ γὰρ ἔμα-
θον ἐν οἷς εἰμι αὐτάρκης εἶναι

αὐτοκατάκριτος S° – proprio iudicio con-
demnatus Tit 3 11 ἁμαρτάνει ὢν αὐ.

αὐτόματος ultro Mar 4 28 Act 12 10

αὐτόπται S° – qui ipsi viderunt Luc 1 2

ἐπ' αὐτοφώρῳ S° – modo [Joh 8 4]

αὐτόχειρες S° – suis manibus Act 27 19

αὐχεῖν S° – exaltare (vl exultare) Jac 3 5
ἡ γλῶσσα – μεγάλα αὐχεῖ (vl μεγαλαυχεῖ)

αὐχμηρός S° – caliginosus 2 Pe 1 19 προσ-
έχοντες ὡς λύχνῳ – ἐν αὐχμηρῷ τόπῳ

ἀφαιρεῖν, ..εῖσθαι auferre ᵇamputare
ᶜdiminuere (vl deminuere)
Mat 26 51ᵇ τὸ ὠτίον ‖ Mar 14 47ᵇ Luc 22 50ᵇ
Luc 1 25 ἐπεῖδεν ἀφελεῖν ὄνειδός μου ἐν ἀνθ.
10 42 τὴν ἀγαθὴν μερίδα ἐξελέξατο, ἥτις

οὐκ ἀφαιρεθήσεται αὐτῆς (ab ea)
Luc 16 3 ἀφαιρεῖται τὴν οἰκονομίαν ἀπ' ἐμοῦ
Rm 11 27 „ὅταν ἀφέλωμαι τὰς ἁμαρτίας αὐτ."
Hb 10 4 ἀδύνατον – αἷμα ταύρων – ἀ. ἁμαρτ.
Ap 22 19 ἐάν τις „ἀφέλῃᶜ ἀπὸ" τῶν λόγων –,
ἀφελεῖ ὁ θεὸς τὸ μέρος αὐτοῦ ἀπὸ
τοῦ ξύλου τῆς ζωῆς

ἀφανής invisibilis Hb 4 13

ἀφανίζειν, ..εσθαι ᵃdemoliri ᵇdisperdi
ᶜexterminare
Mat 6 16 ἀ..ουσινᶜ (vl ᵃ) – τὰ πρόσωπα αὐτῶν
– 19 ὅπου σὴς – ἀ..ειᵃ 20ᵃ – Act 13 41ᵇ
Jac 4 14 ἀτμὶς – φαινομένη, ἔπειτα – ἀ..ομένηᶜ

ἀφανισμός interitus Hb 8 13 ἐγγὺς ἀ..οῦ

ἄφαντος ἐγένετο evanuit Luc 24 31

ἀφεδρών S° – secessus Mat 15 17 ‖ Mar 7 19

ἀφειδία non parcere Col 2 23 σώματος

ἀφελότης S° – simplicitas
Act 2 46 ἐν ἀγαλλιάσει καὶ ἀ..ότητι καρδίας

ἄφεσις remissio
Mat 26 28 ἐκχυννόμενον εἰς ἄφεσιν ἁμαρτιῶν
Mar 1 4 βάπτισμα μετανοίας εἰς ἄ..ιν ἁμαρτι-
ῶν ‖ Luc 3 3 – 24 47 μετάνοιαν εἰς (vl
καὶ vg et) ἄ. ἁμ. Act 2 38 μετανοήσατε,
καὶ βαπτισθήτω ἕκαστος – εἰς ἄ. ἁμ.
3 29 οὐκ ἔχει ἄφεσιν εἰς τὸν αἰῶνα
Luc 1 77 γνῶσιν σωτηρίας – ἐν ἀ..ει ἁμαρτιῶν
4 18 „κηρῦξαι αἰχμαλώτοις ἄφεσιν" – .
ἀποστεῖλαι τεθραυσμένους ἐν ἀφέσει
Act 5 31 μετάνοιαν τῷ Ἰσρ. καὶ ἄ..ιν ἁμαρτιῶν
10 43 ἄ..ιν ἁμαρτ. λαβεῖν διὰ τοῦ ὀνόματος
αὐτοῦ 26 18 – 13 38 διὰ τούτου (sc
Ἰησοῦ) ὑμῖν ἄφ. ἁμ. καταγγέλλεται
Eph 1 7 ἐν ᾧ ἔχομεν τὴν ἀπολύτρωσιν –, τὴν
ἄ. τῶν παραπτωμάτων Col 1 14 ἁμαρτ.
Hb 9 22 χωρὶς αἱματεκχυσίας οὐ γίνεται ἄφ.
10 18 ὅπου δὲ ἄφ. τούτων (sc τῶν ἁμαρ-
τιῶν), οὐκέτι προσφορὰ περὶ ἁμαρτίας

ἀφή ᵃiunctura ᵇnexus Eph 4 16ᵃ Col 2 19ᵇ

ἀφθαρσία incorruptio ᵇincorruptela
Rm 2 7 τοῖς – τιμὴν καὶ ἀφθαρσίαν ζητοῦσιν
1 Co 15 42 ἐγείρεται ἐν ἀ..ᾳ 50 οὐδὲ ἡ φθορὰ

τὴν ἀφθαρσίαν[b] κληρονομεῖ 53 δεῖ
γὰρ τὸ φθαρτὸν – ἐνδύσασθαι ἀφθαρ-
σίαν (vg vl [b]) 54 ὅταν – τὸ φθαρτὸν
– ἐνδύσηται ἀφθαρσίαν (vl et vg[o])
Eph 624 μετὰ – τῶν ἀγαπώντων – Χὸν ἐν ἀ..ᾳ
2 Ti 110 φωτίσαντος δὲ ζωὴν καὶ ἀ..αν διά

ἄφθαρτος *incorruptibilis* [b]*incorruptus*
[c]*incorruptibilitas*
Mar brevior clausula τὸ ἱερὸν καὶ ἄφθαρτον
κήρυγμα τῆς αἰωνίου σωτηρίας, vg[o]
Rm 123 ἤλλαξαν τὴν δόξαν τοῦ ἀ..ου θεοῦ
1 Co 925 ἡμεῖς δὲ ἄφθαρτον[b] (sc στέφανον)
1552 οἱ νεκροὶ ἐγερθήσονται ἄφθαρτοι[b]
1 Ti 117 ἀφθάρτῳ (vl ἀθανάτῳ, vg *immorta-*
li) ἀοράτῳ μόνῳ θεῷ τιμὴ καὶ δόξα
1 Pe 1 4 εἰς κληρονομίαν ἄ..ον καὶ ἀμίαντον
– 23 ἐκ σπορᾶς – ἀ..ου διὰ λόγου ζῶντος
3 4 ἐν τῷ ἀφθάρτῳ[c] τοῦ πραέος καὶ ἡ-
συχίου πνεύματος

ἀφθορία S[o] – *integritas*
Tit 2 7 παρεχόμενος –, ἐν τῇ διδασκαλίᾳ ἀ-
φθορίαν (vg *in doctr., in integritate*)

ἀφιέναι, ἀφίειν

1) ἀφιέναι ὀφειλήματα, παραπτώματα, ἁ-
μαρτίας etc *dimittere* [b]*remittere*

Mat 612 ἄφες ἡμῖν τὰ ὀφειλήματα ἡμῶν, ὡς
καὶ ἡμεῖς ἀφήκαμεν (vl ..ίομεν, ..ίε-
μεν, vg praes.) ‖ Luc 1114 τὰς ἁμαρ-
τίας ἡμῶν, καὶ γὰρ αὐτοὶ ἀφίομεν
– 14 ἐὰν – ἀφῆτε τοῖς ἀνθρ. τὰ παραπτώ-
ματα αὐτῶν, ἀφήσει καὶ ὑμῖν ὁ πα-
τὴρ ὑμῶν 15 ἐὰν δὲ μὴ ἀφῆτε –, οὐδὲ
ὁ πατὴρ ὑμῶν ἀφήσει τὰ παρ. ὑμῶν
9 2 ἀφίενταί[b] σου αἱ ἁμαρτίαι 5.6 ἐξου-
σίαν ἔχει – ἀφιέναι ἁμαρτίας ‖ Mar
25.7 τίς δύναται ἀφιέναι ἁμαρτίας –;
9.10 Luc 520 ἀφέωνταί[b] σοι αἱ ἁμ. σου
21 τίς δύναται ἁμαρτ. ἀφεῖναι –; 23.24
1231 πᾶσα ἁμαρτία καὶ βλασφημία ἀφ-
εθήσεται[b] τοῖς ἀνθρ., ἡ δὲ τοῦ πνεύ-
ματος βλασφημ. οὐκ ἀφεθήσεται[b] 32
ὃς ἐὰν εἴπῃ λόγον –, ἀφεθήσεται[b]
αὐτῷ· ὃς δ᾽ ἂν εἴπῃ κατὰ τοῦ πνεύ-
ματος –, οὐκ ἀφεθήσεται[b] αὐτῷ ‖
Mar 328 Luc 1210[b]
1821 ποσάκις ἁμαρτήσει εἰς ἐμὲ – καὶ ἀφ-
ήσω αὐτῷ; 27 τὸ δάνειον ἀφῆκεν αὐ-
τῷ 32 πᾶσαν τὴν ὀφειλὴν – ἀφῆκά σοι

35 ἐὰν μὴ ἀφῆτε[b] – τῷ ἀδελφῷ ‖ Luc
173 ἐὰν μετανοήσῃ, ἄφες αὐτῷ 4 καὶ
ἐὰν ἑπτάκις –, ἀφήσεις αὐτῷ [τοῖς"
Mar 412 „μήποτε ἐπιστρέψωσιν καὶ ἀφεθῇ αὐ-
1125 ὅταν στήκετε προσευχόμενοι, ἀφίετε
εἴ τι ἔχετε κατά τινος, ἵνα καὶ ὁ πα-
τὴρ – ἀφῇ ὑμῖν τὰ παραπτώματα ὑ-
μῶν (26 vl εἰ – οὐκ ἀφίετε, οὐδὲ ὁ πα-
τὴρ – ἀφήσει τὰ παραπτ. ὑμῶν, vg)
Luc 747 ἀφέωνται[b] (vg praes., vl fut.) αἱ
ἁμαρτίαι αὐτῆς αἱ πολλαί – · ᾧ δὲ
ὀλίγον ἀφίεται, ὀλίγον ἀγαπᾷ 48 ἀφ-
έωνταί[b] σου αἱ ἁμαρτίαι. 49 τίς οὗ-
τός ἐστιν, ὃς καὶ ἁμαρτίας ἀφίησιν;
[2334 πάτερ, ἄφες αὐτοῖς· οὐ γὰρ οἴδασιν]
Joh 2023 ἄν τινων ἀφῆτε[b] τὰς ἁμ., ἀφέωνται[b]
αὐτοῖς· ἄν τινων κρατῆτε, κεκράτ.
Act 822 δεήθητι τοῦ κυρίου εἰ ἄρα ἀφεθή-
σεταί[b] σοι ἡ ἐπίνοια τῆς καρδίας σου
Rm 4 7 „μακάριοι ὧν ἀφέθησαν[b] αἱ ἀνομίαι"
Jac 515 κἂν ἁμαρτίας ᾖ πεποιηκώς, ἀφεθή-
σεται[b] (vl *dim.*) αὐτῷ
1 Jo 1 9 πιστός ἐστιν καὶ δίκαιος, ἵνα ἀφῇ[b]
ἡμῖν τὰς ἁμαρτίας 212 ἀφέωνται[b] ὑ-
μῖν αἱ ἁμαρτίαι διὰ τὸ ὄνομα αὐτοῦ

2) reliqui loci. – *relinquere* [b]*sinere*
[c]*dimittere* [d]*omitt.* [e]*emitt.* [f]*admitt.*
[g]*permitt.* [h]*remitt.* [i]*intermittere*

Mat 315 ἄφες[b] ἄρτι· – τότε ἀφίησιν[c] αὐτόν
411 τότε ἀφίησιν αὐτὸν ὁ διάβολος
– 20 ἀφέντες τὰ δίκτυα ‖ Mar 118 – Luc 511
ἀφ. πάντα ἠκολούθησαν – Mat 422
ἀφ. τὸ πλοῖον καὶ τ. πατέρα ‖ Mar 120
524 ἄφες ἐκεῖ τὸ δῶρόν σου ἐπὶ τὸ θυσ.
– 40 ἄφες[c] (vl [h]) αὐτῷ καὶ τὸ ἱμάτιον
7 4 ἄφες[b] ἐκβάλω τὸ κάρφος ‖ Luc 642
815 ἀφῆκεν[c] αὐτὴν ὁ πυρετός ‖ Mar 131[c]
Luc 439[c] – Joh 452 ἀφῆκεν αὐτόν
– 22 ἄφες[c] τοὺς νεκροὺς θάψαι ‖ Luc 960[b]
1330 ἄφετε[b] συναυξάνεσθαι ἀμφότερα
– 36 ἀφεὶς[c] τοὺς ὄχλους Mar 436[c] 813[c]
1514 ἄφετε[b] αὐτούς· τυφλοί εἰσιν ὁδηγοὶ
1812 οὐχὶ ἀφήσει τὰ ἐνενήκοντα ἐννέα –;
1914 ἄφετε[b] τὰ παιδία ‖ Mar 1014 ἄφετε[b]
– ἔρχεσθαι πρός με Luc 1816[b]
– 27 ἡμεῖς ἀφήκαμεν πάντα 29 πᾶς ὅστις
ἀφῆκεν οἰκίας ‖ Mar 1028[c] 29 οἰ-
κίαν Luc 1828 ἀφέντες[c] τὰ ἴδια 29
2222 ἀφέντες αὐτὸν ἀπῆλθαν ‖ Mar 1212
– 25 ἀφῆκεν τὴν γυναῖκα – τ. ἀδελφῷ αὐτοῦ
‖ Mar 1219 „ἐάν τινος ἀδελφὸς – μὴ

ἀφῇ τέκνον" 20 οὐκ ἀφῆκεν σπέρμα 22
Mat 23 13 οὐδὲ τοὺς εἰσερχομένους ἀφίετε[b]
    εἰσελθεῖν
– 23 ἀφήκατε τὰ βαρύτερα τοῦ νόμου, –·
    – κἀκεῖνα (sc ἔδει) μὴ ἀφεῖναι[d]
– 38 „ἀφίεται (vg fut., vl praes.) ὑμῖν ὁ
    οἶκος ὑμῶν" (vl + ἔρημος) Luc 13 35
24 2 οὐ μὴ ἀφεθῇ ὧδε λίθος ἐπὶ λίθον ‖
    Mar 13 2 Luc 19 44 οὐκ ἀφήσουσιν 21 6
– 40 καὶ εἷς ἀφίεται 41 μία ἀφίεται ‖ Luc
    17 34 ὁ ἕτερος ἀφεθήσεται 35 ἡ δὲ ἑτ.
26 44 ἀφεὶς αὐτοὺς πάλιν – προσηύξατο
– 56 ἀφέντες αὐτὸν ἔφυγον ‖ Mar 14 50
27 49 ἄφες[b] ἴδωμεν εἰ ἔρχεται Ἠλίας ‖
    Mar 15 36 ἄφετε[b] ἴδωμεν
– 50 ἀφῆκεν[e] τὸ πνεῦμα ‖ Mar 15 37 ἀφεὶς[e]
    φωνὴν μεγάλην ἐξέπνευσεν
Mar 1 34 οὐκ ἤφιεν[b] λαλεῖν τὰ δαιμόνια
5 19 οὐκ ἀφῆκεν[f] αὐτόν (sc μετ᾽ αὐτοῦ εἶ-
    ναι) 37 οὐκ ἀφῆ.[f] οὐδένα μετ᾽ αὐτοῦ
    συνακολουθῆσαι ‖ Luc 8 51[g] – Mar 11 16
    οὐκ ἤφιεν[b] ἵνα τις διενέγκῃ σκεῦος 14 6
    ἄφετε[b] αὐτήν – 11 6 ἀφῆκαν[c] αὐτούς
7 8 ἀφέντες τὴν ἐντολὴν τοῦ θεοῦ
– 12 οὐκέτι ἀφίετε[c] αὐτὸν οὐδὲν ποιῆσαι
    τῷ πατρὶ ἢ τῇ μητρί, ἀκυροῦντες
– 27 ἄφες[b] πρῶτον χορτασθῆναι τ. τέκνα
13 34 ὡς ἄνθρωπος – ἀφεὶς τὴν οἰκίαν
Luc 10 30 ἀπῆλθον ἀφέντες ἡμιθανῆ
12 39 οὐκ ἂν ἀφῆκεν[b] διορυχθῆναι τ. οἶκ.
13 8 ἄφες[c] αὐτὴν καὶ τοῦτο τὸ ἔτος
Joh 4 3 ἀφῆκεν τὴν Ἰουδαίαν
– 28 ἀφῆκεν οὖν τὴν ὑδρίαν αὐτῆς ἡ γυνή
8 29 ὁ πέμψας με – οὐκ ἀφῆκέν με μόνον
10 12 ἀφίησιν[c] τὰ πρόβατα καὶ φεύγει
11 44 ἄφετε[b] αὐτὸν ὑπάγειν 18 8[b] τούτους
– 48 ἐὰν ἀφῶμεν[c] αὐτὸν οὕτως, πάντες
12 7 ἄφες[b] (vg plur., vl sing.) αὐτήν, ἵνα
14 18 οὐκ ἀφήσω ὑμᾶς ὀρφανούς, ἔρχομαι
– 27 εἰρήνην ἀφίημι ὑμῖν, εἰρήνην τὴν ἐμήν
16 28 πάλιν ἀφίημι τὸν κόσμον καὶ πορ.
– 32 ἔρχεται ὥρα – ἵνα σκορπισθῆτε – κἀμὲ
    μόνον ἀφῆτε
Act 5 38 ἄφετε[b] αὐτούς (sc τοὺς ἀποστόλους)
14 17 οὐκ ἀμάρτυρον αὐτὸν ἀφῆκεν
Rm 1 27 ἀφέντες τὴν φυσικὴν χρῆσιν τῆς θηλ.
1 Co 7 11 ἄνδρα γυναῖκα μὴ ἀφιέναι[c] 12 μὴ
    ἀφιέτω[c] αὐτήν (sc γυναῖκα ἄπιστον)
    13 μὴ ἀφιέτω[c] τὸν ἄνδρα (sc ἄπιστον)
Hb 2 8 οὐδὲν ἀφῆκεν[c] αὐτῷ ἀνυπότακτον
6 1 ἀφέντες[i] τὸν τῆς ἀρχῆς τ. Χοῦ λόγον
Ap 2 4 τὴν ἀγάπην σου τὴν πρώτην ἀφῆκας

Ap 2 20 ὅτι ἀφεῖς[g] τὴν γυναῖκα Ἰεζάβελ
11 9 τὰ πτώματα – οὐκ ἀφίουσιν[b] (vl ἀφή-
    σουσι vg, vl praes.) τεθῆναι εἰς μνῆμα

ἀφικνεῖσθαι divulgari (vl prov.) Rm 16 19

ἀφιλάγαθος S[o] – sine benignitate
2 Ti 3 3 ἔσονται – οἱ ἄνθρ. – ἀνήμεροι, ἀ..οι

ἀφιλάργυρος S[o] – [a]non cupidus [b]sine
    avaritia 1 Ti 3 3 δεῖ – τὸν ἐπίσκοπον
    – εἶναι ἀ..ον[a] Hb 13 5 ἀ.[b] ὁ τρόπος

ἄφιξις discessio Act 20 29 μετὰ – ἄ..ίν μου

ἀφιστάναι discedere [b]recedere [c]avertere
Luc 2 37 ἣ (sc Ἅννα) οὐκ ἀφίστατο τοῦ ἱεροῦ
4 13 ὁ διάβολος ἀπέστη[b] ἀπ᾽ αὐτοῦ
8 13 ἐν καιρῷ πειρασμοῦ ἀφίστανται[b]
13 27 „ἀπόστητε ἀπ᾽ ἐμοῦ – ἐργάται ἀδικ."
Act 5 37 ἀπέστησεν[c] λαὸν ὀπίσω αὐτοῦ
– 38 ἀπόστητε ἀπὸ τῶν ἀνθρώπων τούτων
12 10 εὐθέως ἀπέστη ὁ ἄγγελος ἀπ᾽ αὐτοῦ
15 38 ἠξίου, τὸν ἀποστάντα ἀπ᾽ αὐτῶν (sc
    Μᾶρκον) – μὴ συμπαραλαμβάνειν
19 9 ἀποστὰς ἀπ᾽ αὐτῶν 22 29 ἀπέστησαν
2 Co 12 8 παρεκάλεσα, ἵνα ἀποστῇ ἀπ᾽ ἐμοῦ
1 Ti 4 1 ἀποστήσονταί τινες τῆς πίστεως
    (6 5 vl ἀφίστασο ἀπὸ τῶν τοιούτων, vg[o])
2 Ti 2 19 ἀποστήτω ἀπὸ ἀδικίας πᾶς ὁ ὀνομ.
Hb 3 12 ἐν τῷ ἀποστῆναι ἀπὸ θεοῦ ζῶντος

ἄφνω [a]repente [b]subito Act 2 2[a] 16 26[b] 28 6[b]

ἀφόβως sine timore 1 Co 16 10 Jud 12
Luc 1 74 τοῦ δοῦναι ἡμῖν ἀφόβως – λατρεύειν
Phl 1 14 ἀφόβως τὸν λόγον τοῦ θεοῦ λαλεῖν

ἀφομοιοῦσθαι assimilari
Hb 7 3 ἀφωμοιωμένος – τῷ υἱῷ τοῦ θεοῦ

ἀφορᾶν [a]vidēre [b]aspicere Phl 2 23[a]
Hb 12 2 ἀ..ῶντες[b] εἰς τὸν τῆς πίστ. ἀρχηγόν

ἀφορίζειν segregare (se) [b]separare
Mat 13 49 ἀ..ιοῦσιν[b] (sc οἱ ἄγγ.) τοὺς πονηρούς
25 32 ἀφορίσει[b] αὐτοὺς ἀπ᾽ ἀλλήλων, ὥσ-
    περ ὁ ποιμὴν ἀφορίζει τὰ πρόβατα
Luc 6 22 μακάριοι – ὅταν ἀφορίσωσιν[b] ὑμᾶς
Act 13 2 ἀφορίσατε (vl[b]) δή μοι τ. Βαρναβᾶν
19 9 ἀφώρισεν τοὺς μαθητάς
Rm 1 1 ἀφωρισμένος εἰς εὐαγγέλιον θεοῦ

2 Co 6 17 „ἐξέλθατε – καὶ ἀφορίσθητε[b]"
Gal 1 15 ὁ ἀφορίσας με ἐκ κοιλίας μητρός
2 12 ὑπέστελλεν καὶ ἀφώριζεν ἑαυτόν

ἀφορμή *occasio*
Rm 7 8 ἀφορμὴν δὲ λαβοῦσα ἡ ἁμαρτία 11
2 Co 5 12 ἀφορμὴν διδόντες. ὑμῖν καυχήματος
11 12 ἵνα ἐκκόψω τὴν ἀφ. τῶν θελόντων
ἀ..ήν 1 Ti 5 14 μηδεμίαν ἀ..ὴν διδό-
ναι τῷ ἀντικειμένῳ λοιδορίας χάριν
Gal 5 13 μὴ τὴν ἐλευθερίαν εἰς ἀφορμὴν τῇ
σαρκί (vg *ne – in occasionem detis*)

ἀφρίζειν, ἀφρός S° – *spumare, spuma* Mar
9 18.20 ἐκυλίετο ἀ..ων ‖ Luc 9 39 μετὰ ἀ..οῦ

ἀφροσύνη *insipientia* [b]*stultitia*
Mar 7 22 βλασφημία, ὑπερηφανία, ἀφροσύνη[b]
2 Co 11 1 ὄφελον ἀνείχεσθέ μου μικρόν τι ἀ..ης
– 17 ὃ λαλῶ, – ὡς ἐν ἀ..ῃ 21 ἐν ἀ..ῃ λέγω

ἄφρων *insipiens* [b]*imprudens* [c]*stultus*
Luc 11 40 ἀ..ες[c] 12 20[c] 1 Co 15 36 ἄ., σὺ ὃ σπείρ.
Rm 2 20 σεαυτὸν – εἶναι – παιδευτὴν ἀφρόνων
2 Co 11 16 μή τίς με δόξῃ ἄφρονα εἶναι'– κἂν
ὡς ἄφρονα δέξασθέ με, ἵνα
– 19 ἡδέως γὰρ ἀνέχεσθε τῶν ἀφρόνων
12 6 οὐκ ἔσομαι ἄ., ἀλήθειαν γὰρ ἐρῶ
– 11 γέγονα ἄφρων· ὑμεῖς με ἠναγκάσατε
Eph 5 17 μὴ γίνεσθε ἄφρονες[b], ἀλλὰ συνίετε
1 Pe 2 15 φιμοῦν τὴν τῶν ἀ..ων[b] – ἀγνωσίαν

ἀφυπνοῦν S° – *obdormire* Luc 8 23

ἀφυστερεῖν *fraudare* Jac 5 4 (μισθόν)

ἄφωνος [a]*sine voce* [b]*mutus*
Act 8 32[a] „ἀμνός" – 2 Pe 2 16 ὑποζύγιον ἀ..ον[b]
1 Co 12 2 πρὸς τὰ εἴδωλα τὰ ἄφωνα[b] 14 10[a]

Ἀχάζ Mat 1 9

Ἀχαΐα Act 18 12.27 19 21 Rm 15 26
1 Co 16 15 οἰκίαν Στεφανᾶ, ὅτι – ἀπαρχὴ τῆς Ἀ.
2 Co 1 1 σὺν τοῖς ἁγίοις – ἐν ὅλῃ τῇ Ἀ. 9 2 Ἀ.
παρεσκεύασται ἀπὸ πέρυσι 11 10
1 Th 1 7 γενέσθαι ὑμᾶς τύπον – τοῖς πιστεύ-
ουσιν – ἐν τῇ Ἀ. 8 ἀφ' ὑμῶν γὰρ ἐξ-
ήχηται ὁ λόγος – ἐν τῇ Μακ. καὶ Ἀ.

Ἀχαϊκός 1 Co 16 17 ἐπὶ τῇ παρουσίᾳ – Ἀ..οῦ

ἀχάριστος *ingratus* Luc 6 35 χρηστός ἐστιν
ἐπὶ τοὺς ἀχαρίστους καὶ πονηρούς
2 Ti 3 2 ἔσονται – οἱ ἄνθρωποι – ἀ..οι, ἀνόσιοι

Ἀχίμ Mat 1 14

ἀχειροποίητος S° – *non manu factus*
Mar 14 58 ἄλλον ἀ..ον οἰκοδομήσω (sc ναόν)
2 Co 5 1 οἰκίαν ἀ..ον αἰώνιον ἐν τοῖς οὐραν.
Col 2 11 ἐν ᾧ – περιετμήθητε περιτομῇ ἀ..ῳ

ἀχλύς S° – *caligo* Act 13 11 ἐπ' αὐτόν

ἀχρεῖος *inutilis*
Mat 25 30 τὸν ἀχρεῖον δοῦλον ἐκβάλετε εἰς
Luc 17 10 λέγετε ὅτι δοῦλοι ἀ..οί (vl°) ἐσμεν

ἀχρειοῦσθαι *inutilem fieri* Rm 3 12

ἄχρηστος *inutilis* Phm 11 τόν ποτέ σοι ἄ..ον

***ἄχρι, ἄχρις** *usque ad, in* [b]*donec*
Luc 4 13 ὁ διάβολος ἀπέστη ἀπ' αὐτοῦ ἄ. και-
ροῦ – Act 13 11 ἔσῃ τυφλὸς – ἄ. καιρ.
21 24 ἄχρι οὗ[b] πληρωθῶσιν καιροὶ ἐθνῶν
Act 3 21 ἄ. χρόνων ἀποκαταστάσεως πάντων
Rm 1 13 ἐκωλύθην ἄ. τοῦ δεῦρο 1 Co 4 11 ἄ.
τῆς ἄρτι ὥρας – πεινῶμεν καὶ διψῶμεν
5 13 ἄ. γὰρ νόμου ἁμαρτία ἦν ἐν κόσμῳ
8 22 ἡ κτίσις συστενάζει – ἄχρι τοῦ νῦν
11 25 ἄ. οὗ[b] τὸ πλήρωμα τ. ἐθνῶν εἰσέλθῃ
1 Co 11 26 ἄχρι οὗ[b] ἔλθῃ (sc ὁ κύριος)
15 25 ἄχρι οὗ[b] θῇ πάντας τοὺς ἐχθρούς
Gal 3 19 ἄχρις[b] ἂν ἔλθῃ τὸ σπέρμα ᾧ ἐπήγγ.
Phl 1 6 ἐπιτελέσει ἄχρι ἡμέρας Χοῦ Ἰησοῦ
Hb 3 13 ἄχρις οὗ[b] τὸ „σήμερον" καλεῖται
Ap 2 25 ὃ ἔχετε κρατήσατε ἄ. οὗ[b] ἂν ἥξω
– 26 ὁ τηρῶν ἄχρι τέλους τὰ ἔργα μου
17 17 ἄ.[b] τελεσθήσονται οἱ λόγοι τοῦ θεοῦ

ἄχυρον *paleae* Mat 3 12 ‖ Luc 3 17

ἀψευδής *qui non mentitur* Tit 1 2 θεός

Ἄψινθος, ὁ et **ἄψ., ἡ** *absinthium* Ap 8 11

ἄψυχα, τὰ *quae sine anima sunt*
1 Co 14 7 ὅμως τὰ ἄψυχα φωνὴν διδόντα

B

Βάαλ Rm 11 4 „οὐκ ἔκαμψαν γόνυ τῇ Β."

Βαβυλών Mat 1 11.12.17 — Act 7 43
1 Pe 5 13 ἡ ἐν Β..ῶνι (vl + ἐκκλ.) συνεκλεκτή
Ap 14 8 „ἔπεσεν Β. ἡ μεγάλη" 18 2 — 16 19 17 5
ὄνομα –, μυστήριον, Β. ἡ μεγάλη 18 10.21

βαθμός gradus 1 Ti 3 13 βαθμὸν – καλόν

βάθος altitudo [b]altum [c](ὁ κατὰ βάθους)
altissimus [d]profundum
Mat 13 5 διὰ τὸ μὴ ἔχειν βάθος γῆς ‖ Mar 4 5
Luc 5 4 ἐπανάγαγε εἰς τὸ βάθος[b]
Rm 8 39 οὔτε ὕψωμα οὔτε β.[d] οὔτε τις κτίσ.
11 33 ὦ β. πλούτου καὶ σοφίας καὶ γνώσ.
1 Co 2 10 πάντα ἐρευνᾷ, καὶ τὰ β.[d] τοῦ θεοῦ
2 Co 8 2 ἡ κατὰ βάθους[c] πτωχεία αὐτῶν
Eph 3 18 τί τὸ – μῆκος καὶ ὕψος καὶ βάθος[d]

βαθύνειν cum σκάπτειν fodere in altum
Luc 6 48 οἰκοδομοῦντι –, ὃς ἔσκαψεν κ. ἐβ..εν

βαθύς [a]altus [b](τὰ βαθέα) altitudines [c]gra-
vis [d](ὄρθρου βαθέως) valde diluculo
Luc 24 1[d] Joh 4 11[a] τὸ φρέαρ Act 20 9[c] ὕπνῳ
Ap 2 24 οὐκ ἔγνωσαν τὰ β..έα[b] τοῦ σατανᾶ

βαΐον ramus Joh 12 13 τῶν φοινίκων

Βαλαάμ 2 Pe 2 15 Jud 11 Ap 2 14

Βαλάκ Ap 2 14 ἐδίδασκεν τῷ Βαλάκ

βαλλάντιον sacculus Luc 10 4 12 33 βαλλάν-
τια μὴ παλαιούμενα 22 35 ὅτε ἀπέστειλα
ὑμᾶς ἄτερ βαλλαντίου 36 ἀλλὰ νῦν ὁ ἔ-
χων βαλλάντιον ἀράτω, ὁμοίως – πήραν

***βάλλειν** mittere [b]proiicere [c]iactare [d]iacere
Mat 3 10 εἰς πῦρ βάλλεται ‖ Luc 3 9 — Mat
7 19 Joh 15 6 — Mat 18 8 τὸ αἰώνιον
4 6 βάλε σεαυτὸν κάτω ‖ Luc 4 9
5 25 εἰς φυλακὴν βληθήσῃ ‖ Luc 12 58 –
Mat 18 30 Luc 23 19.25 Joh 3 24 Act
16 23.24.37 — Ap 2 10 μέλλει βάλλειν ὁ
διάβολος ἐξ ὑμῶν εἰς φυλακήν
– 29 βάλε[b] ἀπὸ σοῦ 30[b] 18 8[b] 9[b]
5 29 μὴ ὅλον τὸ σῶμά σου βληθῇ εἰς γέ-
ενναν 18 9 τὴν γ. τ. πυρός Mar 9 45.47

Mat 7 6 μηδὲ βάλητε τοὺς μαργαρίτας ὑμῶν
9 17 οὐδὲ βάλλουσιν οἶνον νέον εἰς –· ἀλ-
λὰ β. οἶ. νέον ‖ Mar 2 22 Luc 5 37.38
10 34 ὅτι ἦλθον βαλεῖν εἰρήνην ἐπὶ τὴν
γῆν· οὐκ ἦ. β. εἰρ. ἀλλὰ μάχαιραν
Luc 12 49 πῦρ ἦλθον βαλεῖν ἐπὶ τ. γ.
27 35 „βάλλοντες κλῆρον" ‖ Mar 15 24 τίς
τί ἄρῃ Luc 23 34 Joh 19 24 „ἐπὶ τὸν
ἱματισμόν μου ἔβαλον κλῆρον"
Mar 12 41 πῶς ὁ ὄχλος βάλλει[c] χαλκόν –· καὶ
πολλοὶ πλούσιοι ἔβαλλον[c] πολλά 42
μία χήρα πτωχὴ ἔβαλεν λεπτὰ δύο
43 πλεῖον πάντων ἔβαλεν τῶν βαλλόν-
των 44 πάντα ὅσα εἶχεν ἔβαλεν ‖
Luc 21 1-4
Joh [8 7 πρῶτος ἐπ' αὐτὴν βαλέτω λίθον]
– 59 ἦραν – λίθους ἵνα βάλωσιν[d] ἐπ' αὐτόν
12 6 (Ἰούδας) τὰ βαλλόμενα ἐβάσταζεν
13 2 τοῦ διαβόλου ἤδη βεβληκότος εἰς
τὴν καρδίαν ἵνα παραδοῖ αὐτόν
18 11 βάλε τὴν μάχαιραν εἰς τὴν θήκην
20 25 ἐὰν μὴ – βάλω τὸν δάκτυλόν μου 27
Jac 3 3 τοὺς χαλινοὺς εἰς τὰ στόματα β..ομεν
1 Jo 4 18 ἡ τελεία ἀγάπη ἔξω βάλλει τ. φόβον
Ap 8 5 ὁ ἄγγελος – ἔβαλεν εἰς τὴν γῆν 7 12 4.
9 ἐβλήθη[b] ὁ δράκων – καὶ οἱ ἄγγελοι
αὐτοῦ μετ' αὐτοῦ ἐβλήθησαν 10[b] 13[b]
14 16 ἔβαλεν – τὸ δρέπανον – ἐπὶ τὴν γῆν 19
– 19 ἔβαλεν εἰς τὴν ληνὸν τοῦ θυμοῦ
18 19 „ἔβαλον χοῦν ἐπὶ τ. κεφαλὰς αὐτῶν"
19 20 ζῶντες ἐβλήθησαν – εἰς τὴν λίμνην
τοῦ πυρός 20 10 ὁ διάβολος 14 ὁ θάνατος
καὶ ὁ ᾅδης ἐβλήθησαν 15 εἴ τις οὐχ εὑ-
ρέθη – γεγραμμένος, ἐβλήθη – 20 3 ἔβα-
λεν αὐτὸν (sc τὸν διάβ.) εἰς τὴν ἄβυσσον

βάπτειν [a]aspergere [b]intingere
Luc 16 24 ἵνα βάψῃ[b] τὸ ἄκρον τοῦ δακτύλου
Joh 13 26 ᾧ ἐγὼ βάψω[b] τὸ ψωμίον –· βάψας[b]
Ap 19 13 περιβεβλημένος ἱμάτιον βεβαμμένον
(vl ῥεραντισμένον et al vll)[a] αἵματι

βαπτίζειν, ..εσθαι baptizare, ..ari
Mat 3 6 ἐβ..ίζοντο ἐν τῷ Ἰορδάνῃ ‖ Mar 1 5
– 11 ἐγὼ μὲν ὑμᾶς β..ω ἐν ὕδατι εἰς με-
τάνοιαν· αὐτὸς ὑμᾶς βαπτίσει ἐν
πνεύματι ἅγ. καὶ πυρί ‖ Mar 1 8 ὕδ.
– πνεύμ. ἅγ. Luc 3 16 — Joh 1 26 ἐγὼ

β..ω ἐν ὕδατι 31.33 – Act 15 Ἰωάννης
μὲν ἐβάπτισεν ὕδατι, ὑμεῖς δὲ ἐν
πνεύματι βαπτισθήσεσθε ἁγίω 1116
Mat 313 τοῦ β..ισθῆναι ὑπ' αὐτοῦ 14 ὑπὸ σοῦ
βαπτισθῆναι 16 β..ισθεὶς – ἀνέβη ‖ Mar
19 ἐβαπτίσθη εἰς τὸν Ἰορδ. – Luc 37
τοῖς εἰσπορευομένοις ὄχλοις β..ισθῆ-
ναι ὑπ' αὐτοῦ 12 ἦλθον – καὶ τελῶναι
βαπτισθῆναι 21 ἐν τῷ βαπτισθῆναι –
τὸν λαὸν καὶ Ἰησοῦ βαπτισθέντος
2819 βαπτίζοντες (vl ..ίσαντες) αὐτοὺς εἰς
τὸ ὄνομα τοῦ πατρὸς καὶ τοῦ υἱοῦ
Mar 1 4 ἐγένετο Ἰω. ὁ βαπτίζων ἐν τῇ ἐρή-
μῳ (in deserto baptizans) 614 Ἰω. ὁ
βαπτίζων (Baptista) ἐγήγερται 24 κε-
φαλὴν Ἰωάννου τοῦ β..οντος (B..ae)
1038.39 Luc 1250 → βάπτισμα
[1616 ὁ πιστεύσας καὶ β..ισθεὶς σωθήσεται]
Luc 729 βαπτισθέντες τὸ βάπτισμα Ἰωάννου
30 οἱ – Φαρ. – μὴ β..ισθέντες ὑπ' αὐτοῦ
1138 ὅτι οὐ πρῶτον ἐβ..ίσθη πρὸ τοῦ ἀ-
ρίστου (Mar 74 vl ἐὰν μὴ β..ίσωνται)
Joh 125 τί οὖν β..εις εἰ σὺ οὐκ εἶ ὁ χρ. –;
– 28 ὅπου ἦν ὁ Ἰω. β..ων 1040 τὸ πρῶτον
322 ἦλθεν ὁ Ἰησοῦς – καὶ ἐβάπτιζεν 23
ἦν δὲ καὶ Ἰω. β..ων – καὶ παρεγίνον-
το καὶ ἐβ..οντο 26 ἴδε οὗτος βαπτίζει
4 1 ὅτι Ἰησοῦς πλείονας – βαπτίζει ἢ Ἰω.
– 2 καίτοι γε Ἰησ. αὐτὸς οὐκ ἐβάπτιζεν
Act 238 βαπτισθήτω ἕκαστος – ἐπὶ (vl ἐν) τῷ
ὀνόματι Ἰ. Χοῦ εἰς ἄφεσιν τῶν ἁμαρ-
τιῶν cfr 1048 ἐν τ. ὀν. – βαπτισθῆναι
– 41 οἱ – ἀποδεξάμενοι τὸν λόγον αὐτοῦ
ἐβ..ίσθησαν 812 ὅτε δὲ ἐπίστευσαν –
ἐβ..οντο 13 188 ἐπίστευον κ. ἐβ..οντο
816 μόνον δὲ βεβαπτισμένοι ὑπῆρχον εἰς
τὸ ὄνομα τοῦ κυρίου Ἰησοῦ
– 36 τί κωλύει με βαπτισθῆναι; 1047
– 38 ἐβάπτισεν αὐτόν 918 ἐβαπτίσθη
1615 ὡς δὲ ἐβαπτίσθη καὶ ὁ οἶκος αὐτῆς
– 33 ἐβ..ίσθη αὐτὸς καὶ οἱ αὐτοῦ ἅπαντες
19 3 εἰς τί οὖν ἐβ..ίσθητε; 4 Ἰω. ἐβάπτι-
σεν βάπτισμα μετανοίας 5 ἐβ..ίσθη-
σαν εἰς τὸ ὄνομα τοῦ κυρίου Ἰησοῦ
2216 ἀναστὰς βάπτισαι καὶ ἀπόλουσαι
τὰς ἁμαρτίας σου, ἐπικαλεσάμενος
Rm 6 3 ὅσοι ἐβαπτίσθημεν εἰς Χὸν Ἰ., εἰς
τὸν θάνατον αὐτοῦ ἐβαπτίσθημεν;
1 Co 113 εἰς τὸ ὄνομα Παύλου ἐβαπτίσθητε;
– 14 ὅτι οὐδένα ὑμῶν ἐβάπτισα εἰ μή
– 15 ἵνα μή τις εἴπῃ ὅτι εἰς τὸ ἐμὸν ὄνο-
μα ἐβαπτίσθητε 16 ἐβάπτισα δὲ καὶ

τὸν Στεφανᾶ οἶκον · – οὐκ οἶδα εἴ τι-
να ἄλλον ἐβάπτισα
1 Co 117 οὐ γὰρ ἀπέστειλέν με Χὸς βαπτίζειν
10 2 πάντες εἰς τὸν Μωϋσῆν ἐβαπτίσαντο
(vl ἐβαπτίσθησαν) ἐν τῇ νεφέλη καὶ
ἐν τῇ θαλάσση
1213 ἐν ἑνὶ πνεύματι – εἰς ἓν σῶμα ἐβα-
πτίσθημεν, εἴτε Ἰουδαῖοι εἴτε Ἕλληνες
1529 οἱ βαπτιζόμενοι ὑπὲρ τῶν νεκρῶν; –
τί καὶ βαπτίζονται ὑπὲρ αὐτῶν;
Gal 327 ὅσοι γὰρ εἰς Χὸν ἐβαπτίσθητε, Χὸν
ἐνεδύσασθε

βάπτισμα Sº – baptismus (vl ..um) b b..ma
Mat 3 7 ἰδὼν – ἐρχομένους ἐπὶ τὸ β. (vl αὐτοῦ)
2125 τὸ β. τὸ Ἰωάννου πόθεν ἦν; ‖ Mar
1130 ἐξ οὐρανοῦ ἦν ἢ ἐξ ἀνθρώπων;
Luc 204 – 729 ὁ λαὸς καὶ οἱ τελῶ-
ναι –, βαπτισθέντες τὸ β. Ἰωάννου
Mar 1 4 κηρύσσων β. μετανοίας ‖ Luc 33
Act 1324 194 Ἰω. ἐβάπτισεν β. μεταν.
1038 δύνασθε – τὸ βάπτισμα ὃ ἐγὼ βαπτί-
ζομαι βαπτισθῆναι; 39 τὸ βάπτισμα –
βαπτισθήσεσθε ‖ Luc 1250 βάπτισμα –
(vg vlb) δὲ ἔχω βαπτισθῆναι, καὶ
πῶς συνέχομαι ἕως ὅτου τελεσθῇ
Act 122 ἀρξάμενος ἀπὸ τοῦ β..ατος b Ἰωάν-
νου 1037 μετὰ τὸ β. ὃ ἐκήρυξεν Ἰω-
άννης 1825 ἐπιστάμενος (sc Ἀπολ-
λῶς) μόνον τὸ β.b Ἰω. 193 εἰς τί ἐ-
βαπτίσθητε; – εἰς τὸ Ἰωάννου βάπτ.b
Rm 6 4 συνετάφημεν οὖν αὐτῷ διὰ τοῦ β.
εἰς τὸν θάνατον Col 212 συνταφέντες
αὐτῷ ἐν τῷ βαπτίσματι (vl βαπτισμῷ)
Eph 4 5 εἷς κύριος, μία πίστις, ἓν βάπτισμα b
1 Pe 321 ὃ – ὑμᾶς ἀντίτυπον νῦν σῴζει βάπτ.b

βαπτισμός Sº – baptisma b baptismus
Mar 7 4 ἃ παρέλαβον κρατεῖν, β..οὺς ποτηρίων
Hb 6 2 β..ῶν διδαχήν 910 διαφόροις β..οῖς (vlb)

βαπτιστής Sº – Baptista
Mat 31 1111.12 142.8 (Mar 625) 1614 (Mar 828
Luc 919) 1713 Luc 720.33

Βαραββᾶς Mat 2716 (vl Ἰησοῦν Βαραββᾶν)
17.20 S.26 Mar 157.11.15 Luc 2318 Joh 1840

Βαράκ Hb 1132 **Βαραχίας** Mat 2335

βάρβαρος barbarus Act 282.4
Rm 114 Ἕλλησίν τε καὶ β..οις – ὀφειλέτης εἰμί

1 Co 14 11 ἔσομαι τῷ λαλοῦντι βάρβαρος καὶ
ὁ λαλῶν ἐν (vl°) ἐμοὶ βάρβαρος
Col 3 11 ὅπου οὐκ ἔνι -- βάρβαρος, Σκύθης

βαρεῖσθαι gravari
Mat 26 43 οἱ ὀφθαλμοὶ βεβαρημένοι – Luc 9 32
Luc 21 34 μήποτε βαρηθῶσιν ὑμῶν αἱ καρδίαι
2 Co 1 8 ὅτι – ὑπὲρ δύναμιν ἐβαρήθημεν
5 4 στενάζομεν βαρούμενοι, ἐφ' ᾧ οὐ
1 Ti 5 16 καὶ μὴ βαρείσθω ἡ ἐκκλησία

βαρέως graviter Mat 13 15 „ἤκουσ." Act 28 17

Βαρθολομαῖος Mt 10 3 Mr 3 18 Lc 6 14 Act 1 13

Βαριησοῦς Act 13 6 ψευδοπροφήτην Ἰουδαῖον

Βαριωνά (vl βὰρ Ἰωνά) Mat 16 17 Σίμων Β.

Βαρναβᾶς Act 4 36 Ἰωσὴφ – ὁ ἐπικληθεὶς Β.
Act 9 27 11 22.30 12 25 13 1.2.7.43.46.50 14 12
ἐκάλουν – τὸν Β. Δία 14.20 15 2.12.22.25.35.
36.37.39 1 Co 9 6 μόνος ἐγὼ καὶ Βαρναβᾶς
–; Gal 2 1.9 δεξιὰς ἔδωκαν ἐμοὶ καὶ Βαρ-
ναβᾷ 13 καὶ Βαρναβᾶς συναπήχθη Col 4 10

βάρος ᵃonus ᵇpondus
Mat 20 12 τοῖς βαστάσασι τὸ β.ᵇ τῆς ἡμέρας
Act 15 28 μηδὲν πλέον ἐπιτίθεσθαι ὑμῖν β.ᵃ
2 Co 4 17 αἰώνιον β.ᵇ δόξης κατεργάζεται ἡμῖν
Gal 6 2 ἀλλήλων τὰ βάρηᵃ βαστάζετε
1 Th 2 7 δυνάμενοι ἐν βάρειᵃ εἶναι ὡς Χοῦ
Ap 2 24 οὐ βάλλω ἐφ' ὑμᾶς ἄλλο βάροςᵇ

Βαρσαββᾶς Act 1 23 (Joseph) 15 22 (Judas)

Βαρτιμαῖος Mar 10 46 τυφλὸς προσαίτης

βαρύς gravis ᵇrapax
Mat 23 4 δεσμεύουσιν δὲ φορτία βαρέα
– 23 ἀφήκατε τὰ βαρύτερα τοῦ νόμου
Act 20 29 εἰσελεύσονται – λύκοι βαρεῖςᵇ (vlᵃ)
25 7 βαρέα αἰτιώματα καταφέροντες
2 Co 10 10 αἱ ἐπιστολαὶ μὲν – βαρεῖαι κ. ἰσχυραί
1 Jo 5 3 αἱ ἐντολαὶ αὐτοῦ βαρεῖαι οὐκ εἰσίν

βαρύτιμος Sᵒ – pretiosus Mat 26 7 μύρον

βασανίζειν cruciare ᵇtorquēre
(pass:) ᶜiactari ᵈlaborare
Mat 8 6 παραλυτικός, δεινῶς βασανιζόμενοςᵇ
– 29 ἦλθες – πρὸ καιροῦ β..ίσαιᵇ ἡμᾶς; ‖

Mar 5 7 μή με βασανίσῃςᵇ Luc 8 28ᵇ
Mat 14 24 πλοῖον –, βασανιζόμενονᶜ ‖ Mar 6 48ᵈ
2 Pe 2 8 ὁ δίκαιος (Lot) – ψυχὴν δικαίαν ἀνό-
μοις ἔργοις ἐβασάνιζεν
Ap 9 5 ἵνα βασανισθήσονται (vg cruciarent,
vl ..tur) μῆνας πέντε
11 10 οἱ δύο προφῆται ἐβασάνισαν τοὺς
κατοικοῦντας ἐπὶ τῆς γῆς
12 2 „ὠδίνουσα καὶ" β..ομένη „τεκεῖν"
14 10 βασανισθήσεται ἐν πυρὶ καὶ θείῳ
20 10 βασανισθήσονται – εἰς τοὺς αἰῶνας

βασανισμός ᵃcruciatus ᵇtormentum
Ap 9 5 ὁ βασ.ᵃ αὐτῶν ὡς βασ.ᵃ σκορπίου
14 11 ὁ καπνὸς τοῦ β.ᵇ αὐτῶν – ἀναβαίνει
18 7 τοσοῦτον δότε αὐτῇ βασανισμόνᵇ
– 10 μακρόθεν ἑστηκότες διὰ τὸν φόβον
τοῦ β.ᵇ αὐτῆς (sc Βαβυλῶνος) 15ᵇ

βασανιστής Sᵒ – tortor Mat 18 34 τοῖς β.

βάσανος tormentum
Mat 4 24 προσήνεγκαν – β..οις συνεχομένους
Luc 16 23.28 εἰς τὸν τόπον τοῦτον τῆς β..ου

βασιλεία regnum

1) regna mundi, regna saecularia

Mat 4 8 δείκνυσιν αὐτῷ πάσας τὰς β. τοῦ
κόσμου ‖ Luc 4 5 τῆς οἰκουμένης
12 25 πᾶσα β. μερισθεῖσα καθ' ἑαυτῆς ἐρη-
μοῦται ‖ Mar 3 24 Luc 11 17
24 7 „ἐγερθήσεται – βασιλεία ἐπὶ βασιλεί-
αν" ‖ Mar 13 8 Luc 21 10
Mar 6 23 δώσω „σοι ἕως ἡμίσους τῆς β. μου"
Luc 19 12 ἐπορεύθη – λαβεῖν ἑαυτῷ β..αν 15
(Act 1 6 ἀποκαθιστάνεις τὴν β. τῷ Ἰσραήλ;)
Hb 11 33 διὰ πίστεως κατηγωνίσαντο β..ας

2) regnum caelorum, Dei, Christi

a) ἡ βασιλεία τῶν οὐρανῶν

Mat 3 2 ἤγγικεν – ἡ β. τῶν οὐρανῶν 4 17 10 7
5 3 ὅτι αὐτῶν ἐστιν ἡ β. τῶν οὐρ. 10 19
14 τῶν – τοιούτων ἐστὶν ἡ β. τῶν οὐρ.
– 19 ἐλάχιστος –, – μέγας κληθήσεται ἐν
τῇ β. τ. οὐρ. 11 11 ὁ δὲ μικρότερος ἐν
τῇ – 18 1 τίς ἄρα μείζων ἐστὶν –; 4
– 20 οὐ μὴ εἰσέλθητε εἰς τὴν β. τ. οὐρ.
18 3 7 21 οὐ πᾶς – εἰσελεύσεται εἰς τὴν
– 19 23 πλούσιος δυσκόλως ·εἰσελεύ-
σεται εἰς τὴν – (Joh 3 5 vl)
8 11 ἀνακλιθήσονται – ἐν τῇ β. τῶν οὐρ.

Mat 11 12 ἕως ἄρτι ἡ β. τῶν οὐρανῶν βιάζεται
13 11 γνῶναι τὰ μυστήρια τῆς β. τῶν οὐ.
– 24 ὡμοιώθη ἡ β. τ. οὐ. ἀνθρώπῳ σπεί-
ραντι 18 23 βασιλεῖ 22 2 25 1 ὁμοιωθή-
σεται – δέκα παρθένοις
– 31 ὁμοία ἐστὶν ἡ β. τῶν οὐρ. κόκκῳ σι-
νάπεως 33 ζύμῃ 44 θησαυρῷ 45 ἐμ-
πόρῳ 47 σαγήνῃ 20 1 οἰκοδεσπότῃ
– 52 γραμματεὺς μαθητευθεὶς τῇ βασ. –
16 19 δώσω σοὶ τὰς κλεῖδας τῆς βασιλ. –
19 12 εὐνούχισαν ἑαυτοὺς διὰ τὴν βασ. –
23 13 κλείετε τὴν β. – ἔμπροσθεν τῶν ἀνθρ.

b) ἡ βασιλεία τοῦ θεοῦ

Mat 12 28 ἔφθασεν ἐφ' ὑμᾶς ἡ β. τ. θ. ‖ Luc 11 20
19 24 εἰσελθεῖν ἢ πλούσιον εἰς τὴν β. τοῦ
θεοῦ (vl τῶν οὐρανῶν, vg caelorum)
21 31 πόρναι προάγουσιν ὑμᾶς εἰς τὴν –
– 43 ἀρθήσεται ἀφ' ὑμῶν ἡ β. τοῦ θεοῦ
Mar 1 15 ἤγγικεν ἡ β. τ. θ. Luc 10 9 ἐφ' ὑμᾶς
11 ἤγγικεν 21 31 ὅτι ἐγγύς ἐστιν ἡ –
4 11 ὑμῖν τὸ μυστήριον δέδοται τῆς βασ.
τ. θ. Luc 8 10 γνῶναι τὰ μυστ. τῆς –
– 26 οὕτως ἐστὶν ἡ β. τ. θ., ὡς ἄνθρω-
πος βάλῃ τὸν σπόρον ἐπὶ τῆς γῆς
– 30 πῶς ὁμοιώσωμεν τὴν – ‖ Luc 13 18 τί-
νι ὁμοία ἐστὶν ἡ – 20 ὁμοιώσω τὴν –;
9 1 ἕως ἂν ἴδωσιν τὴν β. τ. θεοῦ ἐληλυ-
θυῖαν ἐν δυνάμει ‖ Luc 9 27 τ. β. τ. θ.
– 47 μονόφθαλμον εἰσελθεῖν εἰς τὴν β.
τ. θ. 10 23 πῶς δυσκόλως οἱ τὰ χρή-
ματα ἔχοντες εἰς τὴν β. τοῦ θεοῦ
εἰσελεύσονται 24. 25 ‖ Luc 18 24. 25
10 14 τῶν γὰρ τοιούτων ἐστὶν ἡ β. τ. θ. 15
ὃς ἂν μὴ δέξηται τὴν β. τ. θεοῦ ὡς
παιδίον, οὐ μὴ εἰσέλθῃ ‖ Luc 18 16. 17
12 34 οὐ μακρὰν εἶ ἀπὸ τῆς β. τοῦ θεοῦ
14 25 ὅταν αὐτὸ πίνω ἐν τῇ β. τοῦ θεοῦ
15 43 ἣν προσδεχόμενος τὴν – ‖ Luc 23 51
Luc 4 43 εὐαγγελίσασθαί με δεῖ τὴν β. τ.
θ. 8 1 16 16 ἀπὸ τότε (sc ἀπὸ 'Ιωάν-
νου) ἡ β. τ. θ. εὐαγγελίζεται Act 8 12
εὐαγγελιζομένῳ περὶ τῆς β. τ. θεοῦ
6 20 οἱ πτωχοί, ὅτι ὑμετέρα ἐστὶν ἡ β. τ. θ.
7 28 ὁ δὲ μικρότερος ἐν τῇ β. τ. θ. μείζων
9 2 κηρύσσειν τὴν β. τοῦ θεοῦ Act 28 31
– 11 ἐλάλει αὐτοῖς περὶ τῆς β. τοῦ θεοῦ
– 60 διάγγελλε τὴν βασιλείαν τοῦ θεοῦ
– 62 οὐδεὶς – εὔθετός ἐστι τῇ β. τ. θεοῦ
13 28 ὅταν ὄψησθε 'Αβρ. – ἐν τῇ β. τ. θεοῦ
– 29 ἀνακλιθήσονται ἐν τῇ β. τοῦ θεοῦ
14 15 μακάριος ὅστις φάγεται ἄρτον ἐν τῇ –

Luc 17 20 πότε ἔρχεται ἡ β. τ. θ., – · οὐκ ἔρχε-
ται ἡ β. τ. θεοῦ μετὰ παρατηρήσεως
– 21 ἰδοὺ γὰρ ἡ β. τ. θ. ἐντὸς ὑμῶν ἐστιν
18 29 ὃς ἀφῆκεν οἰκίαν – εἵνεκεν τῆς –
19 11 διὰ τὸ – δοκεῖν αὐτοὺς ὅτι παραχρῆ-
μα μέλλει ἡ β. τ. θεοῦ ἀναφαίνεσθαι
22 16 ἕως ὅτου πληρωθῇ ἐν τῇ β. τοῦ θεοῦ
18 ἕως οὗ ἡ βασιλεία τοῦ θεοῦ ἔλθῃ
Joh 3 3 οὐ δύναται ἰδεῖν τὴν βασ. τοῦ θεοῦ 5
εἰσελθεῖν εἰς τὴν – (vl τῶν οὐρανῶν)
Act 1 3 λέγων τὰ περὶ τῆς – 19 8 πείθων πε-
ρὶ τῆς – 28 23 διαμαρτυρόμενος τὴν –
14 22 διὰ πολλῶν θλίψεων δεῖ ἡμᾶς εἰσελ-
θεῖν εἰς τὴν βασιλείαν τοῦ θεοῦ
Rm 14 17 οὐ γάρ ἐστιν ἡ β. τ. θεοῦ βρῶσις καὶ
πόσις, ἀλλὰ δικαιοσύνη καὶ εἰρήνη
1 Co 4 20 οὐ γὰρ ἐν λόγῳ ἡ βασιλεία τοῦ θε-
οῦ, ἀλλ' ἐν δυνάμει
6 9 ἄδικοι θεοῦ βασιλείαν οὐ κληρονο-
μήσουσιν 10 15 50 σὰρξ καὶ αἷμα βα-
σιλείαν θεοῦ κληρονομῆσαι οὐ δύνα-
ται Gal 5 21 Eph 5 5 πόρνος – οὐκ ἔ-
χει κληρονομίαν ἐν τῇ βασιλείᾳ τοῦ
Χοῦ καὶ θεοῦ
Col 4 11 οὗτοι μόνοι συνεργοὶ εἰς τὴν β. τ. θ.
1 Th 2 12 τοῦ θεοῦ τοῦ καλοῦντος ὑμᾶς εἰς
τὴν ἑαυτοῦ βασιλείαν καὶ δόξαν
2 Th 1 5 εἰς τὸ καταξιωθῆναι ὑμᾶς τῆς β. τ. θ.

c) regnum patris

Mat 6 10 ἐλθάτω ἡ βασιλεία σου ‖ Luc 11 2
– 33 ζητεῖτε δὲ πρῶτον τὴν βασ. (vl + τοῦ
θεοῦ, vg Dei) καὶ τὴν δικαιοσύνην
αὐτοῦ ‖ Luc 12 31 τὴν βασιλείαν αὐτοῦ
13 43 τότε οἱ δίκαιοι ἐκλάμψουσιν ὡς ὁ ἥ-
λιος ἐν τῇ βασ. τοῦ πατρὸς αὐτῶν
26 29 ὅταν αὐτὸ πίνω μεθ' ὑμῶν καινὸν ἐν
τῇ βασιλείᾳ τοῦ πατρός μου

d) regnum filii, Christi

Mat 13 41 συλλέξουσιν ἐκ τῆς βασιλείας αὐτοῦ
(sc τοῦ υἱοῦ τοῦ ἀνθρώπου) πάντα
τὰ σκάνδαλα
16 28 ἕως ἂν ἴδωσιν τὸν υἱὸν τοῦ ἀνθρώ-
που ἐρχόμενον ἐν τῇ βασιλείᾳ αὐτοῦ
20 21 καὶ εἷς ἐξ εὐωνύμων ἐν τῇ βασ. σου
Luc 1 33 τῆς βασιλείας αὐτοῦ οὐκ ἔσται τέλος
22 29 καθὼς διέθετό μοι ὁ πατήρ μου βα-
σιλείαν 30 ἵνα ἔσθητε καὶ πίνητε ἐπὶ
τῆς τραπέζης μου ἐν τῇ βασιλείᾳ μου
23 42 ὅταν ἔλθῃς εἰς τὴν β. (vl ἐν τῇ) σου
Joh 18 36 ἡ βασ. ἡ ἐμὴ οὐκ ἔστιν ἐκ τοῦ κόσμου

τούτου· εἰ ἐκ τοῦ κόσμου τούτου ἦν
ἡ βασιλεία ἡ ἐμή, – · νῦν δὲ ἡ βα-
σιλεία ἡ ἐμὴ οὐκ ἔστιν ἐντεῦθεν
Eph 5 5 πόρνος – οὐκ ἔχει κληρονομίαν ἐν τῇ
βασιλείᾳ τοῦ Χοῦ καὶ θεοῦ
Col 1 13 ὃς – ἡμᾶς – μετέστησεν εἰς τὴν βασ.
τοῦ υἱοῦ τῆς ἀγάπης αὐτοῦ
2 Ti 4 1 διαμαρτύρομαι – καὶ (vl κατὰ, vg per)
τὴν ἐπιφάνειαν – καὶ τὴν βασ. αὐτοῦ·
– 18 ὁ κύριος – σώσει (sc με) εἰς τὴν βασ.
αὐτοῦ τὴν ἐπουράνιον
Hb 1 8 „ῥάβδος τῆς βασ." αὐτοῦ (vl σου)
2 Pe 1 11 ἡ εἴσοδος εἰς τὴν αἰώνιον βασ. τοῦ
κυρίου ἡμῶν καὶ σωτῆρος Ἰ. Χοῦ

e) reliqui loci

Mat 4 23 κηρύσσων τὸ εὐαγγ. τῆς βασ. 9 35 24 14
– 13 19 ἀκούοντος τὸν λόγον τῆς β.
8 12 οἱ δὲ υἱοὶ τῆς βασ. ἐκβληθήσονται
13 38 οὗτοί εἰσιν οἱ υἱοὶ τῆς βασιλείας
12 26 πῶς – σταθήσεται ἡ βασιλεία αὐτοῦ
(sc τοῦ σατανᾶ); ‖ Luc 11 18
25 34 κληρονομήσατε τὴν ἡτοιμασμένην ὑ-
μῖν βασ. ἀπὸ καταβολῆς κόσμου
Mar 11 10 ἡ ἐρχομένη βασιλεία τοῦ πατρὸς ἡ-
μῶν Δαυίδ Act 1 6 ἀποκαθιστάνεις
τὴν βασιλείαν τῷ Ἰσραήλ;
Luc 12 32 μὴ φοβοῦ, – ὅτι εὐδόκησεν ὁ πατὴρ
ὑμῶν δοῦναι ὑμῖν τὴν βασιλείαν
Act 20 25 ἐν οἷς διῆλθον κηρύσσων τὴν βασι-
λείαν (vl + τοῦ Ἰησοῦ, – θεοῦ, vg Dei)
1 Co 15 24 ὅταν παραδιδοῖ τὴν βασ. τῷ θεῷ
Hb 12 28 β..αν ἀσάλευτον παραλαμβάνοντες
Jac 2 5 τοὺς πτωχοὺς – κληρονόμους τῆς β.
ἧς ἐπηγγείλατο τοῖς ἀγαπῶσιν αὐτ.;
Ap 1 6 ἐποίησεν ἡμᾶς βασιλείαν 5 10 αὐτούς
– 9 συγκοινωνὸς ἐν τῇ θλίψει καὶ βασι-
λείᾳ καὶ ὑπομονῇ ἐν Ἰησοῦ
11 15 ἐγένετο ἡ β. τοῦ κόσμου τοῦ κυρίου
ἡμῶν καὶ τοῦ χριστοῦ αὐτοῦ 12 10
16 10 ἐγένετο ἡ βασ. αὐτοῦ ἐσκοτωμένη
17 12 οἵτινες βασιλείαν οὔπω ἔλαβον
– 17 δοῦναι τὴν βασ. αὐτῶν τῷ θηρίῳ
– 18 ἡ ἔχουσα βασιλείαν ἐπὶ τῶν β..έων

βασίλειος regalis **τὰ βασίλεια** domus
regum Luc 7 25 οἱ ἐν – τρυφῇ ὑπάρχοντες
ἐν τοῖς β..οις εἰσίν – 1 Pe 2 9 ὑμεῖς δὲ –
„βασίλειον ἱεράτευμα, ἔθνος ἅγιον"

βασιλεύειν regnare [b](part) rex
Mat 2 22 ὅτι Ἀρχέλαος β..ει τῆς Ἰουδαίας

Luc 1 33 „βασιλεύσει" ἐπὶ τὸν οἶκον Ἰακώβ
19 14 οὐ θέλομεν τοῦτον β..σαι ἐφ᾽ ἡμᾶς 27
Rm 5 14 ἐβ..σεν ὁ θάνατος ἀπὸ Ἀδάμ 17 εἰ
– τῷ τοῦ ἑνὸς παραπτώματι ὁ θά-
νατος ἐβ..σεν –, πολλῷ μᾶλλον – ἐν
ζωῇ β..σουσιν διὰ τοῦ ἑνὸς Ἰ. Χοῦ
– 21 ἵνα ὥσπερ ἐβ..σεν ἡ ἁμαρτία –, οὕ-
τως καὶ ἡ χάρις βασιλεύσῃ – εἰς ζωήν
6 12 μὴ – β..έτω ἡ ἁμαρτία ἐν τῷ θνητῷ
1 Co 4 8 χωρὶς ἡμῶν ἐβασιλεύσατε· καὶ ὄφε-
λόν γε ἐβασιλεύσατε, ἵνα καὶ ἡμεῖς
ὑμῖν συμβασιλεύσωμεν
15 25 δεῖ – αὐτὸν βασ. ἄχρι οὗ θῇ πάντας
1 Ti 6 15 ὁ βασιλεὺς τῶν β..όντων [b] κ. κύριος
Ap 5 10 βασιλεύσουσιν ἐπὶ τῆς γῆς 22 5
11 15 „βασιλεύσει εἰς τοὺς αἰῶνας"
– 17 εἴληφας τὴν δύναμιν – καὶ „ἐβασί-
λευσας" 19 6 „ἐβ..σεν κύριος" ὁ θεός
20 4 ἐβ..σαν μετὰ τοῦ Χοῦ χίλια ἔτη 6
β..σουσιν μετ᾽ αὐτοῦ [τὰ] χίλια ἔτη

βασιλεύς rex

1) terrae domini

Mat 1 6 Δαυίδ Act 13 22 τὸν Δ. – εἰς βασιλέα
2 1 Herodes Magnus 3.9 Luc 1 5
10 18 ἐπὶ – β..εῖς ἀχθήσεσθε Mr 13 9 Lc 21 12
11 8 ἐν τοῖς οἴκοις τῶν βασιλέων
14 9 λυπηθεὶς ὁ βασ. Mar 6 14. 22. 25. 26. 27
17 25 οἱ βασιλεῖς τῆς γῆς ἀπὸ τίνων λαμ-
βάνουσιν τέλη ἢ κῆνσον;
18 23 ὡμοιώθη – ἀνθρώπῳ βασιλεῖ 22 2. 7 ὁ
δὲ βασιλεὺς ὠργίσθη 11. 13
Luc 10 24 πολλοὶ – βασιλεῖς ἠθέλησαν ἰδεῖν
14 31 τίς βασιλεὺς πορευόμενος ἑτέρῳ βα-
σιλεῖ συμβαλεῖν εἰς πόλεμον –;
22 25 οἱ βασιλεῖς τῶν ἐθνῶν κυριεύουσιν
Joh 19 12 πᾶς ὁ βασιλέα ἑαυτὸν ποιῶν
Act 4 26 „παρέστησαν οἱ βασιλεῖς τῆς γῆς"
7 10 Pharao 18 βασιλεὺς ἕτερος Hb 11 23. 27
9 15 ἐνώπιον – ἐθνῶν τε καὶ βασιλέων
12 1 Herodes Agrippa 20 – 25 13 Agrip-
pa II 14. 24. 26 26 2. 7. 13. 19. 26. 27. 30
13 21 ᾐτήσαντο (sc Ἰσραηλῖται) βασιλέα
2 Co 11 32 ὁ ἐθνάρχης Ἀρέτα τοῦ βασιλέως
1 Ti 2 2 ποιεῖσθαι δεήσεις – ὑπὲρ βασιλέων
Hb 7 1. 2 βασιλεὺς δικαιοσύνης, – καὶ „βασι-
λεὺς Σαλήμ", ὅ ἐστιν βασ. εἰρήνης
– 1 „ὑποστρέφοντι ἀπὸ τῆς κοπῆς τῶν β."
1 Pe 2 13 ὑποτάγητε – εἴτε β..εῖ ὡς ὑπερέχοντι
– 17 „τὸν θεὸν φοβεῖσθε", τὸν β. τιμᾶτε
Ap 1 5 „ὁ ἄρχων τῶν β. τῆς γῆς" 6 15 „οἱ

(Ap) β. τῆς γῆς – ἔκρυψαν ἑαυτούς" 1614
ἐπὶ τοὺς β. τῆς οἰκουμένης ὅλης 172.
18 ἡ ἔχουσα βασιλείαν ἐπὶ „τῶν βασ.
τῆς γῆς" 183.9 1919 2124 „οἱ βασ.
τῆς γῆς φέρουσιν τὴν δόξαν" αὐτῶν
Ap 1011 „προφητεῦσαι ἐπὶ – β..εῦσιν" πολλοῖς
1612 ἵνα ἑτοιμασθῇ ἡ ὁδὸς τῶν βασιλέων
τῶν ἀπὸ ἀνατολῆς ἡλίου
17 9 β..εῖς ἑπτά εἰσιν 12 „δέκα β..εῖς εἰ-
σιν" –, – ἐξουσίαν ὡς β..εῖς – λαμβ.
1918 ἵνα „φάγητε" σάρκας „βασιλέων"

2) Christus rex, Deus rex, rex inferni

Mat 2 2 ὁ τεχθεὶς βασιλεὺς τ ῶ ν Ἰουδαίων
535 „πόλις ἐστὶν τοῦ μεγάλου βασιλέως"
21 5 „ὁ βασ. σου ἔρχεταί σοι" Joh 1215
2534 ἐρεῖ ὁ β. τοῖς ἐκ δεξιῶν αὐτοῦ 40
2711 σὺ εἶ ὁ β. τῶν Ἰουδαίων 29 χαῖρε,
β..εῦ τ. Ἰ. 37 ‖ Mar 152.9 ἀπολύσω
ὑμῖν τὸν β. τ. Ἰ.; 12 τί οὖν ποιήσω
[ὃν] λέγετε τὸν β. τ. Ἰουδ.; 18.26 Luc
233.37 εἰ σὺ εἶ ὁ β. τῶν Ἰουδ., σῶσον
σεαυτόν 38 Joh 1833.39 193.14 ἴδε ὁ
βασ. ὑμῶν 15 τὸν β. ὑμῶν σταυρώσω;
– οὐκ ἔχομεν βασιλέα εἰ μὴ Καίσα-
ρα 19.21 μὴ γράφε· ὁ β. τ. Ἰ., ἀλλ'
ὅτι – εἶπεν· βασ. εἰμι τῶν Ἰουδαίων
– 42 β. Ἰσραήλ ἐστιν, καταβάτω ‖ Mar
1532 ὁ χριστὸς ὁ β. Ἰσρ. – Joh 149
σὺ βασιλεὺς εἶ τοῦ Ἰσραήλ
Luc 1938 „ὁ ἐρχόμενος" ὁ β. „ἐν ὀνόματι κυ-
ρίου" Joh 1213 καὶ ὁ β. τοῦ Ἰσραήλ
23 2 λέγοντα ἑαυτὸν χριστὸν β..έα εἶναι
Joh 615 ἁρπάζειν – ἵνα ποιήσωσιν βασιλέα
1837 Πιλᾶτος· οὐκοῦν β. εἶ σύ; – σὺ λέγεις
ὅτι βασιλεύς εἰμι (vl + ἐγώ, vg ego)
Act 17 7 β..έα ἕτερον λέγοντες εἶναι Ἰησοῦν
1 Ti 117 τῷ δὲ βασιλεῖ τῶν αἰώνων – τιμή
615 ὁ βασ. τῶν βασιλευόντων καὶ κύριος
Ap 911 ἔχουσιν ἐπ' αὐτῶν βασιλέα τὸν ἄγ-
γελον τῆς ἀβύσσου
15 3 „ὁ β. τῶν ἐθνῶν" (vl αἰώνων, vg)
1714 τὸ ἀρνίον νικήσει αὐτούς, ὅτι – „ἐστὶν
– βασιλεὺς βασιλέων" 1916

βασιλικός ᵃregulus ᵇregius ᶜregalis
Joh 446 ἦν τις βασ.ᵃ 49ᵃ (vl bis βασιλίσκος)
Act 1220 ἀπὸ τῆς βασιλικῆς (vg ab illo) 21ᵇ
Jac 2 8 εἰ μέντοι νόμον τελεῖτε βασιλικόνᶜ

βασίλισσα regina
Mat 1242 νότου ‖ Luc 1131 – Act 827 Αἰθιόπων

Ap 18 7 „κάθημαι βασ. καὶ χήρα οὐκ εἰμί"

βάσις basis Act 37 ἐστερεώθησαν αἱ βάσεις

βασκαίνειν fascinare Gal 31 τίς – ἐβ..ανεν;

βαστάζειν portare ᵇbaiulare ᶜsustinēre
ᵈtollere
Mat 311 οὐκ εἰμὶ ἱκανὸς τὰ ὑποδήματα β..σαι
817 „ἡμῶν – τὰς νόσους ἐβάστασεν"
2012 τοῖς βαστάσασι τὸ βάρος τῆς ἡμέρας
Mar 1413 κεράμιον ὕδατος β..ωνᵇ ‖ Luc 2210
Luc 714 οἱ δὲ βαστάζοντες ἔστησαν
10 4 μὴ βαστάζετε βαλλάντιον
1127 μακαρία ἡ κοιλία ἡ βαστάσασά σε
1427 ὅστις οὐ β..ειᵇ τὸν σταυρὸν ἑαυτοῦ
Joh 1917 β..ωνᵇ ἑαυτῷ τὸν σταυρόν
Joh 1031 ἐβάστασανᵈ – λίθους οἱ Ἰουδαῖοι
12 6 τὰ βαλλόμενα ἐβάσταζεν (Judas)
1612 ἀλλ' οὐ δύνασθε βαστάζειν ἄρτι
2015 εἰ σὺ ἐβ..σας (vl ἦρες, vgᵈ) αὐτόν
Act 3 2 ἀνὴρ χωλὸς – ὑπάρχων ἐβαστάζετοᵇ
915 τοῦ βαστάσαι τὸ ὄνομά μου ἐνώπιον
1510 ἐπιθεῖναι ζυγὸν –, ὃν οὔτε οἱ πατέρες
ἡμῶν οὔτε ἡμεῖς ἰσχύσαμεν βαστάσαι
2135 β..εσθαι αὐτὸν ὑπὸ τῶν στρατιωτῶν
Rm 1118 οὐ σὺ τὴν ῥίζαν β..εις ἀλλὰ ἡ ῥίζα
15 1 τὰ ἀσθενήματα τῶν ἀδυνάτων β.ᶜ
Gal 510 βαστάσει τὸ κρίμα, ὅστις ἐὰν ᾖ
6 2 ἀλλήλων τὰ βάρη βαστάζετε
– 5 ἕκαστος – τὸ ἴδιον φορτίον βαστάσει
– 17 τὰ στίγματα τοῦ Ἰησοῦ – βαστάζω
Ap 2 2 ὅτι οὐ δύνῃ βαστάσαιᶜ κακούς
– 3 ἐβάστασαςᶜ διὰ τὸ ὄνομά μου
17 7 τοῦ θηρίου τοῦ βαστάζοντος αὐτήν

βάτος, ὁ (Mar) et ἡ rubus
Mar 1226 ‖ Luc 2037 – Act 730.35
Luc 644 οὐδὲ ἐκ βάτου σταφυλὴν τρυγῶσιν

βάτος, ὁ cadus Luc 166 ἐλαίου

βάτραχος rana Ap 1613 ὡς „βάτραχοι"

βατταλογεῖν Sᵒ – multum loqui Mat 67 προσ-
ευχόμενοι μὴ βατταλογήσητε (Luc 112 vl)

βδέλυγμα abominatio
Mat 2415 „τὸ βδ. τῆς ἐρημώσεως" ‖ Mar 1314
Luc 1615 Ap 174.5 ἡ μήτηρ τῶν βδελυγ. 2127

βδελυκτός abominatus Tit 116 βδελυκτοί

βδελύσσεσθαι ᵃabominari ᵇexecrari
Rm 222 ὁ β..όμενοςᵃ τὰ εἴδωλα ἱεροσυλεῖς;
Ap 21 8 τοῖς δὲ – ἐβ..γμένοιςᵇ καὶ φονεῦσιν

βέβαιος firmus ᵇconfirmatus ᶜcertus
Rm 416 εἰς τὸ εἶναι βεβαίαν τὴν ἐπαγγελίαν
2 Co 1 7 ἡ ἐλπὶς ἡμῶν βεβαία ὑπὲρ ὑμῶν
Hb 2 2 εἰ – ὁ δι' ἀγγέλων λαληθεὶς λόγος
ἐγένετο βέβαιος 2 Pe 1 19 ἔχομεν βε-
βαιότερον τὸν προφητικὸν λόγον
3 6 ἐὰν τὴν παρρησίαν – [μέχρι τέλους
βεβαίαν] κατάσχωμεν 14 ἐάνπερ τὴν
ἀρχὴν τῆς ὑποστάσεως –
619 ὡς ἄγκυραν – τῆς ψυχῆς – βεβαίαν
917 διαθήκη γὰρ ἐπὶ νεκροῖς βεβαίαᵇ
2 Pe 1 10 β..ανᶜ ὑμῶν τὴν κλῆσιν – ποιεῖσθαι

βεβαιοῦν confirmare ᵇstabilire
[Mar1620 τοῦ κυρίου – τὸν λόγον βεβαιοῦντος
διὰ τῶν ἐπακολουθούντων σημείων]
Rm 15 8 εἰς τὸ β..ῶσαι τὰς ἐπαγγελίας τῶν
1 Co 1 6 τὸ μαρτύριον τ. Χοῦ ἐβ..ώθη ἐν ὑμῖν
– 8 ὃς – βεβαιώσει ὑμᾶς – ἀνεγκλήτους
2 Co 121 ὁ δὲ β..ῶν ἡμᾶς σὺν ὑμῖν εἰς Χόν
Col 2 7 βεβαιούμενοι (vl + ἐν) τῇ πίστει
Hb 2 3 σωτηρίας, ἥτις – εἰς ἡμᾶς ἐβεβαιώθη
13 9 χάριτι βεβαιοῦσθαιᵇ (stabilire vl ..iri)
τὴν καρδίαν, οὐ βρώμασιν

βεβαίωσις confirmatio
Phl 1 7 ἐν τῇ – βεβαιώσει τοῦ εὐαγγελίου
Hb 616 ἀντιλογίας πέρας εἰς β..ιν ὁ ὅρκος

βέβηλος ᵃprofanus ᵇcontaminatus ᶜineptus
1 Ti 1 9 ἀνοσίοις καὶ βεβήλοιςᵇ 47 βεβή-
λουςᶜ – μύθους 620 βεβήλους ᵃ κενοφωνίας
2 Ti 216ᵃ – Hb 1216 βέβηλος ᵃ ὡς Ἠσαῦ

βεβηλοῦν violare Mat 125 οἱ ἱερεῖς ἐν τῷ
ἱερῷ τὸ σάββατον βεβηλοῦσιν – Act 246
ὃς καὶ τὸ ἱερὸν ἐπείρασεν βεβηλῶσαι

Βεεζεβούλ (vl ..λζ.) Beelzebub
Mat 1025 1224.27 Mar 322 Luc 1115.18.19

Βελιάρ (vl ..ίαλ) Belial 2 Co 615

βελόνη Sᵒ – acus Luc 1825 τρῆμα β..ης

βέλος telum Eph 616 τὰ β. τοῦ πονηροῦ

βέλτιον melius 2 Ti 1 18 βέλτιον σὺ γινώσκεις

Βενιαμίν Act 1321 Rm 111 Phl 35 Ap 78

Βερνίκη Act 2513.23 2630

Βέροια, Βεροιαῖος Act 1710.13 – 204

Βεώρ (vl Βοσόρ, vg ex Bosor) 2 Pe 215

Βηθανία Mat 2117 266 Mar 111.11.12 143 Luc
1929 2450 Joh 111.18 121 – πέραν τοῦ
Ἰορδάνου: Joh 128 (vl Βηθαβαρά)

Βηθζαθά (vl Βηθεσδά) Joh 52

Βηθλέεμ Mat 21.5.6.8.16 Luc 24.15 Joh 742

Βηθσαϊδά, -δάν (Mar) Mat 1121 Mar 645 822
Luc 910 1013 Joh 144 1221 τῆς Γαλιλαίας

Βηθφαγή Mat 211 Mar 111 Luc 1929

βῆμα tribunal ᵇpassus Mat 2719 Joh 1913
Act 75ᵇ 1221 1812.16.17 256.10.17
Rm 1410 παραστησόμεθα τῷ βήματι τοῦ θεοῦ
2 Co 510 πάντας ἡμᾶς φανερωθῆναι δεῖ ἔμ-
προσθεν τοῦ βήματος τοῦ Χοῦ

βήρυλλος beryllus Ap 2120 ὁ ὄγδοος βήρ.

βία vis Act 526 2135 (247 vl) 2741

βιάζεσθαι ᵃvim pati ᵇvim facere in
Mat 1112 ἡ βασιλεία τῶν οὐρ. βιάζεταιᵃ, καὶ
(vl + οἱ) βιασταὶ ἀρπάζουσιν αὐτήν ‖
Luc 1616 πᾶς εἰς αὐτὴν βιάζεταιᵇ

βίαιος vehemens Act 2 2 πνοῆς βιαίας

βιαστής Sᵒ – violentus → βιάζεσθαι

βιβλαρίδιον Sᵒ – liber ᵇlibellus
Ap 10 2 βιβλαρίδιονᵇ ἠνεῳγμένον (vl 8) 9.10

βιβλίον liber ᵇlibellus
Mat 19 7 „δοῦναι β.ᵇ ἀποστασίου" ‖ Mar 104ᵇ
Luc 417 βιβλίον τοῦ προφήτου Ἠσαΐου 17.20
Joh 2030 ἃ οὐκ ἔστιν γεγραμμένα ἐν τῷ βιβλίῳ
τούτῳ 2125 οὐδ' αὐτὸν οἶμαι τὸν κό-
σμον χωρήσειν τὰ γραφόμενα βιβλία
Gal 310 „τοῖς γεγραμμ. ἐν τῷ β. τοῦ νόμου"
2 Ti 413 φέρε – τὰ β., μάλιστα τὰς μεμβράνας
Hb 919 107 „ἐν κεφαλίδι βιβλίου γέγραπται"

Ap 111 ὃ βλέπεις γράψον εἰς βιβλίον
 51 „β. γεγραμμένον ἔσωθεν κ. ὄπισθεν"
 – 2 τίς ἄξιος ἀνοῖξαι τὸ β. –; 3.4 οὐ-
 δεὶς ἄξ. εὑρέθη ἀν. τὸ β. 5 ἐνίκησεν
 –ἀνοῖξαι τὸ β. 8 ὅτε ἔλαβεν τὸ β. 9
 ἄξιος εἶ λαβεῖν τὸ βιβλ. καὶ ἀνοῖξαι
 614 „ὁ οὐρανὸς–ὡς βιβλ. ἑλισσόμενον"
 10 8 λάβε τὸ β. τὸ ἠνεωγμένον ἐν–χειρί
 13 8 „ἐν τῷ β. τῆς ζωῆς" τοῦ „ἀρνίου"
 178 ἐπὶ τὸ βιβλίον 2127 – 2012 ἄλλο
 βιβλίον ἠνοίχθη, ὅ ἐστιν τῆς ζωῆς
 2012 „βιβλία ἠνοίχθησαν"–· ἐκρίθησαν οἱ
 νεκροὶ ἐκ τῶν γεγραμμ. ἐν τοῖς βιβλ.
 22 7 ὁ τηρῶν τοὺς λόγους τῆς προφη-
 τείας τοῦ β. τούτου 9.10 μὴ σφραγί-
 σῃς τοὺς λόγους – 18 τῷ ἀκούοντι
 τοὺς λ. – 19 ἐάν τις ἀφέλῃ ἀπὸ τῶν λ. –
 – 18 τὰς πληγὰς „τὰς γεγρ. ἐν τῷ β. τού-
 τῳ" 19 ἀπὸ τοῦ ξύλου τῆς ζωῆς καὶ ἐκ
 τ. πόλεως –, τῶν γεγρ. ἐν τῷ β. τούτῳ

βίβλος   liber
Mat 11 βίβλος γενέσεως Ἰησοῦ Χοῦ
Mar 1226 οὐκ ἀνέγνωτε ἐν τῇ βίβλῳ Μωϋσέως
 –; Luc 34 ὡς γέγραπται ἐν β. λόγων
 Ἠσαΐου 2042 ψαλμῶν Act 120 ψαλ-
 μῶν 742 τῶν προφητῶν (Amos)
Act 1919 συνενέγκαντες τὰς βίβλους κατέκαιον
Phl 4 3 ὧν τὰ ὀνόματα „ἐν βίβλῳ ζωῆς"
Ap 3 5 οὐ μὴ ἐξαλείψω τὸ ὄνομα–ἐκ τῆς
 β. τῆς ζωῆς" 2015 εἴ τις οὐχ „εὑρέ-
 θη ἐν τῇ β. τῆς ζωῆς γεγραμμένος"

βιβρώσκειν   manducare   Joh 613

Βιθυνία   Act 167   1 Pe 11 διασπορᾶς – Β..ας

βίος   ᵃvita ᵇvictus ᶜsubstantia
Mar 1244 ὅσα εἶχεν ἔβαλεν, ὅλον τὸν βίονᵇ
 αὐτῆς ‖ Luc 214ᵇ – (843 vl ἰατροῖς
 προσαναλώσασα ὅλον τὸν βίονᶜ)
Luc 814 ὑπὸ – ἡδονῶν τοῦ β.ᵃ πορευόμενοι
 1512 διεῖλεν αὐτοῖς τὸν βίονᶜ 30 ὁ κατα-
 φαγών σου τὸν βίονᶜ (vg suam)
1 Ti 2 2 ἵνα–ἡσύχιον βίονᵃ διάγωμεν
2 Ti 2 4 ἐμπλέκεται ταῖς τοῦ βίου πραγμα-
 τείαις (vg negotiis saecularibus)
1 Jo 216 ἡ ἀλαζονεία τοῦ βίουᵃ
 317 ὃς δ' ἂν ἔχῃ τὸν βίονᶜ τοῦ κόσμου

βιοῦν   vivere   1 Pe 42 θελήματι θεοῦ

βίωσις   vita   Act 264 τὴν – β..ίν μου – ἴσασι

βιωτικός   Sᵒ – ᵃhuius vitae ᵇsaecularis
Luc 2134ᵃ μέριμναι 1 Co 63ᵇ 4ᵇ κριτήρια

βλαβερός   nocivus   1 Ti 69 ἐπιθυμίαι

βλάπτειν   nocēre   Mar 1618 Luc 435

βλαστάνειν, βλαστᾶν   ᵃcrescere ᵇfrondēre
                    ᶜgerminare ᵈdare
Mat 1326ᵃ Mar 427ᶜ Hb 94ᵇ Jac 518ᵈ

Βλάστος   Act 1220 Β..ον τὸν ἐπὶ τοῦ κοιτῶνος

βλασφημεῖν   blasphemare
Mat 9 3 οὗτος βλασφημεῖ ‖ Mar 27
 2665 ἐβλασφήμησεν Joh 1036 ὃν ὁ πατὴρ
 ἡγίασεν – ὑμεῖς λέγετε ὅτι β..εῖς–;
 2739 ἐβ..ουν αὐτόν ‖ Mar 1529 Luc 2265
 2339 εἷς – τῶν – κακούργων ἐβ..ει αὐτ.
Mar 328 ἀφεθήσεται–, ὅσα ἐὰν β..ήσωσιν 29
 ὃς δ' ἂν β..ήσῃ εἰς τὸ πνεῦμα τὸ ἅ-
 γιον, οὐκ ἔχει ἄφεσιν ‖ Luc 1210
Act 1345 186 – 1937 οὔτε β..οῦντας τὴν θεόν
 2611 τιμωρῶν αὐτοὺς ἠνάγκαζον β..εῖν
Rm 224 „ὄνομα τοῦ θεοῦ δι' ὑμᾶς β..εῖται"
 3 8 μὴ καθὼς β..ούμεθα κ. καθώς φασιν
 1416 μὴ βλασφημείσθω – ὑμῶν τὸ ἀγαθόν
1 Co 1030 τί β..οῦμαι ὑπὲρ οὗ ἐγὼ εὐχαριστῶ;
1 Ti 120 τῷ σατ., ἵνα παιδευθῶσιν μὴ β..εῖν
 6 1 ἵνα μὴ τὸ ὄνομα τοῦ θεοῦ καὶ ἡ δι-
 δασκαλία β..ῆται Tit 25 ὁ λόγος τ. θ.
Tit 3 2 ὑπομίμνῃσκε αὐτοὺς –, μηδένα β..εῖν
Jac 2 7 οὐκ αὐτοὶ β..οῦσιν τὸ καλὸν ὄνομα
 τὸ ἐπικληθὲν ἐφ' ὑμᾶς; – 1 Pe 44
2 Pe 2 2 ἡ ὁδὸς τῆς ἀληθείας „β..ηθήσεται"
 – 10 δόξας οὐ τρέμουσιν β..οῦντες Jud 8
 – 12 ἐν οἷς ἀγνοοῦσιν β..οῦντες Jud 10
Ap 13 6 β..ῆσαι τὸ ὄνομα αὐτοῦ (sc τοῦ θε-
 οῦ) καὶ τὴν σκηνὴν αὐτοῦ 169.11.21

βλασφημία   blasphemia
Mat 1231 πᾶσα – βλ. ἀφεθήσεται –, ἡ δὲ τοῦ
 πνεύματος βλ. οὐκ ἀφεθ. ‖ Mar 328
 1519 ἐκ τῆς καρδίας ἐξέρχονται – ψευδο-
 μαρτυρίαι, β..ίαι ‖ Mar 722 β..ία
 2665 νῦν ἠκούσατε τὴν βλ. ‖ Mar 1464 τῆς
Luc 521 τίς ἐστιν οὗτος ὃς λαλεῖ β..ίας;
Joh 1033 περὶ βλασφημίας (sc λιθάζομέν σε)
Eph 431 κραυγὴ καὶ βλ. ἀρθήτω ἀφ' ὑμῶν
Col 3 8 ἀπόθεσθε – θυμόν, κακίαν, β..ίαν
1 Ti 6 4 ἐξ ὧν γίνεται φθόνος, ἔρις, β..ίαι
Jud 9 οὐκ ἐτόλμησεν κρίσιν ἐπενεγκεῖν β..ίας

Ap 2 9 οἶδά σου – τὴν βλ. (vg blasphemaris)
13 1 ὀνόματα β..ίας 173 γέμοντα ὀν. βλ.
– 5 „στόμα λαλοῦν μεγάλα" καὶ β..ίας
(vl β..ίαν et βλάσφημα, vg vl blas-
phemiae)
– 6 ἤνοιξεν τὸ στόμα – εἰς β..ίας πρὸς – ϑ.

βλάσφημος ᵃblasphemus ᵇexecrabilis
Act 611 ῥήματα β..α (vl β..ίας, vg blasphe-
miae) εἰς Μωϋσῆν καὶ τὸν θεόν
1 Ti 113 τὸ πρότερον ὄντα β..ονᵃ κ. διώκτην
2 Ti 3 2 ἔσονται γὰρ οἱ ἄνθρωποι – β..οιᵃ
2 Pe 211 οὐ φέρουσιν – β..ονᵇ κρίσιν (Ap 135 vl)

βλέμμα Sᵒ – aspectus 2 Pe 28

βλέπειν vidēre ᵇ(τὸ βλ.) visus ᶜ(β..όμενος)
visibilis ᵈaspicere ᵉrespicere
ᶠ(βλέπεσϑαι) apparēre – ᵍcavēre

*1) = oculis cernere, intueri, spectare
Mat 528 πᾶς ὁ β..ων γυναῖκα πρὸς τὸ ἐπιθυ-
6 4 ὁ βλέπων ἐν τῷ κρυπτῷ 6.18 [μῆσαι
7 3 τί δὲ βλέπεις τὸ κάρφος –; ‖ Luc 6
41.42 αὐτὸς τὴν – δοκὸν οὐ βλέπων
11 4 ἀπαγγείλατε Ἰωάννῃ ἃ – β..ετε 1531
1222 ὥστε τὸν κωφὸν λαλεῖν καὶ βλέπειν
1313 ὅτι β..οντες οὐ β..ουσιν Mar 818 „ὀ-
φθαλμοὺς ἔχοντες οὐ β..ετε – Mat
1314 „β..οντες β..ψετε καὶ οὐ μὴ ἴδη-
τε" ‖ Mar 412 Luc 810 – Act 2826
– 16 ὑμῶν δὲ μακάριοι οἱ ὀφθαλμοὶ ὅτι
β..ουσιν 17 πολλοὶ – ἐπεθύμησαν ἰδεῖν
ἃ βλέπετε ‖ Luc 1023 μακάριοι οἱ
ὀφθαλμοὶ οἱ βλέποντες ἃ βλέπετε 24
1430 βλέπων δὲ τὸν ἄνεμον ἐφοβήθη
1810 οἱ ἄγγελοι αὐτῶν – διὰ παντὸς β..ου-
σι τὸ πρόσωπον τοῦ πατρός μου
2216 οὐ – β..εις ᵉ εἰς πρόσωπον ἀνθρώπων
‖ Mar 1214 (non vides in faciem)
Mar 823 ἐπηρώτα αὐτόν· εἴ τι β..εις (vl ..ει);
24 βλέπω τοὺς ἀνθρ., ὅτι ὡς δένδρα
Luc 721 τυφλοῖς πολλοῖς ἐχαρίσατο β..ειν ᵇ
816 ἵνα οἱ εἰσπορευόμενοι βλέπωσιν τὸ
φῶς 1133 τὸ φέγγος [εὔθετος
962 οὐδεὶς – β..ων ᵉ (vl ᵈ) εἰς τὰ ὀπίσω
Joh 519 ἂν μή τι βλέπῃ τὸν πατέρα ποιοῦντα
9 7 ἐνίψατο, καὶ ἦλθεν β..ων 15.19.21.25
– 39 ἵνα οἱ μὴ βλέποντες βλέπωσιν καὶ οἱ
βλέποντες τυφλοὶ γένωνται
– 41 νῦν δὲ λέγετε ὅτι βλέπομεν
11 9 ὅτι τὸ φῶς τοῦ κόσμου τούτου βλέπει

Joh 1322 ἔβλεπονᵈ εἰς ἀλλήλους – ἀπορούμ.
Act 1 9 βλεπόντων αὐτῶν ἐπήρθη 11 τί ἑστή-
κατε βλέποντεςᵈ εἰς τὸν οὐρανόν;
3 4 βλέψον (vl ἀτένισον) ᵉ εἰς ἡμᾶς
9 8 οὐδὲν ἔβλεπεν 9 ἦν – μὴ βλέπων
2712 λιμένα – βλέπονταᵉ κατὰ λίβα
Rm 723 βλέπω δὲ ἕτερον νόμον ἐν τοῖς μέλ.
824 ἐλπὶς δὲ β..ομένη οὐκ ἔστιν ἐλπίς· ὃ
γὰρ β..ει τις, τί καὶ ἐλπίζει; 25 εἰ δὲ
ὃ οὐ β..ομεν ἐλπίζομεν, δι' ὑπομονῆς
11 8 „ὀφθαλμοὺς τοῦ μὴ βλέπειν" 10
1 Co 126 βλέπετε γὰρ τὴν κλῆσιν ὑμῶν
1018 βλέπετε τὸν Ἰσραὴλ κατὰ σάρκα
1312 βλέπομεν γὰρ ἄρτι δι' ἐσόπτρου ἐν
2 Co 418 μὴ σκοπούντων ἡμῶν τὰ β..όμενα ἀλ-
λὰ τὰ μὴ β..όμενα· τὰ γὰρ β..όμενα
πρόσκαιρα, τὰ δὲ μὴ β..όμενα αἰώνια
10 7 τὰ κατὰ πρόσωπον βλέπετε. (;)
12 6 μή τις εἰς ἐμὲ λογίσηται ὑπὲρ ὃ βλέ-
πει με ἢ ἀκούει ἐξ ἐμοῦ
Phl 3 2 βλέπετε τοὺς κύνας κτλ
Hb 11 1 πραγμάτων ἔλεγχος οὐ β..ομένωνᶠ (vl
parentum) 3 εἰς τὸ μὴ ἐκ φαινομένων
τὸ β..όμενονᶜ γεγονέναι 7 χρηματι-
σθεὶς Νῶε περὶ τῶν μηδέπω β..ομένων
Jac 222 βλέπεις ὅτι ἡ πίστις συνήργει τοῖς
Ap 111 ὃ βλέπεις γράψον 228 κἀγὼ Ἰωάν-
νης ὁ – βλέπων ταῦτα. καὶ ὅτε – ἔ-
βλεψα, ἔπεσα προσκυνῆσαι
– 12 ἐπέστρεψα βλέπειν τὴν φωνήν
3 18 ἐγχρῖσαι τοὺς ὀφθ. σου ἵνα βλέπῃς
920 „τὰ εἴδωλα –, ἃ οὔτε βλ." δύνανται
17 8 βλεπόντων τὸ θηρίον ὅτι ἦν καὶ οὐκ
ἔστιν καὶ παρέσται – 189

2) = providere, cavere, curare

Mat 24 4 βλέπετε μή τις ὑμᾶς πλανήσῃ ‖ Mar
135 Luc 218 μὴ πλανηθῆτε
Mar 424 β..ετε τί ἀκούετε ‖ Luc 818 πῶς ἀκ.
815 βλέπετεᵍ ἀπὸ τῆς ζύμης τῶν Φαρ.
1238 βλέπετεᵍ ἀπὸ τῶν γραμματέων
13 9 βλέπετε δὲ ὑμεῖς ἑαυτούς – 2 Jo 8
– 23 ὑμεῖς δὲ βλέπετε 33 β., ἀγρυπνεῖτε
Act 1340 βλέπετε – μὴ ἐπέλθῃ τὸ εἰρημένον
1 Co 310 ἕκαστος – βλεπέτω πῶς ἐποικοδομεῖ
8 9 β..ετε – μή πως ἡ ἐξουσία ὑμῶν αὕτη
πρόσκομμα γένηται τοῖς ἀσθενέσιν
1012 ὁ δοκῶν ἑστάναι βλεπέτω μὴ πέσῃ
1610 β..ετε ἵνα ἀφόβως γένηται πρὸς ὑμᾶς
Gal 515 βλέπετε μὴ ὑπ' ἀλλήλων ἀναλωθῆτε
Eph 515 βλέπετε – ἀκριβῶς πῶς περιπατεῖτε
Col 2 8 β..ετε μή τις ὑμᾶς ἔσται ὁ συλαγωγ.

Col 4 17 βλέπε τὴν διακονίαν ἣν παρέλαβες
Hb 3 12 βλέπετε – μήποτε ἔσται ἔν τινι ὑμῶν
καρδία πονηρὰ ἀπιστίας
12 25 β..ετε μὴ παραιτήσησθε τὸν λαλοῦντα

βοᾶν   clamare bexclamare cacclamare
Mat 3 3 „φωνὴ βοῶντος ἐν τῇ ἐρήμῳ" ‖ Mar
1 3 Luc 3 4 Joh 1 23
Mar 15 34 ἐβόησενb ὁ Ἰησοῦς φωνῇ μεγάλη
Luc 9 38 ἀνὴρ – ἐβόησενb –˙ διδάσκαλε 18 38
18 7 βοώντων αὐτῷ ἡμέρας καὶ νυκτός
Act 8 7 πνεύματα – βοῶντα – ἐξήρχοντο
17 6 25 24 βοῶντεςc μὴ δεῖν αὐτὸν ζῆν
Gal 4 27 „βόησον, ἡ οὐκ ὠδίνουσα"

Βοανηργές (vl Βανηρεγές) Mar 3 17

Βόες   (vl Βόοζ) Mat 1 5

βοή   clamor Jac 5 4 αἱ β. τῶν θερισάντων

βοήθεια aadiutorium bauxilium
Act 27 17a – Hb 4 16 χάριν – εἰς εὔκαιρον β.b

βοηθεῖν adiuvare bauxiliari
Mat 15 25 κύριε, β..ει μοι Mar 9 22 β..ησον ἡμῖν
Mar 9 24 πιστεύω˙ βοήθει μου τῇ ἀπιστίᾳ
Act 16 9 διαβὰς εἰς Μακεδονίαν β..ησον ἡμῖν
21 28 ἄνδρες Ἰσραηλῖται, βοηθεῖτε
2 Co 6 2 „ἐν ἡμέρᾳ σωτηρίας ἐβοήθησά σοι"
Hb 2 18 δύναται τοῖς πειραζομένοις β..ῆσαιb
Ap 12 16 ἐβοήθησεν ἡ γῆ τῇ γυναικί

βοηθός adiutor Hb 13 6 „κύριος ἐμοὶ β."

βόθυνος fovea Mat 12 11 15 14 Luc 6 39

βολή   iactus Luc 22 41 ὡσεὶ λίθου βολήν

βολίζειν So – summittere bolidem Act 27 28

Βόος   (vl Βόοζ) Luc 3 32

βόρβορος lutum 2 Pe 2 22 εἰς κυλισμὸν β..ου

βορρᾶς aquilo Luc 13 29 Ap 21 13

βόσκειν pascere b(β..ων) pastor
Mat 8 30 ἀγέλη – β..ομένη ‖ Mar 5 11 Luc 8 32
– 33 οἱ δὲ β..οντεςb ‖ Mar 5 14 Luc 8 34
Luc 15 15 ἔπεμψεν αὐτὸν – βόσκειν χοίρους
Joh 21 15 βόσκε τὰ ἀρνία μου 17 τὰ προβάτια

βοτάνη herba Hb 6 7 τίκτουσα βοτάνην

βότρυς botrus Ap 14 18 τρύγησον τοὺς β..ας

*βούλεσθαι velle bvoluntarie c(μὴ β.) nolle
Mat 11 27 ᾧ ἐὰν βούληται ὁ υἱὸς ἀποκαλύψαι
‖ Luc 10 22
Luc 22 42 εἰ βούλει παρένεγκε – τὸ ποτήριον
1 Co 12 11 διαιροῦν – ἑκάστῳ καθὼς βούλεται
Phl 1 12 γινώσκειν δὲ ὑμᾶς βούλομαι
1 Ti 2 8 βούλομαι – προσεύχεσθαι τ. ἄνδρας
5 14 νεωτέρας γαμεῖν, τεκνογονεῖν
6 9 οἱ δὲ βουλόμενοι πλουτεῖν
Tit 3 8 βούλομαί σε διαβεβαιοῦσθαι, ἵνα
Hb 6 17 βουλόμενος ὁ θεὸς ἐπιδεῖξαι – τὸ
ἀμετάθετον τῆς βουλῆς αὐτοῦ
Jac 1 18 βουληθεὶςb ἀπεκύησεν ἡμᾶς λόγῳ
2 Pe 3 9 μὴ βουλόμενόςc τινας ἀπολέσθαι

βουλεύεσθαι cogitare Luc 14 31 Joh 11 53
12 10 Act (vl 5 33) 27 39 2 Co 1 17 ἢ ἃ βου-
λεύομαι κατὰ σάρκα βουλεύομαι, –;

βουλευτής decurio Mar 15 43 Luc 23 50

βουλή   consilium bvoluntas
Luc 7 30 τὴν β. τοῦ θεοῦ ἠθέτησαν εἰς ἑαυτ.
23 51 οὐκ ἦν συγκατατεθειμένος τῇ βουλῇ
Act 2 23 τῇ ὡρισμένῃ βουλῇ – τοῦ θεοῦ
4 28 ὅσα – ἡ βουλὴ (vl + σου) προώρισεν
5 38 ἐὰν ᾖ ἐξ ἀνθρώπων ἡ βουλὴ αὕτη
13 36 τῇ τοῦ θεοῦ βουλῇb „ἐκοιμήθη"
20 27 ἀναγγεῖλαι πᾶσαν τὴν β. τοῦ θεοῦ
27 12 ἔθεντο βουλήν 42 βουλὴ ἐγένετο
1 Co 4 5 φανερώσει τὰς βουλὰς τῶν καρδιῶν
Eph 1 11 τοῦ τὰ πάντα ἐνεργοῦντος κατὰ τὴν
βουλὴν τοῦ θελήματος αὐτοῦ
Hb 6 17 τὸ ἀμετάθετον τῆς βουλῆς αὐτοῦ

βούλημα voluntas Act 27 43 (vgo)
Rm 9 19 τῷ γὰρ β..τι αὐτοῦ τίς ἀνθέστηκεν;
1 Pe 4 3 τὸ βούλημα τῶν ἐθνῶν κατειργάσθαι

βουνός collis Luc 3 5 23 30

βοῦς   bos Luc 13 15 14 5.19 Joh 2 14.15
1 Co 9 9 „οὐ κημώσεις βοῦν ἀλοῶντα" (1 Ti
5 18). μὴ τῶν βοῶν μέλει τῷ θεῷ;

βραβεῖον So – bravium 1 Co 9 24 οὐκ οἴ-
δατε ὅτι – πάντες –, εἷς δὲ λαμβάνει τὸ β.;
Phl 3 14 εἰς τὸ βρ. τῆς ἄνω κλήσεως τοῦ θεοῦ

βραβεύειν *exultare* Col 3 15 ἡ εἰρήνη τοῦ
Χοῦ βραβευέτω ἐν ταῖς καρδίαις ὑμῶν

βραδύνειν *tardare* 1 Ti 3 15 ἐὰν – βραδύνω
2 Pe 3 9 οὐ βραδύνει κύριος τῆς ἐπαγγελίας

βραδυπλοεῖν S° – *tarde navigare* Act 27 7

βραδύς S° – *tardus*
Luc 24 25 ὦ – βραδεῖς τῇ καρδίᾳ τοῦ πιστεύειν
Jac 1 19 βραδὺς εἰς τὸ λαλῆσαι, β. εἰς ὀργήν

βραδύτης S° – 2 Pe 3 9 β..τα (vg°) ἡγοῦνται

βραχίων *brachium* Luc 1 51 Joh 12 38
Act 13 17 „μετὰ βραχίονος ὑψηλοῦ ἐξήγαγεν"

βραχύ ᵃ*ad breve* ᵇ(*post*) *pusillum* ᶜ*mo-
dicum* ᵈ*modico* ᵉ*paulominus* ᶠ(διὰ βρα-
χέων) *perpaucis* Luc 22 58ᵇ Joh 6 7ᶜ Act
5 34ᵃ 27 28ᵇ Hb 2 7 „βραχύ τιᵉ παρ' ἀγγέ-
λους" 9ᵈ – 13 22ᶠ

βρέφος *infans* ᵇ(ἀπὸ β..ους) *ab infantia*
Luc 1 41.44 2 12.16 18 15 προσέφερον – τὰ β..η
Act 7 19 – 2 Ti 3 15ᵇ ἱερὰ γράμματα οἶδας
1 Pe 2 2 ὡς ἀρτιγέννητα β..η – γάλα ἐπιποθ.

βρέχειν *pluere* ᵇ*rigare*
Mat 5 45 βρέχει ἐπὶ δικαίους καὶ ἀδίκους
Luc 7 38 δάκρυσιν – βρέχεινᵇ τοὺς πόδας 44ᵇ
17 29 „πῦρ καὶ θεῖον" – Jac 5 17 προσηύ-
ξατο τοῦ μὴ βρέξαι κτλ Ap 11 6

βροντή *tonitruum*
Mar 3 17 Βοανηργές, ὅ ἐστιν υἱοὶ βροντῆς
Joh 12 29 βροντὴν γεγονέναι – Ap 4 5 6 1 8 5
10 3.4 11 19 (vg°) 14 2 16 18 19 6

βροχή *pluvia* Mat 7 25.27 κατέβη ἡ βροχή

βρόχος *laqueus*
1 Co 7 35 οὐχ ἵνα βρόχον ὑμῖν ἐπιβάλω

βρυγμός τῶν ὀδόντων *stridor dentium*
Mat 8 12 13 42.50 22 13 24 51 25 30 Luc 13 28

βρύειν S° – *emanare* Jac 3 11 γλυκὺ καί

βρύχειν *stridēre* Act 7 54 τοὺς ὀδόντας ἐπί

βρῶμα *esca* ᵇ*cibus*
Mat 14 15 Mar 7 19 Luc 3 11 9 13
Joh 4 34 ἐμὸν βρ.ᵇ ἐστιν ἵνα ποιῶ τὸ θέλημα
Rm 14 15 εἰ – διὰ βρῶμαᵇ ὁ ἀδελφός σου λυ-
πεῖται – . μὴ τῷ βρώματίᵇ σου ἐκεῖ-
νον ἀπόλλυε 20 μὴ ἕνεκεν βρώματος
κατάλυε τὸ ἔργον τοῦ θεοῦ
1 Co 3 2 γάλα ὑμᾶς ἐπότισα, οὐ βρῶμα
6 13 τὰ βρ. τῇ κοιλίᾳ, καὶ ἡ κοι. τοῖς βρ.
8 8 βρῶμα – ἡμᾶς οὐ παραστήσει τῷ θεῷ
– 13 εἰ βρ. σκανδαλίζει τὸν ἀδελφόν μου,
οὐ μὴ φάγω κρέα εἰς τὸν αἰῶνα
10 3 τὸ αὐτὸ πνευματικὸν βρῶμα ἔφαγον
1 Ti 4 3 ἀπέχεσθαι β..τωνᵇ, ἃ – θεὸς ἔκτισεν
Hb 9 10ᵇ 13 9 χάριτι βεβαιοῦσθαι τὴν καρδί-
αν, οὐ β..σιν, ἐν οἷς οὐκ ὠφελήθησαν

βρώσιμον *quod manducetur* Luc 24 41

βρῶσις *esca* ᵇ*cibus* ᶜ*manducare* ᵈ(σὴς
καὶ βρῶσις) *aerugo et tinea*
Mat 6 19 ὅπου σὴς καὶ βρῶσιςᵈ ἀφανίζει 20ᵈ
Joh 4 32 ἐγὼ β..ινᵇ ἔχω φαγεῖν ἣν ὑμεῖς οὐκ
6 27 ἐργάζεσθε μὴ τὴν βρ.ᵇ τὴν ἀπολλυ-
μένην, ἀλλὰ τ. βρ. (vg°) τ. μένουσαν
– 55 ἡ γὰρ σάρξ μου ἀληθής ἐστιν βρ.ᵇ
Rm 14 17 οὐ γάρ ἐστιν ἡ βασ. τοῦ θεοῦ βρῶσις
1 Co 8 4 περὶ τῆς β..εως – τῶν εἰδωλοθύτων
2 Co 9 10 „ἄρτον εἰς β..ινᶜ" (*ad m..andum*)
Col 2 16 μή – τις ὑμᾶς κρινέτω ἐν β..ειᵇ καί
Hb 12 16 ὃς ἀντὶ β..εως μιᾶς „ἀπέδοτο τὰ πρ."

βυθίζειν, ..εσθαι *mergere, mergi* Luc 5 7
1 Ti 6 9 εἰς – ἐπιθυμίας –, αἵτινες βυθίζουσιν
τοὺς ἀνθρ. εἰς ὄλεθρον καὶ ἀπώλειαν

βυθός *profundum maris* 2 Co 11 25 ἐν τῷ βυθῷ

βυρσεύς S° – *coriarius* Act 9 43 10 6.32

βύσσινος ᵃ*byssinus* ᵇ*byssus*
Ap 18 12ᵇ 16ᵇ (vlᵃ) 19 8ᵃ 14ᵃ

βύσσος *byssus* Luc 16 19 πορφύραν κ. β..ον

βωμός *ara* Act 17 23 εὗρον – βωμὸν ἐν ᾧ

Γ

Γαββαθά Joh 19ıₐ Λιθόστρωτον, Ἑβρ. δὲ Γ.

Γαβριήλ Luc 1 19 ἐγώ εἰμι Γ. 26 ὁ ἄγγελος Γ.

γάγγραινα S° – *cancer*
2 Ti 2 17 ὁ λόγος αὐτῶν ὡς γάγγρ. νομὴν ἕξει

Γάδ Ap 7 5 ἐκ φυλῆς Γ. δώδεκα χιλιάδες

Γαδαρηνοί *Geraseni* Mat 8 28 **Γάζα** Act 8 26

γάζα *gaza* Act 8 27 ἦν ἐπὶ πάσης τῆς γάζης

γαζοφυλακεῖον *gazophylacium*
Mar 12 41.43 ‖ Luc 21 1 – Joh 8 20 ἐν τῷ γαζ.

Γάϊος Act 19 29 20 4 Rm 16 23 1 Co 1 14 3 Jo 1

γάλα *lac* 1 Co 3 2 γάλα ὑμᾶς ἐπότισα
1 Co 9 7 ἐκ τοῦ γάλακτος τῆς ποίμνης οὐκ –;
Hb 5 12 γεγόνατε χρείαν ἔχοντες γάλακτος
– 13 ὁ μετέχων γάλακτος ἄπειρος λόγου
1 Pe 2 2 τὸ λογικὸν ἄδολον γ. ἐπιποθήσατε

Γαλάται Gal 3 1 ὦ ἀνόητοι Γαλ., τίς ὑμᾶς –;

Γαλατία 1 Co 16 1 Gal 1 2 2 Ti 4 10 (vl Γαλ-
λίαν vg vl) 1 Pe 1 1 – **Γαλατικὴ χώρα**
Act 16 6 (*G..tiae regio*) 18 23 (*G..tica regio*)

γαλήνη S° – *tranquillitas* Mat 8 26 ἐγένετο
γαλήνη μεγάλη ‖ Mar 4 39 Luc 8 24

Γαλιλαία
Mat 2 22 (εἰς τὰ μέρη τῆς Γ.) 3 13 4 12 (ἀνεχώ-
ρησεν εἰς τὴν Γ.) 15 („Γ. τῶν ἐθνῶν") 18
(τὴν θάλασσαν τῆς Γ. 15 29 Mar 1 16 7 31
Joh 6 1) 4 23.25 17 22 19 1 21 11 (ὁ ἀπὸ Να-
ζαρὲθ τῆς Γ. Mar 1 9 cfr Luc 1 26 2 4.39)
26 32 (προάξω ὑμᾶς εἰς τὴν Γ. Mar 14 28
16 7) 27 55 28 7.10.16
Mar 1 14.28 (εἰς ὅλην τὴν περίχωρον τῆς Γαλ.)
39 3 7 6 21 9 30 15 41
Luc 3 1 (τετραρχοῦντος τῆς Γ. Ἡρῴδου) 4 14.
31 (Καφαρν. πόλιν τῆς Γ.) 5 17 8 26 17 11 23 5.
(6 vl).49.55 24 6 ἐλάλησεν ὑμῖν ἔτι ὢν ἐν τῇ Γ.
Joh 1 43 21 (Κανὰ τῆς Γ. 11 4 46 21 2 ὁ ἀπὸ
Κ. τῆς Γ.) 4 3.43.45.47.54 71.9.41 (μὴ γὰρ
ἐκ τῆς Γ. ὁ χριστὸς ἔρχεται;) 52 (μὴ καὶ
σὺ ἐκ τῆς Γ. (*Galilaeus*) εἶ; – ἐκ τῆς Γαλ.

προφήτης οὐκ ἐγείρεται) 12 21 Βηθσαϊδὰ
τῆς Γαλιλαίας
Act 9 31 ἡ – ἐκκλησία καθ᾽ ὅλης τῆς – Γ. 10 37
ἀρξάμενος ἀπὸ τῆς Γ. 13 31 ὤφθη –
τοῖς συναναβᾶσιν αὐτῷ ἀπὸ τῆς Γ.

Γαλιλαῖος
Mat 26 69 καὶ σὺ ἦσθα μετὰ Ἰησοῦ τοῦ Γαλιλ.
Mar 14 70 καὶ γὰρ Γαλιλ. εἶ ‖ Luc 22 59 ἐστιν
Luc 13 1.2 ὅτι οἱ Γαλιλ. οὗτοι ἁμαρτωλοὶ πα-
ρὰ πάντας τοὺς Γαλιλ. ἐγένοντο, –;
23 6 ἐπηρώτησεν εἰ ὁ ἄνθρωπ. Γαλ. ἐστιν
Joh 4 45 ἐδέξαντο αὐτὸν οἱ Γαλ., – ἑωρακότες
Act 1 11 ἄνδρες Γ..οι, τί ἑστήκατε βλέποντες –;
2 7 οὐχὶ – πάντες οὗτοί εἰσιν – Γαλιλαῖοι;
5 37 ἀνέστη Ἰούδας ὁ Γαλιλαῖος

Γαλλία vl 2 Ti 4 10 → Γαλατία

Γαλλίων Act 18 12.14.17 **Γαμαλιήλ** Act 5 34 22 3

γαμεῖν *ducere* ᵇ*uxorem ducere* ᶜ*uxorem*
accipere ᵈ*cum uxore esse* ᵉ*nubere*
ᶠ*nuptam esse* ᵍ*matrimonio iungere,*
iungi
Mat 5 32 ὃς ἐὰν ἀπολελυμένην γαμήσῃ ‖ Luc
16 18 ὁ – γαμῶν ἑτέραν –, καὶ ὁ ἀπο-
λελυμένην ἀπὸ ἀνδρὸς γαμῶν
19 9 ὃς ἂν ἀπολύσῃ – καὶ γαμήσῃ ἄλλην
‖ Mar 10 11.12 καὶ ἐὰν αὐτὴ ἀπολύσα-
σα τὸν ἄνδρα αὐτῆς γαμήσῃᵉ ἄλλον
– 10 εἰ οὕτως ἐστὶν ἡ αἰτία τοῦ ἀνθρώπου
μετὰ τῆς γυν., οὐ συμφέρει γ..ῆσαι
22 25 ὁ πρῶτος γήμαςᵇ ἐτελεύτησεν
– 30 οὔτε γαμοῦσινᵉ (*nubent*) οὔτε γαμί-
ζονταιᵉ (*nubentur*) ‖ Mar 12 25ᵉ Luc
20 34 οἱ υἱοὶ τοῦ αἰῶνος τούτου γα-
μοῦσινᵉ (*nubunt*) καὶ γαμίσκονται
(*traduntur ad nuptias*) 35 οἱ δὲ – –
οὔτε γαμοῦσινᵉ οὔτε γαμίζονταιᵇ
24 38 ἦσαν – γαμοῦντεςᵉ καὶ γαμίζοντες
(*nuptui tradentes*) ‖ Luc 17 27 ἐγά-
μουνᵇ, ἐγαμίζοντο (*dabantur ad nup-
tias*), ἄχρι ἧς ἡμέρας εἰσῆλθεν Νῶε
Mar 6 17 ὅτι αὐτὴν ἐγάμησεν (sc Ἡρῳδιάδα)
Luc 14 20 γυναῖκα ἔγημα, καὶ διὰ τοῦτο οὐ
1 Co 7 9 εἰ δὲ οὐκ ἐγκρατεύονται, γαμησάτω-
σανᵉ· κρεῖττον γάρ ἐστιν γαμεῖνᵉ

1 Co 7 10 τοῖς δὲ γεγαμηκόσιν[g] παραγγέλλω
 – 28 ἐὰν – γαμήσῃς[c], οὐχ ἥμαρτες, καὶ
 ἐὰν γήμῃ[e] ἡ παρθένος, οὐχ ἥμαρτεν
 – 33 ὁ δὲ γαμήσας[d] μεριμνᾷ τὰ τοῦ κό-
 σμου 34 ἡ δὲ γαμήσασα[f] μ. τὰ τοῦ κ.
 – 36 ὃ θέλει ποιείτω· οὐχ ἁμαρτάνει· γα-
 μείτωσαν (vl ..είτω, vg nubat)
 – 38 ὁ γαμίζων[g] τὴν ἑαυτοῦ παρθένον
 καλῶς ποιεῖ, καὶ ὁ μὴ γαμίζων[g]
 κρεῖσσον ποιεῖ
 – 39 ἐλευθέρα ἐστὶν ᾧ θέλει γαμηθῆναι[e]
1 Ti 4 3 κωλυόντων γαμεῖν[e]
 5 11 γαμεῖν[e] θέλουσιν (sc νεώτ. χῆραι)
 – 14 βούλομαι οὖν νεωτέρας γαμεῖν[e]

γαμίζειν S°, γαμίσκεσθαι S° → γαμεῖν Mat
 22 30 ‖, Mat 24 38 ‖, 1 Co 7 38

γάμος, γάμοι nuptiae [b]connubium (vl co-
 nubium) [c](γάμου) nuptialis
Mat 22 2 ἐποίησεν γάμους τῷ υἱῷ αὐτοῦ
 – 3 καλέσαι τοὺς κεκλημένους εἰς τοὺς
 γάμους 4 δεῦτε εἰς τοὺς γ. 8 ὁ μὲν
 γάμος ἕτοιμός ἐστιν 9 ὅσους ἐὰν εὕ-
 ρητε καλέσατε εἰς τοὺς γάμους (10 vl
 ἐπλήσθη ὁ γ.) 11 ἔνδυμα γάμου[c] 12[c]
 25 10 εἰσῆλθον μετ᾽ αὐτοῦ εἰς τοὺς γάμους
Luc 12 36 πότε ἀναλύσῃ ἐκ τῶν γάμων
 14 8 ὅταν κληθῇς ὑπό τινος εἰς γάμους
Joh 2 1 γάμος ἐγένετο ἐν Κανά 2 ἐκλήθη δὲ
 καὶ ὁ Ἰησοῦς – εἰς τὸν γάμον
Hb 13 4 τίμιος ὁ γάμος[b] ἐν πᾶσιν
Ap 19 7 ὅτι ἦλθεν ὁ γ. τοῦ ἀρνίου 9 οἱ εἰς τὸ
 δεῖπνον τοῦ γ. τοῦ ἀρν. κεκλημένοι

γαστήρ uterus [b]venter [c](ἐν γαστρὶ ἔχου-
 σαι Mat 24 ‖) praegnantes (vl ..ates)
Mat 1 18 εὑρέθη ἐν γαστρὶ ἔχουσα 23 „παρθέ-
 νος ἐν γαστρὶ ἕξει" Luc 1 31 συλλήμ-
 ψῃ ἐν γαστρὶ καὶ τέξῃ υἱόν
 24 19 οὐαὶ δὲ ταῖς ἐν γαστρὶ ἐχούσαις[c] ‖
 Mar 13 17[c] Luc 21 23[c]
1 Th 5 3 ὥσπερ ἡ ὠδὶν τῇ ἐν γαστρὶ ἐχούσῃ
Tit 1 12 Κρῆτες ἀεὶ –, γαστέρες[b] ἀργαί
Ap 12 2 γυνὴ – ἐν γαστρὶ ἔχουσα, καὶ κράζει

Γεδεών Hb 11 32 διηγούμενον – περὶ Γεδεών

γέεννα S° – gehenna
Mat 5 22 ἔνοχος ἔσται εἰς τὴν γ. τοῦ πυρός
 – 29 μὴ ὅλον τὸ σῶμά σου βληθῇ εἰς γέ-
 ενναν 30 ἀπέλθῃ 18 9 ἢ δύο ὀφθαλ-

μοὺς ἔχοντα βληθῆναι εἰς τὴν γ. τοῦ
 πυρός ‖ Mar 9 43 τὰς δύο χεῖρας ἔχον-
 τα ἀπελθεῖν εἰς τὴν γέενναν 45. 47
Mat 10 28 τὸν δυνάμενον καὶ ψυχὴν καὶ σῶμα
 ἀπολέσαι ἐν γεέννῃ ‖ Luc 12 5 ἔχοντα
 ἐξουσίαν ἐμβαλεῖν εἰς τὴν γέενναν
 23 15 ποιεῖτε αὐτὸν υἱὸν γεέννης διπλότ.
 – 33 πῶς φύγητε ἀπὸ τῆς κρίσεως τῆς γ.;
Jac 3 6 φλογιζομένη ὑπὸ τῆς γεέννης

Γεθσημανί Mat 26 36 Mar 14 32

γείτων vicinus, vicina
Luc 14 12 μὴ φώνει – μηδὲ γ..ονας πλουσίους
 15 6 συγκαλεῖ τοὺς 9 τὰς – γείτ. – Joh 9 8

γελᾶν ridēre Luc 6 21. 25 οὐαί, οἱ γελῶντες νῦν

γέλως risus Jac 4 9 γέλως ὑμῶν εἰς πένθος

γέμειν plenum esse, (part.) plenus
Mat 23 25 ἔσωθεν δὲ γέμουσιν (pleni estis vl
 sunt) ἐξ ἁρπαγῆς καὶ ἀκρασίας 27
 ὀστέων νεκρῶν καὶ – ἀκαθαρσίας ‖
 Luc 11 39 τὸ δὲ ἔσωθεν ὑμῶν γέμει
 ἁρπαγῆς καὶ πονηρίας
Rm 3 14 „τὸ στόμα ἀρᾶς καὶ πικρίας γέμει"
Ap 4 6 „τέσσερα ζῷα γέμοντα ὀφθαλμῶν" 8
 – 17 3 ἐπὶ θηρίον κόκκινον, γέμοντα
 ὀνόματα βλασφημίας
 5 8 φιάλας – γεμούσας θυμιαμάτων 15 7
 τοῦ θυμοῦ τοῦ θεοῦ 17 4 ποτήριον
 χρυσοῦν – γέμον βδελυγμάτων
 ·21 9 τῶν ἐχόντων τὰς ἑπτὰ φιάλας, τῶν
 γεμόντων (vl τὰς γεμούσας) τῶν
 ἑπτὰ πληγῶν τῶν ἐσχάτων

γεμίζειν implēre
Mar 4 37 ὥστε γ..εσθαι τὸ πλοῖον – 15 36 σπόγ-
Luc 14 23 ἵνα γεμισθῇ μου ὁ οἶκος – 15 16 [γον
Joh 2 7 ὑδρίας 6 13 κοφίνους – Ap 8 5
Ap 15 8 „ἐγεμίσθη ὁ ναὸς καπνοῦ ἐκ τ. δόξης"

γενεά generatio [b]natio [c]progenies
 [d]tempora

1) homines aetatis Jesu

Mat 11 16 τίνι – ὁμοιώσω τὴν γ. ταύτην; ‖ Lc 7 31
 12 39 γ. πονηρὰ καὶ μοιχαλὶς σημεῖον ἐπι-
 ζητεῖ ‖ Luc 11 29 ἡ γ. αὕτη γ. πονη-
 ρά ἐστιν· σημεῖον ζητεῖ – Mat 16 4 ‖
 Mar 8 12 τί ἡ γ. αὕτη ζητεῖ σημεῖον;

– εἰ δοθήσεται τῇ γ. ταύτῃ σημεῖον
Mat 12 41 Νινευῖται ἀναστήσονται – μετὰ τῆς γ.
ταύτης 42 βασίλ. νότου ἐγερθήσεται
45 οὕτως ἔσται καὶ τῇ γ. ταύτῃ τῇ
πονηρᾷ ‖ Luc 11 30 οὕτως ἔσται καὶ
ὁ υἱὸς τοῦ ἀνθρ. τῇ γ. ταύτῃ 31.32
17 17 ὦ γενεὰ ἄπιστος καὶ διεστραμμένη ‖
Mar 9 19 ἄπ. Luc 9 41 ἄπ. καὶ διεστρ.
23 36 ἥξει ταῦτα πάντα ἐπὶ τὴν γ. ταύτην
‖ Luc 11 50 ἵνα ἐκζητηθῇ τὸ αἷμα –
τῶν προφητῶν – ἀπὸ τῆς γ. ταύτης 51
24 34 οὐ μὴ παρέλθῃ ἡ γ. αὕτη ἕως ἂν –
ταῦτα γένηται ‖ Mar 13 30 Luc 21 32
Mar 8 38 ὃς – ἐὰν ἐπαισχυνθῇ με – ἐν τῇ γ.
ταύτῃ τῇ μοιχαλίδι καὶ ἁμαρτωλῷ
Luc 17 25 ἀποδοκιμασθῆναι ἀπὸ τῆς γ. ταύτης

2) voces γενεά et γενεαί latius conceptae
Mat 1 17 πᾶσαι αἱ γ. ἀπὸ Ἀβρ. ἕως Δαυ. κτλ
Luc 1 48 „μακαριοῦσίν με πᾶσαι αἱ γενεαί
– 50 „ἔλεος αὐτοῦ εἰς γ..ὰς^c καὶ γ..ὰς^c"
16 8 φρονιμώτεροι – εἰς τὴν γ. τὴν ἑαυτῶν
Act 2 40 σώθητε ἀπὸ τῆς γ. τῆς σκολιᾶς ταύ-
της cfr Phl 2 15 „τέκνα θεοῦ ἄμωμα"
μέσον „γ..ᾶς^b σκολιᾶς καὶ διεστραμμ."
8 33 „τὴν γενεὰν αὐτοῦ τίς διηγήσεται;"
13 36 Δαυὶδ – ἰδίᾳ γενεᾷ ὑπηρετήσας τῇ
τοῦ θεοῦ βουλῇ – 14 16 ἐν ταῖς παρῳ-
χημέναις γ. 15 21 ἐκ γ..ῶν^d ἀρχαίων
Eph 3 5 ὃ ἑτέραις γενεαῖς οὐκ ἐγνωρίσθη
τοῖς υἱοῖς τῶν ἀνθρώπων 21 αὐτῷ ἡ
δόξα – εἰς πάσας τὰς γ. τοῦ αἰῶνος
Col 1 26 τὸ μυστήριον τὸ ἀποκεκρυμμένον ἀπὸ
τῶν αἰώνων καὶ ἀπὸ τῶν γενεῶν
Hb 3 10 διὸ „προσώχθισα τῇ γενεᾷ" ταύτῃ

γενεαλογούμενος cuius generatio annume-
ratur in (aliqua gente) Hb 7 6 ὁ – μὴ γ.
(sc Melchis.) ἐξ αὐτῶν (sc in filiis Levi)

γενεαλογία S^o – genealogia 1 Ti 1 4 Tit 3 9

γενέσια S^o – (dies) natalis Mat 14 6 ‖ Mar 6 21

γένεσις generatio ^b nativitas
Mat 1 1 βίβλος γ..εως Ἰησοῦ Χοῦ 18 Ἰησοῦ
Χοῦ ἡ γένεσις (vl γέννησις) οὕτως ἦν
Luc 1 14 πολλοὶ ἐπὶ τῇ γενέσει^b (vl γεννήσει)
αὐτοῦ χαρήσονται
Jac 1 23 ἔοικεν ἀνδρὶ κατανοοῦντι τὸ πρόσ-
ωπον τῆς γεν.^b αὐτοῦ ἐν ἐσόπτρῳ
3 6 φλογίζουσα τὸν τροχὸν τῆς γ..εως^b

γενετή nativitas Joh 9 1 τυφλὸν ἐκ γενετῆς

γένημα ^a genimen ^b generatio
^c incrementum frugum
Mat 26 29 ^a τῆς ἀμπέλου ‖ Mar 14 25 ^a Luc 22 18 ^b
(Luc 12 18 vl τὰ γ. μου, vg quae nata sunt mihi)
2 Co 9 10 αὐξήσει „τὰ γ.^c τῆς δικαιοσ. ὑμῶν"

γενναν (pass.) nasci ^b gignere ^c parere
^d generare

1) proprie dictum
a) γενναν (active), de viro dictum:
Mat 1 2-16 ^b (16 vl Ἰωσὴφ δέ, –, ἐγέννησεν Ἰη-
σοῦν) Act 7 8 ^b 29 ^d – de matre dictum: (Mat
1 16 vl παρθένος Μαρ. ἐγέννησεν Ἰησοῦν) Luc
1 13 Ἐλισάβετ γεννήσει^c υἱόν σοι 57 ^c 23 29 αἱ
κοιλίαι αἳ οὐκ ἐγέννησαν^b – Joh 16 21 ὅταν
δὲ γεννήσῃ^c τὸ παιδίον – Gal 4 24 μία μὲν
–, εἰς δουλείαν γεννῶσα^d, ἥτις ἐστὶν Ἀγάρ

b) γεννᾶσθαι (vi passiva) nasci
Jesu de natu dictum
Mat 1 16 ἐξ ἧς ἐγεννήθη Ἰησοῦς 20 τὸ γὰρ ἐν
αὐτῇ γεννηθὲν ἐκ πνεύματός ἐστιν
ἁγίου 21 τοῦ δὲ Ἰησοῦ γεννηθέντος
ἐν Βηθλέεμ 4 ποῦ ὁ χριστὸς γεννᾶται
Luc 1 35 διὸ καὶ τὸ γεννώμενον (vl + ἐκ σοῦ,
vg quod nascetur ex te) „ἅγιον κλη-
θήσεται" υἱὸς θεοῦ
Joh 18 37 ἐγὼ εἰς τοῦτο γεγέννημαι καὶ – ἐλήλ.
aliorum de natu dictum
Mat 19 12 εἰσὶν – εὐνοῦχοι οἵτινες ἐκ κοιλίας
μητρὸς ἐγεννήθησαν οὕτως
26 24 καλὸν ἦν αὐτῷ εἰ οὐκ ἐγεννήθη ὁ
ἄνθρωπος ἐκεῖνος ‖ Mar 14 21
Joh 3 4 πῶς δύναται ἄνθρωπος γεννηθῆναι
γέρων ὤν; μὴ δύναται – δεύτερον –
γεννηθῆναι; (vg renasci, vl nasci)
– 6 τὸ γεγεννημένον ἐκ τῆς σαρκὸς σάρξ
8 41 ἐκ πορνείας οὐκ ἐγεννήθημεν
9 2 τίς ἥμαρτεν –, ἵνα τυφλὸς γεννηθῇ;
19 ὅτι τυφλὸς ἐγεννήθη 20 idem 32
τυφλοῦ γεγεννημένου 34 ἐν ἁμαρτί-
αις σὺ ἐγεννήθης ὅλος, –;
16 21 ὅτι ἐγεννήθη ἄνθρωπος εἰς τ. κόσμ.
Act 2 8 ἰδίᾳ διαλέκτῳ – ἐν ᾗ ἐγεννήθημεν
7 20 ἐν ᾧ καιρῷ ἐγεννήθη Μωϋσῆς
22 3 γεγεννημένος ἐν Ταρσῷ 28 ἐγὼ δὲ
καὶ γεγέννημαι (sc Ῥωμαῖος)
Rm 9 11 μήπω γὰρ γεννηθέντων μηδὲ πραξ.
Gal 4 23 ὁ [μὲν] – κατὰ σάρκα γεγέννηται 29
ὁ κατὰ σάρκα γεννηθείς

(Hb 11 12 vl ἀφ᾽ ἑνὸς ἐγ..ήθησαν vg *orti sunt*)
– 23 πίστει Μωϋσῆς γεννηθεὶς ἐκρύβη
2 Pe 2 12 ἄλογα ζῷα γεγεννημένα (vl ..γενη.
vg°) φυσικὰ εἰς ἅλωσιν καὶ φθοράν

2) γεννᾶν, ..ᾶσθαι – metaphorice

Joh 1 13 τοῖς πιστεύουσιν εἰς τὸ ὄνομα αὐ-
τοῦ, οἳ – ἐκ θεοῦ ἐγεννήθησαν (vl
qui – natus est Ju Ir Tert)
3 3 ἐὰν μή τις γεννηθῇ (*renatus* vl *na-
tus fuerit*) ἄνωθεν (*denuo*) 7 δεῖ ὑ-
μᾶς γεννηθῆναι ἄνωθεν (*denuo*)
– 5 ἐὰν μή τις γεννηθῇ (vl ἀναγ., vg *re-
natus fuerit*) ἐξ ὕδατος καὶ πνεύμ.
– 6 τὸ γεγεννημένον ἐκ τοῦ πνεύματος
8 οὕτως ἐστὶν πᾶς ὁ γεγ. ἐκ τ. πνεύ.
Act 13 33 „υἱός μου εἶ σύ, ἐγὼ σήμερον γεγέν-
νηκά ᵇ σε" Hb 1 5 ᵇ 5 5 ᵇ
1 Co 4 15 διὰ τοῦ εὐαγγελίου ἐγὼ ὑμᾶς ἐγέν-
νησα ᵇ Phm 10 ὃν ἐγέννησα ᵇ ἐν τοῖς
δεσμοῖς, Ὀνήσιμον
2 Ti 2 23 ζητήσεις –, – ὅτι γεννῶσιν ᵈ μάχας
1 Jo 2 29 ὁ ποιῶν τὴν δικαιοσύνην ἐξ αὐτοῦ
γεγέννηται 3 9 πᾶς ὁ γεγεννημένος ἐκ
τοῦ θεοῦ ἁμαρτίαν οὐ ποιεῖ – · καὶ
οὐ δύναται ἁμαρτάνειν, ὅτι ἐκ τοῦ
θεοῦ γεγέννηται 5 18 ὁ γεγ. – οὐχ ἁμ..ει
4 7 ὁ ἀγαπῶν ἐκ τοῦ θεοῦ γεγέννηται 5 1
ὁ πιστεύων ὅτι Ἰησοῦς ἐστιν ὁ χρι-
στὸς ἐκ τοῦ θεοῦ γεγέννηται
5 1 ὁ ἀγαπῶν τὸν γεννήσαντα ᵇ ἀγαπᾷ
(vl + καὶ) τὸν (vl τὸ) γεγεννημένον ἐξ
αὐτοῦ 4 πᾶν τὸ γεγεννημένον ἐκ τοῦ
θεοῦ νικᾷ τὸν κόσμον
– 18 ἀλλ᾽ ὁ γεννηθεὶς ἐκ τοῦ θεοῦ (vl ἡ
γέννησις τοῦ θεοῦ vg *generatio Dei*)
τηρεῖ αὐτόν (vl ἑαυτόν)

γεννήματα ἐχιδνῶν ᵃ*progenies viperarum*
ᵇ*genimina v.* Mat 3 7 ᵃ 12 34 ᵃ 23 33 ᵇ Luc 3 7 ᵇ

Γεννησαρέτ (vl Mat Mar ..σάρ)
Mat 14 34 Mar 6 53 Luc 5 1 παρὰ τ. λίμνην Γεν.

(γέννησις vl → γένεσις Mat 1 18 Luc 1 14 et
γεννᾶν 2) sub finem 1 Jo 5 18)

γεννητοὶ γυναικῶν *nati mulierum*
Mat 11 11 οὐκ – ἐν γ..οῖς γυν. μείζων ‖ Luc 7 28

γένος genus ᵇ*natio* Mat 13 47 (sc ἰχθύων)
Mar 7 26 Συροφοινίκισσα τῷ γένει Act 4 36 Κύ-
πριος 18 2 Ποντικός 24 Ἀλεξανδρεύς (vl ᵇ)

Mar 9 29 τοῦτο τὸ γ. ἐν οὐδενὶ δύναται ἐξελ-
θεῖν (‖ Mat 17 21 rec οὐκ ἐκπορεύεται)
Act 4 6 ὅσοι ἦσαν ἐκ γένους ἀρχιερατικοῦ
7 13 φανερὸν ἐγένετο – τὸ γένος Ἰωσήφ
– 19 οὗτος „κατασοφισάμενος τὸ γ." ἡμῶν
13 26 υἱοὶ γένους Ἀβρ. καὶ οἱ – φοβούμενοι
17 28 τοῦ γὰρ καὶ γένος ἐσμέν 29 γένος
οὖν ὑπάρχοντες τοῦ θεοῦ
1 Co 12 10 ἑτέρῳ γένη γλωσσῶν 28 γένη γλωσ.
14 10 τοσαῦτα εἰ τύχοι γένη φωνῶν εἰσιν
2 Co 11 26 κινδύνοις ἐκ γένους, – ἐξ ἐθνῶν
Gal 1 14 ὑπὲρ πολλοὺς – ἐν τῷ γένει μου
Phl 3 5 ἐκ γένους Ἰσραήλ, φυλῆς Βενιαμίν
1 Pe 2 9 ὑμεῖς δὲ „γένος ἐκλεκτόν"
Ap 22 16 ἐγώ εἰμι ἡ ῥίζα καὶ τὸ γένος Δαυίδ

Γερασηνός (vl Γεργεσ., Γαδαρ.)
Mar 5 1 ‖ Luc 8 26.37 → Γαδαρηνός

γερουσία *seniores* Act 5 21 υἱῶν Ἰσραήλ

γέρων *senex* Joh 3 4 γεννηθῆναι γέρων ὤν

γεύεσθαι *gustare*
Mat 16 28 οὐ μὴ γεύσωνται θανάτου ‖ Mar 9 1
Luc 9 27 – Joh 8 52 οὐ μὴ γεύσηται
θανάτου εἰς τὸν αἰῶνα – Hb 2 9 ὅ-
πως – ὑπὲρ παντὸς γεύσηται θανάτου
27 34 γευσάμενος οὐκ ἠθέλησεν πιεῖν
Luc 14 24 οὐδεὶς – γεύσεταί μου τοῦ δείπνου
Joh 2 9 τὸ ὕδωρ Act 10 10 ἤθελεν γεύσασθαι
20 11 23 14 μηδενὸς γεύσασθαι ἕως οὗ
Col 2 21 μὴ ἅψῃ μηδὲ γεύσῃ μηδὲ θίγῃς
Hb 6 4 γευσαμένους τε τῆς δωρεᾶς τῆς ἐπ-
ουρανίου 5 καὶ καλὸν γευσαμένους
θεοῦ ῥῆμα δυνάμεις τε μέλλ. αἰῶνος
1 Pe 2 3 εἰ „ἐγεύσασθε ὅτι χρηστὸς ὁ κύριος"

γεωργεῖν *colere* Hb 6 7 γ..εῖται (sc γῆ)

γεώργιον *agricultura*
1 Co 3 9 θεοῦ γεώργιον, θεοῦ οἰκοδομή ἐστε

γεωργός *agricola* ᵇ*colonus* ᶜ*cultor*
Mat 21 33 ἐξέδοτο αὐτὸν γεωργοῖς 34.35.38.40 τί
ποιήσει τοῖς γ. ἐκείνοις; 41 ἐκδώσεται
ἄλλοις γ. ‖ Mar 12 1.2.7 ᵇ 9 ἀπολέσει
τοὺς γεωργ. ᵇ Luc 20 9 ᵇ 10 ᶜ 14 ᵇ 16 ᵇ
Joh 15 1 καὶ ὁ πατήρ μου ὁ γεωργός ἐστιν
2 Ti 2 6 τὸν κοπιῶντα γεωργὸν δεῖ πρῶτον
τῶν καρπῶν μεταλαμβάνειν
Jac 5 7 ἰδοὺ ὁ γ. ἐκδέχεται τὸν τίμιον καρ-
πὸν τῆς γῆς, μακροθυμῶν ἐπ᾽ αὐτῷ

γῆ *terra* (βασιλεῖς τῆς γῆς → βασιλεύς)

1) caelum et terra (coniuncta et adversa)

Mat 5 18 ἕως ἂν παρέλθῃ ὁ οὐρ. καὶ ἡ γῆ ‖
 Luc 16 17 εὐκοπώτερον – τὸν οὐρανὸν
 καὶ τὴν γῆν παρελθεῖν – Mat 24 35
 ὁ οὐρανὸς καὶ ἡ γῆ παρελεύσεται,
 οἱ δὲ λόγοι μου ‖ Mar 13 31 Luc 21 33
 – 34. 35 μὴ ὀμόσαι –˙ μήτε ἐν τῷ οὐρα-
 νῷ, –˙ μήτε ἐν τῇ γῇ Jac 5 12 μὴ ὀ-
 μνύετε, μήτε τὸν οὐρ. μήτε τὴν γῆν
 6 10 ὡς ἐν οὐρανῷ καὶ ἐπὶ (vl + τῆς) γῆς
 – 19 μὴ – θησαυροὺς ἐπὶ τῆς γῆς 20 θη-
 σαυροὺς ἐν οὐρανῷ
 9 6 ἐξουσίαν ἔχει – ἐπὶ τῆς γῆς ἀφιέναι
 ἁμαρτίας ‖ Mar 2 10 ἀφιέναι ἁμαρτίας
 ἐπὶ τῆς γῆς Luc 5 24
 11 25 κύριε τοῦ οὐρ. καὶ τῆς γῆς ‖ Luc
 10 21 cfr Act 17 24 οὐρ. καὶ γῆς ὑπάρ-
 χων κύριος 4 24 ὁ „ποιήσας τὸν
 οὐρ. καὶ τὴν γῆν" 14 15 Ap 14 7 –
 Ap 10 6 „ὃς ἔκτισεν τὸν οὐρανὸν –
 καὶ τὴν γῆν καὶ τὰ ἐν αὐτῇ"
 16 19 ὃ ἐὰν δήσῃς ἐπὶ τῆς γῆς ἔσται δεδε-
 μένον ἐν τοῖς οὐρ., καὶ ὃ ἐὰν λύσῃς
 ἐπὶ τ. γῆς ἔσται λελυμένον ἐν τ. οὐρ.
 18 18 δήσητε – οὐρανῷ, – λύσητε – οὐρ.
 18 19 ἐὰν δύο συμφωνήσωσιν – ἐπὶ τῆς γῆς
 περὶ – οὗ ἐὰν αἰτήσωνται, γενήσεται
 αὐτοῖς παρὰ τοῦ πατρός μου τοῦ ἐν
 οὐρανοῖς
 23 9 πατέρα μὴ καλέσητε – ἐπὶ τῆς γῆς·
 εἷς γάρ ἐστιν ὑμῶν ὁ π. ὁ οὐράνιος
 28 18 πᾶσα ἐξουσία ἐν οὐρ. καὶ ἐπὶ [τ.] γῆς
Mar 13 27 „ἀπ᾽ ἄκρου" γῆς „ἕως ἄκ. οὐρανοῦ"
Luc 2 14 δόξα ἐν ὑψίστοις θεῷ καὶ ἐπὶ γῆς
 εἰρήνη ἐν ἀνθρώποις εὐδοκίας
 12 56 τὸ πρόσωπον τῆς γῆς καὶ τοῦ οὐρα-
 νοῦ οἴδατε δοκιμάζειν
Joh 3 31 ὁ ὢν ἐκ τῆς γῆς ἐκ τ. γῆς ἐστιν καὶ
 ἐκ τῆς γῆς λαλεῖ. ὁ ἐκ τοῦ οὐρανοῦ
 ἐρχόμενος ἐπάνω πάντων ἐστίν
 12 32 κἀγὼ ἐὰν ὑψωθῶ ἐκ τῆς γῆς
 17 4 ἐγώ σε ἐδόξασα ἐπὶ τῆς γῆς
Act 2 19 „τέρατα ἐν τῷ οὐρανῷ" ἄνω καὶ ση-
 μεῖα „ἐπὶ τῆς γῆς" κάτω
 7 49 „ὁ οὐρ. μοι θρόνος, ἡ δὲ γῆ ὑποπόδ."
 10 11 τὸν οὐρ. ἀνεῳγμένον καὶ – σκεῦός τι
 – καθιέμενον ἐπὶ τῆς γῆς 12 τὰ τετρά-
 ποδα – τῆς γ. καὶ πετεινὰ τοῦ οὐρ. 11 6
1 Co 8 5 εἴπερ εἰσὶν λεγόμενοι θεοὶ εἴτε ἐν
 οὐρανῷ εἴτε ἐπὶ γῆς

1 Co 15 47 ὁ πρῶτος „ἄνθρωπος ἐκ γῆς χοϊ-
 κός", ὁ δεύτερος ἄνθρ. ἐξ οὐρανοῦ
Eph 1 10 τὰ ἐπὶ τοῖς οὐρ. καὶ τὰ ἐπὶ τῆς γῆς
 3 15 πᾶσα πατριὰ ἐν οὐ..οῖς καὶ ἐπὶ γῆς
 4 9 ὅτι καὶ κατέβη εἰς τὰ κατώτερα μέρη
 τῆς γῆς; 10 ὁ „ἀναβὰς" ὑπεράνω
 πάντων τῶν οὐρανῶν
Col 1 16 τὰ πάντα ἐν τοῖς οὐρ. καὶ ἐπὶ τ. γ. 20
 3 2 τὰ ἄνω φρονεῖτε, μὴ τὰ ἐπὶ τῆς γῆς
 – 5 νεκρώσατε οὖν τὰ μέλη τὰ ἐπὶ τ. γῆς
Hb 1 10 „γῆν ἐθεμελίωσας, καὶ ἔργα τῶν χει-
 ρῶν σού εἰσιν οἱ οὐρανοί"
 8 4 εἰ – ἦν ἐπὶ γῆς, οὐδ᾽ ἂν ἦν ἱερεύς
 11 13 „ξένοι καὶ παρεπίδημοι – ἐπὶ τῆς γ."
 12 25 ἐπὶ γῆς παραιτησάμενοι τὸν χρη-
 ματίζοντα, πολὺ μᾶλλον ἡμεῖς οἱ
 τὸν ἀπ᾽ οὐρανῶν ἀποστρεφόμενοι
 – 26 οὗ ἡ φωνὴ τὴν γῆν ἐσάλευσεν τότε –˙
 „σείσω" οὐ μόνον „τὴν γῆν" ἀλλὰ καὶ
 „τὸν οὐρανόν" – Jac 5 12 → Mat 5 35
Jac 5 18 ὁ οὐρ. ὑετὸν ἔδωκεν καὶ ἡ γῆ ἐβλά-
 στησεν τὸν καρπὸν αὐτῆς
2 Pe 3 5 οὐρανοὶ ἦσαν ἔκπαλαι καὶ γῆ ἐξ ὕ-
 δατος 7 οἱ δὲ νῦν οὐρ. καὶ ἡ γῆ – τη-
 ρούμενοι εἰς ἡμέραν κρίσεως 10 οἱ
 οὐρ. – παρελεύσονται, – καὶ γῆ καὶ
 τὰ ἐν αὐτῇ ἔργα εὑρεθήσεται 12 οὐρα-
 νοὶ – λυθήσονται 13 „καινοὺς δὲ οὐρ."
 καὶ „γῆν καινὴν" – προσδοκῶμεν
Ap 5 3 οὐδεὶς – ἐν τῷ οὐρ. οὐδὲ ἐπὶ τῆς γῆς
 οὐδὲ ὑποκάτω τῆς γῆς 13 πᾶν κτίσμα
 ὃ ἐν τῷ οὐρ. καὶ ἐ. τ. γ. κ. ὑ. τῆς γῆς
 6 13 „οἱ ἀστέρες τοῦ οὐρ. ἔπεσαν" εἰς τ. γῆν
 12 4 – 9 1 ἀστέρα ἐκ τοῦ οὐρ. πεπτωκό-
 τα εἰς τὴν γῆν – 10 6 14 7 → Mat 11 25
 12 9 ἐβλήθη ὁ δράκων – εἰς τὴν γῆν 13 –
 16 ἐβοήθησεν ἡ γῆ τῇ γυναικί, καὶ
 ἤνοιξεν ἡ γῆ τὸ στόμα αὐτῆς
 13 13 πῦρ – ἐκ τοῦ οὐρ. καταβαίν. εἰς τ. γῆν
 20 11 „ἔφυγεν ἡ γῆ" καὶ ὁ οὐρανός
 21 1 εἶδον οὐρανὸν καινὸν καὶ γῆν και-
 νήν·˙ ὁ γὰρ πρῶτος οὐρανὸς καὶ ἡ
 πρώτη γῆ ἀπῆλθαν

2) terra sedes hominum (non singulae
 terrae, neque solum vel ager)

Mat 5 5 „κληρονομήσουσιν τὴν γῆν"
 – 13 ὑμεῖς ἐστε τὸ ἅλας τῆς γῆς
 9 6 ‖ Mar 2 10 Luc 5 24 → 1) sub Mat 9 6
 10 34 βαλεῖν εἰρήνην ἐπὶ τὴν γῆν ‖ Luc 12 49
 πῦρ ἦλθον β. ἐ. τ. γῆν 51 δοκεῖτε ὅτι
 εἰρ. παρεγενόμην δοῦναι ἐν τῇ γῇ;

Mat 12 42 ἦλθεν ἐκ τῶν περάτων τῆς γ. ‖ Luc
11 31 – Act 1 8 μάρτυρες – ἕως ἐσχά-
του τῆς γ. 13 47 „εἰς σωτηρίαν ἕως κτλ"
23 35 αἷμα – ἐκχυννόμενον ἐπὶ τῆς γῆς
24 30 „κόψονται – αἱ φυλαὶ τῆς γῆς" Ap 1 7
Mar 9 3 οἷα γναφεὺς ἐπὶ τῆς γ. οὐ δύναται
Luc 18 8 ἆρα εὑρήσει τὴν πίστιν ἐπὶ τῆς γῆς;
21 23 ἔσται – ἀνάγκη μεγάλη ἐπὶ τῆς γ. 25
ἐπὶ τῆς γ. (in terris) συνοχὴ „ἐθνῶν"
– 35 „τοὺς καθημένους ἐπὶ" πρόσωπον
πάσης „τῆς γῆς" Act 17 26 ἐπὶ – πρ..ου
Act 3 25 „ἐνευλογηθήσονται – αἱ πατριαὶ τ. γ."
8 33 „αἴρεται ἀπὸ τῆς γῆς ἡ ζωὴ αὐτοῦ"
22 22 αἶρε ἀπὸ τῆς γῆς τὸν τοιοῦτον
Rm 9 17 „διαγγελῇ τὸ ὄνομά μου ἐν πάσῃ τ. γῇ"
– 28 „λόγον – συντελῶν – ποιήσει – ἐπὶ τ. γ."
10 18 „εἰς πᾶσαν τὴν γ. ἐξῆλθεν ὁ φθόγγος"
1 Co 10 26 „τοῦ κυρίου – ἡ γῆ καὶ τὸ πλήρωμα"
Eph 6 3 „καὶ ἔσῃ μακροχρόνιος ἐπὶ τῆς γ."
Hb 11 13 „ξένοι καὶ παρεπίδημοι ἐπὶ τῆς γῆς"
Jac 5 5 ἐτρυφήσατε ἐπὶ τῆς γ. καὶ ἐσπαταλ.
– 17 οὐκ ἔβρεξεν ἐπὶ τῆς γῆς 18 ἡ γῆ ἐ-
βλάστησεν τὸν καρπὸν αὐτῆς
Ap 3 10 πειράσαι τοὺς κατοικοῦντας ἐπὶ
τῆς γ. 6 10 ἐκ τῶν κατ. – 8 13 οὐαὶ
τοὺς – 11 10 οἱ κατ. – χαίρουσιν 13 8
προσκυνήσουσιν αὐτὸν πάντες οἱ
κατ. – 12 ποιεῖ τὴν γῆν καὶ τοὺς ἐν αὐ-
τῇ κατ. ἵνα προσκυν. τὸ θηρίον 14
πλανᾷ τοὺς κατ. – 17 2 ἐμεθύσθη-
σαν οἱ κατ. τὴν γ. 8 θαυμασθήσον-
ται οἱ κατ. – 14 6 εὐαγγελίσαι ἐπὶ
τοὺς καθημένους ἐπὶ τῆς γῆς
5 6 τὰ ἑπτὰ πνεύματα τοῦ θεοῦ ἀπε-
σταλμένοι „εἰς πᾶσαν τὴν γῆν"
– 10 καὶ βασιλεύσουσιν ἐπὶ τῆς γῆς
6 4 ἐδόθη αὐτῷ λαβεῖν τ. εἰρήνην ἐκ τ. γ.
– 8 ἐξουσία ἐπὶ τὸ τέταρτον τῆς γ., ἀπο-
κτεῖναι – ὑπὸ τῶν „θηρίων τῆς γῆς"
7 1 ἑστῶτας „ἐπὶ τὰς τέσσαρας γωνίας
τῆς γῆς" (20 8 τὰ ἔθνη τὰ ἐν ταῖς
κτλ), κρατοῦντας „τοὺς τέσσαρας
ἀνέμους τῆς γ., ἵνα μὴ πνέῃ ἄνε-
μος ἐπὶ τῆς γ. 2 οἷς ἐδόθη – ἀδικῆ-
σαι τὴν γ. 3 μὴ ἀδικήσητε τὴν γ. 9 4
„τὸν χόρτον τῆς γῆς"
8 5 ἔβαλεν (sc τὸ πῦρ) εἰς τὴν γ. 7 ἐβλή-
θη „εἰς τὴν γ."· καὶ τὸ τρίτ. τῆς γ. κατ-
εκάη – 9 3 ἐξῆλθον „ἀκρίδες εἰς τὴν γ.".
– ὡς ἔχουσιν ἐξουσίαν οἱ σκορπίοι τ. γ.
11 4 „ἐνώπιον τοῦ κυρίου τῆς γ. ἑστῶτες"
– 6 πατάξαι τὴν γῆν ἐν πάσῃ πληγῇ

Ap 11 18 διαφθεῖραι τοὺς διαφθείροντας τὴν γ.
13 3 ἐθαυμάσθη ὅλη ἡ γ. ὀπίσω τοῦ θηρ.
14 3 εἰ μὴ – οἱ ἠγορασμένοι ἀπὸ τῆς γῆς
– 15 ἐξηράνθη ὁ θερισμὸς τῆς γ. 16 ἔβα-
λεν – τὸ δρέπανον – ἐπὶ τὴν γῆν, καὶ
ἐθερίσθη ἡ γῆ – 18 τρύγησον τοὺς
βότρυας τῆς ἀμπέλου τῆς γῆς 19
16 1 „ἐκχέετε" τὰς ἑπτὰ φιάλας „τοῦ θυ-
μοῦ" τοῦ θεοῦ „εἰς τὴν γῆν" 2
– 18 „ἀφ᾿ οὗ" ἄνθρ. „ἐγένετο ἐπὶ τῆς γῆς"
17 5 „μήτηρ – τῶν βδελυγμάτων τῆς γῆς"
18 1 ἡ γῆ ἐφωτίσθη ἐκ τῆς δόξης αὐτοῦ
– 3 „οἱ βασιλεῖς τῆς γ. μετ᾿ αὐτῆς ἐπόρ-
νευσαν", – οἱ ἔμποροι τῆς γ. – ἐπλού-
τησαν 11.23 ἦσαν „οἱ μεγιστᾶνες τῆς γ."
– 24 ἐν αὐτῇ αἷμα – εὑρέθη – „πάντων τῶν
ἐσφαγμένων" ἐπὶ „τῆς γῆς"
19 2 τὴν πόρνην – ἥτις ἔφθειρεν τὴν γῆν
20 9 ἀνέβησαν „ἐπὶ τὸ πλάτος τῆς γῆς"

3) terra, aridum (opp aqua, mare)

Mat 14 34 Mar 41 6 47.53 Luc 5 3.11 8 27 Joh 6 21
21 8.9.11 Act 27 39.43.44 Hb 11 29 Ap 12 12
Ap 10 2 τὸν δὲ εὐώνυμον (sc πόδα) ἐπὶ τ. γῆς
5.8 13 11 ἄλλο θηρίον ἀναβαῖνον ἐκ τ. γῆς

4) solum, ager, humus

Mat 10 29 ἓν ἐξ αὐτῶν οὐ πεσεῖται ἐπὶ τὴν γῆν
12 40 ἔσται – ἐν τῇ καρδίᾳ τῆς γ. τρεῖς ἡμέ.
13 5 ὅπου οὐκ εἶχεν γῆν πολλήν, – διὰ τὸ
μὴ ἔχειν βάθος γῆς 8 ἔπεσεν ἐπὶ τὴν γ.
τὴν καλήν 23 ‖ Mar 4 5.8.20 Luc 8 8 εἰς
τὴν γ. τὴν ἀγαθήν 15 τὸ δὲ ἐν τῇ καλῇ γ.
15 35 ἀναπεσεῖν ἐπὶ τὴν γ. ‖ Mar 8 6 – 9 20
14 35 Act 9 4.8 ἠγέρθη – ἀπὸ τῆς γ. 26 14
25 18 ὤρυξεν γῆν 25 ἔκρυψα – ἐν τῇ γῇ
27 51 ἡ γῆ ἐσείσθη, καὶ αἱ πέτραι ἐσχίσθ.
Mar 4 26 ὡς ἄνθρωπος βάλῃ τὸν σπόρον ἐπὶ
τῆς γ. 28 αὐτομάτη ἡ γ. καρποφορεῖ
– 31 ὅταν σπαρῇ ἐπὶ τῆς γ., μικρότερον ὂν
πάντων τῶν σπερμάτων τῶν ἐπὶ τῆς γ.
Luc 6 49 οἰκίαν ἐπὶ τὴν γῆν χωρὶς θεμελίου
13 7 ἱνατί καὶ τὴν γῆν καταργεῖ;
14 35 οὔτε εἰς γῆν οὔτε εἰς κοπρίαν εὔθετ.
22 44 θρόμβοι – καταβαίνοντες ἐπὶ τὴν γ.
24 5 κλινουσῶν τὰ πρόσωπα εἰς τὴν γῆν
Joh [8 6 κατέγραφεν εἰς τὴν γῆν 8 ἔγραφεν]
12 24 ἐὰν μὴ ὁ κόκκος – πεσὼν εἰς τὴν γῆν
Act 7 33 „ὁ γὰρ τόπος – γῆ ἁγία ἐστίν"
1 Co 15 47 „ὁ" πρῶτος „ἄνθρ. ἐκ γῆς χοϊκός"
Hb 6 7 „γῆ" γὰρ ἡ πιοῦσα τὸν – ὑετόν
11 38 ἐπὶ – ταῖς ὀπαῖς τῆς γ. (sc πλανώμενοι)

Jac   5 7 ἐκδέχεται τὸν τίμιον καρπὸν τῆς γῆς
     – 17.18 → sub parte 2)

5) singulae terrae (nominatae)

Mat   2 6 „Βηθλέεμ", γῆ (vl γῆς) Ἰούδα
     – 20 πορεύου εἰς γῆν Ἰσραήλ 21 εἰσῆλθεν εἰς
     4 15 „γῆ Ζαβουλὼν καὶ γῆ Νεφθαλίμ"
     9 26 εἰς ὅλην τὴν γῆν ἐκείνην 31 ἐν ὅλῃ –
     10 15 γῆ Σοδόμων καὶ Γομ. 11 24 γῆ Σοδ.
     27 45 σκότος – ἐπὶ πᾶσαν τὴν γ. ‖ Mar 15 33
     ἐφ᾽ ὅλην Luc 23 44 – 4 25 λιμός
Joh   3 22 ἦλθεν ὁ Ἰησοῦς – εἰς τὴν Ἰουδαίαν γ.
Act   7 3 „ἔξελθε ἐκ τῆς γ. σου, – εἰς τὴν γ. ἣν
     ἄν σοι δείξω" 4 ἐκ γῆς Χαλδαίων –.
     – μετῴκισεν αὐτὸν εἰς τ. γ. ταύτην
     – 6 „ἔσται τὸ σπέρμα αὐτοῦ πάροικον ἐν
     γῇ ἀλλοτρίᾳ" 29 „Μωϋσῆς –, ἐγέ-
     νετο πάροικος ἐκ γῇ Μαδιάμ"
     – 36 „σημεῖα ἐν γ. Αἰγ."40 „ἐξήγαγεν – ἐκ γ."
     13 17 ἐν τῇ παροικίᾳ ἐν γῇ Αἰγύπτου
     – 19 „καθελὼν ἔθνη ἑπτὰ ἐν γῇ Χανάαν
     κατεκληρονόμησεν" τὴν γῆν αὐτῶν
Hb   8 9 „ἐξαγαγεῖν αὐτοὺς ἐκ γῆς Αἰγ."
     11 9 „παρῴκησεν" εἰς γῆν τῆς ἐπαγγελίας
Jud   5 κύριος λαὸν ἐκ γῆς Αἰγύπτου σώσας

γῆρας   senectus (vl ..ta)   Luc 1 36 ἐν γήρει

γηράσκειν   senescere   Hb 8 13 τὸ – γηράσκον
Joh 21 18 ὅταν δὲ γηράσῃς, – ἄλλος ζώσει σε

*γίνεσθαι   fieri   ᵇesse   ᶜ(μὴ γένοιτο) absit
Mat   1 22 τοῦτο – γέγονεν ἵνα πληρωθῇ 21 4
     26 56 cfr 54 πῶς – πληρωθῶσιν αἱ γρα-
     φαὶ ὅτι οὕτως δεῖ γενέσθαι; 24 6 ‖
     Mar 13 7 Luc 21 9 – Joh 19 36
     5 18 ἰῶτα ἓν – οὐ μὴ παρέλθῃ –, ἕως ἂν
     πάντα γένηται – 24 34 οὐ μὴ παρέλθῃ
     ἡ γενεὰ αὕτη ἕως – ‖ Mr 13 30 Lc 21 32
     6 10 γενηθήτω τὸ θέλημά σου cfr 26 42 ‖ Lc
     22 42 μὴ τ. θ. μου ἀλλὰ τ. σὸν γινέσθω
     8 13 ὡς ἐπίστευσας γενηθήτω σοι
     9 29 κατὰ τὴν πίστιν ὑμῶν γενηθήτω ὑ-
     μῖν 15 28 μεγάλη σου ἡ πίστις· γενη-
     θήτω σοι ὡς θέλεις
     18 19 ἐὰν δύο συμφωνήσωσιν –, γενήσεται
     αὐτοῖς παρὰ τοῦ πατρός μου
     21 19 οὐ μηκέτι ἐκ σοῦ καρπὸς γένηται
     (vg nascatur) εἰς τὸν αἰῶνα
     – 21 κἂν τῷ ὄρει – εἴπητε· ἄρθητι –, γενή-
     σεται ‖ Mar 11 23 ὃς ἂν – πιστεύῃ ὅτι
     ὃ λαλεῖ γίνεται, ἔσται αὐτῷ
     – 42 „παρὰ κυρίου ἐγένετο αὕτη ‖ Mr 12 11

Luc   1 38 γένοιτό μοι κατὰ τὸ ῥῆμά σου
     14 22 γέγονεν ὃ ἐπέταξας, καὶ ἔτι τόπος
     19 19 καὶ σὺ ἐπάνω γίνουᵇ πέντε πόλεων
     20 16 μὴ γένοιτοᶜ, itemᶜ: Rm 3 4.6.31 6 2.
     15 7 7.13 9 14 11 1.11 1 Co 6 15 Gal 2 17
     3 21 – 6 14 ἐμοὶ δὲ μὴ γέν.ᶜ καυχᾶσθαι
     21 7 τί τὸ σημεῖον ὅταν μέλλῃ – γίνεσθαι;
Joh   1 3 πάντα δι᾽ αὐτοῦ ἐγένετο καὶ χωρὶς
     αὐτοῦ ἐγένετο οὐδὲ ἓν ὃ γέγονεν
     10 καὶ ὁ κόσμος δι᾽ αὐτοῦ ἐγένετο
     – 6 ἐγένετοᵇ ἄνθρωπος, ἀπεσταλμένος
     – 15 ἔμπροσθέν μου γέγονεν 30
     – 17 ἡ χάρις – διὰ Ἰησοῦ Χοῦ ἐγένετο
     8 58 πρὶν Ἀβραὰμ γενέσθαι ἐγὼ εἰμί
     10 35 πρὸς οὓς ὁ λόγος τοῦ θεοῦ ἐγένετο
     13 19 λέγω ὑμῖν πρὸ τοῦ γενέσθαι, ἵνα πι-
     στεύητε ὅταν γένηται 14 29
     14 22 τί γέγονεν ὅτι ἡμῖν μέλλεις ἐμφανί-
     ζειν σεαυτὸν καὶ οὐχὶ τῷ κόσμῳ;
     15 7 αἰτήσασθε, καὶ γενήσεται ὑμῖν
Act   21 14 τοῦ κυρίου τὸ θέλημα γινέσθω
Rm   1 3 τοῦ γενομένου ἐκ σπέρματος Δαυίδ
     Gal 4 4 τὸν υἱὸν αὐτοῦ γενόμενον ἐκ
     γυναικός, γενόμενον ὑπὸ νόμον
     3 4 γινέσθωᵇ (vg est) δὲ ὁ θεὸς ἀληθής
     7 3 ἐὰν γένηταιᵇ (fuerit cum) ἀνδρὶ ἑτέρῳ
     4 εἰς τ. γενέσθαιᵇ ὑμᾶς ἑτέρῳ (alterius)
     16 7 οἳ καὶ πρὸ ἐμοῦ γέγονανᵇ ἐν Χῷ
1 Co   4 5 ὁ ἔπαινος γενήσεταιᵇ ἑκάστῳ ἀπὸ
     9 15 οὐκ ἔγραψα – ἵνα οὕτ. γένηται ἐν ἐμοί
     15 37 οὐ τὸ σῶμα τὸ γενησόμενονᵇ σπείρ.
     – 54 τότε γενήσεται ὁ λόγος ὁ γεγραμμ.
2 Co   1 19 Χὸς Ἰησοῦς –, οὐκ ἐγένετοᵇ ναὶ καὶ
     οὔ, ἀλλὰ ναὶ ἐν αὐτῷ γέγονενᵇ
Gal   3 14 ἵνα εἰς τὰ ἔθνη ἡ εὐλογία – γένηται
     4 12 γίνεσθεᵇ ὡς ἐγώ, ὅτι κἀγὼ ὡς ὑμεῖς
Eph   6 3 „ἵνα εὖ σοι γένηταιᵇ"
1 Th   1 5 τὸ εὐαγγέλιον ἡμῶν οὐκ ἐγενήθηᵇ
     εἰς (vl πρὸς) ὑμᾶς ἐν λόγῳ μόνον
2 Th   2 7 ὁ κατέχων – ἕως ἐκ μέσου γένηται
Hb   11 3 εἰς τὸ μὴ ἐκ φαινομένων τὸ βλεπό-
     μενον (vl τὰ βλ..να vg) γεγονέναι
     – 12 ἀφ᾽ ἑνὸς ἐγενήθησαν (vl ἐγένν., vg orti
     sunt) –, „καθὼς τὰ ἄστρα τοῦ οὐρ."
Jac   3 10 οὐ χρή, –, ταῦτα οὕτως γίνεσθαι
2 Jo   12 ἀλλὰ ἐλπίζω γενέσθαιᵇ πρὸς ὑμᾶς
Ap   1 1 „ἃ δεῖ γενέσθαι" ἐν τάχει 22 6 – 1 19
     „ἃ μέλλει γενέσθαι μετὰ ταῦτα" 4 1
     11 15 ἐγένετο ἡ βασιλεία τοῦ κόσμου „τοῦ
     κυρίου" ἡμῶν „καὶ τοῦ χριστοῦ αὐτοῦ"
     12 10 ἄρτι ἐγένετο ἡ σωτηρία καὶ ἡ δύναμις
     16 17 φωνὴ – λέγουσα· γέγονεν 21 6 γέ..αν

γινώσκειν cognoscere ᵇnosse (notum esse, fieri) ᶜscire ᵈagnoscere ᵉintelligere ᶠsentire – (οὐ γιν.)ᵍ ignorare ʰnescire

Mat 1 25 οὐκ ἐγ..εν αὐτήν Luc 134 ἄνδρα οὐ γ..ω
6 3 μὴ γνώτωʰ ἡ ἀριστερά σου τί ποιεῖ
7 23 ὅτι οὐδέποτε ἔγνωνᵇ ὑμᾶς cfr 1 Co 83
9 30 ὁρᾶτε μηδεὶς γ..έτωᶜ Mar 543ᶜ
10 26 οὐδὲν – κρυπτὸν ὃ οὐ γνωσθήσεταιᶜ
‖ Luc 122ᶜ 817 ὃ οὐ μὴ γνωσθῇ
12 7 εἰ δὲ ἐγνώκειτεᶜ τί ἐστιν· „ἔλεος"
– 15 Ἰησ. γνοὺςᶜ ἀνεχώρησεν – 168ᶜ ‖ Mar
817 – Mat 2218 τὴν πονηρίαν – 2610ᶜ
– 33 ἐκ – τοῦ καρποῦ τὸ δένδρον γ..εταιᵈ
‖ Luc 644 ἐκ τοῦ ἰδίου καρποῦ γ..εται
13 11 ὑμῖν δέδοται γνῶναιᵇ τὰ μυστήρια
τῆς βασιλείας τῶν οὐρ. ‖ Luc 810ᵇ
[16 3 τὸ – πρόσωπον τοῦ οὐρανοῦ γ..ετεᵇ
διακρίνειν, τὰ δὲ σημεῖα τῶν καιρῶν
οὐ δύνασθε (vl + γνῶναι vgᶜ vlᵒ);]
21 45 ἔγνωσαν ὅτι περὶ αὐτῶν λέγει ‖ Mar
1212 Luc 2019
24 32 γ..ετε (vl ..εται)ᶜ ὅτι ἐγγὺς τὸ θέρος 33ᶜ ἐγγύς ἐστιν ἐπὶ θύραις 39
οὐκ ἔγνωσαν ἕως ἦλθεν ὁ κατακλυσμός ‖ Mar 1328.29ᶜ Luc 2130ᶜ.31ᶜ
– 43 γ..ετεᶜ ὅτι εἰ ᾔδει ὁ οἰκοδεσπότης ‖
Luc 1239ᶜ – Mat 2450 ἥξει – ἐν ὥρᾳ
ᾗ οὐ γινώσκειᵍ ‖ Luc 1246ʰ
25 24 ἔγνωνᶜ σε ὅτι σκληρὸς εἶ ἄνθρωπος
Mar 4 13 πῶς πάσας τ. παραβολὰς γνώσεσθε;
5 29 ἔγνωᶠ τῷ σώματι ὅτι ἴαται cfr Luc
846 ἔγνωνᵇ δύναμιν ἐξεληλυθυῖαν
6 38 καὶ γνόντες λέγουσιν· πέντε (sc ἄρτ.)
7 24 οὐδένα ἤθελεν γνῶναιᶜ 930 καὶ οὐκ
ἤθελεν ἵνα τις γνοῖᶜ
15 10 ἐγίνωσκενᶜ γὰρ ὅτι διὰ φθόνον
– 45 γνοὺς ἀπὸ τοῦ κεντυρίωνος
Luc 1 18 „κατὰ τί γνώσομαιᶜ" τοῦτο;
2 43 οὐκ ἔγνωσαν οἱ γονεῖς αὐτοῦ
7 39 ἐγίνωσκενᶜ ἂν τίς καὶ ποταπὴ ἡ γυνή
9 11 οἱ δὲ ὄχλοι γνόντες ἠκολούθησαν
10 11 πλὴν τοῦτο γ..ετεᶜ, ὅτι ἤγγικεν ἡ βασιλεία τοῦ θεοῦ 2120 γνῶτεᶜ ὅτι ἤγγικεν ἡ ἐρήμωσις αὐτῆς (sc Ἰερουσ.)
– 22 οὐδεὶς γ..ειᶜ τίς ἐστιν ὁ υἱὸς εἰ μή
12 47 ὁ γνοὺς τὸ θέλημα τοῦ κυρίου 48
16 4 ἔγνωνᶜ τί ποιήσω, ἵνα – δέξωνται
– 15 ὁ δὲ θεὸς γ..ειᵇ τὰς καρδίας ὑμῶν
18 34 οὐκ ἐγίνωσκονᵉ τὰ λεγόμενα
19 15 ἵνα γνοῖᶜ τίς τί διεπραγματεύσατο
– 42 εἰ ἔγνως – καὶ σὺ τὰ πρὸς εἰρήνην
– 44 ἀνθ' ὧν οὐκ ἔγνως τὸν καιρόν

Luc 24 18 σὺ μόνος – οὐκ ἔγνως τὰ γενόμενα –;
– 35 ὡς ἐγνώσθη αὐτοῖς ἐν τῇ κλάσει
Joh 1 10 καὶ ὁ κόσμος αὐτὸν οὐκ ἔγνω
– 48 πόθεν με γ..ειςᵇ; – 224 διὰ τὸ αὐτὸν γινώσκεινᵇ πάντας 25 αὐτὸς γὰρ ἐγίνωσκενᶜ τί ἦν ἐν τῷ ἀνθρώπῳ
3 10 σὺ εἶ ὁ διδάσκαλος τοῦ Ἰσραὴλ καὶ ταῦτα οὐ γινώσκειςᵍ;
4 1 ὡς οὖν ἔγνω ὁ κύριος ὅτι ἤκουσαν
– 53 ἔγνω – ὁ πατὴρ ὅτι ἐκείνη τῇ ὥρᾳ
5 6 γνοὺς ὅτι πολὺν ἤδη χρόνον ἔχει
– 42 ἔγνωκα ὑμᾶς ὅτι τὴν ἀγάπην τ. θεοῦ
6 15 γνοὺς ὅτι μέλλουσιν ἔρχεσθαι
– 69 πεπιστεύκαμεν καὶ ἐγνώκαμεν ὅτι σὺ εἶ ὁ ἅγιος τοῦ θεοῦ 1038 τοῖς ἔργοις πιστεύετε, ἵνα γνῶτε καὶ γινώσκητε (vl πιστεύσητε, vg credatis) ὅτι ἐν ἐμοὶ ὁ πατήρ 178 ἔγνωσαν ἀληθῶς ὅτι παρὰ σοῦ ἐξῆλθον, καὶ ἐπίστευσαν –
1 Jo 416 ἐγνώκαμεν καὶ πεπιστεύκαμεν (vl ..ομεν) τὴν ἀγάπην ἣν ἔχει ὁ θεός
7 17 γνώσεται περὶ τῆς διδαχῆς, πότερον ἐκ
– 26 μήποτε ἀληθῶς ἔγνωσαν – ὅτι οὗτος –;
– 27 οὐδεὶς γ..ειᶜ πόθεν ἐστίν (sc ὁ χριστ.)
– 49 ὁ ὄχλος οὗτος ὁ μὴ γ..ωνᵇ τὸν νόμον
– 51 μὴ ὁ νόμος ἡμῶν κρίνει τὸν ἄνθρωπον ἐὰν μὴ – πρῶτον – γνῷ τί ποιεῖ;
8 27 οὐκ ἔγνωσαν ὅτι τὸν πατέρα – ἔλεγεν
– 28 τότε γνώσεσθε ὅτι ἐγώ εἰμι
– 32 γνώσεσθε τὴν ἀλήθειαν, καὶ ἡ ἀλ.
– 43 διὰ τί τὴν λαλιὰν τὴν ἐμὴν οὐ γ..ετε;
– 52 νῦν ἐγνώκαμεν ὅτι δαιμόνιον ἔχεις
– 55 οὐκ ἐγνώκατε αὐτόν, ἐγὼ – οἶδα αὐτ.
10 6 οὐκ ἔγνωσαν τίνα ἦν ἃ ἐλάλει αὐτοῖς
– 14 καὶ γ..ω τὰ ἐμὰ καὶ γ..ουσί με τὰ ἐμά 15 καθὼς γ..ειᵇ με ὁ πατὴρ κἀγὼ γ..ωᵈ τὸν πατέρα 27 κἀγὼ γ..ω αὐτά
11 57 ἵνα ἐάν τις γνῷ ποῦ ἐστιν – 129
12 16 οὐκ ἔγνωσαν – οἱ μαθηταὶ τὸ πρῶτον
13 7 οὐκ οἶδας ἄρτι, γνώσῃᶜ δὲ μετὰ ταῦτα 12 γ..ετεᶜ τί πεποίηκα ὑμῖν;
– 28 οὐδεὶς ἔγνωᶜ τῶν ἀνακειμένων
– 35 ἐν τούτῳ γνώσονται πάντες ὅτι ἐμοὶ μαθηταί ἐστε, ἐὰν ἀγάπην ἔχητε
14 7 εἰ ἐγνώκειτέ με (vl ἐ..ατε ἐμέ, vg cognovissetis), καὶ τὸν πατέρα ἂν ᾔδειτε (vl γνώσεσθε). ἀπ' ἄρτι γινώσκετε (vg cognoscitis, vl ..itis) αὐτὸν καὶ ἑωράκατε
– 9 καὶ οὐκ ἔγνωκάς (vg ..istis) με –;
– 17 τὸ πνεῦμα τῆς ἀληθείας, ὃ ὁ κόσμος –, ὅτι οὐ θεωρεῖ αὐτὸ οὐδὲ γ..ειᶜ·

ὑμεῖς γινώσκετε (vg cognoscetis vl
..itis) αὐτό → 1 Co 2 11.14
Joh 14 20 γνώσεσθε – ὅτι ἐγὼ ἐν τῷ πατρί μου
– 31 ἵνα γνῷ ὁ κόσμος ὅτι ἀγαπῶ τὸν πα.
15 18 γ..ετε^c ὅτι ἐμὲ πρῶτον ὑμῶν μεμίση.
15 3 ὅτι οὐκ ἔγνωσαν^b τὸν πατ. οὐδὲ ἐμέ
– 19 ἔγνω Ἰησ. ὅτι ἤθελον αὐτὸν ἐρωτᾶν
17 3 ἵνα γ..ωσιν σὲ τὸν μόνον – θεὸν καί
– 7 νῦν ἔγνωκαν ὅτι πάντα ὅσα δέδω-
κάς μοι παρὰ σοῦ εἰσιν 8 → 6 69
– 23 ἵνα γινώσκῃ ὁ κόσμος ὅτι σύ με
– 25 ὁ κόσμος σε οὐκ ἔγνω, ἐγὼ δέ σε
ἔγνων, καὶ οὗτοι ἔγνωσαν ὅτι σύ με
19 4 ἵνα γνῶτε ὅτι οὐδεμίαν αἰτίαν εὕρ.
21 17 σὺ γινώσκεις^c ὅτι φιλῶ σε
Act 1 7 γνῶναι^b – καιροὺς οὓς ὁ πατὴρ ἔθετο
2 36 ἀσφαλῶς – γ..έτω^c πᾶς οἶκος Ἰσρ.
8 30 ἆρά γε γ..εις^e ἃ ἀναγινώσκεις;
9 24 ἐγνώσθη (notae factae sunt) – Σαύ-
λῳ ἡ ἐπιβουλή – 17 13 20 34^c 21 24^c 34
γνῶναι τὸ ἀσφαλές 22 30^c 23 6^c
17 19 δυνάμεθα γνῶναι^c τίς ἡ καινὴ αὕτη
– διδαχή; 20^c τίνα θέλει ταῦτα εἶναι
19 15 Ἰησοῦν γ..ω^b καὶ – Παῦλον ἐπίσταμαι
– 35 τίς – ἐστιν – ὃς οὐ γ..ει^h τὴν Ἔφεσ.
21 37 Ἑλληνιστὶ γινώσκεις^b;
22 14 προεχειρίσατό σε γνῶναι τὸ θέλημα
Rm 1 21 γνόντες τὸν θεὸν οὐχ ὡς θεὸν ἐδόξ.
2 18 καυχᾶσαι ἐν θεῷ καὶ γ..εις^b τὸ θέλημα
3 17 „ὁδὸν εἰρήνης οὐκ ἔγνωσαν"
6 6 γ..οντες^c ὅτι ὁ παλαιὸς ἡμῶν ἄνθρ.
7 1 γινώσκουσιν^c γὰρ νόμον λαλῶ
– 7 τὴν ἁμαρτίαν οὐκ ἔγνων εἰ μὴ διά
– 15 ὃ γὰρ κατεργάζομαι οὐ γινώσκω^e
10 19 μὴ Ἰσραὴλ οὐκ ἔγνω; – 11 34 „τίς –
ἔγνω νοῦν κυρίου;" 1 Co 2 16
1 Co 1 21 ἐν τῇ σοφίᾳ τοῦ θεοῦ οὐκ ἔγνω ὁ
κόσμος διὰ τῆς σοφίας τὸν θεόν
2 8 θεοῦ σοφίαν – ' ἣν οὐδεὶς τῶν ἀρχόν-
των τοῦ αἰῶνος – ἔγνωκεν· εἰ γὰρ
ἔγνωσαν, οὐκ ἂν τὸν κύριον – ἐσταύρ.
– 11 τὰ τοῦ θεοῦ οὐδεὶς ἔγνωκεν εἰ μὴ τό
– 14 ψυχικὸς – ἄνθρ. – τὰ τοῦ πνεύματος
τοῦ θεοῦ – οὐ δύναται γνῶναι^e
3 20 „γ..ει^b τοὺς διαλογισμοὺς τῶν" σοφῶν
4 19 γνώσομαι οὐ τὸν λόγον τῶν πεφυσιω-
μένων ἀλλὰ τὴν δύναμιν
8 2 εἴ τις δοκεῖ ἐγνωκέναι^c τι, οὔπω ἔγνω
καθὼς δεῖ γνῶναι^c 3 εἰ δέ τις ἀγαπᾷ
τὸν θεόν, οὗτος ἔγνωσται ὑπ' αὐτοῦ
13 9 ἐκ μέρους γὰρ γ..ομεν 12 ἄρτι γ..ω
14 7 πῶς γνωσθήσεται^c τὸ αὐλούμενον –;

9 πῶς γνωσθήσεται^c τὸ λαλούμενον;
2 Co 2 4 τὴν ἀγάπην ἵνα γνῶτε^c ἣν ἔχω – εἰς
– 9 ἔγραψα, ἵνα γνῶ τὴν δοκιμὴν ὑμῶν
3 2 ἐπιστολὴ –, γ..ομένη^c καὶ ἀναγινω-
σκομένη ὑπὸ πάντων ἀνθρώπων
5 16 εἰ καὶ ἐγνώκαμεν κατὰ σάρκα Χόν,
ἀλλὰ νῦν οὐκέτι γινώσκομεν^b
– 21 τὸν μὴ γνόντα^b ἁμαρτίαν ὑπὲρ ἡμ.
8 9 γ..ετε^c – τὴν χάριν τοῦ κυρίου ἡμῶν
13 6 γνώσεσθε ὅτι – οὐκ ἐσμὲν ἀδόκιμοι
Gal 2 9 γνόντες τὴν χάριν τὴν δοθεῖσάν μοι
3 7 γ..ετε ἄρα ὅτι οἱ ἐκ πίστεως, – υἱοί
4 9 γνόντες θεόν, μᾶλλον δὲ γνωσθέντες
ὑπὸ θεοῦ, πῶς ἐπιστρέφετε πάλιν –;
Eph 3 19 γνῶναί^c τε τὴν ὑπερβάλλουσαν τῆς
γνώσεως ἀγάπην τοῦ Χοῦ
5 5 τοῦτο – ἴστε γ..οντες^e ὅτι πᾶς πόρνος
6 22 ἵνα γνῶτε τὰ περὶ ἡμῶν Col 4 8
Phl 1 12 γινώσκειν^c δὲ ὑμᾶς βούλομαι
2 19 ἵνα – εὐψυχῶ γνοὺς τὰ περὶ ὑμῶν
– 22 τὴν δὲ δοκιμὴν αὐτοῦ γινώσκετε
3 10 τοῦ γνῶναι (vg vl^d) αὐτὸν καὶ τὴν
δύναμιν τῆς ἀναστάσεως αὐτοῦ
4 5 τὸ ἐπιεικὲς ὑμῶν γνωσθήτω (mode-
stia – nota sit) πᾶσιν ἀνθρώποις
1 Th 3 5 εἰς τὸ γνῶναι τὴν πίστιν ὑμῶν
2 Ti 1 18 ὅσα – διηκόνησεν, βέλτιον σὺ γ..εις^b
2 19 „ἔγνω κύριος τοὺς ὄντας αὐτοῦ"
3 1 τοῦτο δὲ γ..ε^c, ὅτι ἐν ἐσχάταις ἡμέρ.
Hb 3 10 „οὐκ ἔγνωσαν τὰς ὁδούς μου"
8 11 „λέγων· γνῶθι τὸν κύριον"
10 34 γ..οντες ἔχειν – κρείσσονα ὕπαρξιν
13 23 γ..ετε – Τιμόθεον ἀπολελυμένον
Jac 1 3 γ..οντες^c ὅτι τὸ δοκίμιον ὑμῶν τῆς
πίστεως κατεργάζεται ὑπομονήν
2 20 θέλεις δὲ γνῶναι^c, – , ὅτι ἡ πίστις
5 20 γ..ετε^c (vl ..έτω, vg scire debet) ὅτι
ὁ ἐπιστρέψας ἁμαρτωλὸν – σώσει
2 Pe 1 20 πρῶτον γ..οντες^e, ὅτι πᾶσα προφη-
τεία 3 3^c ὅτι ἐλεύσονται – ἐμπαῖκται
1 Jo 2 3 ἐν τούτῳ γ..ομεν^c ὅτι ἐγνώκαμεν αὐ-
τόν, ἐὰν τὰς ἐντολὰς αὐτοῦ τηρῶμεν
– 4 ὁ λέγων ὅτι ἔγνωκα^b αὐτόν, καὶ τάς
– 5 ἐν τούτῳ γ..ομεν^c ὅτι ἐν αὐτῷ ἐσμεν
3 24^c ὅτι μένει ἐν ἡμῖν 4 13 (vl^e) ὅτι
ἐν αὐτῷ μένομεν καὶ αὐτὸς ἐν ἡμῖν
– 13 ἐγνώκατε τὸν ἀπ' ἀρχῆς 14 τὸν πα-
τέρα. – τὸν ἀπ' ἀρχῆς (vg vl)
– 18 ὅθεν γ..ομεν^c ὅτι ἐσχάτη ὥρα ἐστίν
– 29 γινώσκετε^c ὅτι πᾶς ὁ ποιῶν τὴν δι-
καιοσύνην ἐξ αὐτοῦ γεγέννηται
3 1 ὁ κόσμος οὐ γ..ει^b ἡμᾶς (vl ὑμᾶς),

ὅτι οὐκ ἔγνω[b] αὐτόν 6 πᾶς ὁ ἁμαρτά-
νων οὐχ ἑώρακεν αὐτὸν οὐδὲ ἔγνωκεν
1 Jo 3 16 ἐν τούτῳ ἐγνώκαμεν τὴν ἀγάπην
– 19 ἐν τούτῳ γνωσόμεθα ὅτι ἐκ τῆς ἀλη-
θείας ἐσμέν 20 ὁ θεός – γ..ει[b] πάντα
4 2 ἐν τούτῳ γ..ετε (vl ..εται vg) τὸ
πνεῦμα τοῦ θεοῦ 6 γ..ομεν τὸ πν.
τῆς ἀληθείας καὶ τὸ πν. τῆς πλάνης
– 6 ὁ γ..ων[b] τὸν θεὸν ἀκούει ἡμῶν 7 ὁ
ἀγαπῶν – γ..ει τὸν θεόν 8 ὁ μὴ ἀγαπῶν
οὐκ ἔγνω[b] τὸν θεόν, ὅτι ὁ θ. ἀγάπη
– 16 → Joh 6 69 – 1 Jo 5 2 ἐν τούτῳ γ..ομεν
ὅτι ἀγαπῶμεν τὰ τέκνα τοῦ θεοῦ, ὅταν
5 20 διάνοιαν ἵνα γ..ομεν τὸν ἀληθινόν
2 Jo 1 πάντες οἱ ἐγνωκότες τὴν ἀλήθειαν
Ap 2 23 γνώσονται[c] πᾶσαι αἱ ἐκκλησίαι
– 24 οὐκ ἔγνωσαν τὰ βαθέα τοῦ σατανᾶ
3 3 οὐ μὴ γνῷς[h] (vl γνώσῃ, vg nescies)
ποίαν ὥραν ἥξω ἐπὶ σέ
– 9 ποιήσω αὐτοὺς ἵνα – γνῶσιν[c] (vl
γνώσῃ) ὅτι „ἐγὼ ἠγάπησά σε"

γλεῦκος mustum Act 2 13 γ..ους μεμεστωμένοι

γλυκύς dulcis Jac 3 11 τὸ γλυκύ 12 Ap 10 9. 10

γλῶσσα, ..αι lingua, ..ae [b]sermones
1) lingua, flamma similis linguae
Mar 7 33 ἥψατο τῆς γλώσσης αὐτοῦ 35 ἐλύθη
ὁ δεσμὸς τῆς γλ. αὐτοῦ – Luc 1 64
Luc 16 24 ἵνα – καταψύξῃ τὴν γλῶσσάν μου
Act 2 3 διαμεριζόμεναι γλῶσσαι ὡσεὶ πυρός
– 26 „διὰ τοῦτο – ἠγαλλιάσατο ἡ γλ. μου"
Rm 3 13 „ταῖς γλώσσαις αὐτῶν ἐδολιοῦσαν"
14 11 „πᾶσα γλ. ἐξομολογήσεται τῷ θεῷ"
Phl 2 11 ἵνα – „πᾶσα γλ. ἐξομ..ηται" ὅτι κύριος
Jac 1 26 μὴ χαλιναγωγῶν γλῶσσαν ἑαυτοῦ
3 5 οὕτως καὶ ἡ γλ. μικρὸν μέλος ἐστὶν
καὶ μεγάλα αὐχεῖ 6 καὶ ἡ γλ. πῦρ, ὁ
κόσμος τῆς ἀδικίας, ἡ γλ. καθίσταται
ἐν τοῖς μέλεσιν ἡμῶν
– 8 τὴν δὲ γλ. οὐδεὶς δαμάσαι δύναται
1 Pe 3 10 „παυσάτω τὴν γλῶσσαν ἀπὸ κακοῦ"
1 Jo 3 18 μὴ ἀγαπῶμεν λόγῳ μηδὲ τῇ γλώσσῃ
Ap 16 10 ἐμασῶντο τὰς γλ. αὐτῶν ἐκ τ. πόνου
2) sermo, oratio vel precatio divinitus
inspirata
[Mar16 17 γ..αις λαλήσουσιν καιναῖς (vl° κ.)]
Act 2 4 ἤρξαντο λαλεῖν ἑτέραις γλώσσαις 11
ἀκούομεν λαλούντων αὐτῶν ταῖς ἡ-
μετέραις γ..αις τὰ μεγαλεῖα τ. θεοῦ

Act 10 46 ἤκουον – αὐτῶν λαλούντων γλώσσαις
19 6 ἐλάλουν τε γ..αις καὶ ἐπροφήτευον
1 Co 12 10 ἑτέρῳ γένη γλωσσῶν, ἄλλῳ δὲ ἑρμη-
νεία γλωσσῶν[b] 28 γένη γ..ῶν (vg add
interpretationes sermonum, vl°)
– 30 μὴ πάντες γλώσσαις λαλοῦσιν;
13 1 ἐὰν ταῖς γλ. τῶν ἀνθρώπων λαλῶ καὶ
τῶν ἀγγέλων 8 εἴτε γ..αι, παύσονται
14 2 ὁ – λαλῶν γλώσσῃ οὐκ ἀνθρώποις λα-
λεῖ ἀλλὰ θεῷ 4 ἑαυτὸν οἰκοδομεῖ 5
θέλω δὲ πάντας – λαλεῖν γ..αις – · μεί-
ζων δὲ ὁ προφητεύων ἢ ὁ λαλῶν γ..αις
– 6 ἐὰν ἔλθω – γ..αις λαλῶν 9 διὰ τῆς γλ.
ἐὰν μὴ εὔσημον λόγον δῶτε, πῶς –;
– 13 ὁ λαλῶν γ..ῃ προσευχέσθω ἵνα διερ-
μηνεύῃ 14 ἐὰν – προσεύχωμαι γ..ῃ, τὸ
πνεῦμά μου προσεύχεται, ὁ δὲ νοῦς
– 18 πάντων – μᾶλλον γ..αις (vl γ..ῃ vg)
λαλῶ 19 ἀλλὰ ἐν ἐκκλησίᾳ θέλω πέν-
τε λόγους τῷ νοΐ μου λαλῆσαι – ἢ
μυρίους λόγους ἐν γλώσσῃ
– 22 αἱ γλ. εἰς σημεῖόν εἰσιν – τοῖς ἀπί-
στοις, ἡ δὲ προφητεία – τοῖς πιστεύ.
– 23 ἐὰν – πάντες λαλῶσιν γλώσσαις, – οὐκ
ἐροῦσιν ὅτι μαίνεσθε;
– 26 ἕκαστος – γ..αν ἔχει, ἑρμηνείαν ἔχει
– 27 εἴτε γλώσσῃ τις λαλεῖ, κατὰ δύο ἢ τὸ
πλεῖστον τρεῖς, καὶ ἀνὰ. μέρος, καὶ
εἷς διερμηνευέτω
– 39 τὸ λαλεῖν μὴ κωλύετε γλώσσαις

3) gentes sermone dissonae

Ap 5 9 ἐκ πάσης φυλῆς καὶ γλώσσης 7 9 10 11
„προφητεῦσαι ἐπὶ – ἔθνεσιν καὶ γ..αις" 11 9
13 7 ἐξουσία ἐπὶ πᾶσαν – γ..αν καὶ ἔθνος
14 6 εὐαγγελίσαι – ἐπὶ πᾶν ἔθνος καὶ γ..
αν 17 15 τὰ ὕδατα – εἰσίν – ἔθνη καὶ γ..αι

γλωσσόκομον loculi Joh 12 6 13 29 τὸ γλ. εἶχεν

γναφεύς fullo Mar 9 3 οὐ δύναται – λευκᾶναι

γνήσιος [a]germanus [b](τὸ γνήσιον) inge-
nium bonum [c]dilectus 2 Co 8 8 τὸ τῆς
ὑμετέρας ἀγάπης γνήσιον[b] δοκιμάζων
Phl 4 3 ἐρωτῶ καὶ σέ, γ..ε[a] σύζυγε (vl Σ.)
1 Ti 1 2 γ..ῳ[c] τέκνῳ ἐν πίστει Tit 1 4 Τίτῳ
γνησίῳ[c] τέκνῳ κατὰ κοινὴν πίστιν

γνησίως sincera affectione Phl 2 20

γνόφος turbo Hb 12 18 „γνόφῳ καὶ ζόφῳ"

γνώμη consilium ᵇplacitum ᶜsententia
Act 20 3 ἐγένετο γ..ης τοῦ ὑποστρέφειν διὰ Μ.
1 Co 1 10 κατηρτισμένοι ἐν τῷ αὐτῷ νοΐ καὶ ἐν
τῇ αὐτῇ γνώμῃᶜ (vl scientia)
7 25 γνώμην δὲ δίδωμι (2 Co 8 10 ἐν τού-
τῳ) 40 κατὰ τὴν ἐμὴν γνώμην
Phm 14 χωρὶς δὲ τῆς σῆς γ..ης οὐδὲν ἠθέλ.
Ap 17 13 μίαν γνώμην ἔχουσιν 17 θεὸς ἔδωκεν
εἰς τὰς καρδίας αὐτῶν ποιῆσαι τὴν
γνώμηνᵇ αὐτοῦ, καὶ ποιῆσαι μίαν
γνώμην (vgᵒ καὶ – μίαν γνώμην)

γνωρίζειν notum facere ᵇostendere ᶜco-
gnoscere, ..sci ᵈ(pass) innotescere
ᵉagnosci ᶠ(οὐ γν.) ignorare
Luc 2 15 ὃ ὁ κύριος ἐγνώρισενᵇ ἡμῖν
– 17 ἐγνώρισανᶜ (vl διεγν.) περὶ τοῦ ῥήμ.
Joh 15 15 πάντα ἃ ἤκουσα – ἐγνώρισα ὑμῖν
17 26 ἐγνώρισα αὐτοῖς τὸ ὄνομά σου καὶ
γνωρίσω, ἵνα ἡ ἀγάπη – ἐν αὐτοῖς ᾖ
Act 2 28 „ἐγνώρισάς μοι ὁδοὺς ζωῆς”
7 13 „ἐγνωρίσθηᶜ (vl ἀνεγ.) Ἰωσὴφ τοῖς”
Rm 9 22 θέλων ὁ θεὸς – γνωρίσαι τὸ δυνα-
τὸν αὐτοῦ 23 ἵνα γ..σῃᵇ τὸν πλοῦτον
τῆς δόξης αὐτοῦ ἐπὶ σκεύη ἐλέους
16 26 μυστηρίου –, – εἰς ὑπακοὴν πίστεως
εἰς πάντα τὰ ἔθνη γνωρισθέντοςᶜ
1 Co 12 3 γνωρίζω ὑμῖν ὅτι οὐδεὶς ἐν πνεύματι
θεοῦ λαλῶν λέγει· ἀνάθεμα Ἰησοῦς
15 1 γνωρίζω δὲ ὑμῖν – τὸ εὐαγγέλιον –,
– τίνι λόγῳ εὐηγγελισάμην ὑμῖν
2 Co 8 1 γ..ομεν δὲ ὑμῖν – τὴν χάριν τοῦ θεοῦ
τὴν δεδομένην ἐν ταῖς ἐκκλησίαις
Gal 1 11 γ..ίζω – ὑμῖν – τὸ εὐαγγ. τὸ εὐαγγελι-
σθὲν ὑπ' ἐμοῦ ὅτι οὐκ ἔστιν κατὰ ἄνθρ.
Eph 1 9 γνωρίσας (vl ..ίσαι, vg ut n. faceret)
ἡμῖν τὸ μυστήριον τοῦ θελήματος
αὐτοῦ 3 3 κατὰ ἀποκάλυψιν ἐγ..ίσθη
μοι τὸ μυστ. 5 ὃ ἑτέραις γενεαῖς οὐκ
ἐγ..ίσθηᵉ 10 ἵνα γ..ισθῇᵈ νῦν ταῖς ἀρ-
χαῖς – ἡ πολυποίκιλος σοφία τ. θεοῦ
6 19 ἐν παρρησίᾳ γ..ίσαι τὸ μυστ. τοῦ εὐαγγ.
– 21 πάντα γ..ίσει ὑμῖν Τύχικος Col 4 7.9
Phl 1 22 καὶ τί αἱρήσομαι οὐ γνωρίζωᶠ
4 6 ἐν – τῇ δεήσει – τὰ αἰτήματα ὑμῶν
γνωριζέσθωᵈ πρὸς τὸν θεόν
Col 1 27 οἷς ἠθέλησεν ὁ θ. γ..ίσαι τί τὸ πλ.
2 Pe 1 16 οὐ – μύθοις ἐξακολουθήσαντες ἐγνω-
ρίσαμεν ὑμῖν τὴν – Χοῦ δύναμιν

γνῶσις scientia ᵇnotitia ᶜcognitio
Luc 1 77 δοῦναι γ..ιν σωτηρίας τῷ λαῷ αὐτοῦ

Luc 11 52 ὅτι ἤρατε τὴν κλεῖδα τῆς γνώσεως
Rm 2 20 ἔχοντα τὴν μόρφωσιν τῆς γνώσεως
καὶ τῆς ἀληθείας ἐν τῷ νόμῳ
11 33 ὦ βάθος πλούτου καὶ σοφίας καὶ
γνώσεως θεοῦ
15 14 πεπληρωμένοι (sc ἐστὲ) πάσης τῆς γν.
1 Co 1 5 ἐπλουτίσθητε –, ἐν – πάσῃ γνώσει
8 1 πάντες γνῶσιν ἔχομεν. ἡ γν. φυσιοῖ,
ἡ δὲ ἀγάπη 7 ἀλλ' οὐκ ἐν πᾶσιν ἡ
γν. 10 ἐάν – τις ἴδῃ σὲ (vlᵒ, vg eum)
τὸν ἔχοντα γνῶσιν 11 ἀπόλλυται – ὁ
ἀσθενῶν ἐν τῇ σῇ γνώσει
12 8 ἄλλῳ δὲ (sc δίδοται) λόγος γ..εως
13 2 καὶ ἐὰν – εἰδῶ – πᾶσαν τὴν γνῶσιν
– 8 εἴτε γνῶσις (vl ..εις), καταργηθήσεται
14 6 ἐὰν μὴ ὑμῖν λαλήσω – ἐν γνώσει
2 Co 2 14 ὀσμὴν τῆς γν.ᵇ αὐτοῦ φανεροῦντι
4 6 πρὸς φωτισμὸν τῆς γνώσεως τῆς δό-
ξης τοῦ θεοῦ ἐν προσώπῳ Χοῦ
6 6 ἐν ἁγνότητι, ἐν γ..ει, ἐν μακροθυμίᾳ
8 7 ὥσπερ – περισσεύετε, – λόγῳ καὶ γ..ει
10 5 καθαιροῦντες – πᾶν ὕψωμα ἐπαιρό-
μενον κατὰ τῆς γνώσεως τοῦ θεοῦ
11 6 εἰ δὲ καὶ ἰδιώτης τῷ λόγῳ, ἀλλ' οὐ
τῇ γνώσει
Eph 3 19 γνῶναί τε τὴν ὑπερβάλλουσαν τῆς
γνώσεως ἀγάπην τοῦ Χοῦ
Phl 3 8 διὰ τὸ ὑπερέχον τῆς γν. Χοῦ Ἰησοῦ
Col 2 3 ἐν ᾧ εἰσιν πάντες „οἱ θησαυροὶ τῆς
σοφίας” καὶ γνώσεως „ἀπόκρυφοι”
1 Ti 6 20 τὰς – ἀντιθέσεις τῆς ψευδωνύμου γν.
1 Pe 3 7 συνοικοῦντες κατὰ γνῶσιν ὡς ἀσθε-
νεστέρῳ σκεύει τῷ γυναικείῳ
2 Pe 1 5 ἐπιχορηγήσατε –, ἐν δὲ τῇ ἀρετῇ τὴν
γν. 6 ἐν δὲ τῇ γ..ει τὴν ἐγκράτειαν
3 18 αὐξάνετε δὲ ἐν χάριτι καὶ γνώσειᶜ
τοῦ κυρίου ἡμῶν καὶ σωτῆρος

γνώστης sciens Act 26 3 τῶν κατὰ Ἰουδ. ἐθῶν

γνωστός notus
Luc 2 44 ἀνεζήτουν αὐτὸν ἐν τοῖς γ..οῖς 23 49
Joh 18 15 ἦν γν. τῷ ἀρχιερεῖ 16 ὁ γν. τοῦ ἀρχ.
Act 1 19 γνωστὸν ἐγένετο πᾶσι 2 14 γνωστὸν
ἔστω 4 10 9 42 13 38 19 17 28 22.28
4 16 γνωστὸν σημεῖον γέγονεν δι' αὐτῶν
15 18 „γ..ὰ ἀπ' αἰῶνος” (vl γ..ὸν – κυρίῳ τὸ
ἔργον αὐτοῦ, vg domino opus suum)
Rm 1 19 τὸ γν. τοῦ θεοῦ φανερόν ἐστιν ἐν αὐ-
τοῖς· – θεὸς αὐτοῖς ἐφανέρωσεν

γογγύζειν murmurare
Mar 20 11 κατὰ τοῦ οἰκοδεσπότου Lc 5 30 οἱ Φαρ.

–πρὸς τοὺς μαθητάς Joh 641 οἱ Ἰουδαῖοι
περὶ αὐτοῦ 732 ὄχλου γ..οντος περὶ αὐτοῦ
Joh 643 μὴ γ..ετε μετ᾽ ἀλλήλων – 61 οἱ μαθ.
1 Co 1010 μηδὲ γ..ετε καθάπερ τινὲς – ἐγ..υσαν

γογγυσμός ᵃ murmur ᵇ murmuratio
Joh 712 γο.ᵃ περὶ αὐτοῦ ἦν πολὺς ἐν τ. ὄχλοις
Act 6 1 γο.ᵃ τῶν Ἑλληνιστῶν πρὸς τοὺς Ἑβρ.
Phl 214 πάντα ποιεῖτε χωρὶς γογγυσμῶν ᵇ
1 Pe 4 9 φιλόξενοι εἰς ἀλλήλους ἄνευ γ..οῦ ᵇ

γογγυστής Sᵒ – murmurator Jud 16 γ..αί

γόης Sᵒ – seductor 2 Ti 313 γόητες

Γολγοθά Mat 2733 Mar 1522 Joh 1917

Γόμορρα Mat 1015 Rm 929 2 Pe 26 Jud 7

γόμος ᵃ onus ᵇ merces Act 213ᵃ
Ap 1811 τὸν γ.ᵇ – οὐδεὶς ἀγοράζει 12ᵇ χρυσοῦ

γονεῖς parentes
Mat 1021 „τέκνα ἐπὶ γ.” ‖ Mar 1312 Luc 2116
Luc 227.41 ἐπορεύοντο οἱ γονεῖς αὐτοῦ 43
856 ἐξέστησαν οἱ γονεῖς αὐτῆς
1829 ὃς ἀφῆκεν – γο. – εἵνεκεν τῆς βασιλ.
Joh 9 2 τίς ἥμαρτεν, οὗτος ἢ οἱ γο. αὐτοῦ, –;
3 οὔτε οἱ γονεῖς αὐτοῦ 18. 20. 22. 23
Rm 130 γονεῦσιν ἀπειθεῖς 2 Ti 32
2 Co 1214 οὐ γὰρ ὀφείλει τὰ τέκνα τοῖς γο. θη-
σαυρίζειν, ἀλλὰ οἱ γο. τοῖς τέκνοις
Eph 6 1 ὑπακούετε τοῖς γο. Col 320 κατὰ πάντα

γόνυ genu, ponere genua ᵇ genua flec-
tuntur (vl flectunt) ᶜ curvare genua
Mar 1519 τιθέντες τὰ γόνατα προσεκύνουν
Luc 5 8 προσέπεσεν τοῖς γόνασιν Ἰησοῦ
2241 θεὶς τὰ γό. προσηύχετο Act 760 ἔκρα-
ξεν 940 προσηύξατο 2036 215 θέντες
τὰ γόνατα ἐπὶ τὸν αἰγιαλόν
Rm 11 4 „οὐκ ἔκαμψαν γόνυ ᶜ τῇ Βάαλ”
1411 „ἐμοὶ κάμψει πᾶν γόνυ ᵇ”
Eph 314 κάμπτω τὰ γό. μου ᵇ πρὸς τὸν πατέρα
Phl 210 ἵνα – „πᾶν γόνυ κάμψῃ ᵇ” ἐπουρανί-
ων καὶ ἐπιγείων καὶ καταχθονίων
Hb 1212 „τὰ παραλελυμένα γό. ἀνορθώσατε”

γονυπετεῖν Sᵒ – ᵃ (γ..ῶν) genibus provolu-
tus ᵇ (γ..ήσας) genu flexo
Mat 1714ᵃ Mar 140ᵇ λεπρός 1017ᵇ
2729 γ..ήσαντες ᵇ ἔμπρ. αὐτοῦ ἐνέπαιξαν

γράμμα, ..τα littera, ..ae ᵇ cautio
Luc 16 6 δέξαι σου τὰ γρ.ᵇ καὶ – γράψον 7
(2338 vl γράμμασιν Ἑλληνικοῖς κτλ vg)
Joh 547 εἰ δὲ τοῖς ἐκείνου γρ. οὐ πιστεύετε
715 πῶς – γ..τα οἶδεν μὴ μεμαθηκώς;
Act 2624 τὰ πολλά σε γ..τα εἰς μανίαν περιτρ.
2821 οὔτε γράμματα περὶ σοῦ ἐδεξάμεθα
Rm 227 σὲ τὸν διὰ γ..τος καὶ περιτομῆς πα-
ραβάτην νόμου 29 περιτομὴ καρδί-
ας ἐν πνεύματι οὐ γράμματι
7 6 δουλεύειν – οὐ παλαιότητι γράμματος
2 Co 3 6 διακόνους καινῆς διαθήκης, οὐ γ..τος
ἀλλὰ πνεύματος· τὸ γὰρ γρ. ἀπο-
κτείνει, τὸ δὲ πνεῦμα ζωοποιεῖ
– 7 ἡ διακονία τοῦ θανάτου ἐν γράμμα-
σιν (vl ..ατι) ἐντετυπωμένη λίθοις
Gal 611 πηλίκοις ὑμῖν γράμμασιν ἔγραψα
2 Ti 315 ἀπὸ βρέφους (vl τὰ) ἱερὰ γ..τα οἶδας

γραμματεύς scriba
Mat 2 4 συναγαγὼν – τοὺς ἀρχιερεῖς καὶ γρ.
520 ἐὰν μὴ περισσεύσῃ ὑμῶν ἡ δικαιο-
σύνη πλεῖον τῶν γρ. καὶ Φαρισαίων
729 οὐχ ὡς οἱ γραμμ. αὐτῶν ‖ Mar 122
819 εἷς γρ. εἶπεν – · – ἀκολουθήσω σοι
9 3 τινὲς τῶν γρ. εἶπαν ἐν ἑαυτοῖς· οὗ-
τος βλασφημεῖ ‖ Mar 26 Luc 521
1238 τινὲς τῶν γρ. καὶ Φαρ. λέγοντες· –
θέλομεν ἀπὸ σοῦ σημεῖον ἰδεῖν
1352 πᾶς γρ. μαθητευθεὶς τῇ βασ. τ. οὐρ.
15 1 Φαρ. καὶ γρ. λέγοντες· διὰ τί οἱ μα-
θηταί σου παραβαίνουσιν τὴν παρά-
δοσιν τῶν πρεσβυτέρων ‖ Mar 71.5
1621 παθεῖν ἀπὸ τῶν πρεσβ. καὶ ἀρχι. καὶ
γρ. ‖ Mar 831 Luc 922 – Mat 2018 παρα-
δοθήσεται τοῖς ἀρχι. καὶ γρ. ‖ Mar
1033 – 1118 ἐξήτουν πῶς αὐτὸν ἀπολέ-
σωσιν ‖ Luc 1947 – Mar 141 ‖ Luc 222
1710 τί οὖν οἱ γρ. λέγουσιν ὅτι Ἠλίαν δεῖ
ἐλθεῖν πρῶτον; ‖ Mar 911
2115 ἰδόντες – οἱ ἀρχι. καὶ οἱ γρ. τὰ θαυ-
μάσια ἃ ἐποίησεν –, ἠγανάκτησαν
23 2 ἐπὶ τῆς Μωϋσέως καθέδρας ἐκάθι-
σαν οἱ γρ. καὶ οἱ Φαρ. 13 οὐαὶ δὲ
ὑμῖν, γρ. καὶ Φαρ. [14]. 15. 23. 25. 27. 29
‖ Mar 1238 βλέπετε ἀπὸ τῶν γραμμ.
Luc 2046 προσέχετε ἀπὸ τῶν γραμμ.
2334 ἀποστέλλω πρὸς ὑμᾶς προφήτας καὶ
σοφοὺς καὶ γρ.· ἐξ αὐτῶν ἀποκτε-
νεῖτε καὶ σταυρώσετε
2657 ὅπου οἱ γρ. καὶ οἱ πρεσβ. συνήχθη-
σαν ‖ Mar 1443.53 – Mat 2741 Mar

151.31 ‖ Luc 22 66 – 20 19 23 10
Mar 2 16 οἱ γραμμ. τῶν Φαρ. ἰδόντες ὅτι ἐσθίει
μετὰ τῶν ἁμαρτωλῶν ‖ Luc 5 30 15 2
3 22 οἱ γρ. οἱ ἀπο Ἱεροσολ. καταβάντες
9 14 γραμματεῖς συζητοῦντας πρὸς αὐτούς
11 27 οἱ ἀρχι. καὶ οἱ γρ. καὶ οἱ πρεσβ. – ·
ἐν ποίᾳ ἐξουσίᾳ – ποιεῖς; Luc 20 1
12 28 εἷς τῶν γρ. – · ποία ἐστὶν ἐντολὴ πρώ-
τη πάντων; 32 – Luc 20 39
– 35 πῶς λέγουσιν οἱ γρ. ὅτι ὁ χριστός
Luc 6 7 παρετηροῦντο – αὐτὸν οἱ γρ. καὶ οἱ
Φαρ. εἰ ἐν τῷ σαββάτῳ θεραπεύει
11 53 ἤρξαντο οἱ γρ. (vl νομικοὶ vg legis-
periti) καὶ οἱ Φαρ. δεινῶς ἐνέχειν
[Joh 8 3 ἄγουσιν – οἱ γρ. καὶ οἱ Φαρ. γυναῖκα]
Act 4 5 συναχθῆναι αὐτῶν τοὺς ἄρχοντας κ.
τοὺς πρεσβυτέρους καὶ τοὺς γρ. 6 12
19 35 καταστείλας δὲ ὁ γραμμ. τὸν ὄχλον
23 9 τινὲς τῶν γρ. τοῦ μέρους τῶν Φαρ.
(vg quidam Pharisaeorum)
1 Co 1 20 „ποῦ γρ.; ποῦ" συζητητὴς τοῦ αἰῶ.

γραπτός scriptus Rm 2 15 ἐνδείκνυνται τὸ ἔρ-
γον τοῦ νόμου γ..ὸν ἐν ταῖς καρδίαις

γράφειν scribere

1) ubi affertur vetus testamentum
   a) γέγραπται scriptum est
Mat 2 5 οὕτως γὰρ γέγρ. διὰ τοῦ προφήτου
4 4 γέγρ. · „οὐκ ἐπ᾿ ἄρτῳ μόνῳ" 6 γέγρ.
γὰρ ὅτι „τοῖς ἀγγέλοις αὐτοῦ" 7 πά-
λιν γέγρ. · „οὐκ ἐκπειράσεις" 10 „κύ-
ριον – προσκυνήσεις" ‖ Luc 4 4.8.10
11 10 οὗτός ἐστιν περὶ οὗ γέγρ. ‖ Luc 7 27
cfr Mar 1 2 καθὼς γέγρ. ἐν τῷ Ἡσ. ‖
Luc 3 4 ἐν βίβλῳ λόγων Ἡσ. τ. προφ.
21 13 γέγρ. · „ὁ οἶκός μου". ‖ Mr 11 17 οὐ γέγρ.
–; Luc 19 46 „καὶ ἔσται ὁ οἶκός μου"
26 24 ὑπάγει καθὼς γέγρ. περὶ αὐτοῦ 31
γέγρ. γάρ · „πατάξω τὸν ποιμένα" ‖
Mar 14 21.27 – Luc 24 46 οὕτως γέγρ.
παθεῖν τὸν χριστὸν καὶ ἀναστῆναι
Mar 7 6 ὡς γέγρ. ὅτι „οὗτος ὁ λαὸς τοῖς χείλ."
9 12 πῶς γέγρ. ἐπὶ τὸν υἱὸν τοῦ ἀνθρ.,
ἵνα πολλὰ πάθῃ καὶ ἐξουδενηθῇ;
– 13 Ἠλίας ἐλήλυθεν, καὶ ἐποίησαν αὐτῷ
–, καθὼς γέγρ. ἐπ᾿ αὐτόν
Luc 2 23 καθὼς γέγραπτ. ἐν νόμῳ κυρίου ὅτι
10 26 ἐν τῷ νόμῳ τί γέγρ.; πῶς ἀναγινώσ.;
Joh 8 17 ἐν τῷ νόμῳ δὲ τῷ ὑμετέρῳ γέγραπτ.
Act 1 20 γέγραπτ. – ἐν βίβλῳ ψαλμῶν 7 42 τῶν

προφητῶν 13 33 ἐν τῷ ψαλμῷ γέγρ.
τῷ δευτέρῳ · „υἱός μου εἶ σύ" 15 15
Act 23 5 γέγρ. – ὅτι „ἄρχοντα τοῦ λαοῦ σου"
Rm 1 17 καθὼς γέ. · „ὁ δὲ δίκαιος" 2 24 „βλασ-
φημεῖται ἐν τοῖς ἔθνεσιν", καθὼς γ.
3 10 καθ. γ. ὅτι „οὐκ ἔστιν δίκαιος"
4 17 „πατέρα πολλῶν ἐθνῶν" 8 36 „ἕ-
νεκεν σοῦ θανατούμεθα" 9 33 καθ. γ. ·
– τίθημι „ἐν Σιὼν λίθον προσκόμμα-
τος" 11 26 „ἥξει ἐκ Σιὼν ὁ ῥυόμενος"
15 3 „οἱ ὀνειδισμοί" 9.21 „ὄψονται οἷς
οὐκ ἀνηγγέλη" – 3 4 καθάπερ γέγρ.
„ὅπως ἂν δικαιωθῇς" 9 13 „τὸν Ἰα-
κὼβ ἠγάπησα" 10 15 „ὡς ὡραῖοι οἱ
πόδες" 11 8 „ἔδωκεν αὐτοῖς – πνεῦμα
κατανύξεως"
12 19 γέγρ. γάρ · „ἐμοὶ ἐκδίκησις" 14 11 „ζῶ
ἐγώ, –, ὅτι ἐμοὶ κάμψει πᾶν γόνυ"
1 Co 1 19 γέγρ. γάρ · „ἀπολῶ τὴν σοφίαν" 31
καθὼς γέγρ. · „ὁ καυχώμενος ἐκ κυ-
ρίῳ καυχάσθω" 3 19 γέγρ. γάρ · „ὁ
δρασσόμενος τοὺς σοφούς"
2 9 καθὼς γέγρ. · ἃ „ὀφθαλμὸς οὐκ εἶ-
δεν" 10 7 ὥσπερ γέγρ. · „ἐκάθισεν ὁ
λαός" 15 45 οὕτως καὶ γέγρ. · „ἐγέ-
νετο ὁ" πρῶτος „ἄνθρωπος"
4 6 ἵνα – μάθητε τὸ μὴ ὑπὲρ ἃ γέγραπται
9 9 ἐν γὰρ τῷ Μωϋσέως νόμῳ γέγρ. · „οὐ
κημώσεις" 14 21 ἐν τῷ νόμῳ γέγρ. ὅτι
„ἐν ἑτερογλώσσοις – λαλήσω τῷ λ."
2 Co 8 15 καθὼς γέγρ. · „ὁ τὸ πολὺ οὐκ ἐπλε-
όνασεν" 9 9 „ἐσκόρπισεν, ἔδωκεν τοῖς"
Gal 3 10 γέγρ. γὰρ ὅτι „ἐπικατάρατος πᾶς" 13
4 22 γέγρ. γὰρ ὅτι Ἀβρ. δύο υἱοὺς ἔσχεν
– 27 γέγρ. γάρ · „εὐφράνθητι, στεῖρα"
Hb 10 7 „ἐν κεφαλίδι βιβλίου γέγρ. περὶ ἐμοῦ"
1 Pe 1 16 διότι γέγρ. · [ὅτι] „ἅγιοι ἔσεσθε"

   b) ἔγραψεν (Μωϋσῆς), ἐγράφη, γεγραμ-
      μένον ἐστίν, ἦν, – τὸ γεγραμμένον,
      ὁ λόγος ὁ γεγραμμένος
Mar 10 5 πρὸς τὴν σκληροκαρδίαν ὑμῶν ἔγρα-
ψεν (sc Μωϋ.) ὑμῖν τὴν ἐντολὴν ταύ-
την (sc γράψαι βιβλίον ἀποστασίου)
12 19 Μωϋσῆς ἔγραψεν ἡμῖν ὅτι „ἐάν τι-
νος ἀδελφὸς ἀποθάνῃ ‖ Luc 20 28
Luc 4 17 τόπον οὗ ἦν γεγρ. · „πνεῦμα κυρίου"
18 31 τελεσθήσεται πάντα τὰ γεγρ. διὰ τῶν
προφητῶν τῷ υἱῷ τοῦ ἀνθρ. 21 22 τοῦ
πλησθῆναι πάντα τὰ γεγρ. 22 37 τοῦ-
το τὸ γεγρ. δεῖ τελεσθῆναι ἐν ἐμοί,
τό · „καὶ μετὰ ἀνόμων" 24 44 δεῖ πλη-

58953

ρωθῆναι πάντα τὰ γεγρ. ἐν τ. νόμῳ –
καὶ τοῖς προφ. καὶ ψαλμοῖς περὶ ἐμοῦ
Luc 20 17 τί οὖν ἐστιν τὸ γεγρ. τοῦτο· „λίθον
ὃν ἀπεδοκίμασαν – ;"
Joh 1 45 ὃν ἔγραψεν Μωϋσῆς ἐν τῷ νόμῳ καὶ
οἱ προφῆται εὑρήκαμεν – 5 46 περὶ
γὰρ ἐμοῦ ἐκεῖνος ἔγραψεν
2 17 ὅτι γεγρ. ἐστίν· „ὁ ζῆλος τοῦ οἴκου"
6 31 καθώς ἐστιν γεγρ.· „ἄρτον ἐκ τοῦ
οὐρανοῦ" 12 14 „μὴ φοβοῦ, θυγάτηρ"
– 45 ἔστιν γεγρ. ἐν τοῖς προφήταις·– „ἔ-
σονται πάντες διδακτοὶ θεοῦ"
10 34 οὐκ ἔστιν γεγρ. ἐν τῷ νόμῳ ὑμῶν ὅτι
„ἐγὼ εἶπα· θεοί ἐστε";
12 16 ἐμνήσθησαν ὅτι ταῦτα ἦν ἐπ' αὐτῷ
γεγραμμένα 15 25 ἵνα πληρωθῇ ὁ λό-
γος ὁ ἐν τῷ νόμῳ αὐτῶν γεγρ. ὅτι
„ἐμίσησάν με δωρεάν"
Act 13 29 ὡς – ἐτέλεσαν – τὰ περὶ αὐτοῦ γεγρ.
24 14 πιστεύων πᾶσι τοῖς κατὰ τὸν νόμον
καὶ τοῖς ἐν τοῖς προφήταις γεγρ..οις
Rm 4 23 οὐκ ἐγράφη – δι' αὐτὸν μόνον ὅτι „ἐ-
λογίσθη αὐτῷ", ἀλλὰ καὶ δι' ἡμᾶς –
1 Co 9 10 δι' ἡμᾶς γὰρ ἐγράφη, ὅτι
10 5 Μωϋσῆς γὰρ γράφει ὅτι τὴν δικαιοσ.
15 4 ὅσα γὰρ προεγράφη (vl ἐγρ. vg), εἰς
τὴν ἡμετέραν διδασκαλίαν ἐγράφη
1 Co 10 11 τυπικῶς συνέβαινεν ἐκεί-
νοις, ἐγράφη δὲ πρὸς νουθεσίαν ἡμῶν
1 Co 15 54 τότε γενήσεται ὁ λόγος ὁ γεγραμ-
μένος· „κατεπόθη ὁ θάνατος"
2 Co 4 13 κατὰ τὸ γεγρ.· „ἐπίστευσα, διὸ ἐλάλ."
Gal 3 10 „ὃς οὐκ ἐμμένει πᾶσιν τοῖς γεγρ. ἐν
τῷ βιβλίῳ τοῦ νόμου"

2) non habita Veteris Testamenti ratione

Mat 27 37 τὴν αἰτίαν αὐτοῦ γεγραμμένην Joh 19
19 ἔγραψεν – τίτλον – · ἦν δὲ γεγραμ-
μένον· Ἰησοῦς – ὁ βασιλεὺς τῶν Ἰ. 20
ἦν γεγρ. Ἑβραϊστί 21 μὴ γράφε· ὁ βα-
σιλεύς 22 ὃ γέγραφα, γέγραφα
Mar 10 4 „βιβλίον ἀποστασίου γράψαι"
Luc 1 3 ἔδοξε κάμοι – καθεξῆς σοι γράψαι
– 63 ἔγραψεν λέγων· Ἰωάννης ἐστὶν ὄνομα
16 6 ταχέως γράψον πεντήκ. 7 ὀγδοήκ.
Joh [8 8 κατακύψας ἔγραψεν εἰς τὴν γῆν]
20 30 ἄλλα σημεῖα –, ἃ οὐκ ἔστιν γεγραμ-
μένα ἐν τῷ βιβλίῳ τούτῳ 31 ταῦτα
δὲ γέγραπται ἵνα πιστεύητε ὅτι Ἰης.
21 24 ἐστὶν ὁ μαθητὴς – ὁ γράψας ταῦτα
– 25 ἅτινα ἐὰν γράφηται καθ' ἕν, οὐδ'
αὐτὸν οἶμαι τὸν κόσμον χωρήσειν

τὰ γραφόμενα βιβλία (vl om vers)
Act 15 23 18 27 23 25 25 26 ἀσφαλές τι γράψαι
Rm 15 15 τολμηροτέρως δὲ ἔγραψα ὑμῖν
16 22 ἐγὼ Τέρτιος ὁ γράψας τὴν ἐπιστολήν
1 Co 4 14 οὐκ ἐντρέπων ὑμᾶς γράφω ταῦτα
5 9 ἔγραψα ὑμῖν – μὴ συναναμίγνυσθαι
πόρνοις 11 νῦν δὲ ἔγραψα ὑμῖν
7 1 περὶ δὲ ὧν ἐγράψατε (vl + μοι, vg
mihi, vl °), καλὸν ἀνθρώπῳ
9 15 οὐκ ἔγραψα δὲ ταῦτα ἵνα οὕτως γένη.
14 37 ἐπιγινωσκέτω ἃ γράφω ὑμῖν ὅτι
2 Co 1 13 οὐ γὰρ ἄλλα γράφομεν ὑμῖν ἀλλ' ἤ
2 3 ἔγραψα (vl + ὑμῖν vg, vl °) τοῦτο αὐ-
τὸ ἵνα μὴ ἐλθὼν λύπην σχῶ ἀφ' ὧν
– 4 ἔγραψα ὑμῖν διὰ πολλῶν δακρύων
– 9 εἰς τοῦτο γὰρ καὶ ἔγραψα, ἵνα γνῶ
7 12 εἰ καὶ ἔγραψα ὑμῖν, οὐχ ἕνεκεν τοῦ
9 1 περισσόν μοί ἐστιν τὸ γράφειν ὑμῖν
13 10 ταῦτα ἀπὼν γράφω, ἵνα παρὼν μὴ
Gal 1 20 ἃ δὲ γράφω ὑμῖν, – οὐ ψεύδομαι
6 11 πηλίκοις ὑμῖν γράμμασιν ἔγραψα τῇ
ἐμῇ χειρί Phm 19 2 Th 3 17 σημεῖον
ἐν πάσῃ ἐπιστολῇ· οὕτως γράφω
Phl 3 1 τὰ αὐτὰ γράφειν ὑμῖν ἐμοὶ – οὐκ
1 Th 4 9 οὐ χρείαν ἔχετε γράφειν ὑμῖν 5 1
1 Ti 3 14 ταῦτά σοι γράφω ἐλπίζων ἐλθεῖν
Phm 21 πεποιθὼς τῇ ὑπακοῇ – ἔγραψά σοι
1 Pe 5 12 διὰ Σιλου. ὑμῖν – δι' ὀλίγων ἔγραψα
2 Pe 3 1 δευτέραν ὑμῖν γράφω ἐπιστολήν
– 15 καθὼς καὶ – Παῦλος – ἔγραψεν ὑμῖν
1 Jo 1 4 ταῦτα γράφομεν (vl + ὑμῖν vg) ἡμεῖς
ἵνα ἡ χαρὰ ἡμῶν ᾖ πεπληρωμένη
2 1 γράφω ὑμῖν ἵνα μὴ ἁμάρτητε 7 οὐκ
ἐντολὴν καινὴν γράφω ὑμῖν 8 πάλιν
ἐντ. καιν. γράφω ὑμῖν 2 Jo 5 οὐχ ὡς
ἐντολὴν γράφων σοι καινήν
– 12 γράφω ὑμῖν, τεκνία, ὅτι ἀφέωνται 13
γ. ὑ., πατέρες, ὅτι ἐγνώκατε –. γ. ὑ.,
νεανίσκοι, ὅτι νενικήκατε 14 ἔγραψα
ὑμῖν, παιδία, ὅτι ἐγνώκατε –. ἔγρ. ὑ.,
πατέρες, ὅτι ἐγν. –. ἔγρ. ὑ., νεανί-
σκοι, ὅτι ἰσχυροί ἐστε
– 21 οὐκ ἔγραψα ὑμῖν ὅτι οὐκ οἴδατε
– 26 ἔγραψα ὑμῖν περὶ τ. πλανώντων ὑμᾶς
5 13 ἔγραψα ὑμῖν ἵνα εἰδῆτε ὅτι ζωήν
2 Jo 12 πολλὰ ἔχων ὑμῖν γράφειν οὐκ ἐβου-
λήθην διὰ χάρτου καὶ μέλανος 3 Jo 13
3 Jo 9 ἔγραψά (vl ἄν) τι (vg scripsissem for-
sitan) τῇ ἐκκλησίᾳ· ἀλλ' ὁ φιλοπρ.
Jud 3 σπουδὴν ποιούμενος γράφειν ὑμῖν
περὶ τῆς κοινῆς ἡμῶν σωτηρίας, ἀνάγ-
κην ἔσχον γράψαι ὑμῖν παρακαλῶν

Ap 1 3 τὰ ἐν αὐτῇ (sc τῇ προφ.) γεγραμμένα
– 11 ὃ βλέπεις γράψον εἰς βιβλίον 19 14 13
19 9 21 5 – 10 4 ἤμελλον γράφειν· –
σφράγισον –, καὶ μὴ αὐτὰ γράψῃς
2 1 τῷ ἀγγέλῳ τῆς ἐν Ἐφέσῳ ἐκκλησίας
γράψον· 8. 12. 18 3 1. 7. 14
– 17 ἐπὶ τὴν ψῆφον ὄνομα καινὸν γεγραμ-
μένον – 3 12 γράψω ἐπ᾽ αὐτὸν (sc
τὸν νικῶντα) τὸ ὄν. τοῦ θεοῦ μου –
14 1 τὸ ὄν. τοῦ πατρὸς αὐτοῦ (sc τοῦ
ἀρνίου) γεγραμμ. ἐπὶ τῶν μετώπων
17 5 ἐπὶ τὸ μέτωπον αὐτῆς ὄνομα
γεγραμμένον, μυστήριον, Βαβυλὼν
5 1 εἶδον – „βιβλίον γεγραμμένον ἔσω-
θεν καὶ ὄπισθεν"
13 8 „οὗ" οὐ „γέγραπται" τὸ ὄνομα – „ἐν
τῷ βιβλίῳ τῆς ζωῆς" 17 8 20 15 21 27
19 12 ἔχων ὄνομα γεγραμμένον ὃ οὐδεὶς
οἶδεν ἐν μὴ αὐτός 16 ἐπὶ τὸν μηρόν
20 12 ἐκρίθησαν οἱ νεκροὶ ἐκ τῶν γεγραμ-
μένων ἐν τοῖς βιβλίοις
22 18 τὰς πληγὰς τὰς γεγρ. ἐν τῷ βιβλίῳ
τούτῳ 19 ἀφελεῖ ὁ θεὸς – ἀπὸ τοῦ
ξύλου τῆς ζωῆς καὶ ἐκ τῆς πόλεως –,
τῶν γεγρ. ἐν τῷ βιβλίῳ τούτῳ

γραφή scriptura
Mat 21 42 οὐδέποτε ἀνέγνωτε ἐν ταῖς γραφαῖς·
„λίθον ὃν –"; ‖ Mar 12 10 τὴν γρ. –;
22 29 μὴ εἰδότες τὰς γραφάς ‖ Mar 12 24
26 54 πῶς – πληρωθῶσιν αἱ γρ. –; 56 γέγο-
νεν ἵνα πλ. αἱ γρ. τῶν προφητῶν ‖
Mar 14 49 ἀλλ᾽ ἵνα πλ. αἱ γρ. – (Mar
15 28 vl ἐπληρώθη ἡ γρ. ἡ λέγουσα·
„καὶ μετὰ ἀνόμων" vg cfr Luc 22 37)
Luc 4 21 σήμερον πεπλήρωται ἡ γραφὴ αὕτη
24 27 διηρμήνευσεν – ἐν πάσαις ταῖς γρ.
τὰ περὶ ἑαυτοῦ 32 διήνοιγεν – τὰς γρ.
45 τὸν νοῦν τοῦ συνιέναι τὰς γραφάς
Joh 2 22 ἐπίστευσαν τῇ γρ. 20 9 οὐδέπω γὰρ
ᾔδεισαν τὴν γρ., ὅτι δεῖ – ἀναστῆναι
5 39 ἐρευνᾶτε τὰς γρ., ὅτι – δοκεῖτε ἐν αὐ-
ταῖς ζωὴν – ἔχειν· καὶ ἐκεῖναί εἰσιν
αἱ μαρτυροῦσαι περὶ ἐμοῦ
7 38 καθὼς εἶπεν ἡ γρ., ποταμοὶ ἐκ τῆς
– 42 οὐχ ἡ γρ. εἶπεν ὅτι ἐκ – σπέρμ. –;
10 35 οὐ δύναται λυθῆναι ἡ γραφή
13 18 ἀλλ᾽ ἵνα ἡ γρ. πληρωθῇ 17 12 19 24 – ·
„διεμερίσαντο" 28 ἵνα τελειωθῇ ἡ γρ.,
λέγει· „διψῶ" 36 πλ.· „ὀστοῦν οὐ" 37
καὶ πάλιν ἑτέρα γρ. λέγει· „ὄψονται"
Act 1 16 ἔδει πληρωθῆναι τὴν γρ. (vl + ταύτην)

Act 8 32 ἡ δὲ περιοχὴ τῆς γραφῆς – ἦν αὕτη·
– 35 ἀρξάμενος ἀπὸ τῆς γραφῆς ταύτης
17 2 διελέξατο αὐτοῖς ἀπὸ τῶν γραφῶν
– 11 ἀνακρίνοντες τὰς γρ. εἰ ἔχοι – οὕτως
18 24 δυνατὸς ὢν ἐν ταῖς γρ. 28 ἐπιδεικνὺς
διὰ τῶν γρ. εἶναι τὸν χριστὸν Ἰησοῦν
Rm 1 2 ὃ προεπηγγείλατο – ἐν γ..αῖς ἁγίαις
4 3 τί γὰρ ἡ γρ. λέγει; „ἐπίστευσεν δὲ
Ἀβρ." 9 17 λέγει γὰρ ἡ γρ. τῷ Φαρα-
ὼ 10 11 11 2 ἐν Ἠλίᾳ τί λέγει ἡ γρ. –;
15 4 διὰ τῆς παρακλήσεως τῶν γραφῶν
16 26 μυστηρίου –, φανερωθέντος – νῦν διὰ
τε γραφῶν προφητικῶν – εἰς πάντα
τὰ ἔθνη γνωρισθέντος
1 Co 15 3 Χὸς ἀπέθανεν – κατὰ τὰς γραφάς 4
Gal 3 8 προϊδοῦσα δὲ ἡ γρ. ὅτι ἐκ πίστεως
– 22 συνέκλεισεν ἡ γρ. τὰ πάντα ὑπὸ ἁμ.
4 30 τί λέγει ἡ γρ.; „ἔκβαλε τὴν παιδίσκ."
1 Ti 5 18 λέγει γὰρ ἡ γρ.· „βοῦν ἀλοῶντα οὐ"
2 Ti 3 16 πᾶσα γρ. θεόπνευστος καὶ ὠφέλιμος
Jac 2 8 εἰ – νόμον τελεῖτε βασιλικὸν κατὰ τὴν
γρ.· „ἀγαπήσεις τὸν πλησίον σου"
– 23 ἐπληρώθη ἡ γρ. ἡ λέγουσα· „ἐπίστευ."
4 5 κενῶς ἡ γρ. λέγει· „πρὸς φθόνον" –;
1 Pe 2 6 διότι περιέχει ἐν γραφῇ· „ἰδοὺ τίθημι"
2 Pe 1 20 πᾶσα προφητεία γραφῆς ἰδίας ἐπι-
λύσεως οὐ γίνεται
3 16 δυσνόητά τινα, ἃ οἱ ἀμαθεῖς – στρε-
βλοῦσιν ὡς καὶ τὰς λοιπὰς γραφάς

γραώδης S° – anilis 1 Ti 4 7 γ..εις μύθους

γρηγορεῖν vigilare
Mat 24 42 γ..εῖτε οὖν, ὅτι οὐκ οἴδατε 25 13 τὴν ἡ-
μέραν ‖ Mar 13 34 τῷ θυρωρῷ ἐνετεί-
λατο ἵνα γ..ῇ 35 γ..εῖτε οὖν 37 πᾶσιν
λέγω, γ..εῖτε – Mat 24 43 εἰ ᾔδει ὁ οἰ-
κοδεσπότης –, ἐγ..ησεν ἄν (Lc 12 39 vl)
26 38 γ..εῖτε μετ᾽ ἐμοῦ 40 οὕτως οὐκ ἰσχύσα-
τε – γ..ῆσαι μετ᾽ ἐμοῦ; 41 γ..εῖτε καὶ
προσεύχεσθε ‖ Mar 14 34. 37 Πέτρῳ· –
οὐκ ἴσχυσας – γ..ῆσαι; 38 γ..εῖτε
Luc 12 37 οὓς ἐλθὼν ὁ κύριος εὑρήσει γ..οῦντας
Act 20 31 διὸ γ..εῖτε, μνημονεύοντες ὅτι τριετ
1 Co 16 13 γρηγορεῖτε, στήκετε ἐν τῇ πίστει
Col 4 2 τῇ προσευχῇ προσκαρτερεῖτε, γ..οῦν-
τες ἐν αὐτῇ ἐν εὐχαριστίᾳ
1 Th 5 6 γ..ῶμεν καὶ νήφωμεν 1 Pe 5 8 γ..ήσατε
– 10 ἵνα εἴτε γ..ῶμεν εἴτε καθεύδωμεν
Ap 3 2 γίνου γρηγορῶν 3 ἐὰν – μὴ γρηγορή-
σῃς, ἥξω ὡς κλέπτης 16 15 μακάριος
ὁ γρηγορῶν καὶ τηρῶν τὰ ἱμάτια

γυμνάζειν, γεγυμνασμένος *exercēre, exerci-*
tatus γυμνασία *exercitatio*
1 Ti 4 7 γύμναζε – σεαυτὸν πρὸς εὐσέβειαν
8 ἡ γὰρ σωματικὴ γυμνασία πρὸς
ὀλίγον ἐστὶν ὠφέλιμος
Hb 5 14 τῶν – τὰ αἰσθητήρια γ..σμένα ἐχόντων
πρὸς διάκρισιν καλοῦ τε καὶ κακοῦ
12 11 τοῖς δι᾿ αὐτῆς (sc παιδείας) γ..σμένοις
2 Pe 2 14 καρδίαν γ..σμένην πλεονεξίας ἔχοντες

γυμνιτεύειν S⁰ – *nudum esse* 1 Co 4 11 γ..ομεν

γυμνός *nudus* (Mar 14 51 γυμνόν)
Mat 25 36 ἤμην – γυ. καὶ περιεβάλετέ με 38.43
καὶ οὐ περιεβ. με 44 – Jac 2 15 ἐὰν
ἀδελφὸς ἢ ἀδελφὴ γ..οὶ ὑπάρχωσιν
Mar 14 51 ἐπὶ γ..οῦ 52 – Joh 21 7 – Act 19 16
1 Co 15 37 ἀλλὰ γ..ὸν κόκκον εἰ τύχοι σίτου
2 Co 5 3 εἴ γε καὶ ἐνδυσάμενοι (sc τὸ ἐξ οὐρ.
οἰκητήριον) οὐ γ..οὶ εὑρεθησόμεθα
Hb 4 13 πάντα δὲ γ..ὰ – τοῖς ὀφθαλμ. αὐτοῦ
Ap 3 17 οὐκ οἶδας ὅτι σὺ εἶ ὁ – γυμνός
16 15 μακάριος ὁ – τηρῶν τὰ ἱμάτια αὐτοῦ,
ἵνα μὴ γυμνὸς περιπατῇ
17 16 ποιήσουσιν αὐτὴν (sc πόρνην) – γ..ὴν

γυμνότης *nuditas*
Rm 8 35 ἢ διωγμὸς ἢ λιμὸς ἢ γυμνότης –;
2 Co 11 27 ἐν ψύχει καὶ γυμνότητι
Ap 3 18 μὴ φανερωθῇ ἡ αἰσχ. τῆς γ..τός σου

γυναικάριον S⁰ – *muliercula* 2 Ti 3 6 γ..ια

γυναικεῖος *muliebris* 1 Pe 3 7 (σκεῦος)

γυνή *mulier* ᵇ*uxor* ᶜ*coniux*
Mat 1 20 Μαρίαν τὴν γυναῖκά ᶜ σου 24 ᶜ αὐτοῦ
5 28 ὁ βλέπων γ..κα πρὸς τὸ ἐπιθυμῆσαι
– 31 „ὃς ἂν ἀπολύσῃ τὴν γ..κα ᵇ αὐτοῦ"
32 ᵇ 19 3 εἰ ἔξεστιν ἀπολῦσαι τὴν γ.ᵇ
αὐτοῦ –; 5 „κολληθήσεται τῇ γ..κὶ ᵇ
αὐτοῦ" 8 ἐπέτρεψεν – ἀπολῦσαι τὰς
γ..ας ᵇ ὑμῶν 9 ὃς ἂν ἀπολύσῃ τὴν γ.ᵇ
αὐτοῦ μὴ ἐπὶ πορνείᾳ καὶ γαμήσῃ ἄλ-
λην 10 εἰ οὕτως ἐστὶν ἡ αἰτία τοῦ ἀν-
θρώπου μετὰ τῆς γ.ᵇ (vl *muliere*) ‖
Mar 10 2 εἰ ἔξεστιν ἀνδρὶ γ..κα ᵇ ἀπο-
λῦσαι 11 ᵇ (vl 7 ᵇ 12 ᵇ) Luc 16 18 ᵇ
9 20 γυνὴ αἱμορροοῦσα 22 ἐσώθη ἡ γυνὴ
‖ Mar 5 25.33 φοβηθεῖσα Luc 8 43.47
11 11 οὐκ ἐγήγερται ἐν γεννητοῖς γυναι-
κῶν μείζων ‖ Luc 7 28 οὐδείς ἐστιν

Mat 13 33 ζύμη, ἣν – γυνὴ ἐνέκρυψεν ‖ Luc 13 21
14 3 διὰ Ἡρῳδιάδα τὴν γ..κα ᵇ Φιλίππου
‖ Mar 6 17 ᵇ 18 οὐκ ἔξεστίν σοι ἔχειν
τὴν γ.ᵇ τοῦ ἀδελφοῦ σου Luc 3 19 ᵇ
– 21 χωρὶς γυναικῶν καὶ παιδίων 15 38
15 22 γυνὴ Χαναναία 28 ὦ γύναι ‖ Mar 7 25
ἀκούσασα γυνὴ περὶ αὐτοῦ 26 ἡ δὲ
γυνὴ ἦν Ἑλληνίς, Συροφοινίκισσα
18 25 αὐτὸν – πραθῆναι καὶ τὴν γ..κα ᵇ
22 24 „ἐπιγαμβρεύσει ὁ ἀδελφὸς αὐτοῦ τὴν
γ.ᵇ αὐτοῦ" 25 ἀφῆκεν τὴν γ.ᵇ αὐτοῦ
τῷ ἀδελφῷ αὐτοῦ 27 ἀπέθανεν ἡ γυ-
νή 28 τίνος – ἔσται γυνή ᵇ; ‖ Mar
12 19 ἐὰν – καταλίπῃ γ..κα ᵇ – , ἵνα
„λάβῃ ὁ ἀδ. αὐτοῦ τὴν γ.ᵇ" 20 ἔλα-
βεν γ..κα ᵇ 22.23 ᵇ Luc 20 28 ᵇ 29 ᵇ 32.33
ἡ γυνή (vg⁰) οὖν – τίνος – γίνεται γυ-
νή ᵇ; οἱ γὰρ ἑπτὰ ἔσχον αὐτὴν γ..κα ᵇ
26 7 γυνὴ ἔχουσα ἀλάβαστρον ‖ Mar 14 3
– 10 τί κόπους παρέχετε τῇ γυναικί;
27 19 ἀπέστειλεν – ἡ γυνή ᵇ αὐτοῦ λέγουσα
– 55 γυναῖκες – ἀπὸ μακρόθεν θεωροῦσαι
‖ Mar 15 40 Luc 23 27 αἳ – ἐθρήνουν
αὐτόν 49.55 κατακολουθήσασαι
28 5 ὁ ἄγγελος εἶπεν ταῖς γυναιξίν
Luc 1 5 γυνὴ ᵇ αὐτῷ –, – Ἐλισάβετ 13 ᵇ 18 ᵇ 24 ᵇ
– 42 εὐλογημένη σὺ ἐν γυναιξίν
2 5 σὺν Μαριὰμ τῇ ἐμνηστευμένῃ αὐτῷ
(vl + γυναικί vg *uxore*)
4 26 „εἰς Σάρεπτα – πρὸς γ..κα χήραν"
7 37 γυνὴ – ἁμαρτωλός 39 τίς καὶ ποταπὴ ἡ
γ. 44 στραφεὶς πρὸς τὴν γ. – · βλέπεις
ταύτην τὴν γ.; 50 εἶπεν – πρὸς τὴν γ.
8 2 γυναῖκές τινες αἳ ἦσαν τεθεραπευμέ-
ναι 3 Ἰωάννα γυνὴ ᵇ Χουζᾶ
10 38 γυνὴ δέ τις ὀνόματι Μάρθα ὑπεδέξ.
11 27 ἐπάρασά τις φωνὴν γυνὴ ἐκ τ. ὄχλου
13 11 γυνὴ πνεῦμα ἔχουσα ἀσθενείας 12
γύναι, ἀπολέλυσαι τῆς ἀσθεν. σου
14 20 γυναῖκα ᵇ ἔγημα, καὶ διὰ τοῦτο οὐ
– 26 εἴ τις – οὐ μισεῖ – τὴν γυναῖκα ᵇ καὶ
15 8 τίς γυνὴ δραχμὰς ἔχουσα δέκα –;
17 32 μνημονεύετε τῆς γυναικὸς ᵇ Λώτ
18 29 οὐδεὶς – ὃς ἀφῆκεν οἰκίαν ἢ γ..κα ᵇ
22 57 ἠρνήσατο – · οὐκ οἶδα αὐτόν, γύναι
24 22 γ..κές τινες ἐξ ἡμῶν ἐξέστησαν ἡμ. 24
Joh 2 4 „τί ἐμοὶ καὶ σοί," γύναι; 19 26 γύναι,
ἴδε ὁ υἱός σου – 20 13 γύναι, τί κλαί-
εις; 15 γ., τί κλαίεις; τίνα ζητεῖς;
4 7 γυνὴ ἐκ τῆς Σαμαρείας 9 ἡ γ. ἡ Σα-
μαρῖτις· – παρ᾿ ἐμοῦ – γ..κὸς Σ..ίδος
οὔσης; 15.17.19.21.25.27 ὅτι μετὰ γ..κὸς

ἐλάλει 28.39 διὰ τὸν λόγον τῆς γυναι-
κός 42 τῇ τε γυναικὶ ἔλεγον
Joh [8 3 γ..κα ἐπὶ μοιχείᾳ κατειλημμένην 4.9
ἤ γ. ἐν μέσῳ 10 γύναι, ποῦ εἰσιν;]
1621 ἡ γυνὴ ὅταν τίκτῃ λύπην ἔχει
Act 114 σὺν γυναιξὶν καὶ Μαριὰμ τῇ μητρί
5 1 σὺν Σαπφίρῃ τῇ γ.ᵇ αὐτοῦ 2ᵇ 7ᵇ
– 14 πλήθη ἀνδρῶν τε καὶ γ..κῶν 83.12 92
1712 τῶν Ἑλληνίδων γυναικῶν τῶν
εὐσχημόνων καὶ ἀνδρῶν 224
1350 τὰς σεβομένας γ..κας τὰς εὐσχήμ.
16 1 Τιμ., υἱὸς γ..κὸς Ἰουδαίας πιστῆς
– 13 ἐλαλοῦμεν ταῖς συνελθούσαις γυν.
– 14 καί τις γυνὴ ὀνόματι Λυδία
17 4 γ..κῶν τε τῶν πρώτων οὐκ ὀλίγαι
34 γυνὴ ὀνόματι Δαμαρίς
18 2 καὶ Πρίσκιλλαν γυναῖκαᵇ αὐτοῦ
21 5 προπεμπόντων – σὺν γ..ξὶᵇ καὶ τέκν.
2424 σὺν – τῇ ἰδίᾳ γ..κὶᵇ οὔσῃ Ἰουδαίᾳ
Rm 7 2 ἡ – ὕπανδρος γ. τῷ ζῶντι – δέδεται
1 Co 5 1 ὥστε γ..κάᵇ τινα τοῦ πατρὸς ἔχειν
7 1 καλὸν – γ..κὸς μὴ ἅπτεσθαι 2 ἕκασ-
τος τὴν ἑαυτοῦ γ..καᵇ ἐχέτω 3 τῇ γ..
κὶᵇ ὁ ἀνὴρ τὴν ὀφειλὴν ἀποδιδότω,
– καὶ ἡ γ.ᵇ τῷ ἀνδρί 4 ἡ γυνὴ τοῦ
ἰδίου σώματος οὐκ ἐξουσιάζει – · –
καὶ ὁ ἀνὴρ – οὐκ ἐξουσ. ἀλλὰ ἡ γυνὴ
– 10 γυναῖκαᵇ ἀπὸ ἀνδρὸς μὴ χωρισθῆ-
ναι 11 καὶ ἄνδρα γ..καᵇ μὴ ἀφιέναι
– 12 εἴ τις ἀδελφὸς γ..καᵇ ἔχει ἄπιστον 13
γυνὴ ἥτις ἔχει ἄνδρα ἄπιστον 14 ἡ-
γίασται γὰρ ὁ ἀνὴρ ὁ ἄπ. ἐν τῇ γ..
κί, καὶ – ἡ γυνὴ ἡ ἄπ. ἐν τῷ ἀδελφῷ
– 16 τί γὰρ οἶδας, γύναι, εἰ τὸν ἄνδρα
σώσεις; ἤ τί οἶδας, ἄνερ, εἰ τὴν γυ-
ναῖκα σώσεις;
– 27 δέδεσαι γ..κίᵇ; μὴ ζήτει λύσιν· λέλυ-
σαι ἀπὸ γ..ὸςᵇ; μὴ ζήτει γυναῖκαᵇ
– 29 ἵνα – οἱ ἔχοντες γυναῖκαςᵇ ὡς μὴ ἔ-
χοντες ὦσιν
– 33 μεριμνᾷ – πῶς ἀρέσῃ τῇ γ..κίᵇ 34 ἡ
γυνὴ ἡ ἄγαμος – μερ. τὰ τοῦ κυρίου
– 39 γυνὴ δέδεται ἐφ' ὅσον χρόνον ζῇ ὁ
9 5 ἀδελφὴν γυναῖκα (vl γ..κα ἀδελφὴν,
vg mul. sor. vl sor. mul.) περιάγειν
11 3 κεφαλὴ δὲ γυναικὸς ὁ ἀνήρ
– 5 γυνὴ προσευχομένη ἤ προφητεύουσα
ἀκατακαλύπτῳ τῇ κεφαλῇ 6 εἰ γὰρ
οὐ κατακαλύπτεται γυνή, καὶ κει-
ράσθω· εἰ δὲ αἰσχρὸν τῇ γυναικὶ τὸ
κείρασθαι –, κατακαλυπτέσθω
– 7 ἡ γυνὴ δὲ δόξα ἀνδρός ἐστιν 8 οὐ

γάρ ἐστιν ἀνὴρ ἐκ γ..κός, ἀλλὰ γυνὴ
ἐξ ἀνδρός 9 οὐκ ἐκτίσθη ἀνὴρ διὰ
τὴν γ..κα, ἀλλὰ γυνὴ διὰ τὸν ἄνδρα
1 Co 1110 ὀφείλει ἡ γυνὴ ἐξουσίαν ἔχειν ἐπί
– 11 οὔτε γυνὴ χωρὶς ἀνδρὸς οὔτε ἀνὴρ
χωρὶς γ..κὸς ἐν κυρίῳ· 12 ὥσπερ γὰρ
ἡ γυνὴ ἐκ τοῦ ἀνδρός, οὕτως καὶ
ὁ ἀνὴρ διὰ τῆς γυναικός
– 13 κρίνατε· πρέπον ἐστὶν γ..κα ἀκατακά-
λυπτον τῷ θεῷ προσεύχεσθαι; 15 γυ-
νὴ δὲ ἐὰν κομᾷ, δόξα αὐτῇ ἐστιν
1434 αἱ γ..κες ἐν ταῖς ἐκκλησίαις σιγάτω-
σαν 35 αἰρχρὸν γάρ ἐστιν γυναικὶ
λαλεῖν ἐν ἐκκλησίᾳ → 1 Ti 212
Gal 4 4 γενόμενον ἐκ γ..κός, γεν. ὑπὸ νόμον
Eph 522 αἱ γ..κες τοῖς ἰδίοις ἀνδράσιν 23 ὅτι
ἀνήρ ἐστιν κεφαλὴ τῆς γ..κός 24 καὶ
αἱ γ..κες τοῖς ἀνδράσιν ἐν παντί Col
318 αἱ γ..κες, ὑποτάσσεσθε τοῖς ἀνδ.
– 25 ἀγαπᾶτε τὰς γ..καςᵇ 28 ἀγαπᾶν τὰς
ἑαυτῶν γ..καςᵇ – . ὁ ἀγαπῶν τὴν ἑαυ-
τοῦ γ..καᵇ ἑαυτὸν ἀγαπᾷ 33 ἕκαστος
τὴν ἑαυτοῦ γ..καᵇ οὕτως ἀγαπάτω ὡς
ἑαυτόν, ἡ δὲ γυνὴᵇ ἵνα φοβῆται τὸν
ἄνδρα Col 319 ἀγαπᾶτε τὰς γ..καςᵇ
– 31 „προσκολληθήσεται πρὸς τὴν γυναῖ-
καᵇ (vl τῇ γυναικὶ) αὐτοῦ"
1 Ti 2 9 γυναῖκας ἐν καταστολῇ κοσμίῳ 10 ὃ
πρέπει γυναιξὶν ἐπαγγελλομέναις
θεοσέβειαν
– 11 γυνὴ ἐν ἡσυχίᾳ μανθανέτω ἐν πά-
σῃ ὑποταγῇ 12 διδάσκειν δὲ γ..κὶ οὐκ
ἐπιτρέπω 14 ἡ δὲ γυνὴ ἐξαπατηθεῖσα
ἐν παραβάσει γέγονεν
3 2 ἐπίσκοπον –, μιᾶς γ..ὸςᵇ ἄνδρα 12 διά-
κονοι – μιᾶς γ..κόςᵇ ἄνδρες 5 9 χήρα
–, ἑνὸς ἀνδρὸς γυνὴᵇ Tit 1 6 πρε-
σβυτέρους–, εἴ τίς ἐστιν – μιᾶς γυναι-
κὸςᵇ ἀνήρ
– 11 γυναῖκας ὡσαύτως σεμνάς
Hb 1135 ἔλαβον γ..κες – τοὺς νεκροὺς αὐτῶν
1 Pe 3 1 ὁμοίως γ..κες, ὑποτασσόμεναι τοῖς
ἰδίοις ἀνδράσιν, ἵνα – διὰ τῆς τῶν
γ..κῶν ἀναστροφῆς – κερδηθήσονται
– 5 οὕτως – αἱ ἅγιαι γ..κες αἱ ἐλπίζου-
σαι εἰς θεὸν ἐκόσμουν ἑαυτάς
Ap 220 ὅτι ἀφεῖς τὴν γ..κα Ἰεζάβελ, ἡ λέγου-
σα ἑαυτὴν προφῆτιν, καὶ διδάσκει
9 8 εἶχον τρίχας ὡς τρίχας γυναικῶν
12 1 γυνὴ περιβεβλημένη τὸν ἥλιον
– 4 ἐνώπιον τῆς γ..κὸς τῆς μελλούσης
τεκεῖν 6 ἡ γυνὴ ἔφυγεν εἰς τὴν ἔρη-

(Ap 12) μον 13 ὁ δράκων – ἐδίωξεν τὴν γυ-
ναῖκα 14 ἐδόθησαν τῇ γυναικὶ αἱ δύο
πτέρυγες 15.16 ἐβοήθησεν ἡ γῆ τῇ
γυναικί 17 ὠργίσθη ὁ δράκων ἐπὶ τῇ
γυναικί
Ap 14 4 οἳ μετὰ γυναικῶν οὐκ ἐμολύνθησαν
17 3 εἶδον γυναῖκα καθημένην ἐπὶ θηρίον
4 ἡ γυνὴ ἦν περιβεβλημένη πορφυ-
ροῦν 6 εἶδον τὴν γυναῖκα μεθύουσαν
7 ἐρῶ σοι τὸ μυστήριον τῆς γυναικός
9 ἑπτὰ ὄρη εἰσίν, ὅπου ἡ γυνὴ κάθη-
ται ἐπ' αὐτῶν 18 ἡ γυνὴ ἣν εἶδες ἔ-
στιν ἡ πόλις ἡ μεγάλη

Ap 19 7 ἡ γυνήᵇ αὐτοῦ (sc τοῦ ἀρνίου) ἡτοί-
μασεν ἑαυτήν 21 9 δείξω σοι τὴν νύμ-
φην τὴν γυναῖκαᵇ τοῦ ἀρνίου

Γώγ   Ap 20 8 „τὸν Γώγ" καὶ „Μαγώγ"

γωνία   angulus
Mat 6 5 ἐν ταῖς γω. τῶν πλατειῶν ἑστῶτες
21 42 „οὗτος ἐγενήθη εἰς κεφαλὴν γωνίας"
‖ Mar 12 10 Luc 20 17 – Act 4 11 1 Pe 2 7
Act 26 26 οὐ γάρ ἐστιν ἐν γωνίᾳ πεπραγμένον
Ap 7 1 „ἐπὶ τὰς τέσσαρας γωνίας τῆς γῆς"
20 8 τὰ ἔθνη τὰ ἐν „ταῖς τέσσ. γω. – "

Δ

δαιμονίζεσθαι Sᵒ – daemonium, ..a habēre
ᵇa daemonio vexari
Mat 4 24 προσήνεγκαν – δ..ομένους 8 16 ‖ Mar 1 32
– Mat 9 32 κωφὸν δ..όμενον 12 22 προσ-
ηνέχθη – δ..όμενος τυφλὸς καὶ κωφός
8 28 δύο δ..όμενοι 33 τὰ τῶν δ. ‖ Mar 5 15
τὸν δ..όμενονᵇ – σωφρονοῦντα 16.18
παρεκάλει αὐτὸν ὁ δ..ισθείςᵇ ἵνα μετ'
αὐτοῦ ᾖ Luc 8 36 ἀπήγγειλαν – αὐτοῖς
πῶς ἐσώθη ὁ δ..ισθείς (vg quomodo
sanus factus esset a legione)
15 22 ἡ θυγάτηρ μου κακῶς δ..ίζεταιᵇ
Joh 10 21 ταῦτα τὰ ῥήματα οὐκ ἔστιν δ..ομένου

δαιμόνιον daemonium ᵇdaemon
Mat 7 22 οὐ – τῷ σῷ ὀνόμ. δ..α ἐξεβάλομεν – ;
9 33 ἐκβληθέντος τοῦ δ. (vg vlᵇ) ἐλάλ.
– 34 ἐν τῷ ἄρχοντι τῶν δ. ἐκβάλλει τὰ
δ.ᵇ 12 24 οὐκ ἐκβάλλει τὰ δ.ᵇ εἰ μὴ ἐν
τῷ Βεεζ. ἄρχοντι τῶν δ. (vlᵇ) 27 εἰ
ἐγὼ ἐν Β. ἐκβάλλω τὰ δ.ᵇ 28 εἰ δὲ ἐν
πνεύματι θεοῦ ἐγὼ ἐκβ. τὰ δ.ᵇ ‖
Mar 3 22 ἐν τῷ ἄρχ. τῶν δ. (vg vlᵇ)
ἐκβάλλει τὰ δ. Luc 11 14 ἦν ἐκβάλ-
λων δ..ον, – · τοῦ δ..ου ἐξελθόντος
ἐλάλησεν 15 ἐν Βεεζ. τῷ ἄρχ. τῶν
δαιμ. ἐκβάλλει τὰ δ. 18.19.20 εἰ δὲ ἐν
δακτύλῳ θεοῦ [ἐγὼ] ἐκβάλλω τὰ δ.
10 8 δ..ιαᵇ ἐκβάλλετε Mar 3 15 ἔχειν ἐξου-
σίαν ἐκβάλλειν τὰ δ. Luc 9 1 ἐξουσί-
αν ἐπὶ πάντα τὰ δ. – Mar 6 13 δ..ια
πολλὰ ἐξέβαλλον (sc οἱ δώδεκα)
11 18 δ..ιον ἔχει (sc Ἰωάννης) ‖ Luc 7 33
17 18 ἐξῆλθεν ἀπ' αὐτοῦ τὸ δαιμόνιον

Mar 1 34 δ..ια πολλὰ ἐξέβαλεν, καὶ οὐκ ἤφιεν
λαλεῖν τὰ δ. (vg ea) 39 ‖ Luc 4 41
ἐξήρχετο – δ..ια – κραυγάζοντα καὶ
λέγοντα ὅτι σὺ εἶ ὁ υἱὸς τοῦ θεοῦ
7 26 ἵνα τὸ δ. ἐκβάλῃ ἐκ τῆς θυγατρός
29 ἐξελήλυθεν – τὸ δ. 30 τὸ δ. ἐξ..θός
9 38 εἴδομέν τινα ἐν τῷ ὀνόματί σου ἐκ-
βάλλοντα δ..ια ‖ Luc 9 49
[16 9 παρ' ἧς ἐκβεβλήκει ἑπτὰ δ..ια] Luc
8 2 ἀφ' ἧς δ..ια ἑπτὰ ἐξεληλύθει
[– 17 σημεῖα δὲ τοῖς πιστεύσασιν – · ἐν τῷ
ὀνόματί μου δ..ια ἐκβαλοῦσιν]
Luc 4 33 ἔχων πνεῦμα δ..ίου ἀκαθάρτου (vg
habens daemonium immundum)
– 35 ῥῖψαν αὐτὸν τὸ δ. εἰς τὸ μέσον ἐξ-
ῆλθεν 9 42 ἔρρηξεν αὐτὸν τὸ δ. καὶ
συνεσπάραξεν
8 27 ἀνὴρ – ἔχων δ..ια (vg d..ium) 29 ἠ-
λαύνετο ἀπὸ (vl ὑπὸ) τοῦ δ..ίου εἰς
τὰς ἐρήμους 30 λεγιών, ὅτι εἰσῆλθεν
δ..ια πολλὰ εἰς αὐτόν 33 ἐξελθόντα
δὲ τὰ δ. – εἰσῆλθον εἰς τοὺς χοίρους
35.38 ἐδεῖτο – ὁ ἀνὴρ ἀφ' οὗ ἐξεληλύ-
θει τὰ δ. εἶναι σὺν αὐτῷ
10 17 καὶ τὰ δ. ὑποτάσσεται ἡμῖν ἐν τῷ ὀν.
13 32 ἰδοὺ ἐκβάλλω δ..ια καὶ ἰάσεις ἀποτ.
Joh 7 20 δ..ιον ἔχεις 8 48 οὐ καλῶς λέγομεν
ἡμεῖς ὅτι – δ..ιον ἔχεις; 49 ἐγὼ δ..ιον
οὐκ ἔχω, ἀλλὰ τιμῶ τὸν πατέρα μου
52 νῦν ἐγνώκαμεν ὅτι δ..ιον ἔχεις
10 20 δ..ιον ἔχει καὶ μαίνεται 21 ἄλλοι
ἔλεγον · – μὴ δ..ιον δύναται τυφλῶν
ὀφθαλμοὺς ἀνοῖξαι;
Act 17 18 ξένων δ..ίων δοκεῖ καταγγελεὺς εἶναι

1 Co 10 20 ἃ θύουσιν, „δ..ίοις καὶ οὐ θεῷ θύ-
ουσιν·" οὐ θέλω δὲ ὑμᾶς κοινωνοὺς
τῶν δ. γίνεσθαι 21 – καὶ ποτήριον δ..
ίων· – καὶ τραπέζης δ..ίων (sc μετέχ.)
1 Ti 4 1 προσέχοντες – διδασκαλίαις δ..ίων
Jac 2 19 καὶ τὰ δαιμόνια b πιστεύουσιν καὶ
φρίσσουσιν
Ap 9 20 ἵνα μὴ προσκυνήσουσιν τὰ δαιμόνια
16 14 πνεύματα δ..ίων ποιοῦντα σημεῖα
18 2 ἐγένετο „κατοικητήριον δαιμονίων"

δαιμονιώδης Sº – diabolicus
Jac 3 15 ἐπίγειος, ψυχική, δ..ης (sc σοφία)

δαίμων daemon Mat 8 31 οἱ – δαί. παρεκά-
λουν αὐτόν – · εἰ ἐκβάλλεις ἡμᾶς,
ἀπόστειλον ἡμᾶς εἰς τὴν ἀγέλην

δάκνειν mordēre Gal 5 15 εἰ – ἀλλήλους δ..τε

δάκρυ, δάκρυον lacryma
Luc 7 38 τοῖς δ..σιν – βρέχειν τοὺς πόδας 44
Act 20 19 δουλεύων τῷ κυρίῳ μετὰ – δακρύων
31 μετὰ δ. νουθετῶν ἕνα ἕκαστον
2 Co 2 4 ἔγραψα ὑμῖν διὰ πολλῶν δακρύων
2 Ti 1 4 μεμνημένος σου τῶν δακρύων
Hb 5 7 μετὰ κραυγῆς ἰσχυρᾶς καὶ δακρύων
12 17 καίπερ μετὰ δ..ων ἐκζητήσας (Esau)
Ap 7 17 „ἐξαλείψει ὁ θεὸς πᾶν δάκρυον" 21 4

δακρύειν lacrymari Joh 11 35 Ἰησοῦς

δακτύλιος annulus Luc 15 22 δότε δ..ον

δάκτυλος digitus
Mat 23 4 τῷ δ. αὐτῶν οὐ θέλουσιν κινῆσαι ‖
Luc 11 46 ἑνὶ τῶν δ. – οὐ προσψαύετε
Mar 7 33 ἔβαλεν τοὺς δ. – εἰς τὰ ὦτα αὐτοῦ
Luc 11 20 εἰ δὲ ἐν δακτύλῳ θεοῦ – ἐκβάλλω
16 24 ἵνα βάψῃ τὸ ἄκρον τοῦ δ. – ὕδατος
Joh [8 6 τῷ δ. κατέγραφεν εἰς τὴν γῆν]
20 25 ἐὰν μὴ – βάλω τὸν δ. μου εἰς τὸν τό-
πον τῶν ἥλων 27 φέρε τὸν δ. σου ὧδε

Δαλμανουθά Mar 8 10 εἰς τὰ μέρη Δ.

Δαλματία 2 Ti 4 10 ἐπορεύθη – Τίτος εἰς Δ.

δαμάζειν domare Mar 5 4 – Jac 3 7.8 τὴν δὲ
γλῶσσαν οὐδεὶς δαμάσαι δύναται

δάμαλις vitula Hb 9 13 σποδὸς δαμάλεως

Δαμαρίς Act 17 34 γυνὴ ὀνόματι Δαμαρίς

Δαμασκηνός 2 Co 11 32 τὴν πόλιν Δ..ῶν

Δαμασκός Act 9 2 ἐπιστολὰς εἰς Δ. πρὸς τὰς
συναγωγάς 3.8.10 μαθητὴς ἐν Δ. 19.22.27
22 5.6.10.11 26 12.20 2 Co 11 32 Gal 1 17 εἰς
Ἀραβίαν, καὶ πάλιν ὑπέστρεψα εἰς Δ.

δανείζειν, ..εσθαι a mutuum dare b mutuari
c foenerari Mat 5 42 τὸν θέλοντα ἀπὸ σοῦ
δανείσασθαι b μὴ ἀποστραφῇς ‖ Luc 6 34 a
et c. 35 δανείζετε a μηδὲν ἀπελπίζοντες

δάνειον debitum Mat 18 27 τὸ δάν. ἀφῆκεν

δανειστής foenerator Luc 7 41

Δανιήλ Mat 24 15 τὸ ῥηθὲν διὰ Δ. τοῦ πρ.

δαπανᾶν a consummare b erogare
c impendere d insumere
Mar 5 26 δαπανήσασα b τὰ παρ' αὐτῆς πάντα
Luc 15 14 a πάντα Act 21 24 δ..ησον c ἐπ' αὐτοῖς
2 Co 12 15 ἐγὼ δὲ ἥδιστα δ..ήσω c καὶ ἐκδαπα-
νηθήσομαι (superimpendar ipse) ὑ-
πὲρ τῶν ψυχῶν ὑμῶν
Jac 4 3 ἵνα ἐν ταῖς ἡδοναῖς ὑμῶν δ..ήσητε d

δαπάνη sumptus Luc 14 28 ψηφίζει τὴν δαπ.

Δαυίδ

1) υἱὸς Δ., ῥίζα Δ. (nomen Messiae)
Mat 1 1 Ἰησοῦ Χοῦ υἱοῦ Δ. υἱοῦ Ἀβραάμ
9 27 ἐλέησον ἡμᾶς, υἱὸς Δ. 15 22 ἐλ. με,
κύριε υἱὸς Δ. 20 30.31 ‖ Mar 10 47 υἱὲ
Δ. Ἰησοῦ, ἐλ. με 48 Luc 18 38.39
12 23 μήτι οὗτός ἐστιν ὁ υἱὸς Δαυίδ;
21 9 ὡσαννὰ τῷ υἱῷ Δαυίδ 15
22 42 τίνος υἱός ἐστιν (sc ὁ χριστός); λέγου-
σιν αὐτῷ· τοῦ Δ. 45 ‖ Mar 12 35.37
πόθεν αὐτοῦ ἐστιν υἱός; Luc 20 41 πῶς
λέγουσιν τὸν χρ. εἶναι Δ. υἱόν; 44
Luc 1 32 „τὸν θρόνον Δ." τοῦ πατρὸς αὐτοῦ
Joh 7 42 ὅτι ἐκ „τοῦ σπέρματος Δ.", καὶ „ἀπὸ
Βηθλέεμ" – ὅπου ἦν Δ., ἔρχεται ὁ χρ.
Rm 1 3 γενομένου ἐκ σπέρματος Δ. κατὰ σάρ-
κα 2 Ti 2 8 Ἰησοῦν Χὸν –, ἐκ σπ. Δ.
Ap 5 5 ἐνίκησεν –, ἡ ῥίζα Δ. 22 16 ἐγὼ εἰμι
ἡ ῥίζα καὶ τὸ γένος Δ., ὁ ἀστήρ

2) reliqui loci

Mat 1 6 ἐγέννησεν τὸν Δ. τ. βασιλέα. Δ. – τὸν
Σολ. 17 ἕως Δ. –, καὶ ἀπὸ Δ. ‖ Luc 3 31
– 20 Ἰωσὴφ υἱὸς Δ. ‖ Luc 1 27 ἐξ οἴκου Δ.
12 3 τί ἐποίησεν Δ. ‖ Mar 2 25 Luc 6 3
22 43 πῶς – Δ. καλεῖ αὐτὸν κύριον –; 45 ‖
Mar 12 36 Δ. εἶπεν ἐν τῷ πνεύματι 37
Δ. λέγει αὐτὸν κύριον Luc 20 42 Δ.
λέγει ἐν βίβλῳ ψαλμῶν· 44
Mar 11 10 ἡ ἐρχομένη βασιλεία τοῦ πατρ. ἡ. Δ.
Luc 1 69 ἐν οἴκῳ Δ. παιδὸς αὐτοῦ
2 4 εἰς πόλιν Δ. – διὰ τὸ εἶναι αὐτὸν ἐξ
οἴκου καὶ πατριᾶς Δ. 11 ἐν πόλει Δ.
Act 1 16 προεῖπεν – διὰ στόματος Δ. 2 25.34
4 25 – Rm 4 6 καθάπερ καὶ Δ. λέγει
τ. μακαρισμόν 11 9 Hb 4 7 ἐν Δ. λέγων
2 29 εἰπεῖν – περὶ τοῦ πατριάρχου Δ. – 34
7 45 13 22.34 δώσω „ὑμῖν τὰ ὅσια Δ. τὰ
πιστά" 36 Δ. – εἶδεν διαφθοράν
15 16 „ἀνοικοδομήσω τὴν σκηνὴν Δ."
Hb 11 32 περὶ – Δ. τε καὶ – τῶν προφητῶν
Ap 3 7 ὁ ἔχων „τὴν κλεῖν Δ., ὁ ἀνοίγων"

δέησις   obsecratio b deprecatio c oratio
         d preces
Luc 1 13 διότι „εἰσηκούσθη" ἡ δέησίς b „σου"
2 37 νηστείαις καὶ δεήσεσιν λατρεύουσα
5 33 νηστεύουσιν πυκνὰ κ. δ..εις ποιοῦνται
Rm 10 1 ἡ δέησις πρὸς τὸν θεὸν ὑπὲρ αὐτῶν
(vg fit pro illis) εἰς σωτηρίαν
2 Co 1 11 συνυπουργούντων καὶ ὑμῶν ὑπὲρ ἡ-
μῶν τῇ δεήσει c, ἵνα
9 14 δεήσει ὑπὲρ ὑμ. ἐπιποθούντων ὑμᾶς
Eph 6 18 διὰ πάσης προσευχῆς c καὶ δεήσεως,
– ἀγρυπνοῦντες ἐν πάσῃ – δεήσει πε-
ρὶ – τῶν ἁγίων, καὶ ὑπὲρ ἐμοῦ, ἵνα
Phl 1 4 ἐν πάσῃ δεήσει c μου ὑπὲρ – ὑμῶν
μετὰ χαρᾶς τὴν δέησιν b ποιούμενος
– 19 „τοῦτό μοι ἀποβήσεται εἰς σωτηρίαν"
διὰ τῆς ὑμῶν δεήσεως c
4 6 τῇ προσευχῇ c καὶ τῇ δεήσει μετὰ εὐ-
χαριστίας τὰ αἰτήματα – γνωριζέσθω
1 Ti 2 1 ποιεῖσθαι (vg fieri) δ..εις, προσευχ. c
5 5 προσμένει ταῖς δ. καὶ ταῖς προσευχ. c
2 Ti 1 3 ἐν ταῖς δ. c μου νυκτὸς καὶ ἡμέρας
Hb 5 7 δεήσεις d τε καὶ ἱκετηρίας πρὸς τὸν
δυνάμενον σῴζειν – προσενέγκας
Jac 5 16 πολὺ ἰσχύει δ. b δικαίου ἐνεργουμένη
1 Pe 3 12 „ὦτα αὐτοῦ εἰς δέησιν d αὐτῶν"

δεῖ, δέον ἐστίν, τὰ δέοντα, ἔδει oportet,
..ebat etc b debet c necesse est, erat

Mat 16 21 ὅτι δεῖ αὐτὸν – πολλὰ παθεῖν ‖ Mar
8 31 Luc 9 22 17 25 καὶ ἀποδοκιμασθῆ-
ναι 24 7 παραδοθῆναι 26 οὐχὶ ταῦτα
ἔδει παθεῖν τὸν χριστόν –; (46 vl, vg)
Act 17 3 ὅτι τὸν χριστὸν ἔδει παθεῖν
17 10 ὅτι Ἠλίαν δεῖ ἐλθεῖν πρῶτον ‖ Mar 9 11
18 33 οὐκ ἔδει καὶ σὲ ἐλεῆσαι –;
23 23 ταῦτα δὲ ἔδει ποιῆσαι κἀκεῖνα μὴ ἀ-
φεῖναι ‖ Luc 11 42 μὴ παρεῖναι
24 6 „δεῖ – γενέσθαι", ἀλλ' οὔπω ἐστὶν τὸ
τέλος 26 54 ‖ Mar 13 7 Luc 21 9
25 27 ἔδει σε – βαλεῖν τὰ ἀργύριά μου τοῖς
26 35 κἂν δέῃ με – ἀποθανεῖν ‖ Mar 14 31
Mar 13 10 πρῶτον δεῖ κηρυχθῆναι τὸ εὐαγγέλ.
– 14 βδέλυγμα – ἑστηκότα ὅπου οὐ δεῖ b
Luc 2 49 ἐν τοῖς τοῦ πατρός μου δεῖ εἶναί με;
4 43 ἑτέραις πόλεσιν εὐαγγελίσασθαί με
12 12 διδάξει ὑμᾶς – ἃ δεῖ εἰπεῖν   [δεῖ
13 14 ἓξ ἡμέραι – ἐν αἷς δεῖ ἐργάζεσθαι
– 16 ταύτην – οὐκ ἔδει λυθῆναι ἀπό –;
– 33 δεῖ με σήμερον κ. αὔρ. – πορεύεσθαι
15 32 χαρῆναι ἔδει, ὅτι ὁ ἀδελφός σου
18 1 πρὸς τὸ δεῖν πάντοτε προσεύχεσθαι
19 5 σήμερον – ἐν τῷ οἴκῳ σου δεῖ με μεῖναι
22 7 ἡμέρα –, ᾗ ἔδει c θύεσθαι τὸ πάσχα
– 37 τὸ γεγραμμένον δεῖ τελεσθῆναι ἐν
ἐμοί 24 44 δεῖ c πληρωθῆναι
Joh 3 7 δεῖ ὑμᾶς γεννηθῆναι ἄνωθεν
– 14 ὑψωθῆναι δεῖ τὸν υἱὸν τ. ἀνθρ. 12 34
– 30 ἐκεῖνον δεῖ αὐξάνειν, ἐμὲ δὲ ἐλαττοῦ.
4 4 ἔδει δὲ αὐτὸν διέρχεσθαι διὰ – Σαμ.
– 20 ὅπου προσκυνεῖν δεῖ 24 ἐν πνεύμα-
τι καὶ ἀληθείᾳ δεῖ προσκυνεῖν
9 4 ἡμᾶς (vl ἐμὲ vg) δεῖ ἐργάζεσθαι τὰ
ἔργα τοῦ πέμψαντός με (vl ἡμᾶς)
10 16 κἀκεῖνα δεῖ με ἀγαγεῖν (sc πρόβατα)
20 9 ὅτι δεῖ αὐτὸν ἐκ νεκρῶν ἀναστῆναι
Act 1 16 ἔδει (vl δεῖ vg) πληρωθῆναι τὴν γρα-
φὴν ἣν προεῖπεν τὸ πνεῦμα
– 21 δεῖ οὖν – μάρτυρα – γενέσθαι ἕνα
3 21 Ἰησοῦν, ὃν δεῖ – οὐρανὸν – δέξασθαι
4 12 ὄνομα – ἐν ᾧ δεῖ σωθῆναι ἡμᾶς
5 29 πειθαρχεῖν δεῖ θεῷ μᾶλλον ἢ ἀνθρ.
9 6 ὅ τί σε δεῖ ποιεῖν (10 6 vl, vg, vl o)
– 16 ὅσα δεῖ αὐτὸν ὑπὲρ τοῦ ὀν. – παθεῖν
14 22 διὰ πολλῶν θλίψεων δεῖ ἡμᾶς εἰσελ-
θεῖν εἰς τὴν βασιλείαν τοῦ θεοῦ
15 5 ὅτι δεῖ περιτέμνειν αὐτούς
16 30 κύριοι, τί με δεῖ ποιεῖν ἵνα σωθῶ;
(18 21 vl δεῖ με πάντως τὴν ἑορτὴν τὴν ἐρ-
χομένην ποιῆσαι εἰς Ἱεροσ., vg o)
19 21 δεῖ με καὶ Ῥώμην ἰδεῖν

Act 19 36 δέον ἐστὶν ὑμᾶς κατεσταλμένους ὑπάρχειν – (21 22 vl, vg)
20 35 δεῖ ἀντιλαμβάνεσθαι τῶν ἀσθενούντ.
23 11 σὲ δεῖ καὶ εἰς Ῥώμην μαρτυρῆσαι
24 19 25 10 οὖ με δεῖ κρίνεσθαι 24 μὴ δεῖν αὐτὸν ζῆν μηκέτι 26 9[b] 27 21.26
27 24 Καίσαρί σε δεῖ παραστῆναι
Rm 1 27 τὴν ἀντιμισθίαν ἣν ἔδει τῆς πλάνης
8 26 τί προσευξώμεθα καθὸ δεῖ οὐκ οἴδ.
12 3 μὴ ὑπερφρονεῖν παρ' ὃ δεῖ φρονεῖν
1 Co 8 2 οὔπω ἔγνω καθὼς δεῖ γνῶναι
11 19 δεῖ γὰρ καὶ αἱρέσεις ἐν ὑμῖν εἶναι
15 25 δεῖ γὰρ αὐτὸν βασιλεύειν ἄχρι οὖ
– 53 δεῖ – τὸ φθαρτὸν – ἐνδύσ. ἀφθαρσίαν
2 Co 2 3 λύπην – ἀφ' ὧν ἔδει με χαίρειν
5 10 ἡμᾶς φανερωθῆναι δεῖ ἔμπροσθεν
11 30 εἰ καυχᾶσθαι δεῖ 12 1 καυχᾶσθαι δεῖ
Eph 6 20 ἵνα – παρρησιάσωμαι ὡς δεῖ με λαλῆσαι Col 4 4 – 6 εἰδέναι πῶς δεῖ ὑμᾶς ἑνὶ ἑκάστῳ ἀποκρίνεσθαι
1 Th 4 1 παρελάβετε παρ' ἡμῶν τὸ πῶς δεῖ ὑμᾶς περιπατεῖν καὶ ἀρέσκειν θεῷ
2 Th 3 7 οἴδατε πῶς δεῖ μιμεῖσθαι ἡμᾶς
1 Ti 3 2 δεῖ – τὸν ἐπίσκοπον ἀνεπίλημπτον εἶναι 7 δεῖ δὲ καὶ μαρτυρίαν καλὴν ἔχειν Tit 1 7 ἀνέγκλητον εἶναι
– 15 πῶς δεῖ ἐν οἴκῳ θεοῦ ἀναστρέφεσθαι
5 13 λαλοῦσαι τὰ μὴ δέοντα
2 Ti 2 6 τὸν κοπιῶντα γεωργὸν δεῖ πρῶτον τῶν καρπῶν μεταλαμβάνειν
– 24 δοῦλον δὲ κυρίου οὐ δεῖ μάχεσθαι ἀλλὰ ἤπιον εἶναι πρὸς πάντας
Tit 1 11 οἱ ἐκ τῆς περιτομῆς, οὓς δεῖ ἐπιστομίζειν, – διδάσκοντες ἃ μὴ δεῖ
Hb 2 1 δεῖ – προσέχειν – τοῖς ἀκουσθεῖσιν
9 26 ἐπεὶ ἔδει αὐτὸν πολλάκις παθεῖν
11 6 πιστεῦσαι γὰρ δεῖ τὸν προσερχόμενον [τῷ] θεῷ, ὅτι ἔστιν καὶ – μισθαποδ.
1 Pe 1 6 ὀλίγον ἄρτι εἰ δέον λυπηθέντες
2 Pe 3 11 ποταποὺς δεῖ ὑπάρχειν [ὑμᾶς]
Ap 1 1 „ἃ δεῖ γενέσθαι" ἐν τάχει 4 1 μετὰ ταῦτα 22 6 ἐν τάχει
10 11 „δεῖ σε"„πάλιν„προφητεῦσαι ἐπὶ λαοῖς"
11 5 οὕτως δεῖ αὐτὸν ἀποκτανθῆναι 13 10
17 10 ὅταν ἔλθῃ ὀλίγον αὐτὸν δεῖ μεῖναι
20 3 δεῖ λυθῆναι αὐτὸν μικρὸν χρόνον

δεῖγμα Sº – exemplum Jud 7 πρόκεινται δ.

δειγματίζειν Sº – traducere
Mat 1 19 μὴ θέλων αὐτὴν δ..ίσαι (vl παραδ.)
Col 2 15 τὰς ἐξουσίας ἐδ..ισεν ἐν παρρησίᾳ

δεικνύναι, δεικνύειν ostendere [b]demonstrare [c]monstrare [d]palam facere
Mat 4 8 δείκνυσιν αὐτῷ πάσας τὰς βασιλείας τοῦ κόσμου ‖ Luc 4 5 ἐν στιγμῇ χρόνου
8 4 σεαυτὸν „δεῖξον τῷ ἱερεῖ" καὶ προσένεγκον τὸ δῶρον ‖ Mar 1 44 Luc 5 14
16 21 ἤρξατο – δ..ειν τοῖς μαθηταῖς – ὅτι δεῖ
Mar 14 15 ὑμῖν δείξει[b] ἀνάγαιον ‖ Luc 22 12
Luc 20 24 δείξατέ μοι δηνάριον· τίνος ἔχει (24 40 vl ἔδειξεν – τὰς χεῖρας) Joh 20 20
Joh 2 18 τί σημεῖον δεικνύεις ἡμῖν, ὅτι –;
5 20 πάντα δείκνυσιν[b] αὐτῷ ἃ αὐτὸς ποιεῖ, καὶ μείζονα – δείξει[b] αὐτῷ ἔργα
10 32 πολλὰ ἔργα ἔδειξα ὑμῖν καλὰ ἐκ
14 8 δεῖξον ἡμῖν τὸν πατέρα, καὶ ἀρκεῖ 9
Act 7 3 „δεῦρο εἰς τ. γῆν ἣν ἄν σοι δείξω"[c]
10 28 κἀμοὶ ὁ θεὸς ἔδειξεν μηδένα κοινὸν ἢ ἀκάθαρτον λέγειν ἄνθρωπον
1 Co 12 31 καθ' ὑπερβολὴν ὁδὸν ὑμῖν δείκνυμι[b]
1 Ti 6 15 τῆς ἐπιφανείας – Χοῦ, ἣν καιροῖς ἰδίοις δείξει ὁ – μόνος δυνάστης
Hb 8 5 „κατὰ τὸν τύπον τὸν δειχθέντα σοι"
Jac 2 18 δεῖξόν μοι τὴν πίστιν σου χωρὶς τῶν ἔργων, κἀγώ σοι δείξω ἐκ τῶν ἔργων μου τὴν πίστιν
3 13 δειξάτω ἐκ τῆς καλῆς ἀναστροφῆς τὰ ἔργα αὐτοῦ ἐν πραΰτητι σοφίας
Ap 1 1 δεῖξαι[d] τοῖς δούλοις αὐτοῦ „ἃ δεῖ γενέσθαι" 22 6 4 1 δείξω σοι – 17 1 δείξω σοι τὸ κρίμα τῆς πόρνης 21 9 τὴν νύμφην 10 ἔδειξέν μοι τὴν πόλιν τὴν ἁγίαν 22 1 „ποταμὸν ὕδατος ζωῆς" λαμπρόν
22 8 τοῦ ἀγγέλου τ. δεικνύοντός μοι ταῦτα

δειλία timor 2 Ti 1 7 οὐ – πνεῦμα δειλίας

δειλιᾶν formidare Joh 14 27 μηδὲ δειλιάτω

δειλός timidus
Mat 8 26 τί δειλοί ἐστε, ὀλιγόπιστοι; ‖ Mar 4 40
Ap 21 8 τοῖς δὲ δ..οῖς – τὸ μέρος ἐν τῇ λίμνῃ

δεῖν alligare [b]ligare [c]vincire
Mat 12 29 ἐὰν μὴ – δήσῃ τὸν ἰσχυρόν ‖ Mar 3 27
13 30 δήσατε αὐτὰ εἰς (vlº, vg, vlº) δεσμάς
14 3 Ἰωάννην ἔδησεν ‖ Mar 6 17[c] ἐν φυλακῇ
16 19 ὃ ἐὰν δήσῃς[b] ἐπὶ τῆς γῆς ἔσται δεδεμένον[b] ἐν τοῖς οὐρ. 18 18 ὅσα ἐὰν δήσητε ἐπὶ τ. γ. ἔσται δεδεμένα[b] ἐν οὐ..ῷ
21 2 ὄνον δεδεμένην ‖ Mar 11 2[b].4[b] Luc 19 30
22 13 δήσαντες[b] αὐτοῦ πόδας καὶ χεῖρας
27 2 δήσαντες[c] αὐτὸν ἀπήγαγον ‖ Mar 15 1[c] Joh 18 12[b] 24[b]

Mar 5 3 οὐδεὶς ἐδύν. αὐτὸν δῆσαι[b] 4[c] – 157[c]
Luc 13 16 ἦν ἔδησεν ὁ σατανᾶς ἰδοὺ δέκα – ἔτη
Joh 11 44[b] κειρίαις 19 40[b] ὀθονίοις
Act 9 2[c] 14.21[c] 22 5[c] 12 6 Πέτρος – δεδεμένος[c]
20 22 δεδεμένος ἐγὼ τῷ πνεύματι πορεύομ.
21 11 δήσας ἑαυτοῦ τοὺς πόδας καὶ τὰς
χεῖρας – ˙ – οὗ ἐστιν ἡ ζώνη – οὕτως
δήσουσιν 13 δεθῆναι – ἑτοίμως ἔχω 33
22 29 ἐφοβήθη – ὅτι αὐτὸν ἦν δεδεκώς
24 27 κατέλιπε τὸν Παῦλον δεδεμένον[c]
Rm 7 2 ἡ – γυνὴ τῷ ζῶντι ἀνδρὶ δέδεται νόμῳ
1 Co 7 27 δέδεσαι γυναικί; 39 γυνὴ δέδεται (vl
+ νόμῳ vg) ἐφ᾽ ὅσον – ζῇ ὁ ἀνήρ
Col 4 3 μυστήριον τ. Χοῦ, δι᾽ ὃ καὶ δέδεμαι[c]
2 Ti 2 9 ἀλλὰ ὁ λόγος τοῦ θεοῦ οὐ δέδεται
Ap 9 14 λῦσον τοὺς – ἀγγέλους τ. δεδεμένους
20 2 ἔδησεν[b] αὐτὸν (sc τὸν δράκ.) χίλια ἔτη

δεῖνα	quidam	Mat 26 18 πρὸς τὸν δεῖνα

δεινῶς	male Mat 8 6, graviter Luc 11 53

δειπνεῖν	coenare Luc 17 8 τί δειπνήσω
Luc 22 20 μετὰ τὸ δειπνῆσαι 1 Co 11 25
Ap 3 20 δειπνήσω μετ᾽ αὐτοῦ καὶ αὐτὸς μετ᾽

δεῖπνον	coena [b]convivium
Mat 23 6 φιλοῦσιν – τὴν πρωτοκλισίαν ἐν τοῖς
δείπνοις ‖ Mar 12 39 Luc 20 46[b]
Mar 6 21 δ. ἐποίησεν τοῖς μεγιστᾶσιν αὐτοῦ
Luc 14 12 ὅταν ποιῇς – δ., μὴ φώνει τοὺς φίλους
16 ἐποίει δ. μέγα 17.24 οὐδεὶς τῶν ἀν-
δρῶν – γεύσεταί μου τοῦ δείπνου
Joh 12 2 ἐποίησαν – αὐτῷ δ. – 13 2.4 ἐγείρεται
ἐκ τοῦ δ. 21 20 ἀνέπεσεν ἐν τῷ δ. ἐπί
1 Co 11 20 οὐκ ἔστιν κυριακὸν δ. φαγεῖν 21 ἕκα-
στος γὰρ τὸ ἴδιον δ. προλαμβάνει
Ap 19 9 εἰς τὸ δ. τοῦ γάμου τοῦ ἀρνίου κεκλ.
– 17 συνάχθητε εἰς τὸ δ. τὸ μέγα τ. θεοῦ

δεῖσθαι	rogare [b]obsecrare [c]orare [d]precari
[e]deprecari
Mat 9 38 δεήθητε – τοῦ κυρίου τοῦ θερισμοῦ
ὅπως ἐκβάλῃ ἐργάτας ‖ Luc 10 2
Luc 5 12 ἐδεήθη αὐτοῦ 8 38 ἐδεῖτο – αὐτοῦ
8 28 δέομαί[b] σου, μή με βασανίσῃς 9 38
δ.[b] σ. ἐπιβλέψαι ἐπὶ τὸν υἱόν μου 40
ἐδεήθην τῶν μαθητῶν σου
21 36 δεόμενοι[c] ἵνα κατισχύσητε ἐκφυγεῖν
22 32 ἐγὼ δὲ ἐδεήθην περὶ σοῦ ἵνα μή
Act 4 31 δεηθέντων[c] αὐτῶν ἐσαλεύθη ὁ τόπος
8 22 δεήθητι τοῦ κυρίου εἰ – ἀφεθήσεται
– 24 δεήθητε[d] ὑμεῖς ὑπὲρ ἐμοῦ πρὸς τόν

Act 8 34 δέομαί[b] σου, περὶ τίνος 21 39 δ. – σ.,
ἐπίτρεψόν μοι 26 3 δ.[b] – ἀκοῦσαί μου
10 2 δεόμενος[e] τοῦ θεοῦ διὰ παντός
Rm 1 10 δεόμενος[b] εἴ πως – εὐοδωθήσομαι
2 Co 5 20 δεόμεθα[b] ὑπὲρ Χοῦ, καταλλάγητε
8 4 δεόμενοι[b] ἡμῶν τὴν χάριν – τῆς διακ.
10 2 δέομαι δὲ τὸ μὴ παρὼν θαρρῆσαι
Gal 4 12 γίνεσθε ὡς ἐγώ, –, δέομαι[b] ὑμῶν
1 Th 3 10 νυκτὸς καὶ ἡμέρας ὑπερεκπερισσοῦ δε-
όμενοι[c] εἰς τὸ ἰδεῖν ὑμῶν τὸ πρόσωπον

δεισιδαίμων	S° – superstitiosus Act 17 22 κα-
τὰ πάντα ὡς δ..ονεστέρους ὑμᾶς θεωρῶ

δεισιδαιμονία	S° – superstitio
Act 25 19 ζητήματα – περὶ τῆς ἰδίας δ. εἶχον

δέκα	decem
Mat 20 24 οἱ δέκα ἠγανάκτησαν ‖ Mar 10 41
25 1 δ. παρθένοις – 28 τὰ δ. τάλαντα ‖
Luc 19 13 δ. δούλους – δ. μνᾶς 16.17
ἐπάνω δ. πόλεων 24.25 ἔχει δ. μνᾶς
Luc 14 31 – 15 8 γυνὴ δραχμὰς ἔχουσα δέκα
17 12 δ. λεπροί 17 οὐχὶ οἱ δ. ἐκαθαρίσθ.;
Act 25 6 – Ap 2 10 ἔξετε θλῖψιν „ἡμερῶν δ."
Ap 12 3 „κέρατα δέκα" 13 1 17 3.7.12 „τὰ δ.
κέρατα" ἃ εἶδες „δ. βασιλεῖς εἰσιν" 16

δεκαοκτώ, δ. καὶ ὀ.	Luc 13 4 οἱ δ. – 11 ἔτη 16

δεκαπέντε	Joh 11 18 Act 27 28 Gal 1 18 ἡμέρας

Δεκάπολις	Mat 4 25 Mar 5 20 7 31

δεκατέσσαρες	Mat 1 17 – 2 Co 12 2 Gal 2 1

δεκάτη	decima Hb 7 2.4.8.9

δέκατος	decimus Joh 1 39 – Ap 11 13 21 20

δεκατοῦν	decimas sumere ab Hb 7 6 δεδ..ωκεν
Ἀβρ. – (pass.) decimari Hb 7 9 δεδ..ωται

δεκτός	acceptus
Luc 4 19 „κηρῦξαι ἐνιαυτὸν κυρίου δεκτόν"
– 24 οὐδεὶς προφήτης δ. – ἐν τῇ πατρίδι
Act 10 35 ὁ φοβούμενος αὐτὸν – δ. αὐτῷ ἐστιν
2 Co 6 2 „καιρῷ δεκτῷ ἐπήκουσά σου"
Phl 4 18 θυσίαν δεκτήν, εὐάρεστον τῷ θεῷ

δελεάζειν	S° – [a]illicere [b]pellicere (vl pelic.)
Jac 1 14 ὑπὸ τῆς ἰδίας ἐπιθυμίας – δ..όμενος[a]

2 Pe 2 14 δελεάζοντες[b] ψυχὰς ἀστηρίκτους 18
δελεάζουσιν[b] ἐν – ἀσελγείαις

δένδρον *arbor*
Mat 3 10 ἡ ἀξίνη πρὸς τὴν ῥίζαν τῶν δένδρων
κεῖται· πᾶν οὖν δ. μὴ ποιοῦν καρπὸν
καλόν (7 19) ‖ Luc 3 9
7 17 πᾶν δ. ἀγαθὸν καρποὺς καλοὺς ποιεῖ,
τὸ δὲ σαπρὸν δ. – πονηροὺς 18 οὐ δύ-
ναται δ. ἀγ. καρπ. πον. ἐνεγκεῖν, οὐ-
δὲ δ. σαπρὸν – καλούς 19 ‖ Luc 6 43
12 33 ποιήσατε τὸ δ. καλὸν καὶ τὸν καρπὸν
αὐτοῦ καλόν, ἢ ποιήσατε τὸ δ. σα-
πρὸν – · ἐκ γὰρ τοῦ καρποῦ τὸ δ.
γινώσκεται ‖ Luc 6 44
13 32 γίνεται δ., ὥστε ‖ Luc 13 19 ἐγέν. εἰς
21 8 ἔκοπτον κλάδους ἀπὸ τῶν δένδρων
Mar 8 24 ὅτι ὡς δένδρα ὁρῶ περιπατοῦντας
Luc 21 29 ἴδετε τὴν συκῆν καὶ πάντα τὰ δένδρα
Jud 12 εἰσὶν – δένδρα φθινοπωρινὰ ἄκαρπα
Ap 7 1.3 87 τὸ τρίτον τῶν δ. κατεκάη 9 4

δεξιολάβοι S[o] – *lancearii* Act 23 23

δεξιός *dexter* (..ra, ..era) [b]*ad d..eram*
[c]*a d..ris* [d]*in d..era, ..ris* [e]*de d..era*

1) dextra Dei, Messiae

Mat 20 21 ἵνα καθίσωσιν – εἷς ἐκ δεξιῶν[b] – σου
ἐν τῇ βασ. σου 23[b] ‖ Mar 10 37[b] 40[b]
22 44 „κάθου ἐκ δεξιῶν[c] μου" ‖ Mar 12 36[c]
Luc 20 42[c] – Act 2 34[c] Hb 1 13[c]
25 33 τὰ – πρόβατα ἐκ δ..ῶν[c] αὐτοῦ 34 ἐρεῖ
ὁ βασιλεὺς τοῖς ἐκ δεξιῶν[c] αὐτοῦ
26 64 „καθήμενον ἐκ δ..ῶν[c] τῆς δυνάμεως
‖ Mar 14 62[c] Luc 22 69[c]
[Mar16 19 „ἐκάθισεν ἐκ δεξιῶν[c] τοῦ θεοῦ"]
Act 2 33 τῇ δεξιᾷ οὖν τοῦ θεοῦ ὑψωθεὶς
5 31 τοῦτον ὁ θεὸς – ὕψωσεν τῇ δ. αὐτοῦ
7 55 εἶδεν – Ἰησοῦν ἑστῶτα ἐκ δ..ῶν[c] τοῦ
θεοῦ 56 τὸν υἱὸν τοῦ ἀνθρώπου[c]
Rm 8 34 ὅς ἐστιν ἐν δεξιᾷ[b] τοῦ θεοῦ
Eph 1 20 „καθίσας ἐν δεξιᾷ[b] αὐτοῦ" Col 3 1 ὁ
Χὸς – „ἐν δ..ᾷ[d] τοῦ θεοῦ καθήμενος"
Hb 1 3 „ἐκάθισεν ἐν δ..ᾷ[b]" τῆς μεγαλωσύνης
ἐν ὑψηλοῖς 8 1[d] τοῦ θρόνου τῆς μεγ.
ἐν τοῖς οὐρ. 12 2 ἐν δ..ᾷ[d] τε τοῦ θρό-
νου τοῦ θεοῦ „κεκάθικεν" 10 12 „ἐκά-
θισεν ἐν δεξιᾷ[d] τοῦ θεοῦ"
1 Pe 3 22 ὅς ἐστιν ἐν δεξιᾷ[d] θεοῦ, πορευθεὶς
Ap 5 1 ἐπὶ τὴν δ..ὰν[d] τοῦ „καθημένου ἐπὶ
τοῦ θρόνου βιβλίον" 7 ἐκ τῆς δ..ᾶς[e]

2) reliqui loci

Mat 5 29 εἰ – ὁ ὀφθαλμός σου ὁ δεξιὸς σκαν-
δαλίζει σε 30 εἰ ἡ δεξιά σου χείρ 39
ὅστις σε ῥαπίζει εἰς τὴν δεξιὰν σιαγόνα
6 3 μὴ γνώτω – τί ποιεῖ ἡ δεξιά σου
27 29 κάλαμον ἐν τῇ δεξιᾷ αὐτοῦ
– 38 εἷς ἐκ δ..ῶν[c] ‖ Mar 15 27[c] Luc 23 33[c]
Mar 16 5 νεανίσκον καθήμενον ἐν τοῖς δεξιοῖς[d]
Luc 1 11 ἑστὼς ἐκ δεξιῶν[c] τοῦ θυσιαστηρίου
6 6 ἡ χεὶρ – ἡ δ. ἦν ξηρὰ – 22 50 τὸ οὖς
αὐτοῦ τὸ δ. ‖ Joh 18 10 – 21 6 εἰς τὰ
δεξιὰ μέρη (in dexteram) τοῦ πλοίου
Act 2 25 „ὅτι ἐκ δεξιῶν[c] μού ἐστιν" – 3 7
2 Co 6 7 διὰ τῶν ὅπλων τῆς δικαιοσύνης τῶν
δεξιῶν[c] καὶ ἀριστερῶν
Gal 2 9 δεξιὰς ἔδωκαν ἐμοὶ – κοινωνίας
Ap 1 16 ἐν τῇ δ. χειρὶ αὐτοῦ ἀστέρας 20 21
– 17 ἔθηκεν τὴν δεξιὰν αὐτοῦ ἐπ' ἐμὲ
10 2.5 „ἦρεν τὴν χεῖρα – τὴν δεξιὰν (vg[o])
εἰς τὸν οὐρανόν, καὶ ὤμοσεν"
13 16 χάραγμα ἐπὶ τῆς χειρὸς – τῆς δεξιᾶς

δέος *metus* Hb 12 28 λατρεύωμεν – τῷ θεῷ,
μετὰ εὐλαβείας καὶ δέους (vl αἰδοῦς)

Δερβαῖος Act 20 4   **Δέρβη** Act 14 6.20 16 1

δέρειν *caedere* [b]*verberare* [c](pass) *vapulare*
Mat 21 35 ὃν μὲν ἔδειραν ‖ Mr 12 3.5 Lc 20 10.11
Mar 13 9 εἰς συναγωγὰς δαρήσεσθε[c]
Luc 12 47 δαρήσεται[c] πολλάς 48[c] ὀλίγας
22 63 ἐνέπαιζον αὐτῷ (Jesu) δέροντες
Joh 18 23 εἰ δὲ καλῶς (sc ἐλάλησα), τί με δ..εις;
Act 5 40 δείραντες παρήγγειλαν μὴ λαλεῖν
16 37 δείραντες ἡμᾶς – ἀκατακρίτους
22 19 ἤμην – δέρων – τοὺς πιστεύοντας
1 Co 9 26 οὕτως πυκτεύω ὡς οὐκ ἀέρα δέρων[b]
2 Co 11 20 εἴ τις εἰς πρόσωπον ὑμᾶς δέρει

δέρμα *pellis* Hb 11 37 ἐν αἰγείοις δέρμασιν

δερμάτινος *pelliceus* (vl ..ius) Mat 3 4 ‖ Mar 1 6

δεσμεύειν *alligare* [b]*vincire*
Mat 23 4 δεσμεύουσιν δὲ φορτία βαρέα
Luc 8 29 ἐδ..ετο[b] ἁλύσεσιν κ. πέδαις – Act 22 4

δέσμη *fasciculus* Mat 13 30 δήσατε εἰς δέσμας

δέσμιος *vinctus* [b]*qui in custodia est*
Mat 27 15 ἀπολύειν ἕνα – δέσμιον 16 ‖ Mar 15 6
Act 16 25[b].27 νομίζων ἐκπεφευγέναι τοὺς δ.

Act 2318 ὁ δέσμιος Παῦλος 2514.27 2817
Eph 3 1 ἐγὼ – ὁ δέσμιος τ. Χοῦ 41 ἐν κυρίῳ
2 Ti 1 8 μὴ – ἐπαισχυνθῇς – ἐμὲ τὸν δ. αὐτοῦ
Phm 1 Παῦλος δέσμιος Χοῦ Ἰ. 9 νυνὶ δὲ καί
Hb 1034 καὶ γὰρ τοῖς δεσμίοις συνεπαθήσατε
13 3 μιμνήσκεσθε τῶν δεσμίων ὡς συνδε-
δεμένοι (tamquam simul vincti)

δεσμός (pl ..οί et ..ά) vinculum
Mar 735 ἐλύθη ὁ δεσμὸς τῆς γλώσσης αὐτοῦ
Luc 829 διαρήσσων τὰ δεσμὰ ἠλαύνετο – εἰς
1316 οὐκ ἔδει λυθῆναι ἀπὸ τοῦ δεσμοῦ –;
Act 1626 πάντων τὰ δεσμὰ ἀνέθη (vl ἀνελύθη)
2023 ὅτι δεσμὰ καὶ θλίψεις με μένουσιν
2329 μηδὲν – ἄξιον – δεσμῶν – ἔγκλημα 2631
2629 ὁποῖος – ἐγώ –, παρεκτὸς τῶν δ. τούτ.
Phl 1 7 ἔν τε τοῖς δ. μου καὶ – τῇ ἀπολογίᾳ
– 13 τοὺς δ. μου φανεροὺς ἐν Χῷ γενέ-
σθαι 14 ἐν κυρίῳ πεποιθότας τοῖς δ.
μου 17 θλῖψιν ἐγείρειν τοῖς δ. μου
Col 418 μνημονεύετέ μου τῶν δεσμῶν
2 Ti 2 9 κακοπαθῶ μέχρι δ..ῶν ὡς κακοῦργος
Phm 10 ὃν ἐγέννησα ἐν τοῖς δ., Ὀνήσιμον
13 ἐν τοῖς δεσμοῖς τοῦ εὐαγγελίου
Hb 1136 πεῖραν ἔλαβον, – δ..ῶν καὶ φυλακῆς
Jud 6 δ..οῖς ἀϊδίοις ὑπὸ ζόφον τετήρηκεν

δεσμοφύλαξ Sº – custos carceris ᵇcustos
Act 1623ᵇ 27 ἔξυπνος γενόμενος ὁ δ. 36

δεσμωτήριον carcer ᵇvincula
Mat 11 2ᵇ (Ἰωάννης) Act 521.23 1626

δεσμῶται custodiae Act 271 ἑτέρους δ..ας 42

δεσπότης dominus (Dom.) ᵇdominator
Luc 229 ἀπολύεις τ. δοῦλόν σου, δέσποτα Act
424 δ..α, σὺ ὁ „ποιήσας τὸν οὐραν."
1 Ti 6 1 τοὺς – δεσπότας – τιμῆς ἀξίους ἡγεί-
σθωσαν 2 οἱ δὲ πιστοὺς ἔχοντες δ..ας
2 Ti 221 ἔσται σκεῦος – εὔχρηστον τῷ δ..ῃ
Tit 2 9 ἰδίοις δ..αις ὑποτάσσεσθαι ἐν πᾶσιν
1 Pe 218 ὑποτασσόμενοι ἐν – φόβῳ τοῖς δ..αις
2 Pe 2 1 τὸν ἀγοράσαντα αὐτοὺς δ..ην ἀρνού-
μενοι Jud 4 τὸν μόνον δ..ηνᵇ καὶ κύ-
ριον – Ἰησοῦν Χὸν ἀρνούμενοι
Ap 610 „ἕως πότε, ὁ δ." ὁ ἅγ. καὶ ἀληθινός, –;

δεῦρο veni ᵇ(ἄχρι τοῦ δ.) usque adhuc
Mat 1921 δ. ἀκολούθει μοι ‖ Mar 1021 Luc 1822
Joh 1143 Λάζαρε, δ. ἔξω Act 73.34 Ap 171 219
Rm 1 13 καὶ ἐκωλύθην ἄχρι τοῦ δεῦροᵇ

δεῦτε venite
Mat 419 δεῦτε ὀπίσω μου ‖ Mar 117
1128 δεῦτε πρός με πάντες οἱ κοπιῶντες
2138 ‖ Mar 127 – Mat 224 δ. εἰς τ. γάμους
2534 δ. οἱ εὐλογημένοι τοῦ πατρός μου
28 6 Mar 631 Joh 429 2112 δ. ἀριστήσατε
Ap 1917 „δ. συνάχθητε" εἰς τὸ δεῖπνον – θεοῦ

δευτεραῖος Sº – secunda die Act 2813

(δευτερόπρωτος vl Luc 61 ἐν σαββάτῳ δ..ῳ
secundo primo vl secundoprimo)

***δεύτερος** secundus
Mat 2239 δευτέρα ὁμοία αὐτῇ ‖ Mar 1231
Joh 454 τοῦτο – πάλιν δ..ον σημεῖον ἐποίησεν
1 Co 1547 ὁ δεύτερος ἄνθρωπος ἐξ οὐρανοῦ
2 Co 1 15 πρὸς ὑμ. ἐλθεῖν ἵνα δ..αν χάριν σχῆτε
Tit 310 μετὰ μίαν καὶ δευτέραν νουθεσίαν
Ap 211 οὐ μὴ ἀδικηθῇ ἐκ τοῦ θανάτου τοῦ
δ. 206 ἐπὶ τούτων ὁ δ. θάνατος οὐκ ἔχει
ἐξουσίαν 14 οὗτος ὁ θάν. ὁ δ. ἐστιν 218

δέχεσθαι recipere ᵇsuscipere ᶜaccipere
ᵈexcipere ᵉpercipere ᶠassumere
Mat 1014 ὃς ἂν μὴ δέξηται ὑμᾶς ‖ Mar 611 ὃς
ἂν τόπος Luc 95 ὅσοι ἂν μὴ δέχων-
ται ὑμᾶς 108 εἰς ἣν ἂν πόλιν εἰσέρ-
χησθε καὶ δέχωνταιᵇ ὑμᾶς 10 καὶ μὴ
δέχωνταιᵇ (vl rec.) ὑμᾶς
– 40 ὁ δεχόμενος ὑμᾶς ἐμὲ δέχεται, καὶ
ὁ ἐμὲ δεχ. δέχεται τὸν ἀποστείλαντά
με 41 ὁ δεχ. προφήτην εἰς ὄνομα πρ.
–, καὶ ὁ δεχ. δίκαιον εἰς ὄν. δικαίου
1114 εἰ θέλετε δέξασθαι, αὐτός ἐστιν Ἠλ.
18 5 ὃς ἐὰν δέξηταιᵇ ἓν παιδίον τοιοῦτο
ἐπὶ τῷ ὀνόματί μου, ἐμὲ δέχεταιᵇ ‖
Mar 937 – καὶ ὃς ἂν ἐμὲ δέχηταιᵇ,
οὐκ ἐμὲ δέχεταιᵇ ἀλλὰ Luc 948 ὃς
ἐὰν δέξηταιᵇ τοῦτο τὸ παιδίον κτλ
Mar 1015 ὃς ἂν μὴ δέξηται τὴν βασιλείαν
τοῦ θεοῦ ὡς παιδίον ‖ Luc 1817ᶜ
Luc 228 ἐδέξατοᶜ αὐτὸ εἰς τὰς ἀγκάλας
813 μετὰ χαρᾶς δέχονταιᵇ τὸν λόγον
953 οὐκ ἐδέξαντο αὐτόν, ὅτι τὸ πρόσωπον
16 4 ἵνα – δέξωνταί με εἰς τοὺς οἴκους ἑ-
αυτῶν 9 ἵνα ὅταν ἐκλίπῃ (vl ..ητε vg)
δέξωνται ὑμᾶς εἰς τὰς αἰωνίους σκηνάς
– 6 δέξαιᶜ σου τὰ γράμματα 7ᶜ
2217 δεξάμενοςᶜ ποτήριον εὐχαριστήσας
Joh 425 ἐδέξαντοᵈ αὐτὸν οἱ Γαλιλαῖοι
Act 321 Ἰησοῦν, ὃν δεῖ οὐρανὸν – δέξασθαιᵇ

Act 7 38 ὃς ἐδέξατο^c λόγια ζῶντα δοῦναι ὑμῖν
– 59 κύριε Ἰησοῦ, δέξαι^b τὸ πνεῦμά μου
8 14 ὅτι δέδεκται ἡ Σαμάρεια τὸν λόγον
τοῦ ϑεοῦ 11 1 ὅτι καὶ τὰ ἔϑνη ἐδέξαν-
το τὸν λ. τ. ϑ. 17 11 οἵτινες ἐδέξαντο^b
τὸν λόγον μετὰ πάσης προϑυμίας
22 5 ἐπιστολὰς δεξάμενος^c 28 21^c γράμμ.
1 Co 2 14 οὐ δέχεται^e τὰ τοῦ πνεύματος
2 Co 6 1 παρακαλοῦμεν μὴ εἰς κενὸν τὴν χά-
ριν τοῦ ϑεοῦ δέξασϑαι ὑμᾶς
7 15 ὡς μετὰ φόβου – ἐδέξασϑε^d αὐτόν
8 17 ὅτι τὴν μὲν παράκλησιν ἐδέξατο^b
11 4 εὐαγγέλιον ἕτερον ὃ οὐκ ἐδέξασϑε
– 16 κἂν ὡς ἄφρονα δέξασϑέ^c με
Gal 4 14 ἀλλὰ ὡς ἄγγελον ϑεοῦ ἐδέξασϑέ^d με
Eph 6 17 „περικεφαλαίαν τοῦ σωτηρίου" δέ-
Phl 4 18 δεξάμενος^c – τὰ παρ' ὑμῶν |ξασϑε^f
Col 4 10 ἐὰν ἔλϑῃ πρὸς ὑμᾶς, δέξασϑε^d αὐτόν
1 Th 1 6 δεξάμενοι^d τὸν λόγον ἐν ϑλίψει –
μετὰ χαρᾶς 2 13 λόγον ἀκοῆς – ϑεοῦ
ἐδέξασϑε^c οὐ λόγον ἀνϑρώπων
2 Th 2 10 ἀγάπην τῆς ἀληϑείας οὐκ ἐδέξαντο
Hb 11 31 δεξαμένη^d τοὺς κατασκόπους
Jac 1 21 ἐν πραΰτητι δέξασϑε^b τὸν – λόγον

δῆλος manifestus ^b sine dubio
Mat 26 73 ἡ λαλιά σου δῆλόν σε ποιεῖ
1 Co 15 27 δῆλον ὅτι^b Gal 3 11 δῆλον, ὅτι ὁ δίκ.

δηλοῦν significare ^b declarare ^c manifestare
1 Co 1 11 ἐδηλώϑη – μοι περὶ ὑμῶν, –, ὅτι
3 13 ἡ γὰρ ἡμέρα δηλώσει^b, ὅτι ἐν πυρί
Col 1 8 ὁ – δηλώσας^c ἡμῖν τὴν ὑμῶν ἀγάπ.
Hb 9 8 τοῦτο δηλοῦντος τοῦ πνεύματος
12 27 τὸ – „ἔτι ἅπαξ" δηλοῖ^b τὴν – μετάϑ.
1 Pe 1 11 εἰς τίνα – καιρὸν ἐδήλου τὸ – πνεῦμα
2 Pe 1 14 καϑὼς καὶ ὁ κύριος – ἐδήλωσέν μοι

Δημᾶς Col 4 14 2 Ti 4 10 Phm 24

δημηγορεῖν concionari Act 12 21 (Herod.)

Δημήτριος Act 19 24 ἀργυροκόπος 38 – 3 Jo 12

δημιουργός conditor Hb 11 10 ἧς – δ. ὁ ϑεός

δῆμος populus Act 12 22 17 5 19 30.33

δημόσιος, δημοσίᾳ publicus, publice
Act 5 18 τήρησις – 16 37 18 28 20 20 διδάξαι – δ.

δηνάριον S° – denarius
Mat 18 28 ὤφειλεν αὐτῷ ἑκατὸν δηνάρια

Mat 20 2 συμφωνήσας – ἐκ δ..ου τὴν ἡμέραν 9
ἔλαβον ἀνὰ δ. 10 τὸ ἀνὰ δηνάριον 13
22 19 || Mar 12 15 φέρετέ μοι δ. Luc 20 24
Mar 6 37 || Joh 6 7 – Mar 14 5 || Joh 12 5
Luc 7 41 ὁ εἷς ὤφειλεν δηνάρια πεντακόσια
10 35 ἐκβαλὼν δύο δ..α ἔδωκεν τῷ πανδ.
Ap 6 6 χοῖνιξ σίτου δ..ου, τρεῖς – κριϑῶν δ..ου

*διά

1) cum genetivo per ^b abl. instr. allati
sunt omnes loci, qui habent verba
διὰ (Ἰησοῦ) Χοῦ, αὐτοῦ etc. – δι' ὀνό-
ματος, διὰ πίστεως, νόμου, πνεύ-
ματος, τοῦ προφήτου → ὄνομα etc

Joh 1 3 πάντα 10 ὁ κόσμος δι' αὐτοῦ ἐγένετο
– 7 ἵνα πάντες πιστεύσωσιν δι' αὐτοῦ
17 20 τῶν πιστευόντων διὰ τοῦ λόγου
αὐτῶν εἰς ἐμέ
– 17 ὁ νόμος διὰ Μωϋσέως ἐδόϑη, ἡ χά-
ρις – διὰ Ἰ. Χοῦ ἐγένετο
3 17 ἵνα σωϑῇ ὁ κόσμος δι' αὐτοῦ
10 9 δι' ἐμοῦ ἐάν τις εἰσέλϑῃ 14 6 οὐδεὶς
ἔρχεται πρὸς τὸν πατ. εἰ μὴ δι' ἐμοῦ
11 4 ἵνα δοξασϑῇ ὁ υἱὸς τοῦ ϑεοῦ δι' αὐ-
τῆς (sc τῆς ἀσϑενείας)
Act 2 22 σημείοις, οἷς ἐποίησεν δι' αὐτοῦ ὁ
ϑεός 43 σημεῖα διὰ τῶν ἀποστόλων
ἐγίνετο 4 16 5 12 14 3 15 12 19 11
3 16 ἡ πίστις ἡ δι' αὐτοῦ ἔδωκεν αὐτῷ
10 36 „εὐαγγελιζόμενος εἰρήνην" διὰ Ἰ. Χοῦ
13 38 διὰ τούτου ὑμῖν ἄφεσις ἁμαρ-
τιῶν καταγγέλλεται
14 22 διὰ – ϑλίψεων δεῖ ἡμᾶς εἰσελϑεῖν εἰς
15 11 διὰ τῆς χάριτος τοῦ κυρίου Ἰησοῦ
πιστεύομεν σωϑῆναι
18 27 συνεβάλετο πολὺ τοῖς πεπιστευκόσιν
διὰ τῆς χάριτος (vg om διὰ τῆς χ.)
20 28 ἣν περιεποιήσατο διὰ^b τοῦ αἵματος
τοῦ ἰδίου (sanguine suo)
Rm 1 5 δι' οὗ ἐλάβομεν χάριν καὶ ἀποστολήν
– 8 εὐχαριστῶ – διὰ Ἰ. Χοῦ 7 25 χάρις
2 16 κρίνει ὁ ϑεὸς – διὰ Χοῦ Ἰησοῦ
– 27 σὲ τὸν διὰ γράμματος καὶ περιτομῆς
παραβάτην 4 11 πατέρα πάντων τῶν
πιστευόντων δι' ἀκροβυστίας
5 1 εἰρήνην ἔχωμεν – διὰ τοῦ κυρίου – Ἰ.
Χοῦ 2 δι' οὗ καὶ τὴν προσαγωγὴν ἐ-
σχήκαμεν 9 σωϑησόμεϑα δι' αὐτοῦ 10
κατηλλάγημεν – διὰ τοῦ ϑανάτου τοῦ
υἱοῦ 11 καυχώμενοι – διὰ – Ἰ. Χοῦ, δι'
οὗ νῦν τὴν καταλλαγὴν ἐλάβομεν

Rm 5 12 ὥσπερ δι' ἑνὸς – ἡ ἁμαρτία –, καὶ διὰ
τῆς ἁμ. ὁ θάνατος 16 οὐχ ὡς δι' ἑνὸς
ἁμαρτήσαντος 17 εἰ – ὁ θάν. ἐβασί-
λευσεν διὰ τοῦ ἑνός, – βασιλεύσου-
σιν διὰ τοῦ ἑνὸς 'Ι. Χοῦ 18 ὡς δι' ἑ-
νὸς παραπτώματος –, οὕτως καὶ δι'
ἑνὸς δικαιώματος 19 διὰ τῆς παρα-
κοῆς τοῦ ἑνὸς – ἁμαρτωλοὶ –, – διὰ
τῆς ὑπακοῆς τοῦ ἑνὸς δίκαιοι 21 ἵνα
– καὶ ἡ χάρις βασιλεύσῃ διὰ δικαιο-
σύνης – διὰ 'Ι. Χοῦ
7 4 ἐθανατώθητε τῷ νόμῳ διὰ τοῦ σώ-
ματος τοῦ Χοῦ
8 3 ἐν ᾧ ἠσθένει (sc ὁ νόμ.) διὰ τ. σαρκός
– 25 δι' ὑπομονῆς ἀπεκδεχόμεθα
– 37 ὑπερνικῶμεν διὰ τοῦ ἀγαπήσαντος
(vl τὸν ..ντα, vg propter eum) ἡμᾶς
11 36 ἐξ αὐτοῦ καὶ δι' αὐτοῦ – τὰ πάντα
12 1 παρακαλῶ – διὰ τῶν οἰκτιρμῶν τ. θεοῦ
– 3 λέγω – διὰ τῆς χάριτος τῆς δοθείσης
14 14 οὐδὲν κοινὸν δι' ἑαυτοῦ 20 κακὸν –
τῷ διὰ προσκόμματος ἐσθίοντι
15 30 παρακαλῶ – διὰ – Χοῦ καὶ διὰ τῆς
ἀγάπης τοῦ πνεύματος 2 Co 10 1 διὰ
τῆς πραΰτητος κ. ἐπιεικείας τοῦ Χοῦ
16 27 μόνῳ – θεῷ, διὰ 'Ι. Χοῦ, ᾧ ἡ δόξα
1 Co 8 6 εἷς κύριος 'Ι. Χός, δι' οὗ (vl ὃν) τὰ
πάντα καὶ ἡμεῖς δι' αὐτοῦ
11 12 οὕτως καὶ ὁ ἀνὴρ διὰ τῆς γυναικός
15 21 δι' ἀνθρώπου θάνατος, καὶ δι' ἀν-
θρώπου ἀνάστασις 57 τῷ διδόντι ἡμῖν
τὸ νῖκος διὰ τοῦ κυρίου – 'Ι. Χοῦ
2 Co 1 5 διὰ τοῦ Χοῦ περισσεύει καὶ ἡ παρά-
κλησις ἡμῶν
– 20 καὶ δι' αὐτοῦ τὸ ἀμὴν τῷ θεῷ πρὸς
δόξαν δι' ἡμῶν (vg nostram)
2 4 ἔγραψα ὑμῖν διὰ πολλῶν δακρύων
3 4 πεποίθησιν – διὰ τοῦ Χ. πρὸς – θεόν
5 7 διὰ πίστεως – περιπατ., οὐ διὰ εἴδους
– 10 ἵνα κομίσηται ἕκαστος τὰ διὰ (vl
ἴδια vg propria) τοῦ σώματος
– 18 καταλλάξαντος ἡμᾶς ἑαυτῷ διὰ Χοῦ
9 13 διὰ τῆς δοκιμῆς τῆς διακονίας ταύ-
της δοξάζοντες τὸν θεόν
Gal 1 1 ἀπόστολος, – οὐδὲ δι' ἀνθρώπου ἀλ-
λὰ διὰ 'Ι. Χοῦ καὶ θεοῦ 12 παρέλα-
βον αὐτὸ – δι' ἀποκαλύψεως 'Ι. Χοῦ
4 7 εἰ δὲ υἱός, καὶ κληρονόμος διὰ θεοῦ
5 6 πίστις δι' ἀγάπης ἐνεργουμένη 13 διὰ
τῆς ἀγάπης δουλεύετε ἀλλήλοις
6 14 εἰ μὴ ἐν τῷ σταυρῷ – Χοῦ, δι' οὗ ἐ-
μοὶ κόσμος ἐσταύρωται κἀγὼ κόσμῳ

Eph 1 5 προορίσας ἡμᾶς εἰς υἱοθεσίαν διὰ 'Ι.
Χοῦ εἰς αὐτόν
– 7 ἐν ᾧ ἔχομεν τὴν ἀπολύτρωσιν διὰ
τοῦ αἵματος αὐτοῦ Col 1 20 εὐδόκη-
σεν – δι' αὐτοῦ ἀποκαταλλάξαι τὰ
πάντα –, εἰρηνοποιήσας διὰ τοῦ αἵ-
ματος τοῦ σταυροῦ αὐτοῦ, δι' αὐτοῦ
(vl et vg°) εἴτε τὰ ἐπὶ τῆς γῆς
2 16 ἵνα – ἀποκαταλλάξῃ – τῷ θεῷ διὰ τοῦ
σταυροῦ Col 1 22 διὰ τοῦ θανάτου
– 18 δι' αὐτοῦ ἔχομεν τὴν προσαγωγήν
4 6 ὁ ἐπὶ πάντων καὶ διὰ πάντων κ. ἐν
Phl 1 11 καρπὸν δικαιοσύνης τὸν διὰ 'Ι. Χοῦ
Col 1 16 τὰ πάντα δι' αὐτοῦ καὶ εἰς αὐτὸν (vg
in ipso) ἔκτισται → Rm 11 36 1 Co 8 6
3 17 εὐχαριστοῦντες τῷ θεῷ – δι' αὐτοῦ
1 Th 4 2 οἴδατε γὰρ τίνας παραγγελίας ἐδώ-
καμεν ὑμῖν διὰ τοῦ κυρίου 'Ιησοῦ
– 14 τοὺς κοιμηθέντας διὰ τ. 'Ιησοῦ ἄξει
5 9 εἰς περιποίησιν σωτηρίας διὰ τοῦ κυ-
ρίου ἡμῶν 'Ιησοῦ Χοῦ
2 Ti 2 2 ἃ ἤκουσας παρ' ἐμοῦ διὰ πολλῶν
μαρτύρων
Tit 3 5 ἔσωσεν ἡμᾶς διὰ λουτροῦ παλιγγεν.
– 6 οὗ ἐξέχεεν ἐφ' ἡμᾶς – διὰ 'Ι. Χοῦ
Hb 1 2 δι' οὗ καὶ ἐποίησεν τοὺς αἰῶνας
2 10 ἔπρεπεν – αὐτῷ, δι' ὃν τὰ πάντα καὶ
δι' οὗ τὰ πάντα → Col 1 16
7 25 τοὺς προσερχομένους δι' αὐτοῦ τῷ θ.
13 15 δι' αὐτοῦ – „ἀναφέρωμεν θυσίαν αἰ-
νέσεως – τῷ θεῷ" 1 Pe 2 5 ἀνενέγκαι
πνευματικὰς θυσίας – διὰ 'Ι. Χοῦ
– 21 ποιῶν ἐν ἡμῖν τὸ εὐάρεστον ἐνώπιον
αὐτοῦ διὰ 'Ιησοῦ Χοῦ
1 Pe 1 21 τοὺς δι' αὐτοῦ πιστοὺς εἰς θεόν
4 11 ἵνα – δοξάζηται ὁ θεὸς διὰ 'Ι. Χοῦ
1 Jo 4 9 τὸν υἱὸν – ἵνα ζήσωμεν δι' αὐτοῦ
Jud 25 θεῷ σωτῆρι ἡμῶν διὰ 'Ι. Χοῦ – δόξα

2) cum accusativo propter (propterea)
omnes loci, qui habent verba διὰ
(τὸν) 'Ιησοῦν, Χόν. – διὰ τὸ ὄνομα
→ ὄνομα

Mat 13 21 διωγμοῦ διὰ τὸν λόγον ‖ Mar 4 17
27 19 πολλὰ – ἔπαθον – κατ' ὄναρ δι' αὐτόν
Mar 7 29 διὰ τοῦτον τὸν λόγον ὕπαγε
Joh 6 57 κἀγὼ ζῶ διὰ τὸν πατέρα, καὶ ὁ τρώ-
γων με κἀκεῖνος ζήσει δι' ἐμέ
7 43 σχίσμα οὖν ἐγένετο – δι' αὐτόν
11 42 διὰ τὸν ὄχλον τὸν περιεστῶτα εἶπον
12 9 ἦλθον οὐ διὰ τὸν 'Ιησοῦν μόνον
– 27 διὰ τοῦτο ἦλθον εἰς τὴν ὥραν ταύτην

Joh 12 30 οὐ δι' ἐμὲ ἡ φωνὴ αὕτη γέγονεν ἀλλὰ δι' ὑμᾶς
14 11 διὰ τὰ ἔργα αὐτὰ πιστεύετε
Rm 4 23 οὐκ ἐγράφη – δι' αὐτὸν (Abr.) μόνον
24 ἀλλὰ καὶ δι' ἡμᾶς 1 Co 9 10 δι' ἡμᾶς πάντως λέγει; δι' ἡμᾶς γὰρ ἐγράφη
– 25 „παρεδόθη διὰ τὰ παραπτώματα" – καὶ ἠγέρθη διὰ τὴν δικαίωσιν ἡμῶν
8 10 τὸ μὲν σῶμα νεκρὸν διὰ ἁμαρτίαν, τὸ δὲ πνεῦμα ζωὴ διὰ δικαιοσύνην
– 20 οὐχ ἑκοῦσα, ἀλλὰ διὰ τ. ὑποτάξαντα
11 28 ἐχθροὶ δι' ὑμᾶς, – ἀγαπητοὶ διὰ τοὺς πατέρας
13 5 ὑποτάσσεσθαι, οὐ μόνον διὰ τὴν ὀργήν, ἀλλὰ καὶ διὰ τὴν συνείδησιν
1 Co 4 10 ἡμεῖς μωροὶ διὰ Χόν, ὑμεῖς – φρόνιμ.
8 11 ὁ ἀδελφὸς δι' ὃν Χὸς ἀπέθανεν
10 25 ἐσθίετε μηδὲν ἀνακρίνοντες διὰ τὴν συνείδησιν 27.28 μὴ ἐσθίετε διὰ – τὸν μηνύσαντα καὶ τὴν συνείδησιν
11 9 οὐκ ἐκτίσθη ἀνὴρ διὰ τὴν γυναῖκα, ἀλλὰ γυνὴ διὰ τὸν ἄνδρα
2 Co 4 5 ἑαυτοὺς δὲ δούλους ὑμῶν διὰ Ἰησοῦν (vl Ἰησοῦ, vg per Jesum)
– 11 εἰς θάνατον παραδιδόμ. διὰ Ἰησοῦν
8 9 δι' ὑμᾶς ἐπτώχευσεν πλούσιος ὤν
Gal 4 13 οἴδατε – ὅτι δι' (vg per) ἀσθένειαν τῆς σαρκὸς εὐηγγελισάμην ὑμῖν
Phl 3 7 ἥγημαι διὰ τὸν Χὸν ζημίαν 8 δι' ὃν τὰ πάντα ἐζημιώθην, – ἵνα Χὸν κερδή.
Hb 2 10 δι' ὃν τὰ πάντα κ. δι' οὗ τὰ πάντα
1 Pe 2 13 ὑποτάγητε πάσῃ ἀνθρωπίνῃ κτίσει διὰ τὸν κύριον 19 χάρις εἰ διὰ συνείδησιν θεοῦ ὑποφέρει τις λύπας
Ap 1 9 διὰ τὸν λόγον τοῦ θεοῦ καὶ τὴν μαρτυρίαν Ἰησοῦ 6 9 20 4 – 12 11

διαβαίνειν transire Luc 16 26 Act 16 9
Hb 11 29 πίστει διέβησαν τὴν – θάλασσαν

διαβάλλειν diffamare Luc 16 1 διεβλήθη

διαβεβαιοῦσθαι S⁰ – affirmare ᵇconfirmare
1 Ti 1 7ª Tit 3 8 περὶ τούτων βούλομαί σε δ.ᵇ

διαβλέπειν S⁰ – ᵃperspicere ᵇvidēre ᶜcoepisse vidēre Mat 75ᵇ ‖ Luc 642ª – Mar 825ᶜ

διάβολος diabolus ᵇdetrahens ᶜcriminator, criminatrix
Mat 4 1 πειρασθῆναι ὑπὸ τοῦ δ. 5.8.11 ‖ Luc 4 2 πειραζόμενος 3.6.13 συντελέσας

πάντα πειρασμὸν ὁ διάβολος ἀπέστη
Mat 13 39 ὁ – ἐχθρὸς ὁ σπείρας αὐτά ἐστιν ὁ δ.
25 41 τὸ πῦρ τὸ αἰώνιον τὸ ἡτοιμασμένον τῷ δ. καὶ τοῖς ἀγγέλοις αὐτοῦ
Luc 8 12 ἔρχεται ὁ δ. καὶ αἴρει τὸν λόγον ἀπό
Joh 6 70 καὶ ἐξ ὑμῶν εἷς διάβολός ἐστιν
8 44 ὑμεῖς ἐκ τοῦ πατρὸς τοῦ δ. ἐστέ
13 2 τοῦ δ. ἤδη βεβληκότος εἰς τὴν καρδ.
Act 10 38 τοὺς καταδυναστευομένους ὑπὸ τ. δ.
13 10 υἱὲ δ..ου, ἐχθρὲ πάσης δικαιοσύνης
Eph 4 27 μηδὲ δίδοτε τόπον τῷ διαβόλῳ
6 11 στῆναι πρὸς τὰς μεθοδείας τοῦ δ.
1 Ti 3 6 ἵνα μὴ – εἰς κρίμα ἐμπέσῃ – τοῦ δ.
7 εἰς – παγίδα τοῦ δ. 2 Ti 2 26 ἀνανήψωσιν ἐκ τῆς τοῦ δ. παγίδος
– 11 γυναῖκας –, μὴ διαβόλους ᵇ
2 Ti 3 3 ἄστοργοι, ἄσπονδοι, διάβολοι ᶜ
Tit 2 3 πρεσβύτιδας –, μὴ διαβόλους ᶜ
Hb 2 14 ἵνα – καταργήσῃ τὸν τὸ κράτος ἔχοντα τοῦ θανάτου, τοῦτ' ἔστιν τὸν δ.
Jac 4 7 ἀντίστητε δὲ τῷ δ., καὶ φεύξεται
1 Pe 5 8 ὁ ἀντίδικος ὑμῶν δ. – περιπατεῖ ζητῶν
1 Jo 3 8 ὁ ποιῶν τὴν ἁμαρτίαν ἐκ τοῦ δ. ἐστίν, ὅτι ἀπ' ἀρχῆς ὁ δ. ἁμαρτάνει. ἵνα λύσῃ τὰ ἔργα τοῦ δ. 10 ἐν τούτῳ φανερά ἐστιν – τὰ τέκνα τοῦ δ.
Jud 9 Μιχαὴλ – τῷ διαβόλῳ διακρινόμενος
Ap 2 10 μέλλει βάλλειν ὁ διάβολος ἐξ ὑμῶν εἰς φυλακὴν ἵνα πειρασθῆτε
12 9 ἐβλήθη ὁ δράκων ὁ μέγας, – ὁ καλούμενος „Διάβ." – εἰς τὴν γῆν 20 2
– 12 κατέβη ὁ δ. πρὸς ὑμᾶς ἔχων θυμόν
20 10 ὁ δ. – ἐβλήθη εἰς τὴν λίμνην τ. πυρός

διαγγέλλειν annunciare (Mar 5 19 vl)
Luc 9 60 σὺ δὲ – δ..ε τὴν βασιλείαν τοῦ θεοῦ
Act 21 26 δ..ων τὴν ἐκπλήρωσιν – τοῦ ἁγνισμοῦ
Rm 9 17 „ὅπως δ..ελῇ τὸ ὄνομά μου ἐν πάσῃ"

διάγειν agere 1 Ti 2 2 ἡσύχιον βίον Tit 3 3 ἤμεν – ἐν κακίᾳ καὶ φθόνῳ δ..οντες

διαγίνεσθαι transire ᵇtransigi ᶜperagi
Mar 16 1 σαββ. Act 25 13ᵇ ἡμερῶν 27 9ᶜ χρόνου

διαγινώσκειν ᵃcognoscere ᵇaudire
Act 23 15ª τὰ περὶ αὐτοῦ 24 22ᵇ τὰ καθ' ὑμᾶς

διάγνωσις cognitio Act 25 21 Σεβαστοῦ

διαγογγύζειν murmurare Luc 15 2 19 7

διαγρηγορεῖν S⁰ – evigilare Luc 9 32

διαδέχεσθαι *suscipere* Act 745 (sc σκηνήν)

διάδημα *diadema* Ap 123 131 1912 δ..τα πολλά

διαδιδόναι *distribuere* ᵇ*dare* ᶜ*dividere*
Luc 1122 – 1822 διάδος (vl δὸς)ᵇ πτωχοῖς
Joh 611 εὐχαριστήσας διέδωκεν (sc ἄρτους)
Act 435 διεδίδοτοᶜ – καθότι ἄν τις χρείαν εἶχεν

διάδοχος *successor* Act 2427 ἔλαβεν δ..ον

διαζωννύναι *praecingere* ᵇ*succingere se*
Joh 13 4 ἑαυτόν 5 – 217 διεζώσατοᵇ (Πέτρος)

διαθήκη *testamentum* → διατίθεσθαι
Mat 2628 „τὸ αἷμά" μου „τῆς (vl + καινῆς vg)
    διαθήκης" ‖ Mar 1424 Luc 2220 ἡ και-
    νὴ δ. ἐν τῷ αἵματί μου – 1 Co 1125 ἡ
    καινὴ „δ." ἐστιν ἐν „τῷ" ἐμῷ „αἵματι"
Luc 172 „μνησθῆναι δ..ης" ἁγίας „αὐτοῦ"
Act 325 οἱ υἱοὶ τῶν προφητῶν καὶ τῆς δ..ης
    7 8 ἔδωκεν αὐτῷ „διαθήκην περιτομῆς"
Rm 9 4 'Ισραηλῖται, ὧν – αἱ δ..αι (vl ἡ δ., vg
    t..um vl *t..a*) καὶ ἡ νομοθεσία
    1127 „αὕτη αὐτοῖς ἡ παρ' ἐμοῦ διαθήκη"
2 Co 3 6 ἱκάνωσεν ἡμᾶς διακόνους καινῆς δ..
    ης 14 τὸ αὐτὸ κάλυμμα ἐπὶ τῇ ἀνα-
    γνώσει τῆς παλαιᾶς δ..ης μένει
Gal 315 ἀνθρώπου κεκυρωμένην δ..ην οὐδείς
    – 17 δ..ην προκεκυρωμένην ὑπὸ τοῦ θεοῦ
    424 αὗται γάρ εἰσιν δύο δ..αι, μία μέν
Eph 212 ἦτε – ξένοι τῶν δ. τῆς ἐπαγγελίας
Hb 722 κρείττονος δ..ης γέγονεν ἔγγυος 'Ιη-
    σοῦς 86 ἐστιν – μεσίτης
    8 8 „συντελέσω – δ..ην καινήν 9 οὐ κατὰ
    τὴν δ. ἣν ἐποίησα τοῖς πατράσιν αὐ-
    τῶν –, ὅτι αὐτοὶ οὐκ ἐνέμειναν ἐν τῇ
    δ. μου 10 αὕτη ἡ δ. ἣν διαθήσομαι τῷ
    οἴκῳ 'Ισραήλ" 1016
    9 4 τὴν κιβωτὸν τῆς δ., – αἱ πλάκες τ. δ.
    – 15 δ..ης καινῆς μεσίτης ἐστίν 1224
    – – τῶν ἐπὶ τῇ πρώτῃ δ. παραβάσεσιν
    – 16 ὅπου γὰρ δ., θάνατον ἀνάγκη φέ-
    ρεσθαι 17 δ. γὰρ ἐπὶ νεκροῖς βεβαία
    – 20 „τοῦτο τὸ αἷμα τῆς δ. ἧς ἐνετείλατο"
    1029 „τὸ αἷμα τῆς δ." κοινὸν ἡγησάμενος
    1320 „ἐν αἵματι διαθήκης αἰωνίου"
Ap 1119 ὤφθη „ἡ κιβωτὸς τῆς δ." αὐτοῦ

διαιρεῖν *dividere* Luc 1512 διεῖλεν – τὸν βίον
1 Co 1211 πνεῦμα, δ..οῦν ἰδίᾳ ἑκάστῳ καθὼς

διαίρεσις *divisio* 1 Co 124 δι..εις – χαρισμά-
    των εἰσίν 5 διακονιῶν 6 ἐνεργημάτων

διακαθαίρειν, ..αρίζειν Sº – *purgare* ᵇ*per-
    mundare* Luc 317 τὴν ἅλωνα ‖ Mat 312ᵇ

διακατελέγχεσθαι Sº – *revincere* Act 1828

διακονεῖν Sº – *ministrare* ᵇ*administrare*
Mat 411 ἄγγελοι – διηκόνουν αὐτῷ ‖ Mar 113
    815 ἠγέρθη, καὶ διηκόνει αὐτῷ (vl αὐτοῖς
    vg) ‖ Mar 131 αὐτοῖς Luc 439
    2028 οὐκ ἦλθεν δ..ηθῆναι, ἀλλὰ δ..ῆσαι ‖
    Mar 1045 cfr Luc 2226 ὁ ἡγούμενος
    (sc γινέσθω) ὡς ὁ δ..ῶν (*ministrator*)
    27 τίς γὰρ μείζων, ὁ ἀνακείμενος ἢ
    ὁ δ..ῶν; – ἐγὼ δὲ ἐν μέσῳ ὑμῶν εἰμι
    ὡς ὁ διακονῶν (*qui ministrat*)
    2544 πότε – οὐ διηκονήσαμέν σοι;
    2755 αἵτινες ἠκολούθησαν – διακονοῦσαι
    αὐτῷ ‖ Mar 1541 cfr Luc 83 αἵτινες
    διηκόνουν αὐτοῖς (vl αὐτῷ vg) ἐκ
    τῶν ὑπαρχόντων αὐταῖς
Luc 1040 μόνην με κατέλειπεν δ..εῖν; Joh 122
    1237 παρελθὼν (sc ὁ κύριος) διακονήσει
    αὐτοῖς 178 οὐχὶ ἐρεῖ – · – διακόνει
    μοι ἕως φάγω καὶ πίω –;
Joh 1226 ἐὰν ἐμοί τις διακονῇ, ἐμοὶ ἀκολου-
    θείτω – · ἐάν τις ἐμοὶ διακονῇ, τιμή-
    σει αὐτὸν ὁ πατήρ
Act 6 2 οὐκ ἀρεστὸν – ἡμᾶς – δ..εῖν τραπέζαις
    1922 δύο τῶν δ..ούντων αὐτῷ, Τιμόθεον
Rm 1525 πορεύομαι εἰς 'Ιερουσ. δ..ῶν (vl ..ῆ-
    σαι vg) τοῖς ἁγίοις Hb 610 δ..ήσαν-
    τες τοῖς ἁγίοις καὶ διακονοῦντες
2 Co 3 3 φανερούμενοι ὅτι ἐστὲ ἐπιστολὴ Χοῦ
    διακονηθεῖσα ὑφ' ἡμῶν
    819 ἐν τῇ χάριτι ταύτῃ 20 ἐν τῇ ἀδρότη-
    τι ταύτῃ τῇ δ..ουμένῃ ὑφ' ἡμῶν
1 Ti 310 εἶτα δ..είτωσαν ἀνέγκλητοι ὄντες
    – 13 οἱ γὰρ καλῶς δ..ήσαντες βαθμόν
2 Ti 118 ὅσα ἐν 'Εφέσῳ διηκόνησεν (vl + μοι)
Phm 13 ἵνα ὑπὲρ σοῦ μοι δ..ῇ ἐν τ. δεσμοῖς
1 Pe 112 οὐχ ἑαυτοῖς ὑμῖν δὲ διηκόνουν (sc
    οἱ προφῆται) αὐτά, ἃ νῦν ἀνηγγέλη
    410 εἰς ἑαυτοὺς αὐτὸ (sc τὸ ἑκάστου χά-
    ρισμα) δ..οῦντεςᵇ 11 εἴ τις δ..εῖ, ὡς ἐξ
    ἰσχύος ἧς χορηγεῖ (*admin.*) ὁ θεός

διακονία *ministerium* ᵇ*ministratio*
    ᶜ*administratio* ᵈ*obsequii oblatio*
Luc 1040 Μάρθα περιεσπᾶτο περὶ πολλὴν δ..αν

Act 1 17 ἔλαχεν τὸν κλῆρον τῆς διακ. ταύτης
25 λαβεῖν τὸν τόπον τῆς δ. ταύτης
6 1 παρεθεωροῦντο ἐν τῆ δ. τῆ καθημερ.
– 4 τῆ δ. τοῦ λόγου προσκαρτερήσομεν
11 29 εἰς δ..αν πέμψαι τοῖς – ἐν τῆ Ἰουδαίᾳ
ἀδελφοῖς 12 25 πληρώσαντες τὴν δ.
20 24 ὡς τελειώσω – τὴν δ. (vl + τοῦ λόγου
vg, vl°) ἣν ἔλαβον (vl ὃν παρέλαβ.)
21 19 ἕκαστον ὧν ἐποίησεν ὁ θεὸς ἐν τοῖς
ἔθνεσιν διὰ τῆς διακονίας αὐτοῦ
Rm 11 13 τὴν δ. μου δοξάζω, εἴ πως παραζηλ.
12 7 εἴτε δ..αν, ἐν τῆ δ. (in min..ando)
15 31 ἡ διακονία (vl δωροφορία, vg ᵈ, vl
ministerium) μου ἡ εἰς Ἰερουσαλήμ
1 Co 12 5 καὶ διαιρέσεις διακονιῶν ᵇ εἰσιν
16 15 εἰς δ..αν τοῖς ἁγίοις ἔταξαν ἑαυτούς
2 Co 3 7 εἰ δὲ ἡ διακ.ᵇ τοῦ θανάτου – ἐγενήθη
ἐν δόξῃ 8 πῶς οὐχὶ μᾶλλον ἡ δ.ᵇ τοῦ
πνεύματος –; 9 ἡ διακ.ᵇ (vl τῆ δ.,
vg vl ministerio) τῆς κατακρίσεως
δόξα, – ἡ διακ. τῆς δικαιοσύνης
4 1 ἔχοντες τὴν διακ.ᶜ (vl ᵇ) ταύτην
5 18 δόντος ἡμῖν τὴν δ. τῆς καταλλαγῆς
6 3 ἵνα μὴ μωμηθῆ ἡ δ. (vl + ἡμῶν vg)
8 4 τὴν κοινωνίαν τῆς διακ. τῆς εἰς τοὺς
ἁγίους 9 1.12 ἡ δ. τῆς λειτουργίας 13
διὰ τῆς δοκιμῆς τῆς διακ. ταύτης
11 8 λαβὼν ὀψώνιον πρὸς τὴν ὑμῶν διακ.
Eph 4 12 πρὸς τὸν καταρτισμὸν τῶν ἁγίων εἰς
ἔργον διακονίας
Col 4 17 βλέπε τὴν διακ. ἣν παρέλαβες ἐν κυ.
1 Ti 1 12 πιστόν με ἡγήσατο θέμενος εἰς δ..αν
2 Ti 4 5 τὴν διακονίαν σου πληροφόρησον
– 11 ἔστιν γάρ μοι εὔχρηστος εἰς δ..αν
Hb 1 14 οὐχὶ – εἰσὶν λειτουργικὰ πνεύματα εἰς
διακονίαν ἀποστελλόμενα –;
Ap 2 19 οἶδά σου – τὴν πίστιν καὶ τὴν διακ.

διάκονος minister ᵇ quae est in ministerio
ᶜ diacon ᵈ diaconus
Mat 20 26 ἔσται (vl ἔστω vg) ὑμῶν διάκ. 23 11
‖ Mar 10 43 – 9 35 ἔσται πάντων διάκ.
22 13 ὁ βασιλεὺς εἶπεν τοῖς διακόνοις
Joh 2 5 λέγει ἡ μήτηρ αὐτοῦ τοῖς διακ. 9
12 26 ἐκεῖ καὶ ὁ διάκονος ὁ ἐμὸς ἔσται
Rm 13 4 θεοῦ γὰρ διάκονός ἐστιν σοὶ εἰς τὸ
ἀγαθόν. – θ. γ. δ. ἐ. ἔκδικος εἰς ὀργήν
15 8 Χὸν διάκονον γεγενῆσθαι περιτομῆς
16 1 Φοίβην –, οὖσαν – δ..ον ᵇ τῆς ἐκκλ.
1 Co 3 5 δ..οι δι' ὧν (vg eius, cui) ἐπιστεύσατε
2 Co 3 6 ἱκάνωσεν ἡμᾶς δ..ους καινῆς διαθή.
6 4 συνιστάνοντες ἑαυτοὺς ὡς θεοῦ δ..οι

2 Co 11 15 εἰ καὶ οἱ διάκ. αὐτοῦ μετασχηματί-
ζονται ὡς διάκονοι δικαιοσύνης
– 23 διάκονοι Χοῦ εἰσιν; – ὑπὲρ ἐγώ
Gal 2 17 ἆρα Χὸς ἁμαρτίας διάκονος;
Eph 3 7 εὐαγγελίου, οὗ ἐγενήθην διάκονος
6 21 Τύχικος ὁ – πιστὸς διάκ. ἐν κυρίῳ Col
4 7 ὁ – πιστὸς διάκ. καὶ σύνδουλος
Phl 1 1 σὺν ἐπισκόποις καὶ διακόνοις ᶜ
Col 1 7 Ἐπαφρᾶ –, ὅς ἐστιν πιστὸς ὑπὲρ ὑ-
μῶν διάκ. τοῦ Χοῦ – 1 Th 3 2 Τιμό-
θεον, τὸν – διάκ. (vl συνεργὸν) τοῦ
θεοῦ (vl om) ἐν τῷ εὐαγγελίῳ τ. Χοῦ
– 23 εὐαγγ. –, οὗ ἐγενόμην ἐγὼ – διάκ.
– 25 ἡ ἐκκλησία, ἧς ἐγενόμην ἐγὼ διάκ.
1 Ti 3 8 διακόνους ᵈ ὡσαύτως σεμνούς
– 12 διάκονοι ᵈ – μιᾶς γυναικὸς ἄνδρες
4 6 καλὸς ἔσῃ διάκονος Χοῦ Ἰησοῦ

διακόσιοι ducenti Mar 6 37 ‖ Joh 6 7
Joh 21 8 Act 23 23 27 37 Ap 11 3 12 6

διακούειν audire Act 23 35 δ..σομαί σου

διακρίνειν

1) verbum activum: ᵃ diiudicare
ᵇ discernere ᶜ iudicare ᵈ haesitare
[Mat 16 3 τὸ μὲν πρόσωπον τοῦ οὐρανοῦ γινώ-
σκετε διακρίνειν ᵃ]
Act 11 12 συνελθεῖν αὐτοῖς μηδὲν δ..αντα ᵈ
15 9 θεὸς – οὐθὲν διέκρινεν ᵇ μεταξὺ ἡμῶν
τε καὶ αὐτῶν (sc τῶν ἐθνῶν)
1 Co 4 7 τίς γάρ σέ διακρίνει ᵇ;
6 5 οὐκ ἔνι –, ὃς δυνήσεται διακρῖναι ᶜ
ἀνὰ μέσον τοῦ ἀδελφοῦ αὐτοῦ;
11 29 μὴ δ..ων ᵃ (vl ᵇ) τὸ σῶμα (vl + τοῦ κυρ.)
– 31 εἰ δὲ ἑαυτοὺς διεκρίνομεν ᵃ (vl ᶜ), οὐκ
ἂν ἐκρινόμεθα (iudicaremur)
14 29 καὶ οἱ ἄλλοι διακρινέτωσαν ᵃ

2) medium et passivum: ᵇ discernere
ᶜ iudicare ᵈ haesitare ᵉ dubitare
ᶠ disceptare ᵍ disputare

Mat 21 21 ἐὰν ἔχητε πίστιν καὶ μὴ διακριθῆτε ᵈ
‖ Mar 11 23 ὃς ἂν εἴπῃ τῷ ὄρει – καὶ
μὴ διακριθῆ ᵈ ἐν τῇ καρδίᾳ αὐτοῦ
Act 10 20 πορεύου σὺν αὐτοῖς μηδὲν δ..όμενος ᵉ
11 2 διεκρίνοντο ᶠ πρὸς αὐτὸν (sc Πέτρον)
οἱ ἐκ περιτομῆς·
Rm 4 20 εἰς – τὴν ἐπαγγελίαν – οὐ διεκρίθη ᵈ
14 23 ὁ δὲ διακρινόμενος ᵇ ἐὰν φάγῃ κατα-
κέκριται, ὅτι οὐκ ἐκ πίστεως

Jac 1 6 αἰτείτω δὲ ἐν πίστει, μηδὲν διακρινό-
μενος^d· ὁ γὰρ διακρινόμενος^d ἔοι-
κεν κλύδωνι – ἀνεμιζομένῳ
2 4 οὐ διεκρίθητε^c ἐν ἑαυτοῖς –;
Jud 9 Μιχαὴλ – τῷ διαβόλῳ δ..όμενος^g
22 οὓς μὲν ἐλεᾶτε (vl ἐλέγχετε vg ar-
guite) δ..ομένους^c (iudicatos)

διάκρισις discretio ^b disceptatio
Rm 14 1 μὴ εἰς διακρίσεις^b διαλογισμῶν
1 Co 12 10 ἄλλῳ – δ..εις (vl ..ις vg) πνευμάτων
Hb 5 14 πρὸς διάκρισιν καλοῦ τε καὶ κακοῦ

διακωλύειν prohibere Mat 3 14 διεκώλυεν

διαλαλεῖν S^o – ^a divulgare ^b colloqui
Luc 1 65 δ..εῖτο^a πάντα 6 11 δ..ουν^b πρὸς ἀλλήλ.

διαλέγεσθαι disputare ^b disserere ^c altercari
^d loqui
Mar 9 34 πρὸς ἀλλήλ. – διελέχθησαν – τίς μείζ.
Act 17 2 διελέξατο^b αὐτοῖς ἀπὸ τῶν γραφῶν
17 διελέγετο – τοῖς Ἰουδαίοις καὶ τοῖς
σεβομένοις 18 4.19 19 8.9 ἐν τῇ σχολῇ
Τυράννου 20 7.9 24 12.25 περὶ δικαιο-
σύνης καὶ ἐγκρατείας καὶ τοῦ κρίμ.
Hb 12 5 ἐκλέλησθε τῆς παρακλήσεως, ἥτις
ὑμῖν ὡς υἱοῖς διαλέγεται^d
Jud 9 διελέγετο^c περὶ τοῦ Μωϋσ. σώματος

διαλείπειν cessare Luc 7 45 οὐ διέλειπεν

διάλεκτος lingua Act 1 19 τῇ ἰδίᾳ δ..ῳ 2 6.8
Act 21 40 τῇ Ἑβραΐδι διαλέκτῳ 22 2 26 14

διαλλάσσεσθαι reconciliari
Mat 5 24 πρῶτον δ..γηθι τῷ ἀδελφῷ σου

διαλογίζεσθαι cogitare ^b tractare
Mat 16 7.8 ‖ Mar 8 16.17 – Mat 21 25 ‖ Mar 11 31
Mar 2 6 δ..όμενοι – · – βλασφημεῖ 8 ‖ Luc 5 21 s
9 33 τί ἐν τῇ ὁδῷ διελογίζεσθε^b;
Luc 1 29 3 15 δ..ομένων περὶ – Ἰωάν. 12 17 20 14

διαλογισμός cogitatio ^b haesitatio
^c disceptatio
Mat 15 19 ἐξέρχονται δ..οὶ πονηροί ‖ Mar 7 21
Luc 2 35 ὅπως ἂν ἀποκαλυφθῶσιν ἐκ πολλῶν
καρδιῶν διαλογισμοί
5 22 ἐπιγνοὺς – τοὺς δ. αὐτῶν 6 8 ἤδει 9 46.
47 εἰδὼς τὸν δ. τῆς καρδίας αὐτῶν
24 38 διὰ τί δ..οὶ ἀναβαίνουσιν ἐν τ. καρ.

Rm 1 21 ἐματαιώθησαν ἐν τοῖς διαλογ. αὐτῶν
14 1 μὴ εἰς διακρίσεις διαλογισμῶν
1 Co 3 20 „γινώσκει τοὺς δ. τῶν" σοφῶν, ὅτι
Phl 2 14 ποιεῖτε χωρὶς γογγυσμῶν καὶ δ..ῶν^b
1 Ti 2 8 ὁσίους χεῖρας χωρὶς ὀργῆς καὶ δ..οῦ^c
Jac 2 4 ἐγένεσθε κριταὶ δ..ῶν πονηρῶν

διαλύειν dissipare Act 5 36 διελύθησαν

διαμαρτύρεσθαι testificari ^b testari
^c protestari
Luc 16 28 ὅπως δ..ηται^b αὐτοῖς (sc τοῖς ἀδελφ.)
Act 2 40 διεμαρτύρατο, καὶ παρεκάλει 8 25 10 42
ὅτι οὗτός ἐστιν ὁ – κριτὴς ζώντων καὶ
νεκρῶν 18 5 δ..όμενος τοῖς Ἰουδ. εἶναι
τὸν χριστὸν Ἰησοῦν 20 21 μετάνοιαν
καὶ πίστιν 23 τὸ πνεῦμα – δ..εταί^c μοι
– ὅτι δεσμά 24 διαμ. τὸ εὐαγγέλιον
23 11 ὡς – διεμαρτύρω τὰ περὶ ἐμοῦ
εἰς Ἱερου. 28 23 δ..όμενος τὴν βασι-
λείαν τοῦ θεοῦ
1 Th 4 6 καθὼς – προείπαμεν – καὶ δ..άμεθα
1 Ti 5 21 δ..ομαι^b ἐνώπιον τοῦ θεοῦ – ἵνα
2 Ti 2 14 δ..όμενος ἐνώπ. τ. θεοῦ μὴ λογομαχεῖν
4 1 διαμαρτύρομαι ἐνώπ. τ. θ. καὶ Χοῦ
Ἰησοῦ –, καὶ (vl κατὰ vg per) τὴν
ἐπιφάνειαν αὐτοῦ – · κήρυξον τ. λόγον
Hb 2 6 διεμαρτύρατο^b δέ πού τις λέγων·

διαμάχεσθαι pugnare Act 23 9 λέγοντες

διαμένειν permanēre ^b perseverare
Luc 1 22 διέμενεν (..μειν.) κωφός (sc Ζαχαρ.)
22 28 ἐστὲ οἱ διαμεμενηκότες μετ' ἐμοῦ
Gal 2 5 ἵνα ἡ ἀλήθεια τοῦ εὐαγγελίου δια-
μείνη (vl ..μένη) πρὸς ὑμᾶς
Hb 1 11 „σὺ δὲ διαμένεις" (vl ..νεῖς vg)
2 Pe 3 4 πάντα οὕτως διαμένει^b ἀπ' ἀρχῆς
κτίσεως

διαμερίζειν dividere ^b dispertire ^c partiri
Mat 27 35 ‖ Mar 15 24 Luc 23 34 Joh 19 24^c
Luc 11 17 βασιλεία ἐφ' ἑαυτὴν δ..ισθεῖσα 18 εἰ
δὲ καὶ ὁ σατανᾶς ἐφ' ἑαυτὸν διεμε-
ρίσθη – 12 52 πέντε ἐν ἑνὶ οἴκῳ δια-
μεμερισμένοι 53 δύο ἐπὶ τρισίν
22 17 λάβετε – καὶ δ..ίσατε εἰς ἑαυτούς
Act 2 3 ὤφθησαν αὐτοῖς δ..όμεναι^b γλῶσσαι
– 45 διεμέριζον αὐτὰ πᾶσιν, καθότι ἄν τις

διαμερισμός separatio
Luc 12 51 οὐχί, λέγω ὑμῖν, ἀλλ' ἢ διαμερισμόν

διανέμεσθαι *divulgari* Act 4 17

διανεύειν *innuere* Luc 1 22 (sc τῷ λαῷ)

διανόημα *cogitatio* Luc 11 17 εἰδὼς – τὰ δ.

διάνοια *mens* [b]*sensus* [c]*cogitatio* [d]*intellectus*
Mat 22 37 „ἐν ὅλη τῇ διανοίᾳ σου" ‖ Mar 12 30
„ἐξ ὅλης" Luc 10 27 „ἐν ὅλη"
Luc 1 51 ὑπερηφάνους δ..ᾳ καρδίας αὐτῶν
Eph 2 3 θελήματα τῆς σαρκὸς καὶ τῶν δ.[c]
4 18 ἐσκοτωμένοι τῇ διανοίᾳ[d] ὄντες
Col 1 21 ὑμᾶς ποτε – ἐχθροὺς τῇ διανοίᾳ[b]
Hb 8 10 „διδοὺς νόμους μου εἰς τὴν δ. αὐ-
τῶν" 10 16 „ἐπὶ τὴν δ. – ἐπιγράψω"
1 Pe 1 13 ἀναζωσάμενοι τὰς ὀσφύας τῆς δ.
2 Pe 3 1 διεγείρω ὑμῶν – τὴν εἰλικρινῆ δ.
1 Jo 5 20 δέδωκεν ἡμῖν διάνοιαν[b] ἵνα γινώσκο-
μεν τὸν ἀληθινόν (vl + θεόν vg)

διανοίγειν *aperire* [b]*adaperire*
Mar 7 34 ἐφφαθά, ὅ ἐστιν διανοίχθητι[b]
Luc 2 23 „πᾶν ἄρσεν διανοῖγον[b] μήτραν"
24 31 αὐτῶν – διηνοίχθησαν οἱ ὀφθαλμοί
– 32 ὡς διήνοιγεν ἡμῖν τὰς γραφάς
– 45 διήνοιξεν αὐτῶν τὸν νοῦν
Act 7 56 θεωρῶ τοὺς οὐρανοὺς διηνοιγμένους
16 14 ἧς ὁ κύριος διήνοιξεν τὴν καρδίαν
17 3 διανοίγων[b] καὶ παρατιθέμενος ὅτι
τὸν χριστὸν ἔδει παθεῖν

διανύειν *explēre* (vl *explicare*) Act 21 7

διανυκτερεύειν *pernoctare* Luc 6 12

διαπαρατριβή S⁰ – *conflictatio* 1 Ti 6 5

διαπερᾶν *transfretare* [b]*transmeare* [c]*tran-
scendere* Mat 9 1 14 34 Mar 5 21[c] 6 53[c]
Luc 16 26[b] ἐκεῖθεν Act 21 2

διαπλεῖν S⁰ – *navigare* Act 27 5

διαπονεῖσθαι *dolēre* Act 4 2 16 18

διαπορεῖν, ..σθαι S⁰ – *haesitare* [b]*mirari*
[c]*ambigere* Luc 9 7 Act 2 12[b] 5 24[c] 10 17

διαπορεύεσθαι *praeterire* [b]*pertransire*
[c]*transire* [d]*ire* – (Mar 2 23 vl)
Luc 6 1[c] διὰ σπορίμων 13 22[d] 18 36 Act 16 4[b]
Rm 15 24 ἐλπίζω – δ..όμενος θεάσασθαι ὑμᾶς

διαπραγματεύεσθαι S⁰ – *negotiari* Luc 19 15

διαπρίεσθαι *dissecari* Act 5 33 7 54

διαρπάζειν *diripere* Mat 12 29 ‖ Mar 3 27

διαρήσσειν *scindere* [b]*conscindere* [c]*rumpere*
Mat 26 65 ‖ Mar 14 63 – Act 14 14[b]
Luc 5 6 διερρήσσετο[c] – τὰ δίκτυα 8 29[c] δεσμά

διασαφεῖν [a]*edisserere* (vl *diss.*) [b]*narrare*
Mat 13 36 (vl φράσον, vg[a]) παραβολήν – 18 31[b]

διασείειν *concutere* Luc 3 14 μηδένα

διασκορπίζειν *dispergere* [b]*dissipare*
[c]*spargere* Mat 25 24[c] 26[c]
Mat 26 31 „δ..σθήσονται τὰ πρόβ." ‖ Mar 14 27
Luc 1 51 „διεσκόρπισεν ὑπερηφάνους"
15 13[b] τὴν οὐσίαν 16 1[b] τὰ ὑπάρχοντα
Joh 11 52 τὰ τέκνα τοῦ θεοῦ τὰ διε..ισμένα
Act 5 37 ὅσοι ἐπείθοντο αὐτῷ διε..ίσθησαν

διασπᾶν [a]*dirumpere* [b]*discerpere*
Mar 5 4[a] ἁλύσεις Act 23 10 μὴ δ..σθῇ[b] – Παῦ.

διασπείρεσθαι *dispergi* Act 8 1.4 11 19

διασπορά *dispersio* Joh 7 35 τῶν Ἑλλήνων
Jac 1 1 ταῖς δώδεκα φυλαῖς ταῖς ἐν τῇ δ..ᾳ
1 Pe 1 1 ἐκλεκτοῖς παρεπιδήμοις δ..ᾶς Πόντου

διαστέλλεσθαι *praecipere* [b]*mandare* [c]*dicere*
(τὸ δ..όμενον *quod dicebatur*)
(Mat 16 20 vl) Mar 5 43 7 36 8 15 9 6 – Act 15 24[b]
Hb 12 20 οὐκ ἔφερον γὰρ τὸ διαστελλόμενον[c]

διάστημα *spatium* Act 5 7 ὡς ὡρῶν τριῶν

διαστολή *distinctio* 1 Co 14 7 τοῖς φθόγγοις
Rm 3 22 οὐ γάρ ἐστιν δ. πάντες γὰρ ἥμαρτον
10 12 οὐ γ. ἐστιν δ. Ἰουδαίου τε καὶ Ἕλλ.

διαστρέφειν (διεστραμμένος) *perversus*
[b]*subvertere* [c]*avertere*
Mat 17 17 ὦ γενεὰ – διεστραμμένη ‖ Luc 9 41
Phl 2 15 μέσον „γενεᾶς – διεστραμ-
μένης"
Luc 23 2 δ..οντα[b] τὸ ἔθνος Act 13 8 ζητῶν δια-
στρέψαι[c] – ἀπὸ τῆς πίστεως 10 δ..ων[b]
„τὰς ὁδοὺς τοῦ κυρίου τὰς εὐθείας"
Act 20 30 ἄνδρες λαλοῦντες διεστραμμένα

διασώζειν, ..εσϑαι ᵃservare ᵇsalvare (vl
sanare) ᶜsalvum perducere ᵈsalvum
fieri ᵉevadere
Mat 14₃₆ ὅσοι ἥψαντο διεσώϑησανᵈ
Luc 7 3 ὅπως – διασώσῃᵇ τὸν δοῦλον αὐτοῦ
Act 23₂₄ᶜ – 27₄₃ᵃ ₄₄ᵉ ἐπὶ τὴν γῆν 28₁ᵉ ₄ᵉ
1 Pe 3₂₀ ὀλίγοι – διεσώϑησανᵈ δι᾽ ὕδατος

διαταγή dispositio ᵇordinatio
Act 7₅₃ ἐλάβετε τὸν νόμον εἰς διαταγὰς (in
d..ne, vl ..nem) ἀγγέλων
Rm 13 2 τῇ τοῦ ϑεοῦ διαταγῇᵇ ἀνϑέστηκεν

διάταγμα edictum Hb 11₂₃ τοῦ βασιλέως

διαταράσσεσϑαι Sᵒ – turbari Luc 1₂₉

διατάσσειν, ..εσϑαι ᵃpraecipere ᵇdisponere
ᶜordinare ᵈiubēre ᵉconstituere ᶠim-
perare ᵍdocēre
Mat 11 1 διατάσσωνᵃ τοῖς δώδεκα μαϑηταῖς
Luc 3₁₃ μηδὲν – παρὰ τὸ διατεταγμένονᵉ ὑμῖν
8₅₅ᵈ 17₉ᶠ 10ᵃ Act 7₄₄ καϑὼς διετάξατοᵇ
„ὁ λαλῶν τῷ Μωϋσῇ" – 18₂ᵃ 20₁₃ᵇ
23₃₁ᵃ 24₂₃ᵈ
1 Co 7₁₇ οὕτως ἐν ταῖς ἐκκλησίαις – δ..ομαιᵍ
16₁ ὥσπερ διέταξαᶜ ταῖς ἐκκλησίαις
11₃₄ ὡς ἂν ἔλϑω διατάξομαιᵇ
9₁₄ οὕτως καὶ ὁ κύριος διέταξενᶜ
Gal 3₁₉ διαταγεὶςᶜ δι᾽ ἀγγέλων (sc ὁ νόμος)
Tit 1 5 ὡς ἐγώ σοι διεταξάμηνᵇ

διατελεῖν permanēre Act 27₃₃ ἄσιτοι

διατηρεῖν conservare ᵇcustodire
Luc 2₅₁ διετήρει πάντα τὰ ῥήματα ἐν τῇ καρ.
Act 15₂₉ ἐξ ὧν δ..οῦντεςᵇ ἑαυτοὺς εὖ πράξ.

διατίϑεσϑαι disponere ᵇtestari
ᶜ(ὁ διαϑέμενος) testator
Luc 22₂₉ κἀγὼ δ..εμαι ὑμῖν καϑὼς διέϑετό μοι
ὁ πατήρ μου βασιλείαν
Act 3₂₅ υἱοὶ – τῆς διαϑήκης ἧς ὁ ϑεὸς διέ-
ϑετο πρὸς τοὺς πατέρας ὑμῶν
Hb 8₁₀ „ἡ διαϑήκη ἣν διαϑήσομαι" 10₁₆ᵇ
9₁₆ ὅπου – διαϑήκη, ϑάνατον ἀνάγκη φέ-
ρεσϑαι τοῦ διαϑεμένουᶜ 17ᵇ

διατρίβειν demorari ᵇcommorari ᶜmorari
ᵈconferre (vl consistere)
Joh 3₂₂ ἐκεῖ διέτριβεν – καὶ ἐβάπτιζεν

Joh (11₅₄ vlᶜ) – Act 12₁₉ᵇ 14₃.₂₈ᶜ 15₃₅ 16₁₂ᵈ
20₆ 25₆.₁₄ (vlᶜ)

διατροφή alimentum 1 Ti 6₈ ἔχοντες δ..άς

διαυγάζειν Sᵒ – elucescere (vl luc.) 2 Pe 1₁₉

διαυγής Sᵒ – perlucidus Ap 21₂₁ ὕαλος

διαφέρειν ᵃpluris esse ᵇmeliorem esse ᶜdif-
ferre ᵈinteresse ᵉtransferre – διαφέ-
ρεσϑαι: ᶠdisseminari ᵍnavigare – τὰ
διαφέροντα: ʰutiliora ⁱpotiora
Mat 6₂₆ οὐχ ὑμεῖς μᾶλλον διαφέρετεᵃ αὐτῶν; ‖
Lc 12₂₄ᵃ τῶν πετεινῶν – Mt 10₃₁ πολ-
λῶν στρουϑίων διαφέρετεᵇ ‖ Lc 12₇ᵃ
12₁₂ πόσῳ – δ..ειᵇ ἄνϑρωπος προβάτου
Mar 11₁₆ᵉ Act 13₄₉ δ..ετοᶠ – ὁ λόγος 27₂₇ᵍ
Rm 2₁₈ δοκιμάζεις τὰ δ..ονταʰ Phl 1₁₀ⁱ
1 Co 15₄₁ ἀστὴρ – ἀστέρος δ..ειᶜ ἐν δόξῃ
Gal 2 6 ὁποῖοί ποτε ἦσαν οὐδέν μοι δ..ειᵈ
4 1 οὐδὲν δ..ειᶜ δούλου κύριος – ὤν

διαφεύγειν effugere Act 27₄₂

διαφημίζειν Sᵒ – diffamare ᵇdivulgare
Mat 9₃₁ διεφήμισαν αὐτόν (sc Jesum)
28₁₅ διεφημίσϑηᵇ ὁ λόγος οὗτος Mar 1₄₅

διαφϑείρειν, ..εσϑαι corrumpere, ..pi ᵇex-
terminare ᶜinterire
Luc 12₃₃ ὅπου – οὐδὲ σὴς διαφϑείρει
2 Co 4₁₆ εἰ καὶ ὁ ἔξω ἄνϑρωπος δ..εται
1 Ti 6 5 διεφϑαρμένων ἀνϑρώπων τὸν νοῦν
Ap 8 9ᶜ 11₁₈ δ..εῖραιᵇ τοὺς δ..οντας τὴν γῆν

διαφϑορά corruptio Act 2₂₇ „τὸν ὅσιόν σου
ἰδεῖν δ..άν" 31 13₃₅ss – 34 ὑποστρέφειν

διάφορος, ..ώτερος differens, ..tior ᵇmelior
ᶜvarius
Rm 12 6 ἔχοντες δὲ χαρίσματα – διάφορα
Hb 1 4 ὅσῳ δ..ώτερον – κεκληρονόμ. ὄνομα
8 6 δ..ωτέραςᵇ τέτυχεν λειτουργίας
9₁₀ μόνον ἐπὶ – διαφόροιςᶜ βαπτισμοῖς

διαφυλάσσειν conservare Luc 4₁₀ σέ

διαχειρίζεσϑαι Sᵒ – ᵃinterimere ᵇinterficere
Act 5₃₀ᵃ Ἰησοῦν 26₂₁ᵇ (Paulum)

διαχλευάζειν Sᵒ – irridēre Act 2₁₃

διαχωρίζεσθαι *discedere* Luc 9 33

διδακτικός S° – ᵃ*doctor* ᵇ*docibilis*
1 Ti 3 2 δεῖ – τὸν ἐπίσκοπον – εἶναι – δ..όνᵃ
2 Ti 2 24 δοῦλον – κυρίου – δεῖ – εἶναι – δ..όνᵇ

διδακτός ᵃ*docibilis* ᵇ*doctus* ᶜ*doctrina*
Joh 6 45 „ἔσονται πάντες διδακτοὶᵃ θεοῦ"
1 Co 2 13 οὐκ ἐν δ..οῖςᵇ ἀνθρωπίνης σοφίας
λόγοις, ἀλλ' ἐν δ..οῖςᶜ πνεύματος

διδασκαλία *doctrina* ᵇ(πρὸς δ..αν) *ad docendum*
Mat 15 9 „διδάσκοντες δ..ίας ἐντάλματα ἀνθρώπων" ‖ Mar 7 7 – Col 2 22 κατὰ τὰ „ἐντάλματα καὶ δ..ίας τῶν ἀνθρ."
Rm 12 7 εἴτε ὁ διδάσκων, ἐν τῇ διδασκαλίᾳ
15 4 εἰς τὴν ἡμετέραν δ..ίαν ἐγράφη
Eph 4 14 περιφερόμενοι παντὶ ἀνέμῳ τῆς δ.
1 Ti 1 10 εἴ τι ἕτερον τῇ ὑγιαινούσῃ δ..ίᾳ ἀντίκειται 2 Ti 4 3 ὅτε τῆς ὑγ. δ..ίας οὐκ ἀνέξονται Tit 1 9 δυνατὸς – παρακαλεῖν ἐν τῇ δ. τῇ ὑγ. 21 λάλει ἃ πρέπει τῇ ὑγ. διδασκαλίᾳ
4 1 προσέχοντες – δ..ίαις δαιμονίων
– 6 τοῖς λόγοις – τῆς καλῆς διδασκαλίας
– 13 πρόσεχε – τῇ παρακλήσει, τῇ δ..ίᾳ
– 16 ἔπεχε σεαυτῷ καὶ τῇ διδ., ἐπίμενε 5 17 οἱ κοπιῶντες ἐν λόγῳ καὶ δ..ίᾳ
6 1 ἵνα μὴ – ἡ διδ. βλασφημῆται
– 3 τῇ κατ' εὐσέβειαν διδασκαλίᾳ
2 Ti 3 10 παρηκολούθησάς μου τῇ δ..ίᾳ
– 16 θεόπνευστος καὶ ὠφέλιμος πρὸς δ.ᵇ
Tit 2 7 παρεχόμενος – ἐν τῇ διδ. ἀφθορίαν
– 10 ἵνα τὴν διδ. τὴν τοῦ σωτῆρος ἡμῶν θεοῦ κοσμῶσιν ἐν πᾶσιν (sc δοῦλοι)

διδάσκαλος (S bis) *magister* ᵇ*praeceptor* ᶜ*doctor*

1) διδάσκαλε, Jesu et Joannis appellatio
Mat 8 19 δ., ἀκολουθήσω σοι 12 38 δ., θέλομεν – σημεῖον ἰδεῖν 19 16 δ. (vl add ἀγαθέ vg), τί ἀγαθὸν ποιήσω –; ‖ Mar 10 17 δ. ἀγαθέ, τί ποιήσω –; Luc 18 18 δ. ἀγαθέ, τί ποιήσας –; – Mat 22 16 δ., οἴδαμεν ὅτι ἀληθὴς εἶ ‖ Mar 12 14 Luc 20 21 ὅτι ὀρθῶς λέγεις – Mat 22 24 δ., Μωϋσῆς εἶπεν ‖ Mar 12 19 Luc 20 28.39 δ., καλῶς εἶπας – Mat 22 36 δ., ποία ἐντολὴ μεγάλη ‖ Luc 10 25, τί ποιήσας ζωὴν αἰών. κληρονομήσω; cfr Mar 12 32 καλῶς, δ., ἐπ' ἀληθείας εἶπες – Mar 4 38 δ., οὐ μέλει σοι –; 9 17 δ., ἤνεγκα τὸν υἱόν

μου πρὸς σέ ‖ Luc 9 38 δ., δέομαί σου – Mar 9 38 δ., εἴδομέν τινα – ἐκβάλλοντα δαιμόνια 10 20 δ., ταῦτα πάντα ἐφυλαξάμην 35 δ., θέλομεν ἵνα ὃ ἐὰν αἰτήσωμέν σε 13 1 δ., ἴδε ποταποὶ λίθοι – Luc 3 12 δ. (Joan.), τί ποιήσωμεν; 7 40 δ., εἰπέ 11 45 δ., ταῦτα λέγων καὶ ἡμᾶς ὑβρίζεις 12 13 δ., εἰπὲ τῷ ἀδελφῷ μου 19 39 δ., ἐπιτίμησον τοῖς μαθηταῖς σου 21 7 δ.ᵇ, πότε οὖν ταῦτα ἔσται; – Joh 1 38 ῥαββί (ὃ λέγεται μεθερμ. διδ.) [8 4 δ., αὕτη ἡ γυνὴ κατείληπται 20 16 ῥαββουνί (ὃ λέγεται διδάσκαλε)

2) reliqui loci: ὁ διδάσκαλος, οἱ δ..οι
Mat 9 11 μετὰ τ. τελωνῶν – ἐσθίει ὁ δ. ὑμῶν; 10 24 οὐκ ἔστιν μαθητὴς ὑπὲρ τὸν δ. 25 ἵνα γένηται ὡς ὁ δ. αὐτοῦ ‖ Luc 6 40 οὐκ ἔ. μ. ὑπὲρ τὸν δ.· κατηρτισμένος δὲ πᾶς ἔσται ὡς ὁ δ. αὐτοῦ
17 24 ὁ δ. ὑμῶν οὐ τελεῖ δίδραχμα; 23 8 ὑμεῖς – μὴ κληθῆτε ῥαββί· εἷς γάρ ἐστιν ὑμῶν ὁ δ. (vl καθηγητής) 26 18 ὁ δ. λέγει· ὁ καιρός μου ἐγγύς ἐστιν ‖ Mar 14 14 Luc 22 11
Mar 5 35 τί ἔτι σκύλλεις τὸν δ.; ‖ Luc 8 49 μηκέτι σκύλλε τὸν δ. (vg *illum*)
Luc 2 46 καθεζόμενον ἐν μέσῳ τῶν δ..ωνᶜ
Joh 3 2 ῥαββί, – ἀπὸ θεοῦ ἐλήλυθας δ..ος
– 10 σὺ εἶ ὁ δ. τοῦ Ἰσραὴλ καὶ ταῦτα –;
11 28 ὁ διδ. πάρεστιν καὶ φωνεῖ σε
13 13 φωνεῖτέ με· ὁ δ. καὶ ὁ κύριος
– 14 εἰ – ἐγὼ ἔνιψα – ὁ κύριος καὶ ὁ δ.
Act 13 1 ἐν Ἀντιοχ. – προφῆται καὶ δ..οιᶜ
Rm 2 20 σεαυτὸν – εἶναι – δ..ον νηπίων
1 Co 12 28 οὓς μὲν ἔθετο ὁ θεὸς –, τρίτον δ..ουςᶜ 29 μὴ πάντες διδάσκαλοιᶜ;
Eph 4 11 ἔδωκεν – τοὺς δὲ ποιμένας καὶ δ.ᶜ
1 Ti 2 7 ἐτέθην ἐγὼ – δ.ᶜ ἐθνῶν ἐν πίστει καὶ ἀληθείᾳ 2 Ti 1 11 ἀπόστολος καὶ δ.
2 Ti 4 3 ἑαυτοῖς ἐπισωρεύσουσιν δ..ους
Hb 5 12 ὀφείλοντες εἶναι διδάσκαλοι διὰ τὸν χρόνον
Jac 3 1 μὴ πολλοὶ διδάσκαλοι γίνεσθε

διδάσκειν *docēre* pass.: ᵇ*edocēri* ᶜ*discere*
Mat 4 23 διδάσκων ἐν ταῖς συναγωγαῖς 9 35 13 54 ‖ Mar 6 2 – 1 21 Luc 4 15.31 τοῖς σάββασιν 6 6 εἰσελθεῖν – εἰς τὴν συν. καὶ διδ. 13 10 δ..ων ἐν μιᾷ τῶν συν. – Joh 6 59 ἐν συναγωγῇ δ..ων ἐν Καφ. 18 20 ἐδίδαξα ἐν συναγωγῇ καὶ ἐν τῷ ἱερῷ
5 2 ἐδίδασκεν αὐτοὺς 11 1 μετέβη – τοῦ

καὶ κηρύσσειν – Mar 2 13 ἐδίδ. αὐτούς
4 1 ἤρξατο δ. παρὰ τὴν θάλασσαν 2
ἐδίδ. αὐτοὺς ἐν παραβολαῖς πολλά
6 7 περιῆγεν – δ..ων 34 ἤρξατο δ. αὐ-
τοὺς πολλά 10 1 ὡς εἰώθει πάλιν ἐ-
δίδασκεν αὐτούς – Luc 5 3 ἐκ τοῦ
πλοίου ἐδίδ. τοὺς ὄχλους 17 ἦν δ..ων
13 22 διεπορεύετο – διδάσκων
Mat 5 19 ὃς ἐὰν – λύσῃ – καὶ διδάξῃ οὕτως – ·
ὃς δ᾽ ἂν ποιήσῃ καὶ διδάξῃ, – μέγας
7 29 ἦν – διδάσκων αὐτοὺς ὡς ἐξουσίαν
ἔχων, καὶ οὐχ ὡς οἱ γραμμ. ‖ Mar 1 22
15 9 „διδάσκοντες διδασκαλίας ἐντάλματα
ἀνθρώπων" ‖ Mar 7 7
21 23 προσῆλθον αὐτῷ δ..οντι οἱ ἀρχιερεῖς
‖ Luc 20 1 ἐν τῷ ἱερῷ – Mat 26 55 καθ᾽
ἡμέραν ἐν τῷ ἱερῷ ἐκαθεζόμην δ..ων
‖ Mar 14 49 – 12 35 11 17 Luc 19 47 21 37
22 16 τὴν ὁδὸν τοῦ θεοῦ ἐν ἀληθείᾳ δ..εις
‖ Mar 12 14 Luc 20 21 ὀρθῶς δ..εις –,
ἀλλ᾽ ἐπ᾽ ἀληθείας τὴν ὁδὸν τ. θ. δ..εις
28 15 ἐποίησαν ὡς ἐδιδάχθησαν [b] vl [a]
– 20 δ..οντες αὐτοὺς τηρεῖν – ὅσα ἐνετειλ.
Mar 6 30 ὅσα ἐποίησαν καὶ ὅσα ἐδίδαξαν
8 31 ἤρξατο δ. αὐτοὺς ὅτι δεῖ – πολλὰ πα-
θεῖν 9 31 ἐδίδασκεν – τοὺς μαθητάς
Luc 11 1 δίδαξον ἡμᾶς προσεύχεσθαι, καθὼς
καὶ Ἰωάννης ἐδίδαξεν τοὺς μαθητάς
12 12 τὸ γὰρ ἅγιον πνεῦμα διδάξει ὑμᾶς
13 26 ἐν ταῖς πλατείαις ἡμῶν ἐδίδαξας
23 5 δ..ων καθ᾽ ὅλης τῆς Ἰουδαίας
Joh 7 14 ἀνέβη – εἰς τὸ ἱερὸν καὶ ἐδίδασκεν
28 ἐν τῷ ἱερῷ δ..ων 8 [2 καθίσας ἐδίδ.
αὐτούς] 20 δ..ων ἐν τῷ ἱερῷ
– 35 μέλλει – διδάσκειν τοὺς Ἕλληνας;
8 28 καθὼς ἐδίδαξέν με ὁ πατήρ
9 34 καὶ σὺ διδάσκεις ἡμᾶς;
14 26 ἐκεῖνος ὑμᾶς διδάξει πάντα
Act 1 1 ὧν ἤρξατο – ποιεῖν τε καὶ διδάσκειν
4 2 διαπονούμενοι διὰ τὸ δ. αὐτοὺς τὸν
λαόν 5 21.25 11 26 ὄχλον ἱκανόν
– 18 μηδὲ δ. ἐπὶ τῷ ὀνόματι – Ἰησοῦ 5 28
5 42 οὐκ ἐπαύοντο δ..οντες καὶ εὐαγγελι-
ζόμενοι τὸν χριστὸν Ἰ. 15 35 τὸν λό-
γον τοῦ κυρίου 18 11 δ..ων – τὸν λό-
γον τοῦ θεοῦ 25 ἐδίδ. ἀκριβῶς τὰ πε-
ρὶ τοῦ Ἰησοῦ 28 31 δ..ων – ἀκωλύτως
15 1 ἐδίδ. τ. ἀδελφοὺς ὅτι ἐὰν μὴ περιτμ.
20 20 οὐδὲν ὑπεστειλάμην – τοῦ μὴ – διδά-
ξαι ὑμᾶς δημοσίᾳ καὶ κατ᾽ οἴκους
21 21 ἀποστασίαν δ..εις ἀπὸ Μωϋσέως
– 28 ὁ κατὰ – τοῦ νόμου καὶ τοῦ τόπου

τούτου πάντας πανταχῇ διδάσκων
Rm 2 21 ὁ οὖν δ..ων ἕτερον σεαυτὸν οὐ δ..εις;
12 7 εἴτε ὁ διδάσκων, ἐν τῇ διδασκαλίᾳ
1 Co 4 17 καθὼς – ἐν πάσῃ ἐκκλησίᾳ διδάσκω
11 14 οὐδὲ ἡ φύσις αὐτὴ διδάσκει ὑμᾶς –;
Gal 1 12 οὔτε ἐδιδάχθην [c] (sc τὸ εὐαγγέλιον)
Eph 4 21 εἴ γε – ἐν αὐτῷ (sc Χῷ) ἐδιδάχθητε [b]
Col 1 28 δ..οντες πάντα ἄνθρωπον ἐν πάσῃ
σοφίᾳ 3 16 ἐν π. σο. δ..οντες – ἑαυτούς
2 7 βεβαιούμενοι τῇ πίστει καθὼς ἐδιδά-
χθητε [c] 2 Th 2 15 κρατεῖτε τὰς παρα-
δόσεις ἃς ἐδιδάχθητε [c] εἴτε διὰ λόγου
1 Ti 2 12 διδάσκειν δὲ γυναικὶ οὐκ ἐπιτρέπω
4 11 παράγγελλε ταῦτα καὶ δίδασκε 6 2
2 Ti 2 2 οἵτινες ἱκανοὶ – καὶ ἑτέρους διδάξαι
Tit 1 11 δ..οντες ἃ μὴ δεῖ – κέρδους χάριν
Hb 5 12 χρείαν ἔχετε τοῦ δ. ὑμᾶς τινα (vl δι-
δάσκεσθαι ὑ., τίνα vg) τὰ στοιχεῖα
8 11 „οὐ μὴ διδάξωσιν – τὸν ἀδελφόν"
1 Jo 2 27 οὐ χρείαν ἔχετε ἵνα τις διδάσκῃ ὑ-
μᾶς · – τὸ αὐτοῦ χρῖσμα διδάσκει ὑ-
μᾶς περὶ πάντων, – καὶ καθὼς ἐδίδα-
ξεν ὑμᾶς, μένετε ἐν αὐτῷ
Ap 2 14 Βαλαάμ, ὃς ἐδίδασκεν τῷ Βαλὰκ βα-
λεῖν σκάνδαλον ἐνώπιον – Ἰσραήλ
– 20 δ..ει καὶ πλανᾷ τοὺς ἐμοὺς δούλους

διδαχή (Sept semel) *doctrina*
Mat 7 28 ἐξεπλήσσοντο – ἐπὶ τῇ δ. αὐτοῦ 22 33
Mar 1 22 11 18 Luc 4 32 ὅτι ἐν ἐξουσίᾳ
ἦν ὁ λόγος αὐτοῦ Mar 1 27 ἐθαμβή-
θησαν ἅπαντες – · – διδαχὴ καινὴ κατ᾽
ἐξουσίαν (vl καινή · κατ᾽ ἐξ. καὶ τοῖς
πνεύμασι – ἐπιτάσσει vg)
16 12 προσέχειν – ἀπὸ τῆς δ. τῶν Φαρισ.
Mar 4 2 ἔλεγεν αὐτοῖς ἐν τῇ δ. αὐτοῦ · 12 38
Joh 7 16 ἡ ἐμὴ δ. οὐκ ἔστιν ἐμή 17 γνώσεται
περὶ τῆς δ., πότερον ἐκ τ. θεοῦ ἐστιν
18 19 ἠρώτησεν τὸν Ἰησ. – περὶ τῆς δ. αὐτοῦ
Act 2 42 προσκαρτεροῦντες τῇ δ. τῶν ἀποστ.
5 28 πεπληρώκατε τὴν Ἱερ. τῆς δ. ὑμῶν
13 12 ἐκπλησσόμενος ἐπὶ τῇ δ. τοῦ κυρίου
17 19 τίς ἡ καινὴ αὕτη ἡ ὑπὸ σοῦ λαλου-
μένη διδαχή;
Rm 6 17 ὑπηκούσατε – εἰς ὃν παρεδόθητε τύ-
πον διδαχῆς 16 17 σκάνδαλα παρὰ
τὴν δ. ἣν ὑμεῖς ἐμάθετε ποιοῦντας
1 Co 14 6 ἐὰν μὴ ὑμῖν λαλήσω – ἢ ἐν προφη-
τείᾳ ἢ δ..ῇ; 26 ἕκαστος – δ..ὴν ἔχει
2 Ti 4 2 ἐπιτίμησον, παρακάλεσον, ἐν πάσῃ
μακροθυμίᾳ καὶ διδαχῇ
Tit 1 9 τοῦ κατὰ τὴν διδαχὴν πιστοῦ λόγου

Hb 6 2 βαπτισμῶν διδαχήν (vl ..ῆς vg)
13 9 διδαχαῖς ποικίλαις καὶ ξέναις μὴ παραφέρεσθε (vl περιφ.)
2 Jo 9 ὁ – μὴ μένων ἐν τῇ δ. τοῦ Χοῦ – · κτλ
10 εἴ τις – ταύτην τὴν δ. οὐ φέρει
Ap 214 ἔχεις – κρατοῦντας τὴν δ. Βαλαάμ
15 τὴν δ. τῶν Νικολαϊτῶν ὁμοίως
– 24 ὅσοι οὐκ ἔχουσιν τὴν δ. ταύτην

διδόναι *dare* [b]*tribuere*
Mat 4 9 ταῦτά σοι πάντα δώσω ‖ Luc 46 σοὶ
δώσω τὴν ἐξουσίαν ταύτην ἅπασαν
–, – ᾧ ἐὰν θέλω δίδωμι αὐτήν
542 τῷ αἰτοῦντί σε δός ‖ Luc 630 παντὶ
αἰτ. σε δίδου[b] 38 δίδοτε, καὶ δοθήσεται ὑμῖν· μέτρον καλὸν – δώσουσιν εἰς τὸν κόλπον ὑμῶν
7 6 μὴ δῶτε τὸ ἅγιον τοῖς κυσίν, μηδέ
– 7 αἰτεῖτε, καὶ δοθήσεται ὑμῖν 11 δόματα
ἀγαθὰ διδόναι τοῖς τέκνοις ὑμῶν,
πόσῳ μᾶλλον – δώσει ἀγαθὰ τοῖς αἰτοῦσιν ‖ Luc 119.13 πνεῦμα ἅγιον
10 8 δωρεὰν ἐλάβετε, δωρεὰν δότε
– 19 δοθήσεται – ὑμῖν – τί λαλήσητε Mar
1311 ὃ ἐὰν δοθῇ ὑμῖν –, τοῦτο λαλεῖτε Luc 2115 ἐγὼ γὰρ δώσω ὑμῖν στόμα καὶ σοφίαν
1311 ὑμῖν δέδοται γνῶναι τὰ μυστήρια –,
ἐκείνοις δὲ οὐ δέδοται ‖ Mar 411 τὸ
μυστ. δέδοται τῆς βασιλ. Luc 810
– 12 ὅστις – ἔχει, δοθήσεται αὐτῷ 2529 ‖
Mar 425 Luc 818 1926 παντὶ τ. ἔχοντι
1911 οὐ πάντες –, ἀλλ᾽ οἷς δέδοται
– 21 πώλησον – καὶ δὸς πτωχοῖς ‖ Mar 1021
Luc 1233 π..ατε – καὶ δότε ἐλεημοσ.
20 4 ὃ ἐὰν ᾖ δίκαιον δώσω ὑμῖν 14 θέλω
– τῷ ἐσχάτῳ δοῦναι ὡς καὶ σοί
– 23 οὐκ ἔστιν ἐμὸν τοῦτο δοῦναι ‖ Mar
1037 δὸς ἡμῖν ἵνα – καθίσωμεν 40
– 28 δοῦναι τὴν ψυχὴν αὐτοῦ λύτρον ἀντὶ πολλῶν ‖ Mar 1045
2615 τί θέλετέ μοι δοῦναι, κἀγὼ –;
2818 ἐδόθη μοι πᾶσα ἐξουσία ἐν οὐρανῷ
καὶ ἐπὶ [τῆς] γῆς
Luc 1248 παντὶ – ᾧ ἐδόθη πολύ, πολὺ ζητήσ.
1612 τὸ ἡμέτερον (vl ὑμ.) τίς δώσει ὑμῖν;
2219 τὸ σῶμά μου [τὸ ὑπὲρ ὑμ. διδόμενον]
Joh 327 ἐὰν μὴ ᾖ δεδομένον αὐτῷ ἐκ τ. οὐρ.
– 35 πάντα δέδωκεν ἐν τῇ χειρὶ αὐτοῦ 133
ὅτι – ἔδωκεν αὐτῷ – εἰς τὰς χεῖρας
536 τὰ – ἔργα ἃ δέδωκέν μοι ὁ πατήρ
174 τὸ ἔργον – ὃ δέδωκάς μοι ἵνα

Joh 637 πᾶν ὃ δίδωσίν μοι ὁ πατὴρ πρὸς ἐμὲ
ἥξει 39 ἵνα πᾶν ὃ δέδωκέν μοι μὴ
ἀπολέσω ἐξ αὐτοῦ
– 65 ἐὰν μὴ ᾖ δεδομένον αὐτῷ ἐκ τ. πατρ.
1029 ὁ πατήρ μου ὃ δέδωκέν μοι πάντων
μεῖζόν ἐστιν (vl ὃς – μείζων)
1122 ὅσα ἂν αἰτήσῃ τὸν θεὸν δώσει σοι ὁ
θεός 1516 ἵνα ὅ τι ἂν αἰτήσητε – ἐν
τῷ ὀνόμ. μου δῷ ὑμῖν 1623 δώσει ὑμῖν
1427 εἰρήνην τὴν ἐμὴν δίδωμι ὑμῖν· οὐ καθὼς ὁ κόσμος δίδωσιν ἐγὼ δίδωμι
17 2 ἔδωκας αὐτῷ ἐξουσίαν πάσης σαρκός, ἵνα πᾶν ὃ δέδωκας αὐτῷ δώσῃ
αὐτοῖς ζωὴν αἰώνιον 6 οὓς ἔδωκάς
μοι ἐκ τοῦ κόσμου. σοὶ ἦσαν κἀμοὶ
αὐτοὺς ἔδωκας 7 ὅσα δέδωκάς μοι
παρὰ σοῦ εἰσιν 8 τὰ ῥήματα ἃ ἔδωκάς μοι δέδωκα αὐτοῖς 9 περὶ ὧν δέδωκάς μοι (sc ἐρωτῶ)
– 11 τήρησον αὐτοὺς ἐν τῷ ὀνόματί σου
ᾧ (vl οὓς vg) δέδωκάς μοι 12
– 14 ἐγὼ δέδωκα αὐτοῖς τὸν λόγον σου
– 22 τὴν δόξαν ἣν δέδωκάς μοι δέδωκα
αὐτοῖς 24 πατήρ, ὃ (vl οὓς vg) δέδωκάς μοι, θέλω –, ἵνα θεωρῶσιν τὴν
δόξαν –, ἣν δέδωκάς μοι
18 9 οὓς δέδωκάς μου, οὐκ ἀπώλεσα
1911 εἰ μὴ ἦν δεδομένον σοι ἄνωθεν
Act 3 6 ὃ δὲ ἔχω, τοῦτό σοι δίδωμι
2035 μακάριόν ἐστιν μᾶλλον διδόναι ἢ
Rm 15 5 δῴη ὑμῖν τὸ αὐτὸ φρονεῖν ἐν ἀλλήλ.
1 Co 3 5 ἑκάστῳ ὡς ὁ κύριος ἔδωκεν
2 Co 8 5 ἑαυτοὺς ἔδωκαν – τῷ κυρ. καὶ ἡμῖν
Gal 1 4 τοῦ δόντος ἑαυτὸν ὑπὲρ τῶν ἁμαρτ.
Eph 316 ἵνα δῷ ὑμῖν – κραταιωθῆναι διά
2 Th 3 9 ἵνα ἑαυτοὺς τύπον δῶμεν ὑμῖν
1 Ti 2 6 ὁ δοὺς ἑαυτὸν ἀντίλυτρον ὑπὲρ πάντ.
2 Ti 118 δῴη αὐτῷ ὁ κύριος εὑρεῖν ἔλεος 16
Tit 214 ὃς ἔδωκεν ἑαυτὸν ὑπὲρ ἡμῶν
Jac 1 5 παρὰ τοῦ διδόντος θεοῦ πᾶσιν ἁπλῶς
216 ἐὰν –, μὴ δῶτε δὲ αὐτοῖς τὰ ἐπιτήδ.

δίδραχμα, τά *didrachma* (vl ..*gma*) Mat 1724

Δίδυμος Joh 1116 ὁ λεγόμενος Δ. 2024 21 2

διεγείρειν [a]*suscitare* [b]*excitare*
διεγείρεσθαι [c]*exurgere* [d]*surgere*
Mar 439 δ.ερθείς[c] ‖ Luc 824[a] et[d] Joh 618[c]
2 Pe 113 διεγείρειν[a] ὑμᾶς ἐν ὑπομνήσει
3 1 ἐπιστολήν, ἐν αἷς διεγείρω[b] ὑμῶν ἐν
ὑπομνήσει τὴν εἰλικρινῆ διάνοιαν

διενθυμεῖσθαι S° – cogitare Act 10 19 περί

διέξοδος exitus Mat 22 9 ἐπὶ τὰς διεξ.

διερμηνεύειν interpretari Luc 24 27 διηρμή-
νευσεν αὐτοῖς ἐν πάσαις ταῖς γραφαῖς τὰ
περὶ ἑαυτοῦ – Act 9 36 δ..ομένη – Δορκάς
1 Co 12 30 μὴ πάντες δ..ουσιν; 14 5 ἐκτὸς εἰ μὴ
δ..ῃ 13 προσευχέσθω ἵνα δ..ῃ 27 εἷς δ..έτω

διερμηνευτής S° – interpres 1 Co 14 28

διέρχεσθαι transire ᵇpertransire ᶜambulare
per ᵈperambulare ᵉire ᶠcircuire
ᵍpraeterire ʰpenetrare ⁱperagrare
ᵏtransfretare ˡvenire
Mat 12 43ᶜ δι' ἀνύδρων τόπων ‖ Luc 11 24ᶜ vlᵈ
Mar 4 35 διέλθωμεν εἰς τὸ πέραν ‖ Luc 8 22ᵏ
10 25 διὰ τῆς τρυμαλιᾶς τῆς ῥαφίδος
Luc 2 15 ἕως Βηθλέεμ 4 30 διὰ μέσου αὐτῶν
9 6ᶠ κατὰ τὰς κώμας 17 11 διὰ μέσον
Σαμαρείας 19 1ᵈ τὴν Ἰεριχώ 4 ἐκεί-
νης ἤμελλεν διέρχεσθαι
– 35 τὴν ψυχὴν διελεύσεταιᵇ ῥομφαία
5 15 διήρχετοᵈ – ὁ λόγος περὶ αὐτοῦ
Joh 4 4 ἔδει – αὐτὸν διέρχ. διὰ τῆς Σαμαρ.
– 15 ἵνα μὴ διψῶ μηδὲ δ..ωμαι (vl ἔρχω-
μαι vg veniam) ἐνθάδε ἀντλεῖν
Act 8 4 διῆλθονᵇ εὐαγγελιζόμενοι 40ᵇ 9 32ᵇ 38ˡ
10 38 ὃς διῆλθενᵇ εὐεργετῶν καὶ ἰώμενος
11 19ᵈ ἕως Φοινίκης καὶ Κύπρου – 12 10
13 6ᵈ (sc Cyprum) 14ᵇ ἀπὸ τῆς Πέργης
14 24 Πισιδίαν 15 3ᵇ Φοινίκην 41ᵈ Συρίαν
16 6 Φρυγίαν 17 23ᵍ (Athenis) 18 23ᵈ Γαλ.
18 27ᵉ εἰς τὴν Ἀχαΐαν 19 1ⁱ τὰ ἀνωτερικὰ
μέρη 21 Μακεδονίαν 20 2ᵈ 25 πάντες
ἐν οἷς διῆλθον κηρύσσων τὴν βασ.
Rm 5 12 οὕτως εἰς πάντας ἀνθρώπους ὁ θά-
νατος διῆλθενᵇ
1 Co 10 1 πάντες διὰ τῆς θαλάσσης διῆλθον
16 5 ὅταν Μακεδονίαν διέλθωᵇ· κτλᵇ
2 Co 1 16 ἐβουλόμην – δι' ὑμῶν διελθεῖν εἰς Μ.
Hb 4 14 διεληλυθόταʰ τοὺς οὐρανούς

διερωτᾶν S° – inquirere Act 10 17

διετής, ἀπὸ διετοῦς a bimatu Mat 2 16

διετία S° – biennium Act 24 27 28 30

διηγεῖσθαι narrare ᵇenarrare
Mar 5 16 9 9 ἵνα μηδενὶ ἃ εἶδον διηγήσωνται

Luc 8 39 διηγοῦ ὅσα σοι ἐποίησεν ὁ θεός 9 10
Act 8 33ᵇ 9 27 12 17 – Hb 11 32ᵇ περὶ Γεδεών

διήγησις narratio Luc 1 1

διηνεκές, εἰς τὸ S° – ᵃin perpetuum
ᵇin sempiternum ᶜindesinenter
Hb 7 3 μένει „ἱερεὺς" εἰς τ. δ.ᵃ 10 1ᶜ 12 μίαν
– προσενέγκας θυσίαν εἰς τ. δ.ᵇ ἐκάθισεν
14 μιᾷ – προσφορᾷ τετελείωκεν εἰς τ. δ.ᵇ

διθάλασσος S° – dithalassus (vl bi.) Act 27 41

διϊκνεῖσθαι pertingere Hb 4 12

διϊστάναι ᵃintervallum facere ᵇrecedere
ᶜseparari Luc 22 59 διαστάσηςᵃ – ὥρας
Luc 24 51 διέστηᵇ ἀπ' αὐτῶν – Act 27 28ᶜ

διϊσχυρίζεσθαι S° – affirmare
Luc 22 59 Act 12 15 διϊσχυρίζετο οὕτως ἔχειν

δικαιοκρισία S° – iustum iudicium Rm 2 5

δίκαιος iustus

1) proprium Dei vel Christi

Mat 27 19 μηδὲν σοὶ καὶ τῷ δικαίῳ ἐκείνῳ
(– 24 vl ἀπὸ τοῦ αἵματος τοῦ δικαίου τού-
του vg sanguine iusti huius)
Luc 23 47 ὄντως ὁ ἄνθρωπος οὗτος δ. ἦν
Joh 17 25 πατὴρ δίκαιε, καὶ ὁ κόσμος σε οὐκ
Act 3 14 τὸν ἅγιον καὶ δ..ον ἠρνήσασθε 7 52
προκαταγγείλαντας περὶ τῆς ἐλεύσε-
ως τοῦ δ., οὗ νῦν ὑμεῖς – φονεῖς
22 14 ἰδεῖν τὸν δ. καὶ ἀκοῦσαι φωνήν
Rm 3 26 εἰς τὸ εἶναι αὐτὸν δ..ον καὶ δικαι-
οῦντα τὸν ἐκ πίστεως Ἰησοῦ
2 Ti 4 8 ὁ κύριος –, ὁ δίκαιος κριτής
1 Pe 3 18 ἀπέθανεν, δίκαιος ὑπὲρ ἀδίκων
1 Jo 1 9 πιστός ἐστιν καὶ δίκ., ἵνα ἀφῇ ἡμῖν
2 1 παράκλητον –, Ἰησοῦν Χ. δίκαιον
– 29 ἐὰν εἰδῆτε ὅτι δίκαιός ἐστιν
3 7 καθὼς ἐκεῖνος δίκαιός ἐστιν → 2)
Ap 16 5 „δίκαιος εἶ, ὁ ὢν" καὶ ὁ ἦν

2) homines iusti

Mat 1 19 Ἰωσήφ –, δίκαιος ὢν καὶ μὴ θέλων
5 45 βρέχει ἐπὶ δικαίους καὶ ἀδίκους
9 13 οὐ γὰρ ἦλθον καλέσαι δ..ους ἀλλὰ
ἁμαρτ. ‖ Mar 2 17 Luc 5 32 εἰς μετάν.
10 41 ὁ δεχόμενος δ..ον εἰς ὄνομα δικαίου
μισθὸν δικαίου λήμψεται

Mat 13 17 πολλοὶ προφῆται καὶ δ..οι ἐπεθύμη.
 – 43 „οἳ δ..οι ἐκλάμψουσιν" – ἐν τῇ βασιλ.
 – 49 οἱ ἄγγελοι – ἀφοριοῦσιν τοὺς πονη-
 ροὺς ἐκ μέσου τῶν δικαίων
 23 28 ἔξωθεν μὲν φαίνεσθε τοῖς ἀνθρ. δ..οι
 – 29 κοσμεῖτε τὰ μνημεῖα τῶν δικαίων
 – 35 ἀπὸ τοῦ αἵματος Ἅβελ τοῦ δικαίου
 25 37 ἀποκριθήσονται αὐτῷ οἱ δ. – · κύριε
 – 46 οἱ δὲ δίκαιοι εἰς ζωὴν αἰώνιον
Mar 6 20 εἰδὼς αὐτὸν ἄνδρα δ..ον καὶ ἅγιον
Luc 1 6 ἦσαν – δ..οι ἀμφότεροι ἐναντ. τ. θεοῦ
 – 17 ἀπειθεῖς ἐν φρονήσει δικαίων
 2 25 δ..ος καὶ εὐλαβής (Symeon) 23 50 ἀγα-
 θὸς καὶ δ..ος (Joseph) Act 10 22 ἀνὴρ
 δ. καὶ φοβούμενος τὸν θ. (Cornel.)
 14 14 ἐν τῇ ἀναστάσει τῶν δ. Act 24 15 ἀνά-
 στασιν – ἔσεσθαι δ..ων τε καὶ ἀδίκων
 15 7 ἢ ἐπὶ ἐνενήκοντα ἐννέα δικαίοις
 18 9 τοὺς πεποιθότας – ὅτι εἰσὶν δίκαιοι
 20 20 ὑποκρινομένους ἑαυτοὺς δ..ους εἶναι
Rm 1 17 „ὁ – δίκαιος ἐκ πίστεως ζήσεται" Gal
 3 11 Hb 10 38 „ὁ – δίκαιός μου"
 2 13 οὐ γὰρ οἱ ἀκροαταὶ νόμου δίκαιοι
 παρὰ [τῷ] θεῷ, ἀλλ᾽ οἱ ποιηταί
 3 10 „οὐκ ἔστιν δίκαιος οὐδὲ εἷς"
 5 7 μόλις – ὑπὲρ δ..ου τις ἀποθανεῖται
 – 19 δίκαιοι κατασταθήσονται οἱ πολλοί
1 Ti 1 9 εἰδὼς – ὅτι δικαίῳ νόμος οὐ κεῖται
Tit 1 8 δεῖ – ἐπίσκοπον – εἶναι – δ..ον, ὅσιον
Hb 11 4 δι᾽ ἧς ἐμαρτυρήθη εἶναι δ..ος (Abel)
 12 23 πνεύμασι δικαίων τετελειωμένων
Jac 5 6 κατεδικάσατε, ἐφονεύσατε τὸν δ..ον
 – 16 πολὺ ἰσχύει δέησις δ..ου ἐνεργουμένη
1 Pe 3 12 „ὀφθαλμοὶ κυρίου ἐπὶ δικαίους"
 4 18 „εἰ ὁ δ. μόλις σῴζεται, ὁ – ἀσεβὴς –;
2 Pe 2 7 δ..ον Λὼτ – ἐρρύσατο 8 ὁ δίκ. – ψυ-
 χὴν δ..αν ἀνόμοις ἔργοις ἐβασάνιζεν
1 Jo 3 7 ὁ ποιῶν τὴν δικαιοσύνην δίκ. ἐστιν
Ap 22 11 ὁ δίκ. δικαιοσύνην ποιησάτω ἔτι

 3) res iustae – τὸ δίκαιον, δίκαιόν ἐστιν

Mat 20 4 ὃ ἐὰν ᾖ δίκαιον δώσω ὑμῖν
 23 35 πᾶν αἷμα δίκαιον ἐκχυννόμενον (27 4
 vl παραδοὺς αἷ. δίκαιον vg)
Luc 12 57 τί – ἀφ᾽ ἑαυτῶν οὐ κρίνετε τὸ δ.;
Joh 5 30 ἡ κρίσις ἡ ἐμὴ δικαία ἐστίν
 7 24 ἀλλὰ τὴν δικαίαν κρίσιν κρίνατε
Act 4 19 εἰ δίκαιόν ἐστιν ἐνώπιον τοῦ θεοῦ
Rm 7 12 ἡ ἐντολὴ ἁγία καὶ δικαία καὶ ἀγαθή
Eph 6 1 τοῦτο γάρ ἐστιν δίκαιον
Phl 1 7 καθώς ἐστιν δ..ον ἐμοὶ τοῦτο φρονεῖν
 4 8 ὅσα σεμνά, ὅσα δίκαια, ὅσα ἁγνά

Col 4 1 τὸ δίκαιον καὶ τὴν ἰσότητα τοῖς δού-
 λοις παρέχεσθε
2 Th 1 5 ἔνδειγμα τῆς δ..ας κρίσεως τ. θεοῦ
 – 6 εἴπερ δ..ον παρὰ θεῷ ἀνταποδοῦναι
2 Pe 1 13 δ..ον δὲ ἡγοῦμαι – διεγείρειν ὑμᾶς
 2 8 ψυχὴν δικαίαν – ἐβασάνιζεν
1 Jo 3 12 τὰ δὲ τοῦ ἀδελφοῦ (sc ἔργα) – δ..α
Ap 15 3 „δίκαιαι καὶ ἀληθιναὶ αἱ ὁδοί" σου
 16 7 „αἱ κρίσεις σου" 19 2 „κρίσεις"

δικαιοσύνη iustitia b aequitas c iustificatio
Mat 3 15 πρέπον – ἡμῖν πληρῶσαι πᾶσαν δ..ην
 5 6 οἱ πεινῶντες καὶ διψῶντες τὴν δικ.
 – 10 οἱ δεδιωγμένοι ἕνεκεν δ..ης
 – 20 ἐὰν μὴ περρισσεύσῃ ὑμῶν ἡ δ. πλεῖ-
 ον τῶν γραμματέων καὶ Φαρισ.
 6 1 προσέχετε – τὴν δ. ὑμῶν μὴ ποιεῖν
 ἔμπροσθεν τῶν ἀνθρώπων πρὸς τό
 – 33 ζητεῖτε – τὴν βασιλ. καὶ τὴν δ. αὐτοῦ
 21 32 ἦλθεν – Ἰωάννης – ἐν ὁδῷ δ..ης
Luc 1 75 λατρεύειν – ἐν ὁσιότητι καὶ δ..ῃ
Joh 16 8 ἐλέγξει τὸν κόσμον – περὶ δ..ης 10
Act 10 35 ὁ – ἐργαζόμενος δ..ην δεκτὸς αὐτῷ
 13 10 ἐχθρὲ πάσης δ..ης (Bariesus)
 17 31 μέλλει „κρίνειν τὴν οἰκουμ. ἐν δ..ῃ b
 24 25 διαλεγομένου – αὐτοῦ περὶ δ..ης
Rm 1 17 δικαιοσύνη – θεοῦ ἐν αὐτῷ ἀπο-
 καλύπτεται 3 5 ἡ ἀδικία ἡμῶν θεοῦ
 δ..ην συνίστησιν 21 χωρὶς νόμου δ.
 θεοῦ πεφανέρωται 22 δ. δὲ θεοῦ διὰ
 πίστεως – Χοῦ 25 εἰς ἔνδειξιν τῆς δικ.
 αὐτοῦ 26 10 3 ἀγνοοῦντες – τὴν τοῦ
 θ. δικ. καὶ τὴν ἰδίαν ζητοῦντες στῆ-
 σαι, τῇ δικ. τοῦ θ. οὐχ ὑπετάγησαν
 → 2 Co 5 21 Phl 3 9
 4 3 „ἐλογίσθη αὐτῷ εἰς δ..ην" 5 λο-
 γίζεται ἡ πίστις – εἰς δ..ην 9 „ἐλογί-
 σθη κτλ" 22 Gal 3 6 Jac 2 23
 – 6 ᾧ ὁ θεὸς λογίζεται δ..ην χωρὶς ἔργ.
 – 11 ἔλαβεν – σφραγῖδα τῆς δικ. τῆς πί-
 στεως τῆς ἐν τῇ ἀκροβυστίᾳ, – εἰς τὸ
 λογισθῆναι αὐτοῖς [τὴν] δικ.
 – 13 ἡ ἐπαγγελία – διὰ δ..ης πίστεως
 5 17 οἱ τὴν περισσείαν τῆς χάριτος καὶ
 τῆς δωρεᾶς τῆς δικ. λαμβάνοντες
 – 21 ἡ χάρις βασιλεύσῃ διὰ δ..ης εἰς ζω.
 6 13 τὰ μέλη ὑμῶν ὅπλα δ..ης τῷ θεῷ
 – 16 δοῦλοί ἐστε – ἢ ὑπακοῆς εἰς δ..ην 18
 ἐδουλώθητε τῇ δικ. 19 παραστήσατε
 τὰ μέλη ὑμῶν δοῦλα τῇ δικ. εἰς ἁγια-
 σμόν 20 ἐλεύθεροι ἦτε τῇ δικ.
 8 10 τὸ δὲ πνεῦμα ζωὴ διὰ δ..ην c

Rm 9 30 ἔθνη τὰ μὴ διώκοντα δ..ην κατέλαβεν
δ..ην, δ..ην δὲ τὴν ἐκ πίστεως 31 Ἰσρα-
ὴλ – διώκων νόμον δ..ης εἰς νόμον
(vl + δ..ης vg) οὐκ ἔφθασεν
10 4 τέλος – νόμου Χὸς εἰς δ..ην – τῷ πι-
στεύοντι 5 Μωϋσῆς γὰρ γράφει ὅτι
τὴν δικ. τὴν ἐκ νόμου ὁ ποιήσας 6 ἡ
δὲ ἐκ πίστεως δικ. – λέγει· 10 καρδίᾳ
γὰρ πιστεύεται εἰς δ..ην
14 17 δικ. καὶ εἰρήνη καὶ χαρὰ ἐν πνεύ.
1 Co 1 30 ὃς ἐγενήθη σοφία ἡμῖν ἀπὸ θεοῦ,
δικ. τε καὶ ἁγιασμός
2 Co 3 9 περισσεύει ἡ διακονία τῆς δικ. δόξῃ
5 21 ἵνα – γενώμεθα δικ. θεοῦ ἐν αὐτῷ
6 7 διὰ τῶν ὅπλων τῆς δ. τῶν δεξιῶν
– 14 τίς γὰρ μετοχὴ δ..ῃ καὶ ἀνομίᾳ;
9 9 „ἡ δικ. αὐτοῦ μένει εἰς τὸν αἰῶνα”
– 10 αὐξήσει „τὰ γενήματα τῆς δ. ὑμῶν”
11 15 μετασχηματίζονται ὡς διάκονοι δ..ης
Gal 2 21 εἰ – διὰ νόμου δικ., – Χὸς δωρεάν
3 21 ὄντως ἐκ νόμου ἂν ἦν ἡ δικ.
5 5 ἐκ πίστεως ἐλπίδα δ..ης ἀπεκδεχό.
Eph 4 24 τὸν κατὰ θεὸν κτισθέντα ἐν δικαιο-
σύνῃ καὶ ὁσιότητι τῆς ἀληθείας
5 9 ἐν πάσῃ ἀγαθωσύνῃ καὶ δ..ῃ κ. ἀλ.
6 14 „ἐνδυσάμενοι τὸν θώρακα τῆς δ.”
Phl 1 11 πεπληρωμένοι καρπὸν δ..ης τὸν
διὰ Ἰησοῦ Χοῦ Hb 12 11 καρπὸν εἰ-
ρηνικὸν – ἀποδίδωσιν δ..ης Jac 3 18
καρπὸς – δ..ης ἐν εἰρήνῃ σπείρεται
3 6 κατὰ δ..ην τὴν ἐν νόμῳ – ἄμεμπτος
9 μὴ ἔχων ἐμὴν δ..ην τὴν ἐκ νόμου,
ἀλλὰ – τὴν διὰ πίστεως Χοῦ, τὴν ἐκ
θεοῦ δικ. ἐπὶ τῇ πίστει
1 Ti 6 11 δίωκε δὲ δ..ην, εὐσέβειαν 2 Ti 2 22
2 Ti 3 16 ὠφέλιμος – πρὸς παιδείαν τὴν ἐν δ..ῃ
4 8 ἀπόκειται μοι ὁ τῆς δικ. στέφανος
Tit 3 5 οὐκ ἐξ ἔργων τῶν ἐν δ..ῃ ἃ ἐποιή-
σαμεν ἡμεῖς
Hb 1 9 „ἠγάπησας δ..ην καὶ ἐμίσησας ἀνο.”
5 13 ἄπειρος λόγου δ..ης, νήπιος γάρ ἐστιν
7 2 ἑρμηνευόμενος βασιλεὺς δ..ης
11 7 Νῶε – τῆς κατὰ πίστιν δ..ης ἐγένετο
κληρονόμος 33 οἳ διὰ πίστεως – ἠργά-
σαντο δ..ην – 12 11 Jac 3 18 → Phl 1 11
Jac 1 20 ὀργὴ – δ..ην θεοῦ οὐκ ἐργάζεται
1 Pe 2 24 ἵνα – τῇ δικαιοσύνῃ ζήσωμεν
3 14 εἰ καὶ πάσχοιτε διὰ δ..ην, μακάριοι
2 Pe 1 1 τοῖς ἰσότιμον ἡμῖν λαχοῦσιν πίστιν
ἐν δ..ῃ τοῦ θεοῦ ἡμῶν καὶ σωτῆρος
2 5 Νῶε δικαιοσύνης κήρυκα ἐφύλαξεν
– 21 μὴ ἐπεγνωκέναι τὴν ὁδὸν τῆς δικ.

2 Pe 3 13 ἐν οἷς δικαιοσύνη κατοικεῖ
1 Jo 2 29 πᾶς ὁ ποιῶν τὴν δικ. 3 7;10 ὁ μὴ ποι-
ῶν δ..ην (vl ὢν δίκαιος vg)
Ap 19 11 „ἐν δ..ῃ κρίνει” καὶ πολεμεῖ
22 11 ὁ δίκαιος δ..ην ποιησάτω (vl δικαιω-
θήτω vg, vl iustitiam faciat) ἔτι

δικαιοῦν iustificare
Mat 11 19 ἐδικαιώθη ἡ σοφία ἀπὸ τῶν ἔργων
(vl τέκνων vg) αὐτῆς ‖ Luc 7 35 τέκ.
12 37 ἐκ γὰρ τῶν λόγων σου δικαιωθήσῃ
Luc 7 29 καὶ οἱ τελῶναι ἐδικαίωσαν τὸν θεόν,
βαπτισθέντες τὸ βάπτισμα Ἰωάννου
10 29 ὁ δὲ θέλων δικαιῶσαι ἑαυτὸν εἶπεν
16 15 ὑμεῖς ἐστε οἱ δ..οῦντες ἑαυτοὺς ἐνώ-
πιον τῶν ἀνθρ., ὁ δὲ θεὸς γινώσκει
18 14 κατέβη οὗτος δεδικαιωμένος – παρ’
Act 13 38. 39 ἀπὸ πάντων ὧν οὐκ ἠδυνήθητε ἐν
νόμῳ Μωϋσέως δ..ωθῆναι, ἐν τούτῳ
πᾶς ὁ πιστεύων δ..οῦται
Rm 2 13 ἀλλ’ οἱ ποιηταὶ νόμου δ..ωθήσονται
3 4 „ὅπως ἂν δ..ωθῇς ἐν τοῖς λόγοις σου”
– 20 ἐξ ἔργων νόμου „οὐ δ..ωθήσεται πᾶ-
σα σάρξ” Gal 2 16
– 24 δ..ούμενοι δωρεὰν τῇ αὐτοῦ χάριτι
– 26 εἰς τὸ εἶναι – δίκαιον καὶ δ..οῦντα
– 28 δ..οῦσθαι πίστει ἄνθρωπον χωρὶς ἔργ.
– 30 ὃς δ..ώσει περιτομὴν ἐκ πίστεως καὶ
ἀκροβυστίαν διὰ τῆς πίστεως
4 2 εἰ γὰρ Ἀβρ. ἐξ ἔργων ἐδικαιώθη
– 5 τῷ δὲ μὴ ἐργαζομένῳ, πιστεύοντι δὲ
ἐπὶ τὸν δ..οῦντα τὸν ἀσεβῆ
5 1 δ..ωθέντες οὖν ἐκ πίστεως 9 μᾶλλον
δ..ωθέντες νῦν ἐν τῷ αἵματι αὐτοῦ
6 7 ὁ γὰρ ἀποθανὼν δεδικαίωται ἀπὸ
τῆς ἁμαρτίας
8 30 τούτους καὶ ἐδικαίωσεν· οὓς δὲ ἐδι-
καίωσεν, τούτους καὶ ἐδόξασεν
– 33 τίς ἐγκαλέσει –; θεὸς „ὁ δ..ῶν”
1 Co 4 4 ἀλλ’ οὐκ ἐν τούτῳ δεδικαίωμαι
6 11 ἐδ..ώθητε ἐν τῷ ὀνόματι – Ἰ. Χοῦ
Gal 2 16 οὐ δικαιοῦται ἄνθρ. – ἐὰν μὴ διὰ πί-
στεως Χοῦ, καὶ ἡμεῖς – ἐπιστεύσαμεν,
ἵνα δικαιωθῶμεν ἐκ πίστεως
– 17 εἰ δὲ ζητοῦντες δ..ωθῆναι ἐν Χῷ
3 8 ὅτι ἐκ πίστεως δ..οῖ τὰ ἔθνη ὁ θεός
– 11 ὅτι δὲ ἐν νόμῳ οὐδεὶς δικαιοῦται πα-
ρὰ τῷ θεῷ δῆλον
– 24 ὁ νόμος παιδαγωγὸς ἡμῶν – εἰς Χόν,
ἵνα ἐκ πίστεως δικαιωθῶμεν
5 4 οἵτινες ἐν νόμῳ δ..οῦσθε, – ἐξεπέσ.
1 Ti 3 16 ἐδ..ώθη (vg ..catum est) ἐν πνεύματι

Tit 3 7 δικαιωθέντες τῇ ἐκείνου χάριτι
Jac 2 21 Ἀβρ. – οὐκ ἐξ ἔργων ἐδικαιώθη –;
   – 24 ὁρᾶτε ὅτι ἐξ ἔργων δ..οῦται ἄνθρ.
   – 25 Ῥαὰβ – οὐκ ἐξ ἔργων ἐδ..ώθη, –;
(Ap 22 11 vl → δικαιοσύνη)

δικαίωμα ᵃiustificatio ᵇiustitia ᶜiudicium
Luc 1 6 πορευόμενοι ἐν – δ..σιν ᵃ τοῦ κυρίου
Rm 1 32 τὸ δικαίωμα ᵇ τοῦ θεοῦ ἐπιγνόντες
   2 26 ἐὰν – ἡ ἀκροβυστία τὰ δικαιώματα ᵇ
    τοῦ νόμου φυλάσσῃ
   5 16 τὸ δὲ χάρισμα ἐκ πολλῶν παραπτω-
    μάτων εἰς δικ.ᵃ 18 δι' ἑνὸς δ..τος ᵇ εἰς
    πάντας – εἰς δικαίωσιν ᵃ ζωῆς
   8 4 ἵνα τὸ δικ.ᵃ τοῦ νόμου πληρωθῇ ἐν
    ἡμῖν τοῖς μὴ κατὰ σάρκα περιπατ.
Hb 9 1 εἶχε – καὶ ἡ πρώτη δ..τα ᵃ λατρείας
   – 10 δ..τα ᵇ σαρκὸς μέχρι καιροῦ διορθώ-
    σεως ἐπικείμενα
Ap 15 4 ὅτι τὰ δικ.ᶜ σου ἐφανερώθησαν
   19 8 τὸ γὰρ βύσσινον τὰ δ.ᵃ τῶν ἁγίων

δικαίως iuste
Luc 23 41 καὶ ἡμεῖς μὲν δ., ἄξια γὰρ ὧν ἐπράξ.
1 Co 15 34 ἐκνήψατε δ. (vg iusti vl iuste)
1 Th 2 10 ὡς ὁσίως καὶ δ. – ὑμῖν – ἐγενήθημεν
Tit 2 12 ἵνα – δ. καὶ εὐσεβῶς ζήσωμεν ἐν
1 Pe 2 23 παρεδίδου δὲ τῷ κρίνοντι δικαίως (vl
   ἀδίκως vg iudicanti se iniuste)

δικαίωσις iustificatio
Rm 4 25 ἠγέρθη διὰ τὴν δικαίωσιν ἡμῶν
   5 18 εἰς πάντας ἀνθρ. εἰς δ..σιν ζωῆς

δικαστής iudex Act 7 27.35 (vl Luc 12 14)

δίκη   poena ᵇultio
Act 28 4 ὃν – ἡ δίκη ᵇ ζῆν οὐκ εἴασεν
2 Th 1 9 δίκην (..nas) τίσουσιν ὄλεθρον αἰώ.
Jud   7 πυρὸς αἰωνίου δίκην ὑπέχουσαι

δίκτυον rete
Mat 4 20.21 ‖ Mar 1 18.19 Luc 5 2.4.5.6
Joh 21 6.8.11 οὐκ ἐσχίσθη τὸ δίκτυον

δίλογος Sº – bilinguis 1 Ti 3 8 μὴ δ..ους

διοδεύειν ᵃiter facere ᵇperambulare
Luc 8 1ᵃ κατὰ πόλιν καὶ κώμην Act 17 1 ᵇ

Διονύσιος Act 17 34 ὁ Ἀρεοπαγίτης

τὸ διοπετές Sº – Iovis proles Act 19 35

διορθώματα Sº γίνονται multa corriguntur
   Act 24 2 τῷ ἔθνει τούτῳ

διόρθωσις Sº – correctio
Hb   9 10 μέχρι καιροῦ διορθώσεως

διορύσσειν effodere ᵇperfodere (vl ..ire)
Mat 6 19 s – 24 43 διορυχθῆναι ᵇ ‖ Luc 12 39 ᵇ

Διόσκουροι Castores Act 28 11

Διοτρέφης 3 Jo 9 ὁ φιλοπρωτεύων

διπλοῦν Sº – duplicare Ap 18 6 διπλᾶ

διπλοῦς ᵃduplex ᵇduplus ᶜduplo quam
Mat 23 15 υἱὸν γεέννης διπλότερον ᶜ ὑμῶν
1 Ti 5 17 διπλῆς ᵃ τιμῆς ἀξιούσθωσαν
Ap 18 6 διπλώσατε τὰ διπλᾶ ᵃ „κατὰ τὰ ἔργα
   αὐτῆς"· ἐν τῷ ποτηρίῳ ᾧ ἐκέρασεν
   κεράσατε αὐτῇ διπλοῦν ᵇ (duplum)

δίς bis ᵇiterum Mar 14 30.72
Luc 18 12 νηστεύω δὶς τοῦ σαββάτου
Phl 4 16 1 Th 2 18 ἅπαξ καὶ δίς ᵇ Jud 12

δισμυριάς Sº – vicies millies Ap 9 16

διστάζειν Sº – dubitare
Mat 14 31 εἰς τί ἐδίστασας; 28 17 οἱ δὲ ἐδίστ.

δίστομος anceps ᵇutraque parte acutus
Hb   4 12 τομώτερος ὑπὲρ – μάχαιραν δ..ον
Ap 1 16 ῥομφαία δ.ᵇ ὀξεῖα 2 12 ᵇ (vl 19 15 ᵇ)

δισχίλιοι duo millia Mar 5 13 ὡς δισχ.

διϋλίζειν excolare Mat 23 24 κώνωπα

διχάζειν Sº – separare Mat 10 35 ἄνθρωπον

διχοστασίαι dissensiones Gal 5 20
Rm 16 17 σκοπεῖν τοὺς τὰς δ..ας – ποιοῦντας

διχοτομεῖν dividere Mat 24 51 ‖ Luc 12 46

διψᾶν sitire
Mat 5 6 οἱ διψῶντες τὴν δικαιοσύνην
   25 35 ἐδίψησα καὶ ἐποτίσατέ με 37.42.44
Joh 4 13 διψήσει πάλιν 14 οὐ μὴ διψήσει εἰς
   τὸν αἰῶνα 15 – 6 35 ὁ πιστεύων εἰς
   ἐμὲ οὐ μὴ διψήσει πώποτε

Joh 737 ἐάν τις διψᾷ, ἐρχέσθω πρός με καί
19 28 ἵνα τελειωθῇ ἡ γραφή, λέγει· „διψῶ"
Rm 12 20 „ἐὰν διψᾷ, πότιζε αὐτόν"
1 Co 4 11 πεινῶμεν καὶ διψῶμεν καὶ γυμνιτ.
Ap 716 „οὐδὲ διψήσουσιν" ἔτι, οὐδὲ μὴ πέσῃ
21 6 ἐγὼ „τῷ διψῶντι" δώσω ἐκ τῆς πη-
γῆς 22.17 „ὁ διψῶν ἐρχέσθω"

δίψος   sitis 2 Co 11 27 ἐν λιμῷ καὶ δίψει

δίψυχος Sᵒ – duplex animo Jac 18 48

διωγμός persecutio
Mat 13 21 διωγμοῦ διὰ τὸν λόγον ‖ Mar 4 17
Mar 10 30 ἐὰν μὴ λάβῃ ἑκατονταπλασίονα νῦν
– μετὰ διωγμῶν, καὶ ἐν τῷ αἰ. τ. ἐρχ.
Act 8 1 ἐγένετο – διωγμὸς μέγας ἐπὶ τὴν ἐκ-
κλησίαν τὴν ἐν Ἱεροσολύμοις
13 50 ἐπήγειραν δ..ὸν ἐπὶ τὸν Παῦλον καί
Rm 8 35 θλῖψις ἢ στενοχωρία ἢ διωγμός –;
2 Co 12 10 εὐδοκῶ – ἐν διωγμοῖς – ὑπὲρ Χοῦ
2 Th 1 4 ὑπομονῆς – ἐν πᾶσιν τοῖς δ. ὑμῶν
2 Ti 311 παρηκολούθησάς μου – τοῖς δ. – · οἵ-
ους δ..οὺς ὑπήνεγκα, καὶ ἐκ πάντων

διώκειν persequi ᵇsectari ᶜsequi
ᵈpersecutionem pati
Mat 510 οἱ δεδιωγμένοιᵈ ἕνεκεν δικαιοσύνης
11 ὅταν ὀνειδίσωσιν ὑμᾶς καὶ διώξω-
σιν 12 οὕτως – ἐδίωξαν τοὺς προφή-
τας → Act 752
– 44 προσεύχεσθε ὑπὲρ τῶν δ..όντων ὑμᾶς
10 23 ὅταν δὲ δ..ωσιν ὑμᾶς ἐν τῇ πόλει
23 34 ἐξ αὐτῶν – διώξετε ἀπὸ πόλεως εἰς
πόλιν ‖ Luc 11 49 διώξουσιν
Luc 17 23 μὴ ἀπέλθητε μηδὲ διώξητεᵇ
21 12 πρὸ δὲ τούτων – διώξουσιν (sc ὑμᾶς)
Joh 516 ἐδίωκον οἱ Ἰουδαῖοι τὸν Ἰησοῦν
15 20 εἰ ἐμὲ ἐδίωξαν, καὶ ὑμᾶς διώξουσιν
Act 752 τίνα τῶν προφητῶν οὐκ ἐδίωξαν –;
9 4 τί με διώκεις; 5 ἐγώ εἰμι Ἰησοῦς ὃν
σὺ διώκεις 22 7.8 26 14.15
22 4 ὃς ταύτην τὴν ὁδὸν ἐδίωξα ἄχρι θα-
νάτου 26 11 1 Co 15 9 διότι ἐδίωξα τὴν
ἐκκλησίαν Gal 1 13 καθ' ὑπερβολὴν ἐ-
δίωκον τὴν ἐκκλ. 23 ὁ διώκων ἡμᾶς
ποτε Phl 3 6 κατὰ ζῆλος διώκων
Rm 9 30 ἔθνη τὰ μὴ δ..ονταᵇ δικαιοσύνην 31
Ἰσραὴλ – δ..ωνᵇ νόμον δικαιοσύνης
12 13 τὴν φιλοξενίαν διώκοντεςᵇ 14 εὐλο-
γεῖτε τοὺς διώκοντας (vl + ὑμᾶς vg)
14 19 τὰ τῆς εἰρήνης δ..ομεν (vl ..ωμεν vg)ᵇ

καὶ τὰ τῆς οἰκοδομῆς – εἰς ἀλλήλους
1 Co 4 12 διωκόμενοιᵈ ἀνεχόμεθα
14 1 διώκετεᵇ τὴν ἀγάπην, ζηλοῦτε
2 Co 4 9 δ..όμενοιᵈ ἀλλ' οὐκ ἐγκαταλειπόμενοι
Gal 4 29 ἐδίωκεν τὸν κατὰ πνεῦμα
5 11 εἰ περιτομὴν ἔτι κηρύσσω, τί ἔτι διώ-
κομαιᵈ; 6 12 ἀναγκάζουσιν ὑμᾶς πε-
ριτέμνεσθαι, μόνον ἵνα τῷ σταυρῷ
τοῦ Χοῦ – μὴ διώκωνταιᵈ
Phl 312 διώκωᶜ δὲ εἰ καὶ καταλάβω
– 14 κατὰ σκοπὸν διώκω εἰς τὸ βραβεῖον
1 Th 515 τὸ ἀγαθὸν διώκετεᵇ εἰς ἀλλήλους
1 Ti 6 11 δίωκεᵇ δὲ δικαιοσύνην 2 Ti 2 22ᵇ
2 Ti 312 πάντες – οἱ θέλοντες ζῆν εὐσεβῶς ἐν
Χῷ Ἰησοῦ διωχθήσονταιᵈ
Hb 12 14 „εἰρήνην διώκετεᶜ" μετὰ πάντων
1 Pe 311 „ὁ – θέλων ζωὴν ἀγαπᾶν – ζητησάτω
εἰρήνην καὶ διωξάτωᶜ αὐτήν"
Ap 12 13 ἐδίωξεν τὴν γυναῖκα (sc ὁ δράκων)

διώκτης Sᵒ – persecutor 1 Ti 1 13

δόγμα   ᵃdecretum ᵇedictum ᶜdogma
Luc 2 1ᵇ παρὰ Καίσαρος Act 17 7ᵃ (Hb 11 23 vl)
Act 16 4 φυλάσσειν τὰ δόγματαᶜ τὰ κεκριμέ-
να ὑπὸ τῶν ἀποστόλων καὶ πρεσβυτ.
Eph 2 15 τὸν νόμον τῶν ἐντολῶν ἐν δόγμασινᵃ
καταργήσας Col 2 14 ἐξαλείψας τὸ
καθ' ἡμῶν χειρόγραφον τοῖς δόγμα-
σινᵃ (decreti vl decretis)

δογματίζεσθαι decernere
Col 2 20 τί ὡς ζῶντες ἐν κόσμῳ δ..εσθε· –;

*δοκεῖν vidēri ᵇexistimare, ..ari (Hb 41) ᶜpu-
tare ᵈplacēre ᵉ(οὐ δ.) nescire
Mat 17 25 τί σοι δοκεῖ, Σίμων; 18 12 ὑμῖν –; 21
28 22 17 τί σοι δοκεῖ, ἔξεστιν δοῦναι
κῆνσον –; 42 τί ὑμῖν δοκεῖ περὶ τοῦ
χριστοῦ; τίνος υἱός ἐστιν; 26 66 Joh
11 56ᶜ – Luc 10 36 τίς – πλησίον δο-
κεῖ σοι γεγονέναι –; 12 51 δοκεῖτεᶜ
ὅτι εἰρήνην παρεγενόμην δοῦναι –;
24 44 ἢ οὐ δοκεῖτεᵉ ὥρα ‖ Luc 12 40ᶜ
Mar 10 42 οἱ δοκοῦντες ἄρχειν τῶν ἐθνῶν
Joh 539 ὅτι – δοκεῖτεᶜ ἐν αὐταῖς ζωὴν – ἔχειν
Act 15 22 ἔδοξεᵈ τοῖς ἀποστόλοις 25 ἔδοξενᵈ ἡ-
μῖν γενομένοις ὁμοθυμαδὸν 28 ἔδοξεν
– τῷ πνεύματι – καὶ ἡμῖν – [34]
1 Co 318 εἴ τις δοκεῖ σοφὸς εἶναι – ἐν τῷ αἰῶνι
τούτῳ 82 εἴ τις δοκεῖᵇ ἐγνωκέναι τι
Gal 6 3ᵇ εἶναί τι μηδὲν ὤν

1 Co 740 δοκῶ^c δὲ κἀγὼ πνεῦμα θεοῦ ἔχειν
    1012 ὁ δοκῶν^b ἑστάναι βλεπέτω μὴ πέσῃ
Gal 2 2 κατ' ἰδίαν δὲ τοῖς δοκοῦσιν (vg add
    aliquid esse, vl^o) 6 ἀπὸ δὲ τῶν δοκ.
    εἶναί τι, – ἐμοὶ – οἱ δοκ. οὐδὲν προσ-
    ανέθεντο 9 οἱ δοκ. στῦλοι εἶναι
Phl 3 4 εἴ τις δοκεῖ ἄλλ. πεποιθέναι ἐν σαρκί
Hb 4 1 μήποτε – δοκῇ^b τις – ὑστερηκέναι
    1211 παιδεία – οὐ δοκεῖ χαρᾶς εἶναι
Jac 126 εἴ τις δοκεῖ^c θρησκὸς εἶναι

δοκιμάζειν *probare* ^b*comprobare*
Luc 1256 τὸ πρόσωπον τῆς γῆς – οἴδατε δοκ.,
    τὸν καιρὸν – τοῦτον πῶς οὐ δ..ετε;
    1419 πορεύομαι δ..άσαι αὐτά (sc ζεύγη)
Rm 128 καθὼς οὐκ ἐδοκίμασαν τὸν θεὸν ἔ-
    χειν ἐν ἐπιγνώσει
    218 δ..εις τὰ διαφέροντα Phl110 ἐν – αἰσθή-
    σει, εἰς τὸ δ..ειν ὑμᾶς τὰ διαφέροντα
    12 2 τῇ ἀνακαινώσει τοῦ νοός, εἰς τὸ δ..ειν
    ὑμᾶς τί τὸ θέλημα τοῦ θεοῦ Eph 510
    δ..οντες τί ἐστιν εὐάρεστον τῷ κυρίῳ
    1422 ὁ μὴ κρίνων ἑαυτὸν ἐν ᾧ δ..άζει
1 Co 313 ἑκάστου τὸ ἔργον ὁποῖόν ἐστιν τὸ
    πῦρ αὐτὸ δοκιμάσει
    1128 δοκιμαζέτω δὲ ἄνθρωπος ἑαυτόν
    16 3 οὓς ἐὰν δ..σητε, – τούτους πέμψω
2 Co 8 8 τὸ τῆς ὑμετ. ἀγάπης γνήσιον δ..ων^b
    – 22 ὃν ἐδοκιμάσαμεν – σπουδαῖον ὄντα
    13 5 ἑαυτοὺς πειράζετε εἰ ἐστὲ ἐν τῇ πί-
    στει, ἑαυτοὺς δοκιμάζετε
Gal 6 4 τὸ δὲ ἔργον ἑαυτοῦ δ..έτω ἕκαστος
1 Th 2 4 καθὼς δεδοκιμάσμεθα ὑπὸ τοῦ θεοῦ
    πιστευθῆναι τὸ εὐαγγ. – λαλοῦμεν –
    θεῷ τῷ "δ..οντι τὰς καρδίας" ἡμῶν
    521 πάντα – δ..ετε, τὸ καλὸν κατέχετε
1 Ti 310 δ..έσθωσαν –, εἶτα διακονείτωσαν
1 Pe 1 7 χρυσίου –, διὰ πυρὸς – δ..ομένου
1 Jo 4 1 δ..ετε τὰ πνεύματα εἰ ἐκ τοῦ θεοῦ

δοκιμασία *probaverunt* ex vl Hb 39 "οὗ ἐ-
    πείρασαν (vl + με vg) οἱ πατέρες ὑ-
    μῶν ἐν δ..ίᾳ (vl ἐδοκίμασαν vg)"

δοκιμή S^o – ^a*experimentum* ^b*probatio*
Rm 5 4 ἡ δὲ ὑπομονὴ δοκιμήν^b (sc κατερ-
    γάζεται), ἡ δὲ δοκιμὴ^b ἐλπίδα
2 Co 2 9 ἔγραψα, ἵνα γνῶ τὴν δοκ.^a ὑμῶν
    8 2 ὅτι ἐν πολλῇ δοκιμῇ^a θλίψεως
    913 διὰ τῆς δοκ.^b τῆς διακονίας ταύτης
    13 3 ἐπεὶ δοκιμὴν^a ζητεῖτε τοῦ ἐν ἐμοὶ
    λαλοῦντος Χοῦ
Phl 222 τὴν δὲ δοκιμὴν^a αὐτοῦ γινώσκετε

δοκίμιον, τό *probatio* Jac13 τὸ δ. ὑμῶν τῆς
    πίστεως κατεργάζεται ὑπομονὴν 1 Pe 17
    ἵνα τὸ δ. ὑμῶν τῆς πίστεως πολυτιμότε-
    ρον χρυσίου –, εὑρεθῇ εἰς ἔπαινον – ἐν
    ἀποκαλύψει Ἰησοῦ Χοῦ

δόκιμος *probatus* ^b*probus* ^c*probabilis*
Rm 1418 εὐάρεστος – θεῷ κ. δόκ. τοῖς ἀνθρ.
    1610 Ἀπελλῆν τὸν δόκιμον^b ἐν Χῷ
1 Co 1119 ἵνα – οἱ δ. φανεροὶ γένωνται ἐν ὑμ.
2 Co 1018 οὐ γὰρ ὁ ἑαυτὸν συνιστάνων, ἐκεῖ-
    νός ἐστιν δ., ἀλλ' ὃν ὁ κύρ. συνίστ.
    13 7 οὐχ ἵνα ἡμεῖς δόκιμοι φανῶμεν
2 Ti 215 σπούδασον σεαυτὸν δόκιμον^c παρα-
    στῆσαι τῷ θεῷ
Jac 112 δόκ. γενόμενος λήμψεται τὸν στέφ.

δοκός *trabs* (vl *..bes*) Mat73ss || Luc 641s

δόλιος *subdolus* 2 Co 1113 ἐργάται δ..οι

δολιοῦν *dolose agere* Rm 313 "γλώσσαις"

δόλος *dolus*
Mat 26 4 ἵνα – δόλῳ κρατήσωσιν || Mar 141 ἐν
Mar 722 πλεονεξίαι, πονηρίαι, δόλος
Joh 147 Ἰσραηλίτης, ἐν ᾧ δόλος οὐκ ἔστιν
Act 1310 ὦ πλήρης παντὸς δόλου
Rm 129 μεστοὺς – ἔριδος δόλου κακοηθείας
2 Co 1216 ἀλλὰ – δόλῳ ὑμᾶς ἔλαβον
1 Th 2 3 ἡ – παράκλησις ἡμῶν – οὐδὲ ἐν δόλῳ
1 Pe 2 1 ἀποθέμενοι – πάντα δόλον κ. ὑποκρ.
    – 22 "οὐδὲ εὑρέθη δ. ἐν τῷ στόματι αὐτ."
    310 "χείλη τοῦ μὴ λαλῆσαι δόλον"

δολοῦν *adulterare* 2 Co 42 λόγον – θεοῦ

δόμα ^a*datum* ^b*donum*
Mat 711 δόματα^a (vl vg^o) ἀγαθὰ διδόναι
    τοῖς τέκνοις ὑμῶν || Luc 1113^a
Eph 4 8 "ἔδωκεν δόματα^b τοῖς ἀνθρώποις"
Phl 417 οὐχ ὅτι ἐπιζητῶ τὸ δόμα^a, ἀλλά

δόξα *gloria* ^b*claritas* ^c*maiestas*
    ^d*honor* (2 Pe 210 *secta*)
Mat 4 8 πάσας τὰς βασιλείας τοῦ κόσμου καὶ
    τὴν δόξαν αὐτῶν || Luc 46 σοὶ δώ-
    σω – τὴν δόξαν αὐτῶν
    [613 vl ὅτι σοῦ ἐστιν – ἡ δόξα, vg^o]
    – 29 Σολ. ἐν πάσῃ τῇ δ. αὐτοῦ || Luc 1227
    1627 ἔρχεσθαι ἐν τῇ δόξῃ τοῦ πατρὸς αὐ-
    τοῦ || Mar 838 Luc 926 δ.^c αὐτοῦ

Mat 19₂₈ ὅταν καθίσῃ – ἐπὶ θρόνου δόξης ͨ αὐ-
τοῦ 25₃₁ ἔλθῃ – ἐν τῇ δ. ͨ αὐτοῦ –, τό-
τε καθίσει ἐπὶ θρόνου δόξης ͨ αὐτοῦ
24₃₀ ἐρχόμενον – μετὰ δυνάμεως καὶ δό-
ξης ͨ πολλῆς ‖ Mar 13₂₆ Luc 21₂₇ ͨ
Mar 10₃₇ ἵνα – καθίσωμεν ἐν τῇ δόξῃ σου
Luc 2 9 δόξα ᵇ κυρίου περιέλαμψεν αὐτούς
– 14 δόξα ἐν ὑψίστοις θεῷ 19₃₈
– 32 „δόξαν” λαοῦ σου „Ἰσραήλ”
9₃₁ οἳ ὀφθέντες ἐν δόξῃ ͨ ἔλεγον
– 32 εἶδαν τὴν δόξαν ͨ αὐτοῦ
14₁₀ τότε ἔσται σοι δόξα ἐνώπιον πάντων
17₁₈ δοῦναι δόξαν τῷ θεῷ εἰ μὴ ὁ ἀλλογ.
24₂₆ εἰσελθεῖν εἰς τὴν δόξαν αὐτοῦ
Joh 1 14 ἐθεασάμεθα τὴν δόξαν αὐτοῦ, δόξαν
ὡς μονογενοῦς παρὰ πατρός
2 11 ἐφανέρωσεν τὴν δόξαν αὐτοῦ
5 41 δόξαν ᵇ παρὰ ἀνθρώπων οὐ λαμβάνω
44 δόξαν παρὰ ἀλλήλων λαμβάνον-
τες καὶ τὴν δ. τὴν παρὰ – θεοῦ οὐ
ζητεῖτε; 12₄₃ ἠγάπησαν – τὴν δ. τῶν
ἀνθρ. μᾶλλον ἤπερ τὴν δ. τοῦ θεοῦ
7 18 ὁ ἀφ᾽ ἑαυτοῦ λαλῶν τὴν δ. τὴν ἰδίαν
ζητεῖ· ὁ δὲ ζητῶν τὴν δόξαν τοῦ πέμ-
ψαντος αὐτόν, οὗτος ἀληθής ἐστιν
8 50 ἐγὼ – οὐ ζητῶ τὴν δόξαν μου, ἔστιν
ὁ ζητῶν καὶ κρίνων 54 ἐὰν ἐγὼ δοξά-
σω ἐμαυτόν, ἡ δόξα μου οὐδέν ἐστιν
9₂₄ δὸς δόξαν τῷ θεῷ· ἡμεῖς οἴδαμεν
11 4 οὐκ ἔστιν πρὸς θάνατον ἀλλ᾽ ὑπὲρ τῆς
δ. τοῦ θεοῦ 40 ὄψῃ τὴν δ. τοῦ θεοῦ
12₄₁ Ἡσαΐας ὅτι εἶδεν τὴν δόξαν αὐτοῦ
17 5 δόξασόν με σύ, – τῇ δόξῃ ᵇ ᾗ εἶχον –
παρὰ σοί 22 κἀγὼ τὴν δόξαν ᵇ ἣν δέ-
δωκάς μοι δέδωκα αὐτοῖς 24 ἵνα θεω-
ρῶσιν τὴν δόξαν ᵇ τὴν ἐμήν
Act 7 2 „ὁ θεὸς τῆς δ.” ὤφθη τῷ πατρὶ ἡμ.
– 55 εἶδεν δόξαν θεοῦ καὶ Ἰησοῦν. ἑστῶτα
12₂₃ ἀνθ᾽ ὧν οὐκ ἔδωκεν τὴν δ. ᵈ τῷ θεῷ
22₁₁ ἀπὸ τῆς δόξης ᵇ τοῦ φωτὸς ἐκείνου
Rm 1 23 „ἤλλαξαν τὴν δ.” τοῦ ἀφθάρτου θ.
2 7 τοῖς μὲν – δόξαν καὶ τιμὴν – ζητοῦσιν
10 δόξα δὲ καὶ τιμή – τῷ ἐργαζομένῳ
τὸ ἀγαθόν
3 7 ἐπερίσσευσεν εἰς τὴν δόξαν αὐτοῦ
– 23 ὑστεροῦνται τῆς δόξης τοῦ θεοῦ
4₂₀ δοὺς δόξαν τῷ θεῷ (sc Ἀβραάμ)
5 2 καυχώμεθα ἐπ᾽ ἐλπίδι τῆς δόξης (vg
add filiorum) τοῦ θεοῦ
6 4 ἠγέρθη Χὸς – διὰ τῆς δ. τοῦ πατρός
8₁₈ πρὸς τὴν μέλλουσαν δόξαν ἀποκα-
λυφθῆναι 21 εἰς τὴν ἐλευθερίαν τῆς

δόξης τῶν τέκνων τοῦ θεοῦ
Rm 9 4 ὧν ἡ υἱοθεσία καὶ ἡ δ. καὶ αἱ ἐπαγγ.
– 23 ἵνα γνωρίσῃ τὸν πλοῦτον τῆς δ. αὐ-
τοῦ ἐπὶ σκεύη ἐλέους, ἃ προητοίμα-
σεν εἰς δόξαν
11₃₆ αὐτῷ ἡ δόξα εἰς τοὺς αἰῶνας 16₂₇ ᵈ
et ᵃ (vl ᵈ) Gal 1 5 Phl 4₂₀ τῷ δὲ θεῷ
καὶ πατρὶ ἡμῶν ἡ δ. εἰς 2 Ti 4₁₈ Eph
3₂₁ αὐτῷ ἡ δ. ἐν τῇ ἐκκλησίᾳ καὶ ἐν
Χῷ Ἰ. εἰς πάσας τὰς γενεάς – 1 Ti 1
17 θεῷ τιμὴ καὶ δόξα εἰς τοὺς αἰῶνας
15 7 καθὼς καὶ ὁ Χὸς προσελάβετο ἡμᾶς
εἰς δόξαν ᵈ τοῦ θεοῦ
1 Co 2 7 ἣν προώρισεν ὁ θεὸς – εἰς δ..αν ἡμῶν
– 8 οὐκ ἂν τὸν κύριον τῆς δόξης ἐσταύ-
ρωσαν cfr Jac 2 1 τὴν πίστιν τοῦ κυ-
ρίου ἡμῶν Ἰησοῦ Χοῦ τῆς δόξης
10₃₁ πάντα εἰς δόξαν θεοῦ ποιεῖτε
11 7 ἀνὴρ –, εἰκὼν καὶ δόξα θεοῦ ὑπάρ-
χων· ἡ γυνὴ δὲ δόξα ἀνδρός ἐστιν
– 15 γυνὴ – ἐὰν κομᾷ, δόξα αὐτῇ ἐστιν
15₄₀ ἑτέρα – ἡ τῶν ἐπουρανίων δόξα 41
ἄλλη δόξα ᵇ ἡλίου, καὶ ἄλλη δόξα ᵇ
σελήνης, καὶ ἄλλη δόξα ᵇ ἀστέρων·
ἀστὴρ γὰρ ἀστέρος διαφέρει ἐν δ. ᵇ
– 43 σπείρεται ἐν ἀτιμίᾳ, ἐγείρεται ἐν δόξῃ
2 Co 1₂₀ τὸ ἀμὴν τῷ θεῷ πρὸς δόξαν δι᾽ ἡμῶν
3 7 εἰ – ἡ διακονία τοῦ θανάτου – ἐγενή-
θη ἐν δόξῃ, ὥστε – – διὰ „τὴν δόξαν
τοῦ προσώπου αὐτοῦ” τὴν καταργου-
μένην 8 πῶς οὐχὶ μᾶλλον ἡ διακ. τοῦ
πνεύμ. ἔσται ἐν δόξῃ; 9 εἰ – ἡ διακ.
τῆς κατακρίσεως δόξα, – περισσεύει
ἡ διακ. τῆς δικαιοσύνης δόξῃ 10 εἵ-
νεκεν τῆς ὑπερβαλλούσης δόξης 11 εἰ
– τὸ καταργούμενον διὰ δόξης, πολ-
λῷ μᾶλλον τὸ μένον ἐν δόξῃ
– 18 „τὴν δόξαν κυρίου” κατοπτριζόμενοι
– μεταμορφούμεθα ἀπὸ δόξης ᵇ εἰς
δόξαν ᵇ
4 4 τοῦ εὐαγγελίου τῆς δόξης τοῦ Χοῦ
– 6 πρὸς φωτισμὸν τῆς γνώσεως τῆς δό-
ξης ᵇ τοῦ θεοῦ ἐν προσώπῳ Χοῦ
– 15 περισσεύσῃ εἰς τὴν δόξαν τοῦ θεοῦ
– 17 αἰώνιον βάρος δόξης κατεργάζεται
6 8 διὰ δόξης καὶ ἀτιμίας
8₁₉ πρὸς τὴν αὐτοῦ τοῦ κυρίου δόξαν
– 23 ἀπόστολοι ἐκκλησιῶν, δόξα Χοῦ
Eph 1 6 εἰς ἔπαινον δόξης τῆς χάριτος αὐ-
τοῦ 12 δόξης αὐτοῦ 14 τῆς δ. αὐτοῦ
– 17 ὁ πατὴρ τῆς δόξης
– 18 τίς ὁ πλοῦτος τῆς δόξης τῆς κληρονο-

μίας Col 1 27 τῆς δ. τοῦ μυστηρίου –,
ὅς ἐστιν Χὸς ἐν ὑμῖν, ἡ ἐλπὶς τῆς δ.

Eph 3 13 μὴ ἐγκακεῖν ἐν ταῖς θλίψεσίν μου ὑ-
περ ὑμῶν, ἥτις ἐστὶν δόξα ὑμῶν
– 16 κατὰ τὸ πλοῦτος τῆς δόξης αὐτοῦ
Col 1 11 τὸ κράτος τῆς δόξης[b] αὐτοῦ

Phl 1 11 εἰς δόξαν καὶ ἔπαινον θεοῦ 2 11 εἰς
δόξαν θεοῦ πατρός
3 19 ὧν – ἡ δόξα ἐν τῇ αἰσχύνῃ αὐτῶν
– 21 σύμμορφον τῷ σώματι τῆς δ.[b] αὐτοῦ
4 19 πληρώσει – ἐν δόξῃ ἐν Χῷ Ἰησοῦ

Col 1 11 → Eph 3 16   –   Col 1 27 → Eph 1 18
3 4 καὶ ὑμεῖς – φανερωθήσεσθε ἐν δόξῃ

1 Th 2 6 οὔτε ζητοῦντες ἐξ ἀνθρώπων δόξαν,
οὔτε ἀφ' ὑμῶν οὔτε ἀπ' ἄλλων
– 12 εἰς τὴν ἑαυτοῦ βασιλείαν καὶ δόξαν
– 20 ὑμεῖς γάρ ἐστε ἡ δόξα ἡμῶν

2 Th 1 9 „ἀπὸ τῆς δόξης τῆς ἰσχύος αὐτοῦ"
2 14 εἰς περιποίησιν δόξης – Ἰησοῦ Χοῦ

1 Ti 1 11 εὐαγγέλιον τῆς δ. τοῦ μακαρ. θεοῦ
3 16 ἀνελήμφθη ἐν δόξῃ

2 Ti 2 10 σωτηρίας τύχωσιν – μετὰ δόξης αἰω.

Tit 2 13 ἐπιφάνειαν τῆς δ. τοῦ μεγάλου θεοῦ

Hb 1 3 ὧν ἀπαύγασμα τῆς δόξης – αὐτοῦ
2 7 „δόξῃ καὶ τιμῇ ἐστεφάνωσας" 9
– 10 πολλοὺς υἱοὺς εἰς δόξαν ἀγαγόντα
3 3 πλείονος – οὗτος δόξης – ἠξίωται
9 5 ὑπεράνω – αὐτῆς Χερουβὶν δόξης
13 21 Χοῦ, ᾧ ἡ δόξα εἰς τοὺς αἰῶνας
1 Pe 4 11 καὶ τὸ κράτος 2 Pe 3 18 Jud
25 θεῷ – δόξα μεγαλωσύνη κράτος

Jac 2 1 → 1 Co 2 8

1 Pe 1 7 εἰς ἔπαινον καὶ δόξαν καὶ τιμὴν ἐν
ἀποκαλύψει Ἰησοῦ Χοῦ
– 11 τὰ εἰς Χριστὸν παθήματα καὶ τὰς
μετὰ ταῦτα δόξας
– 21 τὸν ἐγείραντα – καὶ δόξαν αὐτῷ δόντα
– 24 „πᾶσα δόξα" αὐτῆς „ὡς ἄνθος χόρ."
4 13 ἵνα – ἐν τῇ ἀποκαλύψει τῆς δόξης
αὐτοῦ χαρῆτε 5 1 τῆς μελλούσης ἀπο-
καλύπτεσθαι δόξης κοινωνός
– 14 τὸ τῆς δ.[d]et[a] (vl[a]) καὶ „τὸ τοῦ θεοῦ
πνεῦμα" ἐφ' ὑμᾶς „ἀναπαύεται"
5 4 τὸν ἀμαράντινον τῆς δόξης στέφανον
– 10 εἰς τὴν αἰώνιον αὐτοῦ δόξαν

2 Pe 1 3 τοῦ καλέσαντος ἡμᾶς ἰδίᾳ δόξῃ καὶ
ἀρετῇ (vl διὰ δόξης καὶ ἀρετῆς)
– 17 παρὰ θεοῦ πατρὸς τιμὴν καὶ δόξαν
– – ὑπὸ τῆς μεγαλοπρεποῦς δόξης
2 10 δόξας οὐ τρέμουσιν βλασφημοῦντες
(vg *sectas non metuunt introducere
blasphemantes*) Jud 8 κυριότητα –

ἀθετοῦσιν, δόξας[c] δὲ βλασφημοῦσιν
Jud 24 στῆσαι κατενώπιον τῆς δόξης αὐτοῦ

Ap 1 6 αὐτῷ ἡ δόξα καὶ τὸ κράτος εἰς
4 9 δώσουσιν – δόξαν καὶ τιμὴν – τῷ καθ-
ημένῳ ἐπὶ τῷ θρόνῳ 11 ἄξιος εἶ –
λαβεῖν τὴν δόξαν 5 12. 13 7 12 ἡ εὐλο-
γία καὶ ἡ δόξα[b] – τῷ θεῷ ἡμῶν
11 13 ἔδωκαν δόξαν τῷ θεῷ τοῦ οὐρανοῦ
14 7 δότε αὐτῷ δόξαν[d] 19 1 ἡ δόξα
καὶ ἡ δύναμις τοῦ θεοῦ ἡμῶν 7 δώ-
σομεν τὴν δόξαν αὐτῷ
15 8 „ἐγεμίσθη ὁ ναὸς καπνοῦ" ἐκ „τῆς
δόξης[c]" τοῦ θεοῦ καὶ ἐκ τῆς δυνάμ.
16 9 οὐ μετενόησαν δοῦναι αὐτῷ δόξαν
18 1 ἡ γῆ ἐφωτίσθη ἐκ τῆς δόξης αὐτοῦ
21 11 πόλιν – ἔχουσαν „τὴν δ.[b] τοῦ θεοῦ"
– 23 „ἡ – δ.[b] τοῦ θεοῦ ἐφώτισεν" αὐτήν
– 24 „οἱ βασιλεῖς τῆς γῆς φέρουσιν τὴν
δόξαν" αὐτῶν εἰς αὐτήν 26 „οἴσουσιν
τὴν δ." καὶ τὴν τιμὴν „τῶν ἐθνῶν"

δοξάζειν *glorificare* [b]*clarificare* [c]*magnifi-
care* [d]*honorificare* [e]*honorare* [f](pass.)
gloriari [g](perf. pass.) *claruisse*

Mat 5 16 ὅπως – δοξάσωσιν τὸν πατέρα ὑμῶν
6 2 ὅπως δοξασθῶσιν[d] ὑπὸ τῶν ἀνθρώπ.
9 8 ἐδόξασαν τὸν θεόν ‖ Mar 2 12[d] Luc
5 25[c]. 26[c] – Mat 15 31[c] τὸν θ. Ἰσραήλ

Luc 2 20 δ..οντες καὶ αἰνοῦντες τὸν θεὸν ἐπί
4 15 δοξαζόμενος[c] ὑπὸ πάντων
7 16 ἐδόξαζον[c] τὸν θεόν 13 13 17 15[c] 18 43[c]
23 47 – Act 11 18 ἐδόξασαν 21 20[c]

Joh 7 39 ὅτι Ἰησοῦς οὐδέπω ἐδοξάσθη
8 54 ἐὰν ἐγὼ δοξάσω ἐμαυτόν, – · ἔστιν ὁ
πατήρ μου ὁ δοξάζων με
11 4 ἵνα δοξασθῇ ὁ υἱὸς τοῦ θεοῦ δι' αὐ-
τῆς (sc τῆς ἀσθενείας)
12 16 ἀλλ' ὅτε ἐδοξάσθη Ἰησοῦς 23 ἡ ὥρα
ἵνα δοξασθῇ[b] (vl[a]) ὁ υἱὸς τοῦ ἀνθρ.
28 πάτερ, δόξασόν[b] σου τὸ ὄνομα. –
καὶ ἐδόξασα[b] καὶ πάλιν δοξάσω[b]
13 31 νῦν ἐδοξάσθη[b] ὁ υἱὸς τοῦ ἀνθρώ-
που, καὶ ὁ θεὸς ἐδοξάσθη[b] ἐν αὐτῷ
32 εἰ ὁ θεὸς ἐδοξάσθη[b] ἐν αὐτῷ, καὶ
ὁ θεὸς δοξάσει[b] αὐτὸν ἐν αὐτῷ, καὶ
εὐθὺς δοξάσει[b] αὐτόν
14 13 ἵνα δοξασθῇ ὁ πατὴρ ἐν τῷ υἱῷ
15 8 ἐν τούτῳ ἐδοξάσθη[b] ὁ πατήρ μου
16 14 ἐκεῖνος ἐμὲ δοξάσει[b]
17 1 δόξασόν[b] σου τὸν υἱόν, ἵνα ὁ υἱὸς
δοξάσῃ[b] σέ 4 ἐγώ σε ἐδόξασα[b] ἐπὶ
τῆς γῆς 5 νῦν δόξασόν[b] με σύ

Joh 17 10 δεδόξασμαι[b] ἐν αὐτοῖς (sc τοῖς ἐμοῖς)
21 19 ποίῳ θανάτῳ δοξάσει[b] τὸν θεόν
Act 3 13 „ἐδόξασεν τὸν παῖδα αὐτοῦ" Ἰησοῦν
4 21 ἐδόξαζον[b] τὸν θεὸν ἐπὶ τῷ γεγονότι
13 48 ἐδόξαζον τὸν λόγον τοῦ κυρίου
Rm 1 21 τὸν θεὸν οὐχ ὡς θεὸν ἐδόξασαν
8 30 οὓς δὲ ἐδικαίωσεν, τούτους καὶ ἐδό-
ξασεν
11 13 ἐφ᾽ ὅσον – εἰμὶ ἐθνῶν ἀπόστολος, τὴν
διακονίαν μου δοξάζω[d] (vl ..άσω vg)
15 6 ἵνα – ἐν ἑνὶ στόματι δ..ητε[d] τὸν θεόν
– 9 τὰ δὲ ἔθνη ὑπὲρ ἐλέους δοξάσαι[e]
τὸν θεόν
1 Co 6 20 δοξάσατε δὴ τὸν θ. ἐν τῷ σώμ. ὑμῶν
12 26 εἴτε δοξάζεται[f] (gloriatur) μέλος
2 Co 3 10 οὐ „δεδόξασται τὸ δεδοξασμένον[g]
(quod claruit) ἐν τούτῳ τῷ μέρει
9 13 δοξάζοντες τὸν θεὸν ἐπὶ τῇ ὑποταγῇ
Gal 1 24 ἐδόξαζον[b] ἐν ἐμοὶ τὸν θεόν
2 Th 3 1 ἵνα ὁ λόγος – τρέχῃ καὶ δοξάζηται[b]
Hb 5 5 καὶ ὁ Χὸς οὐχ ἑαυτὸν ἐδόξασεν[b]
γενηθῆναι ἀρχιερέα, ἀλλ᾽ ὁ λαλήσ.
1 Pe 1 8 ἀγαλλιᾶσθε χαρᾷ – δεδοξασμένῃ
2 12 ἵνα – δοξάσωσιν τὸν θεὸν „ἐν ἡμέρᾳ
ἐπισκοπῆς" → Mat 5 16
4 11 ἵνα ἐν πᾶσιν δ..ηται[d] ὁ θ. διὰ – Χόν
(– 14 vl κατὰ δὲ ὑμᾶς δοξάζεται, vg vl[d])
– 16 δ..έτω δὲ τὸν θ. ἐν τῷ ὀνόματι τούτῳ
Ap 15 4 „τίς οὐ – δοξάσει[c] τὸ ὄνομά σου;"
18 7 ὅσα ἐδόξασεν αὐτήν (vl ἑαυτήν)

Δορκάς Act 9 36.39 ὅσα ἐποίει – ἡ Δορκάς

δόσις　datum
Phl 4 15 εἰς λόγον δόσεως καὶ λήμψεως
Jac 1 17 πᾶσα δόσις ἀγαθή (optimum)

δότης　dator 2 Co 9 7 „ἱλαρὸν – δότην"

δουλαγωγεῖν S° – in servitutem redigere
1 Co 9 27 ὑπωπιάζω μου τὸ σῶμα καὶ δ..ῶ

δουλεία servitus
Rm 8 15 οὐ γὰρ ἐλάβετε πνεῦμα δουλείας
– 21 ἀπὸ τῆς δουλείας τῆς φθορᾶς
Gal 4 24 μία –, εἰς δουλείαν γεννῶσα
5 1 μὴ πάλιν ζυγῷ δουλείας ἐνέχεσθε
Hb 2 15 ὅσοι φόβῳ θανάτου διὰ παντὸς τοῦ
ζῆν ἔνοχοι ἦσαν δουλείας

δουλεύειν servire
Mat 6 24 δυσὶ κυρίοις δουλεύειν· – οὐ δύνασθε

θεῷ δουλεύειν καὶ μαμωνᾷ ‖ Luc 16 13
Luc 15 29 τοσαῦτα ἔτη δ..ω σοι καὶ οὐδέποτε
Joh 8 33 οὐδενὶ δεδουλεύκαμεν πώποτε
Act 7 7 „ἔθνος ᾧ ἐὰν δ..σουσιν κρινῶ ἐγώ"
20 19 δ..ων τῷ κυρίῳ μετὰ – ταπεινοφροσ.
Rm 6 6 τοῦ μηκέτι δ..ειν ἡμᾶς τῇ ἁμαρτίᾳ
7 6 ὥστε δ. [ἡμᾶς] ἐν καινότητι πνεύμ.
– 25 τῷ – νοΐ δουλεύω νόμῳ θεοῦ
9 12 „ὁ μείζων δουλεύσει τῷ ἐλάσσονι"
12 11 τῷ κυρίῳ (vl καιρῷ) δουλεύοντες
14 18 ὁ – ἐν τούτῳ δ..ων τῷ Χῷ εὐάρεστος
16 18 Χῷ οὐ δουλεύουσιν ἀλλὰ τῇ – κοιλίᾳ
Gal 4 8 ἐδουλεύσατε τοῖς φύσει μὴ οὖσιν θε-
οῖς 9 ἐπὶ τὰ – πτωχὰ στοιχεῖα, οἷς
πάλιν ἄνωθεν δουλεῦσαι θέλετε
– 25 δουλεύει γὰρ μετὰ τῶν τέκνων αὐτῆς
5 13 διὰ τῆς ἀγάπης δουλεύετε ἀλλήλοις
Eph 6 7 μετ᾽ εὐνοίας δουλεύοντες ὡς τῷ κυ-
ρίῳ καὶ οὐκ ἀνθρώποις
Phl 2 22 ὡς πατρὶ τέκνον σὺν ἐμοὶ ἐδούλευ-
σεν εἰς τὸ εὐαγγέλιον
Col 3 24 τῷ κυρίῳ Χῷ δουλεύετε
1 Th 1 9 δουλεύειν θεῷ ζῶντι καὶ ἀληθινῷ
1 Ti 6 2 οἱ δὲ πιστοὺς ἔχοντες δεσπότας –
μᾶλλον δ..έτωσαν, ὅτι πιστοί εἰσιν
Tit 3 3 δουλεύοντες ἐπιθυμίαις καὶ ἡδοναῖς

δούλη　ancilla Luc 1 38 κυρίου 48 – Act 2 18

δοῦλος, ..η, ..ον servire (infin. finalis)
Rm 6 19 παρεστήσατε τὰ μέλη ὑμῶν δοῦλα τῇ
ἀκαθαρσίᾳ –, – νῦν παραστήσατε τὰ
μέλη ὑμῶν δοῦλα τῇ δικαιοσύνῃ

δοῦλος servus
Mat 8 9 ‖ Luc 7 2 δοῦλος κακῶς ἔχων 3.8.10
10 24 οὐδὲ δ. ὑπὲρ τὸν κύριον αὐτοῦ 25 ὁ
δ. ὡς ὁ κύριος αὐτοῦ Joh 13 16 οὐκ
ἔστιν δοῦλος μείζων τοῦ κυρίου 15 20
13 27.28 – 18 23 συνᾶραι λόγον μετὰ τῶν
δούλων αὐτοῦ 26.27.28.32 δ..ε πονηρέ
20 27 ὃς ἂν θέλῃ – εἶναι πρῶτος, ἔσται ὑ-
μῶν δοῦλος ‖ Mar 10 44 πάντων δ.
21 34 ἀπέστειλεν τοὺς δ. αὐτοῦ – λαβεῖν
τοὺς καρπούς 35.36 ἄλλους δ. πλείο-
νας ‖ Mar 12 2 δοῦλον 4 Luc 20 10.11
22 3 ἀπέστειλεν τοὺς δ. αὐτοῦ καλέσαι
τοὺς κεκλημένους εἰς τοὺς γάμους 4
ἄλλους δ. 6 κρατήσαντες τοὺς δ. 8.10
‖ Luc 14 17 τὸν δοῦλον αὐτοῦ 21.22.23
24 45 τίς ἄρα – ὁ πιστὸς δ. καὶ φρόνιμος
– ; 46 μακάριος ὁ δοῦλ. ἐκεῖνος 48 ὁ

(Mat 24) κακὸς δ. 50 ἥξει ὁ κύριος τοῦ δούλου ἐκείνου ‖ Luc 12 37 μακάριοι οἱ δ. ἐκ., οὓς – ὁ κύρ. εὑρήσει γρηγοροῦντας 43.45.46.47 ὁ δοῦλ. ὁ γνοὺς τὸ θέλημα τοῦ κυρίου – δαρήσεται πολλάς

Mat 25 14 ἐκάλεσεν τοὺς ἰδίους δ. καὶ παρέδωκεν αὐτοῖς 19.21 δοῦλε ἀγαθὲ καὶ πιστέ 23.26 πονηρὲ δοῦλε καὶ ὀκνηρέ 30 τὸν ἀχρεῖον δ. ἐκβάλετε ‖ Mar 13 34 δοὺς τοῖς δ. αὐτοῦ τὴν ἐξουσίαν Luc 19 13 δέκα δούλους ἑαυτοῦ 15.17 ἀγαθὲ δοῦλε 22 πονηρὲ δοῦλε

26 51 πατάξας τὸν δοῦλ. τοῦ ἀρχιερέως ‖ Mar 14 47 Luc 22 50 Joh 18 10 cfr 18.26

Luc 2 29 νῦν ἀπολύεις τὸν δ. σου, δέσποτα

15 22 17 7 δοῦλον ἔχων ἀροτριῶντα 9 μὴ ἔχει χάριν τῷ δ. – ; 10 καὶ ὑμεῖς – λέγετε ὅτι δοῦλοι ἀχρεῖοί ἐσμεν

Joh 4 51 οἱ δοῦλοι ὑπήντησαν αὐτῷ

8 34 δοῦλός ἐστιν τῆς ἁμαρτίας 35 ὁ δὲ δ. οὐ μένει ἐν τῇ οἰκίᾳ εἰς τὸν αἰῶ.

13 16 15 20 → Mat 10 24 – Joh 15 15 οὐκέτι λέγω ὑμᾶς δούλους, ὅτι ὁ δοῦλος οὐκ οἶδεν τί ποιεῖ αὐτοῦ ὁ κύριος

Act 2 18 „ἐπὶ τοὺς δ. μου – ἐκχεῶ ἀπὸ τ. πν."

4 29 δὸς τοῖς δ. σου – λαλεῖν τὸν λόγον

16 17 δοῦλοι τοῦ θεοῦ τοῦ ὑψίστου εἰσίν

Rm 1 1 Παῦλος δοῦλος Χοῦ Ἰ. Phl 1 1 Π. καὶ Τιμ. δοῦλοι Χοῦ Ἰ. Tit 1 1 Π. δ. θεοῦ – Gal 1 10 Χοῦ δ. οὐκ ἂν ἤμην

6 16 ᾧ παριστάνετε ἑαυτοὺς δούλους εἰς ὑπακοήν, δοῦλοί ἐστε ᾧ ὑπακούετε

– 17 χάρις – τῷ θεῷ ὅτι ἦτε δοῦλοι τῆς ἁμαρτίας 20 ὅτε – δ..οι ἦτε τῆς ἁμαρτ.

1 Co 7 21 δοῦλος ἐκλήθης; 22 ὁ γὰρ ἐν κυρίῳ κληθεὶς δοῦλος ἀπελεύθερος κυρίου ἐστίν· – ὁ ἐλεύθερος κληθεὶς δοῦλός ἐστιν Χοῦ 23 μὴ γίνεσθε δοῦλοι ἀνθρώπων

12 13 εἴτε δοῦλοι εἴτε ἐλεύθεροι

2 Co 4 5 ἑαυτοὺς δὲ δ..ους ὑμῶν διὰ Ἰησοῦν

Gal 3 28 οὐκ ἔνι δ. οὐδὲ ἐλεύθερος Col 3 11

4 1 οὐδὲν διαφέρει δούλου κύριος πάντων ὤν 7 οὐκέτι εἶ δοῦλος ἀλλὰ υἱός

Eph 6 5 οἱ δοῦλοι, ὑπακούετε (Col 3 22) 6 ὡς δοῦλοι Χοῦ 8 κομίσεται παρὰ κυρίου, εἴτε δοῦλος εἴτε ἐλεύθερος

Phl 2 7 μορφὴν δούλου λαβών

Col 4 1 τὴν ἰσότητα τοῖς δούλοις παρέχεσθε

– 12 Ἐπαφρᾶς –, δοῦλος Χοῦ Ἰησοῦ

1 Ti 6 1 ὅσοι εἰσὶν ὑπὸ ζυγὸν δοῦλοι

2 Ti 2 24 δοῦλον – κυρίου οὐ δεῖ μάχεσθαι

Tit 2 9 δούλους – δεσπόταις ὑποτάσσεσθαι

Phm 16 οὐκέτι ὡς δοῦλον ἀλλὰ ὑπὲρ δοῦλον

Jac 1 1 Ἰάκ. θεοῦ καὶ κυρίου Ἰ. Χοῦ δοῦλος

1 Pe 2 16 ὡς ἐλεύθεροι, – ἀλλ' ὡς θεοῦ δοῦλοι

2 Pe 1 1 Συμ. Πέτρ. δ. καὶ ἀπόστολος Ἰ. Χοῦ

2 19 ἐλευθερίαν – ἐπαγγελλόμενοι, αὐτοὶ δοῦλοι ὑπάρχοντες τῆς φθορᾶς

Jud 1 Ἰούδας Ἰησοῦ Χοῦ δοῦλος

Ap 1 1 δεῖξαι τοῖς δ. αὐτοῦ „ἃ δεῖ γενέσθαι" 22 6 – 11 τῷ δ. αὐτοῦ Ἰωάννῃ

2 20 πλανᾷ τοὺς ἐμοὺς δούλους

6 15 πᾶς δοῦλος καὶ ἐλεύθερος 13 16 19 18

7 3 σφραγίσωμεν τοὺς δ. τοῦ θεοῦ ἡμῶν

10 7 ὡς εὐηγγέλισεν „τοὺς ἑαυτοῦ δούλους τοὺς προφήτας" 11 18 δοῦναι τὸν μισθὸν „τοῖς δ. σου τοῖς προφήταις"

15 3 „Μωϋσέως τοῦ δούλου τοῦ θεοῦ"

19 2 „ἐξεδίκησεν τὸ αἷμα τῶν δ." αὐτοῦ

– 5 „αἰνεῖτε –, πάντες οἱ δοῦλοι" αὐτοῦ

22 3 οἱ δοῦλοι αὐτοῦ λατρεύσουσιν αὐτῷ 6

δουλοῦν ᵃservituti subiicere ᵇservum facere ᶜ(pass.) servire ᵈservum esse

Act 7 6 „δ..ώσουσιν ᵃ αὐτό" (sc σπέρμα Ἀβρ.)

Rm 6 18 ἐδουλώθητε ᵇ τῇ δικαιοσύνῃ 22 δουλωθέντες ᵇ δὲ τῷ θεῷ

1 Co 7 15 οὐ δεδούλωται ᵃ ὁ ἀδελφὸς ἢ ἡ ἀδελφὴ ἐν τοῖς τοιούτοις

9 19 πᾶσιν ἐμαυτὸν ἐδούλωσα ᵇ

Gal 4 3 ὑπὸ τὰ στοιχεῖα τοῦ κόσμου ἤμεθα δεδουλωμένοι ᶜ

Tit 2 3 μηδὲ οἴνῳ πολλῷ δεδουλωμένας ᶜ

2 Pe 2 19 ᾧ γάρ τις ἥττηται, τούτῳ (vl + καὶ) δεδούλωται ᵈ

δοχή convivium Luc 5 29 14 13

δράκων draco

Ap 12 3 δράκων μέγας πυρρός 4 ὁ δρ. ἔστηκεν ἐνώπιον τῆς γυναικός 7 πόλεμος – μετὰ τοῦ δράκοντος. καὶ ὁ δρ. ἐπολέμησεν καὶ οἱ ἄγγελοι αὐτοῦ 9 ἐβλήθη ὁ δρ. ὁ μέγας 13.16 τὸν ποταμὸν ὃν ἔβαλεν ὁ δρ. 17 ὠργίσθη ὁ δ. ἐπὶ τῇ γυναικί – 13 2 ἔδωκεν αὐτῷ (sc τῷ θηρίῳ) ὁ δρ. τὴν δύναμιν αὐτοῦ 4 προσεκύνησαν τῷ δρ. 11 ἐλάλει ὡς δράκων 16 13 – 20 2 ἐκράτησεν (sc ὁ ἄγγελος) τὸν δράκοντα – καὶ ἔδησεν αὐτόν

δράσσεσθαι comprehendere 1 Co 3 19 „σοφούς"

δραχμή drachma (vl ..gma) Luc 15 8.9

δρέπανον *falx* Mar 4 29 Ap 14 14-19

δρόμος *cursus*
Act 13 25 ὡς – ἐπλήρου Ἰωάννης τὸν δρόμον
20 24 ὡς τελειώσω τὸν δρόμον μου καὶ τὴν διακονίαν ἣν ἔλαβον
2 Ti 4 7 τὸν δρόμον τετέλεκα, τὴν πίστιν

Δρουσίλλα Act 24 24

δύναμις *virtus* ᵇ*potestas* ᶜ*fortitudo* ᵈ*impetus*
Mat (6 13 vl ὅτι – σοῦ ἐστιν – ἡ δύναμις, vg°)
7 22 οὐ – δυνάμεις πολλὰς ἐποιήσαμεν;
11 20 ἐν αἷς ἐγένοντο αἱ πλεῖσται δ..εις αὐτοῦ 21.23 || Luc 10 13 εἰ – ἐγενήθησαν
13 54 πόθεν τούτῳ – αἱ δυν.; 58 οὐκ ἐποίησεν ἐκεῖ δυνάμεις πολλάς || Mar 6 2
καὶ αἱ δυνάμεις τοιαῦται 5 οὐκ ἐδύνατο ἐκεῖ ποιῆσαι οὐδεμίαν δύναμιν
14 2 διὰ τοῦτο αἱ δυνάμεις ἐνεργοῦσιν ἐν αὐτῷ || Mar 6 14
22 29 μὴ εἰδότες – τὴν δ. τ. θεοῦ || Mar 12 24
24 29 „αἱ δ. τῶν οὐρανῶν" σαλευθήσονται || Mar 13 25 αἱ ἐν τοῖς οὐρ. Luc 21 26
– 30 ἐρχόμενον – μετὰ δυνάμεως καὶ δόξης πολλῆς || Mar 13 26 Luc 21 27ᵇ
25 15 ἑκάστῳ κατὰ τὴν ἰδίαν δύναμιν
26 64 „καθήμενον ἐκ δεξιῶν τῆς δυνάμεως" || Mar 14 62 Luc 22 69 τοῦ θεοῦ
Mar 5 30 ἐπιγνοὺς – τὴν ἐξ αὐτοῦ δύν. ἐξελθοῦσαν || Luc 8 46 cfr 6 19 δύναμις παρ' αὐτοῦ ἐξήρχετο καὶ ἰᾶτο πάντας
9 1 τὴν βας. τ. θεοῦ ἐληλυθυῖαν ἐν δ..ει
– 39 οὐδεὶς – ποιήσει δ..ιν ἐπὶ τῷ ὀνόματί μου καὶ δυνήσεται – κακολογῆσαί με
Luc 1 17 ἐν πνεύματι καὶ δυνάμει Ἠλίου
– 35 δύναμις ὑψίστου ἐπισκιάσει σοι
4 14 ὑπέστρεψεν – ἐν τῇ δ. τοῦ πνεύματος
– 36 ἐν – δυνάμει ἐπιτάσσει τοῖς – πνεύμασιν 9 1 ἔδωκεν αὐτοῖς δύναμιν – ἐπὶ – τὰ δαιμόνια καὶ νόσους θεραπεύειν 10 19 ἐξουσίαν – ἐπὶ πᾶσαν τὴν δύναμιν τοῦ ἐχθροῦ
5 17 δύν. κυρίου ἦν εἰς τὸ ἰᾶσθαι αὐτόν
19 37 περὶ πασῶν ὧν εἶδον δυνάμεων
24 49 ἕως οὗ ἐνδύσησθε ἐξ ὕψους δύναμιν
Act 1 8 λήμψεσθε δύναμιν ἐπελθόντος τοῦ ἁγίου πνεύματος ἐφ' ὑμᾶς
2 22 ἀποδεδειγμένον ἀπὸ τοῦ θεοῦ εἰς ὑμᾶς δυνάμεσι 6 8 πλήρης χάριτος καὶ δ..εωςᶜ ἐποίει τέρατα 8 13 θεωρῶν τε – δυνάμεις μεγάλας γινομένας

Act 3 12 ἡμῖν τί. ἀτενίζετε ὡς ἰδίᾳ δυνάμει – πεποιηκόσιν –; 4 7 ἐν ποίᾳ δυνάμει ἢ ἐν ποίῳ ὀνόματι ἐποιήσατε τοῦτο –;
4 33 δυνάμει μεγάλῃ ἀπεδίδουν τὸ μαρτύριον – Ἰησοῦ τῆς ἀναστάσεως
8 10 οὗτός ἐστιν ἡ δύναμις τοῦ θεοῦ ἡ καλουμένη μεγάλη
10 38 Ἰησοῦν –, ὡς ἔχρισεν αὐτὸν ὁ θεὸς πνεύματι ἁγίῳ καὶ δυνάμει
19 11 δ..εις τε οὐ τὰς τυχούσας ὁ θ. ἐποίει
Rm 1 4 ὁρισθέντος υἱοῦ θεοῦ ἐν δυνάμει
– 16 δύναμις γὰρ θεοῦ ἐστιν εἰς σωτηρίαν
– 20 ἥ τε ἀΐδιος αὐτοῦ δύν. καὶ θειότης
8 38 οὔτε δ..ειςᶜ (vg sing, vl plur) οὔτε ὕψωμα οὔτε βάθος οὔτε τις κτίσις
9 17 „ὅπως ἐνδείξωμαι – τὴν δύναμίν μου"
15 13 ἐν δ..ει πνεύματος ἁγίου 19 ἐν δ. σημείων καὶ τεράτων, ἐν δυν. πν. ἁγίου
1 Co 1 18 σῳζομένοις ἡμῖν δύναμις θεοῦ ἐστιν
– 24 Χὸν θεοῦ δύναμιν καὶ θεοῦ σοφίαν
2 4 ἐν ἀποδείξει πνεύματος καὶ δυνάμεως
– 5 ἵνα ἡ πίστις ὑμῶν μὴ ᾖ ἐν σοφίᾳ ἀνθρώπων ἀλλ' ἐν δυνάμει θεοῦ
4 19 γνώσομαι οὐ τὸν λόγον τῶν πεφυσιωμένων ἀλλὰ τὴν δύναμιν
– 20 οὐ γὰρ ἐν λόγῳ ἡ βασιλεία τοῦ θεοῦ, ἀλλ' ἐν δυνάμει
5 4 σὺν τῇ δυν. τοῦ κυρίου ἡμῶν Ἰησοῦ
6 14 ἡμᾶς ἐξεγερεῖ διὰ τῆς δυνάμ. αὐτοῦ
12 10 ἄλλῳ δὲ ἐνεργήματα δυνάμεων
– 28 ἔθετο ὁ θεὸς –, ἔπειτα δυνάμεις
– 29 μὴ πάντες δυνάμεις;
14 11 ἐὰν – μὴ εἰδῶ τὴν δύναμιν τῆς φωνῆς
15 24 ὅταν καταργήσῃ πᾶσαν – δύναμιν
– 43 ἐγείρεται ἐν δυνάμει
– 56 ἡ δὲ δύναμις τῆς ἁμαρτίας ὁ νόμος
2 Co 1 8 ὑπὲρ δύναμιν ἐβαρήθημεν
4 7 ἵνα ἡ ὑπερβολὴ τῆς δυνάμεως ᾖ τοῦ θεοῦ καὶ μὴ ἐξ ἡμῶν
6 7 ἐν λόγῳ ἀληθείας, ἐν δυνάμει θεοῦ
8 3 κατὰ δύναμιν – καὶ παρὰ δύναμιν
12 9 ἡ γὰρ δύναμις ἐν ἀσθενείᾳ τελεῖται. – ἵνα ἐπισκηνώσῃ ἐπ' ἐμὲ ἡ δύναμις τοῦ Χριστοῦ
– 12 τὰ – σημεῖα τοῦ ἀποστόλου κατειργάσθη ἐν ὑμῖν ἐν – δυνάμεσιν
13 4 ζῇ ἐκ δυνάμεως θεοῦ. – ζήσομεν σὺν αὐτῷ ἐκ δυνάμεως θεοῦ εἰς ὑμᾶς
Gal 3 5 ὁ – ἐνεργῶν δυνάμεις ἐν ὑμῖν
Eph 1 19 τί τὸ – μέγεθος τῆς δ. αὐτοῦ εἰς ἡμ.
– 21 ὑπεράνω πάσης ἀρχῆς – καὶ δ..εως
3 7 κατὰ τὴν ἐνέργειαν τῆς δ. αὐτοῦ 20

κατὰ τὴν δύναμιν τὴν ἐνεργουμένην
ἐν ἡμῖν Col 1 29 κατὰ τὴν ἐνέργειαν
αὐτοῦ τὴν ἐν..μένην ἐν ἐμοὶ ἐν δ..ει
Eph 3 16 ἵνα δῷ ὑμῖν – δυνάμει κραταιωθῆναι
Phl 3 10 γνῶναι αὐτὸν καὶ τὴν δύναμιν τῆς
ἀναστάσεως αὐτοῦ
Col 1 11 ἐν πάσῃ δυνάμει δυναμούμενοι
1 Th 1 5 τὸ εὐαγγ. – οὐκ ἐγενήθη – ἐν λόγῳ
μόνον, ἀλλὰ καὶ ἐν δυνάμει καί
2 Th 1 7 μετ' ἀγγέλων δυνάμεως αὐτοῦ
– 11 πληρώσῃ – ἔργον πίστεως ἐν δυνάμει
2 9 ἐν πάσῃ δ..ει – καὶ τέρασιν ψεύδους
2 Ti 1 7 οὐ – πνεῦμα δειλίας, ἀλλὰ δυνάμεως
καὶ ἀγάπης καὶ σωφροσύνης
– 8 συγκακοπάθησον – κατὰ δ..ιν θεοῦ
3 5 ἔχοντες μόρφωσιν εὐσεβείας τὴν δὲ
δύναμιν αὐτῆς ἠρνημένοι
Hb 1 3 τῷ ῥήματι τῆς δυνάμεως αὐτοῦ
2 4 τέρασιν καὶ ποικίλαις δυνάμεσιν
6 5 δυνάμεις τε μέλλοντος αἰῶνος
7 16 κατὰ δύναμιν ζωῆς ἀκαταλύτου
11 11 Σάρρα δ..ιν εἰς καταβολὴν σπέρμα-
τος ἔλαβεν 34 ἔσβεσαν δ..ιν^d πυρός
1 Pe 1 5 τοὺς ἐν δ..ει θεοῦ φρουρουμένους
3 22 ἀγγέλων καὶ ἐξουσιῶν καὶ δυνάμεων
4 14 τὸ τῆς δόξης (vl + καὶ δ..εως) – πνεῦ.
2 Pe 1 3 τὰ πάντα ἡμῖν τῆς θείας δυνάμεως
αὐτοῦ – δεδωρημένης
– 16 τὴν – Χοῦ δύναμιν καὶ παρουσίαν
2 11 ἄγγελοι ἰσχύϊ καὶ δυνάμει μείζονες
Ap 1 16 ὡς „ὁ ἥλιος – ἐν τῇ δυνάμει αὐτοῦ"
3 8 ὅτι μικρὰν ἔχεις δύναμιν
4 11 ἄξιος εἶ – λαβεῖν – τὴν δύν. 5 12 7 12
ἡ δύναμις – τῷ θεῷ ἡμῶν 12 10 19 1
11 17 εἴληφας τὴν δύν. σου τὴν μεγάλην
13 2 ἔδωκεν αὐτῷ ὁ δράκων τὴν δύν. αὐ-
τοῦ 17 13 τὴν δ. – τῷ θηρίῳ διδόασιν
15 8 ἐκ τῆς δόξης τοῦ θεοῦ καὶ ἐκ τῆς δυν.
18 3 ἐκ τῆς δυνάμεως τοῦ στρήνους αὐ-
τῆς ἐπλούτησαν

δυναμοῦσθαι ^a confortari ^b convalescere
Col 1 11 ἐν πάσῃ δυνάμει δυναμούμενοι^a
Hb 11 34 ἐδυναμώθησαν^b ἀπὸ ἀσθενείας

＊δύνασθαι posse ^b potentem esse
Mat 3 9 δύναται^b (vl^a) ὁ θεὸς ἐκ τῶν λίθων
– ἐγεῖραι τέκνα ‖ Luc 3 8^b (vl^a)
7 18 οὐ δύναται δένδρον ἀγαθὸν καρποὺς
πονηροὺς ἐνεγκεῖν, κτλ 12 34 πῶς δύ-
νασθε ἀγαθὰ λαλεῖν πονηροὶ ὄντες;
8 2 ἐὰν θέλῃς, δύνασαί με καθαρίσαι ‖

Mar 1 40 Luc 5 12 – Mat 9 28 πιστεύε-
τε ὅτι δύναμαι τοῦτο ποιῆσαι;
Mat 17 16 οὐκ ἠδυνήθησαν αὐτὸν θεραπεῦσαι
19 διὰ τί ἡμεῖς οὐκ ἠδυνήθημεν ἐκ-
βαλεῖν αὐτό; ‖ Mar 9 28. 29 Luc 9 40
19 25 τίς ἄρα δύναται σωθῆναι; ‖ Mar 10 26
Luc 18 26 – Act 15 1 ἐὰν μὴ περιτμη-
θῆτε –, οὐ δύνασθε σωθῆναι
20 22 δύνασθε πιεῖν τὸ ποτήριον ὃ ἐγὼ μέλ-
λω πίνειν; – δυνάμεθα ‖ Mar 10 38. 39
26 61 δύναμαι καταλῦσαι τ. ναὸν τοῦ θεοῦ
27 42 ἑαυτὸν οὐ δύναται σῶσαι ‖ Mar 15 31
Mar 2 7 τίς δύναται ἀφιέναι ἁμαρτίας εἰ μὴ
εἷς ὁ θεός; ‖ Luc 5 21 μόνος ὁ θεός;
4 33 παραβολαῖς – ἐλάλει αὐτοῖς τὸν λό-
γον, καθὼς ἠδύναντο ἀκούειν
6 5 οὐκ ἐδύνατο ἐκεῖ ποιῆσαι οὐδεμίαν
δύναμιν, εἰ μὴ ὀλίγοις ἀρρώστοις
9 22 ἀλλ' εἴ τι δύνῃ, βοήθησον ἡμῖν 23 τὸ
εἰ δύνῃ, πάντα δυνατὰ τῷ πιστεύοντι
Luc 6 42 πῶς δύνασαι λέγειν τῷ ἀδελφῷ σου
12 26 εἰ οὖν οὐδὲ ἐλάχιστον δύνασθε, τί
14 26 οὐ δύναται εἶναί μου μαθητής 27. 33
20 36 οὐδὲ γὰρ ἀποθανεῖν ἔτι δύνανται
Joh 3 2 οὐδεὶς – δύναται – τὰ σημεῖα ποιεῖν
– 3 οὐ δύναται ἰδεῖν τὴν βασ. τοῦ θεοῦ 4.
5 οὐ δύν. εἰσελθεῖν εἰς τὴν β. τοῦ θ.
5 19 οὐ δύναται ὁ υἱὸς ποιεῖν ἀφ' ἑαυτοῦ
οὐδέν 30 οὐ δύναμαι ἐγὼ ποιεῖν
– 44 πῶς δύνασθε ὑμεῖς πιστεῦσαι, –;
6 44 οὐδεὶς δύναται ἐλθεῖν πρός με 65
– 60 τίς δ..ται αὐτοῦ (sc τ. λόγου) ἀκούειν;
7 34 ὅπου εἰμὶ ἐγὼ ὑμεῖς οὐ δύνασθε ἐλ-
θεῖν 36 8 21 ὅπου ἐγὼ ὑπάγω – 22 13 33
8 43 ὅτι οὐ δ..σθε ἀκούειν τ. λόγον τ. ἐμόν
9 4 νὺξ ὅτε οὐδεὶς δύναται ἐργάζεσθαι
– 16 πῶς δύναται – ἁμαρτωλὸς τοιαῦτα
σημεῖα ποιεῖν; 33 εἰ μὴ ἦν οὗτος πα-
ρὰ θεοῦ, οὐκ ἠδύνατο ποιεῖν οὐδέν
10 21 μὴ δαιμόνιον δύναται τυφλῶν ὀφθαλ-
μοὺς ἀνοῖξαι; 11 37 οὐκ ἐδύνατο –
ποιῆσαι ἵνα οὗτος μὴ ἀποθάνῃ;
– 29 οὐδεὶς δύναται ἁρπάζειν ἐκ τῆς χει-
ρὸς τοῦ πατρός
12 39 διὰ τοῦτο οὐκ ἠδύναντο πιστεύειν
15 5 χωρὶς ἐμοῦ οὐ δύνασθε ποιεῖν οὐδέν
16 12 ἀλλ' οὐ δύνασθε βαστάζειν ἄρτι
Act 20 32 τῷ κυρίῳ – τῷ δ..μένῳ^b οἰκοδομῆσαι
Rm 8 7 τῷ – νόμῳ τοῦ θεοῦ οὐχ ὑποτάσσε-
ται, οὐδὲ γὰρ δύναται· οἱ δὲ ἐν σαρ-
κὶ ὄντες θεῷ ἀρέσαι οὐ δύνανται
16 25 τῷ – δυναμένῳ^b ὑμᾶς στηρίξαι Eph

3 20 τῷ δὲ δυναμένῳᵇ ὑπὲρ πάντα
ποιῆσαι Jud 24 (vl ᵃ) φυλάξαι ὑμᾶς
1 Co 3 2 οὔπω γὰρ ἐδύνασϑε. ἀλλ᾽ οὐδὲ – νῦν
δύνασϑε, ἔτι γὰρ σαρκικοί ἐστε
10 13 οὐκ ἐάσει ὑμᾶς πειρασϑῆναι ὑπὲρ ὃ
δύνασϑε, ἀλλὰ ποιήσει – καὶ τὴν ἔκ-
βασιν τοῦ δύνασϑαι ὑπενεγκεῖν
12 3 οὐδεὶς δύναται εἰπεῖν· κύριος Ἰησοῦς
2 Co 13 8 οὐ – δυνάμεϑά τι κατὰ τῆς ἀληϑείας
Gal 3 21 εἰ – ἐδόϑη νόμος ὁ δυνάμενος ζωο-
ποιῆσαι, – ἐκ νόμου ἂν ἦν ἡ δικαιοσ.
Eph 6 11 πρὸς τὸ δύνασϑαι ὑμᾶς στῆναι πρὸς
τὰς μεϑοδείας τοῦ διαβόλου – 13.16
Phl 3 21 τοῦ δύνασϑαι – ὑποτάξαι – τὰ πάντα
Hb 2 18 δ..ταιᵇ τοῖς πειραζομένοις βοηϑῆσαι
10 1 οὐδέποτε δύναται (vl ..νται) τοὺς
προσερχομένους τελειῶσαι 11 οὐδέ-
ποτε δύνανται περιελεῖν ἁμαρτίας
Jac 4 12 ὁ δυνάμενος σῶσαι καὶ ἀπολέσαι
1 Jo 3 9 οὐ δύναται ἁμαρτάνειν, ὅτι ἐκ τ. ϑ.
Ap 13 4 τίς δύναται πολεμῆσαι μετ᾽ αὐτοῦ;

δυνάστης potens Luc 1 52 Act 8 27
1 Ti 6 15 ὁ μακάριος καὶ μόνος δυνάστης

δυνατεῖν Sᵒ – potentem esse
Rm 14 4 δυνατεῖ γὰρ ὁ κύριος στῆσαι αὐτόν
2 Co 9 8 δ..εῖ – ὁ ϑ. – χάριν περισσεῦσαι εἰς ὑμ.
13 3 Χοῦ, ὃς εἰς ὑμᾶς οὐκ ἀσϑενεῖ ἀλλὰ
δυνατεῖ ἐν ὑμῖν

δυνατός potens ᵇpossibilis (imposs.) ᶜfieri
potest ᵈposse ᵉ(τὸ δυνατόν) poten-
tia ᶠ(οἱ δυνατοί) firmiores
Mat 19 26 „παρὰ δὲ ϑεῷ πάντα δυνατάᵇ" ‖
Mar 10 27 ᵇ Luc 18 27 ᵇ
24 24 πλανῆσαι, εἰ δυνατόνᶜ ‖ Mar 13 22 ᶜ
26 39 εἰ δυνατόνᵇ ἐστιν, παρελϑάτω – τὸ
ποτήριον ‖ Mar 14 35 ᶜ ἡ ὥρα 36 πάν-
τα δυνατάᵇ σοι· παρένεγκε τὸ ποτ.
Mar 9 23 πάντα δυνατάᵇ τῷ πιστεύοντι
Luc 1 49 ἐποίησέν μοι μεγάλα ὁ δυνατός
14 31 εἰ δυνατός ἐστινᵈ – ὑπαντῆσαι τῷ
24 19 δ..ὸς ἐν ἔργῳ καὶ λόγῳ Act 7 22 (Mo-
ses) 18 24 (Apollos) δ. – ἐν τ. γραφαῖς
Act 2 24 οὐκ ἦν δυνατὸνᵇ κρατεῖσϑαι αὐτόν
11 17 ἐγὼ τίς ἤμην δ.ᵈ κωλῦσαι τὸν ϑεόν;
20 16 εἰ δυνατὸνᵇ εἴη αὐτῷ
25 5 οἱ οὖν ἐν ὑμῖν – δυνατοί
Rm 4 21 ὃ ἐπήγγελται δυν. ἐστιν καὶ ποιῆσαι
9 22 ϑέλων ὁ ϑεὸς – γνωρίσαι τὸ δ.ᵉ αὐτοῦ
11 23 δ. – ἐστιν ὁ ϑεὸς πάλιν ἐγκεντρίσαι

Rm 12 18 εἰ δυνατόνᶜ, τὸ ἐξ ὑμῶν, μετὰ πάν-
των ἀνϑρώπων εἰρηνεύοντες
15 1 ὀφείλομεν δὲ ἡμεῖς οἱ δυνατοίᶠ τὰ
ἀσϑενήματα τῶν ἀδυνάτων βαστάζειν
1 Co 1 26 οὐ πολλοὶ δυνατοί, οὐ π. εὐγενεῖς
2 Co 10 4 τὰ – ὅπλα – δυνατὰ τῷ ϑεῷ πρός
12 10 ὅταν – ἀσϑενῶ, τότε δυνατός εἰμι
13 9 χαίρομεν γὰρ ὅταν ἡμεῖς ἀσϑενῶμεν,
ὑμεῖς δὲ δυνατοὶ ἦτε
Gal 4 15 εἰ δυνατὸνᶜ τοὺς ὀφϑαλμοὺς ὑμῶν
2 Ti 1 12 δ..ός ἐστιν τὴν παραϑήκην μου φυ-
λάξαι Hb 11 19 ἐκ νεκρῶν ἐγείρειν
Tit 1 9 ἵνα δυν. ἦ παρακαλεῖν ἐν τῇ διδασκ.
Jac 3 2 δυνατόςᵈ χαλιναγωγῆσαι – τὸ σῶμα

δύνειν occidere Mar 1 32 ‖ Luc 4 40

*δύο duo, duae ᵇbini
Mat 18 19 ἐὰν δύο συμφωνήσωσιν περὶ – οὗ ἐὰν
αἰτήσωνται 20 οὗ γάρ εἰσιν δύο ἢ
τρεῖς συνηγμένοι εἰς τὸ ἐμὸν ὄνομα
19 5 „ἔσονται οἱ δύο εἰς σάρκα μίαν." ὥσ-
τε οὐκέτι εἰσὶν δύο ‖ Mar 10 8 –
1 Co 6 16 Eph 5 31
21 1 ἀπέστειλεν δύο μαϑητάς ‖ Mar 11 1
Luc 19 29
24 40 ἔσονται δύο ἐν τῷ ἀγρῷ 41 δύο (du-
ae) ἀλήϑουσαι ‖ Luc 17 34.35
Mar 6 7 ἤρξατο αὐτοὺς ἀποστέλλειν δύο δύοᵇ
‖ Luc 10 1 ἀνὰ δύοᵇ – Mar 14 13 δύο
τῶν μαϑητῶν – [16 12 δυσὶν – περιπα-
τοῦσιν ἐφανερώϑη] ‖ Luc 24 13 – 7 18
δύο τινας τῶν μαϑητῶν (sc Ἰωάν-
νου) – Joh 1 35 Ἰωάννης καὶ ἐκ τῶν
μαϑητῶν αὐτοῦ δύο 37.40 Ἀνδρέας –
εἷς ἐκ τῶν δύο 20 4 ἕτερον – οἱ δύο
ὁμοῦ 21 2 ἄλλοι ἐκ τῶν μαϑητ. – δύο
Joh 8 17 δύο ἀνϑρώπων ἡ μαρτυρία ἀληϑής
2 Co 13 1 „ἐπὶ στόματος δύο μαρτύρων καὶ
τριῶν" 1 Ti 5 19 Hb 10 28
Eph 2 15 ἵνα τοὺς δύο κτίσῃ – εἰς ἕνα καινόν

δυσβάστακτος ᵃimportabilis ᵇquae portare
(sc homines, vl ..tari) non possunt
(Mat 23 4 vl vgᵃ) ‖ Luc 11 46 ᵇ

δυσεντέριον Sᵒ – dysenteria Act 28 8

δυσερμήνευτος Sᵒ – ininterpretabilis
Hb 5 11 πολὺς ἡμῖν ὁ λόγος καὶ δυσ. λέγειν

δύσις vgᵒ [Mar brev. claus. ἄχρι δύσεως]

δύσκολος, δυσκόλως *difficilis, ..le*
Mat 1923 πλούσιος δυσκόλως εἰσελεύσεται ‖
Mar 1023.24 πῶς δ..όν ἐστιν Luc 1824

δυσμαί *occidens* ᵇ*occasus* Mat 811 ‖ Luc
1329 – Mat 2427 Luc 1254ᵇ Ap 2113ᵇ

δυσνόητος Sᵒ – *difficilis intellectu*
2 Pe 316 ἐν αἷς ἐστιν δυσνόητά τινα

δυσφημεῖν *blasphemare* 1 Co 413 δ..ούμενοι

δυσφημία *infamia* 2 Co 68 διὰ δυσφημίας

*δώδεκα *duodecim*
Mat 10 1 προσκαλεσάμενος τοὺς δ. μαθητὰς
αὐτοῦ ‖ Mar 67 τοὺς δώδεκα Luc 91
– 2 τῶν δὲ δ. ἀποστόλων τὰ ὀνόματα ‖
Mar 314 ἐποίησεν δώδ. ἵνα ὦσιν μετ'
αὐτοῦ 16 τοὺς δώδεκα Luc 613 ἐκλε-
ξάμενος – δώδεκα, οὓς καὶ ἀποστό-
λους ὠνόμασεν – Joh 670 οὐκ ἐγὼ
ὑμᾶς τοὺς δώδεκα ἐξελεξάμην;
– 5 τούτους τοὺς δ. ἀπέστειλεν ὁ Ἰησοῦς
11 1 ὅτε ἐτέλεσεν – διατάσσων τοῖς δώδεκα
1928 ἐπὶ δώδεκα θρόνους κρίνοντες τὰς
δώδεκα φυλὰς τοῦ Ἰσραήλ ‖ Luc 2230
2017 παρέλαβεν τοὺς δώδεκα κατ' ἰδίαν ‖
Mar 1032 cfr 935 ἐφώνησεν Luc 1831
2614 πορευθεὶς εἷς τῶν δώδ. ‖ Mar 1410 ὁ
εἷς τῶν δώδεκα 20.43 Luc 223 ὄντα ἐκ
τοῦ ἀριθμοῦ τῶν δώδεκα 47 Joh 671
– 2024 Θωμᾶς – εἷς ἐκ τῶν δώδεκα
– 20 ἀνέκειτο μετὰ τῶν δώδ. [μαθητῶν] ‖
Mar 1417 ἔρχεται μετὰ τῶν δώδεκα
Mar 410 ἠρώτων αὐτὸν οἱ περὶ αὐτὸν σὺν (vgᵒ
vl *cum*) τοῖς δώδεκα τὰς παραβολάς
1111 ἐξῆλθεν εἰς Βηθανίαν μετὰ τῶν δώδ.
Luc 8 1 καὶ οἱ δώδεκα σὺν αὐτῷ – 912
Joh 667 τοῖς δ.· μὴ καὶ ὑμεῖς θέλετε ὑπάγειν;
Act 6 2 προσκαλεσάμενοι – οἱ δ. τὸ πλῆθος
7 8 περιέτεμεν – τοὺς δώδεκα πατριάρχας
1 Co15 5 ὤφθη Κηφᾷ, εἶτα τοῖς δώδεκα (vl
ἕνδεκα vg *undecim*)
Jac 1 1 ταῖς δώδεκα φυλαῖς – ἐν τῇ διασπορᾷ
Ap 12 1 στέφανος ἀστέρων δώδεκα
2112 ἔχουσα πυλῶνας δ., – ἀγγέλους δ., –
ὀνόματα – τῶν δ. φυλῶν 14 θεμελίους
δ., καὶ ἐπ' αὐτῶν δώδεκα ὀνόματα
τῶν δώδεκα ἀποστόλων τοῦ ἀρνίου

δωδέκατος *duodecimus* Ap 2120 θεμέλιος

δωδεκάφυλον Sᵒ – *duodecim tribus*
Act 26 7 τὸ δωδ. ἡμῶν ἐν ἐκτενείᾳ – λατρεῦον

δῶμα *tectum* ᵇ*superiora*
Mat 1027 κηρύξατε ἐπὶ τῶν δωμάτων ‖ Luc 123
2417 ὁ ἐπὶ τοῦ δ..τος ‖ Mar 1315 Luc 1731
Luc 519 Act 109 ἐπὶ τὸ δῶμαᵇ προσεύξασθαι

δωρεά *donum* ᵇ*donatio* ᶜ*gratia*
Joh 410 εἰ ᾔδεις τὴν δωρεὰν τοῦ θεοῦ
Act 238 λήμψεσθε τὴν δ. τοῦ ἁγ. πνεύματος
820 ὅτι τὴν δωρεὰν τοῦ θεοῦ ἐνόμισας
διὰ χρημάτων κτᾶσθαι
1045 ἐπὶ τὰ ἔθνη ἡ δ.ᶜ τοῦ ἁγίου πνεύμα-
τος ἐκκέχυται 1117 εἰ – τὴν ἴσην δ.ᶜ
ἔδωκεν αὐτοῖς ὁ θεὸς ὡς – ἡμῖν
Rm 515 ἡ δ. ἐν χάριτι – Ἰησοῦ – ἐπερίσσευσεν
– 17 οἱ τὴν περισσείαν – τῆς δωρεᾶςᵇ τῆς
δικαιοσύνης λαμβάνοντες
2 Co 915 ἐπὶ τῇ ἀνεκδιηγήτῳ αὐτοῦ δωρεᾷ
Eph 3 7 κατὰ τὴν δ. τῆς χάριτος τοῦ θεοῦ
4 7 κατὰ τὸ μέτρον τῆς δωρεᾶςᵇ τοῦ Χρ.
Hb 6 4 γευσαμένους – τῆς δ. τῆς ἐπουρανίου

δωρεάν *gratis*
Mat 10 8 δωρεὰν ἐλάβετε, δωρεὰν δότε
Joh 1525 ὅτι „ἐμίσησάν με δωρεάν"
Rm 324 δικαιούμενοι δωρεὰν τῇ αὐτοῦ χάριτι
2 Co11 7 ὅτι δ. τὸ – εὐαγγέλιον εὐηγγελισάμην
Gal 221 ἄρα Χὸς δωρεὰν ἀπέθανεν
2 Th 3 8 οὐδὲ δ. ἄρτον ἐφάγομεν παρά τινος
Ap 21 6 „τῷ διψῶντι" δώσω ἐκ τῆς πηγῆς
„τοῦ ὕδατος τῆς ζωῆς δωρεάν"
2217 λαβέτω „ὕδωρ ζωῆς δωρεάν"

δωρεῖσθαι *donare* Mar 1545 πτῶμα
2 Pe 1 3 τὰ πάντα ἡμῖν τῆς θείας δυνάμεως
αὐτοῦ – δεδωρημένης (vg *donata sunt*,
vl *donavit* F) 4 τὰ τίμια καὶ μέγιστα ἡ-
μῖν ἐπαγγέλματα δεδώρηται (vg *donavit*)

δώρημα *donum* Rm 516 καὶ οὐχ ὡς δι' ἑνὸς
ἁμαρτήσαντος (vl ..ήματος) τὸ δώρημα
Jac 117 καὶ πᾶν δώρημα τέλειον ἄνωθέν ἐστιν

δῶρον *munus* ᵇ*donum*
Mat 211 προσήνεγκαν αὐτῷ δῶρα
523 ἐὰν οὖν προσφέρῃς τὸ δῶρόν σου 24
ἄφες ἐκεῖ τὸ δῶρόν σου –, καὶ τότε
ἐλθὼν πρόσφερε τὸ δῶρόν σου
8 4 προσένεγκον τὸ δῶρ. – εἰς μαρτύριον
15 5 ὃς ἂν εἴπῃ·' δῶρον ὃ ἐὰν ἐξ ἐμοῦ

ὠφεληθῆς ‖ Mar 7 11 κορβᾶν, ὅ ἐστιν δῶρον[b], ὃ ἐὰν ἐξ ἐμοῦ ὠφεληθῆς
Mat 23 18 ὃς δ' ἂν ὀμόσῃ ἐν τῷ δώρῳ[b] τῷ ἐπάνω αὐτοῦ 19 τί – μεῖζον, τὸ δῶρον[b] ἢ τὸ θυσιαστήριον τὸ ἁγιάζον τὸ δ.[b];
Luc 21 1 εἰς τὸ γαζοφυλακεῖον τὰ δῶρα 4

Eph 2 8 οὐκ ἐξ ὑμῶν, θεοῦ τὸ δῶρον[b]
Hb 5 1 ἵνα προσφέρῃ δῶρά[b] τε καὶ θυσίας ὑπὲρ ἁμαρτιῶν 8 3.4 9 9
    11 4 μαρτυροῦντος „ἐπὶ τοῖς δώροις αὐτοῦ (sc ᾽Αβελ) τοῦ θεοῦ"
Ap 11 10 δῶρα πέμψουσιν ἀλλήλοις

E

ἔα   sine   Luc 4 34 ἔα, τί ἡμῖν καὶ σοί, ᾽Ιησοῦ –;

ἐᾶν   sinere [b]permittere [c]pati [d]dimittere [e]se committere
Mat 24 43 οὐκ ἂν εἴασεν διορυχθῆναι τὴν οἰκ.
Luc   4 41 ἐπιτιμῶν οὐκ εἴα αὐτὰ λαλεῖν
    22 51 ᾽Ιησοῦς εἶπεν· ἐᾶτε ἕως τούτου
Act 14 16 εἴασεν[d] – τὰ ἔθνη πορεύεσθαι τ. ὁδοῖς
    16 7 οὐκ εἴασεν[b] αὐτοὺς τ. πνεῦμα ᾽Ιησοῦ
    19 30 οὐκ εἴων[b] αὐτὸν οἱ μαθηταί
    23 32 ἐάσαντες[d] τοὺς ἱππεῖς ἀπέρχεσθαι
    27 32[c] 40 εἴων[e] εἰς τὴν θάλασσαν
    28 4 ὃν – ἡ δίκη ζῆν οὐκ εἴασεν (sinit)
1 Co 10 13 πιστὸς – ὁ θεός, ὃς οὐκ ἐάσει[c] ὑμᾶς πειρασθῆναι ὑπὲρ ὃ δύνασθε

ἑβδομήκοντα   septuaginta
Luc 10 1 ἑτέρους ἑβδ. [δύο] 17 ὑπέστρεψαν οἱ ἑβδομήκ. [δύο] – Act 7 14 23 23 27 37

ἑβδομηκοντάκις   septuagies   Mat 18 22

ἕβδομος, ..η   septimus [b]dies septima
Joh 4 52 ἐχθὲς ὥραν ἑβδόμην ἀφῆκεν αὐτόν
Hb   4 4 εἴρηκεν – περὶ τῆς ἑβδόμης[b] – · – „κατέπαυσεν – ἐν τῇ ἡμέρᾳ τῇ ἑβδ."
Jud   14 ἕβδομος ἀπὸ ᾽Αδὰμ ᾽Ενώχ
Ap   8 1 τὴν σφραγῖδα τὴν ἑβ. 10 7 τοῦ ἑβ. ἀγγέλου 11 15 16 17 – 21 20 ὁ ἑβ. (sc θεμέλιος)

῎Εβερ   Luc 3 35

(῾Εβραϊκός   Hebraicus   Luc 23 38 vl γράμμασιν ῾Εβραϊκοῖς)

῾Εβραῖος   Hebraeus
Act   6 1 τῶν ῾Ελληνιστῶν πρὸς τοὺς ῾Ε..ους
2 Co 11 22 ῾Εβραῖοί εἰσιν; κἀγώ. ᾽Ισραηλῖται –;
Phl   3 5 ῾Εβραῖος ἐξ ῾Εβραίων, κατὰ νόμον

῾Εβραΐς   διάλεκτος   lingua Hebraea [b]lingua Hebraica   Act 21 40 22 2 26 14[b]

῾Εβραϊστί   Hebraice
Joh   5 2 Βηθζαθά 19 13 Γαββαθά 17 Γολγοθά 20 ῾Εβραϊστί, ῾Ρωμαϊστί, ῾Ελληνιστί 20 16 ῾Εβραϊστί (vg[o])· ῾Ραββουνί – Ap 9 11 ᾽Αβαδδών 16 16 ῾Αρμαγεδών

ἐγγίζειν   appropinquare [b]appropiare [c]prope esse [d]accedere [e]proximare
Mat   3 2 ἤγγικεν – ἡ βασιλεία τῶν οὐρανῶν 4 17 ‖ Mar 1 15 τοῦ θεοῦ – Mat 10 7 οὐρανῶν Luc 10 9 ἤγγ. ἐφ' ὑμᾶς – θεοῦ 11 θ.
    21 1 ἤγγισαν εἰς ᾽Ιεροσ. ‖ Mar 11 1 Luc 19 41 – 34 ὅτε – ἤγγισεν ὁ καιρὸς τῶν καρπῶν
    26 45 ἤγγικεν ἡ ὥρα 46 ἰδοὺ ἤγγικεν ὁ παραδιδούς με ‖ Mar 14 42 (vl ἤγγισεν)[c]
Luc   7 12 12 33 κλέπτης οὐκ ἐγγίζει[b] 15 1.25 18 35.40 19 29 εἰς Βηθφαγή 37
    21 8 λέγοντες· – ὁ καιρὸς ἤγγικεν· μή – 20 γνῶτε ὅτι ἤγγικεν ἡ ἐρήμωσις αὐτῆς – 28 διότι ἐγγίζει ἡ ἀπολύτρωσις ὑμῶν
    22 1.47 24 15 ᾽Ιησοῦς ἐγγίσας 28
Act   7 17 ἤγγιζεν ὁ χρόνος τῆς ἐπαγγελίας 9 3 10 9 21 33[d] 22 6 23 15[b]
Rm 13 12 νὺξ προέκοψεν, ἡ δὲ ἡμέρα ἤγγικεν
Phl   2 30 μέχρι θανάτου ἤγγισεν[d] ⌊(vg vl[b])
Hb   7 19 ἐλπίδος, δι' ἧς ἐγγίζομεν[e] τῷ θεῷ 10 25 ὅσῳ βλέπετε ἐγγίζουσαν τὴν ἡμέραν
Jac   4 8 ἐγγίσατε τῷ θεῷ, καὶ ἐγγίσει ὑμῖν 5 8 ἡ παρουσία τοῦ κυρίου ἤγγικεν
1 Pe   4 7 πάντων δὲ τὸ τέλος ἤγγικεν

ἐγγράφειν   scribere   Luc 10 20 ὅτι τὰ ὀνόματα ὑμῶν ἐγγέγραπται ἐν τοῖς οὐρανοῖς
2 Co   3 2 ἡ ἐπιστολὴ ἡμῶν ὑμεῖς ἐστε, ἐγγεγραμμένη ἐν ταῖς καρδίαις ἡμῶν 3 „ἐγγεγραμμένη" –, – ἐν „πλαξὶν καρδίαις σαρκίναις"

ἔγγυος   sponsor   Hb 7 22 κατὰ τοσοῦτο καὶ κρείττονος διαθήκης γέγονεν ἔ. ᾽Ιησοῦς

ἐγγύς, ἐγγύτερον *prope* (*est*) [b]*proximus*
[c]*in proximo* [d]*iuxta*
Mat 24 32 ὅτι ἐγγὺς τὸ θέρος 33 ἐγγύς ἐστιν ἐπὶ
θύραις ‖ Mar 13 28 [c] 29 [c] Luc 21 30.31
ἐγγύς ἐστιν ἡ βασιλεία τοῦ θεοῦ
26 18 ὁ καιρός μου ἐγγύς ἐστιν
Luc 19 11 διὰ τὸ ἐγγὺς εἶναι Ἱερουσαλ. αὐτόν
Joh 2 13 ἐγγὺς ἦν τὸ πάσχα 6 4 [b] 11 55 [b] – 7 2
ἦν δὲ ἐγγὺς [c] – ἡ σκηνοπηγία
3 23 ἐγγὺς [d] τοῦ Σαλίμ – 6 19 [b] 23 [d] 11 18 [d]
τῶν Ἱεροσ. 54 [d] τῆς ἐρήμου 19 20 τῆς
πόλεως 42 ἐγγὺς [d] ἦν τὸ μνημεῖον
Act 1 12 [d] Ἱερουσαλήμ 9 38 τῇ Ἰόππῃ 27 8 [d]
Rm 10 8 „ἐγγύς σου τὸ ῥῆμά ἐστιν"
13 11 ἐγγύτερον (*propior*) ἡμῶν ἡ σωτηρία
Eph 2 13 ἐγενήθητε „ἐγγύς" 17 „εἰρήνην" ὑμῖν
„τοῖς μακρὰν καὶ εἰρήνην τοῖς ἐγγύς"
Phl 4 5 ὁ κύριος ἐγγύς (*prope est*)
Hb 6 8 „γῆ–ἐκφέρουσα ἀκάνθας–κατάρας"
ἐγγύς [b] – 8 13 τὸ δὲ παλαιούμενον
καὶ γηράσκον ἐγγὺς ἀφανισμοῦ
Ap 1 3 ὁ γὰρ καιρὸς ἐγγύς 22 10 ἐγγύς ἐστιν

ἐγείρειν, ἐγείρεσθαι

1) e morte revocare, excitari
vg *resurgere* [b]*suscitare* [c]*surgere*
[d]*excitare* → ἀνιστάναι, συνεγείρειν
Mat 9 25 ἠγέρθη [c] τὸ κοράσιον ‖ Mar 5 41 ἔγει-
ρε [c] Luc 8 54 [c] – 7 14 νεανίσκε – ἐγέρ-
10 8 νεκροὺς ἐγείρετε [b] |θητι [c]
11 5 νεκροὶ ἐγείρονται ‖ Luc 7 22
14 2 ἠγέρθη [c] ἀπὸ τῶν νεκρῶν (Joh.) ‖
Mar 6 14 ἐγήγερται 16 ἠγέρθη Luc 9 7 [c]
16 21 τῇ τρίτῃ ἡμέρᾳ ἐγερθῆναι ‖ Luc 9 22
– Mat 17 23 ἐγερθήσεται 20 19 – 27 63
ὅτι – εἶπεν – ˙ μετὰ τρεῖς ἡμ. ἐγείρομαι
17 9 ἕως οὗ ὁ υἱὸς τοῦ ἀνθρώπου ἐκ νε-
κρῶν ἐγερθῇ (vl ἀναστῇ)
26 32 μετὰ δὲ τὸ ἐγερθῆναί με προάξω ὑ-
μᾶς εἰς τὴν Γαλιλ. ‖ Mar 14 28 (vl [c])
27 52 σώματα τῶν – ἁγίων ἠγέρθησαν [c]
– 64 εἴπωσιν – ˙ ἠγέρθη [c] ἀπὸ – νεκρῶν
28 6 ἠγέρθη [c] – καθὼς εἶπεν 7 εἴπατε – ὅτι
ἠγέρθη [c] ἀπὸ τῶν νεκρῶν ‖ Mar 16 6
ἠγέρθη [c], οὐκ ἔστιν ὧδε [Luc 24 6 [c]]
– Mar 16 14 [τοῖς θεασαμένοις αὐτὸν
ἐγηγερμένον] Luc 24 34 λέγοντας ὅτι
ὄντως ἠγέρθη [c] – Joh 21 14 τρίτον
ἐφανερώθη – ἐγερθεὶς ἐκ νεκρῶν
Mar 12 26 περὶ δὲ τῶν νεκρῶν ὅτι ἐγείρονται ‖
Luc 20 37 ὅτι – ἐγείρονται οἱ νεκροί

Joh 2 22 ὅτε οὖν ἠγέρθη ἐκ νεκρῶν
5 21 ὥσπερ – ὁ πατὴρ ἐγείρει [b] τοὺς νεκρ.
12 1 Λάζ., ὃν ἤγειρεν [b] ἐκ νεκρῶν 9 [b].17 [b]
Act 3 15 ὃν ὁ θεὸς ἤγειρεν [b] ἐκ νεκρῶν 4 10 [b]
5 30 [b] 10 40 [b] ἐν τῇ τρίτῃ ἡμέρᾳ 13 30 [b]
37 ὃν δὲ ὁ θεὸς ἤγειρεν [b], οὐκ εἶδεν
διαφθοράν
26 8 τί ἄπιστον κρίνεται παρ' ὑμῖν εἰ ὁ
θεὸς νεκροὺς ἐγείρει [b];
Rm 4 24 τοῖς πιστεύουσιν ἐπὶ τὸν ἐγείραντα [b]
Ἰησοῦν – ἐκ νεκρῶν 1 Pe 1 21 πιστοὺς
εἰς θεὸν τὸν ἐγείραντα [b] αὐτὸν ἐκ νεκ.
– 25 ἠγέρθη διὰ τὴν δικαίωσιν ἡμῶν
6 4 ὥσπερ ἠγέρθη [c] Χὸς ἐκ νεκρῶν
– 9 εἰδότες ὅτι Χὸς ἐγερθεὶς (vl [c]) ἐκ
νεκρῶν οὐκέτι ἀποθνήσκει
7 4 εἰς τὸ γενέσθαι ὑμᾶς ἑτέρῳ, τῷ ἐκ
νεκρῶν ἐγερθέντι
8 11 εἰ – τὸ πνεῦμα τοῦ ἐγείραντος [b] τὸν
Ἰησοῦν ἐκ νεκρῶν οἰκεῖ ἐν ὑμῖν, ὁ
ἐγείρας [b] ἐκ νεκρῶν Χὸν Ἰησοῦν ζωο-
ποιήσει – τὰ θνητὰ σώματα ὑμῶν
– 34 Χὸς Ἰησοῦς ὁ ἀποθανών, μᾶλλον δὲ
ἐγερθείς
10 9 ἐὰν – πιστεύσῃς – ὅτι ὁ θεὸς αὐτὸν
ἤγειρεν [b] (vl [d]) ἐκ νεκρῶν
1 Co 6 14 ὁ – θεὸς καὶ τὸν κύριον ἤγειρεν [b] καὶ
ἡμᾶς ἐξεγερεῖ (*suscitabit*)
15 4 ὅτι ἐγήγερται (vl [c]) τῇ ἡμέρᾳ τῇ τρ.
– 12 εἰ – Χὸς κηρύσσεται ὅτι ἐκ νεκρῶν
ἐγήγερται 13 οὐδὲ Χὸς ἐγήγ. 14 εἰ
δὲ Χὸς οὐκ ἐγήγ. 15 ὅτι ἐμαρτυρή-
σαμεν κατὰ τοῦ θεοῦ ὅτι ἤγειρεν [b]
τὸν Χόν, ὃν οὐκ ἤγειρεν [b] εἴπερ –
νεκροὶ οὐκ ἐγείρονται 16 εἰ γὰρ νε-
κροὶ οὐκ ἐγείρ., οὐδὲ Χὸς ἐγήγερται
17 εἰ δὲ Χὸς οὐκ ἐγήγερται, ματαία
ἡ πίστις ὑμῶν
– 20 νυνὶ δὲ Χὸς ἐγήγερται ἐκ νεκρῶν
– 29 εἰ ὅλως νεκροὶ οὐκ ἐγείρονται, τί καὶ
βαπτίζονται ὑπὲρ αὐτῶν;
– 32 εἰ νεκροὶ οὐκ ἐγείρονται, „φάγωμεν
καὶ πίωμεν, αὔριον γὰρ ἀποθνήσκ."
– 35 πῶς ἐγείρονται οἱ νεκροί; 42 ἐγείρε-
ται [c] ἐν ἀφθαρσίᾳ 43 ἐγείρεται [c] ἐν
δόξῃ ˙ – ἐγ. [c] ἐν δυνάμει 44 ἐγείρεται [c]
σῶμα πνευματικόν 52 οἱ νεκροὶ ἐγερ-
θήσονται ἄφθαρτοι καὶ ἡμεῖς
2 Co 1 9 ἵνα – πεποιθότες ὦμεν – ἐπὶ τῷ θεῷ
τῷ ἐγείροντι [b] τοὺς νεκρούς
4 14 ὁ ἐγείρας [b] τὸν κύριον Ἰησοῦν καὶ
ἡμᾶς σὺν Ἰησοῦ ἐγερεῖ [b]

2 Co 5 15 ἵνα οἱ ζῶντες – ζῶσιν – τῷ ὑπὲρ αὐ-
τῶν ἀποθανόντι καὶ ἐγερθέντι
Gal 1 1 τοῦ ἐγείραντος[b] αὐτὸν ἐκ νεκρῶν
Eph 1 20 ἐνέργειαν –, ἣν ἐνήργηκεν ἐν τῷ Χῷ
ἐγείρας[b] αὐτὸν ἐκ νεκρῶν Col 2 12[b]
1 Th 1 10 ἀναμένειν τὸν υἱὸν αὐτοῦ ἐκ τῶν οὐ-
ρανῶν, ὃν ἤγειρεν[b] ἐκ τῶν νεκρῶν
2 Ti 2 8 Ἰησοῦν Χὸν ἐγηγερμένον ἐκ νεκρῶν
Hb 11 19 ὅτι καὶ ἐκ νεκρῶν ἐγείρειν[b] δυνατὸς
ὁ θεός – 1 Pe 1 21 → Rm 4 24

2) non habita mortis ratione
vg surgere [b]exurgere (vl exsurg.)
[c]consurgere [d]excitare [e]suscitare
[f]allevare [g]alleviare [h]elevare [i]le-
vare [k]erigere

Mat 1 24 ἐγερθεὶς[b] – ἀπὸ τοῦ ὕπνου
2 13 ἐγερθεὶς παράλαβε τὸ παιδίον 14[c]
20.21[c] (vl surgens)
3 9 ἐγεῖραι[e] τέκνα τῷ Ἀβραάμ ‖ Luc 3 8[e]
8 15 ἠγέρθη, καὶ διηκόνει ‖ Mar 1 31 ἤγει-
ρεν[h] αὐτήν – 9 27[h] αὐτόν
– 25 ἤγειραν[e] αὐτόν 26 ἐγερθεὶς ἐπετί-
μησεν τοῖς ἀνέμοις ‖ Mar 4 38[d]
9 5 ἔγειρε καὶ περιπάτει 6 ἔγειρε ἆρον 7
ἐγερθεὶς ἀπῆλθεν ‖ Mar 2 9.11.12 Luc
5 23.24 (cfr Mat 9 25 ἠγέρθη τὸ κορά-
σιον ‖ Mar 5 41 Luc 8 54) – Mar 3 3
ἔγειρε εἰς τὸ μέσον ‖ Luc 6 8 – Joh
5 8 ἔγειρε ἆρον τὸν κράβατόν σου
– 19 ἐγερθεὶς ὁ Ἰησοῦς ἠκολούθει αὐτῷ
11 11 οὐκ ἐγήγερται – μείζων Ἰωάννου cfr
Luc 7 16 προφήτης μέγας ἠγέρθη ἐν
ἡμῖν Joh 7 52 ἐκ τῆς Γαλιλαίας προ-
φήτης οὐκ ἐγείρεται
12 11 οὐχὶ κρατήσει αὐτὸ καὶ ἐγερεῖ[i];
– 42 βασίλισσα νότου ἐγερθήσεται ἐν τῇ
κρίσει μετὰ τῆς γενεᾶς ‖ Luc 11 31
17 7 ἐγέρθητε καὶ μὴ φοβεῖσθε
24 7 „ἐγερθήσεται[c] – ἔθνος ἐπὶ ἔθνος" ‖
Mar 13 8[b] Luc 21 10
– 11 ψευδοπροφῆται ἐγερθήσονται 24 ψευ-
δόχριστοι καὶ ψευδοπροφ. ‖ Mar 13 22[b]
25 7 ἠγέρθησαν πᾶσαι αἱ παρθένοι
26 46 ἐγείρεσθε, ἄγωμεν ‖ Mar 14 42 Joh
14 31 ἐγείρεσθε, ἄγωμεν ἐντεῦθεν
Mar 4 27 ἐγείρηται[b] νύκτα καὶ ἡμέραν
10 49 θάρσει, ἔγειρε, φωνεῖ σε
Luc 1 69 „ἤγειρεν[k] κέρας" σωτηρίας ἡμῖν
11 8 ἐγερθεὶς δώσει αὐτῷ ὅσων χρῄζει
13 25 ἀφ' οὗ ἂν ἐγερθῇ (vl εἰσέλθῃ, vg
intraverit) ὁ οἰκοδεσπότης

Joh 2 19 ἐν τρισὶν ἡμέραις ἐγερῶ[d] αὐτόν 20
σὺ ἐν τρισὶν ἡμέραις ἐγερεῖς[d] αὐτόν;
11 29 ἐγείρεται ταχύ 13 4 ἐκ τοῦ δείπνου
Act 3 7 πιάσας αὐτὸν – ἤγειρεν[f] αὐτόν
9 8 ἠγέρθη δὲ Σαῦλος ἀπὸ τῆς γῆς
10 26 Πέτρος ἤγειρεν[h] (vl[i]) αὐτόν 12 7 ἤ-
γειρεν[d] (vl[e]) αὐτόν (sc Πέτρον)
13 22 ἤγειρεν[e] τὸν Δαυὶδ – εἰς βασιλέα (23
vl ἤγειρε τῷ Ἰσραὴλ σωτῆρα Ἰησοῦν)
Rm 13 11 ὥρα ἤδη ὑμᾶς ἐξ ὕπνου ἐγερθῆναι
Eph 5 14 ἔγειρε, ὁ καθεύδων
Phl 1 17 θλῖψιν ἐγείρειν[e] τοῖς δεσμοῖς μου
Jac 5 15 καὶ ἐγερεῖ[g] αὐτὸν ὁ κύριος (sc τὸν
κάμνοντα)
Ap 11 1 ἔγειρε καὶ μέτρησον τὸν ναόν

ἔγερσις resurrectio Mat 27 53 μετὰ τὴν ἔγ.

ἐγκάθετος insidiator Luc 20 20

ἐγκαίνια encaenia (vl ence.) Joh 10 22

ἐγκαινίζειν [a]dedicare [b]initiare
Hb 9 18 οὐδὲ ἡ πρώτη (sc διαθήκη) χωρὶς
αἵματος ἐγκεκαίνισται[a]
10 20 εἰς τὴν εἴσοδον τῶν ἁγίων –, ἣν ἐνε-
καίνισεν[b] ἡμῖν ὁδὸν πρόσφατον

ἐγκακεῖν S° – deficere
Luc 18 1 πάντοτε προσεύχεσθαι – καὶ μὴ ἐγκ.
2 Co 4 1 ἔχοντες τὴν διακονίαν ταύτην, – οὐκ
ἐγκακοῦμεν 16 διὸ οὐκ ἐγκακοῦμεν
Gal 6 9 τὸ – καλὸν ποιοῦντες μὴ ἐγκακῶμεν
Eph 3 13 μὴ ἐγκακεῖν ἐν ταῖς θλίψεσίν μου
2 Th 3 13 μὴ ἐγκακήσητε καλοποιοῦντες

ἐγκαλεῖν accusare [b]arguere [c]obiicere
Act 19 38.40[b] 23 28[c].29 26 2.7 περὶ ἧς ἐλπίδος
ἐγκαλοῦμαι ὑπὸ Ἰουδαίων
Rm 8 33 τίς ἐγκαλέσει κατὰ ἐκλεκτῶν θεοῦ;

ἐγκαταλείπειν derelinquere [b]relinquere
[c]deserere
Mat 27 46 „ἱνατί με ἐγκατέλιπες;" ‖ Mar 15 34
Act 2 27 „ὅτι οὐκ ἐ..είψεις τὴν ψυχήν μου εἰς
ᾅδην" 31 „οὔτε ἐ..ελείφθη" (sc Χρ.)
Rm 9 29 „εἰ μὴ κύριος Σαβαὼθ ἐγκατέλιπεν[b]
ἡμῖν σπέρμα"
2 Co 4 9 διωκόμενοι ἀλλ' οὐκ ἐ..όμενοι
2 Ti 4 10 Δημᾶς – με ἐγκατέλιπεν[b] (vl der.)
– 16 ἀλλὰ πάντες με ἐγκατέλιπον
Hb 10 25 μὴ ἐ..οντες[c] τὴν ἐπισυναγωγήν
13 5 „οὐδ' οὐ μή σε ἐγκαταλίπω"

ἐγκατοικεῖν S° – habitare 2 Pe 28 ἐν αὐτοῖς

ἐγκαυχᾶσθαι gloriari 2 Th 14 ἐν ὑμῖν

ἐγκεντρίζειν inserere Rm 1117.19.23.24

ἔγκλημα crimen Act 2329 2516 περὶ τοῦ ἐγκλ.

ἐγκομβοῦσθαι S° – insinuare
1 Pe 5 5 ἀλλήλοις τὴν ταπεινοφροσύνην ἐγκομβώσασθε, ὅτι „ὁ θεὸς ὑπερηφάνοις"

ἐγκοπή S° – offendiculum 1 Co 912 ἵνα μή τινα ἐγκοπὴν δῶμεν τῷ εὐαγγ. τοῦ Χοῦ

ἐγκόπτειν S° – impedire ᵇprotrahere
Act 24 4 ἵνα – μὴ ἐπὶ πλεῖόν σε ἐγκόπτωᵇ
Rm 1522 ἐνεκοπτόμην τὰ πολλὰ τοῦ ἐλθεῖν
Gal 5 7 τίς ὑμᾶς ἐνέκοψεν ἀληθείᾳ μὴ πείθε-
1 Th 218 ἐνέκοψεν ἡμᾶς ὁ σατανᾶς ⎵σθαι;
1 Pe 3 7 εἰς τὸ μὴ ἐ..σθαι τὰς προσευχὰς ὑ.

ἐγκράτεια abstinentia ᵇcastitas ᶜcontinentia
Act 2425 περὶ δικαιοσύνης καὶ ἐγκρατείαςᵇ
Gal 523 πίστις, πραΰτης, ἐγκράτειαᶜ
2 Pe 1 6 ἐν – τῇ γνώσει τὴν ἐγκράτειαν, ἐν δὲ τῇ ἐγκρατείᾳ τὴν ὑπομονήν

ἐγκρατεύεσθαι se abstinēre ᵇse continēre
1 Co 7 9 εἰ δὲ οὐκ ἐ..ονταιᵇ, γαμησάτωσαν
925 πᾶς δὲ ὁ ἀγωνιζόμενος πάντα ἐ..εται

ἐγκρατής continens Tit 1 8 ἐπίσκοπον – ἐ..ῆ

ἐγκρίνειν S° – se inserere → συγκρίνειν
2 Co 1012 οὐ – τολμῶμεν ἐγκρῖναι – ἑαυτούς

ἐγκρύπτειν abscondere Mat 1333 (ζύμην)

ἔγκυος praegnans (vl ..as) Luc 25

ἐγχρίειν inungere Ap 318 ὀφθαλμούς

*ἐγώ et casus obliqui, ἡμεῖς ego etc
(in sermone Jesu Christi de se ipso et
de unitate patris filiique testimonium
perhibentis. → πέμπειν, ὄνομα)
Mat 522 ἐγὼ δὲ λέγω ὑμῖν 28.32.34.39.44
8 7 ἐγὼ ἐλθὼν θεραπεύσω αὐτόν
1016 ἐγὼ ἀποστέλλω ὑμᾶς ὡς πρόβατα
– 32 ὅστις ὁμολογήσει ἐν ἐμοὶ –, ὁμολογήσω κἀγὼ ἐν αὐτῷ 33 ‖ Luc 128

Mat 1037 ὁ φιλῶν πατέρα ἢ μητέρα ὑπὲρ ἐμὲ
οὐκ ἔστιν μου ἄξιος· κτλ 38.39
– 40 ὁ δεχόμενος ὑμᾶς ἐμὲ δέχεται, καὶ
ὁ ἐμὲ δεχόμενος δέχεται τὸν ἀποστείλαντά με ‖ Luc 1016 ὁ ἀκούων
ὑμῶν ἐμοῦ ἀκούει, καὶ ὁ ἀθετῶν ὑμᾶς ἐμὲ ἀθετεῖ· ὁ δὲ ἐμὲ ἀθετῶν ἀθετεῖ τὸν ἀποστείλαντά με
1127 πάντα μοι παρεδόθη ὑπὸ τοῦ πατρός
μου ‖ Luc 1022 – Mat 1128 δεῦτε πρός
με – οἱ – πεφορτισμένοι, κἀγὼ ἀναπαύσω ὑμᾶς. ἄρατε τὸν ζυγόν μου
– καὶ μάθετε ἀπ᾽ ἐμοῦ κτλ
1427 ἐγώ εἰμι· μὴ φοβεῖσθε ‖ Mr 650 Jo 620
1618 κἀγὼ δέ σοι λέγω ὅτ᾽ σὺ εἶ Πέτρος
18 5 ὃς ἐὰν δέξηται – παιδίον – ἐπὶ τῷ ὀνόματί μου, ἐμὲ δέχεται ‖ Mar 937 –
καὶ ὃς ἂν ἐμὲ δέχηται, οὐκ ἐμὲ δέχεται ἀλλὰ τὸν ἀποστείλ. με Luc 948
2022 τὸ ποτήριον ὃ ἐγὼ μέλλω πίνειν; 23
τὸ – ποτ. μου πίεσθε κτλ ‖ Mar 1038.39
2124 ἐρωτήσω ὑμᾶς κἀγὼ λόγον ἕνα, –,
κἀγὼ ὑμῖν ἐρῶ ἐν ποίᾳ ἐξουσίᾳ ταῦτα ποιῶ 27 οὐδὲ ἐγὼ λέγω ὑμῖν ἐν
ποίᾳ ἐξουσίᾳ ‖ Mar 1133 Luc 203.8
2334 ἰδοὺ ἐγὼ ἀποστέλλω – προφήτας καί
– 39 οὐ μή με ἴδητε ἀπ᾽ ἄρτι ἕως ἂν εἴπ.
24 5 πολλοὶ – ἐλεύσονται ἐπὶ τῷ ὀνόματί
μου – · ἐγώ εἰμι ὁ χριστός ‖ Mar 136
Luc 218 ἐγώ εἰμι, καί· ὁ καιρὸς ἤγγ.
2639 οὐχ ὡς ἐγὼ θέλω ἀλλ᾽ ὡς σύ ‖ Mar
1436 Luc 2242 μὴ τὸ θέλημά μου
2818 ἐδόθη μοι πᾶσα ἐξουσία – 19 πορευθέντες οὖν μαθητεύσατε – τὰ ἔθνη
– 20 ἐγὼ μεθ᾽ ὑμῶν εἰμι – ἕως τῆς συντελ.
Mar 925 ἐγὼ ἐπιτάσσω σοι, ἔξελθε ἐξ αὐτοῦ
1458 ἐγὼ καταλύσω τὸν ναὸν τοῦτον
– 62 σὺ εἶ ὁ χριστὸς – ; – · ἐγώ εἰμι ‖ Luc
2267.70 ὑμεῖς λέγετε ὅτι ἐγώ εἰμι
Luc 418 „πνεῦμα κυρίου ἐπ᾽ ἐμέ, οὗ ἕνεκεν
ἔχρισέν με –, ἀπέσταλκέν με"
2232 ἐγὼ δὲ ἐδεήθην περὶ σοῦ ἵνα μή
2439 ἴδετε –, ὅτι ἐγώ εἰμι αὐτός
– 49 ἐγὼ ἐξαποστέλλω τὴν ἐπαγγελίαν
τοῦ πατρός Act 14 ἣν ἠκούσατέ μου
Joh 426 ἐγώ εἰμι (sc ὁ λεγόμενος χριστός
vel 42 ὁ σωτὴρ τοῦ κόσμου)
536 ἐγὼ – ἔχω τὴν μαρτυρίαν μείζω τοῦ
Ἰωάννου· τὰ – ἔργα – μαρτυρεῖ περὶ
ἐμοῦ 39 ἐρευνᾶτε τὰς γραφάς, – · –
ἐκεῖναί εἰσιν αἱ μ..οῦσαι περὶ ἐμοῦ
635 ἐγώ εἰμι ὁ ἄρτος τῆς ζωῆς 41 ὁ ἄρτος

(Joh 6) ὁ καταβάς 48.51 ὁ ἄρτος ὁ ζῶν 54 κἀγὼ ἀναστήσω αὐτόν

Joh 7 29 ἐγὼ οἶδα αὐτόν, ὅτι παρ' αὐτοῦ εἰμι
8 12 ἐγὼ εἰμι τὸ φῶς τοῦ κόσμου 12 46 ἐγὼ φῶς εἰς τὸν κόσμον ἐλήλυθα
– 23 ἐγὼ ἐκ τῶν ἄνω εἰμί· –, ἐγὼ οὐκ εἰμὶ ἐκ τοῦ κόσμου 24 ἐὰν – μὴ πι-στεύσητε ὅτι ἐγώ εἰμι 28 τότε γνώ-σεσθε ὅτι ἐγώ εἰμι 29 ἐγὼ τὰ ἀρεστὰ αὐτῷ ποιῶ πάντοτε
9 39 εἰς κρίμα ἐγὼ εἰς τ. κόσμον – ἦλθον
10 7 ἐγώ εἰμι ἡ θύρα τῶν προβάτων 9 ἡ θύρα 10 ἐγὼ ἦλθον ἵνα ζωὴν ἔχωσιν
11 ἐγώ εἰμι ὁ ποιμὴν ὁ καλός 14.17 ἐγὼ τίθημι τὴν ψυχήν μου 18
– 30 ἐγὼ καὶ ὁ πατὴρ ἕν ἐσμεν 38 ἐν ἐμοὶ ὁ πατὴρ κἀγὼ ἐν τῷ πατρί 14 20 ἐγὼ ἐν τῷ πατρί μου καὶ ὑμεῖς ἐν ἐμοὶ κἀγὼ ἐν ὑμῖν
11 25 ἐγώ εἰμι ἡ ἀνάστασις καὶ ἡ ζωή
14 3 ἵνα ὅπου εἰμὶ ἐγὼ καὶ ὑμεῖς ἦτε
– 4 ὅπου ἐγὼ ὑπάγω οἴδατε τὴν ὁδόν
– 6 ἐγώ εἰμι ἡ ὁδὸς καὶ ἡ ἀλήθεια καὶ ἡ ζωή 9 ὁ ἑωρακὼς ἐμὲ ἑώρακεν τὸν πατέρα 11
15 1 ἐγώ εἰμι ἡ ἄμπελος ἡ ἀληθινή 5 ἐγώ εἰμι ἡ ἄμπελος, ὑμεῖς τὰ κλήματα. – χωρὶς ἐμοῦ οὐ δύνασθε ποιεῖν οὐδέν
17 11 τήρησον αὐτοὺς –, ἵνα ὦσιν ἓν καθ-ὼς ἡμεῖς 21 ἵνα καὶ αὐτοὶ ἐν ἡμῖν ὦσιν 22 ἵνα ὦσιν ἓν καθὼς ἡμεῖς ἕν 23 ἐγὼ ἐν αὐτοῖς καὶ σὺ ἐν ἐμοί
18 5 ἐγώ εἰμι 8.37 ἐγὼ εἰς τοῦτο γεγέννη-μαι –, ἵνα μαρτυρήσω τῇ ἀληθείᾳ

Act 9 5 ἐγώ εἰμι Ἰησοῦς 22 8 26 15
Ap 1 17 „ἐγώ εἰμι" [ὁ πρῶτος καὶ] ὁ ἔσχατος καὶ ὁ ζῶν, καὶ ἐγενόμην νεκρός
2 23 ἐγώ εἰμι ὁ „ἐρευνῶν νεφρούς"
– 28 ὡς κἀγὼ εἴληφα (sc ἐξουσίαν) πα-ρὰ τοῦ πατρός μου 3 21 ὡς κἀγὼ ἐνίκησα καὶ ἐκάθισα – ἐν τῷ θρόνῳ
3 9 ἵνα – γνῶσιν ὅτι „ἐγὼ ἠγάπησά σε" 10 κἀγώ σε τηρήσω ἐκ τ. ὥρας τοῦ πειρ.
– 19 ἐγὼ „ὅσους ἐὰν φιλῶ ἐλέγχω"
22 13 „ἐγώ" τὸ ἄλφα καὶ τὸ ὦ, ὁ πρῶτος καὶ ὁ ἔσχατος, ἡ ἀρχὴ καὶ τὸ τέλος
– 16 ἐγὼ Ἰησοῦς ἔπεμψα τὸν ἄγγελόν μου –. ἐγώ εἰμι „ἡ ῥίζα" καὶ τὸ γέ-νος Δαυίδ, ὁ ἀστὴρ – ὁ πρωϊνός

ἐδαφίζειν ad terram prosternere Luc 19 44

ἔδαφος terra Act 22 7 ἔπεσα εἰς τὸ ἔδαφος

ἑδραῖος S⁰ – ᵃfirmus ᵇstabilis
1 Co 7 37 ὃς – ἕστηκεν ἐν τῇ καρδίᾳ αὐτοῦ ἑ.ᵃ
15 58 ἑδραῖοιᵇ γίνεσθε, ἀμετακίνητοι
Col 1 23 τεθεμελιωμένοι καὶ ἑδραῖοιᵇ

ἑδραίωμα S⁰ – firmamentum 1 Ti 3 15

Ἑζεκίας Ezechias Mat 1 9.10

(ἔθειν) εἴωθα ᵃconsuevi ᵇ(κατὰ τὸ εἰωθός) secundum consuetudinem Mat 27 15ᵃ Mar 10 1ᵃ Luc 4 16ᵇ Act 17 2ᵇ

ἐθελοθρησκία S⁰ – superstitio
Col 2 23 λόγον – ἔχοντα σοφίας ἐν ἐθ..ίᾳ

ἐθίζειν, τὸ εἰθισμένον consuetudo
Luc 2 27 τοῦ ποιῆσαι κατὰ τὸ εἰ. τοῦ νόμου

ἐθνάρχης praepositus gentis 2 Co 11 32

ἐθνικός S⁰ – ethnicus
Mat 5 47 οὐχὶ καὶ οἱ ἐθνικοὶ τὸ αὐτὸ ποιοῦ-σιν; 6 7 μὴ βατταλογήσητε ὥσπερ οἱ ἐθνικοί – 18 17 ἔστω σοι ὥσπερ ὁ ἐθνικὸς καὶ ὁ τελώνης
3 Jo 7 μηδὲν λαμβάνοντες ἀπὸ τῶν ἐθνικῶν (vl ἐθνῶν, vg gentibus)

ἐθνικῶς S⁰ – gentiliter Gal 2 14 ζῇς

ἔθνος

1) sing.: ἔθνος gens ᵇnatio ᶜgenus
   a) populus Judaeorum
Luc 7 5 ἀγαπᾷ γὰρ τὸ ἔθνος ἡμῶν
23 2 διαστρέφοντα τὸ ἔθνος ἡμῶν
Joh 11 48 ἀροῦσιν ἡμῶν – καὶ τὸ ἔθνος 50 ἵνα – μὴ ὅλον τὸ ἔθνος ἀπόληται 51 ὅτι ἔμελλεν Ἰησοῦς ἀποθνήσκειν ὑπὲρ τοῦ ἔθνους 52 καὶ οὐχ ὑπὲρ τοῦ ἔ-θνους μόνον, ἀλλ' ἵνα καὶ τὰ τέκνα
18 35 τὸ ἔθνος τὸ σὸν καὶ οἱ ἀρχιερεῖς
Act 10 22 μαρτυρούμενός τε ὑπὸ ὅλου τοῦ ἔ-θνους τῶν Ἰουδαίων
24 2 διορθωμάτων γινομένων τῷ ἔθνει (vgᵒ) τούτῳ 10 κριτὴν τῷ ἔ. τούτῳ
– 17 ἐλεημοσύνας – εἰς τὸ ἔθνος μου
26 4 βίωσίν μου – ἐν τῷ ἔθνει μου
28 19 οὐχ ὡς τοῦ ἔθνους μου ἔχων τι κατηγορεῖν
1 Pe 2 9 ὑμεῖς δὲ – „ἔθνος ἅγιον, λαὸς εἰς"

b) ἔθνος in universum

Mat 21 43 ἡ βασιλεία τοῦ θεοῦ – δοθήσεται ἔ-
θνει ποιοῦντι τοὺς καρποὺς αὐτῆς
24 7 „ἐγερθήσεται – ἔθνος ἐπὶ ἔθνος" ‖
Mar 13 8 Luc 21 10

Act 2 5 εἰς Ἱερουσ. κατοικοῦντες Ἰουδαῖοι,
ἄνδρες εὐλαβεῖς ἀπὸ παντὸς ἔθν.[b]
7 7 „τὸ ἔθνος ᾧ ἐὰν δουλεύσουσιν"
8 9 ἐξιστάνων τὸ ἔθνος τῆς Σαμαρείας
10 35 ἐν παντὶ ἔθνει ὁ φοβούμενος αὐτόν
17 26 ἐξ ἑνὸς πᾶν ἔ.[c] ἀνθρώπων κατοικ.

Rm 10 19 „παραζηλώσω" ὑμᾶς „ἐπ' οὐκ ἔθνει,
ἐπ' ἔθνει ἀσυνέτῳ παροργιῶ" ὑμᾶς

1 Pe 2 9 „ἔθνος ἅγιον, λαὸς εἰς περιποίησιν"

Ap 5 9 ἠγόρασας τῷ θεῷ – ἐκ πάσης φυλῆς
– καὶ ἔθνους[b] 7 9 13 7 14 6

2) plur.: τὰ ἔθνη, sive gentiles sive chri-
stiani e gentibus
gentes [b]nationes [c]gentiles

Mat 4 15 „Γαλιλαία τῶν ἐθνῶν"
6 32 πάντα – ταῦτα τὰ ἔθνη ἐπιζητοῦσιν
‖ Luc 12 30 τὰ ἔθνη τοῦ κόσμου
10 5 εἰς ὁδὸν ἐθνῶν μὴ ἀπέλθητε
– 18 εἰς μαρτύριον αὐτοῖς καὶ τοῖς ἔθνεσιν
12 18 „κρίσιν τοῖς ἔθνεσιν ἀπαγγελεῖ"
– 21 „τῷ ὀνόματι αὐτοῦ ἔθνη ἐλπιοῦσιν"
20 19 παραδώσουσιν αὐτὸν τοῖς ἔ. ‖ Mar
10 33 Luc 18 32 – Act 21 11 εἰς χεῖρ. ἐ.
– 25 οἱ ἄρχοντες τῶν ἐθνῶν κατακυριεύ-
ουσιν αὐτῶν ‖ Mar 10 42 Luc 22 25
24 9 ἔσεσθε μισούμενοι ὑπὸ πάντων τῶν
ἐ. 14 κηρυχθήσεται – τὸ εὐαγγέλιον
– εἰς μαρτύριον πᾶσιν τοῖς ἔθνεσιν
‖ Mar 13 10 εἰς πάντα τὰ ἔθνη πρῶ-
τον δεῖ κηρυχθῆναι τὸ εὐαγγέλιον
25 32 ἔμπροσθεν αὐτοῦ πάντα τὰ ἔθνη
28 19 μαθητεύσατε πάντα τὰ ἔθνη

Mar 11 17 „οἶκος προσευχῆς – πᾶσιν τοῖς ἔ."

Luc 2 32 „φῶς εἰς ἀποκάλυψιν ἐθνῶν"
21 24 αἰχμαλωτισθήσονται εἰς τὰ ἔθνη πάν-
τα, καὶ Ἱερουσαλὴμ ἔσται „πατου-
μένη ὑπὸ ἐθνῶν," ἄχρι οὗ πληρωθῶ-
σιν καιροὶ ἐθνῶν[b] 25 καὶ ἐπὶ γῆς συν-
οχὴ „ἐθνῶν" ἐν ἀπορίᾳ
24 47 γέγραπται – κηρυχθῆναι – μετάνοιαν
εἰς ἄφεσιν – εἰς πάντα τὰ ἔθνη

Act 4 25 „ἱνατί ἐφρύαξαν ἔθνη καὶ λαοὶ" –;
– 27 „συνήχθησαν" – Ἡρῴδ. τε καὶ – Πιλᾶ-
τος σὺν „ἔθνεσιν καὶ λαοῖς" Ἰσραήλ
7 45 ἐν τῇ „κατασχέσει" τῶν ἐθνῶν 13 19
9 15 ἐνώπιον [τῶν] ἐθνῶν τε καὶ βασιλέων

Act 10 45 ἐξέστησαν – ὅτι καὶ ἐπὶ τὰ ἔθνη[b] ἡ
δωρεὰ τοῦ – πνεύματος ἐκκέχυται
11 1 ὅτι καὶ τὰ ἔθνη ἐδέξαντο τὸν λόγον
– 18 καὶ τοῖς ἔ. – τὴν μετάνοιαν – ἔδωκεν
13 46 ἰδοὺ στρεφόμεθα εἰς τὰ ἔθνη 18 6
ἀπὸ τοῦ νῦν εἰς τὰ ἔθνη πορεύσομαι
– 47 „τέθεικά σε εἰς φῶς ἐθνῶν"
– 48 ἀκούοντα δὲ τὰ ἔθνη ἔχαιρον
14 2 ἐκάκωσαν τὰς ψυχὰς τῶν ἐθνῶν
– 5 ὁρμὴ τῶν ἐθνῶν[c] τε καὶ Ἰουδαίων
– 16 ὃς – εἴασεν πάντα τὰ ἔθνη πορεύε-
σθαι ταῖς ὁδοῖς αὐτῶν
– 27 ἤνοιξεν τοῖς ἔθνεσιν θύραν πίστεως
15 3 ἐκδιηγούμενοι τὴν ἐπιστροφὴν τῶν ἐ.
– 7 ἀκοῦσαι τὰ ἔ. τὸν λόγον τοῦ εὐαγγ.
– 12 ὅσα ἐποίησεν – τέρατα ἐν τοῖς ἔθνεσ.
– 14 λαβεῖν ἐξ ἐθνῶν λαὸν τῷ ὀνόματι
– 17 „πάντα τὰ ἔθνη ἐφ' οὓς ἐπικέκληται
τὸ ὄνομά μου ἐπ' αὐτούς"
– 19 μὴ παρενοχλεῖν τοῖς ἀπὸ τῶν ἐθνῶν
ἐπιστρέφουσιν ἐπὶ τὸν θεόν
– 23 τοῖς – ἀδελφοῖς τοῖς ἐξ ἐθνῶν χαίρειν
21 19 ὧν ἐποίησεν ὁ θεὸς ἐν τοῖς ἔθνεσιν
– 21 τοὺς κατὰ τὰ ἔ. πάντας Ἰουδαίους
– 25 περὶ δὲ τῶν πεπιστευκότων ἐθνῶν
22 21 εἰς ἔθνη[b] μακρὰν ἐξαποστελῶ σε
26 17 „ἐξαιρούμενός σε – ἐκ τῶν ἐθνῶν, εἰς
οὓς ἐγὼ ἀποστέλλω σε"
– 20 καὶ τοῖς ἔθν. ἀπήγγελλον μετανοεῖν
– 23 φῶς μέλλει καταγγέλλειν τῷ τε λαῷ
(populo) καὶ τοῖς ἔθνεσιν
28 28 „τοῖς ἔ." ἀπεστάλη – „τὸ σωτήριον
τοῦ θεοῦ·" αὐτοὶ καὶ ἀκούσονται

Rm 1 5 ἀποστολὴν εἰς ὑπακοὴν πίστεως ἐν
πᾶσιν τοῖς ἔθνεσιν 15 18 εἰς ὑπακοὴν
ἐθνῶν 16 26 εἰς ὑπακοὴν πίστεως εἰς
πάντα τὰ ἔθνη
– 13 ἵνα τινὰ καρπὸν σχῶ καὶ ἐν ὑμῖν καθ-
ὼς καὶ ἐν τοῖς λοιποῖς ἔθνεσιν
2 14 ὅταν γὰρ ἔθνη τὰ μὴ νόμον ἔχοντα
– 24 „βλασφημεῖται ἐν τοῖς ἔθνεσιν"
3 29 ἢ Ἰουδαίων ὁ θεὸς μόνον; οὐχὶ καὶ
ἐθνῶν; ναὶ καὶ ἐθνῶν
4 17 „πατέρα πολλῶν ἐθν. τέθεικά σε" 18
9 24 ἐκάλεσεν ἡμᾶς οὐ μόνον ἐξ Ἰουδαί-
ων ἀλλὰ καὶ ἐξ ἐθνῶν
– 30 ἔθνη τὰ μὴ διώκοντα δικαιοσύνην
11 11 τῷ αὐτῶν παραπτώματι ἡ σωτηρία
τοῖς ἔθνεσιν 12 τὸ ἥττημα αὐτῶν
πλοῦτος ἐθνῶν
– 13 ὑμῖν δὲ λέγω τοῖς ἔθνεσιν. ἐφ' ὅσον
– οὖν εἰμι – ἐθνῶν ἀπόστολος

Rm 11 25 πώρωσις – τῷ Ἰσραὴλ γέγονεν ἄχρι
οὖ τὸ πλήρωμα τῶν ἐθνῶν εἰσέλθῃ
15 9 τὰ δὲ ἔ. ὑπὲρ ἐλέους δοξάσαι τὸν
θεόν, –.–„ἐξομολογήσομαί σοι ἐν ἔ-
θνεσιν" 10 „εὐφράνθητε, ἔθνη, μετὰ
τοῦ λαοῦ αὐτοῦ" 11 „αἰνεῖτε, πάντα
τὰ ἔθνη, τὸν κύριον" 12 „ὁ ἀνιστάμε-
νος ἄρχειν ἐθνῶν· ἐπ' αὐτῷ ἔθνη ἐλ-
πιοῦσιν"
– 16 εἰς τὸ εἶναί με λειτουργὸν Χοῦ – εἰς
τὰ ἔθνη, – ἵνα γένηται ἡ προσφορὰ
τῶν ἐθνῶν εὐπρόσδεκτος
– 27 εἰ γὰρ τοῖς πνευματικοῖς αὐτῶν ἐκοι-
νώνησαν τὰ ἔθνη[c]
16 4 οἷς – ἐγὼ – εὐχαριστῶ – καὶ πᾶσαι αἱ
ἐκκλησίαι τῶν ἐθνῶν
1 Co 1 23 σκάνδαλον, ἔθνεσιν δὲ μωρίαν
5 1 πορνεία ἥτις οὐδὲ ἐν τοῖς ἔθνεσιν
10 20 ἃ θύουσιν (vl θύει τὰ ἔθνη vg), δαι-
μονίοις θύουσιν (vl θύει)
12 2 ὅτε ἔθνη ἦτε πρὸς τὰ εἴδωλα
2 Co 11 26 κινδύνοις ἐκ γένους, – ἐξ ἐθνῶν
Gal 1 16 ἵνα εὐαγγελίζωμαι αὐτὸν ἐν τοῖς ἔ-
θνεσιν 22 ὃ κηρύσσω ἐν τοῖς ἔθνεσιν
2 8 ἐνήργησεν καὶ ἐμοὶ εἰς τὰ ἔθνη
– 9 ἵνα ἡμεῖς εἰς τὰ ἔθνη, αὐτοὶ δὲ εἰς
– 12 μετὰ τῶν ἐθνῶν συνήσθιεν 14 πῶς τὰ
ἔθνη ἀναγκάζεις ἰουδαΐζειν; 15 ἡμεῖς
– οὐκ ἐξ ἐθνῶν ἁμαρτωλοί
3 8 ὅτι ἐκ πίστεως δικαιοῖ τὰ ἔθνη ὁ θε-
ός, – ὅτι „ἐνευλογηθήσονται ἐν σοὶ
πάντα τὰ ἔθνη" 14 ἵνα εἰς τὰ ἔθνη ἡ
εὐλογία τοῦ Ἀβραὰμ γένηται
Eph 2 11 ὅτι ποτὲ ὑμεῖς τὰ ἔθνη ἐν σαρκί, –
ἦτε τῷ καιρῷ ἐκείνῳ χωρὶς Χοῦ
3 1 ἐγὼ Παῦλος ὁ δέσμιος τοῦ Χοῦ Ἰη-
σοῦ ὑπὲρ ὑμῶν τῶν ἐθνῶν
– 6 εἶναι τὰ ἔθνη συγκληρονόμα – ἐν Χῷ
– 8 ἐμοὶ – ἐδόθη – τοῖς ἔθνεσιν εὐαγγελί-
σασθαι τὸ – πλοῦτος τοῦ Χοῦ
4 17 καθὼς καὶ τὰ ἔθνη περιπατεῖ ἐν μα-
ταιότητι τοῦ νοὸς αὐτῶν
Col 1 27 τί τὸ πλοῦτος – τοῦ μυστηρίου τού-
του ἐν τοῖς ἔ., ὅς ἐστιν Χὸς ἐν ὑμῖν
1 Th 2 16 κωλυόντων ἡμᾶς τοῖς ἔθνεσ. λαλῆσαι
4 5 „τὰ ἔθνη τὰ μὴ εἰδότα τὸν θεόν"
1 Ti 2 7 διδάσκαλος ἐθνῶν ἐν πίστει
3 16 ἐκηρύχθη ἐν ἔθνεσιν, ἐπιστεύθη
2 Ti 4 17 ἵνα – ἀκούσωσιν πάντα τὰ ἔθνη
1 Pe 2 12 τὴν ἀναστροφὴν ὑμῶν ἐν τοῖς ἔθνεσ.
4 3 τὸ βούλημα τῶν ἐθνῶν κατειργάσθαι
Ap 2 26 ἐξουσίαν ἐπὶ „τῶν ἐθνῶν" 12 5 „ποι-

μαίνειν – τὰ ἔθνη ἐν ῥάβδῳ σιδηρᾷ"
19 15 ἵνα – „πατάξῃ τὰ ἔθνη"
Ap 10 11 „προφητεῦσαι ἐπὶ λαοῖς καὶ ἔθνεσιν"
11 2 αὐλὴν –, ὅτι ἐδόθη „τοῖς ἔθνεσιν"
– 9 βλέπουσιν ἐκ τῶν – ἐθνῶν τὸ πτῶμα
– 18 καὶ „τὰ ἔθνη ὠργίσθησαν"
14 8 ἣ – „πεπότικεν πάντα τὰ ἔθνη" 18 3
15 3 „ὁ βασιλεὺς τῶν ἐ. (vl αἰώνων vg)
4 πάντα τὰ ἔθνη – προσκυνήσουσιν"
16 19 αἱ πόλεις τῶν ἐθνῶν ἔπεσαν
17 15 τὰ ὕδατα – ὄχλοι εἰσὶν καὶ ἔθνη
18 23 ἐπλανήθησαν πάντα τὰ ἔθνη 20 3 ἵνα
μὴ πλανήσῃ ἔτι τὰ ἔθνη 8 ἐξελεύσε-
ται πλανῆσαι τὰ ἔθνη
21 24 „περιπατήσουσιν τὰ ἔθνη διὰ τοῦ
φωτός" αὐτῆς 26 „οἴσουσιν τὴν δό-
ξαν – τῶν ἐθνῶν" εἰς αὐτήν
22 2 „τὰ φύλλα – εἰς θεραπείαν" τῶν ἐ.

ἔθος   consuetudo [b]mos [c]traditio
Luc 1 9 κατὰ τὸ ἔθος τῆς ἱερατείας 2 42 τῆς
ἑορτῆς 22 39 ἐπορεύθη κατὰ τὸ ἔθος
εἰς τὸ ὄρος τῶν ἐλαιῶν
Joh 19 40 καθὼς ἔθος[b] ἐστὶν τοῖς Ἰουδαίοις
Act 6 14 ἀλλάξει τὰ ἔθη[c] ἃ παρέδωκεν – Μω.
15 1 περιτμηθῆτε τῷ ἔθει[b] τῷ Μωϋσέως
16 21 ἔθη[b] ἃ οὐκ ἔξεστιν – παραδέχεσθαι
21 21 λέγων – μηδὲ τοῖς ἔθεσιν περιπατεῖν
25 16 οὐκ ἔστιν ἔθος Ῥωμαίοις χαρίζεσθαι
26 3 γνώστην – τῶν κατὰ Ἰουδαίους ἐθῶν
28 17 οὐδὲν ἐναντίον ποιήσας τῷ λαῷ ἢ
τοῖς ἔθεσι[b] τοῖς πατρῴοις
Hb 10 25 καθὼς ἔθος (cons..nis est) τισίν

εἰδέα → ἰδέα

*εἰδέναι, οἶδα   scire [b]nosse, novi [c]vidēre
neg.: [d]nescire [e]ignorare
Mat 6 8 οἶδεν – ὧν χρείαν ἔχετε 32 ὅτι χρῃ-
ζετε τούτων ‖ Luc 12 30 ὅτι χρ. τούτ.
7 11 οἴδατε[b] δόματα ἀγαθὰ διδόναι τοῖς
τέκνοις ὑμῶν ‖ Luc 11 13[b]
9 4 εἰδὼς (vl ἰδὼν[c]) – τὰς ἐνθυμήσεις
αὐτῶν 12 25 ‖ Luc 11 17[c] τὰ διανοή-
ματα – 6 8 διαλογισμούς
– 6 ἵνα – εἰδῆτε (vl ἴδητε) ὅτι ἐξουσίαν ἔχει
– ἀφιέναι ἁμαρτίας ‖ Mar 2 10 Luc 5 24
20 22 οὐκ οἴδατε[d] τί αἰτεῖσθε ‖ Mar 10 38[d]
21 27 οὐκ οἴδαμεν[d] ‖ Mar 11 33[d] Luc 20 7[d]
22 16 οἴδαμεν ὅτι ἀληθὴς εἶ ‖ Mar 12 14
Luc 20 21 ὀρθῶς λέγεις – Joh 3 2 ὅτι
ἀπὸ θεοῦ ἐλήλυθας διδάσκαλος cfr
Act 2 22 καθὼς αὐτοὶ οἴδατε

Mat 22 29 μὴ εἰδότες^d τὰς γραφὰς μηδὲ τὴν δύναμιν τοῦ θεοῦ ‖ Mar 12 24
24 36 περὶ δὲ τῆς ἡμέρας – οὐδεὶς οἶδεν 42 ὅτι οὐκ οἴδατε^d ποίᾳ ἡμέρᾳ 43 εἰ ἤδει ὁ οἰκοδεσπότης 25 13^d ‖ Mar 13 32.33^d 35^d Luc 12 39 εἰ ἤδει
25 12 οὐκ οἶδα^d ὑμᾶς ‖ Luc 13 25^d 27^d
26 70 οὐκ οἶδα^d τί λέγεις 72 οὐκ οἶδα^b τὸν ἄνθρωπον 74^b ‖ Mar 14 68.71^d Luc 22 34 ἕως τρίς με ἀπαρνήσῃ μὴ εἰδέναι^b 57 οὐκ οἶδα^b αὐτόν 60 οὐκ οἶδα^d ὃ λέγεις
Mar 1 24 οἶδά σε τίς εἶ 34 οὐκ ἤφιεν λαλεῖν τὰ δαιμόνια, ὅτι ᾔδεισαν αὐτόν ‖ Luc 4 34.41 ᾔδεισαν τὸν χ̅ο̅ν̅ αὐτὸν εἶναι
4 13 οὐκ οἴδατε^d τὴν παραβολήν – ;
6 20 εἰδὼς αὐτὸν ἄνδρα δίκαιον καὶ ἅγιον
9 6 οὐ γὰρ ᾔδει τί ἀποκριθῇ ‖ Luc 9 33^d
10 19 τὰς ἐντολὰς οἶδας^b ‖ Luc 18 20^b
12 28 εἰδὼς (vl ἰδὼν^c) ὅτι καλῶς ἀπεκρίθη
Luc 2 49 οὐκ ᾔδειτε^d ὅτι ἐν τοῖς τοῦ πατρός
(6 5 D εἰ μὲν οἶδας τί ποιεῖς, – · εἰ δὲ μὴ οἶδας – παραβάτης εἶ τοῦ νόμου, vg°)
(9 55 vl οὐκ οἴδατε^d ποίου πνεύματός
23 34 [οὐ γὰρ οἴδασιν τί ποιοῦσιν] [ἐστε;)
Joh 1 26 ὃν ὑμεῖς οὐκ οἴδατε^d (vl non scitis)
31 κἀγὼ οὐκ ᾔδειν^d αὐτόν 33^d
3 11 ὃ οἴδαμεν λαλοῦμεν καὶ ὃ ἑωράκαμ.
4 22 ὑμεῖς προσκυνεῖτε ὃ οὐκ οἴδατε^d, ἡμεῖς προσκυνοῦμεν ὃ οἴδαμεν
– 32 βρῶσιν ἔχω – ἣν ὑμεῖς οὐκ οἴδατε^d (vl non scitis)
7 15 πῶς οὗτος γράμματα οἶδεν – ;
– 27 τοῦτον οἴδαμεν πόθεν ἐστίν· ὁ δὲ χριστὸς ὅταν ἔρχηται, οὐδεὶς γινώσκει πόθεν ἐστίν 28 κἀμὲ οἴδατε καὶ οἴδατε πόθεν εἰμί· ἔστιν ἀληθινὸς ὁ πέμψας με, ὃν ὑμεῖς οὐκ οἴδατε^d 29 ἐγὼ οἶδα αὐτόν 8 55^b 15 21^d
8 14 οἶδα πόθεν ἦλθον – · ὑμεῖς δὲ οὐκ οἴδατε^d 19 οὔτε ἐμὲ οἴδατε οὔτε τὸν πατέρα μου· εἰ ἐμὲ ᾔδειτε, καὶ τὸν πατέρα μου ἂν ᾔδειτε 9 29 οἴδαμεν ὅτι Μωϋσεῖ λελάληκεν ὁ θεός, τοῦτον δὲ οὐκ οἴδαμεν^d πόθεν ἐστίν 30^d
14 7 εἰ ἐγνώκειτέ με, καὶ τὸν πατέρα μου ἂν ᾔδειτε (vl ἐγνώκειτε vg cognovissetis)
9 24 ἡμεῖς οἴδαμεν ὅτι – ἁμαρτωλός ἐστιν 25 οὐκ οἶδα^d· ἓν οἶδα 31 οἴδαμεν ὅτι ὁ θεὸς ἁμαρτωλῶν οὐκ ἀκούει
10 4 οἴδασιν τὴν φωνὴν αὐτοῦ 5^b

Joh 11 49 ὑμεῖς οὐκ οἴδατε^d οὐδέν
13 7 ὃ ἐγὼ ποιῶ σὺ οὐκ οἶδας^d ἄρτι
– 17 εἰ ταῦτα οἴδατε, μακάριοι – ἐὰν ποι.
14 4 ὅπου ἐγὼ ὑπάγω οἴδατε τὴν ὁδόν 5 οὐκ οἴδαμεν^d ποῦ ὑπάγεις· πῶς οἴδαμεν (possumus scire) τὴν ὁδόν;
16 30 νῦν οἴδαμεν ὅτι οἶδας πάντα
21 15 σὺ οἶδας ὅτι φιλῶ σε 16.17 πάντα σὺ οἶδας^b (vl scis), σὺ γινώσκεις ὅτι φιλῶ σε
– 24 οἴδαμεν ὅτι ἀληθής – ἡ μαρτυρία
Act 26 4 τὴν – βίωσίν μου ἐκ νεότητος – ἴσασι^b πάντες Ἰουδαῖοι
Rm 7 7 ἐπιθυμίαν οὐκ ᾔδειν^d εἰ μὴ ὁ νόμος
13 11 εἰδότες τὸν καιρόν, ὅτι ὥρα ἤδη
1 Co 2 2 οὐ γὰρ ἔκρινά τι εἰδέναι ἐν ὑμῖν εἰ μὴ Ἰησοῦν Χ̅ο̅ν̅ – ἐσταυρωμένον
13 2 ἐὰν – εἰδῶ^b τὰ μυστήρια πάντα
14 11 ἐὰν – μὴ εἰδῶ^d τὴν δύναμιν τῆς φωνῆς 16 ἐπειδὴ τί λέγεις οὐκ οἶδεν^d
2 Co 5 11 εἰδότες οὖν τὸν φόβον τοῦ κυρίου
– 16 ἡμεῖς – οὐδένα οἴδαμεν^b κατὰ σάρκα
11 11 ὁ θεὸς οἶδεν 31 ὅτι οὐ ψεύδομαι
12 2 οἶδα ἄνθρωπον ἐν Χ̅ῷ̅ – ἁρπαγέντα 3
Gal 4 8 τότε μὲν οὐκ εἰδότες^e θεόν 1 Th 4 5 „τὰ ἔθνη τὰ μὴ εἰδότα^e τὸν θεόν" 2 Th 1 8 „τοῖς μὴ εἰδόσιν^b θεόν"
Eph 1 18 εἰς τὸ εἰδέναι ὑμᾶς τίς ἐστιν ἡ ἐλπὶς τῆς κλήσεως αὐτοῦ
5 5 τοῦτο γὰρ ἴστε γινώσκοντες, ὅτι πᾶς πόρνος – οὐκ ἔχει κληρονομίαν
Phl 4 12 οἶδα καὶ ταπεινοῦσθαι, οἶδα καὶ περισσεύειν
1 Th 5 12 ἐρωτῶμεν – εἰδέναι^b τοὺς κοπιῶντας
2 Ti 1 12 οἶδα γὰρ ᾧ πεπίστευκα
3 15 ὅτι – ἱερὰ γράμματα οἶδας^b
Tit 1 16 θεὸν ὁμολογοῦσιν εἰδέναι^b, τοῖς δὲ
Hb 8 11 „ὅτι πάντες εἰδήσουσίν με" [ἔργοις 10 30 οἴδαμεν – τὸν εἰπόντα· „ἐμοὶ ἐκδίκ." 12 17 ἴστε γὰρ ὅτι Jac 1 19 ἴστε, ἀδελφοί
Jac 4 17 εἰδότι οὖν καλὸν ποιεῖν καὶ μὴ ποι.
2 Pe 2 9 οἶδεν^b κύριος εὐσεβεῖς ἐκ πειρασμοῦ ῥύεσθαι, ἀδίκους δέ
1 Jo 2 20 οἴδατε^b πάντες (vl πάντα vg) 21 οὐκ ἔγραψα ὑμῖν ὅτι οὐκ οἴδατε^e τὴν ἀλήθειαν, ἀλλ' ὅτι οἴδατε αὐτήν
Jud 5 εἰδότας ἅπαξ πάντα 10 οὗτοι δὲ ὅσα – οὐκ οἴδασιν^e βλασφημοῦσιν
Ap 2 2 οἶδα τὰ ἔργα σου 9 τὴν θλῖψιν 19^b 3 1.8.15 – 2 13 οἶδα ποῦ κατοικεῖς
– 17 „ὄνομα καινὸν –, ὃ οὐδεὶς οἶδεν εἰ μὴ ὁ λαμβάνων 19 12^b εἰ μὴ αὐτός
7 14 εἴρηκα – · κύριέ μου, σὺ οἶδας

εἶδος species
Luc 3 22 σωματικῷ εἴδει ὡς περιστεράν
     9 29 ἐγέν. – τὸ εἶ. τοῦ προσώπου – ἕτερον
Joh 5 37 οὔτε εἶδος αὐτοῦ ἑωράκατε
2 Co 5 7 διὰ πίστεως γὰρ περιπατοῦμεν, οὐ
     διὰ εἴδους
1 Th 5 22 „ἀπὸ παντὸς" εἴδους „πονηροῦ (spe-
     cie mala) ἀπέχεσθε"

εἰδωλεῖον idolium 1 Co 8 10 ἐάν – τις ἴδῃ σε
     – ἐν εἰδωλείῳ κατακείμενον

εἰδωλόθυτον idolothytum [b] idolis immola-
     tum [c] quae idolis sacrificantur [d] quae id.
     immolantur [e] immolata simulachrorum
     → ἱερόθυτον
Act 15 29 ἀπέχεσθαι εἰδ..ων [e] καὶ αἵματος 21 25 [b]
1 Co 8 1 περὶ δὲ τῶν εἰδ. [c], οἴδαμεν ὅτι πάντες
     γνῶσιν ἔχομεν 4 βρώσεως – τῶν εἰδ. [d] 7 ὡς
     εἰδ. ἐσθίουσιν 10 οὐχὶ ἡ συνείδησις αὐτοῦ
     – οἰκοδομηθήσεται εἰς τὸ τὰ εἰδωλόθυτα
     ἐσθίειν; 10 19 ὅτι εἰδωλόθυτόν [b] τί ἐστιν;
Ap 2 14 „φαγεῖν εἰ..α (vg [o]) καὶ πορνεῦσαι" 20

εἰδωλολατρία S [o] – [a] idolorum cultus [b] id.
     cultura [c] id. servitus [d] simulacrorum
     servitus
1 Co 10 14 φεύγετε ἀπὸ τῆς εἰδ. [b] Gal 5 20 τὰ
     ἔργα τῆς σαρκός, ἅτινα – εἰδ. [c]
Col 3 5 τὴν πλεονεξίαν ἥτις ἐστὶν εἰδ. [d]
1 Pe 4 3 πεπορευμένους ἐν – ἀθεμίτοις εἰδω-
     λολατρίαις [a]

εἰδωλολάτρης S [o] – idolis serviens [b] idolo-
     latres [c] idolorum servitus
1 Co 5 10 μὴ συναναμίγνυσθαι – εἰδ..αις 11 ἐάν
     τις ἀδελφὸς ὀνομαζόμενος ἦ – εἰδ. –,
     τῷ τοιούτῳ μηδὲ συνεσθίειν
     6 9 οὔτε εἰδ..αι – βασ. θεοῦ κληρονομήσ.
     10 7 μηδὲ εἰδ..αι [b] (id..ae vl idolorum cul-
     tores F) γίνεσθε, καθώς τινες
Eph 5 5 πλεονέκτης, ὅ ἐστιν εἰδωλολάτρης [c]
Ap 21 8 εἰδ..αις [b] (vl idolatris) – τὸ μέρος –
     ἐν τῇ λίμνῃ τῇ καιομένῃ πυρί
     22 15 ἔξω – οἱ εἰδ. καὶ πᾶς φιλῶν – ψεῦδος

εἴδωλον simulacrum [b] idolum
Act 7 41 „ἀνήγαγον θυσίαν" τῷ εἰδώλῳ
     15 20 ἀπέχεσθαι τῶν ἀλισγημάτων τῶν εἰ.
Rm 2 22 ὁ βδελυσσόμενος τὰ εἴ. [b] ἱεροσυλ.;
1 Co 8 4 οἴδαμεν ὅτι οὐδὲν εἴδωλ. [b] ἐν κόσμῳ
     – 7 τῇ συνηθείᾳ ἕως ἄρτι τοῦ εἰδώλου [b]

1 Co 10 19 τί οὖν φημι; – ὅτι εἴδωλόν [b] τί ἐστιν;
     12 2 πρὸς τὰ εἴ. τὰ ἄφωνα ὡς ἂν ἤγεσθε
2 Co 6 16 τίς δὲ συγκατάθεσις ναῷ θεοῦ μετὰ
     εἰδώλων [b]; 1 Th 1 9 ἐπεστρέψατε πρὸς
     τὸν θεὸν ἀπὸ τῶν εἰδώλων
1 Jo 5 21 τεκνία, φυλάξατε ἑαυτὰ ἀπὸ τῶν εἰ.
Ap 9 20 „τὰ δαιμόνια καὶ τὰ εἴ. τὰ χρυσᾶ"

εἴκειν cedere Gal 2 5 τῇ ὑποταγῇ

εἰκῇ sine causa [b] frustra
Mat 5 22 πᾶς ὁ ὀργιζόμενος τῷ ἀδελφῷ (vl +
     εἰκῇ, vg [o]) ἔνοχος ἔσται τῇ κρίσει
Rm 13 4 οὐ γὰρ εἰκῇ τὴν μάχαιραν φορεῖ
1 Co 15 2 ἐκτὸς εἰ μὴ εἰκῇ [b] ἐπιστεύσατε
Gal 3 4 τοσαῦτα ἐπάθετε εἰκῇ; εἴ γε καὶ εἰκῇ
     4 11 μή πως εἰκῇ κεκοπίακα
Col 2 18 εἰκῇ [b] φυσιούμενος ὑπὸ τοῦ νοός

εἰκών imago
Mat 22 20 τίνος ἡ εἰκὼν αὕτη –; ‖ Mar 12 16
     Luc 20 24 τίνος ἔχει εἰκόνα –;
Rm 1 23 ἤλλαξαν τὴν δόξαν – θεοῦ ἐν ὁμοιώ-
     ματι εἰκόνος φθαρτοῦ ἀνθρώπου
     8 29 συμμόρφους τῆς εἰκ. τοῦ υἱοῦ αὐτοῦ
1 Co 11 7 ἀνήρ –, „εἰκὼν" καὶ δόξα „θεοῦ"
     15 49 καθὼς ἐφορέσαμεν τὴν εἰκόνα τοῦ
     χοϊκοῦ, φορέσωμεν (vl ..σομεν) καὶ
     τὴν εἰκόνα τοῦ ἐπουρανίου
2 Co 3 18 τὴν αὐτὴν εἰκ. μεταμορφούμεθα
     4 4 Χοῦ, ὅς ἐστιν εἰκὼν τοῦ θεοῦ Col 1 15
     εἰκὼν τοῦ θεοῦ τοῦ ἀοράτου
Col 3 10 „κατ' εἰκόνα" τοῦ κτίσαντος αὐτόν
Hb 10 1 σκιὰν – ἔχων ὁ νόμος τῶν μελλόντων
     ἀγαθῶν, οὐκ αὐτὴν τὴν εἰκόνα
Ap 13 14 ποιῆσαι εἰκόνα τῷ θηρίῳ 15 δοῦναι
     πνεῦμα τῇ εἰκ. –, ἵνα – λαλήσῃ ἡ εἰκ.
     τοῦ θηρίου, – [ἵνα] „ὅσοι ἐὰν μὴ
     προσκυνήσωσιν τῇ εἰκ." τοῦ θηρίου
     ἀποκτανθῶσιν 14 9.11
     15 2 τοὺς νικῶντας – ἐκ τῆς εἰκόνος αὐτοῦ
     16 2 τοὺς προσκυνοῦντας τῇ εἰκ. 19 20 20 4
     οἵτινες οὐ προσεκύνησαν – τὴν εἰκόνα

εἰλικρίνεια (S semel vl) sinceritas
1 Co 5 8 ἐν ἀζύμοις εἰ..ας καὶ ἀληθείας
2 Co 1 12 ὅτι ἐν ἁγιότητι καὶ εἰλ. τοῦ θεοῦ –
     ἀνεστράφημεν 2 17 ὡς ἐξ εἰλικρινείας,
     – ὡς ἐκ θεοῦ – ἐν Χῷ λαλοῦμεν

εἰλικρινής sincerus
Phl 1 10 ἵνα ἦτε εἰ..εῖς (vl ..res) κ. ἀπρόσκοποι
2 Pe 3 1 διεγείρω ὑμῶν – τὴν εἰ..ῆ διάνοιαν

εἰπεῖν, ἐρεῖν cum formis derivatis: εἴρηκα εἴρηται, ἐρρέθη, τὸ εἰρημένον, ῥηθέν dicere [b](καλῶς εἰπ.) benedicere (vl bene dicere) [c](κακῶς) maledicere [d]praecipere [e]praedicere

1) *εἰπεῖν, εἶπον, εἶπα

Mat 4 3 εἰπὲ ἵνα οἱ λίθοι οὗτοι ἄρτοι γένωνται ‖ Luc 4 3 – Mat 20 21 εἰπὲ ἵνα καθίσωσιν – οἱ δύο υἱοί μου
5 22 ὃς δ᾽ ἂν εἴπῃ τῷ ἀδελφῷ – ῥακά, – · ὃς δ᾽ ἂν εἴπῃ μωρέ
8 4 ὅρα μηδενὶ εἴπῃς ‖ Mar 1 44 Luc 5 14 – Mat 16 20 ἵνα μηδενὶ εἴπωσιν ὅτι αὐτὸς – ὁ χριστός 17 9 μηδενί εἴπητε τὸ ὅραμα Mar (8 26 vl, vg) 16 8 οὐδενὶ οὐδὲν εἶπαν Luc 8 56
– 8 ἀλλὰ μόνον εἰπὲ λόγῳ ‖ Luc 7 7
9 5 εἰπεῖν· ἀφίενται –, ἢ εἰπεῖν· ἔγειρε καὶ περιπάτει; ‖ Mar 2 9 Luc 5 23
10 27 εἴπατε ἐν τῷ φωτί ‖ Luc 12 3 ὅσα ἐν τῇ σκοτίᾳ εἴπατε ἐν τῷ φωτὶ ἀκουσθήσεται (vg dicentur)
12 32 ὃς ἐὰν εἴπῃ λόγον κατὰ τοῦ υἱοῦ – · ὃς δ᾽ ἂν εἴπῃ κατὰ τοῦ πνεύματος ‖ Luc 12 10 πᾶς ὃς ἐρεῖ λόγον
15 4 ὁ – θεὸς εἶπεν· „τίμα τὸν πατέρα – ” 5 ὑμεῖς δὲ λέγετε· ὃς ἂν εἴπῃ τῷ πατρὶ – · δῶρον ‖ Mar 7 10.11
18 17 εἰπὸν τῇ ἐκκλησίᾳ
21 5 „εἴπατε τῇ θυγατρὶ Σιών· ἰδού”
– 21 κἂν τῷ ὄρει – εἴπητε· ‖ Mar 11 23
– 24 ἐρωτήσω ὑμᾶς – λόγον ἕνα, ὃν ἐὰν εἴπητέ μοι, κἀγὼ ὑμῖν ἐρῶ 25.26 ‖ Mar 11 29.31.32 Luc 20 2 εἰπὸν ἡμῖν ἐν ποίᾳ ἐξουσίᾳ 3.5.6
23 3 ὅσα ἐὰν εἴπωσιν ὑμῖν ποιήσατε
24 3 εἰπὲ ἡμῖν, πότε ταῦτα ἔσται ‖ Mar 13 4
26 25 σὺ εἶπας – 63 ἵνα ἡμῖν εἴπῃς εἰ σὺ εἶ ὁ χριστός 64 σὺ εἶπας· πλὴν λέγω
28 6 ἠγέρθη – καθὼς εἶπεν 7 εἴπατε τοῖς μαθηταῖς – ὅτι ἠγέρθη –. ἰδοὺ εἶπον[e] ὑμῖν ‖ Mar 16 7 καθὼς εἶπεν ὑμῖν
Luc 6 26 οὐαὶ ὅταν καλῶς ὑμᾶς εἴπωσιν[b]
7 40 ἔχω σοί τι εἰπεῖν. – διδάσκαλε, εἰπέ
9 54 θέλεις εἴπωμεν „πῦρ καταβῆναι”
10 40 εἰπὸν – αὐτῇ ἵνα μοι συναντιλάβηται
11 49 ἡ σοφία τοῦ θεοῦ εἶπεν· ἀποστελῶ
12 11 μὴ μεριμνήσητε – τί εἴπητε
Joh 2 22 ἐπίστευσαν – τῷ λόγῳ ὃν εἶπεν ὁ Ἰησοῦς 4 50 – 7 36 τίς ἐστιν ὁ λόγος οὗτος ὃν εἶπεν· –; 14 26 ὑπομνήσει

ὑμᾶς – ἃ εἶπον ὑμῖν 15 20 μνημονεύετε τοῦ λόγου οὗ ἐγὼ εἶπον 16 4 ταῦτα – ὑμῖν ἐξ ἀρχῆς οὐκ εἶπον 15 – 18 9 ἵνα πληρωθῇ ὁ λόγος ὃν εἶπεν 32 ὃν εἶπεν σημαίνων
Joh 3 12 εἰ τὰ ἐπίγεια εἶπον ὑμῖν –, πῶς ἐὰν εἴπω ὑμῖν τὰ ἐπουράνια πιστεύσετε;
7 38 καθὼς εἶπεν ἡ γραφή 42 οὐχ – εἶπ. – ;
10 24 εἰπὸν ἡμῖν παρρησίᾳ 25 εἶπον (vl λαλῶ vg loquor) ὑμῖν, καὶ οὐ πιστεύετε
– 34 „ἐγὼ εἶπα· θεοί ἐστε;” 35 εἶπεν
11 51 τοῦτο δὲ ἀφ᾽ ἑαυτοῦ οὐκ εἶπεν
12 49 μοὶ ἐντολὴν δέδωκεν τί εἴπω
13 24 εἰπὲ (vg°) τίς ἐστιν περὶ οὗ λέγει
14 2 εἰ δὲ μή, εἶπον ἂν ὑμῖν
18 21 ἴδε οὗτοι οἴδασιν ἃ εἶπον ἐγώ
19 21 ἀλλ᾽ ὅτι – εἶπεν· βασιλεύς εἰμι
1 Jo 1 6 ἐὰν εἴπωμεν ὅτι κοινωνίαν ἔχομεν μετ᾽ αὐτοῦ 8 ὅτι ἁμαρτίαν οὐκ ἔχομεν 10 ὅτι οὐχ ἡμαρτήκαμεν
4 20 ἐὰν τις εἴπῃ ὅτι ἀγαπῶ τὸν θεόν
Ap 22 17 ὁ ἀκούων εἰπάτω· ἔρχου

2) *ἐρεῖν

Mat 7 4 πῶς ἐρεῖς τῷ ἀδελφῷ σου· – ;
– 22 πολλοὶ ἐροῦσίν μοι ἐν ἐκείνη τ. ἡμέρᾳ
17 20 ἐρεῖτε τῷ ὄρει τούτῳ· μετάβα 21 24 → 1)
Luc 4 23 πάντως ἐρεῖτέ μοι τὴν παραβολήν
12 19 ἐρῶ τῇ ψυχῇ μου· ψυχή, ἔχεις
17 21 οὐδὲ ἐροῦσιν· ἰδοὺ ὧδε 23
23 29 ἡμέραι ἐν αἷς ἐροῦσιν· μακάριαι
Act 23 5 „ἄρχοντα – οὐκ ἐρεῖς κακῶς[c]”
Rm 3 5 τί ἐροῦμεν; 4 1 εὑρηκέναι Ἀβρ. 6 1 7 7 8 31 τί οὖν ἐροῦμ. πρὸς ταῦτα; 9 14.19 ἐρεῖς μοι οὖν 30 11 19 ἐρεῖς οὖν 1 Co 15 35 ἀλλὰ ἐρεῖ τις Jac 2 18
1 Co 14 16 πῶς ἐρεῖ τὸ ἀμὴν ἐπὶ τῇ σῇ εὐχαρ.;
2 Co 12 6 ἀλήθειαν γὰρ ἐρῶ· φείδομαι δέ
Phl 4 4 πάλιν ἐρῶ, χαίρετε

3) *εἴρηκα, εἴρηται, τὸ εἰρημένον

Luc 2 24 κατὰ τὸ εἰρ. ἐν τῷ νόμῳ Act 2 16 διὰ τοῦ προφήτου Ἰωήλ 13 40 Rm 4 18
4 12 ὅτι εἴρηται· „οὐκ ἐκπειράσεις κύριον”
Joh 4 18 τοῦτο ἀληθὲς εἴρηκας
12 50 καθὼς εἴρηκέν μοι ὁ πατήρ
14 29 νῦν εἴρηκα ὑμῖν, πρὶν γενέσθαι
15 15 ὑμᾶς δὲ εἴρηκα φίλους
2 Co 12 9 εἴρηκέν μοι· ἀρκεῖ σοι ἡ χάρις μου
Hb 1 13 πρὸς τίνα – τῶν ἀγγ. εἴρηκέν ποτε –;
4 3 καθὼς εἴρηκεν· „ὡς ὤμοσα ἐν τῇ

(Hb 4) ὀργῇ μου" 4 εἴρηκέν – που περὶ τῆς
ἑβδόμης 109.15 135 αὐτὸς γὰρ εἴρ.

4) ἐρρέθη, ὁ ῥηθείς, τὸ ῥηθέν

Mat 122 ἵνα πληρωθῇ τὸ ῥηθὲν ὑπὸ κυρίου
διὰ τοῦ προφήτου 215.17.23 414 817
1217 1335 214 2231 οὐκ ἀνέγνωτε τὸ
ῥηθὲν ὑμῖν ὑπὸ τοῦ θεοῦ –; 2415 τὸ
βδέλυγμα – τὸ ῥηθέν 279 (35 vl)
3 3 οὗτος (sc Joh.) γάρ ἐστιν ὁ ῥηθείς
521 ἐρρέθη τοῖς ἀρχαίοις 33. 27. 31. 38. 43
Rm 912 ἐρρέθη αὐτῇ 26 „οὖ ἐρρ. [αὐτοῖς]"
Gal 316 τῷ – Ἀβ. ἐρρέθησαν αἱ ἐπαγγελίαι
Ap 611 ἐρρέθη αὐτοῖς ἵνα 94ᵈ ἵνα μή

εἰρηνεύειν pacem habere
Mar 950 εἰρηνεύετε ἐν ἀλλήλοις 1 Th 513 ἐν
ἑαυτοῖς (vl αὐτοῖς vg cum eis)
Rm 1218 μετὰ πάντων ἀνθρώπων εἰρηνεύοντες
2 Co 1311 τὸ αὐτὸ φρονεῖτε, εἰρηνεύετε

εἰρήνη pax ᵇ(1 Pe 514) gratia
Mat 1012 ἀσπάσασθε αὐτὴν (vl + λέγοντες·
εἰρήνη τῷ οἴκῳ τούτῳ vg, vlº) 13
ἐλθάτω ἡ εἰρ. ὑμῶν ἐπ' αὐτήν· –, ἡ
εἰρ. ὑμῶν πρὸς ὑμᾶς ἐπιστραφήτω ||
Luc 105 πρῶτον λέγετε· εἰρ. τῷ οἴκῳ
τούτῳ 6 ἐὰν ἐκεῖ ᾖ υἱὸς εἰρήνης, ἐπ-
αναπαήσεται ἐπ' αὐτὸν ἡ εἰρ. ὑμῶν·
εἰ δὲ μή γε, ἐφ' ὑμᾶς ἀνακάμψει
– 34 βαλεῖν εἰρήνην ἐπὶ τὴν γῆν· οὐκ ἦλ-
θον β. εἰρ. || Luc 1251 δοῦναι ἐν τ. γῇ
Mar 534 ὕπαγε „εἰς εἰρήνην" || Luc 848 „πορεύ-
ου εἰς εἰρ." 750 Act 1636 ἐν εἰρ. Jac
216 ὑπάγετε ἐν εἰρ. Act 1533 ἀπελύ-
θησαν μετ' εἰρήνης cfr Luc 229 ἀπο-
λύεις τὸν δοῦλόν σου – ἐν εἰρ. 1 Co
1611 προπέμψατε – αὐτὸν ἐν εἰρήνῃ
Luc 179 πόδας ἡμῶν εἰς „ὁδὸν εἰρήνης"
214 ἐπὶ γῆς εἰρ. ἐν ἀνθρώποις εὐδοκίας
1121 ἐν εἰρ. ἐστιν τὰ ὑπάρχοντα αὐτοῦ
1432 ἐρωτᾷ τὰ πρὸς εἰρήνην (quae pacis
sunt) Act 1220 ᾐτοῦντο εἰρήνην
1938 ἐν οὐρανῷ εἰρ. καὶ δόξα ἐν ὑψίστοις
– 42 εἰ ἔγνως – καὶ σὺ τὰ πρὸς εἰρ. (vl +
σου vel σοί, vg quae ad pacem tibi)
2436 (vl εἰρήνη ὑμῖν vg) Joh 2019.21.26
Joh 1427 εἰρήνην ἀφίημι ὑμῖν, εἰρήνην τὴν ἐμὴν
δίδωμι ὑμῖν· οὐ καθώς
1633 λελάληκα – ἵνα ἐν ἐμοὶ εἰρήνην ἔχητε
Act 726 συνήλλασσεν αὐτοὺς εἰς εἰρήνην
931 ἡ μὲν οὖν ἐκκλησία – εἶχεν εἰρήνην

Act 1036 „εὐαγγελιζόμενος εἰρήνην" διὰ – Χοῦ
24 2 πολλῆς εἰρήνης τυγχάνοντες διὰ σοῦ
Rm 1 7 χάρις ὑμῖν καὶ εἰρήνη ἀπὸ θεοῦ
πατρός 1 Co 13 2 Co 12 Gal 13 Eph
12 Phl 12 Col 12 1 Th 11 2 Th 12
Tit 14 Phm 3 cfr Ap 14 ἀπὸ „ὁ ὢν"
καὶ ὁ ἦν καὶ ὁ ἐρχόμενος
210 τιμὴ καὶ εἰρ. – τῷ ἐργαζομ. τὸ ἀγαθ.
317 „ὁδὸν εἰρήνης οὐκ ἔγνωσαν"
5 1 εἰρήνην ἔχωμεν (vl ἔχομεν, vg habe-
amus) πρὸς τὸν θεὸν διὰ – Χοῦ
8 6 φρόνημα τοῦ πνεύμ. ζωὴ καὶ εἰρήνη
(1015 vl „τῶν εὐαγγελιζομένων εἰ..ην" vg)
1417 ἀλλὰ δικαιοσύνη καὶ εἰρήνη καὶ χαρὰ
ἐν πνεύματι ἁγίῳ
– 19 τὰ τῆς εἰρ. διώκομεν (vl ..ωμεν sec-
temur) καὶ τὰ τῆς οἰκοδομῆς
1513 πληρῶσαι ὑμᾶς – χαρᾶς καὶ εἰρήνης
– 33 ὁ δὲ θεὸς τῆς εἰρ. μετὰ πάντων ὑ-
μῶν 1620 συντρίψει τὸν σατανᾶν 2 Co
1311 ὁ θεὸς τῆς ἀγάπης καὶ εἰρήνης
ἔσται μεθ' ὑμῶν Phl 49 1 Th 523 ἁ-
γιάσαι ὑμᾶς Hb 1320 καταρτίσαι ὑ-
μᾶς – 2 Th 316 ὁ κύριος τῆς εἰρή-
νης δῴη ὑμῖν τὴν εἰρήνην διὰ παντός
1 Co 715 ἐν δὲ εἰρήνῃ κέκληκεν ὑμᾶς ὁ θεός
1433 οὐ γάρ ἐστιν ἀκαταστασίας ὁ θεὸς
ἀλλὰ εἰρήνης
Gal 522 ἀγάπη, χαρά, εἰρήνη, μακροθυμία
616 „εἰρήνη" ἐπ' αὐτοὺς καὶ ἔλεος
Eph 214 αὐτὸς γάρ ἐστιν ἡ „εἰρήνη" ἡμῶν
– 15 εἰς ἕνα καινὸν ἄνθρ. ποιῶν εἰρήνην
17 „εὐηγγελίσατο εἰρήνην" ὑμῖν „τοῖς
μακρὰν καὶ εἰρήνην τοῖς ἐγγύς"
4 3 ἐν τῷ συνδέσμῳ τῆς εἰρήνης
615 „ἐν ἑτοιμασίᾳ τοῦ εὐαγγ. τῆς εἰρ."
– 23 εἰρήνη τοῖς ἀδελφοῖς καὶ ἀγάπη
Phl 4 7 ἡ εἰρήνη τοῦ θεοῦ ἡ ὑπερέχουσα
πάντα νοῦν φρουρήσει τὰς καρδίας
Col 315 ἡ εἰρ. τοῦ Χοῦ βραβευέτω ἐν ταῖς
1 Th 5 3 ὅταν λέγωσιν· εἰρήνη καὶ ἀσφάλεια
1 Ti 1 2 χάρις, ἔλεος, εἰρ. ἀπὸ θεοῦ πατρός
2 Ti 12 – 2 Jo 3 παρὰ θεοῦ πατρός
2 Ti 222 δίωκε – πίστιν, ἀγάπην, εἰρήνην
Hb 7 2 „βασιλεὺς Σαλήμ", ὅ ἐστιν β. εἰ..ης
1131 δεξαμένη τ. κατασκόπους μετ' εἰ..ης
1214 „εἰρήνην διώκετε" μετὰ πάντων
Jac 318 καρπὸς δὲ δικαιοσύνης ἐν εἰρήνῃ
σπείρεται τοῖς ποιοῦσιν εἰρήνην
1 Pe 1 2 χάρις ὑμῖν καὶ εἰρ. πληθυνθείη 2 Pe
12 Jud 2 ἔλεος ὑμῖν καὶ εἰρήνη καὶ
ἀγάπη πληθυνθ. – 1 Pe 514 εἰρ.ᵇ ὑμῖν

πᾶσιν τοῖς ἐν Χῷ 3 Jo 15 εἰρήνη σοι
1 Pe 3 11 „ζητησάτω εἰ..ην καὶ διωξάτω αὐτήν"
2 Pe 3 14 ἀμώμητοι – εὑρεθῆναι ἐν εἰρήνῃ
Ap   6 4 λαβεῖν τὴν εἰρήνην ἐκ τῆς γῆς

εἰρηνικός [a]pacatissimus [b]pacificus
Hb   12 11 καρπὸν εἰρηνικὸν [a] – δικαιοσύνης
Jac   3 17 ἡ δὲ ἄνωθεν σοφία – εἰρηνική [b]

εἰρηνοποιεῖν pacificare Col 1 20 εἰ..ήσας διὰ
τοῦ αἵματος τοῦ σταυροῦ αὐτοῦ

εἰρηνοποιός S[o] – pacificus Mat 5 9 μακάρ.

*****εἷς, μία, ἕν** unus [b]alius [c]primus [d]solus
[e](καθ' εἷς, εἷς ἕκαστος) singuli [f](εἷς
κατὰ εἷς) singulatim (vl singill.) [g](ἓν
ἕκαστον) unumquodque [h](οὐδὲ εἷς) non
– quisquam [i](τὸ ἕν) idipsum [k](μιᾷ
ψυχῇ) unanimes [l](ἀπὸ μιᾶς) simul
Mat   5 18 ἰῶτα ἓν ἢ μία κεραία ‖ Luc 16 17
   6 24 τὸν ἕνα μισήσει –, ἢ ἑνὸς ἀνθέξεται
      ‖ Luc 16 13
   19 5 „ἔσονται – εἰς σάρκα μίαν" 6 ὥστε
      οὐκέτι εἰσὶν δύο ἀλλὰ σὰρξ μία ‖
      Mar 10 8 – 1 Co 6 16 Eph 5 31
   – 17 εἷς ἐστιν ὁ ἀγαθός ‖ Mar 10 18 οὐδεὶς
      ἀγ. εἰ μὴ εἷς ὁ θεός Luc 18 19 [d] [ὁ] θ.
   23 8 εἷς γάρ ἐστιν ὑμῶν ὁ διδάσκαλος 9
      εἷς – ὑμῶν ὁ πατὴρ ὁ οὐράνιος 10 καθ-
      ηγητὴς ὑμῶν – εἷς ὁ Χός
   – 15 ποιῆσαι ἕνα προσήλυτον
   24 40 εἷς παραλαμβάνεται καὶ εἷς ἀφίεται
      41 μία – καὶ μία – ‖ Luc 17 34. 35
   25 15 ᾧ δὲ ἕν (sc τάλαντον ἔδωκεν) 18. 24
   – 40 ἐφ' ὅσον ἐποιήσατε ἑνί 45 οὐκ ἐποι.
   26 14 εἷς τῶν δώδεκα 21 εἷς ἐξ ὑμῶν παρα-
      δώσει με 22 ἤρξαντο λέγειν – εἷς ἕκα-
      στος [e] 47 ‖ Mar 14 10 ὁ εἷς τῶν δώ-
      δεκα 18. 19 εἷς κατὰ εἷς [f] 20. 43 Luc 22
      47 Joh 13 21 – 6 70 ἐξ ὑμῶν εἷς διά-
      βολός ἐστιν 71
   – 40 οὐκ ἰσχύσατε μίαν ὥραν γρηγορῆσαι
      μετ' ἐμοῦ; ‖ Mar 14 37 οὐκ ἴσχυσας –;
   28 1 τῇ ἐπιφωσκούσῃ εἰς μίαν [c] σαββάτων
      ‖ Mar 16 2 πρωῒ [τῇ] μιᾷ τῶν σ. Luc
      24 1 Joh 20 1. 19 – Act 20 7 1 Co 16 2
Mar   2 7 τίς δύναται ἀφιέναι ἁμαρτίας εἰ μὴ
      εἷς [d] ὁ θεός;
   10 21 ἕν σε ὑστερεῖ ‖ Luc 18 22 ἕν σοι λείπει
   12 6 ἔτι ἕνα εἶχεν, υἱὸν ἀγαπητόν
   – 29 „κύριος ὁ θ. ἡμῶν κύριος εἷς ἐστιν"

Mar 12 32 ὅτι „εἷς ἐστιν καὶ οὐκ ἔστιν ἄλλος"
Luc 10 42 ὀλίγων δέ ἐστιν χρεία ἢ ἑνός (vl ἑ-
      νὸς δέ ἐστιν χρεία)
   14 18 ἤρξαντο ἀπὸ μιᾶς[1] πάντ. παραιτεῖσθ.
   15 7 ἐπὶ ἑνὶ ἁμαρτωλῷ μετανοοῦντι 10
Joh   8 41 ἕνα πατέρα ἔχομεν τὸν θεόν
   10 16 γενήσεται μία ποίμνη, εἷς ποιμήν
   – 30 ἐγὼ καὶ ὁ πατὴρ ἕν ἐσμεν 17 11 ἵνα
      ὦσιν ἕν καθὼς ἡμεῖς 21 ἵνα πάντες
      ἓν ὦσιν, –, ἵνα καὶ αὐτοὶ ἐν ἡμῖν (vl +
      ἓν vg) ὦσιν 22 ἵνα ὦσιν ἕν καθὼς ἡμεῖς
      ἕν 23 ἵνα ὦσιν τετελειωμένοι εἰς ἕν
   11 50 ἵνα εἷς ἄνθρωπος ἀποθάνῃ 18 14
   – 52 ἵνα καὶ τὰ τέκνα τοῦ θεοῦ τὰ διε-
      σκορπισμένα συναγάγῃ εἰς ἕν
Act   4 32 ἦν καρδία καὶ ψυχὴ μία
   17 26 ἐξ ἑνὸς πᾶν ἔθνος ἀνθρώπων
Rm   3 10 „οὐκ ἔστιν δίκαιος οὐδὲ εἷς [h]" 12
   – 30 εἴπερ εἷς ὁ θεὸς ὃς δικαιώσει
   5 12 ὥσπερ δι' ἑνὸς ἀνθρώπου 15 εἰ – τῷ
      τοῦ ἑνὸς παραπτώματι –, ἐν χάριτι
      τῇ τοῦ ἑνὸς ἀνθρ. Ἰ. Χοῦ 16 οὐχ ὡς
      δι' ἑνὸς ἁμαρτήσαντος (vl ἁμ..ήμα-
      τος, vg per unum peccatum) τὸ δώ-
      ρημα· τὸ – κρίμα ἐξ ἑνὸς εἰς κατά-
      κριμα 17 εἰ – τῷ τοῦ ἑνὸς παραπτώ-
      ματι ὁ θάνατος ἐβασίλευσεν διὰ τοῦ
      ἑνός, – ἐν ζωῇ βασιλεύσουσιν διὰ τοῦ
      ἑνὸς Ἰ. Χοῦ 18 ὡς δι' ἑνὸς παραπτώ-
      ματος (per unius delictum) –, οὕτως
      – δι' ἑνὸς δικαιώματος 19 διὰ τῆς
      παρακοῆς τοῦ ἑνὸς ἀνθρ. ἁμαρτω-
      λοὶ – οἱ πολλοί, οὕτως – διὰ τῆς ὑπα-
      κοῆς τοῦ ἑνὸς δίκαιοι – οἱ πολλοί
   12 4 ἐν ἑνὶ σώματι πολλὰ μέλη 5 οἱ πολ-
      λοὶ ἓν σῶμά ἐσμεν ἐν Χῷ, τὸ δὲ καθ'
      εἷς [e] ἀλλήλων μέλη → 1 Co 12 12
   15 6 ἐν ἑνὶ στόματι δοξάζητε τὸν θεόν
1 Co   4 6 ἵνα μὴ εἷς ὑπὲρ τ. ἑνὸς [b] φυσιοῦσθε
   6 16 ὁ κολλώμενος τῇ πόρνῃ ἓν σῶμα 17
      ὁ δὲ κολλώμενος τῷ κυρίῳ ἓν πνεῦμα
   8 4 οὐδεὶς θεὸς εἰ μὴ εἷς 6 ἀλλ' ἡμῖν εἷς
      θεὸς ὁ πατήρ, – καὶ εἷς κύριος
   10 17 εἷς ἄρτος, ἓν σῶμα οἱ πολλοί ἐσμεν·
      οἱ γὰρ πάντες ἐκ τοῦ ἑνὸς ἄρτου
      μετέχομεν
   12 9 χαρίσμ. ἰαμάτων ἐν τῷ ἑνὶ πνεύματι
   – 11 πάντα – ἐνεργεῖ τὸ ἓν κ. αὐτὸ πνεῦ.
   – 12 τὸ σῶμα ἕν ἐστιν –, πάντα δὲ τὰ μέ-
      λη – ἕν ἐστιν σῶμα 13 ἐν ἑνὶ πνεύμα-
      τι – εἰς ἓν σῶμα ἐβαπτίσθημεν – καὶ
      – ἓν πνεῦμα ἐποτίσθημεν

1 Co 1214 σῶμα οὐκ ἔστιν ἓν μέλος 18 θεὸς ἔ-
θετο τὰ μέλη, ἓν ἕκαστον[g] – καθὼς
ἠθέλησεν 19 εἰ – ἦν τὰ πάντα ἓν μέ-
λος 20 πολλὰ μὲν μέλη, ἓν δὲ σῶμα
– 26 εἴτε πάσχει ἓν μέλος, συμπάσχει
2 Co 514 ὅτι εἷς ὑπὲρ πάντων ἀπέθανεν
Gal 316 ἀλλ᾽ ὡς ἐφ᾽ ἑνός (in uno)· (sc λέγει)
– 20 ὁ – μεσίτης ἑνὸς οὐκ ἔστιν, ὁ δὲ θε-
ὸς εἷς ἐστιν
– 28 ὑμεῖς εἷς (unum) ἐστε ἐν Χῷ Ἰησοῦ
514 ὁ – νόμος ἐν ἑνὶ λόγῳ πεπλήρωται – ·
Eph 214 ὁ ποιήσας τὰ ἀμφότερα ἕν
– 15 ἵνα τοὺς δύο κτίσῃ – εἰς ἕνα καινὸν
ἄνθρωπον 16 καὶ ἀποκαταλλάξῃ τοὺς
ἀμφοτέρους ἐν ἑνὶ σώματι τῷ θεῷ 18
ἔχομεν τὴν προσαγωγὴν οἱ ἀμφότε-
ροι ἐν ἑνὶ πνεύματι
4 4 ἓν σῶμα καὶ ἓν πνεῦμα, καθὼς – ἐ-
κλήθητε ἐν μιᾷ ἐλπίδι 5 εἷς κύριος,
μία πίστις, ἓν βάπτισμα· 6 εἷς θεὸς
καὶ πατὴρ πάντων
Phl 127 ὅτι στήκετε ἐν ἑνὶ πνεύματι, μιᾷ ψυ-
χῇ[k] συναθλοῦντες τῇ πίστει
2 2 σύμψυχοι, τὸ ἕν[i] φρονοῦντες
Col 315 ἡ εἰρήνη τοῦ Χοῦ – εἰς ἣν καὶ ἐκλή-
θητε ἐν ἑνὶ σώματι
1 Ti 2 5 εἷς – θεός, εἷς καὶ μεσίτης θεοῦ
3 2 ἐπίσκοπον –, μιᾶς γυναικὸς ἄνδρα
12 διάκονοι – μ. γ. ἄνδρες 59 χήρα –,
ἑνὸς ἀνδρὸς γυνή Tit 1 6 πρεσβυτέ-
ρους –, εἴ τις – μιᾶς γυναικὸς ἀνήρ
Tit 310 μετὰ μίαν καὶ δευτέραν νουθεσίαν
IIb 211 ὅ τε γὰρ ἁγιάζων καὶ οἱ ἁγιαζόμενοι
ἐξ ἑνὸς πάντες
1012 μίαν ὑπὲρ ἁμαρτίας – θυσίαν
– 14 μιᾷ – προσφορᾷ τετελείωκεν – τοὺς
Jac 210 ὅστις –, πταίσῃ δὲ ἐν ἑνί, – ἔνοχος
– 19 πιστεύεις ὅτι εἷς ἐστιν ὁ θεός;
412 εἷς ἐστιν νομοθέτης καὶ κριτής
2 Pe 3 8 ἕν – τοῦτο μὴ λανθανέτω ὑμᾶς –, ὅτι
μία ἡμέρα παρὰ κυρίῳ ὡς χίλια ἔτη
καὶ „χίλια ἔτη ὡς ἡμέρα" μία
1 Jo 5 8 οἱ τρεῖς εἰς τὸ ἕν (unum) εἰσιν
Ap 1712 ἐξουσίαν – μίαν ὥραν λαμβάνουσιν
– 13 οὗτοι μίαν γνώμην ἔχουσιν 17 (vg[o])
18 8 „ἐν μιᾷ ἡμέρᾳ ἥξουσιν" αἱ πληγαί
10 ἦλθεν ἡ κρίσις σου 17 ἠρημώθη ὁ
τοσοῦτος πλοῦτος 19 „ἠρημώθη"

*εἰς in cum acc. [b]in cum abl. [c]ad [d]pro [e]propter
[f]sine praepositione [g](εἰς τί) quare [h](εἰς
τί) ut quid → βαπτίζειν, βάπτισμα –

ἁμαρτάνειν, βλασφημεῖν, ἔνοχος, λό-
γον λέγειν – ἐλπίς, ἐλπίζειν, θαρρεῖν,
πεποιθέναι, πιστεύειν, πίστις – ἀγάπη,
διακονία, κοινωνία – ὀμνύειν, μεριμνᾶν,
μετανοεῖν, ἔχειν, καλεῖν, λογίζεσθαι – εἰς
αἰῶνα, ἀνάμνησιν, ἄφεσιν, εἰρήνην, ζωήν,
τὸν κόσμον, μαρτύριον, μνημόσυνον, ὄ-
νομα, τέλος
Mat 1431 εἰς τί[g] ἐδίστασας; 268 εἰς τί[h] ἡ ἀπ-
ώλεια αὕτη; || Mar 144[h] – 1534
„εἰς τί[h] ἐγκατέλιπές με;"
19 5 „ἔσονται οἱ δύο εἰς[b] σάρκα μίαν" ||
Mar 108[b] 1 Co 616[b] Eph 531[b]
2142 „ἐγενήθη εἰς κεφαλὴν γωνίας" || Mar
1210 Luc 2017 Act 411 1 Pe 2 7 – Rm
119 „ἡ τράπεζα αὐτῶν εἰς παγίδα"
– Luc 3 5 „ἔσται τὰ σκολιὰ εἰς εὐ-
θείας" (in directa) 1319 ἐγένετο εἰς
δένδρον Joh 1620 λύπη – εἰς χαρὰν
γενήσεται
2216 οὐ – βλέπεις εἰς πρόσωπον (non re-
spicis personam) ἀνθρώπων || Mar
1214 (nec vides in faciem)
Mar 1 39 κηρύσσων εἰς[b] τὰς συναγωγάς || Luc
444[b] Mar 1310 εἰς – τὰ ἔθνη 149 εἰς[b]
– τὸν κόσμον Luc 2447 εἰς – τὰ ἔ-
θνη 1 Th 2 9 ἐκηρύξαμεν εἰς[b] ὑμᾶς τὸ
εὐαγγέλιον – Mar 139 εἰς[b] συνα-
γωγὰς δαρήσεσθε
1010 εἰς[b] τὴν οἰκίαν – ἐπηρώτων αὐτόν
1316 ὁ εἰς[b] τὸν ἀγρὸν μὴ ἐπιστρεψάτω
Luc 1 20 πληρωθήσονται εἰς[b] τ. καιρὸν αὐτῶν
423 γενόμενα εἰς τὴν Καφαρναοὺμ
517 δύναμις κυρίου ἦν εἰς[c] τὸ ἰᾶσθαι
730 βουλὴν – θεοῦ ἠθέτησαν εἰς ἑαυτούς
961 τοῖς εἰς τὸν οἶκόν (domi) μου
11 7 τὰ παιδία – εἰς[b] τὴν κοίτην εἰσίν
1221 ὁ – μὴ εἰς θεὸν πλουτῶν → Rm 1012
1616 πᾶς εἰς αὐτὴν (sc τὴν βασ.) βιάζεται
Joh 118 ὁ ὢν εἰς[b] τὸν κόλπον τοῦ πατρός
826 ταῦτα λαλῶ εἰς[b] τὸν κόσμον
1613 ὁδηγήσει ὑμᾶς εἰς (vl διηγήσεται ὑ-
μῖν vg docebit vos) τὴν ἀλήθειαν πᾶ-
1723 ἵνα ὦσιν τετελειωμένοι εἰς ἕν |σαν
21 4 ἔστη Ἰησοῦς εἰς[b] τὸν αἰγιαλόν
Act 222 ἀποδεδειγμένον – εἰς[b] ὑμᾶς δυνάμε-
σι 39 „τοῖς εἰς μακράν" (qui longe)
7 4 γῆν – εἰς[b] ἣν – νῦν κατοικεῖτε 840 εὑ-
ρέθη εἰς[b] Ἄζωτον 1425 λαλήσαντες
εἰς[b] (vl[a]) τὴν Πέργην τὸν λόγον
– 53 ἐλάβετε τὸν νόμον εἰς διαταγὰς (in
dispositione vl ..em) ἀγγέλων

Rm 10₁₂ κύριος –, πλουτῶν εἰς πάντας
11₃₆ ἐξ αὐτοῦ καὶ δι' αὐτοῦ καὶ εἰςᵇ αὐ-
τὸν τὰ πάντα Col 1₁₆ πάντα – εἰςᵇ
αὐτὸν ἔκτισται 1 Co 8₆ ἐξ οὗ τὰ πάν-
τα καὶ ἡμεῖς εἰς αὐτόν (in illum)
1 Co 4₃ ἐμοὶ δὲ εἰςᵈ ἐλάχιστόν ἐστιν
14₂₂ αἱ γλῶσσαι εἰς σημεῖόν εἰσιν
2 Co 2₁₂ ἐλθὼν – εἰςᶠ – Τρωάδα εἰςᵉ τὸ εὐαγγ.
6₁₈ „ἔσομαι" ὑμῖν „εἰς πατέρα –" Hb 1₅
8₁₀ „ἔσομαι αὐτοῖς εἰς θεόν –"
7₁₅ τὰ σπλάγχνα αὐτοῦ – εἰςᵇ ὑμᾶς ἐστ.
9₁₁ πλουτιζόμενοι εἰς – ἁπλότητα
10₁₆ εἰς τὰ ὑπερέκεινα ὑμῶν εὐαγγελίσα-
σθαι, οὐκ εἰςᵇ τὰ ἕτοιμα καυχήσασθ.
11₁₀ ἡ καύχησις – οὐ φραγήσεται εἰς ἐμέ
Gal 3₂₄ παιδαγωγὸς ἡμῶν – εἰςᵇ Χόν
Eph 2₁₅ ἵνα τοὺς δύο κτίσῃ – εἰς ἕνα καινὸν
3₁₆ κραταιωθῆναι – εἰς (vg vlᵇ) τὸν ἔσω
– 19 πληρωθῆτε εἰς πᾶν τ. πλήρω. |ἄνθρ.
5₃₂ λέγω εἰςᵇ Χὸν καὶ εἰςᵇ τὴν ἐκκλησ.
Col 1₂₀ ἀποκαταλλάξαι τὰ πάντα εἰς αὐτόν
Hb 10₃₉ οὐκ ἐσμὲν ὑποστολῆς εἰς ἀπώλειαν,
ἀλλὰ πίστεως εἰς περιποίησιν ζωῆς
12₇ εἰςᵇ (vl εἰ) παιδείαν ὑπομένετε
1 Pe 1₁₁ τὰ εἰςᵇ Χὸν παθήματα
– 25 ῥῆμα – εὐαγγελισθὲν εἰς (vlᵇ) ὑμᾶς
2₈ εἰςᵇ ὃ καὶ ἐτέθησαν
3₂₀ κιβωτοῦ, εἰςᵇ ἣν – διεσώθησαν
– 21 συνειδήσεως – ἐπερώτημα εἰς θεόν
5₁₂ χάριν τοῦ θεοῦ, εἰςᵇ ἣν στῆτε [σα"
2 Pe 1₁₇ „ὁ υἱός" μου –, „εἰςᵇ ὃν ἐγὼ εὐδόκη-
3₉ μακροθυμεῖ εἰς (vl δι' vgᵉ) ὑμᾶς
1 Jo 5₈ οἱ τρεῖς εἰςᶠ τὸ ἕν (unum) εἰσιν

εἰσάγειν introducere ᵇinducere
Luc 2₂₇ᵇ παιδίον Ἰησοῦν 14₂₁ τυφλοὺς καὶ
χωλούς 22₅₄ (vgᵒ) – Joh 18₁₆ Πέτρον
Act 7₄₅ᵇ 9₈ Σαῦλον 21₂₈ᵇ Ἕλληνας – εἰς τὸ
ἱερόν 29.37ᵇ Παῦλος 22₂₄ᵇ
Hb 1₆ ὅταν δὲ πάλιν εἰσαγάγῃ τὸν πρωτό-
τοκον εἰς τὴν οἰκουμένην, λέγει·

εἰσακούειν exaudire
Mat 6₇ ὅτι ἐν τῇ πολυλογίᾳ – ἐ..σθήσονται
Luc 1₁₃ „εἰσηκούσθη" ἡ δέησίς „σου" Act
10₃₁ εἰσηκούσθη σου ἡ προσευχή
1 Co 14₂₁ „οὐδ'" οὕτως „εἰσακούσονταί" μου
Hb 5₇ εἰσακουσθεὶς ἀπὸ τῆς εὐλαβείας

εἰσδέχεσθαι recipere 2 Co 6₁₇ „ὑμᾶς"

*εἰσέρχεσθαι intrare ᵇintroire ᶜingredi
ᵈincedere ᵉtransire

Mat 5₂₀ οὐ μὴ εἰσέλθητε εἰς τὴν βασ. τῶν
οὐρ. 7₂₁ οὐ πᾶς ὁ λέγων μοι κύριε
–, εἰσελεύσεται εἰς – 18₃ ἐὰν μὴ –
γένησθε ὡς τὰ παιδία, οὐ μὴ εἰσέλ-
θητε εἰς – ‖ Mar 10₁₅ ὃς ἂν μὴ δέ-
ξηται τὴν βασιλείαν – ὡς παιδίον, οὐ
μὴ εἰσέλθῃ εἰς αὐτήν Luc 18₁₇
7₁₃ εἰσέλθατε διὰ τῆς στενῆς πύλης· –
πολλοὶ – οἱ εἰσερχόμενοι ‖ Luc 13₂₄
15₁₁ οὐ τὸ εἰσερχόμενον εἰς τὸ στόμα
18₈ εἰσελθεῖνᶜ εἰς τὴν ζωὴν κυλλόν 9
μονόφθαλμον ‖ Mar 9₄₃ᵇ 45ᵇ 47ᵇ
19₁₇ εἰ – θέλεις εἰς τὴν ζωὴν εἰσελθεῖνᶜ
– 23 πλούσιος δυσκόλως εἰσελεύσεται εἰς
τὴν βασ. τ. οὐρ. 24 κάμηλον – εἰσ-
ελθεῖν (vl διελθ. vgᵉ) ἢ πλούσιον (vl
εἰσελθ.) εἰς – ‖ Mar 10₂₃ πῶς δυσκ.
οἱ τὰ χρήματα ἔχοντες εἰς – εἰσελεύ-
σονταιᵇ 24 πῶς δύσκολον – εἰσελθεῖνᵇ
25ᵉ ἢ πλούσιον εἰς – εἰσελθεῖν Luc
18₂₅ (vl διελθεῖνᵉ) ἢ πλούσιον εἰς –
εἰσελθεῖν → Joh 3₅ Act 14₂₂
22₁₂ πῶς εἰσῆλθες ὧδε μὴ ἔχων ἔνδυμα
23₁₃ ὑμεῖς – οὐκ ἐ..εσθε, οὐδὲ τοὺς ἐ..ο-
μένουςᵇ ἀφίετε εἰσελθεῖν ‖ Luc 11₅₂ᵇ
25₁₀ αἱ ἕτοιμοι εἰσῆλθον – εἰς τοὺς γάμους
– 21 εἴσελθε εἰς τ. χαρὰν τοῦ κυρ. σου 23
26₄₁ ἵνα μὴ εἰσέλθητε εἰς πειρασμόν –
Luc 22₄₀ προσεύχεσθε μὴ ἐ..εῖν 46
Mar 9₂₅ τὸ ἄλαλον – πνεῦμα –, μηκέτι εἰσέλ-
θῃςᵇ εἰς αὐτόν Luc 8₃₀ λεγιών, ὅτι
εἰσῆλθεν δαιμόνια πολλὰ εἰς αὐτόν
32ᶜ 33 εἰς τοὺς χοίρους 11₂₆ εἰσελθόν-
ταᶜ κατοικεῖ ἐκεῖ 22₃ εἰσῆλθεν – σατα-
νᾶς εἰς Ἰούδαν Joh 13₂₇ᵇ ὁ σατανᾶς
Luc 14₂₃ ἀνάγκασον (vl ποίησον) εἰσελθεῖν
24₂₆ ἔδει – εἰσελθεῖν εἰς τ. δόξαν αὐτοῦ·
– 29 εἰσῆλθεν τοῦ μεῖναι σὺν αὐτοῖς
Joh 3₅ οὐ δύναται εἰσελθεῖνᵇ εἰς τὴν β. τ. θ.
10₁ ὁ μὴ εἰσερχόμενος διὰ τῆς θύρας 2
ὁ δὲ εἰσερχ. – ποιμήν ἐστιν 9 δι' ἐμοῦ
ἐάν τις εἰσέλθῃᵇ, – εἰσελεύσεταίᶜ καί
Act 14₂₂ διὰ πολλῶν θλίψεων δεῖ ἡμᾶς εἰσελ-
θεῖν εἰς τὴν βασιλείαν τοῦ θεοῦ
Rm 5₁₂ ὥσπερ δι' ἑνὸς ἀνθρώπου ἡ ἁμαρτία
εἰς τὸν κόσμον εἰσῆλθεν
11₂₅ ἄχρι οὗ τὸ πλήρωμα τ. ἐθν. εἰσέλθῃ
Hb 3₁₁ „εἰ εἰσελεύσονταιᵇ εἰς τὴν κατάπαυ-
σίν μου" 18ᵇ 19ᵇ 41ᵇ 3 εἰσερχόμεθαᶜ
– εἰς τὴν κατ. οἱ πιστεύσαντες 3ᵇ 5ᵇ
6 ἀπολείπεται τινὰς εἰσελθεῖνᵇ 10ᶜ
11 σπουδάσωμεν οὖν εἰσελθεῖνᶜ

Hb 6 19 ἐλπίδος· ἦν ὡς ἄγκυραν ἔχομεν –
„εἰσερχομένην d εἰς τὸ ἐσώτερον"
– 20 ὅπου πρόδρομος – εἰσῆλθεν b Ἰησοῦς
9 12 διὰ – τοῦ ἰδίου αἵματος εἰσῆλθεν b
– 24 οὐ γὰρ εἰς χειροποίητα εἰσῆλθεν b
ἅγια Χός 25 ὥσπερ ὁ ἀρχιερ. εἰ..εται
10 5 εἰσερχόμενος c εἰς τὸν κόσμον λέγει
Ap 3 20 εἰσελεύσομαι (vl b) πρὸς αὐτὸν καὶ
δειπνήσω μετ' αὐτοῦ

εἰσιέναι introire b intrare
Act 3 3 21 18.26 b Hb 9 6 εἰσίασιν οἱ ἱερεῖς

εἰσκαλεῖσθαι S o – introducere Act 10 23

εἴσοδος introitus b adventus
Act 13 24 πρὸ προσώπου τῆς εἰσόδου b αὐτοῦ
1 Th 1 9 ὁποίαν εἴσοδον ἔσχομεν πρὸς ὑμᾶς
2 1 οἴδατε – τὴν εἴσοδον ἡμῶν τὴν πρὸς
ὑμᾶς, ὅτι οὐ κενὴ γέγονεν
Hb 10 19 παρρησίαν εἰς τὴν εἴσοδον τῶν ἁγίων
2 Pe 1 11 πλουσίως ἐπιχορηγηθήσεται ὑμῖν ἡ
εἴσοδος εἰς τὴν αἰώνιον βασιλείαν

εἰσπηδᾶν introgredi Act 16 29

εἰσπορεύεσθαι intrare b introire c ingredi
Mat 15 17 πᾶν τὸ εἰσπορευόμενον εἰς τὸ στόμα
|| Mar 7 15 b 18 b 19 οὐκ εἰσπορεύεται
(vl b) αὐτοῦ εἰς τὴν καρδίαν
Mar 1 21 c 5 40 c 6 56 b – 11 2 b || Luc 19 30 b
4 19 ἐπιθυμίαι εἰσ..όμεναι b συμπνίγουσιν
Luc 8 16 ἵνα οἱ εἰσπορ. βλέπωσιν 11 33 c – 22 10
18 24 πῶς δυσκόλως – εἰς τὴν βασιλείαν τ.
θεοῦ εἰσ..ονται → εἰσέρχ. Mat 19 23
Act 3 2 b 8 3 Σαῦλος 9 28 28 30 ἀπεδέχετο πάν-
τας τοὺς εἰσ..ομένους c πρὸς αὐτόν

εἰστρέχειν intro currere Act 12 14

εἰσφέρειν inferre b inducere
Mat 6 13 μὴ εἰσενέγκῃς b ἡμᾶς εἰς πειρασμόν
|| Luc 11 4 b – 5 18.19 12 11 b
Act 17 20 ξενίζοντα – εἰσφέρεις εἰς τὰς ἀκοάς
1 Ti 6 7 οὐδὲν – εἰσηνέγκαμεν εἰς τὸν κόσμον
Hb 13 11 „εἰσφέρεται – αἷμα – εἰς τὰ ἅγια"

∗ἐκ ex b de c a d prae e ad
→ ἀνιστάναι, ἀνάστασις, γεννᾶν (im-
primis γεννηθῆναι, γεγεννημένον εἶναι),
ἐγείρειν – δικαιοῦν, δικαιοσύνη –
ἐλεύθερος, λύειν, λυτροῦν, μετανοεῖν,

σῴζειν, ῥύεσθαι – ἐξ ἐπαγγελίας, ἐξ
ἔργων, ἐκ νόμου, ἐκ πίστεως – ἐκ τοῦ
κόσμου, οὐρανοῦ – ἐκ (τοῦ) θεοῦ εἶναι
→ θεός Joh 8 42 Act 5 39 1 Jo 3 10 3 Jo 11
Mat 1 18 ἐν γαστρὶ ἔχουσα ἐκ b πνεύματος ἁ-
γίου 20 ἐκ b πνεύματός ἐστιν ἁγίου
5 37 τὸ δὲ περισσὸν – ἐκ c τοῦ πονηροῦ
cfr 1 Jo 3 12 Κάϊν ἐκ τοῦ πονηροῦ ἦν
15 5 ὃ ἐὰν ἐξ ἐμοῦ ὠφεληθῇς || Mar 7 11
Luc 2 35 ὅπως ἂν ἀποκαλυφθῶσιν ἐκ πολλῶν
καρδιῶν διαλογισμοί
16 9 φίλους ἐκ b τοῦ μαμωνᾶ τῆς ἀδικίας
Joh 3 31 ὁ ὢν ἐκ b τῆς γῆς ἐκ b τῆς γῆς ἐστιν
καὶ ἐκ b τῆς γ. λαλεῖ. ὁ ἐκ b τοῦ οὐρ.
– 34 οὐ γὰρ ἐκ e μέτρου δίδωσιν τὸ πν.
4 22 ἡ σωτηρία ἐκ τῶν Ἰουδαίων ἐστίν
5 24 μεταβέβηκεν ἐκ c τοῦ θανάτου εἰς
τὴν ζωήν 1 Jo 3 14 b μεταβεβήκαμεν
6 65 ἐὰν μὴ ᾖ δεδομένον αὐτῷ ἐκ c τοῦ
πατρός 12 49 ἐξ ἐμαυτοῦ οὐκ ἐλάλησα
8 23 ὑμεῖς ἐκ b τῶν κάτω ἐστέ, ἐγὼ ἐκ b
τῶν ἄνω εἰμί· κτλ 42 ἐκ τοῦ θεοῦ ἐξ-
ῆλθον καὶ ἥκω 44 ὑμεῖς ἐκ τοῦ – δια-
βόλου ἐστέ – · ἐκ τῶν ἰδίων λαλεῖ,
ὅτι ψεύστης ἐστίν
10 32 ἔργα ἔδειξα – καλὰ ἐκ τοῦ πατρός
12 32 ἐὰν ὑψωθῶ ἐκ c τῆς γῆς
16 14 ἐκ b τοῦ ἐμοῦ λήμψεται 15 b
– 28 ἐξῆλθον ἐκ c τοῦ πατρός
18 37 πᾶς ὁ ὢν ἐκ τῆς ἀληθείας
Act 5 38 ἐὰν ᾖ ἐξ ἀνθρώπων ἡ βουλὴ αὕτη
39 εἰ δὲ ἐκ θεοῦ ἐστιν
Rm 11 36 ἐξ αὐτοῦ – τὰ πάντα 1 Co 8 6 – 11 12
12 18 τὸ ἐξ ὑμῶν, μετὰ πάντων – εἰρηνεύ.
1 Co 1 30 ἐξ αὐτοῦ – ὑμεῖς ἐστε ἐν Χῷ Ἰησοῦ
7 5 εἰ μήτι ἂν ἐκ συμφώνου πρὸς καιρ.
10 17 ἐκ b τοῦ ἑνὸς ἄρτου μετέχομεν
12 15 ἐὰν εἴπῃ ὁ πούς· – οὐκ εἰμὶ ἐκ b τοῦ
σώματος, οὐ παρὰ τοῦτο οὐκ ἔστιν
ἐκ b τοῦ σώματος 16 b
15 47 ὁ πρῶτος „ἄνθρ. ἐκ b γῆς χοϊκός,"
ὁ δεύτερος ἄνθρωπος ἐξ b οὐρανοῦ
2 Co 3 5 λογίσασθαί τι ὡς ἐξ ἑαυτῶν, ἀλλ' ἡ
ἱκανότης ἡμῶν ἐκ τοῦ θεοῦ 4 7
8 7 τῇ ἐξ ἡμῶν (vl ὑμ., vg vestra) ἐν ὑ-
μῖν (vl ἡμ.) ἀγάπῃ (9 2 vl ἐξ ὑμ. vg
– 11 τὸ ἐπιτελέσαι ἐκ τοῦ ἔχειν [vestra)
9 7 μὴ ἐκ λύπης ἢ ἐξ ἀνάγκης
11 26 κινδύνοις ἐκ γένους, – ἐξ ἐθνῶν
13 4 ἐσταυρώθη ἐξ ἀσθενείας, – ζῇ ἐκ δυ-
νάμεως θεοῦ. – ἡμεῖς – ζήσομεν σὺν
αὐτῷ ἐκ δυνάμεως θεοῦ

Eph 2 8 τοῦτο οὐκ ἐξ ὑμῶν, θεοῦ τὸ δῶρον
3 15 ἐξ οὗ πᾶσα πατριὰ – ὀνομάζεται
4 16 Χριστός, ἐξ οὗ πᾶν τὸ σῶμα συναρ-
μολογούμενον Col 2 19

Phl 1 16 οἱ μὲν ἐξ ἀγάπης 17 ἐξ ἐριθείας

Col 4 9 Ὀνησίμῳ –, ὅς ἐστιν ἐξ ὑμῶν 12

Tit 2 8 ἵνα ὁ ἐξ ἐναντίας ἐντραπῇ

Hb 2 11 ὅ τε γὰρ ἁγιάζων καὶ οἱ ἁγιαζόμενοι
ἐξ ἑνὸς πάντες

1 Jo 2 16 οὐκ ἔστιν ἐκ τοῦ πατρός, ἀλλὰ ἐκ
τοῦ κόσμου ἐστίν
– 19 ἐξ ἡμῶν ἐξῆλθαν, ἀλλ᾿ οὐκ ἦσαν ἐξ
ἡμῶν 21 πᾶν ψεῦδος ἐκ τῆς ἀληθεί-
ας οὐκ ἔστιν 3 8 ἐκ τοῦ διαβόλου ἐ-
στίν 10 οὐκ ἔστιν ἐκ (vl ᵇ) τοῦ θεοῦ
3 19 ὅτι ἐκ τῆς ἀληθείας ἐσμέν
– 24 γινώσκομεν ὅτι μένει ἐν ἡμῖν, ἐκ ᵇ τοῦ
πνεύματος οὗ ἡμῖν ἔδωκεν 4 13 ὅτι
ἐκ ᵇ τοῦ πνεύμ. αὐτοῦ δέδωκεν ἡμῖν

Ap 15 2 τοὺς νικῶντας ἐκ τοῦ θηρίου (accus.)
16 10 ἐμασῶντο τὰς γλώσσας – ἐκ ᵈ τοῦ πό-
νου 11 ἐβλασφήμησαν – ἐκ ᵈ τ. πόνων

*ἔκαστος unusquisque ᵇsinguli

Mat 16 27 „ἀποδώσει ἑ..ῳ κατὰ τὴν πρᾶξιν αὐ-
τοῦ" Rm 2 6 „τὰ ἔργα" 2 Co 5 10 ἵνα
κομίσηται ἕκ. – πρὸς ἃ ἔπραξεν 1 Pe
1 17 τὸν – κρίνοντα κατὰ τὸ ἑ..ου ἔργον
18 35 ἐὰν μὴ ἀφῆτε ἔκαστος τῷ ἀδελφῷ

Act 20 31 οὐκ ἐπαυσάμην – νουθετῶν ἕνα ἕκ.

Rm 12 3 ἑκάστῳ ὡς ὁ θεὸς ἐμέρισεν μέτρον
πίστεως → 1 Co 3 5 7 17 κτλ
14 5 ἔκαστ. ἐν τῷ ἰδίῳ νοΐ πληροφορείσθω
– 12 ἕκ. ἡμῶν περὶ ἑαυτοῦ λόγον δώσει
15 2 ἔκαστος ἡμῶν τῷ πλησίον ἀρεσκέτω

1 Co 3 5 ἑκάστῳ ὡς ὁ κύριος ἔδωκεν 8 ἕκ. δὲ
τὸν ἴδιον μισθὸν λήμψεται 10 ἕκ. δὲ
βλεπέτω πῶς ἐποικοδομεῖ 13 ἑκάστου
τὸ ἔργον φανερὸν γενήσεται· – ἑκά-
στου τὸ ἔργον – τὸ πῦρ – δοκιμάσει
4 5 τότε ὁ ἔπαινος γενήσεται ἑ..ῳ ἀπό
7 2 ἔκαστος τὴν ἑαυτοῦ γυναῖκα ἐχέτω,
καὶ ἑκάστη τὸν ἴδιον ἄνδρα ἐχέτω
– 7 ἔκαστος ἴδιον ἔχει χάρισμα ἐκ θεοῦ
– 17 ἑκάστῳ ὡς μεμέρικεν ὁ κύριος, ἕκα-
στον ὡς κέκληκεν ὁ θεός, οὕτως πε-
ριπατείτω 20 ἔκαστος ἐν τῇ κλήσει ᾗ
ἐκλήθη, – μενέτω 24
12 7 ἑ..ῳ – δίδοται ἡ φανέρωσις τοῦ πνεύ-
ματος πρὸς τὸ συμφέρον 11 πνεῦμα,
διαιροῦν ἰδίᾳ ἑ..ῳ ᵇ 18 ἔθετο τὰ μέ-
λη, ἓν ἔκαστον – καθὼς ἠθέλησεν

1 Co 14 26 ἔκαστος ψαλμὸν ἔχει, διδαχὴν ἔχει
15 23 ἔκαστος δὲ ἐν τῷ ἰδίῳ τάγματι

2 Co 9 7 ἔκαστος καθὼς προῄρηται τῇ καρδίᾳ

Gal 6 4 τὸ – ἔργον ἑαυτοῦ δοκιμαζέτω ἔκαστ.
– 5 ἔκαστος – τὸ ἴδιον φορτίον βαστάσει

Eph 4 7 ἑνὶ – ἑκάστῳ ἡμῶν ἐδόθη ἡ χάρις
– 16 ἐν μέτρῳ ἑνὸς ἑκάστου μέρους
– 25 „λαλεῖτε ἀλήθ. ἕκ. μετὰ τοῦ πλησ."
5 33 ἔκαστ. τὴν ἑαυτοῦ γυναῖκα – ἀγαπά-
τω ὡς ἑαυτόν – 6 8 ἕκ. ἐάν τι ποιή-
σῃ ἀγαθόν, τοῦτο κομίσεται παρά

Phl 2 4 μὴ τὰ ἑαυτῶν ἔκαστοι ᵇ σκοποῦντες,
ἀλλὰ καὶ τὰ ἑτέρων ἔκαστοι (vg °)

Col 4 6 πῶς δεῖ – ἑνὶ ἑκάστῳ ἀποκρίνεσθαι

1 Th 2 11 ἕνα ἔκαστον ὑμῶν – παρακαλοῦντες
4 4 εἰδέναι ἕ..ον ὑμῶν τὸ ἑαυτοῦ σκεῦ-
ος κτᾶσθαι ἐν ἁγιασμῷ καὶ τιμῇ

2 Th 1 3 πλεονάζει ἡ ἀγάπη ἑνὸς ἑ..ου – ὑμῶν

Hb 3 13 παρακαλεῖτε ἑαυτοὺς καθ᾿ ἑκάστην ᵇ
ἡμέραν, ἄχρις οὗ τὸ „σήμερον"

Jac 1 14 ἕκ. δὲ πειράζεται ὑπὸ τῆς ἰδίας ἐπ.

1 Pe 4 10 ἔκαστος καθὼς ἔλαβεν χάρισμα

Ap 2 23 „δώσω" ὑμῖν „ἑ..ῳ κατὰ τὰ ἔργα"
20 13 ἐκρίθησαν ἔκαστος ᵇ „κατὰ τὰ ἔργα"
22 12 „ἀποδοῦναι ἑ..ῳ ὡς τὸ ἔργ. – αὐτοῦ"

ἑκάστοτε Sº – frequenter 2 Pe 1 15

ἑκατονταέτης centum annorum Rm 4 19

ἑκατονταπλασίων ᵃcenties tantum
ᵇcentuplus Mar 10 30 ᵃ Luc 8 8 ᵇ καρπός

ἑκατόνταρχος, ..άρχης centurio
Mat 8 5 προσῆλθεν αὐτῷ ἑκ. 8.13 ‖ Luc 7 2.6
27 54 ‖ Luc 23 47 ὁ ἑκ. – ἐδόξαζεν τ. θεόν
Act 10 1 Κορνήλιος 22 – 21 32 22 25.26 23 17.23
24 23 27 1 ὀνόματι Ἰουλίῳ 6.11.31.43

ἐκβαίνειν exire Hb 11 15 ἀπὸ πατρίδος

ἐκβάλλειν eiicere ᵇexpellere ᶜemittere
ᵈmittere ᵉproferre ᶠiactare

1) ἐκβάλλειν δαιμόνια, πνεύματα →
δαιμόνιον, πνεῦμα 2); hic nonnulli loci
illa nomina non continentes
Mat 8 31 οἱ δὲ δαίμονες παρεκάλουν αὐτὸν –
εἰ ἐκβάλλεις ἡμᾶς, ἀπόστειλον ἡμᾶς
12 26 εἰ ὁ σατανᾶς τὸν σατ. ἐκβάλλει ‖ Mar
3 23 πῶς δύναται σατανᾶς σ..ᾶν ἐκβ.
– 27 εἰ ἐγὼ ἐν Βεεζεβοὺλ ἐκβάλλω τὰ δαι-
μόνια, οἱ υἱοὶ ὑμ. ἐν τίνι ἐκβάλλουσιν

Mat 1719 διὰ τί ἡμεῖς οὐκ ἠδυνήθημεν ἐκβαλεῖν αὐτό; ‖ Mar 918 εἶπα τοῖς μαθηταῖς σου ἵνα αὐτὸ ἐκβάλωσιν 28 Luc 940 ἐδεήθην – ἵνα ἐκβάλωσιν

　2) ceteri loci

Mat 7 4 ἄφες ἐκβάλω τὸ κάρφος 5 ἔκβαλε πρῶτον – τὴν δοκόν, καὶ τότε διαβλέψεις ἐκβαλεῖν τὸ κάρφος ‖ Luc 642 – ἐκβαλεῖν (ut educas)
　812 οἱ δὲ υἱοὶ τῆς βασιλείας ἐκβληθήσονται ‖ Luc 1328 ὑμᾶς – ἐ..ομένους ᵇ
　925 ὅτε – ἐξεβλήθη ὁ ὄχλος Mar 540 ἐκβαλὼν πάντας – Act 940 ὁ Πέτρος
　– 38 ὅπως ἐκβάλῃ ᵈ (vlᵃ) ἐργάτας ‖ Lc 102 ᵈ
　1220 „ἕως ἂν ἐκβάλῃ εἰς νῖκος τ. κρίσιν”
　– 35 ὁ ἀγαθὸς ἄνθρ. – ἐκβάλλει ᵉ ἀγαθά, καὶ ὁ πονηρὸς – ἐκβάλλει ᵉ πονηρά
　1352 οἰκοδεσπότῃ, ὅστις ἐκβάλλει ᵉ ἐκ τοῦ θησαυροῦ αὐτοῦ καινὰ καὶ παλαιά
　1517 εἰς ἀφεδρῶνα ἐκβάλλεται ᶜ
　2112 ἐξέβαλεν – τοὺς πωλοῦντας ‖ Mar 1115 Luc 1945 Joh 215 τὰ πρόβατα
　– 39 ἐξέβαλον ἔξω τοῦ ἀμπελῶνος καὶ ἀπέκτειναν ‖ Mar 128 Luc 2012.15
　2213 ἐκβάλετε ᵈ αὐτὸν εἰς τὸ σκότος τὸ ἐξώτερον 2530 τὸν ἀχρεῖον δοῦλον
Mar 112 τὸ πνεῦμα αὐτὸν ἐκβάλλει ᵇ εἰς τὴν ἔρημον – 43 ἐξέβαλεν αὐτόν
　947 ἔκβαλε αὐτόν (sc τὸν ὀφθαλμόν)
Luc 429 ἐξέβαλον αὐτὸν ἔξω τῆς πόλεως
　622 ὅταν – ὀνειδίσωσιν καὶ ἐκβάλωσιν τὸ ὄνομα ὑμῶν ὡς πονηρόν
　1035 ἐκβαλὼν ᵉ δύο δηνάρια ἔδωκεν
Joh 637 τὸν ἐρχόμενον πρός με οὐ μὴ ἐκβάλω
　934 καὶ ἐξέβαλον αὐτὸν ἔξω 35 ⌊ἔξω
　10 4 ὅταν τὰ ἴδια πάντα ἐκβάλῃ ᶜ
　1231 νῦν ὁ ἄρχων τοῦ κόσμου τούτου ἐκβληθήσεται ἔξω
Act 758 ἐκβαλόντες ἔξω τῆς πόλεως ἐλιθοβόλουν 1350 1637 νῦν λάθρα ἡμᾶς ἐκβάλλουσιν; – 2738 ᶠ τὸν σῖτον
Gal 430 „ἔκβαλε τὴν παιδίσκην καὶ τὸν υἱόν”
Jac 225 ἑτέρᾳ ὁδῷ ἐκβαλοῦσα (sc Ῥαάβ)
3 Jo 10 ἐκ τῆς ἐκκλησίας ἐκβάλλει
Ap 11 2 τὴν αὐλὴν – ἔκβαλε ἔξωθεν

ἔκβασις ᵃproventus ᵇexitus
1 Co 1013 ποιήσει σὺν τῷ πειρασμῷ καὶ τὴν ἔκβασιν ᵃ τοῦ δύνασθαι ὑπενεγκεῖν
Hb 13 7 τῶν ἡγουμένων –, ὧν ἀναθεωροῦντες τὴν ἔκβασιν ᵇ τῆς ἀναστροφῆς

ἐκβολή iactus Act 2718 ἐκβολὴν ἐποιοῦντο

ἔκγονα nepotes 1 Ti 54 εἰ – χήρα – ἔ. ἔχει

ἐκδαπανᾶσθαι Sᵒ → δαπανᾶν 2 Co 1215

ἐκδέχεσθαι expectare (Joh 53 vl πλῆθος – ἐκδεχομένων τὴν τοῦ ὕδατος κίνησιν vg)
Act 1716 ἐκδεχομένου αὐτοὺς τοῦ Παύλου
1 Co 1133 συνερχόμενοι – ἀλλήλους ἐ..σθε – 1611
Hb 1013 1110 τὴν – θεμελίους ἔχουσαν πόλιν
Jac 5 7 γεωργὸς ἐ..εται τὸν τίμιον καρπόν

ἔκδηλος manifestus 2 Ti 39 ἡ – ἄνοια

ἐκδημεῖν Sᵒ – ᵃperegrinari ᵇabesse
2 Co 5 6 ἐ..οῦμεν ᵃ (vl ἀποδ.) ἀπὸ τοῦ κυρίου
　– 8 εὐδοκοῦμεν μᾶλλον ἐ..ῆσαι ᵃ ἐκ (a) τοῦ σώματος 9 εἴτε ἐνδημοῦντες εἴτε ἐ..οῦντες ᵇ (absentes – praesentes)

ἐκδίδοσθαι locare Mat 2133 ἐξέδοτο αὐτὸν γεωργοῖς 41 ‖ Mar 121 Luc 209

ἐκδιηγεῖσθαι ᵃenarrare ᵇnarrare
Act 1341 ᵃ 153 ᵇ τὴν ἐπιστροφὴν τῶν ἐθνῶν

ἐκδικεῖν vindicare ᵇdefendere ᶜulcisci
Luc 18 3 ἐ..ησόν με ἀπὸ τοῦ ἀντιδίκου μου 5
Rm 1219 μὴ ἑαυτοὺς ἐκδικοῦντες ᵇ
2 Co 10 6 ἐκδικῆσαι ᶜ πᾶσαν παρακοήν
Ap 610 „ἕως πότε – οὐ „κρίνεις καὶ ἐκδικεῖς τὸ αἷμα” ἡμῶν ἐκ –; 192 „ἐξεδίκησεν τὸ αἷμα τῶν δούλων” αὐτοῦ „ἐκ χειρὸς” αὐτῆς (sc τῆς πόρνης)

ἐκδίκησις vindicta ᵇultio
Luc 18 7 οὐ μὴ ποιήσῃ τὴν ἐκδίκ. τῶν ἐκλεκτῶν –; 8 ποιήσει τὴν ἐκδ. – ἐν τάχει
　2122 „ἡμέραι ἐκδικήσεως ᵇ” αὗταί εἰσιν
Act 724 ἐποίησεν ἐ..ιν ᵇ τῷ καταπονουμένῳ
Rm 1219 „ἐμοὶ ἐκδ.”, ἐγὼ „ἀνταποδ.” Hb 1030
2 Co 711 πόσην κατειργάσατο ὑμῖν – ἐκδίκησιν
2 Th 1 8 „διδόντος ἐ..ιν τοῖς μὴ εἰδόσιν θεόν”
1 Pe 214 πεμπομένοις εἰς ἐκδίκησιν κακοποιῶν

ἔκδικος vindex Rm 134 ἔκδ. (sc ἡ ἐξουσία) εἰς ὀργὴν τῷ τὸ κακὸν πράσσοντι
1 Th 4 6 „ἔκδικος κύριος” περὶ πάντων τούτων

ἐκδιώκειν persequi 1 Th 215 ἡμᾶς

ἔκδοτος traditus Act 223 βουλῇ – θεοῦ

ἐκδοχή Sᵒ – expectatio Hb 1027 κρίσεως

ἐκδύειν, ..εσϑαι *exuere* [b]*despoliare* [c]*expoliari* Mat 27 28 ('Ιησοῦν) 31 ‖ Mar 15 20
– Luc 10 30[b] – 2 Co 5 4 ἐφ' ᾧ οὐ ϑέλομεν ἐκδύσασϑαι[c] ἀλλ' ἐπενδύσασϑαι

ἐκζητεῖν *inquirere* [b]*requirere* [c]*exquirere*
Luc 11 50 ἵνα ἐκζητηϑῇ τὸ αἷμα – τῶν προφητῶν – ἀπὸ τῆς γενεᾶς ταύτης 51[b]
Act 15 17 „ὅπως ἂν ἐκ..ήσωσιν[b] – τὸν κύριον"
Rm 3 11 „οὐκ ἔστιν ὁ ἐκζητῶν[b] τὸν ϑεόν"
Hb 11 6 τοῖς ἐ..οῦσιν αὐτὸν μισϑαποδότης γίν.
12 17 καίπερ μετὰ δακρύων ἐκζητήσας αὐτήν (sc τὴν μετάνοιαν)
1 Pe 1 10 περὶ ἧς σωτηρίας ἐξεζήτησαν[c] καὶ ἐξηρεύνησαν (*scrutati sunt*) προφῆται

ἐκζήτησις S⁰ – *quaestio* 1 Ti 1 4 ἐκζητήσεις

ἐκϑαμβεῖσϑαι [a]*stupefieri* [b]*pavēre* [c]*obstupescere* (vl ..*stipescere*) [d]*expavescere*
Mar 9 15[a] 14 33 ἤρξατο ἐκϑ.[b] 16 5[c].6 μὴ ἐκϑ.[d]

ἔκϑαμβος S⁰ – *stupens* Act 3 11 ὁ λαός

ἐκϑαυμάζειν *mirari* Mar 12 17 ἐπ' αὐτῷ

ἔκϑετον ποιεῖν S⁰ – *exponere* Act 7 19 βρέφη

ἐκκαϑαίρειν [a]*expurgare* [b]*emundare*
1 Co 5 7[a] τὴν παλαιὰν ζύμην 2 Ti 2 21[b] ἑαυτόν

ἐκκαίεσϑαι *exardescere*
Rm 1 27 ἐξεκαύϑησαν ἐν τῇ ὀρέξει αὐτῶν

ἐκκεντεῖν [a]*transfigere* [b]*pungere*
Joh 19 37 „ὄψονται εἰς ὃν ἐξεκέντησαν[a]" Ap 1 7 οἵτινες αὐτὸν „ἐξεκέντησαν[b]"

ἐκκλᾶσϑαι *frangi* Rm 11 17.19.20

ἐκκλείειν *excludere* Rm 3 27 ποῦ – ἡ καύχησις; ἐξεκλείσθη – Gal 4 17 ἐκκλεῖσαι ὑμᾶς ϑέλουσιν, ἵνα αὐτοὺς ζηλοῦτε

ἐκκλησία *ecclesia*
Mat 16 18 οἰκοδομήσω μου τὴν ἐκ., καὶ πύλαι
18 17 ἐάν – παρακούσῃ αὐτῶν, εἰπὸν τῇ ἐκ.· ἐὰν δὲ καὶ τῆς ἐκκλησίας παρακούσῃ
Act 5 11 φόβος μέγας ἐφ' ὅλην τὴν ἐκκλησίαν
7 38 ὁ γενόμενος ἐν τῇ ἐκ. ἐν τῇ ἐρήμῳ
8 1 διωγμὸς – ἐπὶ τὴν ἐκ. τὴν ἐν Ἱεροσ.
3 Σαῦλος – ἐλυμαίνετο τὴν ἐκκλησίαν
9 31 ἡ – ἐκ. – εἶχεν εἰρήνην οἰκοδομουμένη

Act 11 22 ἠκούσϑη – εἰς τὰ ὦτα τῆς ἐκ. – ἐν Ἱερουσαλήμ 12 1 κακῶσαί τινας τῶν ἀπὸ τῆς ἐκ. 5 προσευχὴ – ὑπὸ τῆς ἐκ..ίας
– 26 συναχϑῆναι ἐν τῇ ἐκ. (Antiochiae) 13 1 κατὰ τὴν οὖσαν ἐκ. προφῆται
14 23 κατ' ἐκκλησίαν πρεσβυτέρους
– 27 συναγαγόντες τὴν ἐκ. (Antiochiae)
15 3 προπεμφϑέντες ὑπὸ τῆς ἐκ. (Ant.)
– 4 παρεδέχϑησαν ἀπὸ τῆς ἐκ. (Ieros.)
– 22 ἔδοξε – τοῖς πρεσβυτ. σὺν ὅλῃ τῇ ἐκ.
– 41 Κιλικίαν ἐπιστηρίζων τὰς ἐκκλησίας
16 5 αἱ – ἐκκλησίαι ἐστερεοῦντο τῇ πίστει
18 22 ἀσπασάμενος τὴν ἐκκλησίαν (Ieros.)
19 32 ἦν γὰρ ἡ ἐκ. συγκεχυμένη 39 ἐν τῇ ἐννόμῳ ἐκκλησίᾳ ἐπιλυϑήσεται 40 ἀπέλυσεν τὴν ἐκκλησίαν
20 17 μετεκαλέσατο τοὺς πρεσβυτ. τῆς ἐκ.
– 28 ποιμαίνειν „τὴν ἐκ. τοῦ ϑεοῦ," ἥν
Rm 16 1 οὖσαν – διάκονον τῆς ἐκ. (Cenchr.)
– 4 οἷς – ἐγὼ – εὐχαριστῶ – καὶ πᾶσαι αἱ ἐκ. τῶν ἐϑνῶν 5 ἀσπάσασϑε – καὶ τὴν κατ' οἶκον αὐτῶν ἐκ. 1 Co 16 19 σὺν τῇ κατ' οἶκον αὐτ. ἐκ. Col 4 15 Phm 2
– 16 ἀσπάζονται ὑμᾶς αἱ ἐκ. πᾶσαι τοῦ Χοῦ 23 ὁ ξένος μου καὶ ὅλης τῆς ἐκ.
1 Co 1 2 τῇ ἐκ. τοῦ ϑεοῦ τῇ οὔσῃ ἐν Κορίνϑῳ 2 Co 1 1 σὺν τοῖς ἁγίοις – ἐν – Ἀχαΐα
4 17 καϑὼς – ἐν πάσῃ ἐκ..ίᾳ διδάσκω 7 17
6 4 τοὺς ἐξουϑενημένους ἐν τῇ ἐκ., τούτους καϑίζετε (vg + *ad iudicandum*);
10 32 ἀπρόσκοποι – γίνεσϑε – τῇ ἐκ. τ. ϑεοῦ
11 16 ἡμεῖς τοιαύτην συνήϑειαν οὐκ ἔχομεν, οὐδὲ αἱ ἐκκλησίαι τοῦ ϑεοῦ
– 18 συνερχομένων ὑμῶν ἐν ἐκκλησίᾳ
– 22 τῆς ἐκκλ. τοῦ ϑεοῦ καταφρονεῖτε –;
12 28 ἔϑετο ὁ ϑεὸς ἐν τῇ ἐκ. – ἀποστόλους
14 4 ὁ – προφητεύων ἐκ..ίαν οἰκοδομεῖ 5 ἵνα ἡ ἐκκλ. οἰκοδομὴν λάβῃ 12 πρὸς τὴν οἰκοδομὴν τῆς ἐκκλ. ζητεῖτε ἵνα περισσεύητε 19 ἐν ἐκκλησίᾳ ϑέλω πέντε λόγους τῷ νοΐ μου λαλῆσαι
– 23 ἐὰν οὖν συνέλϑῃ ἡ ἐκκλ. ὅλη ἐπὶ τὸ αὐτό 28 ἐὰν δὲ μὴ ᾖ διερμηνευτής, σιγάτω ἐν ἐκκλησίᾳ, ἑαυτῷ – λαλείτω
– 33 ὡς ἐν πάσαις ταῖς ἐκ..ίαις τῶν ἁγίων
– 34 αἱ γυναῖκες ἐν ταῖς ἐκκλ. σιγάτωσαν
– 35 αἰσχρὸν – γυναικὶ λαλεῖν ἐν ἐκκλησίᾳ
15 9 διότι ἐδίωξα τὴν ἐκ. τοῦ ϑεοῦ Ga 1 13 καϑ' ὑπερβολὴν ἐδίωκον τὴν ἐκ. Phl 3 6 κατὰ ζῆλος διώκων τὴν ἐκ.
16 1 ὥσπερ διέταξα ταῖς ἐκ. τῆς Γαλατία
– 19 ἀσπάζονται ὑμᾶς αἱ ἐκ. τῆς Ἀσία

2 Co 8 1 τὴν χάριν τοῦ θεοῦ τὴν δεδομένην
ἐν ταῖς ἐκκλησίαις τῆς Μακεδονίας
– 18 τὸν ἀδελφὸν οὗ ὁ ἔπαινος – διὰ πα-
σῶν τῶν ἐκκλ. 19 χειροτονηθεὶς ὑπὸ
τῶν ἐκκλ. συνέκδημος 23 ἀπόστολοι
ἐκκλησιῶν 24 εἰς πρόσωπον τῶν ἐκκλ.
11 8 ἄλλας ἐκκλησίας ἐσύλησα λαβὼν ὀψ.
– 28 ἡ μέριμνα πασῶν τῶν ἐκκλησιῶν
12 13 τί – ἡσσώθητε ὑπὲρ τὰς λοιπὰς ἐκ. –;
Gal 1 2 ταῖς ἐκ. τῆς Γαλατ. – 1 13 → 1 Co 15 9
– 22 ἤμην – ἀγνοούμενος – ταῖς ἐκκλησίαις
τῆς Ἰουδαίας ταῖς ἐν Χῷ
Eph 1 22 αὐτὸν ἔδωκεν κεφαλὴν – τῇ ἐκκλησίᾳ
5 23 ὡς – ὁ Χὸς κεφαλὴ τῆς ἐκκλησίας
Col 1 18 αὐτός ἐστιν ἡ κεφ. τοῦ σώ-
ματος, τῆς ἐκκλησίας 24 ὑπὲρ τοῦ
σώματος αὐτοῦ, ὅ ἐστιν ἡ ἐκκλησία
3 10 ἵνα γνωρισθῇ – διὰ τῆς ἐκλησίας ἡ
πολυποίκιλος σοφία τοῦ θεοῦ
– 21 αὐτῷ ἡ δόξα ἐν τῇ ἐκ..ίᾳ καὶ ἐν Χῷ
5 24 ὡς ἡ ἐκ. ὑποτάσσεται τῷ Χῷ 25 καθ-
ὼς καὶ ὁ Χὸς ἠγάπησεν τὴν ἐκ..ίαν
καὶ ἑαυτὸν παρέδωκεν ὑπὲρ αὐτῆς
– 27 ἵνα παραστήσῃ – ἑαυτῷ ἔνδοξον τὴν
ἐκ. 29 καθὼς – ὁ Χὸς (sc θάλπει) τὴν
ἐκ. 32 τὸ μυστήριον – μέγα –, ἐγὼ δὲ
λέγω εἰς Χὸν καὶ [εἰς] τὴν ἐκκλησίαν
Phl 4 15 οὐδεμία μοι ἐκκλησία ἐκοινώνησεν
3 6 → 1 Co 15 9 – Col 4 15 → Rm 16 4
Col 4 16 ἵνα καὶ ἐν τῇ Λαοδ. ἐκ. ἀναγνωσθῇ
1 Th 1 1 τῇ ἐκκλησίᾳ Θεσσαλονικέων ἐν θεῷ
πατρὶ καὶ κυρίῳ Ἰησοῦ Χῷ 2 Th 1 1
2 14 μιμηταὶ ἐγενήθητε – τῶν ἐκ. τοῦ θεοῦ
τῶν οὐσῶν ἐν τῇ Ἰουδαίᾳ ἐν Χῷ
2 Th 1 4 ἐγκαυχᾶσθαι ἐν ταῖς ἐκκλ. τοῦ θεοῦ
1 Ti 3 5 πῶς ἐκκλησίας θεοῦ ἐπιμελήσεται;
– 15 ἥτις ἐστὶν ἐκκλ. θεοῦ ζῶντος, στῦλος
5 16 μὴ βαρείσθω ἡ ἐκ. – Phm 2 → Rm 16 4
Hb 2 12 „ἐν μέσῳ ἐκκλησίας ὑμνήσω σε"
12 23 προσεληλύθατε – ἐκ..ίᾳ πρωτοτόκων
Jac 5 14 προσκαλεσάσθω τοὺς πρεσβ. τῆς ἐκ.
3 Jo 6 ἐμαρτύρησάν σου τῇ ἀγάπῃ ἐνώπιον
ἐκκλησίας 9 ἔγραψά τι τῇ ἐκ. 10 τοὺς
βουλομένους – ἐκ τῆς ἐκκλ. ἐκβάλλει
Ap 1 4 ταῖς ἑπτὰ ἐκ..ίαις ταῖς ἐν τῇ Ἀσίᾳ 11
– 20 ἄγγελοι τῶν ἑπτὰ ἐκκλ. εἰσιν, καὶ αἱ
λυχνίαι αἱ ἑπτὰ ἑπτὰ ἐκκλησίαι εἰσίν
2 1 τῷ ἀγγέλῳ τῆς ἐν Ἐφ. ἐκ. γράψον·
8 ἐν Σμύρ. 12 ἐν Περγ. 18 ἐν Θυατ.
31 ἐν Σάρδ. 7 ἐν Φιλαδ. 14 ἐν Λαοδ.
– 7 ἀκουσάτω τί τὸ πνεῦμα λέγει ταῖς
ἐκκλησίαις 11. 17. 29 3 6. 13. 22

Ap 2 23 γνώσονται πᾶσαι αἱ ἐκκλησίαι ὅτι ἐγώ
22 16 μαρτυρῆσαι ὑμῖν ταῦτα ἐπὶ ταῖς ἐκ.

ἐκκλίνειν declinare Rm 3 12 „πάντες ἐξέκλι-
ναν" 16 17 ἐκκλίνετε ἀπ᾽ αὐτῶν – 1 Pe 3 11
„ἐ..άτω ἀπὸ κακοῦ καὶ ποιησάτω ἀγαθόν"

ἐκκολυμβᾶν S° – enatare Act 27 42

ἐκκομίζειν S° – efferre Luc 7 12

ἐκκόπτειν excidere ᵇsuccidere ᶜabscidere
(..ind.) ᵈamputare
Mat 3 10 ἐκκόπτεται καὶ εἰς πῦρ βάλλεται 7 19
‖ Luc 3 9 – 13 7 ἔκκοψόνᵇ αὐτήν 9 ᵇ
5 30 εἰ ἡ δεξιά σου – σκανδαλίζει σε, ἔκ-
κοψονᶜ αὐτήν 18 8 ἢ ὁ πούς σουᶜ
Rm 11 22 ἐπεὶ καὶ σὺ ἐκκοπήσῃ 24 εἰ – ἐκ τῆς
κατὰ φύσιν ἐξεκόπης ἀγριελαίου
2 Co 11 12 ἵνα ἐκκόψωᵈ τὴν ἀφορμὴν τῶν θελόντ.

ἐκκρέμασθαι suspensum esse Luc 19 48 ὁ
λαὸς – ἅπας ἐξεκρέματο αὐτοῦ ἀκούων

ἐκλαλεῖν loqui Act 23 22 μηδενὶ ἐκλαλῆσαι

ἐκλάμπειν fulgēre Mat 13 43 „δίκαιοι ἐκλάμψ."

ἐκλανθάνεσθαι S° – oblivisci
Hb 12 5 ἐκλέλησθε τῆς παρακλήσεως, ἥτις

ἐκλέγεσθαι eligere
Mar 13 20 διὰ τοὺς ἐκλεκτοὺς οὓς ἐξελέξατο
Luc 6 13 ἐκλεξάμενος – δώδεκα Act 1 2
9 35 „ὁ υἱός μου ὁ ἐκλελεγμένος (vl ἀγα-
πητός vg dilectus), αὐτοῦ ἀκούετε"
10 42 τὴν ἀγαθὴν μερίδα ἐξελέξατο
14 7 πῶς τὰς πρωτοκλισίας ἐξελέγοντο
Joh 6 70 οὐκ ἐγὼ ὑμᾶς τοὺς δώδεκα ἐξελε-
ξάμην; 13 18 οἶδα τίνας ἐξελεξάμην
15 16 οὐχ ὑμεῖς με ἐξελέξασθε, ἀλλ᾽ ἐγὼ
ἐξελεξάμην ὑμᾶς 19 ἐκ τοῦ κόσμου
Act 1 24 ἀνάδειξον ὃν ἐξελέξω ἐκ τούτων
6 5 ἐξελέξαντο Στέφανον, – καὶ Φίλιππ.
13 17 ἐξελέξατο τοὺς πατέρας ἡμῶν
15 7 ἐξελέξατο ὁ θεὸς διὰ τοῦ στόματός
μου ἀκοῦσαι τὰ ἔθνη τὸν λόγον
– 22 ἔδοξε – ἐκλεξαμένους ἄνδρας ἐξ αὐ-
τῶν πέμψαι εἰς Ἀντιόχειαν 25
1 Co 1 27 τὰ μωρὰ τοῦ κόσμου ἐξελέξατο ὁ
θεὸς –, τὰ ἀσθενῆ – 28 τὰ ἀγενῆ
Eph 1 4 καθὼς ἐξελέξατο ἡμᾶς ἐν αὐτῷ
Jac 2 5 οὐχ ὁ θεὸς ἐξελέξατο τ. πτωχούς –;

ἐκλείπειν *deficere*
Luc 16 9 ἵνα ὅταν ἐκλίπῃ (sc ὁ μαμωνᾶς) (vl
    ἐκλίπητε vg *defeceritis*) – 2345 τοῦ
    ἡλίου ἐκλιπόντος (vl καὶ ἐσκοτίσθη
    ὁ ἥλιος vg *et obscuratus est sol*)
  2232 ἵνα μὴ ἐκλίπῃ ἡ πίστις σου
Hb 112 „τὰ ἔτη σου οὐκ ἐκλείψουσιν"

ἐκλεκτός *electus*
Mat 2214 πολλοὶ – κλητοί, ὀλίγοι δὲ ἐκλεκτοί
  2422 διὰ – τοὺς ἐκλεκτοὺς κολοβωθήσον-
  ται αἱ ἡμέραι 24 πλανῆσαι – καὶ τοὺς
  ἐκλεκτοὺς 31 ἐπισυνάξουσιν τοὺς ἐκ-
  λεκτοὺς αὐτοῦ ‖ Mar 1320.22.27
Luc 18 7 τὴν ἐκδίκησιν τῶν ἐκλεκτῶν αὐτοῦ –;
  2335 ὁ χριστὸς τοῦ θ. ὁ ἐκλ. (vl Joh 134)
Rm 833 τίς ἐγκαλέσει κατὰ ἐκλεκτῶν θεοῦ;
  1613 Ῥοῦφον τὸν ἐκλεκτὸν ἐν κυρίῳ
Col 312 ἐνδύσασθε –, ὡς ἐ..οὶ τοῦ θεοῦ ἅγιοι
1 Ti 521 ἐνώπιον – τῶν ἐκλεκτῶν ἀγγέλων
2 Ti 210 πάντα ὑπομένω διὰ τοὺς ἐκλεκτούς
Tit 1 1 κατὰ πίστιν ἐκλεκτῶν θεοῦ
1 Pe 1 1 ἐκλεκτοῖς παρεπιδήμοις διασπορᾶς
  2 4 „λίθον" –, – παρὰ δὲ θεῷ „ἐκλεκτὸν
  ἔντιμον" 6 „ἐν Σιὼν λίθον ἐκλεκτόν"
  – 9 ὑμεῖς δὲ „γένος ἐ..όν, βασίλειον ἱερ."
2 Jo 1 ἐκλεκτῇ (vg *El.* vl *el.*) κυρίᾳ (*domi-
  nae*) 13 τῆς ἀδελφῆς σου τῆς ἐκλε-
  κτῆς (vg *El.* vl *el.*)
Ap 1714 οἱ μετ᾽ αὐτοῦ κλητοὶ καὶ ἐκλεκτοί

ἐκλογή *electio*
Act 915 ὅτι σκεῦος ἐκλογῆς ἐστίν μοι οὗτος
Rm 911 ἡ κατ᾽ ἐκλογὴν πρόθεσις τοῦ θεοῦ
  11 5 λεῖμμα κατ᾽ ἐκλογὴν χάριτος γέγονεν
  – 7 ὃ ἐπιζητεῖ Ἰσραήλ, – οὐκ ἐπέτυχεν,
  ἡ δὲ ἐκλογὴ ἐπέτυχεν 28 κατὰ – τὴν
  ἐκλογὴν ἀγαπητοὶ διὰ τοὺς πατέρας
1 Th 1 4 εἰδότες – τὴν ἐκλογὴν ὑμῶν, ὅτι
2 Pe 110 σπουδάσατε βεβαίαν ὑμῶν τὴν κλῆ-
  σιν καὶ ἐκλογὴν ποιεῖσθαι

ἐκλύεσθαι *deficere* [b] *fatigari*
Mat 1532 μήποτε ἐκλυθῶσιν ἐν τῇ ὁδῷ ‖ Mar 8 3
Gal 6 9 καιρῷ – ἰδίῳ θερίσομεν μὴ ἐ..όμενοι
Hb 12 3 μὴ κάμητε ταῖς ψυχαῖς – ἐκλυόμενοι
  – 5 „μηδὲ ἐκλύου [b] – ἐλεγχόμενος"

ἐκμάσσειν [a] *tergere* [b] *extergere*
Luc 738 [a] ταῖς θριξίν 44 [a] Joh 112 [b] 123 [b]
Joh 13 5 [b] τῷ λεντίῳ ᾧ ἦν διεζωσμένος

ἐκμυκτηρίζειν *deridēre* Luc 1614 2335

ἐκνεύειν *declinare* Joh 513 Ἰησοῦς ἐξένευσεν

ἐκνήφειν *evigilare* 1 Co 1534 δικαίως

ἑκούσιος *voluntarius* Phm 14 κατὰ ἑκούσιον

ἑκουσίως [a] *voluntarie* [b] *spontanee*
Hb 1026 ἑκουσίως [a] γὰρ ἁμαρτανόντων ἡμῶν
1 Pe 5 2 μὴ ἀναγκαστῶς ἀλλὰ ἑ. [b] κατὰ θεόν

ἔκπαλαι S° – *iam olim* 2 Pe 23, *prius* 35

ἐκπειράζειν *tentare*
Mat 4 7 „οὐκ ἐκπειράσεις κύριον" ‖ Luc 412
Luc 1025 ἀνέστη ἐκπειράζων αὐτόν (Jesum)
1 Co 10 9 μηδὲ ἐκ..ζωμεν τὸν κύριον (vl Χόν)

ἐκπέμπειν *mittere* Act 134, *dimittere* 1710

ἐκπερισσῶς S° – *amplius* Mar 1431 ἐλάλει

ἐκπετaννύναι *expandere* Rm 1021 χεῖρας

ἐκπηδᾶν *exilire* Act 1414 εἰς τὸν ὄχλον

ἐκπίπτειν *excidere* [b] *incidere* [c] *decidere*
    [d] *cadere* [e] *devenire*
Act 12 7 [d] 2717 [b] 26 [e] 29 [b] 32
Rm 9 6 οὐχ – ὅτι ἐκπέπτωκεν ὁ λόγος τοῦ
Gal 5 4 τῆς χάριτος ἐξεπέσατε |θεοῦ
Jac 111 „τὸ ἄνθος – ἐξέπεσεν [c]" 1 Pe 124 [c]
2 Pe 317 ἵνα μὴ – ἐκπέσητε τοῦ ἰδίου στηριγμοῦ

ἐκπλεῖν S° – *navigare*
Act 1539 (vl ἔπλευσεν) 1818 (vl ἔπλευσεν) 206

ἐκπληροῦν *adimplēre* Act 1333 ἐπαγγελίαν

ἐκπλήρωσις *expletio* Act 2126 ἡμερῶν

ἐκπλήσσεσθαι *admirari* (vl *ammirari*)
    [b] *mirari* [c] *stupēre*
Mat 728 ἐξεπλήσσοντο – ἐπὶ τῇ διδαχῇ αὐτοῦ
  ‖ Mar 122 [c] Luc 432 [c] – Mat 2233 [b] Mar
  1118 – Mat 1354 ἐδίδασκεν – ὥστε ἐκπλ. [b]
  αὐτούς ‖ Mar 62 – Mat 1925 οἱ μαθη-
  ταὶ ἐξεπλήσσοντο [b] σφόδρα ‖ Mar 1026
  περισσῶς – 737 ὑπερπερισσῶς
Luc 248 ἰδόντες αὐτὸν ἐξεπλάγησαν
  943 ἐξεπλήσσοντο [c] – ἐπὶ τῇ μεγαλειότητι
Act 1312 ἐκ..όμενος ἐπὶ τῇ διδαχῇ τοῦ κυρίου

ἐκπνεῖν S° – *expirare*
Mar 1537 Ἰησοῦς – ἐξέπνευσεν 39 ‖ Luc 2346

ἐκπορεύεσθαι procedere ᵇexire ᶜegredi ᵈdivulgari ᵉeiici ᶠproficisci
Mat 3 5ᵇ ‖ Mar 15ᶜ ἡ Ἰουδαία χώρα Luc 37ᵇ
4 4 „ἐπὶ παντὶ ῥήματι ἐκπορευομένῳ διὰ στόματος θεοῦ"
15 11 τὸ ἐ..όμενον ἐκ τοῦ στόματος – κοινοῖ 18 τὰ δὲ ἐκπ. ἐκ τοῦ στόματος ἐκ τῆς καρδίας ἐξέρχεται ‖ Mar 7 15 τὰ ἐκ τοῦ ἀνθρ. ἐ..όμενά ἐστιν τὰ κοινοῦντα 19 εἰς τὸν ἀφεδρῶνα ἐκπορεύεται ᵇ (vl ἐξέρχ., ἐκβάλλεται, χωρεῖ) 20 τὸ ἐκ τοῦ ἀνθρ. ἐ..όμενονᵇ – κοινοῖ 21 ἔσωθεν – οἱ διαλογισμοὶ οἱ κακοὶ ἐκπορεύονται 23 ταῦτα τὰ πονηρὰ ἔσωθεν ἐκπορεύεται καὶ κοινοῖ (17 21 vl τοῦτο – τ. γένος οὐκ ἐ..εταιᵉ εἰ μή)
20 29 ἐ..ομένωνᶜ – ἀπὸ Ἰεριχώ ‖ Mar 10 46ᶠ
Mar 6 11 ἐκπορευόμενοιᵇ – ἐκτινάξατε – 10 17ᶜ
11 19ᶜ ἔξω τ. πόλεως 13 1ᶜ ἐκ τ. ἱεροῦ
Luc 4 22 ἐπὶ τοῖς λόγοις τῆς χάριτος τοῖς ἐκπορευομένοις ἐκ τοῦ στόματος αὐτοῦ – 37 ἐξεπορεύετοᵈ ἦχος περὶ αὐτοῦ
Joh 5 29 ἐκπορεύσονται – εἰς ἀνάστασιν ζωῆς, – εἰς ἀνάστασιν κρίσεως
15 26 τὸ πνεῦμα τῆς ἀληθείας ὃ παρὰ τοῦ πατρὸς ἐκπορεύεται
Act 9 28ᵇ εἰς Ἰερουσαλήμ – 19 12 τὰ δὲ πνεύματα τὰ πονηρὰ ἐ..εσθαιᶜ – 25 4ᶠ
Eph 4 29 πᾶς λόγος σαπρὸς ἐκ τοῦ στόματος ὑμῶν μὴ ἐκπορευέσθω, ἀλλὰ εἴ τις
Ap 1 16 ἐκ τοῦ στόματος αὐτοῦ ῥομφαία δίστομος–ἐκπορευομένηᵇ 19 15 ῥ. ὀξεῖα
4 5 „ἐκπορεύονται ἀστραπαὶ καὶ φωναί"
9 17 ἐκ τῶν στομάτων–ἐκπ. πῦρ 18 11 5ᵇ
16 14 πνεύματα δαιμονίων–, ἃ ἐκπορεύεται ἐπὶ τοὺς βασιλεῖς τῆς οἰκουμένης
22 1 „ποταμὸν ὕδατος ζωῆς–, ἐκπορευόμενον" ἐκ τοῦ θρόνου τοῦ θεοῦ

ἐκπορνεύειν exfornicari Jud 7 ὡς Σόδομα

ἐκπτύειν Sᵒ – respuere Gal 4 14

ἐκριζοῦν, ..οῦσθαι eradicare, ..ri
Mat 13 29 15 13 Luc 17 6 ἐκριζώθητι Jud 12

ἔκστασις stupor ᵇstupor mentis ᶜexcessus mentis ᵈextasis ᵉpavor
Mar 5 42 ἐξέστησαν εὐθὺς ἐκστάσει μεγάλῃ
16 8 εἶχεν–αὐτὰς τρόμος καὶ ἔκστασιςᵉ
Luc 5 26 ἔκστασις ἔλαβεν ἅπαντας
Act 3 10 ἐπλήσθησαν θάμβους καὶ ἐκστάσεωςᵈ

Act 10 10 ἐγένετο ἐπ᾽ αὐτὸν ἔκστ.ᶜ 11 5 εἶδον ἐκ ἐ..ειᶜ ὅραμα, καταβαῖνον σκεῦος
22 17 ἐγένετο – γενέσθαι με ἐν ἐκστάσειᵇ

ἐκστρέφεσθαι (pass) subverti Tit 3 11 εἰδὼς ὅτι ἐξέστραπται ὁ τοιοῦτος (sc αἱρετικός)

ἐκταράσσειν conturbare Act 16 20 πόλιν

ἐκτείνειν extendere
Mat 8 3 ἐ..ας τὴν χεῖρα ἥψατο αὐτοῦ ‖ Mar 14 1 Luc 5 13 – Mat 14 31 ἐπελάβετο αὐτοῦ – 12 49 ἐπὶ τοὺς μαθητὰς αὐτοῦ
12 13 ἔκτεινόν σου τὴν χεῖρα. καὶ ἐξέτεινεν καὶ ἀπεκατεστάθη ‖ Mar 3 5 Luc 6 10
26 51 ἐ..ας τὴν χεῖρα ἀπέσπασεν τὴν μάχ.
Luc 22 53 οὐκ ἐξετείνατε τὰς χεῖρας ἐπ᾽ ἐμέ
Joh 21 18 ἐκτενεῖς τὰς χεῖ. σου, καὶ ἄλλος ζώ.
Act 4 30 ἐν τῷ τὴν χεῖρα ἐ..ειν σε εἰς ἴασιν καὶ σημεῖα – γίνεσθαι διὰ τοῦ ὀνόματ.
26 1 – 27 30 ἀγκύρας μελλόντων ἐκτείνειν

ἐκτελεῖν ᵃperficere ᵇconsummare
Luc 14 29 μὴ ἰσχύοντος ἐ..έσαιᵃ 30 οὐκ ἴσχυσ.ᵇ

ἐκτένεια vgᵒ Act 26 7 ἐν ἐκτενείᾳ – λατρεῦον

ἐκτενής continuus 1 Pe 4 8 πρὸ πάντων τὴν εἰς ἑαυτοὺς ἀγάπην ἐκτενῆ ἔχοντες

ἐκτενῶς, ἐκτενέστερον ᵃattentius ᵇsine intermissione ᶜprolixius
Luc 22 44 γενόμ. ἐν ἀγωνίᾳ ἐ..ονᶜ προσηύχετο
Act 12 5 προσευχὴ – ἦν ἐ..ῶςᵇ γινομένη ὑπό
1 Pe 1 22 ἀλλήλους ἀγαπήσατε ἐκτενῶςᵃ

ἐκτίθεσθαι exponere Act 7 21 (Moses)
Act 11 4 Πέτρος ἐξετίθετο αὐτοῖς – λέγων·
18 26 αὐτῷ ἐξέθεντο τὴν ὁδὸν τοῦ θεοῦ
28 23 οἷς ἐξετίθετο διαμαρτυρόμενος τὴν βασιλείαν τοῦ θεοῦ

ἐκτινάσσειν, ..εσθαι excutere
Mat 10 14 τὸν κονιορτόν ‖ Mar 6 11 – Act 13 51 18 6

*ἐκτός, τὸ ἐκτός extra ᵇquod deforis est
Mat 23 26 ἵνα γένηται καὶ τὸ ἐκτόςᵇ – καθαρόν
1 Co 6 18 πᾶν ἁμάρτημα – ἐκτὸς τοῦ σώματος
2 Co 12 2 εἴτε ἐκτὸς τοῦ σώματος οὐκ οἶδα

ἐκτρέπεσθαι converti ᵇdevitare ᶜerrare
1 Ti 1 6 ἐξετράπησαν εἰς ματαιολογίαν

1 Ti 5 15 τινὲς ἐξετράπησαν ὀπίσω τοῦ σατανᾶ
6 20 ἐκτρεπόμενος ᵇ τὰς – κενοφωνίας
2 Ti 4 4 ἐπὶ – τοὺς μύθους ἐκτραπήσονται
Hb 12 13 ἵνα μὴ τὸ χωλὸν ἐκτραπῇ ᶜ, ἰαθῇ δέ

ἐκτρέφειν ᵃ nutrire ᵇ educare
Eph 5 29 ᵃ τὴν ἑαυτοῦ σάρκα 64 ᵇ ἐν παιδείᾳ

ἔκτρωμα abortivum 1 Co 15 8 ὡσπερεὶ τῷ ἐ.

ἐκφέρειν efferre ᵇ proferre ᶜ auferre ᵈ educere
ᵉ eiicere
Mar 8 23 (vl ἐξήγαγεν) ᵈ Luc 15 22 ᵇ στολήν
Act 5 6 ἐξενέγκαντες ἔθαψαν 9.10 – 15 ᵉ
1 Ti 6 7 οὐδὲ ἐξενεγκεῖν ᶜ τι δυνάμεθα
Hb 6 8 „ἐκφέρουσα ᵇ (sc γῆ) δὲ ἀκάνθας"

ἐκφεύγειν effugere ᵇ fugere
Luc 21 36 κατισχύσητε ἐκφυγεῖν ᵇ ταῦτα πάντα
Act 16 27 ᵇ 19 16 – 2 Co 11 33 τὰς χεῖρας αὐτοῦ
Rm 2 3 ὅτι σὺ ἐκφεύξῃ τὸ κρίμα τοῦ θεοῦ;
1 Th 5 3 καὶ οὐ μὴ ἐκφύγωσιν
Hb 2 3 πῶς ἡμεῖς ἐκφευξόμεθα –;
12 25 εἰ γὰρ ἐκεῖνοι οὐκ ἐξέφυγον

ἐκφοβεῖν terrēre 2 Co 10 9 διὰ – ἐπιστολῶν

ἔκφοβος exterritus ᵇ timore exterritus
Mar 9 6 ᵇ Hb 12 21 „ἔκφοβός εἰμι" κ. ἔντρομος

ἐκφύειν Sᵒ – nasci (ex lectione ἐκφυῇ)
Mat 24 32 ὅταν – τὰ φύλλα ἐκφύῃ (vl ἐκφυῇ) ‖
Mar 13 28 (vg nata fuerint)

ἐκχέειν, ἐκχύννειν effundere ᵇ fundere
ᶜ diffundere
Mat 9 17 ὁ οἶνος ἐκχεῖται ‖ Luc 5 37 ἐκχυθήσε.
23 35 πᾶν αἷμα δίκαιον ἐκχυννόμενον ἐπὶ
τῆς γῆς ‖ Luc 11 50 ἐκκεχυμένον
26 28 τὸ περὶ πολλῶν ἐκχυννόμενον ‖ Mar
14 24 ὑπὲρ π. [Luc 22 20 ᵇ ὑπὲρ ὑμῶν]
Joh 2 15 τῶν κολλυβιστῶν ἐξέχεεν τὰ κέρματα
Act 1 18 ἐξεχύθη ᶜ – τὰ σπλάγχνα αὐτοῦ
2 17 „ἐκχεῶ ἀπὸ τοῦ πνεύμ. μου" 18.33
10 45 ὅτι καὶ ἐπὶ τὰ ἔθνη ἡ δωρεὰ τοῦ ἁ-
γίου πνεύματος ἐκκέχυται
22 20 ὅτε ἐξεχύννετο ᵇ τὸ αἷμα Στεφάνου
Rm 3 15 „ὀξεῖς οἱ πόδες αὐτῶν ἐκχέαι αἷμα"
5 5 ἡ ἀγάπη τοῦ θεοῦ ἐκκέχυται ᶜ ἐν
ταῖς καρδίαις ἡμῶν διὰ πνεύματος
Tit 3 6 πνεύματος ἁγίου, οὗ ἐξέχεεν ἐφ' ἡ-
μᾶς πλουσίως διὰ Ἰησοῦ Χοῦ

Jud 11 τῇ πλάνῃ τοῦ Βαλαὰμ – ἐξεχύθησαν
Ap 16 1 „ἐκχέετε" τὰς ἑπτὰ φιάλας „τοῦ θυ-
μοῦ τοῦ θεοῦ" 2.3.4.8.10.12.17
– 6 „αἷμα" ἁγίων καὶ προφ. „ἐξέχεαν"

ἐκχωρεῖν discedere Luc 21 21 ἐκχωρείτωσαν

ἐκψύχειν expirare Act 5 5 ἐξέψυξεν 10 12 23

ἑκών volens Rm 8 20 τῇ – ματαιότητι ἡ
κτίσις ὑπετάγη, οὐχ ἑκοῦσα
1 Co 9 17 εἰ – ἑκὼν τοῦτο πράσσω, μισθὸν ἔχω

ἐλαία oliva ᵇ (Mons) oliveti → ἐλαιών
Mat 21 1 εἰς τὸ ὄρος τῶν ἐλαιῶν ᵇ (oliveti) ‖
Mar 11 1 – Mat 24 3 ἐπὶ τοῦ ὄρους τῶν
ἐλ. ᵇ ‖ Mar 13 3 – Mat 26 30 ἐξῆλθον
εἰς τὸ ὄ. τῶν ἐλ. ᵇ ‖ Mar 14 26 Luc 22
39 – 19 37 πρὸς τῇ καταβάσει τοῦ ὄ.
τ. ἐλ. ᵇ [Joh 8 1 εἰς τὸ ὄρος τῶν ἐλ. ᵇ]
Rm 11 17 συγκοινωνὸς τῆς ῥίζης τῆς πιότητος
τῆς ἐλαίας ἐγένου 24
Jac 3 12 μὴ δύναται – συκῆ ἐλαίας (vg uvas
vl olivas) ποιῆσαι –;
Ap 11 4 οὗτοί εἰσιν „αἱ δύο ἐλαῖαι"

ἔλαιον oleum
Mat 25 3.4.8 δότε ἡμῖν ἐκ τοῦ ἐλαίου ὑμῶν
Mar 6 13 ἤλειφον ἐλαίῳ πολλοὺς ἀρρώστους
Luc 7 46 ἐ..ῳ τὴν κεφαλήν μου οὐκ ἤλειψας
10 34 ἐπιχέων ἔλαιον καὶ οἶνον
16 6 ὁ δὲ εἶπεν· ἑκατὸν βάτους ἐλαίου
Hb 1 9 „ἔχρισέν σε – ἔλαιον ἀγαλλιάσεως"
Jac 5 14 προσευξάσθωσαν ἐπ' αὐτὸν ἀλείψαν-
τες ἐλαίῳ ἐν τῷ ὀνόματι τοῦ κυρίου
Ap 6 6 τὸ ἔλ. καὶ τ. οἶνον μὴ ἀδικήσῃς 18 13

ἐλαιών Olivetum (qui vocatur Oliveti)
Luc 19 29 πρὸς τὸ ὄρος τὸ καλούμενον ἐλαιών
(vl ἐλαιῶν) 21 37 ηὐλίζετο εἰς τὸ –
Act 1 12 ἀπὸ ὄρους τοῦ καλουμένου ἐλαιῶνος

Ἐλαμῖται Aelamitae (vl Elamitae) Act 2 9

ἐλάσσων, ἔλαττον (neutr. et adv.)
minor ᵇ deterior ᶜ minus (adv.)
Joh 2 10 τίθησιν, – τὸν ἐλάσσω ᵇ (sc οἶνον)
Rm 9 12 „ὁ μείζων δουλεύσει τῷ ἐλάσσονι"
1 Ti 5 9 χήρα – μὴ ἔλαττον ᶜ ἐτῶν ἑξήκοντα
Hᵇ 7 7 τὸ ἔ..ον ὑπὸ τ. κρείττονος εὐλογεῖται

ἐλαττονεῖν minorare 2 Co 8 15 „οὐκ ἠλαττ."

ἐλαττοῦν *minuere* [b]*minorare*
Joh 330 ἐμὲ δὲ (sc δεῖ) ἐλαττοῦσθαι (..*ui*)
Hb 2 7 „ἠλάττωσας αὐτὸν βραχύ τι παρ’
ἀγγέλους” 9 τὸν – „ἠλαττωμένον[b]”

ἐλαύνειν *remigare* [b]*agere* [c]*minare*
[d]*exagitare* Mar 648 ‖ Joh 619
Luc 829 ἠλαύνετο[b] ἀπὸ (vl ὑπὸ) τοῦ δαιμο-
νίου εἰς τὰς ἐρήμους
Jac 3 4 πλοῖα – ὑπὸ ἀνέμων – ἐλαυνόμενα[c]
2 Pe 217 ὁμίχλαι ὑπὸ λαίλαπος ἐλαυνόμεναι[d]

ἐλαφρία S° – *levitas* 2 Co 117 τοῦτο – βου-
λόμενος μήτι ἄρα τῇ ἐλαφρίᾳ ἐχρησάμην;

ἐλαφρός *levis*
Mat 1130 τὸ φορτίον μου ἐλαφρόν ἐστιν
2 Co 417 τὸ – παραυτίκα ἐλαφρὸν τῆς θλίψεως

ἐλάχιστος, ..ιστότερος *minimus* [b](εἰς ἐ..ον)
pro minimo [c]*minor* [d]*modicus*
Mat 2 6 οὐδαμῶς „ἐλαχίστη εἶ ἐν τοῖς ἡγ.”
519 ὃς ἐὰν – λύσῃ μίαν τῶν ἐντολῶν – τῶν
ἐλαχίστων –, ἐλάχιστος κληθήσεται
2540 ἑνὶ – τῶν ἀδελφῶν μου τῶν ἐλαχίστων
45 οὐκ – ἑνὶ τούτων τῶν ἐλαχίστων[c]
Luc 1226 εἰ – οὐδὲ ἐλάχιστον δύνασθε, –;
1610 ὁ πιστὸς ἐν ἐ..ῳ –, καὶ ὁ ἐν ἐ..ῳ[d]
ἄδικος 1917 ἐν ἐ..ῳ[d] πιστὸς ἐγένου
1 Co 4 3 ἐμοὶ δὲ εἰς ἐλάχιστόν[b] ἐστιν ἵνα
6 2 ἀνάξιοί ἐστε κριτηρίων ἐλαχίστων;
15 9 ἐγὼ γάρ εἰμι ὁ ἐλ. τῶν ἀποστόλων
Eph 3 8 ἐμοὶ τῷ ἐλαχιστοτέρῳ πάντων ἁγίων
Jac 3 4 μετάγεται ὑπὸ ἐλαχίστου[d] πηδαλίου

Ἐλεαζάρ Mat 115

ἐλεᾶν *misereri* → ἐλεεῖν

ἐλεγμός 2 Ti 316 πρὸς ἐ..όν *ad arguendum*

ἔλεγξις *correptio* 2 Pe 216 ἔλεγξιν – ἔσχεν

ἐλέγχειν *arguere* [b]*redarguere* [c]*corripere*
[d]*convincere* [e]*increpare*
Mat 1815 ἔλεγξον[c] αὐτὸν μεταξὺ σοῦ καὶ αὐ-
τοῦ μόνου Luc 319 ἐ..όμενος[c] ὑπ’ αὐ-
τοῦ περὶ Ἡρῳδιάδος – καὶ περὶ – ὧν
Joh 320 ἵνα μὴ ἐλεγχθῇ τὰ ἔργα αὐτοῦ
8 9 [vl ὑπὸ τῆς συνειδήσεως ἐ..όμενοι
vg°] 46 τίς – ἐ..ει με περὶ ἁμαρτίας;
16 8 ἐλέγξει τὸν κόσμον περὶ ἁμαρτίας
1 Co 1424 ἐλέγχεται[d] ὑπὸ πάντων, ἀνακρίνεται

Eph 511 μᾶλλον – ἐλέγχετε[b] (sc τὰ ἔργα τοῦ
σκότους) 13 τὰ δὲ πάντα ἐλεγχόμενα
ὑπὸ τοῦ φωτὸς φανεροῦται
1 Ti 520 τοὺς ἁμαρτάνοντας ἐνώπιον πάντων
ἔλεγχε 2 Ti 42 ἔλεγξον, ἐπιτίμησον
Tit 1 9 δυνατὸς – τοὺς ἀντιλέγοντας ἐ..ειν
– 13 ἔλεγχε[e] αὐτοὺς ἀποτόμως (*dure*)
215 ἔλεγχε μετὰ πάσης ἐπιταγῆς
Hb 12 5 „μηδὲ ἐκλύου ὑπ’ αὐτοῦ ἐ..όμενος”
Jac 2 9 ἐ..όμενοι[b] ὑπὸ τ. νόμου ὡς παραβ.
Jud 15 ἐλέγξαι πάντας τοὺς ἀσεβεῖς περὶ
(22 vl ἐλέγχετε διακρινομένους 23)
Ap 319 ἐγὼ „ὅσους ἐὰν φιλῶ ἐλέγχω”

ἔλεγχος *argumentum*
Hb 11 1 πραγμάτων ἔλεγχος οὐ βλεπομένων

ἐλεεῖν (ἐλεᾶν) *misereri* [b](pass.) *misericor-
diam consequi*
Mat 5 7 οἱ ἐλεήμονες, ὅτι αὐτοὶ ἐλεηθήσονται[b]
927 ἐλέησον ἡμᾶς 2030.31 ‖ Mar 1047 με
48 Luc 1838.39 – Mat 1522 με 1715
μου τὸν υἱόν Luc 1713 ἡμᾶς – 1624
πάτερ Ἀβρ., ἐλέησόν με καὶ πέμψον
1833 οὐκ ἔδει καὶ σὲ ἐλεῆσαι τὸν σύνδου-
λόν σου, ὡς κἀγὼ σὲ ἠλέησα;
Mar 519 ὅσα ὁ κύριος – ἠλέησέν σε
Rm 915 „ἐλεήσω ὃν ἂν ἐλεῶ” 18 ὃν θέλει
ἐλεεῖ, ὃν δὲ θέλει „σκληρύνει”
– 16 ἄρα οὖν οὐ τοῦ θέλοντος οὐδὲ τοῦ
τρέχοντος, ἀλλὰ τοῦ ἐλεῶντος θεοῦ
1130 νῦν – ἠλεήθητε[b] τῇ τούτων ἀπειθείᾳ
31 ἵνα καὶ αὐτοὶ νῦν ἐλεηθῶσιν[b] 32
ἵνα τοὺς πάντας ἐλεήσῃ
12 8 ὁ ἐλεῶν ἐν ἱλαρότητι
1 Co 725 ὡς ἠλεημένος[b] ὑπὸ κυρίου πιστὸς
εἶναι 2 Co 41 ἔχοντες τὴν διακονίαν
ταύτην, καθὼς ἠλεήθημεν[b]
Phl 227 ἀλλὰ ὁ θεὸς ἠλέησεν αὐτόν
1 Ti 113 ἀλλὰ ἠλεήθην[b], ὅτι ἀγνοῶν 16[b] [τες[b]
1 Pe 210 οἱ „οὐκ ἠλεημένοι[b]”, νῦν δὲ ἐλεηθέν-
Jud 22 οὓς μὲν ἐλεᾶτε (vl ἐλέγχετε vg) δια-
κρινομένους 23 οὓς δὲ ἐλεᾶτε (vl ἐ-
λέγχετε vg *miseremini*) ἐν φόβῳ

ἐλεεινός S° – *miserabilis*
1 Co 1519 ἐ..ότεροι πάντων ἀνθρώπων ἐσμέν
Ap 317 οὐκ οἶδας ὅτι σὺ εἶ ὁ – ἐλεεινός

ἐλεημοσύνη *eleemosyna* (vl *elemosyna*)
Mat 6 2 ὅταν – ποιῇς ἐλεημοσύνην 3.4 ὅπως
ᾖ σου ἡ ἐλεημοσύνη ἐν τῷ κρυπτῷ

Luc 1141 πλὴν τὰ ἐνόντα δότε ἐ..ην 1233 πω-
λήσατε τὰ ὑπάρχ. ὑμῶν καὶ δότε ἐλ.

Act 3 2 τοῦ αἰτεῖν ἐ..ην 3 ἠρώτα ἐ..ην λαβεῖν
10 ὁ πρὸς τὴν ἐ..ην καθήμενος
936 αὕτη ἦν πλήρης – ἐ..ῶν ὧν ἐποίει
10 2 ποιῶν ἐ..ας πολλὰς τῷ λαῷ 4 αἱ ἐλ.
σου ἀνέβησαν εἰς μνημόσυνον 31 ἐ-
μνήσθησαν ἐνώπιον τοῦ θεοῦ
2417 ἐ..ας ποιήσων εἰς τὸ ἔθνος μου

ἐλεήμων *misericors*
Mat 5 7 μακάριοι οἱ ἐλεήμονες, ὅτι αὐτοί
Hb 217 ἵνα ἐλ. γένηται καὶ πιστὸς ἀρχιερεύς

ἔλεος *misericordia*
Mat 913 „ἔλεος θέλω καὶ οὐ θυσίαν" 127
2323 ἀφήκατε τὰ βαρύτερα τοῦ νόμου, τὴν
κρίσιν καὶ τὸ ἔλεος καὶ τὴν πίστιν
Luc 150 „τὸ ἔλεος αὐτοῦ εἰς γενεάς" 54 „μνη-
σθῆναι ἐλέους" 58 ἐμεγάλυνεν κύριος
τὸ ἔλεος αὐτοῦ μετ' αὐτῆς 72 ποιῆ-
σαι „ἔλεος μετὰ τῶν πατέρων ἡμῶν"
78 διὰ σπλάγχνα ἐλέους θεοῦ ἡμῶν
1037 ὁ ποιήσας τὸ ἔλεος μετ' αὐτοῦ
Rm 923 ἐπὶ σκεύη ἐλέους, ἃ προητοίμασεν
1131 τῷ ὑμετέρῳ ἐλέει ἵνα – ἐλεηθῶσιν
15 9 ἔθνη ὑπὲρ ἐλέους δοξάσαι τὸν θεόν
Gal 616 εἰρήνη ἐπ' αὐτοὺς καὶ ἔλεος
Eph 2 4 ὁ – θεὸς πλούσιος ὢν ἐν ἐλέει
1 Ti 1 2 χάρις, ἔλεος, εἰρήνη 2 Ti 12 2 Jo 3
Jud 2 ἐλ. ὑμῖν καὶ εἰρ. – πληθυνθείη
2 Ti 116 δῴη ἔλεος ὁ κύριος τῷ Ὀνησ. οἴκῳ
– 18 εὑρεῖν ἔλεος παρὰ κυρίου ἐν – τ. ἡμέ.
Tit 3 5 κατὰ τὸ αὐτοῦ ἔλεος ἔσωσεν ἡμᾶς
Hb 416 ἵνα λάβωμεν ἐλ. καὶ χάριν εὕρωμεν
Jac 213 κρίσις ἀνέλεος τῷ μὴ ποιήσαντι ἔλ. ·
κατακαυχᾶται ἔλεος κρίσεως
317 μεστὴ ἐλέους καὶ καρπῶν ἀγαθῶν
1 Pe 1 3 ὁ κατὰ τὸ πολὺ αὐτοῦ ἐλ. ἀναγενν.
Jud 21 προσδεχόμενοι τὸ ἔλεος τοῦ κυρίου
ἡμῶν Ἰησοῦ Χοῦ εἰς ζωὴν αἰώνιον

ἐλευθερία *libertas*
Rm 821 εἰς τὴν ἐλευθερίαν τῆς δόξης τῶν
τέκνων τοῦ θεοῦ
1 Co 1029 ἱνατί – ἡ ἐλευθερία μου κρίνεται ὑπὸ
ἄλλης συνειδήσεως;
2 Co 317 οὗ δὲ τὸ πνεῦμα κυρίου, ἐλευθερία
Gal 2 4 παρεισῆλθον κατασκοπῆσαι τὴν ἐλευ-
θερίαν ἡμῶν ἣν ἔχομεν ἐν Χῷ
5 1 τῇ ἐλευθερίᾳ (vl ᾗ ἐλευθ. vg) ἡμᾶς
Χριστὸς ἠλευθέρωσεν· στήκετε οὖν

Gal 513 ἐπ' ἐ..ίᾳ (*in l.tem*) ἐκλήθητε – · –
μὴ τὴν ἐλευθ. εἰς ἀφορμὴν τῇ σαρκί
Jac 125 εἰς νόμον τέλειον τὸν τῆς ἐλ. 212 ὡς
διὰ νόμου ἐ..ίας μέλλοντες κρίνεσθαι
1 Pe 216 μὴ ὡς ἐπικάλυμμα ἔχοντες τῆς κα-
κίας τὴν ἐλευθερίαν
2 Pe 219 ἐλευθερίαν αὐτοῖς ἐπαγγελλόμενοι

ἐλεύθερος *liber* [b] *liberatus*
Mat 1726 ἄρα γε ἐλεύθεροί εἰσιν οἱ υἱοί
Joh 833 πῶς σὺ λέγεις ὅτι ἐλεύθεροι γενή-
σεσθε; 36 ὄντως ἐλεύθεροι ἔσεσθε
Rm 620 ἐλεύθεροι ἦτε τῇ δικαιοσύνῃ
7 3 ἐ..έρα[b] ἐστὶν ἀπὸ τοῦ νόμου 1 Co 739
ἐλευθέρα[b] ἐστὶν ᾧ θέλει γαμηθῆναι
1 Co 721 εἰ καὶ δύνασαι ἐλεύθερος γενέσθαι
– 22 ὁ ἐλεύθ. κληθεὶς δοῦλός ἐστιν Χοῦ
9 1 οὐκ εἰμὶ ἐλεύθερος; 19 ἐλ. γὰρ ὢν ἐκ
πάντων πᾶσιν ἐμαυτὸν ἐδούλωσα
1213 εἴτε δοῦλοι εἴτε ἐλεύθεροι
Gal 328 οὐκ ἔνι δοῦλος οὐδὲ ἐλεύθερος
422 ἕνα ἐκ τῆς ἐλευθέρας 23.26 ἡ δὲ ἄνω
Ἰερουσαλὴμ ἐλευθέρα ἐστίν 30 μετὰ
τοῦ υἱοῦ τῆς ἐλ. 31 οὐκ ἐσμὲν παι-
δίσκης τέκνα, ἀλλὰ τῆς ἐλευθέρας
Eph 6 8 κομίσεται –, εἴτε δοῦλος εἴτε ἐλεύθ.
Col 311 ὅπου οὐκ ἔνι – δοῦλος, ἐλεύθερος
1 Pe 216 ὡς ἐ..οι, καὶ μὴ ὡς ἐπικάλυμμα ἔχ.
Ap 615 πᾶς δοῦλος καὶ ἐλεύθερος 1316 1918

ἐλευθεροῦν *liberare*
Joh 832 ἡ ἀλήθεια ἐλευθερώσει ὑμᾶς
– 36 ἐὰν οὖν ὁ υἱὸς ὑμᾶς ἐλευθερώσῃ
Rm 618 ἐλ..ωθέντες – ἀπὸ τῆς ἁμαρτίας ἐ-
δουλώθητε τῇ δικαιοσύνῃ 22 τῷ θεῷ
8 2 ὁ – νόμος τοῦ πνεύμ. τῆς ζωῆς – ἠλευ-
θέρωσέν σε (vl με vg) ἀπὸ τοῦ νό-
μου τῆς ἁμαρτίας καὶ τοῦ θανάτου
– 21 καὶ αὐτὴ ἡ κτίσις ἐλευθερωθήσεται
ἀπὸ τῆς δουλείας τῆς φθορᾶς
Gal 5 1 τῇ ἐλευθερίᾳ ἡμᾶς Χὸς ἠλευθέρωσεν

ἔλευσις S° – *adventus*
Luc 21 7 τί τὸ σημεῖον (Cod. D + τῆς σῆς ἐ-
λεύσεως, vg°) 2342 μνήσθητί μου
(Cod. D ἐν τῇ ἡμέρᾳ τῆς ἐλ. σου, vg°)
Act 752 περὶ τῆς ἐλεύσεως τοῦ δικαίου

ἐλεφάντινος (*vasa*) *eboris* Ap 1812

Ἐλιακίμ Mat 113 Luc 330

Ἐλιέζερ Luc 329   **Ἐλιούδ** Mat 1 14.15

Ἐλισάβετ　Luc 1 5.7.13.24.36.40.41.57

Ἐλισαῖος　Luc 4 27 ἐπὶ Ἐ..ου τοῦ προφήτου

ἐλίσσειν　involvere　Hb 1 12 „ἑλίξεις (vl ἀλλά-
ξεις, vg mutabis) αὐτούς　Ap 6 14 „ὁ οὐ-
ρανὸς – ὡς βιβλίον ἑλισσόμενον (vl ..ος)

ἕλκειν, ἑλκύειν　trahere ᵇeducere ᶜperducere
Joh 6 44 ἐὰν μὴ ὁ πατὴρ – ἑλκύσῃ αὐτόν
12 32 κἀγὼ – πάντας ἑλκύσω πρὸς ἐμαυτόν
18 10ᵇ μάχαιραν　21 6 τὸ δίκτυον 11
Act 16 19ᶜ εἰς τὴν ἀγοράν　21 30 ἔξω τοῦ ἱεροῦ
Jac　2 6 οὐχ – ἕλκουσιν ὑμᾶς εἰς κριτήρια;

ἕλκος　ᵃulcus ᵇvulnus Luc 16 21 ἕλκη ᵃ
Ap　16　2 „ἐγένετο ἕ.ᵇ“ κακόν 11 ἐκ τῶν ἑ..ῶνᵇ

ἑλκοῦσθαι　Sᵒ – εἱλκωμένος ulceribus ple-
nus Luc 16 20 Λάζ. ἐβέβλητο – εἱλκ.

Ἑλλάς　Graecia　Act 20 2 εἰς τὴν Ἑλλάδα

Ἕλλην, Ἕλληνες　Graecus, ..i ᵇgentilis, ..es
ᶜgentes
Joh　7 35 μὴ εἰς τὴν διασπορὰν τῶν Ἑ.ᶜ μέλ-
λει πορεύ. καὶ διδάσκειν τοὺς Ἕ.ᶜ;
12 20 Ἕ.ἐς ᵇ τινες ἐκ τῶν ἀναβαινόντων
Act 11 20 ἐλάλουν καὶ πρὸς τοὺς Ἕλληνας
14　1 Ἰουδαίων τε καὶ Ἑλλήνων πολὺ πλῆ-
θος 18 4 19 10ᵇ 17ᵇ 20 21ᵇ
16　1ᵇ 3 Ἕλληνᵇ ὁ πατὴρ αὐτοῦ ὑπῆρχεν
17　4 τῶν τε σεβομένων Ἑλλήνωνᵇ πλῆθος
21 28 Ἕλληναςᵇ εἰσήγαγεν εἰς τὸ ἱερόν
Rm　1 14 Ἕ.σίν τε καὶ βαρβάροις – ὀφειλέτης
– 16 Ἰουδαίῳ τε πρῶτον καὶ Ἕ.ι 2 9.10
3 9 Ἰ..ους τε καὶ Ἕ.ας 10 12 οὐ γὰρ
ἐστιν διαστολὴ Ἰ..ου τε καὶ Ἕ.ος
1 Co　1 22 Ἰουδαῖοι σημεῖα αἰτοῦσιν καὶ Ἕ.ες
σοφίαν ζητοῦσιν 24 τοῖς κλητοῖς, Ἰ..
οις τε καὶ Ἕ.σιν, Χὸν – θεοῦ σοφίαν
10 32 ἀπρόσκοποι καὶ Ἰ..οις – καὶ Ἕ.σινᶜ
12 13 εἰς ἓν σῶμα ἐβαπτίσθημεν, εἴτε Ἰου-
δαῖοι εἴτε Ἕλληνεςᵇ Gal 3 28 οὐκ ἔνι
Ἰουδαῖος οὐδὲ Ἕλλην Col 3 11 ὅπου
οὐκ ἔνι Ἕλληνᵇ καὶ Ἰουδαῖος
Gal　2 3 οὐδὲ Τίτος ὁ σὺν ἐμοί, Ἕλληνᵇ ὤν

Ἑλληνικός　Graecus (Luc 23 38 vl γράμμασιν
Ἑλληνικοῖς) Ap 9 11 ἐν τῇ Ἑλληνικῇ
(Graece) ὄνομα ἔχει Ἀπολλύων

Ἑλληνίς　gentilis　Mar 7 26 Act 17 12

Ἑλληνισταί　Graeci　Act 6 1 9 29 (11 20 vl)

Ἑλληνιστί　Graece　Joh 19 20 Act 21 37

ἐλλογεῖν, ..ᾶν　Sᵒ – imputare
Rm　5 13 ἁμαρτία – οὐκ ἐλλογεῖται (vl ἐνελο-
γεῖτο vg) μὴ ὄντος νόμου
Phm　18 τοῦτο ἐμοὶ ἐλλόγα (vl ἐλλόγει)

Ἐλμαδάμ　Luc 3 28

ἐλπίζειν　sperare
Mat 12 21 „τῷ ὀνόματι αὐτοῦ ἔθνη ἐλπιοῦσιν“
Rm 15 12 „ἐπ᾽ αὐτῷ ἔθνη ἐλπιοῦσιν“
Luc　6 34 ἐὰν δανείσητε παρ᾽ ὧν ἐ..ετε λαβεῖν
23　8 ἤλπιζέν τι σημεῖον ἰδεῖν ὑπ᾽ αὐτοῦ
24 21 ἠλπίζομεν ὅτι αὐτός ἐστιν ὁ μέλλων
λυτροῦσθαι τὸν Ἰσραήλ
Joh　5 45 Μωϋσῆς, εἰς ὃν ὑμεῖς ἠλπίκατε
Act 24 26 ἐλπίζων ὅτι χρήματα δοθήσεται
26　7 ἐπαγγελίας –, εἰς ἣν τὸ δωδεκάφυ-
λον – λατρεῦον ἐλπίζει καταντῆσαι
Rm　8 24 ὃ γὰρ βλέπει τις, τί καὶ ἐλπίζει;
– 25 εἰ δὲ ὃ οὐ βλέπομεν ἐλπίζομεν, δι᾽
ὑπομονῆς ἀπεκδεχόμεθα
15 24 ἐλπίζω – θεάσασθαι ὑμᾶς 1 Co 16 7
χρόνον τινὰ ἐπιμεῖναι πρὸς ὑμᾶς
Phl 2 19 ἐλπίζω – ἐν κυρίῳ – Τιμόθεον
ταχέως πέμψαι 23 1 Ti 3 14 ἐλθεῖν
πρὸς σέ Phm 22 2 Jo 12 3 Jo 14
1 Co 13　7 ἡ ἀγάπη – πάντα ἐλπίζει
15 19 εἰ ἐν τῇ ζωῇ ταύτῃ ἐν Χριστῷ ἠλπι-
κότες ἐσμὲν μόνον　　　　[ρύσεται
2 Co　1 10 θεῷ –, εἰς ὃν ἠλπίκαμεν [ὅτι] καὶ ἔτι
– 13 ἐλπίζω – ὅτι ἕως τέλους ἐπιγνώσεσθε
5 11 ἐλπίζω δὲ καὶ ἐν ταῖς συνειδήσεσιν
ὑμῶν πεφανερῶσθαι
8　5 καὶ οὐ καθὼς ἠλπίσαμεν, ἀλλὰ
13　6 ἐλπίζω δὲ ὅτι γνώσεσθε ὅτι ἡμεῖς οὐκ
ἐσμὲν ἀδόκιμοι
1 Ti　4 10 ὅτι ἠλπίκαμεν (speramus vl speravi-
mus) ἐπὶ θεῷ ζῶντι
5　5 ἡ – ὄντως χήρα – ἤλπικεν (speret vl
speravit, sperat) ἐπὶ θεόν
6 17 μηδὲ ἠλπικέναι ἐπὶ πλούτου ἀδηλό-
τητι, ἀλλ᾽ ἐπὶ θεῷ (vl + ζῶντι vg)
Hb　11　1 πίστις ἐλπιζομένων ὑπόστασις
1 Pe　1 13 τελείως ἐλπίσατε ἐπὶ τὴν φερομένην
ὑμῖν χάριν ἐν ἀποκαλύψει Ἰης. Χοῦ
3　5 γυναῖκες αἱ ἐλπίζουσαι εἰς θεόν

ἐλπίς *spes*

Act 2 26 „ἔτι δὲ καὶ ἡ σάρξ μου κατασκηνώσει ἐπ' ἐλπίδι"

16 19 ἐξῆλθεν ἡ ἐλπὶς τῆς ἐργασίας αὐτῶν

23 6 περὶ ἐλπίδος καὶ ἀναστάσεως νεκρῶν κρίνομαι 24 15 ἐλπίδα ἔχων εἰς τὸν θεόν. – ἀνάστασιν μέλλειν ἔσεσθαι

26 6 ἐπ' ἐλπίδι τῆς – ἐπαγγελίας 7 περὶ ἧς ἐλπίδος ἐγκαλοῦμαι 28 20 εἵνεκεν – τῆς ἐλπίδος τοῦ Ἰσραήλ

27 20 περιῃρεῖτο ἐλπ. πᾶσα τοῦ σῴζεσθαι

Rm 4 18 παρ' ἐλπίδα ἐπ' ἐλπίδι ἐπίστευσεν

5 2 καυχώμεθα ἐπ' ἐλπίδι τῆς δόξης

– 4 ἡ δὲ δοκιμὴ ἐλπίδα (sc κατεργάζεται)· 5 ἡ δὲ „ἐλπὶς οὐ καταισχύνει"

8 20 ἡ κτίσις ὑπετάγη –, ἐφ' ἐλπίδι

– 24 τῇ γὰρ ἐλπίδι ἐσώθημεν· ἐλπὶς δὲ βλεπομένη οὐκ ἔστιν ἐλπίς

12 12 τῇ ἐλπίδι χαίροντες, τῇ θλίψει ὑπομ.

15 4 ἵνα διὰ τῆς ὑπομονῆς – τὴν ἐλ. ἔχωμεν

– 13 ὁ δὲ θεὸς τῆς ἐλπ. πληρώσαι ὑμᾶς –, εἰς τὸ περισσεύειν – ἐν τῇ ἐλπίδι

1 Co 9 10 ὀφείλει ἐπ' ἐλπίδι – ἀροτριᾶν, καὶ ὁ ἀλοῶν ἐπ' ἐλπίδι τοῦ μετέχειν

13 13 μένει πίστις, ἐλπίς, ἀγάπη

2 Co 1 7 ἡ ἐλπὶς ἡμῶν βεβαία ὑπὲρ ὑμῶν

3 12 ἔχοντες οὖν τοιαύτην ἐλπίδα [θῆναι

10 15 ἐλπίδα δὲ ἔχοντες – ἐν ὑμῖν μεγαλυν-

Gal 5 5 ἐλπίδα δικαιοσύνης ἀπεκδεχόμεθα

Eph 1 18 τίς ἐστιν ἡ ἐλπ. τῆς κλήσεως αὐτοῦ

2 12 ἦτε – ἐλπίδα μὴ ἔχοντες καὶ ἄθεοι

4 4 ἐκλήθητε ἐν μιᾷ ἐλπίδι τῆς κλήσεως

Phl 1 20 κατὰ τὴν ἀποκαραδοκίαν καὶ ἐλπίδα μου ὅτι ἐν οὐδενὶ αἰσχυνθήσομαι

Col 1 5 διὰ τὴν ἐλπίδα τὴν ἀποκειμένην ὑμῖν ἐν τοῖς οὐρανοῖς, ἣν προηκούσατε

– 23 μὴ μετακινούμενοι ἀπὸ τῆς ἐλπίδος τοῦ εὐαγγελίου

– 27 Χὸς ἐν ὑμῖν, ἡ ἐλπὶς τῆς δόξης

1 Th 1 3 μνημονεύοντες ὑμῶν – τῆς ὑπομονῆς τῆς ἐλπίδος τοῦ κυρίου ἡμῶν Ἰ. Χοῦ

2 19 τίς γὰρ ἡμῶν ἐλπὶς ἢ χαρά –;

4 13 οἱ λοιποὶ οἱ μὴ ἔχοντες ἐλπίδα

5 8 „περικεφαλαίαν" ἐλπίδα „σωτηρίας"

2 Th 2 16 δοὺς – ἐλπίδα ἀγαθὴν ἐν χάριτι

1 Ti 1 1 Χοῦ Ἰησοῦ τῆς ἐλπίδος ἡμῶν

Tit 1 2 ἐπ' ἐλπίδι ζωῆς αἰωνίου, ἣν ἐπηγγ.

2 13 προσδεχόμενοι τὴν μακαρίαν ἐλπίδα καὶ ἐπιφάνειαν τῆς δόξης – θεοῦ

3 7 κατ' ἐλπίδα ζωῆς αἰωνίου

Hb 3 6 ἐὰν – τὸ καύχημα τῆς ἐλ. – κατάσχω.

6 11 πρὸς τὴν πληροφορίαν τῆς ἐλπίδος

Hb 6 18 κρατῆσαι τῆς προκειμένης ἐλπίδος

7 19 ἐπεισαγωγὴ δὲ κρείττονος ἐλπίδος

10 23 τὴν ὁμολογίαν τῆς ἐλπίδος ἀκλινῆ

1 Pe 1 3 ἀναγεννήσας ἡμᾶς εἰς ἐλπίδα ζῶσαν

– 21 ὥστε τὴν πίστιν ὑμῶν καὶ ἐλπίδα εἶναι εἰς θεόν

3 15 αἰτοῦντι – λόγον περὶ τῆς ἐν ὑμ. ἐλπ.

1 Jo 3 3 ὁ ἔχων τὴν ἐλπίδα ταύτην ἐπ' αὐτῷ

Ἐλύμας Act 13 8 ἀνθίστατο – αὐτ. Ἐ. ὁ μάγος

ἐλωΐ S° – *eloi* (vl *heloi*) (Mat 27 46 vl) Mar 15 34

ἀπ', ἐξ, περὶ **ἐμαυτοῦ, ἐμαυτόν** *a, ex, de meipso, me ipsum, ad meipsum*

Joh 5 30 οὐ δύναμαι – ποιεῖν ἀπ' ἐμαυτοῦ οὐδέν 8 28 ἀπ' ἐμαυτοῦ ποιῶ οὐδέν

– 31 ἐὰν ἐγὼ μαρτυρῶ περὶ ἐμαυτοῦ 8 14 18 ἐγώ εἰμι ὁ μαρτυρῶν περὶ ἐμαυτοῦ 54 ἐὰν ἐγὼ δοξάσω ἐμαυτόν

7 17 ἢ ἐγὼ ἀπ' ἐμαυτοῦ λαλῶ 12 49 ἐξ ἐμ. οὐκ ἐλάλησα 14 10 ἀπ' ἐμ. οὐ λαλῶ

– 28 ἀπ' ἐμαυτοῦ οὐκ ἐλήλυθα 8 42

10 18 ἐγὼ τίθημι αὐτὴν ἀπ' ἐμαυτοῦ

12 32 πάντας ἑλκύσω πρὸς ἐμαυτόν

14 3 παραλήμψομαι ὑμᾶς πρὸς ἐμαυτόν

1 Co 4 3 ἀλλ' οὐδὲ ἐμαυτὸν ἀνακρίνω

7 7 θέλω – πάντας – εἶναι ὡς καὶ ἐμαυτόν

2 Co 12 5 ὑπὲρ δὲ ἐ..οῦ (*pro me*) οὐ καυχήσ.

Gal 2 18 παραβάτην ἐμαυτὸν (*me*) συνιστάνω

Phl 3 13 ἐγὼ ἐμαυτὸν (*me*) οὔπω λογίζομαι κατειληφέναι

ἐμβαίνειν εἰς πλοῖον *ascendere*

Mat 8 23 ‖ Luc 8 22 – Mat 9 1 13 2 ‖ Mar 4 1 – Mat 14 22 ‖ Mar 6 45 Joh 6 17 – Mat 15 39 ‖ Mar 8 10 – 5 18 ‖ Luc 8 37 – Mar 8 13 Luc 5 3 Joh 6 24 21 3 Act 21 6 – (vl Joh 5 4 ὁ οὖν πρῶτος ἐμβὰς (*qui prior descendisset in piscinam*) – ὑγιὴς ἐγίνετο)

ἐμβάλλειν *mittere* Luc 12 5 εἰς – γέενναν

ἐμβάπτειν, ..εσθαι S° – *intingere* Mat 26 23 ὁ ἐμβάψας μετ' ἐμοῦ ‖ Mar 14 20

ἐμβατεύειν *ambulare* Col 2 18 ἃ ἑόρακεν

ἐμβιβάζειν *transponere* Act 27 6 εἰς πλοῖον

ἐμβλέπειν [a]*aspicere* [b]*intuēri* [c]*respicere* [d]*vidēre*

Mat 6 26 ἐμβλέψατε[c] εἰς τὰ πετεινὰ τοῦ οὐρ.

Mat 19 26ᵃ ‖ Mar 10 21 Ἰησοῦς ἐμβλέψας ᵇ αὐ-
τῷ 27ᵇ αὐτοῖς – Luc 20 17ᵃ 22 61 ἐνέ-
βλεψεν ᶜ τῷ Πέτρῳ Joh 1 42ᵇ

Mar 8 25 ἀπεκατέστη, καὶ ἐνέβλεπεν (vl ὥστε
ἀναβλέψαι ᵈ) τηλαυγῶς ἅπαντα
14 67ᵃ – Joh 1 36 ἐμβλέψας ᶜ τῷ Ἰησοῦ

Act 22 11 ὡς δὲ οὐκ ἐνέβλεπον (vl οὐδὲν ἔβλ.ᵈ)
ἀπὸ τῆς δόξης τοῦ φωτός – (1 11 vlᵃ)

ἐμβριμᾶσϑαι comminari ᵇfremere ᶜinfremere
Mat 9 30 ἐνεβριμήϑη αὐτοῖς Mar 1 43 αὐτῷ
Mar 14 5 ἐνεβριμῶντο ᵇ αὐτῇ. ὁ δὲ Ἰησοῦς
Joh 11 33 ἐνεβριμήσατο ᶜ (vlᵇ) τῷ πνεύματι 38
πάλιν ἐμβριμώμενος ᵇ ἐν ἑαυτῷ

ἐμεῖν evomere Ap 3 16 ἐκ – στόματός μου

ἐμμαίνεσϑαι S ᵒ – insanire Act 26 11

Ἐμμανουήλ Mat 1 23   Ἐμμαοῦς Luc 24 13

ἐμμένειν permanēre ᵇmanēre
Act 14 22 παρακαλοῦντες ἐμμένειν τῇ πίστει
28 30 ἐνέμεινεν ᵇ – διετίαν ὅλην ἐν ἰδίῳ
Gal 3 10 „ὃς οὐκ ἐ..ει – τοῖς γεγραμμένοις"
Hb 8 9 „οὐκ ἐνέμειναν ἐν τῇ διαϑήκῃ"

Ἐμμώρ Act 7 16 „παρὰ τῶν υἱῶν Ἐμμώρ"

*ἐμός meus ᵇquod meum est
Mat 20 15 ὃ ϑέλω ποιῆσαι ἐν τοῖς ἐμοῖς; (vgᵒ)
– 23 οὐκ ἔστιν ἐμὸν – δοῦναι ‖ Mar 10 40
25 27 ἐκομισάμην ἂν τὸ ἐμὸν ᵇ σὺν τόκῳ
Luc 15 31 καὶ πάντα τὰ ἐμὰ σά ἐστιν
[22 19 τοῦτο ποιεῖτε εἰς τὴν ἐμὴν ἀνάμνησιν]
1 Co 11 24.25 ἡ καινὴ διαϑήκη – ἐν τῷ
ἐμῷ αἵματι· – εἰς τὴν ἐμὴν ἀνάμνησιν
Joh 5 30 οὐ ζητῶ τὸ ϑέλημα τὸ ἐμόν 6 38 οὐχ
ἵνα ποιῶ τὸ ϑέλημα τὸ ἐμόν
7 6 ὁ καιρὸς ὁ ἐμὸς οὔπω πάρεστιν 8
– 16 ἡ ἐμὴ διδαχὴ οὐκ ἔστιν ἐμὴ 14 24 ὁ
λόγος ὃν ἀκούετε οὐκ ἔστιν ἐμός
8 56 ἵνα ἴδῃ τὴν ἡμέραν τὴν ἐμήν
10 14 γινώσκω τὰ ἐμὰ (sc πρόβατα) καὶ
γινώσκουσί με τὰ ἐμὰ
14 27 εἰρήνην τὴν ἐμὴν δίδωμι ὑμῖν
16 14 ἐκ τοῦ ἐμοῦ λήμψεται 15 λαμβάνει
– 15 ὅσα ἔχει ὁ πατὴρ ἐμά ἐστιν
17 10 τὰ ἐμὰ πάντα σά ἐστιν καὶ τὰ σὰ ἐμά
1 Co 1 15 ὅτι εἰς τὸ ἐμὸν ὄνομα ἐβαπτίσϑητε
5 4 συναχϑέντων ὑμῶν καὶ τ. ἐμοῦ πνεύ-
ματος σὺν τῇ δυνάμει τοῦ κυρίου

1 Co 16 18 ἀνέπαυσαν – τὸ ἐμὸν πν. καὶ τὸ ὑμῶν
– 21 ὁ ἀσπασμὸς τῇ ἐμῇ χειρὶ Παύλου
Gal 6 11 Col 4 18 2 Th 3 17 – Phm 19

Phl 3 9 μὴ ἔχων ἐμὴν δικαιοσύνην τὴν ἐκ

ἐμπαιγμονή S ᵒ – deceptio 2 Pe 3 3

ἐμπαιγμός ludibrium Hb 11 36

ἐμπαίζειν illudere
Mat 2 16 ὅτι ἐνεπαίχϑη ὑπὸ τῶν μάγων
20 19 εἰς τὸ ἐμπαῖξαι (vg vl deludere) καὶ
μαστιγῶσαι ‖ Mar 10 34 Luc 18 32
27 29 ἐνέπαιξαν αὐτῷ – · χαῖρε 31.41 ‖ Mar
15 20.31 (vg vl ludere) Luc 22 63 23 11.36
Luc 14 29 ἵνα μὴ – ἄρξωνται αὐτῷ ἐμπαίζειν

ἐμπαῖκται illusores 2 Pe 3 3 Jud 18

ἐμπεριπατεῖν inambulare 2 Co 6 16

ἐμπιπλάναι, ἐμπιπλᾶν implēre ᵇsaturare
ᶜ(pass.) frui
Luc 1 53 „πεινῶντας ἐνέπλησεν ἀγαϑῶν"
6 25 οὐαὶ ὑμῖν, οἱ ἐμπεπλησμένοι ᵇ νῦν, ὅτι
Joh 6 12 ὡς δὲ ἐνεπλήσϑησαν (sc οἱ ἀνακείμ.)
Act 14 17 ἐμπιπλῶν τροφῆς καὶ εὐφροσύνης
Rm 15 24 ἐὰν ὑμῶν πρῶτον – ἐμπλησϑῶ ᶜ

ἐμπίπτειν incidere ᵇcadere in
Mat 12 11ᵇ εἰς βόϑυνον Luc 6 39ᵇ (sc τυφλοί)
Luc 10 36 τοῦ ἐμπεσόντος εἰς τοὺς λῃστάς;
1 Ti 3 6 ἵνα μὴ – εἰς κρίμα ἐμπέσῃ τοῦ δια-
βόλου 7 εἰς ὀνειδισμὸν – καὶ παγίδα
τοῦ διαβόλου 6 9 οἱ – βουλόμενοι πλου-
τεῖν ἐμπίπτουσιν εἰς πειρασμὸν καὶ
παγίδα καὶ ἐπιϑυμίας
Hb 10 31 φοβερὸν τὸ ἐμπεσεῖν εἰς χεῖρας ϑεοῦ

ἐμπλέκεσϑαι ᵃse implicare ᵇimplicari
2 Ti 2 4 ἐ..ται ᵃ ταῖς τοῦ βίου πραγματείαις
2 Pe 2 20 τούτοις δὲ πάλιν ἐμπλακέντες ᵇ (sc
τοῖς μιάσμασιν τοῦ κόσμου)

ἐμπλοκή τριχῶν S ᵒ – capillatura 1 Pe 3 3

ἐμπνεῖν spirare (vl asp.) Act 9 1 ἀπειλῆς

ἐμπορεύεσϑαι ᵃmercari ᵇnegotiari de
Jac 4 13ᵃ – 2 Pe 2 3 λόγοις ὑμᾶς ἐ..σονται ᵇ

ἐμπορία negotiatio Mat 22 5 ἐπὶ τὴν ἐμπορίαν·

ἐμπόριον *negotiatio* Joh 2 16 οἶκον ἐμπορίου

ἔμπορος *mercator* [b]*negotiator* Mat 13 45 ἐμπόρῳ[b] (vl ἀνθρώπῳ ἐμπόρῳ) ζητοῦντι καλοὺς μαργαρίτας Ap 18 3 οἱ ἔμποροι τῆς γῆς 11[b] κλαίουσιν – ἐπ᾿ αὐτήν 15. 23

ἐμπρήθειν *succendere* Mat 22 7 πόλιν

*ἔμπροσθεν *ante* [b]*coram* [c]*in conspectu* [d](τὰ ἔμπροσθεν) *quae sunt priora*
Mat 6 1 μὴ ποιεῖν ἔμπροσθεν[b] τῶν ἀνθρώπων
10 32 ὁμολογήσει ἐν ἐμοὶ ἔμ.[b] τῶν ἀνθρ..
ὁμολογήσω – ἐν αὐτῷ ἔμ.[b] τοῦ πατρός μου 33[b] ‖ Luc 12 8 ἔμ.[b] τ. ἀνθρ..
– ἔμ.[b] τῶν ἀγγέλων τοῦ θεοῦ – Mat 26 70 ὁ δὲ ἠρνήσατο ἔμπρ.[b] πάντων
11 26 οὕτως εὐδοκία ἐγένετο ἔμπρ. σου ‖ Luc 10 21 – Mat 18 14 οὕτως οὐκ ἔστιν θέλημα ἔμπρ. τοῦ πατρὸς ὑμῶν
25 32 συναχθήσονται ἔμ. αὐτοῦ – τὰ ἔθνη Luc 21 36 ἵνα κατισχύσητε – σταθῆναι ἔμπροσθεν τοῦ υἱοῦ τοῦ ἀνθρώπου
Joh 1 15 ἔμ. μου γέγονεν 30 ὃς ἔμ. μου γέγ.
3 28 ἀπεσταλμένος εἰμὶ ἔμπροσθεν ἐκείνου
Act 10 4 εἰς μνημόσυνον ἔμπροσθεν[c] τοῦ θεοῦ
2 Co 5 10 ἔμπροσθεν τοῦ βήματος τοῦ Χοῦ
Gal 2 14 εἶπον τῷ Κηφᾷ ἔμπροσθεν[b] πάντων
Phl 3 13 τοῖς δὲ ἔμπροσθεν[d] ἐπεκτεινόμενος
1 Th 1 3 μνημονεύοντες – ἔμ. τοῦ θεοῦ 3 9 χαίρομεν – ἔμ. τοῦ θεοῦ ἡμῶν 13 ἀμέμπτους ἐν ἁγιωσύνη ἔμπρ. τοῦ θεοῦ
2 19 τίς γὰρ ἡμῶν ἐλπὶς – ἔμπροσθεν τοῦ κυρίου – ἐν τῇ αὐτοῦ παρουσίᾳ;
1 Jo 3 19 ἔμπρ.[c] αὐτοῦ πείσομεν τὴν καρδίαν

ἐμπτύειν *conspuere* [b]*expuere*
Mat 26 67[b] 27 30[b] ‖ Mar 14 65 15 19
Mar 10 34 ἐμπτύσουσιν αὐτῷ ‖ Luc 18 32

ἐμφανῆ γενέσθαι [a]*manifestum fieri* [b]*palam apparēre*
Act 10 40 ἔδωκεν αὐτὸν (sc Ἰησ.) ἐ. γενέσθαι[a]
Rm 10 20 „ἐμφανὴς ἐγενόμην[b] τοῖς ἐμὲ μὴ ἐπερωτῶσιν"

ἐμφανίζειν [a]*manifestare* [b]*notum facere* [c]*significare* [d]*adire aliquem* [e](pass) *apparēre*
Mat 27 53 ἐνεφανίσθησαν[e] πολλοῖς
Joh 14 21 κἀγὼ – ἐμφανίσω[a] αὐτῷ ἐμαυτόν
– 22 τί γέγονεν ὅτι ἡμῖν μέλλεις ἐμφανί-

ζειν[a] σεαυτὸν καὶ οὐχὶ τῷ κόσμῳ;
Act 23 15[b] 22[b] 24 1[d] τῷ ἡγεμόνι 25 2[d] 15[d]
Hb 9 24 ἐ..ισθῆναι[e] τῷ προσώπῳ τοῦ θεοῦ
11 14 ἐ..ζουσιν[c] ὅτι πατρίδα ἐπιζητοῦσιν

ἔμφοβον γενέσθαι *timēre* Luc 24 5, *conterrēri* 37, *timore corripi* Act 10 4, *tremefieri* (vl *timef.*) 24 25, *in timorem mitti* Ap 11 13

ἐμφυσᾶν *insufflare* (vl ..*sufl.*) Joh 20 22

ἔμφυτος *insitus* Jac 1 21 τὸν ἔμφυτον λόγον

*ἐν Imprimis sunt allati loci omnes hasce formulas complectentes: ἐν Χριστῷ, Χῷ Ἰησοῦ, Ἰησοῦ, ἐν κυρίῳ, αὐτῷ (sc Χῷ), τούτῳ. ἐμοί (sc Χῷ), ἐν θεῷ, τῷ πατρί. – μένειν ἐν, ἐλπίζειν ἐν, πιστεύειν ἐν, σωθῆναι ἐν → μένειν κτλ, – item ἐν αἵματι, ὀνόματι, πνεύματι, σαρκί → αἷμα κτλ *in* cum abl. [b]*in* cum acc. [c]*inter* [d]*intra* [e]*ad* [f]*apud*
Mat 6 23 τὸ φῶς τὸ ἐν σοί ‖ Luc 11 35
10 20 τὸ πνεῦμα – τὸ λαλοῦν ἐν ὑμῖν
14 2 διὰ τοῦτο αἱ δυνάμεις ἐνεργοῦσιν ἐν αὐτῷ ‖ Mar 6 14
17 12 ἐποίησαν ἐν αὐτῷ ὅσα ἠθέλησαν
20 15 ὃ θέλω ποιῆσαι ἐν τοῖς ἐμοῖς (vg[o])
– 26 οὐχ οὕτως ἐστὶν ἐν[c] ὑμῖν· – ὃς ἐὰν θέλη ἐν[c] ὑμῖν μέγας γενέσθαι 27 ἐν[c] ὑμῖν εἶναι πρῶτος ‖ Mar 10 43. 44
23 30 οὐκ ἂν ἤμεθα αὐτῶν κοινωνοὶ ἐν τῷ αἵματι τῶν προφητῶν
Mar 2 19 ἐν ᾧ (*quamdiu*) ὁ νυμφίος μετ᾿ αὐτῶν ἐστιν ‖ Luc 5 34 (*dum*) – 19 13 ἐν ᾧ (*dum*) ἔρχομαι – Joh 5 7 (*dum*)
Luc 1 17 ἀπειθεῖς ἐν[e] φρονήσει δικαίων
9 46 εἰσῆλθεν – διαλογισμὸς ἐν[b] αὐτοῖς
12 15 οὐκ ἐν τῷ περισσεύειν τινὶ ἡ ζωή
17 6 φυτεύθητι ἐν[b] τῇ θαλάσσῃ
22 37 δεῖ τελεσθῆναι ἐν ἐμοί
23 12 ἐν ἔχθρα ὄντες (*inimici*) πρὸς αὐτ.
Joh 1 4 ἐν αὐτῷ ζωὴ ἦν 5 26 ὁ πατὴρ ἔχει ζωὴν ἐν ἑαυτῷ, – καὶ τῷ υἱῷ ἔδωκεν ζωὴν ἔχειν ἐν ἑαυτῷ – 6 53 οὐκ ἔχετε ζωὴν ἐν ἑαυτοῖς
2 25 ἐγίνωσκεν τί ἦν ἐν τῷ ἀνθρώπῳ
3 21 ὅτι ἐν θεῷ ἐστιν εἰργασμένα
4 14 γενήσεται ἐν αὐτῷ πηγὴ ὕδατος
5 42 τὴν ἀγάπην τοῦ θεοῦ οὐκ ἔχετε ἐν ἑαυτοῖς – 1 Jo 4 12 ἡ ἀγ. αὐτοῦ τετελειωμένη ἐν ἡμῖν ἐστιν 16 τὴν ἀγ. ἣν ἔχει ὁ θεὸς ἐν ἡμῖν 18 φόβος οὐκ

ἔστιν ἐν τῇ ἀγάπῃ, – ὁ – φοβούμενος
οὐ τετελείωται ἐν τῇ ἀγάπῃ
Joh 6 61 εἰδὼς δὲ ὁ Ἰησοῦς ἐν^f ἑαυτῷ
7 18 ἀδικία ἐν αὐτῷ οὐκ ἔστιν
10 38 ὅτι ἐν ἐμοὶ ὁ πατὴρ κἀγὼ ἐν τῷ
πατρί 14 10 ὅτι ἐγὼ ἐν τῷ π. καὶ ὁ
π. ἐν ἐμοί ἐστιν; 11.20 ὅτι ἐγὼ ἐν τῷ
π. μου καὶ ὑμεῖς ἐν ἐμοὶ κἀγὼ ἐν
ὑμῖν 17 21 καθὼς σύ, πατήρ, ἐν ἐμοὶ
κἀγὼ ἐν σοί, ἵνα καὶ αὐτοὶ ἐν ἡμῖν
(vl + ἕν, vg unum) ὦσιν 23 ἐγὼ ἐν αὐ-
τοῖς καὶ σὺ ἐν ἐμοί 26 ἵνα ἡ ἀγάπη
– ἐν αὐτοῖς ᾖ κἀγὼ ἐν αὐτοῖς
11 10 τὸ φῶς οὐκ ἔστιν ἐν αὐτῷ
12 35 ἔτι μικρὸν – τὸ φῶς ἐν ὑμῖν ἐστιν
14 17 ἐν ὑμῖν ἔσται (sc τὸ πνεῦ. τῆς ἀλ.)
– 30 ἐν ἐμοὶ οὐκ ἔχει οὐδέν
15 2 πᾶν κλῆμα ἐν ἐμοὶ μὴ φέρον καρπόν
– 24 εἰ τὰ ἔργα μὴ ἐποίησα ἐν αὐτοῖς
16 33 ἵνα ἐν ἐμοὶ εἰρήνην ἔχητε
Act 4 2 καταγγέλλειν ἐν τῷ Ἰησοῦ τὴν ἀνά-
στασιν τὴν ἐκ νεκρῶν
– 9 ἐν τίνι οὗτος σέσωσται 10 ἐν τῷ ὀνό-
ματι Ἰησοῦ Χοῦ –, ἐν τούτῳ οὗτος
– ὑγιής 12 οὐκ ἔστιν ἐν ἄλλῳ οὐδενὶ
ἡ σωτηρία· οὐδὲ γὰρ ὄνομά ἐστιν
ἕτερον – ἐν ᾧ δεῖ σωθῆναι ἡμᾶς
12 11 ἐν^e ἑαυτῷ γενόμενος (reversus)
13 15 εἴ τίς ἐστιν ἐν ὑμῖν λόγος παρακλής.
– 39 ἐν τούτῳ πᾶς ὁ πιστεύων δικαιοῦται
17 28 ἐν αὐτῷ γὰρ ζῶμεν καὶ – ἐσμέν
– 31 μέλλει „κρίνειν τὴν οἰκουμένην" – ἐν
ἀνδρὶ ᾧ ὥρισεν
22 17 γενέσθαι με ἐν ἐκστάσει
26 28 ἐν ὀλίγῳ με πείθεις 29 ἐν μεγάλῳ
Rm 1 4 ὁρισθέντος υἱοῦ θεοῦ ἐν δυνάμει
– 6 ἔθνεσιν –, ἐν οἷς ἐστε καὶ ὑμεῖς
– 12 διὰ τῆς ἐν ἀλλήλοις (invicem) πίστ.
– 19 τὸ γνωστὸν τοῦ θεοῦ φανερόν ἐστιν
ἐν αὐτοῖς
– 27 τὴν ἀντιμισθίαν ἣν ἔδει τῆς πλάνης
– ἐν ἑαυτοῖς ἀπολαμβάνοντες
– 28 τὸν θεὸν ἔχειν ἐν ἐπιγνώσει (vl^b)
3 19 τοῖς ἐν τῷ νόμῳ λαλεῖ (sc ὁ νόμος)
– 24 ἀπολυτρώσεως τῆς ἐν Χῷ Ἰησοῦ
6 11 ζῶντας δὲ τῷ θεῷ ἐν Χῷ Ἰησοῦ
– 23 ζωὴ αἰώνιος ἐν Χῷ Ἰ. τῷ κυρίῳ ἡμῶν
8 1 οὐδὲν – κατάκριμα τοῖς ἐν Χῷ Ἰησοῦ
– 2 ὁ – νόμος τοῦ πνεύματος τῆς ζωῆς
ἐν Χῷ Ἰησοῦ ἠλευθέρωσέν σε
– 10 εἰ – Χὸς ἐν ὑμῖν, τὸ μὲν σῶμα νεκρόν
– 23 αὐτοὶ ἐν^d ἑαυτοῖς στενάζομεν

Rm 8 39 χωρίσαι ἀπὸ τῆς ἀγάπης τοῦ θεοῦ
τῆς ἐν Χῷ Ἰησοῦ τῷ κυρίῳ ἡμῶν
9 1 ἀλήθειαν λέγω ἐν Χῷ – συμμαρτυ-
ρούσης μοι τῆς συνειδήσεώς μου ἐν
πνεύματι ἁγίῳ
11 25 ἵνα μὴ ἦτε ἐν (vg^o) ἑαυτοῖς φρόνιμοι
12 3 λέγω – παντὶ τῷ ὄντι ἐν^c ὑμῖν
– 5 οἱ πολλοὶ ἕν σῶμά ἐσμεν ἐν Χῷ
14 14 πέπεισμαι ἐν κυρίῳ Ἰησοῦ
15 17 ἔχω – τὴν καύχησιν ἐν Χῷ Ἰησοῦ τὰ
πρὸς τὸν θεόν
16 2 ἵνα αὐτὴν προσδέξησθε ἐν κυρίῳ
– 3 τοὺς συνεργούς μου ἐν Χῷ Ἰησοῦ 9
– 7 οἳ καὶ πρὸ ἐμοῦ γέγοναν ἐν Χῷ
– 8 τὸν ἀγαπητόν μου ἐν κυρίῳ
– 10 τὸν δόκιμον ἐν Χῷ 11 τοὺς ὄντας ἐν
κυρίῳ 12 τὰς κοπιώσας ἐν κυρίῳ. –
ἥτις πολλὰ ἐκοπίασεν ἐν κυρίῳ 13
τὸν ἐκλεκτὸν ἐν κυρίῳ – 22 ἀσπά-
ζομαι ὑμᾶς – ἐν κυρίῳ 1 Co 16 19
1 Co 1 2 ἡγιασμένοις ἐν Χῷ Ἰησοῦ → Phl 1 1
– 4 χάριτι – τῇ δοθείσῃ ὑμῖν ἐν Χῷ Ἰησοῦ
– 5 ἐν παντὶ ἐπλουτίσθητε ἐν αὐτῷ
– 30 ἐξ αὐτοῦ – ὑμεῖς ἐστε ἐν Χῷ Ἰησοῦ
2 6 σοφίαν – λαλοῦμεν ἐν^c τοῖς τελείοις
7 θεοῦ σοφίαν ἐν μυστηρίῳ
3 1 λαλῆσαι ὑμῖν – ὡς νηπίοις ἐν Χῷ
4 10 ἡμεῖς μωροὶ διὰ Χόν, ὑμεῖς δὲ φρό-
νιμοι ἐν Χῷ
– 15 ἐὰν – μυρίους παιδαγωγοὺς ἔχητε ἐν
Χῷ, · ἐν γὰρ Χῷ Ἰησοῦ διὰ τοῦ εὐ-
αγγελίου ἐγὼ ὑμᾶς ἐγέννησα
– 17 τέκνον ἀγαπητόν – ἐν κυρίῳ
– – τὰς ὁδούς μου τὰς ἐν Χῷ [Ἰησοῦ]
6 2 εἰ ἐν ὑμῖν κρίνεται ὁ κόσμος
7 22 ὁ – ἐν κυρίῳ κληθεὶς δοῦλος
– 39 ἐλευθέρα ἐστὶν ᾧ θέλει γαμηθῆναι,
μόνον ἐν κυρίῳ
9 1 οὐ τὸ ἔργον μου ὑμεῖς ἐστε ἐν κυ-
ρίῳ; 2 ἡ γὰρ σφραγίς μου τῆς ἀπο-
στολῆς ὑμεῖς ἐστε ἐν κυρίῳ
11 11 οὔτε ἀνὴρ χωρὶς γυναικὸς ἐν κυρίῳ
14 25 ὅτι „ὄντως ὁ θεὸς ἐν ὑμῖν ἐστιν"
15 18 οἱ κοιμηθέντες ἐν Χῷ → 1 Th 4 16
– 22 ἐν τῷ Ἀδὰμ – ἀποθνήσκουσιν, – ἐν
τῷ Χῷ – ζωοποιηθήσονται
– 28 ἵνα ᾖ ὁ θεὸς πάντα ἐν πᾶσιν
– 31 νὴ τὴν ὑμετέραν καύχησιν, – ἣν ἔχω
ἐν Χῷ Ἰησοῦ τῷ κυρίῳ ἡμῶν
– 58 ὁ κόπος – οὐκ ἔστιν κενὸς ἐν κυρίῳ
16 24 ἡ ἀγάπη μου μετὰ πάντων ὑμῶν ἐν
Χῷ Ἰησοῦ

2 Co 1 19 ναὶ ἐν αὐτῷ γέγονεν 20 ὅσαι γὰρ ἐπ-
αγγελίαι θεοῦ, ἐν αὐτῷ τὸ ναί
2 12 θύρας μοι ἀνεῳγμένης ἐν κυρίῳ
– 14 θριαμβεύοντι ἡμᾶς ἐν τῷ Χῷ
– 17 ἐν Χῷ λαλοῦμεν 12 19
3 14 ὅτι ἐν Χῷ καταργεῖται (sc V. Test.)
4 3 ἐν τοῖς ἀπολλυμένοις ἐστὶν κεκαλυμ-
μένον 4 ἐν οἷς – ἐτύφλωσεν τὰ νοή-
ματα τῶν ἀπίστων
5 17 εἴ τις ἐν Χῷ, καινὴ κτίσις
– 19 θεὸς ἦν ἐν Χῷ κόσμον καταλλάσσων
ἑαυτῷ 21 ἵνα ἡμεῖς γενώμεθα δικαιο-
σύνη θεοῦ ἐν αὐτῷ
8 7 τῇ ἐξ ἡμῶν ἐν[b] ὑμῖν (vl ἡμ. vg) ἀγάπῃ
11 6 ἐν παντὶ φανερώσαντες ἐν πᾶσιν
(vg[o]) εἰς ὑμᾶς
– 10 ἔστιν ἀλήθεια Χοῦ ἐν ἐμοί
12 2 οἶδα ἄνθρωπον ἐν Χῷ
13 3 τοῦ ἐν ἐμοὶ λαλοῦντος Χοῦ, ὃς – δυ-
νατεῖ ἐν ὑμῖν 4 ἀσθενοῦμεν ἐν αὐτῷ
5 οὐκ ἐπιγινώσκετε ἑαυτοὺς ὅτι Ἰη-
σοῦς Χὸς ἐν ὑμῖν;
Gal 1 16 ἀποκαλύψαι τὸν υἱὸν αὐτοῦ ἐν ἐμοί
– 22 ταῖς ἐκκλησίαις – ταῖς ἐν Χῷ
– 24 ἐδόξαζον ἐν ἐμοὶ τὸν θεόν
2 4 κατασκοπῆσαι τὴν ἐλευθερίαν ἡμῶν
ἣν ἔχομεν ἐν Χῷ Ἰησοῦ
– 17 ζητοῦντες δικαιωθῆναι ἐν Χῷ
– 20 ζῶ – οὐκέτι ἐγώ, ζῇ δὲ ἐν ἐμοὶ Χός
3 14 ἵνα εἰς τὰ ἔθνη ἡ εὐλογία τοῦ Ἀ-
βραὰμ γένηται ἐν Ἰησοῦ Χῷ
– 26 υἱοὶ θεοῦ – διὰ τῆς πίστεως ἐν Χ. Ἰ.
– 28 πάντες – εἷς ἐστε ἐν Χῷ Ἰησοῦ
4 19 μέχρις οὗ μορφωθῇ Χὸς ἐν ὑμῖν
5 6 ἐν – Χῷ Ἰησ. οὔτε περιτομή τι ἰσχύει
– 10 ἐγὼ πέποιθα εἰς ὑμᾶς ἐν κυρίῳ
Eph 1 1 τοῖς ἁγίοις – καὶ πιστοῖς ἐν Χῷ Ἰησ.
– 3 ὁ εὐλογήσας ἡμᾶς – ἐν τοῖς ἐπουρα-
νίοις ἐν Χῷ 4 καθὼς ἐξελέξατο ἡμᾶς
ἐν αὐτῷ 6 ἐχαρίτωσεν ἡμᾶς ἐν τῷ ἠ-
γαπημένῳ 7 ἐν ᾧ ἔχομεν τὴν ἀπολύ-
τρωσιν Col 1 14
– 9 κατὰ τὴν εὐδοκίαν –, ἣν προέθετο
ἐν αὐτῷ 10 ἀνακεφαλαιώσασθαι τὰ
πάντα ἐν τῷ Χῷ –· ἐν αὐτῷ 11 ἐν ᾧ
καὶ ἐκληρώθημεν 12 εἶναι ἡμᾶς – τοὺς
προηλπικότας ἐν τῷ Χῷ 13 ἐν ᾧ καὶ
ὑμεῖς, –, ἐν ᾧ – πιστεύσαντες ἐσφρα-
γίσθητε τῷ πνεύματι
– 15 πίστιν ἐν τῷ κυρίῳ Ἰησοῦ Col 1 4
– 20 ἣν ἐνήργηκεν ἐν τῷ Χῷ ἐγείρας
2 6 συνεκάθισεν ἐν τοῖς ἐπουρανίοις ἐν

Χῷ Ἰησοῦ 7 ἵνα ἐνδείξηται – τὸ –
πλοῦτος τῆς χάριτος – ἐν Χῷ Ἰησοῦ
Eph 2 10 κτισθέντες ἐν Χῷ Ἰ. ἐπὶ ἔργοις ἀγ.
– 13 ἐν Χῷ Ἰησ. ὑμεῖς – ἐγενήθητε ἐγγύς
– 15 ἵνα τοὺς δύο κτίσῃ ἐν (vg vl[b]) αὐτῷ
εἰς ἕνα καινὸν ἄνθρ. 16 ἀποκαταλ-
λάξῃ τ. ἀμφοτέρους ἐν ἑνὶ σώματι τῷ
θεῷ, ἀποκτείνας τὴν ἔχθραν ἐν αὐτῷ
– 20.21 Χοῦ Ἰησοῦ, ἐν ᾧ πᾶσα οἰκοδομὴ
– αὔξει εἰς ναὸν ἅγιον ἐν κυρίῳ, 22
ἐν ᾧ καὶ ὑμεῖς συνοικοδομεῖσθε
3 6 συμμέτοχα τῆς ἐπαγγελίας ἐν Χῷ Ἰ.
– 11 πρόθεσιν – ἣν ἐποίησεν ἐν τῷ Χῷ Ἰ.
τῷ κυρίῳ ἡμῶν
– 12 ἐν ᾧ ἔχομεν τὴν παρρησίαν
– 21 αὐτῷ ἡ δόξα ἐν τῇ ἐκκλησίᾳ καὶ ἐν
Χῷ Ἰησοῦ
4 1 ἐγὼ ὁ δέσμιος ἐν κυρίῳ
– 6 θεὸς –, ὁ – διὰ πάντων καὶ ἐν πᾶσιν
– 17 λέγω καὶ μαρτύρομαι ἐν κυρίῳ
– 21 εἰ – ἐν αὐτῷ ἐδιδάχθητε καθώς ἐ-
στιν ἀλήθεια ἐν τῷ Ἰησοῦ
– 32 καθὼς – ὁ θεὸς ἐν Χῷ ἐχαρίσατο ὑ.
5 8 νῦν δὲ φῶς (sc ἐστε) ἐν κυρίῳ
6 1 ὑπακούετε τοῖς γονεῦσιν – [ἐν κυρίῳ]
2 ἥτις – ἐντολὴ πρώτη ἐν ἐπαγγελίᾳ
– 10 ἐνδυναμοῦσθε ἐν κυρίῳ
– 21 πιστὸς διάκονος ἐν κυρίῳ Col 4 7
Phl 1 1 τοῖς ἁγίοις ἐν Χῷ Ἰησοῦ 4 21
– 13 δεσμούς μου φανεροὺς ἐν Χῷ
– 14 ἐν κυρίῳ πεποιθότας τοῖς δεσμοῖς
– 26 ἵνα – τὸ καύχημα ὑμῶν περισσεύῃ ἐν
Χῷ Ἰησοῦ ἐν ἐμοί
– 30 ἀγῶνα – οἷον εἴδετε ἐν ἐμοὶ καὶ νῦν
ἀκούετε ἐν (de) ἐμοί 4 9
2 1 εἴ τις οὖν παράκλησις ἐν Χῷ
– 5 φρονεῖτε ἐν ὑμῖν ὃ καὶ ἐν Χῷ Ἰησοῦ
4 2 τὸ αὐτὸ φρονεῖν ἐν κυρίῳ
– 19 ἐλπίζω δὲ ἐν κυρίῳ Ἰησοῦ – πέμψαι
24 πέποιθα – ἐν κυρίῳ ὅτι
– 29 προσδέχεσθε οὖν αὐτὸν ἐν κυρίῳ
3 1 χαίρετε ἐν κυρίῳ 4 4 χ. ἐν κ. πάντο-
τε 10 ἐχάρην – ἐν κυρίῳ μεγάλως
– 3 καυχώμενοι ἐν Χῷ Ἰησοῦ
– 9 ἵνα Χὸν κερδήσω καὶ εὑρεθῶ ἐν αὐτῷ
– 14 τῆς ἄνω κλήσεως – ἐν Χῷ Ἰησοῦ
4 1 στήκετε ἐν κυρίῳ → 1 Th 3 8
– 7 φρουρήσει τὰς καρδίας ὑμῶν – ἐν Χῷ Ἰ.
– 11 ἔμαθον ἐν οἷς εἰμι αὐτάρκης εἶναι 12
ἐν παντὶ (ubique) καὶ ἐν πᾶσιν μεμύ-
ημαι 13 πάντα ἰσχύω ἐν τῷ ἐνδυνα-
μοῦντί με

Phl 4 19 πληρώσει – χρείαν ὑμῶν – ἐν Χῷ 'Ι.
Col 1 2 ἁγίοις καὶ πιστοῖς ἀδελφοῖς ἐν Χῷ
– 16 ἐν αὐτῷ ἐκτίσϑη τὰ πάντα 17 συν-
έστηκεν 19 ἐν αὐτῷ εὐδόκησεν πᾶν
τὸ πλήρωμα κατοικῆσαι 2 9 ἐν αὐτῷ
κατοικεῖ – τὸ πλήρωμα τῆς ϑεότητος
– 27 τί τὸ πλοῦτος – τοῦ μυστηρίου τούτου
–, ὅς ἐστιν Χὸς ἐν ὑμῖν
– 28 πάντα ἄνϑρωπον τέλειον ἐν Χῷ
2 3 Χοῦ, ἐν ᾧ εἰσιν πάντες „οἱ ϑησαυροὶ
τῆς σοφίας – ἀπόκρυφοι"
– 6 ἐν αὐτῷ (sc Χῷ 'Ι.) περιπατεῖτε 7 ἐπ-
οικοδομούμενοι ἐν αὐτῷ 10 ἐστὲ ἐν
αὐτῷ πεπληρωμένοι 11 ἐν ᾧ καὶ πε-
ριετμήϑητε 12 ἐν ᾧ καὶ συνηγέρϑητε
15 ϑριαμβεύσας αὐτοὺς (sc τὰς ἀρ-
χὰς καὶ τὰς ἐξουσίας) ἐν αὐτῷ
– 23 λόγον – ἔχοντα σοφίας ἐν ἐϑελοϑρη-
σκίᾳ –, οὐκ ἐν τιμῇ τινι πρὸς –
3 3 ἡ ζωὴ ὑμῶν κέκρυπται σὺν τῷ Χῷ
ἐν τῷ ϑεῷ
– 11 ἀλλὰ πάντα καὶ ἐν πᾶσιν Χός
– 18 ὡς ἀνῆκεν ἐν κυρίῳ 20 τοῦτο γὰρ εὐ-
άρεστόν ἐστιν ἐν κυρίῳ
4 17 διακονίαν ἣν παρέλαβες ἐν κυρίῳ
1 Th 1 1 τῇ ἐκκλησίᾳ – ἐν ϑεῷ πατρὶ καὶ κυ-
ρίῳ 'Ιησοῦ Χῷ 2 Th 1 1
2 2 ἐπαρρησιασάμεϑα ἐν τῷ ϑεῷ ἡμῶν
– 14 τῶν ἐκκλησιῶν τοῦ ϑεοῦ τῶν οὐσῶν
ἐν τῇ 'Ιουδαίᾳ ἐν Χῷ 'Ιησοῦ
3 8 ζῶμεν ἐὰν ὑμεῖς στήκετε ἐν κυρίῳ
4 1 παρακαλοῦμεν ἐν κυρίῳ 'Ιησοῦ 2 Th
3 12 'Ιησοῦ Χῷ
– 16 οἱ νεκροὶ ἐν Χῷ ἀναστήσονται
5 12 τοὺς – προϊσταμένους ὑμῶν ἐν κυρίῳ
– 18 ϑέλημα ϑεοῦ ἐν Χῷ 'Ιησοῦ εἰς ὑμᾶς
2 Th 1 12 „ὅπως ἐνδοξασϑῇ τὸ ὄνομα" – 'Ιησοῦ
„ἐν ὑμῖν," καὶ ὑμεῖς ἐν αὐτῷ
3 4 πεποίϑαμεν – ἐν κυρίῳ ἐφ' ὑμᾶς
1 Ti 1 14 μετὰ πίστεως καὶ ἀγάπης τῆς ἐν Χῷ
'Ιησοῦ 3 13 2 Ti 1 13 ἐν πίστει – 3 15
4 15 ταῦτα μελέτα, ἐν τούτοις ἴσϑι
2 Ti 1 1 ἐπαγγελίαν ζωῆς τῆς ἐν Χῷ 'Ιησοῦ
– 5 τῆς ἐν σοὶ ἀνυποκρίτου πίστεως 6
– 9 χάριν, τὴν δοϑεῖσαν ἡμῖν ἐν Χῷ 'Ι-
ησοῦ 21 χάριτι τῇ ἐν Χῷ 'Ι. 10 ἵνα
σωτηρίας τύχωσιν τῆς ἐν Χῷ 'Ιησοῦ
3 12 οἱ ϑέλοντες ζῆν εὐσεβῶς ἐν Χῷ 'Ιησ.
Phm 6 ἐν ἐπιγνώσει παντὸς ἀγαϑοῦ τοῦ ἐν
ἡμῖν εἰς Χόν (vg in Christo J.)
8 πολλὴν ἐν Χῷ παρρησίαν ἔχων
16 ἀδελφὸν – καὶ ἐν σαρκὶ καὶ ἐν κυρ.

Phm 20 ἐγώ σου ὀναίμην ἐν κυρίῳ· ἀνάπαυ-
σόν μου τὰ σπλάγχνα ἐν Χῷ
23 ὁ συναιχμάλωτός μου ἐν Χῷ 'Ιησοῦ
1 Pe 1 11 εἰς – ποῖον καιρὸν ἐδήλου τὸ ἐν αὐ-
τοῖς πνεῦμα Χοῦ
2 12 ἐν ᾧ καταλαλοῦσιν ὑμῶν 3 16 ἐν ᾧ
καταλαλεῖσϑε 4 4 ἐν ᾧ ξενίζονται
3 16 τὴν ἀγαϑὴν ἐν Χῷ ἀναστροφήν
– 19 πνεύματι· ἐν ᾧ καὶ τοῖς ἐν φυλακῇ
πνεύμασιν – ἐκήρυξεν
5 10 ὁ καλέσας ὑμᾶς – ἐν Χριστῷ
– 14 εἰρήνη ὑμῖν πᾶσιν τοῖς ἐν Χῷ
2 Pe 1 4 ἀποφυγόντες τῆς ἐν τῷ κόσμῳ ἐν ἐπι-
ϑυμίᾳ (vl vg concupiscentiae) φϑορᾶς
1 Jo (→ μένειν) 2 8 ὅ ἐστιν ἀληϑὲς ἐν αὐτῷ
καὶ ἐν ὑμῖν
3 5 ἁμαρτία ἐν αὐτῷ οὐκ ἔστιν
4 9 ἐφανερώϑη ἡ ἀγάπη τοῦ ϑεοῦ ἐν ἡ-
μῖν 16 τὴν ἀγ. ἣν ἔχει ὁ ϑεὸς ἐν ἡμῖν
5 10 ἔχει τὴν μαρτυρίαν ἐν αὐτῷ (se)
– 11 ἡ ζωὴ ἐν τῷ υἱῷ αὐτοῦ ἐσ.ιν
– 19 ὁ κόσμος – ἐν τῷ πονηρῷ κεῖται
– 20 ἐσμὲν ἐν τῷ ἀληϑινῷ, ἐν τῷ υἱῷ (vg
simus in vero Filio) αὐτοῦ 'Ιησοῦ Χῷ
Jud 1 τοῖς ἐν ϑεῷ πατρὶ ἠγαπημένοις καὶ
(vl + ἐν) 'Ιησοῦ Χῷ τετηρημένοις
Ap 1 9 ὁ ἀδελφὸς ὑμῶν καὶ συγκοινωνὸς ἐν
τῇ – ὑπομονῇ ἐν 'Ιησοῦ
14 13 οἱ νεκροὶ οἱ ἐν κυρίῳ ἀποϑνῄσκοντες

ἐναγκαλίζεσϑαι ᵃcomplecti ᵇcomplexari
Mar 9 36 ᵃ παιδίον 10 16 ᵇ παιδία

ἐνάλια, τὰ Sᵒ – cetera (sic pro ceti?)
Jac 3 7 πᾶσα – φύσις – ἐναλίων – δαμάζεται

ἔναντι ᵃante ᵇcoram Luc 1 8 ἔναντι ᵃ τοῦ
ϑεοῦ Act 8 21 οὐκ – εὐϑεῖα ἔν.ᵇ τοῦ ϑεοῦ

ἐναντίον, τοὐναντίον ᵃante ᵇcoram ᶜin
conspectu ᵈecontrario ᵉecontra
Luc 1 6 ἐν.ᵃ τοῦ ϑεοῦ 24 19 ᵇ – 20 26 ᵇ τοῦ λαοῦ
Act 7 10 ἐν.ᶜ Φαραώ 8 32 ᵇ „τοῦ κείροντος"
2 Co 2 7 τοὐναντ.ᵈ μᾶλλον ὑμᾶς χαρίσασϑαι
Gal 2 7 ᵉ 1 Pe 3 9 τοὐναντίονᵈ δὲ εὐλογοῦντες

ἐναντίος contrarius ᵇ(ἐ..οι) qui adversantur
ᶜadversus (praepos. c. acc.) ᵈ(ὁ ἐξ
ἐναντίας) qui ex adverso est
Mat 14 24 ἄνεμος Mar 6 48 – Act 27 4 ἄνεμοι
Mar 15 39 ᵈ Act 26 9 πολλὰ ἐναντία πρᾶξαι
Act 28 17 οὐδὲν ἐναντίονᶜ ποιήσας τῷ λαῷ

1 Th 2 15 τῶν – πᾶσιν ἀνθρώποις ἐναντίων[b]
Tit   2 8 ἵνα ὁ ἐξ ἐναντίας[d] ἐντραπῇ

ἐνάρχεσθαι   coepisse   Gal 3 3 ἐναρξάμενοι
     πνεύματι νῦν σαρκὶ ἐπιτελεῖσθε;
Phl   1 6 ὁ ἐναρξάμενος ἐν ὑμῖν ἔργον ἀγαθόν

ἔνατος   (ἐνάτῃ ὥρᾳ) hora nona   [b]nonus
Mat 20 5 – 27 45.46 ‖ Mar 15 33.34 Luc 23 44
Act   3 1 ἐπὶ τὴν ὥραν τῆς προσευχῆς τὴν ἐ-
     νάτην 10 3.30 τὴν ἐν. προσευχόμενος
Ap   21 20 ὁ ἔνατος[b] (sc θεμέλιος) τοπάζιον

ἐνδεής   egens   Act 4 34 οὐδὲ – ἐνδεής τις ἦν

ἔνδειγμα   S[o] – exemplum   2 Th 1 5 ἔν. (in
     ex.) τῆς δικαίας κρίσεως τοῦ θεοῦ

ἐνδείκνυσθαι   ostendere   [b]ostentare
Rm   2 15 ἐνδείκνυνται τὸ ἔργον τοῦ νόμου γρα-
     πτὸν ἐν ταῖς καρδίαις αὐτῶν
     9 17 „ἐνδείξωμαι ἐν σοὶ τὴν δύναμίν μου"
     – 22 θέλων ὁ θεὸς ἐνδείξασθαι τὴν ὀργήν
2 Co   8 24 τὴν – ἔνδειξιν (ostensionem) τῆς ἀγά-
     πης ὑμῶν – εἰς αὐτοὺς ἐνδεικνύμενοι
     εἰς πρόσωπον τῶν ἐκκλησιῶν
Eph   2 7 ἵνα ἐνδείξηται – τὸ ὑπερβάλλον πλοῦ-
     τος τῆς χάριτος αὐτοῦ
1 Ti   1 16 ἵνα ἐν ἐμοὶ πρώτῳ ἐνδείξηται Ἰ. Χὸς
     τὴν ἅπασαν μακροθυμίαν
2 Ti   4 14 Ἀλέξ. – πολλά μοι κακὰ ἐνεδείξατο
Tit   2 10 πᾶσαν πίστιν ἐ..υμένους ἀγαθήν 3 2
     πᾶσαν ἐνδεικνυμένους πραΰτητα
Hb   6 10 τῆς ἀγάπης ἧς ἐνεδείξασθε εἰς τὸ ὄν.
     – 11 ἕκαστον ὑμῶν τὴν αὐτὴν ἐ..σθαι[b]
     σπουδὴν πρὸς τὴν πληροφ. τῆς ἐλπ.

ἔνδειξις   S[o] – ostensio   [b]causa
Rm   3 25 εἰς ἔνδειξιν τῆς δικαιοσύνης αὐτοῦ 26
2 Co   8 24 → ἐνδείκνυσθαι – Phl 1 28 αὐτοῖς
     ἔνδ.[b] ἀπωλείας, ὑμῶν δὲ σωτηρίας

ἕνδεκα,   οἱ undecim   Mat 28 16 μαθηταί [Mar
     16 14] Luc 24 9.33 Act 1 26 2 14

ἑνδέκατος   undecimus   Mat 20 6 περὶ τὴν ἐν-
     δεκάτην (sc ὥραν) 9 – Ap 21 20

ἐνδέχεσθαι   capere   Luc 13 33 οὐκ ἐνδέχεται

ἐνδημεῖν   S[o] – [a]esse in   [b]praesentem esse
2 Co   5 6 ἐνδημοῦντες[a] ἐν τῷ σώματι 8 εὐδο-

κοῦμεν μᾶλλον – ἐνδημῆσαι[b] πρὸς τὸν
     κύριον 9 εἴτε ἐνδημοῦντες εἴτε ἐκδημοῦν-
     τες (absentes – praesentes)

ἐνδιδύσκειν, ..εσθαι   induere   [b]indui
Mar 15 17 αὐτὸν πορφύραν Luc 16 19[b] βύσσον

ἔνδικος   S[o] – iustus   Rm 3 8 ὧν τὸ κρίμα ἔν-
     δικόν ἐστιν Hb 2 2 εἰ – πᾶσα παράβασις
     – ἔλαβεν ἔνδικον μισθαποδοσίαν

ἐνδοξάζεσθαι   [a]glorificari   [b]clarificari
2 Th   1 10 „ἐ..σθῆναι[a] ἐν τοῖς ἁγίοις αὐτοῦ"
     – 12 „ὅπως ἐ..σθῇ[b] τὸ ὄνομα" τοῦ κυρίου

ἔνδοξος   gloriosus (Luc 13 17   quae gloriose
               fiebant)   [b]nobilis   [c]pretiosus
Luc   7 25 οἱ ἐν ἱματισμῷ ἐνδόξῳ[c] καὶ τρυφῇ
     13 17 ἐπὶ πᾶσιν τοῖς ἐνδ. τοῖς γινομένοις
1 Co   4 10 ὑμεῖς ἔνδοξοι[b], ἡμεῖς δὲ ἄτιμοι
Eph   5 27 ἵνα παραστήσῃ – ἔνδοξον τὴν ἐκκλη-
     σίαν, – ἵνα ᾖ ἁγία καὶ ἄμωμος

ἐνδύειν, ..εσθαι   induere   [b]indui   [c]vestire
     [d]vestiri
Mat   6 25 τί ἐνδύσησθε[b] ‖ Luc 12 22[b] (vl[d])
     22 11 οὐκ ἐνδεδυμένον[d] ἔνδυμα γάμου
     27 31 ἐνέδυσαν αὐτὸν τὰ ἱμάτια αὐτοῦ ‖
     Mar 15 20
Mar   1 6 ἐνδεδυμένος[d] τρίχας καμήλου
     6 9 μὴ ἐνδύσησθε[b] δύο χιτῶνας
Luc   8 27 χρόνῳ ἱκανῷ οὐκ ἐνεδύσατο[b] ἱμάτιον
     15 22 στολὴν – καὶ ἐνδύσατε αὐτόν
     24 49 ἕως οὗ ἐνδύσησθε[b] ἐξ ὕψους δύναμιν
Act   12 21 ἐνδυσάμενος[d] ἐσθῆτα βασιλικήν
Rm   13 12 ἐνδυσώμεθα[b] – τὰ ὅπλα τοῦ φωτός
     – 14 ἐνδύσασθε[b] τὸν κύριον Ἰησοῦν Χόν
1 Co 15 53 δεῖ – τὸ φθαρτὸν – ἐνδύσασθαι ἀφθαρ-
     σίαν καὶ τὸ θνητὸν – ἐνδύσασθαι ἀθα-
     νασίαν 54 ὅταν – τὸ φθ. – ἐνδύσηται
     ἀφθ. καὶ (vg om τ. φθ. – ἐνδ. ἀφθ.
     καί) τὸ θνητὸν ἐνδύσηται ἀθανασίαν
2 Co   5 3 εἴ γε καὶ ἐνδυσάμενοι[d] οὐ γυμνοί
Gal   3 27 εἰς Χὸν ἐβαπτίσθητε, Χὸν ἐνεδύσασθε
Eph   4 24 ἐνδύσασθαι τὸν καινὸν ἄνθρωπον
     Col 3 10 ἐνδυσάμενοι τὸν νέον ἄνθρ.
     6 11 ἐνδύσασθε τὴν πανοπλίαν τοῦ θεοῦ
     – 14 „ἐνδυσάμενοι[b] τὸν θώρακα τῆς δι-
     καιοσύνης" 1 Th 5 8[b] πίστεως
Col   3 12 ἐνδύσασθε – σπλάγχνα οἰκτιρμοῦ
Ap   1 13 „ἐνδεδυμένον[d] ποδήρη" 15 6 „ἐνδεδυ-
     μένοι[d] λίνον" καθαρὸν 19 14[d] βύσσι-
     νον λευκὸν καθαρόν

ἔνδυμα *vestimentum* ᵇ*vestis*
Mat 3 4 εἶχεν τὸ ἔνδ. – ἀπὸ τριχῶν καμήλου
6 25 οὐχὶ – πλεῖόν ἐστιν – τὸ σῶμα τοῦ ἐν-
δύματος; 28 περὶ ἐνδύματος τί μερι-
μνᾶτε; ‖ Luc 12 23
7 15 ἔρχονται – ἐν ἐνδύμασι προβάτων
22 11ᵇ 12 μὴ ἔχων ἔνδυμαᵇ γάμου;
28 3 τὸ ἔνδυμα αὐτοῦ λευκὸν ὡς χιών

ἐνδυναμοῦν, ..οῦσθαι *confortare, ..ari*
ᵇ*convalescere*
Act 9 22 Σαῦλος – μᾶλλον ἐνεδυναμοῦτοᵇ
Rm 4 20 (Ἀβραὰμ) ἐνεδυναμώθη τῇ πίστει
Eph 6 10 ἐνδυναμοῦσθε ἐν κυρίῳ καὶ ἐν τῷ
κράτει τῆς ἰσχύος αὐτοῦ
Phl 4 13 πάντα ἰσχύω ἐν τῷ ἐνδυναμοῦντί με
1 Ti 1 12 χάριν ἔχω τῷ ἐνδυναμώσαντί με Χῷ
2 Ti 2 1 ἐνδυναμοῦ ἐν τῇ χάριτι τῇ ἐν Χῷ Ἰ.
4 17 ὁ δὲ κύριος – ἐνεδυνάμωσέν με

ἐνδύνειν *penetrare*
2 Ti 3 6 οἱ ἐνδύνοντες εἰς τὰς οἰκίας

ἔνδυσις *indumentum* 1 Pe 3 3 ἱματίων

ἐνδώμησις Sᵒ – *structura* Ap 21 18 τείχους

ἐνέδρα *insidiae* Act 23 16 25 3

ἐνεδρεύειν *insidiari* Luc 11 54 Act 23 21

ἐνειλεῖν *involvere* Mar 15 46 σινδόνι

ἐνεῖναι, τὰ ἐνόντα *quod superest*
Luc 11 41 πλὴν τὰ ἐνόντα δότε ἐλεημοσύνην

*ἕνεκεν, ἕνεκα, εἵνεκεν *propter*
Mat 5 10 οἱ δεδιωγμένοι ἕνεκεν δικαιοσύνης 11
ὅταν – ὑμᾶς – διώξωσιν – ἕνεκεν ἐμοῦ ‖
Luc 6 22 ἕν. τοῦ υἱοῦ τοῦ ἀνθρώπου
10 18 ἐπὶ ἡγεμόνας – ἀχθήσεσθε ἕν. ἐμοῦ
‖ Mar 13 9 Luc 21 12 ἕν. τοῦ ὀνόμ. μου
– 39 ὁ ἀπολέσας τὴν ψυχὴν αὐτοῦ ἕνεκεν
ἐμοῦ 16 25 ‖ Mar 8 35 ἕνεκεν ἐμοῦ καὶ
τοῦ εὐαγγελίου Luc 9 24
19 5 „ἕνεκα τούτου καταλείψει ἄνθρωπος
τὸν πατέρα καὶ τ. μητέρα" ‖ Mar 10 7
– 29 ὅστις ἀφῆκεν οἰκίας – ἕνεκεν τοῦ ἐμοῦ
ὀνόματος ‖ Mar 10 29 ἕνεκεν ἐμοῦ καὶ
ἕνεκεν τοῦ εὐαγγελίου Luc 18 29 εἵ-
νεκεν τῆς βασιλείας τοῦ θεοῦ

ἐνενήκοντα ἐννέα *nonagintanovem*
Mat 18 12 ἀφήσει τὰ ἐ. ἐ. 13 χαίρει – μᾶλλον ἢ

ἐπὶ τοῖς ἐ. ἐ. ‖ Luc 15 4.7 ἐπὶ ἑνὶ ἁ-
μαρτωλῷ – ἢ ἐπὶ ἐ. ἐ. δικαίοις

ἐνεός *stupefactus* Act 9 7 εἰστήκεισαν ἐνεοί

ἐνέργεια *operatio*
Eph 1 19 κατὰ τὴν ἐνέργειαν – τῆς ἰσχύος αὐ-
τοῦ, 20 ἣν ἐνήργηκεν (*operatus est*)
ἐν τῷ Χῷ ἐγείρας αὐτόν
3 7 κατὰ τὴν ἐνέργ. τῆς δυνάμεως αὐτοῦ
4 16 κατ' ἐνέργειαν ἐν μέτρῳ ἑνὸς ἑκά-
στου μέρους τὴν αὔξησιν – ποιεῖται
Phl 3 21 κατὰ τὴν ἐνέργειαν τοῦ δύνασθαι αὐ-
τὸν καὶ ὑποτάξαι αὐτῷ τὰ πάντα
Col 1 29 κοπιῶ – κατὰ τὴν ἐνέργειαν αὐτοῦ
τὴν ἐνεργουμένην (*quam operatur*)
ἐν ἐμοὶ ἐν δυνάμει
2 12 διὰ τῆς πίστεως τῆς ἐνεργ. τοῦ θεοῦ
2 Th 2 9 κατ' ἐνέργ. τοῦ σατανᾶ ἐν – δυνάμει
– 11 πέμπει αὐτοῖς ὁ θεὸς ἐν..αν πλάνης

ἐνεργεῖν, ..εῖσθαι *operari* ᵇ*inoperari*
ᶜ*perficere* ᵈ(ἐνεργουμένη) *assidua*
Mat 14 2 ἠγέρθη –, καὶ διὰ τοῦτο αἱ δυνάμεις
ἐνεργοῦσιν ἐν αὐτῷ ‖ Mar 6 14 (vlᵇ)
Rm 7 5 τὰ παθήματα τῶν ἁμαρτιῶν – ἐνηρ-
γεῖτο ἐν τοῖς μέλεσιν ἡμῶν
1 Co 12 6 ὁ δὲ αὐτὸς θεὸς ὁ ἐνεργῶν τὰ πάν-
τα ἐν πᾶσιν Eph 1 11 τοῦ τὰ πάντα
ἐ..οῦντος κατὰ τὴν βούλησιν – αὐτοῦ
– 11 πάντα – ἐ..εῖ τὸ ἓν καὶ τὸ αὐτὸ πνεῦ.
2 Co 1 6 παρακλήσεως τῆς ἐνεργουμένης ἐν
ὑπομονῇ τῶν αὐτῶν παθημάτων
4 12 ὁ θάνατος ἐν ἡμῖν ἐνεργεῖται, ἡ δὲ
ζωὴ ἐν ὑμῖν
Gal 2 8 ὁ – ἐνεργήσας Πέτρῳ – ἐνήργησεν καὶ
ἐμοὶ εἰς τὰ ἔθνη
3 5 ὁ – ἐνεργῶν δυνάμεις ἐν ὑμῖν
5 6 πίστις δι' ἀγάπης ἐνεργουμένη
Eph 1 11 → 1 Co 12 6 – Eph 1 19.20 → ἐνέργεια
2 2 τοῦ πνεύματος τοῦ νῦν ἐνεργοῦντος
ἐν τοῖς υἱοῖς τῆς ἀπειθείας
3 20 κατὰ τὴν δύναμιν τὴν ἐνεργουμένην
ἐν ἡμῖν – Col 1 29 → ἐνέργεια
Phl 2 13 θεός – ἐστιν ὁ ἐνεργῶν ἐν ὑμῖν καὶ
τὸ θέλειν καὶ τὸ ἐνεργεῖνᶜ
1 Th 2 13 λόγον θεοῦ, ὃς καὶ ἐνεργεῖται ἐν ὑ-
μῖν τοῖς πιστεύουσιν
2 Th 2 7 τὸ γὰρ μυστήριον ἤδη ἐνεργεῖται τῆς
ἀνομίας
Jac 5 16 πολὺ ἰσχύει δέησις δικαίου ἐνεργου-
μένηᵈ

ἐνέργημα S° – operatio
1 Co 12 6 διαιρέσεις ἐνεργημάτων εἰσίν
– 10 ἄλλῳ δὲ ἐνεργήματα δυνάμεων (vl
ἐνέργεια δ..εως, vg op..o virtutum)

ἐνεργής S° – ᵃefficax ᵇevidens (= ἐναργής?)
1 Co 16 9 θύρα – μοι ἀνέῳγεν – ἐνεργής ᵇ
Phm 6 ὅπως ἡ κοινωνία τῆς πίστεώς σου
ἐν.ᵇ γένηται ἐν ἐπιγνώσει – ἀγαθοῦ
Hb 4 12 ζῶν – ὁ λόγος τοῦ θεοῦ καὶ ἐνεργής ᵃ

ἐνευλογεῖν benedicere Act 3 25 Gal 3 8

ἐνέχειν, ..σθαι ᵃinsidiari ᵇinsistere ᶜcontinēri
Mar 6 19 Ἡρῳδιὰς ἐνεῖχεν ᵃ αὐτῷ Luc 11 53 ᵇ
Gal 5 1 μὴ πάλιν. ζυγῷ δουλείας ἐνέχεσθε ᶜ

ἐνθυμεῖσθαι cogitare Mat 1 20 9 4

ἐνθύμησις S° – cogitatio
Mat 9 4 εἰδὼς – τὰς ἐνθυμήσεις αὐτῶν 12 25
Act 17 29 χαράγματι – ἐνθυμήσεως ἀνθρώπου
Hb 4 12 κριτικὸς ἐνθυμήσεων καὶ ἐννοιῶν

οὐκ ἔνι non est
1 Co 6 5 οὕτως οὐκ ἔνι ἐν ὑμῖν – σοφός, – ;
Gal 3 28 οὐκ ἔνι Ἰουδαῖος οὐδὲ Ἕλλην, οὐκ
ἔνι δοῦλος –, οὐκ ἔνι ἄρσεν –
Col 3 11 τὸν νέον (sc ἄνθρ.) –, ὅπου οὐκ ἔνι
Ἕλλην καὶ Ἰουδαῖος, περιτομὴ καὶ
ἀκροβυστία, βάρβαρος
Jac 1 17 παρ' ᾧ οὐκ ἔνι παραλλαγή

ἐνιαυτός annus ᵇper singulos annos
Luc 4 19 „κηρῦξαι ἐνιαυτὸν κυρίου δεκτόν"
Joh 11 49 ἀρχιερεὺς ὢν τοῦ ἐνιαυτοῦ 51 18 13
Act 11 26 ἐνιαυτὸν ὅλον συναχθῆναι ἐν τῇ ἐκ-
κλησίᾳ 18 11 ἐκάθισεν – ἐνιαυτὸν καὶ
μῆνας ἓξ διδάσκων ἐν αὐτοῖς
Gal 4 10 παρατηρεῖσθε – καιροὺς καὶ ἐ..ούς
Hb 9 7 ἅπαξ τοῦ ἐν. 25 ὁ ἀρχιερεὺς εἰσέρχε-
ται – κατ' ἐνιαυτόν ᵇ 10 1 κατ' ἐνιαυ-
τόν ᵇ ταῖς αὐταῖς θυσίαις 3 ἐν αὐταῖς
ἀνάμνησις ἁμαρτιῶν κατ' ἐνιαυτόν ᵇ
Jac 4 13 καὶ ποιήσομεν ἐκεῖ ἐνιαυτὸν
5 17 οὐκ ἔβρεξεν ἐπὶ τῆς γῆς ἐ..οὺς τρεῖς
Ap 9 15 ἡτοιμασμένοι εἰς – μῆνα καὶ ἐνιαυτόν

ἐνιστάναι instare ᵇ(part.) praesens, ..tia
Rm 8 38 οὔτε ἐνεστῶτα (instantia) οὔτε μέλ-
λοντα 1 Co 3 22 εἴτε ἐν.ᵇ εἴτε μέλλ.
1 Co 7 26 καλὸν – διὰ τὴν ἐνεστῶσαν ἀνάγκην

Gal 1 4 ὅπως ἐξέληται ἡμᾶς ἐκ τοῦ αἰῶνος
τοῦ ἐνεστῶτος ᵇ πονηροῦ
2 Th 2 2 ὡς ὅτι ἐνέστηκεν ἡ ἡμέρα τοῦ κυρίου
2 Ti 3 1 ἐνστήσονται καιροὶ χαλεποί
Hb 9 9 ἥτις παραβολὴ εἰς τὸν καιρὸν τὸν
ἐνεστηκότα

ἐνισχύειν ᵃconfortare ᵇconfortari
Luc 22 43 [ὤφθη – ἄγγελος – ἐνισχύων ᵃ αὐτόν]
Act 9 19 λαβὼν τροφὴν ἐν..σεν (vl ἐνισχύθη) ᵇ

ἐννέα novem Luc 17 17 οἱ [δὲ] ἐννέα ποῦ;
→ ἐνενήκοντα ἐννέα

ἐννεύειν innuere Luc 1 62 τῷ πατρί

ἔννοια ᵃintentio ᵇcogitatio
Hb 4 12 κριτικὸς – ἐννοιῶν ᵃ καρδίας
1 Pe 4 1 ὑμεῖς τὴν αὐτὴν ἔννοιαν ᵇ ὁπλίσασθε

ἔννομος ᵃlegitimus ᵇin lege
Act 19 39 ἐν τῇ ἐ..ῳ ᵃ ἐκκλησίᾳ ἐπιλυθήσεται
1 Co 9 21 μὴ – ἄνομος θεοῦ ἀλλ' ἔννομος ᵇ Χοῦ

ἔννυχα diluculo Mar 1 35 ἔννυχα – ἀναστάς

ἐνοικεῖν inhabitare ᵇhabitare
Rm 7 17 ἡ ἐνοικοῦσα ᵇ ἐν ἐμοὶ ἁμαρτία
8 11 διὰ τοῦ ἐνοικοῦντος αὐτοῦ πνεύμα-
τος ἐν ὑμῖν 2 Ti 1 14 ᵇ ἐν ἡμῖν
2 Co 6 16 εἶπεν ὁ θ. ὅτι „ἐνοικήσω ἐν αὐτοῖς"
Col 3 16 ὁ λόγος τοῦ Χοῦ ἐνοικείτω ᵇ ἐν ὑμῖν
πλουσίως
2 Ti 1 5 τῆς – ἀνυποκρίτου πίστεως, ἥτις ἐν-
ῴκησεν ᵇ πρῶτον ἐν τῇ μάμμῃ σου

ἐνορκίζειν adiurare aliquem per
1 Th 5 27 ἐν..ω ὑμᾶς τὸν κύριον ἀναγνωσθῆναι

ἑνότης S° – unitas
Eph 4 3 τηρεῖν τὴν ἑνότητα τοῦ πνεύματος
– 13 εἰς τὴν ἑν. τῆς πίστεως καὶ τῆς ἐπι-
γνώσεως τοῦ υἱοῦ τοῦ θεοῦ

ἐνοχλεῖν, ..εῖσθαι ᵃimpedire ᵇvexari
Luc 6 18 οἱ ἐ..ούμενοι ᵇ ἀπὸ πνευμάτων ἀκαθ.
Hb 12 15 „μή τις ῥίζα πικρίας – ἐνοχλῇ ᵃ" (S
Deut 29 17 ἐν χολῇ, vl ἐνοχλῇ)

ἔνοχος reus ᵇobnoxius (servituti)
Mat 5 21 ὃς δ' ἂν φονεύσῃ, ἔν. ἔσται τῇ κρίσει
22 ὁ ὀργιζόμενος – ἔνοχος ἔσται τῇ
κρίσει· – ῥακά, ἔνοχος – τῷ συνεδρίῳ·
– μωρέ, ἔνοχος – εἰς τὴν γέενναν

Mat 26 66 ἔνοχος θανάτου ἐστίν ‖ Mar 14 64
Mar 3 29 ἔνοχός ἐστιν αἰωνίου ἁμαρτήματος
1 Co 11 27 ἔνοχος ἔσται τοῦ σώματος καὶ τοῦ
     αἵματος τοῦ κυρίου
Hb   2 15 ὅσοι φόβῳ θανάτου διὰ παντὸς τοῦ
     ζῆν ἔνοχοι b ἦσαν δουλείας
Jac   2 10 γέγονεν πάντων ἔνοχος

ἔνταλμα praeceptum b mandatum
Mat 15 9 „ἐ..τα b ἀνθρώπων" ‖ Mar 7 7 – Col 2 22

ἐνταφιάζειν sepelire Mat 26 12 Joh 19 40

ἐνταφιασμός S⁰ – sepultura
Mar 14 8 Joh 12 7 εἰς – ἡμέραν τοῦ ἐντ. μου

ἐντέλλεσθαι mandare b praecipere
Mat   4 6 „τοῖς ἀγγέλοις αὐτοῦ ἐντελεῖται (man-
      davit, vl ..bit) περὶ σοῦ" ‖ Luc 4 10
   17 9 ἐνετείλατο b αὐτοῖς ὁ Ἰησοῦς
   19 7 Μωϋσῆς ἐνετείλατο ‖ Mar 10 3 b –
     [Joh 8 5 τὰς τοιαύτας λιθάζειν]
   28 20 τηρεῖν πάντα ὅσα ἐνετειλάμην ὑμῖν
Mar 13 34 θυρωρῷ ἐνετείλατο b ἵνα γρηγορῇ
Joh 14 31 καθὼς ἐνετείλατό (vl ἐντολὴν ἔδωκέν
     vg mandatum dedit) μοι ὁ πατήρ
   15 14 ὃ ἐγὼ ἐντέλλομαι b ὑμῖν 17 ταῦτα ἐ..
     ομαι ὑμῖν, ἵνα ἀγαπᾶτε ἀλλήλους
Act   1 2 ἐντειλάμενος b τοῖς ἀποστόλοις
   13 47 οὕτως – ἐντέταλται b ἡμῖν ὁ κύριος
Hb   9 20 „τῆς διαθήκης ἧς ἐνετείλατο πρὸς ὑ-
     μᾶς ὁ θεός"
   11 22 περὶ τῶν ὀστέων αὐτοῦ ἐνετείλατο

ἔντευξις a postulatio b oratio
1 Ti   2 1 ποιεῖσθαι – ἐντεύξεις a 4 5 ἁγιάζεται
     – διὰ λόγου θεοῦ καὶ ἐντεύξεως b

(ἐντιθέναι interponere Act 18 4 vl ἐντιθεὶς
     τὸ ὄνομα τοῦ κυρίου Ἰησοῦ vg)

ἔντιμος a honoratus b honorificatus c cum
     honore (habere) d pretiosus
Luc   7 2 δοῦλος –, ὃς ἦν αὐτῷ ἔντιμος d
   14 8 μήποτε ἐ..ότερός a σου ᾖ κεκλημένος
Phl   2 29 τοὺς τοιούτους ἐντίμους c ἔχετε
1 Pe   2 4 „λίθον" ζῶντα, – παρὰ δὲ θεῷ „ἐκ-
     λεκτὸν ἔντιμον b" 6 d

ἐντολή mandatum b praeceptum
Mat 5 19 ὃς ἐὰν – λύσῃ μίαν τῶν ἐντολῶν τού-
     των τῶν ἐλαχίστων

Mat 15 3 παραβαίνετε τὴν ἐντ. τοῦ θεοῦ ‖ Mar
     7 8 ἀφέντες τὴν ἐντ. τοῦ θεοῦ 9 κα-
     λῶς ἀθετεῖτε τὴν ἐντολὴν b τοῦ θεοῦ
   19 17 τήρει τὰς ἐντολάς ‖ Mar 10 19 τὰς ἐν-
     τολὰς b οἶδας Luc 18 20
   22 36 ποία ἐντολὴ μεγάλη ἐν τῷ νόμῳ; 38
     αὕτη ἐστὶν ἡ μεγ. καὶ πρώτη ἐντολή
     40 ἐν ταύταις ταῖς δυσὶν ἐντ. ‖ Mar
     12 28 ποία – ἐντ. πρώτη πάντων; (30
     vl) 31 μείζων – ἄλλη ἐντ. οὐκ ἔστιν
Mar 10 5 ἔγραψεν ὑμῖν τὴν ἐντολὴν b ταύτην
Luc   1 6 πορευόμενοι ἐν πάσαις ταῖς ἐντολαῖς
   15 29 οὐδέποτε ἐντολήν σου παρῆλθον
   23 56 τὸ – σάββ. ἡσύχασαν κατὰ τὴν ἐντ.
Joh 10 18 ταύτην τὴν ἐντολὴν ἔλαβον παρὰ τοῦ
     πατρός μου 12 49 ὁ – πατὴρ αὐτός
     μοι ἐντολὴν δέδωκεν τί εἴπω 50 ἡ ἐν-
     τολὴ αὐτοῦ ζωὴ αἰώνιός ἐστιν
   11 57 δεδώκεισαν – οἱ ἀρχιερεῖς – ἐντολάς
   13 34 ἐντολὴν καινὴν δίδωμι ὑμῖν 15 12 αὕ-
     τη ἐστὶν ἡ ἐντολὴ b ἡ ἐμή
   14 15 τὰς ἐντ. τὰς ἐμὰς τηρήσετε 21 ὁ ἔχων
     τὰς ἐντ. μου καὶ τηρῶν (31 vl) 15 10 ἐὰν
     τὰς ἐντ. b μου τηρήσητε, – καθὼς ἐγὼ
     τοῦ πατρός μου τὰς ἐντ. b τετήρηκα
Act 17 15 λαβόντες ἐντολὴν πρὸς τὸν Σιλᾶν
Rm   7 8 ἀφορμὴν – λαβοῦσα ἡ ἁμαρτία διὰ
     τῆς ἐντολῆς 11 – 9 ἐλθούσης – τῆς
     ἐντ. ἡ ἁμαρτία ἀνέζησεν 10 εὑρέθη
     μοι ἡ ἐντ. ἡ εἰς ζωήν, – εἰς θάνατον
     – 12 ἡ ἐντολὴ ἁγία καὶ δικαία καὶ ἀγαθή
     – 13 ἵνα γένηται καθ' ὑπερβολὴν ἁμαρτω-
     λὸς ἡ ἁμαρτία διὰ τῆς ἐντολῆς
     13 9 εἴ τις ἑτέρα ἐντ., ἐν τῷ λόγῳ τούτῳ
1 Co   7 19 ἀλλὰ τήρησις ἐντολῶν θεοῦ
   14 37 ἃ γράφω – ὅτι κυρίου ἐστὶν ἐντολή
Eph   2 15 τὸν νόμον τῶν ἐντολῶν ἐν δόγμασιν
   6 2 ἐστιν ἐντολὴ πρώτη ἐν ἐπαγγελίᾳ
Col   4 10 Μᾶρκος –, περὶ οὗ ἐλάβετε ἐντολάς
1 Ti   6 14 τηρῆσαί σε τὴν ἐντολὴν ἄσπιλον
Tit   1 14 μὴ προσέχοντες – ἐντολαῖς ἀνθρώπων
Hb   7 5.16 κατὰ νόμον ἐ..ῆς σαρκίνης 18 ἀθέ-
     τησις – γίνεται προαγούσης ἐ..ῆς 9 19
2 Pe   2 21 ἐκ τῆς παραδοθείσης – ἁγίας ἐντολῆς
   3 2 μνησθῆναι – τῆς τῶν ἀποστόλων ὑμῶν
     ἐντολῆς b τοῦ κυρίου καὶ σωτῆρος
1 Jo   2 3 ἐὰν τὰς ἐντολὰς αὐτοῦ τηρῶμεν 4 ὁ
     τὰς ἐντ. μὴ τηρῶν 3 22 ὅτι τὰς ἐντο-
     λὰς αὐτοῦ τηροῦμεν 24 ὁ τηρῶν τὰς
     ἐντολὰς αὐτοῦ 5 2 ὅταν τὸν θεὸν ἀγα-
     πῶμεν καὶ τὰς ἐντολὰς αὐτοῦ ποι-
     ῶμεν 3 αὕτη – ἐστὶν ἡ ἀγάπη τοῦ θεοῦ,

ἵνα τὰς ἐντολὰς αὐτοῦ τηρῶμεν· καὶ
αἱ ἐντολαὶ αὐτοῦ βαρεῖαι οὐκ εἰσίν
1 Jo 2 7 οὐκ ἐντολὴν καινὴν γράφω ὑμῖν, ἀλλ᾽
ἐντολὴν παλαιάν – · ἡ ἐντολὴ ἡ πα-
λαιά ἐστιν ὁ λόγος ὃν ἠκούσατε 8
πάλιν ἐντολὴν καινὴν γράφω ὑμῖν
3 23 αὕτη ἐστὶν ἡ ἐντολὴ αὐτοῦ, ἵνα πι-
στεύσωμεν – καὶ ἀγαπῶμεν ἀλλήλους
καθὼς ἔδωκεν ἐντολὴν ἡμῖν
4 21 ταύτην τὴν ἐντολ. ἔχομεν ἀπ᾽ αὐτοῦ
2 Jo 4 καθὼς ἐ..ὴν ἐλάβομεν παρὰ τ. πατρός
5 οὐχ ὡς ἐ..ὴν γράφων σοι καινήν, ἀλ-
λὰ ἣν εἴχομεν ἀπ᾽ ἀρχῆς, ἵνα ἀγαπ.
6 ἵνα περιπατῶμεν κατὰ τὰς ἐντ. αὐτοῦ·
αὕτη ἡ ἐντ. ἐστιν, – ἵνα ἐν αὐτῇ περ.
Ap 12 17 πόλεμον μετὰ – τῶν τηρούντων τὰς
ἐντ. τοῦ θεοῦ 14 12 οἱ τηρ. τὰς ἐντ.

ἐντόπιοι So – qui loci illius erant Act 21 12

ἐντός a intus b intra
Mat 23 26 καθάρισον – τὸ ἐντὸς a τοῦ ποτηρίου
Luc 17 21 ἡ βασιλεία τ. θεοῦ ἐντὸς b ὑμῶν ἐστιν

ἐντρέπειν, ..εσθαι a confundere, ..di b verēri
c reverēri
Mat 21 37 ἐντραπήσονται b τὸν υἱόν μου ‖ Mar
12 6 c Luc 20 13 ἴσως τοῦτον ἐντρ. b
Luc 18 2 ἄνθρωπον μὴ ἐ..όμενος c 4 ἐ..ομαι c
1 Co 4 14 οὐκ ἐντρέπων a ὑμᾶς γράφω ταῦτα
2 Th 3 14 τοῦτον σημειοῦσθε, μὴ συναναμίγνυ-
σθαι αὐτῷ, ἵνα ἐντραπῇ a
Tit 2 8 ἵνα ὁ ἐξ ἐναντίας ἐντραπῇ b
Hb 12 9 τοὺς – τῆς σαρκὸς ἡμῶν πατέρας εἴ-
χομεν παιδευτὰς καὶ ἐνετρεπόμεθα c

ἐντρέφειν So – enutrire 1 Ti 4 6 ἐντρεφό-
μενος τοῖς λόγοις τῆς πίστεως

ἔντρομος (ἔ. γενόμ.) tremefactus b tremebun-
dus Act 7 32 Μωϋ. ‖ Hb 12 21 b – Act 16 29

ἐντροπή a verecundia b reverentia
1 Co 6 5 πρὸς ἐντροπὴν a ὑμῖν λέγω 15 34 b (vl a)

ἐντρυφᾶν deliciis affluere 2 Pe 2 13

ἐντυγχάνειν interpellare b postulare
Act 25 24 περὶ οὗ – τὸ πλῆθος τῶν Ἰουδαίων
ἐνέτυχόν μοι –, βοῶντες μὴ δεῖν
Rm 8 27 κατὰ θεὸν ἐ..νει b (sc πνεῦμα) ὑπὲρ
ἁγίων 34 Χὸς Ἰησοῦς –, ὃς καὶ ἐ..νει

ὑπὲρ ἡμῶν 11 2 ὡς ἐντυγχάνει (sc
Ἠλίας) τῷ θεῷ κατὰ τοῦ Ἰσραήλ
Hb 7 25 ζῶν εἰς τὸ ἐντυγχάνειν ὑπὲρ αὐτῶν

ἐντυλίσσειν So – involvere Mat 27 59 σιν-
δόνι ‖ Luc 23 53 – Joh 20 7 σουδάριον

ἐντυποῦν deformare 2 Co 3 7 λίθοις

ἐνυβρίζειν So – contumeliam facere alicui
Hb 10 29 τὸ πνεῦμα τῆς χάριτος ἐνυβρίσας

ἐνυπνιάζεσθαι somniare Act 2 17
Jud 8 ὁμοίως – καὶ οὗτοι ἐ..όμενοι (vg o)

ἐνύπνιον somnium Act 2 17

ἐνώπιον coram b ante c ante faciem d in con-
spectu e ante conspectu
Luc 1 15 ἔσται (Ἰωάν.) – μέγας ἐνώπιον κυρίου
– 17 προελεύσεται ἐν. b αὐτοῦ 76 προπο-
ρεύσῃ γὰρ „ἐν. c κυρίου ἑτοιμάσαι"
– 19 Γαβριὴλ ὁ παρεστηκὼς ἐν. b τοῦ θεοῦ
– 75 λατρεύειν – ἐν – δικαιοσύνῃ ἐν. αὐτοῦ
4 7 ἐὰν προσκυνήσῃς ἐν. ἐμοῦ, ἔσται σοῦ
5 18 ἐζήτουν αὐτὸν – θεῖναι – ἐνώπιον b αὐ-
τοῦ 25 ἀναστὰς ἐνώπιον αὐτῶν
8 47 ἀπήγγειλεν ἐνώπιον παντὸς τοῦ λαοῦ
12 6 ἓν ἐξ αὐτῶν (sc τῶν στρουθίων) οὐκ
ἔστιν ἐπιλελησμένον ἐνώπιον τοῦ θεοῦ
– 9 ὁ δὲ ἀρνησάμενός με ἐν. τῶν ἀνθρ.
ἀπαρνηθήσεται ἐν. τῶν ἀγγ. τ. θεοῦ
13 26 ἐφάγομεν ἐνώπιόν σου καὶ ἐπίομεν
14 10 ἔσται σοι δόξα ἐνώπιον πάντων
15 10 χαρὰ ἐνώπιον τῶν ἀγγέλων τοῦ θεοῦ
– 18 πάτερ, ἥμαρτον – ἐνώπιόν σου 21
16 15 ὑμεῖς ἐστε οἱ δικαιοῦντες ἑαυτοὺς
ἐν. τῶν ἀνθρ. – · ὅτι τὸ ἐν ἀνθρώποις
ὑψηλὸν βδέλυγμα ἐνώπιον b τοῦ θεοῦ
23 14 ἐνώπιον ὑμῶν ἀνακρίνας οὐδὲν εὗρον
24 11 ἐφάνησαν ἐνώπ. b αὐτῶν ὡσεὶ λῆρος
– 43 λαβὼν ἐνώπιον αὐτῶν ἔφαγεν
Joh 20 30 σημεῖα ἐποίησεν – ἐν. d τῶν μαθητῶν
Act 2 25 „προορώμην τὸν κύριον ἐνώπιόν d
μου (vg vl a) διὰ παντός"
4 10 οὗτος παρέστηκεν ἐνώπ. ὑμῶν ὑγιής
– 19 εἰ δίκαιόν ἐστιν ἐνώπιον d τοῦ θεοῦ
6 5 ἤρεσεν ὁ λόγος ἐν. – τοῦ πλήθους
– 6 οὓς ἔστησαν ἐνώπ. e τῶν ἀποστόλων
7 46 ὃς εὗρεν χάριν ἐνώπιον b τοῦ θεοῦ
9 15 βαστάσαι τὸ ὄνομά μου ἐνώπ. [τῶν]
ἐθνῶν καὶ βασιλέων υἱῶν τε Ἰσραήλ

Act 10 30 ἀνὴρ ἔστη ἐν.[b] μου ἐν ἐσθῆτι λαμπρᾷ
– 31 αἱ ἐλεημοσύναι σου ἐμνήσθησαν ἐνώ-
πιον[d] τοῦ θεοῦ → Ap 16 19
– 33 πάντες – ἐν.[d] τοῦ θεοῦ (vl ἐν. σου,
vg in consp. tuo) πάρεσμεν ἀκοῦσαι
19 9 κακολογοῦντες τὴν ὁδὸν ἐνώπιον τοῦ
πλήθους 19 κατέκαιον ἐνώπ. πάντων
27 35 εὐχαρίστησεν τῷ θεῷ ἐνώπ.[d] πάντων
Rm 3 20 „οὐ δικαιωθήσεται – ἐνώπιον αὐτοῦ"
12 17 „προνοούμενοι καλὰ ἐνώπ." πάντων
„ἀνθρώπων" 2 Co 8 21 „προνοοῦμεν
–καλὰ" οὐ μόνον „ἐνώπιον κυρίου"
ἀλλὰ „καὶ" ἐνώπιον „ἀνθρώπων"
14 22 σὺ πίστιν ἣν ἔχεις κατὰ σεαυτὸν ἔχε
ἐνώπιον τοῦ θεοῦ
1 Co 1 29 μὴ καυχήσηται – σὰρξ ἐν.[d] τοῦ θεοῦ
2 Co 4 2 συνιστάνοντες ἑαυτοὺς πρὸς πᾶσαν
συνείδησιν ἀνθρώπων ἐν. τοῦ θεοῦ
7 12 φανερωθῆναι τὴν σπουδὴν ὑμῶν –
πρὸς ὑμᾶς ἐνώπιον τοῦ θεοῦ
Gal 1 20 ἰδοὺ ἐν. τοῦ θεοῦ ὅτι οὐ ψεύδομαι
1 Ti 2 3 καλὸν καὶ ἀπόδεκτον ἐν. τοῦ σωτῆρος
ἡμῶν θεοῦ 5 4 ἐνώπιον τοῦ θεοῦ
5 20 ἁμαρτάνοντας ἐνώπ. πάντων ἔλεγχε
– 21 διαμαρτύρομαι ἐνώπιον τοῦ θεοῦ καὶ
Χοῦ Ἰ. καὶ τῶν ἐκλεκτῶν ἀγγέλων
2 Ti 2 14 ἐν. τ. θεοῦ 4 1 ἐν. τ. θεοῦ καὶ
Χοῦ Ἰησοῦ, τοῦ μέλλοντος κρίνειν
6 12 ὡμολόγησας τὴν καλὴν ὁμολογίαν
ἐν. πολλῶν μαρτύρων 13 παραγγέλ-
λω (vl + σοι) ἐν. τ. θεοῦ – καὶ Χοῦ Ἰ.
Hb 4 13 οὐκ ἔστιν κτίσις ἀφανὴς ἐν.[d] αὐτοῦ,
πάντα δὲ γυμνὰ τοῖς ὀφθ. αὐτοῦ
13 21 ποιῶν ἐν ἡμῖν τὸ εὐάρεστον ἐνώπιον
αὐτοῦ διὰ Ἰησοῦ Χοῦ
Jac 4 10 ταπεινώθητε ἐνώπιον[d] κυρίου
1 Pe 3 4 ὅ ἐστιν ἐνώπιον[d] τοῦ θεοῦ πολυτελές
1 Jo 3 22 τὰ ἀρεστὰ ἐνώπιον αὐτοῦ ποιοῦμεν
3 Jo 6 οἳ ἐμαρτύρησάν σου τῇ ἀγάπῃ ἐνώ-
πιον[d] ἐκκλησίας
Ap 1 4 τῶν ἑπτὰ πνευμάτων ἃ ἐνώπιον[d] τοῦ
θρόνου αὐτοῦ 45 ἑπτὰ λαμπάδες –
ἐν.[b] τοῦ θρόν. 6 ἐν.[d] τοῦ θρ. ὡς θά-
λασσα ὑαλίνη 10 βαλοῦσιν τοὺς στε-
φάνους – ἐνώπιον[b] τοῦ θρ. 7 9 ὄχλος
πολὺς –, ἑστῶτες ἐν.[b] τοῦ θρόν. καὶ
ἐν.[d] τοῦ ἀρνίου 11 ἔπεσαν ἐν.[d] τοῦ
θρόν. 15 διὰ τοῦτό εἰσιν ἐν.[b] τοῦ θρ.
τοῦ θεοῦ 8 3 τὸ θυσιαστήριον – τὸ
ἐν.[b] τοῦ θρ. 14 3 ᾄδουσιν – ἐν.[b] τοῦ
θρόν. καὶ ἐν.[b] τῶν – ζῴων 20 12 τοὺς
νεκροὺς – ἑστῶτας ἐν.[d] τοῦ θρόνου

Ap 2 14 βαλεῖν σκάνδαλον ἐν. – υἱῶν Ἰσραήλ
3 2 οὐ γὰρ εὕρηκά σου ἔργα πεπληρω-
μένα ἐνώπιον τοῦ θεοῦ μου
– 5 ὁμολογήσω τὸ ὄνομα αὐτοῦ ἐνώπιον
τοῦ πατρός μου καὶ ἐν. τῶν ἀγγέλ.
– 8 δέδωκα ἐν. σου θύραν ἠνεῳγμένην
– 9 „προσκυνήσουσιν ἐν.[b] τῶν ποδῶν σ."
4 10 πεσοῦνται ἐν.[b] τοῦ „καθημένου ἐπὶ
τοῦ θρόνου" 5 8 ἐνώπιον τοῦ ἀρνίου
8 2 ἀγγέλους οἳ ἐν.[d] τοῦ θεοῦ ἑστήκασιν
– 4 ἀνέβη ὁ καπνὸς – ἐνώπιον τοῦ θεοῦ
9 13 τοῦ θυσιαστηρίου – τοῦ ἐνώπιον (an-
te oculos) τοῦ θεοῦ
11 4 „αἱ ἐν.[d] τοῦ κυρίου τῆς γῆς ἑστῶτ."
– 16 οἱ ἐνώπιον[d] τοῦ θεοῦ καθήμενοι
12 4 δράκων ἕστηκεν ἐνώπ.[b] τῆς γυναικός
– 10 ὁ κατηγορῶν αὐτοὺς ἐν.[e] τοῦ θεοῦ
13 12 τὴν ἐξουσίαν τοῦ πρώτου θηρίου –
ποιεῖ ἐνώπιον[d] αὐτοῦ 13 πῦρ – ἐκ τοῦ
οὐρανοῦ – ἐνώπιον[d] τῶν ἀνθρώπων
14 σημεῖα – ποιῆσαι ἐνώπιον[d] τοῦ θη-
ρίου 19 20 ὁ ψευδοπροφήτης ὁ ποιή-
σας τὰ σημεῖα ἐνώπιον αὐτοῦ
14 10 βασανισθήσεται – ἐνώπιον[d] ἀγγέλων
ἁγίων καὶ ἐνώπιον[e] τοῦ ἀρνίου
15 4 „προσκυνήσουσιν ἐνώπιόν[d] σου," ὅτι
16 19 Βαβυλὼν – ἐμνήσθη ἐνώπ.[b] τοῦ θεοῦ
δοῦναι αὐτῇ τὸ ποτήριον – τῆς ὀργῆς

Ἐνώς Luc 3 38 τοῦ Ἐ. τοῦ Σὴθ τοῦ Ἀδάμ

ἐνωτίζεσθαι *auribus percipere* Act 2 14

Ἐνώχ Luc 3 37 Hb 11 5 Jud 14 ἐπροφήτευσεν

ἐξαγγέλλειν *annunciare* [Mar brev. claus.
vg⁰ τοῖς περὶ τὸν Πέτρον – ἐξήγγειλαν]
1 Pe 2 9 „ὅπως τὰς ἀρετὰς ἐξαγγείλητε" τοῦ
– ὑμᾶς καλέσαντος εἰς τ. – αὐτοῦ φῶς

ἐξάγειν *educere* [b]*eiicere*
Mar 15 20 ἐξάγουσιν αὐτὸν ἵνα σταυρώσωσιν
Luc 24 50 ἐξήγαγεν – αὐτοὺς ἕως πρὸς Βηθα-
νίαν – Joh 10 3 ἐξάγει αὐτά (πρόβ.)
Act 5 19 12 17 ἐκ τῆς φυλακῆς 16 37 αὐτοὶ ἡμᾶς
ἐξαγαγέτωσαν[b] 39 ἐξαγαγόντες
7 36.40 „ἐκ γῆς Αἰγύπτου" 13 17 Hb 8 9
21 38 εἰς τὴν ἔρημον (sc σικαρίους)

ἐξαγοράζειν, ..εσθαι *redimere*
Gal 3 13 Χὸς ἡμᾶς ἐξηγόρασεν ἐκ τῆς κατ-
άρας τοῦ νόμου 45 ἵνα τοὺς ὑπὸ

νόμον ἐξαγοράσῃ, ἵνα τὴν υἱοθεσίαν
Eph 5 16 ἐξαγοραζόμενοι τὸν καιρόν Col 4 5

ἐξαιρεῖν, ..εῖσθαι eripere [b]eruere [c]liberare
Mat 5 29 ἔξελε[b] αὐτὸν καὶ βάλε ἀπὸ σοῦ 18 9[b]
Act 7 10 ἐξείλατο αὐτὸν ἐκ – τῶν θλίψεων
   – 34 „κατέβην ἐξελέσθαι[c] αὐτούς"
   12 11 ἐξείλατό με ἐκ χειρὸς Ἡρῴδου 23 27
   26 17 „ἐξαιρούμενός σε" ἐκ τοῦ λαοῦ
Gal 1 4 ὅπως ἐξέληται ἡμᾶς ἐκ τοῦ αἰῶνος
   τοῦ ἐνεστῶτος πονηροῦ

ἐξαίρειν auferre
1 Co 5 13 „ἐξάρατε τὸν πονηρὸν ἐξ ὑμῶν"

ἐξαιτεῖσθαι S° – expetere Luc 22 31 ὁ σα-
τανᾶς ἐξητήσατο ὑμᾶς τοῦ σινιάσαι

ἐξαίφνης subito [b]repente Mar 13 36 μὴ ἐλ-
   θὼν ἐξ.[b] εὕρῃ ὑμᾶς καθεύδοντας
Luc 2 13 9 39 κράζει – Act 9 3 φῶς 22 6

ἐξακολουθεῖν sequi
2 Pe 1 16 οὐ – σεσοφισμένοις μύθοις ἐξ..ήσαν-
   τες 2 2 πολλοὶ ἐξ..ήσουσιν – ταῖς ἀσελγεί-
   αις 15 ἐξ..ήσαντες τῇ ὁδῷ τοῦ Βαλαάμ

ἐξακόσιοι sexcenti Ap 13 18 14 20

ἐξαλείφειν delēre [b]abstergere
Act 3 19 πρὸς τὸ ἐξ..θῆναι ὑμῶν τὰς ἁμαρτ.
Col 2 14 ἐξαλείψας τὸ καθ' ἡμῶν χειρόγραφον
Ap 3 5 οὐ μὴ „ἐξαλείψω" τὸ ὄνομα αὐτοῦ
   „ἐκ τῆς βίβλου τῆς ζωῆς"
   7 17 „ἐξαλείψει[b] ὁ θεὸς πᾶν δάκρυον ἐκ"
   τῶν ὀφθαλμῶν αὐτῶν 21 4[b]

ἐξάλλεσθαι exilire Act 3 8 ἐξαλλόμενος

ἐξανάστασις S° – resurrectio
Phl 3 11 εἴ πως καταντήσω εἰς τὴν ἐξανάστα-
   σιν τὴν ἐκ νεκρῶν

ἐξανατέλλειν exoriri Mat 13 5 ‖ Mar 4 5

ἐξανιστάναι [a]resuscitare [b]suscitare [c](aor. II.
   act.) surgere Act 15 5 ἐ..έστησαν[c]
Mar 12 19[a] „σπέρμα – ἀδελφῷ" ‖ Luc 20 28[b]

ἐξαπατᾶν seducere
Rm 7 11 ἡ γὰρ ἁμαρτία – ἐξηπάτησέν με
   16 18 ἐξαπατῶσιν τὰς καρδίας τῶν ἀκάκων

1 Co 3 18 μηδεὶς ἑαυτὸν ἐξαπατάτω
2 Co 11 3 ὡς „ὁ ὄφις ἐξηπάτησεν" Εὕαν 1 Ti
   2 14 ἡ δὲ γυνὴ ἐξαπατηθεῖσα
2 Th 2 3 μή τις ὑμᾶς ἐξαπατήσῃ κατὰ μηδένα

ἐξάπινα statim Mar 9 8 οὐδένα εἶδον εἰ μή

ἐξαπορεῖσθαι taedet nos c. inf. [b]destitui
2 Co 1 8 ὥστε ἐξαπορηθῆναι ἡμᾶς καὶ τοῦ ζῆν
   4 8 ἀπορούμενοι ἀλλ' οὐκ ἐξ..ούμενοι[b]

ἐξαποστέλλειν mittere [b]dimittere
[Mar brev. claus. ἐξαπέστειλεν δι' αὐτῶν τὸ
   ἱερὸν καὶ ἄφθαρτον κήρυγμα vg°]
Luc 1 53 „πλουτοῦντας ἐξαπέστειλεν[b] κενούς"
   20 10 ἐξαπέστειλαν[b] αὐτὸν – κενὸν 11[b]
   24 49 ἐγὼ ἐξ..ω τὴν ἐπαγγελίαν – ἐφ' ὑμᾶς
Act 7 12 9 30[b] εἰς Τάρσον 11 22 Βαρναβᾶν ἕως
   Ἀντιοχείας 17 14[b] Παῦλον – ἕως ἐπὶ
   τὴν θάλασσαν
   12 11 ἐξαπέστειλεν ὁ κύρ. τὸν ἄγγ. αὐτοῦ
   13 26 ἡμῖν „ὁ λόγος" τῆς σωτηρίας ταύ-
   της „ἐξαπεστάλη"
   22 21 εἰς ἔθνη μακρὰν ἐξαποστελῶ σε
Gal 4 4 ἐξαπέστειλεν ὁ θεὸς τὸν υἱὸν αὐτοῦ
   – 6 ἐξαπέστειλεν ὁ θεὸς τὸ πνεῦμα τοῦ
   υἱοῦ αὐτοῦ εἰς τὰς καρδίας ἡμῶν

ἐξαρτίζειν [a]explere (vl ..plicare) [b]instruere
Act 21 5 ἐγένετο ἐξαρτίσαι[a] ἡμᾶς τὰς ἡμέρας
2 Ti 3 17 πρὸς πᾶν ἔργον ἀγαθὸν ἐξηρτισμέ-
   νος[b] (sc ὁ τοῦ θεοῦ ἄνθρωπος)

ἐξαστράπτειν refulgēre Luc 9 29 ἱματισμός

ἐξαυτῆς S° – confestim [b]mox [c]protinus
   [d]statim Mar 6 25 θέλω ἵνα ἐξ.[c] δῷς μοι
Act 10 33 11 11 21 32[d] 23 30 ἐξ. (vg°) ἔπεμψα
Phl 2 23 ὡς ἂν ἀφίδω τὰ περὶ ἐμὲ ἐξαυτῆς[b]

ἐξεγείρειν [a]excitare [b]suscitare
Rm 9 17 „εἰς αὐτὸ τοῦτο ἐξήγειρά[a] σε"
1 Co 6 14 τὸν κύριον ἤγειρεν καὶ ἡμᾶς ἐξεγε-
   ρεῖ[b] διὰ τῆς δυνάμεως αὐτοῦ

ἐξέλκεσθαι abstrahi (abstractus)
Jac 1 14 ὑπὸ τῆς ἰδίας ἐπιθυμίας ἐξ..όμενος

ἐξέραμα S° – vomitus 2 Pe 2 22 ἴδιον ἐξέραμα

ἐξερευνᾶν scrutari → ἐκζητεῖν 1 Pe 1 10

＊ἐξέρχεσθαι exire [b]egredi [c]procedere [d]proficisci [e]abire [f]prodire [g]venire

Mat 2 6 „ἐκ σοῦ – ἐξελεύσεται ἡγούμενος"
(4 24 vl ἐξῆλθεν[e] ἡ ἀκοὴ αὐτοῦ εἰς ὅλην)
5 26 οὐ μὴ ἐξέλθῃς ἐκεῖθεν ἕως ἄν ‖ Luc
12 59 – Act 16 40 ἀπὸ τῆς φυλακῆς
8 32 ἐξελθόντες (sc οἱ δαίμονες) ἀπῆλθον εἰς τοὺς χοίρους ‖ Mar 5 8 ἔξελθε – ἐκ τοῦ ἀνθρώπου 13 Luc 8 29.33.
35.38 ἀφ' οὗ ἐξεληλύθει τὰ δαιμόνια
– Mat 12 43 ὅταν δὲ τὸ ἀκάθαρτον
πνεῦμα ἐξέλθῃ ἀπὸ τοῦ ἀνθρώπου
44 ἐπιστρέψω ὅθεν ἐξῆλθον ‖ Luc
11 24 – Mat 17 18 ἐξῆλθεν ἀπ' αὐτοῦ
τὸ δαιμόνιον ‖ Mar 9 25 ἔξελθε ἐξ αὐτοῦ 26.29 ἐν οὐδενὶ δύναται ἐξελθεῖν
εἰ μὴ ἐν προσευχῇ
10 11 κἀκεῖ μείνατε ἕως ἄν ἐξέλθητε ‖ Mar
6 10 Luc 9 4 καὶ ἐκεῖθεν ἐξέρχεσθε
13 49 ἐξελεύσονται οἱ ἄγγελοι
15 18.19 ἐκ – τῆς καρδίας ἐξέρχονται διαλογισμοὶ πονηροί, φόνοι, μοιχεῖαι
24 26 ἰδοὺ ἐν τῇ ἐρήμῳ –, μὴ ἐξέλθητε 27
ὥσπερ γὰρ ἡ ἀστραπὴ ἐξέρχεται
Mar 1 25 φιμώθητι καὶ ἔξελθε ἐξ αὐτοῦ 26 ‖
Luc 4 35 ἀπ' αὐτοῦ 36 ἐπιτάσσει τοῖς
– πνεύμασιν καὶ ἐξέρχονται 41 ἐξήρχετο – δαιμόνια ἀπὸ πολλῶν –
Mar 7 29.30 – Luc 8 2 ἀφ' ἧς δαιμόνια
ἑπτὰ ἐξεληλύθει 11 14 τοῦ δαιμ. ἐξελθόντος (cum eiecisset daemonium)
– 38 εἰς τοῦτο γὰρ ἐξῆλθον[g] (veni)
2 12 ἐξῆλθεν[e] (abiit) ἔμπροσθεν πάντων
5 30 ἐπιγνοὺς – τὴν ἐξ αὐτοῦ δύναμιν ἐξελθοῦσαν ‖ Luc 8 46 – 6 19 ἅπτεσθαι
αὐτοῦ, ὅτι δύν. παρ' αὐτοῦ ἐξήρχετο
Luc 5 8 ἔξελθε ἀπ' ἐμοῦ, ὅτι – ἁμαρτωλός
Joh 8 [9 ἐξήρχοντο εἷς καθ' εἷς]
– 42 ἐκ τοῦ θεοῦ ἐξῆλθον[c] 13 3 εἰδὼς –
ὅτι ἀπὸ θεοῦ ἐξῆλθεν 16 27 παρὰ τοῦ
θεοῦ ἐξῆλθον 28 ἐξῆλθον ἐκ τοῦ πατρός 30 ἀπὸ θεοῦ ἐξῆλθες 17 8 ὅτι
παρὰ σοῦ ἐξῆλθον
10 9 εἰσελεύσεται (ingredietur) καὶ ἐξελεύσεται[b] καὶ νομὴν εὑρήσει
19 34 ἐξῆλθεν εὐθὺς αἷμα καὶ ὕδωρ
Act 1 21 ἐν – χρόνῳ ᾧ εἰσῆλθεν (intravit) καὶ
ἐξῆλθεν ἐφ' ἡμᾶς ὁ κύριος Ἰησοῦς
8 7 βοῶντα – ἐξήρχοντο (sc τὰ πνεύματα) 16 18 παραγγέλλω σοι – ἐξελθεῖν
ἀπ' αὐτῆς· καὶ ἐξῆλθεν 19 ὅτι ἐξῆλθεν ἡ ἐλπὶς τῆς ἐργασίας αὐτῶν

1 Co 5 10 ὠφείλετε – ἐκ τοῦ κόσμου ἐξελθεῖν
14 36 ἀφ' ὑμῶν ὁ λόγος τ. θ. ἐξῆλθεν[c] –;
2 Co 2 13 ἐξῆλθον[d] εἰς Μακεδονίαν Phl 4 15 ὅτε
ἐξῆλθον[d] ἀπὸ Μακεδονίας
6 17 „ἐξέλθατε ἐκ μέσου αὐτῶν"
8 17 αὐθαίρετος ἐξῆλθεν[d] πρὸς ὑμᾶς
1 Th 1 8 ἡ πίστις ὑμῶν – ἐξελήλυθεν[d]
Hb 3 16 οὐ πάντες οἱ ἐξελθόντες[d] ἐξ Αἰγύπ.
7 5 ἐξεληλυθότας ἐκ τῆς ὀσφύος Ἀβρ.
11 8 Ἀβρ. ὑπήκουσεν „ἐξελθεῖν" –, καὶ
„ἐξῆλθεν" μὴ ἐπιστάμενος ποῦ ἔρχ.
13 13 τοίνυν ἐξερχώμεθα πρὸς αὐτὸν „ἔξω
τῆς παρεμβολῆς"
Jac 3 10 ἐκ τοῦ αὐτοῦ στόματος ἐξέρχεται[c]
(procedit) εὐλογία καὶ κατάρα
1 Jo 2 19 ἐξ ἡμῶν ἐξῆλθαν[f] (prodierunt), ἀλλ'
οὐκ ἦσαν ἐξ ἡμῶν
4 1 ψευδοπροφῆται ἐξεληλύθασιν εἰς τὸν
κόσμον 2 Jo 7 πλάνοι ἐξῆλθον
3 Jo 7 ὑπὲρ – τοῦ ὀνόματος ἐξῆλθαν[d]
Ap 3 12 ἔξω οὐ μὴ ἐξέλθῃ[b] (egredietur) ἔτι
6 2 ἐξῆλθεν νικῶν καὶ ἵνα νικήσῃ 4
14 15 ἄγγελος ἐξῆλθεν ἐκ τοῦ ναοῦ 17.18
ἐκ τοῦ θυσιαστηρίου 15 6 ἑπτὰ ἄγγ.
18 4 „ἐξέλθατε ὁ λαός μου ἐξ αὐτῆς"
20 8 ἐξελεύσεται (sc ὁ σατανᾶς) πλανῆσαι
τὰ ἔθνη –, τὸν Γὼγ καὶ Μαγώγ

ἔξεστιν, ἐξόν (ἐστιν) licet [b]liceat
Mat 12 2 ὃ οὐκ ἔξ. ποιεῖν ἐν σαββάτῳ 4 ὃ οὐκ
ἐξὸν ἦν (licebat) αὐτῷ φαγεῖν ‖ Mar
2 24.26 (licebat vl licet) Luc 6 2.4
– 10 εἰ ἔξ. τοῖς σάββασιν θεραπεῦσαι; 12
ἔξ. τοῖς σάββασιν καλῶς ποιεῖν ‖
Mar 3 4 ἔξ. τοῖς σάββασιν ἀγαθὸν
ποιῆσαι –; Luc 6 9 ἀγαθοποιῆσαι –;
– 14 3 θεραπεῦσαι ἢ οὔ; → Joh 5 10
14 4 οὐκ ἔξ. σοι ἔχειν αὐτήν ‖ Mar 6 18
19 3 εἰ ἔξ. ἀπολῦσαι τὴν γυναῖκα αὐτοῦ
κατὰ πᾶσαν αἰτίαν; ‖ Mar 10 2
20 15 οὐκ ἔξεστίν μοι ὃ θέλω ποιῆσαι ἐν –;
22 17 ἔξ. δοῦναι κῆνσον Καίσαρι ἢ οὔ; ‖
Mar 12 14 Luc 20 22 ἔξεστιν ἡμᾶς –;
27 6 οὐκ ἔξ. βαλεῖν αὐτὰ εἰς τὸν κορβανᾶν
Joh 5 10 οὐκ ἔξεστίν σοι ἆραι τὸν κράβατον
18 31 ἡμῖν οὐκ ἔξεστιν ἀποκτεῖναι οὐδένα
Act 2 29 ἐξόν[b] εἰπεῖν μετὰ παρρησίας 21 37
16 21 ἔθη ἃ οὐκ ἔξεστιν ἡμῖν παραδέχεσθαι – Ῥωμαίοις οὖσιν
22 25 εἰ – Ῥωμαῖον – ἔξεστιν ὑμῖν μαστίζειν;
1 Co 6 12 πάντα μοι ἔξεστιν (licent), ἀλλ' οὐ
πάντα συμφέρει. πάντα μοι ἔξεστιν,

ἀλλ' οὐκ ἐγὼ ἐξουσιασθήσομαι 10 23
2 Co 12 4 ῥήμ., ἃ οὐκ ἐξὸν ἀνθρώπῳ λαλῆσαι

ἐξετάζειν interrogare Mat 2 8 Joh 21 12
Mat 10 11 ἐξετάσατε τίς ἐν αὐτῇ ἄξιός ἐστιν

ἐξηγεῖσθαι narrare ᵇenarrare
Luc 24 35 ἐξηγοῦντο τὰ ἐν τῇ ὁδῷ καὶ ὡς
Joh 1 18 ὁ ὢν εἰς τὸν κόλπον τοῦ πατρός, ἐ-
κεῖνος ἐξηγήσατο ᵇ (vl + ἡμῖν)
Act 10 8 15 12 ἐξηγουμένων ὅσα ἐποίησεν ὁ
θεὸς σημεῖα 14 21 19 ἐξηγεῖτο καθ' ἕν

ἑξῆς τῇ ἑξῆς (ἡμέρᾳ): (in) sequenti die
ᵇἐν τῷ ἑξῆς: deinceps
Luc 7 11 ᵇ 9 37 Act 21 1 εἰς Ῥόδον 25 17 27 18

ἐξηχεῖσθαι diffamari 1 Th 1 8 ἀφ' ὑμῶν γὰρ
ἐξήχηται ὁ λόγος τοῦ κυρίου

ἐξιέναι (ἔξειμι) exire ᵇproficisci
Act 13 42 17 15 ᵇ 20 7 ᵇ 27 43 ἐπὶ τὴν γῆν ἐξιέναι

ἕξις consuetudo Hb 5 14 διὰ τὴν ἕξιν

ἐξιστάναι, ..νειν, **ἐξίστασθαι** stupēre ᵇob-
stupescere (vl ..ip.) ᶜmirari (vl adm.)
ᵈstupentem admirari ᵉmente excedere
ᶠin furorem verti ᵍterrēre ʰseducere
ⁱdementare
Mat 12 23 ἐξίσταντο – οἱ ὄχλοι – Mar 2 12 ᶜ
Mar 3 21 ἔλεγον γὰρ ὅτι ἐξέστη ᶠ
5 42 ἐξέστησαν ᵇ – ἐκστάσει μεγάλη
6 51 λίαν – ἐν ἑαυτοῖς ἐξίσταντο
Luc 2 47 ἐξίσταντο – ἐπὶ τῇ συνέσει – αὐτοῦ
8 56 ἐξέστησαν οἱ γονεῖς αὐτῆς
24 22 γυναῖκές τινες – ἐξέστησαν ᵍ ἡμᾶς
Act 2 7. 12 8 13 ᵈ 9 21 10 45 ᵇ 12 16 ᵇ
8 9 ἐξιστάνων ʰ τὸ ἔθνος τῆς Σαμαρείας
11 διὰ τὸ – ταῖς μαγείαις ἐξεστακέ-
ναι ⁱ αὐτούς
2 Co 5 13 εἴτε γὰρ ἐξέστημεν ᵉ, θεῷ· εἴτε σω-
φρονοῦμεν, ὑμῖν

ἐξισχύειν posse Eph 3 18 καταλαβέσθαι

ἔξοδος ᵃexcessus ᵇprofectio ᶜobitus
Luc 9 31 οἳ ὀφθέντες – ἔλεγον τὴν ἔξ.ᵃ αὐτοῦ
Hb 11 22 Ἰωσὴφ – περὶ τῆς ἐξ.ᵇ τῶν υἱῶν Ἰσ.
2 Pe 1 15 μετὰ τὴν ἐμὴν ἔξοδον ᶜ

ἐξολεθρεύεσθαι exterminari Act 3 23

ἐξομολογεῖν, ..εῖσθαι (med.) confitēri
ᵇ(act.) spondēre
Mat 3 6 ἐξ..ούμενοι τὰς ἁμαρτίας ‖ Mar 1 5
11 25 ἐξ..οῦμαί σοι, πάτερ, – ὅτι ἔκρυψας
ταῦτα ἀπὸ σοφῶν ‖ Luc 10 21
Luc 22 6 ἐξωμολόγησεν ᵇ καὶ ἐζήτει εὐκαιρίαν
Act 19 18 ἤρχοντο ἐξ..ούμενοι καὶ ἀναγγέλλον-
τες τὰς πράξεις αὐτῶν
Rm 14 11 „πᾶσα γλῶσσα ἐξ..ήσεται τῷ θεῷ"
15 9 „ἐξομολογήσομαί σοι ἐν ἔθνεσιν"
Phl 2 11 „πᾶσα γλῶσσα ἐξ..ήσεται" ὅτι κύ-
ριος Ἰησοῦς Χὸς εἰς δόξαν „θεοῦ"
Jac 5 16 ἐξ..εῖσθε – ἀλλήλοις τὰς ἁμαρτίας

ἐξορκίζειν adiurare Mat 26 63 ἐξορκίζω σε

ἐξορκιστής Sᵒ – exorcista Act 19 13 Ἰουδ.

ἐξορύσσειν ᵃpatefacere ᵇeruere
Mar 2 4 ᵃ (sc στέγην) – Gal 4 15 ᵇ ὀφθαλμούς

ἐξουδενεῖσθαι contemni Mar 9 12

ἐξουθενεῖν spernere ᵇaspernari ᶜreprobare
ᵈ(prt. pf. pass.) contemptibilis
Luc 18 9 πρός τινας – ἐξ..οῦντας ᵇ τοὺς λοιπ.
23 11 ἐξ..ήσας δὲ αὐτὸν ὁ Ἡρώδης σύν
Act 4 11 „ὁ λίθος ὁ ἐξ..ηθεὶς ᶜ" ὑφ' ὑμῶν
Rm 14 3 τὸν μὴ ἐσθίοντα μὴ ἐξουθενείτω
– 10 σὺ τί ἐξουθενεῖς τὸν ἀδελφόν σου;
1 Co 1 28 τὰ ἐξουθενημένα ᵈ ἐξελέξατο ὁ θεός
6 4 τοὺς ἐξουθενημένους ᵈ ἐν τ. ἐκκλησίᾳ
16 11 μή τις – αὐτὸν (Tim.) ἐξουθενήσῃ
2 Co 10 10 καὶ ὁ λόγος (Pauli) ἐξουθενημένος ᵈ
Gal 4 14 τὸν πειρασμὸν ὑμῶν ἐν τῇ σαρκί μου
οὐκ ἐξουθενήσατε
1 Th 5 20 προφητείας μὴ ἐξουθενεῖτε

ἐξουσία potestas ᵇlicentia
Mat 7 29 διδάσκων – ὡς ἐξουσίαν ἔχων Mar
1 22. 27 διδαχὴ καινὴ κατ' ἐξουσίαν·
(vel καινή· κατ' ἐξ. καὶ τοῖς πνεύμ. –
ἐπιτάσσει, vg in pot. – imperat) Luc
4 32 ἐν ἐξουσίᾳ ἦν ὁ λόγος αὐτοῦ 36
ἐν ἐξουσ. καὶ δυνάμει ἐπιτάσσει τοῖς
8 9 ἄνθρωπός εἰμι ὑπὸ ἐξουσίαν (vl +
τασσόμενος, vg constitutus vl ᵒ) ‖
Luc 7 8 τασσόμενος
9 6 ἐξουσίαν ἔχει – ἐπὶ τῆς γῆς ἀφιέναι
ἁμαρτίας ‖ Mar 2 10 Luc 5 24 — Mat
9 8 ἐδόξασαν – τὸν δόντα ἐξουσίαν
τοιαύτην τοῖς ἀνθρώποις
10 1 ἔδωκεν αὐτοῖς ἐξουσίαν πνευμάτων

‖ Mar 6 7 (3 15 ἔχειν ἐξουσίαν ἐκβάλ-
λειν τὰ δαιμόνια) Luc 9 1 ἐπὶ πάντα
τὰ δαιμόνια – 10 19 τὴν ἐξουσίαν τοῦ
„πατεῖν ἐπάνω ὄφεων" – καὶ ἐπὶ – τὴν
δύναμιν τοῦ ἐχθροῦ
Mat 21 23 ἐν ποίᾳ ἐξουσίᾳ ταῦτα ποιεῖς; καὶ
τίς σοι ἔδωκεν τὴν ἐξουσίαν ταύτην;
24. 27 ‖ Mar 11 28. 29. 33 Luc 20 2. 8
28 18 ἐδόθη μοι πᾶσα ἐξουσία ἐν οὐρανῷ
καὶ ἐπὶ [τῆς] γῆς
Mar 13 34 δοὺς τοῖς δούλοις αὐτοῦ τὴν ἐξουσίαν
Luc 4 6 σοὶ δώσω τὴν ἐξουσ. ταύτην ἅπασαν
12 5 τὸν – ἔχοντα ἐξουσίαν ἐμβαλεῖν εἰς
τὴν γέενναν. – τοῦτον φοβήθητε
– 11 ὅταν – εἰσφέρωσιν ὑμᾶς ἐπὶ τὰς – ἀρ-
χὰς καὶ τὰς ἐξουσίας
19 17 ἴσθι ἐξ..αν ἔχων ἐπάνω δέκα πόλεων
20 20 παραδοῦναι – τῇ ἐξουσ. τοῦ ἡγεμόνος
22 53 αὕτη ἐστὶν – ἡ ἐξουσία τοῦ σκότους
23 7 ὅτι ἐκ τῆς ἐξουσίας Ἡρῴδου ἐστίν
Joh 1 12 ἐξουσίαν τέκνα θεοῦ γενέσθαι
5 27 ἐξουσίαν ἔδωκεν αὐτῷ κρίσιν ποιεῖν
10 18 ἐξ..αν ἔχω θεῖναι αὐτήν, καὶ ἐξουσίαν
ἔχω πάλιν λαβεῖν αὐτήν (sc ψυχήν)
17 2 ἔδωκας αὐτῷ ἐξουσίαν πάσης σαρκός
19 10 ἐξουσίαν ἔχω ἀπολῦσαί σε καὶ ἐξουσ.
ἔχω σταυρῶσαί σε; 11 οὐκ εἶχες ἐξ.
κατ' ἐμοῦ – εἰ μὴ ἦν δεδομένον σοι
Act 1 7 καιροὺς οὓς ὁ πατὴρ ἔθετο ἐν τῇ
ἰδίᾳ ἐξουσίᾳ (in sua potestate)
5 4 οὐχὶ – πραθὲν ἐν τῇ σῇ ἐξ. ὑπῆρχεν;
8 19 δότε κἀμοὶ τὴν ἐξουσίαν ταύτην ἵνα
9 14 ἔχει ἐξουσίαν παρὰ τῶν ἀρχιερέων
26 10. 12 μετ' ἐξουσίας καὶ ἐπιτροπῆς
26 18 ἀπὸ – τῆς ἐξ. τοῦ σατανᾶ ἐπὶ τ. θεόν
Rm 9 21 οὐκ ἔχει ἐξουσίαν „ὁ κεραμεὺς" –;
13 1 ἐξ..αις ὑπερεχούσαις ὑποτασσέσθω.
οὐ γὰρ ἔστιν ἐξ. εἰ μὴ ὑπὸ θεοῦ 2 ὁ
ἀντιτασσόμενος τῇ ἐξ. 3 θέλεις δὲ
μὴ φοβεῖσθαι τὴν ἐξουσίαν;
1 Co 7 37 ὃς δὲ ἔστηκεν –, μὴ ἔχων ἀνάγκην,
ἐξ..αν δὲ ἔχει περὶ τ. ἰδίου θελήματος
8 9 μή πως ἡ ἐξουσία ᵇ ὑμῶν αὕτη πρόσ-
κομμα γένηται τοῖς ἀσθενέσιν
9 4 μὴ οὐκ ἔχομεν ἐξουσίαν φαγεῖν καὶ
πεῖν; 5 ἐξ..αν ἀδελφὴν γυναῖκα περι-
άγειν –; 6 ἐξ..αν μὴ ἐργάζεσθαι; (vg
hoc operandi) 12 εἰ ἄλλοι τῆς ὑμῶν
ἐξ. μετέχουσιν, οὐ μᾶλλον ἡμεῖς; ἀλλ'
οὐκ ἐχρησάμεθα τῇ ἐξ. ταύτῃ 18 εἰς
τὸ μὴ καταχρήσασθαι τῇ ἐξουσίᾳ μου
ἐν τῷ εὐαγγελίῳ

1 Co 11 10 ὀφείλει ἡ γυνὴ ἐξουσίαν ἔχειν ἐπὶ
τῆς κεφαλῆς διὰ τοὺς ἀγγέλους
15 24 ὅταν καταργήσῃ πᾶσαν ἀρχὴν καὶ
πᾶσαν ἐξουσίαν καὶ δύναμιν
2 Co 10 8 ἐὰν – καυχήσωμαι περὶ τῆς ἐξ..ας ἡ-
μῶν, ἧς ἔδωκεν ὁ κύριος εἰς οἰκοδο-
μήν 13 10 κατὰ τὴν ἐξ..αν ἣν ἔδωκεν
Eph 1 21 ὑπεράνω πάσης ἀρχῆς καὶ ἐξουσίας
καὶ δυνάμεως καὶ κυριότητος 3 10 ἵνα
γνωρισθῇ – ταῖς ἀρχαῖς καὶ ταῖς ἐξ.
ἐν τοῖς ἐπουρανίοις 6 12 ἡμῖν ἡ πά-
λη – πρὸς τὰς ἀ., πρὸς τὰς ἐξ., πρὸς
τοὺς κοσμοκράτορας τοῦ σκότους
2 2 κατὰ τὸν ἄρχοντα τῆς ἐξ..ας τοῦ ἀέ-
ρος Col 1 13 ἐρρύσατο ἡμᾶς ἐκ τῆς
ἐξουσίας τοῦ σκότους
Col 1 16 ἐν αὐτῷ ἐκτίσθη τὰ πάντα –, εἴτε –
ἀρχαὶ εἴτε ἐξουσίαι 2 10 κεφαλὴ πά-
σης ἀρχῆς καὶ ἐξουσίας 15 ἀπεκδυ-
σάμενος τὰς ἀρχὰς καὶ τὰς ἐξουσίας
2 Th 3 9 οὐχ ὅτι οὐκ ἔχομεν ἐξουσίαν
Tit 3 1 ὑπομίμνησκε αὐτοὺς ἀρχαῖς (vl +
καὶ vg) ἐξουσίαις ὑποτάσσεσθαι
Hb 13 10 ἐξ οὗ φαγεῖν οὐκ ἔχουσιν ἐξουσίαν
1 Pe 3 22 ὑποταγέντων αὐτῷ ἀγγέλων καὶ ἐξ-
ουσιῶν καὶ δυνάμεων
Jud 25 μόνῳ θεῷ – δόξα μεγαλωσύνη κρά-
τος καὶ ἐξουσία
Ap 2 26 δώσω αὐτῷ ἐξουσίαν ἐπὶ τῶν ἐθνῶν
6 8 ἐξουσία ἐπὶ τὸ τέταρτον τῆς γῆς
9 3 ἐδόθη αὐτοῖς ἐξουσία ὡς ἔχουσιν
ἐξουσίαν οἱ σκορπίοι τῆς γῆς 10 ἡ ἐξ.
αὐτῶν ἀδικῆσαι τοὺς ἀνθρώπους
– 19 ἡ – ἐξουσία τῶν ἵππων ἐν τῷ στόματι
11 6 ἐξουσίαν κλεῖσαι τὸν οὐρανόν, – καὶ
ἐξουσίαν ἔχουσιν ἐπὶ τῶν ὑδάτων
12 10 ἐγένετο – ἡ ἐξ..α τοῦ χριστοῦ αὐτοῦ
13 2 ἔδωκεν αὐτῷ (sc τῷ θηρίῳ) ὁ δρά-
κων – ἐξουσίαν μεγάλην 4. 5 ἐδόθη
αὐτῷ ἐξουσία „ποιῆσαι" μῆνας τεσσε-
ράκοντα δύο 7 ἐξουσία ἐπὶ πᾶσαν
φυλήν 12 τὴν ἐξουσίαν τοῦ πρώτου
θηρίου πᾶσαν ποιεῖ (sc ἄλλο θηρίον)
14 18 ἄγγελος – ἔχων ἐξ..αν ἐπὶ τοῦ πυρός
16 9 θεοῦ τοῦ ἔχοντος τὴν ἐξουσίαν ἐπὶ
τὰς πληγὰς ταύτας
17 12 ἐξουσίαν ὡς βασιλεῖς μίαν ὥραν λαμ-
βάνουσιν 13 τὴν – ἐξουσίαν αὐτῶν τῷ
θηρίῳ διδόασιν
18 1 ἄγγελον – ἔχοντα ἐξουσίαν μεγάλην
20 6 ἐπὶ τούτων ὁ δεύτερος θάνατος οὐκ
ἔχει ἐξουσίαν

Ap 22 14 ἵνα ἔσται ἡ ἐξουσία αὐτῶν ἐπὶ „τὸ ξύλον τῆς ζωῆς"

ἐξουσιάζειν, ..εσθαι potestatem habēre
  ᵇsub potestate (vl ..em) redigi
Luc 22 25 οἱ ἐξ..οντες αὐτῶν εὐεργέται καλοῦν.
1 Co 6 12 ἀλλ' οὐκ - ἐξ..σθήσομαιᵇ ὑπό τινος
  7 4 ἡ γυνὴ τοῦ ἰδίου σώματος οὐκ ἐξουσιάζει ἀλλὰ ὁ ἀνήρ κτλ

οἱ κατ' ἐξοχήν principales Act 25 23 πόλεως

ἐξυπνίζειν a somno excitare (vl exsuscitare)
Joh 11 11 ἀλλὰ πορεύομαι ἵνα ἐξυπνίσω αὐτόν

ἔξυπνος γενόμενος expergefactus Act 16 27

*ἔξω foris ᵇforas ᶜextra
Mar 4 11 τοῖς ἔξω ἐν παραβολαῖς - γίνεται
Luc 8 20 ἑστήκασιν ἔξω ἰδεῖν θέλοντές σε
  13 25 ἄρξησθε ἔξω ἑστάναι καὶ κρούειν
1 Co 5 12 τί γάρ μοι τοὺς ἔξω κρίνειν; 13 τοὺς δὲ ἔξω ὁ θεὸς κρινεῖ
2 Co 4 16 εἰ καὶ ὁ ἔ. ἡμῶν ἄνθρ. διαφθείρεται
Col 4 5 ἐν σοφίᾳ περιπατεῖτε πρὸς τοὺς ἔξω
1 Th 4 12 περιπατ. εὐσχημόνως πρὸς τοὺς ἔξω
Hb 13 11ᶜ 12 ἔξωᶜ τῆς πύλης ἔπαθεν 13 ἐξερχώμεθα πρὸς αὐτὸν „ἔξωᶜ τῆς παρεμβολῆς" τὸν ὀνειδισμὸν - φέροντες
1 Jo 4 18 ἡ - ἀγάπη ἔξωᵇ βάλλει τὸν φόβον
Ap 22 15 ἔξω οἱ κύνες καὶ οἱ φάρμακοι

ἐξωθεῖν expellere Act 7 45 eiicere 27 39

ἔξωθεν ᵃaforis ᵇdeforis ᶜforis ᵈforas
  ᵉextra ᶠextrinsecus
Mat 23 25 καθαρίζετε τὸ ἔ.ᵇ τοῦ ποτηρίου 27 ἔ.ᵃ μὲν φαίνονται ὡραῖοι 28 καὶ ὑμεῖς ἔ.ᵃ μὲν φαίνεσθε - δίκαιοι ‖ Luc 11 39ᵇ 40 οὐχ ὁ ποιήσας τὸ ἔ.ᵇ καὶ τὸ ἔσωθεν (quod deintus est) ἐποίησεν;
Mar 7 15 οὐδέν ἐστιν ἔξ.ᵉ τοῦ ἀνθρ. εἰσπορευόμενον εἰς αὐτὸν ὃ δύναται κοινῶσαι αὐτόν 18 πᾶν τὸ ἔξ.ᶠ εἰσπορευόμ.
2 Co 7 5 ἔξωθενᶜ μάχαι, ἔσωθεν (intus) φόβοι
1 Ti 3 7 μαρτυρίαν καλὴν - ἀπὸ τῶν ἔξωθενᶜ
1 Pe 3 3 ὧν ἔστω οὐχ ὁ ἔξωθενᶠ - κόσμος
Ap 11 2 αὐλὴν τὴν ἔξωθενᶜ - ἔκβαλε ἔξωθενᵈ
  14 20 „ἐπατήθη ἡ ληνὸς" ἔξ.ᵉ τῆς πόλεως

ἐξώτερος exterior
Mat 8 12 εἰς τὸ σκότος τὸ ἐξ..ον 22 13 25 30

ἐοικέναι ᵃsimilem esse ᵇcomparari
Jac 1 6 ἔοικενᵃ κλύδωνι 23ᵇ ἀνδρὶ κατανοοῦντι τὸ πρόσωπον - ἐν ἐσόπτρῳ

ἑορτάζειν epulari
1 Co 5 8 ἑορτάζωμεν μὴ ἐν ζύμῃ παλαιᾷ μηδέ

ἑορτή dies festus ᵇdies sollemnis ᶜfestivitas
Mat 26 5 μὴ ἐν τῇ ἑορτῇ ‖ Mar 14 2
  27 15 κατὰ δὲ ἑορτὴνᵇ εἰώθει ὁ ἡγεμών ‖ Mar 15 6 ἀπέλυεν αὐτοῖς ἕνα
Luc 2 41 κατ' ἔτος - τῇ ἑορτῇᵇ τοῦ πάσχα 42
  22 1 ἤγγιζεν - ἡ ἑορτὴ τῶν ἀζύμων
Joh 2 23 ἦν - ἐν τῷ πάσχα ἐν τῇ ἑορτῇ
  4 45 ὅσα ἐποίησεν - ἐν τῇ ἑορτῇ· καὶ αὐτοὶ γὰρ ἦλθον εἰς τὴν ἑορτήν
  5 1 ἦν ἑορτὴ τῶν Ἰουδ., καὶ ἀνέβη Ἰησ.
  6 4 ἐγγὺς τὸ πάσχα, ἡ ἑορτὴ τῶν Ἰουδ.
  7 2 ἐγγὺς ἡ ἑορτὴ τῶν Ἰ. ἡ σκηνοπηγία
  - 8 ὑμεῖς ἀνάβητε εἰς τὴν ἑορτήν· ἐγὼ οὔπω (vl οὐκ vg) ἀναβαίνω εἰς τὴν ἑορτὴν ταύτην 10 ὡς δὲ ἀνέβησαν εἰς τὴν ἑορτήν 11 οἱ - Ἰουδαῖοι ἐζήτουν αὐτὸν ἐν τῇ ἑορ. 14 τῆς ἑορτῆς μεσούσης ἀνέβη Ἰησοῦς εἰς τὸ ἱερὸν 37 ἐν δὲ τῇ ἐσχάτῃ ἡμέρᾳ τῇ μεγάλῃ τῆς ἑορτῆςᶜ - ἔκραξεν
  11 56 ὅτι οὐ μὴ ἔλθῃ εἰς τὴν ἑορτήν;
  12 12 ὁ ὄχλος - ὁ ἐλθὼν εἰς τὴν ἑορτήν
  - 20 Ἕλληνές τινες ἐκ τῶν ἀναβαινόντων ἵνα προσκυνήσωσιν ἐν τῇ ἑορτῇ
  13 1 πρὸ δὲ τῆς ἑορτῆς τοῦ πάσχα εἰδὼς
  - 29 ὧν χρείαν ἔχομεν εἰς τὴν ἑορτήν
Col 2 16 μὴ - τις ὑμᾶς κρινέτω - ἐν μέρει ἑορτῆς ἢ νεομηνίας ἢ σαββάτων

ἐπαγγελία promissio ᵇrepromissio ᶜpromissum ᵈpollicitatio
Luc 24 49 ἐξαποστέλλω τὴν ἐπ.ᶜ τοῦ πατρός μ.
Act 1 4 περιμένειν τὴν ἐπαγγ. τοῦ πατρός
  2 33 τὴν - ἐπαγγ. τοῦ πνεύματος - λαβὼν παρὰ τοῦ πατρὸς ἐξέχεεν τοῦτο
  - 39 ὑμῖν γάρ ἐστιν ἡ ἐπ.ᵇ καὶ τοῖς τέκν.
  7 17 ἤγγιζεν ὁ χρόνος τῆς ἐπ. (vg vlᵇ)
  13 23 κατ' ἐπ..αν ἤγαγεν τῷ Ἰσρ. σωτῆρα
  - 32 τὴν πρὸς τοὺς πατέρας ἐπ.ᵇ γενομένην 26 6 ἐπ' ἐλπίδι τῆς - ἐπ.ᵇ γενομ.
  23 21 προσδεχόμενοι τὴν ἀπὸ σοῦ ἐπαγγ.ᶜ
Rm 4 13 οὐ - διὰ νόμου ἡ ἐπαγγ. τῷ Ἀβραάμ
  - 14 κατήργηται ἡ ἐπ. 16 εἰς τὸ εἶναι βεβαίαν τὴν ἐπαγγ. παντὶ τῷ σπέρματι
  - 20 εἰς - τὴν ἐπ.ᵇ τοῦ θεοῦ οὐ διεκρίθη

Rm 9 4 ᾽Ισραηλῖται, ὧν – αἱ ἐπ.[c] 8 τὰ τέκνα
  τῆς ἐπαγγελίας λογίζεται εἰς σπέρ-
  μα 9 ἐπαγγελίας γὰρ ὁ λόγος οὗτος·
  15 8 εἰς τὸ βεβαιῶσαι τὰς ἐπ. τῶν πατέ.
2 Co 1 20 ὅσαι γὰρ ἐπ..αι θεοῦ, ἐν αὐτῷ τὸ ναί
  7 1 ταύτας – ἔχοντες τὰς ἐπ., – καθαρίσ.
Gal 3 14 ἵνα τὴν ἐπ.[d] (vl εὐλογίαν) τοῦ πνεύ-
  ματος λάβωμεν διὰ τῆς πίστεως
  – 16 τῷ δὲ ᾽Αβραὰμ ἐρρέθησαν αἱ ἐπαγγ.
  – 17 εἰς τὸ καταργῆσαι τὴν ἐπαγγελίαν
  – 18 εἰ – ἐκ νόμου ἡ κληρονομία, οὐκέτι
  ἐξ ἐπ..ίας (vg vl[b])· τῷ δὲ ᾽Αβραὰμ
  δι᾽ ἐπαγγελίας[b] κεχάρισται ὁ θεός
  – 21 ὁ οὖν νόμος κατὰ τῶν ἐπ.[c] τ. θεοῦ;
  – 22 ἵνα ἡ ἐπ. ἐκ πίστεως ᾽Ιησ. Χοῦ δοθῇ
  – 29 ἄρα –, κατ᾽ ἐπαγγελίαν κληρονόμοι
  4 23 ὁ δὲ ἐκ τῆς ἐλευθέρας διὰ τῆς ἐπ.[b]
  – 28 κατὰ ᾽Ισαὰκ ἐπαγγελίας τέκνα ἐστέ
Eph 1 13 ἐσφραγίσθητε τῷ πνεύματι τῆς ἐπαγ-
  γελίας τῷ ἁγίῳ
  2 12 ξένοι τῶν διαθηκῶν τῆς ἐπαγγελίας
  3 6 τὰ ἔθνη – συμμέτοχα τῆς ἐπαγγελίας
  6 2 ἥτις ἐστὶν ἐντολὴ πρώτη ἐν ἐπ..ίᾳ
1 Ti 4 8 ἡ δὲ εὐσέβεια –, ἐπ..ίαν ἔχουσα ζω-
  ῆς τῆς νῦν καὶ τῆς μελλούσης
2 Ti 1 1 κατ᾽ ἐπ..ίαν ζωῆς τῆς ἐν Χῷ ᾽Ιησοῦ
Hb 4 1 καταλειπομένης ἐπ..ίας[d] εἰσελθεῖν
  6 12 τῶν διὰ πίστεως καὶ μακροθυμίας
  κληρονομούντων τὰς ἐπαγγελίας
  – 15 μακροθυμήσας ἐπέτυχεν τῆς ἐπ..ας[b]
  – 17 ἐπιδεῖξαι τοῖς κληρονόμοις τῆς ἐπ.[d]
  7 6 τὸν ἔχοντα τὰς ἐπ..ας[b] εὐλόγηκεν
  8 6 διαθήκης –, ἥτις ἐπὶ κρείττοσιν ἐπαγ-
  γελίαις[b] νενομοθέτηται
  9 15 ὅπως – τὴν ἐπ.[b] λάβωσιν οἱ κεκλημ.
  10 36 ἵνα – κομίσησθε τὴν ἐπαγγελίαν
  11 9 εἰς γῆν τῆς ἐπ.[b] – μετὰ – τῶν συγκλη-
  ρονόμων τῆς ἐπ..ας[b] τῆς αὐτῆς
  – 13 ἀπέθανον –, μὴ κομισάμενοι τὰς ἐπ.[b]
  39 οὐκ ἐκομίσαντο τὴν ἐπαγγελίαν[b]
  – 17 ὁ τὰς ἐπ.[b] ἀναδεξάμενος (sc ᾽Αβρ.)
  – 33 οἳ διὰ πίστεως – ἐπέτυχον ἐπ..ιῶν
2 Pe 3 4 ποῦ ἐστιν ἡ ἐπ. τῆς παρουσίας αὐ-
  τοῦ; 9 οὐ βραδύνει κύριος τῆς ἐπ..ας
  (vg promissionem, vl promissis)
1 Jo 2 25 αὕτη ἐστὶν ἡ ἐπ.[b] ἣν αὐτὸς ἐπηγγεί-
  λατο (pollicitus est) ἡμῖν, τὴν ζωήν

ἐπαγγέλλεσθαι promittere [b]repromittere
  [c]polliceri
Mar 14 11 ἐπηγγείλαντο αὐτῷ ἀργύριον δοῦναι
Act 7 5 ἐπηγγείλατο[b] „δοῦν. – εἰς κατάσχες."

Rm 4 21 ὃ ἐπήγγελται δυνατός ἐστιν – ποιῆσαι
Gal 3 19 προσετέθη (sc ὁ νόμος), ἄχρις ἂν
  ἔλθῃ τὸ σπέρμα ᾧ ἐπήγγελται
1 Ti 2 10 γυναιξὶν ἐπ..ομέναις θεοσέβειαν
  6 21 γνώσεως, ἥν τινες ἐπαγγελλόμενοι
Tit 1 2 ζωῆς αἰωνίου, ἣν ἐπηγγείλατο
Hb 6 13 τῷ – ᾽Αβραὰμ ἐπ..ειλάμενος ὁ θεός
  10 23 πιστὸς γὰρ ὁ ἐπαγγειλάμενος[b] 11 11
  ἐπεὶ πιστὸν ἡγήσατο τὸν ἐπ.[b] (vl[a])
  12 26 νῦν δὲ ἐπήγγελται[b] λέγων· ἔτι ἅπαξ
Jac 1 12 τὸν στέφανον –, ὃν ἐπηγγείλατο[b] τ.
  ἀγαπῶσιν αὐτόν 2 5 τῆς βασιλείας
  ἧς ἐπηγγείλατο[b] (vl[a]) τοῖς ἀγ. αὐτόν
2 Pe 2 19 ἐλευθερίαν αὐτοῖς ἐπαγγελλόμενοι
1 Jo 2 25[c] → ἐπαγγελία

ἐπάγγελμα S° – promissum
2 Pe 1 4 τὰ – μέγιστα ἡμῖν ἐπαγγέλματα δε-
  δώρηται 3 13 „γῆν καινὴν" κατὰ τὸ ἐπ.
  (vl τὰ ἐπαγγ. vg) αὐτοῦ προσδοκῶμεν

ἐπάγειν inducere [b]superducere
Act 5 28 βούλεσθε ἐπαγαγεῖν ἐφ᾽ ἡμᾶς τὸ αἷμα
2 Pe 2 1 ἐ..οντες[b] ἑαυτοῖς ταχινὴν ἀπώλειαν
  – 5 κατακλυσμὸν κόσμῳ ἀσεβῶν ἐπάξας

ἐπαγωνίζεσθαι S° – supercertari
Jud 3 παρακαλῶν ἐπαγωνίζεσθαι τῇ ἅπαξ
  παραδοθείσῃ τοῖς ἁγίοις πίστει

ἐπαθροίζεσθαι S° – concurrere Luc 11 29

ἐπαινεῖν laudare [b]magnificare
Luc 16 8 ἐπήνεσεν ὁ κύριος τὸν οἰκονόμον
Rm 15 11 „ἐπαινεσάτωσαν[b] αὐτὸν – οἱ λαοί"
1 Co 11 2 ἐπαινῶ – ὑμᾶς ὅτι – μου μέμνησθε
  – 17 οὐκ ἐπαινῶ ὅτι οὐκ εἰς τὸ κρεῖσσον
  – συνέρχεσθε 22 ἐπαινέσω ὑμᾶς; ἐν
  τούτῳ οὐκ ἐπαινῶ

᾽Επαίνετος Rm 16 5 ἀπαρχὴ τῆς ᾽Ασίας

ἔπαινος laus
Rm 2 29 οὗ ὁ ἔπ. οὐκ ἐξ ἀνθρώπων ἀλλ᾽ ἐκ
  13 3 τὸ ἀγαθὸν ποίει, καὶ ἕξεις ἔπ..ον ἐξ
  αὐτῆς (sc τῆς ἐξουσίας) 1 Pe 2 14 πεμ-
  πομένοις εἰς – ἔπαινον – ἀγαθοποιῶν
1 Co 4 5 τότε ὁ ἔπ. γενήσεται ἑκάστῳ ἀπὸ – θ.
2 Co 8 18 ἀδελφὸν οὗ ὁ ἔπ. ἐν τῷ εὐαγγελίῳ
Eph 1 6 εἰς ἔπ..ον δόξης τῆς χάριτος αὐτοῦ
  – 12 εἶναι ἡμᾶς εἰς ἔπ..ον δόξης αὐτοῦ
  τοὺς προηλπικότας ἐν – τῷ Χῷ 14

Phl 1 11 εἰς δόξαν καὶ ἔπαινον ϑεοῦ
4 8 εἴ τις ἔπαινος (vl + ἐπιστήμης vg,
1 Pe 1 7 εὑρεϑῇ εἰς ἔπαινον καὶ δόξαν ⌊vlᵒ)

ἐπαίρειν, ..εσϑαι levare ᵇelevare, ..i ᶜsuble-
vare ᵈextollere, ..i ᵉse extollere
Mat 17 8 ἐπάραντες – τοὺς ὀφϑαλμούς Luc
6 20 ἐπάρας ᵇ 16 23 ἐν τῷ ᾅδη ἐπάρας ᵇ
18 13 οὐκ ἤϑελεν οὐδὲ τοὺς ὀφ. ἐπᾶ-
ραι εἰς τὸν οὐρανόν Joh 4 35 ἐπάρα-
τε 6 5 ἐπάρας ᶜ (11 41 → αἴρειν) 17 1
ἐπάρας ᶜ τοὺς ὀφϑαλμοὺς αὐτοῦ εἰς
τὸν οὐρανὸν εἶπεν· πάτερ, ἐλήλυϑεν
Luc 11 27 ᵈ φωνήν Act 2 14 14 11 22 22
21 28 ἐπάρατε τὰς κεφαλὰς ὑμῶν, διότι
24 50 ἐπάρας ᵇ τὰς χεῖρας – εὐλόγησεν αὐτ.
Joh 13 18 „ἐπῆρεν ἐπ' ἐμὲ τὴν πτέρναν"
Act 1 9 βλεπόντων αὐτῶν ἐπήρϑη ᵇ
27 40 ἐπάραντες (levato) τὸν ἀρτέμωνα
2 Co 10 5 πᾶν ὕψωμα ἐπαιρόμενον ᵉ κατὰ τῆς
γνώσεως τοῦ ϑεοῦ
11 20 ἀνέχεσϑε γὰρ – εἴ τις ἐπαίρεται ᵈ
1 Ti 2 8 βούλομαι οὖν προσεύχεσϑαι τοὺς
ἄνδρας – ἐπαίροντας ὁσίους χεῖρας

ἐπαισχύνεσϑαι ᵃconfundi ᵇerubescere
Mar 8 38 ὃς – ἐὰν ἐπαισχυνϑῇ ᵃ με (me confu-
sus fuerit) καὶ τοὺς ἐμοὺς λόγους –, καὶ
ὁ υἱὸς τοῦ ἀνϑρώπου ἐπαισχυνϑήσεται ᵃ
αὐτόν ‖ Luc 9 26 ᵇ ᵇ
Rm 1 16 οὐ γὰρ ἐπ..ομαι ᵇ τὸ εὐαγγέλιον
6 21 τίνα – καρπὸν εἴχετε τότε; ἐφ' οἷς
νῦν ἐπαισχύνεσϑε ᵇ· τὸ γὰρ τέλος
2 Ti 1 8 μὴ – ἐπαισχυνϑῇς ᵇ τὸ μαρτύριον τοῦ
κυρίου μηδὲ ἐμὲ τὸν δέσμιον αὐτοῦ
– 12 ταῦτα πάσχω, ἀλλ' οὐκ ἐπ..ομαι ᵃ
– 16 τὴν ἅλυσίν μου οὐκ ἐπαισχύνϑη ᵇ
Hb 2 11 οὐκ ἐπ..εται ᵃ ἀδελφοὺς αὐτ. – καλεῖν
11 16 οὐκ ἐπαισχύνεται ᵃ αὐτοὺς ὁ ϑεὸς
ϑεὸς ἐπικαλεῖσϑαι αὐτῶν

ἐπαιτεῖν mendicare Luc 16 3 18 35 (vl προσαι.)

ἐπακολουϑεῖν sequi ᵇsubsequi
[Mar 16 20 διὰ τῶν ἐπακολουϑούντων σημείων]
1 Ti 5 10 εἰ παντὶ ἔργῳ ἀγαϑῷ ἐπηκ..ησεν ᵇ
– 24 τισὶν – καὶ ἐπ..οῦσιν ᵇ (sc αἱ ἁμαρτίαι)
1 Pe 2 21 ἵνα ἐπ..ήσητε τοῖς ἴχνεσιν αὐτοῦ

ἐπακούειν exaudire
2 Co 6 2 „καιρῷ δεκτῷ ἐπήκουσά σου"

ἐπακροᾶσϑαι Sᵒ – audire Act 16 25

ἐπανάγειν ᵃreverti ᵇreducere ᶜducere
Mat 21 18 ᵃ εἰς τὴν πόλιν Luc 5 3 ᵇ ἀπὸ – γῆς 4 ᶜ

τὰ ἐπάναγκες necessaria (vl ..io) Act 15 28

ἐπαναμιμνήσκειν Sᵒ – in memoriam redu-
cere Rm 15 15 ὡς ἐπ..ων ὑμᾶς

ἐπαναπαύεσϑαι requiescere Luc 10 6 ἐπανα-
παήσεται ἐπ' αὐτὸν ἡ εἰρήνη ὑμῶν
Rm 2 17 εἰ δὲ σὺ Ἰουδαῖος – ἐπαναπαύῃ νόμῳ

ἐπανέρχεσϑαι redire Luc 10 35 19 15

ἐπανίστασϑαι ᵃinsurgere ᵇconsurgere
Mat 10 21 ᵃ „τέκνα ἐπὶ γονεῖς" ‖ Mar 13 12 ᵇ

πρὸς ἐπανόρϑωσιν ad corripiendum (vl ad
corrigendum) 2 Ti 3 16 γραφὴ ϑεόπνευ-
στος καὶ ὠφέλιμος – πρὸς ἐπανόρϑωσιν

*ἐπάνω super c. acc. (Joh vl supra)
Joh 3 31 ὁ ἄνωϑεν ἐρχόμενος ἐπάνω πάντων
ἐστίν· – ὁ ἐκ τοῦ οὐρ. ἐρχ. ἐπ. πάντ. ἐστ.
Ap 20 3 ἔκλεισεν καὶ ἐσφράγισεν ἐπ. αὐτοῦ

ἐπάρατος Sᵒ – maledictus Joh 7 49 ὁ ὄχλος

ἐπαρκεῖν subministrare ᵇsufficere
1 Ti 5 10 εἰ ϑλιβομένοις ἐπήρκεσεν (sc χήρα)
– 16 εἴ τις πιστὴ ἔχει χήρας, ἐπαρκείτω
αὐταῖς, –, ἵνα ταῖς ὄντως χήραις ἐπ-
αρκέσῃ ᵇ (sc ἡ ἐκκλησία)

ἐπαρχεία provincia Act 23 34 (25 1 vl)

ἐπάρχειος, ἡ Sᵒ – provincia Act 25 1

ἔπαυλις commoratio Act 1 20 „ἔρημος"

Ἐπαφρᾶς Col 1 7 4 12 ὁ ἐξ ὑμῶν Phm 23 ὁ
συναιχμάλωτός μου ἐν Χῷ Ἰησοῦ

ἐπαφρίζειν Sᵒ – despumare Jud 13 αἰσχύνας

Ἐπαφρόδιτος Phl 2 25 ὑμῶν – ἀπόστολον 4 18

ἐπεγείρειν ᵃexcitare ᵇsuscitare
Act 13 50 ᵃ διωγμόν 14 2 ᵇ τὰς ψυχὰς τ. ἐϑνῶν

ἐπεισαγωγή Sᵒ – introductio Hb 7 19 ἐλπίδος

ἐπεισέρχεσϑαι supervenire Luc 21 35 ἡμέρα

ἐπεκτείνεσθαι Sᵒ – *extendere seipsum*
Phl 3 13 τοῖς δὲ ἔμπροσθεν ἐπεκτεινόμενος

ἐπενδύεσθαι Sᵒ – ᵃ*superindui* ᵇ*supervestiri*
2 Co 5 2 τὸ οἰκητήριον – τὸ ἐξ οὐρανοῦ ἐπεν-
δύσασθαιᵃ ἐπιποθοῦντες 4 ἐφ' ᾧ οὐ θέ-
λομεν ἐκδύσασθαι ἀλλ' ἐπενδύσασθαιᵇ

ἐπενδύτης *tunica* Joh 21 7 τὸν ἐπ. διεζώσατο

ἐπέρχεσθαι *supervenire* ᵇ*venire (super)*
ᶜ*advenire*
Luc 1 35 πνεῦμα ἅγιον ἐπελεύσεται ἐπὶ σέ
11 22 ἐπὰν – ἰσχυρότερος – ἐπελθὼν νικήσῃ
21 26 ἀπὸ φόβου καὶ προσδοκίας τῶν ἐπ-
ερχομένων τῇ οἰκουμένῃ
Act 1 8 ἐπελθόντος τοῦ ἁγ. πνεύμ. ἐφ' ὑμᾶς
8 24 ὅπως μηδὲν ἐπέλθῃᵇ ἐπ' ἐμὲ ὧν
13 40 βλέπετε – μὴ ἐπέλθῃ τὸ εἰρημένον
14 19 ἐπῆλθαν – ἀπὸ Ἀντιοχ. – Ἰουδαῖοι
Eph 2 7 ἐν τοῖς αἰῶσιν τοῖς ἐπερχομένοις
Jac 5 1 ἐπὶ – ταλαιπωρίαις ταῖς ἐπ..ομέναιςᶜ

*ἐπερωτᾶν *interrogare* ᵇ*rogare*
Mat 16 1 ἐπηρώτησανᵇ αὐτὸν σημεῖον
22 46 οὐδὲ ἐτόλμησέν τις – ἐπερωτῆσαι αὐ-
τὸν οὐκέτι ‖ Mar 12 34 Luc 20 40
Mar 9 32 ἠγνόουν –, καὶ ἐφοβοῦντο – ἐπ..ῆσαι
11 29 ἐπερωτήσω ὑμᾶς ἕνα λόγον
Luc 2 46 ἀκούοντα αὐτῶν καὶ ἐπ..ῶντα αὐτούς
6 9 ἐπ..ῶ ὑμᾶς εἰ ἔξεστιν τῷ σαββάτῳ
Rm 10 20 „ἐμφανὴς – τοῖς ἐμὲ μὴ ἐπερωτῶσιν"
1 Co 14 35 τοὺς ἰδίους ἄνδρας ἐπερωτάτωσαν

ἐπερώτημα (S semel) *interrogatio*
1 Pe 3 21 συνειδήσεως ἀγαθῆς ἐπ. εἰς θεόν

ἐπέχειν *intendere* ᵇ*attendere* ᶜ*continēre*
ᵈ*remanēre*
Luc 14 7 ἐπέχων πῶς τὰς πρωτοκλισίας ἐξε-
λέγοντο Act 3 5 ἐπεῖχεν αὐτοῖς
Act 19 22 αὐτὸς ἐπέσχενᵈ χρόνον εἰς τ. Ἀσίαν
Phl 2 16 λόγον ζωῆς ἐπέχοντεςᶜ
1 Ti 4 16 ἔπεχεᵇ σεαυτῷ καὶ τῇ διδασκαλίᾳ

ἐπηρεάζειν Sᵒ – *calumniari* Luc 6 28 προσ-
εύχεσθε περὶ τῶν ἐπηρεαζόντων ὑμᾶς
1 Pe 3 16 ἵνα – καταισχυνθῶσιν οἱ ἐπ..οντες ὑ-
μῶν τὴν ἀγαθὴν ἐν Χῷ ἀναστροφήν

*ἐπί 1) cum genitivo
apud ᵇ*ante* ᶜ*ad* ᵈ*in* ᵉ*sub* ᶠ*super*
ἐπ' ἀληθείας → ἀλήθεια Mat 22 16
Mar 13 9 ἐπὶᵇ ἡγεμόνων καὶ βασ. σταθήσεσθε –

Act 24 19 ἐπὶ σοῦ παρεῖναι 20 ἐπὶᵈ τοῦ
συνεδρίου 25 9 θέλεις – κριθῆναι ἐπ'
ἐμοῦ; 10 ἑστὼς ἐπὶᶜ τοῦ βήματος
Καίσαρός εἰμι 26 2 ἐπὶ σοῦ μέλλων –
ἀπολογεῖσθαι – 1 Co 6 1 κρίνεσθαι
ἐπὶ τῶν ἀδίκων, καὶ οὐχὶ ἐπὶ τῶν ἁ-
γίων; 6 καὶ τοῦτο ἐπὶ ἀπίστων;
Joh 6 2 σημεῖα – ἐπὶᶠ τῶν ἀσθενούντων
Rm 1 10 ἐπὶᵈ τῶν προσευχῶν μου Eph 1 16 ᵈ
1 Th 1 2 ᵈ Phm 4 ᵈ
9 5 ὁ ὢν ἐπὶᶠ πάντων θεός Eph 4 6 ᶠ
2 Co 10 7 τοῦτο λογιζέσθω πάλιν ἐφ' ἑαυτοῦ
Gal 3 16 οὐ λέγει· –, ὡς ἐπὶᵈ πολλῶν, ἀλλ'
ὡς ἐφ'ᵈ ἑνός· – ὅς ἐστιν Χός
1 Ti 5 19 „ἐπὶᵉ δύο ἢ τριῶν μαρτύρων"

2) cum dativo

→ ὄνομα – πιστεύειν, πεποιθέναι,
ἐλπίζειν, χαίρειν, χαρά – εὐχαριστεῖν,
καυχᾶσθαι, θαυμάζειν. μακροθυμεῖν, παρ-
ρησιάζεσθαι, σπλαγχνίζεσθαι, ἐκπλήττε-
σθαι, αἰσχύνεσθαι, μετανοεῖν
in c. acc. et abl. ᵇ*ob* ᶜ*sub* ᵈ(ἐφ' ᾧ) *in
quo* ᵉ(ἐφ' ᾧ) *eo quod* ᶠ(ἐφ' ᾧ) *sicut*
Mat 19 9 ὃς ἂν ἀπολύσῃ – μὴ ἐπὶᵇ πορνείᾳ
Luc 12 52 τρεῖς ἐπὶ δυσὶν – διαμερισθήσονται,
53 πατὴρ ἐπὶ υἱῷ κτλ
Act 3 16 ἐπὶ τῇ πίστει τοῦ ὀνόματος αὐτοῦ
τοῦτον – ἐστερέωσεν τὸ ὄνομα αὐτοῦ
11 19 τῆς θλίψεως τ. γενομένης ἐπὶᶜ Στεφ.
26 6 ἐπ' ἐλπίδι τῆς – ἐπαγγελίας – ἕστηκα
κρινόμενος
Rm 5 12 ἐφ' ᾧᵈ πάντες ἥμαρτον 2 Co 5 4 ἐφ'
ᾧᵉ οὐ θέλομεν ἐκδύσασθαι Phl 3 12
ἐφ' ᾧᵈ καὶ κατελήμφθην 4 10 ἐφ' ᾧᶠ
καὶ ἐφρονεῖτε, ἠκαιρεῖσθε δέ
– 14 μὴ ἁμαρτήσαντας ἐπὶ τῷ ὁμοιώματι
τῆς παραβάσεως Ἀδάμ
8 20 ἐφ' ἐλπίδι (*in spe* vl *spem*) 1 Co 9 10
ἐπ' ἐλπίδι (*in spe*) – ἀροτριᾶν, κτλ
10 19 „παραζηλώσω ὑμᾶς ἐπ' οὐκ ἔθνει –"
2 Co 9 14 διὰ τὴν – χάριν τοῦ θεοῦ ἐφ' ὑμῖν
Gal 5 13 ὑμεῖς γὰρ ἐπ' ἐλευθερίᾳ ἐκλήθητε
1 Th 4 7 οὐ γὰρ ἐκάλεσεν – ἐπὶ ἀκαθαρσίᾳ
Hb 9 10 θυσίαι –, μόνον ἐπὶ βρώμασιν
– 15 εἰς ἀπολύτρωσιν τῶν ἐπὶᶜ τῇ πρώτῃ
διαθήκῃ παραβάσεων

3) cum accusativo

→ πιστεύειν, πίστις, πεποιθέναι,
ἐλπίζειν – σπλαγχνίζεσθαι – εἰ-
ρήνη, ὀργή, κρίμα, φόβος, χάρις
in ᵇ*super* ᶜ*supra* · ᵈ*ad* – ἐπὶ τὸ

αὐτό: ᵉin unum ᶠin idipsum ᵍin
eodem loco ʰsimul ⁱpariter
Mat 1228 ἄρα ἔφθασεν ἐφ' ὑμᾶς ἡ βασιλεία
τοῦ θεοῦ ‖ Luc 1120
2234 οἱ – Φαρ. – συνήχθησαν ἐπὶ τὸ αὐτόᵉ
2335 ὅπως ἔλθη ἐφ'ᵇ ὑμᾶς πᾶν αἷμα 36ᵇ
2725 τὸ αἷμα αὐτοῦ ἐφ'ᵇ ἡμᾶς – Act
186 αἷμα ὑμῶν ἐπὶᵇ τὴν κεφαλὴν ὑ.
2650 ἑταῖρε, ἐφ' ὅᵈ πάρει. (; vg ad quid
venisti? vl ad quod)
Luc 1253 μήτηρ ἐπὶ θυγατέρα καὶ „θυγάτηρ
ἐπὶ τὴν μητέρα" κτλ
1735 δύο ἀλήθουσαι ἐπὶ τὸ αὐτόᵉ
Joh 132 πνεῦμα –, καὶ ἔμεινεν ἐπ'ᵇ αὐτόν 33ᵇ
336 ὀργὴ τοῦ θεοῦ μένει ἐπ'ᵇ αὐτόν
Act 115 ἦν τε ὄχλος ὀνομάτων ἐπὶ τὸ αὐτόʰ
ὡσεὶ ἑκατὸν εἴκοσι 21 ἦσαν πάντες
ὁμοῦ ἐπὶ τὸ αὐτόᵍ 44 οἱ πιστεύσαν-
τες ἐπὶ τὸ αὐτόⁱ 47 προσετίθει τοὺς
σωζομένους – ἐπὶ τὸ αὐτόᶠ
426 „οἱ ἄρχ. συνήχθησαν ἐπὶ τὸ αὐτόᵉ"
1517 „ἐφ'ᵇ οὓς ἐπικέκληται τὸ ὄν. μου"
1 Co 7 5 ἵνα – πάλιν ἐπὶ τὸ αὐτὸᶠ ἦτε
1120 συνερχομένων – ὑμῶν ἐπὶ τὸ αὐτόᵉ
οὐκ ἔστιν κυριακὸν δεῖπνον φαγεῖν
1423 ἐὰν – συνέλθη ἡ ἐκκλησία ὅλη ἐπὶ τὸ
αὐτόᵉ καὶ πάντες λαλῶσιν γλώσσαις
2 Co 123 μάρτυρα τὸν θεὸν ἐπικαλοῦμαι ἐπὶ
τὴν ἐμὴν ψυχήν
Phl 227 ἵνα μὴ λύπην ἐπὶᵇ λύπην σχῶ
1 Th 216 ἔφθασεν δὲ ἐπ'ᵇ αὐτοὺς ἡ ὀργή
2 Th 110 ὅτι ἐπιστεύθη τὸ μαρτύριον ἡμῶν
ἐφ'ᵇ ὑμᾶς
2 1 τῆς – ἡμῶν ἐπισυναγωγῆς ἐπ' αὐτόν
– 4 ὁ – „ὑπεραιρόμενος ἐπὶᶜ πάντα" λε-
γόμενον „θεὸν" ἢ σέβασμα
1 Ti 118 προαγούσας ἐπὶ σὲ προφητείας
Hb 6 1 ἐπὶᵈ τὴν τελειότητα φερώμεθα
Jac 2 7 βλασφημοῦσιν τὸ καλὸν ὄνομα τὸ
ἐπικληθὲν ἐφ'ᵇ ὑμᾶς
514 προσευξάσθωσαν ἐπ'ᵇ αὐτόν
1 Pe 414 θεοῦ πνεῦμα ἐφ'ᵇ ὑμᾶς ἀναπαύεται
Ap 2218 ἐάν τις „ἐπιθῇ ἐπ'ᵈ αὐτά," ἐπιθή-
σει ὁ θεὸς „ἐπ'ᵇ αὐτὸν" τὰς πληγάς

ἐπιβαίνειν ascendere ᵇingredi ᶜvenire
ᵈ(perf.) sedēre Mat 215ᵈ Act 2018ᵇ
212 272 – 214 – 251ᶜ τῇ ἐπαρχείῳ

ἐπιβάλλειν iniicere ᵇmittere ᶜimmittere
ᵈimponere ᵉcontingere ᶠcoepisse
Mat 916 οὐδεὶς – ἐ..ειᶜ ἐπίβλημα ‖ Luc 536ᶜ

Mat 2650 ἐπέβαλον τὰς χεῖρας ἐπὶ – Ἰησοῦν‖
Mar 1446 – Luc 2019ᵇ 2112 ἐπιβαλοῦ-
σιν ἐφ' ὑμᾶς τὰς χ. Joh 730 οὐδεὶς
ἐπέβαλενᵇ ἐπ' αὐτὸν τὴν χ. 44ᵇ –
Act 43 ἐπέβαλον αὐτοῖς τὰς χ. 518
ἐπὶ τοὺς ἀποστόλους 121 ἐπέβαλενᵇ
Ἡρώδης – τὰς χ. κακῶσαί τινας 2127
Mar 437 κύματα ἐπέβαλλενᵇ εἰς τὸ πλοῖον
11 7 ἐπ..ουσινᵈ αὐτῷ τὰ ἱμάτια αὐτῶν
1472 (Πέτρος) ἐπιβαλὼνᶠ ἔκλαιεν (vl ἤρ-
ξατο κλαίειν)
Luc 962 ἐπιβαλὼνᵇ τὴν χεῖρα ἐπ' ἄροτρον
1512 δός μοι τὸ ἐ..ονᵉ μέρος τῆς οὐσίας
1 Co 735 οὐχ ἵνα βρόχον ὑμῖν ἐπιβάλω

ἐπιβαρεῖν Sᵒ – gravare ᵇonerare 2 Co 25
ἵνα μὴ ἐπιβαρῶᵇ – 1 Th 29 πρὸς τὸ
μὴ ἐπιβαρῆσαί τινα ὑμῶν 2 Th 38

ἐπιβιβάζειν imponere Luc 1034 ἐπὶ – κτῆνος
1935 τὸν Ἰησοῦν Act 2324 Παῦλον

ἐπιβλέπειν respicere ᵇintendere
Luc 148 938 ἐπὶ τὸν υἱόν μου – Jac 23ᵇ

ἐπίβλημα commissura ᵇassumentum
Mat 916 ἐπ. ῥάκους ἀγνάφου ‖ Mar 221ᵇ
Luc 536 ἐπ. ἀπὸ ἱματίου καινοῦ – ' – οὐ
συμφωνήσει τὸ ἐπ. τὸ ἀπὸ τοῦ καινοῦ

ἐπιβουλή insidiae Act 924 203.19 2330

ἐπιγαμβρεύειν ducere Mat 2224

ἐπίγειος Sᵒ – terrenus ᵇterrester, ..ris
Joh 312 εἰ τὰ ἐπίγεια εἶπον ὑμῖν καὶ οὐ πιστ.
1 Co 1540 καὶ σώματα ἐπίγειαᵇ· – ἑτέρα δὲ ἡ
τῶν ἐπιγείωνᵇ (sc δόξα)
2 Co 5 1 ἐὰν ἡ ἐπ.ᵇ ἡμῶν οἰκία – καταλυθῇ
Phl 210 „πᾶν γόνυ κάμψη" ἐπουρανίων καὶ
ἐπιγείωνᵇ καὶ καταχθονίων
319 οἱ τὰ ἐπίγεια φρονοῦντες
Jac 315 ἀλλὰ ἐπίγειος, ψυχική, δαιμονιώδης
(sc σοφία)

ἐπιγίνεσθαι flare Act 2813 ἐπιγενομ. νότου

ἐπιγινώσκειν (loci delecti e Luc et Act)
cognoscere ᵇagnoscere ᶜnovisse
Mat 716 ἀπὸ τῶν καρπῶν αὐτῶν ἐπιγνώσεσθε
αὐτούς (sc τοὺς ψευδοπροφ.) 20
1127 οὐδεὶς ἐπ..ειᶜ τὸν υἱὸν εἰ μὴ ὁ πατήρ,

οὐδὲ τὸν πατέρα τις ἐπιγινώσκει[c] εἰ
Mat 14 35 ἐπιγνόντες αὐτὸν (Jesum) οἱ ἄνδρες
τοῦ τόπου ἐκείνου ‖ Mar 6 54
17 12 Ἡλίας ἤδη ἦλθεν, καὶ οὐκ ἐπέγνω-
σαν αὐτόν, ἀλλ᾽ ἐποίησαν ἐν αὐτῷ
Mar 2 8 ἐπιγνοὺς ὁ Ἰησοῦς τῷ πνεύματι αὐ-
τοῦ ‖ Luc 5 22 τοὺς διαλογισμοὺς
5 30 ἐπιγνοὺς ἐν ἑαυτῷ τὴν – δύν. ἐξελθ.
6 33 ἐπέγνωσαν (vl + αὐτοὺς) πολλοί
*Luc 1 4 ἵνα ἐπιγνῷς περὶ ὧν κατηχήθης λό-
γων τὴν ἀσφάλειαν
24 16 τοῦ μὴ ἐπιγνῶναι[b] αὐτόν 31 καὶ ἐπ-
έγνωσαν αὐτόν (sc Ἰησοῦν)
*Act 4 13 ἐπεγίνωσκόν τε αὐτοὺς ὅτι σὺν τῷ
Ἰησοῦ ἦσαν
Rm 1 32 τὸ δικαίωμα τοῦ θεοῦ ἐπιγνόντες
1 Co 13 12 τότε δὲ ἐπιγνώσομαι καθὼς καὶ ἐπ-
εγνώσθην
14 37 ἐπιγινωσκέτω ἃ γράφω ὑμῖν ὅτι κυ-
ρίου ἐστὶν ἐντολή· εἰ δέ τις ἀγνοεῖ
16 18 ἐπιγινώσκετε οὖν τοὺς τοιούτους
2 Co 1 13 ἢ ἃ ἀναγινώσκετε ἢ καὶ ἐπιγινώσκε-
τε, ἐλπίζω δὲ ὅτι ἕως τέλους ἐπιγνώ-
σεσθε 14 καθὼς καὶ ἐπέγνωτε ἡμᾶς
ἀπὸ μέρους
6 9 ὡς ἀγνοούμενοι καὶ ἐπιγινωσκόμενοι
13 5 ἢ οὐκ ἐπιγινώσκετε ἑαυτοὺς ὅτι Ἰη-
σοῦς Χὸς ἐν ὑμῖν;
Col 1 6 ἀφ᾽ ἧς ἡμέρας ἠκούσατε καὶ ἐπέγνω-
τε τὴν χάριν τοῦ θεοῦ ἐν ἀληθείᾳ
1 Ti 4 3 τοῖς – ἐπεγνωκόσι τὴν ἀλήθειαν
2 Pe 2 21 κρεῖττον – ἦν αὐτοῖς μὴ ἐπεγνωκέναι
τὴν ὁδὸν τῆς δικαιοσύνης, ἢ ἐπιγνοῦ-
σιν (post agnitionem) ὑποστρέψαι
ἐκ τῆς – ἁγίας ἐντολῆς

ἐπίγνωσις cognitio [b]agnitio [c]notitia [d]scientia
Rm 1 28 καθὼς οὐκ ἐδοκίμασαν τὸν θεὸν ἔ-
χειν ἐν ἐπιγνώσει[c], παρέδωκεν
3 20 διὰ γὰρ νόμου ἐπίγνωσις ἁμαρτίας
10 2 ζῆλον θεοῦ ἔχουσιν, ἀλλ᾽ οὐ κατ᾽ ἐπί-
γνωσιν[d]· ἀγνοοῦντες – τὴν τ. θ. δικαι.
Eph 1 17 πνεῦμα σοφίας – ἐν ἐπιγνώσει[b] αὐτοῦ
4 13 εἰς τὴν ἑνότητα – τῆς ἐπ.[b] τοῦ υἱοῦ
Phl 1 9 ἵνα ἡ ἀγάπη ὑμῶν – περισσεύῃ ἐν
ἐπιγνώσει[d] καὶ πάσῃ αἰσθήσει
Col 1 9 ἵνα πληρωθῆτε τὴν ἐπ.[b] τοῦ θελήμα-
τος αὐτοῦ 10 αὐξανόμενοι τῇ ἐπ.[d]
τοῦ θεοῦ 2 2 συμβιβασθέντες – εἰς
ἐπ.[b] τοῦ μυστηρίου τοῦ θεοῦ, Χοῦ
3 10 τὸν ἀνακαινούμενον εἰς ἐπίγνωσιν[b]
κατ᾽ εἰκόνα τοῦ κτίσαντος αὐτόν

1 Ti 2 4 πάντας – θέλει – εἰς ἐπ..ιν[b] ἀληθεί-
ας ἐλθεῖν 2 Ti 3 7 μηδέποτε εἰς ἐπ.[d]
ἀλ. ἐλθεῖν δυνάμενα – 2 25 μετάνοιαν
εἰς ἐπ. (ad cognoscendam) ἀλ. Tit
1 1 ἀπόστολος – κατὰ – ἐπ..ιν[b] ἀλ. τῆς
κατ᾽ εὐσέβειαν – Hb 10 26 μετὰ τὸ
λαβεῖν τὴν ἐπίγνωσιν[c] τῆς ἀληθείας
Phm 6 ἐν ἐπιγνώσει[b] παντὸς ἀγαθοῦ
2 Pe 1 2 εἰρήνη – ἐν ἐπ..ει τοῦ θεοῦ καὶ Ἰησ.
– 3 διὰ τῆς ἐπ. τοῦ καλέσαντος ἡμᾶς
– 8 οὐκ ἀργοὺς οὐδὲ ἀκάρπους καθίστη-
σιν εἰς τὴν τοῦ κυρίου ἡμῶν – ἐπ..ιν
2 20 ἀποφυγόντες τὰ μιάσματα τοῦ κό-
σμου ἐν ἐπ..ει τοῦ κυρίου – Ἰησ. Χοῦ

ἐπιγράφειν inscribere [b]superscribere
[c]scribere
Mar 15 26 ἐπιγραφὴ τῆς αἰτίας – ἐπιγεγραμμένη
Act 17 23 ἐν ᾧ ἐπεγέγραπτο[c]· ἀγνώστῳ θεῷ
Hb 8 10 „ἐπὶ καρδίας – ἐπιγράψω[b] αὐτούς"
(sc νόμους) 10 16[b] „ἐπὶ τ. διάνοιαν"
Ap 21 12 ὀνόματα ἐπιγεγραμμένα (vl[c]), – τῶν
δώδεκα φυλῶν υἱῶν Ἰσραήλ

ἐπιγραφή S° – inscriptio [b]superscriptio
(vl suprascriptio) [c]titulus
Mat 22 20 τίνος – ἡ ἐπ.[b]; ‖ Mar 12 16 Luc 20 24
Mar 15 26 ἡ ἐπιγραφή[c] τῆς αἰτίας ‖ Luc 23 28[b]

ἐπιδεικνύναι, ..υσθαι ostendere
Mat 16 1 σημεῖον ἐκ τοῦ οὐρανοῦ ἐπιδεῖξαι
22 19 ἐπιδείξατέ μοι τὸ νόμισμα τοῦ κήνσου
24 1 ἐπ. αὐτῷ τὰς οἰκοδομὰς τοῦ ἱεροῦ
Luc 17 14 „ἐ..ξατε" ἑαυτοὺς „τοῖς ἱερεῦσιν"
Act 9 39 ἱμάτια – 18 28 ἐ..νὺς διὰ τῶν γρα-
φῶν εἶναι τὸν χριστὸν Ἰησοῦν
Hb 6 17 βουλόμενος ὁ θεὸς ἐπιδεῖξαι – τὸ
ἀμετάθετον τῆς βουλῆς αὐτοῦ

ἐπιδεῖν (ἐπεῖδον) respicere Luc 1 25 ἀφελεῖν
Act 4 29 ἔπιδε ἐπὶ τὰς ἀπειλὰς αὐτῶν

ἐπιδέχεσθαι [a]recipere [b]suscipere
3 Jo 9[a] 10 οὔτε αὐτὸς ἐ..εται[b] τ. ἀδελφούς

ἐπιδημοῦντες S° – advenae Act 2 10 17 21

ἐπιδιατάσσεσθαι S° – superordinare
Gal 3 15 διαθήκην οὐδεὶς ἀθετεῖ ἢ ἐ..εται

ἐπιδιδόναι porrigere [b]dare [c]tradere [d]offerre
Mat 7 9 μὴ λίθον ἐπιδώσει αὐτῷ; 10 ὄφιν –;

7

‖ Luc 11 11ᵇ ὄφιν – ; 12 σκορπίον;
Luc 4 17 ἐπεδόθη ᶜ αὐτῷ βιβλίον – Ἠσαΐου
24 30 ἄρτον – ἐπεδίδου αὐτοῖς – 42ᵈ
Act 15 30ᶜ ἐπιστολήν 27 15 ἀνέμῳ ἐπιδόντεςᵇ

ἐπιδιορϑοῦν Sᵒ – corrigere Tit 1 5 τὰ λείπ.

ἐπιδύειν occidere Eph 4 26 ἥλιος μὴ ἐπιδυέτω

ἐπιείκεια ᵃclementia ᵇmodestia
Act 24 4 ἀκοῦσαί σε ἡμῶν – τῇ σῇ ἐπιεικείᾳᵃ
2 Co 10 1 παρακαλῶ ὑμᾶς διὰ τῆς – ἐπ.ᵇ τ. Χοῦ

ἐπιεικής modestus ᵇ(τὸ ἐπιεικές) modestia
Phl 4 5 τὸ ἐπ.ᵇ ὑμῶν γνωσϑήτω πᾶσιν ἀνϑρ.
1 Ti 3 3 δεῖ – ἐπίσκοπον – εἶναι – ἐ..ῇ, ἄμαχον
Tit 3 2 ὑπομίμνησκε – ἀμάχους εἶναι, ἐ..εῖς
Jac 3 17 ἡ δὲ ἄνωϑεν σοφία – εἰρηνική, ἐ..ής
1 Pe 2 18 δεσπόταις, – οὐ μόνον τοῖς – ἐ..έσιν

ἐπιέναι, ἡ ἐπιοῦσα ἡμέρα, νύξ sequens
Act 7 26 τῇ ἐ..ῃ ἡμ. 16 11 20 15 21 18 – 23 11 νυκτί

ἐπιζητεῖν quaerere ᵇinquirere ᶜrequirere
ᵈdesiderare
Mat 6 32 ταῦτα τὰ ἔϑνη ἐ..οῦσινᵇ ‖ Luc 12 30
12 39 γενεὰ πονηρὰ – σημεῖον ἐπιζητεῖ 16 4
Luc 4 42 οἱ ὄχλοι ἐπεζήτουνᶜ αὐτόν
Act 12 19ᶜ (Petrum) 13 7 ἐπεζήτησενᵈ ἀκοῦσαι
τὸν λόγον τοῦ ϑεοῦ – 19 39
Rm 11 7 ὃ ἐ..εῖ Ἰσραήλ, τοῦτο οὐκ ἐπέτυχεν
Phl 4 17 οὐχ ὅτι ἐπιζητῶ τὸ δόμα, ἀλλὰ ἐπι-
ζητῶᶜ τὸν καρπὸν – εἰς λόγον ὑμῶν
Hb 11 14 ἐμφανίζουσιν ὅτι πατρίδα ἐ..οῦσινᵇ
13 14 τὴν μέλλουσαν (sc πόλιν) ἐ..οῦμενᵇ

ἐπιϑανάτιος morti destinatus
1 Co 4 9 ἡμᾶς τοὺς ἀποστόλους – ὡς ἐπι..ους

ἐπίϑεσις (τῶν χειρῶν) impositio Act 8 18
1 Ti 4 14 τοῦ πρεσβυτερίου 2 Ti 1 6 μου Hb 6 2

ἐπιθυμεῖν concupiscere, (πρὸς τὸ ἐ. ad c..en-
dum ᵇcupere ᶜdesiderare
Mat 5 28 ὁ βλέπων γυναῖκα πρὸς τὸ ἐπιθυμῆ-
σαι [αὐτήν] (vl αὐτῆς, vg eam)
13 17 πολλοὶ – ἐπεθύμησανᵇ ἰδεῖν ἃ βλέπετε
Luc 15 16ᵇ 16 21ᵇ – Act 20 33 ἀργυρίου – οὐδενός
17 22 ἡμέραι ὅτε ἐ..ήσετεᶜ μίαν τῶν ἡμερῶν
τοῦ υἱοῦ τοῦ ἀνθρώπου ἰδεῖν
22 15 ἐπιθυμίᾳ (desiderio) ἐπεθύμησαᶜ τοῦ-
το τὸ πάσχα φαγεῖν μεϑ' ὑμῶν

Rm 7 7 εἰ μὴ ὁ νόμ. ἔλεγ.· „οὐκ ἐπιθυμήσεις"
1 Co 10 6 καϑὼς κἀκεῖνοι „ἐπεθύμησαν" |13 9
Gal 5 17 ἡ – σὰρξ ἐ..εῖ κατὰ τοῦ πνεύματος
1 Ti 3 1 εἴ τις ἐπισκοπῆς ὀρέγεται (desiderat),
καλοῦ ἔργου ἐπιθυμεῖᶜ
Hb 6 11 ἐπιθυμοῦμενᵇ – ἕκαστον ὑμῶν τὴν
αὐτὴν ἐνδείκνυσϑαι σπουδήν
Jac 4 2 ἐπιθυμεῖτε, καὶ οὐκ ἔχετε
1 Pe 1 12 εἰς ἃ ἐ..οῦσινᶜ ἄγγελοι παρακῦψαι
Ap 9 6 ἐ..ήσουσινᶜ ἀποθανεῖν καὶ φεύγει

ἐπιθυμηταί concupiscentes 1 Co 10 6 κακῶν

ἐπιθυμία desiderium ᵇconcupiscentia
Mar 4 19 αἱ περὶ τὰ λοιπὰ ἐ..αιᵇ – συμπνίγου-
σιν τὸν λόγον – Luc 22 15 → ἐπιθυμεῖν
Joh 8 44 τὰς ἐπιθυμίας τοῦ πατρὸς ὑμῶν θέ-
λετε ποιεῖν
Rm 1 24 παρέδωκεν αὐτοὺς ὁ θεὸς ἐν ταῖς
ἐπ. τῶν καρδιῶν – εἰς ἀκαθαρσίαν
6 12 εἰς τὸ ὑπακούειν ταῖς ἐπ.ᵇ αὐτοῦ
(sc τοῦ θνητοῦ ὑμῶν σώματος)
7 7 τὴν – ἐπ.ᵇ οὐκ ᾔδειν εἰ μὴ ὁ νόμος
ἔλεγεν· 8 ἡ ἁμαρτία – κατειργάσατο
ἐν ἐμοὶ πᾶσαν ἐπιθυμίανᵇ
13 14 τῆς σαρκὸς πρόνοιαν μὴ ποιεῖσθε εἰς
ἐπιθυμίας (in desideriis)
Gal 5 16 ἐπιθυμίαν (vg d..ia vl ..ium) σαρκὸς
οὐ μὴ τελέσητε 24 σάρκα ἐσταύρω-
σαν σὺν – ταῖς ἐπιθυμίαιςᵇ
Eph 2 3 ἐν οἷς – ἀνεστράφημέν ποτε ἐν ταῖς
ἐπιθυμίαις τῆς σαρκὸς ἡμῶν
4 22 τὸν παλαιὸν ἄνθρ. τὸν φθειρόμενον
κατὰ τὰς ἐπιθυμίας τῆς ἀπάτης
Phl 1 23 τὴν ἐπιθυμίαν ἔχων εἰς τὸ ἀναλῦσαι
Col 3 5 νεκρώσατε – πάθος, ἐ..ανᵇ κακήν
1 Th 2 17 ἐσπουδάσαμεν τὸ πρόσωπον ὑμῶν ἰ-
δεῖν ἐν πολλῇ ἐπιθυμίᾳ
4 5 μὴ ἐν πάθει ἐ..ας καθάπερ – τὰ ἔθνη
1 Ti 6 9 εἰς – ἐ..ας – ἀνοήτους καὶ βλαβεράς
2 Ti 2 22 τὰς δὲ νεωτερικὰς ἐπιθυμίας φεῦγε
3 6 ἀγόμενα ἐπιθυμίαις ποικίλαις
4 3 κατὰ τὰς ἰδίας ἐπιθυμίας ἑαυτοῖς ἐπι-
σωρεύσουσιν διδασκάλους
Tit 2 12 ἀρνησάμενοι – τὰς κοσμικὰς ἐπ. 3 3
ἥμεν – δουλεύοντες ἐπιθυμίαις
Jac 1 14 ὑπὸ τῆς ἰδίας ἐπ.ᵇ ἐξελκόμενος
– 15 ἡ ἐπ.ᵇ συλλαβοῦσα τίκτει ἁμαρτίαν
1 Pe 1 14 ταῖς πρότερον ἐν τῇ ἀγνοίᾳ – ἐ..αις
2 11 ἀπέχεσθαι τῶν σαρκικῶν ἐπιθυμιῶν
4 2 μηκέτι ἀνθρώπων ἐ..αις – βιῶσαι 3
πεπορευμένους ἐν – ἐπιθυμίαις

2 Pe 1 4 ἀποφυγόντες τῆς – ἐν ἐ..αᵇ φθορᾶς
2 10 τοὺς ὀπίσω σαρκὸς ἐν ἐπιθυμίᾳᵇ μι-
ασμοῦ πορευομένους Jud 16 κατὰ τὰς
ἐπ. αὐτῶν πορ..οι 18 τῶν ἀσεβειῶν
– 18 δελεάζουσιν ἐν ἐπιθυμίαις σαρκός
3 3 κατὰ τὰς ἰδίας ἐπ.ᵇ – πορευόμενοι
1 Jo 2 16 πᾶν τὸ ἐν τῷ κόσμῳ, ἡ ἐπιθυμίαᵇ
τῆς σαρκὸς καὶ ἡ ἐπιθυμίαᵇ τῶν ὀ-
φθαλμῶν 17 ὁ κόσμος παράγεται καὶ
ἡ ἐπιθυμίαᵇ αὐτοῦ
Ap 18 14 ἡ ὀπώρα σου τῆς ἐπιθυμίας τῆς ψυ-
χῆς ἀπῆλθεν ἀπὸ σοῦ

ἐπικαθίζειν sedēre facere (ex vl ἐ..ισαν)
Mat 21 7 καὶ ἐπεκάθισεν ('Ιησ.) ἐπάνω αὐτῶν

ἐπικαλεῖν, ..σθαι invocare ᵇappellare ᶜco-
gnominari ᵈvocare
Mat 10 25 εἰ τὸν οἰκοδεσπότην Βεεζεβοὺλ ἐπ-
εκάλεσανᵈ
Act 1 23 ὃς ἐπεκλήθηᶜ 'Ιοῦστος 4 36 ὁ ἐπικλη-
θεὶςᶜ Βαρναβᾶς 10 5 ὃς ἐπικαλεῖταιᶜ
Πέτρος 18ᶜ 32ᶜ 11 13ᶜ 12 12 'Ιωάννου
τοῦ ἐπικαλουμένουᶜ Μάρκου 25ᶜ
2 21 „ὃς ἐὰν ἐπικαλέσηται τὸ ὄνομα κυ-
ρίου" Rm 10 13 – Act 9 14 τοὺς ἐ..ου-
μένους τὸ ὄνομά σου 21 τὸ ὄν. τοῦτο
22 16 ἐπικαλεσάμενος τὸ ὄν. αὐτοῦ
1 Co 1 2 σὺν πᾶσιν τοῖς ἐ..ουμένοις
τὸ ὄνομα τοῦ κυρίου ἡμῶν 'Ιησ. Χοῦ
7 59 Στέφανον, ἐ..ούμενον καὶ λέγοντα·
15 17 „ἐφ᾽ οὓς ἐπικέκληται (invocatum est)
τὸ ὄνομά μου ἐπ᾽ αὐτούς" → Jac 2 7
25 11 Καίσαρα ἐ..οῦμαιᵇ 12 ἐπικέκλησαιᵇ
21 τοῦ δὲ Παύλου ἐ..εσαμένουᵇ 25ᵇ
τὸν Σεβαστόν 26 32 εἰ μὴ ἐπεκέκλη-
τοᵇ Καίσαρα 28 19 ἠναγκάσθην ἐπι-
καλέσασθαιᵇ Καίσαρα
Rm 10 12 πλουτῶν εἰς πάντας τοὺς ἐ..ουμένους
αὐτόν 13.14 πῶς οὖν ἐ..έσωνται – ;
2 Co 1 23 μάρτυρα τὸν θεὸν ἐ..οῦμαι ἐπὶ τήν
2 Ti 2 22 μετὰ τῶν ἐπικαλουμένων τὸν κύριον
ἐκ καθαρᾶς καρδίας
Hb 11 16 οὐκ ἐπαισχύνεται ὁ θεὸς θεὸς ἐπι-
καλεῖσθαι (vocari) αὐτῶν
Jac 2 7 οὐκ αὐτοὶ βλασφημοῦσιν τὸ καλὸν
ὄνομα τὸ ἐπικληθὲν ἐφ᾽ ὑμᾶς;
1 Pe 1 17 εἰ „πατέρα ἐ..εῖσθε" τὸν ἀπροσωπολ.

ἐπικάλυμμα velamen 1 Pe 2 16 κακίας

ἐπικαλύπτειν tegere Rm 4 7 „μακάριοι – ὧν
ἐπεκαλύφθησαν αἱ ἁμαρτίαι"

ἐπικατάρατος maledictus Gal 3 10.13

ἐπικεῖσθαι ᵃirruere ᵇinstare ᶜsuperpositum
esse ᵈimminēre ᵉincumbere ᶠimpo-
situm esse
Luc 5 1 ὄχλον ἐπ.ᵃ αὐτῷ 23 23ᵇ φωναῖς μεγ.
Joh 11 38 λίθος ἐπέκειτοᶜ – 21 9ᶜ ὀψάριον
Act 27 20ᵈ χειμῶνος – 1 Co 9 16ᵉ ἀνάγκη – μοι
Hb 9 10 δικαιώματα σαρκὸς μέχρι καιροῦ δι-
ορθώσεως ἐπικείμεναᶠ

ἐπικέλλειν Sᵒ – impingere Act 27 41 ναῦν

'Επικούρειοι φιλόσοφοι Act 17 18

ἐπικουρία auxilium Act 26 22 ἀπὸ – θεοῦ

ἐπικρίνειν adiudicare Luc 23 24 Πιλᾶτος

ἐπιλαμβάνεσθαι apprehendere ᵇcapere
ᶜreprehendere
Mat 14 31 ὁ 'Ιησοῦς – ἐπελάβετο αὐτοῦ
Mar 8 23 ἐπιλαβόμενος τῆς χειρὸς τοῦ τυφλοῦ
Luc 9 47 ἐπιλαβόμενος παιδίον 14 4 ἐπ. ἰάσατο
20 20 ἵνα ἐπιλάβωνταιᵇ αὐτοῦ λόγου 26ᶜ
23 26 ἐπιλαβόμενοι Σίμωνά τινα Κυρηναῖον
Act 9 27 16 19 17 19 18 17 21 30.33 23 19 χειρός
1 Ti 6 12 ἐπιλαβοῦ τῆς αἰωνίου ζωῆς 19 ἵνα
ἐπιλάβωνται τῆς ὄντως ζωῆς
Hb 2 16 οὐ – δήπου ἀγγέλων ἐπιλαμβάνεται,
ἀλλὰ „σπέρματος 'Αβραὰμ ἐ..εται"
8 9 „ἐπιλαβομένου μου τ. χειρὸς αὐτῶν"

ἐπιλανθάνεσθαι oblivisci ᵇ → Luc 12 6
Mat 16 5 ἐπελάθοντο ἄρτους λαβεῖν ‖ Mar 8 14
Luc 12 6 ἐν ἐξ αὐτῶν οὐκ ἔστιν ἐπιλελησμέ-
νον (est in oblivione) ἐνώπ. τοῦ θεοῦ
Phl 3 13 τὰ μὲν ὀπίσω ἐπιλανθανόμενος
Hb 6 10 οὐ γὰρ ἄδικος ὁ θεὸς ἐπιλαθέσθαι
τοῦ ἔργου ὑμῶν καὶ τῆς ἀγάπης
13 2 τῆς φιλοξενίας μὴ ἐπιλανθάνεσθε 16
εὐποιΐας καὶ κοινωνίας μὴ ἐπιλανθ.
Jac 1 24 εὐθέως ἐπελάθετο ὁποῖος ἦν

ἐπιλέγεσθαι ᵃcognominari ᵇeligere
Joh 5 2 ἡ ἐ..ομένη ᵃ 'Εβραϊστὶ Βηθζαθά
Act 15 40 Παῦλος – ἐπιλεξάμενοςᵇ Σιλᾶν

ἐπιλείπειν Sᵒ – deficere Hb 11 32 χρόνος

ἐπιλείχειν Sᵒ – lingere Luc 16 21 τὰ ἕλκη

ἀκροατὴς **ἐπιλησμονῆς** obliviosus Jac 1 25

ἐπίλοιπος reliquus 1 Pe 42 τὸν ἐ..ον χρόνον

ἐπιλύειν S⁰ – ᵃdisserere ᵇabsolvere
Mar 434 τοῖς – μαθηταῖς ἐπέλυενᵃ πάντα
Act 1939 ἐν τῇ ἐννόμῳ ἐκκλησίᾳ ἐπιλυθήσεταιᵇ

ἐπίλυσις S⁰ – interpretatio 2 Pe 120 πᾶσα προ-
φητεία γραφῆς ἰδίας ἐ..εως οὐ γίνεται

ἐπιμαρτυρεῖν S⁰ – contestari 1 Pe 512

ἐπιμέλεια cura Act 273 ἐπιμελείας τυχεῖν

ἐπιμελεῖσθαι ᵃcuram agere, habēre
ᵇdiligentiam habēre Luc 1034ᵃ 35ᵃ
1 Ti 3 5 πῶς ἐκκλησίας θεοῦ ἐπιμελήσεταιᵇ;

ἐπιμελῶς diligenter Luc 158 ζητεῖ ἐπιμελῶς

ἐπιμένειν permanēre ᵇmanēre ᶜremanēre
ᵈperseverare ᵉmorari ᶠinstare
[Joh 8 7 ὡς δὲ ἐπέμενονᵈ ἐρωτῶντες]
Act 1048ᵇ 1216ᵈ (1534 vlᶜ) 214ᵇ 10ᵉ 2812ᵇ 14ᵇ
1 Co 167ᵇ 8 ἐν Ἐφέσῳ – Gal 118ᵇ
Rm 6 1 ἐπιμένωμεν τῇ ἁμαρτίᾳ, ἵνα ἡ χάρις –;
1122 ἐὰν ἐπιμένῃς τῇ χρηστότητι
– 23 ἐὰν μὴ ἐπιμένωσιν τῇ ἀπιστίᾳ
Phl 124 τὸ δὲ ἐπ. τῇ σαρκὶ ἀναγκαιότερον
Col 123 εἴ γε ἐπιμένετε τῇ πίστει
1 Ti 416 ἐπίμενεᶠ αὐτοῖς· τοῦτο γὰρ ποιῶν

ἐπινεύειν consentire Act 1820 οὐκ ἐπέ..σεν

ἐπίνοια cogitatio Act 822 εἰ – ἀφεθήσεταί σοι
ἡ ἐπίνοια τῆς καρδίας σου

ἐπιορκεῖν periurare (vl peierare)
Mat 533 „οὐκ ἐπιορκήσεις, ἀποδώσεις δέ"

ἐπίορκος periurus 1 Ti 110 ψεύσταις, ἐπ..οις

ἐπιούσιος S⁰ – ᵃsupersubstantialis ᵇquo-
tidianus Mat 611ᵃ ἄρτος ‖ Luc 113ᵇ

ἐπιπίπτειν cadere (super, supra) ᵇincumbere
ᶜirruere ᵈprocumbere ᵉvenire
Mar 310 ὥστε ἐπ.ᶜ αὐτῷ ἵνα αὐτοῦ ἅψωνται
Luc 112 φόβος ἐπέπεσενᶜ Act 1917 Ap 1111
1520 ἐπέπεσεν ἐπὶ τ. τράχηλον αὐτοῦ Act
2037 ἐπιπεσόντεςᵈ ἐ. τ. τρ. τοῦ Παύλ.
Act 816 οὐδέπω – ἦν ἐπ᾽ οὐδενὶ αὐτῶν ἐπιπε-
πτωκόςᵉ (sc τὸ πνεῦμα) 1044 ἐπέ-

πεσεν – ἐπὶ πάντας 1115 (vl decidit)
Act 2010 Παῦλ. ἐπέπεσενᵇ αὐτῷ (sc Εὐτύχῳ)
Rm 15 3 „οἱ ὀνειδισμοὶ – ἐπέπεσαν ἐπ᾽ ἐμέ"

ἐπιπλήσσειν S⁰ – increpare 1 Ti 51 μὴ ἐ..ξῃς

ἐπιποθεῖν desiderare ᵇcupere ᶜconcupiscere
Rm 111 ἐ..ῶ γὰρ ἰδεῖν ὑμᾶς 1 Th 36 2 Ti 14
2 Co 5 2 τὸ ἐξ οὐρανοῦ (sc οἰκητήριον) ἐπεν-
δύσασθαι ἐπιποθοῦντεςᵇ
914 αὐτῶν δεήσει – ἐπιποθούντων ὑμᾶς
Phl 1 8 ὡς ἐ..ῶᵇ πάντας ὑμᾶς ἐν σπλάγχ-
νοις Χοῦ Ἰ. – 226 ἐ..ῶν ἦν πάν. ὑμᾶς
Jac 4 5 πρὸς φθόνον ἐπιποθεῖᶜ τὸ πνεῦμα
1 Pe 2 2 τὸ λογικὸν ἄδολον γάλα ἐ..ήσατεᶜ

ἐπιπόθησις S⁰ – desiderium 2 Co 77.11

ἐπιπόθητος S⁰ – desideratissimus (vl ..ant.)
Phl 4 1 ἀδελφοί μου ἀγαπητοὶ καὶ ἐ..ητοι

ἐπιποθία S⁰ – cupiditas
Rm 1523 ἐ..αν δὲ ἔχων τοῦ ἐλθεῖν πρὸς ὑμᾶς

ἐπιπορεύεσθαι properare Luc 84 πρός

ἐπιράπτειν S⁰ – assuere Mar 221 ἐπίβλημα

ἐπιρίπτειν ᵃiactare (supra) ᵇproiicere in
Luc 1935ᵃ ἱμάτια – 1 Pe 57ᵇ „τὴν μέριμναν"

ἐπίσημος ᵃinsignis ᵇnobilis Mat 2716ᵃ δέ-
σμιον – Rm 167 ἐ..οιᵇ ἐν τοῖς ἀποστόλοις

ἐπισιτισμός esca Luc 912 ἵνα – εὕρωσιν ἐ..όν

ἐπισκέπτεσθαι visitare ᵇconsiderare
Mat 2536 καὶ ἐπεσκέψασθέ με 43 οὐκ ἐπεσκ.
Luc 168 ἐπεσκέψατο καὶ ἐποίησεν „λύτρωσιν
τῷ λαῷ αὐτοῦ" 716 τὸν λαὸν αὐτοῦ
– 78 ἐπισκέψεται (vl ἐπεσκέψατο vg) ἡ-
μᾶς ἀνατολὴ ἐξ ὕψους
Act 6 3 ἐ..ψασθεᵇ – ἄνδρας – μαρτυρουμέν.
723 ἐ..ψασθαι „τοὺς ἀδελφοὺς αὐτοῦ"
1514 ὁ θεὸς ἐπεσκέψατο λαβεῖν – λαόν
– 36 ἐπισκεψώμεθα τοὺς ἀδελφούς
Hb 2 6 „υἱὸς ἀνθρ. ὅτι ἐπισκέπτῃ αὐτόν;"
Jac 127 ἐπ. ὀρφανοὺς καὶ χήρας ἐν τῇ θλ.

ἐπισκευάζεσθαι praeparari Act 2115

ἐπισκηνοῦν S⁰ – inhabitare in 2 Co 129
ἵνα ἐ..ώσῃ ἐπ᾽ ἐμὲ ἡ δύναμις τοῦ Χοῦ

ἐπισκιάζειν *obumbrare*
Mat 17 5 νεφέλη φωτεινή ‖ Mar 9 7 Luc 9 34
Luc 1 35 δύναμις ὑψίστου ἐπισκιάσει σοι
Act 5 15 ἵνα – κἂν ἡ σκιὰ ἐ..σῃ τινὶ αὐτῶν

ἐπισκοπεῖν *contemplari* Hb 12 15 ἐπισκοποῦν-
τες μή τις ὑστερῶν ἀπὸ τῆς χάριτος
(1 Pe 5 2 vl ἐπισκοποῦντες (*providentes*) μὴ
ἀναγκαστῶς ἀλλὰ ἑκουσίως)

ἐπισκοπή ᵃ*visitatio* ᵇ*episcopatus*
Luc 19 44 οὐκ ἔγνως τὸν καιρὸν τῆς ἐπ.ᵃ σου
Act 1 20 „τὴν ἐπ.ᵇ αὐτοῦ λαβέτω ἕτερος"
1 Ti 3 1 εἴ τις ἐ..ῆςᵇ ὀρέγεται, καλοῦ ἔργου
1 Pe 2 12 ἵνα – δοξάσωσιν τὸν θεὸν „ἐν ἡμέρᾳ
ἐπισκοπῆςᵃ" (vl 5 6ᵃ)

ἐπίσκοπος *episcopus*
Act 20 28 παντὶ τῷ ποιμνίῳ, ἐν ᾧ ὑμᾶς τὸ πνεῦ-
μα τὸ ἅγιον ἔθετο ἐπισκόπους
Phl 1 1 σὺν ἐπισκόποις καὶ διακόνοις
1 Ti 3 2 δεῖ – τὸν ἐπ. ἀνεπίλημπτον εἶναι Tit
1 7 ἀνέγκλητον – ὡς θεοῦ οἰκονόμον
1 Pe 2 25 ἐπεστράφητε νῦν ἐπὶ τὸν ποιμένα
καὶ ἐπίσκοπον τῶν ψυχῶν ὑμῶν

ἐπισπᾶσθαι *adducere praeputium* 1 Co 7 18

ἐπισπείρειν Sᵒ – *superseminare* Mat 13 25

ἐπίστασθαι *scire* ᵇ*nosse* – negative:
ᶜ*ignorare* ᵈ*nescire*
Mar 14 68 οὔτε ἐπίσταμαιᵇ σὺ τί λέγεις
Act 10 28 ὑμεῖς ἐπίστασθε ὡς ἀθέμιτόν ἐστιν
15 7 ἐ..σθε ὅτι – ἐξελέξατο ὁ θεὸς διὰ τοῦ
στόματός μου ἀκοῦσαι τὰ ἔθνη
18 25 ἐ..άμενος μόνον τὸ βάπτισμα Ἰωάν.
19 15 καὶ τὸν Παῦλον ἐπίσταμαι· ὑμεῖς δὲ
τίνες ἐστέ; – 19 25 20 18 22 19 24 10 26 26
1 Ti 6 4 τετύφωται, μηδὲν ἐπιστάμενος, ἀλλά
Hb 11 8 ἐξῆλθεν μὴ ἐ..μενοςᵈ ποῦ ἔρχεται
Jac 4 14 οὐκ ἐπίστασθεᶜ (vl + τὸ) τῆς αὔριον
Jud 10 ὅσα δὲ φυσικῶς – ἐπίστανταιᵇ

ἐπίστασις (vl ..σύστ.) ᵃ*concursus* ᵇ*instantia*
Act 24 12 οὔτε – εὖρόν με – ἐ..ινᵃ ποιοῦντα ὄχ.
2 Co 11 28 ἡ ἐπίστασίςᵇ μοι ἡ καθ' ἡμέραν

ἐπιστάτης *praeceptor* Luc 5 5 8 24.45 9 33.49
17 13 Ἰησοῦ ἐπιστάτα, ἐλέησον ἡμᾶς

ἐπιστέλλειν *scribere*
Act 15 20 κρίνω – ἐπιστεῖλαι αὐτοῖς τοῦ ἀπέ-

χεσθαι 21 25 ἐπεστείλαμεν κρίναντες
Hb 13 22 καὶ γὰρ διὰ βραχέων ἐπέστειλα ὑμῖν

ἐπιστήμη *disciplina*
Phl 4 8 εἴ τις ἔπαινος (vl + ἐπιστήμης, vg, vlᵒ)

ἐπιστήμων *disciplinatus*
Jac 3 13 τίς σοφὸς καὶ ἐπ. ἐν ὑμῖν; δειξάτω

ἐπιστηρίζειν *confirmare*
Act 14 22 ἐ..οντες τὰς ψυχὰς τῶν μαθητῶν
15 32 τοὺς ἀδελφούς 41 τὰς ἐκκλησίας

ἐπιστολή *epistola*
Act 9 2 ᾐτήσατο – ἐ..ὰς εἰς Δαμασκόν 22 5
ἐπιστολὰς δεξάμενος – 15 30 23 25.33
Rm 16 22 Τέρτιος ὁ γράψας τὴν ἐπιστολήν
1 Co 5 9 ἔγραψα ὑμῖν ἐν τῇ ἐπ. μὴ συναναμ.
16 3 δι' ἐ..ῶν τούτους πέμψω ἀπενεγκεῖν
2 Co 3 1 χρῄζομεν – συστατικῶν ἐ..ῶν πρὸς ὑ-
μᾶς ἢ ἐξ ὑμῶν; 2 ἡ ἐπιστολὴ ἡμῶν
ὑμεῖς ἐστε 3 ὅτι ἐστὲ ἐπιστολὴ Χοῦ
διακονηθεῖσα ὑφ' ἡμῶν
7 8 εἰ καὶ ἐλύπησα ὑμᾶς ἐν τῇ ἐπ. – , –
ὅτι ἡ ἐπ. ἐκείνη εἰ καὶ – ἐλύπησεν ὑ.
10 9 ἵνα μὴ δόξω ὡσὰν ἐκφοβεῖν ὑμᾶς
διὰ τῶν ἐπ. 10 ὅτι αἱ ἐπ. μέν, φησίν,
βαρεῖαι καὶ ἰσχυραί 11 οἷοί ἐσμεν τῷ
λόγῳ δι' ἐπιστολῶν ἀπόντες
Col 4 16 ὅταν ἀναγνωσθῇ παρ' ὑμῖν ἡ ἐπ., –
ἵνα καὶ ἐν τῇ Λαοδικέων ἐκκλ. ἀνα-
γνωσθῇ 1 Th 5 27 ἀναγνωσθῆναι τὴν
ἐπιστολὴν πᾶσιν τοῖς ἀδελφοῖς
2 Th 2 2 μηδὲ θροεῖσθαι, – μήτε διὰ λόγου μή-
τε δι' ἐπιστολῆς ὡς δι' ἡμῶν 15 κρα-
τεῖτε τὰς παραδόσεις ἃς ἐδιδάχθητε
εἴτε διὰ λόγου εἴτε δι' ἐ..ῆς ἡμῶν
3 14 εἴ – τις οὐχ ὑπακούει τῷ λόγῳ ἡμῶν
διὰ τῆς ἐπ. – 17 ὅ ἐστιν σημεῖον ἐν
πάσῃ ἐπιστολῇ· οὕτως γράφω
2 Pe 3 1 δευτέραν ὑμῖν γράφω ἐπιστολήν
– 16 ὡς καὶ ἐν πάσαις (vl + ταῖς) ἐ..αῖς

ἐπιστομίζειν Sᵒ – *redarguere* Tit 1 11

ἐπιστρέφειν, ..εσθαι *converti* ᵇ*convertere*
ᶜ*converti facere* ᵈ*reverti* ᵉ*redire*
Mat 10 13 ἡ εἰρήνη ὑμῶν πρὸς ὑμᾶς ἐ..αφήτωᵈ
12 44 εἰς τὸν οἶκόν μου ἐπιστρέψωᵈ ὅθεν
13 15 „μήποτε – ἐπιστρέψωσιν, καὶ ἰάσομαι
αὐτούς" ‖ Mar 4 12 – Act 28 27
24 18 ὁ ἐν τῷ ἀγρῷ μὴ ἐπιστρεψάτωᵈ ὀπίσω

‖ Mar 13 16 d εἰς τὰ ὀπίσω Luc 17 31 e

Mar 5 30 Ἰησοῦς – ἐπιστραφεὶς ἐν τῷ ὄχλῳ 8 33

Luc 1 16 πολλοὺς – ἐπιστρέψει b ἐπὶ – τὸν θεόν
– 17 „ἐ..έψαι b καρδίας πατέρων ἐπὶ τέκ."
2 39 ἐπέστρεψαν d εἰς τὴν Γαλιλαίαν
8 55 ἐπέστρεψεν d τὸ πνεῦμα αὐτῆς
17 4 ἐὰν – ἑπτάκις ἐπιστρέψῃ πρὸς σὲ λέ-
γων· μετανοῶ, ἀφήσεις αὐτῷ
22 32 σύ ποτε ἐ..ψας στήρισον τοὺς ἀδελ-

Joh 21 20 ἐπιστραφεὶς ὁ Πέτρος βλέπει |φούς

Act 3 19 μετανοήσατε οὖν καὶ ἐπιστρέψατε
9 35 οἵτινες ἐπέστρεψαν ἐπὶ τὸν κύρ. 11 21
– 40 ἐπιστρέψας πρὸς τὸ σῶμα εἶπεν·
14 15 ἐπιστρέφειν ἐπὶ θεὸν ζῶντα 15 19 τοῖς
ἀπὸ τῶν ἐθνῶν ἐ..ουσιν ἐπὶ τὸν θεόν
26 20 μετανοεῖν καὶ ἐπ. ἐπὶ τὸν θεόν
15 36 d 16 18 – 26 18 τοῦ ἐπιστρέψαι „ἀπὸ
σκότους εἰς φῶς" καὶ τῆς ἐξουσίας
τοῦ σατανᾶ ἐπὶ τὸν θεόν

2 Co 3 16 „ἡνίκα – ἐὰν ἐπιστρέψῃ πρὸς κύριον"

Gal 4 9 πῶς ἐ..ετε – ἐπὶ τὰ – πτωχὰ στοιχεῖα –;

1 Th 1 9 πῶς ἐπεστρέψατε πρὸς τ. θεὸν ἀπὸ
τῶν εἰδώλων δουλεύειν θεῷ ζῶντι

Jac 5 19 ἐάν τις πλανηθῇ – καὶ ἐπιστρέψῃ b τις
αὐτόν 20 ὁ ἐπιστρέψας c ἁμαρτωλὸν
ἐκ πλάνης ὁδοῦ αὐτοῦ

1 Pe 2 25 ἐπεστράφητε νῦν ἐπὶ τὸν ποιμένα

2 Pe 2 22 „κύων ἐ..ψας d ἐπὶ τὸ ἴδ. ἐξέραμα"

Ap 1 12 ἐπέστρεψα βλέπειν τὴν φωνήν –· καὶ
ἐπιστρέψας εἶδον ἑπτὰ λυχνίας

ἐπιστροφή conversio Act 15 3 ἐθνῶν

ἐπισυνάγειν congregare

Mat 23 37 ἠθέλησα ἐπισυναγαγεῖν τὰ τέκνα σου,
ὃν τρόπον ὄρνις ἐπισυνάγει τὰ νοσ-
σία ‖ Luc 13 34 ἐπισυνάξαι
24 31 „ἐπισυνάξουσιν" τοὺς ἐκλεκτοὺς αὐ-
τοῦ „ἐκ τῶν τεσσ. ἀνέμων" ‖ Mar 13 27

Mar 1 33 ἦν ὅλη ἡ πόλις ἐπισυνηγμένη

Luc 12 1 ἐ..αχθεισῶν τῶν μυριάδων (vl ὄχλων
συμπεριεχόντων vg turbis circum-
stantibus) – 17 37 ἀετοὶ ἐ..αχθήσονται

ἐπισυναγωγή a congregatio b collectio

2 Th 2 1 ὑπὲρ τῆς – ἡμῶν ἐ..ῆς a ἐπ' αὐτόν

Hb 10 25 μὴ ἐγκαταλείποντες τὴν ἐπ. b ἑαυτῶν

ἐπισυντρέχειν S° – concurrere Mar 9 25

ἐπισφαλής non tutus Act 27 9 (πλοῦς)

ἐπισχύειν invalescere Luc 23 5 λέγοντες

ἐπισωρεύειν S° – coacervare 2 Ti 4 3 ἑαυτοῖς

ἐπιταγή imperium b praeceptum

Rm 16 26 κατ' ἐπιταγὴν b τοῦ αἰωνίου θεοῦ

1 Co 7 6 λέγω κατὰ συγγνώμην, οὐ κατ' ἐπ.
2 Co 8 8 οὐ κατ' ἐπ. (quasi imperans)
– 25 περὶ – τῶν παρθένων ἐπιταγὴν b κυ-
ρίου οὐκ ἔχω, γνώμην δὲ δίδωμι

1 Ti 1 1 ἀπόστολος – κατ' ἐπ. θεοῦ σωτῆρος
ἡμῶν Tit 1 3 κηρύγματι ὃ ἐπιστεύ-
θην ἐγὼ κατ' ἐπ. b τοῦ σωτ. ἡμ. θεοῦ

Tit 2 15 ἔλεγχε μετὰ πάσης ἐπιταγῆς

ἐπιτάσσειν imperare b praecipere

Mar 1 27 τοῖς πνεύμασι – ἐπιτάσσει ‖ Luc 4 36
6 27 b 39 ἐπέταξεν b αὐτοῖς ἀνακλιθῆναι
9 25 ἐγὼ ἐ..ω b σοι, ἔξελθε Luc 8 31 ἵνα μὴ
ἐπιτάξῃ αὐτοῖς εἰς τὴν ἄβυσσον ἀπ.

Luc 8 25 καὶ τοῖς ἀνέμοις ἐ..ει καὶ τῷ ὕδατι
14 22 γέγονεν ὃ ἐπέταξας – Act 23 2 b

Phm 8 παρρησίαν ἔχων ἐπ. σοι τὸ ἀνῆκον

ἐπιτελεῖν, ..εῖσθαι consummare (Gal 3 3 ..ari)
b perficere c (1 Pe 5 9) fieri

Rm 15 28 τοῦτο οὖν ἐπιτελέσας – ἀπελεύσομαι

2 Co 7 1 ἐ..οῦντες b ἁγιωσύνην ἐν φόβῳ θεοῦ
8 6 ἵνα – ἐ..έσῃ b εἰς ὑμᾶς – τὴν χάριν
– 11 καὶ τὸ ποιῆσαι ἐπιτελέσατε b, ὅπως –
καὶ τὸ ἐπιτελέσαι b ἐκ τοῦ ἔχειν

Gal 3 3 ἐναρξάμενοι πνεύματι νῦν σαρκὶ ἐπι-
τελεῖσθε; (vg c..emini vl ..amini)

Phl 1 6 ὁ ἐναρξάμενος ἐν ὑμῖν ἔργον ἀγα-
θὸν ἐπιτελέσει b ἄχρι ἡμέρας Χοῦ

Hb 8 5 Μωϋσῆς μέλλων ἐπ. τὴν σκηνήν
9 6 οἱ ἱερεῖς τὰς λατρείας ἐπιτελοῦντες

1 Pe 5 9 τὰ αὐτὰ τῶν παθημάτων τῇ ἐν τῷ
κόσμῳ ὑμῶν ἀδελφότητι ἐ..εῖσθαι c

ἐπιτήδειος a necessarius b opportunus
(Act 24 25 vl καιρῷ – ἐ..ῳ b μετακαλέσομαί σε)

Jac 2 16 μὴ δῶτε – αὐτοῖς τὰ ἐ.. a τοῦ σώματ.

ἐπιτιϑέναι, ..εσϑαι imponere b apponere,
..ni c ponere d (ex vl) linire

Mat 9 18 ἐπίθες τὴν χεῖρά σου ἐπ' αὐτήν ‖

Mar 5 23 ἵνα – ἐπιθῇς τὰς χεῖρας αὐτῇ – 6 5
ὀλίγοις ἀρρώστοις ἐπιθεὶς τὰς χεῖρας (Luc 4 40
ἑνὶ ἑκάστῳ – τὰς χεῖρας ἐπιτιθεὶς ἐθεράπευεν)

Mar 7 32 ἵνα ἐπιθῇ αὐτῷ τὴν χεῖρα 8 23 ἐπιθεὶς
τὰς χεῖρας 25 πάλιν ἐπέθηκεν Luc 13 13 ἐπέθη-
κεν αὐτῇ τὰς χεῖρας. – [Mar 16 18 ἐπὶ ἀρρώ-
στους χεῖρας ἐπιθήσουσιν] Act 28 8 ἐπιθεὶς
τὰς χεῖρας – ἰάσατω – non aegrotis: Mat 19 13

παιδία, ἵνα τὰς χεῖρας ἐπιθῇ αὐτοῖς 15 Act
66 προσευξάμενοι ἐπέθηκαν–τὰς χεῖρας 817
ἐπετίθεσαν τὰς χεῖρας ἐπ᾿ αὐτούς, καὶ ἐλάμ-
βανον πνεῦμα ἅγιον 19 ἵνα ᾧ ἐὰν ἐπιθῶ τὰς
χεῖρας 912.17 133 196 – 1 Ti 522 χεῖρας τα-
χέως μηδενὶ ἐπιτίθει → τιθέναι
Mat 21 7 ἐπέθηκαν–τὰ ἱμάτια (vl + αὐτῶν)
    23 4 ἐπιτιθέασιν ἐπὶ τοὺς ὤμους τῶν ἀν-
        θρώπων (sc φορτία βαρέα)
    2729 ἐπέθηκαν᷄ ἐπὶ τῆς κεφαλῆς Joh 192
    – 37 ἐπέθηκαν–τὴν αἰτίαν–γεγραμμένην
Mar 316 ἐπέθηκεν ὄνομα τῷ Σίμωνι Πέτρον
    17 αὐτοῖς ὄνομα Βοανηργές
Luc 1030 πληγὰς ἐπιθέντες Act 1623 αὐτοῖς
    15 5 εὑρὼν ἐ..ησιν ἐπὶ τοὺς ὤμους αὐτοῦ
    2326 ἐπέθηκαν αὐτῷ τὸν σταυρὸν φέρειν
Joh 9 6 ἐπέθηκεν (vl ἐπέχρισεν vgᵈ vl levit)
    –τὸν πηλὸν ἐπὶ τοὺς ὀφθαλμούς 15ᶜ
Act 1510 ἐπιθεῖναι ζυγόν 28 μηδὲν πλέον ἐπι-
    τίθεσθαι ὑμῖν βάρος | 1623 → Luc1030
    1810 οὐδεὶς ἐπιθήσεταί᷇ (apponetur) σοι
    τοῦ κακῶσαί σε – 283 ἐπὶ τὴν πυράν
    2810 ἐπέθεντο τὰ πρὸς τὰς χρείας
Ap 2218 ἐάν τις „ἐπιθῇ᷇ ἐπ᾿ αὐτά," ἐπιθήσει᷇
    ὁ θεὸς „ἐπ᾿ αὐτὸν" τὰς πληγάς

ἐπιτιμᾶν increpare ᵇcomminari ᶜimperare
    ᵈpraecipere
Mat 826 ἐπετίμησεν᷄ (vl increpavit) τοῖς ἀνέ-
    μοις καὶ τῇ θαλ. ‖ Mar 439᷇ Luc 824
    1216 ἐπετίμησενᵈ αὐτοῖς ἵνα μὴ φανερὸν
    αὐτὸν ποιήσωσιν ‖ Mar 312᷇ Luc 441
    – Mat 1620ᵈ (vl διεστείλατο) ‖ Mar
    830᷇ Luc 921 μηδενὶ λέγειν τοῦτο
    1622 Πέτρος ἤρξατο ἐπιτιμᾶν αὐτῷ ‖ Mar
    832.33 ἐπετίμησεν᷇ Πέτρῳ
    1718 ἐπετίμησεν αὐτῷ–, καὶ ἐξῆλθεν–τὸ
    δαιμ. ‖ Mar 925᷇ Luc 942 – Mar 125᷇
    ‖ Luc435 – 39 ἐπετίμησεν᷄ τῷ πυρετῷ
    1913 οἱ δὲ μαθηταὶ ἐπετίμησαν αὐτοῖς ‖
    Mar 1013᷇ Luc 1815
    2031 ὄχλος ἐπετίμησεν αὐτοῖς (sc τυφλοῖς)
    ἵνα σιωπήσωσιν ‖ Mar1048᷇ Luc1839
Luc 955 ἐπετίμησεν αὐτοῖς (sc τοῖς μαθηταῖς)
    17 3 ἐὰν ἁμάρτῃ ὁ ἀδελφός σου, ἐπιτίμη-
    σον αὐτῷ, καὶ ἐὰν μετανοήσῃ, ἄφες
    1939 ἐπιτίμησον τοῖς μαθηταῖς σου
    2340 ὁ ἕτερος ἐπιτιμῶν αὐτῷ ἔφη· οὐδὲ–σύ
2 Ti 4 2 ἔλεγξον, ἐπιτίμησον, παρακάλεσον (vg
    inverso ordine: obsecra, increpa)
Jud 9 Μιχαὴλ ὁ ἀρχάγγ. – εἶπεν· „ἐπιτιμή-
    σαι᷄ (nonne increpet?) σοι κύριος"

ἐπιτιμία obiurgatio 2 Co 26 τῶν πλειόνων

ἐπιτρέπειν permittere ᵇconcedere
Mat 821 ἐπίτρεψόν μοι πρῶτον–θάψαι ‖ Luc
    959.61 ἀποτάξασθαι τοῖς εἰς τ. οἶκον
    19 8 Μωϋσ.–ἐπέ..ψεν–ἀπολῦσαι ‖ Mar104
Mar 513 ἐπέτρεψεν᷇ αὐτοῖς ‖ Luc 832
Joh 1938 ἐπέτρεψεν ὁ Πιλᾶτος
Act 2139.40 261 273 2816 μένειν καθ᾿ ἑαυτόν
1 Co 1434 οὐ γὰρ ἐ..εται αὐταῖς λαλεῖν 1 Ti 212
    διδάσκειν δὲ γυναικὶ οὐκ ἐπιτρέπω
    16 7 ἐὰν ὁ κύριος ἐπιτρέψῃ Hb 63 ποιή-
    σομεν, ἐάνπερ ἐπιτρέπῃ ὁ θεός

μετ᾿ ἐπιτροπῆς cum permissu Act 2612

ἐπίτροπος procurator ᵇtutor
Mat 20 8 Luc 83 – Gal 42 ὑπὸ ἐ..ους᷇ ἐστίν
    (ἐπιτροπεύειν procurare Luc 31 vl)

ἐπιτυγχάνειν adipisci ᵇconsequi
Rm 11 7 ὃ ἐπιζητεῖ Ἰσραήλ, τοῦτο οὐκ ἐπέτυ-
    χεν᷇, ἡ δὲ ἐκλογὴ ἐπέτυχεν᷇
Hb 615 μακροθυμήσας ἐπέτυχεν τῆς ἐπαγγε-
    λίας (Abr.) 1133 ἐπέτυχον ἐπ..λιῶν
Jac 4 2 ζηλοῦτε, καὶ οὐ δύνασθε ἐπιτυχεῖν

ἐπιφαίνειν apparēre ᵇilluminare
Luc 179 „ἐπιφᾶναι᷇ τοῖς ἐν σκότει–καθημ."
Act 2720 μήτε ἄστρων ἐπιφαινόντων
Tit 211 ἐπεφάνη γὰρ ἡ χάρις τοῦ θεοῦ–πᾶ-
    σιν 34 ὅτε δὲ ἡ χρηστότης καὶ ἡ φιλ-
    ανθρωπία ἐπεφάνη τοῦ–θεοῦ

ἐπιφάνεια adventus ᵇilluminatio ᶜillustratio
2 Th 2 8 ὃν ὁ κύριος–καταργήσει τῇ ἐπιφα-
    νείᾳᶜ τῆς παρουσίας αὐτοῦ
1 Ti 614 μέχρι τῆς ἐπ. τοῦ κυρίου ἡμ. Ἰ. Χοῦ
2 Ti 110 χάριν,–φανερωθεῖσαν–νῦν διὰ τῆς
    ἐπ.᷇ τοῦ σωτῆρος ἡμῶν Χοῦ Ἰησοῦ
    4 1 διαμαρτύρομαι–, καὶ (vl κατὰ vg
    per) τὴν ἐπ.–καὶ τὴν βασιλ. αὐτοῦ
    – 8 πᾶσι τοῖς ἠγαπηκόσι τὴν ἐπ. αὐτοῦ
Tit 213 προσδεχόμενοι τὴν–ἐλπίδα καὶ ἐπ.
    τῆς δόξης τοῦ μεγάλου θεοῦ

ἐπιφανής manifestus Act 220 ἡμέρα κυρίου

ἐπιφαύσκειν (vl ἐπιψαύειν) illuminare
Eph 514 ἐπιφαύσει σοι (te vl tibi) ὁ Χός

ἐπιφέρειν inferre (Act 2518 vl deferre)
Rm 3 5 μὴ ἄδικος ὁ θ. ὁ ἐπιφέρων τ. ὀργήν;
Jud 9 κρίσιν ἐπενεγκεῖν βλασφημίας

ἐπιφωνεῖν acclamare ᵇclamare ᶜsucclamare
Luc 23 21 ᶜ Act 12 22 21 34 ᵇ 22 24

ἐπιφώσκειν ᵃlucescere ᵇillucescere
Mat 28 1 τῇ ἐ..ούσῃ ᵃ εἰς μίαν σαββ. Luc 23 54 ᵇ

ἐπιχεῖν infundere Luc 10 34 ἔλαιον καὶ οἶνον

ἐπιχειρεῖν ᵃconari ᵇquaerere ᶜtentare
Luc 1 1 ᵃ ἀνατάξασθαι διήγησιν Act 9 29 ᵇ 19 13 ᶜ

ἐπιχορηγεῖν ᵃadministrare ᵇministrare
ᶜsubministrare ᵈtribuere
2 Co 9 10 ὁ δὲ ἐ..ῶν ᵃ „σπέρμα – καὶ ἄρτον"
Gal 3 5 ὁ οὖν ἐπιχορηγῶν ᵈ ὑμῖν τὸ πνεῦμα
Col 2 19 τὸ σῶμα διὰ τῶν ἁφῶν – ἐ..ούμενον ᶜ
2 Pe 1 5 ἐ..ήσατε ᵇ ἐν τῇ πίστει – τὴν ἀρετήν
– 11 πλουσίως ἐ..γηθήσεται ᵇ ὑμῖν ἡ εἴσ-
οδος εἰς τὴν αἰώνιον βασιλείαν

ἐπιχορηγία Sᵒ – subministratio Eph 4 16
συμβιβαζόμενον διὰ πάσης ἁφῆς τῆς ἐπ.
Phl 1 19 διὰ – ἐ..ίας τοῦ πνεύματος Ἰησ. Χοῦ

ἐπιχρίειν Sᵒ – ᵃlinire (vl linere) ᵇungere
Joh 9(6 vl ᵃ πηλόν) 11 ᵇ τοὺς ὀφθαλμούς

ἐποικοδομεῖν Sᵒ – superaedificare
1 Co 3 10 ἄλλος δὲ ἐ..εῖ. ἕκαστος δὲ βλεπέτω
πῶς ἐ..εῖ 12 εἰ δέ τις ἐ..ει – χρυσίον
14 εἴ τινος τὸ ἔργον μενεῖ ὃ ἐ..ησεν
Eph 2 20 ἐποικοδομηθέντες ἐπὶ τῷ θεμελίῳ τῶν
ἀποστόλων καὶ προφητῶν
Col 2 7 ἐρριζωμένοι καὶ ἐ..ούμενοι ἐν αὐτῷ
(1 Pe 2 5 vl καὶ αὐτοὶ ὡς λίθοι ζῶντες ἐ..εῖσθε)
Jud 20 ἐ..οῦντες ἑαυτοὺς τῇ – ὑμῶν πίστει

ἐπονομάζεσθαι cognominari Rm 2 17 Ἰουδ.

ἐποπτεύειν Sᵒ – considerare
1 Pe 2 12 ἐκ τῶν καλῶν ἔργων ἐποπτεύοντες
3 2 ἐ..σαντες τὴν – ἀγνὴν ἀναστροφὴν ὑμ.

ἐπόπτης speculator 2 Pe 1 16 ἀλλ' ἐπόπται γε-
νηθέντες τῆς ἐκείνου μεγαλειότητος

ὡς ἔπος εἰπεῖν ut ita dictum sit Hb 7 9

ἐπουράνιος caelestis (Mat 18 35 vl)
Joh 3 12 πῶς ἐὰν εἴπω ὑμῖν τὰ ἐπ. πιστεύσετε;
1 Co 15 40 καὶ σώματα ἐ..α – · – ἑτέρα μὲν ἡ τῶν
ἐπ. δόξα – 48 οἷος ὁ ἐπ., τοιοῦτοι

καὶ οἱ ἐπουράνιοι 49 φορέσωμεν (vl
..σομεν) καὶ τὴν εἰκόνα τοῦ ἐπουρ.
Eph 1 3 ὁ εὐλογήσας ἡμᾶς ἐν πάσῃ εὐλογίᾳ
πνευματικῇ ἐν τοῖς ἐπουραν. ἐν Χῷ
– 20 καθίσας – ἐν τοῖς ἐπ. 2 6 συνήγειρεν
καὶ συνεκάθισεν ἐν τοῖς ἐπ. ἐν Χῷ
3 10 ἵνα γνωρισθῇ – ταῖς ἐξουσίαις ἐν τοῖς
ἐπουρανίοις 6 12 πρὸς τὰ πνευματικὰ
τῆς πονηρίας ἐν τοῖς ἐπουρανίοις
Phl 2 10 ἵνα – „πᾶν γόνυ κάμψῃ" ἐπουρανίων
2 Ti 4 18 εἰς τὴν βασιλείαν αὐτοῦ τὴν ἐπουρ.
Hb 3 1 κλήσεως ἐπουρανίου μέτοχοι
6 4 γευσαμένους τε τῆς δωρεᾶς τῆς ἐπ.
8 5 οἵτινες – σκιᾷ λατρεύουσιν τῶν ἐπ.
9 23 τὰ μὲν ὑποδείγματα τῶν ἐν τοῖς οὐ-
ρανοῖς (caelestium) –, αὐτὰ δὲ τὰ ἐπ.
κρείττοσιν θυσίαις (sc καθαρίζεσθαι)
11 16 κρείττονος ὀρέγονται (sc πατρίδος),
τοῦτ' ἔστιν ἐπουρανίου
12 22 προσεληλύθατε – Ἰερουσαλὴμ ἐ..ίῳ

ἑπτά septem ᵇsepties ᶜseptimus
Mat 12 45 ἑπτὰ ἕτερα πνεύματα ‖ Luc 11 26
15 34 ἑπτά (sc ἄρτους) 36.37 σπυρίδας πλή-
ρεις 16 10 ‖ Mar 8 5.6.8.20
18 22 ἕως ἑβδομηκοντάκις ἑπτά ᵇ
22 25 ἦσαν – ἑ. ἀδελφοί 26 ᶜ 28 τίνος τῶν ἑ.
–; ‖ Mar 12 20.22.23 Luc 20 29.31.33
[Mar16 9 παρ' ἧς ἐκβεβλήκει ἑπτὰ δαιμόνια]
Luc 8 2 ἀφ' ἧς δαιμόνια ἑ. ἐξεληλύθει
Luc 2 36 ζήσασα μετὰ ἀνδρὸς ἔτη ἑπτά
Act 6 3 ἄνδρας ἐξ ὑμῶν μαρτυρουμένους ἑ.
21 8 Φιλίππου – ὄντος ἐκ τῶν ἑπτά
13 19 „καθελὼν ἔθνη ἑπτὰ ἐν γῇ Χανάαν"
19 14 20 6 21 4.27 28 14 – Hb 11 30
Ap 1 4 ταῖς ἑπτὰ ἐκκλησίαις 11.20
– – ἀπὸ τῶν ἑ. πνευμάτων 3 1 θεοῦ 4 5 5 6
– 12 ἑπτὰ λυχνίας χρυσᾶς (13 vl) 20 21
– 16 ἀστέρας ἑ. 20 τὸ μυστήριον τῶν ἑπτὰ
ἀστέρων – · οἱ ἑ. ἀστέρες ἄγγελοι τῶν
ἑ. ἐκκλ. εἰσιν 21 ὁ κρατῶν τοὺς ἑπτὰ
ἀστέρας 3 1 ὁ ἔχων – τοὺς ἑ. ἀστέρας
4 5 ἑπτὰ λαμπάδες πυρὸς καιόμεναι
5 1 σφραγῖσιν ἑ. 5 6 1 μίαν ἐκ τῶν ἑ. σφρ.
– 6 ἔχων κέρατα ἑ. καὶ ὀφθαλμοὺς ἑπτὰ
8 2 εἶδον τοὺς ἑ. ἀγγέλους –, – ἐδόθησαν
αὐτοῖς ἑ. σάλπιγγες 6 – 15 1 ἀγγέ-
λους ἑ. ἔχοντας „πληγὰς ἑ." τὰς ἑ-
σχάτας 6.7 τοῖς ἑ. ἀγγ. ἑπτὰ φιάλας
8 16 1 17 1 εἷς ἐκ τῶν ἑ. ἀγγ. κτλ 21 9
10 3 ἐλάλησαν αἱ ἑπτὰ βρονταί 4
11 13 ὀνόματα ἀνθρώπων χιλιάδες ἑπτά

Ap 12 3 δράκων –, ἔχων κεφαλὰς ἑπτὰ – καὶ
– ἑπτὰ διαδήματα 13 1 κεφαλὰς ἑπτά
17 3. 7. 9 αἱ ἑπτὰ κεφαλαὶ ἑπτὰ ὄρη εἰ-
σίν –, καὶ βασιλεῖς ἑπτὰ εἰσιν
17 11 ὄγδοός ἐστιν, καὶ ἐκ τῶν ἑπτά ἐστιν

ἑπτάκις septies Mat 18 21 ποσάκις – ἀφήσω
αὐτῷ; ἕως ἑ.; 22 ‖ Luc 17 4 ἑ. τῆς ἡμ.

ἑπτακισχίλιοι septem millia Rm 11 4

Ἔραστος Act 19 22 Rm 16 23 2 Ti 4 20

ἐργάζεσθαι operari ᵇfacere
Mat 7 23 „ἀποχωρεῖτε – οἱ ἐ..όμενοι τ. ἀνομίαν"
21 28 ὕπαγε – καὶ ἐ..ου ἐν τῷ ἀμπελῶνι
25 16 ὁ τὰ πέντε – λαβὼν ἠ..σατο ἐν αὐτοῖς
26 10 ἔργον – καλὸν ἠργάσατο εἰς ἐμέ ‖
Mar 14 6 ἐν ἐμοί
Luc 13 14 ἓξ ἡμέραι εἰσὶν ἐν αἷς δεῖ ἐργάζεσθ.
Joh 3 21 ὅτι ἐν θεῷ ἐστιν εἰργασμένα ᵇ
5 17 ὁ πατήρ μου ἕως ἄρτι ἐργάζεται,
κἀγὼ ἐργάζομαι
6 27 ἐργάζεσθε μὴ τὴν βρῶσιν τὴν ἀπολ-
λυμένην, ἀλλὰ τὴν – μένουσαν
– 28 τί ποιῶμεν ἵνα ἐργαζώμεθα τὰ ἔργα
τοῦ θεοῦ;
– 30 τί – ποιεῖς σὺ σημεῖον –; τί ἐργάζῃ;
9 4 ἡμᾶς (vl ἐμὲ vg) δεῖ ἐργ. τὰ ἔργα
τοῦ πέμψαντός με – · ἔρχεται νὺξ ὅτε
οὐδεὶς δύναται ἐργάζεσθαι
Act 10 35 ὁ – ἐ..όμενος δικαιοσύνην δεκτός
13 41 „ἔργον ἐ..ομαι – ἐν ταῖς ἡμέρ. ὑμῶν"
18 3 ἔμενεν παρ' αὐτοῖς, καὶ ἠργάζοντο
Rm 2 10 δόξα – παντὶ τῷ ἐ..ομένῳ τὸ ἀγαθόν
4 4 τῷ – ἐ..ομένῳ ὁ μισθὸς – κατὰ ὀφεί-
λημα 5 τῷ δὲ μὴ ἐ..ομένῳ, πιστεύ-
οντι δὲ –, λογίζεται ἡ πίστις – εἰς δικ.
13 10 ἡ ἀγάπη τῷ πλησίον (vg proximi)
κακὸν οὐκ ἐργάζεται
1 Co 4 12 κοπιῶμεν ἐ..όμενοι ταῖς ἰδίαις χερσίν
9 6 οὐκ ἔχομεν ἐξουσίαν μὴ ἐ..σθαι (vg
hoc operandi); 13 οἱ τὰ ἱερὰ ἐ..όμενοι
τὰ ἐκ τοῦ ἱεροῦ ἐσθίουσιν
16 10 τὸ – ἔργον κυρίου ἐ..εται ὡς κἀγώ
2 Co 7 10 μετάνοιαν εἰς σωτηρίαν – ἐργάζεται
Gal 6 10 ἐ..ώμεθα τὸ ἀγαθὸν πρὸς πάντας
Eph 4 28 κοπιάτω ἐ..όμενος ταῖς ἰδίαις χερσὶν
τὸ ἀγαθόν, ἵνα ἔχῃ μεταδιδόναι
Col 3 23 ἐκ ψυχῆς ἐργάζεσθε ὡς τῷ κυρίῳ
1 Th 2 9 νυκτὸς καὶ ἡμέρας ἐ..όμενοι 2 Th 3 8
4 11 ἐργ. ταῖς χερσὶν ὑμῶν 2 Th 3 10 εἴ τις

οὐ θέλει ἐργ., μηδὲ ἐσθιέτω 11 τινὰς –
μηδὲν ἐ..ομένους 12 ἵνα μετὰ ἡσυχίας
ἐ..όμενοι τὸν ἑαυτῶν ἄρτον ἐσθίωσιν
Hb 11 33 διὰ πίστεως – ἠργάσαντο δικαιοσύνην
Jac 1 20 ὀργὴ – δικαιοσύνην θεοῦ οὐκ ἐ..ται
• 2 9 εἰ – προσωπολημπτ., – ἁμαρτίαν ἐ..σθε
2 Jo 8 ἵνα μὴ ἀπολέσητε ἃ ἠργασάμεθα (vl
εἰργάσασθε vg operati estis)
3 Jo 5 πιστὸν ποιεῖς ὃ ἐὰν ἐργάσῃ εἰς τοὺς
ἀδελφοὺς καὶ τοῦτο ξένους
Ap 18 17 ὅσοι τὴν θάλασσαν ἐργάζονται

ἐργασία quaestus ᵇoperatio ᶜopera ᵈarti-
ficium Luc 12 58 δὸς ἐ..αν ᶜ ἀπηλλάχθαι
Act 16 16 ἐ..αν πολλὴν παρεῖχεν 19 ἐλπὶς τῆς ἐ.
19 24 παρείχετο – οὐκ ὀλίγην ἐργασίαν 25 ᵈ
Eph 4 19 εἰς ἐ..αν ᵇ ἀκαθαρσίας – ἐν πλεονεξίᾳ

ἐργάτης operarius ᵇopifex
Mat 9 37 οἱ δὲ ἐργάται ὀλίγοι 38 ὅπως ἐκβάλῃ
ἐ..ας εἰς τ. θερισμὸν αὐτοῦ ‖ Luc 10 2
10 10 ἄξιος – ὁ ἐργ. τῆς τροφῆς αὐτοῦ ‖
Luc 10 7 τοῦ μισθοῦ 1 Ti 5 18 τ. μισθοῦ
20 1 μισθώσασθαι ἐ..ας 2 συμφωνήσας –
μετὰ τῶν ἐργατῶν ἐκ δηναρίου 8 κά-
λεσον τοὺς ἐργ. καὶ ἀπόδος τ. μισθόν
Luc 13 27 „ἀπόστητε ἀπ' ἐμοῦ – ἐ..αι ἀδικίας"
Act 19 25 καὶ τοὺς περὶ τὰ τοιαῦτα ἐργάτας ᵇ
2 Co 11 13 ψευδαπόστολοι, ἐργάται δόλιοι
Phl 3 2 βλέπετε τοὺς κακοὺς ἐργάτας
2 Ti 2 15 σπούδασον σεαυτὸν δόκιμον παρα-
στῆσαι τῷ θεῷ, ἐ..ην ἀνεπαίσχυντον
Jac 5 4 μισθὸς τῶν ἐργ. – ὁ ἀφυστερημένος

ἔργον opus ᵇfactum ᶜoperatio
1) Χριστοῦ, θεοῦ, τοῦ κυρίου, τῆς
σοφίας, – τοῦ διαβόλου
Mat 11 2 ὁ δὲ Ἰωάννης ἀκούσας – τὰ ἔργα τοῦ
Χριστοῦ (vl Ἰησοῦ)
– 19 ἐδικαιώθη ἡ σοφία ἀπὸ τῶν ἔργων
(vl τέκνων vg a filiis) αὐτῆς
Luc 24 19 δυνατὸς ἐν ἔργῳ καὶ λόγῳ (Jesus)
Joh 4 34 ἵνα – τελειώσω αὐτοῦ τὸ ἔργον
5 20 μείζονα τούτων δείξει αὐτῷ ἔργα
– 36 τὰ – ἔργα ἃ δέδωκέν μοι ὁ πατὴρ ἵνα
τελειώσω αὐτά, αὐτὰ τὰ ἔργα ἃ ποιῶ,
μαρτυρεῖ περὶ ἐμοῦ 10 25
(6 28 τί ποιῶμεν ἵνα ἐργαζώμεθα τὰ ἔργα
τοῦ θεοῦ; 29 τοῦτό ἐστιν τὸ ἔργον
τοῦ θεοῦ, ἵνα πιστεύητε εἰς ὃν ἀπέστ.)
7 3 ἵνα – θεωρήσουσιν τὰ ἔργα σου ἃ π.
– 21 ἓν ἔργον ἐποίησα καὶ – θαυμάζετε

Joh 8 41 ὑμεῖς ποιεῖτε τὰ ἔ. τοῦ πατρὸς ὑμῶν
9 3 ἵνα φανερωθῇ τὰ ἔργα τοῦ θεοῦ ἐν
– 4 ἡμᾶς (vl ἐμὲ vg) δεῖ ἐργάζεσθαι τὰ
ἔργα τοῦ πέμψαντός με
10 32 πολλὰ ἔργα ἔδειξα ὑμῖν καλὰ ἐκ τοῦ
πατρός· διὰ ποῖον αὐτῶν ἔργον•ἐμὲ
λιθάζετε; 33 περὶ καλοῦ ἔργου οὐ
λιθάζομέν σε
– 37 εἰ οὐ ποιῶ τὰ ἔ. τοῦ πατρός μου, μὴ
πιστεύετέ μοι 38 εἰ δὲ ποιῶ, – τοῖς ἔρ-
γοις πιστεύετε 14 10 ὁ – πατὴρ ἐν ἐ-
μοὶ μένων ποιεῖ τὰ ἔργα αὐτοῦ (vl
αὐτός vg) 11 διὰ τὰ ἔ. αὐτὰ πιστεύετε
14 12 ὁ πιστεύων εἰς ἐμὲ τὰ ἔργα ἃ ἐγὼ
ποιῶ κάκεῖνος ποιήσει καὶ μείζονα
15 24 εἰ τὰ ἔργα μὴ ἐποίησα ἐν αὐτοῖς
17 4 τὸ ἔργον τελειώσας ὃ δέδωκάς μοι
Act 13 41 „ἔργον ἐργάζομαι ἐγὼ ἐν ταῖς ἡμέ-
ραις ὑμῶν, ἔργον ὃ οὐ μὴ πιστεύσητε"
(15 18 vl „γνωστὸν ἀπ' αἰῶνος – τῷ κυρίῳ
τὸ ἔ. αὐτοῦ" vg, et γνωστὰ – τὰ ἔ.)
Rm 14 20 μὴ – κατάλυε τὸ ἔργον τοῦ θεοῦ
1 Co 15 58 περισσεύοντες ἐν τῷ ἔργῳ τοῦ κυρ.
16 10 τὸ – ἔργον κυρίου ἐργάζεται ὡς κἀγὼ
Phl 1 6 ὁ ἐναρξάμενος ἐν ὑμῖν ἔργον ἀγα-
θὸν ἐπιτελέσει ἄχρι ἡμέρας Χοῦ Ἰ.
2 30 διὰ τὸ ἔ. Χοῦ μέχρι θανάτου ἤγγισ.
Hb 1 10 „ἔργα τῶν χειρῶν σου – οἱ οὐρανοί"
3 9 „εῖδον τὰ ἔ. μου τεσσεράκοντα ἔτη"
4 3 καίτοι „τῶν ἔργων" ἀπὸ καταβολῆς
κόσμου γενηθέντων 4 „κατέπαυσεν
– ἀπὸ πάντων τῶν ἔργων αὐτοῦ" 10
1 Jo 3 8 ἵνα λύσῃ τὰ ἔργα τοῦ διαβόλου
Ap 2 26 ὁ τηρῶν ἄχρι τέλους τὰ ἔργα μου
15 3 „θαυμαστὰ τὰ ἔργα σου, κύριε"

2) hominum opera
ἔργον ἀγαθόν, ἔργα ἀγαθά → ἀγα-
θός 2b) inde ab Act 9 36

a) ἔργα, ἔργα νόμου opp πίστις, χά-
ρις, ἔλεος, δῶρον, πρόθεσις

Rm 3 20 ἐξ ἔργων νόμου „οὐ δικαιωθήσεται
πᾶσα σάρξ" 28 δικαιοῦσθαι πίστει ἄν-
θρωπον χωρὶς ἔργων νόμου
– 27 ἐξεκλείσθη. διὰ ποίου νόμου; τῶν
ἔργων[b]; οὐχί, ἀλλὰ διὰ νό. πίστεως
4 2 εἰ – Ἀβραὰμ ἐξ ἔργων ἐδικαιώθη
– 6 ᾧ ὁ θ. λογίζεται δικ..ην χωρὶς ἔργων
9 12 ἵνα ἡ – πρόθεσις – μένῃ, οὐκ ἐξ ἔ..ων
– 32 ὅτι οὐκ ἐκ πίστεως ἀλλ' ὡς ἐξ ἔργων
11 6 εἰ δὲ χάριτι, οὐκέτι ἐξ ἔργων (sc ἡ
ἐκλογή)

Gal 2 16 οὐ δικαιοῦται ἄνθρ. ἐξ ἔργων νόμου
–, καὶ ἡμεῖς – ἐπιστεύσαμεν, ἵνα δι-
καιωθῶμεν – οὐκ ἐξ ἔ. νόμου, ὅτι ἐξ
ἔ. νόμου „οὐ δικαιωθήσεται π. σάρξ"
3 2 ἐξ ἔργων νόμου τὸ πνεῦμα ἐλάβετε
ἢ ἐξ ἀκοῆς πίστεως; 5
– 10 ὅσοι γὰρ ἐξ ἔργων νόμου εἰσίν
Eph 2 9 θεοῦ τὸ δῶρον· οὐκ ἐξ ἔργων, ἵνα μή
2 Ti 1 9 οὐ κατὰ τὰ ἔργα ἡμῶν ἀλλὰ κατὰ
ἰδίαν πρόθεσιν καὶ χάριν
Tit 3 5 οὐκ ἐξ ἔργων τῶν ἐν δικαιοσύνῃ –,
ἀλλὰ κατὰ τὸ αὐτοῦ ἔλεος ἔσωσεν
Jac 2 14 ἐὰν πίστιν λέγῃ τις ἔχειν ἔργα δὲ
μὴ ἔχῃ; 17 ἡ πίστις, ἐὰν μὴ ἔχῃ ἔρ-
γα, νεκρά ἐστιν καθ' ἑαυτήν 26
– 18 σὺ πίστιν ἔχεις, κἀγὼ ἔργα ἔχω· δεῖ-
ξόν μοι τὴν πίστιν σου χωρὶς τῶν ἔ.,
κἀγώ σοι δείξω ἐκ τῶν ἔργων μου
τὴν πίστιν 20 ἡ πίστις χωρὶς τῶν ἔ.
ἀργή (vl νεκρὰ vg mortua vl otiosa)
– 21 Ἀβρ. – οὐκ ἐξ ἔργων ἐδικαιώθη –;
25 καὶ Ῥαὰβ ἡ πόρνη οὐκ ἐξ ἔ. –;
– 22 ἡ πίστις συνήργει τοῖς ἔργοις αὐτοῦ,
καὶ ἐκ τῶν ἔργων ἡ πίστις ἐτελειώθη
– 24 ὁρᾶτε ὅτι ἐξ ἔ. δικαιοῦται ἄνθρωπος

b) hominum ἔργον, ἔργα – collata
verbo vel confessioni

Mat 23 3 κατὰ – τὰ ἔργα αὐτῶν μὴ ποιεῖτε
Luc 24 19 δυνατὸς ἐν ἔργῳ καὶ λόγῳ Act 7 22
δυνατὸς ἐν λόγοις καὶ ἔργοις αὐτοῦ
Rm 15 18 ὧν οὐ κατειργάσατο Χὸς δι' ἐμοῦ –,
λόγῳ καὶ ἔργῳ[b] (factis)
2 Co 10 11 οἷοί ἐσμεν τῷ λόγῳ δι' ἐπιστολῶν –,
τοιοῦτοι καὶ παρόντες τῷ ἔργῳ[b]
Col 3 17 ὅ τι ἐὰν ποιῆτε ἐν λόγῳ ἢ ἐν ἔργῳ
2 Th 2 17 στηρίξαι (sc ὑμῶν τὰς καρδίας) ἐν
παντὶ ἔργῳ καὶ λόγῳ ἀγαθῷ
Tit 1 16 τοῖς δὲ ἔργοις[b] ἀρνοῦνται (sc θεόν)
1 Jo 3 18 μὴ ἀγαπῶμεν λόγῳ μηδὲ τῇ γλώσ-
σῃ, ἀλλὰ ἐν ἔργῳ καὶ ἀληθείᾳ

c) reliqui loci

Mat 5 16 ὅπως ἴδωσιν ὑμῶν τὰ καλὰ ἔργα
23 5 πάντα – τὰ ἔργα αὐτῶν ποιοῦσιν πρὸς
τὸ θεαθῆναι τοῖς ἀνθρώποις
26 10 ἔ. – καλὸν ἠργάσατο εἰς ἐμέ ‖ Mar 14 6
Mar 13 34 δοὺς – ἑκάστῳ τὸ ἔργον αὐτοῦ
Luc 11 48 συνευδοκεῖτε τοῖς ἔ. τῶν πατέρ. ὑμῶν
Joh 3 19 ἦν γὰρ αὐτῶν πονηρὰ τὰ ἔργα
– 20 ἵνα μὴ ἐλεγχθῇ τὰ ἔργα αὐτοῦ
– 21 ἵνα φανερωθῇ αὐτοῦ τὰ ἔργα ὅτι ἐν
θεῷ ἐστιν εἰργασμένα

Joh 6 28.29 → supra sub 1)
7 7 μαρτυρῶ – ὅτι τὰ ἔργα αὐτοῦ (sc τοῦ
κόσμου) πονηρά ἐστιν
8 39 τὰ ἔ. τοῦ Ἀβρ. ποιεῖτε (vl ἐποιεῖτε)
Act 5 38 ἡ βουλὴ αὕτη ἢ τὸ ἔργον τοῦτο
7 41 εὐφρ. ἐν τοῖς ἔ. τῶν χειρῶν αὐτῶν
13 2 εἰς τὸ ἔργον ὃ προσκέκλημαι αὐτούς
14 26 εἰς τὸ ἔργον ὃ ἐπλήρωσαν
15 38 τὸν – μὴ συνελθόντα – εἰς τὸ ἔργον
26 20 ἄξια τῆς μετανοίας ἔργα πράσσοντας
Rm 2 6 „ἀποδώσει ἑκάστῳ κατὰ τὰ ἔργα
αὐτοῦ" 2 Ti 4 14 αὐτῷ (Alexandro)
– 15 ἐνδείκνυνται τὸ ἔργον τοῦ νόμου
γραπτὸν ἐν ταῖς καρδίαις αὐτῶν
13 12 ἀποθώμεθα – τὰ ἔργα τοῦ σκότους
1 Co 3 13 ἑκάστου τὸ ἔ. φανερὸν γενήσεται·
– ἑκάστου τὸ ἔ. ὁποῖόν ἐστιν τὸ πῦρ
– δοκιμάσει 14 εἴ τινος τὸ ἔργον με-
νεῖ 15 εἴ τινος τὸ ἔργον κατακαήσεται
5 2 ἵνα ἀρθῇ – ὁ τὸ ἔργον τοῦτο πράξας
9 1 οὐ τὸ ἔργον μου ὑμεῖς ἐστε ἐν κυρίῳ;
2 Co 11 15 ὧν τὸ τέλος ἔσται κατὰ τὰ ἔ. αὐτῶν
Gal 5 19 φανερά – ἐστιν τὰ ἔργα τῆς σαρκός
6 4 τὸ – ἔργ. ἑαυτοῦ δοκιμαζέτω ἕκαστος
Eph 4 12 καταρτισμὸν – εἰς ἔργον διακονίας
5 11 μὴ συγκοινωνεῖτε τοῖς ἔργοις τοῖς
ἀκάρποις τοῦ σκότους
Phl 1 22 τοῦτό μοι καρπὸς ἔργου
Col 1 21 ὑμᾶς ποτε – ἐχθροὺς τῇ διανοίᾳ ἐν
τοῖς ἔργοις τοῖς πονηροῖς
1 Th 1 3 ὑμῶν τοῦ ἔργου τῆς πίστεως
5 13 ἡγεῖσθαι αὐτοὺς – διὰ τὸ ἔργ. αὐτῶν
2 Th 1 11 ἵνα – πληρώσῃ – ἔργον πίστεως
1 Ti 3 1 ἐπισκοπῆς –, καλοῦ ἔργου ἐπιθυμεῖ
5 10 χήρα –, ἐν ἔργοις καλοῖς μαρτυρουμ.
– 25 καὶ τὰ ἔργα[b] τὰ καλὰ πρόδηλα
6 18 παράγγελλε – πλουτεῖν ἐν ἔ..οις κα-
2 Ti 4 5 ἔργον ποίησον εὐαγγελιστοῦ [λοῖς
– 18 ῥύσεταί (vg liberavit vl ..bit) με ὁ
κύριος ἀπὸ παντὸς ἔργου πονηροῦ
Tit 2 7 σεαυτὸν παρεχόμενος τύπον καλῶν ἔ.
– 14 λαὸν περιούσιον, ζηλωτὴν καλῶν ἔ.
3 8 ἵνα φροντίζωσιν καλῶν ἔργων προ-
ΐστασθαι 14 μανθανέτωσαν – καλῶν ἔ.
προΐστασθ. εἰς τὰς ἀναγκαίας χρείας
Hb 4 10 ὁ – „εἰσελθὼν εἰς τὴν κατάπαυσιν
αὐτοῦ" καὶ αὐτὸς „κατέπαυσεν ἀπὸ
τῶν ἔργων" αὐτοῦ, ὥσπερ – „ὁ θεός"
6 1 μετανοίας ἀπὸ νεκρῶν ἔργων 9 14 κα-
θαριεῖ τὴν συνείδησιν – ἀπὸ νεκρ. ἔ.
– 10 ἐπιλαθέσθαι τοῦ ἔ. ὑμῶν καὶ τῆς ἀγ.
10 24 εἰς παροξυσμὸν – καλῶν ἔργων

Jac 1 4 ἡ – ὑπομονὴ ἔργον τέλειον ἐχέτω
– 25 οὐκ ἀκροατὴς – ἀλλὰ ποιητὴς ἔ..ου
3 13 δειξάτω ἐκ τῆς καλῆς ἀναστροφῆς
τὰ ἔ.[c] (vl operam et opera) αὐτοῦ
1 Pe 1 17 τὸν – κρίνοντα κατὰ τὸ ἑκάστου ἔ.
2 12 ἵνα – ἐκ τῶν καλῶν ἔ. (vg add vos)
ἐποπτεύοντες δοξάσωσιν τὸν θεόν
2 Pe 1 10 σπουδάσατε (vl + ἵνα διὰ τῶν καλῶν
ἔργων vg) βεβαίαν ὑμῶν τὴν κλῆ-
σιν ποιεῖσθαι (vl ποιεῖσθε vg faciatis)
2 8 ψυχὴν δικαίαν ἀνόμοις ἔ. ἐβασάνιζεν
3 10 γῆ καὶ τὰ ἐν αὐτῇ ἔργα
1 Jo 3 12 ὅτι τὰ ἔργα αὐτοῦ πονηρὰ ἦν, τὰ δὲ
τοῦ ἀδελφοῦ – δίκαια
2 Jo 11 κοινωνεῖ τοῖς ἔ. αὐτοῦ τοῖς πονηροῖς
3 Jo 10 ὑπομνήσω αὐτοῦ τὰ ἔργα ἃ ποιεῖ
Jud 15 περὶ πάντων τῶν ἔ. ἀσεβείας αὐτῶν
Ap 2 2 οἶδα τὰ ἔργα σου 19 3 1.8.15
– 5 τὰ πρῶτα ἔργα ποίησον 19 τὰ ἔ. σου
τὰ ἔσχατα πλείονα τῶν πρώτων
– 6 μισεῖς τὰ ἔ.[b] τῶν Νικολαϊτῶν, ἃ κἀγώ
– 22 ἐὰν μὴ μετανοήσουσιν ἐκ τῶν ἔργων
αὐτῆς – 9 20 „τῶν χειρῶν αὐτῶν" 16 11
– 23 „δώσω – ἑκάστῳ κατὰ τὰ ἔργα" ὑμῶν
18 6 διπλώσατε τὰ διπλᾶ „κατὰ τὰ
ἔργα αὐτῆς" 20 12 ἐκρίθησαν – „κατὰ
τὰ ἔργα αὐτῶν" 13 22 12 „ἀποδοῦναι
ἑκάστῳ ὡς τὸ ἔργον" ἐστὶν „αὐτοῦ"
3 2 οὐ γὰρ εὕρακά σου ἔ. πεπληρωμένα
14 13 τὰ γὰρ ἔργα αὐτῶν ἀκολουθεῖ μετ'
αὐτῶν

ἐρεθίζειν provocare [b] ad indignationem
provocare
2 Co 9 2 τὸ ὑμῶν ζῆλος ἠ..ισεν τοὺς πλείονας
Col 3 21 μὴ ἐρεθίζετε[b] τὰ τέκνα ὑμῶν, ἵνα μή

ἐρείδειν figi Act 27 41 πρῷρα ἐρείσασα

ἐρεῖν, εἴρηκα → εἰπεῖν

ἐρεύγεσθαι eructare Mat 13 35 „κεκρυμμένα"

ἐρευνᾶν scrutari
Joh 5 39 ἐ..ᾶτε τὰς γραφάς, ὅτι ὑμεῖς δοκεῖτε
7 52 ἐρεύνησον (vg + scripturas vl°) καὶ
ἴδε ὅτι ἐκ τῆς Γαλιλ. προφήτης οὐκ
Rm 8 27 ὁ δὲ ἐρευνῶν τὰς καρδίας οἶδεν
1 Co 2 10 τὸ – πνεῦμα πάντα ἐ..ᾷ, καὶ τὰ βάθη
1 Pe 1 11 ἐρευνῶντες εἰς τίνα ἢ ποῖον καιρόν
Ap 2 23 ἐγώ εἰμι ὁ „ἐ..ῶν νεφροὺς κ. καρδ."

ἐρημία   *desertum* [b]*solitudo*
Mat 15 33 πόθεν ἡμῖν ἐν ἐ..ᾳ ἄρτοι –; ‖ Mar 8 4 [b]
2 Co 11 26 κινδύνοις ἐν πόλει, – ἐν ἐρημίᾳ [b]
Hb 11 38 ἐπὶ ἐρημίαις [b] πλανώμενοι καὶ ὄρεσιν

ἔρημος, ..ον et ἡ **ἔρημος** *desertus*, ..*a*, ..*um*
    – (ἡ ἔρ.) *desertum* [b]*solitudo*
Mat 3 1 κηρύσσων ἐν τῇ ἐρ. τῆς Ἰουδαίας 3
    „φωνὴ βοῶντος ἐν τῇ ἐρ." ‖ Mar 1 3.4
    Luc 3 2.4 Joh 1 23 – Mat 11 7 τί ἐξήλ-
    θατε εἰς τὴν ἔρημον –; ‖ Luc 7 24
   4 1 Ἰησ. ἀνήχθη εἰς τὴν ἔρ. ‖ Mar 1 12.
   13 ἦν ἐν τῇ ἐρ. Luc 4 1 ἤγετο – ἐν
   14 13 εἰς ἔρημον τόπον κατ᾽ ἰδίαν 15 ἔρη-
    μός ἐστιν ὁ τόπος ‖ Mar 6 31 δεῦτε
    ὑμεῖς – εἰς ἔρ. τόπον καὶ ἀναπαύ-
    σασθε ὀλίγον 32. 35 Luc 9 12
   23 38 „ἀφίεται ὑμῖν ὁ οἶκος ὑμῶν (vl + ἔ-
    ρημος vg) ‖ Luc 13 35 (vl + ἔρ. vg, vl°)
   24 26 ἐὰν – εἴπωσιν – ᾽ ἰδοὺ ἐν τῇ ἐρ. ἐστίν
Mar 1 35 εἰς ἔρ. τόπον, κἀκεῖ προσηύχετο ‖
    Luc 4 42 ἐπορεύθη εἰς ἔρ. τόπον 5 16
    ἦν ὑποχωρῶν ἐν ταῖς ἐρ. (vg *in de-*
    sertum vl *deserto*) κ. προσευχόμενος
   – 45 ἀλλ᾽ ἔξω ἐπ᾽ ἐρήμοις τόποις ἦν
Luc 1 80 ἦν ἐν ταῖς ἐρ. (vg vl *deserto*) ἕως
   8 29 ἠλαύνετο ἀπὸ τοῦ δαιμ. εἰς τὰς ἐρ.
   15 4 τὰ ἐνενήκοντα ἐννέα ἐν τῇ ἐρήμῳ
Joh 3 14 Μωϋσῆς ὕψωσεν τὸν ὄφιν ἐν τῇ ἐρ.
   6 31 τὸ μάννα ἔφαγον ἐν τῇ ἐρήμῳ 49
   11 54 εἰς τὴν χώραν ἐγγὺς τῆς ἐρήμου
Act 1 20 „γενηθήτω ἡ ἔπαυλις αὐτοῦ ἔρημος"
   7 30 „ἐν τῇ ἐρήμῳ τοῦ ὄρους" Σινά 36. 38
    ὁ γενόμενος ἐν τῇ ἐκκλησίᾳ ἐν τῇ
    ἐρήμῳ [b] 42. 44 ἡ σκηνὴ – ἦν τοῖς πα-
    τράσιν – ἐν τῇ ἐρήμῳ – 13 18 „ἐτρο-
    ποφόρησεν αὐτοὺς ἐν τῇ ἐρήμῳ"
   8 26 αὕτη (sc ἡ ὁδὸς) ἐστιν ἔρημος
   21 38 ὁ – ἐξαγαγὼν εἰς τὴν ἔρ. τοὺς – ἄνδρ.
1 Co 10 5 „κατεστρώθησαν – ἐν τῇ ἐρήμῳ"
Gal 4 27 „πολλὰ τὰ τέκνα τῆς ἐρ." (*desertae*)
Hb 3 8 „ἡμέραν τοῦ πειρασμοῦ ἐν τῇ ἐρήμῳ"
   – 17 ὧν „τὰ κῶλα ἔπεσεν ἐν τῇ ἐρήμῳ"
Ap 12 6 ἡ γυνὴ ἔφυγεν εἰς τὴν ἔρημον [b]
   – 14 ἵνα πέτηται (sc ἡ γυνὴ) εἰς τὴν ἔρ.
   17 3 ἀπήνεγκέν με εἰς ἔρημον ἐν πνεύματι

ἐρημοῦσθαι *desolari* [b]*destitui*
Mat 12 25 βασιλεία μερισθεῖσα καθ᾽ ἑαυτῆς ἐ..
    οῦται (vg fut, vl praes) ‖ Luc 11 17 (it.)
Ap 17 16 ἠρημωμένην ποιήσουσιν αὐτήν
   18 17 ἠρημώθη [b] ὁ τοσοῦτος πλοῦτος 19
    μιᾷ ὥρᾳ „ἠρημώθη" (sc ἡ πόλις)

ἐρήμωσις *desolatio*
Mat 24 15 „τὸ βδέλυγμα τῆς ἐ..εως" ‖ Mar 13 14
Luc 21 20 ὅτι ἤγγικεν ἡ ἐρ. αὐτῆς (sc Ἰερουσ.)

ἐρίζειν *contendere* Mat 12 19 „οὐκ ἐρίσει"

ἐριθεία S° – *contentio* [b]*dissensio* [c]*rixa*
Rm 2 8 τοῖς δὲ ἐξ ἐριθείας καὶ ἀπειθοῦσι
2 Co 12 20 μή πως – θυμοί, ἐ..αι [b] Gal 5 20 ἐ..αι [c]
Phl 1 17 ἐξ ἐριθείας τὸν Χὸν καταγγέλλουσιν
   2 3 τὸ ἓν φρονοῦντες, μηδὲν κατ᾽ ἐριθείαν
Jac 3 14 εἰ – ἔχετε – ἐριθείαν ἐν τῇ καρδίᾳ ὑ-
    μῶν 16 ὅπου γὰρ ζῆλος καὶ ἐριθεία

ἔριον *lana* Hb 9 19 Ap 1 14 λευκαὶ ὡς ἔριον

ἔρις *contentio*
Rm 1 29 μεστοὺς φθόνου φόνου ἔριδος
   13 13 μὴ ἔριδι (vl ἐν ἔρισι) καὶ ζήλῳ
1 Co 1 11 ὅτι ἔριδες ἐν ὑμῖν εἰσιν 3 3 ὅπου –
    ἐν ὑμῖν ζῆλος καὶ ἔρις, οὐχὶ σαρκικοί
2 Co 12 20 μή πως ἔρις (vl ἔρεις vg), ζῆλος
    Gal 5 20 ἔρις (vl ἔρεις vg), ζῆλος
Phl 1 15 τινὲς μὲν καὶ διὰ φθόνον καὶ ἔριν
1 Ti 6 4 ἐξ ὧν γίνεται – ἔρις (vl ἔρεις vg)
Tit 3 9 ἔριν (vl ἔρεις vg) καὶ μάχας νομικὰς
    περιΐστασο

ἐρίφιον, ἔριφος *hoedus* (vl *haed.*)
Mat 25 32. 33 Luc 15 29 οὐδέποτε ἔδωκας ἔριφον

Ἑρμᾶς Rm 16 14   **Ἑρμῆς** Act 14 12 Rm 16 14

ἑρμηνεία *interpretatio*
1 Co 12 10 ἄλλῳ δὲ ἑρ. (vl διερμη.) γλωσσῶν
   14 26 ἕκαστος γλῶσσαν ἔχει, ἐ..αν ἔχει

ἑρμηνεύειν *interpretari* (vi passiva)
Joh 1 (vl 38) 42 Κηφᾶς (ὃ ἑ..εται Πέτρος)
   9 7 Σιλωάμ (ὃ ἑ..εται ἀπεσταλμένος)
Hb 7 2 πρῶτον – ἑ..όμενος βασιλ. δικαιοσύν.

Ἑρμογένης 2 Ti 1 15 ὧν ἐστιν Φύγ. καὶ Ἑ.

ἑρπετόν, τό *serpens* [b]*reptile*
Act 10 12 11 6 [b] Rm 1 23 Jac 3 7 (vl *repentium*)

ἐρυθρός *ruber* Act 7 36 θάλασσα Hb 11 29

*ἔρχεσθαι *venire* [b]*venturum esse* [c](ἐρχό-
    μενος) *venturus* [d]*futurus* – [e]*per-*
    venire [f]*reverti*
    ἔρχεσθαι coniunctum cum verbis
    βασιλεία, ἡμέρα (ἡμέραι), ὥρα

→ ibi | ἡμέρα κυρίου → κύριος
| → ἐξέρχεσθαι (Mar 138)

Mat 311 ὁ δὲ ὀπίσω μου ἐρχόμενος [b] ‖ Mar
17 ἔρχεται ὁ ἰσχυρότερος Luc 316 (vg
veniet vl venit) Joh 115 ὁ ὀπίσω μου
ἐρχόμενος [b] ἔμπροσθέν μου γέγονεν
27 [b] 30 ὀπίσω μου ἔρχεται ἀνήρ Act
– 14 καὶ σὺ ἔρχῃ πρὸς μέ; |1325
– 16 πνεῦμα –, ἐρχόμενον ἐπ᾽ αὐτόν –
Act 196 ἦλθε τὸ πν. τὸ ἅγ. ἐπ᾽ αὐτούς
517 ὅτι ἦλθον καταλῦσαι –· οὐκ ἦλθ. κατ.
ἀλλὰ πληρῶσαι – 610 → βασιλ. 2c)
8 9 καὶ ἄλλῳ· ἔρχου, καὶ ἔρχεται ‖ Luc 78
– 29 ἦλθες–βασανίσαι ἡμᾶς; Mar 124 ἀπο-
λέσαι ἡμᾶς. ‖ Luc 434 ἡμᾶς;
913 οὐ γὰρ ἦλθον καλέσαι δικαίους ‖
Mar 217 Luc 532 οὐκ ἐλήλυθα
1013 ἐλθάτω (vg veniet vl veniat) ἡ εἰρή-
νη ὑμῶν ἐπ᾽ αὐτήν (sc τὴν οἰκίαν)
– 23 ἕως ἔλθῃ ὁ υἱὸς τοῦ ἀνθρώπου
– 34 ὅτι ἦλθον βαλεῖν εἰρήνην –· οὐκ ἦλ-
θον βαλεῖν εἰρ. ἀλλὰ μάχαιραν 35 ἦ.
διχάσαι ‖ Luc 1249 πῦρ ἦλθ. βαλεῖν
11 3 σὺ εἶ ὁ ἐρχόμενος [b] –; ‖ Luc 719 [b] 20 [b]
– 14 αὐτός ἐστιν Ἠλίας ὁ μέλλων ἔρχε-
σθαι [b] 1710 τί – λέγουσιν ὅτι Ἠλίαν
δεῖ ἐλθεῖν πρῶτον; 11 Ἠλίας μὲν ἔρ-
χεται [b] 12 Ἠλίας ἤδη ἦλθεν ‖ Mar
911.12.13 – Mat 2749 εἰ ἔρχεται Ἠ-
λίας σώσων αὐτόν ‖ Mar 1536
– 18 ἦλθεν – Ἰωάννης 19 ἦλθεν ὁ υἱὸς τοῦ
ἀνθρώπου ἐσθίων ‖ Luc 733.34
1319 ἔρχεται ὁ πονηρός ‖ Mar 415 ὁ σα-
τανᾶς Luc 812 – ὁ διάβολος – Mat
1325 ἦλθεν αὐτοῦ ὁ ἐχθρός
1425.28 κέλευσόν με ἐλθεῖν πρὸς σὲ ἐπὶ
τὰ ὕδατα 29 εἶπεν· ἐλθέ
1624 εἴ τις θέλει ὀπίσω μου ἐλθεῖν (post
me venire) ‖ Mar 834 (vl ἀκολου-
θεῖν vg me sequi) Luc 923 1427
– 27 μέλλει – ἔρχεσθαι [b] ἐν τῇ δόξῃ 28 ἐρ-
χόμενον ἐν τῇ βασιλείᾳ αὐτοῦ ‖ Mar
838 91 τὴν βασιλείαν τοῦ θεοῦ ἐλη-
λυθυῖαν ἐν δυνάμει Luc 926 – Mat
2531 ὅταν δὲ ἔλθῃ – ἐν τῇ δόξῃ αὐ-
τοῦ Luc 2342 ὅταν ἔλθῃς εἰς τὴν βα-
σιλείαν σου (vl ἐν τῇ βασιλείᾳ σου)
18 7 ἀνάγκη – ἐλθεῖν τὰ σκάνδαλα, πλὴν
οὐαὶ – δι᾽ οὗ τὸ σκ. ἔρχεται ‖ Luc 171
1914 μὴ κωλύετε αὐτὰ ἐλθεῖν πρός με ‖
Mar 1014 ἄφετε – ἔρχεσθαι Luc 1816
2028 οὐκ ἦλθεν διακονηθῆναι ‖ Mar 1045

Mat 21 5 „ὁ βασιλεύς σου ἔρχεταί σοι πραῢς"
Joh 1215 „ἔρχεται, καθήμενος ἐπὶ – "
– 9 „ὁ ἐρχόμενος (vg vl [b]) ἐν ὀνόματι
κυρίου" ‖ Mar 1110 – Mat 2339 ‖ Luc
1335 – 1938 „ὁ ἐρχ.", ὁ βασ. Joh 1213
– 32 ἦλθεν – Ἰωάνν. – ἐν ὁδῷ δικαιοσύνης
22 3 καὶ οὐκ ἤθελον ἐλθεῖν ‖ Luc 1417.20
2335 ὅπως ἔλθῃ ἐφ᾽ ὑμᾶς πᾶν αἷμα
24 5 πολλοὶ – ἐλεύσονται ἐπὶ τῷ ὀνόματί
μου –· ἐγώ εἰμι ‖ Mar 136 Luc 218
– 30 „ἐρχόμενον ἐπὶ τῶν νεφελῶν ‖ Mar
1326 ἐν νεφέλαις Luc 2127 νεφέλη –
Mat 2664 ‖ Mar 1462 μετὰ τῶν νεφ.
– Ap 17 „ἔρχεται μετὰ τῶν νεφελ."
– 42 ποίᾳ ἡμέρᾳ ὁ κύριος ὑμῶν ἔρχεται [b]
43 ὁ κλέπτης [b] 44 ὁ υἱὸς τοῦ ἀνθρώ-
που [b] 46 ὃν ἐλθὼν – εὑρήσει ‖ Mar
1335.36 Luc 1236-40.43.45 χρονίζει ὁ
κύριός μου ἔρχεσθαι
2510 ἦλθεν ὁ νυμφίος, καὶ αἱ ἕτοιμοι
– 36 ἐν φυλακῇ ἤμην καὶ ἤλθατε πρός
με 39 πότε – ἤλθομεν πρός σέ;
Mar 422 οὐδὲ ἐγένετο ἀπόκρυφον, ἀλλ᾽ ἵνα
ἔλθῃ εἰς φανερόν ‖ Luc 817
526 ἀλλὰ μᾶλλον εἰς τὸ χεῖρον ἐλθοῦσα
(magis deterius habebat)
1030 ἐν τῷ αἰῶνι τῷ ἐρχομένῳ [d] ζωὴν αἰ-
ώνιον ‖ Luc 1830 [c]
Luc 2 27 ἦλθεν ἐν τῷ πνεύματι εἰς τὸ ἱερόν
647 πᾶς ὁ ἐρχόμενος πρός με 1426 εἴ
τις ἔρχεται πρός με καὶ οὐ μισεῖ
(11 2 vl ἐλθέτω τ. – πνεῦμά σου – ἐφ᾽ ἡμᾶς)
1431 ὑπαντῆσαι τῷ – ἐρχομένῳ ἐπ᾽ αὐτόν;
1517 εἰς ἑαυτὸν δὲ ἐλθὼν [f] ἔφη· πόσοι
1910 ἦλθεν – „ζητῆσαι" καὶ σῶσαι „τὸ ἀπ-
ολωλός" (‖ Mat 1811 vl Luc 956 vl
οὐκ ἦλθεν – ἀπολέσαι ἀλλὰ σῶσαι)
Joh 1 9 ἦν τὸ φῶς τὸ ἀληθινόν, –, ἐρχόμε-
νον εἰς τὸν κόσμον (vg illuminat –
hominem venientem in – mundum)
319 τὸ φῶς ἐλήλυθεν εἰς τὸν κόσμον
1246 ἐγὼ φῶς εἰς τ. κόσμον ἐλήλυθα
– 11 εἰς τὰ ἴδια ἦλθεν, καὶ οἱ ἴδιοι αὐτόν
– 31 ἦλθον ἐγὼ ἐν ὕδατι βαπτίζων
– 39 ἔρχεσθε καὶ ὄψεσθε 46 ἔρχου κ. ἴδε
3 2 ἀπὸ θεοῦ ἐλήλυθας διδάσκαλος
– 8 οὐκ οἶδας πόθεν ἔρχεται καὶ ποῦ
– 20 ὁ φαῦλα πράσσων – οὐκ ἔρχεται
πρὸς τὸ φῶς 21 ὁ δὲ ποιῶν τὴν ἀλή-
θειαν ἔρχεται πρὸς τὸ φῶς, ἵνα φαν.
– 26 καὶ πάντες ἔρχονται πρὸς αὐτόν
– 31 ὁ ἄνωθεν ἐρχόμενος –· ὁ ἐκ τοῦ οὐ-

ρανοῦ ἐρχόμενος ἐπάνω πάντ. ἐστίν
Joh 4 25 οἶδα ὅτι Μεσσίας ἔρχεται – · ὅταν
ἔλθῃ ἐκεῖνος, ἀναγγελεῖ ἡμῖν ἅπαντα
5 24 εἰς κρίσιν οὐκ ἔρχεται → ὥρα
– 40 οὐ θέλετε ἐλθεῖν πρός με ἵνα ζωήν
– 43 ἐγὼ ἐλήλυθα ἐν τῷ ὀνόματι τοῦ πα-
τρός μου – · ἐὰν ἄλλος ἔλθῃ ἐν τῷ
ὀνόματι τῷ ἰδίῳ, ἐκεῖνον λήμψεσθε
6 14 οὗτός ἐστιν – ὁ προφήτης ὁ ἐρχόμε-
νος b εἰς τὸν κόσμον 11 27 σὺ εἶ ὁ
χριστὸς – ὁ εἰς τὸν κόσμον ἐρχόμε-
νος (vg qui – venisti)
– 35 ὁ ἐρχόμενος πρὸς ἐμὲ οὐ μὴ πεινά-
σῃ 37 τὸν ἐρχ. πρός με οὐ μὴ ἐκβά-
λω 44 οὐδεὶς δύναται ἐλθεῖν πρός με
45 ὁ ἀκούσας παρὰ τοῦ πατρός – ἔρ-
χεται πρὸς ἐμέ 65 εἴρηκα – ὅτι οὐδεὶς
δύναται ἐλθεῖν πρός με 7 37 ἐάν τις
διψᾷ, ἐρχέσθω πρός με καὶ πινέτω
7 27 ὁ δὲ χριστὸς ὅταν ἔρχηται 31 ἔλθῃ
41 μὴ γὰρ ἐκ τῆς Γαλιλαίας ὁ χρ.
ἔρχεται; 42 „ἀπὸ Βηθλ. – ἔρχεται" – ;
– 28 ἀπ' ἐμαυτοῦ οὐκ ἐλήλυθα 8 42
– 34 ὅπου εἰμὶ ἐγὼ – οὐ δύνασθε ἐλθεῖν
36 8 14 οἶδα πόθεν ἦλθον – · – οὐκ
οἴδατε πόθεν ἔρχομαι 21 ὅπου ἐγὼ
ὑπάγω – οὐ δύνασθε ἐλθεῖν 22 13 33
9 39 εἰς κρίμα – εἰς τὸν κόσμον – ἦλθον
10 8 ὅσοι ἦλθον πρὸ ἐμοῦ κλέπται εἰσίν
10 ὁ κλέπτης οὐκ ἔρχεται εἰ μὴ ἵνα
ἀπολέσῃ · ἐγὼ ἦλθον ἵνα ζωὴν ἔχωσιν
12 27 διὰ τοῦτο ἦλθον εἰς τὴν ὥραν ταύ.
– 47 οὐ γὰρ ἦλθον ἵνα κρίνω τὸν κόσμον,
ἀλλ' ἵνα σώσω τὸν κόσμον
14 3 πάλιν ἔρχομαι καὶ παραλήμψ. ὑμᾶς
– 6 οὐδεὶς ἔρχεται πρὸς τὸν πατέρα εἰ
– 18 ἔρχομαι (veniam) πρὸς ὑμᾶς 28
– 23 πρὸς αὐτὸν ἐλευσόμεθα καὶ μονήν
– 30 ἔρχεται γὰρ ὁ τοῦ κόσμου ἄρχων
15 26 ὅταν ἔλθῃ ὁ παράκλητος 16 7 ὁ πα-
ράκλητος οὐ μὴ ἔλθῃ πρὸς ὑμᾶς 8.13
16 13 τὰ ἐρχόμενα b ἀναγγελεῖ ὑμῖν
– 28 ἐλήλυθα εἰς τ. κόσμον · πάλιν ἀφίημι
17 11 κἀγὼ πρὸς σὲ ἔρχομαι 13 νῦν δέ
18 4 εἰδὼς – τὰ ἐρχόμενα b ἐπ' αὐτόν
– 37 εἰς τοῦτο ἐλήλυθα εἰς τὸν κόσμον,
ἵνα μαρτυρήσω τῇ ἀληθείᾳ
20 19 ἦλθεν ὁ Ἰησοῦς 26 ἔρχεται ὁ Ἰησοῦς
21 22 ἐὰν αὐτὸν θέλω μένειν ἕως ἔρχομαι 23
Act 1 11 οὗτος ὁ Ἰησοῦς – οὕτως ἐλεύσεται
3 20 ὅπως ἂν ἔλθωσιν καιροὶ ἀναψύξεως
19 27 κινδυνεύει ἡμῖν – εἰς ἀπελεγμὸν ἐλθεῖν

Rm 3 8 μὴ (sc ἔστιν) – ὅτι ποιήσωμεν τὰ κα-
κὰ ἵνα ἔλθῃ τὰ ἀγαθά;
7 9 ἐλθούσης δὲ τῆς ἐντολῆς ἡ ἁμαρτία
1 Co 4 5 μή – τι κρίνετε, ἕως ἂν ἔλθῃ ὁ κύριος
– 21 ἐν ῥάβδῳ ἔλθω πρὸς ὑμᾶς, – ;
11 26 καταγγέλλετε, ἄχρι οὗ ἔλθῃ (sc ὁ κύρ.)
13 10 ὅταν δὲ ἔλθῃ τὸ τέλειον, τὸ ἐκ μέρ
15 35 ποίῳ δὲ σώματι ἔρχονται;
2 Co 2 1 μὴ πάλιν ἐν λύπῃ πρὸς ὑμᾶς ἐλθεῖν
12 1 ἐλεύσομαι – εἰς ὀπτασίας – κυρίου
Gal 3 19 ἄχρις ἂν ἔλθῃ τὸ σπέρμα ᾧ ἐπήγγ.
– 23 πρὸ τοῦ δὲ ἐλθεῖν τὴν πίστιν 25 ἐλ-
θούσης δὲ τῆς πίστεως οὐκέτι ὑπό
4 4 ὅτε δὲ ἦλθεν τὸ πλήρωμα τοῦ χρόνου
Eph 2 17 ἐλθὼν „εὐηγγελίσατο εἰρήνην"
5 6 ἔρχεται ἡ ὀργὴ τοῦ θεοῦ Col 3 6
Phl 1 12 τὰ κατ' ἐμὲ μᾶλλον εἰς προκοπὴν
τοῦ εὐαγγελίου ἐλήλυθεν
1 Th 1 10 ἐκ τῆς ὀργῆς τῆς ἐρχομένης c
2 Th 1 10 „ὅταν ἔλθῃ ἐνδοξασθῆναι" (sc Ἰησ.)
2 3 ἐὰν μὴ ἔλθῃ ἡ ἀποστασία πρῶτον
1 Ti 1 15 Χὸς Ἰ. ἦλθεν – ἁμαρτωλοὺς σῶσαι
2 4 εἰς ἐπίγνωσιν ἀληθείας ἐλθεῖν
2 Ti 3 7 γυναικάρια – μηδέποτε εἰς ἐπίγνωσιν
ἀληθείας ἐλθεῖν e δυνάμενα
Hb 10 37 ὁ „ἐρχόμενος b ἥξει καὶ οὐ χρον."
2 Pe 3 3 ἐλεύσονται – ἐν ἐμπαιγμονῇ ἐμπαῖκται
1 Jo 2 18 ὅτι ἀντίχριστος ἔρχεται 4 3 τὸ τοῦ
ἀντιχρίστου, ὃ ἀκηκόατε ὅτι ἔρχεται
4 2 ὁμολογεῖ Ἰης. Χὸν ἐν σαρκὶ ἐληλυ-
θότα (vl ..θέναι) 2 Jo 7 ἐρχόμενον
5 6 ὁ ἐλθὼν δι' ὕδατος καὶ αἵματος
2 Jo 10 εἴ τις ἔρχεται πρὸς ὑμᾶς καὶ ταύτην
Ap 1 4 ἀπὸ – ὁ ἐρχόμενος b 8 „ἐγώ εἰμι" –
ὁ ἐρχ. b 4 8 „ἅγιος" – καὶ ὁ ἐρχόμ. b
2 5 εἰ δὲ μή, ἔρχομαί σοι 16 ταχύ 3 11
ἔ. ταχύ 22 7.12.20 16 15 ὡς κλέπτης
6 1 ἔρχου 3.5.7 22 17.20 κύριε Ἰησοῦ
– 17 ἦλθεν „ἡ ἡμέρα – τῆς ὀργῆς" αὐτῶν
11 18 ἦλθεν „ἡ ὀργή" σου
7 13 τίνες εἰσὶν καὶ πόθεν ἦλθον; 14 εἰσὶν
οἱ ἐρχόμενοι (qui venerunt vl veni-
unt) ἐκ τῆς θλίψεως τῆς μεγάλης
17 10 ὁ ἄλλος οὔπω ἦλθεν, καὶ ὅταν ἔλθῃ
ὀλίγον αὐτὸν δεῖ μεῖναι
18 10 μιᾷ ὥρᾳ ἦλθεν ἡ κρίσις σου
19 7 ἦλθεν ὁ γάμος τοῦ ἀρνίου
22 17 „ὁ διψῶν ἐρχέσθω," ὁ θέλων λαβέτω

*ἐρωτᾶν rogare b interrogare
1) quaerere ex aliquo
Mat 16 13 ἠρώτα b τοὺς μαθητὰς αὐτοῦ λέγων

Mat 19 17 τί με ἐρωτᾷς b περὶ τοῦ ἀγαθοῦ;
21 24 ἐρωτήσω b ὑμᾶς κἀγὼ λόγον ἕνα ‖
Luc 20 3 b λόγον, καὶ εἴπατέ μοι
Mar 4 10 ἠρώτων b αὐτὸν – τὰς παραβολάς
Luc 9 45 ἐφοβοῦντο ἐρωτῆσαι b αὐτὸν περὶ
τοῦ ῥήματος τούτου
22 68 ἐὰν δὲ ἐ..ήσω b, οὐ μὴ ἀποκριθῆτε
Joh 16 5 οὐδεὶς ἐξ ὑμῶν ἐρωτᾷ b με· ποῦ ὑπάγ.
– 23 ἐν ἐκείνῃ τῇ ἡμέρᾳ ἐμὲ οὐκ ἐρωτή-
σετε (rogabitis) οὐδέν 30 οὐ χρείαν
ἔχεις ἵνα τίς σε ἐρωτᾷ b
18 19 ἠρώτησεν b τὸν Ἰησοῦν περὶ τῶν μα-
θητῶν – καὶ περὶ τῆς διδαχῆς 21 τί
με ἐρωτᾷς b; ἐρώτησον b τοὺς ἀκηκο-
ότας τί ἐλάλησα αὐτοῖς   [τούτῳ
Act 1 6 ἠρώτων b αὐτὸν – · εἰ ἐν τῷ χρόνῳ

2) precari aliquid ab aliquo
Mar 7 26 ἠρώτα αὐτὸν ἵνα τὸ δαιμόν. ἐκβάλῃ
Luc 4 38 ἠρώτησαν αὐτὸν περὶ αὐτῆς
14 18 ἐρωτῶ σε, ἔχε με παρῃτημένον 19
– 32 ἐρωτᾷ τὰ πρὸς εἰρήνην
16 27 ἐρωτῶ σε οὖν, πάτερ, ἵνα πέμψῃς
Joh 14 16 κἀγὼ ἐρωτήσω τὸν πατέρα 16 26
17 9 ἐγὼ περὶ αὐτῶν ἐρωτῶ· οὐ περὶ τοῦ
κόσμου ἐρωτῶ, ἀλλὰ περὶ ὧν δέδωκας
– 15 οὐκ ἐρωτῶ ἵνα ἄρῃς αὐτοὺς ἐκ τοῦ
κόσμου 20 οὐ περὶ τούτων δὲ ἐρωτῶ
μόνον, ἀλλὰ καὶ περὶ τῶν πιστευόν-
των διὰ τοῦ λόγου αὐτῶν
Act 3 3 ἠρώτα ἐλεημοσύνην λαβεῖν
Phl 4 3 ἐρωτῶ καὶ σέ, –, συλλαμβάνου αὐταῖς
1 Th 4 1 ἐρωτῶμεν ὑμᾶς καὶ παρακαλοῦμεν
5 12 ἐ..ῶμεν – ὑμᾶς, – εἰδέναι τοὺς κοπιῶν-
τας ἐν ὑμῖν 2 Th 2 1 ἐ..ῶμεν – ὑμᾶς –
ὑπὲρ τῆς παρουσίας τοῦ κυρίου
2 εἰς τὸ μὴ ταχέως σαλευθῆναι ὑμᾶς
1 Jo 5 16 ἁμαρτία πρὸς θάνατον· οὐ περὶ ἐκεί-
νης λέγω ἵνα (vl + τις) ἐρωτήσῃ
2 Jo 5 νῦν ἐρωτῶ σε, κυρία, – ἵνα ἀγαπῶμεν
ἀλλήλους

ἐσθής   vestis   b habitus
Luc 23 11 περιβαλὼν ἐσθῆτα λαμπράν
24 4 ἄνδρες δύο – ἐν ἐσθῆτι ἀστραπτού-
σῃ Act 1 10 ἐν ἐσθήσεσι λευκαῖς 10 30
ἀνὴρ ἔστη – ἐν ἐσθῆτι λαμπρᾷ
Act 12 21 ἐσθῆτα βασιλικήν – Jac 2 2 ἐν ἐσθῆ-
τι λαμπρᾷ, – ἐν ῥυπαρᾷ ἐσθῆτι b 3

*ἐσθίειν, ἔσθειν manducare b edere c come-
dere d consumere → φαγεῖν, τρώγειν
Mat 9 11 διὰ τί μετὰ τῶν – ἁμαρτωλῶν ἐσθίει

–; ‖ Mar 2 16 Luc 5 30 ἐσθίετε –;
Mat 11 18 Ἰωάννης μήτε ἐσθίων μήτε πίνων 19
ὁ υἱὸς τοῦ ἀνθρ. ἐσθίων καὶ πίνων ‖
Luc 7 33 μὴ ἐσθίων ἄρτον 34 ἐσθίων
15 2 οὐ γὰρ νίπτονται τὰς χεῖρας ὅταν
ἄρτον ἐσθίωσιν ‖ Mar 7 2.3.4 c 5 κοι-
ναῖς χερσὶν ἐσθίουσιν τὸν ἄρτον
– 27 καὶ γὰρ τὰ κυνάρια ἐσθίει b ἀπὸ τῶν
ψιχίων ‖ Mar 7 28 ἐσθίουσιν c
Mar 1 6 ἔσθων b ἀκρίδας καὶ μέλι ἄγριον
14 18 παραδώσει με, „ὁ ἐ..ίων μετ᾽ ἐμοῦ"
Luc 5 33 οἱ δὲ σοὶ ἐσθίουσιν b καὶ πίνουσιν
10 7 μένετε, ἔσθοντες b – τὰ παρ᾽ αὐτῶν 8
ἐσθίετε τὰ παρατιθέμενα ὑμῖν
17 27 ἤσθιον b, ἔπινον, ἐγάμουν 28
22 30 ἵνα ἔσθητε b – ἐν τῇ βασιλείᾳ μου
Rm 14 2 ὁ δὲ ἀσθενῶν λάχανα ἐσθίει (vl ..έτω
vg) 3 ὁ ἐσθίων τὸν μὴ ἐσθίοντα μὴ
ἐξουθενείτω, ὁ δὲ μὴ ἐσθίων τὸν ἐ-
σθίοντα μὴ κρινέτω 6 ὁ ἐσθίων κυρίῳ
ἐσθίει· καὶ ὁ μὴ ἐσθίων κυρίῳ οὐκ
ἐσθίει 20 κακὸν – τῷ διὰ προσκόμμα-
τος ἐσθίοντι
1 Co 8 7 τινὲς – ὡς εἰδωλόθυτον ἐσθίουσιν 10
οὐχὶ – οἰκοδομηθήσεται εἰς τὸ τὰ εἰδ.
ἐσθίειν; 10 18 οὐχ οἱ ἐσθίοντες b τὰς
θυσίας κοινωνοὶ τοῦ θυσιαστηρίου
εἰσίν; 25 τὸ ἐν μακέλλῳ πωλούμενον
ἐσθίετε 27 τὸ παρατιθέμενον – ἐσθίετε
28 μὴ ἐσθίετε διὰ – τὸν μηνύσαντα 31
εἴτε οὖν ἐσθίετε εἴτε πίνετε –, πάντα
εἰς δόξαν θεοῦ ποιεῖτε
9 13 οἱ τὰ ἱερὰ ἐργαζόμενοι τὰ ἐκ τοῦ
ἱεροῦ ἐσθίουσιν b
11 26 ὁσάκις – ἐὰν ἐσθίητε τὸν ἄρτον τοῦ-
τον 27 ὃς ἂν ἐσθίῃ τὸν ἄρτον – ἀν-
αξίως 28 καὶ οὕτως ἐκ τοῦ ἄρτου ἐ-
σθιέτω b 29 ὁ – ἐσθίων καὶ πίνων (vl
+ ἀναξίως vg) κρίμα ἑαυτῷ ἐσθίει
2 Th 3 10 εἴ τις οὐ θέλει ἐργάζεσθαι, μηδὲ ἐ-
σθιέτω 12 ἵνα μετὰ ἡσυχίας ἐργαζόμε-
νοι τὸν ἑαυτῶν ἄρτον ἐσθίωσιν
Hb 10 27 „πυρὸς ζῆλος ἐσθίειν d" μέλλοντος
„τοὺς ὑπεναντίους"

Ἐσλί Luc 3 25   **Ἑσρώμ** Mat 1 3 Luc 3 33

ἔσοπτρον speculum
1 Co 13 12 βλέπομεν – ἄρτι δι᾽ ἐ..ου ἐν αἰνίγματι
Jac 1 23 κατανοοῦντι τὸ πρόσωπον – ἐν ἐ..ῳ

ἑσπέρα vespera b advesperascit
Luc 24 29 πρὸς ἑσπέραν ἐστίν b Act 4 3 28 23

ἔσχατος *novissimus* [b](adv ἔσχατον et ἐπ' ἐσχάτου) *novissime* – (ἔσχατον:) [c]*ultimum* [d]*extremum* [e](τὰ ἔσχατα) *posteriora*

Mat 5 26 τὸν ἔσχατον κοδράντην ‖ Luc 12 59
12 45 γίνεται τὰ ἔσχ. τοῦ ἀνθρ. – χείρονα τῶν πρώτων ‖ Luc 11 26 → 2 Pe 2 20
19 30 ἔσονται πρῶτοι ἔσχατοι καὶ ἔσχατοι πρῶτοι ‖ Mar 10 31 Luc 13 30 εἰσὶν ἔσχατοι οἳ ἔσονται πρῶτοι, καὶ εἰσὶν πρῶτοι οἳ ἔσονται ἔσχατοι – Mat 20 16 οὕτως ἔσονται οἱ ἔσχατοι πρῶτοι καὶ οἱ πρῶτοι ἔσχατοι
20 8 ἀρξάμενος ἀπὸ τῶν ἐσχ. 12 οἱ ἐσχ. μίαν ὥραν ἐποίησαν 14 θέλω δὲ τούτῳ τῷ ἐσχάτῳ δοῦναι ὡς καὶ σοί
27 64 ἡ ἐσχάτη πλάνη χείρων τῆς πρώτης
Mar 9 35 εἴ τις θέλει πρῶτος εἶναι, ἔσται πάντων ἔσχατος καὶ πάντων διάκονος
12 6 ἀπέστειλεν αὐτὸν ἔ..ον πρὸς αὐτούς
– 22 ἔσχατον (*nov..a*) – ἡ γυνὴ ἀπέθανεν
Luc 14 9 τὸν ἐσχ. τόπον κατέχειν 10 εἰς τὸν
Joh 6 39 ἀναστήσω αὐτὸ ἐν τῇ ἐσχάτῃ ἡμέρᾳ
40 αὐτόν 44.54 τῇ ἐσχάτῃ ἡμέρᾳ 11 24 ἐν τῇ ἀναστάσει ἐν τῇ ἐσχ. ἡμέρᾳ 12 48 κρινεῖ αὐτὸν ἐν τῇ ἐσχάτῃ ἡμ.
7 37 ἐν δὲ τῇ ἐσχάτῃ ἡμέρᾳ τῇ μεγάλῃ τῆς ἑορτῆς
Act 1 8 ἕως ἐσχάτου[c] τῆς γῆς 13 47[d]
2 17 ἔσται ἐν ταῖς ἐσχ. ἡμέραις – „ἐκχεῶ"
1 Co 4 9 ὁ θεὸς ἡμᾶς – ἐσχάτους ἀπέδειξεν
15 8 ἔσχατον[b] – πάντων – ὤφθη κἀμοί
– 26 ἔ..ος ἐχθρὸς καταργεῖται ὁ θάνατος
– 45 ὁ ἔσχ. Ἀδὰμ εἰς πνεῦμα ζωοποιοῦν
– 52 ἀλλαγησόμεθα, – ἐν τῇ ἐσχ. σάλπιγγι
2 Ti 3 1 ἐν ἐσχάταις ἡμέραις ἐνστήσονται καιροὶ χαλεποί
Hb 1 2 ἐπ' ἐσχάτου[b] τῶν ἡμερῶν τούτων
Jac 5 3 „ἐθησαυρίσατε" ἐν ἐσχάταις ἡμέραις
1 Pe 1 5 εἰς σωτηρίαν ἑτοίμην ἀποκαλυφθῆναι ἐν καιρῷ ἐσχάτῳ
– 20 Χοῦ, – φανερωθέντος – ἐπ' ἐ..ου (vl ..των) τ. χρόνων (*nov..is temporibus*)
2 Pe 2 20 γέγονεν αὐτοῖς τὰ ἔσχατα[e] χείρονα τῶν πρώτων → Mat 12 45
3 3 ἐλεύσονται ἐπ' ἐσχάτων τῶν ἡμερῶν – ἐμπαῖκται Jud 18 ἐπ' ἐ..ου τ. χρόν.
1 Jo 2 18 ἐσχάτη ὥρα ἐστίν bis
Ap 1 17 ὁ πρῶτος καὶ ὁ ἔσχατος 2 8 22 13
2 19 οἶδα – τὰ ἔργα σου τὰ ἔσχατα πλείονα τῶν πρώτων
15 1 „πληγὰς ἑπτά" τὰς ἐσχάτας 21 9

ἐσχάτως ἔχειν S° – *in extremis esse*
Mar 5 23 τὸ θυγάτριόν μου ἐσχάτως ἔχει

ἔσω *intus* [b](ὁ ἔ.) *interior* [c]*intro* [d]*in*
Mat 26 58[c] Mar 14 54[c] 15 16[d] Joh 20 26 Act 5 23
Rm 7 22 συνήδομαι – τῷ νόμῳ τοῦ θεοῦ κατὰ τὸν ἔσω[b] ἄνθρωπον
1 Co 5 12 οὐχὶ τοὺς ἔσω ὑμεῖς κρίνετε;
2 Co 4 16 ἀλλ' ὁ ἔσω ἡμῶν ἀνακαινοῦται
Eph 3 16 κραταιωθῆναι – εἰς τὸν ἔ.[b] ἄνθρωπ.

ἔσωθεν *intus* [b]*deintus* [c]*abintus* [d]*intrinsecus*
Mat 7 15 ἔσωθεν[d] δέ εἰσιν λύκοι ἅρπαγες
23 25 ἔσωθεν δὲ γέμουσιν ἐξ ἁρπαγῆς 27 ὀστέων νεκρῶν 28 ἐστὲ μεστοὶ ὑποκρίσεως ‖ Luc 11 39 τὸ δὲ ἔ. ὑμῶν γέμει ἁρπαγῆς 40 οὐχ ὁ ποιήσας τὸ ἔξωθεν καὶ τὸ ἔσωθεν[b] ἐποίησεν;
Mar 7 21 ἔσ.[c] – ἐκ τῆς καρδίας – οἱ διαλογισμοὶ οἱ κακοὶ ἐκπορεύονται 23[c]
Luc 11 7 κἀκεῖνος ἔσωθεν[b] ἀποκριθεὶς εἴπῃ·
2 Co 7 5 ἔξωθεν μάχαι, ἔσωθεν φόβοι
Ap 4 8 ἔσ. „γέμουσιν ὀφθαλμῶν" 5 1 „βιβλίον γεγραμμένον ἔσωθεν καὶ ὄπισθεν"

ἐσώτερος *interior* Act 16 24 φυλακή
Hb 6 19 ὡς ἄγκυραν – „εἰσερχομένην εἰς τὸ ἐ..ον (*interiora*) τοῦ καταπετάσματος"

ἑταῖρος *amicus* [b]*coaequalis*
Mat (11 16 vl προσφωνοῦντα τοῖς ἑταίροις[b])
20 13 ἑταῖρε, οὐκ ἀδικῶ σε 22 12 ἑτ., πῶς εἰσῆλθες ὧδε – ; 26 50 ἑτ., ἐφ' ὃ πάρει

ἑτερόγλωσσοι S° – 1 Co 14 21 „ἐν ἑ..οις (*in aliis linguis*) – λαλήσω τῷ λαῷ τούτῳ"

ἑτεροδιδασκαλεῖν S° – *aliter docēre*
1 Ti 1 3 μὴ ἑτεροδιδασκαλεῖν 6 3 εἴ τις ἑτ..εῖ

ἑτεροζυγεῖν S° – *iugum ducere cum*
2 Co 6 14 μὴ γίνεσθε ἑ..ζυγοῦντες ἀπίστοις

*ἕτερος *alius* [b]*alter* [c]*proximus* [d]*varius*
Mat 6 24 τὸν ἕτερον[b] ἀγαπήσει, – τοῦ ἑτέρου[b] καταφρονήσει ‖ Luc 16 13[bb]
10 23 φεύγετε εἰς τὴν ἑτέραν (vl ἄλλην)
11 3 ἢ ἕτερον (sc ἐρχόμ.) προσδοκῶμεν;
– 16 προσφωνοῦντα τοῖς ἑ..οις → ἑταῖρος
12 45 παραλαμβάνει – ἑπτὰ ἕτερα πνεύματα πονηρότερα ἑαυτοῦ ‖ Luc 11 26
[Mar 16 12 ἐφανερώθη ἐν ἑτέρᾳ μορφῇ]

Luc 9 29 ἐγένετο – τὸ εἶδος – αὐτοῦ ἕτερον[b]
17 34 ὁ ἕτ.[b] ἀφεθήσεται 35 ἢ – ἔτ.[b] (36[b] vl)
Joh 19 37 καὶ πάλιν ἑτέρα γραφὴ λέγει·
Act 2 4 λαλεῖν ἑτέραις[d] (vl aliis) γλώσσαις
4 12 οὐδὲ – ὄνομά ἐστιν ἕτερον – ἐν ᾧ
17 21 εἰς οὐδὲν ἕτερον ηὐκαίρουν ἢ λέγειν
Rm 2 1 ἐν ᾧ γὰρ κρίνεις τὸν ἕτερον[b] 21 ὁ
– διδάσκων ἕτερον σεαυτὸν οὐ διδ.;
7 3 ἐὰν γένηται ἀνδρὶ ἑτέρῳ· – γενομέ-
νην ἀνδρὶ ἑτέρῳ 4 εἰς τὸ γενέσθαι
ὑμᾶς ἑτέρῳ[b], τῷ – ἐγερθέντι
– 23 βλέπω δὲ ἕτερον νόμον ἐν τοῖς μέλ.
13 8 ὁ – ἀγαπῶν τὸν ἕτ.[c] νόμον πεπλήρ.
– 9 καὶ εἴ τις ἑτέρα ἐντολή, ἐν – τούτῳ
1 Co 4 6 ἵνα μὴ εἷς ὑπὲρ τοῦ ἑνὸς φυσιοῦσθε
κατὰ τοῦ ἑτέρου[b] 6 1 πρᾶγμα ἔχων
πρὸς τὸν ἕτ.[b] 10 24 μηδεὶς τὸ ἑαυτοῦ
ζητείτω ἀλλὰ τὸ τοῦ ἑτ.[b] 29 συνείδη-
σιν – λέγω – τὴν τοῦ ἑτέρου[b] 14 17
ἀλλ' ὁ ἕτερος[b] οὐκ οἰκοδομεῖται
2 Co 11 4 εἰ – πνεῦμα ἕτερον λαμβάνετε –, ἢ
εὐαγγέλιον ἕτ. –, καλῶς ἀνέχεσθε
Gal 1 6 θαυμάζω ὅτι – μετατίθεσθε – εἰς ἕτε-
ρον εὐαγγέλιον, ὃ οὐκ ἔστιν ἄλλο
6 4 εἰς ἑαυτὸν μόνον τὸ καύχημα ἕξει
καὶ οὐκ εἰς τὸν ἕτερον[b]
Eph 3 5 ὃ ἑτέραις γενεαῖς οὐκ ἐγνωρίσθη
Phl 2 4 καὶ τὰ ἑ..ων ἕκαστοι (sc σκοποῦντες)
1 Ti 1 10 εἴ τι ἕτερον τῇ ὑγιαινούσῃ διδασκα-
λίᾳ ἀντίκειται
2 Ti 2 2 οἵτινες ἱκανοὶ – καὶ ἑτέρους διδάξαι
Jud 7 ἀπελθοῦσαι ὀπίσω σαρκὸς ἑτέρας[b]

ἑτέρως S⁰ – aliter Phl 3 15 εἴ τι ἕτ. φρο-
νεῖτε, – τοῦτο ὁ θεὸς ὑμῖν ἀποκαλύψει

ἑτοιμάζειν parare [b]praeparare
Mat 3 3 „ἑτοιμάσατε τὴν ὁδὸν κυρίου" ‖ Mar
1 3 Luc 3 4 – 1 76 προπορεύσῃ – ἑ..σαι
20 23 οὐκ ἔστιν ἐμὸν – δοῦναι, ἀλλ' οἷς ἡ-
τοίμασται ὑπὸ τοῦ πατρός ‖ Mar 10 40
22 4 ἰδοὺ τὸ ἄριστόν μου ἡτοίμακα
25 34 τὴν ἡτοιμασμένην ὑμῖν βασιλείαν
– 41 εἰς τὸ πῦρ – τὸ ἡτοιμασμένον (vg vl[b]
– vl ὃ ἡτοίμασεν ὁ πατήρ μου) τῷ
διαβόλῳ καὶ τοῖς ἀγγέλοις αὐτοῦ
26 17 ποῦ θέλεις ἑτοιμάσωμέν σοι φαγεῖν
τὸ πάσχα; 19 ἡτοίμασαν τὸ πάσχα
‖ Mar 14 12.15 ἑτοιμάσατε ἡμῖν 16 Luc
22 8.9.12 ἐκεῖ ἑτοιμάσατε 13
Mar 15 1 συμβούλιον ἑτοιμάσαντες (vl ποιή-
σαντες vg facientes) οἱ ἀρχιερεῖς

Luc 1 17 ἑτοιμάσαι κυρίῳ λαὸν κατεσκευασμ.
2 31 „τὸ σωτήριόν σου," ὃ ἡτοίμασας
9 52 εἰς κώμην Σαμ., ὥστε ἑ..άσαι αὐτῷ
12 20 ἃ δὲ ἡτοίμασας, τίνι ἔσται;
– 47 ὁ δοῦλος ὁ – μὴ ἑτοιμάσας[b]
17 8 ἑτοίμασον (vl + μοι) τί δειπνήσω
23 56 ἡτοίμασαν ἀρώματα καὶ μύρα 24 1
Joh 14 2 ἑτοιμάσαι τόπον ὑμῖν 3 ἑτοιμάσω[b]
Act 23 23 ἑτοιμάσατε στρατιώτας διακοσίους
1 Co 2 9 „ὅσα" ἡτοίμασεν[b] „ὁ θεὸς τοῖς ἀγα-
πῶσιν αὐτόν"
2 Ti 2 21 ἔσται σκεῦος εἰς τιμήν, –, εἰς πᾶν
ἔργον ἀγαθὸν ἡτοιμασμένον
Phm 22 ἅμα δὲ καὶ ἑτοίμαζέ μοι ξενίαν
Hb 11 16 ἡτοίμασεν γὰρ αὐτοῖς πόλιν
Ap 8 6 ἡτοίμασαν[b] (vl[a]) αὐτοὺς ἵνα σαλπίσ.
9 7 ἵπποις ἡτοιμασμένοις εἰς πόλεμον 15
οἱ – ἄγγελοι οἱ ἡτοιμ. εἰς τὴν ὥραν
12 6 ἔχει – τόπον ἡτ..σμένον ἀπὸ τ. θεοῦ
16 12 ἵνα ἑτοιμασθῇ[b] ἡ ὁδὸς τῶν βασιλέων
τῶν „ἀπὸ ἀνατολῆς ἡλίου"
19 7 ἡ γυνὴ αὐτοῦ (sc τοῦ ἀρνίου) ἡτοί-
μασεν[b] ἑαυτήν 21 2 Ἰερ. καινὴν –,
ἡτ..σμένην „ὡς νύμφην κεκοσμημέν."

ἑτοιμασία praeparatio Eph 6 15 ὑποδησάμε-
νοι – „ἐν ἑτοιμασίᾳ τοῦ εὐαγγελίου"

ἕτοιμος paratus [b]praeparatus [c](ἐν ἑτοίμῳ
ἔχειν) in promptu habēre
Mat 22 4 πάντα ἕτοιμα 8 ὁ μὲν γάμος ἕτοιμός
ἐστιν ‖ Luc 14 17 ἤδη ἕτοιμά ἐστιν
24 44 καὶ ὑμεῖς γίνεσθε ἕτοιμοι ‖ Luc 12 40
– Mat 25 10 αἱ ἕτοιμοι εἰσῆλθον
Mar 14 15 ἀνάγαιον μέγα – ἕτοιμον (vl⁰ vg⁰)
Luc 22 33 μετὰ σοῦ ἕτοιμός εἰμι καὶ εἰς φυλα-
κὴν καὶ εἰς θάνατον πορεύεσθαι
Joh 7 6 ὁ δὲ καιρὸς ὁ ὑμέτερος πάντοτε – ἕτ.
Act 23 15 ἕτοιμοί ἐσμεν τοῦ ἀνελεῖν αὐτόν 21
2 Co 9 5 ταύτην (sc εὐλογίαν) ἑτοίμην εἶναι
10 6 ἐν ἑτοίμῳ ἔχοντες[c] ἐκδικῆσαι πᾶσαν
παρακοήν
– 16 οὐκ – εἰς τὰ ἕτ.[b] (vl[a]) καυχήσασθαι
Tit 3 1 πρὸς πᾶν ἔργον ἀγαθὸν ἑ..ους εἶναι
1 Pe 1 5 εἰς σωτηρίαν ἑ..ην ἀποκαλυφθῆναι
3 15 ἕτοιμοι ἀεὶ πρὸς ἀπολογίαν παντί

ἑτοίμως ἔχειν paratum esse
Act 21 13 ἀποθανεῖν εἰς Ἰερ. – 2 Co 12 14 ἐλθεῖν
1 Pe 4 5 τῷ ἑτ. ἔχοντι κρῖναι ζῶντας καὶ νεκ.

*ἔτος annus
Luc 12 19 ἔχεις – ἀγαθὰ κείμενα εἰς ἔτη πολλά

Luc 13 7 τρία ἔτη ἀφ᾽ οὗ ἔρχομαι ζητῶν καρ-
πόν 8 ἄφες αὐτὴν καὶ τοῦτο τὸ ἔτος
15 29 τοσαῦτα ἔτη δουλεύω σοι καὶ οὐδέπ.

Act 24 17 δι᾽ ἐτῶν – πλειόνων ἐλεημοσύνας ποι-
ήσων εἰς τὸ ἔθνος μου

Rm 15 23 ἐπιποθίαν – ἔχων τοῦ ἐλθεῖν πρὸς ὑ-
μᾶς ἀπὸ ἱκανῶν (vl πολλῶν) ἐτῶν

2 Co 12 2 πρὸ ἐτῶν δεκατεσσ. – Gal 21 διά

Gal 1 18 μετὰ τρία ἔτη ἀνῆλθον εἰς Ἱεροσόλ.

1 Ti 5 9 χήρα καταλεγέσθω μὴ ἔλαττον ἐτῶν
ἑξήκοντα γεγονυῖα

Hb 1 12 „τὰ ἔτη σου οὐκ ἐκλείψουσιν"

2 Pe 3 8 μία ἡμέρα παρὰ κυρίῳ ὡς χίλια ἔτη
καὶ „χίλια ἔτη ὡς ἡμέρα" μία

Ap 20 2 ἔδησεν αὐτὸν χίλια ἔτη 3. 4 ἐβασίλευ-
σαν μετὰ τοῦ Χοῦ χίλια ἔτη 5. 6. 7

εὖ, εὖ γε euge ᵇbene

Mat 25 21 εὖ, δοῦλε ἀγαθέ 23 ‖ Luc 19 17 εὖ γε
Mar 14 7 δύνασθε αὐτοῖς εὖ ᵇ ποιῆσαι
Act 15 29 διατηροῦντες ἑαυτοὺς εὖ ᵇ πράξετε
Eph 6 3 „ἵνα εὖ ᵇ σοι γένηται καὶ ἔσῃ μακ."

Εὔα Heva 2 Co 11 3 1 Ti 2 13

εὐαγγελίζειν, ..εσθαι evangelizare (alicui)
ᵇ evangelizari ᶜ annunciare (alicui)
ᵈnunciare ᵉpraedicare evangelium

1) εὐαγγελίζειν τινά, ἐπί τινα

Ap 10 7 ὡς εὐηγγέλισεν „τοὺς ἑαυτοῦ δού-
λους (vg per servos suos) τ. προφ."
14 6 ἔχοντα εὐαγγέλιον – εὐαγγελίσαι ἐπὶ
τοὺς καθημένους ἐπὶ τῆς γῆς

2) εὐαγγελίζεσθαι (passivum)

Mat 11 5 „πτωχοὶ εὐ..ονται ᵇ" ‖ Luc 7 22 ᵇ
Luc 16 16 ὁ νόμος καὶ οἱ προφῆται μέχρι Ἰω-
άννου· ἀπὸ τότε ἡ βασιλεία τοῦ θε-
οῦ εὐαγγελίζεται ᵇ

Gal 1 11 τὸ εὐαγγ. τὸ εὐ..ισθὲν ᵇ ὑπ᾽ ἐμοῦ

Hb 4 2 ἐσμὲν εὐηγγελισμένοι ᵈ (nobis nun-
ciatum est) καθάπερ κἀκεῖνοι (illis)
6 οἱ πρότερον εὐαγγελισθέντες ᶜ (qui-
bus – ann. est) οὐκ „εἰσῆλθον"

1 Pe 1 25 „τὸ ῥῆμα" τὸ „εὐαγγελισθὲν ᵇ" εἰς
ὑμᾶς (in vos vl in vobis)
4 6 καὶ νεκροῖς εὐηγγελίσθη ᵇ, ἵνα

3) εὐαγγελίζεσθαι (medium)

Luc 1 19 ἀπεστάλην – εὐ..σασθαί σοι ταῦτα
(– 28 vl ὁ ἄγγ. εὐηγγέλισατο (vgº) αὐτήν)
2 10 εὐαγγελίζομαι ὑμῖν χαρὰν μεγάλην
3 18 εὐη..ετο τὸν λαόν (vg dat vl acc)

Luc 4 18 „ἔχρισέν με εὐαγγελίσασθαι πτωχοῖς"
– 43 καὶ ταῖς ἑτέραις πόλεσιν εὐ..ίσασθαί
με δεῖ τὴν βασιλείαν τοῦ θεοῦ 81
εὐ..όμενος τὴν βας. τ. θ. Act 8 12 τῷ
Φιλ. εὐ..ομένῳ περὶ τῆς βας. τ. θεοῦ
9 6 εὐαγγελιζόμενοι καὶ θεραπεύοντες
20 1 διδάσκοντος αὐτοῦ – καὶ εὐ..ομένου

Act 5 42 εὐ..όμενοι τὸν χριστὸν Ἰησοῦν 8 35
εὐηγγελίσατο αὐτῷ τὸν Ἰησοῦν 11 20
εὐ..όμενοι ᶜ τὸν κύριον Ἰησοῦν
8 4 διῆλθον εὐ..όμενοι τὸν λόγον 15 35
εὐ..όμενοι – τὸν λόγον τοῦ κυρίου
– 25 κώμας τῶν Σαμαριτῶν εὐηγγελίζον-
το 40 Φιλ. – εὐηγγελίζετο τὰς πόλεις
14 21 εὐ..όμενοι – τὴν πόλιν ἐκείνην
10 36 „εὐ..όμενος ᶜ εἰρήνην" διὰ Ἰησ. Χοῦ
13 32 ὑμᾶς εὐ..όμεθα ᶜ τὴν – ἐπαγγελίαν
14 7 κἀκεῖ εὐ..όμενοι ἦσαν (Lycaon.)
– 15 εὐ..όμενοι ᶜ ὑμᾶς – ἐπιστρέφειν ἐπὶ
16 10 προσκέκληται ἡμᾶς ὁ θεὸς εὐαγγελί-
σασθαι αὐτούς (eis)
17 18 ὅτι τὸν Ἰησοῦν καὶ τὴν ἀνάστασιν
εὐηγγελίζετο ᶜ (vg add eis)

Rm 1 15 καὶ (vl + ἐν vg vl in) ὑμῖν τοῖς ἐν
Ῥώμῃ εὐαγγελίσασθαι
10 15 „οἱ πόδες (vl + τῶν εὐ..ομένων εἰρή-
νην, vg) τ. εὐ..ομένων (vl + τὰ) ἀγαθά
15 20 φιλοτιμούμενον (vl ..οῦμαι) εὐ..εσθαι ᵉ
οὐχ ὅπου ὠνομάσθη Χός

1 Co 1 17 οὐ – βαπτίζειν ἀλλὰ εὐ..ίζεσθαι
9 16 ἐὰν – εὐ..ίζωμαι, οὐκ ἔστιν μοι καύ-
χημα· -- οὐαί – μοί ἐστιν ἐὰν μὴ εὐ..
ίσωμαι (vl ..ίζωμαι)
– 18 τίς – μού ἐστιν ὁ μισθός; ἵνα εὐ..ό-
μενος ᵉ ἀδάπανον θήσω τὸ εὐαγγ.
15 1 τὸ εὐαγγ. ὃ εὐηγγελισάμην ᵉ ὑμῖν 2
τίνι λόγῳ εὐηγγελισάμην ᵉ ὑμῖν

2 Co 10 16 εἰς τὰ ὑπερέκεινα ὑμῶν εὐ..ασθαι
11 7 ἢ ἁμαρτίαν ἐποίησα –, ὅτι δωρεὰν
τὸ – εὐαγγέλιον εὐηγγελισάμην ὑμῖν;

Gal 1 8 καὶ ἐὰν – ἄγγελος – εὐ..σηται [ὑμῖν]
παρ᾽ ὃ εὐηγγελισάμεθα ὑμῖν 9 εἴ τις
ὑμᾶς εὐ..ζεται παρ᾽ ὃ παρελάβετε
– 16 ἵνα εὐ..ζωμαι αὐτὸν ἐν τοῖς ἔθνεσιν
– 23 νῦν εὐ..ζεται τὴν πίστιν, ἥν ποτε
4 13 οἴδατε – ὅτι δι᾽ ἀσθένειαν τῆς σαρκὸς
εὐηγγελισάμην ὑμῖν τὸ πρότερον

Eph 2 17 „εὐη..σατο εἰρήνην – τοῖς μακράν"
3 8 τοῖς ἔθνεσιν εὐαγγελίσασθαι τὸ ἀν-
εξιχνίαστον πλοῦτος τοῦ Χοῦ

1 Th 3 6 Τιμοθέου – εὐαγγελισαμένου ᶜ ἡμῖν
τὴν πίστιν καὶ τὴν ἀγάπην ὑμῶν

1 Pe 1 12 ἃ νῦν ἀνηγγέλη ὑμῖν διὰ τῶν εὐ..
σαμένων ὑμᾶς ἐν πνεύματι ἁγίῳ

εὐαγγέλιον *evangelium*

Mat 4 23 κηρύσσων τὸ εὐ. τῆς βασιλείας 9 35
24 14 κηρυχθήσεται τοῦτο τὸ εὐ. τῆς βασ.
26 13 ὅπου ἐὰν κηρυχθῇ τὸ εὐ. τοῦτο ἐν
ὅλῳ τῷ κόσμῳ ‖ Mar 14 9
Mar 1 1 ἀρχὴ τοῦ εὐαγγελίου Ἰησοῦ Χοῦ
– 14 κηρύσσων τὸ εὐ. (vl + τῆς βασιλείας
vg) τοῦ θεοῦ 15 πιστεύετε ἐν τῷ εὐ.
8 35 ἕνεκεν ἐμοῦ καὶ τοῦ εὐαγγελίου 10 29
13 10 εἰς πάντα τὰ ἔθνη πρῶτον δεῖ κη-
ρυχθῆναι τὸ εὐ. [16 15 κηρύξατε τὸ
εὐαγγέλ. πάσῃ τῇ κτίσει] → Col 1 5
Act 15 7 διὰ τοῦ στόματός μου (sc Petri) ἀ-
κοῦσαι τὰ ἔθνη τὸν λόγον τοῦ εὐ.
20 24 τὴν διακονίαν ἣν ἔλαβον –, διαμαρ-
τύρασθαι τὸ εὐ. τῆς χάριτος τοῦ θεοῦ
Rm 1 1 ἀφωρισμένος εἰς εὐ. θεοῦ, ὃ προεπ-
ηγγείλατο – περὶ τοῦ υἱοῦ αὐτοῦ
– 9 ᾧ λατρεύω – ἐν τῷ εὐ. τ. υἱοῦ αὐτοῦ
– 16 οὐ γὰρ ἐπαισχύνομαι τὸ εὐαγγ. (vl
+ τοῦ Χοῦ vg°)· δύναμις γὰρ θεοῦ
ἐστιν εἰς σωτηρίαν παντὶ τ. πιστεύοντι
2 16 κρίνει ὁ θεὸς – κατὰ τὸ εὐ. μου διὰ
Χοῦ Ἰησοῦ 16 25 ὑμᾶς στηρίξαι κα-
τὰ τὸ εὐαγγέλιόν μου → 2 Ti 2 8
10 16 ἀλλ' οὐ πάντες ὑπήκουσαν τῷ εὐαγγ.
11 28 κατὰ μὲν τὸ εὐαγγ. ἐχθροὶ δι' ὑμᾶς
15 16 ἱερουργοῦντα τὸ εὐαγγέλ. τοῦ θεοῦ
– 19 πεπληρωκέναι τὸ εὐαγγέλ. τοῦ θεοῦ
– 29 ἐν πληρώματι εὐλογίας (vl + τοῦ
εὐαγγελίου τοῦ Χοῦ vg) ἐλεύσομαι
1 Co 4 15 διὰ τοῦ εὐαγγ. ἐγὼ ὑμᾶς ἐγέννησα
9 12 πάντα στέγομεν ἵνα μή τινα ἐγκο-
πὴν δῶμεν τῷ εὐαγγελίῳ τοῦ Χοῦ
– 14 ὁ κύριος διέταξεν τοῖς τὸ εὐαγγ. κατ-
αγγέλλουσιν ἐκ τοῦ εὐαγγελίου ζῆν
– 18 ἵνα – ἀδάπανον θήσω τὸ εὐαγγέλιον
(vl + τοῦ Χοῦ vg°), εἰς τὸ μὴ κατα-
χρήσασθαι τῇ ἐξουσίᾳ μου ἐν τῷ εὐ-
αγγελίῳ 23 πάντα – ποιῶ διὰ τὸ εὐ-
αγγ., ἵνα συγκοινωνὸς αὐτοῦ γένωμαι
15 1 γνωρίζω – ὑμῖν – τὸ εὐ. ὃ εὐηγγελι-
σάμην ὑμῖν, ὃ καὶ παρελάβετε, ἐν ᾧ
καὶ ἑστήκατε, δι' οὗ καὶ σῴζεσθε
2 Co 2 12 ἐλθὼν – εἰς τὸ εὐαγγέλιον τοῦ Χοῦ
4 3 εἰ – ἔστιν κεκαλυμμένον τὸ εὐ. ἡμῶν
– 4 εἰς τὸ μὴ αὐγάσαι (vl + αὐτοῖς) τὸν
φωτισμὸν τοῦ εὐ. τῆς δόξης τοῦ Χοῦ
8 18 τὸν ἀδελφὸν οὗ ὁ ἔπαινος ἐν τῷ εὐ.

2 Co 9 13 ἐπὶ τῇ ὑποταγῇ τῆς ὁμολογίας ὑμῶν
εἰς τὸ εὐαγγέλιον τοῦ Χοῦ
10 14 ἄχρι γὰρ καὶ ὑμῶν ἐφθάσαμεν ἐν τῷ
εὐαγγελίῳ τοῦ Χοῦ
11 4 εἰ – εὐαγγ. ἕτερον ὃ οὐκ ἐδέξασθε
– 7 ἁμαρτίαν ἐποίησα –, ὅτι δωρεὰν τὸ
τοῦ θεοῦ εὐ. εὐηγγελισάμην ὑμῖν;
Gal 1 6 ὅτι – μετατίθεσθε – εἰς ἕτερον εὐαγ-
γέλιον, ὃ οὐκ ἔστιν ἄλλο
– 7 οἱ – θέλοντες μεταστρέψαι τὸ εὐ. τοῦ
Χοῦ 11 τὸ εὐ. τὸ εὐαγγελισθὲν ὑπ'
ἐμοῦ – οὐκ ἔστιν κατὰ ἄνθρωπον
2 2 ἀνεθέμην αὐτοῖς τὸ εὐ. ὃ κηρύσσω
– 5 ἵνα ἡ ἀλήθεια τοῦ εὐαγγ. διαμείνῃ
– 7 ὅτι πεπίστευμαι τὸ εὐαγγ. τῆς ἀκρο-
βυστίας καθὼς Πέτρ. τῆς περιτομῆς
– 14 ὅτε εἶδον ὅτι οὐκ ὀρθοποδοῦσιν
πρὸς τὴν ἀλήθειαν τοῦ εὐαγγελίου
Eph 1 13 ἀκούσαντες –, τὸ εὐ. τῆς σωτ. ὑμῶν
3 6 εἶναι τὰ ἔθνη – συμμέτοχα τῆς ἐπαγ-
γελίας ἐν Χῷ Ἰησοῦ διὰ τοῦ εὐαγ-
γελίου, οὗ ἐγενήθην διάκονος
6 15 „ἐν ἑτοιμασίᾳ τοῦ εὐ. τῆς εἰρήνης"
– 19 γνωρίσαι τὸ μυστήριον τοῦ εὐαγγ.
Phl 1 5 ἐπὶ τῇ κοινωνίᾳ ὑμῶν εἰς τὸ εὐαγγ.
– 7 ἐν τῇ ἀπολογίᾳ καὶ βεβαιώ. τοῦ εὐ.
– 12 εἰς προκοπὴν τοῦ εὐαγγ. ἐλήλυθεν
– 16 ὅτι εἰς ἀπολογίαν τοῦ εὐαγγ. κεῖμαι
– 27 ἀξίως τοῦ εὐ. τοῦ Χοῦ πολιτεύεσθε,
– συναθλοῦντες τῇ πίστει τοῦ εὐαγγ.
2 22 σὺν ἐμοὶ ἐδούλευσεν εἰς τὸ εὐ. 4 3
αἵτινες ἐν τῷ εὐ. συνήθλησάν μοι
4 15 ἐν ἀρχῇ τοῦ εὐ., ὅτε ἐξῆλθον ἀπὸ
Col 1 5 ἐν τῷ λόγῳ τῆς ἀληθείας τοῦ εὐαγγ.
– 23 μὴ μετακινούμενοι ἀπὸ τῆς ἐλπίδος
τοῦ εὐαγγελίου οὗ ἠκούσατε
1 Th 1 5 τὸ εὐ. ἡμῶν οὐκ ἐγενήθη εἰς ὑμᾶς
ἐν λόγῳ μόνον
2 2 λαλῆσαι πρὸς ὑμᾶς τὸ εὐ. τοῦ θεοῦ
ἐν πολλῷ ἀγῶνι 8 μεταδοῦναι ὑμῖν
οὐ μόνον τὸ εὐ. τοῦ θεοῦ 9 νυκτὸς
καὶ ἡμέρας ἐργαζόμενοι – ἐκηρύξαμεν
εἰς ὑμᾶς τὸ εὐαγγέλιον τοῦ θεοῦ
– 4 καθὼς δεδοκιμάσμεθα ὑπὸ τοῦ θεοῦ
πιστευθῆναι τὸ εὐαγγέλ. → 1 Ti 1 11
3 2 διάκονον τοῦ θεοῦ ἐν τῷ εὐ. τ. Χοῦ
2 Th 1 8 „τοῖς μὴ ὑπακούουσιν" τῷ εὐαγγε-
λίῳ τοῦ κυρίου ἡμῶν Ἰησοῦ
2 14 ἐκάλεσεν ὑμᾶς διὰ τοῦ εὐαγγ. ἡμῶν
1 Ti 1 11 κατὰ τὸ εὐαγγέλιον τῆς δόξης τοῦ
μακαρίου θεοῦ, ὃ ἐπιστεύθην ἐγώ
2 Ti 1 8 ἀλλὰ συγκακοπάθησον τῷ εὐαγγελίῳ

2 Ti 1 10 φωτίσαντος δὲ ζωὴν – διὰ τοῦ εὐαγγ.
2 8 ἐγηγερμένον ἐκ νεκρῶν, ἐκ σπέρμα-
τος Δαυίδ, κατὰ τὸ εὐαγγέλιόν μου
Phm 13 διακονῇ ἐν τοῖς δεσμοῖς τοῦ εὐαγγ.
1 Pe 4 17 τῶν ἀπειθούντων τῷ τοῦ θεοῦ εὐ.
Ap 14 6 ἄγγελον –, ἔχοντα εὐ. αἰώνιον εὐ-
αγγελίσαι ἐπὶ τοὺς καθημένους ἐπί

εὐαγγελιστής S° – evangelista
Act 21 8 Φιλίππου τοῦ εὐ. ὄντος ἐκ τῶν ἑπτά
Eph 4 11 αὐτὸς „ἔδωκεν" –, τοὺς δὲ εὐ..άς
2 Ti 4 5 ἔργον ποίησον εὐ..οῦ, τὴν διακονίαν

εὐαρεστεῖν placēre ᵇ(pass) promerēri
Hb 11 5 μεμαρτύρηται „εὐ..ηκέναι τῷ θεῷ"
– 6 χωρὶς – πίστεως ἀδύνατον „εὐ..ῆσαι"
13 16 τοιαύταις – θυσίαις εὐ..εῖται ᵇ ὁ θεός

εὐάρεστος, εὐαρέστως placens ᵇ benepla-
cens ᶜplacitum ᵈbeneplacitum ᵉ(τὸ εὐ.)
quod placeat ᶠ(εὐ..ον εἶναι) placēre
Rm 12 1 τὰ σώματα ὑμῶν θυσίαν – εὐάρεστον
– 2 τί τὸ θέλημα τοῦ θεοῦ, τὸ – εὐ..ον ᵇ
(voluntas – beneplacens vl placens)
14 18 ὁ – ἐν τούτῳ δουλεύων τῷ Χῷ εὐ.ᶠ
τῷ θεῷ καὶ δόκιμος τοῖς ἀνθρώποις
2 Co 5 9 φιλοτιμούμεθα – εὐ..οι αὐτῷ εἶναι ᶠ
Eph 5 10 δοκιμάζοντες τί ἐστιν εὐ..ον ᵈ τῷ κυρ.
Phl 4 18 θυσίαν δεκτήν, εὐάρεστον τῷ θεῷ
Col 3 20 τοῦτο γὰρ εὐ..όν ᶜ ἐστιν ἐν κυρίῳ
Tit 2 9 δούλους – δεσπόταις – εὐ..ους εἶναι
Hb 12 28 λατρεύωμεν εὐ..ως (placentes) τῷ
θεῷ 13 21 ποιῶν (sc ὁ θεὸς) ἐν ἡμῖν
τὸ εὐ..ον ᵉ ἐνώπιον αὐτοῦ διὰ Ἰ. Χοῦ

Εὔβουλος 2 Ti 4 21 ἀσπάζεταί σε Εὔβουλος

εὐγενής nobilis Luc 19 12 Act 17 11
1 Co 1 26 οὐ πολλοὶ δυνατοί, οὐ πολλοὶ εὐ..εῖς

εὐδία serenum erit [Mat 16 2 εὐ., πυρράζει]

εὐδοκεῖν (bene) complacēre (sibi) in aliquo
ᵇplacēre (sibi in) ᶜbeneplacitum esse in
ᵈbonam voluntatem habēre ᵉconsentire
ᶠcupide velle ᵍprobare
Mat 3 17 „ἐν ᾧ εὐδόκησα" ‖ Mar 1 11 ἐν σοί
Luc 3 22 ἐν σοί (vl complacuit) –
Mat 17 5 ἐν ᾧ 2 Pe 1 17 „εἰς ὃν" Mat
12 18 „ὃν εὐδόκησεν ἡ ψυχή μου"
(vlᵇ bene placuit animae meae)
Luc 12 32 μὴ φοβοῦ, – · ὅτι εὐδόκησεν ὁ πατὴρ
ὑμῶν δοῦναι ὑμῖν τὴν βασιλείαν

Rm 15 26 ηὐδόκησαν ᵍ – κοινωνίαν τινὰ ποιή-
σασθαι εἰς τοὺς πτωχούς 27 ᵇ
1 Co 1 21 εὐδόκησεν ᵇ ὁ θεὸς διὰ τῆς μωρίας
τοῦ κηρύγματος σῶσαι τοὺς πιστεύ.
10 5 οὐκ ἐν τοῖς πλείοσιν – εὐδόκησεν ᶜ
2 Co 5 8 εὐδοκοῦμεν ᵈ μᾶλλον ἐκδημῆσαι
12 10 εὐδοκῶ ᵇ ἐν ἀσθενείαις – ὑπὲρ Χοῦ
Gal 1 15 ὅτε δὲ εὐδόκησεν ᵇ ὁ ἀφορίσας με –
ἀποκαλύψαι τὸν υἱὸν – ἐν ἐμοί
Col 1 19 ἐν αὐτῷ εὐδόκησεν πᾶν τὸ πλήρωμα
κατοικῆσαι
1 Th 2 8 ηὐδοκοῦμεν ᶠ μεταδοῦναι ὑμῖν οὐ μό-
νον τὸ εὐαγγ. ἀλλὰ καὶ τὰς – ψυχάς
3 1 ηὐδοκήσαμεν ᵇ καταλειφθῆναι ἐν Ἀθ.
2 Th 2 12 οἱ – εὐδοκήσαντες ᵉ τῇ ἀδικίᾳ
Hb 10 6 „ὁλοκαυτώματα – οὐκ εὐ..ησας ᵇ" 8 ᵇ
– 38 „ἐὰν ὑποστείληται, οὐκ εὐδοκεῖ ᵇ ἡ
ψυχή μου ἐν αὐτῷ

εὐδοκία voluntas ᵇ bona voluntas ᶜproposi-
tum ᵈbeneplacitum – ᵉ(εὐδοκία
ἐγένετο) placuit ᶠplacitum fuit
Mat 11 26 οὕτως εὐδοκία ἐγένετο ᶠ ἔμπροσθέν
σου ‖ Luc 10 21 ᵉ
Luc 2 14 ἐπὶ γῆς εἰρήνη (vl + καὶ) ἐν (vg° vl
in) ἀνθρώποις εὐδοκίας ᵇ (vl ..κία)
Rm 10 1 ἡ μὲν εὐδ. τῆς ἐμῆς καρδίας καὶ ἡ
δέησις – ὑπὲρ αὐτῶν εἰς σωτηρίαν
Eph 1 5 κατὰ τὴν εὐδ.ᶜ τοῦ θελήματος αὐτοῦ
9 κατὰ τὴν εὐδοκίαν ᵈ (vl bonum
pl.) αὐτοῦ, ἣν προέθετο ἐν αὐτῷ
Phl 1 15 τινὲς δὲ καὶ δι' εὐδοκίαν ᵇ τὸν Χὸν
κηρύσσουσιν 16 οἱ μὲν ἐξ ἀγάπης
2 13 ὁ ἐνεργῶν ἐν ὑμῖν καὶ τὸ θέλειν καὶ
τὸ ἐνεργεῖν ὑπὲρ τῆς εὐδοκίας ᵇ
2 Th 1 11 ἵνα – πληρώσῃ πᾶσαν εὐδοκίαν ἀγα-
θωσύνης καὶ ἔργον πίστεως

εὐεργεσία ᵃbenefactum ᵇbeneficium
Act 4 9 ἐπὶ εὐ..ίᾳ ᵃ ἀνθρώπου ἀσθενοῦς
1 Ti 6 2 οἱ τῆς εὐ..ίας ᵇ ἀντιλαμβανόμενοι

εὐεργετεῖν benefacere (part. b..iendo)
Act 10 38 ὃς διῆλθεν εὐεργετῶν καὶ ἰώμενος

εὐεργέτης beneficus Luc 22 25 καὶ οἱ ἐξου-
σιάζοντες αὐτῶν εὐ..έται καλοῦνται

εὔθετος ᵃaptus ᵇopportunus ᶜutilis
Luc 9 62 οὐδεὶς – εὔθ.ᵃ ἐστιν τῇ βασ. τ. θεοῦ
14 35 οὔτε εἰς κοπρίαν εὔθετον ᶜ Hb 6 7 γῆ
– τίκτουσα βοτάνην εὔθετον ᵇ

*εὐθέως et adverbium *εὐθύς statim
      ᵇconfestim ᶜcontinuo ᵈprotinus
Mat 4 20 εὐθέωςᶜ ἀφέντες τὰ δίκτυα 22 τὸ
      πλοῖον ‖ Mar 1 18 εὐθὺςᵈ – τὰ δίκτ.
   8 3 εὐθέωςᵇ ἐκαθαρίσθη αὐτοῦ ἡ λέπρα
      ‖ Mar 1 42 ἀπῆλθεν Luc 5 13ᵇ
  13 5 εὐθέωςᶜ ἐξανέτειλεν ‖ Mar 4 5
  – 20 εὐθὺςᶜ μετὰ χαρᾶς λαμβάνων (sc
      τὸν λόγον) 21 εὐθὺςᶜ σκανδαλίζεται
      ‖ Mar 4 15 εὐθὺςᵇ ἔρχ. ὁ σατ. 16.17ᵇ
  20 34 εὐθέωςᵇ ἀνέβλεψαν ‖ Mar 10 52ᵇ ἀ..εν
  24 29 εὐθέως – μετὰ τὴν θλῖψιν τῶν ἡμερῶν
      ἐκείνων „ὁ ἥλιος σκοτ." → Luc 21 9
  25 15 εὐθέως πορευθεὶς – ἠργάσατο
Mar 2 8 εὐθὺς ἐπιγνοὺς ὁ Ἰησ. τῷ πνεύματι
   5 30 ἐν ἑαυτῷ τὴν – δύν. ἐξελθοῦσαν
  – 12 εὐθὺς ἄρας τὸν κράβατον 5 29 εὐθὺςᵇ
      ἐξηράνθη ἡ πηγὴ τοῦ αἵματος 42 εὐ-
      θὺςᵇ ἀνέστη τὸ κοράσιον 7 35 εὐθὺς
      (vgᵒ) ἐλύθη ὁ δεσμὸς τῆς γλώσσης
  14 72 εὐθὺς ἐκ δευτέρου ἀλέκτωρ ἐφώνη-
      σεν Joh 18 27 εὐθέως ἀλ. ἐφώνησεν
Luc 12 36 ἵνα – εὐθέωςᵇ ἀνοίξωσιν αὐτῷ
  – 54 εὐθέως λέγετε ὅτι ὄμβρος ἔρχεται
  14 5 οὐκ εὐθέωςᶜ ἀνασπάσει αὐτόν – ;
  17 7 τίς – ἐρεῖ –˙ εὐθέως – ἀνάπεσε – ;
  21 9 ἀλλ’ οὐκ εὐθέως τὸ τέλος
Joh 5 9 εὐθέως ἐγένετο ὑγιὴς ὁ ἄνθρωπος
   6 21 εὐθέως ἐγέν. τὸ πλοῖον ἐπὶ τῆς γῆς
  13 30 ἐξῆλθεν εὐθύςᶜ˙ ἦν δὲ νύξ
  – 32 καὶ εὐθὺςᶜ δοξάσει αὐτόν
  19 34 ἐξῆλθεν εὐθὺςᶜ αἷμα καὶ ὕδωρ
Act 9 18 εὐθέωςᵇ ἀπέπεσαν – ὡς λεπίδες
  – 34 εὐθέωςᶜ ἀνέστη (sc Αἰνέας)
Gal 1 16 εὐθέωςᶜ οὐ προσανεθέμην σαρκί
Jac 1 24 εὐθέως ἐπελάθετο ὁποῖος ἦν
3 Jo 14 ἐλπίζω δὲ εὐθέωςᵈ σε ἰδεῖν
Ap 4 2 εὐθέως ἐγενόμην ἐν πνεύματι

εὐθυδρομεῖν Sᵒ – recto cursu venire
Act 16 11 εἰς Σαμοθράκην 21 1 εἰς τὴν Κῶ

εὐθυμεῖν Sᵒ – bono ᵇaequo animo esse
Act 27 22 παραινῶ ὑμᾶς εὐθ. 25 διὸ εὐθυμεῖτε
Jac 5 13 εὐθυμεῖᵇ τις; ψαλλέτω

εὔθυμος animaequior Act 27 36 εὔθυμοι

εὐθύμως Sᵒ – bono animo
Act 24 10 εὐθύμως (vl ..ότερον) – ἀπολογοῦμαι

εὐθύνειν dirigere Joh 1 23 „ὁδὸν κυρίου"
Jac 3 4 ὅπου ἡ ὁρμὴ τοῦ εὐ..οντος βούλεται

εὐθύς, εὐθεῖα, εὐθύ rectus ᵇdirectus
      (adverbium εὐθύς → εὐθέως)
Mat 3 3 „εὐθείας ποιεῖτε τὰς τρίβους" αὐτοῦ
      ‖ Mar 1 3 Luc 3 4.5 „ἔσται τὰ σκολιὰ
      εἰς εὐθείαςᵇ" (in directa)
Act 8 21 ἡ γὰρ „καρδία" σου „οὐκ ἔστιν εὐ-
      θεῖα" ἔναντι τοῦ θεοῦ
   9 11 εἰς τὴν ῥύμην τὴν καλουμ. εὐθεῖαν
  13 10 „τὰς ὁδοὺς τοῦ κυρίου τὰς εὐθ.;"
2 Pe 2 15 καταλείποντες εὐθεῖαν ὁδόν

εὐθύτης aequitas Hb 1 8 „ῥάβδος – εὐ..τος"

εὐκαιρεῖν Sᵒ – ᵃspatium habēre ᵇvacare
      ᶜvacuum mihi est
Mar 6 31 καὶ οὐδὲ φαγεῖν εὐκαίρουνᵃ
Act 17 21 εἰς οὐδὲν ἕτερον ηὐκαίρουνᵇ ἢ λέγ.
1 Co 16 12 ἐλεύσεται δὲ ὅταν εὐκαιρήσῃᶜ

εὐκαιρία opportunitas
Mat 26 16 ἐζήτει εὐκ. ἵνα – παραδῷ ‖ Luc 22 6

εὔκαιρος opportunus Mar 6 21 ἡμέρα
Hb 4 16 χάριν – εἰς εὔκαιρον βοήθειαν

εὐκαίρως opportune (Mar 6 31 vl οὐδὲ φα-
      γεῖν εὐκ. εἶχον spatium habebant)
Mar 14 11 ἐζήτει πῶς αὐτὸν εὐκαίρως παραδοῖ
2 Ti 4 2 ἐπίστηθι εὐκαίρως ἀκαίρως

εὐκοπώτερον facilius
Mat 9 5 τί – ἐστιν εὐκ., εἰπεῖν˙ ἀφίενται – , ἢ
      εἰπεῖν˙ ἔγειρε – ; ‖ Mar 2 9 Luc 5 23
  19 24 εὐκ. ἐστιν κάμηλον – εἰσελθεῖν ἢ πλού-
      σιον ‖ Mar 10 25 διελθεῖν Luc 18 25
Luc 16 17 εὐκ. – τὸν οὐρ. καὶ τὴν γῆν παρελθεῖν

εὐλάβεια reverentia
Hb 5 7 εἰσακουσθεὶς ἀπὸ τῆς εὐλαβείας
  12 28 λατρεύωμεν – , μετὰ εὐλαβείας καὶ
      δέους (cum metu et reverentia)

εὐλαβεῖσθαι metuere Hb 11 7 πίστει – Νῶε – ,
      εὐλαβηθεὶς κατεσκεύασεν κιβωτόν

εὐλαβής timoratus ᵇreligiosus
Luc 2 25 Συμεών, – δίκαιος καὶ εὐλαβής
Act 2 5 Ἰουδαῖοι, ἄνδρες εὐλαβεῖςᵇ 8 2
  22 12 Ἁνανίας – , ἀνὴρ εὐλ. (vgᵒ) κατὰ τὸν
      νόμον (vir sec. legem test. habens)

εὐλογεῖν benedicere → ἐνευλ., κατευλογεῖν
Mat 14 19 ἀναβλέψας – εὐλόγησεν, καὶ κλάσας
      ἔδωκεν ‖ Mar 6 41 (87) Luc 9 16

Mat 21 9 „εὐλογημένος ὁ ἐρχόμενος" ‖ Mar
   11 9.10 εὐ..η ἡ ἐρχομένη βασιλεία τοῦ
   πατρὸς ἡμῶν Δαυὶδ Luc 19 38 Joh
   12 13 — Mat 23 39 ‖ Luc 13 35
   25 34 δεῦτε οἱ εὐ..ημένοι τοῦ πατρός μου
   26 26 εὐλογήσας ἔκλασεν ‖ Mar 14 22
Luc 1 42 εὐλογημένη σὺ ἐν γυναιξίν, καὶ εὐ..
   νος ὁ καρπὸς τῆς κοιλίας σου
   – 64 ἐλάλει εὐλογῶν τὸν θεόν 2 28
   2 34 εὐλόγησεν αὐτοὺς Συμεών
   6 28 εὐ..εῖτε τοὺς καταρωμένους ὑμᾶς
   24 30 λαβὼν τὸν ἄρτον εὐλόγησεν
   – 50 ἐπάρας τὰς χεῖρας – εὐλόγησεν αὐ-
   τούς 51 ἐν τῷ εὐλογεῖν – αὐτούς
   – 53 ἐν τῷ ἱερῷ εὐλογοῦντες τὸν θεόν
Act 3 26 ἀπέστειλεν αὐτὸν εὐλογοῦντα ὑμᾶς
   ἐν τῷ ἀποστρέφειν – ἀπὸ τ. πονηριῶν
Rm 12 14 εὐ..εῖτε τοὺς διώκοντας (vl + ὑμᾶς
   vg, vl°), εὐ..εῖτε καὶ μὴ καταρᾶσθε
1 Co 4 12 λοιδορούμενοι εὐλογοῦμεν, διωκόμ.
   10 16 τὸ ποτήριον τῆς εὐλογίας ὃ εὐλο-
   γοῦμεν, οὐχὶ κοινωνία ἐστὶν –;
   14 16 ἐὰν εὐλογῇς [ἐν] πνεύματι, – πῶς –;
Gal 3 9 ὥστε οἱ ἐκ πίστεως εὐλογοῦνται (bene-
   dicentur) σὺν τῷ πιστῷ Ἀβραάμ
Eph 1 3 ὁ εὐλογήσας ἡμᾶς ἐν πάσῃ εὐλογίᾳ
   πνευματικῇ ἐν τοῖς ἐπουρανίοις
Hb 6 14 „εἰ μὴν εὐλογῶν εὐλογήσω σε"
   7 1.6 τὸν ἔχοντα τὰς ἐπαγγελίας „εὐ-
   λόγηκεν" 7 τὸ ἔλαττον ὑπὸ τοῦ κρείτ-
   τονος εὐλογεῖται
   11 20 εὐλόγησεν Ἰσαὰκ τὸν Ἰακὼβ 21
Jac 3 9 ἐν αὐτῇ εὐλογοῦμεν τὸν κύριον
1 Pe 3 9 τοὐναντίον δὲ εὐλογοῦντες

εὐλογητός benedictus
Mar 14 61 σὺ εἶ ὁ χριστὸς ὁ υἱὸς τοῦ εὐλογ.;
Luc 1 68 „εὐλογ. κύριος ὁ θεὸς τοῦ Ἰσραήλ"
Rm 1 25 ὅς ἐστιν εὐλ. εἰς τοὺς αἰῶνας 9 5 ὁ
   ὢν ἐπὶ πάντων θεὸς εὐλογητὸς εἰς
   τοὺς αἰῶνας 2 Co 11 31 ὁ ὢν εὐλογ.
2 Co 1 3 εὐλ. ὁ θεὸς κ. πατήρ Eph 1 3 1 Pe 1 3

εὐλογία benedictio (Rm 16 18 ..nes)
Rm 15 29 ἐν πληρώματι εὐ..ας Χοῦ ἐλεύσομαι
   16 18 διὰ τῆς χρηστολογίας (per dulces
   sermones) καὶ εὐλογίας ἐξαπατῶσιν
   τὰς καρδίας τῶν ἀκάκων
1 Co 10 16 et Eph 1 3 → εὐλογεῖν
2 Co 9 5 ἵνα – προκαταρτίσωσιν τὴν – εὐλογίαν
   ὑμῶν, – ὡς εὐλογίαν καὶ μὴ ὡς πλεον.
   – 6 ὁ σπείρων ἐπ᾽ εὐλογίαις (in ben.)

ἐπ᾽ εὐλογίαις (de ben.) καὶ θερίσει
Gal 3 14 ἵνα εἰς τὰ ἔθνη ἡ εὐλογία τοῦ Ἀβρ.
Hb 6 7 μεταλαμβάνει εὐ..ας ἀπὸ τοῦ θεοῦ
   12 17 θέλων κληρονομῆσαι τὴν εὐλογίαν
Jac 3 10 ἐξέρχεται εὐλογία καὶ κατάρα
1 Pe 3 9 ἐκλήθητε ἵνα εὐ..αν κληρονομήσητε
Ap 5 12 ἄξιός ἐστιν – λαβεῖν τὴν – εὐλογίαν
   – 13 τῷ „καθημένῳ ἐπὶ τῷ θρόνῳ" καὶ τῷ
   ἀρνίῳ ἡ εὐλογία 7 12 τῷ θεῷ ἡμῶν

εὐμετάδοτον εἶναι S° – facile tribuere
1 Ti 6 18 εὐμεταδότους εἶναι, κοινωνικούς

Εὐνίκη 2 Ti 1 5 ἐν – τῇ μητρί σου Εὐνίκη

εὐνοεῖν consentire
Mat 5 25 ἴσθι εὐνοῶν τῷ ἀντιδίκῳ σου ταχύ

εὔνοια bona voluntas Eph 6 7 μετ᾽ εὐνοίας
   δουλεύοντες ὡς τῷ κυρίῳ

εὐνοῦχος et **εὐνουχίζειν** S° – eunuchus
   [b]eunuchum facere [c]castrare
Mat 19 12 εἰσὶν – εὐνοῦχοι οἵτινες – ἐγεννήθη-
   σαν οὕτως, καὶ εἰσὶν εὐνοῦχοι οἵτινες εὐ-
   νουχίσθησαν[b] ὑπὸ τῶν ἀνθρώπων, καὶ εἰ-
   σὶν εὐνοῦχοι οἵτινες εὐνούχισαν[c] ἑαυτοὺς
   διὰ τὴν βασιλείαν τῶν οὐρανῶν
Act 8 27 Αἰθίοψ εὐνοῦχος δυνάστης 34.36.38.39

Εὐοδία Evodia (vl Euhodia) Phl 4 2

εὐοδοῦσθαι [a]prosperum iter habēre [b]bene
   placēre [c]prospere ingredi [d]prospere
   agere Rm 1 10 εἴ πως – ποτὲ εὐοδωθήσο-
   μαι[a] – τοῦ ἐλθεῖν πρὸς ὑμᾶς
1 Co 16 2 θησαυρίζων ὅ τι ἐὰν εὐοδῶται[b]
3 Jo 2 εὔχομαί σε εὐοδοῦσθαι[c] καὶ ὑγιαί-
   νειν, καθὼς εὐοδοῦταί[d] σου ἡ ψυχή

τὸ **εὐπάρεδρον** S° – τῷ κυρίῳ quod facul-
   tatem praebeat – dominum obsecrandi
   (vl observandi) 1 Co 7 35 πρὸς τὸ εὔσχη-
   μον καὶ εὐπάρεδρον τῷ κυρίῳ

εὐπειθής suadibilis Jac 3 17 ἡ – ἄνωθεν σο-
   φία –, ἔπειτα – ἐπιεικής, εὐπειθής

εὐπερίστατος S° – circumstans nos
Hb 12 1 ἀποθέμενοι – τὴν εὐ..ον ἁμαρτίαν

εὐποιΐα S° – beneficentia Hb 13 16 κ. κοιν.

εὐπορεῖσϑαι *habēre* Act 11 29 καϑὼς εὐ..τό τις

εὐπορία S vl – *acquisitio* Act 19 25 ἡμῖν ἐστ.

εὐπρέπεια *decor* Jac 1 11 ἡ εὐ. – ἀπώλετο

εὐπρόσδεκτος S° – *acceptus* ᵇ*acceptabilis*
Rm 15 16 ἡ προσφορὰ τῶν ἐϑνῶν εὐ..ος
  – 31 ἵνα – ἡ διακονία μου ἡ εἰς Ἱερουσα-
  λήμ εὐπ. τοῖς ἁγίοις γένηται
2 Co 6 2 ἰδοὺ νῦν „καιρὸς εὐπρόσδεκτοςᵇ"
  8 12 καϑὸ ἐὰν ἔχῃ εὐπ., οὐ καϑὸ οὐκ ἔχει
1 Pe 2 5 ἀνενέγκαι πνευματικὰς ϑυσίας εὐ-
  προσδέκτουςᵇ ϑεῷ διὰ Ἰησοῦ Χοῦ

εὐπροσωπεῖν S° – *placēre* Gal 6 12 ἐν σαρκί

εὐρακύλων S° – *euroaquilo* Act 27 14

*εὑρίσκειν *invenire*
  (omnes loci allati sunt ex epist. et Apc)
Mat 7 7 ζητεῖτε, καὶ εὑρήσετε 8 ὁ ζητῶν εὑρί-
  σκει ‖ Luc 11 9.10
  – 14 ὀλίγοι εἰσὶν οἱ εὑρίσκοντες αὐτήν
  8 10 παρ' οὐδενὶ τοσαύτην πίστιν ἐν τῷ Ἰσ-
  ραὴλ εὗρον ‖ Luc 7 9 οὐδὲ ἐν τῷ Ἰσρ.
  10 39 ὁ εὑρὼν τὴν ψυχὴν αὐτοῦ ἀπολέσει
  αὐτήν, καὶ ὁ ἀπολέσας – ἕνεκεν ἐ-
  μοῦ εὑρήσει αὐτήν 16 25
  11 29 „εὑρήσετε ἀνάπαυσιν ταῖς ψυχ. ὑμ."
  12 43 ζητοῦν ἀνάπαυσιν, καὶ οὐχ εὑρίσκει 44
  ‖ Luc 11 24 καὶ μὴ εὑρίσκον λέγει· 25
  13 44 ϑησαυρῷ –, ὃν εὑρὼν ἄνϑρ. ἔκρυψεν
  – 46 εὑρὼν – ἕνα πολύτιμον μαργαρίτην
  18 13 ἐὰν γένηται εὑρεῖν αὐτό ‖ Luc 15 5
  20 6 ἐξελϑὼν εὗρεν ἄλλους ἑστῶτας
  21 19 οὐδὲν εὗρεν – εἰ μὴ φύλλα μόνον ‖
  Mar 11 13 εἰ ἄρα τι εὑρήσει ἐν αὐτῇ,
  καὶ – οὐδὲν εὗρεν cfr Luc 13 6.7
  22 9 ὅσους ἐὰν εὕρητε καλέσατε 10
  24 46 ὃν – ὁ κύριος αὐτοῦ εὑρήσει οὕτως
  ποιοῦντα ‖ Luc 12 43 – Mar 13 36
Luc 1 30 εὗρες γὰρ χάριν παρὰ τῷ ϑεῷ
  15 4 τίς – οὐ – πορεύεται – ἕως εὕρῃ αὐτό;
  5.6 εὗρον τὸ πρόβατόν μου 8 ζητεῖ
  – ἕως οὗ εὕρῃ; 9 εὑροῦσα συγκαλεῖ
  τὰς φίλας – · – εὗρον τὴν δραχμήν
  24 ἦν ἀπολωλὼς καὶ εὑρέϑη 32
  17 18 οὐχ εὑρέϑησαν – δοῦναι δόξαν τ. ϑεῷ –;
  18 8 ἆρα εὑρήσει τὴν πίστιν ἐπὶ τῆς γῆς;
  23 4 οὐδὲν εὑρίσκω αἴτιον 14.22 Joh 18 38
  19 4.6 Act 13 28 23 9 24 20
Joh 1 41 εὑρίσκει – Σίμωνα – · εὑρήκαμεν τὸν

  Μεσσίαν 45 εὑρίσκει – τὸν Ναϑαναήλ
  – · ὃν ἔγραψεν Μωϋσῆς – εὑρήκαμεν
Joh 7 34 ζητήσετέ με καὶ οὐχ εὑρήσετε 36
Act 4 21 μηδὲν εὑ..οντες τὸ πῶς κολάσωνται
  5 39 μήποτε καὶ ϑεομάχοι εὑρεϑῆτε
  7 46 Δαυίδ· ὃς εὗρεν χάριν ἐνώπ. τ. ϑεοῦ
  8 40 Φίλιππος δὲ εὑρέϑη εἰς Ἄζωτον
  17 27 ζητεῖν τὸν ϑεόν, εἰ ἄρα γε ψηλαφή-
  σειαν αὐτὸν καὶ εὕροιεν, καί γε οὐ
Rm 4 1 τί – ἐροῦμεν εὑρηκέναι Ἀβραάμ – ;
  7 10 εὑρέϑη μοι ἡ ἐντολὴ – εἰς ϑάνατον
  – 21 εὑρίσκω ἄρα τὸν νόμον –, ὅτι ἐμοὶ
  10 20 „εὑρέϑην τοῖς ἐμὲ μὴ ζητοῦσιν"
1 Co 4 2 ζητεῖται – ἵνα πιστός τις εὑρεϑῇ
  15 15 εὑ..όμεϑα δὲ καὶ ψευδομάρτυρες
2 Co 2 13 τῷ μὴ εὑρεῖν με Τίτον τὸν ἀδελφόν
  5 3 εἴ γε – οὐ γυμνοὶ εὑρεϑησόμεϑα
  9 4 ἐὰν – εὕρωσιν ὑμ. ἀπαρασκευάστους
  11 12 ἵνα – εὑρεϑῶσιν καϑὼς καὶ ἡμεῖς
  12 20 μή πως – οὐχ οἵους ϑέλω εὕρω ὑμᾶς,
  κἀγὼ εὑρεϑῶ ὑμῖν οἷον οὐ ϑέλετε
Gal 2 17 εἰ – εὑρέϑημεν καὶ αὐτοὶ ἁμαρτωλοί
Phl 2 7 σχήματι εὑρεϑεὶς ὡς ἄνϑρωπος
  3 9 ἵνα – εὑρεϑῶ ἐν αὐτῷ (sc Χῷ)
2 Ti 1 17 ἐξήτησέν με καὶ εὗρεν 18 δῴη αὐτῷ
  ὁ κύριος εὑρεῖν ἔλεος παρὰ κυρίου
Hb 4 16 ἵνα – χάριν εὕρωμεν εἰς – βοήϑειαν
  9 12 αἰωνίαν λύτρωσιν εὑράμενος
  11 5 Ἐνώχ – „οὐχ ηὑρίσκετο διότι μετέ-
  ϑηκεν αὐτὸν ὁ ϑεός"
  12 17 μετανοίας γὰρ τόπον οὐχ εὗρεν
1 Pe 1 7 ἵνα τὸ δοκίμιον ὑμῶν τῆς πίστεως
  πολυτιμότερον χρυσίου – εὑρεϑῇ
  2 22 „οὐδὲ εὑρέϑη δόλος ἐν τῷ στόματι
  αὐτοῦ" cfr Ap 14 5 αὐτῶν – „ψεῦδος"
2 Pe 3 10 γῆ καὶ τὰ ἐν αὐτῇ ἔργα εὑρεϑήσε-
  ται (vl οὐχ εὑρ. et κατακαήσεται vg
  exurentur, vl om *terra … exur.*)
  – 14 ἀμώμητοι αὐτῷ εὑρεϑῆναι ἐν εἰρήνῃ
2 Jo 4 ἐχάρην – ὅτι εὕρηκα ἐκ τῶν τέκνων
  σου περιπατοῦντας ἐν ἀληϑείᾳ
Ap 2 2 εὗρες αὐτοὺς ψευδεῖς 3 2 οὐ γὰρ εὕ-
  ρηκά σου ἔργα πεπληρωμένα
  5 4 οὐδεὶς ἄξιος εὑρέϑη ἀνοῖξαι τὸ βιβλ.
  9 6 οὐ μὴ εὑρήσουσιν αὐτόν (sc ϑάνατ.)
  12 8 16 20 18 14.21.22.24 20 11
  20 15 εἴ τις οὐχ „εὑρέϑη ἐν τῇ βίβλῳ τῆς
  ζωῆς γεγραμμένος"

εὐρύχωρος *spatiosus* Mat 7 13 ἡ ὁδός

εὐσέβεια *pietas*
Act 3 12 ἡμῖν τί ἀτενίζετε ὡς ἰδίᾳ – εὐσεβείᾳ

(vg *potestate*, vl *pietate*) πεποιηκό-
σιν τοῦ περιπατεῖν αὐτόν;
1 Ti 2 2 βίον διάγωμεν ἐν πάσῃ εὐσεβείᾳ
3 16 μέγα ἐστὶν τὸ τῆς εὐσεβ. μυστήριον
4 7 γύμναζε δὲ σεαυτὸν πρὸς εὐσέβειαν
– 8 ἡ δὲ εὐσ. πρὸς πάντα ὠφέλιμός ἐστ.
6 3 τῇ κατ᾽ εὐσέβειαν διδασκαλίᾳ
– 5 νομιζόντων πορισμὸν εἶναι τὴν εὐσ.
– 6 ἔστιν δὲ πορισμὸς – ἡ εὐσ. μετὰ αὐτ-
αρκείας 11 δίωκε – εὐσέβειαν, πίστιν
2 Ti 3 5 ἔχοντες μόρφωσιν εὐσεβείας τὴν δὲ
δύναμιν αὐτῆς ἠρνημένοι
Tit 1 1 ἐπίγνωσιν ἀληθείας τῆς κατ᾽ εὐ..αν
2 Pe 1 3 πάντα – τὰ πρὸς ζωὴν καὶ εὐσέβειαν
– 6 ἐν δὲ τῇ ὑπομονῇ τὴν εὐσέβειαν 7 ἐν
δὲ τῇ εὐσεβείᾳ τὴν φιλαδελφίαν
3 11 ποταποὺς δεῖ ὑπάρχειν [ὑμᾶς] ἐν ἁ-
γίαις ἀναστροφαῖς καὶ εὐσεβείαις

εὐσεβεῖν ᵃ*colere* ᵇ*regere*
Act 17 23 ὃ οὖν ἀγνοοῦντες εὐσεβεῖτεᵃ
1 Ti 5 4 πρῶτον τὸν ἴδιον οἶκον εὐσεβεῖνᵇ

εὐσεβής ᵃ*religiosus* ᵇ*metuens dominum*
ᶜ*pius* Act 10 2 Κορνήλ., – εὐσ.ᵃ καὶ φο-
βούμενος τὸν θεόν 7 στρατιώτην εὐ..ῇᵇ
2 Pe 2 9 οἶδεν κύριος εὐσεβεῖςᶜ ἐκ πειρασμοῦ
ῥύεσθαι, ἀδίκους δὲ εἰς

εὐσεβῶς *pie* 2 Ti 3 12 οἱ θέλοντες ζῆν εὐσ.
– διωχθήσονται Tit 2 12 ἵνα – εὐσ. ζήσωμ.

εὔσημος *manifestus* 1 Co 14 9 εὔ..ον λόγον

εὔσπλαγχνος Sᵒ – *misericors* Eph 4 32 εὔ..οι,
χαριζόμενοι ἑαυτοῖς 1 Pe 3 8 πάντες – εὔ..οι

εὐσχημόνως Sᵒ – *honeste*
Rm 13 13 εὐσχημόνως περιπατήσωμεν 1 Th 4 12
1 Co 14 40 πάντα εὐσχ. καὶ κατὰ τάξιν γινέσθω

εὐσχημοσύνη *honestas* 1 Co 12 23 τὰ ἀσχή-
μονα ἡμῶν εὐ..ην περισσοτέραν ἔχει

εὐσχήμων *honestus* ᵇ*nobilis*
Mar 15 43 Ἰωσὴφ ὁ ἀπὸ Ἁρ., εὐ.ᵇ βουλευτής
Act 13 50 τὰς σεβομ. γυναῖκας τὰς εὐσχ. 17 12
1 Co 7 35 πρὸς τὸ εὔσχημον καὶ εὐπάρεδρον
12 24 τὰ δὲ εὐ..ονα ἡμῶν οὐ χρείαν ἔχει

εὐτόνως ᵃ*constanter* ᵇ*vehementer*
Luc 23 10 εὐτόνωςᵃ κατηγοροῦντες αὐτοῦ
Act 18 28 εὐτ.ᵇ – τοῖς Ἰουδαί. διακατηλέγχετο

εὐτραπελία Sᵒ – *scurrilitas* Eph 5 4

Εὔτυχος Act 20 9 νεανίας ὀνόματι Εὔτυχος

εὐφημία Sᵒ – *bona fama* 2 Co 6 8 διὰ – εὐ..ας

εὔφημος Sᵒ – *bonae famae* Phl 4 8 ὅσα εὔ..α

εὐφορεῖν Sᵒ – *uberes fructus afferre* Luc 12 16

εὐφραίνειν (2 Co) *laetificare* – εὐ..εσθαι:
epulari ᵇ*laetari* ᶜ*exultare* ᵈ*iucundari*
Luc 12 19 φάγε, πίε, εὐφραίνου 15 23. 24. 29. 32
16 19 εὐφραινόμενος καθ᾽ ἡμέραν λαμπρῶς
Act 2 26 „ηὐφράνθηᵇ μου ἡ καρδία“
7 41 εὐ..οντοᵇ ἐν τοῖς ἔργοις τῶν χειρῶν
Rm 15 10 „εὐφράνθητεᵇ ἔθνη, μετὰ τοῦ λαοῦ“
2 Co 2 2 τίς ὁ εὐ..ων με εἰ μὴ ὁ λυπούμενος
Gal 4 27 „εὐφράνθητιᵇ, στεῖρα –, ῥῆξον“
Ap 11 10ᵈ – 12 12 „εὐ..εσθεᵇ, οὐρανοὶ“ καὶ οἱ
ἐν αὐτοῖς σκηνοῦντες 18 20ᶜ „οὐρανέ“

Εὐφράτης *Euphrates* (vl *Eufr.*) Ap 9 14 16 12

εὐφροσύνη ᵃ*iucunditas* ᵇ*laetitia*
Act 2 28ᵃ 14 17 ἐμπιπλῶν – εὐ..ηςᵇ τὰς καρδίας

εὐχαριστεῖν *gratias agere*
Mat 15 36 εὐ..ήσας ἔκλασεν καὶ ἐδίδου ‖ Mar
8 6 – Joh 6 11. 23 εὐ..ήσαντος τοῦ κυρ.
26 27 ποτήριον – εὐ..ήσας ἔδωκεν αὐτοῖς ‖
Mar 14 23 Luc 22 17 εὐ..ήσας εἶπεν·
λάβετε – καὶ διαμερίσατε 19 εὐ..ήσας
ἔκλασεν καὶ ἔδωκεν 1 Co 11 24 εὐ..
ήσας ἔκλασεν καὶ εἶπεν· τοῦτό μου
Luc 17 16 εὐ..ων αὐτῷ· καὶ αὐτὸς ἦν Σαμαρ.
18 11 ὁ θεός, εὐ..ῶ σοι ὅτι οὐκ εἰμὶ ὥσπερ
Joh 11 41 πάτερ, εὐ..ῶ σοι ὅτι ἤκουσάς μου
Act 27 35 λαβὼν ἄρτον εὐχαρίστησεν τῷ θεῷ
28 15 εὐ..ήσας τῷ θεῷ ἔλαβε θάρσος
Rm 1 8 πρῶτον – εὐ..ῶ τῷ θεῷ μου διὰ Ἰ.
Χοῦ περὶ – ὑμῶν, ὅτι 1 Co 1 4 τῷ θεῷ
πάντοτε περὶ ὑμῶν ἐπὶ τῇ χάριτι –,
ὅτι Phl 1 3 τῷ θεῷ μου ἐπὶ πάσῃ τῇ
μνείᾳ ὑμῶν Phm 4 πάντοτε μνείαν
σου ποιούμενος Eph 1 16 οὐ παύο-
μαι εὐ..ων ὑπὲρ ὑμῶν Col 1 3 εὐχαρι-
στοῦμεν τῷ θεῷ πατρὶ τοῦ κυρίου
1 Th 1 2 τῷ θεῷ πάντοτε περὶ – ὑμῶν
2 Th 1 3 εὐχαριστεῖν ὀφείλομεν τῷ
θεῷ πάντοτε περὶ ὑμῶν 2 13
– 21 οὐχ ὡς θεὸν ἐδόξασαν ἢ ηὐχ..ησαν
14 6 ὁ ἐσθίων κυρίῳ ἐσθίει, εὐχαριστεῖ γὰρ

τῷ θεῷ· καὶ ὁ μὴ ἐσθίων κυρίῳ οὐκ
ἐσθίει, καὶ εὐχαριστεῖ τῷ θεῷ
Rm 16 4 οἶς (sc Priscae et Aqu.) οὐκ ἐγὼ μό-
νος εὐ..ῶ ἀλλὰ καὶ πᾶσαι αἱ ἐκκλησ.
1 Co 1 14 εὐ..ῶ (vl + τῷ θεῷ vg) ὅτι οὐδένα
ὑμῶν ἐβάπτισα – · ἵνα μή τις εἴπη
10 30 τί βλασφημοῦμαι ὑπὲρ οὗ – εὐ..ῶ;
14 17 σὺ – καλῶς εὐ..εῖς, ἀλλ᾽ ὁ ἕτερος
– 18 εὐχαριστῶ τῷ θεῷ, πάντων ὑμῶν
μᾶλλον γλώσσαις λαλῶ
2 Co 1 11 ἵνα – τὸ εἰς ἡμᾶς χάρισμα διὰ πολ-
λῶν εὐχαριστηθῇ ὑπὲρ ἡμῶν
Eph 5 20 εὐ..οῦντες πάντοτε ὑπὲρ πάντων ἐν
ὀνόματι τοῦ κυρίου – τῷ θεῷ καὶ π.
Col 1 12 εὐ..οῦντες τῷ πατρὶ τῷ ἱκανώσαντι
ὑμᾶς 3 17 ὅ τι ἐὰν ποιῆτε –, πάντα
ἐν ὀνόματι κυρίου Ἰησοῦ, εὐχαρι-
στοῦντες τῷ θεῷ πατρὶ δι᾽ αὐτοῦ
1 Th 2 13 ἡμεῖς εὐ..οῦμεν τῷ θεῷ ἀδιαλείπτως
5 18 ἐν παντὶ εὐ..εῖτε· τοῦτο – θέλημα
Ap 11 17 εὐ..οῦμέν σοι, κύριε ὁ θεός –, ὅτι

εὐχαριστία *gratiarum actio* [b]*benedictio*
Act 24 3 ἀποδεχόμεθα – μετὰ πάσης εὐ..ας
1 Co 14 16 πῶς ἐρεῖ τὸ ἀμὴν ἐπὶ τῇ σῇ εὐ..ᾳ[b];
2 Co 4 15 διὰ τῶν πλειόνων τὴν εὐχαριστίαν
9 11 ἁπλότητα, ἥτις κατεργάζεται δι᾽ ἡμῶν
εὐχαριστίαν τῷ θεῷ 12 ἡ διακονία –
περισσεύουσα διὰ πολλῶν εὐ..ῶν τῷ θ.
Eph 5 4 ἃ οὐκ ἀνῆκεν, ἀλλὰ μᾶλλον εὐ..α
Phl 4 6 τῇ δεήσει μετὰ εὐ..ας τὰ αἰτήματα
Col 2 7 περισσεύοντες ἐν εὐχαριστίᾳ
4 2 γρηγοροῦντες ἐν αὐτῇ ἐν εὐχαριστίᾳ
1 Th 3 9 τίνα – εὐχαριστίαν δυνάμεθα τῷ θεῷ
ἀνταποδοῦναι περὶ ὑμῶν –;
1 Ti 2 1 παρακαλῶ – ποιεῖσθαι (*fieri*) – εὐ..ας,
ὑπὲρ πάντων ἀνθρ., ὑπὲρ βασιλέων
4 3 ἃ ὁ θεὸς ἔκτισεν εἰς μετάλημψιν με-
τὰ εὐ..ας 4 μετὰ εὐχ. λαμβανόμενον
Ap 4 9 ὅταν δώσουσιν – εὐ..αν[b] τῷ καθημ.
7 12 ἡ εὐχαρ. καὶ ἡ τιμὴ – τῷ θεῷ ἡμῶν

εὐχάριστος *gratus* Col 3 15 εὐ..οι γίνεσθε

εὔχεσθαι *optare* [b]*orare* [c]*orationem facere*
Act 26 29 εὐξαίμην ἂν τῷ θεῷ – 27 29
Rm 9 3 ηὐχόμην – ἀνάθεμα εἶναι αὐτός
2 Co 13 7 εὐχόμεθα[b] – πρὸς τὸν θεὸν μὴ ποι-
ῆσαι ὑμᾶς κακὸν μηδέν 9 τοῦτο καὶ
εὐχόμεθα[b], τὴν ὑμῶν κατάρτισιν
3 Jo 3 εὔχομαί[c] σε εὐοδοῦσθαι καὶ ὑγιαίν.

εὐχή [a]*oratio* [b]*votum* Act 18 18[b] 21 23[b]
Jac 5 15 ἡ εὐ.[a] τῆς πίστεως σώσει τὸν κάμν.

εὔχρηστος *utilis* 2 Ti 2 21 4 11 εἰς διακ. Phm 11

εὐψυχεῖν S[o] – *bono animo esse* Phl 2 19

εὐωδία [a]*bonus odor* [b]*suavitas*
2 Co 2 15 Χοῦ εὐ.[a] ἐσμὲν τῷ θεῷ ἐν τοῖς σῳζ.
Eph 5 2 „θυσίαν – εἰς ὀσμὴν εὐ..ας[b]" Phl 4 18[b]

εὐώνυμος *sinister* (*ad s..tram, a s..tris*)
Mat 20 21 καὶ εἷς ἐξ εὐ..ων σου 23 ‖ Mar 10 40
25 33 τὰ δὲ ἐρίφια ἐξ εὐ..ων 41 τοῖς ἐξ εὐ.
27 38 καὶ εἷς ἐξ εὐ..ων ‖ Mar 15 27 αὐτοῦ
Act 21 3 καταλιπόντες αὐτὴν (Cyprum) εὐ..ον
Ap 10 2 τὸν δὲ εὐ..ον (sc πόδα) ἐπὶ τῆς γῆς

ἐφάλλεσθαι *insilire* Act 19 16 ἐπ᾽ αὐτούς

ἐφάπαξ S[o] – *semel* [b]*simul*
Rm 6 10 τῇ ἁμαρτίᾳ ἀπέθανεν ἐφάπαξ
1 Co 15 6 ἐπάνω πεντακοσίοις ἀδελφοῖς ἐφ.[b]
Hb 7 27 ἐποίησεν ἐφάπαξ ἑαυτὸν ἀνενέγκας
9 12 εἰσῆλθεν ἐφάπαξ εἰς τὰ ἅγια
10 10 ἡγιασμένοι ἐσμὲν διὰ – Ἰησ. Χοῦ ἐφ.

Ἐφέσιος Act 19 28 ἡ ″Αρτ. Ἐφεσίων 34 – 35
Act 21 29 προεωρακότες Τρόφιμον τὸν Ἐ. – σύν

″Εφεσος Act 18 19.21.24 19 1.17.26 20 16.17
1 Co 15 32 ἐθηριομάχησα ἐν Ἐφέσῳ – 16 8
Eph 1 1 τοῖς ἁγίοις τοῖς οὖσιν [ἐν Ἐφέσῳ]
1 Ti 1 3 παρεκάλεσά σε προσμεῖναι ἐν Ἐφ.
2 Ti 1 18 ὅσα ἐν Ἐφ. διηκόνησεν (Onesiph.)
4 12 Τύχικον – ἀπέστειλα εἰς ″Εφεσον
Ap 1 11 2 1 τῷ ἀγγέλῳ τῆς ἐν Ἐφ. ἐκκλησίας

ἐφευρετής S[o] – *inventor* Rm 1 30 ἐ..ὰς κακῶν

ἐφημερία [a](gen.) *vicis* [b]*de vice* Luc 1 5 ἐξ
ἐ..ας[b] Ἀβιά 8 ἐν τῇ τάξει τῆς ἐφ.[a] αὐτοῦ

ἐφήμερος S[o] – *quotidianus*
Jac 2 15 λειπόμενοι τῆς ἐφημέρου τροφῆς

ἐφικνεῖσθαι *pertingere* (*ad*) 2 Co 10 13.14

ἐφιστάναι (intrans.) *astare* [b]*stare* [c]*stare
iuxta* [d]*stare secus* [e]*stare* (*super*)
[f]*instare* [g]*assistere* [h]*supervenire*
[i]*convenire* [k]*concurrere* [l]*imminēre*
Luc 2 9 ἄγγελος κυρίου ἐπέστη[c] αὐτοῖς 24 4

ἄνδρες δύο ἐπέστησαν[d] αὐταῖς Act
12 7 23 11 ἐπιστὰς[g] αὐτῷ ὁ κύριος
Luc 2 38[h] 4 39[e] 10 40[b] Μάρθα 20 1[i] ἀρχιερεῖς
21 34 μήποτε – ἐπιστῆ[h] ἐφ' ὑμᾶς αἰφνίδιος
ἡ ἡμέρα ἐκείνη 1 Th 5 3 τότε αἰφνί-
διος αὐτοῖς ἐφίσταται[h] ὄλεθρος
Act 4 1 ἐπέστησαν[h] αὐτοῖς οἱ ἱερεῖς 6 12[k] 10
17 11 11 17 5[g] 22 13.20 αὐτὸς ἤμην ἐφε-
στώς καὶ συνευδοκῶν 23 27[h] 28 2[l] ὑετός
2 Ti 4 2 ἐπίστηθι[f] εὐκαίρως ἀκαίρως
– 6 ὁ καιρὸς τῆς ἀναλύσεώς μου ἐφέ-
στηκεν[f] (instat)

Ἐφράιμ Joh 11 54 εἰς Ἐφρ. λεγομένην πόλιν

ἐφφαθά S° – ephphetha (vl eff.) Mar 7 34

*ἔχειν, ἔχεσθαι habēre [b] male, bene, me-
lius (se) habēre [c] se habet [d] habēre
aliquid adversus (..um) [e] (ἐχόμε-
νος) proximus, sequens, alius, po-
sterus, vicinior
ἁμαρτίαν, ἀνάγκην, ἀνάπαυσιν ἔχειν, ἐν
γαστρὶ ἔχειν, εἰρήνην, ἐλπίδα, ἐξουσίαν
ἔχειν, ἐσχάτως, ἐν ἑτοίμῳ, ἑτοίμως ἔχειν,
ζωὴν (αἰώνιον), μισθόν, νόμον, πίστιν,
συνείδησιν, τέλος, χρείαν ἔχειν → ἁμαρ-
τία, ἀνάγκη κτλ
Mat 3 9 πατέρα ἔχομεν τὸν Ἀβρ. ‖ Luc 3 8
4 24 τοὺς κακῶς ἔχοντας[b] 8 16[b] ‖ Mar 1 32[b]
34 (qui vexabantur) – Mat 9 12 ἀλλ'
οἱ κακῶς ἔχοντες[b] ‖ Mar 2 17[b] Luc
5 31[b] – Mat 14 35[b] ‖ Mar 6 55[b] – Mat
17 15 κακῶς ἔχει (vl κακῶς πάσχει
vg male patitur) Luc 7 2[b] – [Mar
16 18 καλῶς ἕξουσιν[b]] Joh 4 52 τὴν
ὥραν – ἐν ᾗ κομψότερον ἔσχεν[b]
5 23 ὅτι ὁ ἀδελφός σου ἔχει τι κατὰ
σοῦ[d] Mar 11 25 ἀφίετε εἴ τι ἔχετε κα-
τά τινος[d] cfr Ap 2 4 ἔχω κατὰ σοῦ[d]
ὅτι τὴν ἀγάπην – ἀφῆκας 14[d] ὀλίγα
20[d] – Act 24 19 εἴ τι ἔχοιεν πρὸς ἐμέ[d]
8 20 οὐκ ἔχει ποῦ τὴν κεφ. κλίνῃ ‖ Luc 9 58
11 18 δαιμόνιον ἔχει ‖ Luc 7 33 – Mar 3 22
Βεεζεβοὺλ ἔχει 30 πνεῦμα ἀκάθαρτον
ἔχει – Joh 7 20 ἀπεκρίθη ὁ ὄχλος·
δαιμόνιον ἔχεις 8 48.49 δαιμόνιον οὐκ
ἔχω 52 10 20 δαιμόν. ἔχει καὶ μαίνεται
13 12 ὅστις – ἔχει, δοθήσεται αὐτῷ· – ὅστις
δὲ οὐκ ἔχει, καὶ ὃ ἔχει ἀρθήσεται ‖
Mar 4 25 Luc 8 18 – Mat 25 29 ‖ Luc 19 26
– 44 πωλεῖ ὅσα ἔχει 46 πέπρακεν – ὅ. εἶχεν
14 4 οὐκ ἔξεστίν σοι ἔχειν αὐτήν ‖ Mar 6 18

Mat 14 5 ὅτι ὡς προφήτην αὐτὸν εἶχον 21 26.46
εἰς προφήτην Mar 11 32 εἶχον τὸν
Ἰωάννην ὄντως ὅτι προφήτης ἦν
18 25 μὴ ἔχοντος – αὐτοῦ ἀποδοῦναι, ἐκέ-
λευσεν – ὁ κύριος – πραθῆναι – ὅσα
ἔχει (vl εἶχεν vg) Luc 7 42 14 14 ὅτι
οὐκ ἔχουσιν ἀνταποδοῦναί σοι
19 21 ἕξεις θησαυρὸν ἐν οὐρανοῖς ‖ Mar
10 21 ὅσα ἔχεις πώλησον κτλ Luc 18 22
– 22 ἦν γὰρ ἔχων κτήμ. πολλά ‖ Mar 10 22s.
22 28 πάντες γὰρ ἔσχον αὐτήν ‖ Mar 12 23
ἔσχον αὐτὴν γυναῖκα Luc 20 33 γυν.
26 11 πάντοτε – τοὺς πτωχοὺς ἔχετε μεθ'
ἑαυτῶν, ἐμὲ δὲ οὐ πάντοτε ἔχετε ‖
Mar 14 7 Joh 12 8 – Mar 2 19 ὅσον χρό-
νον ἔχουσιν τὸν νυμφίον μετ' αὐτῶν
Mar 1 38 εἰς τὰς ἐχομένας[e] (prox.) κωμοπό-
λεις – Luc 13 33 τῇ ἐχομένῃ[e] (sequenti
die) Act 20 15[e] (alia) 21 26[e] (postera)
5 15 τὸν ἐσχηκότα τὸν λεγιῶνα (qui a
daemonio vexabatur) 7 25 ἧς εἶχεν
τὸ θυγάτριον – πνεῦμα ἀκάθαρτον
9 17 ἔχοντα πνεῦμα ἄλαλον Luc 4 33
ἔχων πνεῦμα δαιμονίου ἀκαθάρτου
8 27 ἔχων δαιμόνια 13 11 πνεῦμα ἔ-
χουσα ἀσθενείας
12 44 πάντα ὅσα εἶχεν ἔβαλεν ‖ Luc 21 4
14 8 ὃ ἔσχεν ἐποίησεν cfr 2 Co 8 11
16 8 εἶχεν (invaserat) – αὐτὰς τρόμος
Luc 3 11 ὁ ἔχων δύο χιτῶνας μεταδότω τῷ
μὴ ἔχοντι, καὶ ὁ ἔχων βρώματα 9 3
μήτε ἀνὰ δύο χιτῶνας ἔχειν
11 36 σῶμα –, μὴ ἔχον μέρος τι σκοτεινόν
12 50 βάπτισμα δὲ ἔχω βαπτισθῆναι
14 18 ἔχω ἀνάγκην – ἰδεῖν αὐτόν (sc τὸν
ἀγρόν)· – ἔχε με παρῃτημένον 19
Joh 4 17 οὐκ ἔχω ἄνδρα. – · καλῶς εἶπες ὅτι
ἄνδρα οὐκ ἔχω 18 πέντε – ἄνδρας
ἔσχες, καὶ νῦν ὃν ἔχεις οὐκ ἔστιν
5 38 τὸν λόγον αὐτοῦ οὐκ ἔχετε ἐν ὑμῖν
μένοντα 42 τὴν ἀγάπην τοῦ θεοῦ οὐκ
ἔχετε ἐν ἑαυτοῖς 8 12 ἕξει τὸ φῶς τῆς
ζωῆς 12 35 περιπατεῖτε ὡς τὸ φῶς ἔ-
χετε 36 13 35 ἐὰν ἀγάπην ἔχητε ἐν
ἀλλήλοις 16 33 ἵνα ἐν ἐμοὶ εἰρήνην
ἔχητε. ἐν τῷ κόσμῳ θλῖψιν ἔχετε 17 13
ἵνα ἔχωσιν τὴν χαρὰν τὴν ἐμὴν πε-
πληρωμένην ἐν ἑαυτοῖς
6 68 ῥήματα ζωῆς αἰωνίου ἔχεις
8 41 ἕνα πατέρα ἔχομεν τὸν θεόν
12 48 ἔχει τὸν κρίνοντα αὐτόν· ὁ λόγος
14 21 ὁ ἔχων τὰς ἐντολάς μου καὶ τηρῶν

Joh 14 30 ἐν ἐμοὶ (*in me*) οὐκ ἔχει οὐδέν
16 15 πάντα ὅσα ἔχει ὁ πατὴρ ἐμά ἐστιν
17 5 τῇ δόξῃ ᾗ εἶχον – παρὰ σοί
Act 7 1 εἰ ταῦτα οὕτως ἔχειᶜ; – 12 15ᶜ 17 11
ἀνακρίνοντες τὰς γραφὰς εἰ ἔχοιᶜ –
οὕτως – 24 9 ταῦτα οὕτως ἔχεινᶜ
8 7 τῶν ἐχόντων πνεύματα ἀκάθαρτα 16
16 ἔχουσαν πνεῦμα πύθωνα 19 13 ἐπὶ
τοὺς ἔχοντας τὰ πνεύματα τὰ πονηρά
15 36 ἐπισκεψώμεθα –, πῶς ἔχουσινᶜ
18 18 εἶχεν γὰρ εὐχήν 21 23 ἔχοντες ἐφ' ἑαυ.
Rm 1 13 ἵνα τινὰ καρπὸν σχῶ καὶ ἐν ὑμῖν
– 28 τὸν θεὸν ἔχειν ἐν ἐπιγνώσει
5 2 δι' οὗ καὶ τ. προσαγωγὴν ἐσχήκαμεν
6 21 τίνα οὖν καρπὸν εἴχετε τότε; 22 ἔχε-
τε τὸν καρπὸν ὑμῶν εἰς ἁγιασμόν
8 9 εἰ δέ τις πνεῦμα Χοῦ οὐκ ἔχει 23
τὴν ἀπαρχὴν τοῦ πν. ἔχοντες 1 Co 6 19
τοῦ ἐν ὑμῖν – πν., οὗ ἔχετε ἀπὸ θεοῦ
7 40 δοκῶ δὲ κἀγὼ πν. θεοῦ ἔχειν 2 Co
4 13 ἔχοντες – τὸ αὐτὸ πν. τῆς πίστεως
– 1 Co 2 16 „τίς – ἔγνω νοῦν κυρίου,
–;" ἡμεῖς δὲ νοῦν Χοῦ ἔχομεν –
Jud 19 ψυχικοί, πνεῦμα μὴ ἔχοντες
1 Co 4 7 τί δὲ ἔχεις, ὃ οὐκ ἔλαβες;
11 22 ἢ – καταισχύνετε τοὺς μὴ ἔχοντας;
15 34 ἀγνωσίαν γὰρ θεοῦ τινες ἔχουσιν
2 Co 1 15 ἵνα δευτέραν χάριν (vl χαρὰν) σχῆτε
2 3 ἵνα μὴ – λύπην σχῶ ἀφ' ὧν ἔδει με
χαίρειν Phl 2 27 λύπην ἐπὶ λύπην σχῶ
6 10 ὡς μηδὲν ἔχοντες καὶ πάντα κατέ-
χοντες (*possidentes*)
7 5 οὐδεμίαν ἔσχηκεν ἄνεσιν ἡ σάρξ
8 11 ὅπως – καὶ τὸ ἐπιτελέσαι ἐκ τοῦ ἔ-
χειν 12 καθὸ ἐὰν ἔχῃ εὐπρόσδεκτος,
οὐ καθὸ οὐκ ἔχει 9 8 ἵνα – πᾶσαν
αὐτάρκειαν ἔχοντες περισσεύητε εἰς
πᾶν ἔργον ἀγαθόν
Gal 4 22 Ἀβραὰμ δύο υἱοὺς ἔσχεν, ἕνα ἐκ
Eph 1 7 ἐν ᾧ ἔχομεν τὴν ἀπολύτρωσιν Col
1 14 – Eph 2 18 τὴν προσαγωγήν 3 12
τὴν παρρησίαν καὶ προσαγωγήν
4 28 ἵνα ἔχῃ μεταδιδόναι τῷ χρείαν ἔχοντι
(*necessitatem patienti*)
Phl 1 7 διὰ τὸ ἔχειν με ἐν τῇ καρδίᾳ ὑμᾶς
2 29 τοὺς τοιούτους ἐντίμους ἔχετε (*cum
honore habetote*)
Col 2 23 ἅτινά ἐστι λόγον – ἔχοντα σοφίας
4 1 ὅτι καὶ ὑμεῖς ἔχετε κύριον ἐν οὐρ.
1 Th 1 9 ὁποίαν εἴσοδον ἔσχομεν πρὸς ὑμᾶς
1 Ti 6 16 ὁ μόνος ἔχων ἀθανασίαν
Tit 2 8 μηδὲν ἔχων λέγειν περὶ ἡμ. φαῦλον

Phm 7 χαρὰν – πολλ. ἔσχον καὶ παράκλησιν
8 πολλὴν ἐν Χῷ παρρησίαν ἔχων
17 εἰ οὖν με ἔχεις κοινωνόν, προσλαβοῦ
Hb 4 14 ἔχοντες οὖν ἀρχιερέα μέγαν 15 οὐ
γὰρ ἔχομεν ἀρχ. μὴ δυνάμενον συμ-
παθῆσαι 8 1 τοιοῦτον ἔχομεν ἀρχ.,
ὃς „ἐκάθισεν ἐν δεξιᾷ" τοῦ θρόνου
6 9 πεπείσμεθα – περὶ ὑμῶν, –, τὰ κρείσ-
σονα κ. ἐχόμεναᵉ (*viciniora*) σωτηρ.
– 13 κατ' οὐδενὸς εἶχεν μείζονος ὀμόσαι
– 18 ἵνα – ἰσχυρὰν παράκλησιν ἔχωμεν
– 19 ἣν ὡς ἄγκυραν ἔχομεν τῆς ψυχῆς
10 19 ἔχοντες – παρρησίαν εἰς τὴν εἴσοδον
– 34 γινώσκοντες ἔχειν ἑαυτοὺς κρείσσο-
να ὕπαρξιν 35 τὴν παρρησίαν ὑμῶν,
ἥτις ἔχει μεγάλην μισθαποδοσίαν
Jac 4 2 ἐπιθυμεῖτε, καὶ οὐκ ἔχετε· – οὐκ ἔ-
χετε διὰ τὸ μὴ αἰτεῖσθαι ὑμᾶς
2 Pe 1 19 ἔχομεν βεβαιότερον τὸν προφ. λόγον
2 16 ἔλεγξιν δὲ ἔσχεν ἰδίας παρανομίας
1 Jo 1 3 ἵνα καὶ ὑμεῖς κοινωνίαν ἔχητε μεθ'
ἡμῶν 6 ἐὰν εἴπωμεν ὅτι κοινωνίαν ἔ-
χομεν μετ' αὐτοῦ 7
2 1 παράκλητον ἔχομεν πρὸς τὸν πατέ-
ρα 23 ὁ ἀρνούμενος τὸν υἱὸν οὐδὲ
τὸν πατέρα ἔχει· ὁ ὁμολογῶν – καὶ
τὸν πατέρα ἔχει 5 12 ὁ ἔχων τὸν
υἱὸν ἔχει τὴν ζωήν· ὁ μὴ ἔχων τὸν
υἱὸν τοῦ θεοῦ τὴν ζωὴν οὐκ ἔχει 13
2 Jo 9 θεὸν οὐκ ἔχει· – τὸν πατέρα
καὶ τὸν υἱὸν ἔχει
– 28 ἵνα ἐὰν φανερωθῇ σχῶμεν παρρησίαν
3 21 παρρησίαν ἔχομεν πρὸς τ. θεόν
4 17 ἵνα π..αν ἔχωμεν ἐν τῇ ἡμέρᾳ
5 10 ἔχει τὴν μαρτυρίαν ἐν αὐτῷ
– 14 αὕτη ἐστὶν ἡ παρρ. ἣν ἔχομεν πρὸς
αὐτόν, ὅτι ἐάν τι αἰτώμεθα 15
Ap 1 18 ἔχω τὰς κλεῖς τοῦ θανάτου καὶ τοῦ
ᾅδου 2 12 ὁ ἔχων τὴν ῥομφαίαν 3 1
τὰ ἑπτὰ πνεύματα τοῦ θεοῦ 7 ὁ ἔχων
„τὴν κλεῖν Δαυίδ" – 20 1 ἄγγελον –,
ἔχοντα τὴν κλεῖν τῆς ἀβύσσου
2 6 τοῦτο ἔχεις, ὅτι μισεῖς τὰ ἔργα τῶν
– 14 ἔχεις ἐκεῖ κρατοῦντας τὴν διδαχὴν
Βαλαάμ 15 – 24. 14. 20 → Mat 5 23
– 25 ὃ ἔχετε κρατήσατε ἄχρι οὗ ἂν ἥ.ω
3 11 κράτει ὃ ἔχεις, ἵνα μηδεὶς λάβῃ
3 1 ὄνομα ἔχεις ὅτι ζῇς, καὶ νεκρὸς εἶ
13 18 ὁ ἔχων νοῦν ψηφισάτω τὸν ἀριθμόν
17 9 ὧδε ὁ νοῦς ὁ ἔχων σοφίαν
21 11 „τὴν πόλιν τὴν ἁγίαν" – ἔχουσαν
„τὴν δόξαν τοῦ θεοῦ" 12. 14. 23

ἐχθές　*heri*　Joh 452 Act 728
Hb　13 8 'Ι. Χὸς ἐχθὲς καὶ σήμερον ὁ αὐτός

ἔχθρα　*inimicitia*　b(ἐν ἔχθρᾳ ὄντες) *inimici*
Luc 2312 ἐν ἔχθρᾳ ὄντες b πρὸς αὐτούς
Rm　8 7 φρόνημα (*sapientia*) τῆς σαρκὸς ἔ.
　　εἰς θεόν (*i..ca Deo* vl *i..tia in Deum*)
Gal　520 ἔχθραι, ἔρις, ζῆλος, θυμοί
Eph　214 τὸ μεσότοιχον – λύσας, τὴν ἔχθραν
　　(*in..tias* vl *..am*), ἐν τῇ σαρκὶ αὐτοῦ
　– 16 ἀποκτείνας τὴν ἔ. (*..tias* vl *..tiam*)
Jac　4 4 ἡ φιλία τοῦ κόσμου ἔχθρα τοῦ θεοῦ
　　(*inimica Dei* vl *Deo*)

ἐχθρός　*inimicus*　b(1 Co 1526) *inimica*
Mat　543 καὶ μισήσεις τὸν ἐχθρόν σου
　– 44 ἀγαπᾶτε τοὺς ἐ. ὑμῶν ‖ Luc 627.35
　1036 „ἐχθροὶ τοῦ ἀνθρώπου οἱ οἰκιακοί"
　1325 ἦλθεν αὐτοῦ ὁ ἐχθρὸς καὶ ἐπέσπει-
　　ρεν 28 ἐχθρὸς ἄνθρωπος – ἐποίησεν
　　39 ὁ δὲ ἐχθρὸς – ἐστιν ὁ διάβολος
　2244 „ἕως ἂν θῶ τοὺς ἐχθρούς σου ὑπο-
　　κάτω τ. ποδῶν σου" ‖ Mar 1236 Luc
　　2043 – Act 235 1 Co 1525 Hb 1 13 10 13

Luc　1 71 σωτηρίαν „ἐξ ἐχθρῶν" ἡμῶν
　– 74 ἐκ χειρὸς ἐχθρῶν ῥυσθέντας
　1019 ἐξουσίαν – ἐπὶ – τὴν δύναμιν τοῦ ἐχθ.
　1927 τοὺς ἐχ. μου τούτους – ἀγάγετε ὧδε
　– 43 παρεμβαλοῦσιν οἱ ἐχ. σου χάρακα
Act　1310 ἐχθρὲ πάσης δικαιοσύνης
Rm　510 ἐχθροὶ ὄντες κατηλλάγημεν τῷ θεῷ
　1128 κατὰ μὲν τὸ εὐαγγ. ἐχθροὶ δι' ὑμᾶς
　1220 ἀλλὰ „ἐὰν πεινᾷ ὁ ἐχθρός σου"
1 Co 1526 ἔσχατος ἐχθρὸς b καταργεῖται ὁ θά-
　　νατος (*novissima – inimica – mors*)
Gal　416 ἐχθρὸς ὑμῶν γέγονα ἀληθεύων ὑμῖν;
Phl　318 τοὺς ἐχθροὺς τοῦ σταυροῦ τοῦ Χοῦ
Col　121 ὑμᾶς ποτε ὄντας – ἐχθροὺς τῇ δια-
　　νοίᾳ ἐν τοῖς ἔργοις τοῖς πονηροῖς
2 Th　315 μὴ ὡς ἐχθρὸν ἡγεῖσθε, ἀλλὰ – ὡς
Jac　4 4 ἐχθρὸς τοῦ θεοῦ καθίσταται
Ap　11 5 „πῦρ – κατεσθίει τοὺς ἐχθ." αὐτῶν
　– 12 ἐθεώρησαν αὐτοὺς οἱ ἐχθροὶ αὐτῶν

ἔχιδνα　S° – *vipera*
Mat　3 7 γεννήματα ἐχιδνῶν ‖ Luc 37 – Mat
　　1234 2333 ὄφεις, γεννήματα ἐχιδνῶν
Act　28 3 ἔχιδνα – καθῆψεν τῆς χειρὸς αὐτοῦ

Z

Ζαβουλών　Mat 413 ἐν ὁρίοις Ζαβ. 15 Ap 7 8

Ζακχαῖος　Luc 192.5.8　　Ζάρα　Mat 1 3

Ζαχαρίας　Mat 2335 υἱὸς Βαραχίου ‖ Luc
　　1151 – Luc 1 5.12.13.18.21.40.59.67 3 2

Ζεβεδαῖος　Mat 421 ‖ Mar 1 19.20 – Mat 102 ‖
　　Mar 3 17 – Mat 2020 ἡ μήτηρ τῶν υἱ-
　　ῶν Ζ..ου ‖ Mar 1035 οἱ – υἱοὶ Ζ..ου –
　　Mat 2637 2756 καὶ ἡ μήτηρ τῶν υἱῶν
　　Ζ..ου Luc 510 Joh 212 οἱ τοῦ Ζ..ου

ζέειν　τῷ πνεύματι　*fervēre spiritu*
Act　1825 Ἀπολλῶς Rm 1211 τῷ πνεύμ. ζέοντες

ζεστός　S° – *calidus*　Ap 315 οὔτε ψυχρὸς
　　εἶ οὔτε ζεστός. ὄφελον ψυχρὸς ἦς ἢ ζ. 16

ζεῦγος　*par*　Luc 224 „τρυγόνων" 1419 βοῶν

ζευκτηρίαι　S° – *iuncturae*　Act 2740 πηδαλίων

Ζεύς　*Iuppiter*　Act 1412 Βαρναβᾶν Δία 13

ζηλεύειν　S° – et ζηλοῦν　*aemulari* b*zelare*
Act　7 9 „ζηλώσαντες τὸν Ἰωσὴφ ἀπέδοντο"
　17 5 ζηλώσαντες b δὲ οἱ Ἰουδαῖοι
1 Co 1231 ζηλοῦτε δὲ τὰ χαρίσματα τὰ μείζο-
　　να 141 τὰ πνευματικά, μᾶλλον δὲ
　　ἵνα προφητεύητε 39 τὸ προφητεύειν
　13 4 χρηστεύεται ἡ ἀγάπη, οὐ ζηλοῖ
2 Co 11 2 ζηλῶ γὰρ ὑμᾶς θεοῦ ζήλῳ
Gal　417 ζηλοῦσιν ὑμᾶς οὐ καλῶς, – ἵνα αὐ-
　　τοὺς ζηλοῦτε 18 καλὸν δὲ ζηλοῦσθαι
　　(vl *..σθε* vg) ἐν καλῷ πάντοτε
Jac　4 2 φονεύετε καὶ ζηλοῦτε b, καὶ οὐ δύν.
Ap　3 19 ζήλευε οὖν καὶ μετανόησον

ζῆλος, ὁ et τό　*aemulatio* b*zelus* (masc.)
Joh　217 „ὁ ζ. b τοῦ οἴκου σου καταφάγεται
Act　517 ἐπλήσθησαν ζήλου b 1345 b　　|με"
Rm　10 2 ζῆλον θεοῦ ἔχουσιν, ἀλλ' οὐ
　　1313 μὴ ἔριδι καὶ ζήλῳ (vl *..οις* vg sing)
1 Co　3 3 ὅπου γὰρ ἐν ὑμῖν ζῆλος b καὶ ἔρις
2 Co　7 7 ἀναγγέλλων – τὸν ὑμῶν ζ. ὑπὲρ ἐμοῦ
　– 11 κατειργάσατο ὑμῖν –, ἀλλὰ ζῆλον
　9 2 τὸ ὑμῶν ζ. ἠρέθισεν τοὺς πλείονας

2 Co 11 2 ζηλῶ γὰρ ὑμᾶς θεοῦ ζήλω
12 20 μή πως ἔρις, ζῆλος (vl ..οι vg) Gal
5 20 ἅτινά ἐστιν – ἔρις, ζ. (vl ..οι vg)
Phl 3 6 κατὰ ζῆλος διώκων τὴν ἐκκλησίαν
Hb 10 27 „πυρὸς ζ. ἐσθίειν" μέλλοντος „τούς"
Jac 3 14 εἰ δὲ ζῆλονᵇ πικρὸν ἔχετε καὶ ἐρι-
θείαν 16 ὅπου γὰρ ζ.ᵇ καὶ ἐριθεία

ζηλωτής aemulator ᵇsectator ᶜzelotes
Luc 6 15 Σίμωνα τὸν καλούμενον ζηλωτήνᶜ
Act 1 13 καὶ Σίμων ὁ ζηλωτήςᶜ
Act 21 20 πάντες ζ..αὶ τοῦ νόμου ὑπάρχουσιν
22 3 ζ. ὑπάρχων τοῦ θεοῦ (vl νόμου vg)
καθὼς πάντες ὑμεῖς ἐστε σήμερον
Gal 1 14 περισσοτέρως ζ. ὑπάρχων
τῶν πατρικῶν μου παραδόσεων
1 Co 14 12 ἐπεὶ ζηλωταί ἐστε πνευμάτων
Tit 2 14 „ἵνα – καθαρίσῃ ἑαυτῷ λαὸν περιού-
σιον," ζηλωτὴνᵇ καλῶν ἔργων
1 Pe 3 13 τίς ὁ κακώσων ὑμᾶς ἐὰν τοῦ ἀγα-
θοῦ ζηλωταὶ γένησθε;

ζημία damnum ᵇdetrimentum ᶜiactura
Act 27 10 μετὰ ὕβρεως καὶ πολλῆς ζ..ας 21ᶜ
Phl 3 7 ταῦτα ἥγημαι διὰ τὸν Χρ. ζημίανᵇ
(..ta) 8 ἡγοῦμαι πάντα ζημίανᵇ εἶναι
διὰ τὸ ὑπερέχον τῆς γνώσεως Χοῦ

ζημιοῦσθαι detrimentum facere ᵇd. pati
Mat 16 26 τὴν δὲ ψυχὴν αὐτοῦ ζημιωθῇᵇ; ‖ Mar
8 36 Luc 9 25 ἑαυτὸν δὲ ἀπολέσας ἢ
ζημιωθείς; (d. sui faciat)
1 Co 3 15 ζημιωθήσεταιᵇ, αὐτὸς δὲ σωθήσεται,
οὕτως δὲ ὡς διὰ πυρός
2 Co 7 9 ἵνα ἐν μηδενὶ ζημιωθῆτεᵇ ἐξ ἡμῶν
Phl 3 8 Χοῦ –, δι' ὃν τὰ πάντα ἐζημιώθην

ζῆν vivere (vivens, qui vivit) ᵇreviviscere
ᶜ(ζῶν, ὁ ζῶν) vivus ᵈ(τὸ ζῆν) vita
Mat 4 4 „οὐκ ἐπ' ἄρτῳ μόνῳ ζήσεται (vivit)
ὁ ἄνθρ." ‖ Luc 4 4 (vivit vl vivet)
9 18 ἐπίθες τὴν χεῖρά σου –, καὶ ζήσε-
ται ‖ Mar 5 23 ἵνα σωθῇ καὶ ζήσῃ
16 16 σὺ εἶ – ὁ υἱὸς τοῦ θεοῦ τοῦ ζῶντοςᶜ
22 32 οὐκ ἔστιν [ὁ] θεὸς νεκρῶν ἀλλὰ ζών-
των ‖ Mar 12 27ᶜ Luc 20 38ᶜ · πάντες
γὰρ αὐτῷ ζῶσιν
26 63 ἐξορκίζω σε κατὰ τ. θεοῦ τ. ζῶντοςᶜ
27 63 ἐκεῖνος ὁ πλάνος εἶπεν ἔτι ζῶν
Mar[16 11 ἀκούσαντες ὅτι ζῇ καὶ ἐθεάθη]
Luc 2 36 ζήσασα μετὰ ἀνδρὸς ἔτη ἑπτά
10 28 „τοῦτο ποίει καὶ ζήσῃ"

Luc 15 13 ζῶν ἀσώτως 33 νεκρὸς ἦν καὶ ἔζησεν
(vl ἀνέζησεν vgᵇ revixit)
24 5 τί ζητεῖτε τὸν ζῶντα μετὰ τῶν νε-
κρῶν; 23 οἳ λέγουσιν αὐτὸν ζῆν
Joh 4 10 ἔδωκεν ἄν σοι ὕδωρ ζῶνᶜ 11 πόθεν –
ἔχεις τὸ ὕδωρ τὸ ζῶνᶜ 7 38 ποταμοὶ
– ῥεύσουσιν ὕδατος ζῶντοςᶜ (vl Ap
7 17 ἐπὶ „ζώσας πηγὰς ὑδάτων")
– 50 ὁ υἱός σου ζῇ 51 ὅτι ὁ παῖς – ζῇ 53
5 25 καὶ οἱ ἀκούσαντες ζήσουσιν
6 51 ἐγώ εἰμι ὁ ἄρτος ὁ ζῶνᶜ – · ἐάν τις
φάγῃ –, ζήσει (vl ..εται) εἰς τ. αἰῶνα
– 57 ἀπέστειλέν με ὁ ζῶν πατὴρ κἀγὼ ζῶ
διὰ τὸν πατέρα, καὶ ὁ τρώγων με –
ζήσει δι' ἐμέ 58 ὁ τρώγων τοῦτον τὸν
ἄρτον ζήσει εἰς τὸν αἰῶνα
11 25 κἂν ἀποθάνῃ ζήσεται 26 καὶ πᾶς ὁ
ζῶν καὶ πιστεύων εἰς ἐμὲ οὐ μὴ
14 19 ἐγὼ ζῶ καὶ ὑμεῖς ζήσετε (vl ..σθε)
Act 1 3 οἷς – παρέστησεν ἑαυτὸν ζῶνταᶜ
7 38 ὃς ἐδέξατο λόγια ζῶντα (vitae)
9 41 παρέστησεν αὐτὴν (Tab.) ζῶσανᶜ
10 42 ὁ ὡρισμένος – κριτὴς ζώντωνᶜ καὶ
νεκρῶν 2 Ti 4 1 τοῦ μέλλοντος κρί-
νειν ζῶντας ᶜ καὶ νεκρούς 1 Pe 4 5ᶜ
14 15 ἐπιστρέφειν ἐπὶ θεὸν ζῶνταᶜ
17 28 ἐν αὐτῷ – ζῶμεν καὶ κινούμεθα
20 12 ἤγαγον δὲ τὸν παῖδα ζῶντα
22 22 οὐ – καθῆκεν αὐτὸν ζῆν 25 24 βοῶντες
μὴ δεῖν αὐτὸν ζῆν μηκέτι
25 19 ὃν (sc Jesum) ἔφασκεν ὁ Παῦλος ζῆν
26 5 ὅτι κατὰ τὴν ἀκριβεστάτην αἵρεσιν –
ἔζησα Φαρισαῖος
28 4 ὃν – ἡ δίκη ζῆν οὐκ εἴασεν
Rm 1 17 „ὁ δὲ δίκαιος (vl + μου) ἐκ πίστεως
ζήσεται" (vivit) Gal 3 11 Hb 10 38
6 2 πῶς ἔτι ζήσομεν (vl ..ωμ.) ἐν αὐτῇ;
– 10 ὃ δὲ ζῇ, ζῇ τῷ θεῷ 11 λογίζεσθε ἑαυ-
τοὺς – ζῶντας – τῷ θεῷ ἐν Χῷ
– 13 ἑαυτοὺς – ὡσεὶ ἐκ νεκρῶν ζῶντας
7 1 ἐφ' ὅσον χρόνον ζῇ 2 τῷ ζῶντι ἀν-
δρὶ δέδεται νόμῳ 3 ζῶντος τοῦ ἀν-
δρὸς μοιχαλὶς – ἐάν 1 Co 7 39
– 9 ἐγὼ δὲ ἔζων χωρὶς νόμου ποτέ
8 12 ὀφειλέται ἐσμέν, οὐ – τοῦ κατὰ σάρ-
κα ζῆν 13 εἰ γὰρ κατὰ σάρκα ζῆτε – ·
εἰ δὲ – θανατοῦτε, ζήσεσθε
9 26 „κληθήσονται υἱοὶ θεοῦ ζῶντοςᶜ"
10 5 τὴν δικαιοσύνην – „ὁ ποιήσας – ζήσε-
ται ἐν" αὐτῇ Gal 3 12 „ζήσ. ἐν αὐτοῖς"
12 1 θυσίαν ζῶσαν ἁγίαν τῷ θεῷ
14 7 οὐδεὶς γὰρ ἡμῶν ἑαυτῷ ζῇ 8 ἐάν τε

γὰρ ζῶμεν, τῷ κυρίῳ ζῶμεν –. ἐάν
τε οὖν ζῶμεν –, τοῦ κυρίου ἐσμέν
Rm 14 9 εἰς τοῦτο γὰρ Χὸς ἀπέθανεν καὶ ἔ-
ζησεν (vl ἀνέστη vg resurrexit), ἵνα
καὶ νεκρῶν καὶ ζώντωνᶜ κυριεύσῃ
– 11 „ζῶ ἐγώ, λέγει κύριος, ὅτι ἐμοί"
1 Co 9 14 διέταξεν – ἐκ τοῦ εὐαγγελίου ζῆν
15 45 ἐγένετο – 'Αδὰμ „εἰς ψυχὴν ζῶσαν"
2 Co 1 8 ὥστε ἐξαπορηθῆναι ἡμᾶς καὶ τοῦ ζῆν
3 3 ἐστὲ ἐπιστολὴ Χοῦ –, ἐγγεγραμμένη
– πνεύματι θεοῦ ζῶντοςᶜ
4 11 ἀεὶ γὰρ ἡμεῖς οἱ ζῶντες εἰς θάνατον
παραδιδόμεθα
5 15 ἵνα οἱ ζῶντες μηκέτι ἑαυτοῖς ζῶσιν
ἀλλὰ τῷ ὑπὲρ αὐτῶν ἀποθανόντι
6 9 ὡς „ἀποθνήσκοντες" καὶ ἰδοὺ „ζῶμεν"
– 16 ἡμεῖς – ναὸς θεοῦ ἐσμεν ζῶντοςᶜ
13 4 ζῇ ἐκ δυνάμεως θεοῦ. καὶ – ἡμεῖς –
ζήσομεν σὺν αὐτῷ ἐκ δυνάμεως θεοῦ
εἰς ὑμᾶς (vg in vobis)
Gal 2 14 εἰ σὺ – ἐθνικῶς καὶ οὐκ 'Ιουδ. ζῇς
– 19 νόμῳ ἀπέθανον ἵνα θεῷ ζήσω
– 20 ζῶ δὲ οὐκέτι ἐγώ, ζῇ δὲ ἐν ἐμοὶ Χός·
ὃ δὲ νῦν ζῶ ἐν σαρκί, ἐν πίστει ζῶ
τῇ τ. υἱοῦ τ. θ. – 3 11.12 → Rm 1 17 10 5
5 25 εἰ ζῶμεν πνεύματι, πν. καὶ στοιχῶ.
Phl 1 21 ἐμοὶ γὰρ τὸ ζῆν Χός 22 εἰ δὲ τὸ ζῆν
ἐν σαρκί, τοῦτό μοι καρπός
Col 2 20 τί ὡς ζῶντες ἐν κόσμῳ δογματίζεσθε·
μὴ ἄψῃ μηδὲ γεύσῃ –;
3 7 ἐν οἷς καὶ ὑμεῖς περιεπατήσατέ ποτε,
ὅτε ἐζῆτε ἐν τούτοις
1 Th 1 9 δουλεύειν θεῷ ζῶντιᶜ καὶ ἀληθινῷ
3 8 νῦν ζῶμεν ἐὰν ὑμεῖς στήκετε ἐν κυρ.
4 15 ἡμεῖς οἱ ζῶντες οἱ περιλειπόμενοι εἰς
τὴν παρουσίαν 17 ἡμεῖς οἱ ζῶντες
5 10 ἵνα – ἅμα σὺν αὐτῷ ζήσωμεν
1 Ti 3 15 ἥτις ἐστὶν ἐκκλησία θεοῦ ζῶντοςᶜ
4 10 ὅτι ἠλπίκαμεν ἐπὶ θεῷ ζῶντιᶜ (6 17 vl
ζῶντι vg, vlᵒ)
5 6 ἡ δὲ σπαταλῶσα ζῶσα τέθνηκεν
2 Ti 3 12 οἱ θέλοντες ζῆν εὐσεβῶς ἐν Χῷ
4 1 → Act 10 42
Tit 2 12 ἵνα – δικαίως καὶ εὐσεβῶς ζήσωμεν
Hb 2 15 διὰ παντὸς τοῦ ζῆνᵈ ἔνοχοι – δουλ.
3 12 ἐν τῷ ἀποστῆναι ἀπὸ θεοῦ ζῶντοςᶜ
4 12 ζῶνᶜ γὰρ ὁ λόγος τοῦ θεοῦ καὶ ἐν.
7 8 ἐκεῖ δὲ μαρτυρούμενος ὅτι ζῇ
– 25 πάντοτε ζῶν εἰς τὸ ἐντυγχάνειν ὑπέρ
9 14 εἰς τὸ λατρεύειν θεῷ ζῶντι
– 17 μήποτε ἰσχύει ὅτε ζῇ ὁ διαθέμενος
10 20 ἡμῖν ὁδὸν πρόσφατον καὶ ζῶσαν

Hb 10 31 εἰς χεῖρας θεοῦ ζῶντος – 38 → Rm 1
12 9 οὐ – μᾶλλον ὑποταγησόμεθα τῷ πα-
τρὶ τῶν πνευμάτων καὶ ζήσομεν;
– 22 πόλει θεοῦ ζῶντος, 'Ιερ. ἐπουρανίῳ
Jac 4 15 καὶ ζήσομεν καὶ ποιήσομεν τοῦτο
1 Pe 1 3 ἀναγεννήσας – εἰς ἐλπίδα ζῶσανᶜ
– 23 ἀναγεγεννημένοι – διὰ λόγου ζῶν-
τοςᶜ θεοῦ καὶ μένοντος
2 4 πρὸς ὃν προσερχόμ., λίθον ζῶνταᶜ
– 5 ὡς λίθοι ζῶντεςᶜ οἰκοδομεῖσθε
– 24 ἵνα – τῇ δικαιοσύνῃ ζήσωμεν
4 5 (→ Act 10 42) 6 ἵνα κριθῶσι μὲν –
σαρκί, ζῶσι δὲ κατὰ θεὸν πνεύματι
1 Jo 4 9 τὸν υἱὸν – ἵνα ζήσωμεν δι' αὐτοῦ
Ap 1 18 ὁ πρῶτος καὶ ὁ ἔσχατος καὶ ὁ ζῶνᶜ,
καὶ ἐγενόμην νεκρὸς καὶ – ζῶν εἰμι
εἰς τοὺς αἰῶνας 2 8 ὃς ἐγένετο νε-
κρὸς καὶ ἔζησεν (vivit)
3 1 ὄνομα ἔχεις ὅτι ζῇς, καὶ νεκρὸς εἶ
4 9 „τῷ ζῶντι εἰς τοὺς αἰῶνας" 10 10 6
„ὤμοσεν ἐν τῷ ζῶντι εἰς –" 15 7
7 2 ἔχοντα σφραγῖδα θεοῦ ζῶντοςᶜ
13 14 ὃς ἔχει τὴν πληγὴν – καὶ ἔζησεν
19 20 ζῶντεςᶜ ἐβλήθησαν – εἰς τὴν λίμνην
20 4 ἔζησαν καὶ ἐβασίλευσαν – χίλια ἔτη
5 οἱ λοιποὶ τ. νεκρῶν οὐκ ἔζησαν (vl
ἀνέζησαν) ἄχρι τελεσθῇ τ. χίλια ἔτη

Ζηνᾶς ὁ νομικός Tit 3 13

ζητεῖν *Joh Act quaerere ᵇinquirere
Mat 2 13 μέλλει – Ἡρῴδης ζητεῖν τὸ παιδίον
– 20 οἱ ζητοῦντες τὴν ψυχὴν τοῦ παιδίου
Rm 11 3 „ζητοῦσιν τὴν ψ. μου" (Eliae)
6 33 ζητεῖτε – πρῶτον τὴν βασιλείαν καὶ
τὴν δικαιοσύνην αὐτοῦ ‖ Luc 12 31
7 7 ζητεῖτε, καὶ εὑρήσετε 8 ὁ ζητῶν εὑ-
ρίσκει ‖ Luc 11 9.10
12 43 ζητοῦν ἀνάπαυσιν ‖ Luc 11 24
– 46 ζητοῦντες αὐτῷ λαλῆσαι [47 σέ] ‖
Mar 3 32 ἔξω ζητοῦσίν σε
13 45 ἐμπόρῳ ζητοῦντι καλοὺς μαργαρίτας
18 12 οὐχὶ – ζητεῖ τὸ πλανώμενον; ‖ Luc 15 8
οὐχὶ – ζητεῖ ἐπιμελῶς ἕως οὗ εὕρῃ
21 46 ζητοῦντες αὐτὸν κρατῆσαι ‖ Mar 12 12
ἐζήτουν Luc 20 19 ἐπιβαλεῖν – χεῖρας
ἐζ. πῶς – εὐκαίρως παραδοῖ Luc 22 6
26 16 ἀπὸ τότε ἐζήτει εὐκαιρίαν ‖ Mar 14 11
– 59 ἐζήτουν ψευδομαρτυρίαν ‖ Mar 14 55
ἐζήτουν κατὰ τοῦ 'Ιησοῦ μαρτυρίαν
28 5 'Ιησοῦν τὸν ἐσταυρωμένον ζητεῖτε ‖
Mar 16 6 Luc 24 5 τί ζητεῖτε τὸν ζῶν-
τα μετὰ τῶν νεκρῶν;

Mar 1 37 πάντες ζητοῦσίν σε Joh 6 24 ζ..οῦντες
8 11 ζητοῦντες παρ' αὐτοῦ σημεῖον 12 τί
ἡ γενεὰ αὕτη ζητεῖ σημεῖον; Luc 11
16.29 — cfr Joh 6 26
11 18 ἐζήτουν πῶς αὐτὸν ἀπολέσωσιν ‖
Luc 19 47 — Mar 14 1 ἀποκτείνωσιν ‖
Luc 22 2 ἀνέλωσιν → Joh 5 18

Luc 2 48 ὀδυνώμενοι ζητοῦμέν (vl ἐζητοῦμέν
vg) σε 49 τί ὅτι ἐζητεῖτέ με;
5 18 6 19 ἐζήτουν ἅπτεσθαι αὐτοῦ 9 9 ἐζή-
τει (Herod.) ἰδεῖν αὐτόν 19 3 (Zach.)
12 29 μὴ ζητεῖτε τί φάγητε καὶ τί πίητε
— 48 πολὺ ζητηθήσεται παρ' αὐτοῦ
13 6 ἦλθεν ζητῶν καρπόν 7 ἔρχομαι ζ..ῶν
— 24 πολλοὶ—ζητήσουσιν (vg vl quaerunt)
εἰσελθεῖν καὶ οὐκ ἰσχύσουσιν
17 33 ὃς ἐὰν ζητήση τὴν ψυχὴν αὐτοῦ πε-
ριποιήσασθαι, ἀπολέσει αὐτήν
19 10 ἦλθεν — ὁ υἱὸς τοῦ ἀνθρώπου „ζη-
τῆσαι" καὶ σῶσαι „τὸ ἀπολωλός"
*Joh 4 23 ὁ πατὴρ τοιούτους ζητεῖ τοὺς προσ-
κυνοῦντας αὐτόν
5 18 μᾶλλον ἐζήτουν αὐτὸν — ἀποκτεῖναι
7 1.19 τί με ζητεῖτε ἀποκτεῖναι; 20 τίς
σε ζ. ἀπ.; 25 οὐχ οὗτός ἐστιν ὃν ζη-
τοῦσιν ἀποκτ.; 30 ἐζήτουν — αὐτὸν
πιάσαι 8 37 ζητεῖτέ με ἀποκτεῖναι 40
10 39 ἐζήτουν — πιάσαι cfr 11 8 νῦν
ἐζήτουν σε λιθάσαι οἱ Ἰουδαῖοι
— 30 ὅτι οὐ ζητῶ τὸ θέλημα τὸ ἐμόν
— 44 τὴν δόξαν τὴν παρὰ — θεοῦ οὐ ζη-
τεῖτε 7 18 τὴν δόξαν τὴν ἰδίαν ζητεῖ·
ὁ δὲ ζητῶν τὴν δόξαν τοῦ πέμψαν-
τος αὐτόν 8 50 οὐ ζητῶ τὴν δόξαν
μου· ἔστιν ὁ ζητῶν καὶ κρίνων
6 26 ζητεῖτέ με οὐχ ὅτι εἴδετε σημεῖα, ἀλλ'
ὅτι ἐφάγετε ἐκ τῶν ἄρτων
7 34 ζητήσετέ (vl quaeritis) με καὶ οὐχ
εὑρήσετε 36 8 21 13 33
16 19 περὶ τούτου ζητεῖτε μετ' ἀλλήλων
18 4 τίνα ζητεῖτε; 7.8 εἰ — ἐμὲ ζητεῖτε —
20 15 γύναι, τί κλαίεις; τίνα ζητεῖς;
*Act 17 27 ζητεῖν τὸν θεόν, εἰ ἄρα γε — εὕροιεν
Rm 2 7 τοῖς — τιμὴν καὶ ἀφθαρσίαν ζητοῦσιν
10 3 τὴν ἰδίαν ζητοῦντες στῆσαι (sc δικ.)
— 20 „εὑρέθην τοῖς ἐμὲ μὴ ζητοῦσιν"
1 Co 1 22 ἐπειδὴ — Ἕλληνες σοφίαν ζητοῦσιν
4 2 ζητεῖται ἐν τ. οἰκονόμοις ἵνα πιστός
7 27 μὴ ζήτει λύσιν·—μὴ ζήτει γυναῖκα
10 24 μηδεὶς τὸ ἑαυτοῦ ζητείτω ἀλλὰ τό
— 33 μὴ ζητῶν τὸ ἐμαυτοῦ σύμφορον ἀλ-
λὰ τὸ τῶν πολλῶν, ἵνα σωθῶσιν

1 Co 13 5 ἡ ἀγάπη — οὐ ζητεῖ τὰ ἑαυτῆς
14 12 ἐπεὶ ζηλωταί (aemulatores) ἐστε πνευ-
μάτων, — ζητεῖτε ἵνα περισσεύητε
2 Co 12 14 οὐ γὰρ ζητῶ τὰ ὑμῶν ἀλλὰ ὑμᾶς
13 3 ἐπεὶ δοκιμὴν ζητεῖτε τοῦ ἐν ἐμοὶ λα-
λοῦντος Χοῦ
Gal 1 10 ἢ ζητῶ ἀνθρώποις ἀρέσκειν;
2 17 εἰ δὲ ζητοῦντες δικαιωθῆναι ἐν Χῷ
Phl 2 21 πάντες — τὰ ἑαυτῶν ζητοῦσιν, οὐ τά
Col 3 1 τὰ ἄνω ζητεῖτε, οὗ ὁ Χριστός ἐστιν
1 Th 2 6 οὔτε ζητοῦντες ἐξ ἀνθρώπων δόξαν
2 Ti 1 17 σπουδαίως ἐζήτησέν με καὶ εὗρεν
Hb 8 7 οὐκ ἂν δευτέρας ἐζητεῖτο [b] τόπος
1 Pe 3 11 „ζητησάτω [b] εἰρήνην καὶ διωξάτω"
5 8 περιπατεῖ ζητῶν τινα καταπιεῖν (vl
τίνα καταπίη vg quem devoret)
Ap 9 6 „ζητήσουσιν — τὸν θάνατον καὶ οὐ"

ζήτημα (S semel vl) — quaestio
Act 15 2 ἀναβαίνειν — εἰς Ἰερουσαλ. περὶ τοῦ
ζ..τος τούτου 18 15 εἰ δὲ ζ..τά ἐστιν περὶ
— νόμου τοῦ καθ' ὑμᾶς 23 29 περὶ ζ..των
τοῦ νόμου αὐτῶν 25 19 ζητήματα — περὶ
τῆς ἰδίας δεισιδαιμονίας — καὶ περί τινος
Ἰησοῦ 26 3 γνώστην — τῶν κατὰ Ἰουδαίους
ἐθῶν τε καὶ ζητημάτων

ζήτησις S° — quaestio [b] conquisitio
Joh 3 25 ἐγένετο — ζήτησις — περὶ καθαρισμοῦ
Act 15 2 γενομένης — ζητήσεως (vg°) οὐκ ὀλί-
γης τῷ Παύλῳ 7 [b] — (28 29 vl)
25 20 ἀπορούμενος — τὴν περὶ τούτων ζ..ιν
1 Ti 6 4 νοσῶν περὶ ζητήσεις καὶ λογομαχίας
2 Ti 2 23 τὰς δὲ μωρὰς — ζητήσεις παραιτοῦ
Tit 3 9 μωρὰς δὲ ζητήσεις — περιΐστασο

ζιζάνια, τά S° — zizania
Mat 13 25 ὁ ἐχθρὸς — ἐπέσπειρεν ζ. 26 ἐφάνη
καὶ τὰ ζ. 27 πόθεν οὖν ἔχει (vl + τὰ) ζ.; 29.
30 συλλέξατε πρῶτον τὰ ζ. 36 διασάφησον
ἡμῖν τὴν παραβολὴν τῶν ζ..ων 38 τὰ δὲ
ζιζάνιά εἰσιν οἱ υἱοὶ τοῦ πονηροῦ 40

Ζοροβαβέλ Mat 1 12.13 Luc 3 27

ζόφος S° — caligo [b] infernum [c] procella
Hb 12 18 „γνόφῳ καὶ ζόφῳ καὶ θυέλλῃ"
2 Pe 2 4 σιροῖς ζόφου [b] ταρταρώσας
— 17 οἷς ὁ ζόφος τοῦ σκότους τετήρηται
Jud 13 ὁ ζ. [c] τοῦ σκ. εἰς αἰῶνα τετ.
Jud 6 δεσμοῖς — ὑπὸ ζόφον. τετήρηκεν

ζυγός, ὁ *iugum* [b]*statera* (= libra)
Mat 11 29 ἄρατε τὸν ζυγόν μου ἐφ᾽ ὑμᾶς
 – 30 ὁ γὰρ ζ. μου χρηστὸς καὶ τὸ φορτίον
Act 15 10 ἐπιθεῖναι ζυγὸν ἐπὶ τὸν τράχηλον
  τῶν μαθητῶν, ὃν – οὔτε ἡμεῖς ἰσχ.
Gal 5 1 μὴ πάλιν ζυγῷ δουλείας ἐνέχεσθε
1 Ti 6 1 ὅσοι εἰσὶν ὑπὸ ζυγὸν δοῦλοι
Ap 6 5 ἔχων ζυγὸν[b] ἐν τῇ χειρὶ αὐτοῦ

ζύμη *fermentum*
Mat 13 33 ὁμοία ἐστὶν ἡ βασ. τῶν οὐρ. ζύμῃ,
  ἣν – γυνὴ ἐνέκρυψεν ‖ Luc 13 21
 16 6 προσέχετε ἀπὸ τῆς ζ. τῶν Φαρ. καὶ
  Σαδδ. 11.12 συνῆκαν ὅτι οὐκ εἶπεν
  προσέχειν ἀπὸ τῆς ζ. [τῶν ἄρτων],
  ἀλλὰ ἀπὸ τῆς διδαχῆς ‖ Mar 8 15 τῶν
  Φ. καὶ τῆς ζ. Ἡρῴδου Luc 12 1 ἀπὸ
  τῆς ζ., ἥτις ἐστὶν ὑπόκρισις, τῶν Φαρ.
1 Co 5 6 μικρὰ ζύμη ὅλον τὸ φύραμα ζυμοῖ
  (vl δολοῖ vg *corrumpit*) Gal 5 9
 – 7 ἐκκαθάρατε τὴν παλαιὰν ζύμην
 – 8 ἑορτάζωμεν μὴ ἐν ζύμῃ παλαιᾷ μη-
  δὲ ἐν ζύμῃ κακίας καὶ πονηρίας

ζυμοῦν *fermentare* 1 Co 5 6 Gal 5 9 → ζύμη
Mat 13 33 ἕως οὗ ἐζυμώθη ὅλον ‖ Luc 13 21

ζωγρεῖν [a]*capere* [b]*captivum* (vl ..*tum*) *tenēre*
Luc 5 10 ἀπὸ τοῦ νῦν ἀνθρώπους ἔσῃ ζ..ῶν[a]
2 Ti 2 26 ἐζωγρημένοι[b] ὑπ᾽ αὐτοῦ (sc διαβ.)

ζωή *vita* (ζωῆς): [b]*vivens* [c]*vivus*
  βιβλίον, βίβλος ζωῆς → βιβλίον, βίβλος
Mat 7 14 ἡ ὁδὸς ἡ ἀπάγουσα εἰς τὴν ζωήν
 18 8 εἰσελθεῖν εἰς τὴν ζωὴν κυλλὸν 9 μον-
  όφθαλμον ‖ Mar 9 43.45 χωλόν
 19 16 τί ἀγαθὸν ποιήσω ἵνα σχῶ ζωὴν αἰ-
  ώνιον; 17 εἰ δὲ θέλεις εἰς τὴν ζωὴν
  εἰσελθεῖν, τήρει ‖ Mar 10 17 ἵνα ζωὴν
  αἰώνιον κληρονομήσω; Luc 18 18
 – 29 πολλαπλασίονα λήμψεται καὶ ζωὴν
  αἰ. κληρονομήσει ‖ Mar 10 30 ἐὰν μὴ
  λάβῃ –, καὶ ἐν τῷ αἰῶνι τῷ ἐρχομέ-
  νῳ ζωὴν αἰ. Luc 18 30 (vl ἀπολάβῃ)
 25 46 οἱ δὲ δίκαιοι „εἰς ζωὴν αἰώνιον"
Luc 10 25 τί ποιήσας ζωὴν αἰ. κληρονομήσω;
 12 15 οὐκ ἐν τῷ περισσεύειν – ἡ ζ. – ἐστιν
 16 25 ἀπέλαβες τὰ ἀγαθὰ – ἐν τῇ ζωῇ σου
Joh 1 4 ἐν αὐτῷ ζωὴ ἦν (vl ἐστιν), καὶ ἡ ζωὴ
  ἦν τὸ φῶς τῶν ἀνθρώπων → 8 12
 3 15 ἵνα πᾶς ὁ πιστεύων ἐν αὐτῷ ἔχῃ ζω-
  ὴν αἰώνιον 16 μὴ ἀπόληται ἀλλ᾽ ἔχῃ

Joh 3 36 ὁ πιστεύων εἰς τὸν υἱὸν ἔχει ζωὴν
  αἰ.· ὁ δὲ ἀπειθῶν – οὐκ ὄψεται ζωήν
 4 14 πηγὴ ὕδατος ἁλλομένου εἰς ζωὴν αἰ.
 – 36 συνάγει καρπὸν εἰς ζωὴν αἰώνιον
 5 24 ὁ τὸν λόγον μου ἀκούων – ἔχει ζωὴν
  αἰ., καὶ – μεταβέβηκεν – εἰς τὴν ζωήν
 – 26 ὥσπερ ὁ πατὴρ ἔχει ζωὴν ἐν ἑαυτῷ,
  – καὶ τ. υἱῷ ἔδωκεν ζω. ἔχ. ἐν ἑαυτῷ
 – 29 ἐκπορεύσονται – εἰς ἀνάστασιν ζωῆς
 – 39 δοκεῖτε ἐν αὐταῖς ζωὴν αἰώνιον ἔχειν
 – 40 οὐ θέλετε ἐλθεῖν πρός με ἵνα ζωὴν
  ἔχητε 10 10 ἦλθον ἵνα ζωὴν ἔχωσιν
  καὶ περισσὸν ἔχωσιν
 6 27 τὴν βρῶσιν τὴν μένουσαν εἰς ζωὴν
  αἰώνιον 33 ὁ – ἄρτος τοῦ θεοῦ ἐστιν
  ὁ – ζωὴν διδοὺς τῷ κόσμῳ
 – 35 ἐγώ εἰμι ὁ ἄρτος τῆς ζωῆς 48
 – 40 ἵνα πᾶς ὁ – πιστεύων εἰς αὐτὸν ἔχῃ
  ζωὴν αἰώνιον 47 ὁ πιστ. ἔχει ζωὴν αἰ.
 – 51 ὁ ἄρτος – ὃν ἐγὼ δώσω ἡ σάρξ μού
  ἐστιν ὑπὲρ τῆς τοῦ κόσμου ζωῆς
 – 53 ἐὰν μὴ φάγητε – καὶ πίητε –, οὐκ ἔ-
  χετε (vg *habebitis* vl ..*etis*) ζωὴν ἐν
  ἑαυτοῖς 54 ὁ τρώγων – καὶ πίνων – ἔ-
  χει ζωὴν αἰ., κἀγὼ ἀναστήσω αὐτόν
 – 63 τὰ ῥήματα ἃ ἐγὼ λελάληκα πνεῦμά
  ἐστιν καὶ ζωή ἐστιν 68 ῥήματα ζωῆς
  αἰωνίου ἔχεις
 8 12 ὁ ἀκολουθῶν μοι – ἕξει τὸ φῶς τῆς
  ζωῆς → 1 4
 10 28 κἀγὼ δίδωμι αὐτοῖς ζωὴν αἰώνιον
 11 25 ἐγώ εἰμι ἡ ἀνάστασις καὶ ἡ ζωή
 12 25 ὁ μισῶν τὴν ψυχὴν αὐτοῦ – εἰς ζωὴν
  αἰώνιον φυλάξει αὐτήν
 – 50 ἡ ἐντολὴ αὐτοῦ ζωὴ αἰώνιός ἐστιν
 14 6 ἐγώ εἰμι – ἡ ἀλήθεια καὶ ἡ ζωή
 17 2 ἵνα – δώσῃ αὐτοῖς ζωὴν αἰώνιον
 – 3 αὕτη δέ ἐστιν ἡ αἰ. ζωή, ἵνα γινώσκ.
 20 31 ἵνα πιστεύοντες ζωὴν ἔχητε ἐν τῷ
  ὀνόματι αὐτοῦ
Act 2 28 „ἐγνώρισάς μοι ὁδοὺς ζωῆς"
 3 15 τὸν δὲ ἀρχηγὸν τῆς ζ. ἀπεκτείνατε
 5 20 λαλεῖτε – τὰ ῥήματα τῆς ζωῆς ταύτης
 8 33 „αἴρεται ἀπὸ τῆς γῆς ἡ ζωὴ αὐτοῦ"
 11 18 ἄρα καὶ τοῖς ἔθνεσιν ὁ θεὸς τὴν με-
  τάνοιαν εἰς ζωὴν ἔδωκεν
 13 46 ἐπειδὴ – οὐκ ἀξίους κρίνετε ἑαυτοὺς
  τῆς αἰωνίου ζωῆς 48 ἐπίστευσαν ὅ-
  σοι ἦσαν τεταγμένοι εἰς ζωὴν αἰώνιον
 17 25 „διδοὺς" πᾶσι ζωὴν καὶ „πνοήν"
Rm 2 7 „ἀποδώσει – "· τοῖς μὲν – δόξαν – καὶ
  ἀφθαρσίαν ζητοῦσιν ζωὴν αἰώνιον

Rm 5 10 σωθησόμεθα ἐν τῇ ζωῇ αὐτοῦ
  – 17 ἐν ζωῇ βασιλεύσουσιν διὰ τοῦ ἑνός
  – 18 εἰς πάντας ἀνθρ. εἰς δικαίωσιν ζωῆς
  – 21 ἵνα – ἡ χάρις βασιλεύσῃ διὰ δικαιο-
    σύνης εἰς ζωὴν αἰώνιον διὰ Ἰ. Χοῦ
6 4 ἵνα – καὶ ἡμεῖς ἐν καινότητι ζωῆς πε-
    ριπατήσωμεν
  – 22 ἔχετε –, τὸ δὲ τέλος ζωὴν αἰώνιον
  – 23 τὸ δὲ χάρισμα τοῦ θεοῦ ζωὴ αἰώνιος
7 10 εὑρέθη μοι ἡ ἐντολὴ ἡ εἰς ζωήν, αὕ-
    τη εἰς θάνατον
8 2 ὁ – νόμος τοῦ πνεύματος τῆς ζωῆς
  – 6 φρόνημα τοῦ πνεύμ. ζωὴ καὶ εἰρήνη
  – 10 τὸ δὲ πνεῦμα ζωὴ (vivit vl vita) διὰ
    δικαιοσύνην
  – 38 ὅτι οὔτε θάνατος οὔτε ζ. – δυνήσεται
11 15 τίς ἡ πρόσλημψις (sc τοῦ Ἰσραήλ)
    εἰ μὴ ζωὴ ἐκ νεκρῶν;
1 Co 3 22 πάντα – ὑμῶν ἐστιν, – εἴτε ζ. εἴτε θάν.
15 19 εἰ ἐν τῇ ζωῇ ταύτῃ ἐν Χῷ ἠλπικότες
    ἐσμὲν μόνον
2 Co 2 16 οἷς δὲ ὀσμὴ ἐκ (vlᵒ) ζωῆς εἰς ζωήν
4 10 ἵνα καὶ ἡ ζωὴ τοῦ Ἰησοῦ ἐν τῷ σώ-
    ματι ἡμῶν φανερωθῇ 11 ἐν τῇ θνητῇ
    σαρκὶ ἡμῶν 12 ὥστε ὁ θάνατος ἐν ἡ-
    μῖν ἐνεργεῖται, ἡ δὲ ζωὴ ἐν ὑμῖν
5 4 ἵνα καταποθῇ τὸ θνητὸν ὑπὸ τῆς ζ.
Gal 6 8 ἐκ τοῦ πνεύματος θερίσει ζωὴν αἰ.
Eph 4 18 ἀπηλλοτριωμένοι τῆς ζωῆς τοῦ θεοῦ
Phl 1 20 μεγαλυνθήσεται Χὸς ἐν τῷ σώματί
    μου, εἴτε διὰ ζωῆς εἴτε διὰ θανάτου
2 16 λόγον ζωῆς ἐπέχοντες
Col 3 3 ἡ ζωὴ ὑμῶν κέκρυπται σὺν τῷ Χῷ
    ἐν τῷ θεῷ 4 ὅταν ὁ Χὸς φανερωθῇ,
    ἡ ζωὴ ἡμῶν (vl ὑμῶν vg)
1 Ti 1 16 πιστεύειν ἐπ' αὐτῷ εἰς ζωὴν αἰώνιον
4 8 εὐσέβεια –, ἐπαγγελίαν ἔχουσα ζωῆς
    τῆς νῦν καὶ τῆς μελλούσης
6 12 ἐπιλαβοῦ τῆς αἰ. ζ., εἰς ἣν ἐκλήθης
  – 19 ἵνα ἐπιλάβωνται τῆς ὄντως ζωῆς
2 Ti 1 1 κατ' ἐπαγγελίαν ζωῆς τῆς ἐν Χῷ Ἰ.
  – 10 φωτίσαντος δὲ ζωὴν καὶ ἀφθαρσίαν
Tit 1 2 ἐπ' ἐλπίδι ζωῆς αἰων. 3 7 κατ' ἐλπίδα
Hb 7 3 μήτε ἀρχὴν – μήτε ζωῆς τέλος ἔχων
  – 16 κατὰ δύναμιν ζωῆς ἀκαταλύτου
Jac 1 12 λήμψεται τὸν στέφανον τῆς ζωῆς
4 14 ποία (vl + γὰρ vg) ἡ ζωὴ ὑμῶν (;)
1 Pe 3 7 ὡς – συγκληρονόμοις χάριτος ζωῆς
  – 10 „ὁ – θέλων ζωὴν ἀγαπᾶν"
2 Pe 1 3 τὰ πάντα – τὰ πρὸς ζωὴν καὶ εὐσέβ.
1 Jo 1 1 περὶ τοῦ λόγου τῆς ζωῆς 2 καὶ ἡ
    ζωὴ ἐφανερώθη, καὶ – ἀπαγγέλλομεν

    ὑμῖν τὴν ζωὴν τὴν αἰώνιον, ἥτις ἦν
1 Jo 2 25 ἦν – ἐπηγγείλατο ἡμῖν, τὴν ζ. τὴν αἰ.
3 14 ὅτι μεταβεβήκαμεν – εἰς τὴν ζωήν
  – 15 πᾶς ἀνθρωποκτόνος οὐκ ἔχει ζωὴν
    αἰώνιον ἐν αὐτῷ μένουσαν
5 11 ζωὴν αἰών. ἔδωκεν ὁ θεὸς ἡμῖν, καὶ
    αὕτη ἡ ζωὴ ἐν τῷ υἱῷ αὐτοῦ ἐστιν
  – 12 ὁ ἔχων τὸν υἱὸν ἔχει τὴν ζωήν· ὁ
    μὴ ἔχων τ. υἱ. τ. θεοῦ τὴν ζ. οὐκ ἔχει
  – 13 ἵνα εἰδῆτε ὅτι ζωὴν ἔχετε αἰώνιον
  – 16 αἰτήσει, καὶ δώσει αὐτῷ ζωήν
  – 20 οὗτός ἐστιν ὁ ἀληθινὸς θεὸς καὶ ζωὴ
    αἰώνιος
Jud 21 προσδεχόμενοι τὸ ἔλεος τοῦ κυρίου
    ἡμῶν Ἰησοῦ Χοῦ εἰς ζωὴν αἰώνιον
Ap 2 7 δώσω αὐτῷ „φαγεῖν ἐκ τοῦ ξύλου
    τῆς ζωῆς" 22 2 „ξύλον ζωῆς" ποιοῦν
    καρποὺς δώδεκα 14 ἡ ἐξουσία αὐτῶν
    ἐπὶ „τὸ ξύλον τῆς ζωῆς" 19 ἀφελεῖ
    ὁ θεὸς τὸ μέρος αὐτοῦ ἀπὸ „τοῦ ξύ-
    λου (vg libro vl ligno) τῆς ζωῆς"
  – 10 δώσω σοι τὸν στέφανον τῆς ζωῆς
7 17 „ὁδηγήσει – ἐπὶ ζωῆς (vl ζώσας) πη-
    γὰς ὑδάτων" 21 6 δώσω ἐκ τῆς πη-
    γῆς „τοῦ ὕδ. τῆς ζωῆς (vg vlᶜ) δω-
    ρεάν" 22 1 „ποταμὸν ὕδατος ζωῆς"
    λαμπρὸν 17 ὁ θέλων λαβέτω „ὕδωρ
    ζωῆς δωρεάν"
11 11 „πνεῦμα ζωῆς" ἐκ τοῦ θεοῦ
16 3 πᾶσα ψυχὴ ζωῆς (vl ζῶσαᵇ) „ἀπέ-
    θανεν, τὰ ἐν" τῇ θαλάσσῃ

ζώνη   *zona*
Mat 3 4 εἶχεν – ζώνην δερματίνην ‖ Mar 1 6
10 9 μηδὲ χαλκὸν εἰς τὰς ζώνας ‖ Mar 6 8
Act 21 11 ἄρας τὴν ζώνην τοῦ Παύλου, –· τὸν
    ἄνδρα οὗ ἐστιν ἡ ζώνη αὕτη
Ap 1 13 ζώνην „χρυσᾶν" 15 6 ζώνας χρυσᾶς

ζωννύναι, ..ύειν   *cingere* ᵇ*praecingere*
Joh 21 18 ἐζώννυες σεαυτὸν – ἄλλος ζώσει
    σε καὶ οἴσει ὅπου οὐ θέλεις
Act 12 8 ζῶσαιᵇ καὶ ὑπόδησαι τὰ σανδάλια

ζωογονεῖν (1 Ti vl ζωοποιεῖν) *vivificare*
Luc 17 33 ὃς ἂν ἀπολέσῃ, ζωογονήσει αὐτήν
Act 7 19 εἰς τὸ μὴ „ζ..εῖσθαι" (sc τὰ βρέφη)
1 Ti 6 13 θεοῦ τοῦ ζωογονοῦντος τὰ πάντα

ζῷον   *animal* ᵇ*pecus (pecora)*
Hb 13 11 ὧν – „εἰσφέρεται" ζῴων „τὸ αἷμα"
2 Pe 2 12 ὡς ἄλογα ζῷαᵇ Jud 10 ὡς τὰ ἄ. ζῷα
Ap 4 6 „τέσσερα ζῷα γέμοντα ὀφθαλμῶν"

(Ap 4) 7 τὸ ζῷον τὸ πρῶτον κτλ 8.9 δώσουσιν
τὰ ζῷα δόξαν – τῷ „καθημένῳ ἐπὶ τῷ
θρόνῳ 56.8.11.14 τὰ τέσσερα ζῷα ἔλε-
γον· ἀμήν 61.3.5.6.7 711 143 157 194

ζωοποιεῖν *vivificare*
Joh 521 ὥσπερ – ὁ πατὴρ ἐγείρει – καὶ ζ..εῖ,
οὕτως καὶ ὁ υἱὸς οὓς θέλει ζωοποιεῖ
663 τὸ πνεῦμά ἐστιν τὸ ζ..οῦν, ἡ σάρξ

Rm 417 θεοῦ τοῦ ζ..οῦντος τοὺς νεκροὺς
811 ζ..ήσει καὶ τὰ θνητὰ σώματα ὑμῶν
1 Co 1522 ἐν τῷ Χῷ πάντες ζωοποιηθήσονται
– 36 σὺ ὃ σπείρεις, οὐ ζωοποιεῖται ἐὰν
μὴ ἀποθάνῃ (vg + *prius*)
– 45 ὁ ἔσχατος Ἀδὰμ εἰς πνεῦμα ζ..οῦν
2 Co 3 6 τὸ δὲ πνεῦμα ζωοποιεῖ
Gal 321 εἰ – ἐδόθη νόμος ὁ δυνάμενος ζ..ῆσαι
1 Pe 318 Χὸς –, ζωοποιηθεὶς δὲ πνεύματι

H

ἡγεῖσθαι *arbitrari* [b] *aestimare* [c] *credere*
[d] *ducere* [e] *existimare* [f] *habēre* –
ἡγούμενος [g] *dux* [h] *praecessor*
[i] *praepositus* [k] *primus*
Mat 2 6 „ἐκ σοῦ – ἐξελεύσεται ἡγούμενος [g]"
Luc 2226 καὶ ὁ ἡγούμενος [h] ὡς ὁ διακονῶν
Act 710 „ἡγούμενον [i] ἐπ' Αἴγυπτον"
1412 ἐπειδὴ αὐτὸς ἦν ὁ ἡγ. [g] τοῦ λόγου
1522 ἄνδρας ἡγ..ους [k] ἐν τοῖς ἀδελφοῖς
26 2 ἥγημαι [b] ἐμαυτὸν μακάριον
2 Co 9 5 ἀναγκαῖον – ἡγησάμην [e] Phl 225 [e]
Phl 2 3 ἀλλήλους ἡγούμενοι ὑπερέχοντας
– 6 οὐχ ἁρπαγμὸν ἡγήσατο τὸ εἶναι ἴσα
3 7 ταῦτα ἥγημαι – ζημίαν 8 καὶ ἡγοῦμαι [e]
πάντα ζημίαν εἶναι –, καὶ ἡγοῦμαι
σκύβαλα ἵνα Χὸν κερδήσω
1 Th 513 ἡγεῖσθαι [f] αὐτοὺς ὑπερεκπερισσῶς ἐν
ἀγάπῃ διὰ τὸ ἔργον αὐτῶν
2 Th 315 μὴ ὡς ἐχθρὸν ἡγεῖσθε [e], ἀλλὰ νουθ.
1 Ti 112 πιστόν με ἡγήσατο [e] θέμενος εἰς δι.
6 1 πάσης τιμῆς ἀξίους ἡγείσθωσαν
Hb 1029 ὁ – „τὸ αἷμα τῆς διαθήκης" κοινὸν
ἡγησάμενος [d], ἐν ᾧ ἡγιάσθη
1111 πιστὸν ἡγήσατο [c] τὸν ἐπαγγειλάμενον
– 26 μείζονα πλοῦτον ἡγησάμενος [b] – „τὸν
ὀνειδισμὸν τοῦ Χοῦ"
13 7 μνημ...νεύετε τῶν ἡγουμένων [i] ὑμῶν
17 πείθεσθε τοῖς ἡγ. [i] ὑμῶν 24 ἀσπά-
σασθε πάντας τοὺς ἡγ. [i] ὑμῶν
Jac 1 2 πᾶσαν χαρὰν ἡγήσασθε [e], –, ὅταν
2 Pe 113 δίκαιον δὲ ἡγοῦμαι, – διεγείρειν ὑμᾶς
213 ἡδονὴν ἡγούμενοι [e] τὴν ἐν ἡμ. τρυφὴν
3 9 ὡς τινες βραδυτῆτα ἡγοῦνται [e]
– 15 τὴν τοῦ κυρίου ἡμῶν μακροθυμίαν
σωτηρίαν ἡγεῖσθε

ἡγεμονεύειν S° – [a] *procurare* [b] (ἡ..ων) *prae-
ses* Luc 22 [b] τῆς Συρίας 31 [a] τῆς Ἰουδ.

ἡγεμονία *imperium* Luc 31 Τιβερίου Καίσ.

ἡγεμών *praeses* [b] *princeps* [c] *dux*
Mat 2 6 „ἐν τοῖς ἡγεμόσιν [b] Ἰούδα"
1018 ἐπὶ ἡγεμόνας δὲ καὶ βασιλεῖς ἀχθή-
σεσθε ‖ Mar 139 Luc 2112
27 2 παρέδωκαν Πιλάτῳ τῷ ἡγεμόνι 11.14.
15.21.27 2814 Luc 2020 παραδοῦναι –
τῇ ἐξουσίᾳ τοῦ ἡγεμόνος
Act 2324 Felix 26.33 241.10 – 2630 Festus
1 Pe 214 ὑποτάγητε – · εἴτε βασιλεῖ –, εἴτε ἡ-
γεμόσιν [c] ὡς δι' αὐτοῦ πεμπομένοις

ἡδέως, ἥδιστα *libenter* [b] *libentissime*
Mar 620 ἡδέως αὐτοῦ (sc Joh.) ἤκουεν – 1237
2 Co 1119 ἡδέως γὰρ ἀνέχεσθε τῶν ἀφρόνων
12 9 ἥδ. – καυχήσομαι ἐν ταῖς ἀσθενείαις
– 15 ἐγὼ δὲ ἥδ. [b] δαπανήσω καὶ ἐκδαπαν.

ἡδονή [a] *concupiscentia* [b] *voluptas*
Luc 814 ὑπὸ μεριμνῶν καὶ – ἡδονῶν [b] τοῦ βίου
πορευόμενοι συμπνίγονται
Tit 3 3 δουλεύοντες – ἡδοναῖς [b] ποικίλαις
Jac 4 1 οὐκ – ἐκ τῶν ἡδ. [a] ὑμῶν τῶν στρατευο-
μένων ἐν τοῖς μέλεσιν ὑμῶν;
– 3 ἵνα ἐν ταῖς ἡδ. [a] ὑμῶν δαπανήσητε
2 Pe 213 ἡδονὴν [b] ἡγούμενοι τὴν – τρυφήν

ἡδύοσμον S° – *mentha* (vl ..ta) Mat 2323
ἀποδεκατοῦτε τὸ ἡδύοσμον ‖ Luc 1142

ἦθος *mos* 1 Co 1533 φθείρουσιν ἤθη χρηστά

ἥκειν *venire* [b] *advenire*
Mat 811 πολλοὶ „ἀπὸ ἀνατολῶν καὶ δυσμῶν"
ἥξουσιν ‖ Luc 1329 καὶ ἀπὸ βορρᾶ
2336 ἥξει ταῦτα πάντα ἐπὶ τὴν γενεὰν
2414 τότε ἥξει τὸ τέλος (*consummatio*)

Mat 2450 ἥξει ὁ κύριος τοῦ δούλου ‖ Luc 1246
(Mar 8 3 καί τινες αὐτῶν ἀπὸ μακρόθεν εἰσίν,
vl ἥκασιν vg *venerunt*)
Luc 1335 ἕως ἥξει ὅτε εἴπητε· „εὐλογημένος
1527 ὁ ἀδελφός σου ἥκει [ὁ ἐρχόμ."
1943 ὅτι ἥξουσιν ἡμέραι ἐπὶ σέ (Jerus.)
Joh 2 4 οὔπω ἥκει ἡ ὥρα μου
447 ὅτι Ἰησοῦς ἥκει[b] – εἰς τὴν Γαλιλαίαν
637 ὃ δίδωσίν μοι ὁ πατὴρ πρὸς ἐμὲ ἥξει,
καὶ τὸν ἐρχόμενον – οὐ μὴ ἐκβάλω
842 ἐγὼ – ἐκ τοῦ θεοῦ ἐξῆλθον καὶ ἥκω
(Act 2823 vl ἧκον πρὸς αὐτὸν – πλείονες)
Rm 1126 „ἥξει ἐκ Σιὼν ὁ ῥυόμενος"
Hb 10 7 „τότε εἶπον· ἰδοὺ ἥκω 9 τοῦ ποιῆσαι"
– 37 „ὁ ἐρχόμενος ἥξει καὶ οὐ χρονίσει"
2 Pe 310 ἥξει[b] – ἡμέρα κυρίου ὡς κλέπτης
1 Jo 520 οἴδαμεν – ὅτι ὁ υἱὸς τοῦ θεοῦ ἥκει
Ap 225 ὃ ἔχετε κρατήσατε ἄχρι οὗ ἂν ἥξω
3 3 ἥξω ὡς κλέπτης, καὶ οὐ μὴ γνῷς
ποίαν ὥραν ἥξω ἐπὶ σέ
– 9 „ἥξουσιν καὶ προσκυνήσουσιν" 154
18 8 ἥξουσιν αἱ πληγαὶ αὐτῆς, θάνατος

ἥλί (vl ἐλωΐ) S° – *eli* (vl *heli*) Mat 2746

Ἠλί Luc 323 ὢν υἱός, –, Ἰωσήφ, τοῦ Ἠλί

Ἠλίας *Elias* (vl *Helias*)
Mat 1114 αὐτός ἐστιν Ἠλ. ὁ μέλλων ἔρχεσθαι
1614 ἄλλοι δὲ Ἠλίαν ‖ Mar 828 Luc 919
– 8 ὅτι Ἠλ. ἐφάνη ‖ Mar 615 ἐστίν
17 3 ὤφθη αὐτοῖς Μωϋσῆς καὶ Ἠλ. 4 καὶ
Ἠλίᾳ μίαν ‖ Mar 94 Ἠλ. σὺν Μωϋ-
σεῖ 5 Luc 930 Μωϋσῆς καὶ Ἠλίας 33
– 10 Ἠλίαν δεῖ ἐλθεῖν πρῶτον 11 Ἠλ. μὲν
ἔρχεται καὶ „ἀποκαταστήσει" πάντα
12 Ἠλ. ἤδη ἦλθεν, καὶ οὐκ ἐπέγνω-
σαν αὐτόν ‖ Mar 911.12.13 ἐλήλυθεν
2747 Ἠλίαν φωνεῖ οὗτος 49 εἰ ἔρχεται Ἠ-
λίας σώσων ‖ Mar 1535.36 καθελεῖν
Luc 1 17 ἐν πνεύματι καὶ δυνάμει Ἠλίου
425 πολλαὶ χῆραι ἦσαν ἐν ταῖς ἡμέραις
Ἠλίου 26 πρὸς οὐδεμίαν – ἐπέμφθη
Ἠλ. εἰ μὴ εἰς Σάρεπτα – πρὸς – χήρ.
(954 vl ὡς καὶ Ἠλίας ἐποίησεν vg°)
Joh 121 [σὺ] Ἠλ. εἶ; 25 τί – βαπτίζεις εἰ σὺ
οὐκ εἶ ὁ χριστὸς οὐδὲ Ἠλίας –;
Rm 11 2 ἐν Ἠλίᾳ τί λέγει ἡ γραφή, –;
Jac 517 Ἠλ. ἄνθρωπος ἦν ὁμοιοπαθὴς ἡμῖν

ἡλικία *aetas* [b]*statura*
Mat 627 προσθεῖναι ἐπὶ τὴν ἡλ.[b] ‖ Luc 1225[b]

Luc 252 προέκοπτεν ἐν τῇ σοφίᾳ καὶ ἡλικίᾳ
19 3 ὅτι τῇ ἡλικίᾳ[b] μικρὸς ἦν
Joh 921 αὐτὸν ἐρωτήσατε, ἡλικίαν ἔχει 23
Eph 413 μέχρι καταντήσωμεν – εἰς μέτρον ἡλι-
κίας τοῦ πληρώματος τοῦ Χοῦ
Hb 1111 καὶ παρὰ καιρὸν ἡλικίας (Sara)

ἡλίκος S° – [a]*qualis* [b]*quantus* [c]*quam*
magnus Col 21 ἡλίκον[a] ἀγῶνα ἔχω ὑπέρ
Jac 3 5 ἡλίκον[b] πῦρ ἡλίκην[c] ὕλην ἀνάπτει

ἥλιος *sol* quoad ortum solis → ἀνατέλλειν
Mat 1343 „οἱ δίκαιοι ἐκλάμψουσιν" ὡς ὁ ἥλιος
17 2 ἔλαμψεν τὸ πρόσωπον αὐτοῦ ὡς ὁ ἥ.
2429 „ὁ ἥλιος σκοτισθήσεται" ‖ Mar 1324
Luc 2125 ἔσονται σημεῖα ἐν ἡλίῳ
Mar 132 ὅτε ἔδυσεν ὁ ἥλιος ‖ Luc 440
Luc 2345 τοῦ ἡλίου ἐκλιπόντος (vl ..λείπ.)
Act 220 „ὁ ἥ. μεταστραφήσεται εἰς σκότος"
1311 ἔσῃ τυφλὸς μὴ βλέπων τὸν ἥλιον
2613 ὑπὲρ τὴν λαμπρότητα τοῦ ἡλίου
2720 μήτε δὲ ἡλίου μήτε ἄστρων ἐπιφαιν.
1 Co 1541 ἄλλη δόξα ἡλίου, καὶ ἄλλη – σελήνης
Eph 426 ὁ ἥλιος μὴ ἐπιδυέτω ἐπὶ παροργισμῷ
Ap 116 ἡ ὄψις αὐτοῦ ὡς ὁ ἥλιος φαίνει 101
612 ὁ ἥλιος ἐγένετο μέλας 812 ἐπλήγη τὸ
τρίτον τοῦ ἡλ. 92 „ἐσκοτώθη ὁ ἥλιος
7 2 ἀπὸ ἀνατολῆς (vl ..ῶν) ἡλίου 1612
– 16 „οὐδὲ μὴ πέσῃ ἐπ' αὐτοὺς ὁ ἥλιος"
12 1 γυνὴ περιβεβλημένη τὸν ἥλιον
16 8 ἐξέχεεν τὴν φιάλην – ἐπὶ τὸν ἥλιον
1917 εἶδον – ἄγγελον ἑστῶτα ἐν τῷ ἡλίῳ
2123 ἡ πόλις οὐ χρείαν ἔχει τοῦ ἡλ. 225
οὐκ ἔχουσιν χρείαν – „φωτὸς ἡλίου"

ἧλος, ὁ *clavus* Joh 2025 ἐὰν μὴ ἴδω – τὸν
τύπον τῶν ἥ. καὶ – εἰς τὸν τόπον τῶν ἥ.

ἡμέρα *dies* [b](τρεῖς ἡμέραι) *triduum* – τῇ
τρίτῃ ἡμέρᾳ, μετὰ τρεῖς ἡμέρας →
sub ἐγείρειν et ἀνιστάναι

1) in sermone prophetico de novissimo
die vel tempore adventus Christi
Mat 722 πολλοὶ ἐροῦσίν μοι ἐν ἐκείνῃ τῇ ἡμ.
915 ἐλεύσονται δὲ ἡμέραι –, καὶ τότε νη-
στεύσουσιν ‖ Mar 220 ἐν ἐκείνῃ τῇ
ἡμέρᾳ Luc 535 ἐν ἐκείναις ταῖς ἡμ.
1015 ἀνεκτότερον ἔσται – ἐν ἡμέρᾳ κρίσε-
ως 1122.24 ‖ Luc 1012 ἐν τῇ ἡμ. ἐκ.
1236 ἀποδώσουσιν περὶ αὐτοῦ (sc ῥήμα-
τος ἀργοῦ) λόγον ἐν ἡμέρᾳ κρίσεως
– 40 „Ἰωνᾶς – τρεῖς ἡμέρας καὶ τρεῖς νύ-

κτας," οὕτως ἔσται ὁ υἱ. τοῦ ἀνθρ. ἐν
τῇ καρδίᾳ τῆς γῆς τρεῖς ἡμ. κ. τ. ν.
Mat 2419 οὐαὶ – ταῖς θηλαζούσαις ἐν ἐκείναις
ταῖς ἡμέραις 22 εἰ μὴ ἐκολοβώθησαν
αἱ ἡμέραι ἐκεῖναι – · διὰ δὲ τοὺς ἐκ-
λεκτοὺς κολοβωθήσονται αἱ ἡμέραι
ἐκ. 29 μετὰ τὴν θλῖψιν τῶν ἡμ. ἐκ.
36 περὶ δὲ τῆς ἡμέρας ἐκείνης – οὐ-
δεὶς οἶδεν ‖ Mar 1317.19 ἔσονται – αἱ
ἡμέραι ἐκεῖναι θλῖψις 20.24.32 Luc 21
22 „ἡμέραι ἐκδικήσεως" αὗταί εἰσιν 23
– 37 ὥσπερ – αἱ ἡμέραι τοῦ Νῶε 38 ὡς –
ἦσαν ἐν ταῖς ἡμέραις ἐκ. – ἄχρι ἧς ἡ-
μέρας εἰσῆλθεν Νῶε 42 οὐκ οἴδατε
ποίᾳ ἡμέρᾳ ὁ κύριος ὑμῶν ἔρχεται
50 ἥξει ὁ κύριος τοῦ δούλου ἐκείνου
ἐν ἡμέρᾳ ᾗ οὐ προσδοκᾷ ‖ Luc 1726
καθὼς ἐγένετο ἐν ταῖς ἡμέραις Νῶε,
οὕτως ἔσται – ἐν ταῖς ἡμέραις τοῦ
υἱοῦ τοῦ ἀνθρώπου 27.28 ἐν ταῖς ἡμ.
Λώτ 29.30 κατὰ τὰ αὐτὰ ἔσται ᾗ ἡμέ-
ρᾳ ὁ υἱὸς τ. ἀνθρώπου ἀποκαλύπτε-
ται 31 ἐν ἐκ. τῇ ἡμ. ὃς ἔσται ἐπὶ τοῦ
δώματος 1246 – 1 Pe 320 ἐν ἡ..αις Ν.
2513 οὐκ οἴδατε τὴν ἡμ. οὐδὲ τὴν ὥραν
2629 οὐ μὴ πίω – ἕως τῆς ἡμέρας ἐκείνης
ὅταν αὐτὸ πίνω ‖ Mar 1425 καινόν
– 61 τὸν ναὸν – διὰ τριῶν ἡμ.b οἰκοδομῆ-
σαι 2740 b ‖ Mar 1458 b 1529 – Joh 219
ἐν τρισὶν ἡμέραις ἐγερῶ αὐτόν 20
2764 ἀσφαλισθῆναι τὸν τάφον ἕως τῆς
τρίτης ἡμέρας → ἐγείρειν, ἀνιστάναι
2820 μεθ' ὑμῶν εἰμι πάσας τὰς ἡμέρ. ἕως
Luc 623 χάρητε ἐν ἐκείνῃ τῇ ἡμ. καὶ σκιρτήσ.
1722 ἐλεύσονται ἡμέραι ὅτε ἐπιθυμήσετε
μίαν τῶν ἡμερῶν τοῦ υἱοῦ τοῦ ἀνθρ.
ἰδεῖν 24 ὥσπερ – ἡ ἀστραπὴ –, οὕτως
ἔσται ὁ υἱὸς τ. ἀνθρ. ἐν τῇ ἡμ. αὐτοῦ
1942 εἰ ἔγνως ἐν τῇ ἡμέρᾳ ταύτῃ καὶ
σὺ τὰ πρὸς εἰρήνην 43 ἥξουσιν ἡ-
μέραι ἐπὶ σέ 216 ἐλεύσονται ἡμέραι
ἐν αἷς οὐκ ἀφεθήσεται λίθος ἐπὶ λίθῳ
2134 μήποτε – ἐπιστῇ ἐφ' ὑμᾶς αἰφνίδιος
ἡ ἡμέρα ἐκείνη ὡς παγίς
2329 ἔρχονται ἡμέραι ἐν αἷς ἐροῦσιν·
(– 42 D μνήσθητί μου ἐν τῇ ἡμέρᾳ τῆς ἐ-
λεύσεώς σου)
Joh 639 ἵνα – ἀναστήσω αὐτὸ ἐν τῇ ἐσχάτῃ
ἡμέρᾳ 40.44.54 1124 ἐν τῇ ἀναστάσει
ἐν τῇ ἐσχάτῃ ἡμέρᾳ 1248 ὁ λόγος –,
κρινεῖ αὐτὸν ἐν τῇ ἐσχάτῃ ἡμέρᾳ
856 ἠγαλλιάσατο ἵνα ἴδῃ τὴν ἡμέραν

τὴν ἐμήν, καὶ εἶδεν καὶ ἐχάρη
Joh 1420 ἐν ἐκείνῃ τῇ ἡμέρᾳ γνώσεσθε – ὅτι
ἐγώ 1623 ἐμὲ οὐκ ἐρωτήσετε οὐδέν
26 ἐν τῷ ὀνόματί μου αἰτήσεσθε
Act 217 „ἔσται" ἐν ταῖς ἐσχάταις ἡμέραις, –
„ἐκχεῶ" 18.20 „πρὶν ἐλθεῖν ἡμέραν
κυρίου τὴν μεγάλην καὶ ἐπιφανῆ"
1731 ἔστησεν ἡμέραν ἐν ᾗ μέλλει κρίνειν
Rm 2 5 ἐν ἡμέρᾳ ὀργῆς καὶ – δικαιοκρισίας
– 16 ἐν ᾗ ἡμέρᾳ κρίνει ὁ θεὸς τὰ κρυπτά
1312 νὺξ προέκοψεν, ἡ δὲ ἡμέρα ἤγγικεν
1 Co 1 8 ἀνεγκλήτους ἐν τῇ ἡμέρᾳ τοῦ κυρίου
313 ἡ – ἡμ. δηλώσει, ὅτι ἐν πυρὶ ἀποκαλ.
5 5 ἵνα τὸ πνεῦμα σωθῇ ἐν τῇ ἡμέρᾳ
τοῦ κυρίου (vl + ἡμῶν 'Ι. Χοῦ vg)
2 Co 114 καύχημα – ἡμῶν ἐν τῇ ἡμ. τ. κυρίου
Eph 430 τὸ πνεῦμα – τοῦ θεοῦ, ἐν ᾧ ἐσφρα-
γίσθητε εἰς ἡμέραν ἀπολυτρώσεως
Phl 1 6 ἐπιτελέσει ἄχρι ἡμέρας Χοῦ 'Ιησοῦ
– 10 ἵνα ἦτε – ἀπρόσκοποι εἰς ἡμέραν Χοῦ
216 εἰς καύχημα ἐμοὶ εἰς ἡμέραν Χοῦ
1 Th 5 2 ἡμέρα κυρίου ὡς κλέπτης – ἔρχεται
4 ἵνα ἡ ἡμέρα ὑμᾶς ὡς κλέπτης κα-
ταλάβῃ 2 Pe 310 ἥξει – ὡς κλέπτης
2 Th 110 „ὅταν ἔλθῃ ἐνδοξασθῆναι ἐν τοῖς ἁ-
γίοις αὐτοῦ – ἐν τῇ ἡμέρᾳ ἐκείνῃ"
2 2 ὡς ὅτι ἐνέστηκεν ἡ ἡμ. τοῦ κυρίου
2 Ti 112 τὴν παραθήκην μου φυλάξαι εἰς ἐκ.
τὴν ἡμ. 18 εὑρεῖν ἔλεος – ἐν ἐκ. τ. ἡμ.
3 1 ἐν ἐσχάταις ἡμέραις – καιροὶ χαλεποί
4 8 ὃν ἀποδώσει μοι – ἐν ἐκείνῃ τῇ ἡμ.
Hb 4 7 πάλιν τινὰ ὁρίζει ἡμέραν, „σήμερον"
8 οὐκ ἂν περὶ ἄλλης ἐλάλει – ἡμέρας
8 8 „ἰδοὺ ἡμέραι ἔρχονται, – καὶ συντε-
λέσω – διαθήκην καινήν" 10 1016
1025 ὅσῳ βλέπετε ἐγγίζουσαν τὴν ἡμέραν
Jac 5 3 „ἐθησαυρίσατε" ἐν ἐσχάταις ἡμέραις
1 Pe 212 ἵνα – δοξάσωσιν (sc τὰ ἔθνη) τὸν
θεὸν „ἐν ἡμέρᾳ ἐπισκοπῆς"
310 „ὁ – θέλων – ἰδεῖν ἡμέρας ἀγαθάς"
2 Pe 119 ἕως οὗ (vl + ἡ) ἡμέρα διαυγάσῃ
2 9 ἀδίκους δὲ εἰς ἡμέραν κρίσεως – τη-
ρεῖν ·37 τηρούμενοι εἰς ἡμ. κρίσεως
3 3 ἐλεύσονται ἐπ' ἐσχάτων τῶν ἡμερῶν
– 10 ἥξει δὲ ἡμέρα κυρίου ὡς κλέπτης
– 12 τὴν παρουσίαν τῆς τοῦ θεοῦ ἡμέρας
– 18 αὐτῷ ἡ δόξα – εἰς ἡμέραν αἰῶνος
1 Jo 417 παρρησίαν – ἐν τῇ ἡμ. τῆς κρίσεως
Jud 6 εἰς κρίσιν μεγάλης ἡ..ας – τετήρηκεν
Ap 210 ἕξετε θλῖψιν „ἡμερῶν (vl ..ρας) δέκα"
617 ἦλθεν „ἡ ἡμ. ἡ μεγάλη τῆς ὀργῆς"
9 6 ἐν ταῖς ἡμ. ἐκ. „ζητήσουσιν" οἱ ἄν-

θρωποι „τὸν θάνατον καὶ οὐ μὴ" εὐρ.
Ap 10 7 ἐν ταῖς ἡμ. τῆς φωνῆς τοῦ ἑβδ. ἀγγ.
11 3 προφητεύσουσιν ἡμέρας χιλίας κτλ. 6
τὰς ἡμ. τῆς προφητείας αὐτῶν – 12 6
– 9 ἡμέρας τρεῖς καὶ ἥμισυ 11
16 14 εἰς τὸν πόλεμον τῆς ἡμέρας τῆς με-
γάλης τοῦ θεοῦ
18 8 „ἐν μιᾷ ἡμέρᾳ ἥξουσιν" αἱ πληγαί

2) καθ' ἡμέραν, ἡμέρᾳ καὶ ἡμέρᾳ, ἡμέραν
ἐξ ἡμέρας κτλ.

dies (de die in diem, per singulos dies
etc.) ᵇquotidie (vl cot.) ᶜquotidianus

Mat 26 55 καθ' ἡμ.ᵇ ἐν τῷ ἱερῷ ἐκαθεζόμην ‖
Mar 14 49ᵇ Luc 22 53ᵇ – 19 47 ἦν δι-
δάσκων τὸ καθ' ἡμ.ᵇ 21 37 τὰς ἡμ..ας
Luc 9 23 ἀράτω τὸν σταυρὸν αὐτοῦ καθ' ἡμ.ᵇ
11 3 τὸν ἄρτον – δίδου ἡμῖν τὸ καθ' ἡμέ-
ραν (vl σήμερον vg hodie vl cotidie)
16 19 εὐφραινόμενος καθ' ἡμ.ᵇ λαμπρῶς
17 4 ἐὰν ἑπτάκις τῆς ἡμ. ἁμαρτήσῃ εἰς
Act 2 46 καθ' ἡμ.ᵇ – ὁμοθυμαδὸν ἐν τῷ ἱερῷ
– 47 προσετίθει τοὺς σῳζομένους καθ' ἡμ.ᵇ
3 2ᵇ 5 42 πᾶσάν τε ἡμέραν – διδάσκοντες
16 5 ἐπερίσσευον τῷ ἀριθμῷ καθ' ἡμέρανᵇ
17 11 [τὸ] καθ' ἡμ.ᵇ ἀνακρίνοντες τὰς γρ.
– 17 διελέγετο – κατὰ πᾶσαν ἡμέραν 19 9ᵇ
1 Co 15 31 καθ' ἡμέρανᵇ ἀποθνήσκω
2 Co 4 16 ἀνακαινοῦται ἡμέρᾳ καὶ ἡμέρᾳ
11 28 ἡ ἐπίστασίς μοι ἡ καθ' ἡμέρανᶜ
Hb 3 13 παρακαλεῖτε ἑαυτοὺς καθ' ἑκάστην
ἡμ., ἄχρις οὗ τὸ „σήμερον" καλεῖται
7 27 οὐκ ἔχει καθ' ἡμ.ᵇ ἀνάγκην – θυσίας
ἀναφέρειν 10 11 καθ' ἡμ.ᵇ λειτουργῶν
2 Pe 2 8 ἡμέραν ἐξ ἡμέρας – ἐβασάνιζεν
– 13 τὴν ἐν ἡμέρᾳ (diei) τρυφήν

3) ἡμέρα, ἡμέραι cum genitivo hominum
insignium, rei gestae vel gerendae,
sollemnitatis etc. praeter locos sub
1) allatos

Mat 2 1 ἐν ἡμέραις Ἡρῴδου τοῦ βασ. Luc 1 5
11 12 ἀπὸ – τῶν ἡμ. Ἰωάννου – ἕως ἄρτι
23 30 εἰ ἤμεθα ἐν ταῖς ἡμ. τῶν πατέρων
24 37 αἱ ἡμ. τοῦ Νῶε → sub 1) Mat 24 37
Mar 14 12 τῇ πρώτῃ ἡμ. τῶν ἀζύμων ‖ Luc 22 7
ἡ ἡμέρα τῶν ἀζύμων – Act 12 3 20 6
Luc 1 80 ἕως ἡ..ας ἀναδείξεως αὐτοῦ (Joh)
4 16 ἐν τῇ ἡμ. τῶν σαββάτων 13 14 ἓξ
ἡ..αι εἰσιν ἐν αἷς – · – μὴ τῇ ἡμ. τοῦ σ.
16 14 5 οὐκ – ἀνασπάσει αὐτὸν ἐν ἡ..ᾳ
τοῦ σ.; cfr Joh 5 9 ἦν δὲ σάββατον

(Joh) ἐν ἐκ. τῇ ἡμ. 9 14 19 31 ἦν – μεγάλη ἡ
ἡμέρα ἐκείνου τοῦ σαββάτου 20 19
Act 13 14 τῇ ἡμέρᾳ τῶν σαββ. 16 13
Luc 4 25 πολλαὶ χῆραι – ἐν ταῖς ἡμέρ. Ἡλίου
9 51 ἐν τῷ συμπληροῦσθαι τὰς ἡμέρας
τῆς ἀναλήμψεως αὐτοῦ Act 1 22
Joh 7 37 ἐν – τῇ ἐσχάτῃ ἡμέρᾳ τῇ μεγάλῃ τῆς
ἑορτῆς εἱστήκει ὁ Ἰησοῦς
12 7 εἰς τὴν ἡμέραν τοῦ ἐνταφιασμοῦ μου
Act 2 1 τὴν ἡμέραν τῆς πεντηκοστῆς 20 16
5 37 ἐν ταῖς ἡμέραις τῆς ἀπογραφῆς
7 45 ἕως τῶν ἡμερῶν Δαυίδ
13 41 „ἴδετε, – ὅτι ἔργον ἐργάζομαι ἐγὼ ἐν
ταῖς ἡμέραις ὑμῶν"
21 26 ἐκπλήρωσιν „τῶν ἡμ. τοῦ ἁγνισμοῦ"
Hb 3 8 „κατὰ τὴν ἡμ. τοῦ πειρασμοῦ ἐν τῇ"
5 7 ἐν ταῖς ἡμ. τῆς σαρκὸς αὐτοῦ δεήσεις
8 9 „ἐν ἡμέρᾳ ἐπιλαβομένου μου τῆς
χειρὸς αὐτῶν ἐξαγαγεῖν αὐτούς"
Jac 5 5 (vl ὡς) „ἐν ἡμέρᾳ σφαγῆς"
Ap 2 13 ἐν ταῖς ἡμ. Ἀντιπᾶς ὁ μάρτυς μου
11 6 τὰς ἡμέρας τῆς προφητείας αὐτῶν

*4) ex iis, qui restant, insigniores loci:
Mat 4 2 νηστεύσας ἡμέρας τεσσεράκοντα ‖
Mar 1 13 πειραζόμενος Luc 4 2
6 34 ἀρκετὸν τῇ ἡμέρᾳ ἡ κακία αὐτῆς
20 2 συμφωνήσας – ἐκ δηναρίου τὴν ἡμέ-
ραν (ex den. diurno) 6 τί ὧδε ἑστή-
κατε ὅλην τὴν ἡμέραν ἀργοί; 12 τοῖς
βαστάσασι τὸ βάρος τῆς ἡμέρας
26 2 ὅτι μετὰ δύο ἡμέρας (biduum) τὸ
πάσχα γίν. ‖ Mar 14 1 (bid.) 12 Luc 22 7
Mar 4 27 ὡς – ἐγείρηται νύκτα καὶ ἡμέραν
cfr 5 5 Luc 2 37 18 7 βοώντων αὐτῷ
ἡμέρας καὶ νυκτός Act 9 24 20 31 26 7
1 Th 2 9 ἐργαζόμενοι 3 10 δεόμενοι
2 Th 3 8 ἐργαζόμενοι 1 Ti 5 5 προσ-
μένει – ταῖς προσευχαῖς 2 Ti 1 3 Ap
4 8 7 15 12 10 ὁ κατηγορῶν – ἡμέρας
καὶ νυκτός 14 11 20 10
Luc 9 12 ἡ δὲ ἡμέρα ἤρξατο κλίνειν 24 29
– 36 οὐδενὶ ἀπήγγειλαν ἐν ἐκ. ταῖς ἡμέρ.
13 14 ἓξ ἡμέραι εἰσὶν ἐν αἷς δεῖ ἐργάζεσθαι
21 37 ἦν – τὰς ἡμέρας – διδάσκων, τὰς δὲ
νύκτας ἐξερχόμενος ηὐλίζετο
23 54 ἡμέρα ἦν παρασκευῆς
Joh 9 4 δεῖ ἐργάζεσθαι – ἕως ἡμέρα ἐστίν
11 9 οὐχὶ δώδεκα ὧραι εἰσιν τῆς ἡμέρας;
ἐάν τις περιπατῇ ἐν τῇ ἡμέρᾳ
Rm 8 36 „θανατούμεθα ὅλην τὴν ἡμέραν"
10 21 „ὅλην τὴν ἡμ. ἐξεπέτασα τὰς χεῖρ."

Rm 11 8 „τοῦ μὴ ἀκούειν, ἕως τῆς σήμ. ἡμ."
13 12 ἡ δὲ ἡμέρα ἤγγικεν 13 ὡς ἐν ἡμέρα
εὐσχημόνως περιπατήσωμεν
14 5 ὃς μὲν – κρίνει ἡμέραν παρ' ἡμέραν,
ὃς δὲ κρίνει πᾶσαν ἡμέραν 6 ὁ φρο-
νῶν τὴν ἡμέραν κυρίω φρονεῖ
1 Co 4 3 ἵνα – ἀνακριθῶ – ὑπὸ ἀνθρωπίνης ἡ.
2 Co 6 2 „ἐν ἡμέρα σωτηρίας ἐβοήθησά σοι·"
– ἰδοὺ νῦν „ἡμέρα σωτηρίας"
Gal 1 18 ἐπέμεινα πρὸς αὐτὸν ἡ..ας δεκαπέντε
4 10 ἡμέρας παρατηρεῖσθε καὶ μῆνας
Eph 5 16 ὅτι αἱ ἡμέραι πονηραί εἰσιν
6 13 ἀντιστῆναι ἐν τῇ ἡμέρα τῇ πονηρᾷ
Phl 1 5 ἀπὸ τῆς πρώτης ἡμέρ. ἄχρι τοῦ νῦν
Col 1 6 ἀφ' ἧς ἡμέρας ἠκούσατε 9 ἠκούσαμεν
1 Th 5 5 πάντες – ὑμεῖς υἱοί – ἐστε – ἡμέρας
– 8 ἡμεῖς δὲ ἡμέρας ὄντες νήφωμεν
Hb 1 2 ἐπ' ἐσχάτου τῶν ἡμερῶν τούτων
4 4 „κατέπαυσεν – ἐν τῇ ἡμ. τῇ ἑβδόμῃ"
7 πάλιν τινὰ ὁρίζει ἡμέραν, „σήμερον"
7 3 μήτε ἀρχὴν ἡμερῶν – ἔχων
10 32 ἀναμιμνήσκεσθε – τὰς πρότερον ἡμ.
11 30 κυκλωθέντα ἐπὶ ἑπτὰ ἡμέρας
12 10 οἱ μὲν – πρὸς ὀλίγας ἡμ. – ἐπαίδευον
2 Pe 3 8 μία ἡμέρα παρὰ κυρίω ὡς χίλια ἔτη
καὶ „χίλια ἔτη ὡς ἡμέρα" μία
Ap 1 10 ἐν πνεύματι ἐν τῇ κυριακῇ ἡμέρα
8 12 ἵνα – ἡ ἡμ. μὴ φάνῃ τὸ τρίτον αὐτῆς
9 15 οἱ ἡτοιμασμένοι εἰς τὴν ὥραν κ. ἡμ.
21 25 „οὐ μὴ κλεισθῶσιν ἡμέρας"

ἡμέτερος noster
Luc 16 12 τὸ ἡμέτερον (vl ὑμ. vg) τίς δώσει
ὑμῖν; – Act 2 11 (vl 24 6) 26 5
Rm 15 4 εἰς τὴν ἡ..αν διδασκαλίαν ἐγράφη
2 Ti 4 15 λίαν – ἀντέστη τοῖς ἡμετέροις λόγοις
Tit 3 14 μανθανέτωσαν δὲ καὶ οἱ ἡμέτεροι
καλῶν ἔργων προΐστασθαι
1 Jo 1 3 ἡ κοινωνία – ἡ ἡμ. μετὰ τοῦ πατρός
2 2 οὐ περὶ τῶν ἡμετέρων δὲ μόνον ἀλλά

ἡμιθανής semivivus Luc 10 30 ἀφέντες ἡ..ῆ

ἥμισυ dimidium (ἕως ἡμίσους licet di.)
Mar 6 23 „ἕως ἡμίσους τῆς βασιλείας μου"
Luc 19 8 τὰ ἡ..η (vl ..σιά) μου τῶν ὑπαρχόντων
Ap 11 9 ἡμέρας τρεῖς καὶ ἡ. 11 12 14 ἡ. καιροῦ

ἡμιώριον Sᵒ – media hora Ap 8 1 σιγὴ – ὡς

ἤπιος Sᵒ – mansuetus (ἡπιότης S)
1 Th 2 7 ἀλλὰ ἐγενήθημεν ἤπιοι (vl νήπιοι
vg parvuli) ἐν μέσω ὑμῶν

2 Ti 2 24 δοῦλον δὲ κυρίου – δεῖ – ἤπιον εἶναι

Ἤρ Luc 3 28

ἤρεμος S vl – quietus 1 Ti 2 2 ἤρεμον – βίον

Ἡρώδης
1) Herodes Magnus Mat 21.3 (ὁ βασιλ.) 7.
12. 13. 15. 16. 19. 22 Luc 15 (βασ.) – Act 23 35
2) Herodes Antipas Mat 14 1 (ὁ τετράρχης)
3. 6 Mar 6 14 (ὁ βασ. cfr Mat 14 9) 16. 17. 18.
20. 21. 22 8 15 Luc 3 1. 19 8 3 9 7. 9 13 31 23 7.
8. 11. 12. 15 Act 4 27 13 1
3) H. Agrippa I Act 12 1 (ὁ βασ.) 6. 11. 19. 21

Ἡρωδιανοί Mat 22 16 ‖ Mar 12 13 – 3 6

Ἡρωδιάς Mat 14 3. 6 ‖ Mar 6 17. 19. 22 Luc 3 19

Ἡρωδίων Rm 16 11 Ἡ..να τὸν συγγενῆ μου

Ἡσαΐας Mat 3 3 ‖ Mar 1 2 Luc 3 4 Joh 1 23
Mat 4 14 8 17 12 17 13 14 (35 vl) 15 7 ‖ Mar 7 6
Luc 4 17 βιβλίον τοῦ πρ. Ἡ. – Joh 12 38. 39. 41
Act 8 28 ἀνεγίνωσκεν τὸν προφήτην Ἡσ. 30
28 25 – Rm 9 27. 29 10 16. 20 15 12

Ἡσαῦ Rm 9 13 „ἐμίσησα" Hb 11 20 12 16

τὸ ἧσσον deterius, ἧσσον (adv.) minus
1 Co 11 17 ὅτι – εἰς τὸ ἧσσον συνέρχεσθε
2 Co 12 15 εἰ περισσοτέρως ὑμᾶς ἀγαπῶ (vl ἀ..
ῶν, om εἰ, vg), ἧσσον ἀγαπῶμαι;

ἡσσοῦσθαι Sᵒ – minus habēre
2 Co 12 13 τί – ἐστιν ὃ ἡσσώθητε (vl ἡττήθητε)

ἡσυχάζειν ᵃquiescere ᵇquietum esse ᶜsilēre
ᵈtacēre
Luc 14 4 οἱ δὲ ἡσύχασανᵈ Act 11 18ᵈ καὶ ἐδόξ.
23 56 τὸ μὲν σάββατον ἡσύχασανᶜ κατὰ
Act 21 14 μὴ πειθομένου – αὐτοῦ ἡσυχάσαμενᵃ
1 Th 4 11 παρακαλοῦμεν – φιλοτιμεῖσθαι ἡσ.ᵇ

ἡσυχία silentium Act 22 2 παρέσχον ἡ..αν
2 Th 3 12 ἵνα μετὰ ἡσυχίας ἐργαζόμενοι
1 Ti 2 11 γυνὴ ἐν ἡσυχία μανθανέτω
– 12 οὐκ ἐπιτρέπω, –, ἀλλ' εἶναι ἐν ἡσυχία

ἡσύχιος ᵃquietus ᵇtranquillus
1 Ti 2 2 ἵνα ἤρεμον καὶ ἡ..ονᵇ βίον διάγωμεν

1 Pe 3 4 ἐν τῷ ἀφθάρτῳ τοῦ πραέος καὶ ἡ-
συχίου ᵃ πνεύματος

ἡττᾶσθαι *superari* → ἡσσοῦσθαι
2 Pe 2 19 ᾧ γάρ τις ἥττηται, τούτῳ (vl + καὶ)
δεδούλωται 20 εἰ – τούτοις δὲ (sc τοῖς
μιάσμασιν) πάλιν ἐμπλακέντες ἡττῶνται

ἥττημα ᵃ*delictum* ᵇ*diminutio* (vl *dem*.)
Rm 11 12 εἰ – τὸ ἥ.ᵇ αὐτῶν πλοῦτος ἐθνῶν

1 Co 6 7 ὅλως ἥττημα ᵃ ὑμῖν ἐστιν ὅτι κρίματα

ἠχεῖν *sonare* 1 Co 13 1 γέγονα χαλκὸς
ἠχῶν ἢ κύμβαλον ἀλαλάζον

ἦχος, ὁ et τό ᵃ*fama* ᵇ*sonitus* ᶜ*sonus*
Luc 4 37 ἦχος ᵃ περὶ αὐτοῦ 21 25 ἐν ἀπορίᾳ
„ἤχους ᵇ θαλάσσης" καὶ „σάλου"
Act 2 2 ἦχος ᶜ ὥσπερ φερομένης πνοῆς
Hb 12 19 „σάλπιγγος ἤχῳ ᶜ καὶ φωνῇ ῥημ."

Θ

Θαδδαῖος (vl Λεββαῖος) Mat 10 3 Mar 3 18

θάλασσα *mare*
Mat 4 15 „ὁδὸν θαλάσσης" (*via maris*)
– 18 παρὰ τὴν θάλ. τῆς Γαλιλαίας ‖ Mar
1 16 – Mat 15 29 ‖ Mar 7 31 – Joh 6 1 πέ-
ραν τῆς θαλ. τῆς Γαλ. τῆς Τιβεριάδος
21 1 ἐφανέρωσεν – ἐπὶ τῆς θ. τῆς Τιβ.
– – βάλλοντας ἀμφίβληστρον εἰς τὴν θ.
‖ Mar 1 16 ἀμφιβάλλοντας ἐν τῇ θ. –
Mat 13 47 σαγήνη βληθείσῃ εἰς τὴν θ.
8 24 σεισμὸς – ἐν τῇ θαλ. 26 ἐπετίμησεν –
τῇ θ. 27 ὅτι καὶ οἱ ἄνεμοι καὶ ἡ θάλ.
αὐτῷ ὑπακούουσιν; ‖ Mar 4 39 εἶπεν
τῇ θαλάσσῃ· σιώπα, πεφίμωσο 41
– 32 ὥρμησεν – ἡ ἀγέλη – εἰς τὴν θ. ‖ Mar
5 13 – καὶ ἐπνίγοντο ἐν τῇ θαλάσσῃ
13 1 ἐκάθητο παρὰ τὴν θάλ. ‖ Mar (2 13)
41 ἤρξατο διδάσκειν παρὰ τὴν θ.–,
ὥστε αὐτὸν – καθῆσθαι ἐν τῇ θ. 5 21
14 (24 vl μέσον τῆς θαλ. ἦν) 25 περιπατῶν
ἐπὶ τὴν θ. 26 ‖ Mar 6 47 ἦν τὸ πλοῖ-
ον ἐν μέσῳ τῆς θ. 48 περιπατῶν ἐπὶ
τῆς θ. 49 – Joh 6 16 κατέβησαν – ἐπὶ
τὴν θάλ. 17 πέραν τῆς θ. εἰς Καφ. 18
ἥ τε θάλ. – διηγείρετο 19 θεωροῦσιν
τὸν Ἰησοῦν περιπατοῦντα ἐπὶ τῆς θ.
17 27 πορευθεὶς εἰς θάλ. βάλε ἄγκιστρον
18 6 ἵνα – καταποντισθῇ ἐν τῷ πελάγει τῆς
θ. ‖ Mar 9 42 εἰ – βέβληται εἰς τὴν θ.
Luc 17 2 εἰ – ἔρριπται εἰς τὴν θάλ.
21 21 βλήθητι εἰς τὴν θάλ. ‖ Mar 11 23 Luc
17 6 φυτεύθητι ἐν τῇ θαλάσσῃ
23 15 περιάγετε τὴν θάλ. καὶ τὴν ξηρὰν
Mar 3 7 Ἰησοῦς – ἀνεχώρησεν πρὸς τὴν θάλ.
5 1 ἦλθον εἰς τὸ πέραν τῆς θαλάσσης
Luc 21 25 ἐν ἀπορίᾳ „ἤχους θαλάσσης"

Joh 6 22 ὁ ὄχλος ὁ ἑστηκὼς πέραν τῆς θαλ.
25 εὑρόντες αὐτὸν πέραν τῆς θαλ.
21 7 Πέτρος – ἔβαλεν ἑαυτὸν εἰς τὴν θάλ.
Act 4 24 σὺ ὁ „ποιήσας – τὴν γῆν καὶ τὴν θ."
14 15 Ap 10 6 „ὃς ἔκτισεν" 14 7
7 36 „τέρατα" – ἐν ἐρυθρᾷ θαλάσσῃ
10 6 ᾧ ἐστιν οἰκία παρὰ θάλασσαν 32
17 14 τὸν Παῦλον – ἕως ἐπὶ τὴν θάλασσαν
27 30.38.40 28 4 διασωθέντα ἐκ τ. θαλάσσης
Rm 9 27 „ὡς ἡ ἄμμος τῆς θ." Hb 11 12 Ap 20 8
1 Co 10 1 οἱ πατέρες ἡμῶν – διὰ τῆς θαλ. δι-
ῆλθον 2 ἐβαπτίσαντο – ἐν τῇ θαλ.
2 Co 11 26 κινδύνοις ἐν θαλάσσῃ
Hb 11 29 πίστει διέβησαν τὴν ἐρυθρὰν θάλ.
Jac 1 6 ἔοικεν κλύδωνι θ..ης ἀνεμιζομένῳ
Jud 13 κύματα ἄγρια θαλάσσης
Ap 4 6 ὡς θάλασσα ὑαλίνη 15 2
5 13 πᾶν κτίσμα θ – ἐπὶ τῆς θαλάσσης
7 1 ἵνα μὴ πνέῃ ἄνεμος – ἐπὶ τῆς θαλ.
– 2 οἷς ἐδόθη – ἀδικῆσαι – τ. θάλασσαν 3
8 8 „ὡς ὄρος" – ἐβλήθη εἰς τὴν θάλασ-
σαν· καὶ ἐγένετο τὸ τρίτον τῆς θαλ.
„αἷμα" 9 ἀπέθανεν τὸ τρίτον τῶν κτι-
σμάτων τῶν ἐν τῇ θαλάσσῃ 16 3 ἐξ-
έχεεν – εἰς τὴν θάλ.· – πᾶσα ψυχὴ
ζωῆς ἀπέθανεν, τὰ ἐν τῇ θαλάσσῃ
10 2 ἔθηκεν τὸν πόδα – ἐπὶ τῆς θαλ. 5.8
12 12 οὐαὶ τὴν γῆν καὶ τὴν θάλασσαν
– 18 ἐστάθη (vl ..θην, ad initium sequen-
tis capituli, 13 1) ἐπὶ τ. ἄμμον τῆς θ. –
13 1 „ἐκ τῆς θαλ. θηρίον ἀναβαῖνον"
18 17 „ναῦται καὶ ὅσοι τὴν θ." ἐργάζον-
ται 19 οἱ ἔχοντες „τὰ πλοῖα ἐν τῇ θ."
– 21 λίθον –, καὶ ἔβαλεν εἰς τὴν θάλ.
20 13 ἔδωκεν ἡ θάλασσα τοὺς νεκροὺς
τοὺς ἐν αὐτῇ
21 1 ἡ θάλασσα οὐκ ἔστιν ἔτι

ϑάλπειν *fovēre* Eph 5 29 ἀλλὰ – ϑάλπει αὐτήν
(sc τὴν ἑαυτοῦ σάρκα), καϑὼς καὶ ὁ
Χριστὸς τὴν ἐκκλησίαν, ὅτι μέλη ἐσμέν
1 Th 2 7 ὡς ἐὰν τροφὸς ϑ..ῃ τὰ ἑαυτ. τέκνα

Θαμάρ   Mat 1 3 καὶ τὸν Ζάρα ἐκ τῆς Θαμάρ

ϑαμβεῖσϑαι   ᵃ*mirari* ᵇ*obstupescere* ᶜ*stupēre*
Mar 1 27ᵃ 10 24ᵇ ἐπὶ τοῖς λόγοις αὐτοῦ 32ᶜ

ϑάμβος *stupor* ᵇ*pavor* Luc 4 36ᵇ
Luc 5 9 ϑ. – περιέσχεν αὐτ. (Petrum) Act 3 10

ϑανάσιμόν τι   Sᵒ – *mortiferum quid*
[Mar16 18 κἂν ϑαν. τι πίωσιν οὐ μὴ – βλάψῃ]

ϑανατηφόρος   *mortifer*
Jac   3 8 μεστὴ ἰοῦ ϑανατηφόρου (sc γλῶσσα)

ϑάνατος   *mors*   (2 Co 11 23 ϑ..οι *mortes*)
     ϑανάτου γεύεσϑαι → γεύεσϑαι
Mat   4 16 „ἐν χώρᾳ καὶ σκιᾷ ϑανάτου" (*in re-
gione umbrae* vl *reg. et umbra mor-
tis* ‖ Luc 1 79 „ἐν σκότει καὶ σκιᾷ ϑ."
    10 21 ἀδελφὸς ἀδελφὸν εἰς ϑ. ‖ Mar 13 12
    15 4 „ϑανάτῳ τελευτάτω" ‖ Mar 7 10
    20 18 κατακρινοῦσιν αὐτὸν εἰς ϑάνατον (vl
      ϑανάτῳ, *morte*) ‖ Mar 10 33 ϑανάτῳ
    26 38 περίλυπος – ἕως ϑανάτου ‖ Mar 14 34
   – 66 ἔνοχος ϑανάτου ἐστίν ‖ Mar 14 64
Luc   2 26 μὴ ἰδεῖν ϑάνατον πρὶν ἢ ἂν ἴδῃ τὸν
      χριστὸν κυρίου → Hb 11 5
    22 33 μετὰ σοῦ – εἰς ϑάνατον πορεύεσϑαι
    23 15 οὐδὲν ἄξιον ϑ..ου ἐστὶν πεπραγμέ-
      νον αὐτῷ 22 οὐδὲν αἴτιον (vl οὐδε-
      μίαν αἰτίαν, *causam*) ϑανάτου εὗρον
      ἐν αὐτῷ – Act 23 29 25 11.25 26 31
    24 20 παρέδωκαν αὐτὸν – εἰς κρίμα ϑ..ου
Joh   5 24 μεταβέβηκεν ἐκ τοῦ ϑ. εἰς τὴν ζωήν
      1 Jo 3 14 οἴδαμεν ὅτι μεταβεβήκαμεν
    8 51 ϑ..ον οὐ μὴ ϑεωρήσῃ εἰς τὸν αἰῶνα
    11 4 ἡ ἀσϑένεια οὐκ ἔστιν πρὸς ϑάνατον
   – 13 εἰρήκει δὲ ὁ Ἰης. περὶ τοῦ ϑ. αὐτοῦ
    12 33 σημαίνων ποίῳ ϑανάτῳ ἤμελλεν ἀπο-
      ϑνῄσκειν 18 32 – 21 19 ποίῳ ϑανάτῳ
      δοξάσει (sc ὁ Πέτρος) τὸν ϑεόν
Act   2 24 ὃν ὁ ϑεὸς ἀνέστησεν λύσας τὰς ὠ-
      δῖνας τοῦ ϑανάτου (vl ᾅδου, *inferni*)
    13 28 μηδεμίαν αἰτίαν ϑανάτου 28 18
    22 4 ταύτην τὴν ὁδὸν ἐδίωξα ἄχρι ϑ..ου
Rm   1 32 οἱ τοιαῦτα πράσσοντες ἄξιοι ϑ..ου
    5 10 κατηλλάγημεν τῷ ϑεῷ διὰ τοῦ ϑανά-
      του τοῦ υἱοῦ αὐτοῦ

Rm   5 12 διὰ τῆς ἁμαρτίας ὁ ϑάν., – εἰς πάν-
      τας ἀνϑρώπους ὁ ϑάνατος διῆλϑεν
   – 14 ἐβασίλευσεν ὁ ϑάνατος ἀπὸ Ἀδὰμ
      μέχρι Μωϋσέως 17 τῷ τοῦ ἑνὸς παρα-
      πτώματι ὁ ϑ. ἐβασ. διὰ τοῦ ἑνός 21
      ἐβασίλευσεν ἡ ἁμαρτία ἐν τῷ ϑανάτῳ
    6 3 εἰς τὸν ϑάνατον αὐτοῦ ἐβαπτίσϑημεν
   – 4 συνετάφημεν – διὰ τοῦ βαπτίσματος
      εἰς τὸν ϑάνατον 5 σύμφυτοι γεγόνα-
      μεν τῷ ὁμοιώματι τοῦ ϑανάτου αὐτοῦ
   – 9 ϑάνατος αὐτοῦ οὐκέτι κυριεύει
   – 16 δοῦλοι –, ἤτοι ἁμαρτίας εἰς ϑάνατον
   – 21 τὸ γὰρ τέλος ἐκείνων ϑάνατος
   – 23 τὰ γὰρ ὀψώνια τῆς ἁμαρτίας ϑάν.
    7 5 εἰς τὸ καρποφορῆσαι τῷ ϑαν. (6 vl
      ἀπὸ τοῦ νόμου τοῦ ϑανάτου vg)
   – 10 εὑρέϑη μοι ἡ ἐντολὴ – εἰς ϑάνατον
   – 13 τὸ οὖν ἀγαϑὸν ἐμοὶ ἐγένετο ϑάνα-
      τος; – ἡ ἁμαρτία, – διὰ τοῦ ἀγαϑοῦ
      μοι κατεργαζομένη ϑάνατον
   – 24 ἐκ τοῦ σώματος τοῦ ϑαν. τούτου;
    8 2 ἠλευϑέρωσέν σε ἀπὸ τοῦ νόμου τῆς
      ἁμαρτίας καὶ τοῦ ϑανάτου
   – 6 τὸ γὰρ φρόνημα τῆς σαρκὸς ϑάν.
   – 38 οὔτε ϑάνατος οὔτε ζωή – δυνήσεται
      ἡμᾶς χωρίσαι ἀπὸ τῆς ἀγάπης
1 Co   3 22 πάντα – ὑμῶν ἐστιν, – εἴτε ϑάνατος
    11 26 τὸν ϑάν. τοῦ κυρίου καταγγέλλετε
    15 21 δι' ἀνϑρώπου ϑάν., καὶ – ἀνάστασις
   – 26 ἔσχατος ἐχϑρὸς καταργεῖται ὁ ϑάν.
   – 54 „κατεπόϑη ὁ ϑάνατος εἰς νῖκος 55 ποῦ
      σου ϑάνατε τὸ νῖκος; ποῦ σου ϑά-
      νατε τὸ κέντρον; 56 τὸ δὲ κέντρον
      τοῦ ϑανάτου ἡ ἁμαρτία
2 Co   1 9 τὸ ἀπόκριμα τοῦ ϑανάτου ἐσχήκαμεν
   – 10 ὃς ἐκ τηλικούτου ϑανάτου (vl ..των
      ϑανάτων vg *tantis periculis*) ἐρρύ-
      σατο ἡμᾶς καὶ ῥύσεται
    2 16 οἷς μὲν ὀσμὴ ἐκ (vl om ἐκ) ϑανά-
      του εἰς ϑάνατον, οἷς δὲ ὀσμὴ
    3 7 ἡ διακονία τοῦ ϑαν. ἐν γράμμασιν
    4 11 εἰς ϑ..ον παραδιδόμεϑα διὰ Ἰησοῦν
   – 12 ὥστε ὁ ϑάνατος ἐν ἡμῖν ἐνεργεῖται
    7 10 ἡ δὲ τοῦ κόσμου λύπη ϑάνατον κατ-
      εργάζεται
    11 23 ἐν ϑανάτοις πολλάκις
Phl   1 20 ὅτι – καὶ νῦν μεγαλυνϑήσεται Χὸς ἐν
      τῷ σώματί μου, εἴτε διὰ ζωῆς εἴτε
      διὰ ϑανάτου
    2 8 γενόμενος ὑπήκοος μέχρι ϑανάτου,
      ϑανάτου δὲ σταυροῦ
   – 27 ἠσϑένησεν παραπλήσιον ϑανάτῳ

Phl 2 30 ὅτι διὰ τὸ ἔργον Χοῦ μέχρι ϑανάτου
ἤγγισεν
3 10 συμμορφιζόμενος τῷ ϑανάτῳ αὐτοῦ
Col 1 22 ἀποκατήλλαξεν – διὰ τοῦ ϑανάτου
2 Ti 1 10 Χου Ἰ., καταργήσαντος μὲν τὸν ϑ.
Hb 2 9 διὰ τὸ πάϑημα τοῦ ϑανάτου „δόξῃ
καὶ τιμῇ ἐστεφανωμένον"
– 14 ἵνα διὰ τοῦ ϑαν. καταργήσῃ τὸν τὸ
κράτος ἔχοντα τοῦ ϑαν. 15 καὶ ἀπ-
αλλάξῃ τούτους, ὅσοι φόβῳ ϑανά-
του – ἔνοχοι ἦσαν δουλείας
5 7 δυνάμενον σῴζειν αὐτὸν ἐκ ϑανάτου
7 23 διὰ τὸ ϑ..ῳ κωλύεσϑαι παραμένειν
9 15 ϑ..ου γενομένου εἰς ἀπολύτρωσιν
– 16 ὅπου γὰρ διαϑήκη, ϑάνατον ἀνάγκη
φέρεσϑαι τοῦ διαϑεμένου
11 5 Ἑνὼχ μετετέϑη τοῦ μὴ ἰδεῖν ϑ..ον
Jac 1 15 ἡ δὲ ἁμαρτία – ἀποκύει ϑάνατον
5 20 σώσει ψυχὴν αὐτοῦ ἐκ ϑανάτου
(1 Pe 3 22 vg deglutiens mortem vlᵒ)
1 Jo 3 14 μεταβεβήκαμεν ἐκ τοῦ ϑανάτου – · ὁ
μὴ ἀγαπῶν μένει ἐν τῷ ϑανάτῳ
5 16 ἁμαρτίαν μὴ πρὸς ϑάνατον, αἰτήσει,
καὶ δώσει – ζωήν, τοῖς ἁμαρτάνουσιν
μὴ πρὸς ϑάνατον. ἔστιν ἁμαρτία πρὸς
ϑ..ον 17 καὶ ἔστιν ἁμαρτία οὐ πρ. ϑ.
Ap 1 18 τὰς κλεῖς τοῦ ϑανάτου καὶ τοῦ ᾅδου
2 10 γίνου πιστὸς ἄχρι ϑανάτου 12 11 οὐκ
ἠγάπησαν τὴν ψυχὴν αὐτῶν ἄχρι ϑ.
– 11 οὐ μὴ ἀδικηϑῇ ἐκ τοῦ ϑανάτου τοῦ
δευτέρου 20 6 ἐπὶ τούτων ὁ δεύτε-
ρος ϑάνατος οὐκ ἔχει ἐξουσίαν 14
οὗτος ὁ ϑάνατος ὁ δεύτερός ἐστιν
21 8 ὅ ἐστιν ὁ ϑάνατος ὁ δεύτερος
– 23 τὰ τέκνα αὐτῆς ἀποκτενῶ ἐν ϑαν.
6 8 ὄνομα αὐτῷ „[ὁ] ϑάνατος. – ἀπο-
κτεῖναι – ἐν λιμῷ καὶ ἐν ϑανάτῳ"
9 6 „ζητήσουσιν – τὸν ϑάνατον" – καὶ φεύ-
γει ὁ ϑάνατος ἀπ᾽ αὐτῶν
13 3 μίαν ἐκ τῶν κεφαλῶν – ἐσφαγμένην
εἰς ϑάνατον, καὶ ἡ πληγὴ τοῦ ϑανά-
του αὐτοῦ ἐϑεραπεύϑη 12
18 8 ϑάνατος καὶ πένϑος καὶ λιμός
20 13 ὁ ϑάνατος καὶ ὁ ᾅδης ἔδωκαν τοὺς
νεκρούς 14 ὁ ϑάνατος καὶ ὁ ᾅδης
ἐβλήϑησαν εἰς τὴν λίμνην τοῦ πυρός
21 4 ὁ ϑάνατος οὐκ ἔσται ἔτι

ϑανατοῦν *mortificare* ᵇ*morte afficere*
ᶜ*morti tradere*
Mat 10 21 „τέκνα ἐπὶ γονεῖς" καὶ ϑ..ώσουσινᵇ
αὐτούς ‖ Mar 13 12ᵇ Luc 21 16 ὑπὸ –

φίλων, καὶ ϑανατώσουσινᵇ ἐξ ὑμῶν
Mat 26 59 ὅπως αὐτὸν ϑ..ώσωσινᶜ ‖ Mar 14 55
εἰς τὸ ϑανατῶσαιᶜ – Mat 27 1ᶜ
Rm 7 4 καὶ ὑμεῖς ἐϑανατώϑητε τῷ νόμῳ
8 13 εἰ δὲ πνεύματι τὰς πράξεις τοῦ σώ-
ματος ϑανατοῦτε, ζήσεσϑε
– 36 „ἕνεκεν σοῦ ϑανατούμεϑα ὅλην τήν"
2 Co 6 9 ὡς „παιδευόμενοι καὶ μὴ ϑανατού-
μενοι," ὡς λυπούμενοι ἀεὶ δὲ χαίρ.
1 Pe 3 18 ϑανατωϑεὶς (sc Χός) μὲν σαρκὶ ζωο-
ποιηϑεὶς δὲ πνεύματι

ϑάπτειν *sepelire*
Mat 8 21 ϑάψαι τὸν πατέρα μου 22 ἄφες τοὺς
νεκροὺς ϑάψαι τοὺς ἑαυτῶν νεκρούς
‖ Luc 9 59.60 σὺ δὲ – διάγγελλε
14 12 οἱ μαϑηταὶ αὐτοῦ – ἔϑαψαν αὐτόν
Luc 16 22 ὁ πλούσιος – ἐτάφη. (vg + in infer-
no.) – Act 2 29 5 6.9.10
1 Co 15 4 καὶ ὅτι ἐτάφη, καὶ ὅτι ἐγήγερται

Θάρα Luc 3 34 τοῦ Ἀβραὰμ τοῦ Θάρα

ϑαρρεῖν *audēre* ᵇ*confidere*
2 Co 5 6 ϑαρροῦντες οὖν πάντοτε καὶ εἰδότες
– 8 ϑαρροῦμεν δὲ καὶ εὐδοκοῦμεν
7 16 χαίρω ὅτι ἐν παντὶ ϑαρρῶᵇ ἐν ὑμῖν
10 1 ἀπὼν δὲ ϑαρρῶᵇ εἰς ὑμᾶς (vg in vo-
bis) 2 δέομαι δὲ τὸ μὴ παρὼν ϑαρ-
ρῆσαι τῇ πεποιϑήσει ᾗ λογίζομαι
Hb 13 6 ὥστε ϑαρροῦντας (confidenter) ἡμᾶς
λέγειν· „κύριος ἐμοὶ βοηϑός"

ϑαρσεῖν *confidere* ᵇ*fiduciam habēre* ᶜ*ani-
maequiorem esse* ᵈ*constantem esse*
Mat 9 2 ϑάρσει, τέκνον, ἀφίενταί σου αἱ ἁμ.
– 22 ϑάρσει, ϑύγατερ· ἡ πίστις σου
14 27 ϑαρσεῖτεᵇ, ἐγώ εἰμι ‖ Mar 6 50
Mar 10 49 ϑάρσειᶜ, ἔγειρε, φωνεῖ σε
Joh 16 33 ἐν τῷ κόσμῳ ϑλῖψιν ἔχετε· ἀλλὰ ϑαρ-
σεῖτε, ἐγὼ νενίκηκα τὸν κόσμον
Act 23 11 ἐπιστὰς – ὁ κύριος εἶπεν· ϑάρσειᵈ

ϑάρσος *fiducia* Act 28 15 ἔλαβε ϑάρσος

ϑαῦμα ᵃ*mirum* ᵇ*admiratio*
2 Co 11 14 οὐ ϑαῦμαᵃ Ap 17 6 ϑαῦμαᵇ μέγα

ϑαυμάζειν *mirari* ᵇ*admirari* ᶜ(pass.) *ad-
mirabilem fieri*
Mat 8 10 ὁ Ἰησοῦς ἐϑαύμασεν ‖ Luc 7 9 αὐτόν
– Mar 6 6 διὰ τὴν ἀπιστίαν αὐτῶν

Mat 8 27 οἱ δὲ ἄνϑρωποι ἐϑαύμασαν ‖ Luc
8 25 φοβηϑέντες – ἐϑ. – Mat 9 33 ἐ-
ϑαύμασαν οἱ ὄχλοι ‖ Luc 11 14ᵇ
15 31 ὥστε τὸν ὄχλον ϑαυμάσαι 21 20 οἱ
μαϑηταὶ ἐϑαύμασαν 22 22 ἀκούσαν-
τες ἐϑ. ‖ Luc 20 26 ἐπὶ τῇ ἀποκρίσει
αὐτοῦ – Mar 5 20 πάντες ἐϑαύμαζον
– Luc 4 22 ἐπὶ τοῖς λόγοις τῆς χάρι-
τος 9 43 ἐπὶ πᾶσιν οἷς ἐποίει
27 14 ὥστε ϑ. τὸν ἡγεμόνα λίαν ‖ Mar 15 5
Mar 15 44 ἐϑαύμασεν εἰ ἤδη τέϑνηκεν
Luc 1 21 ἐϑαύμαζον ἐν τῷ χρονίζειν – αὐτόν
– 63 ἐϑαύμασαν πάντες 2 18 περὶ τῶν λα-
ληϑέντων 33 ἐπὶ τοῖς λαλουμένοις
περὶ αὐτοῦ (sc Ἰησοῦ)
11 38 ἰδὼν ἐϑαύμασεν (vl ἤρξατο διακρινό-
μενος ἐν ἑαυτῷ λέγειν vg)
(24 12 vl πρὸς αὐτὸν ϑ..ζων τὸ γεγονός)
– 41 ἀπιστούντων αὐτῶν – καὶ ϑ..όντων
Joh 3 7 μὴ ϑαυμάσῃς ὅτι εἶπόν σοι· δεῖ ὑμᾶς
4 27 ἐϑαύμαζον ὅτι μετὰ γυναικὸς ἐλάλει
5 20 δείξει αὐτῷ ἔργα, ἵνα ὑμεῖς ϑαυμά-
ζητε 28 μὴ ϑαυμάζετε τοῦτο
7 15 ἐϑαύμαζον – · πῶς οὗτος γράμματα
– 21 ἓν ἔργον ἐποίησα καὶ πάντες ϑαυμά-
ζετε. (vl ϑαυμάζετε διὰ τοῦτο.)
Act 2 7 ἐξίσταντο – καὶ ἐϑαύμαζον λέγοντες·
3 12 τί ϑαυμάζετε ἐπὶ τούτῳ, –;
4 13 ἐϑαύμαζονᵇ, ἐπεγίνωσκόν τε αὐτούς
7 31 Μωϋσῆς ἰδὼν ἐϑαύμαζενᵇ τὸ ὅραμα
13 41 „ϑαυμάσατεᵇ καὶ ἀφανίσϑητε"
Gal 1 6 ϑαυμάζω ὅτι οὕτως ταχέως μετατίϑ.
2 Th 1 10 „ὅταν ἔλϑῃ – ϑαυμασϑῆναιᶜ" ἐν πᾶ-
σιν τοῖς πιστεύσασιν
1 Jo 3 13 μὴ ϑαυμάζετε, –, εἰ μισεῖ ὑμᾶς ὁ κόσ.
Jud 16 ϑ..ζοντες πρόσωπα ὠφελείας χάριν
Ap 13 3 ἐϑαυμάσϑη (vl ..ασεν)ᵇ ὅλη ἡ γῆ
ὀπίσω τοῦ ϑηρίου
17 6 ἐϑαύμασα ἰδὼν αὐτὴν ϑαῦμα (admi-
ratione) μέγα 7 διὰ τί ἐϑαύμασας;
– 8 ϑαυμασϑήσονται (vl ..άσονται) οἱ
κατοικοῦντες ἐπὶ τῆς γῆς

ϑαυμάσια, τά   mirabilia   Mat 21 15 ἰδόντες

ϑαυμαστός   mirabilis   ᵇadmirabilis
Mat 21 42 „ἔστιν ϑ..ὴ (vg mirabile) ἐν ὀφϑαλ-
μοῖς ἡμῶν" ‖ Mar 12 11
Joh 9 30 ἐν τούτῳ – τὸ ϑ. ἐστιν, ὅτι ὑμεῖς οὐκ
1 Pe 2 9 εἰς τὸ ϑαυμαστὸνᵇ αὐτοῦ φῶς
Ap 15 1 σημεῖον – μέγα καὶ ϑαυμαστόν
– 3 „μεγάλα καὶ ϑ..ὰ τὰ ἔργα σου"

ϑεά, ἡ   Sº vgº – Act 19 27 τῆς μεγάλης ϑ.

ϑεᾶσϑαι   vidēre   ᵇperspicere
Mat 6 1 πρὸς τὸ ϑεαϑῆναι (ut videamini)
αὐτοῖς 23 5 τοῖς ἀνϑρώποις
11 7 τί ἐξήλϑατε – ϑεάσασϑαι; ‖ Luc 7 24
22 11 ϑεάσασϑαι τοὺς ἀνακειμένους
Mar 16 [11 ὅτι ζῇ καὶ ἐϑεάϑη ὑπ' αὐτῆς]
– [14 τοῖς ϑεασαμένοις – ἐγηγερμένον]
Luc 5 27 ἐϑεάσατο τελώνην – καϑήμενον
23 55 ἐϑεάσαντο τὸ μνημεῖον καὶ ὡς ἐτέϑη
Joh 1 14 ἐϑεασάμεϑα τὴν δόξαν αὐτοῦ
– 32 τεϑέαμαι τὸ πνεῦμα καταβαῖνον
– 38 ϑεασάμενος αὐτοὺς ἀκολουϑοῦντας
4 35 ϑεάσασϑε τὰς χώρας, ὅτι λευκαί
6 5 ϑεασάμενος ὅτι – ὄχλος ἔρχεται
11 45 ϑεασάμενοι ὃ ἐποίησεν, ἐπίστευσαν
Act 1 11 ὃν τρόπον ἐϑεάσασϑε αὐτὸν πορευ-
όμενον εἰς τὸν οὐρανόν
21 27 ϑεασάμενοι αὐτὸν ἐν τῷ ἱερῷ
22 9 τὸ μὲν φῶς ἐϑεάσαντο, τὴν δὲ φωνὴν
Rm 15 24 ἐλπίζω γὰρ – ϑεάσασϑαι ὑμᾶς
1 Jo 1 1 ὃ ἑωράκαμεν (vidimus) τοῖς ὀφϑ. –.
ὃ ἐϑεασάμεϑαᵇ καὶ αἱ χεῖρες ἡμῶν
4 12 ϑεὸν οὐδεὶς πώποτε τεϑέαται
– 14 τεϑεάμεϑα καὶ μαρτυροῦμεν ὅτι ὁ
πατὴρ ἀπέσταλκεν τὸν υἱὸν σωτῆρα

ϑεατρίζεσϑαι   Sº – spectaculum fieri
Hb 10 33 τοῦτο μὲν ὀνειδισμοῖς τε καὶ ϑλίψε-
σιν ϑεατριζόμενοι

ϑέατρον   Sº – theatrum   ᵇspectaculum
Act 19 29.31 μὴ δοῦναι ἑαυτὸν εἰς τὸ ϑέατρον
1 Co 4 9 ϑέατρονᵇ ἐγενήϑημεν τῷ κόσμῳ καὶ
ἀγγέλοις καὶ ἀνϑρώποις

ϑεῖον   sulphur   Luc 17 29 „ἔβρεξεν – ϑεῖον"
Ap 9 17.18 14 10 19 20 20 10 21 8

ϑεῖος, ..α, ..ον (τὸ ϑεῖον Sº)   divinus
Act 17 29 χρυσῷ – τὸ ϑεῖον εἶναι ὅμοιον
2 Pe 1 3 τῆς ϑείας δυνάμεως αὐτοῦ
– 4 γένησϑε ϑείας κοινωνοὶ φύσεως

ϑειότης   divinitas   → ϑεότης
Rm 1 20 ἥ τε ἀίδιος αὐτοῦ δύναμις καὶ ϑ.

ϑειώδης   Sº – sulphureus   Ap 9 17 ϑώρακας

*ϑέλειν (ἤϑελον, ἠϑέλησα) velle   ᵇ(οὐ ϑ.)
nolle   ᶜ(τὸ ϑ.) voluntas
Mat 7 12 ὅσα ἐὰν ϑέλητε ἵνα ποιῶσιν ὑμῖν

οἱ ἄνθρωποι ‖ Luc 6 31 καθὼς θέλετε
Mat 8 2 κύριε, ἐὰν θέλῃς, δύνασαί με καθα-
      ρίσαι 3 θέλω, καθαρίσθητι ‖ Mar 1 40.
      41 Luc 5 12. 13
      9 13 „ἔλεος θέλω καὶ οὐ θυσίαν" 12 7
      11 14 εἰ θέλετε δέξασθαι, αὐτός ἐστιν Ἠλί.
      15 28 γενηθήτω σοι ὡς θέλεις
      16 24 εἴ τις θέλει ὀπίσω μου ἐλθεῖν 25 ὃς
      – ἐὰν θέλῃ τὴν ψυχὴν αὐτοῦ σῶσαι
      ‖ Mar 8 34. 35 Luc 9 23. 24
      17 12 ἐποίησαν ἐν αὐτῷ (Elia) ὅσα ἠθέ-
      λησαν ‖ Mar 9 13 ὅσα ἤθελον
      18 30 ὁ δὲ οὐκ ἤθελεν b 21 30 (vg 29) οὐ
      θέλω b 22 3 οὐκ ἤθελον b ἐλθεῖν
      19 17 εἰ δὲ θέλεις εἰς τὴν ζωὴν εἰσελθεῖν
      21 εἰ θέλεις τέλειος εἶναι
      20 14 θέλω – τῷ ἐσχάτῳ δοῦναι ὡς καὶ σοί
      15 οὐκ ἔξεστίν μοι ὃ θέλω ποιῆσαι
      ἐν τοῖς ἐμοῖς;
      – 21 τί θέλεις; 26 ὃς ἐὰν θέλῃ ἐν ὑμῖν μέ-
      γας γενέσθαι 27 εἶναι πρῶτος ‖ Mar
      10 35. 36. 43. 44 9 35
      – 32 τί θέλετε ποιήσω ὑμῖν; ‖ Mar 10 51
      τί σοι θέλεις ποιήσω; Luc 18 41
      23 37 ποσάκις ἠθέλησα ἐπισυναγαγεῖν τὰ
      τέκνα σου, –, καὶ οὐκ ἠθελήσατε b
      (noluisti) ‖ Luc 13 34 b
      26 39 πλὴν οὐχ ὡς ἐγὼ θέλω ἀλλ᾽ ὡς σύ
      ‖ Mar 14 36 τί ἐγὼ θέλω ἀλλὰ τί σύ
      27 34 γευσάμενος οὐκ ἠθέλησεν b πιεῖν
      – 43 „ῥυσάσθω" νῦν „εἰ θέλει αὐτόν"
Mar 3 13 προσκαλεῖται οὓς ἤθελεν αὐτός
      6 22 αἴτησόν με ὃ ἐὰν θέλῃς 25. 26 b
      7 24 οὐδένα ἤθελεν (vl ἠθέλησεν) γνῶναι
      9 30 οὐκ ἤθελεν ἵνα τις γνοῖ
      14 7 ὅταν θέλητε δύνασθε – εὖ ποιῆσαι
Luc 4 6 ᾧ ἐὰν θέλω δίδωμι αὐτήν
      9 54 θέλεις εἴπωμεν „πῦρ καταβῆναι"
      10 24 ἠθέλησαν ἰδεῖν ἃ ὑμεῖς βλέπετε
      – 29 ὁ δὲ θέλων δικαιῶσαι ἑαυτόν
      12 49 καὶ τί θέλω εἰ ἤδη ἀνήφθη
Joh 3 8 τὸ πνεῦμα ὅπου θέλει πνεῖ
      5 6 θέλεις ὑγιὴς γενέσθαι;
      – 21 καὶ ὁ υἱὸς οὓς θέλει ζωοποιεῖ
      – 40 οὐ θέλετε ἐλθεῖν πρός με ἵνα ζωήν
      6 67 μὴ καὶ ὑμεῖς θέλετε ὑπάγειν;
      7 17 ἐάν τις θέλῃ τὸ θέλημα αὐτοῦ ποι-
      εῖν, γνώσεται περὶ τῆς διδαχῆς
      15 7 ὃ ἐὰν θέλητε αἰτήσασθε, καὶ γενήσ.
      17 24 θέλω ἵνα ὅπου εἰμὶ ἐγὼ κἀκεῖνοι
      21 18 περιεπάτεις ὅπου ἤθελες · – ζώσει σε
      καὶ οἴσει ὅπου οὐ θέλεις

Joh 21 23 ἐὰν αὐτὸν θέλω μένειν ἕως ἔρχομαι
Act 18 21 ἀνακάμψω – τοῦ θεοῦ θέλοντος
Rm 1 13 οὐ θέλω b – ὑμᾶς ἀγνοεῖν 11 25 b 1 Co
      10 1 b 12 1 b 2 Co 1 8 1 Th 4 13 b – 1 Co
      11 3 θέλω – ὑμᾶς εἰδέναι Col 2 1
      7 15 οὐ γὰρ ὃ θέλω τοῦτο πράσσω 16 εἰ
      δὲ ὃ οὐ θέλω b τοῦτο ποιῶ 18 τὸ –
      θέλειν παράκειταί μοι 19 οὐ γὰρ ὃ
      θέλω ποιῶ ἀγαθόν, ἀλλὰ ὃ οὐ θέλω b
      κακόν 20 εἰ δὲ ὃ οὐ θέλω b ἐγὼ τοῦ-
      το ποιῶ 21 εὑρίσκω – τὸν νόμον τῷ
      θέλοντι ἐμοὶ ποιεῖν τὸ καλόν
      9 16 οὐ τοῦ θέλοντος οὐδὲ τοῦ τρέχον-
      τος, ἀλλὰ τοῦ ἐλεῶντος θεοῦ
      – 18 ἄρα οὖν ὃν θέλει ἐλεεῖ, ὃν δὲ θέλει
      „σκληρύνει" ·
      – 22 θέλων ὁ θεὸς ἐνδείξασθαι τὴν ὀργήν
      13 3 θέλεις – μὴ φοβεῖσθαι τὴν ἐξουσίαν
      16 19 θέλω – ὑμᾶς σοφοὺς εἶναι εἰς τὸ ἀ-
      γαθόν, ἀκεραίους δὲ εἰς τὸ κακόν
1 Co 4 19 ἐὰν ὁ κύριος θελήσῃ
      7 32 θέλω δὲ ὑμᾶς ἀμερίμνους εἶναι
      12 18 ἔθετο τ. μέλη – καθὼς ἠθέλησεν 15 38
2 Co 5 4 ἐφ᾽ ᾧ οὐ θέλομεν b ἐκδύσασθαι
      8 10 οὐ μόνον τὸ ποιῆσαι ἀλλὰ καὶ τὸ
      θέλειν (velle) προενήρξασθε 11 καθ-
      άπερ ἡ προθυμία τοῦ θέλειν c
      12 20 μή πως ἐλθὼν οὐχ οἵους θέλω εὕρω
      ὑμᾶς, κἀγὼ εὑρεθῶ ὑμῖν οἷον οὐ θέλ.
Gal 4 9 στοιχεῖα, οἷς πάλιν – δουλεῦσαι θέ-
      λετε 21 ὑπὸ νόμον θέλοντες εἶναι
      5 17 ἵνα μὴ ἃ ἐὰν θέλητε ταῦτα ποιῆτε
Phl 2 13 ὁ ἐνεργῶν ἐν ὑμῖν καὶ τὸ θέλειν
      (velle) καὶ τὸ ἐνεργεῖν
Col 1 27 οἷς ἠθέλησεν ὁ θεὸς γνωρίσαι
      2 18 θέλων ἐν ταπεινοφροσύνῃ
2 Th 3 10 εἴ τις οὐ θέλει ἐργάζεσθαι
1 Ti 1 7 θέλοντες εἶναι νομοδιδάσκαλοι
      2 4 ὃς πάντας ἀνθρώπους θέλει σωθῆναι
Hb 10 5 „θυσίαν – οὐκ ἠθέλησας b" 8 b
Jac 4 15 ἐὰν ὁ κύριος θελήσῃ, καὶ ζήσομεν
1 Pe 3 10 „ὁ – θέλων ζωὴν ἀγαπᾶν"
      – 17 εἰ θέλοι τὸ θέλημα τοῦ θεοῦ
2 Pe 3 5 λανθάνει – αὐτοὺς τοῦτο θέλοντας ὅτι
Ap 2 21 οὐ θέλει μετανοῆσαι ἐκ τῆς πορνείας
      22 17 ὁ θέλων λαβέτω „ὕδωρ ζωῆς"

ϑέλημα voluntas → βούλημα
Mat 6 10 γενηθήτω τὸ θ. σου, ὡς ἐν οὐρανῷ
      7 21 ἀλλ᾽ ὁ ποιῶν τὸ θ. τοῦ πατρός μου
      12 50 ὅστις – ἂν ποιήσῃ τὸ θέλημα τοῦ πα-
      τρός μου ‖ Mar 3 35 θέλ. τοῦ θεοῦ

Mat 1814 οὐκ ἔστιν ϑ. ἔμπροσϑεν τοῦ πατρ. ὑμ.
21 31 τίς – ἐποίησεν τὸ ϑέλ. τοῦ πατρός;
26 42 γενηϑήτω τὸ ϑ. σου ‖ Luc 22 42 μὴ
τὸ ϑέλημά μου ἀλλὰ τὸ σὸν σινέσϑω
Luc 1247 ὁ γνοὺς τὸ ϑέλημα τοῦ κυρίου – καὶ
μὴ – ποιήσας πρὸς τὸ ϑέλημα αὐτοῦ
23 25 παρέδωκεν τῷ ϑελήματι αὐτῶν
Joh 1 13 οῖ – οὐδὲ ἐκ ϑελήματος σαρκὸς οὐδὲ
ἐκ ϑελήματος ἀνδρὸς – ἐγεννήϑησαν
4 34 ἐμὸν βρῶμά ἐστιν ἵνα ποιῶ τὸ ϑέλη-
μα τοῦ πέμψαντός με καὶ τελειώσω
5 30 οὐ ζητῶ τὸ ϑ. τὸ ἐμὸν ἀλλὰ τὸ ϑέλ.
τοῦ πέμψαντός με 6 38.39 τοῦτο δέ
ἐστιν τὸ ϑέλημα τοῦ πέμψαντός με
40 τὸ ϑέλημα τοῦ πατρός μου
7 17 ἐάν τις ϑέλη τὸ ϑέλημα αὐτοῦ ποιεῖν
9 31 ἐάν τις – τὸ ϑέλημα αὐτοῦ ποιῆ
Act 13 22 ὃς „ποιήσει πάντα τὰ ϑελήματά μου"
21 14 τοῦ κυρίου τὸ ϑέλημα σινέσϑω
22 14 γνῶναι τὸ ϑέλημα αὐτοῦ καὶ ἰδεῖν
Rm 1 10 εἴ πως – εὐοδωϑήσομαι ἐν τῷ ϑελή-
ματι τοῦ ϑεοῦ ἐλϑεῖν πρὸς ὑμᾶς
2 18 εἰ δὲ σὺ Ἰουδαῖος – γινώσκεις τὸ ϑέλ.
12 2 τί τὸ ϑέλ. τοῦ ϑεοῦ, τὸ ἀγαϑὸν –
καὶ τέλειον (vg bona – et perfecta)
15 32 ἐλϑὼν πρὸς ὑμᾶς διὰ ϑ..τος ϑεοῦ
1 Co 1 1 ἀπόστολος – διὰ ϑελήματος ϑεοῦ 2 Co
11 Eph 11 Col 11 2 Ti 11
7 37 ἐξουσίαν – ἔχει περὶ τοῦ ἰδίου ϑ..τος
16 12 πάντως οὐκ ἦν ϑέλημα ἵνα νῦν ἔλϑη
2 Co 8 5 ἑαυτοὺς ἔδωκαν πρῶτον τῷ κυρίῳ
καὶ ἡμῖν διὰ ϑελήματος ϑεοῦ
Gal 1 4 κατὰ τὸ ϑέλημα τοῦ ϑεοῦ καὶ πατρός
Eph 1 5 κατὰ τὴν εὐδοκίαν τοῦ ϑ..τος αὐτοῦ
– 9 τὸ μυστήριον τοῦ ϑελήματος αὐτοῦ
– 11 κατὰ τὴν βουλὴν τοῦ ϑελήμ. αὐτοῦ
2 3 ποιοῦντες τὰ ϑελήματα (voluntatem)
τῆς σαρκὸς καὶ τῶν διανοιῶν
5 17 ἀλλὰ συνίετε τί τὸ ϑέλ. τοῦ κυρίου
6 6 ποιοῦντες τὸ ϑέλ. τ. ϑεοῦ ἐκ ψυχῆς
Col 1 9 ἵνα πληρωϑῆτε τὴν ἐπίγνωσιν τοῦ
ϑελήματος αὐτοῦ ἐν πάση σοφίᾳ
4 12 τέλειοι – ἐν παντὶ ϑελήματι τοῦ ϑεοῦ
1 Th 4 3 τοῦτο γάρ ἐστιν ϑέλημα τοῦ ϑεοῦ, ὁ
ἁγιασμὸς ὑμῶν 5 18 τοῦτο γὰρ ϑέλη-
μα ϑεοῦ ἐν Χῷ Ἰησοῦ εἰς ὑμᾶς
2 Ti 2 26 ἐζωγρημένοι – εἰς τὸ ἐκείνου ϑέλημα
Hb 10 7 „τοῦ ποιῆσαι ὁ ϑεὸς τὸ ϑέλ. σου" 9
– 10 ἐν ᾧ „ϑελήματι" ἡγιασμένοι ἐσμέν
– 36 ἵνα τὸ ϑέλημα τοῦ ϑεοῦ ποιήσαντες
13 21 εἰς τὸ ποιῆσαι τὸ ϑέλημα αὐτοῦ
1 Pe 2 15 οὕτως ἐστὶν τὸ ϑέλημα τοῦ ϑεοῦ

1 Pe 3 17 εἰ ϑέλοι τὸ ϑέλ. τοῦ ϑεοῦ, πάσχειν
4 2 ἀλλὰ ϑελήματι ϑεοῦ – βιῶσαι (3 vl)
– 19 οἱ πάσχοντες κατὰ τὸ ϑέλ. τοῦ ϑεοῦ
2 Pe 1 21 οὐ – ϑελήματι ἀνϑρώπου ἠνέχϑη προ-
φητεία ποτέ
1 Jo 2 17 ὁ δὲ ποιῶν τὸ ϑέλημα τ. ϑεοῦ μένει
5 14 ἐάν τι αἰτώμεϑα κατὰ τὸ ϑέλ. αὐτοῦ
Ap 4 11 διὰ τὸ ϑέλ. σου ἦσαν καὶ ἐκτίσϑησαν

ϑέλησις voluntas Hb 2 4 κατὰ τὴν αὐτοῦ ϑέλ.

ϑεμέλιος et **ϑεμέλιον** fundamentum
Luc 6 48 ἔϑηκεν ϑεμέλιον ἐπὶ τὴν πέτραν
– 49 οἰκίαν ἐπὶ τὴν γῆν χωρὶς ϑεμελίου
14 29 ϑέντος αὐτοῦ ϑ..ον καὶ μὴ ἰσχύοντος
Act 16 26 σαλευϑῆναι τὰ ϑεμ. τοῦ δεσμωτηρίου
Rm 15 20 ἵνα μὴ ἐπ᾽ ἀλλότριον ϑ..ον οἰκοδομῶ
1 Co 3 10 ϑ..ον ἔϑηκα, ἄλλος δὲ ἐποικοδομεῖ
– 11 ϑεμέλιον – ἄλλον οὐδεὶς δύναται ϑεῖ-
ναι 12 εἰ δέ τις ἐποικοδομεῖ ἐπὶ τὸν
ϑεμέλιον χρυσίον, – καλάμην
Eph 2 20 ἐπὶ τῷ ϑεμελίῳ τῶν ἀποστόλων
1 Ti 6 19 ἀποϑησαυρίζοντας ἑαυτοῖς ϑεμέλιον
καλὸν εἰς τὸ μέλλον
2 Ti 2 19 ὁ – στερεὸς ϑεμέλ. τοῦ ϑεοῦ ἕστηκεν
Hb 6 1 μὴ πάλιν ϑεμέλιον καταβαλλόμενοι
μετανοίας ἀπὸ νεκρῶν ἔργων
11 10 τὴν τοὺς ϑεμελίους ἔχουσαν πόλιν
Ap 21 14 τεῖχος – ἔχων ϑεμελίους δώδεκα 19

ϑεμελιοῦν fundare
Mat 7 25 τεϑεμελίωτο γὰρ ἐπὶ τὴν πέτραν (Luc
6 48 vl et vg)
Eph 3 17 ἐν ἀγάπη – τεϑεμελιωμένοι Col 1 23
τῇ πίστει τεϑεμελιωμένοι καὶ ἑδραῖοι
Hb 1 10 „κατ᾽ ἀρχὰς – τὴν γῆν ἐϑεμελίωσας"
1 Pe 5 10 σϑενώσει, ϑεμελιώσει (vlº vgº)

ϑεοδίδακτοί ἐστε Sº – a deo didicistis
1 Th 4 9 αὐτοὶ – ϑ..οί ἐστε εἰς τὸ ἀγαπᾶν

ϑεομάχος Sº – qui deo repugnat
Act 5 39 μήποτε καὶ ϑεομάχοι εὑρεϑῆτε

ϑεόπνευστος Sº – divinitus inspiratus
2 Ti 3 16 πᾶσα γραφὴ ϑ. καὶ (vl om, vgº, vl)
ὠφέλιμος πρὸς διδασκαλίαν

ϑεός, ἡ Sº – dea Act 19 37 τὴν ϑεὸν ἡμῶν

ϑεός, ὁ — ϑεοί Deus – dii
sub titulis hic latius scriptis (ἀγα-

πᾶν, ἀγάπη aliisque) has quaeras
dictiones:
ἀγαπᾶν τὸν ϑεόν | ἀγάπη τοῦ ϑεοῦ
ἄγγελος, ἄγγελοι τοῦ ϑεοῦ
αἰνεῖν τὸν ϑεόν | ἀλήϑεια τοῦ ϑεοῦ
βασιλεία τοῦ ϑεοῦ | δεξιὰ τοῦ ϑεοῦ
δικαιοσύνη τοῦ ϑεοῦ
δόξα τοῦ ϑεοῦ | δοξάζειν τὸν ϑεόν
δύναμις τοῦ ϑεοῦ | ἐκκλησία τοῦ ϑ.
ἔμπροσϑεν, ἐναντίον, ἔναντι, κατ-
  έναντι, ἐνώπιον τοῦ ϑεοῦ
ἐντολή, ἐντολαὶ τοῦ ϑεοῦ
εὐαγγέλιον τοῦ ϑεοῦ
εὐλογεῖν τὸν ϑ. | εὐχαριστεῖν τῷ ϑ.
ὁ ϑεὸς ὁ ζῶν → ζῆν
ϑέλημα τοῦ ϑεοῦ | ϑρόνος τοῦ ϑεοῦ
ϑυμὸς τοῦ ϑεοῦ
κύριος ὁ ϑεός (σου κτλ.)
λόγος, λόγοι τοῦ ϑ. | ναὸς τοῦ ϑεοῦ
ὁδὸς τοῦ ϑεοῦ | οἶκος τοῦ ϑεοῦ
ὀργὴ τοῦ ϑεοῦ | ϑεός cum πατήρ
πνεῦμα, πνεύματα ϑεοῦ
σέβεσϑαι τὸν ϑεόν | στόμα ϑεοῦ
τέκνον, τέκνα τ. ϑ. | υἱός, υἱοὶ τ. ϑ.
φοβεῖσϑαι τὸν ϑ. | φόβος τοῦ ϑεοῦ
χάρις τοῦ ϑεοῦ, παρὰ ϑεῷ, χάρις ϑεῷ
Mat 1 23 „Ἐμμανουήλ, – μεϑ' ἡμῶν ὁ ϑεός"
3 9 δύναται ὁ ϑεὸς ἐκ τῶν λίϑων – ἐγεῖ-
  ραι τέκνα τῷ Ἀβραάμ || Luc 3 8
5 8 ὅτι αὐτοὶ τὸν ϑεὸν ὄψονται
6 24 οὐ δύνασϑε ϑεῷ δουλεύειν καὶ μαμω-
  νᾷ || Luc 16 13
– 30 εἰ δὲ τὸν χόρτον τοῦ ἀγροῦ – ὁ ϑεὸς
  οὕτως ἀμφιέννυσιν || Luc 12 28
15 4 ὁ – ϑεὸς εἶπεν· „τίμα τὸν πατέρα"
16 23 οὐ φρονεῖς τὰ τοῦ ϑεοῦ || Mar 8 33
19 6 ὃ οὖν ὁ ϑεὸς συνέζευξεν || Mar 10 9
– 26 „παρὰ δὲ ϑεῷ πάντα δυνατά" || Mar
  10 27 παρὰ ἀνϑρώποις ἀδύνατον, ἀλλ'
  οὐ παρὰ ϑεῷ· πάντα γὰρ δυν. π. τῷ
  ϑεῷ Luc 18 27 – 1 37 „οὐκ ἀδυνατή-
  σει παρὰ τοῦ ϑεοῦ πᾶν ῥῆμα"
21 12 εἰς τὸ ἱερόν (vl + τοῦ ϑεοῦ vg dei)
22 21 ἀπόδοτε – τὰ τοῦ ϑεοῦ τῷ ϑεῷ || Mar
  12 17 Luc 20 25
– 31 τὸ ῥηϑὲν ὑμῖν ὑπὸ τοῦ ϑεοῦ
– 32 „ἐγώ εἰμι ὁ ϑεὸς Ἀβραάμ κτλ.; οὐκ
  ἔστιν [ὁ] ϑ. νεκρῶν ἀλλὰ ζώντων ||
  Mar 12 26. 27 Luc 20 37. 38 → Act 3 13
27 43 „πέποιϑεν ἐπὶ τὸν ϑεόν, ῥυσάσϑω"
– 46 „ϑεέ μου ϑεέ μου, ἱνατί με ἐγκατέ-
  λιπες;" || Mar 15 34 ὁ ϑεός μου

Mar 1 24 οἶδά σε τίς εἶ, ὁ ἅγιος τοῦ ϑεοῦ ||
  Luc 4 34 → Joh 6 69 ὅτι σὺ εἶ ὁ
2 7 τίς δύναται ἀφιέναι ἁμαρτίας εἰ μὴ
  εἷς ὁ ϑ.; || Luc 5 21 μόνος ὁ ϑεός;
5 7 ὁρκίζω σε τὸν ϑ., μή με βασανίσῃς
10 18 οὐδεὶς ἀγαϑὸς εἰ μὴ εἷς ὁ ϑεός (Mat
  19 17 vl vg) Luc 18 19 [ὁ] ϑεός
11 22 λέγει αὐτοῖς· ἔχετε πίστιν ϑεοῦ
13 19 κτίσεως ἣν ἔκτισεν ὁ ϑεός
Luc 1 26 ἀπεστάλη – Γαβριὴλ ἀπὸ τοῦ ϑεοῦ
– 47 „ἐπὶ τῷ ϑεῷ τῷ σωτῆρί μου"
– 68 „κύριος ὁ ϑεὸς τοῦ Ἰσραήλ"
– 78 διὰ σπλάγχνα ἐλέους ϑεοῦ ἡμῶν
2 14 δόξα ἐν ὑψίστοις ϑεῷ
3 2 ἐγένετο ῥῆμα ϑεοῦ ἐπὶ Ἰωάννην
– 6 „ὄψεται πᾶσα σὰρξ τὸ σωτήριον τοῦ
  ϑεοῦ" Act 28 28 „τοῖς ἔϑνεσιν" ἀπε-
  στάλη τοῦτο „τὸ σωτήριον τοῦ ϑεοῦ"
– 38 τοῦ Σὴϑ τοῦ Ἀδὰμ τοῦ ϑεοῦ
6 12 διανυκτερεύ. ἐν τῇ προσευχῇ τοῦ ϑ.
7 16 ἐπεσκέψατο ὁ ϑεὸς τὸν λαὸν αὐτοῦ
– 29 καὶ οἱ τελῶναι ἐδικαίωσαν τὸν ϑεόν
– 30 τὴν βουλὴν τοῦ ϑεοῦ ἠϑέτησαν εἰς
8 39 διηγοῦ ὅσα σοι ἐποίησεν ὁ ϑεός
9 20 Πέτρ. – εἶπεν· τὸν χριστὸν τοῦ ϑεοῦ
– 43 ἐξεπλήσσοντο – πάντες ἐπὶ τῇ μεγα-
  λειότητι τοῦ ϑεοῦ → Act 2 11
11 20 εἰ – ἐν δακτύλῳ ϑεοῦ [ἐγὼ] ἐκβάλλω
– 49 ἡ σοφία τοῦ ϑεοῦ εἶπεν· ἀποστελῶ
12 20 εἶπεν – αὐτῷ ὁ ϑεός· ἄφρων, ταύτῃ
– 21 οὕτως ὁ – μὴ εἰς ϑεὸν πλουτῶν
– 24 ὁ ϑ. τρέφει αὐτούς (sc τοὺς κόρακ.)
16 15 ὁ δὲ ϑ. γινώσκει τὰς καρδίας ὑμῶν
17 18 δοῦναι δόξαν τῷ ϑεῷ εἰ μὴ ὁ ἀλλογ.
18 7 ὁ δὲ ϑεὸς οὐ μὴ ποιήσῃ τὴν ἐκδίκη-
  σιν τῶν ἐκλεκτῶν αὐτοῦ – ;
– 11 ὁ ϑεός, εὐχαριστῶ σοι 13 ὁ ϑεός, ἱλά-
  σϑητί μοι τῷ ἁμαρτωλῷ
– 43 πᾶς ὁ λαὸς – ἔδωκεν αἶνον τῷ ϑεῷ
23 35 σωσάτω ἑαυτόν, εἰ οὗτός ἐστιν ὁ χρι-
  στὸς τοῦ ϑεοῦ, ὁ ἐκλεκτός
Joh 1 1 ὁ λόγος ἦν πρὸς τὸν ϑεόν, καὶ ϑεὸς
  ἦν ὁ λόγος 2 οὗτος ἦν ἐν ἀρχῇ πρὸς
  τὸν ϑεόν Ap 19 13 ὁ λόγος τοῦ ϑεοῦ
– 6 ἄνϑρωπος, ἀπεσταλμένος παρὰ ϑεοῦ
– 13 οἳ – ἐκ ϑεοῦ ἐγεννήϑησαν
– 18 ϑεὸν οὐδεὶς ἑώρακεν πώποτε· μονο-
  γενὴς ϑεός (vl ὁ μονογενὴς υἱὸς vg)
  –, ἐκεῖνος ἐξηγήσατο (vl + ἡμῖν)
– 29 ἴδε ὁ ἀμνὸς τοῦ ϑεοῦ ὁ αἴρων 36
3 2 ἀπὸ ϑεοῦ ἐλήλυϑας διδάσκαλος· –
  ἐὰν μὴ ᾖ ὁ ϑεὸς μετ' αὐτοῦ

Joh 3 16 οὕτως – ἠγάπησεν ὁ θεὸς τὸν κόσμον
17 οὐ γὰρ ἀπέστειλεν ὁ θεὸς τὸν
υἱὸν – ἵνα κρίνη τὸν κόσμον
– 21 ὅτι ἐν θεῷ ἐστιν εἰργασμένα
– 33 ἐσφράγισεν ὅτι ὁ θεὸς ἀληθής ἐστιν
34 ὃν – ἀπέστειλεν ὁ θεὸς τὰ ῥήματα
τοῦ θεοῦ λαλεῖ· οὐ γὰρ ἐκ μέτρου
δίδωσιν (vl + ὁ θεὸς vg) τὸ πνεῦμα
4 10 εἰ ᾔδεις τὴν δωρεὰν τοῦ θεοῦ
– 24 πνεῦμα ὁ θ., καὶ τοὺς προσκυνοῦν.
5 18 ὅτι – καὶ πατέρα ἴδιον ἔλεγεν τὸν
θεόν, ἴσον ἑαυτὸν ποιῶν τῷ θεῷ
– 44 τὴν δόξαν τὴν παρὰ τοῦ μόνου θεοῦ
οὐ ζητεῖτε; → δόξα Joh 12 43
6 27 τοῦτον – ὁ πατὴρ ἐσφράγισεν ὁ θεός
– 28 τί ποιῶμεν ἵνα ἐργαζώμεθα τὰ ἔργα
τοῦ θεοῦ; 29 τοῦτό ἐστιν τὸ ἔργον
τοῦ θεοῦ, ἵνα πιστεύητε
– 33 ὁ – ἄρτος τοῦ θ. ἐστιν ὁ καταβαίνων
– 45 „ἔσονται πάντες διδακτοὶ θεοῦ"
– 46 ὁ ὢν παρὰ τοῦ θ., – ἑώρακεν τ. πατ.
– 69 ἐγνώκαμεν ὅτι σὺ εἶ ὁ ἅγιος τοῦ θεοῦ
(vl ὁ υἱὸς τοῦ θεοῦ vg)
7 17 διδαχῆς, πότερον ἐκ τοῦ θεοῦ ἐστιν
8 40 ἀλήθειαν –, ἣν ἤκουσα παρὰ τοῦ θ.
– 41 ἕνα πατέρα ἔχομεν τὸν θεόν 42 εἰ ὁ
θεὸς πατὴρ ὑμῶν ἦν
– 42 ἐγὼ – ἐκ τοῦ θεοῦ ἐξῆλθον 47 ὁ ὢν
ἐκ τοῦ θεοῦ τὰ ῥήματα τοῦ θεοῦ ἀ-
κούει· ὑμεῖς οὐκ ἀκούετε, ὅτι ἐκ
τοῦ θεοῦ οὐκ ἐστέ 54 ὃν ὑμεῖς λέγε-
τε ὅτι θεὸς ἡμῶν ἐστιν
9 3 ἵνα φανερωθῇ τὰ ἔργα τοῦ θεοῦ ἐν
– 16 οὐκ ἔστιν – παρὰ θεοῦ ὁ ἄνθρωπος
– 24 δὸς δόξαν τῷ θεῷ → δόξα, δοξάζειν
– 29 ὅτι Μωϋσεῖ λελάληκεν ὁ θεός
– 31 ὅτι ὁ θεὸς ἁμαρτωλῶν οὐκ ἀκούει
– 33 εἰ μὴ ἦν οὗτος παρὰ θεοῦ
10 33 σὺ ἄνθρωπος ὢν ποιεῖς σεαυτὸν θεόν
34 „ἐγὼ εἶπα· θεοί ἐστε" 35 εἰ ἐκεί-
νους εἶπεν θεοὺς πρὸς οὓς ὁ λόγος
τοῦ θεοῦ ἐγένετο → λόγος
11 22 νῦν οἶδα ὅτι ὅσα ἂν αἰτήσῃ τὸν θεὸν
δώσει σοι ὁ θεός
13 3 ὅτι ἀπὸ θεοῦ ἐξῆλθεν καὶ πρὸς τὸν
θεὸν ὑπάγει – 16 27.30
14 1 πιστεύετε εἰς τὸν θεόν, καὶ εἰς ἐμέ
16 2 δόξῃ λατρείαν προσφέρειν τῷ θεῷ
17 3 γινώσκ. σὲ τὸν μόνον ἀληθινὸν θεόν
20 17 ἀναβαίνω πρὸς τὸν – θεόν μου καὶ
θεὸν ὑμῶν
– 28 ὁ κύριός μου καὶ ὁ θεός μου

Act 2 11 λαλούντων – τὰ μεγαλεῖα τοῦ θεοῦ
– 17 λέγει ὁ θ., „ἐκχεῶ ἀπὸ τοῦ πνεύμ."
– 22 ἀποδεδειγμένον ἀπὸ τοῦ θεοῦ – ση-
μείοις, οἷς ἐποίησεν – ὁ θεός
– 23 τῇ ὡρισμένῃ βουλῇ καὶ προγνώσει
τοῦ θεοῦ ἔκδοτον
– 24 ὃν ὁ θεὸς ἀνέστησεν 32 3 15 ἤγει-
ρεν 26 4 10 10 40 13 30.37
– 30 εἰδὼς ὅτι – „ὤμοσεν αὐτῷ" ὁ θεός
– 36 ὅτι καὶ κύριον αὐτὸν καὶ χριστὸν ἐ-
ποίησεν ὁ θεός
3 13 „ὁ θεὸς Ἀβραὰμ –, ὁ θεὸς τῶν πα-
τέρων ἡμῶν" 5 30 7 32 22 14
– 18 ὁ δὲ θεὸς ἃ προκατήγγειλεν 21
– 25 τῆς διαθήκης ἧς ὁ θεὸς διέθετο
4 19 ὑμῶν ἀκούειν μᾶλλον ἢ τοῦ θεοῦ
– 24 ἦραν φωνὴν πρὸς τὸν θεόν
5 4 οὐκ ἐψεύσω ἀνθρώποις ἀλλὰ τῷ θεῷ
– 29 πειθαρχεῖν δεῖ θεῷ μᾶλλον ἢ ἀνθρ.
– 31 τοῦτον ὁ θεὸς – σωτῆρα ὕψωσεν
– 32 τὸ πνεῦμα – ὃ ἔδωκεν ὁ θεός
– 39 εἰ δὲ ἐκ θεοῦ ἐστιν (sc τὸ ἔργον)
6 11 βλάσφημα εἰς Μωϋσῆν καὶ τὸν θεόν
7 2 „ὁ θεὸς τῆς δόξης" ὤφθη – Ἀβραάμ
– 6 ἐλάλησεν – οὕτως ὁ θεός 7
– 9 „ἦν ὁ θεὸς μετ' αὐτοῦ" 10 38 (Jes.)
– 17 τῆς ἐπαγγελίας ἧς ὡμολόγησεν ὁ θ.
– 20 ἦν „ἀστεῖος" τῷ θεῷ (Moses)
– 25 ὅτι ὁ θεὸς – δίδωσιν σωτηρίαν αὐτοῖς
– 35 τοῦτον ὁ θ. – λυτρωτὴν ἀπέσταλκεν
– 40 „ποίησον ἡμῖν θεοὺς οἳ προπορεύ."
– 42 ἔστρεψεν δὲ ὁ θεὸς καὶ παρέδωκεν
– 43 „τὸ ἄστρον τοῦ θεοῦ Ῥομφά"
– 45 τῶν ἐθνῶν, ὧν ἐξῶσεν ὁ θεός
8 20 ὅτι τὴν δωρεὰν τοῦ θεοῦ ἐνόμισας
διὰ χρημάτων κτᾶσθαι
10 2 καὶ δεόμενος τοῦ θεοῦ διὰ παντός
– 15 ἃ ὁ θεὸς ἐκαθάρισεν σὺ μὴ 11 9
– 28 κἀμοὶ ὁ θεὸς ἔδειξεν μηδένα κοινόν
– 34 „οὐκ ἔστιν προσωπολήμπτης ὁ
θεός" Rm 2 11 οὐ γάρ ἐστιν πρ..ψία
παρὰ τῷ θεῷ Gal 2 6 „πρόσωπον [ὁ]
θεός" ἀνθρώπου „οὐ λαμβάνει"
– 38 „ἔχρισεν" αὐτὸν „ὁ θεὸς πνεύματι"
– 41 προκεχειροτονημένοις ὑπὸ τοῦ θεοῦ
– 42 ὡρισμένος ὑπὸ τοῦ θεοῦ κριτής
– 46 μεγαλυνόντων τὸν θεόν
11 17 εἰ – τὴν ἴσην δωρεὰν ἔδωκεν αὐτοῖς
ὁ θεὸς –, ἐγὼ τίς ἤμην δυνατὸς κω-
λῦσαι τὸν θεόν;
– 18 καὶ τοῖς ἔθνεσιν ὁ θεὸς τὴν μετάνοι-
αν εἰς ζωὴν ἔδωκεν

Act 12 5 προσευχὴ – πρὸς τὸν ϑ. περὶ αὐτοῦ
– 22 ϑεοῦ φωνὴ καὶ οὐκ ἀνϑρώπου
– 23 οὐκ ἔδωκεν τὴν δόξαν τῷ ϑεῷ
13 17 ὁ ϑεὸς τοῦ λαοῦ τούτου Ἰσραήλ
– 21 ἔδωκεν αὐτοῖς ὁ ϑεὸς τὸν Σαούλ
– 23 ὁ ϑεὸς – ἤγαγεν – σωτῆρα Ἰησοῦν
– 33 ταύτην (sc τὴν ἐπαγγελίαν) ὁ ϑεὸς
ἐκπεπλήρωκεν – ἀναστήσας Ἰησοῦν
– 36 „Δαυὶδ" – τῇ τ. ϑ. βουλῇ „ἐκοιμήϑη"
14 11 οἱ ϑεοὶ ὁμοιωϑέντες ἀνϑρώποις κατ-
έβησαν πρὸς ἡμᾶς
– 27 ὅσα ἐποίησεν ὁ ϑεὸς μετ᾽ αὐτῶν 15 4
– 12 σημεῖα – δι᾽ αὐτῶν
15 7 ἐξελέξατο ὁ ϑεὸς διὰ τοῦ στόματός
μου ἀκοῦσαι τὰ ἔϑνη τὸν λόγον
– 8 ὁ καρδιογνώστης ϑεὸς ἐμαρτύρησεν
– 10 νῦν οὖν τί πειράζετε τὸν ϑεόν – ;
– 14 ὁ ϑεὸς ἐπεσκέψατο λαβεῖν – λαόν
– 19 τοῖς ἀπὸ τῶν ἐϑνῶν ἐπιστρέφουσιν
ἐπὶ τὸν ϑεόν 26 18.20
16 10 ὅτι προσκέκληται ἡμᾶς ὁ ϑεός
– 17 δοῦλοι τοῦ ϑεοῦ τοῦ ὑψίστου εἰσίν
– 25 προσευχόμενοι ὕμνουν τὸν ϑεόν
– 34 πανοικεὶ πεπιστευκὼς τῷ ϑεῷ
17 23 ἐν ᾧ ἐπεγέγραπτο· ἀγνώστῳ ϑεῷ
– 24 „ὁ ϑεὸς ὁ ποιήσας" τὸν κόσμον
– 27 ζητεῖν τὸν ϑεόν, εἰ ἄρα γε ψηλαφής.
– 29 γένος οὖν ὑπάρχοντες τοῦ ϑεοῦ
– 30 ὑπεριδὼν ὁ ϑεὸς τὰ νῦν ἀπαγγέλλει
18 21 ἀνακάμψω – τοῦ ϑεοῦ ϑέλοντος
19 11 δυνάμεις – ὁ ϑ. ἐποίει διὰ – Παύλου
– 26 οὐκ εἰσὶν ϑεοὶ οἱ διὰ χειρῶν γινόμεν.
20 21 διαμαρτυρ. – τὴν εἰς ϑεὸν μετάνοιαν
– 27 ἀναγγεῖλαι πᾶσαν τὴν βουλὴν τ. ϑ.
– 28 ποιμαίνειν „τὴν ἐκκλησίαν τοῦ ϑεοῦ"
21 19 ὧν ἐποίησεν ὁ ϑεὸς ἐν τοῖς ἔϑνεσιν
22 3 ζηλωτὴς ὑπάρχων τοῦ ϑεοῦ (vl νό-
μου vg) → Rm 10 2
23 1 συνειδήσει ἀγαϑῇ πεπολίτευμαι τῷ
ϑεῷ ἄχρι ταύτης τῆς ἡμέρας
– 3 τύπτειν σε μέλλει ὁ ϑεός
– 4 τὸν ἀρχιερέα τοῦ ϑεοῦ λοιδορεῖς;
24 14 λατρεύω τῷ πατρῴῳ ϑεῷ 15 ἐλπίδα
ἔχων εἰς τὸν ϑεόν 16 ἀσκῶ ἀπρόσ-
κοπον συνείδησιν ἔχειν πρὸς τὸν ϑ.
26 6 ἐπαγγελίας γενομένης ὑπὸ τοῦ ϑεοῦ
– 8 ἄπιστον – εἰ ὁ ϑεὸς νεκροὺς ἐγείρει;
– 22 ἐπικουρίας – τυχὼν τῆς ἀπὸ τοῦ ϑεοῦ
– 29 εὐξαίμην ἂν τῷ ϑεῷ
27 24 κεχάρισταί σοι ὁ ϑεὸς πάντας τοὺς
– 25 πιστεύω – τῷ ϑεῷ ὅτι οὕτως ἔσται
28 6 μεταβαλόμ. ἔλεγον αὐτὸν εἶναι ϑεόν

Act 28 28 τοῦτο „τὸ σωτήριον τ. ϑ." → Luc 3 6
Rm 1 7 τοῖς – ἐν Ῥώμῃ ἀγαπητοῖς ϑεοῦ
– 9 μάρτυς – μού ἐστιν ὁ ϑεός Phl 1 8
1 Th 2 5 ϑεὸς μάρτυς 10 ὑμεῖς μάρ-
τυρες καὶ ὁ ϑεός – 2 Co 1 23 μάρ-
τυρα τὸν ϑεὸν ἐπικαλοῦμαι
– 19 τὸ γνωστὸν τοῦ ϑ. φανερόν ἐστιν ἐν
αὐτοῖς· ὁ ϑεὸς – αὐτοῖς ἐφανέρωσεν
– 21 γνόντες τὸν ϑεὸν οὐχ ὡς ϑεὸν ἐδό-
ξασαν ἢ ηὐχαρίστησαν
– 23 τὴν δόξαν τοῦ ἀφϑάρτου ϑεοῦ
– 24 παρέδωκεν αὐτοὺς ὁ ϑεὸς – εἰς ἀκα-
ϑαρσίαν 26 εἰς πάϑη ἀτιμίας 28 καϑ-
ὡς οὐκ ἐδοκίμασαν τὸν ϑεὸν ἔχειν
ἐν ἐπιγνώσει, παρέδωκεν αὐτοὺς ὁ
ϑεὸς εἰς ἀδόκιμον νοῦν
– 32 τὸ δικαίωμα τοῦ ϑεοῦ ἐπιγνόντες
2 2 τὸ κρίμα τοῦ ϑ. ἐστιν κατὰ ἀλήϑει-
αν 3 ὅτι σὺ ἐκφεύξῃ τὸ κρ. τοῦ ϑ.;
– 4 ἀγνοῶν ὅτι τὸ χρηστὸν τοῦ ϑεοῦ εἰς
μετάνοιάν σε ἄγει;
– 5 ὀργὴν ἐν ἡμέρᾳ ὀργῆς καὶ ἀποκα-
λύψεως δικαιοκρισίας τοῦ ϑεοῦ
– 11 οὐ – προσωπολ. Gal 2 6 → Act 10 34
– 13 οὐ γὰρ οἱ ἀκροαταὶ νόμου δίκαιοι
παρὰ [τῷ] ϑεῷ
– 16 ἐν ᾗ ἡμέρᾳ κρίνει (vl κρινεῖ vg) ὁ
ϑεὸς τὰ κρυπτὰ τῶν ἀνϑρώπων
– 17 εἰ – σὺ Ἰουδαῖος – καυχᾶσαι ἐν ϑεῷ
– 23 διὰ τῆς παραβάσεως – τὸν ϑεὸν ἀτι-
μάζεις; 24 „τὸ – ὄνομα τοῦ ϑεοῦ δι᾽
ὑμᾶς βλασφημεῖται" 29 ὁ ἐν τῷ κρυ-
πτῷ Ἰουδαῖος, –, οὗ ὁ ἔπαινος οὐκ
ἐξ ἀνϑρώπων, ἀλλ᾽ ἐκ τοῦ ϑεοῦ
3 2 ἐπιστεύϑησαν τὰ λόγια τοῦ ϑεοῦ
– 3 τὴν πίστιν τοῦ ϑεοῦ καταργήσει;
– 4 γινέσϑω δὲ ὁ ϑεὸς ἀληϑής
– 5 μὴ ἄδικος ὁ ϑεός – ; 6 πῶς κρινεῖ ὁ
ϑεὸς τὸν κόσμον;
– 11 „οὐκ ἔστιν ὁ ἐκζητῶν τὸν ϑεόν"
– 19 ὑπόδικος – πᾶς ὁ κόσμος τῷ ϑεῷ
– 25 ὃν προέϑετο ὁ ϑεὸς ἱλαστήριον
– 26 πάρεσιν – ἐν τῇ ἀνοχῇ τοῦ ϑεοῦ
– 29 ἢ Ἰουδαίων ὁ ϑεὸς μόνον;
– 30 εἴπερ εἷς ὁ ϑεὸς ὃς δικαιώσει περιτο.
4 2 ἔχει καύχημα· ἀλλ᾽ οὐ πρὸς ϑεόν
– 3 „ἐπίστευσεν δὲ Ἀβραὰμ τῷ ϑεῷ" 17
κατέναντι οὗ ἐπίστευσεν ϑεοῦ τοῦ
ζωοποιοῦντος τοὺς νεκροὺς
– 6 ᾧ ὁ ϑεὸς λογίζεται δικαιοσύνην
– 20 εἰς – τὴν ἐπαγγελίαν τοῦ ϑεοῦ οὐ
διεκρίϑη –, δοὺς δόξαν τῷ ϑεῷ

Rm 5 1 εἰρήνην ἔχωμεν (vl ἔχομεν, vg *habeamus*) πρὸς τὸν θεόν
– 8 συνίστησιν – τὴν ἑαυτοῦ ἀγάπην εἰς ἡμᾶς ὁ θεός → ἀγάπη
– 10 ἐχθροὶ ὄντες κατηλλάγημεν τῷ θεῷ
– 11 ἀλλὰ καὶ καυχώμενοι ἐν τῷ θεῷ
6 10 ὃ δὲ ζῇ, ζῇ τῷ θεῷ 11 ζῶντας δὲ τῷ θεῷ ἐν Χῷ Gal 2 19 ἵνα θεῷ ζήσω
– 13 παραστήσατε ἑαυτοὺς τῷ θεῷ ὡσεὶ ἐκ νεκρῶν ζῶντας καὶ τὰ μέλη ὑμῶν ὅπλα δικαιοσύνης τῷ θεῷ
– 22 δουλωθέντες δὲ τ. θεῷ, ἔχετε τ. καρπ.
– 23 τὸ δὲ χάρισμα τοῦ θεοῦ ζωὴ αἰώνιος
7 4 ἵνα καρποφορήσωμεν τῷ θεῷ
– 22 συνήδομαι – τῷ νόμῳ τοῦ θεοῦ 25 τῷ μὲν νοΐ δουλεύω νόμῳ θεοῦ
8 7 διότι τὸ φρόνημα τῆς σαρκὸς ἔχθρα εἰς θεόν· τῷ – νόμῳ τοῦ θεοῦ οὐχ ὑποτάσσεται 8 οἱ – ἐν σαρκὶ ὄντες θεῷ ἀρέσαι οὐ δύνανται
– 17 κληρονόμοι μὲν θεοῦ → Gal 4 7
– 27 κατὰ θεὸν ἐντυγχάνει (sc τὸ πνεῦμα) ὑπὲρ ἁγίων
– 31 εἰ ὁ θεὸς ὑπὲρ ἡμῶν, τίς καθ᾽ ἡμῶν; 33 τίς ἐγκαλέσει κατὰ ἐκλεκτῶν θεοῦ; θεὸς „ὁ δικαιῶν"
9 5 ὁ ὢν ἐπὶ πάντων θεὸς εὐλογητὸς εἰς τοὺς αἰῶνας
– 11 ἵνα ἡ – πρόθεσις τοῦ θεοῦ μένῃ
– 14 μὴ ἀδικία παρὰ τῷ θεῷ; 16 ἄρα οὖν – τοῦ ἐλεῶντος θεοῦ 20 σὺ τίς εἶ ὁ ἀνταποκρινόμενος τῷ θεῷ;
– 22 θέλων ὁ θεὸς ἐνδείξασθαι τὴν ὀργήν
10 1 ἡ δέησις πρὸς τὸν θεὸν ὑπὲρ αὐτῶν
– 2 ζῆλον θεοῦ ἔχουσιν → 2 Co 11 2
– 9 ὅτι ὁ θεὸς αὐτὸν ἤγειρεν → 1 Co 6 14
11 1 μὴ „ἀπώσατο ὁ θεὸς τὸν λαὸν αὐτοῦ;" 2 „οὐκ ἀπώσατο ὁ θεός – "
– 2 ὡς ἐντυγχάνει τῷ θεῷ κατὰ τοῦ Ἰσρ.
– 8 „ἔδωκεν αὐτοῖς ὁ θεὸς πνεῦμα κατανύξεως"
– 21 εἰ – ὁ θεὸς τῶν κατὰ φύσιν κλάδων οὐκ ἐφείσατο 22 ἴδε – χρηστότητα καὶ ἀποτομίαν θεοῦ· –, ἐπὶ δὲ σὲ χρηστότης θεοῦ 23 δυνατὸς – ὁ θεὸς πάλιν ἐγκεντρίσαι αὐτούς
– 29 ἀμεταμέλητα γὰρ τὰ χαρίσματα καὶ ἡ κλῆσις τοῦ θεοῦ
– 30 ὥσπερ – ὑμεῖς – ἠπειθήσατε τῷ θεῷ
– 32 συνέκλεισεν – ὁ θ. τοὺς πάντας εἰς ἀπείθειαν ἵνα τοὺς πάντας ἐλεήσῃ
– 33 ὦ βάθος – σοφίας καὶ γνώσεως θεοῦ

Rm 12 1 παρακαλῶ – διὰ τῶν οἰκτιρμῶν τοῦ θεοῦ, παραστῆσαι τὰ σώματα – θυσίαν ζῶσαν ἁγίαν τῷ θεῷ εὐάρεστον
– 3 ὡς ὁ θεὸς ἐμέρισεν μέτρον πίστεως
13 1 οὐ γὰρ ἔστιν ἐξουσία εἰ μὴ ὑπὸ θεοῦ, αἱ δὲ οὖσαι ὑπὸ θεοῦ τεταγμέναι 2 τῇ τοῦ θεοῦ διαταγῇ ἀνθέστηκεν 4 θεοῦ – διάκονός ἐστιν σοὶ εἰς τὸ ἀγαθόν. – · θεοῦ – διάκονός ἐστιν ἔκδικος 6 λειτουργοὶ – θεοῦ εἰσιν εἰς αὐτὸ τοῦτο προσκαρτεροῦντες
14 3 ὁ θεὸς γὰρ αὐτὸν προσελάβετο
– 10 παραστησόμεθα τῷ βήματι τοῦ θεοῦ (vl Χοῦ vg *Christi*, vl *dei*) 11 „πᾶσα γλῶσσα ἐξομολογήσεται τῷ θεῷ" 12 ἕκαστος – λόγον δώσει [τῷ θεῷ]
– 18 εὐάρεστος τῷ θεῷ καὶ δόκιμος τοῖς
– 20 μὴ – κατάλυε τὸ ἔργον τοῦ θεοῦ
15 5 ὁ δὲ θεὸς τῆς ὑπομονῆς 13 τῆς ἐλπίδος 33 τῆς εἰρήνης 16 20 Phl 4 9 1 Th 5 23 Hb 13 20 – 2 Co 13 ὁ – θεὸς πάσης παρακλήσεως 13 11 τῆς ἀγάπης καὶ εἰρήνης
– 15 διὰ τὴν χάριν τὴν δοθεῖσάν μοι ἀπὸ τοῦ θεοῦ εἰς τὸ εἶναι – λειτουργόν
– 17 τὴν καύχησιν – τὰ πρὸς τὸν θεόν
– 30 ταῖς προσευχαῖς – πρὸς τὸν θεόν
16 26 κατ᾽ ἐπιταγὴν τοῦ αἰωνίου θεοῦ
– 27 μόνῳ σοφῷ θεῷ, διὰ Ἰησοῦ Χοῦ
1 Co 1 9 πιστὸς ὁ θεός, δι᾽ οὗ ἐκλήθητε
– 20 οὐχὶ „ἐμώρανεν" ὁ θεὸς „τὴν σοφίαν" τοῦ κόσμου; 21 ἐπειδὴ – ἐν τῇ σοφίᾳ τοῦ θεοῦ οὐκ ἔγνω ὁ κόσμος – τὸν θεόν, εὐδόκησεν ὁ θεὸς διὰ τῆς μωρίας τοῦ κηρύγματος σῶσαι
– 24 Χὸν θεοῦ δύναμιν καὶ θεοῦ σοφίαν 25 τὸ μωρὸν τοῦ θεοῦ –, καὶ τὸ ἀσθενὲς τοῦ θεοῦ 27 τὰ μωρὰ – ἐξελέξατο ὁ θεὸς –, καὶ τὰ ἀσθενῆ – ἐξελέξατο ὁ θεός 28 τὰ ἀγενῆ – καὶ τὰ ἐξουθενημένα ἐξελέξατο ὁ θεός
– 30 ὃς ἐγενήθη σοφία ἡμῖν ἀπὸ θεοῦ
2 1 καταγγέλλων – τὸ μαρτύριον τοῦ θ.
– 7 λαλοῦμεν θεοῦ σοφίαν –, ἣν προώρισεν ὁ θεὸς 9 „ὅσα" ἡτοίμασεν „ὁ θεὸς τοῖς ἀγαπῶσιν αὐτόν"
– 10 ἡμῖν – ἀπεκάλυψεν ὁ θεός – · τὸ γὰρ πνεῦμα πάντα ἐρευνᾷ, καὶ τὰ βάθη τοῦ θεοῦ 11 τὰ τοῦ θεοῦ οὐδεὶς ἔγνωκεν εἰ μὴ τὸ πνεῦμα τοῦ θεοῦ
– 12 ἐλάβομεν – τὸ πνεῦμα τὸ ἐκ τ. θ. ἵνα εἰδῶμεν τὰ ὑπὸ τ. θ. χαρισθέντα ἡμῖν

1 Co 3 6 ὁ θεὸς ηὔξανεν 7 ὁ αὐξάνων θεός
– 9 θεοῦ γάρ ἐσμεν συνεργοί· θεοῦ γε-
  ώργιον, θεοῦ οἰκοδομή ἐστε
– 17 φθερεῖ τοῦτον ὁ θεός → ναός
– 19 μωρία παρὰ τῷ θεῷ ἐστιν
– 23 Χὸς δὲ θεοῦ (sc ἐστιν) → 11 3
4 1 ὡς – οἰκονόμους μυστηρίων θεοῦ
– 5 τότε ὁ ἔπαινος – ἑκάστῳ ἀπὸ τοῦ θ.
– 9 δοκῶ γάρ, ὁ θεὸς ἡμᾶς τοὺς ἀπο-
  στόλους ἐσχάτους ἀπέδειξεν
5 13 τοὺς δὲ ἔξω ὁ θεὸς κρινεῖ
6 13 ὁ δὲ θεὸς καὶ ταύτην (sc κοιλίαν)
  καὶ ταῦτα καταργήσει
– 14 ὁ δὲ θεὸς καὶ τὸν κύριον ἤγειρεν καὶ
  ἡμᾶς ἐξεγερεῖ 15 15 ψευδομάρτυρες
  τοῦ θεοῦ, ὅτι ἐμαρτυρήσαμεν κατὰ
  τοῦ θεοῦ ὅτι ἤγειρεν τὸν Χόν
– 19 πνεύματος –, οὗ ἔχετε ἀπὸ θεοῦ
7 7 ἕκαστος ἴδιον ἔχει χάρισμα ἐκ θεοῦ
– 15 ἐν – εἰρήνῃ κέκληκεν ὑμᾶς ὁ θεός
– 17 ἕκαστον ὡς κέκληκεν ὁ θεός 24 ἐν ᾧ
  ἐκλήθη –, ἐν τούτῳ μενέτω παρὰ θεῷ
8 4 ὅτι οὐδεὶς θεὸς εἰ μὴ εἷς 5 εἴπερ εἰ-
  σὶν λεγόμενοι θεοί –, ὥσπερ εἰσὶν
  θεοὶ πολλοί 6 ἀλλ᾽ ἡμῖν εἷς θ. ὁ πα-
  τήρ, ἐξ οὗ τὰ πάντα καὶ ἡμ. εἰς αὐτ.
– 8 βρῶμα – ἡμᾶς οὐ παραστήσει τῷ θεῷ
  → Rm 14 17 sub βασιλεία τοῦ θ.
9 9 μὴ τῶν βοῶν μέλει τῷ θεῷ;
– 21 μὴ ὢν ἄνομος θεοῦ ἀλλ᾽ ἔννομος Χ.
10 5 οὐκ ἐν τοῖς πλείοσιν αὐτῶν (sc τῶν
  πατέρων) εὐδόκησεν ὁ θεός
– 13 πιστὸς δὲ ὁ θεός, ὃς οὐκ ἐάσει
– 20 „δαιμονίοις καὶ οὐ θεῷ θύουσιν"
11 3 κεφαλὴ δὲ τοῦ Χοῦ ὁ θεός
– 12 τὰ δὲ πάντα ἐκ τοῦ θεοῦ
– 13 πρέπον ἐστὶν γυναῖκα ἀκατακάλυ-
  πτον τῷ θεῷ προσεύχεσθαι;
12 6 ὁ δὲ αὐτὸς θεὸς ὁ ἐνεργῶν τὰ πάντα
– 18 νῦν δὲ ὁ θεὸς ἔθετο τὰ μέλη, ἐν ἕκ.
– 24 ἀλλ᾽ ὁ θεὸς συνεκέρασεν τὸ σῶμα
– 28 οὓς μὲν ἔθετο ὁ θεὸς – ἀποστόλους
14 2 οὐκ ἀνθρώποις λαλεῖ ἀλλὰ θεῷ
– 25 προσκυνήσει τῷ θεῷ, ἀπαγγέλλων
  ὅτι „ὄντως ὁ θεὸς ἐν ὑμῖν ἐστιν"
– 28 ἑαυτῷ δὲ λαλείτω καὶ τῷ θεῷ
– 33 οὐ γάρ ἐστιν ἀκαταστασίας ὁ θεὸς
  ἀλλὰ εἰρήνης | 15 15 → 1 Co 6 14
15 24 ὅταν παραδιδοῖ τὴν βασιλείαν τῷ θεῷ
– 28 ἵνα ᾖ ὁ θεὸς πάντα ἐν πᾶσιν
– 34 ἀγνωσίαν γὰρ θεοῦ τινες ἔχουσιν
– 38 ὁ δὲ θεὸς δίδωσιν αὐτῷ σῶμα καθὼς

2 Co 1 4 διὰ τῆς παρακλήσεως ἧς παρακα-
  λούμεθα αὐτοὶ ὑπὸ τοῦ θεοῦ
– 9 ἵνα – πεποιθότες ὦμεν – ἐπὶ τῷ θεῷ
  τῷ ἐγείροντι τοὺς νεκρούς
– 12 ἐν ἁγιότητι καὶ εἰλικρινείᾳ τοῦ θεοῦ
– 18 πιστὸς δὲ ὁ θεὸς ὅτι ὁ λόγος ἡμῶν
– 20 ὅσαι – ἐπαγγελίαι θεοῦ, ἐν αὐτῷ τὸ
  ναί· διὸ καὶ δι᾽ αὐτοῦ τὸ ἀμὴν τῷ
  θεῷ πρὸς δόξαν δι᾽ ἡμῶν
– 21 ὁ δὲ – χρίσας ἡμᾶς θεός
2 15 ὅτι Χοῦ εὐωδία ἐσμὲν τῷ θεῷ
– 17 ὡς ἐκ θεοῦ κατέναντι θεοῦ ἐν Χῷ
  λαλοῦμεν | → λόγος τοῦ θεοῦ
3 4 πεποίθησιν – ἔχομεν – πρὸς τὸν θεόν
– 5 ἀλλ᾽ ἡ ἱκανότης ἡμῶν ἐκ τοῦ θεοῦ
4 4 ὁ θ. τοῦ αἰῶνος τούτου ἐτύφλωσεν
– – Χοῦ, ὅς ἐστιν εἰκὼν τοῦ θεοῦ
– 6 ὁ θεὸς ὁ εἰπών· ἐκ σκότους φῶς
– 7 ἵνα ἡ ὑπερβολὴ τῆς δυνάμεως ᾖ τοῦ
  θεοῦ καὶ μὴ ἐξ ἡμῶν
5 1 ὅτι – οἰκοδομὴν ἐκ θεοῦ ἔχομεν
– 5 ὁ – κατεργασάμενος ἡμᾶς – θεός
– 11 θεῷ δὲ πεφανερώμεθα· ἐλπίζω δέ
– 13 εἴτε – ἐξέστημεν, θεῷ· εἴτε σωφρον.
– 18 ἐκ τοῦ θεοῦ τοῦ καταλλάξαντος ἡ-
  μᾶς ἑαυτῷ 19 θεὸς ἦν ἐν Χῷ κόσμον
  καταλλάσσων ἑαυτῷ 20 ὡς τοῦ θεοῦ
  παρακαλοῦντος δι᾽ ἡμῶν· – καταλλά-
  γητε τῷ θεῷ
6 4 ὡς θεοῦ διάκονοι 7 ἐν λόγῳ ἀληθεί-
  ας, ἐν δυνάμει θεοῦ
– 16 εἶπεν ὁ θεός – „ἔσομαι αὐτῶν θεός"
7 6 παρεκάλεσεν ἡμᾶς ὁ θεὸς ἐν τῇ
– 9 ἐλυπήθητε – κατὰ θεόν 10 ἡ – κατὰ
  θεὸν λύπη 11 τὸ κατὰ θ. λυπηθῆναι
9 7 „ἱλαρὸν – δότην" ἀγαπᾷ „ὁ θεός"
– 8 δυνατεῖ – ὁ θεὸς – χάριν περισσεῦσαι
– 11 κατεργάζεται δι᾽ ἡμῶν εὐχαριστίαν
  τῷ θεῷ 12 περισσεύουσα διὰ πολλῶν
  εὐχαριστιῶν τῷ θεῷ
10 4 τὰ – ὅπλα – δυνατὰ τῷ θεῷ
– 5 ἐπαιρόμεν. κατὰ τῆς γνώσεως τοῦ θ.
– 13 οὗ ἐμέρισεν ἡμῖν ὁ θεὸς μέτρο
11 2 ζηλῶ γὰρ ὑμᾶς θεοῦ ζήλῳ
– 11 ὁ θεὸς οἶδεν 12 2.3
12 21 μὴ – ταπεινώσῃ με ὁ θεός μου πρός
13 7 εὐχόμεθα δὲ πρὸς τὸν θ. μὴ ποιῆσαι
Gal 1 1 διὰ – θεοῦ πατρὸς τοῦ ἐγείραντος
– 10 ἄρτι – ἀνθρώπους πείθω ἢ τὸν θεόν;
2 19 νόμῳ ἀπέθανον ἵνα θεῷ ζήσω
3 6 Ἀβραὰμ „ἐπίστευσεν τῷ θεῷ"
– 8 ἐκ πίστεως δικαιοῖ τὰ ἔθνη ὁ θεός

Gal 3 11 ἐν νόμῳ οὐδεὶς δικαιοῦται παρὰ τ. ϑ.
 – 17 διαϑήκην προκεκυρωμένην ὑπὸ τοῦ ϑ.
 – 18 δι' ἐπαγγελίας κεχάρισται ὁ ϑεός
 – 20 ὁ δὲ ϑεὸς εἷς ἐστιν 21 ὁ οὖν νόμος
     κατὰ τῶν ἐπαγγελιῶν [τοῦ ϑεοῦ];
 4 4 ἐξαπέστειλεν ὁ ϑεὸς τὸν υἱὸν αὐτοῦ
     6 τὸ πνεῦμα τοῦ υἱοῦ αὐτοῦ
 – 7 εἰ δὲ υἱός, καὶ κληρονόμος διὰ ϑεοῦ
 – 8 οὐκ εἰδότες ϑεὸν ἐδουλεύσατε τοῖς
     φύσει μὴ οὖσιν ϑεοῖς 9 νῦν δὲ γνόν-
     τες ϑεόν, μᾶλλον δὲ γνωσϑέντες ὑπὸ
     ϑεοῦ, πῶς ἐπιστρέφετε –;
 6 7 ϑεὸς οὐ μυκτηρίζεται
 – 16 „εἰρήνη – ἐπὶ τὸν Ἰσραὴλ" τοῦ ϑεοῦ
Eph 1 17 ὁ ϑεὸς τοῦ κυρίου ἡμῶν Ἰησοῦ Χοῦ
 2 4 ὁ δὲ ϑεὸς πλούσιος ὢν ἐν ἐλέει
 – 8 οὐκ ἐξ ὑμῶν, ϑεοῦ τὸ δῶρον
 – 10 ἐπὶ ἔργοις ἀγαϑοῖς, οἷς προητοίμα-
     σεν ὁ ϑεὸς ἵνα ἐν αὐτοῖς περιπατήσ.
 – 16 ἵνα – ἀποκαταλλάξῃ τοὺς ἀμφοτέρους
     ἐν ἑνὶ σώματι τῷ ϑεῷ
 – 19 ἀλλὰ ἐστὲ – οἰκεῖοι τοῦ ϑεοῦ
 – 22 εἰς κατοικητήριον τοῦ ϑ. ἐν πνεύματι
 3 9 μυστηρίου τοῦ ἀποκεκρυμμένου – ἐν
     τῷ ϑεῷ τῷ τὰ πάντα κτίσαντι
 – 10 ἡ πολυποίκιλος σοφία τοῦ ϑεοῦ
 – 19 ἵνα πληρωϑῆτε εἰς πᾶν τὸ πλήρωμα
     τοῦ ϑεοῦ
 4 6 εἷς ϑεὸς καὶ πατὴρ πάντων, ὁ ἐπὶ
     πάντων καὶ διὰ πάντων καὶ ἐν πᾶσιν
 – 18 ἀπηλλοτριωμένοι τῆς ζωῆς τοῦ ϑεοῦ
 – 24 τὸν κατὰ ϑεὸν κτισϑέντα ἐν δικαιοσ.
 – 32 καϑὼς καὶ ὁ ϑεὸς – ἐχαρίσατο ὑμῖν
 5 1 γίνεσϑε οὖν μιμηταὶ τοῦ ϑεοῦ
 – 2 παρέδωκεν ἑαυτὸν – ϑυσίαν τῷ ϑεῷ
 6 11 τὴν πανοπλίαν τοῦ ϑεοῦ 13
 – 17 „τὴν μάχαιραν" –, ὅ ἐστιν „ῥῆμα ϑ."
Phl 1 11 εἰς δόξαν καὶ ἔπαινον ϑεοῦ
 – 28 σωτηρίας, καὶ τοῦτο ἀπὸ ϑεοῦ
 2 6 ὃς ἐν μορφῇ ϑεοῦ ὑπάρχων οὐχ ἁρ-
     παγμὸν ἡγήσατο τὸ εἶναι ἴσα ϑεῷ
 – 9 διὸ καὶ ὁ ϑεὸς αὐτὸν ὑπερύψωσεν
 – 13 ϑεός – ἐστιν ὁ ἐνεργῶν ἐν ὑμῖν
 – 27 ἀλλὰ ὁ ϑεὸς ἠλέησεν αὐτόν
 3 3 ἡμεῖς – ἐσμεν ἡ περιτομή, οἱ πνεύματι
     ϑεοῦ (vl ϑεῷ vg) λατρεύοντες
 – 9 ἔχων – τὴν ἐκ ϑεοῦ δικαιοσύνην
 – 14 τῆς ἄνω κλήσεως τοῦ ϑεοῦ ἐν Χῷ
 – 15 τοῦτο ὁ ϑεὸς ὑμῖν ἀποκαλύψει
 – 19 ὧν ὁ ϑεὸς ἡ κοιλία καὶ ἡ δόξα ἐν τῇ
 4 6 τὰ αἰτήμ. – γνωριζέσϑω πρὸς τὸν ϑ.
 – 7 ἡ εἰρήνη τοῦ ϑεοῦ ἡ ὑπερέχουσα

Phl 4 18 ϑυσίαν δεκτήν, εὐάρεστον τῷ ϑεῷ
 – 19 ὁ δὲ ϑεός μου πληρώσει – χρείαν
Col 1 10 αὐξανόμενοι τῇ ἐπιγνώσει τοῦ ϑεοῦ
 – 15 ὅς ἐστιν εἰκὼν τοῦ ϑεοῦ τοῦ ἀοράτου
 – 25 κατὰ τὴν οἰκονομίαν τοῦ ϑεοῦ
 – 27 οἷς ἠϑέλησεν ὁ ϑεὸς γνωρίσαι
 2 2 εἰς ἐπίγνωσιν τοῦ μυστηρίου τοῦ ϑε-
     οῦ, Χοῦ, ἐν ᾧ εἰσιν – „οἱ ϑησαυροί"
 – 12 διὰ τῆς πίστεως τῆς ἐνεργείας τοῦ
     ϑ. τοῦ ἐγείραντος αὐτὸν ἐκ νεκρῶν
 – 19 αὔξει τὴν αὔξησιν τοῦ ϑεοῦ
 3 3 ἀπεϑάνετε γάρ, καὶ ἡ ζωὴ ὑμῶν κέ-
     κρυπται σὺν τῷ Χῷ ἐν τῷ ϑεῷ
 – 12 ὡς ἐκλεκτοὶ τοῦ ϑεοῦ ἅγιοι
 – 16 ᾄδοντες ἐν ταῖς καρδίαις – τῷ ϑεῷ
 4 3 ἵνα ὁ ϑεὸς ἀνοίξῃ ἡμῖν ϑύραν
1 Th 1 4 ἀδελφοὶ ἠγαπημένοι ὑπὸ [τοῦ] ϑεοῦ
 – 8 ἡ πίστις ὑμῶν ἡ πρὸς τὸν ϑεόν
 – 9 πῶς ἐπεστρέψατε πρὸς τὸν ϑεὸν –
     δουλεύειν ϑεῷ ζῶντι καὶ ἀληϑινῷ
 2 2 ἐπαρρησιασάμεϑα ἐν τῷ ϑεῷ ἡμῶν
     λαλῆσαι – τὸ εὐαγγέλιον τοῦ ϑεοῦ
 – 4 καϑὼς δεδοκιμάσμεϑα ὑπὸ τοῦ ϑεοῦ
 – – ἀλλὰ ϑεῷ (sc ἀρέσκοντες) τῷ „δο-
     κιμάζοντι τὰς καρδίας" ἡμῶν
 – 12 περιπατεῖν – ἀξίως τοῦ ϑεοῦ 3 Jo 6
 – 13 παραλαβόντες λόγον ἀκοῆς – τοῦ ϑ.
 – 15 Ἰουδαίων, – ϑεῷ μὴ ἀρεσκόντων
 3 2 διάκονον τοῦ ϑεοῦ ἐν τῷ εὐαγγελίῳ
 – 9 τίνα – εὐχαριστίαν δυνάμεϑα τῷ ϑεῷ
     ἀνταποδοῦναι περὶ ὑμῶν –;
 4 1 πῶς δεῖ – περιπατ. καὶ ἀρέσκειν ϑεῷ
 – 5 „τὰ ἔϑνη τὰ μὴ εἰδότα τὸν ϑεόν"
 – 7 οὐ γὰρ ἐκάλεσεν ἡμᾶς ὁ ϑεὸς ἐπὶ
     ἀκαϑαρσίᾳ
 – 8 ἀϑετεῖ – τὸν ϑεὸν τὸν καὶ „διδόντα
     τὸ πνεῦμα αὐτοῦ – εἰς ὑμᾶς"
 – 14 οὕτως καὶ ὁ ϑεὸς τοὺς κοιμηϑέντας
     διὰ τοῦ Ἰησοῦ ἄξει σὺν αὐτῷ
 – 16 ἐν σάλπιγγι ϑεοῦ, καταβήσεται
 5 9 οὐκ ἔϑετο ἡμᾶς ὁ ϑεὸς εἰς ὀργήν
2 Th 1 5 ἔνδειγμα τῆς δικαίας κρίσεως τοῦ ϑ.
 – 6 εἴπερ δίκαιον παρὰ ϑεῷ ἀνταποδοῦν.
 – 8 „ἐκδίκησιν τοῖς μὴ εἰδόσιν ϑεόν"
 – 11 ἵνα ὑμᾶς ἀξιώσῃ τῆς κλήσεως ὁ ϑεὸς
     ἡμῶν 12 → χάρις ϑεοῦ
 2 4 „ὑπεραιρόμενος ἐπὶ πάντα" λεγόμε-
     νον „ϑεὸν" ἢ σέβασμα, –, ἀποδει-
     κνύντα ἑαυτὸν ὅτι ἐστὶν „ϑεός"
 – 11 πέμπει αὐτοῖς ὁ ϑ. ἐνέργειαν πλάνης
 – 13 εἵλατο ὑμᾶς ὁ ϑεὸς ἀπ' ἀρχῆς (vl
     ἀπαρχήν vg) εἰς σωτηρίαν

1 Ti 1 1 κατ᾽ ἐπιταγὴν θεοῦ σωτῆρος ἡμῶν
2 3 τοῦ σωτῆρος ἡμῶν θεοῦ 4 10 ἐπὶ
θεῷ ζῶντι, ὅς ἐστιν σωτὴρ πάντων
ἀνθρώπων → Tit 1 3 etc.
– 4 οἰκονομίαν (vl οἰκοδομὴν vg aedificationem) θεοῦ τὴν ἐν πίστει
– 11 εὐαγγέλ. τῆς δόξης τοῦ μακαρίου θ.
– 17 ἀφθάρτῳ ἀοράτῳ μόνῳ θεῷ
2 5 εἷς – θεός, εἷς καὶ μεσίτης θεοῦ καὶ
ἀνθρώπων
3 15 πῶς δεῖ ἐν οἴκῳ θεοῦ ἀναστρέφεσθαι
4 3 βρωμάτων, ἃ ὁ θεὸς ἔκτισεν εἰς μετάλημψιν 4 πᾶν κτίσμα θεοῦ καλόν
5 5 ὄντως χήρα – ἤλπικεν ἐπὶ θεόν
6 1 ἵνα μὴ τὸ ὄνομα τοῦ θεοῦ καὶ ἡ διδασκαλία βλασφημῆται
– 11 σὺ δέ, ὦ ἄνθρωπε θεοῦ, – φεῦγε
– 17 ἠλπικέναι – ἐπὶ θεῷ (vl + ζῶντι vg,
vlᵒ) τῷ παρέχοντι – πάντα πλουσίως

2 Ti 1 6 ἀναζωπυρεῖν τὸ χάρισμα τοῦ θεοῦ
– 7 οὐ – ἔδωκεν ἡμῖν ὁ θ. πνεῦμα δειλίας
2 15 σεαυτὸν δόκιμον παραστῆσαι τῷ θεῷ
– 19 ὁ – θεμέλιος τοῦ θεοῦ ἕστηκεν
– 25 μήποτε δῴη αὐτοῖς ὁ θεὸς μετάνοιαν
3 17 ἵνα ἄρτιος ᾖ ὁ τοῦ θεοῦ ἄνθρωπος

Tit 1 1 δοῦλος θεοῦ 1 Pe 2 16 ὡς θεοῦ δοῦλοι Ap 7 3 ἄχρι σφραγίσωμεν τοὺς
δούλους τοῦ θεοῦ ἡμῶν 15 3 „Μωυσέως τοῦ δούλου τοῦ θεοῦ"
– – κατὰ πίστιν ἐκλεκτῶν θεοῦ
– 2 ἣν ἐπηγγείλατο ὁ ἀψευδὴς θεός
– 3 κατ᾽ ἐπιταγὴν τοῦ σωτῆρος ἡμῶν θεοῦ 2 10 τὴν διδασκαλίαν τὴν τοῦ σωτῆρος ἡμῶν θεοῦ 13 τῆς δόξης τοῦ μεγάλου θεοῦ καὶ σωτῆρος ἡμ. Χοῦ
Ἰησοῦ 3 4 ἡ φιλανθρωπία ἐπεφάνη
τοῦ σωτῆρος ἡμῶν θεοῦ → Jud 25
– 7 ἐπίσκοπον – ὡς θεοῦ οἰκονόμον
– 16 θεὸν ὁμολογοῦσιν εἰδέναι, 1 οῖς δὲ
3 8 οἱ πεπιστευκότες θεῷ   [ἔργοις

Hb 1 1 πάλαι ὁ θεὸς λαλήσας τοῖς πατράσιν
– 9 „ἔχρισέν σε, ὁ θεός, ὁ θεός σου"
2 4 συνεπιμαρτυροῦντος τοῦ θεοῦ σημείοις 11 4 μαρτυροῦντος – τοῦ θεοῦ
– 13 „τὰ παιδία ἅ μοι ἔδωκεν ὁ θεός"
– 17 πιστὸς ἀρχιερεὺς τὰ πρὸς τὸν θ. 5 1
3 4 ὁ δὲ πάντα κατασκευάσας θεός
4 4 „κατέπαυσεν ὁ θ. – ἀπὸ – τῶν ἔργων"
10 ὥσπερ ἀπὸ τῶν ἰδίων ὁ θεός
– 9 σαββατισμὸς τῷ λαῷ τοῦ θεοῦ
5 4 ἀλλὰ καλούμενος ὑπὸ τοῦ θεοῦ
– 10 προσαγορευθεὶς ὑπὸ τοῦ θεοῦ ἀρχ-

ιερεὺς „κατὰ τὴν τάξιν Μελχισέδεκ"
Hb 5 12 τὰ στοιχεῖα – τῶν λογίων τοῦ θεοῦ
6 1 θεμέλιον –, καὶ πίστεως ἐπὶ θεόν
– 3 ποιήσομεν, ἐάνπερ ἐπιτρέπῃ ὁ θεός
– 5 καλὸν γευσαμένους θεοῦ ῥῆμα
– 7 „γῆ"–τίκτουσα „βοτάνην" εὔθετον–,
μεταλαμβάνει εὐλογίας ἀπὸ τοῦ θ.
– 10 οὐ γὰρ ἄδικος ὁ θεὸς ἐπιλαθέσθαι
– 13 τῷ – Ἀβρ. ἐπαγγειλάμενος ὁ θεός,
–, „ὤμοσεν καθ᾽ ἑαυτοῦ" 17 βουλόμενος ὁ θεὸς ἐπιδεῖξαι – τὸ ἀμετάθετον τῆς βουλῆς αὐτοῦ 18 ἐν οἷς
ἀδύνατον ψεύσασθαι θεόν
7 1 „ἱερεὺς τοῦ θεοῦ τοῦ ὑψίστου"
– 19 ἐλπίδος, δι᾽ ἧς ἐγγίζομεν τῷ θεῷ
– 25 τοὺς προσερχομ. δι᾽ αὐτοῦ – τῷ θεῷ
8 10 „ἔσομαι αὐτοῖς εἰς θεόν"
9 14 ἑαυτὸν προσήνεγκεν ἄμωμον τῷ θεῷ
– 20 „τὸ αἷμα τῆς διαθήκης ἧς ἐνετείλατο
πρὸς ὑμᾶς ὁ θεός"
– 24 ἐμφανισθῆναι τῷ προσώπῳ τοῦ θεοῦ
11 3 πίστει νοοῦμεν κατηρτίσθαι τοὺς αἰῶνας ῥήματι θεοῦ
– 4 πλείονα θυσίαν – προσήνεγκεν τῷ θ.
– 5 „μετέθηκεν αὐτὸν ὁ θεός." – μεμαρτύρηται „εὐαρεστηκέναι τῷ θεῷ"
– 6 πιστεῦσαι – δεῖ τὸν προσερχόμενον
[τῷ] θεῷ, ὅτι ἔστιν καὶ – μισθαποδότ.
– 10 πόλιν, ἧς – δημιουργὸς ὁ θεός
– 16 οὐκ ἐπαισχύνεται αὐτοὺς ὁ θεὸς θεὸς ἐπικαλεῖσθαι αὐτῶν
– 19 καὶ ἐκ νεκρῶν ἐγείρειν δυνατὸς ὁ θ.
– 25 συγκακουχεῖσθαι τῷ λαῷ τοῦ θεοῦ
– 40 τοῦ θ. – κρεῖττόν τι προβλεψαμένου
12 7 ὡς υἱοῖς ὑμῖν προσφέρεται ὁ θεός
– 23 προσεληλύθατε – κριτῇ θεῷ πάντων
– 28 δι᾽ ἧς λατρεύωμεν εὐαρέστως τῷ θεῷ
– 29 „ὁ θεός" ἡμῶν „πῦρ καταναλίσκον"
13 4 πόρνους – καὶ μοιχοὺς κρινεῖ ὁ θεός
– 15 „θυσίαν αἰνέσεως – τῷ θεῷ" 16 τοιαύταις γὰρ θυσίαις εὐαρεστεῖται ὁ θ.

Jac 1 1 θεοῦ καὶ κυρίου Ἰησοῦ Χοῦ δοῦλος
– 5 παρὰ τ. διδόντος θεοῦ πᾶσιν ἁπλῶς
– 13 ὅτι ἀπὸ θεοῦ πειράζομαι· ὁ γὰρ θεὸς ἀπείραστός ἐστιν κακῶν, πειράζει
δὲ αὐτὸς οὐδένα
– 27 θρησκεία – ἀμίαντος παρὰ τῷ θεῷ
2 5 οὐχ ὁ θ. ἐξελέξατο τοὺς πτωχοὺς –;
– 19 πιστεύεις ὅτι εἷς ἐστιν ὁ θεός;
– 23 „ἐπίστευσεν – Ἀβραὰμ τῷ θεῷ," – καὶ
„φίλος θεοῦ" ἐκλήθη
3 9 τοὺς „καθ᾽ ὁμοίωσιν θεοῦ" γεγονότας

Jac 4 4 ἔχϑρα (vg inimica) τοῦ ϑεοῦ ἐστιν;
 – ἐχϑρὸς τοῦ ϑεοῦ καϑίσταται
 – 6 „ὁ ϑεὸς ὑπερηφάνοις ἀντιτάσσεται”
 7 ὑποτάγητε οὖν τῷ ϑεῷ 1 Pe 5 5 „ὁ
 ϑ. ὑπερηφ. ἀντιτ.” 6 ταπεινώϑητε οὖν
 ὑπὸ τὴν κραταιὰν χεῖρα τοῦ ϑεοῦ
 – 8 ἐγγίσατε τῷ ϑεῷ, καὶ ἐγγίσει ὑμῖν
1 Pe 1 2 κατὰ πρόγνωσιν ϑεοῦ πατρός
 – 21 τοὺς δι’ αὐτοῦ πιστοὺς εἰς ϑεὸν –,
 ὥστε τὴν πίστιν ὑμῶν καὶ ἐλπίδα εἶ-
 ναι εἰς ϑεόν
 – 23 διὰ λόγου ζῶντος ϑεοῦ καὶ μένοντος
 2 4 παρὰ δὲ ϑεῷ „ἐκλεκτὸν ἔντιμον”
 – 5 ϑυσίας εὐπροσδέκτους ϑεῷ
 – 10 οἵ ποτε „οὐ λαός,” νῦν δὲ λαὸς ϑεοῦ
 – 16 → Tit 1 1 – 19 εἰ διὰ συνείδησιν ϑε-
 οῦ ὑποφέρει τις λύπας
 3 5 γυναῖκες αἱ ἐλπίζουσαι εἰς ϑεόν
 – 18 ἵνα ὑμᾶς προσαγάγῃ τῷ ϑεῷ
 – 20 ὅτε ἀπεξεδέχετο ἡ τοῦ ϑ. μακροϑυμία
 – 21 συνειδήσεως – ἐπερώτημα εἰς ϑεόν
 4 6 ἵνα –, ζῶσι δὲ κατὰ ϑεὸν πνεύματι
 – 11 εἴ τις λαλεῖ, ὡς λόγια ϑεοῦ· εἴ τις δια-
 κονεῖ, ὡς ἐξ ἰσχύος ἧς χορηγεῖ ὁ ϑ.
 5 2 τὸ ἐν ὑμῖν ποίμνιον τοῦ ϑεοῦ, – ἀλλὰ
 ἑκουσίως κατὰ ϑεόν – 5.6 → Jac 4 6
 – 10 ὁ δὲ ϑεὸς πάσης χάριτος, ὁ καλέσας
2 Pe 1 2 ἐν ἐπιγνώσει τοῦ ϑεοῦ καὶ Ἰησοῦ
 – 21 ὑπὸ πνεύμ.-φερόμενοι ἐλάλησαν ἀπὸ
 ϑεοῦ (vl ἅγιοι ϑεοῦ vg) ἄνϑρωποι
 2 4 εἰ – ὁ ϑεὸς ἀγγέλων – οὐκ ἐφείσατο
 3 12 τὴν παρουσίαν τῆς τοῦ ϑεοῦ ἡμέρας
1 Jo 1 5 ὁ ϑ. φῶς ἐστιν καὶ σκοτία ἐν αὐτῷ
 3 9 ὁ γεγεννημένος ἐκ τοῦ ϑεοῦ ἁμαρ-
 τίαν οὐ ποιεῖ, – · – ὅτι ἐκ τοῦ ϑεοῦ
 γεγέννηται 4 7 5 1.4 πᾶν τὸ γεγεννημ.
 18 πᾶς ὁ γεγ. ἐκ τ. ϑ. οὐχ ἁμαρτά-
 νει, ἀλλ’ ὁ γεννηϑεὶς ἐκ τοῦ ϑεοῦ (vl
 ἡ γέννησις τοῦ ϑ. vg) τηρεῖ αὐτόν
 – 10 φανερά ἐστιν τὰ τέκνα τοῦ ϑεοῦ – ·
 – οὐκ ἔστιν ἐκ τοῦ ϑεοῦ 4 3.6 – 4 1
 τὰ πνεύματα εἰ ἐκ τοῦ ϑεοῦ ἐστιν 2.4
 ὑμεῖς ἐκ τοῦ ϑεοῦ ἐστε 6 ἡμεῖς ἐκ
 τοῦ ϑεοῦ ἐσμεν 5 19 οἴδαμεν ὅτι – –
 – 20 μείζων ἐστὶν ὁ ϑ. τῆς καρδίας ἡμῶν
 – 21 παρρησίαν ἔχομεν πρὸς τὸν ϑεόν
 4 6 ὁ γινώσκων τὸν ϑεὸν ἀκούει ἡμῶν
 – 7 ἡ ἀγάπη ἐκ τοῦ ϑεοῦ ἐστιν, καὶ πᾶς
 ὁ ἀγαπῶν ἐκ τοῦ ϑ. γεγέννηται καὶ
 γινώσκει τὸν ϑ. 8 ὁ μὴ ἀγ. οὐκ ἔγνω
 τὸν ϑ., ὅτι ὁ ϑ. ἀγάπη ἐστίν 16 ὁ ϑ.
 ἀγάπη ἐ., καὶ – ἐν τῷ ϑεῷ μένει καὶ

ὁ ϑεὸς ἐν αὐτῷ μένει 15 ὁ ϑεὸς ἐν
 αὐτῷ μένει καὶ αὐτὸς ἐν τῷ ϑεῷ
1 Jo 4 9 τὸν υἱὸν – ἀπέσταλκεν ὁ ϑεὸς εἰς
 – 10 οὐχ ὅτι ἡμεῖς ἠγαπήκαμεν τὸν ϑεόν
 – 11 εἰ οὕτως ὁ ϑεὸς ἠγάπησεν ἡμᾶς
 – 12 ϑεὸν οὐδεὶς πώποτε τεϑέαται· ἐὰν ἀ-
 γαπῶμεν ἀλλήλ., ὁ ϑεὸς ἐν ἡμῖν μένει
 – 16 τὴν ἀγάπην ἣν ἔχει ὁ ϑεὸς ἐν ἡμῖν
 – 20 τὸν ϑ. ὃν οὐχ ἑώρακεν οὐ δύναται
 5 9 ἡ μαρτυρία τοῦ ϑ. μείζων ἐστίν, ὅτι
 αὕτη ἐστὶν ἡ μαρτυρία τοῦ ϑεοῦ 10
 – 10 ὁ μὴ πιστεύων τῷ ϑεῷ (vl υἱῷ vg)
 ψεύστην πεποίηκεν αὐτόν
 – 11 ζωὴν αἰώνιον ἔδωκεν ὁ ϑεὸς ἡμῖν
 – 20 οὗτός ἐστιν ὁ ἀληϑινὸς ϑ. καὶ ζωή
2 Jo 9 ὁ – μὴ μένων – ϑεὸν οὐκ ἔχει
3 Jo 6 οὓς – προπέμψας ἀξίως τοῦ ϑεοῦ
 11 ὁ ἀγαϑοποιῶν ἐκ τοῦ ϑεοῦ ἐστιν· ὁ
 κακοποιῶν οὐχ ἑώρακεν τὸν ϑεόν
Jud 25 μόνῳ ϑεῷ σωτῆρι ἡμῶν – δόξα
Ap 1 1 ἀποκάλυψις –, ἣν ἔδωκεν αὐτῷ ὁ ϑ.
 – 6 ἐποίησεν ἡμᾶς – „ἱερεῖς τῷ ϑεῷ”
 2 7 „ἐν τ. παραδείσῳ τοῦ ϑ.” (vl + μου vg)
 3 12 γράψω ἐπ’ αὐτὸν τὸ ὄνομα τοῦ ϑεοῦ
 μου καὶ „τὸ ὄνομα τῆς πόλεως” τοῦ
 ϑεοῦ μου –, ἡ καταβαίνουσα ἐκ τοῦ
 οὐρανοῦ ἀπὸ τοῦ ϑεοῦ μου
 – 14 „ἡ ἀρχὴ τῆς κτίσεως” τοῦ ϑεοῦ
 4 11 ἄξιος εἶ, ὁ κύριος καὶ ὁ ϑεὸς ἡμῶν,
 λαβεῖν τὴν δόξαν –, ὅτι σὺ ἔκτισας
 5 9 ἠγόρασας τῷ ϑεῷ ἐν τῷ αἵματί σου
 – 10 „τῷ ϑεῷ” ἡμῶν „βασιλείαν” καὶ
 7 2 ἔχοντα σφραγῖδα ϑεοῦ ζῶντος 3 ἄχρι
 σφραγίσωμεν τοὺς δούλους τοῦ ϑεοῦ
 ἡμῶν 9 4 οἵτινες οὐκ ἔχουσιν τὴν
 σφραγῖδα τοῦ ϑεοῦ ἐπὶ τῶν μετώπων
 – 10 ἡ σωτηρία τῷ ϑεῷ ἡμῶν 12 10 ἐγένετο
 ἡ σωτηρία – τοῦ ϑεοῦ ἡμῶν 19 1
 – 11 προσεκύνησαν τῷ ϑεῷ 11 16 19 4.10
 τῷ ϑεῷ προσκύνησον 22 9
 – 12 ἡ δύναμις καὶ ἡ ἰσχὺς τῷ ϑεῷ ἡμῶν
 – 17 „ἐξαλείψει ὁ ϑεὸς πᾶν δάκρυον”
 10 7 ἐτελέσϑη „τὸ μυστήριον τοῦ ϑεοῦ”
 11 11 „πνεῦμα ζωῆς” ἐκ τοῦ ϑ. „εἰσῆλϑεν”
 – 13 ἔδωκαν δόξαν „τῷ ϑ. τοῦ οὐρανοῦ”
 12 5 ἡρπάσϑη τὸ τέκνον – πρὸς τὸν ϑεόν
 – 6 τόπον ἡτοιμασμένον ἀπὸ τοῦ ϑεοῦ
 13 6 εἰς βλασφημίας πρὸς τὸν ϑεόν
 14 4 ἀπαρχὴ τῷ ϑεῷ καὶ τῷ ἀρνίῳ
 – 10.19 15 1.7 16 1.19 19 15 → ϑυμός
 15 2 ἔχοντας κιϑάρας τοῦ ϑεοῦ
 16 9 ἐβλασφήμησαν τὸ ὄνομα τοῦ ϑεοῦ

11 „τὸν ϑ. τοῦ οὐρανοῦ" 21 τὸν ϑεόν
Ap 16 14 τῆς ἡμέρας τῆς μεγάλης τοῦ ϑεοῦ
17 17 ὁ – ϑεὸς ἔδωκεν εἰς τὰς καρδίας αὐ-
τῶν ποιῆσαι τὴν γνώμην αὐτοῦ
18 5 ἐμνημόνευσεν ὁ ϑεὸς τὰ ἀδικήματα
– 8 „ἰσχυρὸς κύριος" ὁ ϑεὸς ὁ „κρίνας"
αὐτήν 20 „ἔκρινεν" ὁ ϑεὸς τὸ κρίμα
ὑμῶν ἐξ αὐτῆς
19 17 εἰς τὸ δεῖπνον τὸ μέγα τοῦ ϑεοῦ
20 6 ἔσονται „ἱερεῖς τοῦ ϑ." καὶ τοῦ Χοῦ
21 2 καταβαίνουσαν – ἀπὸ τοῦ ϑεοῦ 10
– 3 „ἰδοὺ ἡ σκηνὴ" τοῦ ϑεοῦ –, – καὶ αὐ-
τὸς ὁ ϑεὸς „μετ᾽ αὐτῶν ἔσται"
– 7 „ἔσομαι αὐτῷ ϑεὸς καὶ αὐτὸς ἔσται"
22 18 ἐπιϑήσει ὁ ϑεὸς ἐπ᾽ αὐτὸν τὰς πλη-
γάς 19 ἀφελεῖ ὁ ϑεὸς τὸ μέρος αὐτοῦ

ϑεοσέβεια *pietas* 1 Ti 2 10 ἀλλ᾽ ὃ πρέπει γυ-
ναιξὶν ἐπαγγελλομέναις ϑεοσέβειαν

ϑεοσεβής *dei cultor* Joh 9 31 ἀλλ᾽ ἐάν τις
ϑεοσεβὴς ᾖ –, τούτου ἀκούει

ϑεοστυγής S° – *deo odibilis* Rm 1 30

ϑεότης S° – *divinitas* (→ Ap 5 12 vg)
Col 2 9 κατοικεῖ – τὸ πλήρωμα τῆς ϑεότητος

Θεόφιλος Luc 1 3 κράτιστε Θεόφιλε Act 1 1

ϑεραπεία ᵃ*cura* ᵇ*sanitas* ᶜ*familia*
Luc 9 11 τοὺς χρείαν ἔχοντας ϑ..ας ᵃ ἰᾶτο
12 42 καταστήσει – ἐπὶ τῆς ϑ..ας ᶜ αὐτοῦ
Ap 22 2 „εἰς ϑεραπείαν ᵇ" τῶν ἐϑνῶν

ϑεραπεύειν *curare* ᵇ*sanare* ᶜ*colere*
Mat 4 23 ϑεραπεύων ᵇ πᾶσαν νόσον 24 ἐϑερά-
πευσεν αὐτούς 9 35 – 8 16 πάντας
τοὺς κακῶς ἔχοντας ἐϑεράπευσεν ‖
Mar 1 34 πολλούς Luc 4 40
8 7 ἐγὼ ἐλθὼν ϑεραπεύσω αὐτόν (; ?)
10 1 ἐξουσίαν – ϑεραπεύειν πᾶσαν νόσον
(Mar 3 15 vl ϑερ. τὰς νόσους vg) 8
ἀσθενοῦντας ϑ..ετε ‖ Luc 9 1 10 9
12 10 εἰ ἔξεστιν τοῖς σάββασιν ϑ..εῦσαι;
‖ Mar 3 2 παρετήρουν – εἰ – ϑ..σει αὐ-
τόν Luc 6 7 ϑ..ει – 13 14 ὅτι τῷ σαβ-
βάτῳ ἐϑ..ευσεν –· ἐν αὐταῖς ἐρχόμε-
νοι ϑεραπεύεσθε 14 3 ἔξεστιν τῷ σαβ-
βάτῳ ϑεραπεῦσαι ἢ οὔ;
– 15 ἐϑ..ευσεν – πάντας ‖ Mar 3 10 πολλούς
– ἐϑεράπευσεν ᵇ Luc 6 18 οἱ ἐνοχλού-

μενοι ἀπὸ πνευμάτων – ἐϑεραπεύοντο
Mat 12 22 ἐϑεράπευσεν αὐτόν 14 14 τοὺς ἀρρώ-
στους αὐτῶν 15 30 αὐτούς
17 16 οὐκ ἠδυνήθησαν αὐτὸν ϑεραπεῦσαι
18 καὶ ἐϑεραπεύθη ὁ παῖς
19 2 ἐϑεράπευσεν αὐτοὺς ἐκεῖ (in Judaea)
21 14 ἐϑ..σεν ᵇ αὐτούς (in templo)
Mar 6 5 εἰ μὴ ὀλίγοις ἀρρώστοις ἐπιϑεὶς τὰς
χεῖρας ἐϑεράπευσεν
– 13 ἤλειφον – πολλοὺς ἀρρώστους καὶ
ἐϑ..ον ᵇ ‖ Luc 9 6 ϑ..οντες πανταχοῦ
Luc 4 23 ἰατρέ, ϑεράπευσον σεαυτόν
5 15 συνήρχοντο – ἀκούειν καὶ ϑεραπεύ-
εσθαι ἀπὸ τῶν ἀσθενειῶν αὐτῶν
7 21 ἐϑεράπευσεν πολλοὺς ἀπὸ νόσων
8 2 γυναῖκές τινες – τεθεραπευμέναι ἀπὸ
πνευμάτων πονηρῶν καὶ ἀσθενειῶν
– 43 ἥτις οὐκ ἴσχυσεν – ϑεραπευθῆναι
Joh 5 10 τῷ τεθ..μένῳ ᵇ· σάββατόν ἐστιν
Act 4 14 βλέποντες – ἐστῶτα τὸν τεθ..μένον
5 16 οἵτινες ἐϑ..οντο ἅπαντες 8 7 χωλοὶ
ἐϑ..θησαν 28 9 ἔχοντες ἀσθενείας
17 25 οὐδὲ ὑπὸ χειρῶν ἀνθρωπίνων ϑερα-
πεύεται ᶜ προσδεόμενός τινος
Ap 13 3 ἡ πληγὴ – αὐτοῦ ἐϑεραπεύθη 12

ϑεράπων *famulus* Hb 3 5 Μωϋσῆς – ὡς ϑερ.

ϑερίζειν *metere* ᵇ*demetere*
Mat 6 26 οὐ σπείρουσιν οὐδὲ ϑ..ουσιν ‖ Lc 12 24
25 24 ϑερίζων ὅπου οὐκ ἔσπειρας 26 ὅτι
ϑ..ζω ὅπου οὐκ ἔσπειρα ‖ Luc 19 21. 22
Joh 4 36 ἤδη ὁ ϑερίζων μισθὸν λαμβάνει –,
ἵνα ὁ σπείρων ὁμοῦ χαίρῃ καὶ ὁ ϑε-
ρίζων 37 καὶ ἄλλος ὁ ϑερίζων
– 38 ἀπέστειλα ὑμᾶς ϑερίζειν ὃ οὐχ ὑμεῖς
1 Co 9 11 εἰ – ὑμῖν τὰ πνευματικὰ ἐσπείραμεν,
μέγα εἰ – ὑμῶν τὰ σαρκικὰ ϑερίσομεν;
2 Co 9 6 φειδομένως καὶ ϑερίσει, – ἐπ᾽ εὐλο-
γίαις καὶ ϑερίσει
Gal 6 7 ὃ – ἐὰν σπείρῃ ἄνθρ., τοῦτο καὶ ϑε-
ρίσει 8 ἐκ τῆς σαρκὸς ϑερίσει φθο-
ράν, – ἐκ τοῦ πνεύμ. ϑ..ει ζωὴν αἰών.
– 9 καιρῷ – ἰδίῳ ϑερίσομεν μὴ ἐκλυόμενοι
Jac 5 4 αἱ βοαὶ τῶν ϑερισάντων (vg *eorum*
vl *ipsorum* sc τῶν ἐργατῶν) „εἰς τὰ
ὦτα κυρίου" – εἰσελήλυθαν
Ap 14 15 ϑέρισον, „ὅτι ἦλθεν ἡ ὥρα ϑερίσαι"
16 καὶ ἐϑερίσθη ᵇ (vl ᵃ) ἡ γῆ

ϑερισμός *messis* **ϑεριστής** *messor* (Mat 13)
Mat 9 37 ὁ μὲν ϑ. πολύς 38 δεήθητε οὖν τοῦ

κυρίου τοῦ θερισμοῦ ὅπως ἐκβάλῃ
ἐργάτας εἰς τὸν θ..ὸν αὐτοῦ ‖ Luc 10 2
Mat 13 30 ἄφετε συναυξάνεσθαι – ἕως τοῦ θ.·
– ἐν καιρῷ τοῦ θ. ἐρῶ τοῖς θερισταῖς
39 ὁ δὲ θερισμὸς συντέλεια αἰῶνός
ἐστιν, οἱ – θερισταὶ ἄγγελοί εἰσιν
Mar 4 29 „ὅτι παρέστηκεν ὁ θερισμός"
Joh 4 35 ὅτι – ὁ θ. ἔρχεται; – θεάσασθε τὰς
χώρας, ὅτι λευκαί εἰσιν πρὸς θ..όν
Ap 14 15 ἐξηράνθη ὁ θερισμὸς τῆς γῆς

θερμαίνεσθαι *se calefacere* [b]*calefieri*
Mar 14 54 θ..όμενος πρὸς τὸ φῶς 67 Πέτρον
θερμαινόμενον Joh 18 18 (vl [b]) 25
Jac 2 16 θερμαίνεσθε [b] καὶ χορτάζεσθε

θέρμη *calor* Act 28 3 ἀπὸ τῆς θέρμης

θέρος *aestas* Mat 24 32 ‖ Mar 13 28 Luc 21 30

Θεσσαλονικεύς Act 20 4 27 2 1 Th 1 1 2 Th 1 1

Θεσσαλονίκη Act 17 1.11.13 Phl 4 16 2 Ti 4 10

Θευδᾶς *Theodas* Act 5 36

θεωρεῖν *vidēre* [b]*aspicere* [c]*intuēri* [d]*spectare*
Mat 27 55 γυναῖκες – ἀπὸ μακρόθεν θεωροῦ-
σαι (vg [o]) 281 θεωρῆσαι τὸν τάφον
‖ Mar 15 40 [b] 47 [b] ποῦ τέθειται – 16 4
θεωροῦσιν ὅτι ἀνακεκύλισται ὁ λίθος
Mar 3 11 τὰ πνεύματα –, ὅταν αὐτὸν ἐθ..ουν
5 15 θ..οῦσιν τὸν δαιμονιζόμενον – σωφρο-
νοῦντα – 38 θεωρεῖ θόρυβον
12 41 ἐθεώρει [b] πῶς ὁ ὄχλος βάλλει χαλκ.
Luc 10 18 ἐθ..ουν τὸν σατανᾶν ὡς ἀστραπήν
14 29 οἱ θεωροῦντες ἄρξωνται – ἐμπαίζειν
21 6 ταῦτα ἃ θεωρεῖτε, – οὐκ ἀφεθήσεται
λίθος ἐπὶ λίθῳ
23 35 εἱστήκει ὁ λαὸς „θεωρῶν" [d]
– 48 θεωρήσαντες τὰ γενόμενα, τύπτοντες
24 37 ἐδόκουν πνεῦμα θεωρεῖν 39 σάρκα –
οὐκ ἔχει καθὼς ἐμὲ θεωρεῖτε ἔχοντα
Joh 2 23 θ..οῦντες αὐτοῦ τὰ σημεῖα 7 3 τὰ ἔρ-
γα σου Act 8 13 σημεῖα καὶ δυνάμεις
4 19 θεωρῶ ὅτι προφήτης εἶ σύ
6 19 θ..οῦσιν τὸν Ἰησοῦν περιπατοῦντα
– 40 πᾶς ὁ θεωρῶν τὸν υἱὸν καὶ πιστεύων
– 62 ἐὰν – θ..ῆτε τὸν υἱὸν – ἀναβαίνοντα
8 51 θάνατον οὐ μὴ θ..ήσῃ εἰς τ. αἰῶνα
9 8 οἱ θ..οῦντες αὐτὸν τὸ πρότερον, ὅτι
10 12 θεωρεῖ τὸν λύκον ἐρχόμενον
12 19 θεωρεῖτε ὅτι οὐκ ὠφελεῖτε οὐδέν

Joh 12 45 ὁ θ..ῶν ἐμὲ θεωρεῖ τὸν πέμψαντά με
14 17 ὅτι οὐ θεωρεῖ αὐτό (sc τὸ πνεῦμα
τῆς ἀληθείας) οὐδὲ γινώσκει
– 19 ἔτι μικρὸν καὶ ὁ κόσμος με οὐκέτι
θεωρεῖ, ὑμεῖς δὲ θεωρεῖτέ με
16 10 ὑπάγω καὶ οὐκέτι θεωρεῖτέ με 16 μι-
κρὸν καὶ οὐκέτι θεωρεῖτέ με 17.19
17 24 ἵνα θεωρῶσιν τὴν δόξαν τὴν ἐμήν
20 6 θεωρεῖ τὰ ὀθόνια κείμενα 12 δύο ἀγ-
γέλους 14 τὸν Ἰησοῦν ἑστῶτα
Act 3 16 τοῦτον, ὃν θεωρεῖτε καὶ οἴδατε
4 13 θ..οῦντες – τὴν τ. Πέτρου παρρησίαν
7 56 τοὺς οὐρανοὺς διηνοιγμένους 10 11
9 7 ἀκούοντες –, μηδένα δὲ θεωροῦντες
17 16 θεωροῦντος κατείδωλον – τὴν πόλιν
– 22 δεισιδαιμονεστέρους ὑμᾶς θεωρῶ
19 26 20 38 21 20 25 24 27 10 28 6
Hb 7 4 θεωρεῖτε [c] δὲ πηλίκος οὗτος
1 Jo 3 17 ὃς δ' ἂν – θεωρῇ τὸν ἀδελφὸν – χρεί-
αν ἔχοντα καὶ κλείσῃ τὰ σπλάγχνα
Ap 11 11 φόβος – ἐπὶ τοὺς θ..οῦντας αὐτούς
– 12 ἐθεώρησαν αὐτοὺς οἱ ἐχθροὶ αὐτῶν

θεωρία *spectaculum* Luc 23 48 εἰς τ. θεωρίαν

θήκη *vagina* Joh 18 11 μάχαιραν εἰς τὴν θ.

θηλάζειν [a]*lactēre* (vl ..*are*) [b]*nutrire* [c]*sugere*
Mat 21 16 „ἐκ στόματος νηπίων καὶ θ..όντων [a]"
24 19 οὐαὶ – ταῖς θ..ούσαις [b] ἐν ἐκείναις ταῖς
ἡμέραις ‖ Mar 13 17 [b] Luc 21 23 [b]
Luc 11 27 καὶ μαστοὶ οὓς ἐθήλασας [c]

θῆλυς, ..εια, ..υ *femina*
Mat 19 4 „ἄρσεν καὶ θῆλυ ἐποίησεν αὐτούς"
‖ Mar 10 6 – Gal 3 28 οὐκ ἔνι ἄ. καὶ θ.
Rm 1 26 αἵ τε γὰρ θήλειαι αὐτῶν μετήλλαξαν
27 οἱ ἄρσενες ἀφέντες τὴν φυσικὴν
χρῆσιν τῆς θηλείας

θήρα *captio* (θήρα Ps 69 23 non in Sept)
Rm 11 9 „γενηθήτω ἡ τράπεζα αὐτῶν εἰς πα-
γίδα καὶ εἰς θήραν"

θηρεύειν *capere* Luc 11 54 θηρεῦσαί τι ἐκ
τοῦ στόματος (*de* vl *ex ore*) αὐτοῦ

θηριομαχεῖν S [o] – *ad bestias pugnare*
1 Co 15 32 εἰ κατὰ ἄνθρωπον ἐθ..ησα ἐν Ἐφέσῳ

θηρίον *bestia*
Mar 1 13 ἦν μετὰ τῶν θηρίων καὶ οἱ ἄγγελοι

Act 11 6 εἶδον – τὰ θηρία καὶ τὰ ἑρπετά
28 4 κρεμάμενον τὸ θηρ. ἐκ τῆς χειρός 5
Tit 1 12 Κρῆτες ἀεὶ ψεῦσται, κακὰ θηρία
Hb 12 20 „κἂν θηρίον θίγῃ τοῦ ὄρους"
Jac 3 7 πᾶσα – φύσις θηρίων – δαμάζεται
Ap 6 8 „ἀποκτεῖναι" – ὑπὸ τῶν „θ. τῆς γῆς"
11 7 τὸ „θηρίον" τὸ „ἀναβαῖνον ἐκ τῆς
ἀβύσσου" 17 8 μέλλει „ἀναβαίνειν"
13 1 „ἐκ τῆς θαλάσσης θηρ. ἀναβαῖνον"
2.3.4. 11 ἄλλο θ. ἀναβαῖν. ἐκ τῆς γῆς
12. 14. 15 δοῦναι πνεῦμα τῇ εἰκόνι τοῦ
θηρίου 17 τὸ χάραγμα τὸ ὄνομα τοῦ
θ. 18 ψηφισάτω τὸν ἀριθμὸν τοῦ θ.
14 9 εἴ τις προσκυνεῖ τὸ θηρίον 11 20 4 οἵ-
τινες οὐ προσεκύνησαν τὸ θηρίον
15 2 εἶδον – τοὺς νικῶντας ἐκ τοῦ θηρίου
16 2 ἐπὶ – τοὺς ἔχοντας τὸ χάραγμα τοῦ
θ. 10 ἐπὶ τὸν θρόνον τοῦ θηρίου 13
ἐκ τοῦ στόματος τοῦ θ. – πνεύματα
17 3 καθημένην ἐπὶ θηρίον κόκκινον 7. 8
„τὸ θ." – ἦν καὶ οὐκ ἔστιν 11. 12 ἐξ-
ουσίαν ὡς βασιλεῖς – μετὰ τοῦ θ. 13
τὴν – ἐξουσίαν τῷ θηρ. διδόασιν 16. 17
δοῦναι τὴν βασιλείαν αὐτῶν τῷ θηρ.
19 19 εἶδον τὸ θηρ. καὶ τοὺς βασιλεῖς τῆς
γῆς 20 ἐπιάσθη τὸ θ. καὶ ὁ ψευδο-
προφήτης 20 10 εἰς τὴν λίμνην –, ὅ-
που καὶ τὸ θ. καὶ ὁ ψευδοπροφήτης

θησαυρίζειν *thesaurizare* [b]*reponere*
[c]*recondere*
Mat 6 19 μὴ θ..ετε ὑμῖν θησαυροὺς ἐπὶ τῆς
γῆς 20 θ..ετε – ὑμῖν θ..οὺς ἐν οὐρανῷ
Luc 12 21 οὕτως ὁ θησαυρίζων αὑτῷ καὶ μὴ εἰς
θεὸν πλουτῶν
Rm 2 5 θ..εις σεαυτῷ ὀργὴν ἐν ἡμέρᾳ ὀργ.
1 Co 16 2 ἕκαστος – τιθέτω θ..ων[c] ὅ τι ἐὰν εὐοδ.
2 Co 12 14 οὐ – τὰ τέκνα τοῖς γονεῦσιν θ..ειν
Jac 5 3 „ἐθησαυρίσατε" (vg + *iram* vl °) ἐν
ἐσχάταις ἡμέραις
2 Pe 3 7 οἱ δὲ νῦν οὐρανοὶ καὶ ἡ γῆ – τεθη-
σαυρισμένοι[b] εἰσὶν πυρὶ τηρούμενοι

θησαυρός *thesaurus*
Mat 2 11 ἀνοίξαντες τοὺς θ. (vl τὰς πήρας)
6 19. 20 → θ..ίζειν 21 ὅπου γάρ ἐστιν ὁ θ.
σου ‖ Luc 12 33 ποιήσατε ἑαυτοῖς –,
θ..ὸν ἀνέκλειπτον ἐν τοῖς οὐρανοῖς
34 ὅπου γάρ ἐστιν ὁ θ. ὑμῶν, ἐκεῖ
12 35 ἐκ τοῦ ἀγαθοῦ θ..οῦ –, – ἐκ τοῦ πο-
νηροῦ θ..οῦ ‖ Luc 6 45 ἐκ τ. ἀγαθοῦ
θ..οῦ τ. καρδίας –, – ἐκ τοῦ πονηροῦ

Mat 13 44 ὁμοία – θησαυρῷ κεκρυμμένῳ ἐν τῷ
– 52 ἐκ τοῦ θ. αὐτοῦ καινὰ καὶ παλαιά
19 21 ἕξεις θ..ὸν ἐν οὐρανοῖς (vl ..ῷ vg) ‖
Mar 10 21 ἐν οὐ..ῷ Luc 18 22 οὐ..οῖς
2 Co 4 7 τὸν θ. τοῦτον ἐν ὀστρακίνοις σκεύε.
Col 2 3 ἐν ᾧ εἰσιν πάντες „οἱ θ..οὶ τῆς σοφί-
ας" καὶ γνώσεως „ἀπόκρυφοι"
Hb 11 26 μείζονα πλοῦτον ἡγησάμενος τῶν
Αἰγύπτου θησαυρῶν (vg *thesauro*)

θιγγάνειν [a]*contrectare* (vl ..*tract.*) [b]*tangere*
Col 2 21 μὴ ἅψῃ μηδὲ γεύσῃ μηδὲ θίγῃς[a]
(*contrectaveritis* vl *c..averis*)
Hb 11 28 ἵνα μὴ „ὁ ὀλεθρεύων" τὰ πρωτοτό-
κια θίγῃ[b] αὐτῶν 12 20 „κἂν θηρίον
θίγῃ[b] τοῦ ὄρους"

θλίβειν [a]*angustiare* [b](τεθλιμμένος) *arctus*
(vl *artus*) [c]*comprimere* [d]*tribulare*
[e](pass) *tribulationem* (..*es*) *pati*
Mat 7 14 τεθλιμμένη[b] ἡ ὁδὸς ἡ – εἰς τὴν ζωήν
Mar 3 9 ἵνα μὴ θλίβωσιν[c] αὐτόν
2 Co 1 6 εἴτε – θλιβόμεθα[d], ὑπὲρ τῆς ὑμῶν
παρακλήσεως καὶ σωτηρίας
4 8 ἐν παντὶ θλιβόμενοι[e] ἀλλ' οὐ 7 5[e]
1 Th 3 4 προελέγομεν – ὅτι μέλλομεν θ..σθαι[e]
2 Th 1 6 ἀνταποδοῦναι τοῖς θ..ουσιν[d] ὑμᾶς
θλῖψιν 7 ὑμῖν τοῖς θ..ομένοις[d] ἄνεσιν
1 Ti 5 10 εἰ θλιβομένοις[e] ἐπήρκεσεν (sc χήρα)
Hb 11 37 θλιβόμενοι[a], κακουχούμενοι

θλῖψις *tribulatio* [b]*pressura* [c]*passio*
Mat 13 21 γενομένης δὲ θλίψεως ἢ διωγμοῦ διὰ
τὸν λόγον ‖ Mar 4 17
24 9 παραδώσουσιν ὑμᾶς εἰς θλῖψιν 21 ἔ-
σται – τότε θλ. μεγάλη 29 μετὰ τὴν
θλ. τῶν ἡμερῶν ἐκείν. ‖ Mar 13 19. 24
Joh 16 21 οὐκέτι μνημονεύει τῆς θλίψεως[b]
– 33 ἐν τῷ κόσμῳ θ..ιν[b] ἔχετε (vl ἕξ. vg)
Act 7 10 ἐξείλατο αὐτὸν ἐκ – τῶν θλ. αὐτοῦ
– 11 ἦλθεν – λιμὸς – καὶ θλῖψις μεγάλη
11 19 οἱ – διασπαρέντες ἀπὸ τῆς θλίψεως
14 22 διὰ πολλῶν θλ. δεῖ ἡμᾶς εἰσελθεῖν
20 23 δεσμὰ καὶ θλίψεις με μένουσιν
Rm 2 9 θλῖψις καὶ στενοχωρία ἐπὶ πᾶσαν ψυ-
χήν 8 35 θλ. ἢ στενοχ. ἢ διωγμός –;
5 3 καυχώμεθα ἐν ταῖς θλίψεσιν, εἰδότες
ὅτι ἡ θλῖψις ὑπομονὴν κατεργάζεται
12 12 τῇ θλίψει ὑπομένοντες
1 Co 7 28 θλῖψιν – τῇ σαρκὶ ἕξουσιν οἱ τοιοῦτ.
2 Co 1 4 ὁ παρακαλῶν ἡμᾶς ἐπὶ πάσῃ τῇ θλί-
ψει ἡμῶν, εἰς τὸ δύνασθαι ἡμᾶς πα-
ρακαλεῖν τοὺς ἐν πάσῃ θλίψει[b]

2 Co 1 8 ὑμᾶς ἀγνοεῖν – ὑπὲρ τῆς θλίψ. ἡμῶν
     2 4 ἐκ – πολλῆς θλ. καὶ συνοχῆς καρδίας
     4 17 τὸ – παραυτίκα ἐλαφρὸν τῆς θλίψεως
     6 4 ἐν θλίψεσιν, ἐν ἀνάγκαις, ἐν στενο.
     7 4 τῇ χαρᾷ ἐπὶ πάσῃ τῇ θλίψει ἡμῶν
     8 2 ἐν πολλῇ δοκιμῇ (experim.) θλίψεως
    – 13 οὐ – ἵνα ἄλλοις ἄνεσις, ὑμῖν θλῖψις
Eph 3 13 διὸ αἰτοῦμαι μὴ ἐγκακεῖν ἐν ταῖς θλί-
       ψεσίν μου ὑπὲρ ὑμῶν
Phl 1 17 θλῖψιν[b] ἐγείρειν τοῖς δεσμοῖς μου
     4 14 συγκοινωνήσαντές μου τῇ θλίψει
Col 1 24 τὰ ὑστερήματα τῶν θλίψ.[c] τοῦ Χοῦ
1 Th 1 6 δεξάμενοι τὸν λόγον ἐν θλίψει πολ-
       λῇ μετὰ χαρᾶς πνεύματος ἁγίου
     3 3 μηδένα σαίνεσθαι ἐν ταῖς θλ. ταύταις
    – 7 παρεκλήθημεν – ἐφ᾽ ὑμῖν ἐπὶ πάσῃ τῇ
       ἀνάγκῃ καὶ θλίψει ἡμῶν
2 Th 1 4 πίστεως ἐν – ταῖς θλ. αἷς ἀνέχεσθε
    – 6 δίκαιον παρὰ θεῷ ἀνταποδοῦναι τοῖς
       θλίβουσιν ὑμᾶς θλῖψιν
Hb 10 33 ὀνειδισμοῖς καὶ θ..εσιν θεατριζόμενοι
Jac 1 27 ἐπισκέπτεσθαι – χήρας ἐν τῇ θλίψει
Ap 1 9 συγκοινωνὸς ἐν τῇ θλ. καὶ βασιλείᾳ
     2 9 οἶδά σου τὴν θλ. καὶ τὴν πτωχείαν
   – 10 ἕξετε θλῖψιν „ἡμερῶν δέκα”
   – 22 βάλλω – εἰς θλῖψιν μεγάλην
     7 14 οἱ ἐρχόμενοι ἐκ τῆς θλ. τῆς μεγάλης

θνήσκειν defungi [b]mori [c]obire
Mat 2 20 τεθνήκασιν – οἱ ζητοῦντες τὴν ψυχήν
Mar 15 44 ἐθαύμασεν εἰ ἤδη τέθνηκεν[c]
Luc 7 12 ἐξεκομίζετο τεθνηκὼς μονογενὴς υἱός
     8 49 τέθνηκεν[b] ἡ θυγάτηρ σου, μηκέτι
Joh 11 44 ἐξῆλθεν ὁ τεθνηκὼς[b] δεδεμένος
    19 33 ὡς εἶδον ἤδη αὐτὸν τεθνηκότα[b]
Act 14 19 νομίζοντες αὐτὸν τεθνηκέναι[b]
    25 19 περί τινος Ἰησοῦ τεθνηκότος
1 Ti 5 6 ἡ – σπαταλῶσα ζῶσα τέθνηκεν[b]

θνητός mortalis (cfr vg Act 14 15)
Rm 6 12 μὴ οὖν βασιλευέτω ἡ ἁμαρτία ἐν τῷ
       θνητῷ ὑμῶν σώματι
     8 11 ζωοποιήσει καὶ τὰ θν. σώματα ὑμῶν
1 Co 15 53 δεῖ – τὸ θνητὸν τοῦτο ἐνδύσασθαι
       ἀθανασίαν 54 ὅταν τὸ θνητὸν τοῦτο
       ἐνδύσηται ἀθανασίαν
2 Co 4 11 ἵνα καὶ ἡ ζωὴ τοῦ Ἰησοῦ φανερωθῇ
       ἐν τῇ θνητῇ σαρκὶ ἡμῶν
     5 4 ἵνα καταποθῇ τὸ θν. ὑπὸ τῆς ζωῆς

θορυβάζεσθαι S° – turbari (erga vl circa)
Luc 10 41 μεριμνᾷς καὶ θορυβάζῃ περὶ πολλά

θορυβεῖν, ..εῖσθαι [a]concitare [b]tumultuari
     [c]turbari
Mat 9 23 τὸν ὄχλον θ..ούμενον[b] ‖ Mar 5 39[c]
Act 17 5[a] πόλιν 20 10 μὴ θ..σθε[c]· ἡ – ψυχή

θόρυβος tumultus
Mat 26 5 ἵνα μὴ θόρ. γένηται 27 24 ‖ Mar 14 2
Mar 5 38 θεωρεῖ θ..ον – Act 20 1 21 34 24 18

θραύεσθαι confringi Luc 4 18 „τεθ..σμένους”

θρέμματα S° – pecora Joh 4 12 αὐτοῦ

θρηνεῖν lamentare, ..ri [b]flēre
Mat 11 17 ἐθρηνήσαμεν καὶ οὐκ ‖ Luc 7 32
Luc 23 27 αἳ ἐκόπτοντο καὶ ἐθρήνουν αὐτόν
Joh 16 20 θ..ήσετε[b] ὑμεῖς, ὁ δὲ κόσμος χαρήσ.

θρησκεία religio
Act 26 5 αἵρεσιν τῆς ἡμετέρας θρησκείας
Col 2 18 ἐν – θρησκείᾳ τῶν ἀγγέλων
Jac 1 26 τούτου μάταιος ἡ θρ. 27 θρησκεία
       καθαρὰ καὶ ἀμίαντος παρὰ τῷ θεῷ

θρησκός S° – religiosus Jac 1 26 εἴ τις δο-
      κεῖ θρ. εἶναι, μὴ χαλιναγωγῶν γλῶσσαν

θριαμβεύειν S° – triumphare aliquem
2 Co 2 14 τῷ – θεῷ – τῷ πάντοτε θ..οντι ἡμᾶς
Col 2 15 θριαμβεύσας αὐτοὺς ἐν αὐτῷ

θρίξ, τρίχες capillus [b]pilus [c](ἐμπλοκὴ τρι-
      χῶν) capillatura
Mat 3 4 ἀπὸ τριχῶν[b] καμήλου ‖ Mar 1 6[b]
     5 36 μίαν τρίχα λευκὴν ποιῆσαι ἢ μέλαιν.
    10 30 ὑμῶν – καὶ αἱ τρίχες – πᾶσαι ἠριθμη-
       μέναι ‖ Luc 12 7 21 18 θρὶξ ἐκ τῆς κε-
       φαλῆς ὑμῶν οὐ μὴ ἀπόληται
Luc 7 38 ταῖς θριξὶν – αὐτῆς ἐξέμασσεν 44
Joh 11 2 Μαριὰμ ἡ – ἐκμάξασα τοὺς πόδας
       αὐτοῦ ταῖς θριξὶν αὐτῆς 12 3
Act 27 34 οὐδενὸς – ὑμῶν θρὶξ – ἀπολεῖται
1 Pe 3 3 οὐχ ὁ – ἐμπλοκῆς τριχῶν[c] – κόσμος
Ap 1 14 „αἱ τρίχες λευκαὶ ὡς ἔριον” λευκόν
     9 8 εἶχον τρίχας ὡς τρίχας γυναικῶν

θροεῖσθαι [a]turbari [b]timēre [c]terrēri
Mat 24 6 ὁρᾶτε, μὴ θροεῖσθε[a] ‖ Mar 13 7[b]
2 Th 2 2 μηδὲ θρ.[c], μήτε διὰ πνεύματος

θρόμβος S° – gutta Luc 22 44 θ..οι αἵματ.

ϑρόνος *sedes* ᵇ*thronus* ᶜ*sedile*
Mat 5 34 μήτε ἐν „τῷ οὐρανῷ", ὅτι „ϑρ.ᵇ ἐστιν
τοῦ ϑεοῦ" 23 22 ὁ ὀμόσας ἐν τῷ οὐρ.
ὀμνύει ἐν τῷ ϑρόνῳᵇ τοῦ ϑεοῦ
19 28 ὅταν καϑίσῃ – ἐπὶ ϑρόνου δόξης αὐ-
τοῦ, καϑήσεσϑε – ἐπὶ δώδεκα ϑ..ους
‖ Luc 22 30ᵇ – Mat 25 31 τότε καϑίσει
Luc 1 32 δώσει αὐτῷ κύριος – „τὸν ϑρ. Δαυίδ"
– 52 „καϑεῖλεν δυνάστας" ἀπὸ ϑρόνων
Act 2 30 „ἐκ καρποῦ τῆς ὀσφύος αὐτοῦ καϑ-
ίσαι ἐπὶ τὸν ϑρόνον αὐτοῦ"
7 49 „ὁ οὐρανός μοι ϑρόνος, ἡ δὲ γῆ"
Col 1 16 εἴτε ϑρόνοιᵇ, εἴτε κυριότητες
Hb 1 8 „ὁ ϑρ.ᵇ σου ὁ ϑεὸς εἰς τὸν αἰῶνα"
4 16 προσερχώμεϑα οὖν μετὰ παρρησίας
τῷ ϑρόνῳᵇ τῆς χάριτος
8 1 ἐν δεξιᾷ τοῦ ϑρ. τῆς μεγαλωσύνης
12 2 ἐν δεξιᾷ – τοῦ ϑρόνου τοῦ ϑεοῦ
Ap 1 4 ἀπὸ τῶν – πνευμάτων ἃ ἐνώπιον
τοῦ ϑρόνουᵇ αὐτοῦ 4 5 ἑπτὰ λαμ-
πάδες – ἐν. τ. ϑρ.ᵇ 6 ἐν. τ. ϑρ. ὡς ϑά-
λασσα ὑαλίνη 10 βαλοῦσιν τοὺς στε-
φάνους – ἐν. τ. ϑρ.ᵇ 7 9 ὄχλος πολὺς
– ἐν. τ. ϑρ.ᵇ 11 οἱ ἄγγελοι – ἔπεσαν
ἐν. τ. ϑρ.ᵇ 15 εἰσὶν ἐν. τ. ϑρ.ᵇ τοῦ ϑεοῦ
8 3 τὸ ϑυσιαστήριον – τὸ ἐν. τ. ϑρ.ᵇ
14 3 ᾄδουσιν – ἐν. τ. ϑρ. 20 12 τοὺς νε-
κροὺς – ἑστῶτας ἐνώπιον τοῦ ϑρόν.ᵇ
2 13 ὅπου ὁ ϑρόνος τοῦ σατανᾶ
3 21 καϑίσαι μετ' ἐμοῦ ἐν τῷ ϑρόνῳᵇ μου,
ὡς κἀγὼ – ἐκάϑισα μετὰ τοῦ πατρός
μου ἐν τῷ ϑρόνῳᵇ αὐτοῦ
4 2 ϑρόνος ἔκειτο –, καὶ „ἐπὶ τὸν ϑρ. καϑ-
ήμενος" 3 „ἶρις κυκλόϑεν τοῦ ϑρ."
4 κυκλόϑεν τοῦ ϑρ. ϑρόνουςᶜ εἴκοσι
τέσσαρας, καὶ ἐπὶ τοὺς ϑρ.ᵇ 5 ἐκ τοῦ
ϑρ.ᵇ – ἀστραπαὶ 6 ἐν μέσῳ τοῦ ϑρ.
καὶ κύκλῳ τοῦ ϑρόνου τέσσερα ζῷα"
– 9 τῷ „καϑημένῳ ἐπὶ τῷ ϑρόνῳᵇ"
10ᵇ 51ᵇ 7ᵇ 13ᵇ 616ᵇ 710ᵇ 15 „ὁ καϑ-
ήμενος ἐπὶ τοῦ ϑρόνουᵇ" σκηνώσει
ἐπ' αὐτούς 194ᵇ 215ᵇ
5 6 ἐν μέσῳ τοῦ ϑρόν.ᵇ – ἀρνίον ἑστη-
κός 11ᵇ 711ᵇ 17 τὸ ἀρνίον τὸ ἀνὰ μέ-
σον τοῦ ϑρόνουᵇ 221 ποταμὸν – ἐκ
τοῦ ϑρ. τοῦ ϑεοῦ καὶ τοῦ ἀρνίου 3
11 16 οἱ – πρεσβύτεροι, οἱ – καϑήμενοι ἐπὶ
τοὺς ϑρόνους αὐτῶν – 204 „εἶδον
ϑρόνους", καὶ „ἐκάϑισαν" ἐπ' αὐτούς
12 5 ἡρπάσϑη τὸ τέκνον πρὸς τὸν ϑεὸν
καὶ πρὸς τὸν ϑρ.ᵇ αὐτοῦ – 16 17 φω-
νὴ μεγάλη – ἀπὸ τοῦ ϑρόνουᵇ 195ᵇ

Ap 13 2 ἔδωκεν αὐτῷ (sc τῷ ϑηρίῳ) ὁ δρά-
κων – τὸν ϑρ. (vgᵒ) αὐτοῦ 16 10 φιά-
λην – ἐπὶ τὸν ϑρόνον τοῦ ϑηρίου
20 11 „εἶδον ϑρόνονᵇ" μέγαν λευκόν

Θυάτιρα, ..ων Act 16 14 Ap 1 11 2 18.24

ϑυγάτηρ et ϑυγάτριον Sᵒ (Mar 5 23 7 25) –
filia
Mat 9 18 ἡ ϑ. μου ἄρτι ἐτελεύτησεν ‖ Mar 5 23
τὸ ϑ..όν μου ἐσχάτως ἔχει 35 ἡ ϑ.
σου ἀπέϑανεν Luc 8 42 ϑ. μονογενὴς
ἦν αὐτῷ 49 τέϑνηκεν ἡ ϑυγάτηρ σου
– 22 ϑάρσει, ϑύγατερ· ἡ πίστις σου ‖ Mar
5 34 ϑυγάτηρ, ἡ πίστις σου Luc 8 48
10 35 διχάσαι – „ϑυγατέρα κατὰ τῆς μη-
τρός" ‖ Luc 12 53 διαμερισϑήσονται –
μήτηρ ἐπὶ ϑ..α καὶ „ϑ. ἐπὶ τὴν μητ."
– 37 ὁ φιλῶν υἱὸν ἢ ϑυγατέρα ὑπὲρ ἐμέ
14 6 ἡ ϑυγάτ. τῆς Ἡρῳδιάδος ‖ Mar 6 22
15 22 ἡ ϑυγάτηρ μου κακῶς δαιμονίζεται 28
ἰάϑη ἡ ϑ. αὐτῆς ‖ Mar 7 25 ἧς εἶχεν
τὸ ϑ..ον – πνεῦμα ἀκάϑαρτον 26 ἵνα
τὸ δαιμόνιον ἐκβάλῃ ἐκ τῆς ϑυγ. 29
ἐξελήλυϑεν ἐκ τῆς ϑ. σου τὸ δαιμόν.
21 5 „εἴπατε τῇ ϑυγατρὶ Σιών" Joh 12 15
„μὴ φοβοῦ, ϑυγάτηρ Σιών"
Luc 1 5 γυνὴ αὐτῷ ἐκ τῶν ϑ..τέρων Ἀαρών
2 36 Ἅννα προφῆτις, ϑυγάτηρ Φανουήλ
13 16 ταύτην δὲ ϑυγατέρα Ἀβραὰμ οὖσαν
– οὐκ ἔδει λυϑῆναι –;
23 28 ϑυγατέρες Ἰερ., μὴ κλαίετε ἐπ' ἐμέ
Act 2 17 „προφητεύσουσιν – αἱ ϑ..ες ὑμῶν"
7 21 „ἡ ϑυγ. Φαραώ" Hb 11 24 υἱὸς ϑ..ός
21 9 τούτῳ – ἦσαν ϑυγατέρες τέσσαρες
παρϑένοι προφητεύουσαι
2 Co 6 18 ἔσεσϑέ „μοι εἰς υἱοὺς" καὶ ϑ..τέρας

ϑύειν *occidere* ᵇ*immolare* ᶜ*mactare*
ᵈ*sacrificare*
Mat 22 4 τὰ σιτιστὰ τεϑυμένα – Luc 15 23 ϑύ-
σατε 27 ἔϑυσεν ὁ πατήρ σου 30
Mar 14 12 ὅτε τὸ πάσχα ἔϑυονᵇ ‖ Luc 22 7
Joh 10 10 ἵνα κλέψῃ καὶ ϑύσῃᶜ καὶ ἀπολέσῃ
Act 10 13 ϑῦσον καὶ φάγε 11 7 – 14 13ᵈ 18ᵇ
1 Co 5 7 „τὸ πάσχα" ἡμῶν „ἐτύϑηᵇ" Χᵒς
10 20 ἃ ϑύουσινᵇ (vl ϑύει τὰ ἔϑνη vg),
„δαιμονίοις καὶ οὐ ϑεῷ ϑύουσινᵇ"

ϑύελλα *procella* Hb 12 18 „ζόφῳ καὶ ϑ..ῃ"

ϑύϊνος Sᵒ – *thyinus* Ap 18 12 ξύλον ϑ..ον

θυμίαμα *incensum* [b]*odoramentum*
Luc 1 10 προσευχόμενον – τῇ ὥρᾳ τοῦ ϑ..ατος
   – 11 ἐκ δεξιῶν τοῦ θυσιαστηρίου τοῦ ϑ.
Ap 5 8 φιάλας – γεμούσας ϑ..των[b] 8 3. 4 ἀνέ-
   βη ὁ καπνὸς „τῶν ϑ. ταῖς προσευ-
   χαῖς" τῶν ἁγίων 18 13 ϑ..τα[b] καὶ μύρον

θυμιᾶν *incensum ponere* Luc 1 9

θυμιατήριον *thuribulum* (vl *tu.*) Hb 9 4

θυμομαχεῖν S° – *irasci* Act 12 20 Τυρίοις

θυμός *ira* [b]*animositas* [c]*indignatio*
   [d]*iracundia* [e]*furor*
Luc 4 28 ἐπλήσθησαν – ϑ..οῦ Act 19 28 πλήρεις
Rm 2 8 τοῖς – ἀπειθοῦσι τῇ ἀληθείᾳ –, ὀργὴ
   καὶ θυμός[c]
2 Co 12 20 μή πως – θυμοί[b], ἐριθεῖαι Gal 5 20
Eph 4 31 πᾶσα πικρία καὶ θυμός[c] Col 3 8[c]
Hb 11 27 μὴ φοβηθεὶς τὸν ϑ.[b] τοῦ βασιλέως
Ap 12 12 ὁ διάβολος – ἔχων θυμὸν μέγαν
   14 8 Βαβ. –, ἣ „ἐκ τοῦ οἴνου" τοῦ θυμοῦ
   τῆς πορνείας „αὐτῆς πεπότικεν – τὰ
   ἔθνη" 18 3 „πέπωκαν – τὰ ἔθνη"
   – 10 „πίεται ἐκ τοῦ οἴνου" τοῦ θυμ. τοῦ
   ϑεοῦ 16 19 „τὸ ποτήριον τ. οἴ. τοῦ
   θυμοῦ[c] – αὐτοῦ" – 14 19 ἔβαλεν εἰς
   τὴν ληνὸν τοῦ θυμοῦ τοῦ θεοῦ 19 15
   „πατεῖ τὴν ληνὸν" τοῦ οἴνου τοῦ
   θυμοῦ[e] τῆς ὀργῆς τοῦ θεοῦ
   15 1 ἐν αὐταῖς (sc πληγαῖς) ἐτελέσθη ὁ
   θυμὸς τοῦ θεοῦ 7 ἑπτὰ φιάλας – γε-
   μούσας τοῦ θυμοῦ[d] τοῦ θεοῦ 16 1

θυμοῦσθαι *irasci* Mat 2 16 ἐθυμώθη λίαν

θύρα *ostium* [b]*ianua* [c]*fores* [d]*porta*
   θύρα cum ἀνοίγειν → ἀνοίγειν
Mat 6 6 „κλείσας τὴν θύραν σου πρόσευξαι"
   24 33 ἐγγύς – ἐπὶ θύραις[b] ‖ Mar 13 29
   25 10 καὶ ἐκλείσθη ἡ θύρα[b] Luc 13 25 ἀφ᾽
   οὗ ἂν – ἀποκλείσῃ τὴν θύραν, καὶ
   ἄρξησθε – κρούειν τὴν θύραν
   27 60 τῇ θύρᾳ τοῦ μνημείου ‖ Mar 15 46 ἐπὶ
   τὴν θύραν 16 3 ἐκ τῆς θύρας
Mar 1 33 πρὸς τὴν θύραν[b] 2 2[b] 11 4[b]
Luc 11 7 ἤδη ἡ θύρα κέκλεισται καὶ τὰ παιδία
   13 24 ἀγωνίζεσθε εἰσελθεῖν διὰ τῆς στενῆς
   θύρας (vl πύλης vg[d])
Joh 10 1 ὁ μὴ εἰσερχόμενος διὰ τῆς ϑ. 2 ὁ δὲ
   εἰσερχ. διὰ τῆς θύρας 7 ἐγώ εἰμι ἡ ϑ.
   τῶν προβάτων 9 ἐγώ εἰμι ἡ θύρα
   18 16 Πέτρος εἱστήκει πρὸς τῇ θύρᾳ ἔξω

Joh 20 19 τῶν θυρῶν[c] κεκλεισμένων 26[b]
Act 3 2 ὃν ἐτίθουν – πρὸς τὴν ϑ.[d] τοῦ ἱεροῦ
   5 9 οἱ πόδες τῶν θαψάντων – ἐπὶ τῇ θύρᾳ
   – 23[b] 12 6. 13 κρούσαντος – τὴν θύ-
   ραν 21 30 ἐκλείσθησαν αἱ θύραι[b]
Jac 5 9 ὁ κριτὴς πρὸ τῶν θυρῶν[b] ἕστηκεν
Ap 3 20 ἕστηκα ἐπὶ τὴν θύραν καὶ κρούω

θυρεός *scutum* Eph 6 16 τῆς πίστεως

θυρίς *fenestra* Act 20 9 2 Co 11 33

θυρωρός [a]*ianitor* [b]*ostiarius* [c]*ostiaria*
Mar 13 34[a] Joh 10 3 ὁ ϑ.[b] ἀνοίγει 18 16[c]. 17[c]

θυσία *hostia* [b]*sacrificium* [c]*victima*
Mat 19 13 „ἔλεος θέλω καὶ οὐ θυσίαν[b]" 12 7[b]
Mar (9 49 vl πᾶσα – θυσίᾳ[c] – ἁλισθήσεται)
   12 33 περισσότερόν ἐστιν – „τῶν – θυσιῶν[b]"
Luc 2 24 τοῦ δοῦναι θυσίαν κατὰ τὸ εἰρημένον
   13 1 ἔμιξεν μετὰ τῶν θυσιῶν[b] αὐτῶν
Act 7 41 „ἀνήγαγον θυσίαν" τῷ εἰδώλῳ
   – 42 „μὴ – θυσίας προσηνέγκατέ μοι –;"
Rm 12 1 παραστῆσαι τὰ σώματα ὑμῶν θυσίαν
   ζῶσαν ἁγίαν τῷ θεῷ εὐάρεστον
1 Co 10 18 οὐχ οἱ ἐσθίοντες τὰς θυσίας κοινω-
   νοὶ τοῦ θυσιαστηρίου εἰσίν;
Eph 5 2 παρέδωκεν ἑαυτὸν – „θυσίαν" τῷ θεῷ
Phl 2 17 εἰ καὶ σπένδομαι ἐπὶ τῇ θυσίᾳ[b] καὶ
   λειτουργίᾳ τῆς πίστεως ὑμῶν
   4 18 τὰ παρ᾽ ὑμῶν, –, θυσίαν δεκτήν
Hb 5 1 ἵνα προσφέρῃ – θυσίας[b] ὑπὲρ ἁμαρ-
   τιῶν 7 27 ὑπὲρ τῶν ἰδίων ἁμ. θυσίας
   ἀναφέρειν 8 3 εἰς τὸ προσφέρειν –
   θυσίας καθίσταται 9 9 10 11 τὰς αὐ-
   τὰς πολλάκις – θυσίας 12 οὗτος δὲ
   μίαν – θυσίαν 11 4 πλείονα ϑυ. Ἄβελ
   9 23 τὰ ἐπουράνια κρείττοσιν θυσίαις (sc
   καθαρίζεσθαι) παρὰ ταύτας
   – 26 εἰς ἀθέτησιν τῆς ἁμαρτίας διὰ τῆς
   θυσίας αὐτοῦ πεφανέρωται
   10 1 κατ᾽ ἐνιαυτὸν ταῖς αὐταῖς θυσίαις –
   οὐδέποτε δύναται – τελειῶσαι
   – 5 „θυσίαν – οὐκ ἠθέλησας" 8 „θυσίας"
   – 26 οὐκέτι περὶ ἁμαρ. ἀπολείπεται θυσία
   13 15 δι᾽ αὐτοῦ – „ἀναφέρωμεν θυσίαν αἰ-
   νέσεως" διὰ παντὸς „τῷ θεῷ"
   – 16 τοιαύταις – ϑ..αις εὐαρεστεῖται ὁ θεός
1 Pe 2 5 ἀνενέγκαι πνευματικὰς θυσίας

θυσιαστήριον *altare* (vl *altarium*)
Mat 5 23 ἐὰν – προσφέρῃς τὸ δῶρόν σου ἐπὶ
   τὸ ϑ. 24 ἄφες – τὸ δῶρ. ἔμπρ. τοῦ ϑ.

Mat 23 18 ὃς ἂν ὀμόσῃ ἐν τῷ ϑ. 19 τί γὰρ μεῖ-
ζον, τὸ δῶρον ἢ τὸ ϑ. τὸ ἁγιάζον τὸ
δῶρον; 20 ὁ οὖν ὀμόσας ἐν τῷ ϑυσ.
– 35 μεταξὺ τοῦ ναοῦ καὶ τοῦ ϑυσιαστ. ‖
Luc 11 51 τοῦ ϑυσιαστ. καὶ τοῦ οἴκου
Luc 1 11 ἐκ δεξιῶν τοῦ ϑυσ. τοῦ ϑυμιάματος
Rm 11 3 „τὰ ϑυσιαστήριά σου κατέσκαψαν"
1 Co 9 13 οὐκ οἴδατε ὅτι – οἱ τῷ ϑυσ. παρεδρεύ-
οντες τῷ ϑυσιαστηρίῳ συμμερίζονται;
10 18 οὐχ οἱ ἐσϑίοντες τὰς ϑυσίας κοινω-
νοὶ τοῦ ϑυσιαστηρίου εἰσίν;
Hb 7 13 φυλῆς – μετέσχηκεν, ἀφ' ἧς οὐδεὶς
προσέσχηκεν τῷ ϑυσιαστηρίῳ
13 10 ἔχομεν ϑ. ἐξ οὗ φαγεῖν οὐκ ἔχουσιν
Jac 2 21 „ἀνενέγκας Ἰσαὰκ – ἐπὶ τὸ ϑυσιαστ."
Ap 6 9 ὑποκάτω τοῦ ϑυσ. τὰς ψυχὰς τῶν
8 3 ἄγγελος – „ἐστάϑη ἐπὶ τοῦ ϑ." –, ἵνα

δώσει – ἐπὶ τὸ ϑυσιαστ. τὸ χρυσοῦν
Ap 8 5 ἐκ „τοῦ πυρὸς τοῦ ϑυσιαστηρίου"
9 13 φωνὴν – ἐκ τῶν – κεράτων τοῦ ϑυσ.
11 1 μέτρησον τὸν ναὸν – καὶ τὸ ϑυσιαστ.
14 18 ἄγγελος ἐξῆλϑεν ἐκ τοῦ ϑυσιαστηρ.
16 7 ἤκουσα τοῦ ϑ..ίου (vg alterum ab
altari, vl altare) λέγοντος· ναί

Θωμᾶς   Mat 10 3   Mar 3 18   Luc 6 15   Act 1 13
Joh 11 16 ὁ λεγόμενος Δίδυμος 14 5 20 24 ὁ λεγ.
Δίδ. 26.27.28 21 2 ὁ λεγόμενος Δίδ.

ϑώραξ   lorica
Eph 6 14 „ἐνδυσάμενοι τὸν ϑώρακα τῆς δικαιο-
σύνης" 1 Th 5 8 πίστεως καὶ ἀγάπης
Ap 9 9 εἶχον ϑώρακας ὡς ϑ..ας σιδηροῦς 17
ϑώρακας πυρίνους καὶ ὑακινϑίνους

I

Ἰάϊρος   Mar 5 22   Luc 8 41

Ἰακώβ   1) auctor gentis Israel
Mat 1 2 Luc 3 34 Joh 4 5.6 πηγὴ τοῦ Ἰ. 12 μὴ
σὺ μείζων εἶ τοῦ πατρὸς ἡμῶν Ἰ. –;
Act 7 8.12.14.15.46 „τῷ οἴκῳ Ἰακώβ"
8 11 ἀνακλιϑήσονται μετὰ Ἀβρ. καὶ Ἰσαὰκ
καὶ Ἰακώβ ‖ Luc 13 28 ὅταν ὄψησϑε
Ἀβρ. καὶ Ἰσ. καὶ Ἰ. καὶ – τοὺς προφ.
22 32 „καὶ ὁ ϑεὸς Ἰακ." ‖ Mar 12 26 Luc
20 37 Act 3 13 7 32 (46 vl „ϑεῷ Ἰακ.")
Luc 1 33 βασιλεύσει ἐπὶ τὸν οἶκον Ἰακὼβ εἰς
Rm 9 13 „τὸν Ἰακὼβ ἠγάπησα" – 11 26 „ἀπο-
στρέψει ἀσεβείας ἀπὸ Ἰακώβ"
Hb 11 9.20 πίστει – εὐλόγησεν – τὸν Ἰ. 21 Ἰ. –
ἕκαστον τῶν υἱῶν Ἰωσὴφ εὐλόγησεν

2) Josephi pater Mat 1 15.16

Ἰάκωβος   1) Zebedaei filius
Mat 4 21 ‖ Mar 1 19 – Luc 5 10 9 54
10 2 ‖ Mar 3 17 Luc 6 14 Act 1 13 a
17 1 Πέτρον καὶ Ἰ. καὶ Ἰωάννην Mar 5 37
9 2 14 33 Luc 8 51 9 28 – Mar 1 29 μετὰ
Ἰ..ου καὶ Ἰω. 10 35.41 13 3 Πέτρος καὶ
Ἰάκ. καὶ Ἰωάννης καὶ Ἀνδρέας
Act 12 2 ἀνεῖλεν – Ἰάκωβον – μαχαίρῃ

2) Alphaei filius
Mat 10 3 ‖ Mar (2 14 vl) 3 18 Luc 6 15 – Act 1 13 b

– idem esse videtur: Mat 27 56 Mar 15 40 Ἰα-
κώβου τοῦ μικροῦ – μήτηρ 16 1 Luc 24 10

3) apostoli Judae pater
Luc 6 16 Ἰούδαν Ἰακώβου Act 1 13 c

4) domini Jesu frater
Mat 13 55 ‖ Mar 6 3 – Act 12 17 15 13 21 18 εἰσῄει
ὁ Παῦλος σὺν ἡμῖν πρὸς Ἰάκωβον 1 Co 15 7
ὤφϑη Ἰακώβῳ Gal 1 19 ἕτερον – οὐκ εἶδον, εἰ
μὴ Ἰάκωβον τὸν ἀδελφὸν τοῦ κυρίου 2 9 Ἰάκ.
καὶ Κηφᾶς καὶ Ἰωάννης 12 ἐλϑεῖν τινας ἀπὸ
Ἰακώβου – eundum dicere videtur: Jac 1 1
Jud 1 1 Ἰούδας – ἀδελφὸς Ἰακώβου

ἴαμα   a curatio   b sanitas
1 Co 12 9 ἄλλῳ – χαρίσματα ἰαμάτων b 28 a 30 a

Ἰανναί   Luc 3 24   **Ἰάρετ** (pot. ..εδ) Luc 3 37

Ἰάννης (vg vl Jamnes) καὶ Ἰαμβρῆς (vl
Μαμ. vg) 2 Ti 3 8 ἀντέστησαν Μωϋσεῖ

ἰᾶσθαι   sanare, ..ri   b salvare, ..ri
               c (ἰαϑῆναι) sanum effici

1) formae medii = mederi alicui
Mat 13 15 „μήποτε – ἐπιστρέψωσιν, καὶ ἰάσομαι
αὐτούς" Joh 12 40 Act 28 27
Luc 4 18 „ἀπέσταλκέν με (vl + ἰάσασϑαι τοὺς
συντετριμμένους τ. καρδίαν vg, vl°)"

Luc 5 17 δύναμις κυρίου ἦν εἰς τὸ ἰᾶσθαι αὐ-
τόν (vl αὐτούς, vg ad sanandum e-
os) 6 19 ἰᾶτο πάντας 9 2 ἀπέστειλεν
αὐτοὺς – ἰᾶσθαι (vl + τοὺς ἀσθενεῖς
vel ..οῦντας vg) 11 τοὺς χρείαν ἔ-
χοντας θεραπείας ἰᾶτο 42 ἰάσατο τὸν
παῖδα 14 4 αὐτόν 22 51
Joh 4 47 ἠρώτα ἵνα – ἰάσηται αὐτοῦ τὸν υἱόν
Act 9 34 Αἰνέα, ἰᾶταί σε Ἰησοῦς Χριστός
10 38 ὃς διῆλθεν εὐεργετῶν καὶ ἰώμενος
πάντας τοὺς καταδυναστευομένους
ὑπὸ τοῦ διαβόλου – 28 8 Παῦλος –
ἐπιθεὶς τὰς χεῖρας – ἰάσατο[b] αὐτόν

2) formae passivi = sanum fieri

Mat 8 8 καὶ ἰαθήσεται ὁ παῖς μου 13 ἰάθη ὁ
παῖς ‖ Luc 7 7 ἰαθήτω (vl ..ήσεται)
15 28 ἰάθη ἡ θυγάτηρ αὐτῆς
Mar 5 29 ἔγνω – ὅτι ἴαται ‖ Luc 8 47 ἀπήγγειλεν
– ὡς ἰάθη παραχρῆμα – 17 15 ἰδὼν
ὅτι ἰάθη (vl ἐκαθαρίσθη vg)
Luc 6 18 ἦλθον ἀκοῦσαι αὐτοῦ καὶ ἰαθῆναι
Joh 5 13 ὁ δὲ ἰαθεὶς[c] οὐκ ᾔδει τίς ἐστιν
Hb 12 13 ἵνα μὴ τὸ χωλὸν ἐκτραπῇ, ἰαθῇ δὲ
μᾶλλον
Jac 5 16 προσεύχεσθε (vl εὔχεσθε) ὑπὲρ ἀλ-
λήλων, ὅπως ἰαθῆτε[b]. πολὺ ἰσχύει
1 Pe 2 24 οὗ „τῷ μώλωπι ἰάθητε"

ἴασις sanitas
Luc 13 32 ἰάσεις ἀποτελῶ σήμερον καὶ αὔριον
Act 4 22 τὸ σημεῖον τοῦτο τῆς ἰάσεως 30

ἴασπις iaspis Ap 4 3 21 11.18.19 θεμέλιος

Ἰάσων Act 17 5.6.7.9 (21 16 vl) Rm 16 21

ἰατρός medicus
Mat 9 12 οὐ χρείαν ἔχουσιν οἱ ἰσχύοντες ἰ..οῦ
‖ Mar 2 17 Luc 5 31 οἱ ὑγιαίνοντες
Mar 5 26 πολλὰ παθοῦσα ὑπὸ πολλῶν ἰα. ‖
Luc 8 43 ἥτις (vl + ἰατροῖς προσανα-
λώσασα ὅλον τὸν βίον) οὐκ ἴσχυσεν
Luc 4 23 ἰατρέ, θεράπευσον σεαυτόν
Col 4 14 Λουκᾶς ὁ ἰατρὸς ὁ ἀγαπητός

ἰδέα (minus recte εἰδέα) aspectus
Mat 28 3 ἦν δὲ ἡ ἰδέα αὐτοῦ ὡς ἀστραπή

*ἰδεῖν, εἶδον vidēre [b]perspicere [c]invenire
[d](ἴδε) ecce
Mat 9 2 ἰδὼν – τὴν πίστιν ‖ Mar 2 5 Luc 5 20

Mat 11 8 τί ἐξήλθατε ἰδεῖν; 9 τί ἐξήλθατε; προ-
φήτην ἰδεῖν; ‖ Luc 7 25. 26
12 38 θέλομεν – σημεῖον ἰδεῖν – Luc 23 8
13 14 „καὶ οὐ μὴ ἴδητε" 15 „μήποτε ἴδωσιν
τοῖς ὀφθαλμοῖς" ‖ Mar 4 12 Joh 12 40
Act 28 26[b] (vl εἰδῆτε) 27
– 17 ἐπεθύμησαν ἰδεῖν ἃ βλέπετε καὶ οὐκ
εἶδαν ‖ Luc 10 24 ἠθέλησαν ἰδεῖν
16 28 ἕως ἂν ἴδωσιν τὸν υἱὸν τοῦ ἀνθρώ-
που ἐρχόμενον ‖ Mar 9 1 τὴν βασι-
λείαν τοῦ θεοῦ ἐληλυθυῖαν Luc 9 27
17 8 οὐδένα εἶδον εἰ μὴ αὐτὸν Ἰησοῦν
μόνον ‖ Mar 9 8.9 ἵνα μηδενὶ ἃ εἶδον
διηγήσωνται
21 32 ὑμεῖς – ἰδόντες οὐδὲ μετεμελήθητε
23 39 οὐ μή με ἴδητε ἀπ᾽ ἄρτι ‖ Luc 13 35
24 15 ὅταν οὖν ἴδητε „τὸ βδέλυγμα" 33
πάντα ταῦτα ‖ Mar 13 14.29 Luc 21 20
κυκλουμένην – Ἰερουσαλήμ 29 ἴδετε
τὴν συκῆν 31 ὅταν ἴδ. ταῦτα γινόμενα
27 49 ἴδωμεν εἰ ἔρχεται Ἠλίας ‖ Mar 15 36
28 6 ἴδετε τὸν τόπον ὅπου ἔκειτο ‖ Mar
16 6 ἴδε[d] ὁ τόπος ὅπου ἔθηκαν
Mar 2 12 οὕτως οὐδέποτε εἴδαμεν ‖ Luc 5 26
εἴδομεν παράδοξα σήμερον
5 14 ἦλθον ἰδεῖν τί ἐστιν τὸ γεγονός
6 49.50 πάντες – αὐτὸν εἶδαν καὶ ἐταράχθ.
9 38 εἴδομέν τινα ἐν τῷ ὀνόματί σου ἐκ-
βάλλοντα δαιμόνια ‖ Luc 9 49
12 34 ἰδὼν αὐτὸν ὅτι νουνεχῶς ἀπεκρίθη
15 32 ἵνα ἴδωμεν καὶ πιστεύσωμεν
Luc 2 15 ἴδωμεν τὸ ῥῆμα – τὸ γεγονός 17
– 26 μὴ ἰδεῖν θάνατον πρὶν ἢ ἂν ἴδῃ τὸν
χριστὸν κυρίου – Hb 11 5 θάνατον
– 30 ὅτι „εἶδον" οἱ ὀφθαλμοί μου „τὸ σω-
τήριόν σου"
7 22 Ἰωάννῃ ἃ εἴδετε καὶ ἠκούσατε
9 32 εἶδαν τὴν δόξαν αὐτοῦ
– 47 εἰδὼς (vl ἰδὼν vg) τὸν διαλογισμὸν
τῆς καρδίας αὐτῶν
10 31 ἰδὼν αὐτὸν ἀντιπαρῆλθεν 32.33 ἦλθεν
κατ᾽ αὐτὸν καὶ ἰδὼν ἐσπλαγχνίσθη
17 22 μίαν τῶν ἡμερῶν τοῦ υἱοῦ τοῦ ἀν-
θρώπου ἰδεῖν καὶ οὐκ ὄψεσθε
19 3 ἐζήτει ἰδεῖν τὸν Ἰησοῦν τίς ἐστιν
– 37 περὶ πασῶν ὧν εἶδον δυνάμεων
23 8 Ἡρώδης ἰδὼν τὸν Ἰησ. – ᾽ ἦν – θέλων
ἰδεῖν αὐτὸν – καὶ ἤλπιζέν τι σημεῖον
ἰδεῖν ὑπ᾽ αὐτοῦ γινόμενον
24 24 αὐτὸν δὲ οὐκ εἶδον (vg[c] vl vid.)
– 39 ἴδετε τὰς χεῖράς μου – ' ψηλαφήσατέ
με καὶ ἴδετε, ὅτι πνεῦμα

Joh 1 39.46 ἔρχου καὶ ἴδε — 4 29 11 34
  — 48 ὑπὸ τὴν συκῆν εἶδόν σε 50
  3 3 οὐ δύναται ἰδεῖν τὴν βασ. τοῦ θεοῦ
  4 48 ἐὰν μὴ σημεῖα καὶ τέρατα ἴδητε 6 30
    τί — ποιεῖς σὺ σημεῖον, ἵνα ἴδωμεν καὶ
    πιστεύσωμέν σοι;
  6 14 ἰδόντες ὃ ἐποίησεν σημεῖον 26 ζητεῖτέ
    με οὐχ ὅτι εἴδετε σημεῖα
  8 56 ἠγαλλιάσατο ἵνα ἴδῃ τὴν ἡμέραν τὴν
    ἐμήν, καὶ εἶδεν καὶ ἐχάρη
  20 8 εἶδεν καὶ ἐπίστευσεν 25 ἐὰν μὴ ἴδω —
    τὸν τύπον τῶν ἥλων 27 ἴδε τὰς χεῖ-
    ράς μου 29 μακάριοι οἱ μὴ ἰδόντες
    καὶ πιστεύσαντες
Act 2 27 „ἰδεῖν διαφθοράν" 31 13 35.36.37
  4 20 οὐ δυνάμεθα — ἃ εἴδαμεν καὶ ἠκού-
    σαμεν μὴ λαλεῖν
  15 6 συνήχθησαν — ἰδεῖν περὶ τοῦ λόγου
    τούτου
  26 16 μάρτυρα ὧν τε εἶδές με (vl⁰ vg⁰)
    ὧν τε ὀφθήσομαί (apparebo) σοι
Rm 1 11 ἐπιποθῶ — ἰδεῖν ὑμᾶς cfr 1 Co 16 7
    Phl 1 27 2 28   1 Th 2 17   3 6.10   2 Ti 1 4
    3 Jo 14
1 Co 2 9 ἃ „ὀφθαλμὸς οὐκ εἶδεν"
Gal 6 11 ἴδετε πηλίκοις — γράμμασιν ἔγραψα
Phl 1 30 ἀγῶνα — οἷον εἴδετε ἐν ἐμοί
  4 9 ἃ — εἴδετε ἐν ἐμοί, ταῦτα πράσσετε
1 Ti 6 16 ὃν εἶδεν οὐδεὶς ἀνθρώπων οὐδὲ ἰδεῖν
    δύναται — Hb 11 5 → Luc 2 26
Jac 5 11 τὸ τέλος κυρίου εἴδετε
1 Pe 1 8 ὃν οὐκ ἰδόντες (vl εἰδότες) ἀγαπᾶτε
  3 10 „ὁ — θέλων — ἰδεῖν ἡμέρας ἀγαθάς"
1 Jo 3 1 ἴδετε ποταπὴν ἀγάπην δέδωκεν
Ap 18 7 „καὶ πένθος οὐ μὴ ἴδω"

ἴδιος, — adv. κατ' ἰδίαν, ἰδίᾳ

1) ἴδιος, τὸ ἴδιον, τὰ ἴδια

    vg plerumque pronomine reddit:
    tuus, suus, noster, vester ᵇ*proprius*

Mat 9 1 ἦλθεν εἰς τὴν ἰδίαν πόλιν 22 5 εἰς τὸν
    ἴδιον ἀγρόν 25 14 ἐκάλεσεν τοὺς ἰδί-
    ους δούλους 15 ἑκάστῳ κατὰ τὴν ἰδί-
    ανᵇ δύναμιν   Mar 4 34 τοῖς ἰδίοις μα-
    θηταῖς ἐπέλυεν πάντα
Luc 6 41 τὴν δοκὸν τὴν ἐν τῷ ἰδίῳ ὀφθαλμῷ
  — 44 δένδρον ἐκ τοῦ ἰδ. καρποῦ γινώσκετ.
  10 34 ἐπιβιβάσας — ἐπὶ τὸ ἴδιον κτῆνος
  18 28 ἡμεῖς ἀφέντες τὰ ἴδια (vg omnia)
Joh 1 11 εἰς τὰ ἴδιαᵇ ἦλθεν καὶ οἱ ἴδιοι (sui)
    αὐτὸν οὐ παρέλαβον

Joh 1 41 τὸν ἀδελφὸν τὸν ἴδιον Σίμωνα
  4 44 προφήτης ἐν τῇ ἰδίᾳ πατρίδι
  5 18 πατέρα ἴδ·ον ἔλεγεν τὸν θεόν
  — 43 ἐὰν ἄλλος ἔλθῃ ἐν τῷ ὀνόματι τῷ
    ἰδίῳ, ἐκεῖνον λήμψεσθε
  7 18 τὴν δόξαν τὴν ἰδίανᵇ ζητεῖ
  8 44 ἐκ τῶν ἰδίωνᵇ (ex propriis) λαλεῖ
  10 3 τὰ ἴδιαᵇ πρόβατα φωνεῖ κατ' ὄνομα
    4ᵇ 12 οὗ οὐκ ἔστιν τὰ πρόβατα ἴδιαᵇ
  13 1 ἀγαπήσας τοὺς ἰδ. τοὺς ἐν τ. κόσμῳ
  15 19 ὁ κόσμος ἂν τὸ ἴδιον (quod suum
    erat) ἐφίλει
  16 32 σκορπισθῆτε ἕκαστος εἰς τὰ ἴδιαᵇ
  19 27 ἔλαβεν — αὐτὴν εἰς τὰ ἴδια (in sua)
Act 1 7 καιροὺς οὓς ὁ πατὴρ ἔθετο ἐν τῇ
    ἰδίᾳ ἐξουσίᾳ (posuit in sua potest.)
  — 19 τῇ ἰδ. (vl⁰ vg⁰) διαλέκτῳ αὐτῶν 2 6
    εἷς ἕκαστος τῇ ἰδ. διαλέκτῳ 8 (vg⁰)
  — 25 Ἰούδας — εἰς τὸν τόπον τὸν ἴδιον
  3 12 ὡς ἰδίᾳ (vl ἡμῶν τῇ vg nostra) δυ-
    νάμει — πεποιηκόσιν τοῦ περιπατεῖν
  4 23 ἦλθον πρὸς τοὺς ἰδίους 24 23 μηδένα
    κωλύειν τῶν ἰδίων αὐτοῦ ὑπηρετεῖν
  — 32 οὐδὲ εἷς τι — ἔλεγεν ἴδιον εἶναι
  13 36 Δαυὶδ — ἰδίᾳ γενεᾷ ὑπηρετήσας
  20 28 „τὴν ἐκκλησίαν τοῦ θεοῦ, ἣν περι-
    εποιήσατο" διὰ τοῦ αἵματος τοῦ ἰδί-
    ου (sanguine suo)
  21 6 ὑπέστρεψαν εἰς τὰ ἴδια (in sua)
  24 24 σὺν Δρουσίλλῃ τῇ ἰδίᾳ γυναικί
  25 19 περὶ τῆς ἰδίας δεισιδαιμονίας
  28 30 ἐνέμεινεν — ἐν ἰδίῳ μισθώματι
Rm 8 32 τοῦ ἰδίουᵇ (vl suo) υἱοῦ οὐκ ἐφείσατο
  10 3 τὴν ἰδ. (sc δικαιοσ.) ζητοῦντες στῆσαι
  11 24 ἐγκεντρισθήσονται τῇ ἰδίᾳ ἐλαίᾳ
  14 4 τῷ ἰδίῳ κυρίῳ στήκει ἢ πίπτει
  — 5 ἕκαστος ἐν τῷ ἰδ. νοῒ πληροφορείσθω
1 Co 3 8 ἕκαστος — τὸν ἴδιονᵇ μισθὸν λήμψε-
    ται κατὰ τὸν ἴδιον (suum) κόπον
  4 12 ἐργαζόμενοι ταῖς ἰδ. (nostris) χερσίν
    Eph 4 28 ἐ..όμενος ταῖς ἰδ. (vg vl⁰)
  6 18 εἰς τὸ ἴδιον σῶμα ἁμαρτάνει |χερσίν
  7 2 ἑκάστη τὸν ἴδιον ἄνδρα ἐχέτω
  — 4 γυνὴ τοῦ ἰδίου σώματος οὐκ ἐξουσι-
    άζει —· ὁμοίως — ὁ ἀνὴρ τοῦ ἰδ. σώ.
  — 7 ἕκαστος ἴδιονᵇ ἔχει χάρισμα ἀπό
  — 37 ἐξουσίαν — ἔχει περὶ τοῦ ἰδίου θελή-
    ματος, καὶ τοῦτο κέκρικεν ἐν τῇ ἰδίᾳ
    καρδίᾳ (in corde suo)
  9 7 τίς στρατεύεται ἰδίοις ὀψωνίοις —;
  11 21 ἕκαστος — τὸ ἴδ. δεῖπνον προλαμβάνει
  14 35 τοὺς ἰδίους ἄνδρας ἐπερωτάτωσαν

1 Co 1523 ἕκαστος – ἐν τῷ ἰδίῳ τάγματι
 – 38 ἑκάστῳ τῶν σπερμάτων ἴδιον[b] σῶμα
2 Co 510 ἵνα κομίσηται ἕκαστος τὰ διὰ (vl ἴδια
   vg[b]) τοῦ σώματος πρὸς ἃ ἔπραξεν
Gal 6 5 ἕκαστος – τὸ ἴδιον φορτίον βαστάσει
 – 9 καιρῷ γὰρ ἰδίῳ (suo) θερίσομεν
Eph 522 αἱ γυναῖκες τοῖς ἰδίοις ἀνδράσιν Tit
   25 ὑποτασσομένας τοῖς ἰδίοις ἀνδρά-
   σιν 1 Pe 31.5 τοῖς ἰδίοις[b] ἀνδράσιν
1 Th 214 ὑπὸ τῶν ἰδίων (vestris) συμφυλετῶν
   411 ἡσυχάζειν καὶ πράσσειν τὰ ἴδ. (vest.)
1 Ti 2 6 τὸ μαρτύριον καιροῖς ἰδίοις 615 ἐπι-
   φανείας –, ἣν καιροῖς ἰδίοις δείξει
   3 4 τοῦ ἰδίου οἴκου καλῶς προϊστάμε-
   νον 5 εἰ δέ τις τοῦ ἰδίου οἴκου προ-
   στῆναι οὐκ οἶδεν 12 54 μανθανέτωσαν
   – τὸν ἴδιον οἶκον εὐσεβεῖν
   4 2 κεκαυστηριασμένων τὴν ἰδ. συνείδησιν
   5 8 εἰ δέ τις τῶν ἰδίων – οὐ προνοεῖ
   6 1 τοὺς ἰδίους δεσπότας – τιμῆς ἀξίους
   Tit 29 ἰδίοις δεσπόταις ὑποτάσσεσθαι
2 Ti 1 9 κατὰ ἰδίαν πρόθεσιν καὶ χάριν
   4 3 κατὰ τὰς ἰδ. ἐπιθυμίας – διδασκάλους
Tit 1 3 ἐφανέρωσεν – καιροῖς ἰδίοις τὸν λόγον
 – 12 εἶπέν τις – ἴδιος[b] αὐτῶν προφήτης
Hb 410 ὥσπερ ἀπὸ τ. ἰδίων (sc ἔργων) ὁ θεός
   727 ὑπὲρ τῶν ἰδίων ἁμαρτιῶν θυσίας
   912 διὰ – τοῦ ἰδίου[b] αἵματος εἰσῆλθεν
   1312 ἵνα ἁγιάσῃ διὰ τοῦ ἰδίου αἵματος
Jac 114 ὑπὸ τῆς ἰδίας ἐπιθυμίας ἐξελκόμενος
   – 1 Pe 31 → Eph 522
2 Pe 1 3 τοῦ καλέσαντος ἡμᾶς ἰδίᾳ[b] δόξῃ (vl
   διὰ δόξης) καὶ ἀρετῇ (vl ἀρετῆς)
   – 20 ἰδίας[b] ἐπιλύσεως οὐ γίνεται
   216 ἔλεγξιν – ἔσχεν ἰδίας παρανομίας
   – 22 „ἐπιστρέψας ἐπὶ τὸ ἴδιον ἐξέραμα"
   3 3 κατὰ τὰς ἰδ.[b] ἐπιθυμίας – πορευόμ.
   – 16 ἃ οἱ ἀμαθεῖς – στρεβλοῦσιν – πρὸς
   τὴν ἰδίαν (suam ipsorum) ἀπώλειαν
   – 17 ἵνα μὴ – ἐκπέσητε τοῦ ἰδ.[b] στηριγμοῦ
Jud 6 ἀπολιπόντες τὸ ἴδιον οἰκητήριον

   2) κατ' ἰδίαν, ἰδίᾳ

   seorsum [b]secreto [c]separatim
   [d]solus [e](ἰδίᾳ ἑκάστῳ) singulis

Mat 1413 εἰς ἔρημον τόπον κατ' ἰδίαν ‖ Mar
   631.32 Luc 910 εἰς πόλιν – Βηθσαϊδά
   – 23 εἰς τὸ ὄρος κατ' ἰδ.[d] προσεύξασθαι
   17 1 ἀναφέρει αὐτοὺς εἰς ὄρος ὑψηλὸν
   κατ' ἰδ. ‖ Mar 92 κατ' ἰδίαν μόνους
   – 19 προσελθόντες οἱ μαθηταὶ τῷ Ἰησοῦ
   κατ' ἰδίαν[b] ‖ Mar 928[b] ἐπηρώτων

Mat 2017 παρέλαβεν τοὺς δώδεκα κατ' ἰδίαν[b]
   24 3 προσῆλθον αὐτῷ – κατ' ἰδίαν[b] ‖ Mar
   133 ἐπηρώτα αὐτὸν κατ' ἰδ.[c] Πέτρος
Mar 434 κατ' ἰδίαν – τοῖς ἰδίοις μαθηταῖς ἐπέ-
   λυεν πάντα – 733 ἀπολαβόμενος
   αὐτὸν ἀπὸ τοῦ ὄχλου κατ' ἰδίαν
Luc 1023 στραφεὶς πρὸς τοὺς μαθητὰς κατ' ἰδ.
   (vl[o] vg[o]) εἶπεν· μακάριοι οἱ ὀφθ.
Act 2319 ἀναχωρήσας κατ' ἰδίαν ἐπυνθάνετο
1 Co 1211 διαιροῦν ἰδίᾳ[e] ἑκάστῳ καθὼς βούλ.
Gal 2 2 κατ' ἰδίαν δὲ τοῖς δοκοῦσιν

ἰδιώτης idiota [b]imperitus
Act 413 ὅτι – ἀγράμματοί εἰσιν καὶ ἰδιῶται
1 Co 1416 ὁ ἀναπληρῶν τὸν τόπον τοῦ ἰδιώτου
   – 23 ἐὰν – εἰσέλθωσιν δὲ ἰ..αι ἢ ἄπιστοι 24
2 Co 11 6 εἰ δὲ καὶ ἰδιώτης[b] τῷ λόγῳ, ἀλλ' οὐ
   τῇ γνώσει

Ἰδουμαία Mar 38 ἀπὸ τῆς Ἰδουμ. – πλῆθος

ἱδρώς sudor Luc 2244 ὡσεὶ θρόμβοι αἵμ.

Ἰεζάβελ Ap 220 τὴν γυναῖκα (vl + σου) Ἰεζάβ.

Ἱεράπολις Col 413 καὶ ὑπὲρ – τῶν ἐν Ἱ..ει

ἱερατεία sacerdotium Luc 19 Hb 75

ἱερατεύειν sacerdotio fungi Luc 18 (Zach.)

ἱεράτευμα sacerdotium
1 Pe 2 5 εἰς ἱεράτ. ἅγιον 9 „βασίλειον ἱεράτ."

Ἱερεμίας Mat 217 1614 279 (vl Ζαχαρίου)

ἱερεύς sacerdos [b]princeps sacerdotum
Mat 8 4 σεαυτὸν „δεῖξον τῷ ἱερεῖ" ‖ Mar 144[b]
   Luc 514 – 1714 „τοῖς ἱερεῦσιν"
   12 4 ὃ οὐκ ἐξὸν ἦν – φαγεῖν – εἰ μὴ τοῖς
   ἱερεῦσιν μόνοις ‖ Mar 226 Luc 64
   – 5 ὅτι – οἱ ἱερεῖς – τὸ σάββ. βεβηλοῦσιν
Luc 1 5 ἱερεύς τις ὀνόματι Ζαχαρίας
   1031 κατὰ συγκυρίαν ἱερ. τις κατέβαινεν
Joh 119 ἀπέστειλαν – ἱερεῖς καὶ Λευίτας
Act 4 1 ἐπέστησαν αὐτοῖς οἱ ἱερεῖς (vl ἀρχιε-
   ρεῖς) καὶ ὁ στρατηγὸς τοῦ ἱεροῦ
   6 7 ὄχλος τῶν ἱερέων ὑπήκουον τῇ πίστει
   1413 ὅ τε ἱερεὺς τοῦ Διὸς – ἤθελεν θύειν
Hb 5 6 „σὺ ἱερεὺς εἰς τὸν αἰῶνα κατὰ τὴν
   τάξιν Μελχ." 717.21 – 1 „Μ. – ἱερεὺς
   τοῦ θεοῦ τοῦ ὑψίστου" 3 μένει ἱερεὺς

εἰς τὸ διηνεκές 11 τίς ἔτι χρεία „κατὰ
τὴν τάξιν Μ." ἕτερον ἀνίστασθαι ἱε-
ρέα –; 15 εἰ κατὰ τὴν ὁμοιότητα Μ.
ἀνίσταται ἱερεὺς ἕτερος
Hb 7 14 ἐξ Ἰούδα –, εἰς ἣν φυλὴν περὶ ἱερέ-
ων οὐδὲν Μωϋσῆς ἐλάλησεν
– 20 οἱ μὲν – χωρὶς ὁρκωμοσίας εἰσὶν ἱε-
ρεῖς γεγονότες, ὁ δὲ μετὰ – 23
8 4 εἰ – ἦν ἐπὶ γῆς, οὐδ᾽ ἂν ἦν ἱερεύς
9 6 εἰσίασιν οἱ ἱ. 10 11 πᾶς – ἱ. (vl ἀρχι.)
ἕστηκεν καθ᾽ ἡμέραν λειτουργῶν
10 21 ἔχοντες – „ἱερέα μέγαν ἐπὶ τὸν οἶκον
τοῦ θεοῦ", προσερχώμεθα
Ap 1 6 ἐποίησεν ἡμᾶς – „ἱερεῖς τῷ θεῷ"
5 10 ἐποίησας αὐτοὺς „τῷ θεῷ – ἱερεῖς"
20 6 ἔσονται „ἱερεῖς τοῦ θεοῦ" καὶ τ. Χ.

Ἱεριχώ Mat 20 29 Mar 10 46 Luc 10 30 18 35 19 1
Hb 11 30 πίστει τὰ τείχη Ἱεριχὼ ἔπεσαν

ἱερόθυτον (vl εἰδωλόθ.) S⁰ – immolatum (vl
..ticium) idolis 1 Co 10 28 τοῦτο ἱερ. ἐστιν

ἱερόν, τό templum ᵇsacrarium (1 Co 9 13)
Mat 4 5 ἐπὶ τὸ πτερύγιον τοῦ ἱεροῦ ‖ Luc 4 9
12 5 ἐν τῷ ἱερῷ τὸ σάββατον βεβηλοῦσιν
– 6 ὅτι τοῦ ἱεροῦ μεῖζόν ἐστιν ὧδε
21 12 εἰσῆλθεν – εἰς τὸ ἱ. (vl + τοῦ θεοῦ
vg) καὶ ἐξέβαλεν – τοὺς πωλοῦντας
– ἐν τῷ ἱ. ‖ Mar 11 11 εἰς τὸ ἱ.· καὶ
περιβλεψάμενος πάντα 15.16 οὐκ ἤ-
φιεν ἵνα τις διενέγκῃ σκεῦος διὰ τοῦ
ἱεροῦ Luc 19 45 Joh 2 14.15
– 14 προσῆλθον αὐτῷ – χωλοὶ ἐν τῷ ἱ. 15
τοὺς παῖδας τοὺς κράζοντας ἐν τῷ ἱ.
– 23 ἐλθόντος αὐτοῦ εἰς τὸ ἱ. ‖ Mar 11 27
ἐν τῷ ἱ. περιπατοῦντος Luc 20 1 δι-
δάσκοντος – Mar 12 35 διδάσκων ἐν
τῷ ἱ. Luc 19 47 τὸ καθ᾽ ἡμέραν 21 37
ἦν – τὰς ἡμέρας ἐν τῷ ἱ. διδάσκων 38
ὁ λαὸς ὤρθριζεν πρὸς αὐτὸν ἐν τῷ
ἱ. ἀκούειν αὐτοῦ – Mat 26 55 καθ᾽ ἡ-
μέραν ἐν τῷ ἱερῷ ἐκαθεζόμην ‖ Mar
14 49 πρὸς ὑμᾶς Luc 22 53
24 1 ἐξελθὼν – ἀπὸ τοῦ ἱ. –, – ἐπιδεῖξαι
αὐτῷ τὰς οἰκοδομὰς τοῦ ἱ. ‖ Mar
13 1.3 κατέναντι τοῦ ἱεροῦ Luc 21 5
Luc 2 27 ἦλθεν ἐν τῷ πνεύματι εἰς τὸ ἱερόν
– 37 χήρα –, ἢ οὐκ ἀφίστατο τοῦ ἱεροῦ
– 46 εὗρον αὐτὸν ἐν τῷ ἱ. καθεζόμενον
18 10 ἄνθρωποι δύο ἀνέβησαν εἰς τὸ ἱερόν
22 52 πρὸς τοὺς – στρατηγοὺς τοῦ ἱ. Act

41 ὁ στρ. τοῦ ἱ. 5 24 ὅ τε στρ. τοῦ ἱ.
Luc 24 53 ἦσαν διὰ παντὸς ἐν τῷ ἱερῷ εὐλογ.
Joh 5 14 εὑρίσκει αὐτὸν ὁ Ἰησοῦς ἐν τῷ ἱερῷ
7 14 ἀνέβη Ἰησοῦς εἰς τὸ ἱ. καὶ ἐδίδασκεν
28 ἐν τῷ ἱερῷ διδάσκων 8[2] 20.59 ἐξ-
ῆλθεν ἐκ τοῦ ἱεροῦ 10 23 περιεπάτει
ἐν τῷ ἱερῷ ἐν τῇ στοᾷ – Σολομῶνος
11 56 ἔλεγον μετ᾽ ἀλλήλων ἐν τῷ ἱερῷ
18 20 ἐδίδαξα ἐν συναγωγῇ καὶ ἐν τῷ ἱερῷ,
ὅπου πάντες οἱ Ἰουδ. συνέρχονται
Act 2 46 καθ᾽ ἡμέραν – ὁμοθυμαδὸν ἐν τῷ ἱερῷ
3 1 ἀνέβαινον εἰς τὸ ἱ. 2 ἐτίθουν – πρὸς
τὴν θύραν τοῦ ἱ. – τοῦ αἰτεῖν – παρὰ
τῶν εἰσπορευομένων εἰς τὸ ἱερόν 3.
8 εἰσῆλθεν σὺν αὐτοῖς εἰς τὸ ἱερόν 10
5 20 λαλεῖτε ἐν τῷ ἱερῷ τῷ λαῷ 21.25.42
ἐν τῷ ἱ. καὶ κατ᾽ οἶκον – διδάσκοντες
19 27 τὸ τῆς – θεᾶς Ἀρτέμιδος ἱερόν
21 26 Παῦλος – εἰσῄει εἰς τὸ ἱ. 27 θεασά-
μενοι αὐτὸν ἐν τῷ ἱερῷ 28 Ἕλληνας
εἰσήγαγεν εἰς τὸ ἱερόν 29.30 εἷλκον –
ἔξω τοῦ ἱ. 24 6 τὸ ἱερὸν ἐπείρασεν βε-
βηλῶσαι 12.18 εὗρόν με ἡγνισμένον
ἐν τῷ ἱ. 25 8 οὔτε εἰς τὸ ἱερόν – τι
ἥμαρτον 26 21 συλλαβόμενοι ἐν τῷ ἱ.
22 17 προσευχομένου μου ἐν τῷ ἱερῷ
1 Co 9 13 οὐκ οἴδατε ὅτι οἱ τὰ ἱερὰ ἐργαζόμε-
νοι (qui in sacrario operantur) τὰ
ἐκ τοῦ ἱεροῦ ᵇ ἐσθίουσιν –;

ἱεροπρεπής sanctus Tit 2 3 πρεσβύτιδας – ἐν
καταστήματι ἱ..εῖς (vl ..εῖ vg)

ἱερός, ..ά, ..όν sacer [Mar brev. claus. τὸ
ἱερὸν καὶ ἄφθαρτον κήρυγμα vg⁰]
1 Co 9 13 → ἱερόν, τό – 2 Ti 3 15 ὅτι ἀπὸ βρέ-
φους (vl + τὰ) ἱερὰ γράμματα οἶδας

Ἱεροσόλυμα, Ἱεροσολυμῖται (Mr 1 5 Jo 7 25)
Ierosolyma (ntr. pl.) ᵇIerosolyma, ..ae
(fem. sing.) ᶜIerusalem ᵈIerosolymitae
Mat 2 1 παρεγένοντο εἰς Ἰ.ᵇ 3 ἐταράχθη, καὶ
πᾶσα Ἰ.ᵇ – 3 5 ἐξεπορεύετο – Ἰ.ᵇ ‖
Mar 1 5 οἱ Ἰ..ῖταιᵈ πάντες – Joh 1 19
4 25 ὄχλοι πολλοὶ ἀπὸ – Ἰ..ωνᵇ ‖ Mar 3 8
5 35 μήτε (sc ὁμόσαι) εἰς Ἱεροσόλυμαᵇ
15 1 ἀπὸ Ἰ..ων Φαρισαῖοι ‖ Mar 7 1 – 3 22
16 21 δεῖ αὐτὸν εἰς Ἱεροσόλυμαᵇ ἀπελθεῖν
20 17 μέλλων – ἀναβαίνειν – εἰς Ἰ.ᵇ 18 ἰδοὺ
ἀναβαίνομεν εἰς Ἰ.ᵇ ‖ Mar 10 32ᵇ (vlᵃ)
33ᵇ (vlᵃ) Luc 13 22 εἰς Ἱεροσόλυμαᶜ
21 1 ὅτε ἤγγισαν εἰς Ἰ. 10 εἰσελθόντος

αὐτοῦ εἰς Ἰ.ᵇ ‖ Mar 111ᵇ 11ᵇ 15ᵇ 27
ἔρχονται πάλιν εἰς Ἰ.ᵇ Luc 1928ᵇ
Mar 1541 πολλαὶ αἱ συναναβᾶσαι αὐτῷ εἰς Ἰ.ᵇ
Luc 222 ἀνήγαγον αὐτὸν εἰς Ἰ.ᶜ παραστῆσαι
23 7 Ἡρώδην, ὄντα καὶ αὐτὸν ἐν Ἱεροσ.
Joh 213 ἀνέβη εἰς Ἰ.ᵇ (vlᵃ) 23 ὡς δὲ ἦν ἐν
τοῖς Ἰ. 51 ἀνέβη – εἰς Ἰ.ᵇ (vlᵃ) 1212
ἔρχεται Ἰησοῦς εἰς Ἱεροσόλυμαᵇ (vlᵃ)
420 ὅτι ἐν Ἰ..οις ἐστὶν ὁ τόπος 21 οὔτε ἐν
Ἰ..οις προσκυνήσετε τῷ πατρί
– 45 ὅσα ἐποίησεν ἐν Ἰ..οις ἐν τῇ ἑορτῇ
5 2 ἔστιν – ἐν τοῖς Ἰ..οις – κολυμβήθρα
725 ἔλεγον – τινὲς ἐκ τῶν Ἰ..ιτῶνᵈ
1022 τότε τὰ ἐγκαίνια ἐν τοῖς Ἰ..οις
1118 ἦν δὲ Βηθανία ἐγγὺς τῶν Ἰ.ᵇ (vla)
– 55 ἀνέβησαν πολλοὶ εἰς Ἰ.ᵇ (vlᵃ)
Act 1 4 ἀπὸ Ἰ..ων μὴ χωρίζεσθαι, ἀλλά
8 1 ἐπὶ τὴν ἐκκλησίαν τὴν ἐν Ἰ..οις
– 14 ἀκούσαντες οἱ ἐν Ἰ..οις ἀπόστολοι
– 25 ὑπέστρεφον εἰς Ἱεροσόλυμαᵇ 1313ᵇ
1127 κατῆλθον ἀπὸ Ἰ..ων προφῆται εἰς
15 4 παραγενόμενοι – εἰς Ἰ. (vl Ἱερουσα-
λήμ vgᵇ) 1921 εἰς Ἱεροσόλυμαᵇ
16 4 τὰ κεκριμένα ὑπὸ τῶν ἀποστόλων
καὶ πρεσβυτέρων τῶν ἐν Ἰ..οις
2016 ἔσπευδεν – γενέσθαι εἰς Ἰ. (vl Ἱερου-
σαλήμ) 214 μὴ ἐπιβαίνειν εἰς Ἰ.ᵇ 15
ἀνεβαίνομεν εἰς Ἰ.ᶜ 17 γενομένων –
ἡμῶν εἰς Ἱεροσόλυμαᵇ
25 1 Φῆστος – ἀνέβη εἰς Ἰ.ᵇ 7 οἱ ἀπὸ Ἰ.ᵇ
9 εἰς Ἰ.ᵇ 15 εἰς Ἰ. 20 εἰς Ἰ.ᵇ 24
26 4 βίωσίν μου – ἔν τε Ἰ. ἴσασι πάντες
– 10 ὃ καὶ ἐποίησα ἐν Ἱεροσολύμοις
– 20 τοῖς ἐν Δαμασκῷ – τε καὶ Ἰ..οις
2817 δέσμιος ἐξ Ἱεροσολύμων παρεδόθην
Gal 117 οὐδὲ ἀνῆλθον εἰς Ἰ.ᵇ 18 ἔπειτα με-
τὰ τρία ἔτη ἀνῆλθον εἰς Ἰ.ᵇ
2 1 πάλιν ἀνέβην εἰς Ἰ.ᵇ μετὰ Βαρναβᾶ

ἱεροσυλεῖν sacrilegium facere (vl execrari)
Rm 222 ὁ βδελυσσόμενος τὰ εἴδωλα ἱ..εῖς;

ἱερόσυλος sacrilegus Act 1937 τοὺς ἄνδρας
– οὔτε ἱ..ους οὔτε βλασφημοῦντας

ἱερουργεῖν Sᵒ – sanctificare
Rm 1516 ἱ..οῦντα τὸ εὐαγγέλιον τοῦ θεοῦ

Ἱερουσαλήμ Ierusalem ᵇIerosolyma
Mat 2337 Ἰ. Ἰ., ἡ ἀποκτείνουσα τοὺς προφή-
τας ‖ Luc 1334 – 33 ὅτι οὐκ ἐνδέχε-
ται προφήτην ἀπολέσθαι ἔξω Ἰ.
Luc 225.41 κατ' ἔτος εἰς Ἰ. 43 ὑπέμεινεν – ὁ

παῖς ἐν Ἰ. 45 – 49 ἤγαγεν – εἰς Ἰ.
Luc 238 τοῖς προσδεχομένοις λύτρωσιν Ἰ. (vl
Ἰσραήλ vg, vl Hierusalem)
517 οἳ ἦσαν ἐληλυθότες ἐκ – Ἰ. 617
931 ἔξοδον –, ἣν ἤμελλεν πληροῦν ἐν Ἰ.
– 51 τοῦ πορεύεσθαι εἰς Ἰ. 53 1711 1911
διὰ τὸ ἐγγὺς εἶναι Ἰ. αὐτόν
1030 κατέβαινεν ἀπὸ Ἰ. εἰς Ἱεριχώ
13 4 δοκεῖτε ὅτι – ὀφειλέται ἐγένοντο παρὰ
πάντας – τοὺς κατοικοῦντας Ἰ.;
1831 ἰδοὺ ἀναβαίνομεν εἰς Ἰ.ᵇ, καὶ τελεσθ.
2120 ὅταν – ἴδητε κυκλουμένην – Ἰ. 24 „Ἰ."
ἔσται „πατουμένη ὑπὸ ἐθνῶν"
2328 θυγατέρες Ἰ., μὴ κλαίετε ἐπ' ἐμέ
2413.18 σὺ μόνος παροικεῖς Ἰ. καὶ οὐκ –;
– 33 ὑπέστρεψαν εἰς Ἰ. 52 Act 112ᵇ
– 47 ἀρξάμενοι ἀπὸ Ἰ.ᵇ Act 18 ἔσεσθέ
μου μάρτυρες ἔν τε Ἰ. καί 528 πεπλη-
ρώκατε τὴν Ἰ. τῆς διδαχῆς ὑμῶν
Act 112 ἀπὸ ὄρους –, ὅ ἐστιν ἐγγὺς Ἰ. σαββ.
– 19 γνωστὸν – τοῖς κατοικοῦσιν Ἰ. 214
416 1327 2131 ὅλη συγχύννεται Ἰ.
2 5 εἰς Ἰ. κατοικοῦντες Ἰουδαῖοι 45 συν-
αχθῆναι – τοὺς ἄρχοντας – ἐν Ἰ. 516
67 826.27 προσκυνήσων εἰς Ἰ.
9 2 ὅπως – δεδεμένους ἀγάγῃ εἰς Ἰ. 225
– 13 ὅσα κακὰ τοῖς ἁγίοις σου ἐποίησεν
ἐν Ἰ. 21 ὁ πορθήσας εἰς Ἰ. τούς
– 26.28 1039 112 (vl Ἰ..υμα)ᵇ 1225ᵇ 1331
1122 τῆς ἐκκλησίας τῆς οὔσης ἐν Ἰ.ᵇ
15 2 πρὸς τοὺς ἀποστ. καὶ πρεσβυτ. εἰς Ἰ.
2022 δεδεμένος ἐγὼ τῷ πνεύματι πορεύ-
ομαι εἰς Ἰ. 2111 δήσουσιν ἐν Ἰ. οἱ
Ἰουδαῖοι 12 μὴ ἀναβαίνειν – εἰς Ἰ.ᵇ
13 ἀποθανεῖν εἰς Ἰ. ἑτοίμως ἔχω
2217.18 σπεῦσον καὶ ἔξελθε ἐν τάχει ἐξ Ἰ.
2311 ὡς – διεμαρτύρω τὰ περὶ ἐμοῦ εἰς (vg
in, vlᵒ) Ἰ. – 2411 προσκυνήσων εἰς
Ἱερουσαλήμ 253
Rm 1519 ἀπὸ Ἰ. καὶ – μέχρι τοῦ Ἰλλυρικοῦ
– 25 πορεύομαι εἰς Ἰ. 26 εἰς τοὺς πτωχοὺς
τῶν ἁγίων – ἐν Ἰ. 31 ἵνα – ἡ διακονία
μου ἡ εἰς Ἰ. εὐπρόσδεκτος – γένηται
1 Co 16 3 ἀπενεγκεῖν τὴν χάριν ὑμῶν εἰς Ἰ.
Gal 425 συστοιχεῖ – τῇ νῦν Ἰ. 26 ἡ δὲ ἄνω Ἰ.
Hb 1222 πόλει θεοῦ ζῶντος, Ἰ. ἐπουρανίῳ
Ap 312 τὸ ὄνομα –, τῆς καινῆς Ἰ. ἡ κατα-
βαίνουσα 212 „τὴν πόλιν τὴν ἁγίαν
Ἰ." καινὴν – καταβαίνουσαν 10

ἱερωσύνη sacerdotium Hb 711.12.24 ὁ δὲ –
ἀπαράβατον ἔχει τὴν ἱερωσύνην

Ἰεσσαί Mat 15.6 Luc 332 Act 1322
Rm 1512 „ἔσται ἡ ῥίζα τοῦ Ἰεσσαί"

Ἰεφθάε Hb 1133   Ἰεχονίας Mat 111.12

Ἰησοῦς Nazarenus
Ἰησοῦς Χριστός, κύριος Ἰησοῦς → Χρι-
στός, κύριος – Ἰησοῦς cum διὰ et ἐν
→ διά, ἐν

*1) delecti ex evangeliis loci

Mat 116 ἐξ ἧς ἐγεννήθη Ἰ. ὁ λεγόμενος χρ.
– 21 καλέσεις τὸ ὄνομα αὐτοῦ Ἰησοῦν·
αὐτὸς γὰρ σώσει 25 Luc 131 221
2 1 τοῦ δὲ Ἰησοῦ γεννηθέντος ἐν Βηθλ.
313 παραγίνεται ὁ Ἰ. – ἐπὶ τὸν Ἰορδάνην
15.16 βαπτισθεὶς δὲ ὁ Ἰ. ‖ Mar 19
Luc 321 – Joh 129 βλέπει τὸν Ἰησ.
ἐρχόμενον 36 τῷ Ἰησοῦ περιπατοῦντι
4 1 ὁ Ἰ. ἀνήχθη εἰς τὴν ἔρημον 7.10 ‖
Luc 41 Ἰ. δὲ πλήρης πνεύματος –,
καὶ ἤγετο – ἐν τῇ ἐρήμῳ 4.8.12
– 17 ἤρξατο ὁ Ἰησ. κηρύσσειν ‖ Mar 114
Luc 414 ὑπέστρεψεν ὁ Ἰησ. – εἰς τὴν
Γαλιλαίαν – Mat 935 περιῆγεν ὁ Ἰ.
τὰς πόλεις – διδάσκων
10 5 τούτους τοὺς δώδεκα ἀπέστειλεν ὁ
Ἰ. 111 ὅτε ἐτέλεσεν ὁ Ἰ. διατάσσων
1215 ὁ δὲ Ἰ. γνοὺς ἀνεχώρησεν ἐκεῖθεν
14 1 ἤκουσεν Ἡρῴδης – τὴν ἀκοὴν Ἰησοῦ
– 29 Πέτρος – ἦλθεν πρὸς τὸν Ἰ. 31 ὁ Ἰ.
ἐκτείνας τὴν χεῖρα ἐπελάβετο αὐτοῦ
1529 μεταβὰς ἐκεῖθεν ὁ Ἰ. 1613 ἐλθὼν – ὁ
Ἰ. εἰς τὰ μέρη Καισαρείας 17.21 ἤρξα-
το Ἰ. Χρ. (vl ὁ Ἰ.) δεικνύειν τοῖς μα-
θηταῖς – ὅτι δεῖ αὐτὸν 24 ‖ Mar 827
17 8 οὐδένα εἶδον εἰ μὴ αὐτὸν Ἰησοῦν
μόνον ‖ Mar 98 Luc 936 εὑρέθη Ἰ. μ.
2017 μέλλων δὲ ἀναβαίνειν ὁ Ἰ. εἰς Ἱεροσ.
‖ Mar 1032 ἦν προάγων – ὁ Ἰησοῦς
– 30 ὅτι Ἰ. παράγει ‖ Mar 1047 ὅτι Ἰ. ὁ
Ναζαρηνός ἐστιν – · υἱὲ Δαυὶδ Ἰησοῦ
Luc 1837 ὅτι Ἰησοῦς ὁ Ναζωραῖος
παρέρχεται 38
2111 οὗτός ἐστιν ὁ προφήτης Ἰησοῦς ὁ
ἀπὸ Ναζαρὲθ τῆς Γαλιλαίας
2651 εἷς τῶν μετὰ Ἰησοῦ – ἀπέσπασεν τήν
– 69 καὶ σὺ ἦσθα μετὰ Ἰησοῦ τοῦ Γαλι-
λαίου 71 τοῦ Ναζωραίου 75 ἐμνήσθη
– τοῦ ῥήματος Ἰησοῦ ‖ Mar 1467
μετὰ τοῦ Ναζαρηνοῦ ἦσθα τοῦ Ἰ. 72
27(16 vl) 17 (vl Ἰησοῦν) [τὸν] Βαραββᾶν

ἢ Ἰησοῦν τὸν λεγόμενον χριστόν; 22
τί οὖν ποιήσω Ἰησοῦν τὸν λεγ. χρ.;
Mat 2737 οὗτός ἐστιν Ἰ. ὁ βασιλεὺς τῶν Ἰουδ.
– 58 ᾐτήσατο τὸ σῶμα τοῦ Ἰ. ‖ Mar 1543
Luc 2352 Joh 1938.40.42 2012
28 5 Ἰησοῦν τὸν ἐσταυρωμένον ζητεῖτε ‖
Mar 166 Ἰησοῦν – τὸν Ναζαρηνόν
Mar 124 τί ἡμῖν καὶ σοί, Ἰησοῦ Ναζαρηνέ; 57
τί ἐμοὶ καὶ σοί, Ἰησοῦ υἱὲ τοῦ θεοῦ
‖ Luc 434 Ἰ. Ναζαρηνέ; 828 Ἰ. υἱὲ
τοῦ θεοῦ (vl Mat 829 Ἰησοῦ vg, vl°)
520 ὅσα ἐποίησεν αὐτῷ ὁ Ἰησ. ‖ Luc 839
– 27 ἀκούσασα τὰ περὶ τοῦ Ἰησ. Luc 73
1021 ὁ δὲ Ἰησ. ἐμβλέψας αὐτῷ ἠγάπησεν
αὐτόν 27 ἐμβλέψας αὐτοῖς ὁ Ἰησοῦς
λέγει· παρὰ ἀνθρώποις ἀδύνατον
[1619 ὁ – κύριος [Ἰησοῦς] – ἀνελήμφθη]
[brev. claus. αὐτὸς ὁ Ἰησ. – ἐξαπέστειλεν
δι' αὐτῶν τὸ ἱερὸν – κήρυγμα]
Luc 2 27 ἐν τῷ εἰσαγαγεῖν τοὺς γονεῖς τὸ παι-
δίον Ἰησοῦν 43 Ἰ. ὁ παῖς 52 Ἰησοῦς
προέκοπτεν ἐν τῇ σοφίᾳ καὶ ἡλικίᾳ
323 αὐτὸς ἦν Ἰησοῦς ἀρχόμενος ὡσεὶ ἐ-
τῶν τριάκοντα
611 τί ἂν ποιήσαιεν τῷ Ἰησοῦ
7 3 ἀκούσας δὲ περὶ τοῦ Ἰ. ἀπέστειλεν
1713 Ἰησοῦ ἐπιστάτα, ἐλέησον ἡμᾶς
19 3 ἐζήτει ἰδεῖν τὸν Ἰησοῦν τίς ἐστιν
2342 Ἰησοῦ, μνήσθητί μου ὅταν ἔλθῃς
2419 τὰ περὶ Ἰησοῦ τοῦ Ναζαρηνοῦ
Joh 145 Ἰησοῦν υἱὸν τοῦ Ἰωσὴφ τὸν ἀπὸ Να-
ζαρὲθ 642 Ἰησοῦς ὁ υἱὸς Ἰωσήφ
911 ὁ ἄνθρωπος ὁ λεγόμενος Ἰησοῦς
1151 ὅτι ἔμελλεν Ἰησ. ἀποθνήσκειν ὑπέρ
– 54 ὁ – Ἰησ. οὐκέτι παρρησίᾳ περιεπάτει
12 9 ἦλθον οὐ διὰ τὸν Ἰησοῦν· μόνον 11
πολλοὶ δι' αὐτὸν – ἐπίστευον εἰς τὸν Ἰ.
– 16 ὅτε ἐδοξάσθη Ἰησοῦς – 739
– 21 κύριε, θέλομεν τὸν Ἰησοῦν ἰδεῖν
1323 εἷς – ἐν τῷ κόλπῳ τοῦ Ἰ., ὃν ἠγάπα
ὁ Ἰ. 25 202 ἐφίλει 217 ἠγάπα 20 ἠγ.
18 5 τίνα ζητεῖτε; – Ἰησοῦν τὸν Ναζωραῖον
7 1919 Ἰ. ὁ Ναζωρ. ὁ βασ. τῶν Ἰουδ.
– 32 ἵνα ὁ λόγος τοῦ Ἰησοῦ πληρωθῇ
1918 ἐντεῦθεν καὶ ἐντ., μέσον δὲ τὸν Ἰησ.
2014 θεωρεῖ τὸν Ἰησοῦν ἑστῶτα, καὶ οὐκ
ᾔδει ὅτι Ἰησοῦς ἐστιν – 214
– 31 ἵνα πιστεύητε (vl ..σητε) ὅτι Ἰησοῦς
ἐστιν ὁ χριστὸς ὁ υἱὸς τοῦ θεοῦ
21 1 ἐφανέρωσεν ἑαυτὸν πάλιν Ἰ. (2019.
26) 2114 τρίτον ἐφανερώθη Ἰησοῦς
– 25 καὶ ἄλλα πολλὰ ἃ ἐποίησεν ὁ Ἰησοῦς

9

2) loci e ceteris libris omnes

ὄνομα Ἰησοῦ → ὄνομα, – πιστεύ-
ειν εἰς Ἰ., ἐπὶ Ἰ. → πιστεύειν, –
πίστις Ἰησοῦ, ἐν Ἰ., εἰς Ἰησοῦν →
πίστις, – χάρις Ἰησοῦ → χάρις

Act 1 1 ὧν ἤρξατο ὁ Ἰ. ποιεῖν τε καὶ διδάσκ.
 – 11 οὗτος ὁ Ἰ. ὁ ἀναλημφθεὶς ἀφ' ὑμῶν
 – 14 σὺν – Μαριὰμ τῇ μητρὶ [τοῦ] Ἰησοῦ
      καὶ σὺν τοῖς ἀδελφοῖς αὐτοῦ
 – 16 τοῦ – ὁδηγοῦ τοῖς συλλαβοῦσιν Ἰησ.
 2 22 Ἰησοῦν τὸν Ναζωραῖον, – ἀνείλατε
 – 32 τοῦτον τὸν Ἰησοῦν ἀνέστησεν ὁ θεός
 13 33 ἀναστήσας Ἰησοῦν 5 30 ὁ θεὸς
      τῶν πατέρων ἡμῶν ἤγειρεν Ἰησοῦν
 – 36 τοῦτον τὸν Ἰ. ὃν ὑμεῖς ἐσταυρώσατε
 3 13 „ἐδόξασεν τὸν παῖδα αὐτοῦ" Ἰησοῦν
 4 27 ἐπὶ τὸν ἅγιον παῖδά σου Ἰησ. 30
 4 2 διὰ τὸ – καταγγέλλειν ἐν τῷ Ἰησοῦ
      τὴν ἀνάστασιν τὴν ἐκ νεκρῶν
 – 13 ἐπεγίνωσκόν τε – ὅτι σὺν τῷ Ἰ. ἦσαν
 6 14 Ἰ. ὁ Ναζωρ. οὗτος καταλύσει τ. τόπον
 7 55 Ἰησοῦν ἑστῶτα ἐκ δεξιῶν τοῦ θεοῦ
 8 35 εὐηγγελίσατο αὐτῷ τὸν Ἰησοῦν 17 18
      τὸν Ἰ. καὶ τὴν ἀνάστασιν εὐηγγ..ζετο
 9 5 ἐγώ εἰμι Ἰ. ὃν σὺ διώκεις 22 8 Ἰησοῦς
      ὁ Ναζωραῖος 26 15 Ἰ. ὃν σὺ διώκεις
 – 17 Ἰησοῦς ὁ ὀφθείς σοι ἐν τῇ ὁδῷ
 – 20 ἐκήρυσσεν τὸν Ἰησοῦν, ὅτι οὗτός ἐ-
      στιν ὁ υἱὸς τοῦ θεοῦ
 10 38 οἴδατε – Ἰησοῦν τὸν ἀπὸ Ναζαρέθ
 13 23 ἤγαγεν τῷ Ἰσραὴλ σωτῆρα Ἰησοῦν
 16 7 οὐκ εἴασεν αὐτοὺς τὸ πνεῦμα Ἰ...οῦ
 17 3 οὗτός ἐστιν ὁ χριστός, ὁ Ἰ., ὃν ἐγώ
 – 7 βασιλέα ἕτερον – εἶναι Ἰησοῦν
 18 5 ⸂διαμαρτυρ. – εἶναι τὸν χριστὸν Ἰ. 28
 – 25 ἐδίδασκεν ἀκριβῶς τὰ περὶ τοῦ Ἰησ.
 19 13 ὁρκίζω ὑμᾶς τὸν Ἰ. ὃν Παῦλος κη-
      ρύσσει 15 τὸν [μὲν] Ἰησοῦν γινώσκω
 25 19 περί τινος Ἰησοῦ τεθνηκότος
 28 23 πείθων τε αὐτοὺς περὶ τοῦ Ἰησοῦ
Rm 8 11 τοῦ ἐγείραντος τὸν Ἰησ. ἐκ νεκρῶν
1 Co 12 3 οὐδεὶς ἐν πνεύματι θεοῦ λαλῶν λέ-
      γει· ἀνάθεμα Ἰησοῦς, καὶ οὐδεὶς δύ-
      ναται εἰπεῖν· κύριος Ἰησοῦς, εἰ μὴ ἐν
2 Co 4 5 δούλους ὑμῶν διὰ Ἰησοῦν (vl ..οῦ)
 – 10 τὴν νέκρωσιν τοῦ Ἰησοῦ –, ἵνα καὶ ἡ
      ζωὴ τοῦ Ἰ. 11 εἰς θάνατον παραδι-
      δόμεθα διὰ Ἰησοῦν, ἵνα καὶ ἡ ζωὴ
      τοῦ Ἰησοῦ φανερωθῇ 14 καὶ ἡμᾶς
      σὺν Ἰησοῦ ἐγερεῖ καὶ παραστήσει
 11 4 εἰ – ὁ ἐρχόμ. ἄλλον Ἰησοῦν κηρύσσει

Gal 6 17 τὰ στίγματα τοῦ Ἰησοῦ – βαστάζω
Eph 4 21 καθώς ἐστιν ἀλήθεια ἐν τῷ Ἰησοῦ
1 Th 1 10 Ἰησοῦν τὸν ῥυόμενον ἡμᾶς ἐκ τ. ὀργ.
 4 14 εἰ – πιστεύομεν ὅτι Ἰησοῦς ἀπέθανεν
      καὶ ἀνέστη, – ὁ θεὸς τοὺς κοιμηθέν-
      τας διὰ τοῦ Ἰησοῦ ἄξει σὺν αὐτῷ
Hb 2 9 τὸν δὲ „βραχύ τι παρ' ἀγγέλους ἠ-
      λαττωμένον" βλέπομεν Ἰησοῦν – „δό-
      ξῃ καὶ τιμῇ ἐστεφανωμένον"
 3 1 τὸν ἀπόστολον καὶ ἀρχιερέα τῆς ὁ-
      μολογίας ἡμῶν Ἰησοῦν 4 14 ἀρχιερέα
      μέγαν –, Ἰησοῦν τὸν υἱὸν τοῦ θεοῦ
 6 20 πρόδρομος ὑπὲρ ἡμῶν εἰσῆλθεν Ἰησ.
 7 22 κρείττονος διαθήκης γέγ. ἔγγυος Ἰ.
 12 24 διαθήκης νέας μεσίτῃ Ἰησοῦ
 10 19 παρρησίαν – ἐν τῷ αἵματι Ἰησοῦ
 12 2 εἰς τὸν τῆς πίστεως – τελειωτὴν Ἰν
 13 12 διὸ καὶ Ἰησ. – ἔξω τῆς πύλης ἔπαθεν
1 Jo 1 7 τὸ αἷμα Ἰησοῦ τοῦ υἱοῦ αὐτοῦ
 2 22 ὅτι Ἰησοῦς οὐκ ἔστιν ὁ χριστός
 4 3 πᾶν πνεῦμα ὃ μὴ ὁμολογεῖ (vl ὃ λύ-
      ει vg) τὸν Ἰ. 15 ὃς ἐὰν ὁμολογήσῃ
      ὅτι Ἰησοῦς ἐστιν ὁ υἱὸς τοῦ θεοῦ 5 1
      ἐστὶν ὁ χριστός 5 ὁ υἱὸς τοῦ θεοῦ
Ap 1 9 συγκοινωνὸς ἐν τῇ – ὑπομονῇ ἐν Ἰη-
      σοῦ, ἐγενόμην ἐν – Πάτμῳ διὰ – τὴν
      μαρτυρίαν Ἰησοῦ
 12 17 πόλεμον μετὰ τῶν – ἐχόντων τὴν μαρ-
      τυρίαν Ἰησοῦ 19 10 τῶν ἀδελφῶν σου
      τῶν ἐχόντων τὴν μαρτ. Ἰ. –. ἡ γὰρ
      μαρτυρία Ἰησ. ἐστιν τὸ πνεῦμα τῆς
      προφητείας 20 4 τὰς ψυχὰς τῶν πε-
      πελεκισμένων διὰ τὴν μαρτ. Ἰησοῦ
 17 6 ἐκ τοῦ αἵματος τῶν μαρτύρων Ἰ...οῦ
 22 16 ἐγὼ Ἰησοῦς ἔπεμψα τὸν ἄγγελόν μου

Ἰησοῦς (Mosis successor)   Act 7 45   Hb 4 8

Ἰησοῦς τοῦ Ἐλιέζερ   Luc 3 29

(**Ἰησοῦς** Βαραββᾶς vl Mat 27 16.17)

Ἰησοῦς ὁ λεγόμενος Ἰοῦστος   Col 4 11

ἱκανός   multus ᵇcopiosus ᶜdignus ᵈidoneus
     ᵉmagnus ᶠplurimus ᵍ(τὸ ἱκ. ποιεῖν) sa-
     tisfacere ʰ(τὸ ἱκ.) satisfactio, (ἱκ..όν)
     satis ⁱ(ἱκ..όν) sufficit ᵏsufficiens
Mat 3 11 οὗ οὐκ εἰμὶ ἱκανὸςᶜ τὰ ὑποδήματα
      βαστάσαι ‖ Mar 1 7ᶜ   Luc 3 16ᶜ
 8 8 οὐκ εἰμὶ ἱκανὸςᶜ ἵνα μου ὑπὸ τὴν
      στέγην εἰσέλθῃς ‖ Luc 7 6ᶜ

Mat 28 12 ἀργύρια ἱκανὰ[b] ἔδωκαν τοῖς στρατ.
Mar 10 46 ὄχλου ἱ..οῦ[f] Luc 7 12 ὅ. τῆς πόλ. ἱκ.
15 15 τῷ ὄχλῳ τὸ ἱκανὸν ποιῆσαι[g]
Luc 8 27 χρόνῳ ἱκανῷ 20 9 χρόνους ἱκανούς
23 8 ἐξ ἱκανῶν χρ. Act 8 11 ἱκανῷ χρ.
14 3 ἱκανὸν χρ. 27 9 ἱκανοῦ – χρόνου
διαγενομένου – 9 23 ἐπληροῦντο ἡ-
μέραι ἱκ. 43 ἡμέρας ἱκανὰς 18 18 27 7
– 32 ἦν – ἐκεῖ ἀγέλη χοίρων ἱκανῶν βοσκ.
22 38 ἱκανόν[h] (satis) ἐστιν (vl ἀρκεῖ)
23 9 ἐπηρώτα – αὐτὸν ἐν λόγοις ἱκανοῖς
Act 11 24 προσετέθη ὄχλος ἱκ. τῷ κυρίῳ 26 δι-
δάξαι ὄχλον ἱκ. 19 26 μετέστησεν ἱ. ὅ.
12 12 ἦσαν ἱκανοὶ συνηθροισμένοι 14 21 μα-
θητεύσαντες ἱκανούς 19 19 ἱκανοὶ –
τῶν τὰ περίεργα πραξάντων
17 9 λαβόντες τὸ ἱκ.[h] (vl accepto satis)
20 8 λαμπάδες ἱκαναί[b] 37 ἱκανὸς[e] – κλαυθ-
μός 22 6 φῶς ἱκανὸν[b] περὶ ἐμέ
– 11 ἐφ᾿ ἱκανόν (satis) τε ὁμιλήσας ἄχρι
Rm 15 23 ἐπιποθίαν δὲ ἔχων τοῦ ἐλθεῖν πρὸς
ὑμᾶς ἀπὸ ἱκανῶν (vl πολλῶν) ἐτῶν
1 Co 11 30 ἐν ὑμῖν – καὶ κοιμῶνται ἱκανοί
15 9 οὐκ εἰμὶ ἱκ.[c] καλεῖσθαι ἀπόστολος
2 Co 2 6 ἱκανὸν[i] τῷ τοιούτῳ ἡ ἐπιτιμία αὕτη
– 16 πρὸς ταῦτα τίς ἱκανός[d]; (tam id.)
3 5 οὐχ ὅτι ἀφ᾿ ἑαυτῶν ἱκανοί[k] ἐσμεν
2 Ti 2 2 πιστοῖς ἀνθρώποις οἵτινες ἱκανοὶ[d]
ἔσονται καὶ ἑτέρους διδάξαι

ἱκανότης S⁰ – sufficientia
2 Co 3 5 ἀλλ᾿ ἡ ἱκανότης ἡμῶν ἐκ τοῦ θεοῦ

ἱκανοῦν [a]idoneum facere [b]dignum facere
2 Co 3 6 ὃς καὶ ἱκάνωσεν[a] ἡμᾶς διακόνους
καινῆς διαθήκης
Col 1 12 τῷ ἱκανώσαντι[b] ὑμᾶς (vl ἡμᾶς vg)
εἰς τὴν μερίδα τοῦ κλήρου τῶν ἁγίων

ἱκετηρία supplicatio Hb 5 7 δεήσεις καὶ ἱκετη-
ρίας πρὸς τὸν δυνάμενον σώζειν αὐ-
τὸν – προσενέγκας

ἱκμάς humor Luc 8 6 διὰ τὸ μὴ ἔχειν ἱ..δα

Ἰκόνιον Act 13 51 14 1.19.21 16 2 2 Ti 3 11

ἱλαρός hilaris 2 Co 9 7 „ἱ..ὸν – δότην" ἀγα.

ἱλαρότης hilaritas Rm 12 8 ὁ ἐλεῶν ἐν ἱλ.

ἱλάσκεσθαι [a]propitium esse [b]repropitiare
Luc 18 13 ἱλάσθητί[a] μοι τῷ ἁμαρτωλῷ
Hb 2 17 εἰς τὸ ἱλ.[b] τὰς ἁμαρτίας τοῦ λαοῦ

ἱλασμός propitiatio 1 Jo 2 2 αὐτὸς ἱλασμός
ἐστιν περὶ τῶν ἁμαρτιῶν ἡμῶν 4 10
ἀπέστειλεν τὸν υἱὸν αὐτοῦ ἱλασμὸν
περὶ τῶν ἁμαρτιῶν ἡμῶν

ἱλαστήριον [a]propitiatio (vl propitiator =
ἱλαστήριος) [b]propitiatorium
Rm 3 25 ὃν προέθετο ὁ θεὸς ἱλαστήριον[a]
Hb 9 5 Χερουβὶν – κατασκιάζοντα τὸ ἱλαστ.[b]

ἵλεως [a](ἵ. σοι) absit a te [b]propitius
Mat 16 22 ἵλεώς σοι[a], κύριε· οὐ μὴ ἔσται σοι
Hb 8 12 „ἵλ.[b] ἔσομαι ταῖς ἀδικίαις αὐτῶν"

Ἰλλυρικόν Rm 15 19 κύκλῳ μέχρι τοῦ Ἰλλυρ.

ἱμάς corigia (vl corr.) [b]lorum
Mar 1 7 || Luc 3 16 Joh 1 27 – Act 22 25[b]

ἱματίζειν S⁰ – vestire Mar 5 15 || Luc 8 35

ἱμάτιον vestimentum [b]pallium [c]tunica
[d]vestis
Mat 5 40 ἄφες αὐτῷ καὶ τὸ ἱμάτιον[b] || Luc 6 29
9 16 ἐπὶ ἱματίῳ παλαιῷ· αἴρει – ἀπὸ τοῦ
ἱματίου || Mar 2 21 Luc 5 36 ἀπὸ ἱμα-
τίου καινοῦ σχίσας – ἐπὶ ἱμ. παλαιόν
– 20 γυνὴ – ἥψατο τοῦ κρασπέδου τοῦ ἱμ.
αὐτοῦ 21 || Mar 5 27.28.30 Luc 8 44 –
Mat 14 36 ἵνα μόνον ἅψωνται τοῦ κρα-
σπέδου τοῦ ἱματίου || Mar 6 56
17 2 τὰ – ἱμ. αὐτοῦ ἐγένετο λευκὰ ὡς τὸ
φῶς || Mar 9 3 στίλβοντα λευκὰ λίαν
21 7 ἐπέθηκαν – τὰ ἱμάτια 8 ἔστρωσαν – τὰ
ἱμ. ἐν τῇ ὁδῷ || Mar 11 7.8 Luc 19 35 s
24 18 μὴ ἐπιστρεψάτω ὀπίσω ἆραι τὸ ἱμά-
τιον[c] αὐτοῦ || Mar 13 16
26 65 διέρρηξεν τὰ ἱμάτια αὐτοῦ Act 14 14[c]
27 31 ἐνέδυσαν αὐτὸν τὰ ἱμ. αὐτοῦ || Mar
15 20 – Joh 19 2 ἱμ.[d] πορφυροῦν περι-
έβαλον αὐτόν 5 φορῶν – τὸ πορφ. ἱμ.
– 35 „διεμερίσαντο τὰ ἱμ." αὐτοῦ (vl +
ἵνα πληρωθῇ – · „διεμερίσαντο τὰ ἱμ.
μου ἑαυτοῖς" vg) || Mar 15 24 Luc
23 34 Joh 19 23.24 „διεμερ. τὰ ἱμ. μου"
Mar 10 50 ἀποβαλὼν τὸ ἱμάτιον αὐτοῦ – ἦλθεν
Luc 7 25 ἄνθρωπον ἐν μαλακοῖς ἱματίοις – ;
8 27 οὐκ ἐνεδύσατο ἱμάτιον, καὶ ἐν οἰκίᾳ
22 36 πωλησάτω τὸ ἱμ.[c] αὐτοῦ καὶ ἀγορ.
Joh 13 4 τίθησιν τὰ ἱμ. 12 ἔλαβεν τὰ ἱμ. αὐτοῦ
Act 7 58 ἀπέθεντο τὰ ἱμάτια αὐτῶν παρὰ 22 20
9 39 ἐπιδεικνύμεναι χιτῶνας . καὶ ἱμάτια[d]
12 8 περιβαλοῦ τὸ ἱμ. σου καὶ ἀκολούθει

Act 16 22 περιρήξαντες αὐτῶν τὰ ἱμάτια ͨ
18 6 ἐκτιναξάμενος τὰ ἱμάτια εἶπεν πρός
22 23 αὐτῶν – ῥιπτούντων τὰ ἱμάτια
Hb 1 11 „ὡς ἱμ. παλαιωθήσονται" 12 ὡς ἱμ.
Jac 5 2 τὰ ἱμάτια ὑμῶν σητόβρωτα γέγονεν
1 Pe 3 3 ὧν – οὐχ ὁ – ἐνδύσεως ἱ..ων κόσμος
Ap 3 4 ἃ οὐκ ἐμόλυναν τὰ ἱμάτια αὐτῶν
– 5 περιβαλεῖται ἐν ἱ..οις λευκοῖς 18 4 4
πρεσβυτέρους – ἐν ἱματίοις λευκοῖς
16 15 μακάριος ὁ – τηρῶν τὰ ἱμάτια αὐτοῦ
19 13 περιβεβλημ. ἱμ.ͩ βεβαμμένον αἵματι
– 16 ἐπὶ τὸ ἱμάτιον – ὄνομα γεγραμμένον

ἱματισμός vestis ͧ vestitus
Luc 7 25 οἱ ἐν ἱματισμῷ ἐνδόξῳ καὶ τρυφῇ
9 29 ὁ ἱμ.ͧ αὐτοῦ λευκὸς ἐξαστράπτων
Joh 19 24 „ἐπὶ τὸν ἱμ. μου ἔβαλον κλῆρον"
Act 20 33 χρυσίου ἢ ἱ..οῦ οὐδενὸς ἐπεθύμησα
1 Ti 2 9 μὴ ἐν – ἱματισμῷ πολυτελεῖ

Ἰόππη Act 9 36.38.42.43 10 5.8.23.32 11 5.13

Ἰορδάνης
Mat 3 5 πᾶσα ἡ περίχωρος τοῦ Ἰ..ου ‖ Luc 3 3
– 6 ἐβαπτίζοντο ἐν τῷ Ἰ. ποταμῷ ‖ Mar
1 5 – Mat 3 13 παραγίνεται ὁ Ἰησ. ἐπὶ
τὸν Ἰ. ‖ Mar 1 9 ἐβαπτίσθη εἰς τὸν Ἰ.
4 15.25 19 1 Mar 3 8 10 1 Luc 4 1
Joh 1 28 ἐν Βηθανίᾳ – πέραν τοῦ Ἰ. 3 26 10 40

ἰός venenum ͧ aerugo
Rm 3 13 „ἰὸς ἀσπίδων ὑπὸ τὰ χείλη αὐτῶν"
Jac 3 8 μεστὴ ἰοῦ θανατηφόρου. ἐν αὐτῇ
5 3 ὁ ἰὸς ͧ αὐτῶν εἰς μαρτύρ. ὑμῖν ἔσται

Ἰουδαία Iudaea ͧ Iuda indecl. ͨ Iudae
Mat 2 1 ἐν Βηθλέεμ τῆς Ἰ..ας ͧ (vl ͨ) 5 ͨ (vl ͧ)
– 22 ὅτι Ἀρχέλαος βασιλεύει τῆς Ἰουδ.
3 1 κηρύσσων ἐν τῇ ἐρήμῳ τῆς Ἰουδαίας
5 πᾶσα ἡ Ἰ. ‖ Mar 1 5 → Ἰουδαῖος
4 25 ὄχλοι – ἀπὸ – Ἰ..ας ‖ Mar 3 7 Luc 6 17
19 1 ἦλθεν εἰς τὰ ὅρια τῆς Ἰ. πέραν τοῦ
Ἰορδ. ‖ Mar 10 1 καὶ (vl ͦ vg ͦ) πέραν
24 16 οἱ ἐν τῇ Ἰουδαίᾳ φευγέτωσαν εἰς τὰ
ὄρη ‖ Mar 13 14 Luc 21 21
Luc 1 5 Ἡρῴδου βασιλέως τῆς Ἰ. 31 ἡγεμο-
νεύοντος Ποντίου Πιλάτου τῆς Ἰουδ.
– 65 ἐν – τῇ ὀρεινῇ τῆς Ἰουδ. διελαλεῖτο
2 4 εἰς τὴν Ἰουδαίαν εἰς πόλιν Δαυίδ
4 44 ἦν κηρύσσων εἰς τὰς συναγωγὰς τῆς
Ἰουδαίας (vl Γαλιλαίας vg) – 23 5
5 17 ἐκ πάσης κώμης τῆς Γαλ. καὶ Ἰουδ.

Luc 7 17 ἐξῆλθεν ὁ λόγος οὗτος ἐν ὅλῃ τῇ Ἰ.
Joh 3 22 → Ἰουδαῖος 4 3 ἀφῆκεν τὴν Ἰουδ. 47
ἥκει ἐκ τῆς Ἰ. 54 ἐλθὼν ἐκ τῆς Ἰουδ. εἰς
τὴν Γαλ. 71 οὐ γὰρ ἤθελεν ἐν τῇ Ἰου-
δαίᾳ περιπατεῖν 3 ὕπαγε εἰς τὴν Ἰουδ.
11 7 ἄγωμεν εἰς τὴν Ἰουδαίαν πάλιν
Act 1 8 μάρτυρες – ἐν πάσῃ τῇ Ἰ. καὶ Σαμ.
2 9 οἱ κατοικοῦντες τὴν Μεσοποταμίαν,
Ἰουδαίαν τε καὶ Καππαδοκίαν
8 1 διεσπάρησαν κατὰ τὰς χώρας τῆς Ἰ.
καὶ Σαμ. 9 31 ἡ – ἐκκλησία καθ' ὅλης
τῆς Ἰουδ. καὶ Γαλιλ. καὶ Σαμαρείας
10 37 τὸ γενόμενον ῥῆμα καθ' ὅλης τῆς Ἰ.
11 1 οἱ ἀδελφοὶ οἱ ὄντες κατὰ τὴν Ἰουδ.
– 29 τοῖς κατοικοῦσιν ἐν τῇ Ἰ. ἀδελφοῖς
12 19 κατελθὼν ἀπὸ τῆς Ἰ. εἰς Καισάρειαν
15 1 τινὲς κατελθόντες ἀπὸ τῆς Ἰουδαίας
21 10 κατῆλθέν τις ἀπὸ τῆς Ἰ. προφήτης
26 20 πᾶσάν τε τὴν χώραν τῆς Ἰ. – ἀπήγ-
γελλον μετανοεῖν
28 21 οὔτε γράμματα περὶ σοῦ ἐδεξάμεθα
ἀπὸ τῆς Ἰουδαίας
Rm 15 31 ἀπὸ τῶν ἀπειθούντων ἐν τῇ Ἰουδαίᾳ
2 Co 1 16 ὑφ' ὑμῶν προπεμφθῆναι εἰς τὴν Ἰ.
Gal 1 22 ἤμην δὲ ἀγνοούμενος τῷ προσώπῳ
ταῖς ἐκκλησίαις τῆς Ἰ. ταῖς ἐν Χῷ
1 Th 2 14 μιμηταὶ ἐγενήθητε – τῶν ἐκκλησιῶν –
τῶν οὐσῶν ἐν τῇ Ἰουδαίᾳ ἐν Χῷ

ἰουδαΐζειν Iudaizare Gal 2 14

Ἰουδαϊκός Iudaicus Tit 1 14 Ἰ..οῖς μύθοις

Ἰουδαϊκῶς S ͦ – Iudaice Gal 2 14 ζῆν

Ἰουδαῖος, ..αία et adj. Ἰουδαῖος, ..αία, ..ον
Iudaeus, Iudaea
Mat 2 2 ποῦ ἐστιν ὁ τεχθεὶς βασιλεὺς τῶν Ἰ.;
27 11 σὺ εἶ ὁ βασιλεὺς τῶν Ἰ.; 29 χαῖρε,
βασιλεῦ τῶν Ἰ. 37 Ἰησοῦς ὁ β. τ. Ἰ.
‖ Mar 15 2.9 ἀπολύσω ὑμῖν τὸν β. τ.
Ἰ.; 12 τί οὖν ποιήσω [ὃν] λέγετε τὸν
β. τ. Ἰ.; 18 χαῖρε, β. τ. Ἰ. 26 Luc 23 3.
37 εἰ σὺ εἶ ὁ β. τ. Ἰ., σῶσον σεαυτόν
38 Joh 18 33.39 19 3.14 λέγει τοῖς Ἰ.·
ἴδε ὁ β. ὑμῶν 19.21 ἔλεγον – οἱ ἀρχ-
ιερεῖς τῶν Ἰ.· μὴ γράφε· ὁ β. τ. Ἰ.,
ἀλλ' ὅτι – εἶπεν· βασ. εἰμι τῶν Ἰουδ.
28 15 διεφημίσθη ὁ λόγος – παρὰ Ἰ..οις
Mar 1 5 ἐξεπορεύετο – πᾶσα ἡ Ἰ..αία χώρα
7 3 πάντες οἱ Ἰουδ. ἐὰν μὴ – νίψωνται
Luc 7 3 ἀπέστειλεν – πρεσβυτέρους τῶν Ἰ.
23 51 ἀπὸ Ἁριμαθαίας πόλεως τῶν Ἰουδ.

Joh 1 19 ἀπέστειλαν – οἱ Ἰουδαῖοι – ἱερεῖς
2 6 κατὰ τὸν καθαρισμὸν τῶν Ἰουδαίων
– 13 ἐγγὺς ἦν τὸ πάσχα τῶν Ἰ. 51 ἡ ἑορ-
τὴ τῶν Ἰ. 64 τὸ πάσχα, ἡ ἑορτὴ τῶν
Ἰ. – 72 ἡ ἑορτὴ τῶν Ἰ. ἡ σκηνοπη-
γία 11 55 τὸ πάσχα τῶν Ἰουδαίων –
19 31 οἱ οὖν Ἰ., ἐπεὶ παρασκευὴ ἦν
42 διὰ τὴν παρασκευὴν τῶν Ἰουδαίων
– 18 ἀπεκρίθησαν οὖν οἱ Ἰουδ. 20 εἶπαν
3 1 Νικόδημος –, ἄρχων τῶν Ἰουδαίων
– 22 ἦλθεν – εἰς τὴν Ἰουδαίαν γῆν
– 25 ζήτησις – μετὰ Ἰ..ου (vl Ἰ..ων vg)
4 9 πῶς σὺ Ἰουδαῖος ὤν –; [οὐ γὰρ συγ-
χρῶνται Ἰουδαῖοι Σαμαρίταις]
– 22 ὅτι ἡ σωτηρία ἐκ τῶν Ἰουδαίων ἐστίν
5 10 ἔλεγον – οἱ Ἰ. – · σάββατόν ἐστιν 15
– 16 ἐδίωκον οἱ Ἰουδαῖοι τὸν Ἰησοῦν 18
ἐζήτουν αὐτὸν – ἀποκτεῖναι 7 1
6 41 ἐγόγγυζον οὖν οἱ Ἰουδ. περὶ αὐτοῦ
– 52 ἐμάχοντο – πρὸς ἀλλήλους οἱ Ἰουδ.
7 11 οἱ – Ἰ. ἐζήτουν αὐτὸν ἐν τῇ ἑορτῇ
– 13 διὰ τὸν φόβον τῶν Ἰουδ. 19 38 (Jos.
ab Arim.) 20 19 (discipuli) 9 22 ὅτι
ἐφοβοῦντο τοὺς Ἰ. (parentes cae-
ci)· ἤδη γὰρ συνετέθειντο οἱ Ἰουδ.
– 15 ἐθαύμαζον – οἱ Ἰουδ. – · πῶς οὗτος
γράμματα οἶδεν –; 35 εἶπον – οἱ Ἰ.
πρὸς ἑαυτούς· ποῦ – μέλλει πορεύε-
σθαι –; 8 22 μήτι ἀποκτενεῖ ἑαυτόν –;
8 31 πρὸς τοὺς πεπιστευκότας αὐτῷ Ἰ.
– 48. 52. 57 – 9 18 οὐκ ἐπίστευσαν – οἱ Ἰ.
περὶ αὐτοῦ ὅτι ἦν τυφλός
10 19 σχίσμα πάλιν ἐγένετο ἐν τοῖς Ἰουδ.
– 24 ἐκύκλωσαν οὖν αὐτὸν οἱ Ἰουδαῖοι
– 31 ἐβάστασαν πάλιν λίθους οἱ Ἰουδ. 33
11 8 νῦν ἐζήτουν σε λιθάσαι οἱ Ἰουδ.
11 19 πολλοὶ – ἐκ τῶν Ἰουδαίων ἐληλύθει-
σαν 31. 33. 36. 45 ἐπίστευσαν εἰς αὐτόν
12 9. 11 ἐπίστευον εἰς τὸν Ἰησοῦν
– 54 ὁ οὖν Ἰησοῦς οὐκέτι παρρησία περι-
επάτει ἐν τοῖς Ἰουδαίοις
13 33 καθὼς εἶπον τοῖς Ἰ. ὅτι ὅπου ἐγὼ
18 12 οἱ ὑπηρέται τῶν Ἰουδ. συνέλαβον 14
Καϊάφας ὁ συμβουλεύσας τοῖς Ἰ.
– 20 ὅπου πάντες οἱ Ἰουδ. συνέρχονται
– 31 οἱ Ἰ.· ἡμῖν οὐκ ἔξεστιν ἀποκτεῖναι
– 35 μήτι ἐγὼ Ἰουδαῖός εἰμι;
– 36 ἵνα μὴ παραδοθῶ τοῖς Ἰουδαίοις
– 38 19 7. 12. 20 – 40 καθὼς ἔθος ἐστὶν τοῖς
Ἰουδαίοις ἐνταφιάζειν
Act 2 5 εἰς Ἱερουσ. κατοικοῦντες Ἰουδαῖοι, –
ἀπὸ παντὸς ἔθνους 11 Ἰουδαῖοί τε

καὶ προσήλυτοι 14 ἄνδρες Ἰουδαῖοι
Act 9 22 συνέχυννεν Ἰ..ους τοὺς – ἐν Δαμα-
σκῷ 18 28 τοῖς Ἰουδ. διακατηλέγχετο
– 23 συνεβουλεύσαντο οἱ Ἰ. ἀνελεῖν αὐτόν
10 22 μαρτυρούμενος – ὑπὸ ὅλου τοῦ ἔ-
θνους τῶν Ἰ. (Corn.) 22 12 (Anan.)
– 28 ἀθέμιτόν ἐστιν ἀνδρὶ Ἰουδαίῳ
– 39 ὧν ἐποίησεν ἔν τε τῇ χώρᾳ τῶν Ἰ.
11 19 μηδενὶ λαλοῦντες τὸν λόγον εἰ μὴ
μόνον (vl μόνοις vg) Ἰουδαίοις
12 3 ἰδὼν – ὅτι ἀρεστόν ἐστιν τοῖς Ἰουδ.
– 11 ἐκ – τῆς προσδοκίας τοῦ λαοῦ τῶν Ἰ.
13 5 κατήγγελλον τὸν λόγον – ἐν ταῖς συν-
αγωγαῖς τῶν Ἰ. 14 1 17 1. 10. 17 διελέ-
γετο – ἐν τῇ συναγ. τοῖς Ἰ. καὶ τοῖς
σεβομένοις 18 4 ἔπειθέν τε Ἰ..ους καὶ
Ἕλλ. (vg vl⁰) 19 διελέξατο τοῖς Ἰουδ.
– 6 εὗρον – ψευδοπροφήτην Ἰουδαῖον
– 43 ἠκολούθησαν πολλοὶ τῶν Ἰουδαίων
– 45 ἰδόντες δὲ οἱ Ἰουδαῖοι τοὺς ὄχλους
– 50 οἱ δὲ Ἰ. παρώτρυναν τὰς σεβομένας
14 1 ὥστε πιστεῦσαι τῶν Ἰ. τε καὶ Ἕλλ.
– πλῆθος 18 4 19 10 ἀκοῦσαι τὸν λό-
γον –, Ἰ..ους τε καὶ Ἕλλ. 20 21 δια-
μαρτυρόμενος Ἰ..οις τε καὶ Ἕλλησιν
– 2 οἱ δὲ ἀπειθήσαντες Ἰ. 4 οἱ μὲν ἦσαν
σὺν τοῖς Ἰουδ. 5 ὁρμὴ τῶν ἐθνῶν τε
καὶ Ἰουδαίων 19 ἀπὸ – Ἰκονίου Ἰ..οι
16 1 Τιμόθ., υἱὸς γυναικὸς Ἰουδαίας πι-
στῆς 3 περιέτεμεν αὐτ. διὰ τοὺς Ἰ.
– 20 Ἰ..οι ὑπάρχοντες 19 34 ὅτι Ἰ. ἐστιν
17 5 ζηλώσαντες δὲ οἱ Ἰ. 13 οἱ ἀπὸ τῆς
Θεσσ. Ἰ. –, ἦλθον κἀκεῖ σαλεύοντες
18 2 εὑρών τινα Ἰ..ον ὀνόματι Ἀκύλαν
– – χωρίζεσθαι – τοὺς Ἰ. ἀπὸ τῆς Ῥώμης
– 5 διαμαρτυρ. τοῖς Ἰ. εἶναι τὸν χριστόν
– 12 κατεπέστησαν – οἱ Ἰ. τῷ Παύλῳ 14
– 24 Ἰ. δέ τις Ἀπολλῶς –, Ἀλεξανδρεύς
19 13 τινὲς – τῶν – Ἰουδαίων ἐξορκιστῶν 14
Σκευᾶ Ἰ..ου ἀρχιερέως ἑπτὰ υἱοὶ 17
ἐγένετο γνωστὸν πᾶσιν Ἰ. τε καὶ Ἕλλ.
– 33 προβαλόντων αὐτὸν τῶν Ἰουδαίων
20 3 ἐπιβουλῆς αὐτῷ ὑπὸ τῶν Ἰουδ. 19
21 11 οὕτως δήσουσιν ἐν Ἱερουσ. οἱ Ἰουδ.
– 20 πόσαι μυριάδες εἰσὶν ἐν τοῖς Ἰ. τῶν
πεπιστευκότων 21 ὅτι ἀποστασίαν δι-
δάσκεις – τοὺς κατὰ τὰ ἔθνη – Ἰ..ους
– 27 οἱ ἀπὸ τῆς Ἀσίας Ἰ. θεασάμενοι αὐ-
τὸν ἐν τῷ ἱερῷ 24 19 ἀπὸ τῆς Ἀ. Ἰ..οι
– 39 ἄνθρωπος – εἰμὶ Ἰ. 22 3 ἀνὴρ Ἰ..ος
22 30 τὸ τί κατηγορεῖται ὑπὸ τῶν Ἰ. 24 9
25 8 οὔτε εἰς τὸν νόμον τῶν Ἰ. – τι

(Act 25) ἥμαρτον 10 'Ιουδαίους οὐδὲν ἠδίκηκα
262 ὧν ἐγκαλοῦμαι ὑπὸ 'Ι..ων 7 πε-
ρὶ ἧς ἐλπίδος ἐγκαλοῦμαι ὑπὸ 'Ι..ων
Act 23 12 οἱ 'Ιουδαῖοι ἀνεθεμάτισαν ἑαυτούς
– 20.27 – 245 κινοῦντα στάσεις – τοῖς 'Ι.
τοῖς κατὰ τὴν οἰκουμένην 2524 2621
2424 σὺν Δρουσίλλῃ – οὔσῃ 'Ιουδαίᾳ
– 27 χάριτα καταθέσθαι τοῖς 'Ι. 259 χάριν
25 2 οἱ πρῶτοι τῶν 'Ιουδ. 7.15 – 2817.19
26 3 γνώστην ὄντα σε πάντων τῶν κατὰ
'Ιουδαίους ἐθῶν τε καὶ ζητημάτων
– 4 τὴν – βίωσίν μου – ἴσασι πάντες 'Ι.
(2829 vl ἀπῆλθον οἱ 'Ι., πολλὴν ἔχοντες ἐν
ἑαυτοῖς συζήτησιν vel ζήτησιν, vg)
Rm 116 τῷ πιστεύοντι, 'Ι..ῳ τε πρῶτον καὶ Ἕλ-
ληνι 29.10 – 39 'Ι..ους τε καὶ Ἕλλη-
νας – ὑφ' ἁμαρτίαν εἶναι 1012 οὐ γάρ
ἐστιν διαστολὴ 'Ι..ου τε καὶ Ἕλληνος
217 εἰ δὲ σὺ 'Ιουδαῖος ἐπονομάζῃ
– 28 οὐ γὰρ ὁ ἐν τῷ φανερῷ 'Ιουδ. ἐστιν
29 ἀλλ' ὁ ἐν τῷ κρυπτῷ 'Ιουδαῖος
3 1 τί οὖν τὸ περισσὸν τοῦ 'Ιουδαίου, –;
– 29 ἢ 'Ι..ων ὁ θεὸς μόνον (vl μόνων);
924 ἐκάλεσεν ἡμᾶς οὐ μόνον ἐξ 'Ιουδαί-
ων ἀλλὰ καὶ ἐξ ἐθνῶν
1 Co 122 ἐπειδὴ καὶ 'Ιουδαῖοι σημεῖα αἰτοῦσιν
– 23 'Ιουδαίοις μὲν σκάνδαλον, ἔθνεσιν δέ
– 24 τοῖς κλητοῖς, 'Ιουδαίοις τε καὶ Ἑλλ.
920 ἐγενόμην τοῖς 'Ιουδαίοις ὡς 'Ιουδαῖ-
ος, ἵνα 'Ιουδαίους κερδήσω
1032 ἀπρόσκοποι καὶ 'Ι..οις γίνεσθε καὶ
Ἕλλησιν καὶ τῇ ἐκκλησίᾳ τοῦ θεοῦ
1213 εἰς ἓν σῶμα –, εἴτε 'Ι..οι εἴτε Ἑλλ.
2 Co 1124 ὑπὸ 'Ι..ων πεντάκις τεσσεράκοντα
Gal 213 συνυπεκρίθησαν – οἱ λοιποὶ 'Ιουδαῖοι
– 14 εἰ σὺ 'Ι. ὑπάρχων ἐθνικῶς – ζῇς 15 ἡ-
μεῖς φύσει 'Ιουδαῖοι
328 οὐκ ἔνι 'Ι. οὐδὲ Ἕλλην Col 311 ὅ-
που οὐκ ἔνι Ἕλλην καὶ 'Ιουδαῖος
1 Th 214 τὰ αὐτὰ ἐπάθετε καὶ ὑμεῖς –, καθὼς
καὶ αὐτοὶ ὑπὸ τῶν 'Ιουδαίων
Ap 2 9 βλασφημίαν ἐκ τῶν λεγόντων 'Ι..ους
εἶναι ἑαυτούς, καὶ οὐκ εἰσίν 39

'Ιουδαϊσμός *Iudaismus* Gal 113.14 ἐν τῷ 'Ι.

'Ιούδας, ..α *Iudas, Iuda*

1) filius Jacob, tribus Juda

Mat 12.3 26 Βηθλέεμ, γῆ 'Ιούδα Luc 139 εἰς
πόλιν 'Ιούδα 333 Hb 714 ἐξ 'Ιούδα ἀνατέταλ-
κεν ὁ κύριος ἡμῶν 88 „ἐπὶ τὸν οἶκον 'Ιούδα

διαθήκην καινήν" Ap 55 ὁ „λέων" ὁ ἐκ τῆς
φυλῆς „'Ιούδα" 75 ἐκ φυλῆς 'Ιούδα

2) nomen e genealogia Jesu: Luc 330

3) apostolus: Luc 616 'Ιούδαν 'Ιακώβου
Act 113 Joh 1422 'Ιούδας, οὐχ ὁ 'Ισκαριώτης

4) Judas Jscariotes – vg *Iscariotes, ..ta*
(Joh 132.26) [b]*Scariotes, ..is* [c]*Scarioth*
Mat 104 'Ι. ὁ 'Ισκαριώτης (vl[b]) ‖ Mar 319 'Ι.
'Ισκαριὼθ (vl[c]) Luc 616 'Ι. 'Ι..ὼθ (vl[c]) – Mat
2614 ὁ λεγόμενος 'Ι. 'Ισ..ης (vl[c]) 25 'Ιούδας ὁ
παραδιδοὺς αὐτόν 47 273 'Ι. ὁ παραδούς ‖ Mar
1410 'Ι. 'Ισ..ὼθ (vl[b]) 43 'Ιούδας (vg add[a] vl[c])
Luc 223 εἰς 'Ι..αν τὸν καλούμενον 'Ισ..ην (vl[c])
47 'Ι. 48 'Ιούδα – Joh 671 'Ι..αν Σίμωνος 'Ισ..
του (vl ἀπὸ Καρυώτου) 124 'Ι. ὁ 'Ισ..της (vl[b])
132 'Ι. Σίμωνος 'Ισ..της (vl ἀπὸ Καρ.) 26.29 'Ι.
182.3.5 – Act 116.25

5) Jesu frater: Mat 1355 ‖ Mar 63, eun-
dem dicere videtur Jud 1 ἀδελφὸς – 'Ιακώβου

6) Judas Galilaeus: Act 537 ἀνέστη

7) Barsabbas: Act 1522.27.32 (vl 34)

8) Damascenus quidam: Act 911

'Ιουλία Rm 1615 **'Ιούλιος** Act 271.3

'Ιουνιᾶς Rm 167 'Ιουνιᾶν (vl 'Ιουνίαν)

'Ιοῦστος 1) Joseph Barsabbas: Act 123
2) Titius Justus: Act 187
3) Jesus Justus: Col 411

ἱππεύς *eques* Act 2323.32

ἱππικός *equester* Ap 916 στρατεύμ. τοῦ ἱππ.

ἵππος *equus*
Jac 3 3 τῶν ἵ. τοὺς χαλινοὺς εἰς τὰ στόματα
Ap 6 2 „ἵππος λευκός" 4 „ἵππος πυρρός" 5
„μέλας" 8 χλωρός 97 „ὅμοιοι ἵπποις"
ἡτοιμασμένοις „εἰς πόλεμον" 9.17.19 14
20 1813 1911 ἰδοὺ ἵππ. λευκός 14 ἐφ' ἵπ-
ποις λευκοῖς 18.19 ποιῆσαι τὸν πόλεμον
μετὰ τοῦ καθημένου ἐπὶ τοῦ ἵππου 21

Ἶρις *iris* Ap 43 Ἶρις κυκλόθεν τοῦ θρόνου" 101
ἄγγελον –, καὶ ἡ Ἶ. ἐπὶ τὴν κεφαλήν

'Ισαάκ Mat 12 ‖ Luc 334 – Act 78
Mat 811 μετὰ Ἀβρ. καὶ 'Ισ. καὶ 'Ιακ. ‖ Luc 1328

Mat 2232 καὶ ὁ θεὸς Ἰσαάκ" ‖ Mar 1226 Luc
  2037 Act 313 732
Rm 9 7 „ἐν Ἰσαὰκ κληθήσεταί σοι σπέρμα"
  Hb 1118 – Rm 910 καὶ Ῥεβέκκα ἐξ
  ἑνὸς –, Ἰσαὰκ τοῦ πατρὸς ἡμῶν
Gal 428 κατὰ Ἰσαὰκ ἐπαγγελίας τέκνα ἐστέ
Hb 11 9.17 πίστει „προσενήνοχεν Ἀβρ. τ. Ἰσ."
  – 20 πίστει – εὐλόγησεν Ἰσαὰκ τὸν Ἰακώβ
Jac 221 „ἀνενέγκας Ἰσαὰκ τὸν υἱὸν αὐτοῦ"

ἰσάγγελος Sᵒ – aequalis angelis
Luc 2036 οὐδὲ – ἀποθανεῖν ἔτι δύνανται, ἰσ-
  άγγελοι γάρ εἰσιν, καὶ υἱοὶ – θεοῦ

Ἰσκαριώθ, ..ώτης → Ἰούδας 4) et 3)

ἴσος et ἴσα (adv.) aequalis ᵇconveniens
  ᶜpar, paris ᵈidem, eadem
Mat 2012 ἴσουςᶜ αὐτοὺς ἡμῖν ἐποίησας τοῖς
Mar 1456 ἴσαιᵇ αἱ μαρτυρίαι οὐκ ἦσαν 59ᵇ
Luc 634 δανείζουσιν ἵνα ἀπολάβωσιν τὰ ἴσα
Joh 518 ἴσον ἑαυτὸν ποιῶν τῷ θεῷ
Act 1117 εἰ – τὴν ἴσηνᵈ δωρεὰν ἔδωκεν αὐτοῖς
  ὁ θεὸς ὡς καὶ ἡμῖν, πιστεύσασιν
Phl 2 6 οὐχ ἁρπαγμὸν ἡγήσατο τὸ εἶναι ἴσα
  (esse se aequalem) θεῷ
Ap 2116 τὸ πλάτος καὶ τὸ ὕψος αὐτῆς ἴσα

ἰσότης aequalitas ᵇquod aequum est
2 Co 813 ἀλλ᾽ ἐξ ἰ..τος 14 ὅπως γένηται ἰσότης
Col 4 1 τὴν ἰσότηταᵇ τοῖς δούλοις παρέχεσθε

ἰσότιμος Sᵒ – coaequalis
2 Pe 1 1 τοῖς ἰσότιμον ἡμῖν λαχοῦσιν πίστιν

ἰσόψυχος unanimis Phl 220 οὐδένα γὰρ ἔχω
  ἰσόψυχον, ὅστις γνησίως τὰ περὶ ὑ-
  μῶν μεριμνήσει

Ἰσραήλ
Mat 2 6 „ποιμανεῖ τὸν λαόν μου τὸν Ἰσραήλ"
  – 20 πορεύου εἰς γῆν Ἰσραήλ 21
  810 παρ᾽ οὐδενὶ τοσαύτην πίστιν ἐν τῷ Ἰ.
  εὗρον (vl οὐδὲ ἐν τῷ Ἰ. vg) ‖ Luc
  79 οὐδὲ ἐν τῷ Ἰ. τοσ. πίστιν εὗρον
  933 οὐδέποτε ἐφάνη οὕτως ἐν τῷ Ἰσραήλ
  10 6 πορεύεσθε – μᾶλλον πρὸς τὰ πρό-
  βατα τὰ ἀπολωλότα οἴκου Ἰ. 1524
  οὐκ ἀπεστάλην εἰ μὴ εἰς τὰ πρόβ. –
  – 23 οὐ μὴ τελέσητε τὰς πόλεις [τοῦ] Ἰ.
  1531 ἐδόξασαν τὸν θεὸν Ἰ. Luc 168 „κύ-
  ριος ὁ θ. τοῦ Ἰ." Act 1317 λαοῦ – Ἰ.

Mat 1928 κρίνοντες τὰς δώδεκα φυλὰς τοῦ Ἰ.
  ‖ Luc 2230 – → Ap 74 2112
  27 9 „ὃν ἐτιμήσαντο ἀπὸ υἱῶν Ἰσραήλ"
  – 42 βασιλεὺς Ἰσρ. ἐστιν ‖ Mar 1532 – Joh
  149 σὺ βασ. εἶ τοῦ Ἰ. 1213 ὁ β. τοῦ Ἰ.
Mar 1229 „ἄκουε, Ἰσρ., κύριος ὁ θεὸς ἡμῶν"
Luc 116 πολλοὺς τῶν υἱῶν Ἰ. ἐπιστρέψει ἐπὶ
  – τὸν θεὸν αὐτῶν 234 εἰς πτῶσιν καὶ
  ἀνάστασιν πολλῶν ἐν τῷ Ἰσραήλ
  – 54 „ἀντελάβετο Ἰσραήλ παιδὸς αὐτοῦ"
  – 80 ἕως – ἀναδείξεως αὐτοῦ πρὸς τὸν Ἰ.
  225 προσδεχόμενος παράκλησιν τοῦ Ἰσρ.
  (vl 38 τοῖς προσδεχ. λύτρωσιν Ἰ. vg)
  – 32 καὶ „δόξαν" λαοῦ σου „Ἰσραήλ"
  425 πολλαὶ χῆραι 27 π. λεπροὶ – ἐν τῷ Ἰ.
  2421 ἐστὶν ὁ μέλλων λυτροῦσθαι τὸν Ἰσρ.
Joh 131 ἀλλ᾽ ἵνα φανερωθῇ τῷ Ἰσραήλ
  310 σὺ εἶ ὁ διδάσκαλος τοῦ Ἰσρ. καὶ –;
Act 1 6 εἰ – ἀποκαθιστάνεις τὴν βας. τῷ Ἰ.;
  236 γινωσκέτω πᾶς οἶκος Ἰσρ. 410 γνω-
  στὸν ἔστω – παντὶ τῷ λαῷ Ἰσραήλ
  427 σὺν „ἔθνεσιν καὶ λαοῖς" (vl λαός) Ἰ.
  521 πᾶσαν τὴν γερουσίαν τῶν υἱῶν Ἰσρ.
  – 31 τοῦ δοῦναι μετάνοιαν τῷ Ἰσραήλ
  723 „τοὺς ἀδελφοὺς αὐτοῦ τ. υἱοὺς Ἰ."
  – 37 Μωϋσῆς ὁ εἴπας τοῖς υἱοῖς Ἰσραήλ·
  – 42 „μὴ – θυσίας προσηνέγκατέ μοι – ἐν
  τῇ ἐρήμῳ, οἶκος Ἰσραήλ –;"
  915 ἐνώπιον – βασιλέων υἱῶν τε Ἰσραήλ
  1036 „λόγον" ὃν „ἀπέστειλεν – υἱοῖς Ἰσρ."
  1323 ἤγαγεν τῷ Ἰσραήλ σωτῆρα Ἰησοῦν
  – 24 βάπτισμα μετανοίας – τῷ λαῷ Ἰσρ.
  2820 εἴνεκεν γὰρ τῆς ἐλπίδος τοῦ Ἰσραήλ
Rm 9 6 οὐ γὰρ πάντες οἱ ἐξ Ἰσραήλ, οὗτοι
  Ἰσραήλ (vl Ἰσραηλῖται vg)
  – 27 Ἠσ. – κράζει ὑπὲρ τοῦ Ἰ.· „ἐὰν ᾖ ὁ
  ἀριθμὸς τῶν υἱῶν Ἰσρ. ὡς" – 1021
  – 31 Ἰ. δὲ διώκων νόμον δικαιοσύνης εἰς
  νόμον οὐκ ἔφθασεν
  1019 ἀλλὰ λέγω, μὴ Ἰσραήλ οὐκ ἔγνω;
  11 2 ὡς ἐντυγχάνει τῷ θεῷ κατὰ τοῦ Ἰσρ.
  – 7 ὃ ἐπιζητεῖ Ἰσρ., τοῦτο οὐκ ἐπέτυχεν
  – 25 πώρωσις ἀπὸ μέρους τῷ Ἰ. γέγονεν
  – 26 καὶ οὕτως πᾶς Ἰσραήλ σωθήσεται
1 Co 1018 βλέπετε τὸν Ἰσραὴλ κατὰ σάρκα
2 Co 3 7 μὴ δύνασθαι ἀτενίσαι τοὺς υἱ. Ἰ. 13
Gal 616 „εἰρήνη" ἐπ᾽ αὐτοὺς καὶ ἔλεος, καὶ
  „ἐπὶ τὸν Ἰσραὴλ" τοῦ θεοῦ
Eph 212 ἦτε τῷ καιρῷ ἐκείνῳ χωρὶς Χοῦ, ἀπ-
  ηλλοτριωμένοι τῆς πολιτείας τοῦ Ἰσρ.
Phl 3 5 ἐκ γένους Ἰσραήλ, φυλῆς Βενιαμίν
Hb 8 8 „συντελέσω ἐπὶ τὸν οἶκον Ἰ. – δια-

θήκην καινήν" 10 „τῷ οἴκῳ Ἰσραήλ"
Hb 1122 περὶ τῆς ἐξόδου τῶν υἱῶν Ἰσραήλ
Ap 214 βαλεῖν σκάνδαλον ἐνώπιον τῶν υἱ. Ἰ.
  7 4 ἐκ πάσης φυλῆς υἱῶν Ἰσραήλ
  2112 „ὀνόματα – τῶν – φυλῶν υἱῶν Ἰσρ."

Ἰσραηλίτης *Israelita*
Joh 147 ἴδε ἀληθῶς Ἰ., ἐν ᾧ δόλος οὐκ ἔστιν
Act 222 ἄνδρες Ἰ..αι, ἀκούσατε 312 535 1316
  καὶ οἱ φοβούμενοι τὸν θεόν 2128
Rm 9 4 οἵτινές εἰσιν Ἰ..αι, ὧν ἡ υἱοθεσία
  (– 6 vl vg) 111 καὶ γὰρ ἐγὼ Ἰ. εἰμί
2 Co 1122 Ἑβραῖοί εἰσιν; κἀγώ. Ἰ..αί εἰσιν; κἀγώ

Ἰσσαχάρ Ap 77 ἐκ φυλῆς Ἰ. δώδεκα χιλιάδες

ἱστάναι, ἱστάνειν

1) ἱστάνω, στήσω, ἔστησα (transitive)
  statuere b*constituere*

Mat 4 5 ἔστησεν (vl ἵστησιν) αὐτὸν ἐπὶ τὸ πτε-
  ρύγιον τοῦ ἱεροῦ ‖ Luc 49 ἔστησεν
  18 2 ἔστησεν αὐτὸ ἐν μέσῳ αὐτῶν ‖ Mar
  936 Luc 947 παρ' ἑαυτῷ – [Joh 83
  στήσαντες αὐτὴν ἐν μέσῳ] Act 47
  2533 στήσει τὰ μὲν πρόβατα ἐκ δεξιῶν
  2615 „ἔστησαν"b αὐτῷ „τριάκ. ἀργύρια"
(Mar 7 9 vl ἵνα τὴν παράδοσιν ὑμῶν στήσητε)
Act 123 ἔστησαν δύο, Ἰωσὴφ – καὶ Μαθθίαν
  527 αὐτοὺς ἔστησαν ἐν τῷ συνεδρίῳ
  6 6 οὓς ἔστησαν ἐνώπ. τῶν ἀποστόλων
  – 13 ἔστησάν τε μάρτυρας ψευδεῖς
  760 μὴ στήσῃς αὐτοῖς – τὴν ἁμαρτίαν
  1731 ἔστησεν ἡμέραν ἐν ᾗ μέλλει κρίνειν
  2230 τὸν Παῦλον ἔστησεν εἰς αὐτούς
Rm 331 μὴ γένοιτο, ἀλλὰ νόμον ἱστάνομεν
  10 3 τὴν ἰδίαν (sc δικ.) ζητοῦντες στῆσαι
  14 4 δυνατεῖ – ὁ κύριος στῆσαι αὐτόν
Hb 10 9 ἀναιρεῖ τὸ πρῶτον ἵνα τὸ δεύτερον
  (vg *sequens*) στήσῃ
Jud 24 τῷ δὲ δυναμένῳ – ὑμᾶς – στῆσαιb κατ-
  ενώπιον τῆς δόξης αὐτοῦ ἀμώμους

2) ἔστηκα (ἑστηκώς et ἑστώς, ἑστηκέναι
  et ἑστάναι), εἱστήκειν, ἔστην (intran-
  sitive) *stare* b*assistere* c*praesto esse*
  d*statuere* → στήκειν

*selecti loci ex Evang. et Act.

Mat 6 5 ἑστῶτες προσεύχεσθαι cfr Luc 1811
  1246 εἱστήκεισαν ἔξω 47 ἑστήκασιν ‖ Luc
  820 ἑστήκασιν ἔξω ἰδεῖν θέλοντές σε
  1628 εἰσίν τινες τῶν ὧδε ἑστώτων οἵτινες

οὐ μὴ γεύσ. θαν. ‖ Mar 91 Luc 927
Mat 20 3 ἄλλους ἑστῶτας ἐν τῇ ἀγορᾷ ἀργούς
  6 εὗρεν ἄλλους ἑστῶτας – · τί ὧδε
  ἑστήκατε – ἀργοί;
  2415 „βδέλυγμα" – ἑστὸς „ἐν τόπῳ ἁγίῳ"
  ‖ Mar 1314 ἑστηκότα ὅπου οὐ δεῖ
Mar 324.25 οὐ δυνήσεται ἡ οἰκία – στῆναι (vl
  σταθῆναι et ἑστάναι) 26 οὐ δύναται
  στῆναι (sc ὁ σατ.) ἀλλὰ τέλος ἔχει
Luc 111 ἄγγελος – ἑστὼς ἐκ δεξιῶν τοῦ θυ-
  σιαστηρίου Act 755 Ἰησοῦν ἑστῶτα
  ἐκ δεξ. τοῦ θεοῦ 56 τὸν υἱ. τοῦ ἀνθρ.
  6 8 ἀναστὰς ἔστη Act 38
  1325 ἄρξησθε ἔξω ἑστάναι καὶ κρούειν
(Joh 844 vl ἐν τῇ ἀληθείᾳ οὐχ ἕστηκεν)
Act 838 ἐκέλευσεν στῆναι τὸ ἅρμα
  2510 ἑστὼς ἐπὶ τοῦ βήματος Καίσαρός
  εἰμι 266 ἕστηκα κρινόμενος
  2622 ἕστηκα μαρτυρόμενος μικρῷ τε καὶ
Rm 5 2 εἰς τὴν χάριν – ἐν ᾗ ἑστήκαμεν
  1120 σὺ δὲ τῇ πίστει ἕστηκας
1 Co 737 ὃς δὲ ἕστηκενd ἐν τῇ καρδίᾳ αὐτοῦ
  ἑδραῖος 1012 ὁ δοκῶν ἑστάναι
  15 1 τὸ εὐαγγέλιον –, ἐν ᾧ καὶ ἑστήκατε
2 Co 124 τῇ γὰρ πίστει ἑστήκατε
Eph 611 στῆναι πρὸς τὰς μεθοδείας τοῦ δια-
  βόλου 13 ἵνα δυνηθῆτε – ἅπαντα κατ-
  εργασάμενοι στῆναι 14 στῆτε οὖν
  „περιζωσάμενοι – ἐν ἀληθείᾳ"
(Col 412 vl ἵνα στῆτε τέλειοι → 3)
2 Ti 219 ὁ – θεμέλιος τοῦ θεοῦ ἕστηκεν
Hb 1011 ἱερεὺς ἕστηκενc καθ' ἡμέραν λειτουρ.
Jac 2 3 σὺ στῆθι ἐκεῖ ἢ κάθου ὑπὸ τὸ ὑπ.
  5 9 ὁ κριτὴς πρὸ τῶν θυρῶν ἕστηκενb
1 Pe 512 ταύτην εἶναι ἀληθῆ χάριν τοῦ θεοῦ,
  εἰς ἣν στῆτε (vl ἑστήκατε vg *statis*
  vl *state*)
Ap 320 ἕστηκα ἐπὶ τὴν θύραν καὶ κρούω
  5 6 εἶδον ἐν μέσῳ τοῦ θρόνου – ἀρνίον
  ἑστηκός (vl ..κώς) 141 ἰδοὺ τὸ ἀρ-
  νίον ἑστὸς ἐπὶ τὸ ὄρος Σιών
  7 1 τέσσ. ἀγγέλους ἑστῶτας 105.8 1917
  – 9 ἑστῶτες ἐνώπ. τοῦ θρόνου 11 82 οἳ
  ἐνώπ. τοῦ θεοῦ ἑστήκασιν 114 2012
  1111 „ἔστησαν ἐπὶ τοὺς πόδας αὐτῶν"
  12 4 ὁ δράκων ἕστηκεν ἐνώπιον τῆς γυν.
  15 2 ἑστῶτας ἐπὶ τὴν θάλασ. τὴν ὑαλίνην
  1810 ἀπὸ μακρόθεν ἑστηκότες 17

3) στήσομαι (med.), – ἐστάθην, σταθήσο-
  μαι (intrans.) *stare*
Mat 2 9 ἕως – ἐστάθη ἐπάνω οὗ ἦν τὸ παιδ.

Mat 1225 οἰκία μερισθεῖσα – οὐ σταθήσεται 26
πῶς – στ. ἡ βασ. αὐτοῦ (sc τοῦ σατ.);
‖ Mar 324 Luc 1118 → 2) Mar 324s
1816 ἵνα „ἐπὶ στόματος δύο μαρτύρων ἤ
τριῶν σταθῇ πᾶν ῥῆμα" 2 Co 131
2711 ἐστάθη (vl ἔστη) ἔμπρ. τ. ἡγεμόνος
Mar 13 9 ἐπὶ – βασιλέων σταθήσεσθε ἕνεκεν
Luc 1811 ὁ Φαρ. σταθεὶς (cfr 13 ὁ δὲ τελώνης
μακρόθεν ἑστώς) 40 198
2136 ἵνα κατισχύσητε – σταθῆναι ἔμπρο-
σθεν τοῦ υἱοῦ τοῦ ἀνθρώπου
2417 τίνες οἱ λόγοι – οὓς ἀντιβάλλετε –
περιπατοῦντες; καὶ ἐστάθησαν σκυ-
θρωποί. (vl τίνες – περιπατοῦντες καί
ἐστε σκ.; vg et estis tristes)
Act 214 σταθεὶς 520 1113 1722 2518 2721
Rm 14 4 τῷ ἰδίῳ κυρίῳ στήκει ἤ πίπτει· στα-
θήσεται δέ, δυνατεῖ γάρ → 1)
Col 412 ἵνα σταθῆτε (vl στῆτε) τέλειοι
Ap 617 „καὶ τίς δύναται σταθῆναι;"
8 3 1218 1815 ἀπὸ μακρόθεν στήσονται

ἱστορεῖν vidēre Gal 118 ἱστορῆσαι Κηφᾶν

ἰσχύειν posse ᵇvalēre ᶜ(ἰσχύων) sanus
ᵈinvalescere ᵉconfirmari
Mat 513 εἰς οὐδὲν ἰσχύειᵇ ἔτι εἰ μὴ βληθέν
828 ὥστε μὴ ἰσχύειν τινὰ παρελθεῖν
912 οὐ χρείαν ἔχουσιν οἱ ἰσχύοντεςᵇ ἰα-
τροῦ ‖ Mar 217ᶜ
2640 οὕτως οὐκ ἰσχύσατε – γρηγορῆσαι –;
‖ Mar 1437 καθεύδεις; οὐκ ἴ..σας –;
Mar 5 4 καὶ οὐδεὶς ἴσχυεν αὐτὸν δαμάσαι
918 οὐκ ἴσχυσαν (sc ἐκβαλεῖν οἱ μαθ.)
Luc 648 οὐκ ἴσχυσεν σαλεῦσαι αὐτήν
843 ἥτις οὐκ ἴσχυσεν – θεραπευθῆναι
1324 καὶ οὐκ ἰσχύσουσιν (sc εἰσελθεῖν)
14 6 οὐκ ἴ..σαν ἀνταποκριθῆναι 29 μὴ ἰ..
οντος ἐκτελέσαι 30 οὐκ ἴσχυσεν
16 3 σκάπτειν οὐκ ἰσχύωᵇ – Joh 216ᵇ
2026 οὐκ ἴ..σαν ἐπιλαβέσθαι αὐτοῦ ῥήμ.
Act 610 οὐκ ἴσχυον ἀντιστῆναι τῇ σοφίᾳ
1510 ζυγὸν –, ὃν – οὔτε ἡμεῖς ἰσχύσαμεν
βαστάσαι; 1916 ἴσχυσενᵈ κατ' αὐτῶν
257 οὐκ ἴσχυον ἀποδεῖξαι 2716
1920 ὁ λόγος ηὔξανεν καὶ ἴσχυενᵉ
Gal 5 6 ἐν – Χῷ – οὔτε περιτομή τι ἰσχύειᵇ
Phl 413 πάντα ἰσχύω ἐν τῷ ἐνδυναμοῦντί με
Hb 917 μήποτε ἰσχύειᵇ ὅτε ζῇ ὁ διαθέμενος
Jac 516 πολὺ ἰσχύειᵇ δέησις δικαίου ἐνεργου.
Ap 12 8 ὁ δράκων ἐπολέμησεν καὶ οἱ ἄγγελοι
–, καὶ οὐκ ἴσχυσεν (vl ..σαν vg)ᵇ

ἰσχυρός fortis ᵇmagnus ᶜvalidus
Mat 311 ἰσχυρότερός μού ἐστιν ‖ Mar 17 ἔρ-
χεται ὁ ἰσχυρότερός μου Luc 316
1229 εἰσελθεῖν εἰς τὴν οἰκίαν τοῦ ἰσχυροῦ
–, ἐὰν μὴ – δήσῃ τὸν ἰσχυρόν ‖ Mar
327 Luc 1121 ὅταν ὁ ἰσχ. – φυλάσσῃ
22 ἐπὰν δὲ ἰ..ότερος αὐτοῦ – νικήσῃ
1430 βλέπων – τὸν ἄνεμον (vl + ἰ..όν vgᶜ)
Luc 1514 ἐγένετο λιμὸς ἰ..ὰᶜ κατὰ τὴν χώραν
1 Co 125 τὸ ἀσθενὲς τοῦ θεοῦ ἰ..ότερον τῶν
ἀνθρώπων 27 ἵνα καταισχύνῃ τὰ ἰσ.
410 ἡμεῖς ἀσθενεῖς, ὑμεῖς δὲ ἰσχυροί
1022 μὴ ἰσχυρότεροι αὐτοῦ ἐσμεν;
2 Co 1010 αἱ ἐπιστολαὶ – βαρεῖαι καὶ ἰσχυραί
Hb 5 7 μετὰ κραυγῆς ἰ..ᾶςᶜ καὶ δακρύων
618 ἵνα – ἰσχυρὰν παράκλησιν (fortissi-
mum solatium) ἔχωμεν
1134 ἐγενήθησαν ἰσχυροὶ ἐν πολέμῳ
1 Jo 214 ὑμῖν, νεανίσκοι, ὅτι ἰσχυροί ἐστε
Ap 5 2 εἶδον ἄγγελον ἰσχυρόν 101 1821
615 οἱ πλούσιοι καὶ οἱ ἰσ. 1918 „ἰσχυρῶν"
18 2 ἔκραξεν ἐν ἰσχυρᾷ φωνῇ (vl ἐν ἰσχύϊ
vg in fortitudine vl forti voce)
– 8 „ἰσχυρὸς κύριος" ὁ θεὸς ὁ „κρίνας"
– 10 οὐαί – „Βαβυλὼν ἡ πόλις ἡ ἰσχυρά"
19 6 ἤκουσα – ὡς φωνὴν βροντῶν ἰ..ῶνᵇ

ἰσχύς virtus ᵇvires ᶜfortitudo
Mar 1230 „ἐξ ὅλης τῆς ἰσχύος σου" 33 ἰσχύοςᶜ
‖ Luc 1027 „ἐν ὅλῃ τῇ ἰσχύϊᵇ σου"
Eph 119 κατὰ τὴν ἐνέργειαν τοῦ κράτους τῆς
ἰσ. αὐτοῦ 610 ἐν τῷ κράτει τῆς ἰσχ.
2 Th 1 9 „ἀπὸ τῆς δόξης τῆς ἰσχύος αὐτοῦ"
1 Pe 411 εἴ τις διακονεῖ, ὡς ἐξ ἰσχύος ἧς χο-
ρηγεῖ ὁ θεός
2 Pe 211 ὅπου ἄγγελοι ἰσχύϊᶜ – μείζονες
Ap 512 ἄξιός ἐστιν – λαβεῖν – ἰσχύνᶜ
712 ἀμήν, – ἡ ἰσχὺςᶜ τῷ θεῷ ἡμῶν

ἴσως forsitan Luc 2013 ἴ. τοῦτον ἐντραπήσ.

Ἰταλία Act 182 271.6 Hb 1324 οἱ ἀπὸ τῆς Ἰ.

Ἰταλική Act 101 ἐκ σπείρης τῆς καλ. Ἰ..ῆς

Ἰτουραία Luc 31 τῆς Ἰτουραίας – χώρας

ἰχθύδιον Sᵒ – pisciculus Mat 1534 ‖ Mar 87

ἰχθύς piscis → ὀψάριον
Mat 710 ἤ καὶ ἰχθὺν αἰτήσει ‖ Luc 1111 τίνα
– αἰτήσει ὁ υἱὸς ἰχθύν, μὴ ἀντὶ ἰχθύ-
ος ὄφιν αὐτῷ ἐπιδώσει;
1347 ἐκ παντ. γένους (vg add piscium vlᵒ)

Mat 14 17 καὶ δύο ἰχϑύας 19 15 36 τοὺς ἰχϑύας
‖ Mar 6 38.41.43 Luc 9 13.16
17 27 τὸν ἀναβάντα πρῶτον ἰχϑὺν ἆρον
Luc 5 6 πλῆϑος ἰχϑύων πολύ 9 Joh 21 6.8.11
ἰ..ων μεγάλων ἑκατὸν πεντήκ. τριῶν
24 42 ἐπέδωκαν αὐτῷ ἰχϑύος ὀπτοῦ μέρος
1 Co 15 39 ἄλλη δὲ (sc σάρξ) ἰχϑύων

ἴχνη, τά vestigia
Rm 4 12 τοῖς στοιχοῦσιν τοῖς ἴχνεσιν τῆς ἐν
ἀκροβυστίᾳ πίστεως
2 Co 12 18 οὐ τοῖς αὐτοῖς ἴχν.; (sc περιεπατήσ.)
1 Pe 2 21 ἵνα ἐπακολουϑήσητε τοῖς ἴχν. αὐτοῦ

Ἰωαϑάμ Mat 1 9   Ἰωανάν Luc 3 27

Ἰωάννα Luc 8 3 γυνὴ Χουζᾶ 24 10

Ἰωάννης 1) ὁ βαπτιστής
Mat 3 1 παραγίνεται Ἰ. ὁ βαπτιστής 4 ‖ Mar
1 4 ὁ βαπτίζων 6 Luc 3 2 ἐγένετο ῥῆ-
μα ϑεοῦ ἐπὶ Ἰ..ην τὸν Ζαχαρίου υἱόν
– 13 ὁ Ἰησοῦς – πρὸς τὸν Ἰ. τοῦ βαπτισϑῆ-
ναι ‖ Mar 1 9 ἐβαπτίσϑη – ὑπὸ Ἰ..ου
4 12 ὅτι Ἰ. παρεδόϑη ‖ Mar 1 14 μετὰ τὸ π.
9 14 οἱ μαϑηταὶ Ἰωάννου ‖ Mar 2 18 ἦσαν
οἱ μαϑηταὶ Ἰ. – νηστεύοντες. – διὰ τί
οἱ μαϑ. Ἰ. – νηστεύουσιν, –; Luc 5 33
11 2 ὁ δὲ Ἰ. ἀκούσας ἐν τῷ δεσμωτηρίῳ 4
ἀπαγγείλατε Ἰ..η ‖ Luc 7 18.20.22
– 7 ἤρξατο ὁ Ἰησοῦς λέγειν – περὶ Ἰ..ου
11 οὐκ ἐγήγερται – μείζων Ἰ..ου τοῦ
βαπτ. 12 ἀπὸ δὲ τῶν ἡμερῶν Ἰ..ου
τοῦ βαπτ. 13 ἕως Ἰ..ου ἐπροφήτευ-
σαν 18 ἦλϑεν – Ἰ. μήτε ἐσϑίων μήτε
πίνων ‖ Luc 7 24.28.29 οἱ τελῶναι –,
βαπτισϑέντες τὸ βάπτισμα Ἰωάννου
33 Ἰ. ὁ βαπτιστὴς μὴ ἐσϑίων 16 16 ὁ
νόμος καὶ οἱ προφῆται μέχρι Ἰ..ου
14 2 Ἰ. ὁ βαπτ.· αὐτὸς ἠγέρϑη 3 κρατή-
σας τὸν Ἰ. ἔδησεν 4.8 τὴν κεφαλὴν
Ἰωάννου τοῦ βαπτιστοῦ 10 ἀπεκεφά-
λισεν Ἰωάννην ‖ Mar 6 14 Ἰ. ὁ βαπτί-
ζων ἐγήγερται 16 ὃν ἐγὼ ἀπεκεφά-
λισα Ἰωάννην 17.18.20 ἐφοβεῖτο τὸν
Ἰωάννην 24.25 Luc 9 7 διηπόρει διὰ
τὸ λέγεσϑαι – ὅτι Ἰωάννης ἠγέρϑη 9
16 14 οἱ μὲν Ἰωάννην τὸν βαπτ. ‖ Mar 8 28
Luc 9 19 – Mat 17 13 συνῆκαν – ὅτι
περὶ Ἰ..ου τοῦ βαπτ. εἶπεν αὐτοῖς
21 25 τὸ βάπτισμα τὸ Ἰωάννου πόϑεν ἦν;
26 ὡς προφήτην ἔχουσιν τὸν Ἰ..ην ‖
Mar 11 30.32 Luc 20 4.6

Mat 21 32 ἦλϑεν γὰρ Ἰωάννης πρὸς ὑμᾶς ἐν
ὁδῷ δικαιοσύνης cfr Luc 7 29
Luc 1 13 καλέσεις τὸ ὄνομα αὐτοῦ Ἰ..ην 60.63
3 15 διαλογιζομένων – περὶ τοῦ Ἰ., μήποτε
αὐτὸς εἴη ὁ χριστός 16 Joh 1 19 αὕτη
ἐστὶν ἡ μαρτυρία τοῦ Ἰωάννου 26
– 20 κατέκλεισεν τὸν Ἰωάννην ἐν φυλακῇ
11 1 καϑὼς καὶ Ἰ. ἐδίδαξεν τοὺς μαϑητάς
Joh 1 6 ἐγένετο ἄνϑρωπος, ἀπεσταλμένος πα-
ρὰ ϑεοῦ, ὄνομα αὐτῷ Ἰωάννης
– 15 Ἰωάννης μαρτυρεῖ 19.26.32.35.40
– 28 ὅπου ἦν ὁ Ἰωάννης βαπτίζων 10 40
3 23 ἦν δὲ καὶ Ἰ. βαπτίζων ἐν Αἰνών 24.25
ζήτησις ἐκ τῶν μαϑητῶν Ἰωάννου με-
τὰ Ἰουδαίου 26.27 ἀπεκρίϑη Ἰωάννης
4 1 πλείονας – βαπτίζει ἢ Ἰωάννης
5 33 ἀπεστάλκατε πρὸς Ἰ..ην 36 ἐγώ – ἔχω
τὴν μαρτυρίαν μείζω τοῦ Ἰωάννου
10 41 Ἰ. μὲν σημεῖον ἐποίησεν οὐδέν, – ὅσα
εἶπεν Ἰωάννης περὶ τούτου ἀληϑῆ ἦν
Act 1 5 Ἰωάννης μὲν ἐβάπτισεν ὕδατι 11 16
– 22 ἀρξάμενος ἀπὸ τοῦ βαπτίσματος Ἰ..
ου 10 37 13 24 προκηρύξαντος Ἰωάν-
νου – βάπτισμα μετανοίας 25 ὡς δὲ
ἐπλήρου Ἰωάννης τὸν δρόμον
18 25 ἐπιστάμενος μόνον τὸ βάπτ. Ἰ..ου
19 3 εἰς τὸ Ἰωάννου βάπτισμα 4

2) Zebedaei filius (eundem dicere vide-
tur apocalypsis)
Mat 4 21 ‖ Mar 1 19 – Mat 10 2 ‖ Mar 3 17 Luc
6 14 Act 1 13 – Mat 17 1 παραλαμβά-
νει – τὸν Πέτρον καὶ Ἰάκωβον καὶ Ἰ..
ην ‖ Mar 9 2 Luc 9 28 – Mar 14 33
Mar 1 29 μετὰ Ἰακ. καὶ Ἰ..ου 5 37 Πέτρον καὶ
Ἰάκωβον καὶ Ἰωάννην ‖ Luc 8 51
9 38 ἔφη αὐτῷ ὁ Ἰωάννης ‖ Luc 9 49
10 35 προσπορεύονται αὐτῷ Ἰάκ. καὶ Ἰ..ης
41 ἤρξαντο ἀγανακτεῖν περὶ Ἰάκ. καὶ
Ἰωάννου – 13 3 ἐπηρώτα αὐτὸν κατ'
ἰδίαν Πέτ. καὶ Ἰάκ. καὶ Ἰ. καὶ Ἀνδ.
Luc 5 10 Ἰάκ. καὶ Ἰ..ην 9 54 22 8 Πέτ. καὶ Ἰ..ην
Act 3 1 Πέτρος – καὶ Ἰωάννης 3.4.11 4 13.19
8 14 ἀπέστειλαν – Πέτρον καὶ Ἰωάννην
12 2 Ἰάκωβον τὸν ἀδελφὸν Ἰωάννου
Gal 2 9 Ἰάκωβος καὶ Κηφᾶς καὶ Ἰωάννης,
οἱ δοκοῦντες στῦλοι εἶναι
Ap 1 1 ἐσήμανεν – τῷ δούλῳ αὐτοῦ Ἰωάννῃ
4 Ἰωάννης ταῖς ἑπτὰ ἐκκλησίαις ταῖς
ἐν τῇ Ἀσίᾳ 9 ἐγὼ Ἰωάννης, ὁ ἀδελ-
φὸς ὑμῶν 22 8 κἀγὼ Ἰωάννης ὁ ἀκού-
ων καὶ βλέπων ταῦτα

3) pater Petri (→ Βαριωνά)

Joh 1 42 σὺ εἶ Σίμων ὁ υἱὸς Ἰωάννου (vl Ἰω-
νᾶ vg) 21 15 Σίμων Ἰωάννου, ἀγαπᾶς με
πλέον τούτων; 16 ἀγ. με; 17 φιλεῖς με;

4) Johannes Marcus

Act 12 12. 25 13 5. 13 15 37

5) vir quidam de genere sacerdotali

Act 4 6 Καϊάφᾶς καὶ Ἰωάννης (vl Ἰωνάθας)

Ἰώβ Jac 5 11 τὴν ὑπομονὴν Ἰ. ἠκούσατε

Ἰωβήδ Mat 1 5 Luc 3 32 (vl Ὠβήδ vg)

Ἰωδά Luc 3 26 Ἰωήλ Act 2 16 Ἰωνάμ Luc 3 30

Ἰωνᾶς Mat 12 39 εἰ μὴ τὸ σημεῖον Ἰωνᾶ τοῦ
προφήτου 40 „ἦν Ἰωνᾶς ἐν τῇ κοιλίᾳ τοῦ
κήτους" 41 μετενόησαν εἰς τὸ κήρυγμα
Ἰωνᾶ, καὶ – πλεῖον Ἰωνᾶ ὧδε ‖ Luc 11
29. 30 ἐγένετο [ὁ] Ἰωνᾶς τοῖς Νινευῖταις
σημεῖον 32 εἰς τὸ κήρυγμα Ἰωνᾶ, καὶ –
πλεῖον Ἰωνᾶ ὧδε – Mat 16 4 εἰ μὴ τὸ
σημεῖον Ἰωνᾶ → Ἰωάννης 3)

Ἰωράμ Mat 1 8 Ἰωρίμ Luc 3 29

Ἰωσαφάτ Mat 1 8 Ἰωσίας Mat 1 10. 11

Ἰωσῆς 1) Jesu frater

Mar 6 3 ἀδελφὸς Ἰακώβου καὶ Ἰωσῆτος (vl
Ἰωσῆ et Ἰωσήφ vg) ‖ Mat 13 55 οἱ ἀδελφοὶ
αὐτοῦ Ἰάκ. καὶ Ἰωσήφ (vg, vl Ἰωσῆς)

2) Jacobi minoris frater

Mar 15 40 Μαρία ἡ Ἰακώβου τοῦ μικροῦ καὶ
Ἰωσῆτος (vl Ἰωσῆ, vg Ioseph) μήτηρ 47
Μαρία ἡ Ἰωσῆτος (vl Ἰωσῆ et Ἰωσήφ vg)
‖ Mat 27 56 Ἰωσήφ (vl Ἰωσῆ vg Ioseph)

Ἰωσήφ 1) patriarchae Jacobi filius

Joh 4 5 ὃ ἔδωκεν Ἰακὼβ [τῷ] Ἰωσήφ Act 7 9
„ζηλώσαντες τὸν Ἰ." 13. 14. 18 „ὃς οὐκ ᾔδει
τὸν Ἰ." Hb 11 21. 22 Ap 7 8 ἐκ φυλῆς Ἰωσ.

2) maiores Jesu Luc 3 24. 30

3) maritus Mariae, matris Jesu

Mat 1 16 Ἰωσὴφ τὸν ἄνδρα Μαρίας 18 μνηστευ-
θείσης – τῷ Ἰωσ. 19 Ἰ. δὲ ὁ ἀνὴρ αὐτῆς,
δίκαιος ὢν 20 Ἰ. υἱὸς Δαυίδ 24 2 13 ἄγγε-
λος – φαίνεται – τῷ Ἰωσ. 19 ἐν Αἰγύπτῳ
Luc 1 27 ἐμνηστευμένην ἀνδρὶ ᾧ ὄνομα Ἰωσ.
2 4 ἀνέβη – Ἰ. – εἰς πόλιν Δαυίδ 16 (33 vl)
3 23 ὢν υἱός, ὡς ἐνομίζετο, Ἰωσήφ 4 22
οὐχὶ υἱός ἐστιν Ἰωσὴφ οὗτος;
Joh 1 45 Ἰησοῦν υἱὸν τοῦ Ἰωσήφ 6 42 οὐχ οὗ-
τός ἐστιν Ἰησοῦς ὁ υἱὸς Ἰωσήφ –;

4) Jesu frater → Ἰωσῆς 1)

5) Joseph ab Arimathaea

Mat 27 57. 59 ‖ Mar 15 43. 45 Luc 23 50 Joh 19 38

6) Joseph Barsabbas Act 1 23

7) Joseph Barnabas Act 4 36

Ἰωσήχ Luc 3 26 (vg Ioseph, vl Iosech)

ἰῶτα S° – iota Mat 5 18 ἰ. ἓν ἢ μία κεραία

K

(κάδος, ὁ vl Luc 16 6 vg cadus)

καθαιρεῖν deponere ᵇdestruere
Mar 15 36 εἰ ἔρχεται Ἠλίας καθελεῖν αὐτόν
– 46 καθελὼν αὐτόν (sc Ἰησ.) ‖ Luc 23 53 –
Act 13 29 καθελόντες ἀπὸ τοῦ ξύλου
Luc 1 52 „καθεῖλεν δυνάστας" ἀπὸ θρόνων
12 18 καθελῶᵇ μου τὰς ἀποθήκας
Act 13 19 „καθελὼνᵇ ἔθνη ἑπτὰ ἐν γῇ Χαν."
19 27 κ..εῖσθαιᵇ τῆς μεγαλειότητος αὐτῆς
2 Co 10 4 λογισμοὺς καθαιροῦντεςᵇ

καθαίρειν purgare Joh 15 2 πᾶν τὸ καρπὸν
φέρον, καθαίρει (purgabit) αὐτό

καθαίρεσις destructio 2 Co 10 4 πρὸς κ..ιν
ὀχυρωμάτων 8 ἐξουσίας –, ἧς ἔδωκεν –
εἰς οἰκοδομὴν καὶ οὐκ εἰς καθαίρεσιν ὑ-
μῶν 13 10 καὶ οὐκ εἰς καθαίρεσιν

καθάπτειν S° – invadere Act 28 3 τ. χειρός

καθαρίζειν mundare ᵇemundare ᶜpurgare
ᵈpurificare
Mat 8 2 δύνασαί με κ..ίσαι 3 κ..ίσθητι. καὶ ἐκ..
ίσθη – ἡ λέπρα ‖ Mar 1 40. 41. 42 ἐκ..
ίσθη Luc 5 12. 13 καθαρίσθητι
10 8 λεπροὺς κ..ετε – 11 5 λεπροὶ κ..ον-
ται ‖ Luc 7 22 – 4 27 οὐδεὶς αὐτῶν

ἐκ..ίσθη εἰ μὴ Ναιμάν – Luc 1714 ἐν
τῷ ὑπάγειν – ἐκαθαρίσθησαν 17 οὐχ
οἱ δέκα ἐκ..ίσθησαν; οἱ – ἐννέα ποῦ;
Mat 2325 ὅτι κ..ετε τὸ ἔξωθεν τοῦ ποτηρίου 26
κ..ισον πρῶτον τὸ ἐντός ‖ Luc 1139
Mar 719 καθαρίζων[c] πάντα τὰ βρώματα
(Luc11 2 vl ἐλθέτω τὸ ἅγ. πνεῦμά σου – καὶ
καθαρισάτω ἡμᾶς vg[o])
Act 1015 ἃ ὁ θεὸς ἐκαθάρισεν[d] σὺ μὴ 119
15 9 τῇ πίστει καθαρίσας[d] τὰς καρδίας
2 Co 7 1 κ..ίσωμεν ἑαυτοὺς ἀπὸ παντὸς μο-
λυσμοῦ σαρκὸς καὶ πνεύματος
Eph 526 καθαρίσας τῷ λουτρῷ τοῦ ὕδατος ἐν
Tit 214 ἵνα – „κ..ίσῃ ἑαυτῷ λαὸν περιούσ."
Hb 914 τὸ αἷμα τοῦ Χ. – καθαριεῖ[b] τὴν συν-
είδησιν ἡμῶν ἀπὸ νεκρῶν ἔργων
– 22 σχεδὸν ἐν αἵματι πάντα καθαρίζεται
– 23 ἀνάγκη – τὰ – ὑποδείγματα τῶν ἐν
τοῖς οὐρανοῖς τούτοις καθαρίζεσθαι
10 2 λατρεύοντας ἅπαξ κεκαθαρισμένους
Jac 4 8 καθαρίσατε[b] χεῖρας, ἁμαρτωλοί
1 Jo 1 7 τὸ αἷμα Ἰησοῦ – καθαρίζει[b] (vl[a]) ἡ-
μᾶς ἀπὸ πάσης ἁμαρτίας 9 πιστός ἐστιν
καὶ δίκαιος, ἵνα ἀφῇ ἡμῖν – καὶ καθαρί-
σῃ[b] ἡμᾶς ἀπὸ πάσης ἀδικίας

καθαρισμός *emundatio* [b]*purgatio*
[c]*purificatio*
Mar 144 προσένεγκε περὶ τοῦ κ. σου ‖ Luc 514
Luc 222 „ἐπλήσθησαν αἱ ἡμέραι τοῦ κ..οῦ[b]"
Joh 2 6 ὑδρίαι ἓξ κατὰ τὸν κ.[c] τῶν Ἰουδαίων
325 ζήτησις μετὰ Ἰουδαίου περὶ κ..οῦ[c]
Hb 1 3 κ..ὸν[b] τῶν ἁμαρτιῶν ποιησάμενος
2 Pe 1 9 λήθην λαβὼν τοῦ καθαρισμοῦ[b] τῶν
πάλαι αὐτοῦ ἁμαρτιῶν

καθαρός *mundus* [b]*purus* [c]*candidus*
Mat 5 8 μακάριοι „οἱ καθαροὶ τῇ καρδίᾳ"
2326 ἵνα γένηται καὶ τὸ ἐκτὸς – κ..όν ‖ Luc
1141 ἰδοὺ πάντα καθαρὰ ὑμῖν ἐστιν
2759 ἐνετύλιξεν – [ἐν] σινδόνι καθαρᾷ
Joh 1310 ἀλλ' ἔστιν καθ. ὅλος· καὶ ὑμεῖς κ..οί
ἐστε 11 οὐχὶ πάντες καθαροί ἐστε
15 3 κ..οί ἐστε διὰ τὸν λόγον ὃν λελάληκα
Act 18 6 καθαρὸς – εἰς τὰ ἔθνη πορεύομαι
2026 κ..ός εἰμι ἀπὸ τοῦ αἵματος πάντων
Rm 1420 πάντα μὲν καθαρά, ἀλλὰ κακὸν τῷ
– διὰ προσκόμματος ἐσθίοντι
1 Ti 1 5 ἀγάπη ἐκ κ..ᾶς[b] καρδίας καὶ συνει-
δήσεως ἀγαθῆς 2 Ti 222 ἐπικαλουμέ-
νων τὸν κύριον ἐκ κ..ᾶς[b] καρδίας
3 9 ἔχοντας τὸ μυστ. τῆς πίστ. ἐν κ..ᾷ[b]

συνειδήσει 2 Ti 1 3 ᾧ λατρεύω – ἐν[b]
Tit 1 15 πάντα καθαρὰ τοῖς καθ.· τοῖς δὲ με-
μιαμμένοις καὶ ἀπίστοις οὐδὲν κ..όν
Hb 1022 λελουσμένοι τὸ σῶμα ὕδατι καθαρῷ
Jac 127 θρησκεία καθαρὰ καὶ ἀμίαντος
1 Pe 122 ἐκ (vl + καθαρᾶς, vg vl[b]) καρδίας
ἀλλήλους ἀγαπήσατε ἐκτενῶς
Ap 15 6 „ἐνδεδυμένοι λίνον" (vl λίθον vg)
κ..όν 198 βύσσινον – καθαρόν[c] 14
2118 ἡ πόλις χρυσίον καθαρὸν ὅμοιον ὑ-
άλῳ καθαρῷ 21 χρυσίον καθαρόν

καθαρότης *emundatio* Hb 913 τῆς σαρκός

καθέδρα *cathedra* Mat 2112 ‖ Mar 1115
Mat 23 2 ἐπὶ τῆς Μωϋσέως καθέδρας ἐκάθισαν

καθέζεσθαι *sedēre*
Mat 2655 ἐν τῷ ἱερῷ ἐκαθεζόμην διδάσκων
Luc 246 ἐν τῷ ἱερῷ καθεζόμενον ἐν μέσῳ τῶν
Joh 4 6 1120 2012 δύο ἀγγέλους – κ..ομένους
Act 615 οἱ κ..όμενοι ἐν τῷ συνεδρίῳ – 209

καθεξῆς S[o] – *deinceps* [b]*ex ordine* [c]*ordinem*
Luc 1 3 κ.[b] σοι γράψαι 81 Act 324 114[c] 1823[b]

καθεύδειν *dormire*
Mat 824 αὐτὸς δὲ ἐκάθευδεν ‖ Mar 438 κ..ων
924 ἀλλὰ καθεύδει ‖ Mar 539 Luc 852
1325 ἐν – τῷ καθ. τοὺς ἀνθρ. ἦλθεν – ὁ ἐχ.
25 5 ἐνύσταξαν πᾶσαι καὶ ἐκάθευδον
2640 εὑρίσκει αὐτοὺς καθεύδοντας 43.45
κ..ετε λοιπόν ‖ Mar 1437 Σίμων, κ..
εις; 40.41 Luc 2246 τί καθεύδετε;
Mar 427 ἄνθρωπος βάλῃ τὸν σπόρον ἐπὶ
τῆς γῆς, καὶ καθεύδῃ καὶ ἐγείρηται
1336 μὴ ἐλθὼν – εὕρῃ ὑμᾶς καθεύδοντας
Eph 514 ἔγειρε, ὁ κ..ων, καὶ ἀνάστα ἐκ· τ. νε.
1 Th 5 6 μὴ καθεύδωμεν ὡς οἱ λοιποί, ἀλλά
– 7 οἱ – καθεύδοντες νυκτὸς καθεύδουσιν
– 10 ἵνα εἴτε γρηγορῶμεν εἴτε καθεύδωμεν
ἅμα σὺν αὐτῷ ζήσωμεν

καθηγητής S[o] – *magister* Mat 23(8 vl) 10 μη-
δὲ κληθῆτε καθηγηταί, ὅτι καθηγη-
τὴς ὑμῶν ἐστιν εἷς ὁ Χριστός

καθήκει S[o] – *fas est* [b]*convenit*
Act 2222 Rm 128 ποιεῖν τὰ μὴ καθήκοντα[b]

καθημερινός *quotidianus* Act 61 διακονία

καθῆσθαι *sedēre* (→ καθίζειν)

Mat 4 16 „ὁ λαὸς ὁ καθήμενος ἐν σκοτίᾳ –,
καὶ τοῖς καθ. ἐν χώρᾳ καὶ σκιᾷ θα-
νάτου" Luc1 79 „ἐπιφᾶναι τοῖς – καθ."
9 9 ἐπὶ τὸ τελώνιον ‖ Mar 2 14 Luc 5 27
11 16 ἐν ταῖς ἀγοραῖς ‖ Luc 7 32
13 1 παρὰ τὴν θάλασσαν 2 ‖ Mar 4 1 ἐν
15 29 ἀναβὰς εἰς τὸ ὄρος ἐκάθητο ἐκεῖ
19 28 καθήσεσθε καὶ αὐτοὶ ἐπὶ δώδεκα θρό-
νους κρίνοντες ‖ Luc 22 30
20 30 τυφλοὶ καθήμενοι παρὰ τὴν ὁδόν ‖
Mar 10 46 τυφλὸς προσαίτης Luc 18 35
cfr Joh 9 8 ὁ κ..μενος καὶ προσαιτῶν
Act 3 10 ὁ πρὸς τὴν ἐλεημοσύνην κ..
μενος 14 8 ἐκάθητο, χωλὸς ἐκ κοιλίας
22 44 „κάθου ἐκ δεξιῶν μου" ‖ Mar 12 36
Luc 20 42 – Act 2 34 Hb 1 13 – Mat
26 64 „καθήμενον ἐκ δεξιῶν τῆς δυνά-
μεως ‖ Mar 14 62 Luc 22 69 → Col 3 1
23 22 ὀμνύει ἐν τῷ θρόνῳ τοῦ θεοῦ καὶ ἐν
τῷ καθημένῳ ἐπάνω αὐτοῦ
24 3 ἐπὶ τοῦ ὄρους τῶν ἐλαιῶν ‖ Mar 13 3
26 58.69 ἐν τῇ αὐλῇ ‖ Luc 22 55.56
27 19 ἐπὶ τοῦ βήματος cfr Act 23 3 σὺ κά-
θη κρίνων με κατὰ τὸν νόμον
– 36.61 28 2 ἄγγελος – ἐκάθητο Mar 16 5
Mar 2 6 ‖ Luc 5 17 ἦσαν καθήμενοι Φαρισαῖοι
3 32 ἐκάθητο περὶ αὐτὸν ὄχλος 34
5 15 ‖ Luc 8 35 καθήμ.–παρὰ τ. πόδας–'Ιησ.
Luc 10 13 ἐν σάκκῳ καὶ σποδῷ καθήμενοι
21 35 „ἐπὶ – τοὺς καθημέν. ἐπὶ – τῆς γῆς"
Ap 14 6 εὐαγγελίσαι ἐπὶ τοὺς –
Joh 2 14 τοὺς κερματιστὰς καθημένους
6 3 ἐκεῖ ἐκάθητο μετὰ τῶν μαθητῶν
12 15 „ὁ βασιλεύς σου –, καθήμ. ἐπὶ πῶλον"
Act 2 2 – 8 28 καθήμενος ἐπὶ τοῦ ἅρματος
1 Co 14 30 ἐὰν δὲ ἄλλῳ ἀποκαλυφθῇ κ..μένῳ
Col 3 1 οὗ ὁ Χός ἐστιν „ἐν δεξιᾷ τοῦ θεοῦ
καθήμενος"
Jac 2 3 σὺ κάθου ὧδε καλῶς – · σὺ στῆθι ἐ-
κεῖ ἢ κάθου ὑπὸ τὸ ὑποπόδιόν μου
Ap 4 2 καὶ „ἐπὶ τὸν θρόνον καθήμενος" 3.9.
10 51.7.13 6 16 7 10.15 19 4 20 11 21 5
– 4 ἐπὶ τοὺς θρόνους – πρεσβυτέρους
καθημένους 11 16
6 2 „ἵππος λευκός", καὶ ὁ καθήμενος
ἐπ' αὐτόν 4.5.8 9 17 τοὺς καθημένους
ἐπ' αὐτῶν 19 11.18 ἐπ' αὐτῶν 19.21
14 14 ἐπὶ τὴν νεφέλην καθήμενον 15.16
17 1 τῆς πόρνης – τῆς καθημένης „ἐπὶ ὑ-
δάτων πολλῶν" 15 οὗ – κάθηται
– 3 γυναῖκα καθημ. ἐπὶ θηρίον κόκκινον

Ap 17 9 ἑπτὰ ὄρη –, ὅπου ἡ γυνὴ κάθηται
18 7 „λέγει ὅτι κάθημαι βασίλισσα"

καθιέναι *summittere* (*subm.*) [b]*dimittere*

Luc 5 19 διὰ τῶν κεράμων καθῆκαν αὐτόν
Act 9 25 καθῆκαν[b] αὐτόν (Saul.) – 10 11 11 5

καθίζειν *sedēre* [b]*considere* [c]*residere*
[d](*trans.*) *constituere*

Mat 5 1 13 48 – 26 36 κ..σατε αὐτοῦ ‖ Mar 14 32
19 28 ὅταν καθίσῃ ὁ υἱὸς τοῦ ἀνθρώπ. ἐπὶ
θρόνου δόξης αὐτοῦ, καθήσεσθε (vl
κ..ίσεσθε) καὶ αὐτοὶ 25 31 τότε κ..ίσει
20 21 εἰπὲ ἵνα καθίσωσιν – εἷς ἐκ δεξιῶν καὶ
εἷς ἐξ εὐωνύμων σου 23 ‖ Mar 10 37
δὸς ἡμῖν ἵνα – καθίσωμεν 40
23 2 ἐπὶ τῆς Μωϋσέως καθέδρας ἐκ..σαν
Mar 9 35 καθίσας[c] ἐφώνησεν τοὺς δώδεκα
11 2 7 ‖ Luc 19 30 ἐφ' ὃν οὐδεὶς – ἐκάθισεν
12 41 καθίσας κατέναντι τοῦ γαζοφυλακ.
[16 19 „ἐκάθισεν (vg *sedet* vl *sedit*) ἐκ δε-
ξιῶν τοῦ θεοῦ"] Eph 1 20 „καθί-
σας[d] ἐν δεξιᾷ αὐτοῦ" Hb 1 3 „ἐκά-
θισεν (vg *sedet* vl *sedit*) ἐν δ. τῆς
μεγαλωσύνης 8 1 „ἐκάθ.[b] ἐν δ." τοῦ
θρόνου τῆς μεγ. 10 12 εἰς τὸ διηνεκὲς
„ἐκάθισεν ἐν δεξιᾷ τοῦ θεοῦ" 12 2
„ἐν δεξιᾷ" – τοῦ θρόνου τοῦ θεοῦ
„κεκάθικεν" (vg *sedet* vl *sedit*)
Luc 4 20 (in synagoga) 5 3 14 28.31 16 6
24 49 καθίσατε ἐν τῇ πόλει ἕως οὗ ἐνδύ.
Joh [8 2 καθίσας ἐδίδασκεν αὐτούς] – 12 14
19 13 ἐπὶ βήματος – Act 12 21 25 6.17
Act 2 3 ἐκάθισεν (vl ..σαν) ἐφ' ἕνα ἕκαστον
– 30 „καθίσαι ἐπὶ τ. θρόνον αὐτοῦ" (Dav.)
8 31 13 14 (in synag.) 16 13 18 11 (Corinthi)
1 Co 6 4 τοὺς ἐξουθενημένους –, τούτους καθ-
ίζετε[d] (vg + *ad iudicandum*);
10 7 „ἐκάθισεν ὁ λαὸς φαγεῖν καὶ πεῖν"
2 Th 2 4 „εἰς τὸν ναὸν τοῦ θεοῦ καθίσαι"
Ap 3 21 δώσω αὐτῷ καθίσαι μετ' ἐμοῦ ἐν τῷ
θρόνῳ μου, ὡς κἀγὼ – ἐκάθισα μετὰ
τοῦ πατρός μου ἐν τῷ θρόνῳ αὐτοῦ
20 4 θρόνους, καὶ „ἐκάθισαν" ἐπ' αὐτούς

καθιστάναι, ..ειν *constituere* [b]*deducere*
Mat 24 45 ὃν κατέστησεν ὁ κύριος ἐπὶ τῆς οἰκε-
τείας αὐτοῦ 47 ἐπὶ πᾶσιν τοῖς ὑπάρ-
χουσιν αὐτοῦ καταστήσει αὐτόν ‖ Luc
12 42 ἐπὶ τῆς θεραπείας αὐτοῦ 44
25 21 ἐπὶ πολλῶν σε καταστήσω 23
Luc 12 14 τίς με κατέστησεν κριτὴν – ἐφ' ὑμᾶς;

Act 6 3 οὓς καταστήσομεν ἐπὶ τῆς χρείας
7 10 „κατέστησεν – ἡγούμενον ἐπ᾽ Αἴγυπ.
– 27 „τίς σε κατέστησεν – δικαστήν –;" 35
17 15 οἱ δὲ καθιστάνοντες b τὸν Παῦλον
Rm 5 19 ὥσπερ – ἁμαρτωλοὶ κατεστάθησαν οἱ
πολλοί, οὕτως καὶ – δίκαιοι κατασταθήσονται οἱ πολλοί
Tit 1 5 ἵνα – καταστήσῃς – πρεσβυτέρους
Hb 5 1 ἀρχιερεὺς – ὑπὲρ ἀνθρώπων καθίσταται τὰ πρὸς τὸν θεόν 7 28 8 3
Jac 3 6 ἡ γλῶσσα καθίσταται ἐν τοῖς μέλεσιν
4 4 ἐχθρὸς τοῦ θεοῦ καθίσταται
2 Pe 1 8 οὐκ ἀργοὺς οὐδὲ ἀκάρπους καθίστησιν εἰς τὴν – Ἰησοῦ Χοῦ ἐπίγνωσιν

καθόλου omnino Act 4 18 μὴ φθέγγεσθαι

καθοπλίζεσθαι armari Luc 11 21

καθορᾶν conspicere Rm 1 20 τὰ γὰρ ἀόρατα αὐτοῦ – νοούμενα καθορᾶται

Καϊαφᾶς Mat 26 3.57 Luc 3 2 Joh 11 49 18 13.14 24.28 Act 4 6

καίειν, ..εσθαι (pass.) ardēre b(κεκαυμένος) accensibilis c(act.) accendere
Mat 5 15 οὐδὲ καίουσιν c λύχνον καὶ τιθέασιν
Luc 12 35 ἔστωσαν ὑμῶν – οἱ λύχνοι κ..όμενοι
24 32 οὐχὶ ἡ καρδία ἡμῶν καιομένη ἦν –;
Joh 5 35 ἦν ὁ λύχνος ὁ καιόμενος καὶ φαίνων
15 6 εἰς τὸ πῦρ βάλλουσιν, καὶ καίεται
1 Co 13 3 ἐὰν παραδῶ τὸ σῶμά μου ἵνα καυθήσομαι (vl ..σωμαι et καυχήσωμαι)
Hb 12 18 οὐ – προσεληλύθατε ψηλαφωμένῳ (vl + ὄρει vg, vlo) καὶ „κεκαυμένῳ b πυρί"
Ap 4 5 ἑπτὰ λαμπάδες πυρὸς καιόμεναι
8 8 „ὡς ὄρος" μέγα „πυρὶ καιόμενον"
– 10 ἀστὴρ – καιόμενος ὡς λαμπάς
19 20 εἰς τὴν λίμνην τοῦ πυρὸς τῆς „καιομένης ἐν θείῳ" 21 8

Κάϊν Hb 11 4 1 Jo 3 12 Jud 11 τῇ ὁδῷ τοῦ Κάϊν

Καϊνάμ Luc 3 36.37

καινός novus
Mat 9 17 οἶνον νέον εἰς ἀσκοὺς καινούς ‖ Mar
2 21 αἴρει – τὸ καινὸν τοῦ παλαιοῦ [22]
Luc 5 36 ἀπὸ ἱματίου καινοῦ σχίσας –᾽
– καὶ τὸ καινὸν σχίσει – τὸ ἐπίβλημα

τὸ ἀπὸ τοῦ καινοῦ 38 εἰς ἀσκ. καιν.
Mat 13 52 ἐκβάλλει – καινὰ καὶ παλαιά
26 28 τὸ αἷμά μου „τῆς (vl + καινῆς vg) διαθήκης" 29 ἕως – ὅταν αὐτὸ πίνω – καινόν ‖ Mar 14 (24 vl, vg) 25
27 60 ἐν τῷ καινῷ αὐτοῦ μνημείῳ Joh 19 41
Mar 1 27 διδαχὴ καινὴ κατ᾽ ἐξουσίαν·
[16 17 γλώσσαις λαλήσουσιν καιναῖς (vlo)]
Luc 22 20 ἡ καινὴ „διαθήκη" ἐν „τῷ αἵμ. μου"
Joh 13 34 ἐντολὴν καινὴν δίδωμι ὑμῖν 1 Jo 2 7
οὐκ ἐντ. καινὴν γράφω ὑμῖν 8 πάλιν ἐντ. και. 2 Jo 5 οὐχ ὡς ἐντολὴν και.
Act 17 19 τίς ἡ καινὴ αὕτη – διδαχή; 21 λέγειν τι ἢ ἀκούειν τι καινότερον
1 Co 11 25 τοῦτο τὸ ποτήριον ἡ καινὴ „διαθήκη" ἐστὶν ἐν „τῷ" ἐμῷ „αἵματι"
2 Co 3 6 ἡμᾶς διακόνους καινῆς διαθήκης
5 17 εἴ τις ἐν Χῷ, καινὴ κτίσις·– ἰδοὺ γέγονεν καινά Gal 6 15 καινὴ κτίσις
Eph 2 15 ἵνα τοὺς δύο κτίσῃ ἐν αὐτῷ εἰς ἕνα καινὸν ἄνθρωπον ποιῶν εἰρήνην
4 24 ἐνδύσασθαι τὸν καινὸν ἄνθρωπον
Hb 8 8 „συντελέσω – διαθήκην καινήν" 13 ἐν τῷ λέγειν „καινήν" πεπαλαίωκεν τὴν πρώτην 9 15 διαθήκης κ..ῆς μεσίτης
2 Pe 3 13 „καινοὺς δὲ οὐρανοὺς καὶ γῆν καινήν" – προσδοκῶμεν Ap 21 1 εἶδον „οὐρανὸν καινὸν καὶ γῆν καινήν"
Ap 2 17 „ὄνομα καινὸν" γεγραμμένον 3 12
3 12 τῆς καινῆς Ἰερουσαλήμ 21 2
5 9 „ᾄδουσιν ᾠδὴν καινήν" 14 3
21 5 „ἰδοὺ καινὰ ποιῶ" πάντα

καινότης novitas Rm 6 4 ἵνα καὶ ἡμεῖς ἐν κ..τι ζωῆς περιπατήσωμεν 7 6 ὥστε δουλεύειν [ἡμᾶς] ἐν καινότητι πνεύματος

καιρός tempus b momentum
Mat 8 29 ἦλθες – πρὸ καιροῦ βασανίσαι ἡμᾶς;
11 25 ἐν ἐκείνῳ τῷ κ. 12 1 14 1 – Luc 13 1
13 30 ἐν καιρῷ τοῦ θερισμοῦ ἐρῶ 21 34 ὅτε – ἤγγισεν ὁ κ. τῶν καρπῶν 41 τοὺς καρποὺς ἐν τοῖς κ. αὐτῶν ‖ Mar 12 2
τῷ καιρῷ Luc 20 10 καιρῷ – Mar 11
13 ὁ γὰρ καιρὸς οὐκ ἦν σύκων
[16 3 τὰ δὲ σημεῖα τῶν καιρῶν οὐ δύνασθε;] ‖ Luc 12 56 τὸν καιρὸν δὲ τοῦτον πῶς οὐ δοκιμάζετε;
24 45 τοῦ δοῦναι αὐτοῖς τὴν τροφὴν ἐν καιρῷ; ‖ Luc 12 42 τὸ σιτομέτριον
26 18 ὁ καιρός μου ἐγγύς ἐστιν
Mar 1 15 πεπλήρωται ὁ κ. καὶ ἤγγικεν ἡ βασ.

Mar 1030 ἐὰν μὴ λάβῃ ἑκατονταπλασίονα νῦν
ἐν τῷ κ. τούτῳ ‖ Luc 1830 πολλαπλ.
1333 οὐκ οἴδατε γὰρ πότε ὁ καιρός ἐστιν
Luc 120 πληρωθήσονται εἰς τὸν καιρ. αὐτῶν
413 ἀπέστη ἀπ᾽ αὐτοῦ ἄχρι καιροῦ
813 οἳ πρὸς καιρὸν πιστεύουσιν καὶ ἐν
καιρῷ πειρασμοῦ ἀφίστανται
1944 ἀνθ᾽ ὧν οὐκ ἔγνως τὸν καιρὸν τῆς
ἐπισκοπῆς σου
21 8 λέγοντες· – ὁ καιρὸς ἤγγικεν
– 24 ἄχρι οὗ πληρωθῶσιν καιροὶ ἐθνῶν
– 36 ἀγρυπνεῖτε – ἐν παντὶ και. δεόμενοι
Joh (5 4 vl ἄγγελος–κατὰ καιρὸν κατέβαινεν)
7 6 ὁ καιρὸς ὁ ἐμὸς οὔπω πάρεστιν, ὁ
δὲ κ. ὁ ὑμέτ. πάντοτέ ἐστιν ἕτοιμος
– 8 ὁ ἐμὸς καιρὸς οὔπω πεπλήρωται
Act 1 7 οὐχ ὑμῶν ἐστιν γνῶναι χρόνους (tem-
pora) ἢ καιροὺς[b] οὓς ὁ πατὴρ ἔθετο
320 ὅπως ἂν ἔλθωσιν καιροὶ ἀναψύξεως
720 ἐν ᾧ κ. 121 κατ᾽ ἐκεῖνον τὸν κ. 1923
1311 ἔσῃ τυφλὸς – ἄχρι καιροῦ
1417 ὑετοὺς – καὶ καιροὺς καρποφόρους
1726 ὁρίσας προστεταγμένους καιρούς
2425 καιρὸν δὲ μεταλαβών (vl καιρῷ δὲ
ἐπιτηδείῳ vg tempore opportuno)
Rm 326 πρὸς – ἔνδειξιν τῆς δικαιοσ. αὐτοῦ ἐν
τῷ νῦν καιρῷ 818 τὰ παθήματα τοῦ
νῦν κ. 115 καὶ ἐν τῷ νῦν κ. λεῖμμα
2 Co 814 ἐν τῷ νῦν κ. τὸ ὑμῶν περίσσ.
5 6 ἔτι κατὰ καιρὸν ὑπὲρ ἀσεβῶν ἀπέθα-
νεν (8 vg secundum tempus, vlᵒ)
9 9 „κατὰ τὸν καιρὸν τοῦτον ἐλεύσομαι"
(1211 vl τῷ καιρῷ δουλεύοντες, vg domino)
1311 εἰδότες τὸν καιρόν, ὅτι ὥρα ἤδη
1 Co 4 5 ὥστε μὴ πρὸ καιροῦ τι κρίνετε
7 5 εἰ μήτι ἂν – πρὸς καιρόν – 1 Th 217
ἀπορφανισθέντες–πρὸς καιρὸν ὥρας
– 29 ὁ καιρὸς συνεσταλμένος ἐστίν
2 Co 6 2 „καιρῷ δεκτῷ ἐπήκουσά σου" – · ἰδοὺ
νῦν „καιρὸς εὐπρόσδεκτος"
Gal 410 παρατηρεῖσθε – μῆνας καὶ καιρούς
6 9 καιρῷ – ἰδίῳ θερίσομεν 10 ὡς καιρὸν
ἔχωμεν (vl ἔχομεν), ἐργαζώμεθα
Eph 110 εἰς οἰκονομίαν τοῦ πληρώμ. τῶν και.
212 ὅτι ἦτε τῷ καιρῷ ἐκείνῳ χωρὶς Χοῦ
516 ἐξαγοραζόμενοι τὸν καιρόν Col 45
618 προσευχόμενοι ἐν παντὶ καιρῷ
1 Th 5 1 περὶ – τῶν χρόνων (temp.) καὶ τῶν
κ.[b] – οὐ χρείαν ἔχετε ὑμῖν γράφεσθαι
2 Th 2 6 εἰς τὸ ἀποκαλυφθῆναι αὐτὸν ἐν τῷ
αὐτοῦ καιρῷ
1 Ti 2 6 τὸ μαρτύριον καιροῖς ἰδίοις

1 Ti 4 1 ἐν ὑστέροις κ..οῖς ἀποστήσονταί τινες
615 ἐπιφανείας – Χοῦ, ἣν καιροῖς ἰδίοις
δείξει ὁ – μόνος δυνάστης
2 Ti 3 1 ἐνστήσονται κ..οὶ χαλεποί 43 ἔσται –
καιρὸς ὅτε τῆς ὑγιαινούσης διδασκα-
λίας οὐκ ἀνέξονται
4 6 ὁ κ. τῆς ἀναλύσεώς μου ἐφέστηκεν
Tit 1 3 ἐφανέρωσεν – κ..οῖς ἰδίοις τὸν λόγον
Hb 9 9 παραβολὴ εἰς τὸν καιρὸν τὸν ἐνεστη-
κότα 10 μέχρι καιροῦ διορθώσεως
1111 παρὰ καιρὸν ἡλικίας
– 15 εἶχον ἂν καιρὸν ἀνακάμψαι
1 Pe 1 5 εἰς σωτηρίαν ἑτοίμην ἀποκαλυφθῆ-
ναι ἐν καιρῷ ἐσχάτῳ 11 εἰς τίνα ἢ
ποῖον καιρὸν ἐδήλου τὸ – πνεῦ. Χοῦ
417 [ὁ] καιρὸς τοῦ ἄρξασθαι τὸ κρίμα
5 6 ἵνα ὑμᾶς ὑψώσῃ ἐν καιρῷ (vl + ἐπι-
σκοπῆς vg visitationis)
Ap 1 3 ὁ γὰρ καιρὸς ἐγγύς 2210
1118 ἦλθεν – ὁ και. τῶν νεκρῶν κριθῆναι
1212 εἰδὼς ὅτι ὀλίγον καιρὸν ἔχει
– 14 „καιρὸν καὶ κ..οὺς καὶ ἥμισυ κ..οῦ"

Καῖσαρ Caesar

Mat 2217 δοῦναι κῆνσον Κ..ι ἢ οὔ; 21 λέγου-
σιν· Κ..ος. – ἀπόδοτε – τὰ Κ..ος Κ..ι ‖ Mar
1214.16.17 Luc 2022 Κ..ι φόρον δοῦναι 24.
25 – 232 κωλύοντα φόρους Κ..ι διδόναι
Luc 2 1 δόγμα παρὰ Καίσαρος Αὐγούστου
3 1 τῆς ἡγεμονίας Τιβερίου Καίσαρος
Joh 1912 οὐκ εἶ φίλος τοῦ Κ.· – ἀντιλέγει τῷ
Κ. 15 οὐκ ἔχομεν βασιλέα εἰ μὴ Κ..α
Act 17 7 ἀπέναντι τῶν δογμάτων Κ..ος πράσ-
σουσιν 258 οὔτε εἰς Κ..ά τι ἥμαρτον 10 ἑ-
στὼς ἐπὶ τοῦ βήματος Κ..ός εἰμι 11 Κ..α
ἐπικαλοῦμαι 12 2632 2819 – 2521 2724
Phl 422 μάλιστα – οἱ ἐκ τῆς Καίσαρος οἰκίας

Καισάρεια 1) ἡ Φιλίππου Mat 1613 ‖ Mar 827
2) Caes. Palaestinae Act 840 930 101.24
1111 1219 1822 218.16 2323.33 251.4.6.13

κακία malitia [b]nequitia

Mat 634 ἀρκετὸν τῇ ἡμέρᾳ ἡ κακία αὐτῆς
Act 822 μετανόησον – ἀπὸ τῆς κακίας[b] σου
Rm 129 πεπληρωμένους πάσῃ – κακίᾳ[b]
1 Co 5 8 μηδὲ ἐν ζύμῃ κακίας καὶ πονηρίας
1420 ἀλλὰ τῇ κακίᾳ νηπιάζετε
Eph 431 ἀρθήτω ἀφ᾽ ὑμῶν σὺν πάσῃ κακίᾳ
Col 3 8 ἀπόθεσθε καὶ ὑμεῖς – θυμόν, κακίαν
Tit 3 3 ἐν κακίᾳ καὶ φθόνῳ διάγοντες
Jac 121 ἀποθέμενοι – περισσείαν κακίας

1 Pe 2 1 ἀποθέμενοι – πᾶσαν κ..αν καὶ – δόλον
– 16 μὴ ὡς ἐπικάλυμμα ἔχοντες τῆς κακίας τὴν ἐλευθερίαν

κακοήθεια *malignitas* Rm 1 29 μεστούς–κ..ας

κακολογεῖν *maledicere* (vl *male dicere*) alicui ᵇ*male loqui de*
Mat 15 4 „ὁ κ..ῶν πατέρα ἢ μητέρα" ‖ Mar 7 10
Mar 9 39 οὐδεὶς – δυνήσεται ταχὺ κ..ῆσαί ᵇ με
Act 19 9 κ..οῦντες τὴν ὁδὸν ἐνώπ. τοῦ πλήθ.

κακοπαθεῖν *laborare* ᵇ*tristari*
2 Ti 2 9 ἐν ᾧ (sc εὐαγγ.) κ..ῶ μέχρι δεσμῶν
4 5 κ..ησον, ἔργον ποίησον εὐαγγελιστοῦ
Jac 5 13 κ..εῖ ᵇ τις ἐν ὑμῖν; προσευχέσθω

κακοπαθία *labor* Jac 5 10 ὑπόδειγμα λάβετε,
–, τῆς κ..ίας – τοὺς προφήτας, οἵ

κακοποιεῖν *malefacere* (*male facere*)
Mar 3 4 ἔξεστιν τοῖς σάββασιν ἀγαθὸν ποιῆσαι ἢ κακοποιῆσαι –; ‖ Luc 6 9
1 Pe 3 17 κρεῖττον – ἀγαθοποιοῦντας, –, πάσχειν ἢ κακοποιοῦντας
3 Jo 11 ὁ κακοποιῶν οὐχ ἑώρακεν τὸν θεόν

κακοποιός *malefactor* ᵇ*maledicus* (..*fic.*?)
1 Pe 2 12 ἐν ᾧ καταλαλοῦσιν ὑμῶν ὡς κ..ῶν
– 14 πεμπομένοις εἰς ἐκδίκησιν κ..ῶν
4 15 μὴ – τις – πασχέτω ὡς κακοποιός ᵇ

κακός *malus* et *malum* ᵇ*saevus*
1) personis attributum
Mat 21 41 κακοὺς κακῶς ἀπολέσει αὐτούς
24 48 ἐὰν δὲ εἴπῃ ὁ κακὸς δοῦλος ἐκεῖνος
Phl 3 2 βλέπετε τοὺς κακοὺς ἐργάτας
Tit 1 12 κακὰ θηρία, γαστέρες ἀργαί
Ap 2 2 ὅτι οὐ δύνῃ βαστάσαι κακούς

2) de rebus dictum
Mar 7 21 οἱ διαλογισμοὶ οἱ κακ. ἐκπορεύονται
Rm 13 3 οὐκ εἰσὶν φόβος τῷ ἀγαθῷ ἔργῳ (vl ἀγαθοεργῷ) ἀλλὰ τῷ κακῷ
1 Co 15 33 φθείρουσιν ἤδη χρηστὰ ὁμιλίαι κακαί
Col 3 5 νεκρώσατε – πάθος, ἐπιθυμίαν κακήν
Ap 16 2 ἐγένετο ἕλκος κακὸν ᵇ καὶ πονηρόν

3) κακόν, τὸ κακόν
Mat 27 23 τί γὰρ κακὸν ἐποίησεν; ‖ Mar 15 14
Luc 23 22 cfr Joh 18 30 εἰ μὴ ἦν οὗτος κακὸν ποιῶν (vl κακοποιός vg *malefactor*)

Luc 16 25 Λάζαρ. ὁμοίως τὰ κ. (sc ἀπέλαβεν)
Joh 18 23 μαρτύρησον περὶ τοῦ κακοῦ· εἰ δέ
Act 9 13 ὅσα κακὰ τοῖς ἁγίοις – ἐποίησεν ἐν
16 28 μηδὲν πράξῃς σεαυτῷ κακόν
23 9 οὐδὲν κακὸν εὑρίσκομεν ἐν τῷ ἀνθ.
28 5 (Παῦλος) ἔπαθεν οὐδὲν κακόν
Rm 1 30 ἀλαζόνας, ἐφευρετὰς κακῶν
2 9 τοῦ κατεργαζομένου τὸ κακόν
3 8 ποιήσωμεν τὰ κ. ἵνα ἔλθῃ τὰ ἀγαθά
7 (15 vg *quod odi malum* vl⁰) 19 ὃ οὐ θέλω κακὸν τοῦτο πράσσω 21 εὑρίσκω ἄρα –, ὅτι ἐμοὶ τὸ κ. παράκειται
12 17 μηδενὶ κακὸν ἀντὶ κακοῦ ἀποδιδόντες 1 Th 5 15 μή τις κακὸν ἀντὶ κακοῦ τινι ἀποδῷ 1 Pe 3 9
– 21 μὴ νικῶ ὑπὸ τοῦ κακοῦ, ἀλλὰ νίκα ἐν τῷ ἀγαθῷ τὸ κακόν
13 4 ἐὰν δὲ τὸ κακὸν ποιῇς, φοβοῦ· – ἔκδικος εἰς ὀργὴν τῷ τὸ κ. πράσσοντι
– 10 τῷ πλησίον κακὸν οὐκ ἐργάζεται
14 20 πάντα μὲν καθαρά, ἀλλὰ κακὸν – τῷ διὰ προσκόμματος ἐσθίοντι
16 19 ὑμᾶς – εἶναι – ἀκεραίους – εἰς τὸ κακ.
1 Co 10 6 μὴ εἶναι ἡμᾶς ἐπιθυμητὰς κακῶν
13 5 ἡ ἀγάπη – „οὐ λογίζεται τὸ κακόν"
2 Co 13 7 μὴ ποιῆσαι ὑμᾶς κακὸν μηδέν
1 Ti 6 10 ῥίζα – πάντων τῶν κ. – ἡ φιλαργυρία
2 Ti 4 14 Ἀλέξ. – πολλά μοι κακὰ ἐνεδείξατο
Hb 5 14 πρὸς διάκρισιν καλοῦ τε καὶ κακοῦ
Jac 1 13 ὁ – θεὸς ἀπείραστός ἐστιν κακῶν
3 8 ἀκατάστατον κακόν, μεστὴ ἰοῦ
1 Pe 3 9 → Rm 12 17 – 1 Pe 3 10 „παυσάτω τὴν γλῶσσαν ἀπὸ κακοῦ" 11 „ἐκκλινάτω – ἀπὸ κακοῦ" 12 „ἐπὶ ποιοῦντας κακά"
3 Jo 11 μὴ μιμοῦ τὸ κακὸν ἀλλὰ τὸ ἀγαθόν

κακοῦν *affligere* ᵇ*male tractare* ᶜ*nocēre* ᵈ*ad iracundiam concitare*
Act 7 6 ᵇ 19 12 1 κακῶσαί τινας ἀπὸ τῆς ἐκκλησίας 14 2 ἐκάκωσαν ᵈ τὰς ψυχὰς τῶν ἐθνῶν κατὰ τῶν ἀδελφῶν 18 10 οὐδεὶς ἐπιθήσεταί σοι τοῦ κακῶσαί ᶜ σε
1 Pe 3 13 τίς ὁ κακώσων ᶜ ὑμᾶς ἐὰν τοῦ ἀγαθοῦ ζηλωταὶ γένησθε;

κακοῦργος *latro* ᵇ*nequam* ᶜ*male operans*
Luc 23 32 ἕτεροι κακοῦργοι ᵇ δύο 33.39
2 Ti 2 9 ἐν ᾧ κακοπαθῶ – ὡς κακοῦργος ᶜ

κακουχεῖσθαι *affligi* ᵇ*laborare*
Hb 11 37 θλιβόμενοι, κακουχούμενοι
13 3 μιμνήσκεσθε –, τῶν κακουχουμένων ᵇ

κακῶς *male,* (κ. ἔχειν) *male (se) habere* ᵇ(κ. ἔχ.) *vexari* ᶜ(κ. εἰπεῖν) *maledicere*
Mat 4 24 προσήνεγκαν – τοὺς κ. ἔχοντας 8 16 ‖
     Mar 1 32.34ᵇ – Mat 14 35 ‖ Mar 6 55 –
     Mat 17 15 κ. ἔχει (vl πάσχει vg) Luc 7 2
    9 12 ἀλλ' οἱ κακῶς ἔχοντες (sc χρείαν ἔ-
     χουσιν ἰατροῦ) ‖ Mar 2 17   Luc 5 31
   15 22 ἡ θυγάτηρ μου κακῶς δαιμονίζεται
   21 41 κακοὺς κακῶς ἀπολέσει αὐτούς
Joh 18 23 εἰ κακῶς ἐλάλησα, μαρτύρησον
Act 23 5 „ἄρχοντα τοῦ λαοῦ – οὐκ ἐρεῖς κ.ᶜ"
Jac   4 3 οὐ λαμβάνετε, διότι κακῶς αἰτεῖσθε

κάκωσις *afflictio* Act 7 34 „ἐν Αἰγύπτῳ"

καλάμη *stipula* 1 Co 3 12 χόρτον, καλάμην

κάλαμος *arundo* (har.) ᵇ*calamus*
Mat 11 7 κ..ον ὑπὸ ἀνέμου σαλευόμ. ‖ Luc 7 24
   12 20 „κ..ον συντετριμμένον οὐ κατεάξει"
   27 29 κ..ον ἐν τῇ δεξιᾷ αὐτοῦ 30 ‖ Mar 15 19
   – 48 σπόγγον – περιθεὶς κ..ῳ ‖ Mar 15 36ᵇ
3 Jo   13 οὐ θέλω διὰ μέλανος καὶ καλάμουᵇ
Ap 11 1 ἐδόθη μοι κ.ᵇ 21 15 „μέτρον κ..ον"
   (*mensura arundinea*) χρυσοῦν 16

καλεῖν *vocare* ᵇ*invitare* ᶜ*appellare* ᵈ*citare* ᵉ*cognominare* ᶠ*nominare*

1) *advocare, arcessere, invitare*
Mat 2 7 λάθρα καλέσας τοὺς μάγους – 15
     „ἐξ Αἰγύπτου ἐκάλεσα τὸν υἱόν μου"
   4 21 καὶ ἐκάλεσεν αὐτούς ‖ Mar 1 20
   9 13 οὐ γὰρ ἦλθον καλέσαι δικαίους ἀλλὰ
     ἁμαρτωλούς ‖ Mar 2 17 Luc 5 32 ἁμαρτ.
     (vl ἀσεβεῖς) εἰς μετάνοιαν
   20 8 κάλεσον τοὺς ἐργάτας 22 3 καλέσαι
     τοὺς κεκλημένουςᵇ εἰς τοὺς γάμους
     4ᵇ 8 οἱ δὲ κεκλ.ᵇ οὐκ ἦσαν ἄξιοι 9
     ὅσους ἐὰν εὕρητε καλέσατε ‖ Luc 14
     16 ἐκάλεσεν πολλούς 17 εἰπεῖν τοῖς
     κεκλ.ᵇ 24 οὐδεὶς – τῶν κεκλ. γεύσεταί
     μου τοῦ δείπνου
   25 14 ἐκάλεσεν τοὺς – δούλους ‖ Luc 19 13
Mar 3 31 καλοῦντες (vl φωνοῦντες) αὐτόν
Luc 7 39 ὁ Φαρισαῖος ὁ καλέσας αὐτόν
   14 7 πρὸς τοὺς κεκλημένουςᵇ 8 ὅταν κλη-
     θῇςᵇ ὑπό τινος –, –, μήποτε ἐντιμό-
     τερός σου ᾖ κεκλ.ᵇ 9.10.10ᵇ.12 ἔλεγεν
     – τῷ κεκληκότιᵇ 13 ὅταν δοχὴν ποι-
     ῇς, κάλει πτωχούς – 16 → Mat 20 8
Joh 2 2 ἐκλήθη – καὶ ὁ Ἰησ. καὶ οἱ μαθηταί
Act 4 18 24 2 κληθέντοςᵈ δὲ [αὐτοῦ]

Rm 4 17 τοῦ – καλοῦντος τὰ μὴ ὄντα ὡς ὄντα
   8 30 τούτους καὶ ἐκάλεσεν· καὶ οὓς ἐκά-
     λεσεν, τούτους καὶ ἐδικαίωσεν
   9 12 οὐκ ἐξ ἔργων ἀλλ' ἐκ τοῦ κ..οῦντος
   – 24 οὓς καὶ ἐκάλεσεν ἡμᾶς οὐ μόνον ἐξ
     Ἰουδαίων ἀλλὰ καὶ ἐξ ἐθνῶν
1 Co 1 9 θεός, δι' οὗ ἐκλήθητε εἰς κοινωνίαν
   7 15 ἐν – εἰρήνῃ κέκληκεν ὑμᾶς ὁ θεός
   – 17 ἕκαστον ὡς κέκληκεν ὁ θεός, οὕτως
     περιπατείτω 18 περιτετμημένος τις
     ἐκλήθη; – ἐν ἀκροβυστίᾳ κέκληταί
     τις; 20 ἐν τῇ κλήσει ᾗ ἐκλήθη, ἐν
     ταύτῃ μενέτω
   – 21 δοῦλος ἐκλήθης; 22 ὁ – ἐν κυρίῳ κλη-
     θεὶς δοῦλος ἀπελεύθερος κυρίου –·
     – ὁ ἐλεύθερος κληθεὶς δοῦλός ἐστιν
     Χοῦ 24 ἐν ᾧ ἐκλήθη, – μενέτω
   10 27 εἴ τις καλεῖ ὑμᾶς τῶν ἀπίστων
Gal 1 6 ὅτι οὕτως ταχέως μετατίθεσθε ἀπὸ
     τοῦ καλέσαντος ὑμᾶς 5 8 ἡ πεισμονὴ
     οὐκ ἐκ τοῦ καλοῦντος ὑμᾶς
   – 15 ὁ ἀφορίσας με – καὶ καλέσας
   5 13 ὑμεῖς – ἐπ' ἐλευθερίᾳ ἐκλήθητε
Eph (1 11 vl ἐν ᾧ καὶ ἐκλήθημεν)
   4 1 ἀξίως – τῆς κλήσεως ἧς ἐκλήθητε
   – 4 ἐκλήθητε ἐν μιᾷ ἐλπίδι τῆς κλήσεως
Col (1 12 vl τῷ καλέσαντι ὑμᾶς εἰς τ. μερίδα)
   3 15 ἡ εἰρήνη τοῦ Χοῦ –, εἰς ἣν καὶ ἐ-
     κλήθητε ἐν ἑνὶ σώματι
1 Th 2 12 τοῦ καλοῦντος (vl καλέσαντος vg)
     ὑμᾶς εἰς τὴν ἑαυτοῦ βασ. καὶ δόξαν
   4 7 οὐ γὰρ ἐκάλεσεν ἡμᾶς ὁ θεὸς ἐπὶ
     ἀκαθαρσίᾳ ἀλλ' ἐν ἁγιασμῷ
   5 24 πιστὸς ὁ καλῶν (vg vocavit) ὑμᾶς
2 Th 2 14 εἰς ὃ καὶ ἐκάλεσεν ὑμᾶς διὰ τοῦ εὐ.
1 Ti 6 12 αἰων. ζωῆς, εἰς ἣν (vl + καὶ) ἐκλήθης
2 Ti 1 9 τοῦ – ἡμᾶς – καλέσαντος κλήσει ἁγίᾳ
Hb 5 4 ἀλλὰ καλούμενος ὑπὸ τοῦ θεοῦ
   9 15 ὅπως – τὴν ἐπαγγελίαν λάβωσιν οἱ
     κεκλημένοι τῆς αἰωνίου κληρονομίας
   11 8 πίστει καλούμενος Ἀβρ. ὑπήκουσεν
1 Pe 1 15 κατὰ τὸν καλέσαντα ὑμᾶς ἅγιον
   2 9 τοῦ ἐκ σκότους ὑμᾶς καλέσαντος εἰς
     τὸ θαυμαστὸν αὐτοῦ φῶς
   – 21 εἰς τοῦτο – ἐκλήθητε (sc εἰς τὸ πά-
     σχοντας ὑπομένειν) 3 9 εἰς τοῦτο ἐ-
     κλήθητε ἵνα εὐλογίαν κληρονομήσητε
   5 10 ὁ καλέσας ὑμᾶς (vl ἡμᾶς vg) εἰς
     τὴν αἰώνιον αὐτοῦ δόξαν ἐν Χῷ
2 Pe 1 3 τοῦ καλέσαντος ἡμᾶς ἰδίᾳ δόξῃ
Ap 19 9 μακάριοι οἱ εἰς τὸ δεῖπνον τοῦ γάμου
     τοῦ ἀρνίου κεκλημένοι

*2) nomen alicui dare, appellare

Mat 5 9 υἱοὶ θεοῦ κληθήσονται 19 ἐλάχιστος κληθήσεται – · – μέγας κληθήσεται ἐν τῇ βασιλείᾳ τῶν οὐρανῶν
21 13 „οἶκος προσευχῆς κληθήσεται" ‖ Mar 11 17 „πᾶσιν τοῖς ἔθνεσιν"
22 43 πῶς – Δαυὶδ ἐν πνεύματι καλεῖ αὐτὸν κύριον – ; 45 ‖ Luc 20 44
23 7 φιλοῦσιν – καλεῖσθαι – ῥαββί 8 ὑμεῖς δὲ μὴ κληθῆτε ῥαββί 9 καὶ πατέρα μὴ καλέσητε ὑμῶν ἐπὶ τῆς γῆς 10 μηδὲ κληθῆτε καθηγηταί

Luc 1 32 υἱὸς ὑψίστου κληθήσεται 35 θεοῦ
– 76 προφήτης ὑψίστου κληθήσῃ
2 23 „ἅγιον τῷ κυρίῳ κληθήσεται"
6 46 τί – με καλεῖτε· κύριε κύριε
15 19 οὐκέτι εἰμὶ ἄξ. κληθῆναι υἱός σου 21
22 25 οἱ ἐξουσιάζοντες αὐτῶν εὐεργέται καλοῦνται

Act 8 10 οὗτός ἐστιν ἡ δύναμις τοῦ θεοῦ ἡ καλουμένη (vl λεγομένη) μεγάλη

Rm 9 7 „ἐν Ἰσαὰκ κληθήσεταί σοι σπέρμα" Hb 11 18 – Rm 9 25 „καλέσω τὸν οὐ λαόν μου λαόν μου" 26 „κληθήσονται υἱοὶ θεοῦ ζῶντος"

1 Co 15 9 οὐκ εἰμὶ ἱκανὸς καλεῖσθαι ἀπόστολος

Hb 2 11 δι᾽ ἣν αἰτίαν οὐκ ἐπαισχύνεται „ἀδελφοὺς" αὐτοὺς καλεῖν
3 13 ἄχρις οὗ τὸ „σήμερον" καλεῖται e

Jac 2 23 καὶ „φίλος θεοῦ" ἐκλήθη c

1 Pe 3 6 Σάρρα – , „κύριον αὐτὸν καλοῦσα"

1 Jo 3 1 ποταπὴν ἀγάπην δέδωκεν ἡμῖν – ἵνα τέκνα θεοῦ κληθῶμεν f, καὶ ἐσμέν

Ap 11 8 ἥτις καλεῖται πνευματικῶς „Σόδομα" καὶ Αἴγυπτος 12 9 ὁ ὄφις – ὁ καλούμενος „Διάβολος" καὶ „ὁ Σατανᾶς"
16 16 τόπον τὸν καλούμ. Ἑβρ. Ἁρμαγεδών
19 11 πιστὸς καλούμενος καὶ ἀληθινός
– 13 κέκληται τὸ ὄνομα αὐτοῦ ὁ λόγος (vel Λόγος) τοῦ θεοῦ

καλλιέλαιος S° – bona oliva Rm 11 24

καλοδιδάσκαλος S° – bene docens Tit 2 3

Καλοὶ λιμένες Boniportus Act 27 8

καλοποιεῖν S° – benefacere
2 Th 3 13 μὴ ἐγκακήσητε καλοποιοῦντες

καλός bonus b optimus (Hb 13 9)
1) personis attributum
Joh 10 11 ἐγώ εἰμι ὁ ποιμὴν ὁ καλός. ὁ ποιμὴν

ὁ καλὸς τὴν ψυχὴν αὐτοῦ τίθησιν 14

1 Ti 4 6 καλ. ἔσῃ διάκονος Χοῦ 2 Ti 2 3 συγκακοπάθησον ὡς κ. στρατιώτης Χοῦ

1 Pe 4 10 ὡς καλοὶ οἰκονόμοι – χάριτος θεοῦ

2) rebus attributum

ἔργον καλόν, ἔργα καλά → ἔργον 1)
Joh 10 32 et 2c) Mat 5 16 26 10 1 Ti 3 1
5 10.25 6 18 Tit 2 7.14 3 8.14 Hb 10 24 1 Pe
2 12 – vg ubique bonum, bona habet

Mat 3 10 δένδρον μὴ ποιοῦν καρπὸν καλὸν ‖ Luc 3 9 (vl om καλόν, vg bonum vl°)
7 17 δένδρον ἀγαθὸν καρποὺς καλοὺς ποιεῖ 18.19 δένδρον μὴ ποιοῦν καρπὸν καλόν Mat 12 33 ποιήσατε τὸ δένδρον καλὸν καὶ τὸν καρπὸν αὐτοῦ καλόν ‖ Luc 6 43 οὐ – δένδρον καλὸν ποιοῦν καρπὸν σαπρόν, οὐδὲ – δένδρον σαπρὸν ποιοῦν καρπὸν καλόν
13 8 ἐπὶ τὴν γῆν τὴν κ. 23 ‖ Mar 4 8.20 Luc 8 15 τὸ – ἐν τῇ κ. γῇ, – οἵτινες ἐν καρδίᾳ καλῇ – τὸν λόγον κατέχουσιν
– 24 σπείραντι καλὸν σπέρμα 27.37.38
– 45 ζητοῦντι καλοὺς μαργαρίτας
– 48 συνέλεξαν τὰ κ. (vg bonos) εἰς ἄγγη

Mar 9 50 καλὸν τὸ ἅλας ‖ Luc 14 34

Luc 6 38 μέτρον καλὸν πεπιεσμένον σεσαλευ.
21 5 ὅτι λίθοις καλοῖς – κεκόσμηται

Joh 2 10 πρῶτον τὸν καλὸν οἶνον τίθησιν, – · σὺ τετήρηκας τὸν καλὸν οἶνον

Rm 7 16 σύμφημι τῷ νόμῳ ὅτι καλός 1 Ti 1 8

1 Co 5 6 οὐ καλὸν τὸ καύχημα ὑμῶν

1 Ti 1 18 ἵνα στρατεύῃ – τὴν καλὴν στρατείαν
2 3 τοῦτο καλὸν καὶ ἀπόδεκτον ἐνώπιον τοῦ – θεοῦ Tit 3 8 ταῦτά ἐστιν καλὰ καὶ ὠφέλιμα τοῖς ἀνθρώποις
3 7 δεῖ – καὶ μαρτυρίαν καλὴν ἔχειν
– 13 βαθμὸν ἑαυτοῖς καλὸν περιποιοῦνται
4 4 ὅτι πᾶν κτίσμα θεοῦ καλόν
– 6 τοῖς λόγοις – τῆς καλῆς διδασκαλίας
6 12 τὸν καλὸν ἀγῶνα τῆς πίστ. 2 Ti 4 7
– – τὴν καλὴν ὁμολογίαν 13 (Jesu)
– 19 ἑαυτοῖς θεμέλιον καλ. εἰς τὸ μέλλον

2 Ti 1 14 τὴν καλὴν παραθήκην φύλαξον

Hb 6 5 καλὸν γευσαμένους θεοῦ ῥῆμα
13 18 πειθόμεθα γὰρ ὅτι καλὴν συνείδησιν ἔχομεν

Jac 2 7 οὐκ αὐτοὶ βλασφημοῦσιν τὸ καλὸν ὄνομα τὸ ἐπικληθὲν ἐφ᾽ ὑμᾶς;
3 13 δειξάτω ἐκ τῆς καλῆς ἀναστροφῆς

1 Pe 2 12 τὴν ἀναστροφὴν ὑμῶν ἐν τοῖς ἔθνεσιν ἔχοντες καλήν

3) (τὸ) καλόν, (τὰ) καλά (subst.)

Rm 7 18 τὸ δὲ κατεργάζεσθαι τὸ καλὸν οὔ
– 21 τῷ θέλοντι ἐμοὶ ποιεῖν τὸ καλόν
12 17 „προνοούμενοι καλὰ ἐνώπ." πάντων
2 Co 8 21 „προνοοῦμεν – καλὰ – ἐνώπ. κυρίου"
13 7 ἀλλ᾿ ἵνα ὑμεῖς τὸ καλὸν ποιῆτε
Gal 4 18 καλὸν – ζηλοῦσθαι ἐν καλῷ πάντοτε
6 9 τὸ – καλὸν ποιοῦντες μὴ ἐγκακῶμεν
1 Th 5 21 πάντα – δοκιμάζετε, τὸ κ. κατέχετε
Hb 5 14 πρὸς διάκρισιν καλοῦ τε καὶ κακοῦ
Jac 4 17 εἰδότι – καλὸν ποιεῖν καὶ μὴ ποιοῦντι

4) καλόν (ἐστιν) sequ. inf., ἐάν, εἰ

Mat 15 26 οὐκ ἔστιν καλὸν λαβεῖν τὸν ἄρτον
τῶν τέκνων ‖ Mar 7 27
17 4 καλόν ἐστιν ἡμᾶς ὧδε εἶναι ‖ Mar 9 5
καὶ ποιήσωμεν τρεῖς σκηνάς Luc 9 33
18 8 καλόν σοί ἐστιν εἰσελθεῖν – κυλλὸν ἢ
χωλόν 9 μονόφθαλμον ‖ Mar 9 43. 45. 47
26 24 καλὸν ἦν αὐτῷ εἰ οὐκ ἐγεννήθη ὁ
ἄνθρωπος ἐκεῖνος ‖ Mar 14 21
Mar 9 42 καλόν ἐστιν αὐτῷ μᾶλλον εἰ περίκει-
ται μύλος – περὶ τὸν τράχηλον
Rm 14 21 καλὸν τὸ μὴ φαγεῖν κρέα μηδέ
1 Co 7 1 καλὸν ἀνθρώπῳ γυναικὸς μὴ ἅπτε-
σθαι 8 καλὸν αὐτοῖς (sc τοῖς ἀγά-
μοις καὶ ταῖς χήραις) ἐὰν μείνωσιν
ὡς κἀγώ 26 νομίζω – τοῦτο καλὸν ὑπ-
άρχειν διὰ τὴν ἐνεστῶσαν ἀνάγκην,
ὅτι καλὸν ἀνθρώπῳ τὸ οὕτως εἶναι
9 15 καλὸν – μοι μᾶλλον ἀποθανεῖν ἤ
Gal 4 18 καλὸν – ζηλοῦσθαι ἐν καλῷ
Hb 13 9 καλὸν[b] – χάριτι βεβαιοῦσθαι τὴν καρ-
δίαν, οὐ βρώμασιν

κάλυμμα velamen 2 Co 3 13. 14. 15. 16

καλύπτειν operire
Mat 8 24 πλοῖον Luc 8 16 λύχνον 23 30 „ἡμᾶς"
10 26 οὐδέν – ἐστιν κεκαλυμμένον ὃ οὐκ
(Luc 24 32 vl D οὐχὶ ἡ καρδία ἡμῶν κεκαλυμ-
μένη ἦν ἐν ἡμῖν, ὡς ἐλάλει ἡμῖν –;)
2 Co 4 3 εἰ – καὶ ἔστιν κεκαλυμμένον τὸ εὐαγ-
γέλιον ἡμῶν, ἐν τοῖς ἀπολλυμένοις
ἐστὶν κεκαλυμμένον
Jac 5 20 „καλύψει" πλῆθος „ἁμαρτιῶν"
1 Pe 4 8 „ἀγάπη καλύπτει" πλῆθος „ἁμ..ῶν"

καλῶς, κάλλιον bene – (κ. ποιεῖν) bene-
facere et bene facere – (κ. εἰπεῖν, λέ-
γειν) benedicere (b. d.) [b]recte [c]melius
Mat 12 12 ἔξεστιν τοῖς σάββασιν καλῶς ποιεῖν
15 7 καλῶς ἐπροφήτευσεν – Ἠσαΐ. ‖ Mr 7 6

Mar 7 9 καλῶς ἀθετεῖτε τὴν ἐντολὴν τ. θεοῦ
– 37 καλῶς πάντα πεποίηκεν
12 28 εἰδὼς ὅτι καλῶς ἀπεκρίθη αὐτοῖς
– 32 καλῶς, διδάσκαλε Rm 11 20 καλῶς·
[16 18 καὶ καλῶς ἕξουσιν] (sc aegroti)
Luc 6 26 οὐαὶ ὅταν καλῶς ὑμᾶς εἴπωσιν
– 27 καλῶς ποιεῖτε τοῖς μισοῦσιν ὑμᾶς
– 48 διὰ τὸ καλῶς οἰκοδομῆσθαι αὐτήν (vl
τεθεμελίωτο γὰρ ἐπὶ τὴν πέτραν vg)
20 39 καλῶς εἶπας Joh 4 17 8 48 οὐ καλῶς
λέγομεν –; 13 13 καλῶς λέγετε·
Joh 18 23 εἰ δὲ καλῶς (sc ἐλάλησα), τί με –;
Act 10 33 κ. ἐποίησας παραγενόμενος cfr Phl
4 14 κ. ἐποιήσατε συγκοινωνήσαντές
μου τῇ θλίψει 2 Pe 1 19 ᾧ (sc λόγῳ)
κ. ποιεῖτε προσέχοντες – 3 Jo 6 οὓς
κ. ποιήσεις προπέμψας (vl καλ. ποι-
ήσας πρ..εις vg benefaciens, dedu-
ces vl bene facies deducens)
25 10 ὡς καὶ σὺ κάλλιον[c] ἐπιγινώσκεις
28 25 καλῶς τὸ πνεῦμα – ἐλάλησεν διὰ Ἠσ.
1 Co 7 37 ὃς – τοῦτο κέκρικεν –, τηρεῖν τὴν ἑ-
αυτοῦ παρθένον, καλῶς ποιήσει 38 ὁ
γαμίζων – καλῶς ποιεῖ, καὶ ὁ μὴ γα-
μίζων κρεῖσσον (melius) ποιήσει
14 17 σὺ μὲν – κ. εὐχαριστεῖς, ἀλλ᾿ ὁ ἕτερ.
2 Co 11 4 εἰ – εὐαγγ. ἕτερον –, καλ.[b] ἀνέχεσθε
Gal 4 17 ζηλοῦσιν ὑμᾶς οὐ καλῶς
5 7 ἐτρέχετε καλ.· τίς ὑμᾶς ἐνέκοψεν –;
1 Ti 3 4 τοῦ ἰδίου οἴκου καλῶς προϊστάμενον
12 τέκνων 13 οἱ – κ. διακονήσαντες 5 17
οἱ καλῶς προεστῶτες πρεσβύτεροι
Hb 13 18 καλῶς θέλοντες ἀναστρέφεσθαι
Jac 2 3 ἐὰν – εἴπητε· σὺ κάθου ὧδε καλῶς
– 8 εἰ – νόμον τελεῖτε βασιλικόν –, καλῶς
ποιεῖτε 19 πιστεύεις –; καλῶς ποιεῖς

κάμηλος camelus Mat 3 4 ‖ Mar 1 6
Mat 19 24 κάμηλον διὰ τρήματος ῥαφίδος εἰσ-
ελθεῖν ‖ Mar 10 25 Luc 18 25
23 24 τὴν δὲ κάμηλον καταπίνοντες

κάμινος caminus [b]fornax
Mat 13 42 πυρός 50 Ap 1 15 ἐν κ..ῳ 9 2[b] μεγάλ.

καμμύειν claudere (clud.) [b]comprimere
Mat 13 15 „ὀφθαλμούς – ἐκάμμυσαν" Act 28 27[b]

κάμνειν fatigari [b](κάμνων) infirmus
Hb 12 3 ἵνα μὴ κάμητε ταῖς ψυχαῖς – ἐκλυό-
μενοι – Jac 5 15 σώσει τὸν κ..οντα[b]

κάμπτειν γόνυ, γόνατα → γόνυ

Κανὰ τῆς Γαλιλαίας Joh 21.11 446 212

Καναναῖος (vl ..νίτης) Mar 104 Mar 318

Κανδάκη Act 827 δυνάστης Κανδάκης

κανών regula
2 Co 1013 κατὰ τὸ μέτρον τοῦ κ. οὗ ἐμέρισεν
– 15 μεγαλυνθῆναι κατὰ τὸν κανόνα ἡμῶν
– 16 οὐκ ἐν ἀλλοτρίῳ κ. – καυχήσασθαι
Gal 616 ὅσοι τῷ κανόνι τούτῳ στοιχήσουσιν
(Phl 316 vl τῷ αὐτῷ στοιχεῖν κανόνι vg)

καπηλεύειν (S κάπηλος) adulterare
2 Co 217 οὐ – ἐσμὲν – κ..οντες τὸν λόγον τ. θ.

καπνός fumus Act 219 Ap 84 92.3.17.18 1411
158 189.18 (vg locum incendii) 193

Καππαδοκία Act 29 1 Pe 11

καρδία cor
Mat 5 8 μακάριοι „οἱ καθαροὶ τῇ καρδίᾳ"
– 28 ἤδη ἐμοίχευσεν αὐτὴν ἐν τῇ καρδίᾳ
621 ἐκεῖ ἔσται καὶ ἡ κ. σου ‖ Luc 1234
9 4 ἱνατί ἐνθυμεῖσθε πονηρὰ ἐν ταῖς καρ-
δίαις ὑμῶν; ‖ Mar 26.8 Luc 522 – 315
1129 πραῢς εἰμι καὶ ταπεινὸς τῇ καρδίᾳ
1234 ἐκ γὰρ τοῦ περισσεύματος τῆς καρ-
δίας τὸ στόμα λαλεῖ ‖ Luc 645
– 40 ἐν τῇ καρδίᾳ τῆς γῆς τρεῖς ἡμέρας
1315 „ἐπαχύνθη – ἡ κ. –, μήποτε – τῇ καρ-
δίᾳ συνῶσιν" Act 2827 → Joh 1240
– 19 ἁρπάζει τὸ ἐσπαρμένον ἐν τῇ κ. αὐ-
τοῦ ‖ (vl Mar 415 vg) Luc 812 αἴρει
τὸν λόγον ἀπὸ τῆς κ. 15 ἐν καρδίᾳ
καλῇ καὶ ἀγαθῇ – τ. λόγον κατέχουσιν
15 8 „ἡ δὲ καρδία αὐτῶν πόρρω ἀπέχει
ἀπ᾽ ἐμοῦ" ‖ Mar 76
– 18 ἐκ τῆς κ. ἐξέρχεται 19 ἐκ γὰρ τῆς κ.
ἐξέρχονται διαλογισμοὶ πονηροί ‖
Mar 721 ἔσωθεν – ἐκ τῆς καρ. 19 οὐκ
εἰσπορεύεται αὐτοῦ εἰς τὴν καρδίαν
1835 ἐὰν μὴ ἀφῆτε – ἀπὸ τῶν καρδ. ὑμῶν
2237 „ἀγαπήσεις κύριον – ἐν ὅλῃ τῇ καρδ.
σου" ‖ Mar 1230.33 ἐξ ὅλης – Luc 1027
2448 ἐὰν δὲ εἴπῃ – ἐν τῇ καρδ. ‖ Luc 1245
Mar 3 5 ἐπὶ τῇ πωρώσει τῆς καρδίας αὐτῶν
652 ἦν αὐτῶν ἡ καρδία πεπωρωμένη
817 πεπωρωμένην ἔχετε τὴν καρδ. ὑμῶν;
1123 ὃς ἂν – μὴ διακριθῇ ἐν τῇ καρδίᾳ αὐ-
τοῦ ἀλλὰ πιστεύῃ ὅτι – γίνεται
Luc 1 17 „ἐπιστρέψαι κ..ας πατέρων ἐπὶ τέκ."
– 51 ὑπερηφάνους διανοίᾳ κ..ας αὐτῶν

Luc 166 ἔθεντο πάντες – ἐν τῇ καρδίᾳ αὐτῶν
219 συμβάλλουσα ἐν τῇ καρδίᾳ αὐτῆς
– 35 ὅπως ἂν ἀποκαλυφθῶσιν ἐκ πολλῶν
καρδιῶν διαλογισμοί
– 51 διετήρει – τὰ ῥήματα ἐν τῇ κ. αὐτῆς
645 ἐκ τοῦ ἀγαθοῦ θησαυροῦ τῆς καρδ.
9(44 vg ponite – in cordibus vestris)
– 47 εἰδὼς τὸν διαλογισμὸν τῆς κ. αὐτῶν
1615 θεὸς γινώσκει τὰς καρδίας ὑμῶν
2114 θέτε – ἐν ταῖς κ. ὑμῶν μὴ προμελετᾶν
– 34 μήποτε βαρηθῶσιν ὑμῶν αἱ καρδίαι
2425 ὦ – βραδεῖς τῇ καρδίᾳ τοῦ πιστεύειν
– 32 οὐχὶ ἡ καρδία ἡμῶν καιομένη ἦν –;
– 38 διὰ τί διαλογισμοὶ ἀναβαίνουσιν ἐν
τῇ κ. (vl ταῖς κ. vg in corda) ὑμῶν;
Joh 1240 „ἐπώρωσεν αὐτῶν τὴν καρ., ἵνα μὴ –
νοήσωσιν τῇ καρδίᾳ" → Mat 1315
13 2 διαβόλου ἤδη βεβληκότος εἰς τὴν κ.
14 1 μὴ ταρασσέσθω ὑμῶν ἡ καρδία 27 μὴ
ταρασσέσθω ὑμῶν ἡ κ. μηδὲ δειλιάτω
16 6 ἡ λύπη πεπλήρωκεν ὑμῶν τὴν καρδ.
– 22 καὶ χαρήσεται ὑμῶν ἡ καρδία
Act 226 „διὰ τοῦτο ηὐφράνθη μου ἡ καρδία"
– 37 ἀκούσαντες – κατενύγησαν τὴν καρδ.
– 46 ἐν ἀγαλλιάσει καὶ ἀφελότητι καρδίας
432 τοῦ – πλήθους τῶν πιστευσάντων ἦν
καρδία καὶ ψυχὴ μία
5 3 διὰ τί ἐπλήρωσεν ὁ σατανᾶς τὴν κ.
σου –; 4 τί ὅτι ἔθου ἐν τῇ κ. σου –;
723 ἀνέβη ἐπὶ τὴν καρδ. αὐτοῦ ἐπισκέψ.
– 39 ἐστράφησαν ἐν ταῖς καρδίαις αὐτῶν
– 51 „ἀπερίτμητοι καρδίαις (vl καρδίας)"
– 54 διεπρίοντο ταῖς καρδίαις αὐτῶν
821 „ἡ" – „καρδία" σου „οὐκ ἔστιν εὐθεῖα"
ἔναντι τοῦ θεοῦ 22 μετανόησον οὖν –
εἰ ἄρα ἀφεθήσεταί σοι ἡ ἐπίνοια τῆς
καρδίας σου
(837 vl εἰ πιστεύεις ἐξ ὅλ. τῆς κ. vg, vl°)
1123 παρεκάλει πάντας τῇ προθέσει τῆς
καρδίας προσμένειν τῷ κυρίῳ
1322 „ἄνδρα κατὰ τὴν καρ. μου" (David)
1417 ἐμπιπλῶν τροφῆς καὶ εὐφροσύνης
τὰς καρδίας ὑμῶν (vg nostra)
15 9 τῇ πίστει καθαρίσας τὰς καρ. αὐτῶν
1614 ἧς ὁ κύριος διήνοιξεν τὴν καρδίαν
2113 συνθρύπτοντές μου τὴν καρδίαν;
Rm 1 21 ἐσκοτίσθη ἡ ἀσύνετος αὐτῶν καρδία
– 24 παρέδωκεν αὐτοὺς ὁ θεὸς ἐν ταῖς
ἐπιθυμίαις τῶν καρδιῶν αὐτῶν εἰς
2 5 κατὰ δὲ τὴν – ἀμετανόητον καρδίαν
– 15 ἐνδείκνυνται τὸ ἔργον τοῦ νόμου
γραπτὸν ἐν ταῖς καρδίαις αὐτῶν

Rm 2 29 περιτομὴ κ..ας ἐν πνεύματι οὐ γρ.
5 5 ἐκκέχυται ἐν ταῖς κ. ἡμῶν διὰ πνεύ.
6 17 ὑπηκούσατε δὲ ἐκ καρδίας εἰς ὃν
παρεδόθητε τύπον διδαχῆς
8 27 ὁ δὲ ἐρευνῶν τὰς καρδίας → Ap 2 23
9 2 ἀδιάλειπτος ὀδύνη τῇ καρδίᾳ μου
10 1 ἡ μὲν εὐδοκία τῆς ἐμῆς καρδίας
- 6 „μὴ εἴπῃς ἐν τῇ κ. σου· τίς ἀναβ."
- 8 „ἐγγύς σου τὸ ῥῆμά ἐστιν, ἐν τῷ
στόματι – καὶ ἐν τῇ καρδίᾳ σου"
- 9 ἐὰν – πιστεύσῃς „ἐν τῇ καρδίᾳ σου"
- 10 καρδίᾳ γὰρ πιστεύεται εἰς δικαιοσ.
16 18 ἐξαπατῶσιν τὰς καρδίας τῶν ἀκάκων
1 Co 2 9 ἃ – ἐπὶ κ..αν ἀνθρώπου οὐκ ἀνέβη
4 5 φανερώσει τὰς βουλὰς τῶν καρδιῶν
7 37 ὃς δὲ ἕστηκεν ἐν τῇ καρδίᾳ αὐτοῦ
ἑδραῖος –, καὶ τοῦτο κέκρικεν ἐν τῇ
ἰδίᾳ καρδίᾳ, τηρεῖν τὴν – παρθένον
14 25 τὰ κρυπτὰ τῆς καρδ. αὐτοῦ φανερά
2 Co 1 12 ὅτι ἐν ἁγιότητι (vl ἁπλότητι vg sim-
plicitate cordis vl om cordis) – ἀν-
εστράφημεν ἐν τῷ κόσμῳ
- 22 θεός, ὁ – δοὺς τὸν ἀρραβῶνα τοῦ
πνεύματος ἐν ταῖς καρδίαις ἡμῶν
2 4 ἐκ γὰρ – συνοχῆς καρδίας ἔγραψα
3 2 ἐγγεγραμμένη ἐν ταῖς κ. ἡμῶν 3 ἐν
„πλαξὶν κ..αις (vl ..ας vg) σαρκίναις"
- 15 κάλυμμα ἐπὶ τὴν καρδ. αὐτῶν κεῖται
4 6 ὃς ἔλαμψεν ἐν ταῖς καρδίαις ἡμῶν
5 12 ἵνα ἔχητε πρὸς τοὺς ἐν προσώπῳ
καυχωμένους καὶ μὴ ἐν καρδίᾳ
6 11 „ἡ καρδία" ἡμῶν „πεπλάτυνται"
7 3 ἐν ταῖς καρδίαις ἡμῶν ἐστε → Phl 1 7
8 16 διδόντι – σπουδὴν – ἐν τῇ καρ. Τίτου
9 7 ἕκαστος καθὼς προῄρηται τῇ καρδίᾳ
Gal 4 6 τὸ πνεῦμα – εἰς τὰς καρδίας ἡμῶν
Eph 1 18 δώῃ ὑμῖν – πεφωτισμένους τοὺς ὀ-
φθαλμοὺς τῆς καρδίας [ὑμῶν]
3 17 κατοικῆσαι τὸν Χ. – ἐν ταῖς κ. ὑμῶν
4 18 διὰ τὴν πώρωσιν τῆς καρδίας αὐτῶν
5 19 ψάλλοντες τῇ καρδίᾳ (vl ἐν ταῖς κ.
vg) ὑμῶν τῷ κυρίῳ Col 3 16 ᾄδοντες
ἐν ταῖς καρδίαις ὑμῶν τῷ θεῷ
6 5 ὑπακούετε – ἐν ἁπλότητι τῆς κ. ὑμῶν
Col 3 22 ἐν ἁπλότητι κ..ας φοβούμενοι
- 22 ἵνα – παρακαλέσῃ τὰς κ. ὑμῶν Col
4 8 2 2 παρακληθῶσιν αἱ καρδ. ὑμῶν
Phl 1 7 διὰ τὸ ἔχειν με ἐν τῇ καρδίᾳ ὑμᾶς
4 7 ἡ εἰρ. τοῦ θ. – φρουρήσει τὰς κ. ὑμῶν
Col 3 15 ἡ εἰρήνη τοῦ Χοῦ βραβευέτω ἐν ταῖς
καρδίαις ὑμῶν → Eph 5 19 6 5.22
1 Th 2 4 θεῷ τῷ „δοκιμάζοντι τὰς κ." ἡμῶν

1 Th 2 17 ἀπορφανισθέντες – προσώπῳ οὐ κ..ᾳ
3 13 στηρίξαι ὑμῶν τὰς καρδ. ἀμέμπτους
2 Th 2 17 ὁ θ. – παρακαλέσαι ὑμῶν τὰς καρδ.
3 5 ὁ – κύριος κατευθύναι ὑμῶν τὰς καρ-
δίας εἰς τὴν ἀγάπην τοῦ θεοῦ
1 Ti 1 5 ἀγάπη ἐκ καθαρᾶς καρδίας
2 Ti 2 22 μετὰ τῶν ἐπικαλουμένων τὸν κύριον
ἐκ καθαρᾶς καρδίας
Hb 3 8 „μὴ σκληρύνητε τὰς κ. ὑμῶν" 15 4 7
- 3 10 „ἀεὶ πλανῶνται τῇ καρδίᾳ"
- 12 μήποτε ἔσται ἔν τινι ὑμῶν καρδία
πονηρὰ ἀπιστίας ἐν τῷ ἀποστῆναι
4 12 ὁ λόγος τοῦ θεοῦ –, – κριτικὸς ἐν-
θυμήσεων καὶ ἐννοιῶν καρδίας
8 10 „ἐπὶ κ..ας αὐτῶν ἐπιγράψω αὐτούς"
10 16 „διδοὺς νόμους μου ἐπὶ κ..ας αὐτ."
- 22 „προσερχώμεθα μετὰ ἀληθινῆς καρ-
δίας –, ῥεραντισμένοι τὰς καρδίας
ἀπὸ συνειδήσεως πονηρᾶς
13 9 καλὸν – χάριτι βεβαιοῦσθαι τὴν καρ.
Jac 1 26 ἀλλὰ ἀπατῶν καρδίαν ἑαυτοῦ
3 14 εἰ δὲ ζῆλον – ἔχετε – ἐν τῇ καρ. ὑμῶν
4 8 ἁγνίσατε καρδίας, δίψυχοι
5 5 ἐθρέψατε τὰς καρδ. ὑμῶν „ἐν ἡμέρᾳ
- 8 στηρίξατε τὰς καρ. ὑμῶν |σφαγῆς"
1 Pe 1 22 ἐκ (vl + καθαρᾶς vg) καρδίας ἀλλή-
λους ἀγαπήσατε ἐκτενῶς
3 4 ὁ κρυπτὸς τῆς καρδίας ἄνθρωπος
- 15 „κύριον – ἁγιάσατε" ἐν ταῖς κ. ὑμῶν
2 Pe 1 19 ἕως οὗ – φωσφόρος ἀνατείλῃ ἐν ταῖς
καρδίαις ὑμῶν
2 14 καρδίαν γεγυμνασμένην πλεονεξίας
(vg avaritia vl ..iae) ἔχοντες
1 Jo 3 19 ἔμπροσθεν αὐτοῦ πείσομεν τὴν κ. (vl
τὰς κ. vg) ἡμῶν 20 ὅτι ἐὰν καταγι-
νώσκῃ ἡμῶν ἡ κ., ὅτι μείζων – ὁ θεὸς
τῆς κ. ἡμῶν καὶ γινώσκει πάντα 21
ἐὰν ἡ κ. (vl + ἡμῶν vg) μὴ καταγι-
νώσκῃ (vl + ἡμῶν vg)
Ap 2 23 ὁ „ἐρευνῶν νεφροὺς καὶ καρδίας"
17 17 ὁ γὰρ θεὸς ἔδωκεν εἰς τὰς καρδίας
αὐτῶν ποιῆσαι τὴν γνώμην αὐτοῦ
18 7 „ἐν τῇ καρδίᾳ αὐτῆς λέγει ὅτι κάθη-
μαι βασίλισσα"

καρδιογνώστης S° – qui corda novit
Act 1 24 σὺ κύριε κ..α (nosti) 15 8 ὁ κ. θεός

Κάρπος 2 Ti 4 13 ἐν Τρῳάδι παρὰ Κάρπῳ

καρπός fructus
Mat 3 8 ποιήσατε οὖν καρπὸν ἄξιον τῆς με·

τανοίας ‖ Luc 3 8 καρπούς → ἔργον

Mat 3 10 πᾶν – δένδρον μὴ ποιοῦν καρπὸν κα-
λὸν ἐκκόπτεται ‖ Luc 3 9 (vl et vg
vl om καλόν) – Mat 7 19

7 16 ἀπὸ τῶν καρπῶν αὐτῶν ἐπιγνώσεσθε
αὐτούς 20 – 17 δένδρον ἀγαθὸν καρ-
ποὺς καλοὺς ποιεῖ, τὸ δὲ σαπρὸν
δένδρον καρποὺς πονηροὺς ποιεῖ 18
οὐ δύναται δ. ἀγ. καρποὺς πονηροὺς
ἐνεγκεῖν, οὐδὲ δ. σαπ. καρποὺς καλ.
19 ‖ Luc 6 43.44 ἕκαστον – δένδρον ἐκ
τοῦ ἰδίου καρποῦ γινώσκεται

12 33 ποιήσατε τὸ δένδρον καλὸν καὶ τὸν
καρπὸν αὐτοῦ καλόν, ἢ – τὸ δ. σα-
πρὸν καὶ τὸν καρπὸν αὐτοῦ σαπρόν·
ἐκ γὰρ τοῦ κ..οῦ τὸ δ. γινώσκεται

13 8 ἐδίδου καρπόν, ὃ μὲν ἑκατόν ‖ Mar
4 8 καρπὸν ἀναβαίνοντα Luc 8 8

– 26 ὅτε δὲ – καρπὸν ἐποίησεν, τότε ἐφάνη

21 19 οὐ μηκέτι ἐκ σοῦ καρπὸς γένηται ‖
Mar 11 14 μηδεὶς καρπὸν φάγοι

– 34 ὅτε – ἤγγισεν ὁ καιρὸς τῶν καρπῶν,
ἀπέστειλεν – λαβεῖν τοὺς κ. αὐτοῦ ‖
Mar 12 2 ἀπὸ τῶν κ. Luc 20 10 τοῦ κ.

– 41 οἵτινες ἀποδώσουσιν αὐτῷ τοὺς καρ-
πούς 43 ἡ βασ. τοῦ θεοῦ – δοθήσεται
ἔθνει ποιοῦντι τοὺς καρποὺς αὐτῆς

Mar 4 7 καὶ καρπὸν οὐκ ἔδωκεν

– 29 ὅταν δὲ παραδοῖ ὁ καρπός

Luc 1 42 εὐλογημένος ὁ καρ. τῆς κοιλίας σου

12 17 οὐκ ἔχω ποῦ συνάξω τοὺς καρ. μου

13 6 ἦλθεν ζητῶν καρπόν 7.9 κἂν μὲν ποι-
ήσῃ καρπὸν εἰς τὸ μέλλον· εἰ δὲ μὴ

21 30 ὅταν προβάλωσιν (vl + τὸν κ. vg)

Joh 4 36 συνάγει καρπὸν εἰς ζωὴν αἰώνιον

12 24 ἐὰν δὲ ἀποθάνῃ, πολὺν κ..ὸν φέρει

15 2 πᾶν κλῆμα – μὴ φέρον καρπόν, – καὶ
πᾶν τὸ καρπὸν φέρον, – ἵνα καρπὸν
πλείονα φέρῃ 4 τὸ κλῆμα οὐ δύνα-
ται καρπὸν φέρειν ἀφ’ ἑαυτοῦ

– 5 οὗτος φέρει καρπὸν πολύν 8 ἵνα καρ-
πὸν πολὺν φέρητε 16 ἔθηκα ὑμᾶς ἵνα
– κ. φέρητε καὶ ὁ καρπὸς ὑμῶν μένῃ

Act 2 30 „ἐκ κ..οῦ τῆς ὀσφύος αὐτοῦ καθίσαι"

Rm 1 13 ἵνα τινὰ καρπὸν σχῶ καὶ ἐν ὑμῖν

6 21 τίνα οὖν καρπὸν εἴχετε τότε; ἐφ’ οἷς

– 22 ἔχετε τὸν καρπὸν ὑμῶν εἰς ἁγιασμόν

15 28 σφραγισάμενος αὐτοῖς τὸν κ. τοῦτον

1 Co 9 7 καὶ τὸν καρπὸν αὐτοῦ οὐκ ἐσθίει;

Gal 5 22 ὁ δὲ κ. τοῦ πνεύματός ἐστιν ἀγάπη

Eph 5 9 ὁ – κ. τοῦ φωτὸς ἐν πάσῃ ἀγαθωσύνῃ

Phl 1 11 ἵνα ἦτε –, πεπληρωμένοι καρπὸν δι-

καιοσύνης τὸν διὰ Ἰησοῦ Χριστοῦ

Phl 1 22 εἰ δὲ τὸ ζῆν ἐν σαρκί, τοῦτό μοι καρ-
πὸς ἔργου, – τί αἱρήσομαι οὐ γνωρίζω

4 17 ἀλλὰ ἐπιζητῶ τὸν καρπὸν τὸν πλεο-
νάζοντα εἰς λόγον ὑμῶν

2 Ti 2 6 δεῖ πρῶτον τῶν καρπ. μεταλαμβάνειν

Hb 12 11 καρπὸν εἰρηνικὸν – ἀποδίδωσιν δικαι-
οσύνης Jac 3 18 καρπὸς – δικαιοσύνης
ἐν εἰρήνῃ σπείρεται

13 15 „καρπὸν χείλεων" ὁμολογούντων τῷ

Jac 3 17 μεστὴ ἐλέους καὶ καρπῶν ἀγαθῶν

5 7 ἐκδέχεται τὸν τίμιον καρπὸν τῆς γῆς

– 18 ἡ γῆ ἐβλάστησεν τὸν καρπὸν αὐτῆς

Ap 22 2 „ξύλον ζωῆς" ποιοῦν καρποὺς δώ-
δεκα, „κατὰ μῆνα" – ἀποδιδοῦν „τὸν
καρπὸν αὐτοῦ"

καρποφορεῖν fructificare [b] fructum afferre

Mat 13 23 ὃς δὴ κ..εῖ [b] ‖ Mar 4 20 οἵτινες – κ..οῦ-
σιν Luc 8 15 κ..οῦσιν [b] ἐν ὑπομονῇ

Mar 4 28 αὐτομάτη ἡ γῆ κ..εῖ, πρῶτον χόρτον

Rm 7 4 ἵνα καρποφορήσωμεν τῷ θεῷ

– 5 εἰς τὸ καρποφορῆσαι τῷ θανάτῳ

Col 1 6 ἐν παντὶ τῷ κόσμῳ ἐστὶν κ..ούμενον
καὶ αὐξανόμενον (sc τὸ εὐαγγέλιον)

– 10 ἐν παντὶ ἔργῳ ἀγαθῷ κ..οῦντες

καρποφόρος fructifer

Act 14 17 ὑετοὺς διδοὺς καὶ καιροὺς κ..ους

καρτερεῖν sustinere Hb 11 27 τὸν γὰρ ἀόρα-
τον ὡς ὁρῶν ἐκαρτέρησεν (Moses)

κάρφος ἐν τῷ ὀφθαλμῷ festuca

Mat 7 3.4 ἄφες ἐκβάλω τὸ κ. 5 ‖ Luc 6 41.42

***κατά** cum genitivo (om cum accus.)

ἔχειν τι κατά τινος habere aliquid ad-
versus (..sum) aliquem Mat 5 23 ὅτι ὁ ἀδελφός
σου ἔχει τι κατὰ σοῦ ‖ Mar 11 25 ἀφίετε εἴ τι
ἔχετε κατά τινος – Ap 2 4 ἔχω κατὰ σοῦ ὅτι
τὴν ἀγάπην – ἀφῆκας 20 ὅτι ἀφεῖς τὴν γυναῖκα
Ἰεζάβελ 14 ὀλίγα, ὅτι ἔχεις ἐκεῖ κρατοῦντας
τὴν διδαχὴν Βαλαάμ

εἶναι κατά τινος esse contra vel ad-
versus (..sum) aliquem Mat 12 30 ὁ μὴ ὢν μετ’
ἐμοῦ κατ’ ἐμοῦ ἐστιν ‖ Luc 11 23 – Mar 9 40
ὃς – οὐκ ἔστιν καθ’ ἡμῶν, ὑπὲρ ἡμῶν ἐστιν ‖
Luc 9 50 ὑμῶν – Rm 8 31 εἰ ὁ θεὸς ὑπὲρ ἡμῶν,
τίς καθ’ ἡμῶν; Gal 3 21 ὁ οὖν νόμος κατὰ τῶν
ἐπαγγελιῶν –; 5 23 κατὰ τῶν τοιούτων οὐκ ἔ-
στιν νόμος adversus:

Rm 8 33 τίς ἐγκαλέσει κατὰ ἐκλεκτῶν θεοῦ;
2 Co 13 8 οὐ – δυνάμεθά τι κατὰ τῆς ἀληθείας
Col 2 14 ἐξαλείψας τὸ καθ᾽ ἡμῶν χειρόγραφον

*καταβαίνειν descendere ᵇdemergi
Mat 3 16 πνεῦμα – καταβαῖνον ὡσεὶ περιστε-
ράν ‖ Mar 1 10 εἰς (vl ἐπ᾽) αὐτόν Luc
3 22 σωματικῷ εἴδει Joh 1 32.33
11 23 „ἕως ᾅδου καταβήσῃ (vl καταβιβα-
σθήσῃ)" ‖ Luc 10 15 (ead. vlᵇ, ..gēris)
24 17 ὁ ἐπὶ τοῦ δώματος μὴ καταβάτω ἆραι
τὰ ἐκ τῆς οἰκίας ‖ Mar 13 15 Luc 17 31
27 40 κατάβηθι ἀπὸ τοῦ σταυροῦ 42 κατα-
βάτω νῦν ‖ Mar 15 30.32 [νοῦ
28 2 ἄγγελος – κυρίου καταβὰς ἐξ οὐρα-
Luc 9 54 θέλεις εἴπωμεν „πῦρ καταβῆναι" –;
Joh 1 51 ὄψεσθε – τοὺς ἀγγέλους – καταβαί-
νοντας ἐπὶ τὸν υἱὸν τοῦ ἀνθρώπου
3 13 εἰ μὴ ὁ ἐκ τοῦ οὐρανοῦ καταβάς
(5 4 vl ἄγγελος – κατὰ καιρὸν – κατέβ..εν)
6 33 ὁ – ἄρτος τοῦ θεοῦ ἐστιν ὁ καταβαί-
νων ἐκ τοῦ οὐρανοῦ 38 καταβέβηκα
ἀπὸ τοῦ οὐρ. 41 ἐγώ εἰμι ὁ ἄρτος ὁ
καταβὰς ἐκ τ. οὐρ. 42 πῶς – λέγει ὅτι
– καταβέβηκα; 50.51.58
Act 7 34 „καὶ κατέβην ἐξελέσθαι αὐτούς"
8 38 κατέβησαν ἀμφότεροι εἰς τὸ ὕδωρ
10 11 θεωρεῖ – καταβαῖνον σκεῦός τι 11 5
Rm 10 7 „τίς καταβήσεται εἰς τὴν ἄβυσσον;"
Eph 4 9 τί ἐστιν εἰ μὴ ὅτι καὶ κατέβη εἰς τὰ
κατώτερα μέρη τῆς γῆς; 10 ὁ κατα-
βὰς αὐτός ἐστιν καὶ ὁ „ἀναβάς"
1 Th 4 16 αὐτὸς ὁ κύρ. – καταβήσεται ἀπ᾽ οὐρ.
Jac 1 17 πᾶν δώρημα τέλειον ἄνωθέν ἐστιν
κ..ον ἀπὸ τοῦ πατρὸς τῶν φώτων
Ap 3 12 τῆς καινῆς Ἰερουσ. ἡ κ..ουσα ἐκ τοῦ
οὐρ. 21 2.10 – 10 1 ἄγγελον ἰσχυρὸν
κ..οντα ἐκ τ. οὐραν. 18 1 20 1 – 13 13
ἵνα καὶ πῦρ ποιῇ ἐκ τ. οὐρ. κ..ειν 20 9
– 16 21 „χάλαζα μεγάλη" – κατα-
βαίνει – ἐπὶ τοὺς ἀνθρώπους
12 12 ὅτι κατέβη ὁ διάβολος πρὸς ὑμᾶς

καταβάλλεσθαι ᵃ(pass) deiici ᵇ(med) iacere
2 Co 4 9 κ..όμενοιᵃ ἀλλ᾽ οὐκ ἀπολλύμενοι
Hb 6 1 μὴ πάλιν θεμέλιον κ..όμενοιᵇ μετανοί.

καταβαρεῖν Sº – gravare 2 Co 12 16 ὑμᾶς

καταβαρύνειν gravare (vl ingr.) Mar 14 40

κατάβασις descensus Luc 19 37 ὄρους τ. ἐλαι.

καταβιβάζεσθαι → καταβαίνειν Mat 11 23

καταβολή constitutio ᵇinstitutio ᶜorigo –
ᵈconceptio
Mat 13 35 κεκρυμμένα ἀπὸ καταβολῆς (vl +
κόσμου vg) 25 34 τὴν ἡτοιμασμένην
ὑμῖν βασιλείαν ἀπὸ κ..ῆς κόσμου
Luc 11 50 αἷμα – τὸ ἐκκεχυμένον ἀπὸ κ..ῆς κός.
Joh 17 24 ὅτι ἠγάπησάς με πρὸ κ..ῆς κόσμου
Eph 1 4 ἐξελέξατο ἡμᾶς – πρὸ κ..ῆς κόσμου
Hb 4 3 τῶν ἔργων ἀπὸ κ..ῆςᵇ κ. γενηθέντων
9 26 ἐπεὶ ἔδει αὐτὸν πολλάκις παθεῖν ἀπὸ
κ..ῆςᶜ κόσμου – 11 11 δύναμιν εἰς κα-
ταβολήνᵈ σπέρματος ἔλαβεν (Sara)
1 Pe 1 20 Χοῦ, προεγνωσμένου – πρὸ κ..ῆς κός.
Ap 13 8 οὗ οὐ γέγραπται τὸ ὄνομα – ἐν τ. βι-
βλίῳ τῆς ζωῆς – ἀπὸ κ..ῆςᶜ κός. 17 8

καταβραβεύειν seducere
Col 2 18 μηδεὶς ὑμᾶς καταβραβευέτω

καταγγελεύς Sº – annunciator Act 17 18 ξέ-
νων δαιμονίων δοκεῖ κατ..εὺς εἶναι

καταγγέλλειν annunciare ᵇpraedicare
Act 3 24 οἱ προφῆται – κατήγγειλαν τὰς ἡμέ-
ρας ταύτας 42 καταγγέλλειν ἐν τῷ
Ἰησοῦ τὴν ἀνάστασιν τὴν ἐκ νεκρῶν
13 5 κατήγγελλονᵇ τ. λόγον τ. θεοῦ 15 36ᵇ
κυρίου 17 13 ὅτι – κατηγγέληᵇ – ὁ λόγ.
– 38 ὅτι διὰ τούτου ὑμῖν ἄφεσις ἁμαρτιῶν
καταγγέλλεται
16 17 κ..ουσιν ὑμῖν ὁδὸν σωτηρίας 21 ἔθη
ἃ οὐκ ἔξεστιν ἡμῖν παραδέχεσθαι
17 3 οὗτος – ὁ Ἰησοῦς, ὃν ἐγὼ κ..ω ὑμῖν
– 23 ὃ – ἀγνοοῦντες εὐσεβεῖτε, – κ..ω ὑμῖν
26 23 εἰ – φῶς μέλλει κ..ειν τῷ τε λαῷ
Rm 1 8 ἡ πίστις ὑμῶν κ..εται ἐν ὅλῳ τ. κόσ.
1 Co 2 1 κ..ων ὑμῖν τὸ μαρτύριον (vl μυστή-
ριον) τοῦ θεοῦ (vg Christi)
9 14 διέταξεν τοῖς τὸ εὐαγγέλιον κ..ουσιν
11 26 τὸν θάνατον τοῦ κυρίου κ..ετε (vg
ann..bitis vl adnuntiatis), ἄχρι οὗ
Phl 1 17 οἱ δὲ ἐξ ἐριθείας τὸν Χὸν κ..ουσιν
– 18 πλὴν ὅτι παντὶ τρόπῳ – Χὸς κ..εται
Col 1 28 (Χός) ὃν ἡμεῖς κ..ομεν νουθετοῦντες

κατάγειν, ..εσθαι deducere ᵇproducere
ᶜsubducere – pass: ᵈdevenire ᵉvenire
Luc 5 11ᶜ πλοῖα ἐπὶ τὴν γῆν – Act 9 30 22 30ᵇ
Act 23 15ᵇ 20ᵇ εἰς τὸ συνέδριον 28 27 3ᵈ 28 12ᵉ
Rm 10 6 τοῦτ᾽ ἔστιν Χριστὸν καταγαγεῖν

καταγελᾶν deridēre [b]irridēre
Mat 9 24 κατεγέλων αὐτοῦ ‖ Mar 5 40 [b] Luc 8 53

καταγινώσκειν reprehendere [b](part prf
pass) reprehensibilis (vel lat r..sus)
Gal 2 11 ὅτι κατεγνωσμένος [b] ἦν (sc Κηφᾶς)
1 Jo 3 20.21 → καρδία sub 1 Jo 3 19.20.21

καταγνύναι frangere [b]confringere
Mat 12 20 [b] „κάλαμον συντετριμμένον" Joh 19
31-33 σκέλη

καταγράφειν scribere [Joh 8 6 εἰς τὴν γῆν]

καταγωνίζεσθαι S⁰ – vincere (vl devinc.)
Hb 11 33 διὰ πίστεως κατηγωνίσαντο βασιλείας

καταδεῖν alligare Luc 10 34 τὰ τραύματα

κατάδηλος S⁰ – manifestus Hb 7 15

καταδικάζειν condemnare [b]addicere
Mat 12 7 οὐκ ἂν κατεδικάσατε τοὺς ἀναιτίους
– 37 ἐκ τῶν λόγων σου καταδικασθήσῃ
Luc 6 37 μὴ κ..άζετε, καὶ οὐ μὴ κ..ασθῆτε
Jac 5 6 κατεδικάσατε [b], – τὸν δίκαιον

καταδίκη damnatio Act 25 15 κατ' αὐτοῦ

καταδιώκειν prosequi (vl pers.) Mar 1 36

καταδουλοῦν in servitutem redigere
2 Co 11 20 ἀνέχεσθε – εἴ τις ὑμᾶς καταδουλοῖ
Gal 2 4 ἵνα ἡμᾶς καταδουλώσουσιν

καταδυναστεύειν [a]opprimere [b]per poten
tiam opprimere Act 10 38 ἰώμενος – τοὺς
κ..ομένους [a] ὑπὸ τοῦ διαβόλου Jac 2 6
οὐχ οἱ πλούσιοι κ..ουσιν [b] ὑμῶν – ;

κατάθεμα S⁰ – maledictum Ap 22 3

καταθεματίζειν S⁰ – detestari Mat 26 74

καταισχύνειν, ..εσθαι confundere, ..di
[b]deturpare [c]erubescere
Luc 13 17 κατῃσχύνοντο [c] – οἱ ἀντικείμενοι
Rm 5 5 ἡ δὲ „ἐλπὶς οὐ καταισχύνει"
9 33 „ὁ πιστεύων ἐπ' αὐτῷ οὐ κ..θήσεται"
10 11 1 Pe 2 6 „οὐ μὴ καταισχυνθῇ"
1 Co 1 27 ἵνα κ..νη τοὺς σοφούς, – τὰ ἰσχυρά
11 4 ἀνὴρ – κατὰ κεφαλῆς ἔχων κ..νει [b]
τὴν κεφαλὴν αὐτοῦ 5 γυνὴ – ἀκατα-
καλύπτῳ τῇ κεφ. κ..νει [b] τὴν κ. αὐτῆς

1 Co 11 22 καταισχύνετε τοὺς μὴ ἔχοντας;
2 Co 7 14 ὅτι εἴ τι αὐτῷ – κεκαύχημαι, οὐ κατ-
ῃσχύνθην – 9 4 μὴ πως – κ..θῶμεν [c]
1 Pe 3 16 ἵνα – κ..ωσιν οἱ ἐπηρεάζοντες

κατακαίειν, ..εσθαι comburere, ..i [b]ardēre
[c]concremare [d]cremari [e]exuri
Mat 3 12 τὸ δὲ ἄχυρον κατακαύσει πυρὶ ἀσβέ-
στῳ ‖ Luc 3 17 – Mat 13 30 τὰ ζιζάνια 40
Act 19 19 τὰς βίβλους κατέκαιον ἐνώπ. πάντων
1 Co 3 15 εἴ τινος τὸ ἔργον κατακαήσεται [b]
Hb 13 11 σώματα „κ..εται [d] ἔξω τῆς παρεμβολ."
2 Pe 3 10 γῆ καὶ τὰ ἐν αὐτῇ ἔργα εὑρεθήσεται
(vl κατακαήσεται [e] exurentur vl⁰)
Ap 8 7 τὸ τρίτον τῆς γῆς κατεκάη, καὶ τὸ
τρίτον τῶν δένδρων κατεκάη [c] (vl [a],
καὶ πᾶς χόρτος χλωρὸς κατεκάη
17 16 αὐτὴν κατακαύσουσιν [c] [ἐν] πυρί
18 8 καὶ ἐν πυρὶ κ..καυθήσεται (sc ἡ πόρνη)

κατακαλύπτεσθαι velare, velari
1 Co 11 6 εἰ – οὐ κ..εται γυνή – · εἰ δὲ – , κ..έσθω
– 7 ἀνὴρ – οὐκ ὀφείλει κ. τὴν κεφαλήν

κατακαυχᾶσθαι gloriari (adversus) [b]super-
exaltare (vl ..exultare) aliquid
Rm 11 18 μὴ κ..χῶ τῶν κλάδων· εἰ δὲ κ..χᾶσαι
Jac 2 13 κατακαυχᾶται [b] ἔλεος κρίσεως
3 14 εἰ – ζῆλον πικρὸν ἔχετε – , μὴ κ..ᾶσθε
καὶ ψεύδεσθε κατὰ τῆς ἀληθείας

κατακεῖσθαι iacēre [b]accumbere [c]decumbere
[d]discumbere [e]recumbere
Mar 1 30 κατέκειτο [c] πυρέσσουσα 2 4 ὅπου ὁ
παραλυτικὸς κατέκειτο Luc 5 25 ἄρας
ἐφ' ὃ κατέκειτο Joh 5 3.6 Act 9 33 28 8
2 15 κ..σθαι [b] αὐτὸν ἐν τῇ οἰκίᾳ αὐτοῦ (Le-
vi) ‖ Luc 5 29 μετ' αὐτῶν κ..μενοι [d]
14 3 κατακειμένου [e] αὐτοῦ ἦλθε γυνή
Luc 7 37 γυνὴ – ἐπιγνοῦσα ὅτι κατάκειται [b] ἐν
τῇ οἰκίᾳ τοῦ Φαρισαίου
1 Co 8 10 ἐάν – τις ἴδῃ σὲ τὸν ἔχοντα γνῶσιν
ἐν εἰδωλείῳ κατακείμενον [e]

κατακλᾶν frangere Mar 6 41 ἄρτους ‖ Luc 9 16

κατακλείειν includere Luc 3 20 Act 26 10

κατακληρονομεῖν sorte distribuere Act 13 19

κατακλίνειν facere discumbere – **κατακλί-
νεσθαι** [b]discumbere [c]recumbere
Luc 7 36 κατεκλίθη [b] 9 14 κ..ατε αὐτούς 15 καὶ

κατέκλιναν (vl^b) ἅπαντας 14 8 μὴ κατα-
κλιϑῇς^b εἰς τὴν πρωτοκλισίαν 24 30^c

κατακλύζεσϑαι   inundari   2 Pe 3 6 ὕδατι

κατακλυσμός   diluvium   Mat 24 38 ἐν ταῖς ἡ-
μέραις – πρὸ τοῦ κ. 39 ‖ Luc 17 27 – 2 Pe 2 5

κατακολουϑεῖν   subsequi   Luc 23 55 Act 16 17

κατακόπτειν   concidere   Mar 5 5 ἑαυτ. λίϑοις

κατακρημνίζειν   praecipitare   Luc 4 29 (᾽Ιησν)

κατάκριμα   condemnatio   ^bdamnatio
Rm   5 16 τὸ – κρίμα ἐξ ἑνὸς εἰς κατάκριμα 18
   8 1 οὐδὲν ἄρα νῦν κατ.^b τοῖς ἐν Χῷ ᾽Ιησ.

κατακρίνειν   condemnare   ^bdamnare
Mat 12 41 Νινευῖται – κ..οῦσιν αὐτήν 42 βασί-
λισσα νότου – κ..εῖ αὐτήν ‖ Luc 11 31 s
20 18 κ..οῦσιν αὐτὸν εἰς ϑάνατ. ‖ Mar 10 33^b
27 3 ἰδὼν ᾽Ιούδας – ὅτι κατεκρίϑη^b
Mar 14 64 οἱ δὲ πάντες κατέκριναν αὐτὸν ἔνο-
χον εἶναι ϑανάτου
[16 16 ὁ δὲ ἀπιστήσας κατακριϑήσεται]
[Joh 8 10 οὐδείς σε κατέκρινεν; 11 οὐδὲ ἐγώ σε
κατακρίνω vg condemnabo]
Rm   2 1 ἐν ᾧ – κρίνεις (iudicas) τὸν ἕτερον,
σεαυτὸν κατακρίνεις
   8 3 κατέκρινεν^b τὴν ἁμαρτ. ἐν τῇ σαρκὶ
– 34 ϑεὸς „ὁ δικαιῶν· τίς ὁ κατακρινῶν;"
14 23 ὁ δὲ διακρινόμενος ἐὰν φάγῃ κατα-
κέκριται^b, ὅτι οὐκ ἐκ πίστεως
1 Co 11 32 ἵνα μὴ σὺν τῷ κόσμῳ κ..ιϑῶμεν^b
Hb 11 7 δι᾽ ἧς κατέκρινεν^b τὸν κόσμον (Noe)
2 Pe 2 6 πόλεις Σοδόμων καὶ Γομόρρας τε-
φρώσας καταστροφῇ κατέκρινεν^b

κατάκρισις   S^o – ^acondemnatio   ^bdamnatio
2 Co   3 9 εἰ – ἡ διακονία τῆς κ..εως^b δόξα
   7 3 πρὸς κατάκρισιν^a οὐ λέγω

κατακύπτειν   se inclinare   [Joh 8 8 κ..ψας]

κατακυριεύειν   dominari
Mat 20 25 (ἐϑνῶν) ‖ Mar 10 42 – Act 19 16
1 Pe 5 3 μηδ᾽ ὡς κ..οντες τῶν κλήρων ἀλλὰ

καταλαλεῖν   detrahere   ^bdetrectare (vl ..act.)
Jac   4 11 μὴ κ..εῖτε ἀλλήλων –. ὁ κ..ῶν ἀδελ-
φοῦ ἢ κρίνων τὸν ἀδ. – κ..εῖ νόμου

1 Pe   2 12 ἐν ᾧ κ..οῦσιν^b ὑμῶν ὡς κακοποιῶν
3 16 ἵνα ἐν ᾧ κ..σϑε καταισχυνϑῶσιν

καταλαλιαί   detractiones   2 Co 12 20 1 Pe 2 1

κατάλαλος   S^o – detractor   Rm 1 30 κ..ους

καταλαμβάνειν, ..εσϑαι   comprehendere
   ^bapprehend.   ^cdepreh.   ^dcomperire
Mar   9 18 ὅπου ἐὰν αὐτὸν καταλάβῃ^b
Joh   1 5 ἡ σκοτία αὐτὸ οὐ κατέλαβεν
(6 17 vl κατέλαβεν – αὐτοὺς ἡ σκοτία vg^o)
[8 3 ἐπὶ μοιχείᾳ κατειλημμένην^c 4^c]
12 35 ἵνα μὴ σκοτία ὑμᾶς καταλάβῃ
Act   4 13 κ..βόμενοι^d ὅτι – ἀγράμματοί εἰσιν
10 34 ἐπ᾽ ἀληϑείας κ..ομαι^d ὅτι -- 25 25^d
Rm   9 30 ἔϑνη – κατέλαβεν^b δικαιοσύνην
1 Co   9 24 οὕτως τρέχετε ἵνα καταλάβητε
Eph   3 18 καταλαβέσϑαι – τί τὸ πλάτος καὶ μῆ.
Phl   3 12 διώκω – εἰ καὶ καταλάβω, ἐφ᾽ ᾧ καὶ
κατελήμφϑην ὑπὸ Χοῦ 13 ἐγὼ ἐμαυ-
τὸν οὔπω λογίζομαι κατειληφέναι
1 Th   5 4 οὐκ ἐστὲ ἐν σκότει, ἵνα ἡ ἡμέρα ὑμᾶς
ὡς κλέπτης καταλάβῃ

καταλέγειν   eligere   1 Ti 5 9 χήρα κ..έσϑω μὴ
ἔλαττον ἐτῶν ἑξήκοντα γεγονυῖα

καταλείπειν   relinquere   ^bderelinquere   ^cdi-
mittere   ^dreicere   ^e(pass.) remanēre
Mat   4 13 καταλιπὼν τὴν Ναζαρά – 16 4 21 17
19 5 „καταλείψει^c ἄνϑρωπος τὸν πατέρα
καὶ τὴν μητέρα" ‖ Mar 10 7 Eph 5 31
Mar 12 19^c 21 ἀπέϑανεν μὴ καταλιπὼν σπέρμα
‖ Luc 20 31 – Mar 14 52^d τὴν σινδόνα
Luc   5 28 καταλιπὼν πάντα – ἠκολούϑει αὐτῷ
10 40 ὅτι – μόνην με κατέλειπεν διακονεῖν;
15 4 οὐ κ..ει^c τὰ ἐνενήκοντα ἐννέα –;
[Joh 8 9 κατελείφϑη^e μόνος, καὶ ἡ γυνὴ ἐν]
Act   6 2 ἡμᾶς κ..ψαντας^b τ. λόγον – διακονεῖν
18 19 21 3 24 27 Παῦλον δεδεμένον 25 14^b
Rm 11 4 „κατέλιπον" ἐμαυτῷ „ἑπτακισχιλ."
Eph   5 31 → Mt 19 5 – 1 Th 3 1 κ..φϑῆναι^e ἐν ᾽Αϑ.
Hb   4 1 κ..ομένης ἐπαγγελίας εἰσελϑεῖν εἰς
11 27 πίστει κατέλιπεν Αἴγυπτον, μὴ φοβ.
2 Pe   2 15 κ..οντες^b εὐϑεῖαν ὁδὸν ἐπλανήϑησαν

καταλιϑάζειν   S^o – lapidare   Luc 20 6 ἡμᾶς

καταλλαγή   reconciliatio
Rm   5 11 δι᾽ οὗ νῦν τὴν καταλλαγὴν ἐλάβομεν
11 15 εἰ – ἡ ἀποβολὴ αὐτῶν κ..γὴ κόσμου·

2 Co 5 18 δόντος ήμῖν τὴν διακονίαν τῆς κατ.
– 19 θέμενος ἐν ήμῖν τὸν λόγον τῆς κατ.

καταλλάσσειν, ..εσθαι reconciliare, ..ri
Rm 5 10 εἰ – κατηλλάγημεν τῷ θεῷ διὰ τοῦ
θανάτου τοῦ υἱοῦ –, – μᾶλλον κ..γέν-
τες σωθησόμεθα ἐν τῇ ζωῇ αὐτοῦ
1 Co 7 11 ἢ τῷ ἀνδρὶ καταλλαγήτω
2 Co 5 18 θεοῦ τοῦ κ..άξαντος ήμᾶς ἑαυτῷ
– 19 θεὸς ἦν ἐν Χῷ κόσμον καταλλάσσων
ἑαυτῷ 20 καταλλάγητε τῷ θεῷ

κατάλοιποι ceteri Act 15 17 „οἱ κ. τῶν ἀνθρ."

καταλύειν destruere [b]dissolvere [c]divertere
(vl dev.) [d]solvere
Mat 5 17 κ..ῦσαι[d] τὸν νόμον ἢ τοὺς προφήτας·
οὐκ ἦλθον κ..ῦσαι[d] ἀλλὰ πληρῶσαι
24 2 οὐ μὴ ἀφεθῇ – λίθος ἐπὶ λίθον ὃς οὐ
καταλυθήσεται || Mar 13 2 Luc 21 6
26 61 δύναμαι καταλῦσαι τὸν ναὸν τοῦ θε-
οῦ 27 40 ὁ καταλύων τὸν ναόν || Mar
14 58[b] 15 29 – Act 6 14 ὅτι Ἰησοῦς –
καταλύσει τὸν τόπον τοῦτον
Luc 9 12 ἵνα – εἰς τὰς – κώμας – καταλύσωσιν[c]
19 7 παρὰ ἁμαρτωλῷ – εἰσῆλθεν κ..ῦσαι[c]
Act 5 38 ἐὰν ᾖ ἐξ ἀνθρώπων ἡ βουλὴ –, κατα-
λυθήσεται[b] 39 εἰ δὲ ἐκ θεοῦ ἐστιν,
οὐ δυνήσεσθε καταλῦσαι[b] αὐτούς
Rm 14 20 μὴ – κατάλυε τὸ ἔργον τοῦ θεοῦ
2 Co 5 1 ἐὰν ἡ ἐπίγειος ἡμῶν οἰκία κ..λυθῇ[b]
Gal 2 18 εἰ – ἃ κατέλυσα – πάλιν οἰκοδομῶ

κατάλυμα diversorium [b]refectio
Mar 14 14 ποῦ ἐστιν τὸ κ.[b] μου –; || Luc 22 11
Luc 2 7 οὐκ ἦν αὐτοῖς τόπος ἐν τῷ κ..ατι

καταμανθάνειν considerare Mat 6 28 κρίνα

καταμαρτυρεῖν testificari adversum [b]testi-
monium dicere adv. [c]obiicere alicui
Mat 26 62 τί οὗτοί σου κ..οῦσιν 27 13[b] || Mr 14 60[c]

καταμένειν manēre Act 1 13 1 Co 16 6

καταναλίσκειν consumere Hb 12 29 „πῦρ"

καταναρκᾶν S° – [a]gravare [b]gravem esse
[c]onerosum esse 2 Co 11 9 οὐ κατενάρκη-
σα[c] οὐθενός 12 13[a] 14 οὐ καταναρκήσω[b]

κατανεύειν S° – annuere Luc 5 7 κατέ..σαν

κατανοεῖν considerare [b]vidēre
Mat 7 3 τὴν – δοκὸν οὐ κ..εῖς[b]; || Luc 6 41

Luc 12 24 κ..ήσατε τοὺς κόρακας 27 τὰ κρίνα
20 23 κ..ήσας – αὐτῶν τὴν πανουργίαν
Act 7 31.32 οὐκ ἐτόλμα κ..ῆσαι 11 6 ἀτενίσας
κατενόουν 27 39 κόλπον κατενόουν
Rm 4 19 μὴ ἀσθενήσας τῇ πίστει (vl + οὐ vg
nec) κατενόησεν τὸ ἑαυτοῦ σῶμα
νενεκρωμένον
Hb 3 1 κατανοήσατε τ. ἀπόστολον καὶ ἀρχ-
ιερέα τῆς ὁμολογίας ἡμῶν Ἰησοῦ
10 24 κατανοῶμεν ἀλλήλους εἰς παροξυ-
σμὸν ἀγάπης καὶ καλῶν ἔργων
Jac 1 23 κ..οῦντι τὸ πρόσωπον – ἐν ἐσόπτρῳ
– 24 κατενόησεν – ἑαυτὸν καὶ ἀπελήλυθεν

καταντᾶν devenire [b]pervenire [c]venire
[d]occurrere [e]descendere
Act 16 1[b] εἰς Δέρβην 18 19 Ἔφ. 24 20 15[c] ἄντι-
κρυς Χίου 21 7 κατηντήσαμεν (vl κατ-
έβημεν vg)[e] εἰς Πτολ. 25 13[e] Καισ.
27 12 Φοίνικα 28 13 Ῥήγιον
26 7 τῆς ἐπαγγελίας –, εἰς ἣν τὸ δωδεκά-
φυλον ἡμῶν – ἐλπίζει καταντῆσαι
1 Co 10 11 ἡμῶν, εἰς οὓς τὰ τέλη τῶν αἰώνων
κατήντηκεν 14 36 ἢ εἰς ὑμᾶς μόνους
κατήντησεν[b] (sc ὁ λόγος τοῦ θεοῦ);
Eph 4 13 μέχρι καταντήσωμεν[d] οἱ πάντες εἰς
τὴν ἑνότητα τῆς πίστεως
Phl 3 11 εἴ πως καταντήσω[d] εἰς τὴν ἐξανά-
στασιν τὴν ἐν νεκρῶν

κατάνυξις compunctio Rm 11 8 „πνεῦ. κ..εως"

κατανύσσεσθαι compungi Act 2 37 τὴν καρδ.

καταξιοῦσθαι dignum haberi
Luc 20 35 οἱ – κ..ωθέντες τοῦ αἰῶνος ἐκείνου
τυχεῖν – 21 36 ἵνα κατισχύσητε (vl
καταξιωθῆτε vg) ἐκφυγεῖν – τὰ μέλ-
λοντα γίνεσθαι
Act 5 41 χαίροντες –, ὅτι κατηξιώθησαν ὑπὲρ
τοῦ ὀνόματος ἀτιμασθῆναι
2 Th 1 5 εἰς τὸ κ..ωθῆναι ὑμᾶς τῆς βασιλείας

καταπατεῖν conculcare
Mat 5 13 εἰ μὴ βληθὲν ἔξω καταπατεῖσθαι
7 6 μήποτε κ..ήσουσιν αὐτούς (sc μαργ.)
Luc 8 5 παρὰ τὴν ὁδὸν καὶ κατεπατήθη
12 1 ὄχλου, ὥστε καταπατεῖν ἀλλήλους
Hb 10 29 ὁ τὸν υἱὸν τοῦ θεοῦ καταπατήσας

καταπαύειν requiescere [b]requiem praestare
[c]sedare Act 14 18 μόλις κατέπαυ-

σαν^c τοὺς ὄχλους τοῦ μὴ θύειν αὐτοῖς
Hb 4 4 „κατέπαυσεν – ἀπὸ – τ. ἔργων αὐτοῦ"
– 8 εἰ γὰρ αὐτοὺς Ἰησοῦς κατέπαυσεν^b
– 10 ὁ – „εἰσελθὼν εἰς τὴν κατάπαυσιν αὐ-
τοῦ" καὶ αὐτὸς „κατέπαυσεν ἀπὸ τῶν
ἔργων" αὐτοῦ, ὥσπερ – „ὁ θεός"

κατάπαυσις requies ^b requietio
Act 7 49 „τίς τόπος τῆς καταπαύσεώς^b μου;"
Hb 3 11 „εἰ εἰσελεύσονται εἰς τὴν κ..ίν μου"
43.5 – 3 18 τίσιν – „ὤμοσεν μὴ εἰσ-
ελεύσεσθαι εἰς τὴν κ..ιν αὐτοῦ" –;
4 1 ἐπαγγελίας εἰσελθεῖν εἰς τὴν κ..ιν
– 3 „εἰσερχόμεθα – εἰς [τὴν] κατάπαυσιν"
οἱ πιστεύσαντες 10 → καταπαύειν
– 11 σπουδάσωμεν οὖν „εἰσελθεῖν εἰς"
ἐκείνην „τὴν κατάπαυσιν"

καταπέτασμα velum ^b velamen ^c velamen-
tum Mat 27 51 τὸ κατ. τοῦ ναοῦ ἐσχί-
σθη ‖ Mar 15 38 εἰς δύο Luc 23 45 μέσον
Hb 6 19 „εἰσερχομένην εἰς τὸ ἐσώτ. τοῦ κ.^b"
9 3 μετὰ – τὸ δεύτερον κατ.^c σκηνὴ ἡ λεγ.
10 20 ἐνεκαίνισεν – ὁδὸν – ζῶσαν διὰ τοῦ
κατ.^b, τοῦτ' ἔστιν τῆς σαρκὸς αὐτοῦ

καταπίνειν absorbēre ^b devorare ^c glutire
Mat 23 24 τὴν δὲ κάμηλον καταπίνοντες^c
1 Co 15 54 „κατεπόθη ὁ θάνατος εἰς νῖκος"
2 Co 2 7 μή πως τῇ – λύπῃ καταποθῇ ὁ τοιοῦτ.
5 4 ἵνα καταποθῇ τὸ θνητὸν ὑπὸ τ. ζωῆς
Hb 11 29 οἱ Αἰγύπτιοι κατεπόθησαν^b
1 Pe 5 8 ζητῶν τινα καταπιεῖν^b (vl τίνα κατα-
πίῃ vg quem devoret)
Ap 12 16 ἡ γῆ – κατέπιεν τὸν ποταμόν

καταπίπτειν cadere ^b decidere Luc 8 6 ἐπὶ τ.
πέτραν Act 26 14^b εἰς τὴν γῆν 28 6 νεκρόν

καταπλεῖν S^o – navigare (vl enav.) Luc 8 26

καταπονεῖσθαι iniuriam sustinēre ^b opprimi
Act 7 24 2 Pe 2 7 Λὼτ κ..ούμενον^b

καταποντίζεσθαι mergi ^b demergi Mat 14 30
Mat 18 6 ἵνα κ..ισθῇ^b ἐν τῷ πελάγει τῆς θαλ.

κατάρα maledictum ^b maledictio
Gal 3 10 ὑπὸ κατάραν εἰσίν· γέγραπται γάρ
– 13 ἡμᾶς ἐξηγόρασεν ἐκ τῆς κατ. τοῦ νό-
μου γενόμενος ὑπὲρ ἡμῶν κατάρα
Hb 6 8 ἀδόκιμος (sc γῆ) καὶ „κ..ας ἐγγύς"

Jac 3 10 ἐξέρχεται εὐλογία καὶ κατάρα^b
2 Pe 2 14 κατάρας^b τέκνα

καταρᾶσθαι maledicere
Mat 25 41 πορεύεσθε ἀπ' ἐμοῦ κατηραμένοι
Mar 11 21 ἴδε ἡ συκῆ ἣν κατηράσω ἐξήρανται
Luc 6 28 εὐλογεῖτε τοὺς καταρωμένους ὑμᾶς
Rm 12 14 εὐλογεῖτε καὶ μὴ καταρᾶσθε
Jac 3 9 ἐν αὐτῇ κ..ώμεθα τοὺς ἀνθρώπους

καταργεῖν evacuare ^b destruere ^c abolēre
^d occupare ^e solvere
Luc 13 7 ἱνατί καὶ τὴν γῆν καταργεῖ^d;
Rm 3 3 μὴ ἡ ἀπιστία αὐτῶν τὴν πίστιν τοῦ
θεοῦ καταργήσει; μὴ γένοιτο
– 31 νόμον οὖν κ..οῦμεν^b διὰ τ. πίστεως;
4 14 κατήργηται^c ἡ ἐπαγγελία
6 6 ἵνα κ..ηθῇ^b τὸ σῶμα τῆς ἁμαρτίας
7 2 κατήργηται^e ἀπὸ τ. νόμου τ. ἀνδρός
– 6 νυνὶ – κατηργήθημεν^e ἀπὸ τ. νόμου
1 Co 1 28 τὰ μὴ ὄντα, ἵνα τὰ ὄντα καταργήσῃ^b
2 6 σοφίαν – οὐδὲ τῶν ἀρχόντων τοῦ αἰ-
ῶνος τούτου τῶν καταργουμένων^b
6 13 θεὸς καὶ ταύτην καὶ ταῦτα κ..ήσει^b
13 8 εἴτε – προφητεῖαι, κ..ηθήσονται· – εἴτε
γνῶσις, κ..ηθήσεται^b (vl ..εις, ..ονται)
– 10 τὸ ἐκ μέρους καταργηθήσεται
– 11 κατήργηκα τὰ τοῦ νηπίου
15 24 ὅταν κ..ήσῃ πᾶσαν ἀρχὴν καὶ – ἐξουσ.
– 26 ἔσχατος ἐχθρὸς κ..εῖται^b ὁ θάνατος
2 Co 3 7 διὰ „τὴν δόξαν τοῦ προσώπου αὐτοῦ"
τὴν κ..ουμένην 11 εἰ – τὸ κ..ούμενον
διὰ δόξης 13 μὴ ἀτενίσαι – εἰς τὸ τέ-
λος (vl πρόσωπον vg) τοῦ κ..ουμένου
– 14 ὅτι ἐν Χῷ κ..εῖται (sc τὸ κάλυμμα)
Gal 3 17 εἰς τὸ καταργῆσαι τὴν ἐπαγγελίαν
5 4 κατηργήθητε ἀπὸ Χοῦ οἵτινες ἐν νό.
– 11 ἄρα κατήργηται τὸ σκάνδ. τ. σταυροῦ
Eph 2 15 τὸν νόμον τῶν ἐντολῶν – καταργήσας
2 Th 2 8 ὃν ὁ κύριος – κ..ήσει^b τῇ ἐπιφανείᾳ
2 Ti 1 10 Χοῦ Ἰ., κ..ήσαντος^b – τὸν θάνατον
Hb 2 14 ἵνα διὰ τοῦ θανάτου καταργήσῃ^b
τὸν τὸ κράτος ἔχοντα τοῦ θανάτου

καταριθμεῖν connumerare Act 1 17 ἐν ἡμῖν

καταρτίζειν, ..εσθαι perficere ^b aptare (Rm
9 22 aptus) ^c complēre ^d componere
^e instruere ^f reficere
Mat 4 21 κ..ίζοντας^f τὰ δίκτυα ‖ Mar 1 19^d
21 16 „ἐκ στόμ. νηπίων – κατηρτίσω αἶνον"
Luc 6 40 κατηρτισμένος – πᾶς ἔσται ὡς ὁ διδ.

Rm 9 22 „ἤνεγκεν – σκεύη ὀργῆς" κατηρτισμέ-
να b (apta vl aptata) εἰς „ἀπώλειαν"
1 Co 1 10 ἦτε – κατηρτισμένοι ἐν τῷ αὐτῷ νοῖ
2 Co 13 11 χαίρετε, κ..ίζεσθε (perfecti estote)
Gal 6 1 κ..ετε e τ. τοιοῦτον ἐν πνεύ. πραΰτητος
1 Th 3 10 εἰς τὸ – καταρτίσαι c τὰ ὑστερήματα
τῆς πίστεως ὑμῶν
Hb 10 5 „σῶμα δὲ κατηρτίσω b μοι"
11 3 κατηρτίσθαι b τοὺς αἰῶνας ῥήματι θ.
13 21 θεὸς – καταρτίσαι b ὑμᾶς ἐν παντὶ ἀ-
γαθῷ εἰς τὸ ποιῆσαι τὸ θέλ. αὐτοῦ
1 Pe 5 10 θεὸς – αὐτὸς καταρτίσει, στηρίξει

κατάρτισις S o – consummatio
2 Co 13 9 τοῦτο καὶ εὐχόμεθα, τὴν ὑμῶν κ..ιν

καταρτισμός S o – consummatio
Eph 4 12 πρὸς τὸν κατ. τῶν ἁγίων εἰς ἔργον

κατασείειν τῇ χειρί, τὴν χεῖρα annuere
b silentium indicere c silent. postulare
Act 12 17 σιγᾶν 13 16 b 19 33 c 21 40 τῷ λαῷ

κατασκάπτειν suffodere Rm 11 3 „θυσιαστήρ."

κατασκευάζειν praeparare b aptare c com-
ponere d creare e fabricare f facere g (κατ-
εσκευασμένος) perfectus
Mat 11 10 „κ..άσει τ. ὁδόν σου" ‖ Mar 12 Luc 7 27
Luc 1 17 ἑτοιμάσαι κυρίῳ λαὸν κ..μένον g
Hb 3 3 πλείονα τιμὴν ἔχει τ. οἴκου ὁ κ..ά-
σας e αὐτόν 4 πᾶς – οἶκος κ..εται e
ὑπό τινος, ὁ δὲ πάντα κ..άσας d θεός
9 2 σκηνὴ – κατεσκευάσθη f ἡ πρώτη
– 6 τούτων δὲ οὕτως κατεσκευασμένων c
11 7 κατεσκεύασεν b κιβωτόν 1 Pe 3 20 e

κατασκηνοῦν habitare b requiescere
Mat 13 32 „ἐν τ. κλάδοις" ‖ Mar 4 32 „ὑπὸ τὴν
σκιὰν αὐτοῦ" Luc 13 19 b „ἐν τ. κλάδοις"
Act 2 26 „ἔτι δὲ καὶ ἡ σάρξ μου κατασκηνώ-
σει b ἐπ᾽ ἐλπίδι"

κατασκήνωσις nidus Mat 8 20 ἔχουσιν – κ..
εις (vg vl tabernacula) ‖ Luc 9 58

κατασκιάζειν S o – obumbrare Hb 9 5

κατασκοπεῖν explorare Gal 2 4 τὴν ἐλευθερ.

κατάσκοπος explorator Hb 11 31 δεξ. τοὺς κ.

κατασοφίζεσθαι circumvenire Act 7 19

καταστέλλειν sedare Act 19 35 ὄχλον 36

κατάστημα (S ..στε.) habitus Tit 2 3 ἱεροπρ.

καταστολή habitus 1 Ti 2 9 ἐν κ..ῇ κοσμίῳ

καταστρέφειν evertere b diruere
Mat 21 12 τραπέζας ‖ Mar 11 15 – Act 15 16 b

καταστρηνιᾶν S o – luxuriari 1 Ti 5 11 Χοῦ

καταστροφή a eversio b subversio 2 Pe 2 6 a
2 Ti 2 14 λογομαχεῖν, – ἐπὶ κ..ῇ b τῶν ἀκουόντ.

καταστρώννυσθαι prosterni 1 Co 10 5

κατασύρειν trahere Luc 12 58 πρὸς τ. κριτήν

κατασφάζειν interficere Luc 19 27 ἐχθρούς

κατασφραγίζειν signare Ap 5 1 βιβλίον

κατάσχεσις possessio Act 7 5 „εἰς κ..ιν" 45

κατατιθέναι, ..εσθαι ponere b praestare
Mar 15 46 κατέθηκεν (vl ἔθ.) αὐτὸν ἐν μνήματι
Act 24 27 χάριτα καταθέσθαι b τοῖς Ἰουδ. 25 9 b

κατατομή S o – concisio Phl 3 2 βλέπετε τὴν κ.

κατατρέχειν decurrere Act 21 32 ἐπ᾽ αὐτούς

καταφαγεῖν → κατεσθίειν

καταφέρειν, ..εσθαι a deferre b obiicere c mer-
gi d duci (vl educi) Act 20 9 κ..όμενος c
ὕπνῳ βαθεῖ, –, κατενεχθεὶς d ἀπὸ τοῦ
ὕπνου – 25 7 βαρέα αἰτιώματα κ..οντες b
26 10 ἀναιρουμένων – κατήνεγκα a ψῆφον

καταφεύγειν confugere Act 14 6 εἰς – Λύστρ.
Hb 6 18 οἱ καταφυγόντες κρατῆσαι τῆς προ-
κειμένης ἐλπίδος

καταφθείρειν corrumpere
2 Ti 3 8 ἄνθρωποι κατεφθαρμένοι τὸν νοῦν

καταφιλεῖν osculari
Mat 26 49 ‖ Mar 14 45 – Luc 7 38 τοὺς πόδας 45
Luc 15 20 Act 20 37 κατεφίλουν αὐτόν (Παῦλον)

καταφρονεῖν contemnere
Mat 6 24 καὶ τοῦ ἑτέρου κ..ήσει ‖ Luc 16 13

Mat 18 10 ὁρᾶτε μὴ κ..ήσητε ἑνὸς τῶν μικρῶν
Rm 2 4 ἢ τοῦ πλούτου τῆς χρηστότητος αὐ-
τοῦ καὶ τῆς ἀνοχῆς – καταφρονεῖς, –;
1 Co 11 22 ἢ τῆς ἐκκλησίας τοῦ θεοῦ κ..εῖτε –;
1 Ti 4 12 μηδείς σου τῆς νεότητος κ..είτω
6 2 μὴ κ..είτωσαν, ὅτι ἀδελφοί εἰσιν
Hb 12 2 ἀφορῶντες – Ἰησοῦν, ὃς – ὑπέμεινεν
σταυρὸν αἰσχύνης καταφρονήσας
2 Pe 2 10 τοὺς – κυριότητος καταφρονοῦντας

καταφρονητής contemptor Act 13 41 „οἱ κ."

καταχεῖν effundere Mat 26 7 ‖ Mar 14 3

καταχθόνιοι Sᵒ – inferni Phl 2 10 „πᾶν γόνυ"

καταχρῆσθαι ᵃuti ᵇabuti 1 Co 7 31 οἱ χρώ-
μενοι τὸν κόσμον ὡς μὴ κ..ώμενοιᵃ (vl
παραχρ.) 9 18 εἰς τὸ μὴ κ..ήσασθαιᵇ τῇ
ἐξουσίᾳ μου ἐν τῷ εὐαγγελίῳ

καταψύχειν refrigerare Luc 16 24 γλῶσσαν

κατείδωλος Sᵒ – idololatriae (vl idolat.)
deditus
Act 17 16 θεωροῦντος κ..ον οὖσαν τὴν πόλιν

κατέναντι contra ᵇante ᶜcoram
Mat 21 2 κώμην τὴν κ. ὑμ. ‖ Mar 11 2 Luc 19 30
27 24 κ.ᶜ τοῦ ὄχλου Mar 12 41 13 3 τ. ἱεροῦ
Rm 4 17 κατέναντιᵇ οὗ ἐπίστευσεν θεοῦ
2 Co 2 17 κ.ᶜ θεοῦ ἐν Χῷ λαλοῦμεν 12 19ᶜ

κατενώπιον ᵃin conspectu ᵇante conspec-
tum ᶜcoram Eph 1 4 εἶναι ἡμᾶς – ἀμώ-
μους κατ.ᵃ αὐτοῦ Col 1 22 παραστῆσαι ὑ-
μᾶς – ἀμώμους – κατ.ᶜ αὐτοῦ Jud 24 στῆ-
σαι κατ.ᵇ τῆς δόξης αὐτοῦ ἀμώμους

κατεξουσιάζειν Sᵒ – ᵃpotestatem exercēre
ᵇpot. habēre Mat 20 25ᵃ ‖ Mar 10 42ᵇ

κατεργάζεσθαι operari ᵇefficere ᶜfacere
ᵈperficere ᵉconsummare
Rm 1 27 τὴν ἀσχημοσύνην κατεργαζόμενοι 2 9
ἀνθρώπου τοῦ κ..ομένου τὸ κακόν
4 15 ὁ – νόμος ὀργὴν κ..εται 5 3 ἡ θλῖψις
ὑπομονὴν κ..εται, ἡ – ὑπ. δοκιμήν
7 8 ἡ ἁμαρτία διὰ τῆς ἐντολῆς κατειργά-
σατο ἐν ἐμοὶ πᾶσαν ἐπιθυμίαν 13 διὰ
τοῦ ἀγαθοῦ μοι κ..ομένη θάνατον
– 15 ὃ – κ..ομαι οὐ γινώσκω 17 οὐκέτι ἐγὼ

κ..ομαι αὐτὸ ἀλλὰ ἡ – ἁμαρτία 18ᵃ τὸ
δὲ κ..εσθαιᵈ τὸ καλὸν οὔ (sc παρά-
κειταί μοι) 20 οὐκέτι ἐγὼ κ..ομαι
Rm 15 18 οὐ – τολμήσω τι λαλεῖν ὧν οὐ κατειρ-
γάσατοᵇ Χὸς δι' ἐμοῦ – λόγῳ καὶ ἔρ.
1 Co 5 3 κέκρικα – τὸν – τοῦτο κ..σάμενόν
2 Co 4 17 αἰώνιον βάρος δόξης κ..εται ἡμῖν
5 5 ὁ δὲ κατεργασάμενοςᵇ (vl ..ζόμενος
vg) ἡμᾶς εἰς αὐτὸ τοῦτο θεός
7 10 ἡ – τοῦ κόσμου λύπη θάνατον κ..εται
11 πόσην κατειργάσατο ὑμῖν σπουδήν
9 11 ἥτις κ..εται – εὐχαριστίαν τῷ θεῷ
12 12 τὰ – σημεῖα τοῦ ἀποστόλου κατειρ-
γάσθηᶜ ἐν ὑμῖν ἐν πάσῃ ὑπομονῇ
Eph 6 13 ἵνα δυνηθῆτε – ἅπαντα κ..σάμενοιᵈ
(in omnibus perfecti) στῆναι
Phl 2 12 τὴν ἑαυτῶν σωτηρίαν κατεργάζεσθε
Jac 1 3 ὅτι τὸ δοκίμιον ὑμῶν τῆς πίστεως
κατεργάζεται ὑπομονήν
1 Pe 4 3 τὸ βούλημα τῶν ἐθνῶν κατειργάσθαιᵉ

κατέρχεσθαι descendere ᵇvenire ᶜsuper-
venire ᵈdevenire ᵉabire
Luc 4 31 9 37 Act 8 5 9 32ᵈ 11 27ᶜ 12 19 13 4ᵉ 15
1.30 18 5ᵇ 22 (vl 19 1ᵇ) 21 3ᵇ 10ᶜ 27 5ᵇ
Jac 3 15 οὐκ ἔστιν αὕτη ἡ σοφία ἄνωθεν κατ-
ερχομένη, ἀλλὰ ἐπίγειος

κατεσθίειν, κατέσθειν, καταφαγεῖν come-
dere ᵇdevorare Mat 13 4 ‖ Mar 4 4 Luc 8 5
Mar 12 40 οἱ κατέσθοντεςᵇ τὰς οἰκίας τῶν χη-
ρῶν ‖ Luc 20 47ᵇ (vl Mat 23 14 vg, vlᵒ)
Luc 15 30 ὁ καταφαγώνᵇ σου (suam) τὸν βίον
Joh 2 17 „ὁ ζῆλος τοῦ οἴκου σου καταφάγε-
ταί με (vl κατέφαγέν με vg)"
2 Co 11 20 ἀνέχεσθε – εἴ τις ὑμᾶς – κατεσθίειᵇ
Gal 5 15 εἰ δὲ ἀλλήλους δάκνετε καὶ κ..ίετε
Ap 10 9 λάβε „καὶ κατάφαγε"ᵇ αὐτό 10ᵇ
11 5 „πῦρ – κ..ίειᵇ τοὺς ἐχθρούς" 20 9ᵇ
12 4 ἵνα – τὸ τέκνον αὐτῆς καταφάγῃᵇ

κατευθύνειν dirigere
Luc 1 79 κ..αι τοὺς πόδας – εἰς ὁδὸν εἰρήνης
1 Th 3 11 ὁ θεὸς – κ..αι τὴν ὁδὸν ἡμ. πρὸς ὑμ.
2 Th 3 5 ὁ δὲ κύριος κατευθύναι ὑμῶν τὰς
καρδίας εἰς τὴν ἀγάπην τοῦ θεοῦ
καὶ εἰς τὴν ὑπομονὴν τοῦ Χοῦ

κατευλογεῖν benedicere Mar 10 16 (sc παιδία)

κατεφιστάναι Sᵒ – insurgere in aliquem
Act 18 12 κατεπέστησαν ὁμοθυμαδὸν – τ. Παύλῳ

κατέχειν *tenēre* [b]*detinēre* [c]*retinēre* [d]*possidēre* [e]*tendere* (Act 27₄₀)

Luc 4₄₂ οἱ ὄχλοι – κατεῖχον[b] αὐτὸν τοῦ μὴ πορεύεσθαι ἀπ᾽ αὐτῶν

8₁₅ ἀκούσαντες τὸν λόγον κατέχουσιν[c]

14 9 ἄρξῃ – τὸν ἔσχατον τόπον κατέχειν

(Joh 5 4 vl οἰῳδηποτοῦν κατείχετο[b] νοσήματι)

Act 27₄₀ κατεῖχον[e] εἰς τὸν αἰγιαλόν

Rm 1₁₈ τῶν τὴν ἀλήθειαν ἐν ἀδικίᾳ κ..όντων[b]

7 6 ἀποθανόντες ἐν ᾧ κατειχόμεθα[b]

1 Co 7₃₀ οἱ ἀγοράζοντες ὡς μὴ κατέχοντες[d]

11 2 ὅτι – τὰς παραδόσεις κατέχετε

15 2 τίνι λόγῳ εὐηγγελισάμην ὑμῖν εἰ κ..ετε

2 Co 6₁₀ ὡς μηδὲν ἔχοντες καὶ πάντα κ..οντες[d]

1 Th 5₂₁ πάντα – δοκιμάζετε, τὸ καλὸν κ..ετε

2 Th 2 6 τὸ κατέχον[b] οἴδατε 7 μόνον ὁ κατέχων ἄρτι ἕως ἐκ μέσου γένηται (vg *qui tenet nunc, teneat, donec* –)

Phm 13 ὃν – ἐβουλόμην πρὸς ἐμαυτὸν κ..ειν[b]

Hb 3 6 ἐὰν τὴν παρρησίαν – [μέχρι τέλους βεβαίαν] κατάσχωμεν[c] 14 τὴν ἀρχὴν τῆς ὑποστάσεως (vl + αὐτοῦ vg) – κ.[c]

10₂₃ κατέχωμεν τὴν ὁμολογίαν – ἀκλινῆ

κατηγορεῖν *accusare*

Mat 12₁₀ ἵνα κ..ήσωσιν αὐτοῦ ‖ Mar 3 2 Luc 6 7 εὕρωσιν κ..εῖν – [Joh 8 6 ἔχωσιν κ..εῖν]

27₁₂ ἐν τῷ κ..σθαι αὐτόν ‖ Mar 15 3.4 ἴδε πόσα σου κ..οῦσιν Luc 23 2.10 εὐτόνως κ..οῦντες αὐτοῦ 14 οὐθὲν εὗρον – αἴτιον ὧν κατηγορεῖτε κατ᾽ αὐτοῦ

Joh 5₄₅ μὴ δοκεῖτε ὅτι ἐγὼ κ..ήσω ὑμῶν πρὸς τὸν πατέρα· ἔστιν ὁ κ..ῶν ὑμῶν Μω.

Act 22₃₀ τὸ τί κ..εῖται ὑπὸ τῶν Ἰουδ. 24 2 ἤρξατο κ..εῖν 8.13.19 25 5 κ..είτωσαν αὐτοῦ 11.16 πρὶν ἢ ὁ κ..ούμενος κατὰ πρόσωπον ἔχοι τοὺς κατηγόρους

28₁₉ οὐχ ὡς τοῦ ἔθνους μου ἔχων τι κ..εῖν

Rm 2₁₅ μεταξὺ ἀλλήλων τῶν λογισμῶν κατηγορούντων ἢ καὶ ἀπολογουμένων

Ap 12₁₀ ὁ κ..ῶν αὐτοὺς ἐνώπιον τ. θεοῦ ἡμῶν

κατηγορία S° – *accusatio* Joh 18₂₉ τίνα κ.. αν φέρετε (vl + κατὰ) τοῦ ἀνθρ. τούτου;

1 Ti 5₁₉ κατὰ πρεσβυτέρου κ..αν μὴ παραδέχου, ἐκτὸς εἰ μὴ „ἐπὶ δύο – μαρτύρων"

Tit 1 6 τέκνα –, μὴ ἐν κατηγορίᾳ ἀσωτίας

κατήγορος *accusator* Act 23₃₀.₃₅ 25₁₆.₁₈

κατήγωρ S° – *accusator* Ap 12₁₀ ὁ κ. τῶν ἀδ.

κατήφεια S° (S κατηφής) – *moeror*

Jac 4 9 μετατραπήτω – ἡ χαρὰ εἰς κατήφειαν

κατηχεῖν, ..ϝῖσθαι S° – [a]*edocēre* [b]*erudire* [c]*instruere* [d]*catechizare* [e](pass.) *audire*

Luc 1 4 περὶ ὧν κατηχήθης[b] λόγων τὴν ἀσφ.

Act 18₂₅ ἦν κ..ημένος[a] τὴν ὁδὸν τὴν κυρίου

21₂₁ κ..ήθησαν[e] – περὶ σοῦ ὅτι 24 ὅτι ὧν κατήχηνται[e] περὶ σοῦ οὐδέν ἐστιν

Rm 2₁₈ κατηχούμενος[c] ἐκ τοῦ νόμου

1 Co 14₁₉ ἵνα καὶ ἄλλους κατηχήσω[c]

Gal 6 6 κοινωνείτω – ὁ κ..ούμενος[d] τὸν λόγον τῷ κατηχοῦντι[d] ἐν πᾶσιν ἀγαθοῖς

κατιοῦσθαι *aeruginare* Jac 5 3 ὁ χρυσὸς ὑμ.

κατισχύειν [a]*praevalēre* advers. [b]*invalescere*

Mat 16₁₈ πύλαι ᾅδου οὐ κ..ύσουσιν[a] αὐτῆς

Luc 21 36 ἵνα κ..ύσητε (vl καταξιωθῆτε vg *digni habeamini*) ἐκφυγεῖν ταῦτα

23₂₃ κατίσχυον[b] αἱ φωναὶ αὐτῶν

κατοικεῖν *habitare* [b]*inhabitare* [c]*cohabitare* [d]*morari*

Mat 2₂₃ εἰς πόλιν – Ναζαρ. 4₁₃ εἰς Καφαρν. Act 2 5 εἰς Ἰερουσαλήμ 7 4 εἰς ἣν (sc γῆν) ὑμεῖς νῦν κατοικεῖτε

12₄₅ κ..εῖ ἐκεῖ (sc πνεύματα) ‖ Luc 11₂₆

23₂₁ ὀμνύει – ἐν τῷ κ..οῦντι (vl[b]) αὐτόν

Luc 13 4 παρὰ πάντας – τ. κ..οῦντας Ἰερους.

Act 1 19 2₁₄ 4₁₆ – 29 τὴν Μεσοπ. 9₃₂ Λύδδα 35 19₁₀ τὴν Ἀσίαν 17 Ἔφεσον

– 20 „μὴ ἔστω ὁ κ..ῶν[b] (vl[a]) ἐν αὐτῇ"

7 2[d] ἐν Χαρράν 4 9₂₂ ἐν Δαμασκῷ 11₂₉ ἐν τῇ Ἰουδαίᾳ 13₂₇ ἐν Ἰερουσαλήμ

– 48 οὐχ ὁ ὕψιστος ἐν χειροποιήτοις κ..εῖ 17₂₄ ἐν χειροπ. ναοῖς κ..εῖ (vg vl[b])

17₂₆ ἐποίησεν – πᾶν ἔθνος – κ..εῖν[b] ἐπὶ

22₁₂ ὑπὸ – τῶν κ..ούντων[c] (vl[a]) Ἰουδαίων

Eph 3₁₇ κατοικῆσαι τὸν Χὸν διὰ τῆς πίστεως ἐν ταῖς καρδίαις ὑμῶν

Col 1₁₉ ἐν αὐτῷ εὐδόκησεν πᾶν τὸ πλήρωμα κ..ῆσαι[b] (vl[a]) 29 κ..εῖ[b] πᾶν τὸ πλήρωμα τῆς θεότητος σωματικῶς

Hb 11 9 ἐν σκηναῖς κ..ήσας (sc Ἀβραάμ)

2 Pe 3₁₃ ἐν οἷς δικαιοσύνη κατοικεῖ

Ap 2₁₃ οἶδα ποῦ κατοικεῖς· – ἀπεκτάνθη παρ᾽ ὑμῖν, ὅπου ὁ σατανᾶς κατοικεῖ

3₁₀ πειράσαι τοὺς κ..οῦντας ἐπὶ τῆς γῆς 6₁₀ 8₁₃ 11₁₀[b] 13₈[b] 12.14 17₂[b] 8[b]

κατοίκησις *domicilium* Mar 5 3 ἐν – μνήμασιν

κατοικητήριον [a]*habitaculum* [b]*habitatio*

Eph 2₂₂ εἰς κατοικ.[a] τοῦ θεοῦ ἐν πνεύματι

Ap 18 2 ἐγένετο „κατοικητήριον[b] δαιμονίων"

κατοικία *habitatio* Act 1726 ὁροθεσ. τῆς κ.

κατοικίζειν Jac 45 τὸ πνεῦμα ὃ κατῴκισεν
(vl ..κησεν vg *habitat* vl *inhab*.) ἐν ἡμῖν

κατοπτρίζεσθαι S° – *speculari*
2 Co 318 ἡμεῖς – „τὴν δόξαν κυρίου" κ..όμενοι

κάτω *deorsum* – κατωτέρω *infra*
Mat 216 παῖδας – ἀπὸ διετοῦς καὶ κατωτέρω
4 6 βάλε σεαυτὸν κάτω ‖ Luc 49
2751 [ἀπ'] ἄνωθεν ἕως κάτω ‖ Mar 1538
Mar 1466 κάτω ἐν τῇ αὐλῇ – [Joh 86 κ. κύψας]
Joh 823 ὑμεῖς ἐκ τῶν κάτω ἐστέ, ἐγὼ ἐκ
Act 219 δώσω – σημεῖα „ἐπὶ τῆς γῆς" κάτω
20 9 ἔπεσεν ἀπὸ τοῦ τριστέγου κάτω

κατώτερος *inferior* Eph 49 ὅτι καὶ κατέβη
(vl + πρῶτον) εἰς τὰ κ..α μέρη τῆς γῆς;

καῦμα *aestus* Ap 716 „οὐδὲ πᾶν κ." 169

καυματίζειν, ..εσθαι S° – ªaestu affligere
(vl *afficere*) ᵇaestuare ᶜexaestuare
Mat 13 6 ἐκαυματίσθη ᵇ ‖ Mar 46ᶜ (sc σπόρος)
Ap 16 8 καυματίσαι ª τοὺς ἀνθρ. ἐν πυρὶ 9ᵇ

καῦσις *combustio* Hb 68 ἧς τ. τέλος εἰς κ..ιν

καυσοῦσθαι S° – 2 Pe 310 στοιχεῖα – καυ-
σούμενα (vg *calore*) λυθήσεται 12 κ..ούμε-
να (*ignis ardore*) τήκεται (vl τακήσεται)

καυστηριάζειν (vl καυτ.) S° – 1 Ti 42 ψευ-
δολόγων, κεκαυστηριασμένων (*cauteria-
tam habentium*) τὴν ἰδίαν συνείδησιν

καύσων *aestus* ᵇardor Mat 2012 ἡμῖν – τοῖς
βαστάσασι – τὸν καύσωνα (sc τῆς ἡμέρ.)
Luc 1255 καύσων ἔσται, καὶ γίνεται Jac 111ᵇ

καυχᾶσθαι *gloriari* ᵇexultare
Rm 217 εἰ – ἐπαναπαύῃ νόμῳ καὶ καυχᾶσαι
ἐν θεῷ 23 ὃς ἐν νόμῳ καυχᾶσαι, –;
5 2 καυχώμεθα ἐπ' ἐλπίδι τῆς δόξης 3 ἐν
ταῖς θλίψεσιν 11 κ..ώμενοι ἐν τῷ θεῷ
1 Co 129 ὅπως μὴ καυχήσηται πᾶσα σάρξ
– 31 „ὁ καυχώμενος ἐν κυρίῳ καυχάσθω"
321 μηδεὶς καυχάσθω ἐν ἀνθρώποις
4 7 εἰ – ἔλαβες, τί καυχᾶσαι ὡς μὴ λαβών;
(13 3 vl ἐὰν παραδῶ τὸ σῶμά μου ἵνα καυ-
χήσωμαι)
2 Co 512 ἵνα ἔχητε πρὸς τοὺς ἐν προσώπῳ
καυχωμένους καὶ μὴ ἐν καρδίᾳ

2 Co 714 εἴ τι αὐτῷ ὑπὲρ ὑμῶν κεκαύχημαι
9 2 οἶδα γὰρ τὴν προθυμίαν ὑμῶν ἣν ὑ-
πὲρ ὑμῶν καυχῶμαι Μακεδόσιν
10 8 ἐάν τε γὰρ περισσότερόν τι καυχή-
σωμαι περὶ τῆς ἐξουσίας ἡμῶν
– 13 οὐκ εἰς τὰ ἄμετρα καυχησόμεθα 15
ἐν ἀλλοτρίοις κόποις 16 οὐκ ἐν ἀλλο-
τρίῳ κανόνι εἰς τὰ ἕτοιμα κ..ήσασθαι
17 „ὁ – κ..ώμενος ἐν κυρίῳ κ..άσθω"
1112 ἵνα ἐν ᾧ κ..ῶνται εὑρεθῶσιν καθὼς
– ἡμεῖς 16 ἵνα κἀγὼ μικρόν τι κ..ή-
σωμαι 18 ἐπεὶ πολλοὶ κ..ῶνται κατὰ
[τὴν] σάρκα, κἀγὼ καυχήσομαι
– 30 εἰ καυχᾶσθαι δεῖ, τὰ τῆς ἀσθενείας
μου καυχήσομαι
12 1 κ..ᾶσθαι δεῖ, οὐ συμφέρον μέν 5 ὑπὲρ
τοῦ τοιούτου κ..ήσομαι, ὑπὲρ δὲ ἐ-
μαυτοῦ οὐ κ..ήσομαι εἰ μὴ ἐν ταῖς
ἀσθενείαις 6 ἐὰν – θελήσω κ..ήσασθαι
οὐκ ἔσομαι ἄφρων 9 ἥδιστα – καυχή-
σομαι ἐν ταῖς ἀσθενείαις (vl + μου)
Gal 613 ἵνα ἐν τῇ ὑμετέρᾳ σαρκὶ κ..ήσωνται
14 ἐμοὶ δὲ μὴ γένοιτο καυχᾶσθαι εἰ
μὴ ἐν τῷ σταυρῷ τοῦ κυρίου
Eph 2 9 οὐκ ἐξ ἔργων, ἵνα μή τις κ..ήσηται
Phl 3 3 ἡμεῖς –, οἱ – κ..ώμενοι ἐν Χῷ Ἰησοῦ
Jac 1 9 καυχάσθω – ὁ ἀδελφὸς ὁ ταπεινὸς
ἐν τῷ ὕψει αὐτοῦ, 10 ὁ δὲ πλούσιος
ἐν τῇ ταπεινώσει αὐτοῦ
416 νῦν – κ..ᾶσθε ᵇ ἐν ταῖς ἀλαζονείαις ὑμ.

καύχημα *gloria* ᵇgloriatio ᶜgloriari
ᵈgratulatio
Rm 4 2 ἔχει καύχημα· ἀλλ' οὐ πρὸς θεόν
1 Co 5 6 οὐ καλὸν τὸ καύχημα ᵇ ὑμῶν
915 τὸ καύ. μου οὐδεὶς κενώσει 16 ἐὰν –
εὐαγγελίζωμαι, οὐκ ἔστιν μοι καύχ.
2 Co 114 καύ. ὑμῶν ἐσμεν καθάπερ καὶ ὑμεῖς
ἡμῶν 512 ἀφορμὴν διδόντες ὑμῖν καυ-
χήματος ᶜ (*gloriandi*) ὑπὲρ ἡμῶν
9 3 ἵνα μὴ τὸ κ.ᶜ ἡμῶν (*quod gloriamur*)
τὸ ὑπὲρ ὑμῶν κενωθῇ ἐν τῷ μέρει
Gal 6 4 εἰς ἑαυτὸν μόνον τὸ καύχημα ἕξει
Phl 126 ἵνα τὸ καύχημα ᵈ ὑμῶν περισσεύῃ ἐν
Χῷ Ἰησοῦ ἐν ἐμοί
216 εἰς καύχημα ἐμοὶ εἰς ἡμέραν Χοῦ
Hb 3 6 ἐὰν – τὸ κ. τῆς ἐλπίδος – κατάσχωμεν

καύχησις *gloria* ᵇgloriatio ᶜexultatio
Rm 327 ποῦ οὖν ἡ καύχησις ᵇ; ἐξεκλείσθη
1517 ἔχω – τὴν κ. ἐν Χῷ – τὰ πρὸς τ. θεόν
1 Co 1531 νὴ τὴν ὑμετέραν κ. –, ἣν ἔχω ἐν Χῷ

2 Co 1 12 ἡ–καύχησις ἡμῶν αὕτη ἐστίν, τὸ μαρτύριον τῆς συνειδήσεως ἡμῶν
7 4 πολλή μοι κ.[b] ὑπὲρ ὑμῶν 14 ἡ κ.[b] ἡμῶν ἐπὶ Τίτου ἀλήθεια ἐγενήθη
8 24 τὴν – ἔνδειξιν τῆς – ἡμῶν καυχήσεως ὑπὲρ ὑμῶν εἰς αὐτοὺς ἐνδεικνύμενοι
11 10 ἡ κ.[b] (vl[a]) αὕτη οὐ φραγήσεται εἰς ἐμέ 17 ὡς ἐν ἀφροσύνη (sc λαλῶ), ἐν ταύτη τῆ ὑποστάσει τῆς κ..εως
1 Th 2 19 τίς γὰρ ἡμῶν – στέφανος κ..εως –;
Jac 4 16 πᾶσα καύχ.[c] τοιαύτη πονηρά ἐστιν

Καφαρναούμ Mat 4 13 τὴν παραθαλασσίαν –
8 5 ‖ Luc 7 1 – Mat 11 23 μὴ „ἕως οὐρανοῦ ὑψωθήση"; ‖ Luc 10 15 – Mat 17 24 – Mar 1 21 ‖ Luc 4 31 – Mar 2 1 πάλιν εἰς Κ. 9 33 – Luc 4 23 ὅσα ἠκούσαμεν γενόμενα εἰς τὴν Κ. – Joh 2 12 4 46 (βασιλικός) 6 17.24.59 ἐν συναγωγῆ διδάσκων ἐν Καφαρναούμ

Κεγχρεαί Act 18 18 Rm 16 1 ἐκκλησ. – ἐν Κ.

Κεδρών Joh 18 1 πέραν τοῦ χειμάρρου τοῦ Κ.

κείρειν, ..εσθαι *tondēre, ..ēri* Act 8 32 18 18
1 Co 11 6 εἰ – οὐ κατακαλύπτεται γυνή, καὶ κειράσθω· εἰ δὲ αἰσχρὸν – τὸ κείρασθαι

κειρία *insta* Joh 11 44 δεδεμένος – κ..ίαις

κεῖσθαι *positum esse*
Mat 3 10 ἡ ἀξίνη πρὸς τ. ῥίζαν – κεῖται ‖ Luc 3 9
5 14 πόλις – ἐπάνω ὄρους κειμένη
28 6 ἴδετε τὸν τόπον ὅπου ἔκειτο Joh 20 12
Luc 2 12 εὑρήσ. βρέφος – κείμενον ἐν φάτνη 16 – 34 κεῖται εἰς πτῶσιν καὶ ἀνάστασιν πολλῶν – καὶ εἰς σημεῖον ἀντιλεγόμενον
12 19 ἔχεις πολλὰ ἀγαθὰ κείμενα εἰς ἔτη
23 53 οὗ οὐκ ἦν οὐδεὶς οὔπω κείμενος
Joh 2 6 ὑδρίαι – κείμεναι 19 29 20 5 κείμενα τὰ ὀθόνια 6.7 21 9 ἀνθρακιὰν κειμένην
1 Co 3 11 θεμέλιον – θεῖναι παρὰ τὸν κείμενον
2 Co 3 15 κάλυμμα ἐπὶ τὴν καρδίαν – κεῖται
Phl 1 16 εἰς ἀπολογίαν τοῦ εὐαγγελίου κεῖμαι
1 Th 3 3 οἴδατε ὅτι εἰς τοῦτο κείμεθα
1 Ti 1 9 εἰδὼς –, ὅτι δικαίω νόμος οὐ κεῖται
1 Jo 5 19 ὁ κόσμος ὅλος ἐν τῷ πονηρῷ κεῖται
Ap 4 2 ἰδοὺ θρόνος ἔκειτο ἐν τῷ οὐρανῷ
21 16 ἡ πόλις „τετράγωνος" κεῖται

κελεύειν *iubēre* Mat 8 18 14 9.19.28 (κέλευσόν με ἐλθεῖν πρὸς σέ) 18 25 (ἐκέλευσεν αὐ-

τὸν – πραθῆναι) 27 58.64 – Luc 18 40 –
Act 4 15 5 34 8 38 12 19 16 22 21 33.34 22 24.30
23 3 (παρανομῶν κελεύεις με τύπτεσθαι;)
10.35 25 6.17.21.23 27 43

κέλευσμα *iussus* 1 Th 4 16 ἐν κ..τι – καταβήσ.

κενοδοξία *inanis gloria* Phl 2 3 μηδὲν κατ' ἐριθείαν μηδὲ κατὰ κ..αν, ἀλλὰ τῆ ταπ.

κενόδοξος S° – *inanis gloriae cupidus*
Gal 5 26 μὴ γινώμεθα κενόδοξοι

κενός *inanis* [b]*vacuus* [c]*in vacuum*
Mar 12 3 ἀπέστειλαν κενόν[b] ‖ Luc 20 10.11
Luc 1 53 „πλουτοῦντας ἐξαπέστειλεν κενούς"
Act 4 25 „ἱνατί – λαοὶ ἐμελέτησαν κενά;"
1 Co 15 10 ἡ χάρις αὐτοῦ – οὐ κενὴ[b] ἐγενήθη
– 14 κενὸν ἄρα τὸ κήρυγμα ἡμῶν, κενὴ καὶ ἡ πίστις ὑμῶν (vl ἡμῶν)
– 58 ὁ κόπος ὑμῶν οὐκ ἔστιν κ. ἐν κυρ.
2 Co 6 1 μὴ εἰς κενὸν[c] τὴν χάριν τοῦ θεοῦ δέξασθαι ὑμᾶς Gal 2 2 μήπως εἰς κενὸν[c] τρέχω ἢ ἔδραμον Phl 2 16 ὅτι οὐκ εἰς κενὸν[c] ἔδραμον οὐδὲ „εἰς κενὸν[c] ἐκοπίασα" 1 Th 3 5 μή πως – εἰς κενὸν γένηται ὁ κόπος ἡμῶν
Eph 5 6 μηδεὶς ὑμᾶς ἀπατάτω κενοῖς λόγοις
Col 2 8 ὁ συλαγωγῶν διὰ – κενῆς ἀπάτης
1 Th 2 1 οἴδατε – τὴν εἴσοδον ἡμῶν τὴν πρὸς ὑμᾶς, ὅτι οὐ κενὴ γέγονεν
Jac 2 20 θέλεις δὲ γνῶναι, ὦ ἄνθρωπε κενέ

κενοῦν *evacuare* [b]*exinanire*
Rm 4 14 κεκένωται[b] ἡ πίστις καὶ κατήργηται
1 Co 1 17 ἵνα μὴ κενωθῆ ὁ σταυρὸς τοῦ Χοῦ
9 15 τὸ καύχημά μου οὐδεὶς κενώσει
2 Co 9 3 ἵνα μὴ τὸ καύχημα ἡμῶν τὸ ὑπὲρ ὑμῶν κενωθῆ ἐν τῷ μέρει τούτῳ
Phl 2 7 ἑαυτὸν ἐκένωσεν[b] μορφὴν δούλου λαβών, ἐν ὁμοιώματι ἀνθρώπων γενόμ.

κενοφωνία S° – *vaniloquium* (vl *inaniloqu.*)
1 Ti 6 20 ἐκτρεπόμενος τὰς βεβήλους κ..ίας (vl καινοφωνίας vg *vocum novitates*)
2 Ti 2 16 τὰς – βεβήλους κενοφωνίας (vl καινοφωνίας) περιΐστασο

κέντρον *stimulus* [b]*aculeus*
Act 26 14 σκληρόν σοι πρὸς κέντρα λακτίζειν
1 Co 15 55 „ποῦ σου, θάνατε, τὸ κέντρον;" 56 τὸ δὲ κέντρον τοῦ θανάτου ἡ ἁμαρτία
Ap 9 10 οὐρὰς ὁμοίας σκορπίοις καὶ κέντρα[b]

κεντυρίων S° – *centurio* Mar 15 39. 44. 45

κενῶς *inaniter* Jac 4 5 κ. ἡ γραφὴ λέγει –;

κεραία S° – *apex* Mat 5 18 μία κ. ‖ Luc 16 17

κεραμεύς *figulus* Mat 27 7. 10 Rm 9 21

κεραμικὰ σκεύη *vas figuli* Ap 2 27

κεράμιον *lagena* (vl *laguena*) [b]*amphora* Mar 14 13 κερ. ὕδατος βαστάζων ‖ Luc 22 10 [b]

κέραμος *tegula* Luc 5 19 διὰ τῶν κεράμων

κεραννύναι *miscēre* Ap 14 10 18 6

κέρας *cornu*
Luc 1 69 „ἤγειρεν κέρας" σωτηρίας ἡμῖν
Ap 5 6 „ἀρνίον" –, ἔχων κέρατα ἑπτά
9 13 ἐκ τῶν τεσσάρων κ. τοῦ θυσιαστηρίου
12 3 δράκων –, ἔχων – „κέρατα δέκα"
13 1 „θηρίον" –, ἔχον „κέρατα δέκα" –,
καὶ ἐπὶ τῶν κερ. αὐτοῦ δέκα διαδήμα-
τα 17 3. 7. 12 „τὰ δέκα κέρ. – δέκα βα-
σιλεῖς εἰσιν" 16 – 13 11 ἄλλο θηρίον
–, καὶ εἶχεν κ..τα δύο ὅμοια ἀρνίῳ

κεράτιον S° – *siliqua* Luc 15 16 ἐκ τῶν κ..ων

κερδαίνειν S° – *lucrari* [b]*lucrifacere* (*lucri facere, lucrum f., lucrifieri*)
Mat 16 26 ἐὰν τὸν κόσμον ὅλον κερδήσῃ ‖ Mar 8 36 τί – ὠφελεῖ – κ..ῆσαι Luc 9 25
18 15 ἐάν σου ἀκούσῃ, ἐκ..ησας τ. ἀδελφόν
25 16 ἐκέρδησεν (vl ἐποίησεν) ἄλλα πέντε
17 δύο 20 ἐκέρδησα (vl ἐπεκέρδησα
vg *superlucratus sum*) 22 (vl ἐπεκ.)
Act 27 21 ἔδει μέν, – κερδῆσαί [b] τε τὴν ὕβριν
ταύτην καὶ τὴν ζημίαν
1 Co 9 19 ἵνα τοὺς πλείονας κερδήσω [b] 20 ἵνα
Ἰουδαίους κερδήσω· – ἵνα τοὺς ὑπὸ
νόμον κ..ήσω [b] 21 ἵνα κερδάνω [b] τοὺς
ἀνόμους 22 ἵνα τοὺς ἀσθενεῖς κ..ήσω [b]
Phl 3 8 ἵνα Χὸν κερδήσω [b] καὶ εὑρεθῶ ἐν
Jac 4 13 ἐμπορευσόμεθα καὶ κερδήσομεν [b]
1 Pe 3 1 ἵνα – ἄνευ λόγου κερδηθήσονται [b]

κέρδος S° – *lucrum*
Phl 1 21 ἐμοὶ γὰρ – τὸ ἀποθανεῖν κέρδος
3 7 ἅτινα ἦν μοι κέρδη, – ἥγημαι – ζημίαν
Tit 1 11 διδάσκοντες ἃ μὴ δεῖ αἰσχροῦ κέρ-
δους χάριν

κέρμα S° – *aes* Joh 2 15 ἐξέχεεν τὰ κέρματα

κερματιστής S° – *numularius* Joh 2 14

κεφάλαιον *summa* [b]*capitulum*
Act 22 28 πολλοῦ κ..ου Hb 8 1 κ..ον [b] δὲ ἐπί

κεφαλαιοῦν S° – *in capite vulnerare* Mar 12 4

κεφαλή *caput*
Mat 5 36 μήτε ἐν τῇ κεφαλῇ σου ὀμόσῃς
6 17 νηστεύων ἄλειψαί σου τὴν κεφαλήν
8 20 οὐκ ἔχει ποῦ τὴν κ. κλίνῃ ‖ Luc 9 58
10 30 ὑμῶν δὲ καὶ αἱ τρίχες τῆς κεφ. πᾶσαι
ἠριθμημέναι εἰσίν ‖ Luc 12 7 → 21 18
14 8 τὴν κεφ. Ἰωάννου 11 ‖ Mar 6 24-28
21 42 „οὗτος ἐγενήθη εἰς κεφ. γωνίας" ‖
Mar 12 10 Luc 20 17 Act 4 11 1 Pe 2 7
26 7 κατέχεεν ἐπὶ τῆς κεφ. αὐτοῦ ‖ Mar 14
3 – Luc 7 38 ταῖς θριξὶν τῆς κεφ. αὐ-
τῆς ἐξέμασσεν 46 ἐλαίῳ τὴν κεφ. μου
οὐκ ἤλειψας· αὕτη δὲ – τοὺς πόδας
27 29 στέφανον – ἐπέθηκαν ἐπὶ τ. κεφαλῆς
αὐτοῦ Joh 19 2 αὐτοῦ τῇ κεφαλῇ
– 30 ἔτυπτον εἰς τὴν κ. αὐτοῦ ‖ Mar 15 19
– 37 ἐπάνω τῆς κ. αὐτοῦ τὴν αἰτίαν αὐτοῦ
– 39 „κινοῦντες τὰς κ. αὐτῶν" ‖ Mar 15 29
Luc 21 18 θρὶξ ἐκ τῆς κ. ὑμῶν οὐ μὴ ἀπόληται
Act 27 34 οὐδενὸς γὰρ ὑμῶν θρὶξ ἀπὸ
τῆς κεφαλῆς ἀπολεῖται
– 28 ἐπάρατε τὰς κεφ. ὑμῶν, διότι ἐγγίζει
Joh 13 9 ἀλλὰ καὶ τὰς χεῖρας καὶ τὴν κεφαλ.
19 30 κλίνας τὴν κ. παρέδωκεν τὸ πνεῦμα
20 7 ὃ ἦν ἐπὶ τῆς κ. αὐτοῦ 12 ἕνα πρὸς
τῇ κεφαλῇ καὶ ἕνα πρὸς τοῖς ποσίν
Act 18 6 τὸ αἷμα ὑμῶν ἐπὶ τὴν κεφαλὴν ὑμῶν
– 18 Ἀκύλας, κειράμενος ἐν Κεγχρ. τὴν κ.
21 24 ἵνα ξυρήσονται τὴν κ., καὶ γνῶσον.
Rm 12 20 „ἄνθρακας πυρὸς σωρεύσεις ἐπὶ τὴν
κεφαλὴν αὐτοῦ" (sc τοῦ ἐχθροῦ)
1 Co 11 3 ἀνδρὸς ἡ κεφ. ὁ Χός ἐστιν, κεφ. δὲ
γυναικὸς ὁ ἀνήρ, κεφ. – Χοῦ ὁ θεός
– 4 ἀνὴρ προσευχόμενος – κατὰ κεφαλῆς
ἔχων καταισχύνει τὴν κ. αὐτοῦ 5 γυ-
νὴ προσευχομένη – ἀκατακαλύπτῳ τῇ
κεφαλῇ καταισχύνει τὴν κεφ. αὐτῆς
– 7 ἀνὴρ – οὐκ ὀφείλει κατακαλύπτεσθαι
τὴν κεφ. 10 ὀφείλει ἡ γυνὴ ἐξουσίαν
ἔχειν ἐπὶ τῆς κεφαλῆς διὰ τοὺς ἀγγ.
12 21 ἢ – ἡ κεφ. τοῖς ποσίν· χρείαν ὑμῶν
Eph 1 22 αὐτὸν ἔδωκεν κεφαλὴν – τῇ ἐκκλησίᾳ
4 15 εἰς αὐτὸν –, ὅς ἐστιν ἡ κεφαλή, Χός
5 23 ἀνήρ ἐστιν κεφαλὴ τῆς γυναικὸς ὡς

καὶ ὁ Χὸς κεφαλὴ τῆς ἐκκλησίας
Col 1 18 αὐτός ἐστιν ἡ κεφ. τοῦ σώματος, τῆς
ἐκκλησίας· ὅς ἐστιν ἀρχή
2 10 ὅς ἐστιν ἡ κεφαλὴ πάσης ἀρχῆς καὶ
ἐξουσίας
– 19 οὐ κρατῶν τὴν κ., ἐξ οὗ πᾶν τὸ σῶ.
Ap 1 14 „ἡ – κ. αὐτοῦ καὶ αἱ τρίχες λευκαί"
14 14 ἐπὶ τῆς κ. αὐτοῦ στέφανον χρυ-
σοῦν 19 12 διαδήματα πολλά – 4 4 ἐπὶ
τὰς κ. αὐτῶν στεφάνους χρυσοῦς 9 7
9 17 αἱ κεφ. τῶν ἵππων ὡς κ..αὶ λεόντων
– 19 αἱ – οὐραὶ αὐτῶν –, ἔχουσαι κεφαλάς
10 1 ἄγγελον –, καὶ ἡ Ἴρις ἐπὶ τὴν κ. αὐ-
τοῦ 12 1 γυνή –, καὶ ἐπὶ τῆς κεφαλῆς
αὐτῆς στέφανος ἀστέρων δώδεκα
12 3 δράκων –, ἔχων κεφαλὰς ἑπτὰ – καὶ
ἐπὶ τὰς κεφαλὰς – ἑπτὰ διαδήματα
13 1 θηρίον –, ἔχον – κ..ὰς ἑπτὰ –, καὶ ἐπὶ
τὰς κεφ. αὐτοῦ ὀνόματα βλασφημίας
– 3 μίαν ἐκ τῶν κεφαλ. – ὡς ἐσφαγμένην
17 3 θηρίον κόκκινον, – ἔχοντα κ..ὰς ἑπτὰ
7.9 αἱ ἑπτὰ κεφαλαὶ ἑπτὰ ὄρη εἰσίν
18 19 „ἔβαλον χοῦν ἐπὶ τὰς κεφ. αὐτῶν"

κεφαλίς caput Hb 10 7 „ἐν κ..δι βιβλίου"

κημοῦν Sᵒ – alligare os 1 Co 9 9 „οὐ κημώ-
σεις (vl φιμώσεις) βοῦν ἀλοῶντα"

κῆνσος Sᵒ – census ᵇtributum
Mat 17 25 ἀπὸ τίνων λαμβάνουσιν τέλη ἢ κ..ον;
22 17 ἔξεστιν δοῦναι κ..ον Καίσαρι ἢ οὔ;
19 τὸ νόμισμα τοῦ κήνσου ‖ Mar 12 14 ᵇ

κῆπος hortus Luc 13 19 Joh 18 1.26 19 41

κηπουρός hortulanus Joh 20 15 ὅτι ὁ κ. ἐστιν

κήρυγμα praedicatio
Mat 12 41 μετενόησαν εἰς τὸ κ. Ἰωνᾶ ‖ Luc 11 32
[Mar brev. claus. τὸ ἱερὸν καὶ ἄφθαρτον κή-
ρυγμα τῆς αἰωνίου σωτηρίας]
Rm 16 25 ὑμᾶς στηρίξαι κατὰ – τὸ κήρ. Ἰ. Χοῦ
1 Co 1 21 διὰ τῆς μωρίας τοῦ κ..ατος σῶσαι
2 4 ὁ λόγος μου καὶ τὸ κήρ. μου οὐκ ἐν
15 14 κενὸν ἄρα τὸ κήρ. ἡμῶν, κενὴ καὶ ἡ
2 Ti 4 17 ἵνα δι’ ἐμοῦ τὸ κήρ. πληροφορηθῇ
Tit 1 3 ἐφανέρωσεν – τὸν λόγον αὐτοῦ ἐν
κηρύγματι ὃ ἐπιστεύθην ἐγώ

κῆρυξ praedicator ᵇpraeco
1 Ti 2 7 ἐτέθην ἐγὼ κ. καὶ ἀπόστολος 2 Ti 1 11
2 Pe 2 5 Νῶε δικαιοσύνης κήρυκα ᵇ ἐφύλαξεν

κηρύσσειν praedicare
Mat 3 1 ὁ βαπτιστὴς κηρύσσων – · μετανοεῖτε
‖ Mar 1 4 κ..ων βάπτισμα μετανοίας
7 Luc 3 3 – Act 10 37 μετὰ τὸ βάπτι-
σμα ὃ ἐκήρυξεν Ἰωάννης
4 17 ἤρξατο ὁ Ἰησοῦς κ..ειν – · μετανοεῖτε
– 23 κ..ων τὸ εὐαγγ. τῆς βασιλείας 9 35
10 7 κ..ετε – ὅτι ἤγγικεν ἡ βασ. τῶν οὐρ.
‖ Luc 9 2 ἀπέστειλεν – κ..ειν τὴν βασ.
τοῦ θεοῦ – Mar 3 14 ἐποίησεν δώδε-
κα – ἵνα ἀποστέλλῃ αὐτοὺς κ..ειν
– 27 ὃ εἰς τὸ οὖς ἀκούετε, κηρύξατε ἐπὶ
τῶν δωμάτων ‖ Luc 12 3 κηρυχθήσεται
11 1 μετέβη – τοῦ – κ..ειν ἐν ταῖς πόλεσιν
24 14 κηρυχθήσεται τοῦτο τὸ εὐ. τῆς βασ.
26 13 ὅπου ἐὰν κηρυχθῇ τὸ εὐαγγ. τοῦτο
ἐν ὅλῳ τῷ κόσμῳ ‖ Mar 14 9
Mar 1 14 ἦλθεν – κ..ων τὸ εὐαγγέλιον τοῦ θεοῦ
– 38 ἵνα καὶ ἐκεῖ κηρύξω· εἰς τοῦτο γάρ
– 39 ἦλθεν κ..ων εἰς τὰς συναγωγάς ‖
Luc 4 44 ἦν κηρύσσων – Mar 1 45 ἤρ-
ξατο κ..ειν καὶ διαφημίζειν τὸν λόγον
5 20 ἤρξατο κηρ. ἐν τῇ Δεκαπόλει ὅσα
ἐποίησεν αὐτῷ ὁ Ἰησοῦς ‖ Luc 8 39
καθ’ ὅλην τὴν πόλιν κηρύσσων
6 12 ἐξελθόντες ἐκήρυξαν ἵνα μετανοῶσιν
7 36 μᾶλλον περισσότερον ἐκήρυσσον
13 10 εἰς πάντα τὰ ἔθνη πρῶτον δεῖ κηρυ-
χθῆναι τὸ εὐαγγέλιον
[16 15 κηρύξατε τὸ εὐαγγ. πάσῃ τῇ κτίσει]
[– 20 ἐξελθόντες ἐκήρυξαν πανταχοῦ]
Luc 4 18 „κηρῦξαι αἰχμαλώτοις ἄφεσιν" 19 „κη-
ρῦξαι ἐνιαυτὸν κυρίου δεκτόν"
8 1 κ..ων καὶ εὐαγγελιζόμενος τὴν βασ.
24 47 γέγραπται – κηρυχθῆναι ἐπὶ τῷ ὀνό-
ματι αὐτοῦ μετάνοιαν – εἰς – τὰ ἔθνη
Act 8 5 ἐκήρυσσεν αὐτοῖς τὸν Χόν 9 20 τὸν
Ἰησοῦν, ὅτι – ἐστιν ὁ υἱὸς τοῦ θεοῦ
– 19 13 Ἰησοῦν ὃν Παῦλος κηρύσσει
10 42 κηρῦξαι τῷ λαῷ – ὅτι οὗτός ἐστιν
15 21 Μωϋσῆς – τοὺς κ..οντας αὐτὸν ἔχει
20 25 διῆλθον κ..ων τὴν βασ. 28 31 τοῦ θ.
Rm 2 21 ὁ κηρύσσων μὴ κλέπτειν κλέπτεις;
10 8 τὸ ῥῆμα τῆς πίστεως ὃ κηρύσσομεν
– 14 πῶς – ἀκούσωσιν χωρὶς κηρύσσοντος;
– 15 πῶς – κ..ξωσιν ἐὰν μὴ ἀποσταλῶσιν;
1 Co 1 23 ἡμεῖς – κ..ομεν Χὸν ἐσταυρωμένον
9 27 μή πως ἄλλοις κηρύξας αὐτὸς ἀδό-
κιμος γένωμαι
15 11 οὕτως κ..ομεν καὶ οὕτως ἐπιστεύσατε
– 12 εἰ δὲ Χὸς κηρύσσεται ὅτι – ἐγήγερται
2 Co 1 19 Χὸς Ἰησ. ὁ ἐν ὑμῖν δι’ ἡμῶν κ..χθείς

2 Co 4 5 οὐ – ἑαυτοὺς κ..ομεν ἀλλὰ Χὸν Ἰησ.,
    ἑαυτοὺς δὲ δούλους ὑμῶν διὰ Ἰησοῦν
  11 4 εἰ – ὁ ἐρχόμενος ἄλλον Ἰησοῦν κη-
    ρύσσει ὃν οὐκ ἐκηρύξαμεν,–ἀνέχεσθε
Gal 2 2 τὸ εὐαγγέλιον ὃ κ..ω ἐν τοῖς ἔθνεσιν
  5 11 ἐγὼ –, εἰ περιτομὴν ἔτι κηρύσσω
Phl 1 15 τινὲς – διὰ φθόνον καὶ ἔριν, τινὲς –
    καὶ δι' εὐδοκίαν τὸν Χὸν κ..ουσιν
Col 1 23 τοῦ εὐαγγ. –, τοῦ κηρυχθέντος ἐν
    πάσῃ κτίσει τῇ ὑπὸ τὸν οὐρανόν
1 Th 2 9 ἐκηρύξαμεν εἰς ὑμᾶς τὸ εὐαγγέλιον
1 Ti 3 16 ἐκηρύχθη ἐν ἔθνεσιν, ἐπιστεύθη
2 Ti 4 2 κήρυξον τὸν λόγον, ἐπίστηθι εὐκαίρως
1 Pe 3 19 τοῖς ἐν φυλακῇ πνεύμασιν – ἐκήρυξεν
Ap 5 2 ἄγγελον – κ..οντα ἐν φωνῇ μεγάλῃ

κῆτος   cetus Mat 12 40 ἐν τῇ κοιλίᾳ τοῦ κ.

Κηφᾶς
Joh 1 42 σὺ κληθήσῃ Κηφ. (ὃ ἑρμην. Πέτρος)
1 Co 1 12 ἐγὼ δὲ Ἀπολλῶ, ἐγὼ δὲ Κηφᾶ
    3 22 εἴτε Ἀπολλῶς εἴτε Κηφᾶς
    9 5 ὡς καὶ – οἱ ἀδελφοὶ τοῦ κυρ. καὶ Κ.
    15 5 ὅτι ὤφθη Κηφᾷ, εἶτα τοῖς δώδεκα
Gal 1 18 ἱστορῆσαι Κηφᾶν (vl Πέτρον vg)
    2 9 Ἰάκωβος καὶ Κηφᾶς καὶ Ἰωάννης
    – 11 ὅτε δὲ ἦλθεν Κηφᾶς εἰς Ἀντιόχειαν
    – 14 εἶπον τῷ Κηφᾷ ἔμπροσθεν πάντων

κιβωτός arca Mat 24 38 ἄχρι ἧς ἡμέρας „εἰσ-
    ῆλθεν – εἰς τὴν κ..όν" ∥ Luc 17 27 Hb 11 7
    κατεσκεύασεν κ..ὸν εἰς σωτηρίαν 1 Pe 3 20
Hb 9 4 τῆς διαθήκης Ap 11 19 ὤφθη ἡ κιβ.

κιθάρα cithara 1 Co 14 7 Ap 5 8 14 2 15 2 θεοῦ

κιθαρίζειν citharizare 1 Co 14 7 Ap 14 2

κιθαρῳδός Sº – citharoedus Ap 14 2 18 22

Κιλικία Act 6 9 15 23 Συρ. καὶ Κ. 41 Gal 1 21
    – Act 21 39 Ταρσεύς, τῆς Κ. οὐκ ἀσήμου
    πόλεως πολίτης 22 3 23 34 – 27 5

κινδυνεύειν periclitari Luc 8 23 Act 19 27.40
1 Co 15 30 τί καὶ ἡμεῖς κ..ομεν πᾶσαν ὥραν;

κίνδυνος periculum (2 Co 1 10 vg)
Rm 8 35 ἢ κίνδ. ἢ μάχαιρα; 2 Co 11 26 octies

κινεῖν movēre ᵇcommovēre ᶜconcitare
Mat 23 4 δακτύλῳ – οὐ θέλουσιν κ..ῆσαι αὐτά

Mat 27 39 „κ..οῦντες τὰς κεφαλάς" ∥ Mar 15 29
Act 17 28 ἐν αὐτῷ – ζῶμεν καὶ κ..ούμεθα καί
    21 30 ἐκ..ήθη ᵇ–πόλις 24 5 κ..οῦντα ᶜ στάσεις
Ap 2 5 κινήσω τὴν λυχνίαν σου ἐκ τ. τόπου
    6 14 πᾶν ὄρος καὶ νῆσος – ἐκινήθησαν

(κίνησις motus Joh 5 3 vl τοῦ ὕδατος)

κιννάμωμον cinnamomum Ap 18 13

Κίς Act 13 21 τὸν Σαοὺλ υἱὸν Κίς

κιχράναι (aor χρῆσαι) commodare Luc 11 5

κλάδος ramus
Mat 13 32 „κατασκηνοῦν ἐν τοῖς κλάδοις αὐ-
    τοῦ" ∥ Mar 4 32 Luc 13 19
    21 8 ἔκοπτον κλάδους ἀπὸ τῶν δένδρων
    24 32 ὅταν – ὁ κλ. – γέν. ἁπαλός ∥ Mar 13 28
Rm 11 16 εἰ ἡ ῥίζα ἁγία, καὶ οἱ κλάδοι
    – 17 εἰ δέ τινες τῶν κλ. ἐξεκλάσθησαν 19
    – 18 μὴ κατακαυχῶ τῶν κλ. 21 εἰ – ὁ θεὸς
    τῶν κατὰ φύσιν κλάδ. οὐκ ἐφείσατο

κλαίειν flēre ᵇplorare
Mat 2 18 „Ραχὴλ κλαίουσα ᵇ τὰ τέκνα αὐτῆς"
    26 75 ἔκλαυσεν (vg vl ᵇ) πικρῶς ∥ Mar 14
    72 ἐπιβαλὼν ἔκλαιεν Luc 22 62
Mar 5 38 θεωρεῖ –, κλαίοντας – πολλά 39 τί –
    κλαίετε ᵇ; ∥ Luc 8 52 ἔκλαιον – πάντες
    –.–μὴ κλαίετε· οὐκ ἀπέθανεν [ουσιν]
    [16 10 ἀπήγγειλεν τοῖς – πενθοῦσι καὶ κλαί-
Luc 6 21 μακάριοι οἱ κλαίοντες νῦν, ὅτι γελάσ.
    – 25 οὐαί, – ὅτι πενθήσετε καὶ κλαύσετε
    7 13 ὁ κύριος – εἶπεν αὐτῇ· μὴ κλαῖε
    – 32 ἐθρηνήσαμεν καὶ οὐκ ἐκλαύσατε ᵇ
    – 38 στᾶσα ὀπίσω – κλαίουσα (vg º)
    19 41 ἰδὼν τὴν πόλιν ἔκλαυσεν ἐπ' αὐτήν
    23 28 μὴ κλαίετε ἐπ' ἐμέ· πλὴν ἐφ' ἑαυτὰς
    κλαίετε καὶ ἐπὶ τὰ τέκνα ὑμῶν
Joh 11 31 εἰς τὸ μνημεῖον ἵνα κλαύσῃ ᵇ ἐκεῖ
    – 33 ὡς εἶδεν αὐτὴν κλαίουσαν ᵇ καὶ τοὺς
    συνελθόντας – Ἰουδαίους κλαίοντας ᵇ
    16 20 ὅτι κλαύσετε ᵇ καὶ θρηνήσετε ὑμεῖς
    20 11 πρὸς τῷ μνημείῳ ἔξω κλαίουσα ᵇ. ὡς
    οὖν ἔκλαιεν 13 γύναι, τί κλαίεις ᵇ; 15
    Ἰησοῦς· γύναι, τί κλαίεις ᵇ; τίνα
Act 9 39 πᾶσαι αἱ χῆραι κλαίουσαι
    21 13 τί ποιεῖτε κλαίοντες καὶ συνθρύπτ.
Rm 12 15 κλαίειν μετὰ κλαιόντων
1 Co 7 30 οἱ κλαίοντες ὡς μὴ κλαίοντες
Phl 3 18 νῦν δὲ καὶ κλαίων λέγω, τοὺς ἐχθρ.

Jac **4** 9 πενθήσατε καὶ κλαύσατε^b· ὁ γέλως
5 1 οἱ πλούσιοι, κλαύσατε^b ὀλολύζοντες
Ap **5** 4 (vl ἐγὼ vg) ἔκλαιον πολύ 5 μὴ κλαῖε
18 9 „κλαύσουσιν – οἱ βασιλεῖς τῆς γῆς"
11 οἱ „ἔμποροι – κλαίουσιν καὶ πεν-
θοῦσιν" ἐπ' αὐτήν 15.19

κλᾶν *frangere*
Mat **14** 19 κλάσας ἔδωκεν – τοὺς ἄρτους
15 36 εὐχαριστήσας ἔκλασεν καὶ ἐδίδου ||
Mar **8** 6.19 ὅτε τοὺς – ἄρτους ἔκλασα
26 26 εὐλογήσας ἔκλασεν καὶ δούς || Mar
14 22 Luc **22** 19 εὐχ. ἔκλ. καὶ ἔδωκεν
1 Co **11** 24 εὐχαρ. ἔκλασεν καὶ εἶπεν·
Luc **24** 30 εὐλόγησεν καὶ κλάσας ἐπεδίδου
Act **2** 46 κλῶντές τε κατ' οἶκον ἄρτον
20 7 συνηγμένων ἡμῶν κλάσαι ἄρτον
– 11 κλάσας τὸν ἄρτον καὶ γευσάμενος
27 35 εὐχαρίστησεν – καὶ κλάσας ἤρξ. ἐσθ.
1 Co **10** 16 τὸν ἄρτον ὃν κλῶμεν, οὐχὶ κοινωνία
11 24 τὸ σῶμα τὸ ὑπὲρ ὑμῶν (vl + κλώ-
μενον, vg *quod pro vobis tradetur*)

κλάσις S° – τοῦ ἄρτου *fractio panis*
Luc **24** 35 ὡς ἐγνώσθη αὐτοῖς ἐν τῇ κλ. τ. ἄρτου
Act **2** 42 προσκαρτεροῦντες – τῇ κοινωνίᾳ, τῇ
κλάσει τ. ἄρτου (vg *fractionis panis*)

κλάσματα *fragmenta* Mat **14** 20 τὸ περισσεῦ-
ον τῶν κ..ων || Mar **6** 43 Luc **9** 17 – Mat
15 37 || Mar **8** 8.19.20 – Joh **6** 12.13

Κλαῦδα (vl Καῦδα vg) Act **27** 16 νησίον

Κλαυδία 2 Ti **4** 21 ἀσπάζεταί σε – Κλαυδία

Κλαύδιος Act **11** 28 **18** 2 – Act **23** 26 Κ. Λυσ.

κλαυθμός *fletus* ^b*ploratus* Mat **2** 18^b
Mat **8** 12 ὁ κλ. καὶ βρυγμὸς τῶν ὀδόντων **13** 42.
50 **22** 13 **24** 51 **25** 30 Luc **13** 28
Act **20** 37 ἱκανὸς δὲ κλαυθμὸς ἐγένετο πάντων

κλείειν *claudere*
Mat **6** 6 „κλείσας τὴν θύραν σου πρόσευξαι"
23 13 κλείετε τὴν βασιλείαν τῶν οὐρανῶν
ἔμπροσθεν τῶν ἀνθρώπων
25 10 ἦλθ. ὁ νυμφίος –, καὶ ἐκλείσθη ἡ θ.
Luc **4** 25 ὅτε ἐκλείσθη ὁ οὐρανὸς ἐπὶ ἔτη τρία
11 7 ἤδη ἡ θύρα κέκλεισται
Joh **20** 19 τῶν θυρῶν κεκλεισμένων 26
Act **5** 23 τὸ δεσμωτήριον **21** 30 αἱ θύραι

1 Jo **3** 17 ὃς δ' ἂν – κλείσῃ τὰ σπλάγχνα αὐ-
τοῦ ἀπ' αὐτοῦ (sc τοῦ ἀδελφοῦ)
Ap **3** 7 „ὁ ἀνοίγων καὶ οὐδεὶς κλείσει, καὶ
κλείων καὶ οὐδεὶς ἀνοίγει" 8 θύραν
–, ἣν οὐδεὶς δύναται κλεῖσαι
11 6 τὴν ἐξουσίαν κλεῖσαι τὸν οὐρανόν
20 3 ἔκλεισεν καὶ ἐσφράγισεν ἐπάνω
21 25 „οἱ πυλῶνες – οὐ μὴ κλεισθῶσιν"

κλείς *clavis*
Mat **16** 19 δώσω σοι τὰς κλεῖδας τῆς βασιλείας
τῶν οὐρανῶν, καὶ ὃ ἐὰν δήσῃς
Luc **11** 52 ὅτι ἤρατε τὴν κλεῖδα τῆς γνώσεως
Ap **1** 18 ἔχω τὰς κλεῖς τοῦ θαν. καὶ τοῦ ᾅδου
3 7 ὁ ἅγιος –, ὁ ἔχων „τὴν κλεῖν Δαυίδ"
9 1 ἐδόθη αὐτῷ ἡ κλ. τ. φρέατος τῆς ἀ-
βύσσου **20** 1 ἔχοντα τὴν κλεῖν τῆς ἀβ.

κλέμμα (S = res furtiva) – *furtum* Ap **9** 21
οἵ – οὐ μετενόησαν – ἐκ τῶν κλ..ων αὐτῶν

Κλεοπᾶς Luc **24** 18 εἷς ὀνόματι Κλεοπᾶς

κλέος *gloria* 1 Pe **2** 20 ποῖον – κλ. εἰ ἁμαρτάν.

κλέπτειν *furari* ^b*furtum facere*
Mat **6** 19 διορύσσουσιν καὶ κ..ουσιν 20 οὐ κλ.
19 18 τὸ – „οὐ κλέψεις"^b || Mar **10** 19 „μὴ
κλέψῃς" Luc **18** 20^b Rm **13** 9 „οὐ κλ."
27 64 μήποτε – κλέψωσιν αὐτόν **28** 13 ἔκλεψ.
Joh **10** 10 οὐκ ἔρχεται εἰ μὴ ἵνα κλέψῃ
Rm **2** 21 ὁ κηρύσσων μὴ κλέπτειν κλέπτεις
Eph **4** 28 ὁ κλέπτων μηκέτι κλεπτέτω

κλέπτης *fur*
Mat **6** 19 ὅπου κλ..αι διορύσσουσιν 20 οὐ διορ.
|| Luc **12** 33 ὅπου κλέπτης οὐκ ἐγγίζει
24 43 ποίᾳ φυλακῇ ὁ κλ. ἔρχεται || Luc **12** 39
Joh **10** 1 ὁ – ἀναβαίνων ἀλλαχόθεν, – κλ. ἐστίν
– 8 ὅσοι ἦλθον πρὸ ἐμοῦ κ..αι εἰσίν 10 ὁ
κλέπτης οὐκ ἔρχεται εἰ μὴ ἵνα κλέψῃ
12 6 ἀλλ' ὅτι κλ. ἦν καὶ – τὰ βαλλόμενα
1 Co **6** 10 οὔτε κλέπται οὔτε πλεονέκται
1 Th **5** 2 ἡμέρα κυρίου ὡς κλέπτης ἐν νυκτί
– 4 ἵνα ἡ ἡμέρα ὑμᾶς ὡς κλ. καταλάβῃ
1 Pe **4** 15 μὴ – τις ὑμῶν πασχέτω ὡς – κλέπτης
2 Pe **3** 10 ἥξει – ἡμέρα κυρίου ὡς κλέπτης
Ap **3** 3 ἥξω ὡς κλέπτης **16** 15 ἔρχομαι ὡς κλ.

κλῆμα *palmes* Joh **15** 2 πᾶν κλῆμα ἐν ἐμοὶ
μὴ φέρον καρπόν 4 καθὼς τὸ κλ. οὐ δύ-
ναται καρπὸν φέρειν ἀφ' ἑαυτοῦ 5 ὑμεῖς
τὰ κλήματα 6 ἐβλήθη ἔξω ὡς τὸ κλῆμα

Κλήμης Phl 4 3 συνήθλησάν μοι μετά – Κλήμ.

κληρονομεῖν possidēre ᵇconsequi ᶜpercipere ᵈhereditare ᵉhereditatem capere ᶠhereditate possidēre ᵍheredem esse
Mat 5 5 ὅτι αὐτοὶ „κληρονομήσουσιν τὴν γῆν"
19 29 καὶ ζωὴν αἰώνιον κληρονομήσει
25 34 κλ..ήσατε τὴν ἡτοιμασμένην ὑμῖν βασιλείαν ἀπὸ καταβολῆς κόσμου
Mar 10 17 τί ποιήσω ἵνα ζωὴν αἰών. κλ..ήσω ᶜ; ‖ Luc 18 18 τί ποιήσας – κλ..ήσω; – 10 25
1 Co 6 9 οὐκ οἴδατε ὅτι ἄδικοι θεοῦ βασιλείαν οὐ κλ..ήσουσιν; 10 οὐχ ἄρπαγες β. θ. κλ..ήσουσιν Gal 5 21 οἱ τοιαῦτα πράσσοντες βασ. θ. οὐ κλ..ήσουσιν ᵇ
15 50 σὰρξ καὶ αἷμα βασιλείαν θεοῦ κληρονομῆσαι οὐ δύναται, οὐδὲ ἡ φθορὰ τὴν ἀφθαρσίαν κληρονομεῖ
Gal 4 30 „οὐ – μὴ κλ..ήσει ᵍ ὁ υἱὸς τῆς παιδίσκης μετὰ τοῦ υἱοῦ" τῆς ἐλευθέρας
Hb 1 4 ὅσῳ διαφορώτερον παρ᾽ αὐτοὺς κεκληρονόμηκεν ᵈ ὄνομα
– 14 διὰ τοὺς μέλλοντας κλ.ᵉ σωτηρίαν
6 12 μιμηταὶ – τῶν διὰ πίστεως καὶ μακροθυμίας κλ..ούντων ᵈ τὰς ἐπαγγελίας
12 17 ὅτι καὶ μετέπειτα θέλων κλ..ῆσαι ᵈ τὴν εὐλογίαν ἀπεδοκιμάσθη
1 Pe 3 9 ἐκλήθητε ἵνα εὐλογίαν κλ..ήσητε ᶠ
Ap 21 7 ὁ νικῶν κληρονομήσει ταῦτα

κληρονομία hereditas
Mat 21 38 καὶ σχῶμεν τὴν κλ. αὐτοῦ ‖ Mar 12 7 ἡμῶν ἔσται ἡ κλ. Luc 20 14 γένηται
Luc 12 13 εἰπὲ – μερίσασθαι μετ᾽ ἐμοῦ τὴν κλ.
Act 7 5 οὐκ ἔδωκεν αὐτῷ κλ..αν ἐν αὐτῇ
20 32 τῷ δυναμένῳ – δοῦναι τὴν „κληρονομίαν ἐν τοῖς ἡγιασμένοις πᾶσιν"
Gal 3 18 εἰ – ἐκ νόμου ἡ κλ., οὐκέτι ἐξ ἐπαγγ.
Eph 1 14 ὅς ἐστιν ἀρραβὼν τῆς κληρον. ἡμῶν
– 18 τίς ὁ πλοῦτος τῆς δόξης τῆς „κληρονομίας" αὐτοῦ „ἐν τοῖς ἁγίοις"
5 5 οὐκ ἔχει κλ..αν ἐν τῇ βασ. τοῦ Χοῦ
Col 3 24 εἰδότες ὅτι ἀπὸ κυρίου ἀπολήμψεσθε τὴν ἀνταπόδοσιν τῆς κληρονομίας
Hb 9 15 ὅπως – τὴν ἐπαγγελίαν λάβωσιν οἱ κεκλημένοι τῆς αἰωνίου κληρονομίας
11 8 τόπον ὃν ἤμελλεν λαμβάνειν εἰς κλ.
1 Pe 1 4 εἰς κλ..αν ἄφθαρτον καὶ ἀμίαντον –, τετηρημένην ἐν οὐρανοῖς εἰς ὑμᾶς

κληρονόμος heres
Mat 21 38 οὗτός ἐστιν ὁ κλ. ‖ Mar 12 7 Luc 20 14

Rm 4 13 τὸ κλ..ον αὐτὸν (sc Ἀβ.) εἶναι κόσμ.
– 14 εἰ – οἱ ἐκ νόμου κλ..οι, κεκένωται
8 17 εἰ – τέκνα, καὶ κληρονόμοι· κλ..οι μὲν θεοῦ, συγκληρονόμοι δὲ Χοῦ
Gal 3 29 εἰ – ὑμεῖς Χοῦ, –, κατ᾽ ἐπαγγ. κλ..οι
4 1 ἐφ᾽ ὅσον χρόνον ὁ κλ. νήπιός ἐστιν
– 7 εἰ δὲ υἱός, καὶ κληρονόμος διὰ θεοῦ
Tit 3 7 ἵνα δικαιωθέντες – κληρονόμοι γενηθῶμεν κατ᾽ ἐλπίδα ζωῆς αἰωνίου
Hb 1 2 ἐν υἱῷ, ὃν ἔθηκεν κλ..ον πάντων
6 17 ἐπιδεῖξαι τοῖς κλ. τῆς ἐπαγγελίας
11 7 τῆς κατὰ πίστιν δικαιοσύνης ἐγένετο κληρονόμος (sc Νῶε)
Jac 2 5 ἐξελέξατο – κλ..ους τῆς βασιλείας
(1 Pe 3 22 vg deglutiens mortem, ut vitae aeternae heredes efficeremur)

κλῆρος sors ᵇclerus, i
Mat 27 35 βάλλοντες κλῆρον (vl add · „ἔβαλον κλῆρον" vg) ‖ Mar 15 24 Luc 23 34 „ἔβαλον κλήρους" Joh 19 24 „κλῆρον"
Act 1 17 ἔλαχεν τὸν κλ. τῆς διακονίας ταύτης
– 26 ἔδωκαν κλήρους αὐτοῖς, καὶ ἔπεσεν ὁ κλῆρος ἐπὶ Μαθθίαν
8 21 οὐκ ἔστιν σοι μερὶς οὐδὲ κλῆρος ἐν τῷ λόγῳ τούτῳ
26 18 λαβεῖν – κλῆρον ἐν τοῖς ἡγιασμένοις
Col 1 12 τῷ ἱκανώσαντι ὑμᾶς (vl ἡμᾶς vg) εἰς τὴν μερίδα τοῦ κλήρου τῶν ἁγίων
1 Pe 5 3 μηδ᾽ ὡς κατακυριεύοντες τῶν κλήρων ᵇ (in cleris) ἀλλὰ τύποι γινόμ.

κληροῦν sorte vocare Eph 1 11 ἐν ᾧ ἐκληρώθημεν (vl ἐκλήθημεν) –, εἰς τὸ εἶναι ἡμᾶς – τοὺς προηλπικότας ἐν τῷ Χῷ

κλῆσις vocatio
Rm 11 29 ἀμεταμέλητα – καὶ ἡ κλῆσις τοῦ θεοῦ
1 Co 1 26 βλέπετε γὰρ τὴν κλ. ὑμῶν, ἀδελφοί
7 20 ἕκαστος ἐν τῇ κλ. ᾗ ἐκλήθη, – μενέτω
Eph 1 18 τίς ἐστιν ἡ ἐλπὶς τῆς κλήσεως αὐτοῦ
4 1 ἀξίως περιπατῆσαι τῆς κλ. ἧς ἐκλήθ.
– 4 ἐκλήθητε ἐν μιᾷ ἐλπίδι τῆς κλ. ὑμῶν
Phl 3 14 εἰς τὸ βραβεῖον τῆς ἄνω κλ. τοῦ θ.
2 Th 1 11 ἵνα ὑμᾶς ἀξιώσῃ τῆς κλήσεως ὁ θεός
2 Ti 1 9 τοῦ – ἡμᾶς – καλέσαντος κλήσει ἁγίᾳ
Hb 3 1 κλήσεως ἐπουρανίου μέτοχοι
2 Pe 1 10 σπουδάσατε βεβαίαν ὑμῶν τὴν κλῆσιν καὶ ἐκλογὴν ποιεῖσθαι

κλητός vocatus
Mat 22 14 πολλοὶ γάρ εἰσιν κλητοί (vl 20 16 vg)

Rm 1 1 κλητὸς ἀπόστολος 1 Co 1 1 Χοῦ Ἰησ.
– 6 ἐν οἶς ἐστε καὶ ὑμεῖς κλητοὶ Ἰ. Χοῦ
– 7 κλητοῖς ἁγίοις 1 Co 1 2
8 28 τοῖς κατὰ πρόθεσιν κλητοῖς οὖσιν
1 Co 1 24 αὐτοῖς δὲ τοῖς κλ. – Χὸν θεοῦ δύναμιν
Jud 1 τοῖς – (vl + ἐν) Ἰ. Χῷ τετηρημ. κλ..οῖς
Ap 17 14 οἱ μετ᾽ αὐτοῦ κλητοὶ καὶ ἐκλεκτοί

κλίβανος *clibanus* Mat 6 30 ‖ Luc 12 28

κλίματα Sᵒ – *regiones* ᵇ*partes* Rm 15 23
2 Co 11 10 Ἀχαΐας Gal 1 21 ᵇ Συρίας καὶ Κιλικ.

κλινάριον Sᵒ – *lectulus* Act 5 15 ἐπὶ κ..ίων

κλίνειν ᵃ*declinare* ᵇ*inclinare, ..ri*
ᶜ*reclinare* ᵈ*vertere*
Mat 8 20 οὐκ ἔχει ποῦ τὴν κεφαλὴν κλίνῃᶜ ‖
Luc 9 58ᶜ – Joh 19 30 κλίνας ᵇ τὴν κεφ.
Luc 9 12 ἡμέρα ἤρξατο κλίν.ᵃ 24 29 κέκλικεν ᵇ
24 5 κλινουσῶν ᵃ τὰ πρόσωπα εἰς τὴν γῆν
Hb 11 34 παρεμβολὰς ἔκλιναν ᵈ ἀλλοτρίων

κλίνη *lectus* – κλινίδιον Sᵒ – *lectus*
Mat 9 2 παραλυτικὸν ἐπὶ κλίνης βεβλημένον
6 ἆρόν σου τὴν κλ. ‖ Luc 5 18.19 σὺν
τῷ κλινιδίῳ 24 ἄρας τὸ κλινίδιόν σου
Mar 4 21 ὑπὸ τὴν κλ. ‖ Luc 8 16 – (vl Mar 7 4 vg)
7 30 τὸ παιδίον βεβλημένον ἐπὶ τὴν κλίνην
Luc 17 34 ἔσονται δύο ἐπὶ κλίνης μιᾶς, ὁ εἷς
Ap 2 22 ἰδοὺ βάλλω αὐτὴν (sc Ἰεζ.) εἰς κλίνην

κλισία *convivium* Luc 9 14 κ..ας – ἀνὰ πεντ.

κλοπή *furtum* Mat 15 19 κλοπαί ‖ Mar 7 21

κλύδων *tempestas* Luc 8 24 *fluctus* Jac 1 6

κλυδωνίζεσθαι *fluctuari* Eph 4 14 ἵνα μη-
κέτι ὦμεν – κ..όμενοι καὶ περιφερό-
μενοι παντὶ ἀνέμῳ τῆς διδασκαλίας

Κλωπᾶς *Cleophas* Joh 19 25 Μαρία ἡ τοῦ Κλ.

κνήθεσθαι Sᵒ – *prurire* 2 Ti 4 3 τὴν ἀκοήν

Κνίδος Act 27 7 μόλις γενόμενοι κατὰ τὴν Κ.

κοδράντης Sᵒ – *quadrans* Mt 5 26 Mr 12 42

κοιλία *venter* ᵇ*uterus*
Mat 12 40 „ἦν Ἰωνᾶς ἐν τῇ κοιλίᾳ τοῦ κήτους"

Mat 15 17 πᾶν – εἰς τὴν κοιλίαν χωρεῖ ‖ Mar 7 19
19 12 οἵτινες ἐκ κοιλίας ᵇ μητρὸς ἐγεν-
νήθησαν οὕτως Luc 1 15 πνεύματος
ἁγίου πλησθήσεται ἔτι ἐκ κ.ᵇ μ. αὐτοῦ
Act 3 2 χωλὸς ἐκ κ.ᵇ μ. 14 8ᵇ – Gal 1 15
ὁ ἀφορίσας με „ἐκ κ.ᵇ μητρός μου"
Luc 1 41 τὸ βρέφος ἐν τῇ κ.ᵇ αὐτῆς 44ᵇ μου
– 42 εὐλογημένος ὁ καρπὸς τῆς κ. σου
2 21 πρὸ τοῦ συλλημφθῆναι αὐτὸν ἐν τ. κ.ᵇ
11 27 μακαρία ἡ κοιλία ἡ βαστάσασά σε
15 16 ἐπεθύμει γεμίσαι τὴν κοιλ. αὐτοῦ ἐκ
23 29 μακάριαι – αἱ κοιλ. αἳ οὐκ ἐγέννησαν
Joh 3 4 εἰς τὴν κ. τῆς μητρὸς – δεύτ. εἰσελθεῖν
7 38 ποταμοὶ ἐκ τῆς κ. αὐτοῦ ῥεύσουσιν
Rm 16 18 Χῷ οὐ δουλεύουσιν ἀλλὰ τῇ – κ..ᾳ
1 Co 6 13 τὰ βρώματα τῇ κ., καὶ ἡ κ. τοῖς βρ.
Phl 3 19 ὧν ὁ θεὸς ἡ κοιλία καὶ ἡ δόξα ἐν τῇ
Ap 10 9 πικρανεῖ „σου τὴν κ." 10 ἐπικράνθη

κοιμᾶσθαι *dormire* ᵇ*obdormire*
Mat 27 52 σώματα τῶν κεκοιμημένων ἁγίων
28 13 ἔκλεψαν αὐτὸν ἡμῶν κοιμωμένων
Luc 22 45 εὗρεν κοιμωμένους – ἀπὸ τῆς λύπης
Joh 11 11 ὁ φίλος ἡμῶν κεκοίμηται 12 εἰ κεκ.
Act 7 60 τοῦτο εἰπὼν ἐκοιμήθη ᵇ (sc Στέφ.)
12 6 ἦν ὁ Πέτρ. κοιμώμενος – δεδεμένος
13 36 Δαυὶδ – τῇ τοῦ θεοῦ βουλῇ ἐκ..ήθη
1 Co 7 39 ἐὰν δὲ κοιμηθῇ ὁ ἀνήρ, ἐλευθέρα
11 30 ἐν ὑμῖν πολλοὶ – ἄρρωστοι καὶ κοιμῶν-
ται ἱκανοί – 15 6 οἱ πλείονες μένουσιν
ἕως ἄρτι, τινὲς δὲ ἐκοιμήθησαν
15 18 καὶ οἱ κοιμηθέντες ἐν Χῷ ἀπώλοντο
– 20 Χὸς ἐγήγερται –, ἀπαρχὴ τῶν κεκοιμ.
– 51 πάντες οὐ κοιμηθησόμεθα (vgᵒ)
1 Th 4 13 περὶ τῶν κ..ωμένων (vl κεκοιμ. vg),
ἵνα μὴ λυπῆσθε 14 ὁ θεὸς τοὺς κοιμη-
θέντας διὰ τοῦ Ἰησοῦ ἄξει σὺν αὐτῷ
– 15 οὐ μὴ φθάσωμεν τοὺς κοιμηθέντας
2 Pe 3 4 ἀφ᾽ ἧς – οἱ πατέρες ἐκοιμήθησαν

κοίμησις *dormitio* Joh 11 13 ἐκεῖνοι δὲ ἔδο-
ξαν ὅτι περὶ τῆς κ..εως τοῦ ὕπνου λέγει

κοινός *communis* ᵇ*coinquinatus* ᶜ*pollutus*
Mar 7 2 ὅτι κοιναῖς χερσὶν – ἐσθίουσιν 5
Act 2 44 εἶχον ἅπαντα κοινά 4 32 ἦν αὐτοῖς
10 14 οὐδέποτε ἔφαγον πᾶν κοινὸν 11 8 10
28 μηδένα κοινὸν – λέγειν ἄνθρωπον
Rm 14 14 πέπεισμαι ἐν κυρίῳ Ἰησοῦ ὅτι οὐδὲν
κοινὸν δι᾽ ἑαυτοῦ· εἰ μὴ τῷ λογιζο-
μένῳ τι κοινὸν εἶναι, ἐκείνῳ κοινόν
Tit 1 4 γνησίῳ τέκνῳ κατὰ κοινὴν πίστιν

Hb 10 29 „τὸ αἷμα τῆς διαθήκης" κοινὸν^c ἡ-
γησάμενος, ἐν ᾧ ἡγιάσθη ⌐τηρίας
Jud 3 περὶ τ. κοινῆς ἡμῶν (vl ὑμ. vg) σω-
Ap 21 27 „οὐ μὴ εἰσέλθῃ εἰς αὐτὴν πᾶν κ..ν^b"

κοινοῦν coinquinare ^binquinare ^ccommune
dicere ^dcommunicare ^eviolare
Mat 15 11 οὐ τὸ εἰσερχόμενον εἰς τὸ στόμα κοι-
νοῖ τὸν ἄνθρ., ἀλλὰ τὸ ἐκπορευόμενον ἐκ
τοῦ στ., τοῦτο κοινοῖ τὸν ἄν. 18.20 ταῦτά
ἐστιν τὰ κοινοῦντα –· τὸ δὲ ἀνίπτοις χερ-
σὶν φαγεῖν οὐ κοινοῖ ‖ Mar 7 15 ὃ δύναται
κοινῶσαι αὐτόν· τὰ – ἐκπορ. ἐστιν τὰ κοι-
νοῦντα^d (vl^a) 18^d (vl^a) 20^d (vl^a) 23^d (vl^a)
Act 10 15 ἃ ὁ θ. ἐκαθάρισεν σὺ μὴ κ..ου^c 11 9^c
21 28 κεκοίνωκεν^e τὸν ἅγιον τόπον
Hb 9 13 τοὺς κεκοινωμένους^b ἁγιάζει

κοινωνεῖν communicare ^bparticipem fieri
Rm 12 13 ταῖς χρείαις τῶν ἁγίων κοινωνοῦντες
15 27 εἰ – τοῖς πνευματικοῖς αὐτῶν ἐκοινώ-
νησαν^b τὰ ἔθνη, ὀφείλουσιν καί
Gal 6 6 κ..είτω – ὁ κατηχούμενος τὸν λόγον
τῷ κατηχοῦντι ἐν πᾶσιν ἀγαθοῖς
Phl 4 15 οὐδεμία μοι ἐκκλησία ἐκ..ησεν εἰς λό-
γον δόσεως καὶ λήμψεως εἰ μὴ ὑμεῖς
1 Ti 5 22 μηδὲ κ..ώνει ἁμαρτίαις ἀλλοτρίαις
Hb 2 14 ἐπεὶ – τὰ παιδία κεκοινώνηκεν αἵμα-
τος καὶ σαρκός, καὶ αὐτὸς – μετέσχεν
1 Pe 4 13 καθὸ κ..εῖτε τοῖς τοῦ Χοῦ παθήμασιν
2 Jo 11 ὁ λέγων – αὐτῷ χαίρειν κοινωνεῖ τοῖς
ἔργοις αὐτοῦ τοῖς πονηροῖς

κοινωνία communicatio ^bcommunio
^ccollatio ^dparticipatio ^esocietas
Act 2 42 προσκαρτεροῦντες – τῇ κοινωνίᾳ, τῇ
κλάσει τοῦ ἄρτου (fractionis panis)
Rm 15 26 κ..ίαν^c τινὰ ποιήσασθαι εἰς τοὺς πτω-
χοὺς τῶν ἁγίων τῶν ἐν Ἰερουσαλήμ
1 Co 1 9 ἐκλήθητε εἰς κ..αν^e τοῦ υἱοῦ αὐτοῦ
10 16 οὐχὶ κοινωνία ἐστὶν τοῦ αἵματος τοῦ
Χοῦ; – οὐχὶ κοινω.^d τοῦ σώματος –;
2 Co 6 14 τίς κοινωνία^e φωτὶ πρὸς σκότος;
8 4 δεόμενοι – τὴν κοινων. τῆς διακονίας
9 13 ἐπὶ τῇ – ἁπλότητι τῆς κοι. εἰς αὐτούς
13 13 καὶ ἡ κοινωνία τοῦ ἁγίου πνεύματος
Gal 2 9 δεξιὰς ἔδωκαν ἐμοὶ – κοινωνίας^e
Phl 1 5 ἐπὶ τῇ κοι. ὑμῶν εἰς τὸ εὐαγγέλιον
2 1 εἴ τις κοινωνία^e πνεύματος
3 10 τοῦ γνῶναι αὐτὸν καὶ τὴν – κοινω-
νίαν^e (vl + τῶν) παθημάτων αὐτοῦ
Phm 6 ὅπως ἡ κοι. τῆς πίστεώς σου ἐνερ-

γῆς γένηται ἐν ἐπιγνώσει παντός
Hb 13 16 τῆς δὲ – κ..ίας^b μὴ ἐπιλανθάνεσθε
1 Jo 1 3 ἵνα καὶ ὑμεῖς κ..αν^e ἔχητε μεθ' ἡμῶν.
καὶ ἡ κοι.^e δὲ ἡ ἡμετέρα μετὰ τοῦ πα-
τρὸς καὶ μετὰ τοῦ υἱοῦ αὐτοῦ 6 ἐὰν εἴ-
πωμεν ὅτι κοινωνίαν^e ἔχομεν μετ' αὐτοῦ
7 κοινωνίαν^e ἔχομεν μετ' ἀλλήλων

κοινωνικόν εἶναι S^o – communicare 1 Ti 6 18

κοινωνός socius ^bcommunicator ^cconsors
^dparticeps
Mat 23 30 οὐκ ἂν ἤμεθα αὐτῶν κοινωνοὶ ἐν τῷ
αἵματι τῶν προφητῶν
Luc 5 10 οἳ ἦσαν κοινωνοὶ τῷ Σίμωνι
1 Co 10 18 οὐχ οἱ ἐσθίοντες τὰς θυσίας κ..οὶ^d
τοῦ θυσιαστηρίου εἰσίν; 20 οὐ θέλω
δὲ ὑμᾶς κ..οὺς τῶν δαιμον. γίνεσθαι
2 Co 1 7 εἰδότες ὅτι ὡς κ..οί ἐστε τῶν παθη-
μάτων, οὕτως καὶ τῆς παρακλήσεως
8 23 κ..ὸς ἐμὸς καὶ εἰς ὑμᾶς συνεργός
Phm 17 εἰ οὖν με ἔχεις κ..όν, προσλαβοῦ
Hb 10 33 κ..οὶ τῶν οὕτως ἀναστρεφομένων
1 Pe 5 1 ὁ καὶ τῆς μελλούσης – δόξης κοι.^b
2 Pe 1 4 ἵνα – γένησθε θείας κ..οὶ^c φύσεως

κοίτη ^aconcubitus ^bcubile ^cthorus (vl to.)
Luc 11 7 τὰ παιδία μου μετ' ἐμοῦ εἰς τὴν κ.^b
Rm 9 10^a – 13 13 μὴ κοίταις^b καὶ ἀσελγείαις
Hb 13 4 καὶ ἡ κοίτη^c ἀμίαντος

κοιτών cubiculum Act 12 20 τὸν ἐπὶ τοῦ κ..ος

κόκκινος, ..ον coccineus ^bcoccinum ^ccoccus
Mat 27 28 χλαμύδα κ..ην Hb 9 19 ἐρίου κ..ου
Ap 17 3 ἐπὶ „θηρίον" κ..ον 4 περιβεβλημένη –
κ..ον^b 18 16^c 12 γόμον – κοκκίνου^c

κόκκος granum
Mat 13 31 ὁμοία – κόκκῳ σινάπεως ‖ Mar 4 31
Luc 13 19 – Mat 17 20 ἐὰν ἔχητε πίστιν
ὡς κ..ον σιν. ‖ Lc 17 6 εἰ ἔχετε (vl εἴχ.)
Joh 12 24 ἐὰν μὴ ὁ κόκ. τοῦ σίτου – ἀποθάνῃ
1 Co 15 37 ἀλλὰ γυμνὸν κ..ον εἰ τύχοι σίτου ἤ

κολάζεσθαι ^a(med) punire ^b(pass) cruciari
Act 4 21^a 2 Pe 2 9 οἶδεν – ἀδίκους – εἰς ἡμέραν
κρίσεως κολαζομένους^b τηρεῖν

κολακεία S^o – adulatio 1 Th 2 5 οὔτε γάρ
ποτε ἐν λόγῳ κολακείας ἐγενήθημεν

κόλασις ᵃpoena ᵇsupplicium
Mat 25₄₆ ἀπελεύσονται – εἰς κόλασινᵇ αἰώνιον
1 Jo 4₁₈ ὅτι ὁ φόβος κόλασινᵃ ἔχει

κολαφίζειν Sᵒ – colaphis caedere ᵇc..izare
Mat 26₆₇ ‖ Mar 14₆₅ – 1 Co 4₁₁ κ..όμεθα
2 Co 12 7 ἄγγελος σατανᾶ, ἵνα με κολαφίζῃᵇ
1 Pe 2₂₀ εἰ ἁμαρτάνοντες καὶ κολαφιζόμενοιᵇ
(vl κολαζόμενοι) ὑπομενεῖτε

κολλᾶσθαι adhaerēre ᵇse adiungere ᶜcon-
iungi, se c..ere ᵈse iungere ᵉpervenire
Mat 19 5 „κολληθήσεται τῇ γυναικὶ αὐτοῦ"
Luc 10₁₁ τὸν κονιορτὸν τὸν κολληθέντα ἡμῖν
15₁₅ ἐκολλήθη ἑνὶ τῶν πολιτῶν τῆς χώρ.
Act 5₁₃ οὐδεὶς ἐτόλμα κολλᾶσθαιᶜ αὐτοῖς
8₂₉ κολλήθητιᵇ τῷ ἅρματι τούτῳ
9₂₆ ἐπείραζεν κ..σθαιᵈ τοῖς μαθηταῖς
10₂₈ κ..σθαιᶜ ἢ προσέρχεσθαι ἀλλοφύλῳ
17₃₄ τινὲς – κολληθέντες αὐτῷ ἐπίστευσαν
Rm 12 9 κολλώμενοι τῷ ἀγαθῷ
1 Co 6₁₆ ὁ κολλώμενος τῇ πόρνῃ ἓν σῶμά ἐ-
στιν 17 ὁ δὲ κ. τῷ κυρίῳ ἓν πνεῦμα
Ap 18 5 „ἐκολλήθησανᵉ αὐτῆς" αἱ ἁμαρτίαι
„ἄχρι τοῦ οὐρανοῦ"

κολλυβιστής Sᵒ – numularius (vl numm.)
Mat 21₁₂ τραπέζας τῶν κ. ‖ Mar 11₁₅ Joh 2₁₅

κολλύριον collyrium Ap 3₁₈ ἐγχρῖσαι – ὀφθ.

κολοβοῦν breviare Mat 24₂₂ ‖ Mar 13₂₀

Κολοσσαί Col 1₂ τοῖς ἐν Κολοσσαῖς ἁγίοις

κόλπος sinus
Luc 6₃₈ μέτρον καλὸν – εἰς τὸν κόλπον ὑμῶν
16₂₂ εἰς τὸν κ. Ἀβρ. 23 ἐν τοῖς κ. αὐτοῦ
Joh 1₁₈ ὁ ὢν εἰς τὸν κόλπον τοῦ πατρός
13₂₃ ἀνακείμενος – ἐν τῷ κόλ. τοῦ Ἰησοῦ
Act 27₃₉ κόλπον – κατενόουν ἔχοντα αἰγιαλόν

κολυμβᾶν Sᵒ – natare Act 27₄₃ δυναμ. κ.

κολυμβήθρα piscina ᵇnatatoria
Joh 5 2 Βηθζαθά (4 vl) 7 97ᵇ Σιλωάμ

κολωνία Sᵒ – colonia Act 16₁₂ Philippi

κομᾶν Sᵒ – comam nutrire 1 Co 11₁₄.₁₅

κόμη capilli 1 Co 11₁₅ ἀντὶ περιβολαίου

κομίζειν, ..εσθαι accipere ᵇpercipere
ᶜrecipere ᵈafferre ᵉreferre ᶠreportare
Mat 25₂₇ ἐκομισάμηνᶜ ἂν τὸ ἐμὸν σὺν τόκῳ
Luc 7₃₇ κομίσασᵈ ἀλάβαστρον μύρου
2 Co 5₁₀ ἵνα κομίσηταιᵉ ἕκαστος τὰ διὰ (vl
ἴδια vg) τοῦ σώματος πρὸς ἃ ἔπραξεν
Eph 6 8 ἕκαστος ἐάν τι ποιήσῃ ἀγαθόν, τοῦ-
το κομίσεταιᶜ (vlᵇ) παρὰ κυρίου
Col 3₂₅ ὁ – ἀδικῶν κομίσεταιᶜ ὃ ἠδίκησεν
Hb 10₃₆ ἵνα – κομίσησθεᶠ τὴν ἐπαγγελίαν
11₁₃ ἀπέθανον –, μὴ κομισάμενοι (vl λα-
βόντες) τὰς ἐπαγγ. 39 οὐκ ἐκ..σαντο
– 19 ὅθεν αὐτὸν (sc τὸν Ἰσαάκ) καὶ ἐν
παραβολῇ ἐκομίσατο
1 Pe 1 9 κομιζόμενοιᶠ τὸ τέλος τῆς πίστεως
(vl + ὑμῶν vg) σωτηρίαν ψυχῶν
5 4 κομιεῖσθεᵇ τὸν – τῆς δόξης στέφανον
2 Pe 2₁₃ φθαρήσονται, ἀδικούμενοι (vl κομι-
ούμενοιᵇ) μισθὸν ἀδικίας

κομψότερον Sᵒ – melius Joh 4₅₂ κ. ἔσχεν

κονιᾶν dealbare Mat 23₂₇ Act 23₃

κονιορτός pulvis Mat 10₁₄ ἐκτινάξατε τὸν κ.
‖ Luc 9₅ 10₁₁ – Act 13₅₁ ἐ..άμενοι – 22₂₃

κοπάζειν cessare Mat 14₃₂ ‖ Mar 6₅₁ – 4₃₉

κοπετός planctus Act 8₂ ἐποίησαν κ..ὸν μέγ.

κοπή caedes Hb 7₁ ἀπὸ τῆς κ. τῶν βασιλ.

κοπιᾶν laborare ᵇfatigari ᶜdeficere
Mat 6₂₈ οὐ κοπιῶσιν οὐδὲ νήθουσιν (vl Luc
12₂₇ οὐ κοπιᾷ οὐδὲ νήθει)
11₂₈ πάντες οἱ κοπιῶντες καὶ πεφορτισμ.
Luc 5 5 δι' ὅλης νυκτὸς κοπιάσαντες οὐδέν
Joh 4 6 κεκοπιακὼςᵇ ἐκ τῆς ὁδοιπορίας
– 38 θερίζειν ὃ οὐχ ὑμεῖς κεκοπιάκατε·
ἄλλοι κεκοπιάκασιν, καὶ ὑμεῖς εἰς
Act 20₃₅ οὕτως κ..ῶντας δεῖ ἀντιλαμβάνεσθαι
Rm 16 6 Μαρίαν, ἥτις πολλὰ ἐκοπίασεν εἰς ὑ-
μᾶς 12 τὰς κοπιώσας ἐν κυρίῳ. – ἥτις
πολλὰ ἐκοπίασεν ἐν κυρίῳ
1 Co 4₁₂ κ..ῶμεν ἐργαζόμενοι ταῖς – χερσίν
15₁₀ περισσότερον – πάντων ἐκοπίασα
16₁₆ ἵνα καὶ ὑμεῖς ὑποτάσσησθε – παντὶ
τῷ συνεργοῦντι καὶ κοπιῶντι
Gal 4₁₁ μή πως εἰκῆ κεκοπίακα εἰς ὑμᾶς
Eph 4₂₈ μᾶλλον δὲ κοπιάτω ἐργαζόμενος
Phl 2₁₆ ὅτι οὐκ – „εἰς κενὸν ἐκοπίασα"
Col 1₂₉ εἰς ὃ καὶ κοπιῶ ἀγωνιζόμενος

1 Th 5 12 εἰδέναι τοὺς κοπιῶντας ἐν ὑμῖν
1 Ti 4 10 εἰς τοῦτο – κ..ῶμεν καὶ ἀγωνιζόμεθα
5 17 οἱ – πρεσβύτεροι –, μάλιστα οἱ κοπι-
ῶντες ἐν λόγῳ καὶ διδασκαλίᾳ
2 Ti 2 6 τὸν κοπιῶντα γεωργὸν δεῖ πρῶτον
τῶν καρπῶν μεταλαμβάνειν
Ap 2 3 ἐβάστασας –, καὶ οὐ κεκοπίακας ᶜ

κόπος labor ᵇ(κόπ. παρέχ.) molestum esse
Mat 26 10 τί κόπους παρέχετε ᵇ τῇ γυναικί; ‖ Mr
14 6 ᵇ – Luc 11 7 μή μοι κόπους πάρ-
εχε ᵇ 18 5 διὰ – τὸ παρέχειν μοι κ..ον ᵇ
Joh 4 38 εἰς τὸν κόπον αὐτῶν εἰσεληλύθατε
1 Co 3 8 μισθὸν λήμψεται κατὰ τὸν ἴδιον κ.
15 58 ὁ κόπος ὑμῶν οὐκ ἔστιν κενός
2 Co 6 5 ἐν κόποις, ἐν ἀγρυπνίαις 11 23 ἐν κ.
περισσοτέρως 27 κόπῳ καὶ μόχθῳ
10 15 οὐκ εἰς τὰ ἄμετρα καυχώμενοι ἐν
ἀλλοτρίοις κόποις
Gal 6 17 κόπους μοι μηδεὶς παρεχέτω ᵇ
1 Th 1 3 μνημονεύοντες ὑμῶν τοῦ ἔργου τῆς
πίστεως καὶ τοῦ κόπου τῆς ἀγάπης
2 9 μνημονεύετε τὸν κ. ἡμῶν καὶ τὸν μό-
χθον 2 Th 3 8 ἐν κ. καὶ μόχθῳ ἐργ.
3 5 μή πως – εἰς κενὸν γένηται ὁ κ. ἡμῶν
Ap 2 2 οἶδα τὰ ἔργα σου καὶ τὸν κόπον
14 13 ἀναπαήσονται ἐκ τῶν κόπων αὐτῶν

κοπρία sterquilinium – κόπρια stercora
Luc 14 35 οὔτε εἰς κ..ίαν εὔθετον 13 8 βάλω κ.

κόπτειν caedere – κόπτεσθαι (se) plangere
Mat 11 17 ἐθρηνήσαμεν καὶ οὐκ ἐκόψασθε
21 8 ἔκοπτον κλάδους ‖ Mar 11 8 κόψαντες
24 30 „κόψονται – αἱ φυλαὶ τῆς γῆς" Ap 1 7
Luc 8 52 ἐκόπτοντο αὐτήν 23 27 αἳ ἐκ..οντο
Ap 18 9 „κόψονται" ἐπ᾽ αὐτὴν „οἱ βασιλεῖς"

κόραξ corvus Luc 12 24 κατανοήσατε τοὺς

κοράσιον puella Mat 9 24 οὐ γὰρ ἀπέθανεν
τὸ κορ. 25 ἠγέρθη τὸ κορ. ‖ Mar 5 41 τὸ
κοράσιον, –, ἔγειρε 42 – Mat 14 11 ἐδόθη
τῷ κορασίῳ ‖ Mar 6 22. 28

κορβανᾶς Sᵒ – corbona decl. (vl corbanan
indecl.) – κορβᾶν Sᵒ – corban
Mat 27 6 βαλεῖν – εἰς τὸν κ..νᾶν Mar 7 11 κορ-
βᾶν, ὅ ἐστιν δῶρον, ὃ ἐὰν ἐξ ἐμοῦ

Κόρε Jud 11 τῇ ἀντιλογίᾳ τοῦ Κ. ἀπώλοντο

κορέννυσθαι Sᵒ – ᵃsatiari ᵇsaturari
Act 27 38 κορεσθέντες ᵃ – 1 Co 4 8 ἤδη κεκο-

ρεσμένοι ᵇ ἐστέ· ἤδη ἐπλουτήσατε·

Κορίνθιοι Act 18 8 2 Co 6 11 – Κόρινθος
Act 18 1 19 1 1 Co 1 2 2 Co 1 1. 23 2 Ti 4 20

Κορνήλιος Act 10 1. 3. 17. 22. 24. 25. 30. 31

κόρος corus Luc 16 7 ἑκατὸν κόρους σίτου

κοσμεῖν ornare
Mat 12 44 εὑρίσκει – κεκοσμημένον ‖ Luc 11 25
23 29 κοσμεῖτε τὰ μνημεῖα τῶν δικαίων
25 7 ἐκόσμησαν τὰς λαμπάδας ἑαυτῶν
Luc 21 5 ὅτι λίθοις καλοῖς – κεκόσμηται
1 Ti 2 9 μετὰ αἰδοῦς καὶ σωφροσύ. κ. ἑαυτάς
Tit 2 10 ἵνα τὴν διδασκαλίαν τὴν τοῦ σωτῆρος
ἡμῶν θεοῦ κοσμῶσιν ἐν πᾶσιν
1 Pe 3 5 αἱ ἅγιαι γυναῖκες – ἐκ..ουν ἑαυτάς
Ap 21 2 „ὡς νύμφην κεκ..ημένην" τῷ ἀνδρί
– 19 „θεμέλιοι – λίθῳ τιμίῳ" κεκοσμημένοι

κοσμικός Sᵒ – saecularis Tit 2 12 ἵνα ἀρνη-
σάμενοι – τὰς κοσμικὰς ἐπιθυμίας
Hb 9 1 εἶχε – καὶ ἡ πρώτη – τό τε ἅγιον κ..όν

κόσμιος Sᵒ – ornatus
1 Ti 2 9 γυναῖκας ἐν καταστολῇ κ..ῳ (vl ..ως)
3 2 ἐπίσκοπον – κόσμιον, φιλόξενον

κοσμοκράτορες Sᵒ – mundi rectores
Eph 6 12 πρὸς τοὺς κ..ας τοῦ σκότους τούτου

κόσμος mundus ᵇ saeculum ᶜ universitas
ᵈcultus – ἀπὸ et πρὸ καταβολῆς
κόσμου → καταβολή – τὰ στοιχεῖα
τοῦ κόσμου → στοιχεῖα
Mat 4 8 πάσας τὰς βασιλείας τοῦ κόσμου
5 14 ὑμεῖς ἐστε τὸ φῶς τοῦ κ. → Joh 8 12
13 38 ὁ δὲ ἀγρός ἐστιν ὁ κόσμος
16 26 ἐὰν τὸν κόσμον ὅλον κερδήσῃ ‖ Mar
8 36 κερδῆσαι Luc 9 25 κερδήσας –
Joh 12 25 ὁ μισῶν τὴν ψυχὴν αὐτοῦ
ἐν τῷ κόσμῳ τούτῳ
18 7 οὐαὶ τῷ κόσμῳ ἀπὸ τῶν σκανδάλων
24 21 „οἵα οὐ γέγονεν ἀπ᾽ ἀρχῆς κόσμου"
26 13 ὅπου ἐὰν κηρυχθῇ – ἐν ὅλῳ τῷ κ.
‖ Mar 14 9 εἰς ὅλον τὸν κ. → Rm 18
Mar 16 15 [πορευθέντες εἰς τὸν κόσμ. ἅπαντα]
Luc 12 30 ταῦτα – τὰ ἔθνη τοῦ κ. ἐπιζητοῦσιν
Joh 1 9 ἦν τὸ φῶς –, ἐρχόμενον εἰς τὸν κό-
σμον 3 19 τὸ φῶς ἐλήλυθεν εἰς τὸν κ.
– 10 ἐν τῷ κόσμῳ ἦν, καὶ ·ὁ κ. δι᾽ αὐτοῦ

ἐγένετο, καὶ ὁ κ. αὐτὸν οὐκ ἔγνω 9 5
ὅταν ἐν τῷ κ. ὦ, φῶς εἰμι τοῦ κόσμ.
Joh 1 29 ὁ αἴρων τὴν ἁμαρτίαν τοῦ κόσμου
3 16 οὕτως – ἠγάπησεν ὁ θεὸς τὸν κόσμον
– 17 οὐ γὰρ ἀπέστειλεν ὁ θεὸς τὸν υἱὸν
εἰς τὸν κόσμον ἵνα κρίνῃ τὸν κ., ἀλλ᾽
ἵνα σωθῇ ὁ κόσμ. δι᾽ αὐτοῦ 12 47 οὐ
γὰρ ἦλθον ἵνα κρίνω τὸν κόσμ., ἀλλ᾽
ἵνα σώσω τὸν κόσμον → 1 Jo 4 9
4 42 ἀληθῶς ὁ σωτὴρ τοῦ κ. → 1 Jo 4 14
6 14 ἀληθῶς ὁ προφήτης ὁ ἐρχ. εἰς τὸν κ.
– 33 ὁ – ἄρτος – ὁ – ζωὴν διδοὺς τῷ κόσμῳ
– 51 ὁ ἄρτος – ἡ σάρξ μού ἐστιν ὑπὲρ τῆς
τοῦ κόσμου ζωῆς
7 4 φανέρωσον σεαυτὸν τῷ κόσμῳ
– 7 οὐ δύναται ὁ κόσμος μισεῖν ὑμᾶς
8 12 ἐγώ εἰμι τὸ φῶς τοῦ κ. 12 46 ἐγὼ φῶς
εἰς τὸν κόσμον ἐλήλυθα
– 23 ὑμεῖς ἐκ τούτου τοῦ κόσμου ἐστέ,
ἐγὼ οὐκ εἰμὶ ἐκ τοῦ κόσμου τούτου
– 26 ταῦτα λαλῶ εἰς τὸν κόσμον
9 39 εἰς κρίμα – εἰς τὸν κ. τοῦτον ἦλθον
10 36 ὃν ὁ πατὴρ – ἀπέστειλεν εἰς τὸν κ.
17 18 καθὼς ἐμὲ ἀπέστειλας εἰς τὸν
κ., κἀγὼ ἀπέστειλα αὐτοὺς εἰς τ. κ.
11 9 τὸ φῶς τοῦ κόσμου τούτου βλέπει
– 27 ὁ χριστὸς – ὁ εἰς τὸν κόσμον ἐρχόμ.
12 19 ἴδε ὁ κόσμος ὀπίσω αὐτοῦ ἀπῆλθεν
– 25 (→ Mat 16 26) 31 νῦν κρίσις ἐστὶν τοῦ
κ. τούτου· νῦν ὁ ἄρχων τοῦ κ. τού-
του ἐκβληθήσεται 14 30 ἔρχεται – ὁ
τοῦ κόσμου ἄρχων 16 11 κέκριται
13 1 ἵνα μεταβῇ ἐκ τοῦ κ. τούτου –, ἀγα-
πήσας τοὺς ἰδίους τοὺς ἐν τῷ κόσμῳ
14 17 τὸ πνεῦμα τῆς ἀληθείας, ὃ ὁ κόσμος
οὐ δύναται λαβεῖν → 1 Co 2 12
– 19 μικρὸν καὶ ὁ κόσμ. με οὐκέτι θεωρεῖ
– 22 τί – ὅτι – μέλλεις ἐμφανίζειν σεαυτὸν
– οὐχὶ τῷ κόσμῳ; – 27 εἰρήνην – δί-
δωμι ὑμῖν· οὐ καθὼς ὁ κόσ. δίδωσιν
– 31 ἵνα γνῶ ὁ κ. ὅτι ἀγαπῶ τὸν πατέρα
15 18 εἰ ὁ κ. ὑμᾶς μισεῖ 19 εἰ ἐκ τοῦ κ. ἦτε,
ὁ κ. ἂν τὸ ἴδιον ἐφίλει· ὅτι δὲ ἐκ τοῦ
κ. οὐκ ἐστέ, ἀλλ᾽ ἐγὼ ἐξελεξάμην ὑ-
μᾶς ἐκ τοῦ κ. – μισεῖ ὑμᾶς ὁ κ. 17 14
ὁ κ. ἐμίσησεν αὐτούς, ὅτι οὐκ εἰσὶν
ἐκ τοῦ κ. καθὼς ἐγὼ οὐκ εἰμὶ ἐκ τοῦ
κ. 15 οὐκ ἐρωτῶ ἵνα ἄρῃς αὐτοὺς ἐκ
τοῦ κ. 16 ἐκ τοῦ κ. οὐκ εἰσὶν καθὼς
ἐγὼ οὐκ εἰμὶ ἐκ τοῦ κόσμου → 10 36
16 8 ἐλέγξει τὸν κόσμ. περὶ ἁμαρτίας καί
– 20 ὁ δὲ κ. χαρήσεται 21 διὰ τὴν χαρὰν

ὅτι ἐγεννήθη ἄνθρωπος εἰς τὸν κόσμ.
Joh 16 28 ἐλήλυθα εἰς τὸν κ.· πάλιν ἀφίημι τὸν
κόσμ. 33 ἐν τῷ κ. θλῖψιν ἔχετε· ἀλλὰ
θαρσεῖτε, ἐγὼ νενίκηκα τὸν κόσμον
17 5 τῇ δόξῃ ᾗ εἶχον πρὸ τοῦ τὸν κ. εἶναι
– 6 οὓς ἔδωκάς μοι ἐκ τοῦ κ. 9 οὐ περὶ
τοῦ κ. ἐρωτῶ 11 οὐκέτι εἰμὶ ἐν τῷ κ.,
καὶ αὐτοὶ ἐν τῷ κόσμῳ εἰσίν 13 ταῦτα
λαλῶ ἐν τῷ κόσμῳ → 15 18 10 36
– 21 ἵνα ὁ κ. πιστεύῃ, ὅτι σύ με ἀπέστει-
λας 23 ἵνα γινώσκῃ ὁ κόσ. ὅτι σύ με
– 25 καὶ ὁ κόσμος σε οὐκ ἔγνω, ἐγὼ δέ
18 20 ἐγὼ παρρησίᾳ λελάληκα τῷ κόσμῳ
– 36 ἡ βασιλεία ἡ ἐμὴ οὐκ ἔστιν ἐκ τοῦ
κόσ. τούτου· εἰ ἐκ τοῦ κ. τούτου ἦν
– 37 ἐλήλυθα εἰς τὸν κ., ἵνα μαρτυρήσω
21 25 οὐδ᾽ αὐτὸν οἶμαι τὸν κόσμον χωρή-
σειν τὰ γραφόμενα βιβλία
Act 17 24 ὁ θεὸς ὁ ποιήσας τὸν κ. καὶ πάντα
Rm 1 8 εὐχαριστῶ –, ὅτι ἡ πίστις ὑμῶν κατ-
αγγέλλεται ἐν ὅλῳ τῷ κόσμῳ
– 20 ἀπὸ κτίσεως κόσμου – καθορᾶται
3 6 πῶς κρινεῖ ὁ θεὸς τὸν κόσμον;
– 19 ἵνα – ὑπόδικος γέν. πᾶς ὁ κ. τῷ θεῷ
4 13 τὸ κληρονόμον αὐτὸν εἶναι κόσμου
5 12 δι᾽ ἑνὸς – ἡ ἁμαρτία εἰς τὸν κ. εἰσῆλ-
θεν 13 ἄχρι – νόμου ἁμ. ἦν ἐν κόσμῳ
11 12 εἰ δὲ τὸ παράπτωμα αὐτῶν πλοῦτος
κόσμου 15 εἰ γὰρ ἡ ἀποβολὴ αὐτῶν
καταλλαγὴ κόσμου
1 Co 1 20 οὐχὶ ἐμώρανεν ὁ θεὸς τὴν σοφίαν
τοῦ κόσμου; 21 ἐπειδὴ – οὐκ ἔγνω ὁ
κόσμος διὰ τῆς σοφίας τὸν θεόν
– 27 τὰ μωρὰ τοῦ κ. ἐξελέξατο –, καὶ τὰ
ἀσθενῆ τοῦ κ. 28 καὶ τὰ ἀγενῆ τοῦ
κόσ. καὶ τὰ ἐξουθενημένα ἐξελέξατο
2 12 οὐ τὸ πνεῦμα τοῦ κόσμου ἐλάβομεν
3 19 ἡ γὰρ σοφία τοῦ κόσμου τούτου μω-
ρία παρὰ τῷ θεῷ ἐστιν
– 22 εἴτε κόσμος εἴτε ζωή –, πάντα ὑμῶν
4 9 θέατρον ἐγενήθημεν τῷ κόσμῳ καὶ
ἀγγέλοις καὶ ἀνθρώποις 13 ὡς περι-
καθάρματα τοῦ κόσμου ἐγενήθημεν
5 10 οὐ πάντως τοῖς πόρνοις τοῦ κόσμου
τούτου –, ἐπεὶ ὠφείλετε ἄρα ἐκ τοῦ
κόσμου ἐξελθεῖν
6 2 ὅτι οἱ ἅγιοι τὸν κ. κρινοῦσιν; – εἰ ἐν
ὑμῖν κρίνεται ὁ κόσμος, ἀνάξιοι –;
7 31 οἱ χρώμενοι τὸν κόσμον ὡς μὴ κατα-
χρώμενοι· παράγει γὰρ τὸ σχῆμα
τοῦ κ. τούτου 33 ὁ – γαμήσας μερι-
μνᾷ τὰ τοῦ κόσμ. 34 ἡ – γαμήσασα

1 Co   8 4 οἴδαμεν ὅτι οὐδὲν εἴδωλον ἐν κόσμῳ
     11 32 ἵνα μὴ σὺν τῷ κόσμῳ κατακριθῶμεν
     14 10 τοσαῦτα – γένη φωνῶν – ἐν κόσμῳ
2 Co   1 12 ἐν χάριτι θεοῦ, ἀνεστράφημεν ἐν τῷ
     κόσμῳ, περισσοτέρως δὲ πρὸς ὑμᾶς
     5 19 ἐν Χῷ κόσμον καταλλάσσων ἑαυτῷ
     7 10 ἡ – τοῦ κ.[b] λύπη θάνατον κατεργάζ.
Gal   6 14 ἐν τῷ σταυρῷ – Χοῦ, δι᾽ οὗ ἐμοὶ κό-
     σμος ἐσταύρωται κἀγὼ κόσμῳ
Eph   2 2 περιεπατήσατε κατὰ τὸν αἰῶνα τοῦ
     κ. τούτου 12 ἦτε – ἄθεοι ἐν τῷ κόσμῳ
Phl   2 15 φαίνεσθε ὡς φωστῆρες ἐν κόσμῳ
Col   1 6 ἐν παντὶ τῷ κ. ἐστὶν καρποφορούμ.
     2 20 τί ὡς ζῶντες ἐν κ..ῳ δογματίζεσθε –;
1 Ti   1 15 πιστὸς ὁ λόγος –, ὅτι Χὸς Ἰ. ἦλθεν
     εἰς τὸν κόσμον ἁμαρτωλοὺς σῶσαι
     3 16 ἐπιστεύθη ἐν κόσμῳ, ἀνελήμφθη
     6 7 οὐδὲν – εἰσηνέγκαμεν εἰς τὸν κόσμον
Hb   10 5 εἰσερχόμενος εἰς τὸν κόσμον λέγει·
     11 7 δι᾽ ἧς (sc πίστεως) κατέκρινεν τὸν κ.
     – 38 ὧν οὐκ ἦν ἄξιος ὁ κόσμος
Jac   1 27 ἄσπιλον ἑαυτὸν τηρεῖν ἀπὸ τοῦ κ.[b]
     2 5 ἐξελέξατο τοὺς πτωχοὺς τῷ κόσμῳ
     3 6 ἡ γλῶσσα πῦρ, ὁ κόσμ.[c] τῆς ἀδικίας
     4 4 οὐκ οἴδατε ὅτι ἡ φιλία τοῦ κόσμου
     ἔχθρα τοῦ θεοῦ ἐστιν; ὃς ἐὰν – βου-
     ληθῇ φίλος εἶναι τοῦ κόσμου[b]
1 Pe   3 3 οὐχ ὁ ἔξωθεν – κόσμος[d], ἀλλ᾽ ὁ
     5 9 τῇ ἐν τῷ (vl°) κ. ὑμῶν ἀδελφότητι
2 Pe   1 4 ἀποφυγόντες τῆς ἐν τῷ κ. – φθορᾶς
     2 5 ἀρχαίου κόσμου οὐκ ἐφείσατο – κα-
     τακλυσμὸν κόσμῳ ἀσεβῶν ἐπάξας
     – 20 ἀποφυγόντες τὰ μιάσματα τοῦ κός.
     3 6 ὁ τότε κόσμος ὕδατι – ἀπώλετο
1 Jo   2 2 περὶ ὅλου τοῦ κόσμου (sc ἁμαρτιῶν)
     – 15 μὴ ἀγαπᾶτε τὸν κός. μηδὲ τὰ ἐν τῷ
     κόσμῳ. ἐάν τις ἀγαπᾷ τὸν κόσμον 16
     πᾶν τὸ ἐν τῷ κ., ἡ ἐπιθ. τῆς σαρκὸς
     –, –, ἀλλὰ ἐκ τοῦ κ. ἐστίν. 17 καὶ ὁ
     κ. παράγεται καὶ ἡ ἐπιθυμία αὐτοῦ
     3 1 ὁ κόσμος οὐ γινώσκει ἡμᾶς, ὅτι οὐκ
     ἔγνω αὐτόν 13 μὴ θαυμάζετε, –, εἰ
     μισεῖ ὑμᾶς ὁ κόσμος
     – 17 ὃς δ᾽ ἂν ἔχῃ τὸν βίον τοῦ κόσμου
     4 1 ψευδοπροφῆται ἐξεληλύθασιν εἰς τὸν
     κόσμον 3 νῦν ἐν τῷ κ. ἐστὶν ἤδη (sc
     τὸ πνεῦμα τοῦ ἀντιχρίστου) 4 μεί-
     ζων ἐστὶν ὁ ἐν ὑμῖν ἢ ὁ ἐν τῷ κόσμῳ
     – 5 αὐτοὶ ἐκ τοῦ κόσμου εἰσίν· διὰ τοῦτο
     ἐκ τοῦ κόσμου λαλοῦσιν καὶ ὁ κό-
     σμος αὐτῶν ἀκούει
     – 9 τὸν υἱὸν – ἀπέσταλκεν – εἰς τὸν κ. ἵνα

     ζήσωμεν δι᾽ αὐτοῦ 14 σωτῆρα τοῦ κ.
1 Jo   4 17 ὅτι καθὼς ἐκεῖνός ἐστιν καὶ ἡμεῖς
     ἐσμεν ἐν τῷ κόσμῳ τούτῳ
     5 4 τὸ γεγεννημένον ἐκ τοῦ θεοῦ νικᾷ
     τὸν κόσμ.· – ἡ νίκη ἡ νικήσασα τὸν
     κόσμον, ἡ πίστις ἡμῶν 5 τίς ἐστιν – ὁ
     νικῶν τὸν κός. εἰ μὴ ὁ πιστεύων ὅτι
     – 19 ὁ κόσμος ὅλος ἐν τῷ πονηρῷ κεῖται
2 Jo   7 πολλοὶ πλάνοι ἐξῆλθον εἰς τὸν κός.
Ap   11 15 ἐγένετο ἡ βασιλεία τοῦ κός. τοῦ κυ-
     ρίου ἡμῶν καὶ τοῦ χριστοῦ αὐτοῦ

Κούαρτος   Rm 16 23 ἀσπάζεται – Κ. ὁ ἀδελφ.

κοῦμ   S° – surge   Mar 5 41 ταλιθὰ κοῦμ

κουστωδία   S° – custodia   [b]custodes
Mat 27 65 ἔχετε κ..αν 66[b] 28 11 τινὲς τῆς κ..ας[b]

κουφίζειν   alleviare   Act 27 38 πλοῖον

κόφινος   cophinus   Mat 14 20 16 9 ‖ Mar 6 43 8 19
     Luc 9 17 Joh 6 13 – (Luc 13 8 vl)

κράβατος   S° – grabatus (vl ..tt.)   Mar 2 4.9
     ἆρον τὸν κρ. σου 11.12 Joh 5 8-11 – Mar
     6 55 ἐν τοῖς κρ. – περιφέρειν Act 5 15 9 33

κράζειν   clamare   [b]exclamare
Mat   8 29 ἔκραξαν (sc δαιμονιζόμ.) λέγοντες· ‖
     Mar 5 5 ἦν κράζων 7 κράξας φωνῇ
     μεγάλη λέγει· – Mar 3 11 τὰ πνεύ-
     ματα – ἔκραζον λέγοντα ὅτι σὺ εἶ ὁ
     υἱὸς τοῦ θεοῦ 9 26 κράξας[b] (vl[a]) –
     ἐξῆλθεν ‖ Luc 9 39 ἐξαίφνης κράζει
     καὶ σπαράσσει αὐτόν – Act 16 17 αὕ-
     τη – ἔκραζεν λέγουσα· οὗτοι
     9 27 δύο τυφλοὶ κράζοντες 20 30.31 ‖ Mar
     10 47 τυφλός 48 Luc 18 39 ἔκραζεν
     14 26 ἀπὸ τοῦ φόβου ἔκραξαν 30 ἔκραξεν
     λέγων· κύριε, σῶσόν με
     15 22 γυνὴ Χαναναία – ἔκραζεν λέγουσα·
     23 κράζει ὄπισθεν ἡμῶν
     21 9 ἔκραζον λέγ.· ὡσαννά ‖ Mar 11 9
     – 15 τοὺς παῖδας τ. κ..οντας ἐν τῷ ἱερῷ
     27 23 περισσῶς ἔκραζον λέγοντες· σταυ-
     ρωθήτω ‖ Mar 15 13.14
     – 50 Ἰησοῦς πάλιν κράξας φωνῇ μεγάλη
Mar   9 24 κράξας[b] – ἔλεγεν· πιστεύω
Luc   19 40 ἐὰν οὗτοι σιωπ., οἱ λίθοι κράξουσιν
Joh   1 15 Ἰωάννης – κέκραγεν λέγων· 7 28 ἔ-
     κραξεν – ἐν τῷ ἱερῷ διδάσκων ὁ Ἰη-
     σοῦς 37 12 44 Ἰησ. – ἔκρ. καὶ εἶπεν·

Act 7 57 κράξαντες[b] – φωνῇ μεγάλη – 60
14 14 19 28[b] 21 28.36 236[b] ἐν – συνεδρίῳ
19 32 ἄλλοι μὲν οὖν ἄλλο τι ἔκραζον 34
24 21 μιᾶς φωνῆς ἧς ἐκέκραξα ἐν αὐτοῖς
Rm   8 15 πνεῦμα υἱοθεσίας, ἐν ᾧ κράζομεν·
'Αββὰ ὁ πατήρ Gal 4 6 τὸ πνεῦμα
τοῦ υἱοῦ αὐτοῦ –, κρᾶζον· 'Α. ὁ π.
9 27 'Ησαΐας – κράζει ὑπὲρ τοῦ 'Ισραήλ
Jac   5 4 „ὁ μισθὸς" τῶν ἐργατῶν – ὁ ἀφυστε-
ρημένος „ἀφ' ὑμῶν κράζει"
Ap   6 10 ἔκραξαν φωνῇ μεγάλη λέγοντες· 7 10
18 2 ἔκραξεν[b] ἐν ἰσχυρᾷ φωνῇ 18.19
19 17 ἐν φωνῇ μεγάλη – 7 2 ἔκραξεν
φ. μεγ. τοῖς τέσσαρσιν ἀγγέλοις 14
15 τῷ καθημένῳ ἐπὶ τῆς νεφέλης
10 3 ἔκραξεν φ. μεγ. ὥσπερ λέων μυκᾶ-
ται. καὶ ὅτε ἔκραξεν, ἐλάλησαν
12 2 „κράζει ὠδίνουσα καὶ" βασανιζομένη

κραιπάλη S⁰ – *crapula* Luc 21 34 ἐν κ..η

κρανίον, Κρανίον *Calvaria* Mat 27 33 κ..ου
τόπος ‖ Mar 15 22 Luc 23 33 ἐπὶ τὸν τό-
πον τὸν καλούμ. Κ..ον Joh 19 17 Κ..ου τό.

κράσπεδον *fimbria*
Mat   9 20 ‖ Luc 8 44 – Mat 14 36 ‖ Mar 6 56
23 5 μεγαλύνουσιν τὰ κράσπεδα

κραταιός *potens* 1 Pe 5 6 (χεὶρ τοῦ θεοῦ)

κραταιοῦσθαι *confortari* [b]*corroborari*
Luc   1 80 ἐκ..οῦτο πνεύματι 2 40 ἐκραταιοῦτο
πληρούμενον σοφίᾳ (vl σοφίας)
1 Co 16 13 „ἀνδρίζεσθε, κραταιοῦσθε"
Eph   3 16 ἵνα δῷ ὑμῖν – δυνάμει κραταιωθῆναι[b]
– εἰς τὸν ἔσω ἄνθρωπον

κρατεῖν *tenēre* [b]*continēre* [c]*retinēre*
[d]*apprehendere*
Mat   9 25 ἐκράτησεν τῆς χειρὸς αὐτῆς ‖ Mar
5 41 Luc 8 54 – Mar 1 31[d] 9 27 αὐτοῦ
12 11 οὐχὶ κρατήσει αὐτὸ καὶ ἐγερεῖ;
14 3 κρατήσας τὸν 'Ιωάννην ‖ Mar 6 17
18 28 κρατήσας αὐτὸν ἔπνιγεν 22 6 κρατή-
σαντες τοὺς δούλους – Mar 14 51
21 46 ζητοῦντες αὐτὸν (sc 'Ιησ.) κρατῆσαι
‖ Mar 12 12 – Mat 26 4 δόλῳ 48 κρα-
τήσατε αὐτόν 50.55 οὐκ ἐκρατήσατέ
με 57 ‖ Mar 14 1.44.46.49 – 3 21 οἱ παρ'
αὐτοῦ ἐξῆλθον κρατῆσαι αὐτόν
28 9 αἱ δὲ – ἐκράτησαν αὐτοῦ τοὺς πόδας

Mar   7 3 κρατοῦντες τὴν παράδοσιν τῶν πρε-
σβυτέρων 4 ἃ παρέλαβον κρατεῖν (vl
τηρεῖν vg *servare*) 8 κρατεῖτε τὴν
παράδ. τῶν ἀνθρώπων → 2 Th 2 15
9 10 τὸν λόγον ἐκράτησαν[b] πρὸς ἑαυτούς
Luc 24 16 οἱ – ὀφθαλμοὶ αὐτῶν ἐκρατοῦντο
Joh 20 23 ἄν τινων κρατῆτε[c], κεκράτηνται[c]
Act   2 24 οὐκ ἦν δυνατὸν κρατεῖσθαι αὐτὸν
ὑπ' αὐτοῦ (sc τοῦ θανάτου vel ᾅδου)
3 11 κρατοῦντος δὲ αὐτοῦ τὸν Πέτρον
24 6 ὃν (sc Παῦλον) καὶ ἐκρατήσαμεν[d]
27 13 δόξαντες τῆς προθέσεως κεκ..ηκέναι
Col   2 19 οὐ κρατῶν τὴν κεφαλήν, ἐξ οὗ πᾶν
2 Th   2 15 κ..εῖτε τὰς παραδόσεις ἃς ἐδιδάχθητε
Hb   4 14 κρατῶμεν τῆς ὁμολογίας
6 18 ἵνα – παράκλησιν ἔχωμεν οἱ καταφυ-
γόντες κρατῆσαι τῆς προκειμένης
ἐλπίδος
Ap   2 1 ὁ κρατῶν τοὺς ἑπτὰ ἀστέρας ἐν
– 13 κρατεῖς τὸ ὄνομά μου 14 ἀλλ' – ἔχεις
ἐκεῖ κρατοῦντας τὴν διδαχὴν Βαλα-
άμ 15 τὴν διδαχὴν τῶν Νικολαϊτῶν
– 25 πλὴν ὃ ἔχετε κρατήσατε 3 11 κράτει
ὃ ἔχεις, ἵνα μηδεὶς λάβῃ τὸν στέφ.
7 1 κ..οῦντας „τοὺς τέσσαρας ἀνέμους"
20 2 καὶ ἐκράτησεν[d] τὸν δράκοντα

κράτιστος *optimus* Luc 1 3 Act 23 26 24 3 26 25

κράτος *imperium* [b]*potentia* [c]*potestas*
[d](κατὰ κράτος) *fortiter*
Luc   1 51 ἐποίησεν κράτος[b] ἐν βραχίονι αὐτοῦ
Act 19 20 κατὰ κράτος[d] τοῦ κυρίου ὁ λόγος
ηὔξανεν καὶ ἴσχυεν
Eph   1 19 κατὰ τὴν ἐνέργειαν τοῦ κρ.[b] τῆς ἰ-
σχύος αὐτοῦ 6 10 ἐν τῷ κράτει[b] τῆς
ἰσχύος αὐτοῦ Col 1 11 δυναμούμενοι
κατὰ τὸ κράτος[b] τῆς δόξης αὐτοῦ
1 Ti   6 16 ᾧ τιμὴ καὶ κράτος αἰώνιον 1 Pe 4 11 ἡ
δόξα καὶ τὸ κράτος 5 11 αὐτῷ τὸ κρ.
Jud 25 δόξα μεγαλωσύνη κράτος καὶ
ἐξουσία Ap 1 6 αὐτῷ ἡ δόξα καὶ τὸ
κράτος 5 13 ἡ δόξα καὶ τὸ κράτος[c]
Hb   2 14 τὸν τὸ κράτος ἔχοντα τοῦ θανάτου

κραυγάζειν *clamare* [b]*vociferari*
Mat 12 19 „οὐκ ἐρίσει οὐδὲ κραυγάσει"
Luc   4 41 ἐξήρχετο – δαιμόνια –, κραυγάζοντα
Joh 11 43 ἐκραύγασεν· Λάζαρε, δεῦρο ἔξω 12
13 ἐκραύγαζον· „ὡσαννά" 18 40 19 6
σταύρωσον 12 ἐὰν τοῦτον ἀπολύσῃς 15
Act 22 23 κρ..όντων[b] τε αὐτῶν καὶ ῥιπτούντων

κραυγή *clamor* ᵇ*vox*
Mat 25 6 κραυγή γέγονεν· ἰδοὺ ὁ νυμφίος
Luc 1 42 κραυγῇ ᵇ μεγάλη Act 23 9
Eph 4 31 κρ. καὶ βλασφημία ἀρθήτω ἀφ' ὑμῶν
Hb 5 7 δεήσεις – μετὰ κραυγῆς ἰσχυρᾶς
Ap 21 4 οὔτε πένθος οὔτε κρ. – οὐκ ἔσται ἔτι

κρέας, pl. κρέα *caro*
Rm 14 21 καλὸν τὸ μὴ φαγεῖν κρέα – μηδὲ ἐν
     ᾧ ὁ ἀδελφός σου προσκόπτει
1 Co 8 13 εἰ – σκανδαλίζει –, οὐ μὴ φάγω κ..α

κρείσσων (ττ) *melior* – **κρεῖσσον** (ττ) *melius*
1 Co 7 9 κρεῖττόν – ἐστιν γαμεῖν ἢ πυροῦσθαι
   – 38 ὁ μὴ γαμίζων κρεῖσσον ποιήσει
   11 17 ὅτι οὐκ εἰς τὸ κρεῖσσον – συνέρχεσθε
Phl 1 23 σὺν Χῷ εἶναι, πολλῷ – μᾶλλον κρ.
Hb 1 4 τοσούτῳ κρείττων γενόμ. τ. ἀγγέλων
   6 9 πεπείσμεθα – περὶ ὑμῶν – τὰ κρείσσ.
   7 7 χωρὶς – ἀντιλογίας τὸ ἔλαττον ὑπὸ
     τοῦ κρείττονος εὐλογεῖται
   – 19 ἐπεισαγωγή – κ..ος ἐλπίδος 22 κρείτ-
     τονος διαθήκης – ἔγγυος 8 6 μεσίτης
   8 6 ἐπὶ κ..σιν ἐπαγγελίαις 9 23 κρείττοσιν
     θυσίαις παρὰ ταύτας 10 34 ἔχειν ἑ-
     αυτοὺς κρείσσονα ὕπαρξιν
   11 16 κ..νος ὀρέγονται (sc πατρίδος) 35
     ἵνα κρείττονος ἀναστάσεως τύχωσιν
   – 40 τοῦ θεοῦ περὶ ἡμῶν κρεῖττόν τι προ-
     βλεψαμένου
   12 24 αἵματι – κ..ον λαλοῦντι παρὰ – Ἄβελ
1 Pe 3 17 κ..ον – ἀγαθοποιοῦντας πάσχειν ἢ
2 Pe 2 21 κρεῖττον – ἦν αὐτοῖς μὴ ἐπεγνωκέναι
     τὴν ὁδὸν τῆς δικαιοσύνης, ἢ

κρεμᾶν, κρέμασθαι *suspendere* ᵇ*pendēre*
Mat 18 6 ἵνα κρεμασθῇ μύλος – περὶ τὸν τρά-
     χηλον αὐτοῦ καὶ καταποντισθῇ
   22 40 ἐν ταύταις ταῖς δυσὶν ἐντολαῖς ὅλος
     ὁ νόμος κρέμαται ᵇ καὶ οἱ προφῆται
Luc 23 39 εἷς – τῶν κρεμασθέντων ᵇ κακούργων
Act 5 30 „κρεμάσαντες ἐπὶ ξύλου" 10 39
   28 4 κ..μενον ᵇ τὸ θηρίον ἐκ τῆς χειρός
Gal 3 13 „πᾶς ὁ κρεμάμενος ᵇ ἐπὶ ξύλου"

κατὰ τοῦ κρημνοῦ *per praeceps* ᵇ(ὁρμᾶν κ.
   τοῦ κρημνοῦ) *magno impetu praecipitari*
Mat 8 32 ἡ ἀγέλη ‖ Mar 5 13 ᵇ Luc 8 33

Κρήσκης *Crescens* 2 Ti 4 10 εἰς Γαλατίαν

Κρῆτες Act 2 11 καὶ Ἄρ. Tit 1 12 ἀεὶ ψεῦσται

Κρήτη Act 27 7.12.13.21 Tit 1 5 ἐν Κρήτῃ

κριθή *hordeum* Ap 6 6 τρεῖς χοίνικες κριθῶν

κρίθινος *ordeaceus* (vl *hordiaceus*)
Joh 6 9 πέντε ἄρτους κριθίνους 13

κρίμα *iudicium* ᵇ*damnatio*
Mat 7 2 ἐν ᾧ – κρίματι κρίνετε κριθήσεσθε
Mar 12 40 οὗτοι λήμψονται περισσότερον κρίμα
   ‖ Luc 20 47 ᵇ cfr Rm 13 2 Jac 3 1
Luc 23 40 ὅτι ἐν τῷ αὐτῷ κρίματι ᵇ εἶ;
   24 20 παρέδωκαν αὐτὸν – εἰς κρ. ᵇ θανάτου
Joh 9 39 εἰς κρ. – εἰς τὸν κόσμον τοῦτ. ἦλθον
Act 24 25 περὶ – τοῦ κρίματος τοῦ μέλλοντος
Rm 2 2 τὸ κρίμα τοῦ θεοῦ ἐστιν κατὰ ἀλή-
     θειαν ἐπὶ τούς 3 λογίζῃ δὲ τοῦτο, –
     ὅτι σὺ ἐκφεύξῃ τὸ κρίμα τοῦ θεοῦ;
   3 8 ὧν τὸ κρίμα ᵇ ἔνδικόν ἐστιν
   5 16 τὸ – κρίμα ἐξ ἑνὸς εἰς κατάκριμα
   11 33 ὡς ἀνεξερεύνητα τὰ κρίματα αὐτοῦ
   13 2 οἱ δὲ ἀνθεστηκότες ἑαυτοῖς κρίμα ᵇ
     λήμψονται cfr Mar 12 40
1 Co 6 7 ὅτι κρίματα ἔχετε μεθ' ἑαυτῶν
   11 29 κρίμα ἑαυτῷ ἐσθίει καὶ πίνει
   – 34 ἵνα μὴ εἰς κρίμα συνέρχησθε
Gal 5 10 βαστάσει τὸ κρίμα, ὅστις ἐὰν ᾖ
1 Ti 3 6 ἵνα μὴ – εἰς κρ. ἐμπέσῃ τ. διαβόλου
   5 12 ἔχουσαι κρίμα ᵇ ὅτι τὴν πρώτην πί-
     στιν ἠθέτησαν
Hb 6 2 μὴ πάλιν θεμέλιον καταβαλλόμενοι
     – ἀναστάσεως – καὶ κρίματος αἰωνίου
Jac 3 1 εἰδότες ὅτι μεῖζον κρίμα λημψόμεθα
1 Pe 4 17 καιρὸς τοῦ „ἄρξασθαι" τὸ κρίμα
     „ἀπὸ" τοῦ οἴκου τοῦ θεοῦ
2 Pe 2 3 οἷς τὸ κρίμα ἔκπαλαι οὐκ ἀργεῖ
Jud 4 οἱ – προγεγραμμένοι εἰς τοῦτο τὸ κρ.
Ap 17 1 δείξω σοι τὸ κρίμα ᵇ τῆς πόρνης
   18 20 ἔκρινεν ὁ θ. τὸ κρίμα ὑμῶν ἐξ αὐτῆς
   20 4 „καὶ κρίμα ἐδόθη" αὐτοῖς

κρίνειν *iudicare* ᵇ(κ..εσθαι) *iudicio conten-
dere* ᶜ(κ..όμενος) *iudicio subiectus* ᵈ*ae-
stimare* ᵉ*decernere* ᶠ*proponere* ᵍ*statuere*
Mat 5 40 τῷ θέλοντί σοι κριθῆναι ᵇ
   7 1 μὴ κρίνετε, ἵνα μὴ κριθῆτε 2 ἐν ᾧ –
     κρίματι κρίνετε κριθήσεσθε ‖ Luc 6 37
     μὴ κρίνετε, καὶ οὐ μὴ κριθῆτε
   19 28 κρίνοντες τὰς δώδ. φυλάς ‖ Luc 22 30
Luc 7 43 ὀρθῶς ἔκρινας 12 57 τί – καὶ ἀφ' ἑαυ-
     τῶν οὐ κρίνετε τὸ δίκαιον;
   19 22 ἐκ τοῦ στόματός σου κρινῶ σε

Joh 3 17 οὐ γὰρ ἀπέστειλεν – τὸν υἱὸν – ἵνα
κρίνῃ τὸν κόσμον 18 ὁ πιστεύων εἰς
αὐτὸν οὐ κρίνεται· ὁ μὴ π..ων ἤδη
κέκριται 12 47 ἐγὼ οὐ κρίνω αὐτόν·
οὐ γὰρ ἦλθον ἵνα κρίνω τὸν κόσμον
5 22 οὐδὲ γὰρ ὁ πατὴρ κρίνει οὐδένα
– 30 καθὼς ἀκούω κρίνω, καὶ ἡ κρίσις
7 24 μὴ κρίνετε κατ᾿ ὄψιν, ἀλλὰ τὴν δικαί-
αν κρίσιν κρίνατε
– 51 μὴ ὁ νόμος – κρίνει τὸν ἄνθρωπον
ἐὰν μὴ – πρῶτον – γνῷ τί ποιεῖ;
8 15 ὑμεῖς κατὰ τὴν σάρκα κρίνετε, ἐγὼ
οὐ κρίνω οὐδένα 16 καὶ ἐὰν κρίνω –
ἐγώ, ἡ κρίσις ἡ ἐμὴ ἀληθινή ἐστιν
– 26 πολλὰ ἔχω περὶ ὑμῶν – κρίνειν
– 50 ἔστιν ὁ ζητῶν καὶ κρίνων
12 48 ὁ ἀθετῶν ἐμὲ – ἔχει τὸν κρίνοντα αὐ-
τόν· ὁ λόγος ὃν ἐλάλησα, – κρινεῖ
αὐτὸν ἐν τῇ ἐσχάτῃ ἡμέρᾳ
16 11 ὁ ἄρχων τοῦ κόσμου τούτου κέκριται
18 31 κατὰ τὸν νόμον ὑμῶν κρίνατε αὐτόν

Act 3 13 Πιλάτου, κρίναντος ἐκείνου ἀπολύειν
4 19 εἰ δίκαιόν ἐστιν ἐνώπιον τοῦ θεοῦ,
ὑμῶν ἀκούειν μᾶλλον –, κρίνατε
7 7 „τὸ ἔθνος ᾧ ἐὰν δουλεύσουσιν κρινῶ
ἐγώ", ὁ θεὸς εἶπεν
13 27 τὰς φωνὰς τῶν προφητῶν – κρίναν-
τες ἐπλήρωσαν
– 46 ἐπειδὴ – οὐκ ἀξίους κρίνετε (vg vl
iudicastis) ἑαυτοὺς τῆς αἰων. ζωῆς
15 19 ἐγὼ κρίνω μὴ παρενοχλεῖν τοῖς ἀπό
16 4 τὰ δόγματα τὰ κεκριμένα ͤ ὑπὸ τῶν
– 15 εἰ κεκρίκατέ με πιστὴν τ. κυρίῳ εἶναι
17 31 μέλλει „κρίνειν τὴν οἰκουμένην ἐν
δικαιοσύνῃ", ἐν ἀνδρὶ ᾧ ὥρισεν
20 16 κεκρίκει ᶠ – παραπλεῦσαι τὴν Ἔφεσ.
21 25 κρίναντες φυλάσσεσθαι αὐτοὺς τό
23 3 σὺ κάθῃ κρίνων με κατὰ τὸν νόμον
– 6 περὶ ἐλπίδος καὶ ἀναστάσεως νεκρῶν
(vl + ἐγώ) κρίνομαι 24 (6 vl) 21 ἐφ᾿
ὑμῶν 26 6 ἐπ᾿ ἐλπίδι τῆς – ἐπαγγελίας
– ἕστηκα κρινόμενος ͨ
25 9 θέλεις – ἐκεῖ περὶ τούτων κριθῆναι
ἐπ᾿ ἐμοῦ; 20.10 ἑστὼς ἐπὶ τοῦ βήμα-
τος Καίσαρός εἰμι, οὗ με δεῖ κρίνε-
σθαι 25 ἔκρινα πέμπειν
26 8 τί ἄπιστον κρίνεται παρ᾿ ὑμῖν εἰ ὁ
θεὸς νεκροὺς ἐγείρει;
27 1 ὡς δὲ ἐκρίθη τοῦ ἀποπλεῖν ἡμᾶς

Rm 2 1 ὦ ἄνθρωπε πᾶς ὁ κρίνων· ἐν ᾧ γὰρ
κρίνεις τὸν ἕτερον, σεαυτὸν κατακρί-
νεις· τὰ γὰρ αὐτὰ πράσσεις ὁ κρίνων

3 ὦ ἄνθ. ὁ κρίνων τοὺς – πράσσοντας
Rm 2 12 διὰ νόμου κριθήσονται
– 16 ἐν ᾗ ἡμέρᾳ κρίνει (vl κρινεῖ vg) ὁ
θεὸς τὰ κρυπτὰ τῶν ἀνθρώπων κατὰ
τὸ εὐαγγέλιόν μου διὰ Χοῦ Ἰησοῦ
– 27 κρινεῖ ἡ ἐκ φύσεως ἀκροβυστία
3 4 „ὅπως – νικήσεις ἐν τῷ κ..εσθαί σε"
– 6 ἐπεὶ πῶς κρινεῖ ὁ θεὸς τὸν κόσμον;
– 7 τί ἔτι – ὡς ἁμαρτωλὸς κρίνομαι;
14 3 ὁ – μὴ ἐσθίων τὸν ἐσθίοντα μὴ κρινέ-
τω 4 σὺ τίς εἶ ὁ κρίνων ἀλλότριον
οἰκέτην; 5 ὃς μὲν – κρίνει ἡμέραν παρ᾿
ἡμέραν, ὃς δὲ κρίνει πᾶσαν ἡμέραν
10 τί κρίνεις τὸν ἀδελφόν σου;
– 13 μηκέτι οὖν ἀλλήλους κρίνωμεν· ἀλλὰ
τοῦτο κρίνατε μᾶλλον, τὸ μὴ τιθέναι
πρόσκομμα τῷ ἀδελφῷ
– 22 μακάριος ὁ μὴ κρίνων ἑαυτὸν ἐν ᾧ
δοκιμάζει· ὁ δὲ διακρινόμενος

1 Co 2 2 οὐ γὰρ ἔκρινά τι εἰδέναι – εἰ μὴ – Χόν
4 5 ὥστε μὴ πρὸ καιροῦ τι κρίνετε
5 3 ἤδη κέκρικα ὡς παρὼν τὸν οὕτως
τοῦτο κατεργασάμενον
– 12 τί – μοι τοὺς ἔξω κρίνειν; οὐχὶ τοὺς
ἔσω ὑμεῖς κρίνετε; 13 τοὺς δὲ ἔξω ὁ
θεὸς κρινεῖ. „ἐξάρατε τὸν πονηρόν"
6 1 τολμᾷ τις ὑμῶν – κρίνεσθαι ἐπὶ τῶν
ἀδίκων – ; 2 οἱ ἅγιοι τὸν κόσμον κρι-
νοῦσιν; – εἰ ἐν ὑμῖν κρίνεται ὁ κό-
σμος, – ; 3 οὐκ οἴδατε ὅτι ἀγγέλους
κρινοῦμεν, – ; (4 τούτους καθίζετε;
vg illos constituite ad iudicandum.)
6 ἀδελφὸς μετὰ ἀδελφοῦ κρίνεται ᵇ,
καὶ τοῦτο ἐπὶ ἀπίστων;
7 37 τοῦτο κέκρικεν ἐν τῇ ἰδίᾳ καρδίᾳ
10 15 κρίνατε ὑμεῖς (vg vos ipsi) ὅ φημι
– 29 ἱνατί – ἡ ἐλευθερία μου κρίνεται ὑπὸ
ἄλλης συνειδήσεως;
11 13 ἐν ὑμῖν αὐτοῖς κρίνατε· πρέπον – ;
– 31 οὐκ ἂν ἐκρινόμεθα 32 κρινόμενοι δὲ
ὑπὸ τοῦ κυρίου παιδευόμεθα

2 Co 2 1 ἔκρινα ᵍ δὲ ἐμαυτῷ τοῦτο, τὸ μὴ
5 14 συνέχει ἡμᾶς, κρίναντας ᵈ τοῦτο, ὅτι
εἷς ὑπὲρ πάντων ἀπέθανεν
Col 2 16 μή – τις ὑμᾶς κρινέτω ἐν βρώσει
2 Th 2 12 ἵνα κριθῶσιν πάντες οἱ μὴ πιστεύ-
σαντες τῇ ἀληθείᾳ ἀλλὰ εὐδοκήσαν-
τες τῇ ἀδικίᾳ
2 Ti 4 1 τοῦ μέλλοντος κρίνειν ζῶντας καὶ
νεκρούς → 1 Pe 4 5
Tit 3 12 ἐκεῖ γὰρ κέκρικα ᵍ παραχειμάσαι
Hb 10 30 „κρινεῖ κύριος τὸν λαὸν αὐτοῦ"

Hb 13 4 πόρνους – καὶ μοιχοὺς κρινεῖ ὁ θεός
Jac 2 12 οὕτως ποιεῖτε ὡς διὰ νόμου ἐλευθε-
ρίας μέλλοντες κρίνεσθαι
4 11 ὁ – κρίνων τὸν ἀδελφὸν – κρίνει νό-
μον· εἰ δὲ νόμον κρίνεις 12 σὺ δὲ τίς
εἶ, ὁ κρίνων τὸν πλησίον; [κριθῆτε
5 9 μὴ στενάζετε – κατ᾽ ἀλλήλων ἵνα μὴ
1 Pe 1 17 τὸν ἀπροσωπολήμπτως κρίνοντα κα-
τὰ τὸ ἑκάστου ἔργον
2 23 παρεδίδου δὲ τῷ κρίνοντι δικαίως (vl
ἀδίκως vg iudicanti se iniuste)
4 5 ἀποδώσουσιν λόγον τῷ ἑτοίμως ἔ-
χοντι κρῖναι ζῶντας καὶ νεκρούς 6
καὶ νεκροῖς εὐηγγελίσθη, ἵνα κριθῶ-
σι – σαρκί, ζῶσι δὲ – πνεύματι
Ap 6 10 „ἕως πότε" – οὐ „κρίνεις καὶ ἐκδι-
κεῖς τὸ αἷμα" ἡμῶν – ;
11 18 ἦλθεν – ὁ καιρὸς τῶν νεκρ. κριθῆναι
16 5 δίκαιος εἶ, –, ὅτι ταῦτα ἔκρινας
18 8 „ἰσχυρὸς κύριος – ὁ κρίνας" αὐτήν
– 20 ἔκρινεν ὁ θ. τὸ κρίμα ὑμῶν ἐξ αὐ-
τῆς 19 2 ἔκρινεν τὴν πόρνην τὴν μεγ.
19 11 „ἐν δικαιοσύνῃ κρίνει" καὶ πολεμεῖ
20 12 ἐκρίθησαν οἱ νεκροὶ ἐκ τῶν γεγραμ-
μένων ἐν τοῖς βιβλίοις 13 ἐκρίθησαν
ἕκαστος „κατὰ τὰ ἔργα αὐτῶν"

κρίνον lilium Mat 6 28 τοῦ ἀγροῦ ‖ Luc 12 27

κρίσις iudicium
Mat 5 21 ἔνοχος ἔσται τῇ κρίσει 22 idem
10 15 ἀνεκτότερον ἔσται – ἐν ἡμέρᾳ κρίσε-
ως 11 22.24 ‖ Luc 10 14 ἐν τῇ κρίσει
12 18 „κρίσιν τοῖς ἔθνεσιν ἀπαγγελεῖ"
– 20 „ἕως ἂν ἐκβάλῃ εἰς νῖκος τὴν κρ."
– 36 ἀποδώσουσιν – λόγον ἐν ἡμέρᾳ κρί-
σεως 41 ἀναστήσονται ἐν τῇ κρ. 42
ἐγερθήσεται ἐν τῇ κρ. ‖ Luc 11 31.32
23 23 ἀφήκατε –, τὴν κρίσιν καὶ τὸ ἔλεος
‖ Luc 11 42 παρέρχεσθε τὴν κρίσιν
– 33 πῶς φύγητε ἀπὸ τῆς κρ. τῆς γεένν.;
Joh 3 19 αὕτη δέ ἐστιν ἡ κρίσις, ὅτι τὸ φῶς
5 22 τὴν κρ. πᾶσαν δέδωκεν τῷ υἱῷ 27 ἐξ-
ουσίαν ἔδωκεν αὐτῷ κρίσιν ποιεῖν
– 24 εἰς κρίσιν οὐκ ἔρχεται ἀλλὰ μεταβέ-
βηκεν – εἰς τὴν ζωήν
– 29 ἐκπορεύσονται –, οἱ τὰ φαῦλα πρά-
ξαντες εἰς ἀνάστασιν κρίσεως
– 30 καὶ ἡ κρίσις ἡ ἐμὴ δικαία ἐστίν
7 24 ἀλλὰ τὴν δικαίαν κρίσιν κρίνατε
8 16 ἡ κρίσις ἡ ἐμὴ ἀληθινή ἐστιν
12 31 νῦν κρίσις ἐστὶν τοῦ κόσμου τούτου

Joh 16 8 ἐλέγξει τὸν κόσμον – περὶ κρίσεως·
11 περὶ δὲ κρίσεως, ὅτι ὁ ἄρχων τοῦ
κόσμου τούτου κέκριται
Act 8 33 „ἐν τῇ ταπεινώσει ἡ κρ. αὐτοῦ ἤρθη"
2 Th 1 5 ἔνδειγμα τῆς δικαίας κρίσ. τοῦ θεοῦ
1 Ti 5 24 αἱ ἁμαρτίαι – προάγουσαι εἰς κ..ιν
Hb 9 27 ἀπόκειται τοῖς ἀνθρώποις ἅπαξ ἀπο-
θανεῖν, μετὰ δὲ τοῦτο κρίσις
10 27 φοβερὰ δέ τις ἐκδοχὴ κρίσεως
Jac 2 13 ἡ – κρίσις ἀνέλεος τῷ μὴ ποιήσαντι
ἔλεος· κατακαυχᾶται ἔλεος κρίσεως
5 12 ἵνα μὴ ὑπὸ κρίσιν πέσητε
2 Pe 2 4 παρέδωκεν εἰς κρίσιν τηρουμένους 9
οἶδεν – ἀδίκους εἰς ἡμέραν κρίσεως
– τηρεῖν 3 7 οἱ – νῦν οὐρανοὶ καὶ ἡ
γῆ – τηρούμενοι εἰς ἡμέραν κρίσεως
– 11 οὐ φέρουσιν κατ᾽ αὐτῶν παρὰ κυρίῳ
(vg om π. κ.) βλάσφημον κρίσιν
1 Jo 4 17 ἵνα παρρησίαν ἔχωμεν ἐν τῇ ἡμέρᾳ
τῆς κρίσεως
Jud 6 ἀγγέλους – εἰς κρίσιν μεγάλης ἡμέ-
ρας – τετήρηκεν 9 Μιχαὴλ – οὐκ ἐτόλ-
μησεν κρίσιν ἐπενεγκεῖν βλασφημίας
15 ἦλθεν κύριος – ποιῆσαι κρίσιν
Ap 14 7 ἦλθεν ἡ ὥρα τῆς κρίσεως αὐτοῦ
16 7 „ἀληθιναὶ" καὶ „δίκαιαι αἱ κρίσεις
σου" 19 2 „αἱ κρίσεις αὐτοῦ"
18 10 μιᾷ ὥρᾳ ἦλθεν ἡ κρ. σου (sc Bab.)

Κρῖσπος Act 18 8 ὁ ἀρχισυνάγωγος 1 Co 1 14

κριτήριον iudicium
1 Co 6 2 ἀνάξιοί ἐστε κριτηρίων ἐλαχίστων;
(vg qui de minimis iudicetis?)
– 4 βιωτικὰ μὲν οὖν κριτήρια ἐὰν ἔχητε
Jac 2 6 οὐχ οἱ πλούσιοι –, καὶ αὐτοὶ ἕλκου-
σιν ὑμᾶς εἰς κριτήρια;

κριτής iudex
Mat 5 25 μήποτέ σε παραδῷ ὁ ἀντίδικος τῷ
κρ. καὶ ὁ κρ. τῷ ὑπηρέτῃ ‖ Luc 12 58
12 27 κριταὶ ἔσονται ὑμῶν ‖ Luc 11 19
Luc 12 14 τίς με κατέστησεν κριτὴν – ἐφ᾽ ὑμᾶς;
18 2 κριτής τις ἦν ἔν τινι πόλει 6 ἀκούσα-
τε τί ὁ κριτὴς τῆς ἀδικίας λέγει·
Act 10 42 οὗτός ἐστιν ὁ ὡρισμένος ὑπὸ τοῦ
θεοῦ κριτὴς ζώντων καὶ νεκρῶν
13 20 ἔδωκεν κριτὰς ἕως Σαμουὴλ προφ.
18 15 κριτὴς ἐγὼ τούτων οὐ βούλομαι εἶναι
24 10 ἐκ πολλῶν ἐτῶν ὄντα σε κριτὴν τῷ
2 Ti 4 8 ἀποδώσει μοι ὁ κύρ. –, ὁ δίκαιος κρ.
Hb 12 23 προσεληλύθατε – κριτῇ θεῷ πάντων

Jac   2 4 ἐγένεσθε κ..αὶ διαλογισμῶν πονηρῶν
4 11 οὐκ εἶ ποιητὴς νόμου ἀλλὰ κριτής
– 12 εἷς ἐστιν νομοθέτης καὶ κριτής
5 9 ἰδοὺ ὁ κρ. πρὸ τῶν θυρῶν ἔστηκεν

κριτικός Sᵒ – discretor Hb 4 12 ὁ λόγος τοῦ
θ. – κρ. ἐνθυμήσεων καὶ ἐννοιῶν καρδίας

κρούειν pulsare Mat 7 7 κρούετε, καὶ ἀνοιγή-
σεται ὑμῖν 8 τῷ κρούοντι ἀνοιγήσεται ‖
Luc 11 9.10 – 12 36 13 25 θύραν Act 12 13
θύραν 16 – Ap 3 20 ἰδοὺ ἔστηκα ἐπὶ τὴν
θύραν καὶ κρούω

κρύπτειν abscondere ᵇabscondere se ᶜoccul-
tare ᵈ(κεκρυμμένος) occultus
Mat   5 14 οὐ δύναται πόλις κρυβῆναι ἐπάνω
11 25 ὅτι ἔκρυψας ταῦτα ἀπὸ σοφῶν καί
13 35 „ἐρεύξομαι κεκρυμμένα ἀπὸ κατ."
– 44 θησαυρῷ κεκρυμμένῳ ἐν τῷ ἀγρῷ,
ὃν εὑρὼν ἄνθρωπος ἔκρυψεν
25 18 ἔκρυψεν τὸ ἀργύριον τοῦ κυρίου
– 25 ἔκρυψα τὸ τάλαντόν σου ἐν τῇ γῇ
Luc 13 21 ζύμη, ἣν – γυνὴ ἔκρυψεν εἰς – σάτα
18 34 ἦν τὸ ῥῆμα – κεκρυμμένον ἀπ' αὐτῶν
19 42 νῦν δὲ ἐκρύβη ἀπὸ ὀφθαλμῶν σου
Joh   8 59 Ἰησοῦς δὲ ἐκρύβη ᵇ 12 36 ᵇ ἀπ' αὐτῶν
19 38 μαθητὴς – Ἰησοῦ κεκρυμμένος ᵈ
Col   3 3 ἀπεθάνετε γάρ, καὶ ἡ ζωὴ ὑμῶν κέ-
κρυπται σὺν τῷ Χῷ ἐν τῷ θεῷ
1 Ti   5 25 τὰ ἄλλως ἔχοντα κρυβῆναι οὐ δύ-
νανται (vl δύναται)
Hb   11 23 Μωϋσῆς – „ἐκρύβη ᶜ τρίμηνον"
Ap   2 17 δώσω αὐτῷ „τοῦ μάννα" τοῦ κεκρ.
6 15 „ἔκρυψαν ἑαυτοὺς ᵇ εἰς τὰ σπήλαια"
– 16 „πέσετε ἐφ' ἡμᾶς καὶ κρύψατε ἡμᾶς"

κρύπτη Sᵒ – absconditum Luc 11 33 εἰς κρ..ην

κρυπτός absconditus ᵇoccultus → κρυφαῖος
Mat   6 4 ὅπως ᾖ σου ἡ ἐλεημοσύνη ἐν τῷ κρ. ·
καὶ – ὁ βλέπων ἐν τῷ κρ. 6 πρόσευ-
ξαι τῷ πατρί σου τῷ ἐν τῷ κρ. · – ὁ
βλέπων ἐν τῷ κρυπτῷ ἀποδώσει σοι
10 26 οὐδὲν – κρυπτὸν ᵇ ὃ οὐ γνωσθήσεται
‖ Luc 12 2 ‖ Mar 4 22 οὐ γάρ ἐστίν τι
κρ., ἐὰν μὴ ἵνα φανερωθῇ ‖ Luc 8 17 ᵇ
Joh   7 4 οὐδείς – τι ἐν κρ. ᵇ ποιεῖ καὶ ζητεῖ αὐ-
τὸς ἐν παρρησίᾳ εἶναι 10 τότε καὶ
αὐτὸς ἀνέβη, – ἀλλὰ ὡς ἐν κρυπτῷ ᵇ
18 20 ἐν κρυπτῷ ἐλάλησα οὐδέν
Rm   2 16 κρίνει ὁ θεὸς τὰ κρ. ᵇ τῶν ἀνθρώπων

Rm   2 29 ἀλλ' ὁ ἐν τῷ κρυπτῷ Ἰουδαῖος
1 Co   4 5 ὃς καὶ φωτίσει τὰ κρ. τοῦ σκότους
14 25 τὰ κρ. ᵇ τῆς καρδίας – φανερὰ γίνεται
2 Co   4 2 ἀπειπάμεθα τὰ κρ. ᵇ τῆς αἰσχύνης
1 Pe   3 4 ἀλλ' ὁ κρ. τῆς καρδίας ἄνθρωπος

κρυσταλλίζων Sᵒ – sicut crystallum Ap 21 11

κρύσταλλος crystallus, ..um Ap 4 6 22 1

κρυφαῖον, τό absconditum Mat 6 18 τῷ πατρί
σου τῷ ἐν τῷ κρυφαίῳ· καὶ ὁ πατήρ σου
ὁ βλέπων ἐν τῷ κρυφαίῳ ἀποδώσει σοι

κρυφῇ in occulto Eph 5 12 τὰ – κρ. γινόμενα

κτᾶσθαι possidēre ᵇconsequi
Mat 10 9 μὴ κτήσησθε χρυσὸν – εἰς τὰς ζώνας
Luc 18 12 ἀποδεκατεύω πάντα ὅσα κτῶμαι
21 19 ἐν τῇ ὑπομονῇ ὑμῶν κτήσεσθε (vl
κτήσασθε) τὰς ψυχὰς ὑμῶν
Act   1 18 ἐκτήσατο χωρίον ἐκ μισθοῦ τῆς ἀδι-
κίας 8 20 τὴν δωρεὰν τ. θεοῦ ἐνόμι-
σας διὰ χρημάτων κτᾶσθαι (p..dēri)
22 28 πολλοῦ – τὴν πολιτείαν – ἐκτησάμην
1 Th   4 4 εἰδέναι ἕκαστον ὑμῶν τὸ ἑαυτοῦ σκεῦ-
ος κτᾶσθαι ἐν ἁγιασμῷ καὶ τιμῇ

κτῆμα possessio ᵇager
Mat 19 22 ἦν γὰρ ἔχων κ..τα πολλά ‖ Mar 10 22
Act   2 45 τὰ κτ. – ἐπίπρασκον 5 1 ἐπώλ. κτῆμα ᵇ

κτῆνος iumentum ᵇpecus
Luc 10 34 ἐπιβιβάσας – ἐπὶ τὸ ἴδιον κτ. Act 23 24
1 Co 15 39 ἄλλη δὲ σὰρξ κτηνῶν ᵇ – Ap 18 13

κτήτωρ Sᵒ – possessor Act 4 34 χωρίων ἢ οἰκ.

κτίζειν creare ᵇcondere
Mat 19 4 ὁ κτίσας (vl ποιήσας vg) ἀπ' ἀρχῆς
„ἄρσεν καὶ θῆλυ ἐποίησεν αὐτούς"
Mar 13 19 κτίσεως ἣν ἔκτισεν ᵇ ὁ θεός
Rm   1 25 → κτίσις (ὁ κτίσας creator)
1 Co 11 9 οὐκ ἐκτίσθη ἀνὴρ διὰ τὴν γυναῖκα
Eph   2 10 κτισθέντες ἐν Χῷ Ἰησοῦ ἐπὶ ἔργοις
ἀγαθοῖς, οἷς προητοίμασεν ὁ θεός
– 15 ἵνα τοὺς δύο κτίσῃ ᵇ ἐν αὐτῷ εἰς ἕνα
καινὸν ἄνθρωπον ποιῶν εἰρήνην
3 9 ἐν τῷ θεῷ τῷ τὰ πάντα κτίσαντι
4 24 τὸν καινὸν ἄνθρωπον τὸν κατὰ θεὸν
κτισθέντα ἐν δικαιοσύνῃ καὶ ὁσιότητι
Col   1 16 ὅτι ἐν αὐτῷ ἐκτίσθη ᵇ τὰ πάντα – · τὰ

πάντα δι' αὐτοῦ καὶ εἰς αὐτ. ἔκτισται
Col 3 10 „κατ᾽ εἰκόνα" τοῦ κτίσαντος αὐτόν
1 Ti 4 3 ἀπέχεσθαι βρωμάτων, ἃ ὁ θεὸς ἔκτι-
σεν εἰς μετάλημψιν – τοῖς πιστοῖς
Ap 4 11 ὅτι σὺ ἔκτισας τὰ πάντα, καὶ διὰ τὸ
θέλημά σου ἦσαν καὶ ἐκτίσθησαν
10 6 „ὃς ἔκτισεν τὸν οὐρ. καὶ τὰ ἐν αὐτ."

κτίσις *creatura* [b]*creatio*
Mar 10 6 ἀπὸ δὲ ἀρχῆς κ..εως „ἄρσεν καὶ θῆ."
13 19 „οἵα οὐ γέγονεν – ἀπ᾽ ἀρχῆς κ..εως"
[16 15 κηρύξατε τὸ εὐαγγ. πάσῃ τῇ κτίσει]
Rm 1 20 ἀπὸ κτίσεως κόσμου – καθορᾶται
– 25 ἐλάτρευσαν τῇ κτίσει παρὰ τὸν κτί-
σαντα (vg *potius quam creatori*)
8 19 ἡ γὰρ ἀποκαραδοκία τῆς κτίσεως
– 20 τῇ – ματαιότητι ἡ κτίσις ὑπετάγη
– 21 καὶ αὐτὴ ἡ κτίσις ἐλευθερωθήσεται
– 22 οἴδαμεν – ὅτι πᾶσα ἡ κτίσις συστε-
νάζει καὶ συνωδίνει ἄχρι τοῦ νῦν
– 39 οὔτε τις κτίσις ἑτέρα δυνήσεται ἡμᾶς
χωρίσαι ἀπὸ τῆς ἀγάπης τοῦ θεοῦ
2 Co 5 17 ὥστε εἴ τις ἐν Χῷ, καινὴ κτίσις
Gal 6 15 οὔτε – περιτομὴ τί ἐστιν οὔτε ἀκρο-
βυστία, ἀλλὰ καινὴ κτίσις
Col 1 15 ὅς ἐστιν – πρωτότοκος πάσης κ..εως
– 23 τοῦ κηρυχθέντος ἐν πάσῃ κτίσει
Hb 4 13 οὐκ ἔστιν κτίσις ἀφανὴς ἐνώπ. αὐτοῦ
9 11 σκηνῆς οὐ χειροποιήτου, τοῦτ᾽ ἔστιν
οὐ ταύτης τῆς κτίσεως[b]
1 Pe 2 13 ὑποτάγητε πάσῃ ἀνθρωπίνῃ κτίσει
2 Pe 3 4 πάντα – διαμένει ἀπ᾽ ἀρχῆς κτίσεως
Ap 3 14 „ἡ ἀρχὴ τῆς κτίσεως" τοῦ θεοῦ

κτίσμα *creatura*
1 Ti 4 4 ὅτι πᾶν κτίσμα θεοῦ καλόν
Jac 1 18 εἰς τὸ εἶναι ἡμᾶς ἀπαρχήν τινα τῶν
αὐτοῦ κτισμάτων (vg *creaturae*)
Ap 5 13 πᾶν κτ. – ἤκουσα λέγοντας· – 8 9

κτίστης *creator* 1 Pe 4 19 πιστῷ κτίστῃ πα-
ρατιθέσθωσαν τὰς ψυχὰς αὐτῶν ἐν

κυβεία S° – *nequitia* Eph 4 14 τῶν ἀνθρώπων

κυβέρνησις *gubernatio* 1 Co 12 28 κ..εις

κυβερνήτης *gubernator* Act 27 11 Ap 18 17

κυκλεύειν *circuire* Ap 20 9 τὴν παρεμβολήν

κυκλόθεν *in circuitu* Ap 4 3.4 τοῦ θρόνου 8

κυκλοῦν *circumdare* [b]*circuitu* (vl ..*iti*)
Luc 21 20 Joh 10 24 Act 14 20 Hb 11 30[b]

κύκλῳ *in circuitu* [b]*per circuitum* [c]*circa*
[d]*proximus* Mar 3 34 τοὺς – κ. καθημένους
6 6 τὰς κώμας κ. 36[d] Luc 9 12[c] – Rm 15 19
ἀπὸ Ἱερουσαλ. καὶ κ.[b] μέχρι τοῦ Ἰλλυρι-
κοῦ – Ap 4 6 κύκλῳ τοῦ θρόνου 5 11 7 11

κυλίεσθαι *volutari* Mar 9 20 ἐ..ετο ἀφρίζων
(Luc 23 53 vl ὃν μόγις εἴκοσι ἐκύλιον vg°)

κυλισμός (vl ..σμα) S° – *volutabrum* 2 Pe 2 22

κυλλός S° – *debilis* Mat 15 30.31 (vl° vg°)
Mat 18 8 εἰσελθεῖν εἰς τὴν ζωὴν κ..όν ‖ Mar 9 43

κῦμα *fluctus* Mat 8 24 14 24 Mar 4 37
Jud 13 οὗτοί εἰσιν –, κ..τα ἄγρια θαλάσσης

κύμβαλον *cymbalum* 1 Co 13 1 ἀλαλάζον

κύμινον *cyminum* Mat 23 23 ἀποδεκατοῦτε

κυνάριον *canis* [b]*catellus*
Mat 15 26.27[b] ‖ Mar 7 27.28[b]

Κύπριος Act 4 36 Βαρναβᾶς 11 20 21 16 Μνάσων

Κύπρος Act 11 19 13 4 15 39 21 3 27 4

κύπτειν *procumbere* [b]*se inclinare*
Mar 1 7 [Joh 8 6 Ἰησοῦς κάτω κύψας[b] 8 vl[b]]

Κυρηναῖος Mat 27 32 ‖ Mar 15 21 Luc 23 26
Act 6 9 11 20 13 1 Λούκιος ὁ Κυρηναῖος

Κυρήνη Act 2 10 τῆς Λιβύης τῆς κατὰ Κ..ην

Κυρήνιος (vl ..ίνιος) *Cyrinus* (vl *Quir.*) Lc 2 2

κυρία (vl Κ.) *domina* 2 Jo 1 ἐκλεκτῇ κ..ᾳ 5

κυριακός S° – *dominicus*
1 Co 11 20 οὐκ ἔστιν κυριακὸν δεῖπνον φαγεῖν
Ap 1 10 ἐγενόμην ἐν πνεύματι ἐν τῇ κυριακῇ
ἡμέρᾳ

κυριεύειν *dominari*
Luc 22 25 οἱ βασιλ. τῶν ἐθνῶν κ..ουσιν αὐτῶν
Rm 6 9 θάνατος αὐτοῦ οὐκέτι κυριεύει
– 14 ἁμαρτία γὰρ ὑμῶν οὐ κυριεύσει

Rm 7 1 ἢ ἀγνοεῖτε –, ὅτι ὁ νόμος κυριεύει
τοῦ ἀνθρώπου ἐφ᾿ ὅσον χρόνον ζῇ;
14 9 ἵνα καὶ νεκρῶν καὶ ζώντων κυριεύσῃ
2 Co 1 24 οὐχ ὅτι κ..ομεν ὑμῶν τῆς πίστεως
1 Ti 6 15 ὁ – κύριος τῶν κυριευόντων

κύριος dominus
ἄγγελος κυρίου → ἄγγελος
ἐν κυρίῳ (Ἰησοῦ, Χριστῷ) → ἐν
ἡμέρα κυρίου → ἡμέρα
λόγος (τοῦ) κυρίου → λόγος
ὁδός, ὁδοὶ κυρίου → ὁδός
ὄνομα κυρίου → ὄνομα
ἡ χάρις τοῦ κ., χ. ἀπὸ κ..ου → χάρις

1) loci ex Evv et Act

Mat 1 22 ἵνα πληρωθῇ τὸ ῥηθὲν ὑπὸ κ..ου 2 15
4 7 „οὐκ ἐκπειράσεις κύριον τὸν θεόν
σου" 10 „κ..ον τ. θ. σ. προσκυνήσεις"
‖ Luc 4 12.8 – Mat 22 37 „ἀγαπήσεις
κ..ον τ. θ. σ." ‖ Mar 12 29 „κύριος ὁ
θ. ἡμῶν κύριος εἷς ἐστιν 30 καὶ ἀγα-
πήσεις κύριον τὸν θ. σου" Luc 10 27
5 33 „ἀποδώσεις – τῷ κ. τοὺς ὅρκους σου"
6 24 οὐδεὶς δύναται δυσὶ κυρίοις δουλεύ-
ειν ‖ Luc 16 13 οὐδεὶς οἰκέτης δύναται
7 21 οὐ πᾶς ὁ λέγων μοι κύριε κύριε 22
πολλοὶ ἐροῦσίν μοι –˙ κύριε κύ., οὐ
„τῷ σῷ ὀνόματι ἐπροφητεύσαμεν" –;
‖ Luc 6 46 τί δέ με καλεῖτε˙ κύριε
κύριε, καὶ οὐ ποιεῖτε ἃ λέγω;
8 2 κύριε, ἐὰν θέλῃς, δύνασαι ‖ Luc 5 12
– 6 κύριε, ὁ παῖς μου 8 κύριε, οὐκ εἰμὶ
ἱκανός ‖ Luc 7 6 κύριε, μὴ σκύλλου
– 21 κύριε, ἐπίτρεψόν μοι cfr Luc 9 61
– 25 κύριε, σῶσον, ἀπολλύμεθα cfr 14 28
κύ., εἰ σὺ εἶ, κέλευ. 30 κύ., σῶσόν με
9 28 λέγουσιν αὐτῷ˙ ναί, κύριε – 15 27 ‖
Mar 7 28 ναί, κύριε → Joh 11 21 21 17
– 38 δεήθητε – τοῦ κυρίου τοῦ θερισμοῦ
ὅπως ἐκβάλῃ ἐργάτας ‖ Luc 10 2
10 24 οὐδὲ δοῦλος ὑπὲρ τὸν κ. αὐτοῦ 25
ἀρκετὸν – ἵνα γένηται – ὡς ὁ κύριος
αὐτοῦ – Joh 13 16 15 20. 15 → Joh 13 13
11 25 ἐξομολογοῦμαί σοι, πάτερ, κύριε τοῦ
οὐρανοῦ καὶ τῆς γῆς ‖ Luc 10 21
12 8 κύριος γάρ ἐστιν τοῦ σαββάτου ‖
Mar 2 28 καὶ τοῦ σαββάτου Luc 6 5
13 27 κ..ε, οὐχὶ καλὸν σπέρμα ἔσπειρας –;
15 22 ἐλέησόν με, κύριε υἱὸς Δαυίδ 25 κύ.,
βοήθει μοι 27 ναί, κύ. – 20 30 κύριε,
ἐλέησον ἡμᾶς, υἱὸς Δαυίδ 31.33 κύ.,

ἵνα ἀνοίγωσιν οἱ ὀφθαλμοὶ ἡμῶν ‖
Luc 18 41 κύριε, ἵνα ἀναβλέψω
Mat 15 27 ναί, κύριε˙ καὶ γὰρ τὰ κυνάρια ἐσθίει
– ἀπὸ τῆς τραπέζης τῶν κυρ. αὐτῶν
16 22 ἵλεώς σοι, κύριε˙ οὐ μὴ ἔσται σοι
17 4 κύριε, καλόν ἐστιν ἡμᾶς ὧδε εἶναι
– 15 κύριε, ἐλέησόν μου τὸν υἱόν
18 21 κύριε, ποσάκις ἁμαρτήσει εἰς ἐμέ
– 25 ἐκέλευσεν αὐτὸν ὁ κύριος πραθῆναι
27 σπλαγχνισθεὶς δὲ ὁ κύριος 31 δια-
σάφησαν τῷ κυρίῳ ἑαυτῶν 32.34 ὀρ-
γισθεὶς ὁ κύριος αὐτοῦ παρέδωκεν
20 8 ὁ κύριος τοῦ ἀμπελῶνος 21 40 ‖ Mar
12 9 τί ποιήσει ὁ κ. τ. ἀ.; Luc 20 13. 15
21 3 ἐρεῖτε ὅτι ὁ κύριος αὐτῶν χρείαν ἔ-
χει ‖ Mar 11 3 αὐτοῦ Luc 19 31.34
– 29 εἶπεν˙ ἐγὼ κύριε, καὶ οὐκ ἀπῆλθεν
– 42 „παρὰ κ..ου ἐγέν. αὕτη" ‖ Mar 12 11
22 43 πῶς – Δαυὶδ – καλεῖ αὐτὸν κύριον –˙
44 „εἶπεν κύριος τῷ κυρίῳ μου" 45 ‖
Mar 12 36.37 Luc 20 42. 44 – Act 2 34
24 42 ποίᾳ ἡμέρᾳ ὁ κύριος ὑμῶν ἔρχεται
45 δοῦλος – φρόνιμος ὃν κατέστησεν
ὁ κύριος ἐπὶ τῆς οἰκετείας 46 ὃν ἐλ-
θὼν ὁ κύριος αὐτοῦ 48 χρονίζει μου
ὁ κύριος 50 ἥξει ὁ κύ. τοῦ δούλου ἐ-
κείνου ‖ Luc 12 36 προσδεχομένοις
τὸν κύριον ἑαυτῶν 37.42.43.45.46.47 ὁ
γνοὺς τὸ θέλημα τοῦ κυρίου αὐτοῦ
– 12 41 κύριε, πρὸς ἡμᾶς τὴν παρα-
βολὴν – λέγεις –; 42 εἶπεν ὁ κύριος
25 11 κύριε κύριε, ἄνοιξον ἡμῖν ‖ Luc 13 25
– 18 ἔκρυψεν τὸ ἀργύριον τοῦ κυ. αὐτοῦ
19 ἔρχεται ὁ κύ. τῶν δούλων 20 κύριε,
πέντε τάλαντα 21 ἔφη αὐτῷ ὁ κύριος
αὐτοῦ˙ – εἴσελθε εἰς τὴν χαρὰν τοῦ
κυρίου σου 22 κύριε, δύο τάλαντα 23.
24 κύριε, ἔγνων σε ὅτι σκληρὸς εἶ 26
‖ Luc 19 16.18.20.25
– 37 κύριε, πότε σε εἴδομεν πεινῶντα 44
26 22 μήτι ἐγώ εἰμι, κύριε; Joh 13 25 κύριε,
τίς ἐστιν; 21 20 ὁ παραδιδούς σε;
27 10 „καθὰ συνέταξέν" μοι „κύριος"
– 63 κύριε, ἐμνήσθημεν ὅτι – ὁ πλάνος
28 6 τὸν τόπον ὅπου ἔκειτο (vl + ὁ κύ. vg)
Mar 5 19 ἀπάγγειλον – ὅσα ὁ κ. σοι πεποίηκεν
13 20 εἰ μὴ ἐκολόβωσεν κύριος τὰς ἡμέρας
– 35 οὐκ οἴδατε – πότε ὁ κ. τῆς οἰκ. ἔρχ.
[16 19 ὁ – κύριος [Ἰησοῦς] – ἀνελήμφθη 20
ἐκήρυξαν –, τοῦ κυρ. συνεργοῦντος]
Luc 1 6 ἐν – δικαιώμασιν τοῦ κ. 9 εἰς τὸν να-
ὸν τοῦ κυρ. 15 μέγας ἐνώπιον (vl +

τοῦ) κ. 16 ἐπιστρέψει ἐπὶ κύριον τὸν θεὸν αὐτῶν 17 ἑτοιμάσαι κυρίῳ λαόν 25 οὕτως μοι πεποίηκεν (vl + ὁ) κύ. Luc 1 28 ὁ κ. μετὰ σοῦ 32 δώσει αὐτῷ κύρ. ὁ θεὸς „τὸν θρόνον Δαυίδ" 38 ἰδοὺ ἡ δούλη κυρίου – 43 πόθεν μοι – ἵνα ἔλθῃ ἡ μήτηρ τοῦ κ. μου 45 τοῖς λελαλημένοις – παρὰ κυρίου 46 μεγαλύνει „ἡ ψυχή μου τὸν κύριον" 58 ἐμεγάλυνεν κύριος τὸ ἔλεος αὐτοῦ
– 66 χεὶρ κυρίου ἦν μετ' αὐτοῦ – Act 1 121 μετ' αὐτῶν 13 11 χεὶρ κυρίου ἐπὶ σέ, καὶ ἔσῃ τυφλὸς – ἄχρι καιροῦ
– 68 „εὐλογητὸς κύ. ὁ θεὸς τοῦ Ἰσραήλ"
– 76 προπορεύσῃ – „ἐνώπιον κ..ου ἑτοιμ."
2 9 δόξα κυρίου περιέλαμψεν αὐτούς
– 11 ὅς ἐστιν χριστὸς κύριος, ἐν πόλει
– 15 ὃ ὁ κύ. ἐγνώρισεν ἡμῖν 22 παραστῆσαι τῷ κυ. 23 ἐν νόμῳ κ..ου ὅτι – „ἅγιον τῷ κ. κληθήσεται" 24 ἐν τῷ νόμῳ κ..ου 2 39 κατὰ τὸν νόμον κ..ου
– 26 πρὶν ἢ ἂν ἴδῃ τὸν χριστὸν κυρίου
4 18 „πνεῦμα κυρίου ἐπ' ἐμέ" Act 5 9 πειράσαι τὸ πνεῦμα κυρίου 8 39 πνεῦμα κυρίου ἥρπασεν τὸν Φίλιππον
– 19 „κηρῦξαι ἐνιαυτὸν κυρίου δεκτόν"
5 8 ὅτι ἀνὴρ ἁμαρτωλός εἰμι, κύριε
– 17 δύναμις κ..ου ἦν εἰς τὸ ἰᾶσθαι αὐτόν
7 13 ἰδὼν αὐτὴν ὁ κύριος ἐσπλαγχνίσθη
9 54 κύριε, θέλεις εἴπωμεν –; 59 (vl κύριε) ἐπίτρεψόν μοι 61 ἀκολουθήσω σοι, κύριε 10 17 κύριε, καὶ τὰ δαιμόνια 40 κύριε, οὐ μέλει σοι –; 11 1 κύριε, δίδαξον ἡμᾶς προσεύχεσθαι
10 1 ἀνέδειξεν ὁ κύ. ἑτέρους ἑβδομήκοντα
11 39 εἶπεν – ὁ κύ. πρὸς αὐτὸν 13 15 ἀπεκρίθη – αὐτῷ ὁ κύ. 17 5 εἶπαν οἱ ἀπόστολοι τῷ κυρ. 6 εἶπεν δὲ ὁ κύρ. 18 6
13 8 κύριε, ἄφες αὐτὴν καὶ τοῦτο τὸ ἔτος
– 23 κύριε, εἰ ὀλίγοι οἱ σῳζόμενοι;
14 21 ἀπήγγειλεν τῷ κ. αὐτοῦ 22 κύριε, γέγονεν ὃ ἐπέταξας 23 εἶπεν ὁ κύριος
16 3 ὁ κύ. μου ἀφαιρεῖται τὴν οἰκονομίαν ἀπ' ἐμοῦ 5 τῶν χρεοφειλετῶν τοῦ κ. ἑαυτοῦ – · πόσον ὀφείλεις τῷ κ. μου; 8 ἐπήνεσεν ὁ κύριος τὸν οἰκονόμον
17 37 λέγουσιν αὐτῷ· ποῦ, κύριε;
19 8 εἶπεν πρὸς τὸν κύριον· ἰδοὺ τὰ ἡμίση –, κύριε, τοῖς πτωχοῖς δίδωμι
– 33 εἶπαν οἱ κύρ. αὐτοῦ (sc τοῦ πώλου)
20 37 Μωϋσῆς ἐμήνυσεν –, ὡς λέγει „κύριον τὸν θεὸν Ἀβρ. καὶ θεὸν Ἰσαάκ"

Luc 22 33 κύριε, μετὰ σοῦ ἕτοιμός εἰμι 38 ἰδοὺ μάχαιραι 49 εἰ πατάξομεν ἐν μαχαίρῃ; 61 στραφεὶς ὁ κύριος –, καὶ ὑπεμνήσθη – τοῦ λόγου τοῦ κυρίου
24 3 οὐχ εὗρον τὸ σῶμα τοῦ κυρίου Ἰησοῦ 34 ὄντως ἠγέρθη ὁ κύριος
Joh 4 1 ὡς οὖν ἔγνω ὁ κύ. (vl ὁ Ἰησοῦς vg)
– 11 κύριε, οὔτε ἄντλημα ἔχεις 15 δός μοι τοῦτο τὸ ὕδωρ 19 θεωρῶ ὅτι προφήτης εἶ σύ – 49 κατάβηθι πρὶν ἀποθανεῖν τὸ παιδίον μου 57 ἄνθρωπον οὐκ ἔχω, ἵνα – βάλῃ με εἰς τὴν κολυμβ.
6 23 εὐχαριστήσαντος τοῦ κυρίου
– 34 κύριε, πάντοτε δὸς ἡμῖν τὸν ἄρτον τοῦτον 68 πρὸς τίνα ἀπελευσόμεθα; [8 11 οὐδείς, κύριε] 9 36 τίς ἐστιν, κύριε, ἵνα πιστεύσω 38 πιστεύω, κύριε· καὶ προσεκύνησεν αὐτῷ
11 2 Μαριὰμ ἡ ἀλείψασα τὸν κύριον
– 3 κύριε, ἴδε ὃν φιλεῖς ἀσθενεῖ 12 εἰ κεκοίμηται 21 εἰ ἦς ὧδε 32 – 27 ναί, κύριε· ἐγὼ πεπίστευκα 34 κύριε, ἔρχου καὶ ἴδε 39 κύριε, ἤδη ὄζει
12 21 κύριε, θέλομεν τὸν Ἰησοῦν ἰδεῖν
– 38 „κύριε, τίς ἐπίστευσεν τῇ ἀκοῇ ἡμῶν; καὶ ὁ βραχίων κυρίου τίνι ἀπεκαλύφθη;"
13 6 κύριε, σύ μου νίπτεις τοὺς πόδας; 9 κύριε, μὴ τοὺς πόδας μου μόνον
– 13 ὑμεῖς φωνεῖτέ με· – ὁ κύριος 14 εἰ ἐγὼ ἔνιψα – ὁ κύ. –, καὶ ὑμεῖς ὀφείλετε 16 οὐκ ἔστιν δοῦλος μείζων τοῦ κυρίου 15 20. 15 ὁ δοῦλος οὐκ οἶδεν τί ποιεῖ αὐτοῦ ὁ κύριος
– 25 21 20 → Mat 26 22 – Joh 13 36 κύριε, ποῦ ὑπάγεις; 37 διὰ τί οὐ δύναμαί σοι ἀκολουθῆσαι ἄρτι; 14 5 οὐκ οἴδαμεν ποῦ ὑπάγεις 8 δεῖξον ἡμῖν τὸν πατέρα 22 καὶ τί γέγονεν ὅτι ἡμῖν μέλλεις ἐμφανίζειν σεαυτόν
20 2 ἦραν τὸν κύ. ἐκ τοῦ μνημείου 13 τὸν κύριόν μου 15 κύριε, εἰ σὺ ἐβάστασας αὐτόν 18 ἑώρακα τὸν κύριον 20 ἐχάρησαν – ἰδόντες τὸν κύριον 25 ἑωράκαμεν τὸν κύριον 28 ὁ κύριός μου καὶ ὁ θεός μου
21 7 ὁ κύριός ἐστιν. – ἀκούσας ὅτι ὁ κύριός ἐστιν 12 εἰδότες ὅτι ὁ κύρ. ἐστιν
– 15 ναί, κύριε, σὺ οἶδας 16. 17 κύριε, πάντα σὺ οἶδας 20. 21 κύριε, οὗτος δὲ τί;
Act 1 6 κύριε, εἰ ἐν τῷ χρόνῳ τούτῳ –;
– 21 εἰσῆλθεν καὶ ἐξῆλθεν – ὁ κύριος

(Act) Ἰησοῦς 4 33 τὸ μαρτύριον – τοῦ κυ.
Ἰ. τῆς ἀναστάσεως 7 59 κύριε Ἰησοῦ
11 17 πιστεύσασιν ἐπὶ τὸν κύ. Ἰ. Χόν
20 εὐαγγελιζόμενοι τὸν κύρ. Ἰ. 16 31
πίστευσον ἐπὶ τὸν κύ. Ἰ. 20 21 μετά-
νοιαν καὶ πίστιν εἰς τὸν κύ. ἡμῶν Ἰ.
(vl + Χόν) 24 τὴν διακονίαν ἣν ἔλα-
βον παρὰ τοῦ κυρίου Ἰησοῦ 35 μνη-
μονεύειν τε τῶν λόγων τοῦ κυρίου
Ἰησοῦ 28 31 διδάσκων τὰ περὶ τοῦ
κυρίου Ἰησοῦ Χοῦ (vl om Χοῦ)

Act 1 24 σὺ κύριε καρδιογνῶστα πάντων
2 25 „προορώμην τὸν κύρ. ἐνώπιόν μου"
– 34 → Mat 22 43.44
– 36 κύριον αὐτὸν καὶ χριστὸν ἐποίησεν
– 39 „ὅσους ἂν προσκαλέσηται κύριος" ὁ
θεὸς ἡμῶν
– 47 ὁ – κύ. προσετίθει τοὺς σῳζομένους
3 20 ὅπως ἂν ἔλθωσιν καιροὶ ἀναψύξεως
ἀπὸ προσώπου τοῦ κυρίου
– 22 „προφήτην – ἀναστήσει κύρ. ὁ θεός"
4 26 „κατὰ τοῦ κ. καὶ – τοῦ χριστοῦ αὐτ."
– 29 κύριε, ἔπιδε ἐπὶ τὰς ἀπειλὰς αὐτῶν
5 9 8 39 → Luc 4 18
– 14 προσετίθεντο πιστεύοντες τῷ κυρίῳ
9 42 ἐπίστευσαν – ἐπὶ τὸν κύριον 18 8
7 31 ἐγένετο φωνὴ κυρίου 33.49 λέγει κύρ.
– 60 κ..ε, μὴ στήσῃς αὐτοῖς – τὴν ἁμαρτίαν
8 22 δεήθητι τοῦ κυ. (vg Deum) 24 πρὸς
9 1 εἰς τοὺς μαθητὰς τοῦ κυρίου [τ. κύ.
– 5 τίς εἶ, κύριε; (6 vg) 22 8.10 26 15
– 10 εἶπεν – ἐν ὁράματι ὁ κύ.· – ὁ δὲ εἶ-
πεν· ἰδοὺ ἐγώ, κύριε 11.13.15.17 ὁ κύ-
ριος ἀπέσταλκέν με, Ἰησοῦς 27 πῶς
ἐν τῇ ὁδῷ εἶδεν τὸν κύριον
– 31 πορευομένη τῷ φόβῳ τοῦ κυρίου
– 35 ἐπέστρεψαν ἐπὶ τὸν κύριον – 11 21
10 4 τί ἐστιν, κύριε; 14 μηδαμῶς, κύριε
11 8 – 10 33 πάρεσμεν ἀκοῦσαι – τὰ
προστεταγμένα σοι ὑπὸ τοῦ κυρίου
– 36 Χοῦ· οὗτός ἐστιν πάντων κύριος
11 16 ἐμνήσθην – τοῦ ῥήματος τοῦ κυρίου
– 23 προσμένειν (vl + ἐν vg) τῷ κυρίῳ
– 24 προσετέθη ὄχλος ἱκανὸς τῷ κυρίῳ
12 11 ἐξαπέστειλεν ὁ κύ. τὸν ἄγγελον αὐ-
τοῦ 17 πῶς ὁ κύ. αὐτὸν ἐξήγαγεν ἐκ
13 2 λειτουργούντων – αὐτῶν τῷ κυρίῳ
– 12 ἐκπλησσόμενος ἐπὶ τῇ διδαχῇ τοῦ κ.
– 47 οὕτως – ἐντέταλται ἡμῖν ὁ κύριος
14 3 παρρησιαζόμενοι ἐπὶ τῷ κυρίῳ
– 23 παρέθεντο αὐτοὺς τῷ κυρίῳ εἰς ὃν
πεπιστεύκεισαν 20 32 παρατίθεμαι ὑ-

μᾶς τῷ κυ. (vl θεῷ vg) καὶ τῷ λό-
γῳ τῆς χάριτος αὐτοῦ
Act 15 17 „ὅπως ἂν ἐκζητήσωσιν – τὸν κύριον,
– λέγει κύριος ποιῶν ταῦτα"
16 14 ἧς ὁ κύριος διήνοιξεν τὴν καρδίαν
– 15 εἰ κεκρίκατέ με πιστὴν τῷ κυ. εἶναι
– 16 ἐργασίαν – παρεῖχεν τοῖς κυρίοις 19
– 30 κύριοι, τί με δεῖ ποιεῖν ἵνα σωθῶ;
17 24 οὐρανοῦ καὶ γῆς ὑπάρχων κύριος
18 9 εἶπεν – ὁ κύ. – δι' ὁράματος τῷ Παύ.
20 19 δουλεύων τῷ κυ. μετὰ – ταπεινοφρ.
21 14 τοῦ κυρίου τὸ θέλημα γινέσθω
22 19 κύριε, αὐτοὶ ἐπίστανται ὅτι ἐγὼ ἤμην
23 11 νυκτὶ ἐπιστὰς αὐτῷ ὁ κύριος
25 26 γράψαι τῷ κυρίῳ (sc Σεβαστῷ)

2) loci ex Epist. et Apocalypsi
a) ὁ κύριος Ἰησοῦς, Ἰησ. Χός, Χός, Ἰ.
Χὸς ὁ κύριος
ἐν κυρίῳ → sub ἐν

Rm 1 4 εὐαγγέλιον θεοῦ – περὶ τοῦ υἱοῦ αὐ-
τοῦ –, Ἰ. Χριστοῦ τοῦ κυρίου ἡμῶν
4 24 πιστεύουσιν ἐπὶ τὸν ἐγείραντα Ἰη-
σοῦν τὸν κύριον ἡμῶν ἐκ νεκρῶν
5 1 εἰρήνην – διὰ τοῦ κυρίου ἡμῶν Ἰ.
Χοῦ 11 καυχώμενοι – διὰ – 21 ἵνα –
καὶ ἡ χάρις βασιλεύσῃ – διὰ – 7 25
χάρις τῷ θεῷ διὰ – 15 30 παρακαλῶ
– διὰ – 1 Co 15 57 τῷ διδόντι ἡμῖν τὸ
νῖκος διὰ – 1 Th 4 2 τίνας παραγγε-
λίας ἐδώκαμεν ὑμῖν διὰ – 5 9 ἔθετο
ἡμᾶς – εἰς περιποίησιν σωτηρίας διὰ
– Jud 25 θεῷ σωτῆρι ἡμῶν διὰ – δόξα
10 9 ἐὰν ὁμολογήσῃς – κύριον Ἰησοῦν
13 14 ἐνδύσασθε τὸν κύριον Ἰησοῦν Χόν
15 6 τὸν θεὸν καὶ πατέρα τοῦ κυρίου ἡ-
μῶν Ἰησοῦ Χοῦ 2 Co 1 3 11 31 (Ἰη-
σοῦ) Eph 1 3 Col 1 3 1 Pe 1 3
16 18 τῷ κυρίῳ ἡμῶν Χῷ οὐ δουλεύουσιν
1 Co 1 7 τὴν ἀποκάλυψιν τοῦ κυ. ἡμῶν Ἰης.
Χοῦ 2 Th 1 7 ἐν τῇ ἀπ. τοῦ κυ. Ἰης.
– 8 ἀνεγκλήτους ἐν τῇ ἡμέρᾳ τοῦ κυ. ἡ-
μῶν Ἰησοῦ [Χοῦ] 2 Co 1 14 καύχημα
– ἐν τῇ ἡμέρᾳ τοῦ κυ. ἡμῶν Ἰησοῦ
– 9 εἰς κοινωνίαν τοῦ υἱοῦ αὐτοῦ Ἰησοῦ
Χοῦ τοῦ κυρίου ἡμῶν
5 4 συναχθέντων – σὺν τῇ δυνάμει τοῦ
κυρίου ἡμῶν Ἰησοῦ
8 6 καὶ εἷς κύ. Ἰ. Χός, δι' οὗ τὰ πάντα
9 1 οὐχὶ Ἰησοῦν τὸν κύ. ἡμῶν ἑόρακα;
11 23 ὅτι ὁ κύριος Ἰησοῦς ἐν τῇ νυκτὶ ᾗ
12 3 οὐδεὶς δύναται εἰπεῖν· κύριος Ἰησοῦς,

εἰ μὴ ἐν πνεύ. ἁγ. – 15 57 → Rm 51

2 Co 4 5 κηρύσσομεν – Χὸν Ἰησοῦν κύριον

– 14 ὁ ἐγείρας τὸν κύριον Ἰησοῦν

Gal 6 14 μὴ γένοιτο καυχᾶσθαι εἰ μὴ ἐν τῷ
σταυρῷ τοῦ κυρίου ἡμῶν Ἰησοῦ Χοῦ

Eph 1 15 τὴν καθ' ὑμᾶς πίστιν ἐν τῷ κυρίῳ Ἰ.

– 17 ὁ θεὸς τοῦ κυρίου ἡμῶν Ἰησοῦ Χοῦ

6 23 εἰρήνη – ἀπὸ θεοῦ πατρὸς καὶ κυ-
ρίου Ἰ. Χοῦ 24 μετὰ – τῶν ἀγαπών-
των τὸν κύ. ἡμῶν Ἰησ. Χόν Phl 1 2

Phl 2 11 ἵνα – „πᾶσα γλῶσσα ἐξομολογήση-
ται” ὅτι κύριος Ἰησοῦς Χριστός

3 8 διὰ τὸ ὑπερέχον τῆς γνώσεως Χοῦ
Ἰησοῦ τοῦ κυρίου μου

– 20 σωτῆρα ἀπεκδεχόμεθα κύ. Ἰησ. Χόν

Col 2 6 παρελάβετε τὸν Χὸν Ἰησ. τὸν κύριον

3 24 τῷ κυρίῳ Χριστῷ δουλεύετε

1 Th 1 3 τῆς ἐλπίδος τοῦ κυ. ἡμῶν Ἰησ. Χοῦ

2 15 τῶν – τὸν κύ. ἀποκτεινάντων Ἰησοῦν

– 19 ἔμπροσθεν τοῦ κυρ. ἡμῶν Ἰησοῦ ἐν
τῇ αὐτοῦ παρουσίᾳ 3 13 ἀμέμπτους
– ἐν τῇ παρ. τοῦ κυ. ὑμῶν Ἰησοῦ 5 23
Ἰησ. Χοῦ 2 Th 2 1 ὑπὲρ τῆς παρ. τοῦ
κυ. [ἡμῶν] Ἰησ. Χοῦ 8 ὁ ἄνομος, ὃν
ὁ κύ. [Ἰησ.] – καταργήσει τῇ ἐπιφα-
νείᾳ τῆς παρουσίας αὐτοῦ → 1 Ti 6 14

3 11 ὁ κύ. ἡμῶν Ἰησ. κατευθύναι τὴν ὁδὸν
ἡμῶν πρὸς ὑμᾶς – 4 2 59 → Rm 51

2 Th 1 8 τῷ εὐαγγελίῳ τοῦ κυ. ἡμῶν Ἰησοῦ

2 14 δόξης τοῦ κυρίου ἡμῶν Ἰησοῦ Χοῦ

– 16 αὐτὸς – ὁ κύριος ἡμῶν Ἰησ. Χὸς καὶ
ὁ θεὸς ὁ πατὴρ ἡμῶν, ὁ ἀγαπήσας

1 Ti 1 12 χάριν ἔχω τῷ ἐνδυναμώσαντί με Χῷ
Ἰησοῦ τῷ κυρίῳ ἡμῶν

6 14 μέχρι τῆς ἐπιφανείας τοῦ κυρίου ἡ-
μῶν Ἰησοῦ Χοῦ

Phm 5 πίστιν ἣν ἔχεις πρὸς τὸν κύ. Ἰησοῦν

Hb 13 20 ὁ ἀναγαγὼν ἐκ νεκρῶν τὸν ποιμένα
–, τὸν κύριον ἡμῶν Ἰησοῦν

Jac 1 1 θεοῦ καὶ κυρίου Ἰησοῦ Χοῦ δοῦλος

2 1 τὴν πίστιν τοῦ κυρίου ἡμῶν Ἰησοῦ
Χοῦ τῆς δόξης

1 Pe 3 15 „κύριον” δὲ τὸν Χριστὸν (vl θεὸν)
„ἁγιάσατε” ἐν ταῖς καρδίαις ὑμῶν

2 Pe 1 8 εἰς τὴν τοῦ κυ. ἡμῶν Ἰ. Χ. ἐπίγνωσιν

– 11 εἰς τὴν – βασιλείαν τοῦ κυ. ἡμῶν καὶ
σωτῆρος Ἰ. Χοῦ 2 20 ἐν ἐπιγνώσει τοῦ
κυ. καὶ σωτ. Ἰησ. Χοῦ 3 18 γνώσει –

– 14 καθὼς – ὁ κύ. ἡμ. Ἰ. Χ. ἐδήλωσέν μοι

– 16 ἐγνωρίσαμεν ὑμῖν τὴν τοῦ κυ. ἡμῶν
Ἰησοῦ Χοῦ δύναμιν καὶ παρουσίαν

Jud 4 τὸν μόνον δεσπότην καὶ κύριον ἡμῶν

Ἰ. Χὸν ἀρνούμενοι 17 ὑπὸ τῶν ἀπο-
στόλων τοῦ κυ. ἡμῶν Ἰησοῦ Χριστοῦ

Jud 21 τὸ ἔλεος τοῦ κυρίου ἡμῶν Ἰησ. Χοῦ

Ap 22 20 ἀμήν, ἔρχου κύριε Ἰησοῦ

b) κύριος appellatur Deus (sive ad-
ditur ὁ θεός sive omittitur), Chri-
stus, κύριοι appellantur alii cae-
lestes

Rm 4 8 „οὗ οὐ μὴ λογίσηται κύ. ἁμαρτίαν”

9 28 „ποιήσει κύριος ἐπὶ τῆς γῆς”

– 29 „εἰ μὴ κύριος Σαβαώθ” Jac 5 4

10 12 ὁ γὰρ αὐτὸς κύ. πάντων, πλουτῶν

– 16 „κύριε, τίς ἐπίστευσεν τῇ ἀκοῇ ἡμ.;”

11 3 „κύριε, τοὺς προφ. σου ἀπέκτειναν”

– 34 „τίς – ἔγνω νοῦν κυρίου;” 1 Co 2 16

12 11 τῷ κυρίῳ (vl καιρῷ) δουλεύοντες

– 19 „ἐγὼ ἀνταποδώσω”, λέγει κύριος

14 11 „ζῶ ἐγώ, λ. κύ.” cfr 1 Co 14 21
2 Co 6 17.18 „λ. κύ. παντοκράτωρ” Hb
8 8ss 10 16 Ap 1 8 λέγει „κύ. ὁ θεός”

14 4 τῷ ἰδίῳ κυ. στήκει ἢ πίπτει· – δυνατεῖ
– ὁ κύ. (vl θεὸς vg) στῆσαι αὐτόν

– 6 κυρίῳ φρονεῖ. – κυρίῳ ἐσθίει, – κυ-
ρίῳ οὐκ ἐσθίει 8 τῷ κυρίῳ ζῶμεν, –
ἀποθνήσκομεν. – τοῦ κυρίου ἐσμέν

15 11 „αἰνεῖτε, πάντα τὰ ἔθνη, τὸν κύριον”

1 Co 1 31 „ὁ καυχώμενος ἐν κυρίῳ καυχάσθω”
2 Co 10 17 idem

2 8 οὐκ ἂν τὸν κύ. τῆς δόξης ἐσταύρω.

3 5 καὶ ἑκάστῳ ὡς ὁ κύριος ἔδωκεν

– 20 „κύριος γινώσκει τοὺς διαλογισμοὺς
τῶν” σοφῶν

4 4 ὁ δὲ ἀνακρίνων με κύριός ἐστιν

– 5 ἕως ἂν ἔλθῃ ὁ κύριος, ὃς – φωτίσει

– 19 ἐὰν ὁ κύριος θελήσῃ → Jac 4 15

6 13 τὸ – σῶμα οὐ τῇ πορνείᾳ ἀλλὰ τῷ
κυρίῳ, καὶ ὁ κύριος τῷ· σώματι

– 14 ὁ – θεὸς καὶ τὸν κύριον ἤγειρεν καὶ

– 17 ὁ – κολλώμενος τῷ κυρίῳ ἓν πνεῦμα

7 10 τοῖς – γεγαμηκόσιν παραγγέλλω, οὐκ
ἐγὼ ἀλλὰ ὁ κύ. 12 τοῖς – λοιποῖς λέ-
γω ἐγώ, οὐχ ὁ κύ. 25 ἐπιταγὴν κυ-
ρίου οὐκ ἔχω, γνώμην δὲ δίδωμι ὡς
ἠλεημένος ὑπὸ κυρίου πιστὸς εἶναι

– 17 ἑκάστῳ ὡς μεμέρικεν ὁ κύριος

– 22 ὁ – ἐν κυρίῳ κληθεὶς δοῦλος ἀπελεύ-
θερος κυρίου ἐστίν

– 32 ὁ ἄγαμος μεριμνᾷ τὰ τοῦ κυρίου,
πῶς ἀρέσῃ τῷ κυ. (vl θεῷ vg) 34 ἡ
γυνὴ ἡ ἄγαμος καὶ ἡ παρθένος με-
ριμνᾷ τὰ τοῦ κυρίου, ἵνα ᾖ ἁγία

1 Co 7₃₅ πρὸς τὸ – εὐπάρεδρον τῷ κυρίῳ
　8 5 ὥσπερ εἰσὶν θεοὶ – καὶ κύριοι πολλοί
　6 ἀλλ' ἡμῖν – εἷς κύριος Ἰησοῦς Χός
　9 5 ὡς – οἱ ἀδελφοὶ τοῦ κυ. καὶ Κηφᾶς
　– 14 ὁ κύ. διέταξεν τοῖς τὸ εὐαγγ. καταγ-
　γέλλουσιν ἐκ τοῦ εὐαγγελίου ζῆν
　10 9 μηδὲ ἐκπειράζωμεν τὸν κύριον (vl
　Χόν vg), καθώς τινες – ἐπείρασαν
　– 21 οὐ δύνασθε ποτήριον κυρίου πίνειν
　καὶ – δαιμονίων· – „τραπέζης κυρίου"
　μετέχειν καὶ – δαιμονίων
　– 22 ἢ „παραζηλοῦμεν τὸν κύριον;"
　– 26 „τοῦ κυρίου – ἡ γῆ καὶ τὸ πλήρωμα"
　11 23 ἐγώ – παρέλαβον ἀπὸ τοῦ κυρίου
　– 26 τὸν θάνατον τοῦ κυ. καταγγέλλετε
　– 27 ὃς ἂν – πίνῃ τὸ ποτήριον τοῦ κυ. ἀν-
　αξίως, ἔνοχος – τοῦ αἵματος τοῦ κυ.
　– 32 κρινόμενοι – ὑπὸ τοῦ κυ. παιδευόμ.
　12 5 διαιρέσεις διακονιῶν εἰσιν, καὶ ὁ αὐ-
　τὸς κύριος
　14 37 ἐπιγινωσκέτω – ὅτι κ..ου ἐστὶν ἐντολή
　15 58 περισσεύοντες ἐν τῷ ἔργῳ τοῦ κυρ.
　16 7 ἐὰν ὁ κύριος ἐπιτρέψῃ → 4 19
　– 10 τὸ – ἔργον κυρίου ἐργάζεται ὡς κἀ-
　– 22 εἴ τις οὐ φιλεῖ τὸν κύριον |γώ
2 Co 3 16 „ἐὰν ἐπιστρέψῃ πρὸς κύριον"
　– 17 ὁ δὲ κύριος τὸ πνεῦμά ἐστιν· οὗ δὲ
　τὸ πνεῦμα κυρίου, ἐλευθερία 18 „τὴν
　δόξαν κυρίου" κατοπτριζόμενοι – μετα-
　μορφούμεθα –, καθάπερ ἀπὸ κυ-
　ρίου (vg domini) πνεύματος
　5 6 ἐκδημοῦμεν ἀπὸ τοῦ κυρίου 8 εὐδο-
　κοῦμεν – ἐνδημῆσαι πρὸς τὸν κύριον
　– 11 εἰδότες οὖν τὸν φόβον τοῦ κυρίου
　8 5 ἑαυτοὺς ἔδωκαν πρῶτον τῷ κυρίῳ
　– 19 πρὸς τὴν αὐτοῦ (vl⁰ vg⁰) τοῦ κυ-
　ρίου δόξαν καὶ προθυμίαν ἡμῶν
　– 21 „προνοοῦμεν – καλὰ – ἐνώ. κυ." (Deo)
　10 8 ἐξουσίας ἡμῶν, ἧς ἔδωκεν ὁ κύ. 13 10
　ἣν ὁ κύ. ἔδωκέν μοι εἰς οἰκοδομήν
　– 17.18 δόκιμος, – ὃν ὁ κύριος συνίστησιν
　11 17 οὐ κατὰ κύ. (vl θεὸν) λαλῶ, ἀλλ' ὡς
　12 1 ἐλεύσομαι – εἰς – ἀποκαλύψεις κυρίου
　– 8 τρὶς τὸν κύριον παρεκάλεσα
Gal 1 19 Ἰάκωβον τὸν ἀδελφὸν τοῦ κυρίου
Eph 4 5 εἷς κύριος, μία πίστις, ἓν βάπτισμα
　5 10 τί ἐστιν εὐάρεστον τῷ κυρίῳ
　– 17 συνίετε τί τὸ θέλημα τοῦ κυ. (vl θεοῦ)
　– 19 ᾄδοντες – τῇ καρδίᾳ ὑμῶν τῷ κυρίῳ
　– 22 τοῖς ἰδίοις ἀνδράσιν ὡς τῷ κυρίῳ
　6 4 ἐν „παιδείᾳ καὶ νουθεσίᾳ κυρίου"
　– 7 δουλεύοντες ὡς τῷ κυρίῳ καὶ οὐκ

　ἀνθρώποις Col 3 23 ἐργάζεσθε ὡς –
Eph 6 8 τοῦτο κομίσεται παρὰ κυρίου Col
　3 24 ἀπὸ κυρίου ἀπολήμψεσθε τὴν
　ἀνταπόδοσιν τῆς κληρονομίας
　– 9 αὐτῶν καὶ ὑμῶν ὁ κύ. ἐστιν ἐν οὐ-
　ρανοῖς Col 4 1 καὶ ὑμεῖς ἔχετε κύριον
Phl 4 5 ὁ κύριος ἐγγύς → Jac 5 8
Col 1 10 περιπατῆσαι ἀξίως τοῦ κυρίου
　3 22 ἐν ἁπλότητι καρδίας φοβούμενοι τὸν
　κύριον (vl θεόν vg, vl dominum)
1 Th 1 6 μιμηταὶ ἡμῶν ἐγενήθητε καὶ τοῦ κυ.
　3 12 ὑμᾶς δὲ ὁ κύ. πλεονάσαι – τῇ ἀγάπῃ
　4 6 „ἔκδικος κύριος" περὶ – τούτων
　– 15 ἡμεῖς – οἱ περιλειπόμενοι εἰς τ. παρ-
　ουσίαν τοῦ κυρίου 16 αὐτὸς ὁ κύ.
　ἐν κελεύσματι – καταβήσεται 17 ἡμεῖς
　– εἰς ἀπάντησιν τοῦ κυρίου εἰς ἀέ-
　ρα· – πάντοτε σὺν κυρίῳ ἐσόμεθα
　5 27 ἐνορκίζω ὑμᾶς τὸν κύριον
2 Th 1 9 δίκην – „ἀπὸ προσώπου τοῦ κυρίου"
　2 13 ἀδελφοὶ „ἠγαπημένοι ὑπὸ κ." (Deo)
　3 3 πιστὸς δέ ἐστ. ὁ κ. (vl θεός), ὃς στηρ.
　– 5 ὁ δὲ κύ. κατευθύναι ὑμῶν τὰς καρ-
　δίας εἰς τὴν ἀγάπην τοῦ θεοῦ
　– 16 αὐτὸς – ὁ κύριος τῆς εἰρήνης δῴη ὑ-
　μῖν τὴν εἰρήνην – . ὁ κύριος μετὰ
　πάντων ὑμῶν
1 Ti 6 15 ὁ – κύριος τῶν κυριευόντων
2 Ti 1 8 μὴ – ἐπαισχυνθῇς τὸ μαρτύριον τοῦ
　κυρίου ἡμῶν μηδὲ ἐμὲ τὸν δέσμιον
　– 16 δῴη ἔλεος ὁ κύριος τῷ Ὀνησιφόρου
　οἴκῳ 18 δῴη αὐτῷ ὁ κύ. εὑρεῖν ἔλεος
　παρὰ κυρίου ἐν ἐκείνῃ τῇ ἡμέρᾳ
　2 7 δώσει – σοι ὁ κύ. σύνεσιν ἐν πᾶσιν
　– 19 „ἔγνω κύριος τοὺς ὄντας αὐτοῦ"
　– 22 μετὰ τῶν ἐπικαλουμένων τὸν κύριον
　– 24 δοῦλον δὲ κυρίου οὐ δεῖ μάχεσθαι
　3 11 ἐκ πάντων με ἐρρύσατο ὁ κύριος
　4 8 στέφανος, ὃν ἀποδώσει μοι ὁ κύριος
　– 14 „ἀποδώσει – ὁ κύριος κατὰ τὰ ἔργα"
　– 17 ὁ δὲ κύ. μοι παρέστη 18 ῥύσεταί με
　ὁ κύ. ἀπὸ παντὸς ἔργου πονηροῦ
　– 22 ὁ κύριος μετὰ τοῦ πνεύματός σου
Hb 1 10 „σὺ –, κύριε, τὴν γῆν ἐθεμελίωσας"
　2 3 λαλεῖσθαι διὰ τοῦ κυρίου
　7 14 ἐξ Ἰούδα ἀνατέταλκεν ὁ κύ. ἡμῶν
　– 21 „ὤμοσεν κύ., καὶ οὐ μεταμεληθήσ."
　8 2 „τῆς σκηνῆς –, ἣν ἔπηξεν ὁ κύριος"
　– 11 „λέγων· γνῶθι τὸν κύριον"
　10 30 „κρινεῖ κύριος τὸν λαὸν αὐτοῦ"
　12 5 „μὴ ὀλιγώρει παιδείας κυρίου"
　– 6 „ὃν γὰρ ἀγαπᾷ κύριος παιδεύει"

Hb 12 14 οὗ χωρὶς οὐδ. ὄψεται τ. κ..ον (Deum)
13 6 „κύριος ἐμοὶ βοηθός, οὐ φοβηθήσ."
Jac 1 7 ὅτι λήμψεταί τι παρὰ τοῦ κυρίου
3 9 εὐλογοῦμεν τ. κύ. (vl θεὸν) καὶ πατ.
4 10 ταπεινώθητε ἐνώπ::ον κυρίου 15 ἀν-
τὶ τοῦ λέγειν – · ἐὰν ὁ κύ. θελήσῃ
5 7 ἕως τῆς παρουσίας τοῦ κυρίου 8 ὅ-
τι ἡ παρουσία τοῦ κυρίου ἤγγικεν
– 11 καὶ τὸ τέλος κυρίου εἴδετε, ὅτι „πο-
λύσπλαγχνός ἐστιν ὁ κύριος"
– 15 καὶ ἐγερεῖ αὐτὸν ὁ κύριος
1 Pe 1 25 „τὸ δὲ ῥῆμα" κυρίου „μένει εἰς"
2 3 εἰ „ἐγεύσασθε ὅτι χρηστὸς ὁ κύριος"
– 13 ὑποτάγητε – διὰ τὸν κύριον (Deum)
3 12 „ὀφθαλμοὶ κ..ου ἐπὶ δικαίους –, πρόσ-
ωπον – κυρίου ἐπὶ ποιοῦντας κακά"
2 Pe 2 9 οἶδεν κύριος εὐσεβεῖς – ῥύεσθαι
– 11 ὅπου ἄγγελοι – οὐ φέρουσιν – παρὰ
κ..ῳ (vg om π. κυ.) βλάσφημον κρίσ.
3 2 τῆς – ἐντολῆς τοῦ κυ. καὶ σωτῆρος
– 8 μία ἡμέρα παρὰ κ..ῳ ὡς χίλια ἔτη
– 9 οὐ βραδύνει κύριος τῆς ἐπαγγελίας
– 15 τὴν τοῦ κυρίου ἡμῶν μακροθυμίαν
Jud 5 ὅτι (vl + ὁ) κύ. (vl Ἰησοῦς vg) λαὸν
ἐκ γῆς Αἰγύπτου σώσας – ἀπώλεσεν
9 εἶπεν· „ἐπιτιμήσαι σοι κύριος"
14 ἦλθεν κύ. ἐν ἁγίαις μυριάσιν αὐτοῦ
Ap 1 8 λέγει „κύ. ὁ θεός, ὁ ὢν –, ὁ παντο-
κράτωρ" 4 8 „κύ. ὁ θεὸς ὁ παντ." 11
17 κύριε ὁ θεὸς ὁ πάντ. 15 3 16 7 19 6
„ἐβασίλευσεν κύ." ὁ θ. ἡμῶν ὁ π. 21
22 ὁ – κύ. ὁ θ. ὁ π. ναὸς αὐτῆς ἐστιν
4 11 ἄξιος εἶ, ὁ κύριος καὶ ὁ θεὸς ἡμῶν
7 14 εἴρηκα αὐτῷ· κύριέ μου, σὺ οἶδας
11 4 „λυχνίαι – ἐνώπιον τοῦ κυ. τῆς γῆς"
– 8 ὅπου καὶ ὁ κύριος αὐτῶν ἐσταυρώθη
– 15 ἐγένετο „ἡ βασιλεία – τοῦ κυρίου"
ἡμῶν „καὶ τοῦ χριστοῦ αὐτοῦ"
15 4 „τίς οὐ μὴ φοβηθῇ, κύριε, –;"
17 14 ὅτι „κύριος κυρίων ἐστίν" 19 16 (vg
    dominus dominantium)
18 8 „ἰσχυρὸς κύ." (vl om, vg) ὁ θ. ὁ κρίν.
22 5 „κύριος ὁ θεὸς φωτίσει" ἐπ' αὐτούς
– 6 ὁ κύρ. ὁ θεὸς τῶν πνευμ. τῶν προφ.

c) homines κύριοι appellati

Gal 4 1 ὁ κληρονόμος –, – κύριος πάντων ὤν
Eph 6 5 ὑπακούετε τοῖς κατὰ σάρκα κυρίοις
9 οἱ κύριοι, τὰ αὐτὰ ποιεῖτε πρὸς αὐ-
τούς Col 3 22 4 1 οἱ κύριοι, τὸ δίκαιον καὶ
τὴν ἰσότητα τοῖς δούλοις παρέχεσθε
1 Pe 3 6 „κύριον αὐτὸν καλοῦσα" (sc Σάρρα)

κυριότης S° – dominatio
Eph 1 21 ὑπεράνω πάσης ἀρχῆς – καὶ κ..ητος
Col 1 16 ἐν αὐτῷ ἐκτίσθη –, εἴτε θρόνοι εἴτε
κυριότητες εἴτε ἀρχαὶ εἴτε ἐξουσίαι
2 Pe 2 10 τοὺς – κυριότητος καταφρονοῦντας
Jud 8 κ..ητα – ἀθετοῦσιν, δόξας – βλασφημ.

κυροῦν confirmare 2 Co 2 8 διὸ παρακαλῶ
ὑμᾶς κυρῶσαι εἰς αὐτὸν ἀγάπην
Gal 3 15 ἀνθρώπου κεκυρωμένην διαθήκην

κύων canis → κυνάριον
Mat 7 6 μὴ δῶτε τὸ ἅγιον τοῖς κυσίν, μηδέ
Luc 16 21 οἱ κύνες – ἐπέλειχον τὰ ἕλκη αὐτοῦ
Phl 3 2 βλέπετε τοὺς κύνας, – τοὺς κακούς
2 Pe 2 22 „κύων ἐπιστρέψας ἐπὶ τὸ ἴδιον ἐξ."
Ap 22 15 ἔξω οἱ κύνες καὶ οἱ φαρμακοί

κῶλον cadaver Hb 3 17 ὧν „τὰ κ. ἔπεσεν"

κωλύειν prohibēre ᵇvetare
Mat 19 14 μὴ κωλύετε αὐτὰ ἐλθεῖν πρός με ‖
Mar 10 14 μὴ κωλ. αὐτά· Luc 18 16ᵇ
Mar 9 38 ἐκωλύομεν αὐτόν 39 μὴ κωλύετε αὐ-
τόν ‖ Luc 9 49.50 μὴ κωλύετε·
Luc 6 29 ἀπὸ τοῦ αἴροντός σου τὸ ἱμάτιον καὶ
τὸν χιτῶνα μὴ κωλύσῃς
11 52 καὶ τοὺς εἰσερχομένους ἐκωλύσατε
23 2 κωλύοντα φόρους Καίσαρι διδόναι
Act 8 36 τί κωλύει με βαπτισθῆναι;
10 47 μήτι τὸ ὕδωρ δύναται κωλῦσαί τις –;
11 17 ἐγὼ τίς ἤμην δυνατὸς κωλῦσαι
τὸν θεόν;
16 6 κωλυθέντεςᵇ ὑπὸ τοῦ – πνεύματος
λαλῆσαι τὸν λόγον ἐν τῇ Ἀσίᾳ
24 23 μηδένα κωλύειν – ὑπηρετεῖν αὐτῷ
27 43 ἐκώλυσεν αὐτοὺς τοῦ βουλήματος
Rm 1 13 καὶ ἐκωλύθην ἄχρι τοῦ δεῦρο
1 Co 14 39 τὸ λαλεῖν μὴ κωλύετε γλώσσαις
1 Th 2 16 κωλυόντων ἡμᾶς τοῖς ἔθνεσιν λαλῆ-
σαι ἵνα σωθῶσιν
1 Ti 4 3 κωλυόντων γαμεῖν
Hb 7 23 διὰ τὸ θανάτῳ κ..εσθαι παραμένειν
2 Pe 2 16 ἐκώλυσεν τὴν τοῦ προφ. παραφρον.
3 Jo 10 τοὺς βουλομένους (vl ἐπιδεχομένους
vg qui suscipiunt vl cupiunt) κωλύει

κώμη castellum ᵇvicus ᶜregio
Mat 9 35 περιῆγεν – τὰς πόλεις πάσας καὶ τὰς
κώμας ‖ Mar 6 6 τὰς κώμας κύκλῳ
56 ὅπου ἂν εἰσεπορεύετο εἰς κώμαςᵇ
10 11 εἰς ἣν δ' ἂν πόλιν ἢ κώμην εἰσέλθητε

Mat 14 15 ἵνα ἀπελθόντες εἰς τὰς κώ. ἀγοράσωσιν – βρώματα ‖ Mar 6 36 b Luc 9 12
21 2 εἰς τὴν κώμην τὴν κατέναντι ὑμῶν ‖ Mar 11 2 Luc 19 30 τὴν κατέναντι κώ.
Mar 8 23 ἐξήνεγκεν αὐτὸν ἔξω τῆς κώμης b 26 μηδὲ εἰς τὴν κώ. b εἰσέλθῃς 27 ἐξῆλθεν – εἰς τὰς κώμας Καισαρείας
Luc 5 17 Φαρισαῖοι – ἐκ πάσης κώμης τῆς Γαλιλαίας καὶ Ἰουδαίας
8 1 διώδευεν κατὰ πόλιν καὶ κώμην
9 6 διήρχοντο κατὰ τὰς κώμας 13 22 διεπορεύετο κατὰ κώμας καὶ πόλεις
– 52 εἰσῆλθον εἰς κώμην (vl πόλιν vg civitatem) Σαμαριτῶν 56 ἐπορεύθησαν εἰς ἑτέραν κώμην
10 38 εἰσῆλθεν εἰς κώμην τινά – 17 12
24 13 εἰς κώμην –, ᾗ ὄνομα Ἐμμαοῦς 28 ἤγγισαν εἰς τ. κώμην οὗ ἐπορεύοντο
Joh 7 42 „ἀπὸ Βηθλέεμ" τῆς κώμης ὅπου ἦν Δαυίδ
11 1 ἐκ τῆς κώ. Μαρίας καὶ Μάρθας 30
Act 8 25 πολλάς τε κώμας c τῶν Σαμαριτῶν εὐηγγελίζοντο

κωμόπολις S⁰ – (vl κώμας καὶ – πόλεις vg

vicos et civitates) Mar 1 38 εἰς τὰς – κ..εις

κῶμος comessatio (vl comisatio)
Rm 13 13 μὴ κώμοις καὶ μέθαις – Gal 5 21
1 Pe 4 3 πεπορευμένους ἐν – κώμοις, πότοις

κώνωψ S⁰ – culex Mat 23 24 διϋλίζοντες τὸν κ.

Κώς Act 21 1 ἤλθομεν εἰς τὴν Κῶ

Κωσάμ Luc 3 28

κωφός mutus b surdus
Mat 9 32 κωφὸν δαιμονιζόμενον 33 ἐλάλησεν ὁ κω. – 12 22 τυφλὸς καὶ κω. · – τὸν κωφὸν (vg om) λαλεῖν καὶ βλέπειν ‖ Luc 11 14 δαιμόνιον καὶ αὐτὸ ἦν κωφόν· – ἐλάλησεν ὁ κωφός
11 5 κωφοὶ b ἀκούουσιν ‖ Luc 7 22 b
15 30 ἔχοντες μεθ᾽ ἑαυτῶν – κωφούς 31 κωφοὺς λαλοῦντας ‖ Mar 7 32 κωφὸν b καὶ μογιλάλον 37 τοὺς κω. b ποιεῖ ἀκούειν καὶ ἀλάλους (mut.) λαλεῖν
Mar 9 25 τὸ ἄλαλον (mut.) καὶ κωφὸν b πνεῦ.
Luc 1 22 καὶ διέμενεν κωφός (Zacharias)

Λ

λαγχάνειν sortiri b sorte exire
Luc 1 9 ἔλαχε b τοῦ θυμιᾶσαι Act 1 17 ἔλαχεν τὸν κλῆρον τῆς διακονίας ταύτης
Joh 19 24 ἀλλὰ λάχωμεν περὶ αὐτοῦ τίνος ἔσται
2 Pe 1 1 τοῖς ἰσότιμον ἡμῖν λαχοῦσιν πίστιν

Λάζαρος Luc 16 20 πτωχός – τις 23. 24. 25
Joh 11 1 Λάζαρος ἀπὸ Βηθανίας 2. 5. 11. 14. 43 12 1 Λάζαρος ὃν ἤγειρεν ἐκ νεκρῶν 2. 9. 10. 17

λάθρα occulte b clam c silentio
Mat 1 19 27 b Joh 11 28 c Act 16 37 ἐκβάλλουσιν

λαῖλαψ procella b turbines (turbo)
Mar 4 37 ‖ Luc 8 23 – 2 Pe 2 17 οὗτοί εἰσιν – ὁμίχλαι ὑπὸ λαίλαπος b ἐλαυνόμεναι

λακεῖν S⁰ – crepare Act 1 18 ἐλάκησεν μέσος

λακτίζειν S⁰ – calcitrare Act 26 14 πρὸς κέντρα (vl 9 5 vg)

λαλεῖν loqui b dicere c narrare d enarrare e legere
γλώσσαις, γλώσσῃ λαλεῖν → γλῶσσα (τὸν) λόγον, λόγους λαλεῖν → λόγος (ἐν, ἐπὶ) ὀνόματι λαλεῖν → ὄνομα παραβολήν, ἐν π..αῖς λ. → παραβολή

1) Deus, Jesus, angelus, voces caelestes, daemones, diabolus, prophetae, spiritus, lex loquentes inducuntur
Mat 9 18 ταῦτα αὐτοῦ λαλοῦντος αὐτοῖς 12 46 τοῖς ὄχλοις 17 5 26 47 Mar 5 35 14 43 [16 19 μετὰ τὸ λαλῆσαι αὐτοῖς] Luc 5 4 ὡς δὲ ἐπαύσατο λαλῶν 8 43 11 37 ἐν δὲ τῷ λαλῆσαι 22 47
10 20 οὐ γὰρ ὑμεῖς ἐστε οἱ λαλοῦντες, ἀλλὰ τὸ πνεῦμα – τὸ λαλοῦν ἐν ὑμῖν ‖ Mar 13 11 → sub 2) Mat 10 19
14 27 εὐθὺς – ἐλάλησεν [ὁ Ἰησ.] αὐτοῖς ‖ Mar 6 50 – Mat 23 1 τοῖς ὄχλοις 28 18
Mar 1 34 οὐκ ἤφιεν λαλεῖν τὰ δαιμόνια, ὅτι ᾔδεισαν αὐτόν ‖ Luc 4 41 οὐκ εἴα

Mar 2 7 τί οὗτος οὕτως λαλεῖ; βλασψημεῖ ‖
Luc 5 21 τίς – οὗτος ὃς λαλεῖ βλ..ίας;

Luc 1 19 καὶ ἀπεστάλην λαλῆσαι πρὸς σέ
– 45 ἔσται τελείωσις τοῖς λελαλημένοις[b]
– παρὰ κυρίου 55 καθὼς ἐλάλησεν
πρὸς τοὺς πατέρας 70 διὰ – τῶν προφ.
2 17 τοῦ ῥήματος τοῦ λαληθέντος[b] αὐ-
τοῖς περὶ τοῦ παιδίου 18[b] 20[b] 33[b] 38
– 50 οὐ συνῆκαν τὸ ῥῆμα ὃ ἐλάλησεν
9 11 ἐλάλει αὐτοῖς περὶ τῆς βασ. τ. θεοῦ
24 6 μνήσθητε ὡς ἐλάλησεν ὑμῖν ἔτι ὢν
– 25 τοῦ πιστεύειν – οἷς ἐλ..ησαν οἱ προφ.
– 32 ὡς ἐλάλει ἡμῖν ἐν τῇ ὁδῷ, ὡς
– 44 οἱ λόγοι μου οὓς ἐλάλησα πρὸς ὑμ.

Joh 1 37 ἤκουσαν – αὐτοῦ (Joh.) λαλοῦντος
3 11 ὃ οἴδαμεν λαλοῦμεν 31 ὁ ὢν ἐκ τῆς
γῆς – ἐκ τ. γῆς λαλεῖ 34 ὃν – ἀπέστει-
λεν ὁ θ. τὰ ῥήματα τοῦ θεοῦ λαλεῖ
4 26 ἐγώ εἰμι, ὁ λαλῶν σοι 9 37
– 27 ὅτι μετὰ γυναικὸς ἐλάλει· οὐδεὶς μέν-
τοι εἶπεν· – τί λαλεῖς μετ' αὐτῆς;
6 63 τὰ ῥήματα ἃ ἐγὼ λελάληκα ὑμῖν
πνεῦμά ἐστιν καὶ ζωή ἐστιν
7 17 ἢ ἐγὼ ἀπ' ἐμαυτοῦ λαλῶ (18)
– 26 ἴδε παρρησίᾳ λαλεῖ 16 29 λαλεῖς
– 46 οὐδέποτε ἐλάλησεν οὕτως ἄνθρ.
ὡς οὗτος λαλεῖ (vg om) ὁ ἄνθρ.
8 12 πάλιν – αὐτοῖς ἐλάλησεν ὁ Ἰησοῦς 20
ταῦτα τὰ ῥήματα ἐλάλησεν 'ἐν τῷ
γαζοφυλακείῳ διδάσκων 12 36 ταῦτα
ἐλάλησεν 17 1
– 25 τὴν ἀρχὴν ὅ τι καὶ λαλῶ ὑμῖν; 26
πολλὰ ἔχω περὶ ὑμῶν λαλεῖν καὶ
κρίνειν· – ἃ ἤκουσα παρ' αὐτοῦ, –
λαλῶ εἰς τὸν κόσμον 28 καθὼς ἐδί-
δαξέν με ὁ πατήρ, ταῦτα λαλῶ
– 30 ταῦτα αὐτοῦ λαλοῦντος πολλοὶ ἐπί-
στευσαν 38 ἃ – ἑώρακα παρὰ τῷ πα-
τρὶ λαλῶ 12 49 ἐξ ἐμαυτοῦ οὐκ ἐλά-
λησα, ἀλλ' – αὐτός μοι ἐντολὴν δέ-
δωκεν – τί λαλήσω 50 14 10 ἃ ἐγὼ λέ-
γω ὑμῖν ἀπ' ἐμαυτοῦ οὐ λαλῶ
– 40 ὃς τὴν ἀλήθειαν ὑμῖν λελάληκα
– 44 ὅταν λαλῇ τὸ ψεῦδος, ἐκ τῶν ἰδίων
λαλεῖ, ὅτι ψεύστης ἐστίν
9 29 οἴδαμεν ὅτι Μωϋσεῖ λελάληκεν ὁ θ.
10 6 οὐκ ἔγνωσαν τίνα ἦν ἃ ἐλάλει αὐτ.
12 29 ἄγγελος αὐτῷ λελάληκεν
– 41 Ἠσαΐας – ἐλάλησεν περὶ αὐτοῦ
14 25 ταῦτα λελάληκα ὑμῖν παρ' ὑμῖν μέ-
νων 30 οὐκέτι πολλὰ λαλήσω μεθ' ὑμ.
15 11 ταῦτα λελάληκα ὑμῖν ἵνα ἡ χαρὰ ἡ

ἐμή 16 1 ἵνα μὴ σκανδαλισθῆτε 4 ἵνα
– μνημονεύητε αὐτῶν 33 ἵνα ἐν ἐμοὶ
εἰρήνην ἔχητε – 6 ὅτι ταῦτα λελά-
ληκα ὑμῖν, ἡ λύπη πεπλήρωκεν ὑμῶν
τὴν καρδίαν
Joh 15 22 εἰ μὴ – ἐλάλησα αὐτοῖς, ἁμαρτίαν οὐκ
εἴχοσαν· νῦν δὲ πρόφασιν οὐκ ἔχ.
16 13 οὐ – λαλήσει (sc ὁ παράκλητος) ἀφ'
ἑαυτοῦ, ἀλλ' ὅσα ἀκούει λαλήσει
– 18 τὸ μικρόν; οὐκ οἴδαμεν τί λαλεῖ
17 13 ταῦτα λαλῶ ἐν τῷ κόσμῳ ἵνα ἔχωσιν
τὴν χαρὰν τὴν ἐμὴν πεπληρωμένην
18 20 παρρησίᾳ λελάληκα τῷ κόσμῳ· – ἐν
κρυπτῷ ἐλάλησα οὐδέν 21 ἐρώτησον
τοὺς ἀκηκοότας τί ἐλάλησα
– 23 εἰ κακῶς ἐλάλησα, μαρτύρησον
19 10 λέγει – Πιλᾶτος· ἐμοὶ οὐ λαλεῖς;

Act 2 31 (Δαυὶδ) προϊδὼν ἐλάλησεν περὶ τῆς
ἀναστάσεως τοῦ Χοῦ 3 21 ἀποκατα-
στάσεως πάντων ὧν ἐλ..ησεν ὁ θεὸς
3 22 „ὅσα ἂν λαλήσῃ" πρὸς ὑμᾶς
– 24 πάντες – οἱ προφῆται – ὅσοι ἐλ..ησαν
7 6 ἐλάλησεν δὲ οὕτως ὁ θεὸς
– 38 μετὰ τοῦ ἀγγ. τοῦ λαλοῦντος αὐτῷ
ἐν τῷ ὄρει Σινᾶ 44 „ὁ λ..ῶν τῷ Μω."
8 26 ἀγγ. – κυρίου ἐλ..ησεν πρὸς Φίλιππον
(9 6 λαληθήσεταί[b] σοι ὅ τί σε δεῖ ποιεῖν
22 10[b] περὶ – ὧν τέτακταί σοι ποιῆσαι)
– 27 ὅτι ἐλάλησεν αὐτῷ (sc ὁ κύριος)
10 7 ὁ ἀγγ. ὁ λαλῶν αὐτῷ (Cornelio)
22 9 τὴν δὲ φωνὴν οὐκ ἤκουσαν τοῦ λα-
λοῦντός μοι
23 9 εἰ δὲ πνεῦμα ἐλ..ησεν αὐτῷ ἢ ἄγγ.
26 22 οὐδὲν ἐκτὸς λέγων ὧν τε οἱ προφῆ-
ται ἐλάλησαν – καὶ Μωϋσῆς
27 25 ἔσται καθ' ὃν τρόπον λελάληταί[b] μοι
28 25 καλῶς τὸ πνεῦμα τὸ ἅγιον ἐλάλησεν
διὰ Ἠσαΐου – πρὸς τοὺς πατέρας
Rm 3 19 ὅσα ὁ νόμος λέγει (loquitur) τοῖς ἐν
τῷ νόμῳ λαλεῖ
1 Co 12 3 οὐδεὶς ἐν πνεύματι θεοῦ λαλῶν λέ-
γει (dicit)· ἀνάθεμα Ἰησοῦς
14 21 „ἐν χείλεσιν ἑτέρων λαλήσω τῷ λαῷ"
2 Co 2 17 ὡς ἐκ θεοῦ κατέναντι θεοῦ ἐν Χῷ
λαλοῦμεν 12 19
13 3 δοκιμὴν – τοῦ ἐν ἐμοὶ λ..οῦντος Χοῦ
Hb 1 1 πάλαι ὁ θεὸς λαλήσας (loquens) –
ἐν τοῖς προφ. 2 ἐλάλησεν ἡμῖν ἐν υἱῷ
2 3 σωτηρίας; ἥτις ἀρχὴν λαβοῦσα λα-
λεῖσθαι[d] διὰ τοῦ κυρίου
3 5 ὡς „θεράπων" εἰς μαρτύριον τῶν λα-
ληθησομένων[b] (quae dìcenda erant)

Hb   4 8 οὐκ ἂν περὶ ἄλλης ἐλάλει – ἡμέρας
     5 5 ἀλλ' ὁ λαλήσας πρὸς αὐτόν (sc Χόν)
     7 14 περὶ ἱερέων οὐδὲν Μωϋσῆς ἐλάλησεν
     9 19 λαληθείσης e – πάσης ἐντολῆς – ὑπὸ
         Μωϋσέως παντὶ τῷ λαῷ
     11 4 δι' αὐτῆς ἀποθανὼν ἔτι λαλεῖ
     – 18 πρὸς ὃν ἐλαλήθη b ὅτι „ἐν Ἰσαάκ"
     12 24 αἵματι – κρεῖττον λαλοῦντι παρά
     – 25 μὴ παραιτήσησθε τὸν λαλοῦντα
2 Pe   1 21 ἐλάλησαν ἀπὸ θεοῦ ἄνθρωποι
Ap   1 12 τὴν φωνὴν ἥτις ἐλάλει μετ' ἐμοῦ
     4 1 ὡς σάλπιγγ. λαλούσης μετ' ἐμοῦ 10 8
     10 3 ἐλάλησαν αἱ ἑπτὰ βρονταί 4
     17 1 (ἄγγελος) ἐλάλησεν μετ' ἐμοῦ 21 9. 15

     2) reliqui loci

Mat   9 33 ἐλάλησεν ὁ κωφός ‖ Luc 11 14 –
     Mat 12 22 ὥστε τὸν κωφ. λαλεῖν 15 31
     κωφοὺς λαλοῦντας ‖ Mar 7 35 ἐλά-
     λει ὀρθῶς 37 ποιεῖ – ἀλάλους λαλεῖν
     10 19 μὴ μεριμνήσητε πῶς ἢ τί λαλήσητε·
     δοθήσεται – ὑμῖν – τί λαλήσητε 20 ‖
     Mar 13 11 → sub 1) Mat 10 20
     12 34 πῶς δύνασθε ἀγαθὰ λαλεῖν –; ἐκ –
     τοῦ περισσεύματος τῆς καρδίας τὸ
     στόμα λαλεῖ ‖ Luc 6 45
     – 36 πᾶν ῥῆμα ἀργὸν ὃ λαλήσουσιν οἱ
     – 46 ζητοῦντες αὐτῷ λ..ῆσαι [47 σοί vg om]
     26 13 λαληθήσεται b καὶ ὃ ἐποίησεν αὕτη
     εἰς μνημόσυνον αὐτῆς ‖ Mar 14 9 c
Mar   11 23 ὃς ἂν – πιστεύῃ ὅτι ὃ λαλεῖ b γίνεται
     14 31 ὁ δὲ (Petr.) ἐκπερισσῶς ἐλάλει·
Luc   1 20 ἔσῃ – μὴ δυνάμενος λαλῆσαι 22. 64 ἐ-
     λάλει εὐλογῶν τὸν θεόν
     7 15 ὁ νεκρὸς – ἤρξατο λαλεῖν
     12 3 ὃ πρὸς τὸ οὖς ἐλαλήσατε ἐν τοῖς
     22 60 ἔτι λαλοῦντος αὐτοῦ (sc Πέτρου)
     24 36 ταῦτα δὲ αὐτῶν λαλούντων αὐτός
Joh   7 13 οὐδεὶς μέντοι παρρησίᾳ ἐλάλει περί
     – 18 ὁ ἀφ' ἑαυτοῦ λαλῶν τ. δόξαν τ. ἰδίαν
     9 21 αὐτὸς περὶ ἑαυτοῦ λ..ήσει (loquatur)
Act   2 6 τῇ ἰδίᾳ διαλέκτῳ λαλούντων 7 εἰσὶν
     οἱ λαλοῦντες Γαλιλαῖοι 11 λαλούν-
     των – τὰ μεγαλεῖα τοῦ θεοῦ
     4 1 πρὸς τὸν λαόν 5 20 – 9 29
     – 20 οὐ δυνάμεθα – ἃ εἴδαμεν – μὴ λαλεῖν
     6 10 ἀντιστῆναι – τῷ πνεύματι ᾧ ἐλάλει
     – 11 λαλοῦντος b – ῥήματα βλάσφημα 13
     10 44 11 14. 15. 20   13 42. 45 b   14 1. 9   16 13. 14
     προσέχειν τοῖς λαλουμένοις b ὑπό
     17 19 τίς – ἡ ὑπὸ σοῦ λαλουμένη b διδαχή;
     18 9 ἀλλὰ λάλει καὶ μὴ σιωπήσῃς

Act   18 25 ζέων τῷ πνεύματι ἐλάλει καὶ ἐδίδ.
     20 30 ἄνδρες λαλοῦντες διεστραμμένα
     21 39 23 7 b   18 26 26. 31   28 21 πονηρόν
Rm   7 1 γινώσκουσιν γὰρ νόμον λαλῶ
     15 18 οὐ – τολμήσω τι λαλεῖν ὧν οὐ – Χός
1 Co   2 6 σοφίαν – λαλοῦμεν ἐν τοῖς τελείοις 7
     θεοῦ σοφίαν ἐν μυστηρίῳ 13 ἃ καὶ
     λ. οὐκ ἐν – ἀνθρωπίνης σοφίας λό-
     γοις, ἀλλ' ἐν διδακτοῖς πνεύματος
     3 1 οὐκ ἠδυνήθην λαλῆσαι ὑμῖν ὡς πνευ-
     ματικοῖς ἀλλ' ὡς σαρκίνοις
     9 8 μὴ κατὰ ἄνθρωπον ταῦτα λαλῶ b, –;
     13 11 ὅτε ἤμην νήπιος, ἐλάλουν ὡς νήπιος
     14 2 ὁ – λαλῶν γλώσσῃ οὐκ ἀνθρώποις
     λαλεῖ ἀλλὰ θεῷ· – πνεύματι δὲ λα-
     λεῖ μυστήρια 3 ὁ – προφητεύων ἀν-
     θρώποις λαλεῖ οἰκοδομήν → γλώσσα
     – 6 ἐὰν μὴ ὑμῖν λαλήσω ἢ ἐν – διδαχῇ;
     – 9 πῶς γνωσθήσεται τὸ λαλούμενον b;
     ἔσεσθε – εἰς ἀέρα λαλοῦντες
     – 11 ἔσομαι τῷ λαλοῦντι βάρβαρος καὶ ὁ
     λαλῶν ἐν ἐμοὶ βάρβαρος
     – 19 θέλω πέντε λόγους τῷ νοΐ μου λα-
     λῆσαι, ἵνα καὶ ἄλλους κατηχήσω
     – 28 ἑαυτῷ δὲ λαλείτω καὶ τῷ θεῷ
     – 29 προφῆται – δύο ἢ τρεῖς λ..είτωσαν b
     – 34 οὐ γὰρ ἐπιτρέπεται αὐταῖς λαλεῖν
     – 35 αἰσχρὸν – γυναικὶ λαλεῖν ἐν ἐκκλησίᾳ
     15 34 πρὸς ἐντροπὴν ὑμῖν λαλῶ
2 Co   4 13 „ἐπίστευσα, διὸ ἐλάλησα", καὶ ἡμεῖς
     πιστεύομεν, διὸ καὶ λαλοῦμεν
     7 14 πάντα ἐν ἀληθείᾳ ἐλαλήσαμεν ὑμῖν
     11 17 ὃ λαλῶ, οὐ κατὰ κύριον λαλῶ, ἀλλ'
     ὡς ἐν ἀφροσύνῃ 23 παραφρονῶν λ. b
     12 4 ῥήματα, ἃ οὐκ ἐξὸν – λαλῆσαι
Eph   4 25 „λ..εῖτε ἀλήθειαν – μετὰ τοῦ πλησίον"
     5 19 λαλοῦντες ἑαυτοῖς ψαλμοῖς
     6 20 ὡς δεῖ με λαλῆσαι Col 4 4
Col   4 3 λαλῆσαι τὸ μυστήριον τοῦ Χοῦ
1 Th   1 8 ὥστε μὴ χρείαν ἔχειν ἡμᾶς λ..εῖν τι
     2 2 λαλῆσαι πρὸς ὑμᾶς τὸ εὐαγγ. τ. θ.
     – 4 λ..οῦμεν, οὐχ ὡς ἀνθρώποις ἀρέσκ.
     – 16 κωλυόντων ἡμᾶς τοῖς ἔθνεσιν λαλῆ-
     σαι ἵνα σωθῶσιν
1 Ti   5 13 περίεργοι, λαλοῦσαι τὰ μὴ δέοντα
Tit   2 1 λάλει ἃ πρέπει τῇ ὑγιαιν. διδασκαλίᾳ
     – 15 ταῦτα λάλει καὶ παρακάλει
Hb   2 5 – 6 9 εἰ καὶ οὕτως λαλοῦμεν
Jac   1 19 βραδὺς εἰς τὸ λαλῆσαι, – εἰς ὀργήν
     2 12 οὕτως λαλεῖτε – ὡς διὰ νόμου ἐλευ-
     θερίας μέλλοντες κρίνεσθαι
1 Pe   3 10 „χείλη τοῦ μὴ λαλῆσαι δόλον"

1 Pe 4 11 εἴ τις λαλεῖ, ὡς λόγια θεοῦ
2 Pe 3 16 ἐν πάσαις ἐπιστολαῖς λαλῶν – περί
1 Jo 4 5 διὰ τοῦτο ἐκ τοῦ κόσμου λαλοῦσιν
2 Jo 12 στόμα πρὸς στόμα λαλῆσαι 3 Jo 14
Jud 15 περὶ – τῶν σκληρῶν ὧν ἐλάλησαν
κατ᾿ αὐτοῦ 16 τὸ στόμα αὐτῶν λαλεῖ
ὑπέρογκα
Ap 13 5 „στόμα λαλοῦν μεγάλα" καὶ βλασ-
– 11 ἐλάλει ὡς δράκων |φημίας
– 15 ἵνα καὶ λαλήσῃ ἡ εἰκὼν τοῦ θηρίου

λαλιά loquela (vl loquella)
Mat 26 73 καὶ γὰρ ἡ λαλιά σου δῆλόν σε ποιεῖ
Joh 4 42 οὐκέτι διὰ τὴν σὴν λ..ὰν πιστεύομεν
8 43 διὰ τί τὴν λ. τὴν ἐμὴν οὐ γινώσκετε;

λαμά S° – lamma (vl lama) Mar 15 34

*λαμβάνειν accipere [b]acquirere [c]appre-
hendere [d]capere [e](alapis) caedere
[f](verbera) experiri [g](consilium) facere
[h](cons.) inire [i]recipere [k]sumere [l]tollere
Mat 5 40 τῷ θέλοντι – τὸν χιτῶνά σου λαβεῖν[l]
7 8 πᾶς – ὁ αἰτῶν λ..ει ‖ Luc 11 10 – Joh
16 24 αἰτεῖτε, καὶ λήμψεσθε → 1 Jo 3 22
8 17 „αὐτὸς τὰς ἀσθενείας ἡμῶν ἔλαβεν"
10 8 δωρεὰν ἐλάβετε, δωρεὰν δότε
– 38 ὃς οὐ λαμβάνει τὸν σταυρὸν αὐτοῦ
– 41 μισθὸν προφήτου λήμψεται, – δικαίου
12 14 συμβούλιον ἔλαβον[g] κατ᾿ αὐτοῦ 22
15[h] 27 1[h] 7[h] 28 12
13 20 μετὰ χαρᾶς λ..ων αὐτόν (sc τὸν λό-
γον) ‖ Mar 4 16 – Joh 12 48 ὁ – μὴ λ..
ων τὰ ῥήματά μου 17 8 αὐτοὶ ἔλαβον
15 26 λαβεῖν[k] τὸν ἄρτον τῶν τέκνων καὶ
βαλεῖν τοῖς κυναρίοις ‖ Mar 7 27[k]
17 24 οἱ τὰ δίδραχμα λαμβάνοντες 25
19 29 πολλαπλασίονα λήμψεται ‖ Mar 10 30
Luc 18 30 ὃς οὐχὶ μὴ λάβῃ (vl ἀπο-
λάβῃ)[i]
20 9 ἔλαβον ἀνὰ δηνάριον 10 ὅτι πλεῖον
λήμψονται· καὶ ἔλαβον τὸ ἀνὰ δη-
νάριον καὶ αὐτοί 11 λ..όντες ἐγόγγ.
21 22 ὅσα ἂν αἰτήσητε – πιστεύοντες λήμ-
ψεσθε ‖ Mar 11 24 πιστεύετε ὅτι ἐ-
λάβετε, (vl λήμψεσθε vg, vel λαμ-
βάνετε), καὶ ἔσται ὑμῖν
26 26 λαβὼν – ἄρτον – εἶπεν· λάβετε φάγε-
τε 27 λαβὼν ποτήριον ‖ Mar 14 22[a]
et[k] 23 Luc 22 17 λάβετε – καὶ διαμερί-
σατε 19 (cfr 24 30) 1 Co 11 23 ἔλαβεν
ἄρτον – Act 27 35 λαβὼν[k] ἄρτον
Mar 12 40 λήμψονται περισσότερον κρίμα ‖ Lc

20 47 – Jac 3 1 μεῖζον κρ. λημψόμε-
θα[k] Rm 13 2 οἱ δὲ ἀνθεστηκότες ἑ-
αυτοῖς κρίμα λήμψονται[b]
Mar 14 65 ῥαπίσμασιν αὐτὸν ἔλαβον[e]
Luc 5 5 κοπιάσαντες οὐδὲν ἐλάβομεν[d]
– 26 ἔκστασις ἔλαβεν[c] ἅπαντας – 7 16
6 34 δανείσητε παρ᾿ ὧν ἐλπίζετε λαβεῖν[i]
9 39 ἰδοὺ πνεῦμα λαμβάνει[c] αὐτόν
20 21 οὐ λαμβάνεις πρόσωπον Gal 2 6
Joh 1 12 ὅσοι δὲ ἔλαβον[i] αὐτόν, ἔδωκεν αὐτοῖς
– 16 ἐκ τοῦ πληρώματος αὐτοῦ – πάντες
ἐλάβομεν, καὶ χάριν ἀντὶ χάριτος
3 11 τὴν μαρτυρίαν ἡμῶν οὐ λ..ετε 32
αὐτοῦ οὐδεὶς λ..ει 33 ὁ λαβὼν αὐτοῦ
τὴν μαρτυρίαν 5 34 οὐ παρὰ ἀνθρώ-
που τὴν μαρτ. λ..ω – 1 Jo 5 9 εἰ τὴν
μαρτυρίαν τῶν ἀνθρώπων λ..ομεν
– 27 οὐ δύναται ἄνθρωπος λ..ειν οὐδέν
4 36 ὁ θερίζων μισθὸν λαμβάνει
5 41 δόξαν παρὰ ἀνθρώπων οὐ λαμβά-
νω 44 δόξαν παρὰ ἀλλήλων λ..οντες
– 43 οὐ λαμβάνετέ με· ἐὰν ἄλλος ἔλθῃ ἐν
τῷ ὀνόμ. τῷ ἰδίῳ, ἐκεῖνον λήμψεσθε
7 23 εἰ περιτομὴν λαμβάνει – ἐν σαββάτῳ
10 17 τίθημι τὴν ψυχήν μου, ἵνα πάλιν λά-
βω[k] αὐτήν 18 ἐξουσίαν ἔχω πάλιν
λαβεῖν[k] αὐτήν – 12 48 17 8 → Mat 13 20
13 20 ὁ λ..ων ἄν τινα πέμψω ἐμὲ λ..ει, ὁ
δὲ ἐμὲ λ..ων λ..ει τὸν πέμψαντά με
14 17 τὸ πνεῦμα τῆς ἀληθείας, ὃ ὁ κόσμος
οὐ δύναται λαβεῖν 16 14 ἐκ τοῦ ἐμοῦ
λήμψεται 15 λ..ει καὶ ἀναγγελεῖ ὑμῖν
19 27 ἔλαβεν ὁ μαθητὴς αὐτὴν εἰς τὰ ἴδια
20 22 λάβετε πνεῦμα ἅγιον, ἄν τινων ἀφ.
Act 15 14 λαβεῖν[k] ἐξ ἐθνῶν λαὸν τῷ ὀνόματι
20 35 μακάριον – μᾶλλον διδόναι ἢ λ..ειν
Rm 7 8 ἀφορμὴν δὲ λαβοῦσα ἡ ἁμαρτία 11
1 Co 4 7 τί – ἔχεις ὃ οὐκ ἔλαβες; εἰ δὲ καὶ ἔ-
λαβες, τί καυχᾶσαι ὡς μὴ λαβών;
10 13 πειρασμὸς ὑμᾶς οὐκ εἴληφεν[c] (vl
οὐ καταλάβῃ vg) εἰ μὴ ἀνθρώπινος
2 Co 11 20 εἴ τις λαμβάνει (sc ὑμᾶς) 12 16 δόλῳ
ὑμᾶς ἔλαβον[d]
Phl 2 7 μορφὴν δούλου λαβών, ἐν ὁμοιώματι
3 12 οὐχ ὅτι ἤδη ἔλαβον –, διώκω δέ
2 Ti 1 5 ὑπόμνησιν λαβὼν τῆς ἐν σοὶ – πίστ.
Hb 2 3 ἥτις ἀρχὴν λαβοῦσα λαλεῖσθαι διὰ
5 4 οὐχ ἑαυτῷ τις λαμβάνει[k] τὴν τιμήν
10 26 μετὰ τὸ λαβεῖν τὴν ἐπίγν. τῆς ἀληθ.
11 35 ἔλαβον γυναῖκες – τοὺς νεκροὺς αὐτ.
– 36 ἕτεροι – μαστίγων πεῖραν ἔλαβον[f]
Jac 1 7 ὅτι λήμψεταί τι παρὰ τοῦ κυρίου

Jac 4 3 αἰτεῖτε καὶ οὐ λ..ετε, διότι κακῶς
5 10 ὑπόδειγμα λάβετε – τοὺς προφήτας
2 Pe 1 9 λήθην λαβὼν τοῦ καθαρισμοῦ
1 Jo 3 22 ὃ ἐὰν αἰτῶμεν λ..άνομεν ἀπ᾽ αὐτοῦ
5 9 εἰ τὴν μαρτ. τῶν ἀνθρώπων λ..ομεν
2 Jo 10 μὴ λαμβάνετε[i] αὐτὸν εἰς οἰκίαν
Ap 2 17 „ὄνομα καινὸν" –, ὃ οὐδεὶς οἶδεν εἰ
μὴ ὁ λαμβάνων
– 28 ὡς κἀγὼ εἴληφα παρὰ τοῦ πατρός
3 3 μνημόνευε – πῶς εἴληφας καὶ ἤκου.
– 11 ἵνα μηδεὶς λάβῃ τὸν στέφανόν σου
4 11 ἄξιος εἶ – λαβεῖν τὴν δόξαν 5 12
6 4 λαβεῖν[k] τὴν εἰρήνην ἐκ τῆς γῆς
14 9 εἴ τις – λ..ει χάραγμα 11 τοῦ ὀνόμα-
τος αὐτοῦ 19 20 20 4 οὐκ ἔλαβον
17 12 βασιλείαν οὔπω ἔλαβον, ἀλλὰ ἐξου-
σίαν – μίαν ὥραν λαμβάνουσιν
22 17 λαβέτω „ὕδωρ ζωῆς δωρεάν"

Λάμεχ Luc 3 36 τοῦ Μαθουσάλα

λαμπάς *lampas* [b]*fax* [c]*facula*
Mat 25 1.3.4.7.8 Joh 18 3[b] Act 20 8
Ap 4 5 ἑπτὰ λ..άδες πυρός 8 10 ὡς λαμπάς[c]

λάμπειν *lucēre* [b]*fulgēre* [c]*refulgēre* [d]*illuce-
scere* [e]*splendescere* [f]*resplendēre*
Mat 5 15 λάμπει πᾶσιν τοῖς ἐν τῇ οἰκίᾳ
– 16 λαμψάτω τὸ φῶς ὑμῶν ἔμπροσθεν
17 2 ἔλ..ψεν[f] τὸ πρόσωπον – ὡς ὁ ἥλιος
Luc 17 24[b] ἀστραπή Act 12 7 φῶς ἔλαμψεν[c]
2 Co 4 6 ὁ θεὸς ὁ εἰπών· ἐκ σκότους φῶς
λάμψει[e] (vl ..ψαι vg), ὃς (vg *ipse* vl
qui) ἔλαμψεν[d] ἐν ταῖς καρδίαις ἡμῶν

λαμπρός [a]*albus* [b]*candidus* [c]*praeclarus*
[d]*splendidus* [e]*splendens*
Luc 23 11 ἐσθῆτα λαμπρ.[a] Act 10 30[b] Jac 2 2[b] 3[c]
Ap 15 6 λίνον[b] 18 14 τὰ λαμπρὰ[c] ἀπώλετο
19 8 βύσσινον[e] 22 1 ποταμός[d] 16 ὁ
ἀστὴρ ὁ λαμπρὸς[d] ὁ πρωϊνός

λαμπρότης *splendor* Act 26 13 τοῦ ἡλίου

λαμπρῶς S⁰ – *splendide* Luc 16 19 εὐφραινόμ.

λανθάνειν *latēre* Mar 7 24 Luc 8 47 Act 26 26
Hb 13 2 ἔλαθόν τινες ξενίσαντες ἀγγέλους
2 Pe 3 5.8 ἐν δὲ τοῦτο μὴ λ..έτω ὑμᾶς – ὅτι

λαξευτός *excisus* Luc 23 53 ἐν μνήματι λαξ.

Λαοδίκεια et **Λαοδικεῖς** (Col 4 16)
Col 2 1 4 13.15.16 Ap 1 11 3 14

λαός *populus* [b]*plebs* [c]*turba*

1) (ὁ) λαὸς τοῦ θεοῦ, αὐτοῦ, μου, σου
Mat 1 21 Ἰησοῦν· αὐτὸς γὰρ σώσει τὸν λαὸν
αὐτοῦ ἀπὸ τῶν ἁμαρτιῶν αὐτῶν
2 6 „ποιμανεῖ τὸν λαόν μου τὸν Ἰσραήλ"
Luc 1 68 ἐποίησεν „λύτρωσιν τῷ λαῷ[b] αὐτοῦ"
– 77 δοῦναι γνῶσιν σωτηρίας τῷ λ.[b] αὐτ.
2 32 „δόξαν" λαοῦ[b] σου Ἰσραήλ"
7 16 ἐπεσκέψατο ὁ θεὸς τὸν λ.[b] αὐτοῦ
Act 7 34 „εἶδον τὴν κάκωσιν τοῦ λαοῦ μου"
18 10 λαός ἐστί μοι πολὺς ἐν τῇ πόλει
Rm 9 25 „καλέσω τὸν οὐ λ.[b] μου λαόν[b] μου"
26 „οὐ λαός[b] μου ὑμεῖς" 1 Pe 2 10 οἵ
ποτε „οὐ λαός", νῦν δὲ λαὸς θεοῦ
11 1 „μὴ ἀπώσατο ὁ θεὸς τὸν λ. αὐτοῦ;"
2 „οὐκ ἀπώσατο – τὸν λαόν[b] αὐτοῦ"
15 10 „εὐφράνθητε, –, μετὰ τοῦ λ.[b] αὐτοῦ"
2 Co 6 16 „ἔσονταί μου (vl μοι vg) λαός Hb
8 10 „ἔσονταί μοι εἰς λαόν"
Tit 2 14 ἵνα – „καθαρίσῃ ἑαυτῷ λαὸν περιού-
σιον" 1 Pe 2 9 „λ. εἰς περιποίησιν"
Hb 4 9 σαββατισμὸς τῷ λαῷ τοῦ θεοῦ
10 30 „κρινεῖ κύριος τὸν λαὸν αὐτοῦ"
11 25 συγκακουχεῖσθαι τῷ λαῷ τοῦ θεοῦ
Ap 18 4 „ἐξέλθατε ὁ λαός μου ἐξ αὐτῆς"
21 3 „λαοὶ (vl λαὸς vg) αὐτοῦ ἔσονται"

2) ὁ λαός (Jsrael, Judaei)
(delecti tantum loci ex Act)
Mat 2 4 τοὺς ἀρχιερεῖς – τοῦ λαοῦ 21 23 καὶ
οἱ πρεσβύτεροι τοῦ λαοῦ 26 3.47 27 1
Luc 19 47 οἱ πρῶτοι τοῦ λαοῦ[b] 22 66
τὸ πρεσβυτέριον τοῦ λ.[b] 23 13 τοὺς
ἄρχοντας καὶ τὸν λ.[b] – Act 4 8 ἄρ-
χοντες τοῦ λαοῦ καὶ πρεσβύτεροι
6 12 τὸν λ.[b] καὶ τοὺς πρεσβυτέρους
4 16 „ὁ λαὸς ὁ καθήμενος ἐν σκοτίᾳ
– 23 θεραπεύων πᾶσαν νόσον – ἐν τῷ λ.
13 15 „ἐπαχύνθη – ἡ καρδία τοῦ λαοῦ τού-
του" Act 28 27 idem
15 8 „ὁ λαὸς οὗτος τοῖς χείλεσίν με τι-
μᾷ" ‖ Mar 7 6
26 5 ἵνα μὴ θόρυβος γένηται ἐν τῷ λ. ‖
Mar 14 2 Luc 22 2[b] – 20 19 – Act 5 26
27 25 πᾶς ὁ λ. εἶπεν· τὸ αἷμα αὐτοῦ ἐφ᾽
– 64 μήποτε – εἴπωσιν τῷ λαῷ[b]· ἠγέρθη
Luc 1 10 τὸ πλῆθος ἦν τοῦ λ. προσευχόμενον
– 17 ἑτοιμάσαι κυρίῳ λαὸν[b] κατεσκευασμ.

Luc 1 21 ἦν ὁ λ.ᵇ προσδοκῶν τὸν Ζαχαρίαν
2 10 χαρὰν –, ἥτις ἔσται παντὶ τῷ λαῷ
3 15 προσδοκῶντος – τοῦ λ. καὶ διαλογ.
– 18 πολλὰ – εὐηγγελίζετο τὸν λ. (Joh.)
– 21 ἐν τῷ βαπτισθῆναι ἅπαντα τὸν λαόν
6 17 πλῆθος πολὺ τοῦ λ.ᵇ ἀπὸ – Ἰουδαί.
7 1 εἰς τὰς ἀκοὰς τοῦ λαοῦᵇ 29 πᾶς ὁ
λ. ἀκούσας – ἐδικαίωσαν τὸν θεόν
8 47 ἐνώπιον παντὸς τοῦ λαοῦ 20 26ᵇ
9 13 εἰς πάντα τὸν λ.ᶜ τοῦτον βρώματα
18 43 ὁ λαόςᵇ ἰδὼν ἔδωκεν αἶνον τῷ θεῷ
19 48 ὁ λαὸς – ἅπας ἐξεκρέματο αὐτοῦ
20 1 διδάσκοντος αὐτοῦ τὸν λαὸν 9 πρὸς
τὸν λ.ᵇ λέγειν τὴν παραβολήν 45 ἀ-
κούοντος – τοῦ λ. 21 38 πᾶς ὁ λ. ὤρ-
θριζεν πρὸς αὐτόν – ἀκούειν αὐτοῦ
– 6 ὁ λαόςᵇ ἅπας καταλιθάσει ἡμᾶς
21 23 ἔσται γὰρ – ὀργὴ τῷ λαῷ τούτῳ
23 5 ἀνασείει τὸν λ. 14 ἀποστρέφοντα τ. λ.
– 27 πολὺ πλῆθος τοῦ λ. καὶ γυναικῶν
– 35 καὶ εἱστήκει ὁ λαὸς θεωρῶν
24 19 ἐναντίον τοῦ θεοῦ καὶ παντὸς τοῦ λ.
Joh [8 2 πᾶς ὁ λαὸς ἤρχετο πρὸς αὐτόν]
11 50 ἵνα εἷς – ἀποθάνῃ ὑπὲρ τοῦ λ. 18 14
*Act 3 23 „ἐξολεθρευθήσεται ἐκ τοῦ λαοῦᵇ"
4 1.2 διδάσκειν αὐτοὺς τὸν λ. 10 γνωστὸν
ἔστω – παντὶ τῷ λ.ᵇ Ἰσραήλ 17.21.27
5 34 νομοδιδάσκαλος τίμιος – τῷ λαῷᵇ
10 41 οὐ παντὶ τῷ λαῷ, ἀλλὰ μάρτυσιν –,
ἡμῖν 42 παρήγγειλεν – κηρῦξαι τῷ λ.
13 15 εἴ τίς ἐστιν ἐν ὑμῖν λόγος παρακλή-
σεως πρὸς τὸν λ.ᵇ 17 ὁ θεὸς τοῦ λ.ᵇ
τούτου Ἰσρ. –, – τὸν λ.ᵇ ὕψωσεν 24.31ᵇ
19 4 τῷ λαῷ λέγων εἰς τὸν ἐρχόμενον μετ᾽
αὐτὸν ἵνα πιστεύσωσιν, – τὸν Ἰησοῦν
21 28 κατὰ τοῦ λ. καὶ τοῦ νόμου – διδάσκ.
23 5 „ἄρχοντα τοῦ λ. σου οὐκ ἐρεῖς κακῶς"
28 17 οὐδὲν ἐναντίον ποιήσας τῷ λαῷᵇ
– 26 „πορεύθητι πρὸς τὸν λαὸν τοῦτον"
Rm 10 21 „πρὸς λαὸν ἀπειθοῦντα καὶ ἀντιλ."
1 Co 10 7 „ἐκάθισεν ὁ λαὸς φαγεῖν καὶ πεῖν"
14 21 „ἐν χείλεσιν ἑτέρων λαλήσω τῷ λαῷ
τούτῳ"
Hb 2 17 ἱλάσκεσθαι τὰς ἁμαρτίας τοῦ λαοῦ
5 3 περὶ τοῦ λαοῦ – προσφέρειν 7 27 9 7
7 5 ἀποδεκατοῦν τὸν λαόν – 11 9 19
13 12 Ἰησοῦς, ἵνα ἁγιάσῃ – τὸν λαόν
2 Pe 2 1 ἐγέν. – καὶ ψευδοφρθῆται ἐν τῷ λ.
Jud 5 κύριος λαὸν ἐκ γῆς Αἰγύπτου σώσας

3) λαός, λαοί – ἔθνη, γλῶσσαι κτλ.

Luc 2 31 „κατὰ πρόσωπον πάντων τῶν λαῶν,

φῶς εἰς ἀποκάλυψιν ἐθνῶν" καὶ „δό-
ξαν" λαοῦᵇ σου „Ἰσραήλ"
Act 4 25 „ἱνατί ἐφρύαξαν ἔθνη καὶ λαοὶ ἐμε-
λέτησαν κενά;" 27 Ἡρῴδης τε καὶ –
Πιλ. σὺν „ἔθνεσιν καὶ λαοῖς" Ἰσραήλ
15 14 λαβεῖν ἐξ ἐθνῶν λαὸν τῷ ὀνόματι
26 17 „ἐξαιρούμενός σε" ἐκ τοῦ λ. καὶ „ἐκ
τῶν ἐθνῶν" 23 φῶς μέλλει καταγγέλ-
λειν τῷ τε λαῷ καὶ τοῖς ἔθνεσιν
Rm 15 10 „εὐφράνθητε, ἔθνη, μετὰ τοῦ λαοῦᵇ
αὐτοῦ 11 αἰνεῖτε, – τὰ ἔθνη, τὸν κύ-
ριον, καὶ ἐπαινεσάτωσαν – οἱ λαοί"
1 Pe 2 9 „ἔθνος ἅγιον, λαὸς εἰς περιποίησιν"
Ap 5 9 ἐκ πάσης φυλῆς καὶ γλώσσης καὶ
λαοῦ καὶ ἔθνους cfr 7 9 11 9 – 10 11
„προφητεῦσαι ἐπὶ λαοῖς καὶ ἔθν. καὶ
γλ." 13 7 14 6 εὐαγγελίσαι – ἐπὶ πᾶν
ἔθνος καὶ φυλὴν καὶ γλῶσσαν καὶ λ.
17 15 „τὰ ὕδατα" ἃ εἶδες, –, λαοὶ καὶ ὄ-
χλοι εἰσὶν καὶ ἔθνη καὶ γλῶσσαι

λάρυγξ *guttur* Rm 3 13 „τάφος ἀνεῳγμένος"

Λασαία (vl Ἄλασσα vg *Thalassa*) Act 27 8

λατομεῖν *excidere* Mat 27 60 ‖ Mar 15 46

λατρεία *obsequium* ᵇ*cultura* ᶜ*sacrificiorum officium*
Joh 16 2 ἵνα – ὁ ἀποκτείνας ὑμᾶς δόξῃ λα-
τρείαν προσφέρειν τῷ θεῷ
Rm 9 4 Ἰσραηλῖται, ὧν – ἡ λ. καὶ αἱ ἐπαγγ.
12 1 παραστῆσαι –, τὴν λογικὴν λ. ὑμῶν
Hb 9 1 εἶχε – καὶ ἡ πρώτη (sc σκηνὴ) δικαι-
ώματα λατρείαςᵇ 6 εἰσίασιν οἱ ἱερεῖς
τὰς λατρείαςᶜ ἐπιτελοῦντες

λατρεύειν *servire* ᵇ*deservire* ᶜ(ὁ λατρεύ-
ων) *cultor*
Mat 4 10 „αὐτῷ μόνῳ λατρεύσεις" ‖ Luc 4 8
Luc 1 74 ἀφόβως – λατρεύειν αὐτῷ 2 37 νηστεί-
αις καὶ δεήσεσιν λατρεύουσα
Act 7 7 „λ..σουσίν μοι ἐν τῷ" τόπῳ „τούτῳ"
– 42 λατρεύειν „τῇ στρατιᾷ τοῦ οὐραν."
24 14 οὕτως λατρεύωᵇ τῷ πατρῴῳ θεῷ
26 7 τὸ δωδεκάφυλον – ἐν ἐκτενείᾳ – λα-
τρεῦονᵇ 27 23 τοῦ θ. –, ᾧ καὶ λ..ωᵇ
Rm 1 9 ᾧ λατρεύω ἐν τῷ πνεύματί μου ἐν τῷ
εὐαγγελίῳ 25 ἐλάτρευσαν τῇ κτίσει
παρὰ τὸν κτίσαντα
Phl 3 3 οἱ πνεύματι θεοῦ (vl θεῷ vg) λ..οντες
2 Ti 1 3 ᾧ λ..ω ἀπὸ προγόνων ἐν καθαρᾷ συν.

Hb 8 5 σκιᾷ λατρεύουσιν[b] τῶν ἐπουρανίων
9 9 μὴ δυνάμεναι – τελειῶσαι τὸν λ..οντα
– 14 εἰς τὸ λατρεύειν θεῷ ζῶντι
10 2 διὰ τὸ μηδεμίαν ἔχειν ἔτι συνείδησιν
ἁμαρτιῶν τοὺς λατρεύοντας[c]
1228 λατρεύωμεν εὐαρέστως τῷ θεῷ
1310 οἱ τῇ σκηνῇ λατρεύοντες[b]
Ap 715 λ..ουσιν αὐτῷ ἡμέρας καὶ νυκτὸς ἐν
τῷ ναῷ αὐτοῦ cfr 223

λάχανον olus (vl hol.) Mat 1332 ‖ Mar 432
Luc 1142 Rm 142 ὁ δὲ ἀσθενῶν λ..α ἐσθίει

(Λεββαῖος vl Mat 103 Mar 318)

*λέγειν dicere [b]loqui – λέγεσθαι: dici [c]ap-
pellari [d]vocari [e](λ..όμενος) nomine

1) Jesus loquitur: λέγω ὑμῖν κτλ.
ἀμὴν (γὰρ) λέγω ὑμῖν
(in locis parallelis etiam sine ἀμήν,
in Luc cum ἀληθῶς et ναί)
Mat 518 ἕως ἂν παρέλθῃ 62 ἀπέχουσιν τὸν
μισθὸν αὐτῶν 5.16 810 παρ' οὐδενὶ τοσαύτην
πίστιν ‖ Luc 79 λέγω ὑ. – Mat 1015 ἀνεκτό-
τερον ἔσται ‖ Luc 1012 λ. ὑ. – Mat 1023 οὐ
μὴ τελέσητε τὰς πόλεις [τοῦ] Ἰσρ. 42 οὐ μὴ
ἀπολέσῃ τὸν μισθὸν αὐτοῦ ‖ Mar 941 – Mat
1111 οὐκ ἐγήγερται ἐν γεννητοῖς γυναικῶν ‖
Luc 728 λ. ὑ. – Mat 1317 πολλοὶ – δίκαιοι ἐπε-
θύμησαν ‖ Luc 10ε4 λ. γὰρ ὑ. – Mat 1628 εἰ-
σίν τινες τῶν ὧδε ἑστώτων ‖ Mar 91 Luc 927
λ. δὲ ὑμῖν ἀληθῶς – Mat 1720 ἐὰν ἔχητε πί-
στιν ὡς 183 ἐὰν μὴ στραφῆτε καὶ γένησθε ὡς
‖ Mar 1015 ὃς ἂν μὴ δέξηται τὴν βασ. τ. θ. ὡς
Luc 1817 – Mat 1813 χαίρει ἐπ' αὐτῷ μᾶλλον
‖ Luc 157 λ. ὑ. ὅτι οὕτως χαρὰ – ἔσται – Mat
1818 ὅσα ἐὰν δήσητε ἐπὶ τῆς γῆς 19 πάλιν [ἀ-
μὴν] λ. ὑ. ὅτι ἐὰν δύο συμφωνήσωσιν 1923 πλού-
σιος δυσκόλως εἰσελεύσεται 28 ὑμεῖς – καθήσε-
σθε – ἐπὶ δώδεκα θρόνους 2121 ἐὰν ἔχητε πί-
στιν ‖ Mar 1123 ὃς ἂν εἴπῃ τῷ ὄρει – Mat 21
31 οἱ τελῶναι – προάγουσιν ὑμᾶς 2336 ἥξει –
ἐπὶ τὴν γενεὰν ταύτην ‖ Luc 1151 ναὶ (ita) λ.
ὑ., ἐκζητηθήσεται ἀπὸ τῆς γεν. τ. – Mat 242
οὐ μὴ ἀφεθῇ ὧδε λίθος 34 οὐ μὴ παρέλθῃ ἡ
γενεά ‖ Mar 1330 Luc 2132 – Mat 2447 ἐπὶ
πᾶσιν – καταστήσει αὐτόν ‖ Luc 1244 ἀληθῶς
λ. ὑ. – Mat 2512 οὐκ οἶδα ὑμᾶς 40 ἐφ' ὅσον
ἐποιήσατε ἑνὶ τούτων 45 οὐκ ἐποιήσατε 2613
ὅπου ἐὰν κηρυχθῇ τὸ εὐαγγ. ‖ Mar 149 –
Mat 2621 εἷς ἐξ ὑμῶν παραδώσει με ‖ Mar 1418

— Mar 328 πάντα ἀφεθήσεται ‖ Mat 1231 διὰ
τοῦτο λ. ὑ., πᾶσα ἁμαρτία – Mar 812 εἰ δοθή-
σεται – σημεῖον 1029 οὐδείς ἐστιν ὃς ἀφῆκεν ‖
Luc 1829 – Mar 1243 ἡ χήρα αὕτη ἡ πτωχή
‖ Luc 213 ἀληθῶς λ. ὑ. – Mar 1425 οὐκέτι οὐ
μὴ πίω ‖ Mat 2629 λ. δὲ ὑ. — Luc 424 οὐδεὶς
προφήτης δεκτός 1237 περιζώσεται καὶ ἀνα-
κλινεῖ αὐτούς
ἀμὴν λέγω σοι
Mat 526 οὐ μὴ ἐξέλθῃς ἐκεῖθεν ‖ Luc 1259 λ.
σ. – Mat 2634 ἐν ταύτῃ τῇ νυκτί ‖ Mar 1430
Luc 2234 λ. σ., Πέτρε – 2343 σήμερον μετ' ἐ-
μοῦ ἔσῃ ἐν τῷ παραδείσῳ
ἐπ' ἀληθείας λέγω ὑμῖν
Luc 425 πολλαὶ χῆραι ἦσαν ἐν – ἡμέρ. Ἠλίου
ἀμὴν ἀμὴν λέγω ὑμῖν (σοι)
Joh 151 ὄψεσθε τὸν οὐρανὸν ἀνεῳγότα 33 λ.
σ., ἐὰν μή τις γεννηθῇ ἄνωθεν 5 ἐξ ὕδατος
καὶ πνεύματος 11 ὃ οἴδαμεν λαλοῦμεν 519 οὐ
δύναται ὁ υἱὸς ποιεῖν ἀφ' ἑαυτοῦ οὐδέν 24 ὁ
τὸν λόγον μου ἀκούων 25 ἔρχεται ὥρα 626 ζη-
τεῖτέ με – ὅτι ἐφάγετε 32 οὐ Μωϋσῆς δέδωκεν
47 ὁ πιστεύων ἔχει ζωήν 53 ἐὰν μὴ φάγητε 834
πᾶς ὁ ποιῶν τὴν ἁμαρτίαν 51 ἐάν τις τὸν ἐμὸν
λόγον τηρήσῃ 58 πρὶν Ἀβρ. γενέσθαι 101 ὁ μὴ
εἰσερχόμενος διὰ τῆς θύρας 7 ἐγώ εἰμι ἡ θύρα
1224 ἐὰν μὴ ὁ κόκκος – ἀποθάνῃ 1316 οὐκ ἔ-
στιν δοῦλος μείζων 20 ὁ λαμβάνων ἄν τινα πέμ-
ψω 21 εἷς ἐξ ὑμῶν παραδώσει με 38 οὐ μὴ ἀλέ-
κτωρ 1412 ὁ πιστεύων εἰς ἐμέ 1620 κλαύσετε
καὶ θρηνήσετε 23 ἄν τι αἰτήσητε τὸν πατέρα
2118 λέγω σοι, ὅτε ἦς νεώτερος
λέγω γὰρ ὑμῖν
Mat 3 9 δύναται ὁ θεὸς – ἐγεῖραι τέκνα ‖ Luc
38 – Mat 520 ἐὰν μὴ – ὑμῶν ἡ δικαιοσ. 1810 οἱ
ἄγγελοι αὐτῶν 2339 οὐ μή με ἴδητε ἀπ' ἄρτι
‖ Luc 1335 – 1424 οὐδεὶς – γεύσεται 2216 οὐκ-
έτι οὐ μὴ φάγω 18 οὐ μὴ πίω 37 τοῦτο τὸ γε-
γραμμένον δεῖ τελεσθῆναι ἐν ἐμοί
ἐγὼ δὲ λέγω ὑμῖν
Mat 522 πᾶς ὁ ὀργιζόμενος 28 πᾶς ὁ βλέπων
γυναῖκα 32 πᾶς ὁ ἀπολύων τὴν γυν. 34 μὴ ὀ-
μόσαι ὅλως 39 μὴ ἀντιστῆναι τῷ πονηρῷ 44 ἀ-
γαπᾶτε τοὺς ἐχθρούς ‖ Luc 627 ἀλλὰ ὑμῖν
λέγω τοῖς ἀκούουσιν· ἀγαπᾶτε τοὺς ἐχθρούς
διὰ τοῦτο λέγω ὑμῖν
Mat 625 μὴ μεριμνᾶτε ‖ Luc 1222 – Mat 12
31 πᾶσα ἁμαρτία – ἀφεθήσεται 2143 ἀρθήσεται
ἀφ' ὑμῶν ἡ βασιλεία Mar 1124 πάντα ὅσα
προσεύχεσθε καὶ αἰτεῖσθε
λέγω δὲ ὑμῖν
Mat 629 οὐδὲ Σολομών ‖ Luc 1227 – Mat 811

πολλοὶ - ἥξουσιν 12 6 τοῦ ἱεροῦ μεῖζον - ὧδε 36
πᾶν ῥῆμα ἀργόν 17 12 Ἠλίας ἤδη ἦλθεν ‖ Mar
9 13 ἀλλὰ λ. ὑ. - Mat 19 9 ὃς ἂν ἀπολύσῃ τὴν
γυναῖκα αὐτοῦ Luc 12 4 λέγω δὲ ὑμῖν τοῖς φί-
λοις μου, μὴ φοβηθῆτε ἀπὸ τῶν ἀποκτεννόν-
των τὸ σῶμα 8 πᾶς ὃς ἂν ὁμολογήσῃ ἐν ἐμοὶ
ἔμπροσθεν τῶν ἀνθρώπων
ναὶ (etiam, utique, ita) λέγω ὑμῖν
Mat 11 9 καὶ περισσότερον προφήτου ‖ Luc
7 26 - Luc 11 51 ἐκζητηθήσεται ἀπὸ τῆς γενεᾶς
ταύτης 12 5 τοῦτον φοβήθητε
πλὴν (verumtamen) λέγω ὑμῖν
Mat 11 22 Τύρῳ καὶ Σιδῶνι 24 γῆ Σοδ. ἀνεκτό-
τερον ἔσται 26 64 ἀπ' ἄρτι ὄψεσθε τὸν υἱόν
πάλιν δὲ λέγω ὑμῖν
Mat 18 19 19 24 εὐκοπώτερόν ἐστιν κάμηλον
λέγω ὑμῖν
Luc 11 8 13 24 πολλοί, λ. ὑ., ζητήσουσιν εἰσελ-
θεῖν 15 10 17 34 ἔσονται δύο ἐπὶ κλίνης μιᾶς 18
8. 14 κατέβη οὗτος δεδικαιωμένος - παρ' ἐκεῖνον
19 26 παντὶ τῷ ἔχοντι δοθήσεται 40 ἐὰν οὗτοι
σιωπήσουσιν, οἱ λίθοι κράξουσιν
κἀγὼ ὑμῖν (σοὶ) λέγω
Mat 16 18 δέ σοι λ. ὅτι σὺ εἶ Πέτρος Luc 11 9 ὑ-
μῖν -, αἰτεῖτε 16 9 ἑαυτοῖς ποιήσατε φίλους ἐκ
οὐχί, λέγω ὑμῖν, ἀλλά (non -, sed)
Luc 12 51 ἀλλ' ἢ διαμερισμόν 13 3 ἐὰν μὴ μετα-
νοῆτε, - ὁμοίως ἀπολεῖσθε 5
σοὶ λέγω
Mar 2 11 ἔγειρε ἆρον ‖ Luc 5 24 - Mar 5 41
ἔγειρε Luc 7 14 ἐγέρθητι
λέγω σοι
Mat 18 22 οὐ λ. σ. ἕως ἑπτάκις Luc 7 47 οὗ χά-
ριν λέγω σοι, ἀφέωνται αἱ ἁμαρτίαι αὐτῆς

Mat 10 27 ὃ λέγω ὑμῖν ἐν τῇ σκοτίᾳ, εἴπατε
21 27 οὐδὲ ἐγὼ λέγω ὑμῖν ἐν ποίᾳ ἐξουσίᾳ
ταῦτα ποιῶ ‖ Mar 11 33 Luc 20 8
Mar 13 37 ὃ δὲ ὑμῖν λέγω, πᾶσιν λέγω, γρηγο-
Luc 6 46 καὶ οὐ ποιεῖτε ἃ λέγω; |ρεῖτε
Joh 4 35 ἰδοὺ λέγω ὑμῖν, ἐπάρατε τοὺς ὀφθ.
5 34 ἀλλὰ ταῦτα λέγω ἵνα ὑμεῖς σωθῆτε
8 45 ἐγὼ - ὅτι τὴν ἀλήθειαν λέγω, οὐ πι-
στεύετέ μοι 46 εἰ ἀλήθ. λέγω - 16 7
τὴν ἀλήθ. λέγω ὑμῖν, συμφέρει ὑμῖν
13 18 οὐ περὶ πάντων ὑμῶν λέγω 19 ἀπ'
ἄρτι λέγω ὑμῖν πρὸ τοῦ γενέσθαι 22
ἀπορούμενοι περὶ τίνος λέγει 24 τίς
ἐστιν περὶ οὗ λέγει 33 καὶ ὑμῖν (sc
τοῖς μαθηταῖς) λέγω ἄρτι
15 15 οὐκέτι λέγω ὑμᾶς δούλους, ὅτι
16 12 ἔτι πολλὰ ἔχω ὑμῖν λέγειν, ἀλλ' οὐ

Joh 16 26 οὐ λέγω ὑμῖν ὅτι - ἐρωτήσω τὸν πατ.
Ap 2 24 ὑμῖν δὲ λέγω τοῖς λοιποῖς - ἐν Θυ.

*2) λέγει, ἔλεγεν, λέγεις κτλ., de Jesu dictum

Mat 21 45 ἔγνωσαν ὅτι περὶ αὐτῶν λέγει
26 18 ὁ διδάσκαλος λέγει· ὁ καιρός μου
ἐγγύς ἐστιν ‖ Mar 14 14 Luc 22 11
Mar 3 23 ἐν παραβολαῖς ἔλεγεν → παραβολή
Luc 11 45 ταῦτα λέγων καὶ ἡμᾶς ὑβρίζεις
20 21 ὀρθῶς λέγεις καὶ διδάσκεις
23 2 λέγοντα ἑαυτὸν χριστὸν - εἶναι
Joh 2 5 „ὅ τι ἂν λέγῃ ὑμῖν, ποιήσατε"
- 21 ἔλεγεν περὶ τοῦ ναοῦ τοῦ σώματος
- 22 ἐμνήσθησαν - ὅτι τοῦτο ἔλεγεν
4 10 τίς ἐστιν ὁ λέγων σοι· δός μοι πεῖν
5 18 πατέρα ἴδιον ἔλεγεν τὸν θεόν
6 6 τοῦτο δὲ ἔλεγεν πειράζων αὐτόν
- 42 πῶς νῦν λέγει (vl + οὗτος vg) ὅτι
ἐκ τοῦ οὐρανοῦ καταβέβηκα
- 71 ἔλεγεν δὲ τὸν Ἰούδαν - Ἰσκαριώτου
[8 5 σὺ οὖν τί λέγεις (vl + περὶ αὐτῆς)]
- 27 ὅτι τὸν πατέρα αὐτοῖς ἔλεγεν
- 33 πῶς σὺ λέγεις ὅτι ἐλεύθ. γενήσεσθε;
- 52 καὶ σὺ λέγεις· ἐάν τις τὸν λόγ. μου
12 34 πῶς λέγεις σὺ ὅτι δεῖ ὑψωθῆναι -;
16 17 τί ἐστιν - ὃ λέγει ἡμῖν· μικρὸν -; 18
- 29 καὶ παροιμίαν οὐδεμίαν λέγεις
Act 1 3 λέγων[b] τὰ περὶ τῆς βασιλείας
9 4 ἤκουσεν φωνὴν λέγουσαν → φωνή
11 16 ἐμνήσθην -, ὡς ἔλεγεν· Ἰωάννης
22 18 ἰδεῖν αὐτὸν λέγοντά μοι· σπεῦσον
Ap 1 17 21 λέγει ὁ κρατῶν τοὺς ἑπτὰ ἀστέ-
ρας 8 „ὁ πρῶτος καὶ ὁ ἔσχατος" 12 ὁ ἔ-
χων τὴν ῥομφαίαν 18 ὁ υἱὸς τοῦ θεοῦ
31 ὁ ἔχων τὰ ἑπτὰ πνεύματα 7 ὁ ἅγιος,
ὁ ἀληθινός 14 ὁ ἀμήν, „ὁ μάρτυς ὁ πι-
στός" 22 10.20 ὁ μαρτυρῶν ταῦτα

*3) λέγει, λέγων, λέγουσα κτλ., ubi
laudantur effata scripturae, Dei,
spiritus → προφήτης (προφητεία,
προφητεύειν), Δαυίδ, Ἐνώχ, Ἡσαΐας,
Μωϋσῆς, θεός, κύριος, γραφή, νόμος,
πνεῦμα, φωνή. - Hic alii eiusdem
generis loci:

Act 3 25 ὁ θεὸς -, λέγων πρὸς Ἀβρ. 13 25 Ἰω-
άννης -, ἔλεγεν Rm 9 15 Μωϋσεῖ - λέγει 25 ὡς
- ἐν τῷ Ὡσηὲ λέγει 10 6 ἡ δὲ ἐκ πίστεως δι-
καιοσύνη οὕτως λέγει· 8 ἀλλὰ τί λέγει; 21 πρὸς
δὲ τὸν Ἰσρ. λέγει 11 4 τί λέγει - ὁ χρηματισμός;
15 10 πάλιν λέγει 1 Co 9 10 ἢ δι' ἡμᾶς πάντως

λέγει; 2 Co 6 2 λέγει (vg ait) Gal 3 16 οὐ λέγει·
Eph 4 8 διὸ λέγει· 5 14 – Hb 1 6 λέγει· 7 πρὸς
– τοὺς ἀγγέλους λέγει· 2 6 πού τις λέγων· 12
3 15 ἐν τῷ λέγεσθαι· 4 7 ἐν Δαυὶδ λέγων 5 6 ἐν
ἑτέρῳ λέγει· 6 14 7 13 ἐφ᾽ ὃν γὰρ λέγεται ταῦτα
21 διὰ τοῦ λέγοντος 8 8 μεμφόμενος – λέγει· 11.
13 ἐν τ. λ..ειν „καινήν" 9 20 10 5 εἰσερχόμενος εἰς
τὸν κόσμον λέγει· 8 ἀνώτερον λέγων 12 26 13 6 ὥ-
στε θαρροῦντας ἡμᾶς λ..ειν· Jac 4 6 διὸ λέγει·

*4) delectus aliorum locorum

Mat 1 16 Ἰησοῦς ὁ λεγόμενος ᵈ χριστός 27 17.
22 Joh 4 25 Μεσσίας ἔρχεται, ὁ λεγ. χριστός 9 11
ὁ ἄνθρωπος ὁ λεγ. Ἰησοῦς – Mat 2 23 πόλιν
λεγ.ᵈ Ναζαρέθ 4 18 Σίμωνα τὸν λεγ.ᵈ Πέτρον
10 2 – 9 9 Μαθθαῖον λεγόμενονᵉ – 13 55 ἡ μή-
τηρ αὐτοῦ λέγεται Μαριάμ – 26 3 τοῦ λεγ.
Καϊαφᾶ 14 ὁ λεγ. Ἰούδας Ἰσκ. (Luc 22 47 ᵈ) 36
εἰς χωρίον λεγ. Γεθσημανί – 27 16 δέσμιον –
λεγ. Βαραββᾶν (Mar 15 7) 33 τόπον λεγ. Γολγ.
(Joh 19 17 εἰς τὸν λεγ. Κρανίου τόπον, ὃ λέγε-
ται – Γολγοθά) – Luc 22 1 ἡ ἑορτὴ – ἡ λεγ.
πάσχα – Joh 1 38 ῥαββί (ὃ λέγεται – διδάσκα-
λε) (20 16) – 4 5 πόλιν – λεγ. Συχάρ – 11 16
Θωμᾶς ὁ λεγ. Δίδυμος (20 24 21 2) 54 εἰς Ἐ-
φράιμ λεγ. πόλιν – 19 13 εἰς τόπον λεγ. Λιθό-
στρωτον — Act 3 2 θύραν – τὴν λεγ. ὡραίαν
6 9 συναγωγῆς τῆς λεγ.ᶜ Λιβερτίνων 9 36 ἡ –
λέγεται Δορκάς — Col 4 11 Ἰησοῦς ὁ λεγόμ.
Ἰοῦστος — 2 Th 2 4 „ἐπὶ πάντα" λεγόμενον
„θεόν" — Hb 9 2 ἥτις λέγεται Ἅγια 3 ἡ λε-
γομένη Ἅγια Ἁγίων — Ap 8 11 τὸ ὄνομα τοῦ
ἀστέρος λέγεται ὁ Ἄψινθος

Mat 3 9 μὴ δόξητε λέγειν ἐν ἑαυτοῖς ‖ Luc 3 8
ἄρξησθε – Mat 9 21 Luc 7 49 Ap 18 7
7 21 οὐ πᾶς ὁ λέγων μοι κύριε κύριε ‖
Luc 6 46 καὶ οὐ ποιεῖτε ἃ λέγω
8 9 λέγω τούτῳ· πορεύθητι ‖ Luc 7 8
15 5 ὑμεῖς – λέγετε· ὃς ἂν εἴπῃ τῷ πατρὶ
ἢ τῇ μητρί· δῶρον ‖ Mar 7 11 κορβᾶν
16 2 [ὀψίας γενομένης λέγετε· εὐδία] ‖
Luc 12 54 ὅτι ὄμβρος 55 καύσων
– 13 τίνα λέγουσιν οἱ ἄνθρ. εἶναι τὸν υἱὸν
τοῦ ἀνθρ.; 15 ὑμεῖς δὲ τίνα με λέγετε
εἶναι; ‖ Mar 8 27. 29 Luc 9 18. 20
17 10 τί οὖν οἱ γραμματεῖς λέγουσιν ὅτι
Ἠλίαν δεῖ ἐλθεῖν πρῶτον; ‖ Mar 9 11
22 23 λέγοντες μὴ εἶναι ἀνάστασιν ‖ Mar
12 18 – Act 23 8 → 1 Co 15 12 2 Ti 2 18
23 3 λέγουσιν γὰρ καὶ οὐ ποιοῦσιν
27 11 σὺ λέγεις. ‖ Mar 15 2 Luc 23 3 Joh 18 37

ὅτι βασιλεύς εἰμι cfr Luc 22 70 πρὸς
αὐτοὺς ἔφη· ὑμεῖς λέγετε ὅτι ἐγώ εἰμι

Mar 8 30 ἵνα μηδενὶ λέγωσιν περὶ αὐτοῦ ‖ Luc
9 21 παρήγγειλεν μηδενὶ λέγειν τοῦτο
10 18 τί με λέγεις ἀγαθόν; ‖ Luc 18 19
12 35 πῶς λέγουσιν οἱ γραμματεῖς ὅτι ὁ
χριστὸς υἱὸς Δαυίδ ἐστιν; 37 αὐτὸς
Δ. λέγει αὐτὸν κύριον ‖ Luc 20 41
14 71 οὐκ οἶδα τὸν ἄνθρωπον – ὃν λέγετε

Luc 6 42 πῶς δύνασαι λέγειν τῷ ἀδελφῷ – ;
9 7 διὰ τὸ λέγεσθαι ὑπό τινων ὅτι Ἰωάν.
– 31 οἳ – ἔλεγον τὴν ἔξοδον αὐτοῦ
– 33 μὴ εἰδὼς ὃ λέγει (sc Πέτρος)
17 6 ἐλέγετε ἂν τῇ συκαμίνῳ ταύτῃ
– 10 λέγετε ὅτι δοῦλοι ἀχρεῖοί ἐσμεν
18 6 τί ὁ κριτὴς τῆς ἀδικίας λέγει
– 34 οὐκ ἐγίνωσκον τὰ λεγόμενα cf Act
8 6 προσεῖχον – τοῖς λ. 27 11 28 24
20 37 ὡς λέγει „κύριον τὸν θεὸν Ἀβραὰμ
καὶ θεὸν Ἰσαὰκ καὶ θεὸν Ἰακώβ"
23 30 „λέγειν τοῖς ὄρεσιν· πέσατε" Ap 6 16
24 23 λέγουσαι καὶ ὀπτασίαν ἀγγέλων ἑ-
ωρακέναι, οἳ λέγουσιν αὐτὸν ζῆν
– 34 λέγοντας ὅτι ὄντως ἠγέρθη ὁ κύριος

Joh 1 22 τίς εἶ; – τί λέγεις περὶ σεαυτοῦ;
4 20 ὑμεῖς λέγετε ὅτι ἐν Ἱεροσολ. ἐστὶν ὁ
– 35 οὐχ ὑμεῖς λέγετε ὅτι – ὁ θερισμὸς – ;
6 14 ἔλεγον ὅτι οὗτός ἐστιν – ὁ προφήτης
7 26 λαλεῖ, καὶ οὐδὲν αὐτῷ λέγουσιν
8 48 οὐ καλῶς λέγομεν – ὅτι Σαμ. εἶ – ;
– 54 ὁ πατήρ μου –, ὃν ὑμεῖς λέγετε ὅτι
θεὸς ἡμῶν ἐστιν
9 17 τί σὺ λέγεις περὶ αὐτοῦ, ὅτι ἠνέῳξεν
10 36 ὃν ὁ πατὴρ ἡγίασεν – ὑμεῖς λέγετε
ὅτι βλασφημεῖς – ;
13 13 καὶ καλῶς (bene) λέγετε, εἰμὶ γάρ
18 34 ἀφ᾽ ἑαυτοῦ σὺ τοῦτο λέγεις, ἢ – ;
19 35 ἐκεῖνος οἶδεν ὅτι ἀληθῆ (vera) λέγει

Act 4 32 οὐδὲ εἷς τι – ἔλεγεν ἴδιον εἶναι
5 36 λέγων εἶναί τινα ἑαυτόν 8 9 μέγαν
10 28 μηδένα κοινὸν – λέγειν ἄνθρωπον
17 18 τί ἂν θέλοι ὁ σπερμολόγος – λέγ.;
– 21 λέγειν τι ἢ ἀκούειν τι καινότερον
19 4 τῷ λαῷ λέγων εἰς τὸν ἐρχόμενον μετ᾽
αὐτὸν ἵνα πιστεύσωσιν
21 21 λέγων μὴ περιτέμνειν (21 4)
24 14 κατὰ τὴν ὁδὸν ἣν λέγουσιν αἵρεσιν
26 22 οὐδὲν ἐκτὸς λέγων ὧν τε οἱ προφῆ-
ται ἐλάλησαν μελλόντων γίνεσθαι
28 6 ἔλεγον αὐτὸν (Paulum) εἶναι θεόν

Rm 2 22 ὁ λέγων μὴ μοιχεύειν 12 3 λέγω –,
μὴ ὑπερφρονεῖν παρ᾽ ὃ δεῖ φρονεῖν

Rm   3 5 κατὰ ἄνθρωπον λέγω Gal 3 15 – Rm
    6 19 ἀνθρώπινον λέγω διὰ τὴν ἀσθέν.
–   8 καθὼς φασίν τινες ἡμᾶς λέγειν ὅτι
    ποιήσωμεν τὰ κακὰ ἵνα ἔλθῃ
    9 1 ἀλήθειαν λέγω ἐν Χῷ 1 Ti 2 7 ἀ. λ.
    10 18 ἀλλὰ λέγω 19 11 1 λέγω οὖν 11
    11 13 ὑμῖν δὲ λέγω τοῖς ἔθνεσιν
    15 8 λέγω – Χὸν διάκονον γεγ. περιτομῆς
1 Co   1 10 ἵνα τὸ αὐτὸ (idipsum) λέγητε πάν-
    τες 12 λέγω δὲ τοῦτο, ὅτι ἕκαστος ὑ-
    μῶν λέγει· ἐγὼ μέν εἰμι Παύλου 3 4
    6 5 πρὸς ἐντροπὴν ὑμῖν λέγω 7 35 πρὸς
    τὸ ὑμῶν – σύμφορον 2 Co 6 13 ὡς τέ-
    κνοις λέγω 7 3 πρὸς κατάκρισιν οὐ λ.
    7 6 τοῦτο δὲ λέγω κατὰ συγγνώμην, οὐ
    κατ' ἐπιταγήν cfr 2 Co 8 8
–   8 λέγω δὲ τοῖς ἀγάμοις 12 τοῖς δὲ λοι-
    ποῖς λέγω ἐγώ, οὐχ ὁ κύριος
    8 5 εἴπερ εἰσὶν λεγόμενοι θεοί cfr 2 Th
    2 4 ἐπὶ πάντα λεγόμενον θεόν
    10 15 ὡς φρονίμοις λέγω[b]· κρίνατε ὑμεῖς
– 29 συνείδησιν – λέγω – τὴν τοῦ ἑτέρου
    12 3 οὐδεὶς ἐν πνεύματι θεοῦ λαλῶν (lo-
    quens) λέγει· ἀνάθεμα Ἰησοῦς
    14 16 ἐπειδὴ τί λέγεις οὐκ οἶδεν
    15 12 πῶς λέγουσιν ἐν ὑμῖν τινες ὅτι ἀνά-
    στασις νεκρῶν οὐκ ἔστιν;
– 51 μυστήριον ὑμῖν λέγω· πάντες οὐ
2 Co 11 21 κατὰ ἀτιμίαν λέγω, – · – ἐν ἀφροσύ-
    νῃ λέγω, τολμῶ κἀγώ
Gal   1 9 ὡς προειρήκαμεν, καὶ ἄρτι πάλιν λέ-
    γω 3 17 τοῦτο δὲ λέγω· 4 1 λέγω δέ 5 16
    4 21 λ..ετέ μοι, – τὸν νόμον οὐκ ἀκούετε;
    5 2 ἐγὼ Παῦλος λέγω ὑμῖν ὅτι ἐάν
Eph   2 11 οἱ λεγόμενοι ἀκροβυστία ὑπὸ τῆς λε-
    γομένης περιτομῆς ἐν σαρκί
    4 17 τοῦτο – λέγω καὶ μαρτύρομαι ἐν κυ.
    5 12 αἰσχρόν ἐστιν καὶ λέγειν
– 32 ἐγὼ δὲ λέγω εἰς Χὸν καὶ [εἰς] τὴν
    ἐκκλησίαν cfr Act 2 25 Hb 7 13
Phl   3 18 οὓς πολλάκις ἔλεγον ὑμῖν, νῦν δὲ
    καὶ κλαίων λέγω, τοὺς ἐχθρούς
    4 11 οὐχ ὅτι καθ' ὑστέρησιν λέγω
1 Th 4 15 τοῦτο – ὑμῖν λέγομεν ἐν λόγῳ κυρίου
1 Ti   1 7 μὴ νοοῦντες μήτε ἃ λέγουσιν[b]
2 Ti   2 7 νόει ὃ (vl ἃ vg) λέγω·
– 18 λέγοντες ἀνάστασιν ἤδη γεγονέναι
Tit   2 8 μηδὲν ἔχων λέγειν περὶ ἡμ. φαῦλον
Phm 19 ἵνα μὴ λέγω σοι ὅτι καὶ σεαυτόν μοι
    21 ὅτι καὶ ὑπὲρ ἃ λέγω ποιήσεις
Hb   5 11 περὶ οὗ πολὺς ἡμῖν ὁ λόγος καὶ δυσ-
    ερμήνευτος λέγειν (ad dicendum)

Hb   8 1 κεφάλαιον δὲ ἐπὶ τοῖς λεγομένοις
    11 24 ἠρνήσατο λέγεσθαι (negavit se esse)
    υἱὸς θυγατρὸς Φαραώ
    13 6 ὥστε θαρροῦντας ἡμᾶς λέγειν·
Jac   1 13 μηδεὶς πειραζόμενος λεγέτω ὅτι
    2 14 ἐὰν πίστιν λέγῃ τις ἔχειν ἔργα δέ
    4 13 ἄγε νῦν οἱ λέγοντες· σήμερον ἢ αὔ-
    ριον 15 ἀντὶ τοῦ λέγειν ὑμᾶς· ἐάν
1 Jo   2 4 ὁ λέγων ὅτι ἔγνωκα αὐτόν 6 ὁ λ. ἐν
    αὐτῷ μένειν 9 ὁ λ. ἐν τῷ φωτὶ εἶναι
    5 16 οὐ περὶ ἐκείνης λέγω ἵνα ἐρωτήσῃ
2 Jo   10 χαίρειν αὐτῷ μὴ λέγετε· 11 ὁ λέγων
Ap   2 2 τοὺς λέγοντας ἑαυτοὺς ἀποστόλους
    9 Ἰουδαίους εἶναι ἑαυτούς 3 9 – 2 20
    ἡ λέγουσα ἑαυτὴν προφῆτιν
– 24 οἵτινες οὐκ ἔγνωσαν τὰ βαθέα τοῦ
    σατανᾶ, ὡς λέγουσιν
    3 17 ὅτι λέγεις ὅτι πλούσιός εἰμι

λεγιών, ἡ et (Mar 9 15) ὁ   S° – legio
Mat 26 53 – Mar 5 9.15 ‖ Luc 8 30

λεῖμμα   reliquiae Rm 11 5 κατ' ἐκλογήν

λεῖος   planus Luc 3 5 „εἰς ὁδοὺς λείας"

λείπειν, ..εσθαι   deesse [b]deficere [c]indigēre
Luc 18 22 ἔτι ἕν σοι λείπει· – πώλησον
Tit   1 5 ἵνα τὰ λείποντα ἐπιδιορθώσῃ 3 13
Jac   1 4 ὁλόκληροι, ἐν μηδενὶ λειπόμενοι[b]
–   5 εἰ δέ τις ὑμῶν λείπεται[c] σοφίας
    2 15 λειπόμενοι[c] τῆς ἐφημέρου τροφῆς

λειτουργεῖν   ministrare
Act 13 2 λ..ούντων – τῷ κυρίῳ καὶ νηστευόντ.
Rm 15 27 ἐν τοῖς σαρκικοῖς λ..ῆσαι αὐτοῖς
Hb   10 11 ἱερεὺς – καθ' ἡμέραν λειτουργῶν

λειτουργία   ministerium [b]obsequium
        [c]officium
Luc   1 23 ἐπλήσθησαν αἱ ἡμέραι τῆς λειτουργ.[c]
2 Co 9 12 ἡ διακονία τῆς λ..ίας[c] ταύτης οὐ
Phl   2 17 ἐπὶ τῇ – λ..ίᾳ[b] τῆς πίστεως ὑμῶν
– 30 τὸ ὑμῶν ὑστέρημα τῆς πρός με λ.[b]
Hb   8 6 νῦν – διαφορωτέρας τέτυχεν λ..ίας
    9 21 τὰ σκεύη τῆς λ. τῷ αἵμ. – ἐρράντισεν

λειτουργικός   administratorius
Hb   1 14 οὐχὶ πάντες εἰσὶν λ..ικὰ πνεύματα –;

λειτουργός   minister
Rm 13 6 λ..οὶ – θεοῦ εἰσιν εἰς αὐτὸ τοῦτο

Rm 15 16 εἰς τὸ εἶναί με λ..ὸν Χοῦ – εἰς τὰ ἔ-
θνη, ἱερουργοῦντα τὸ εὐαγγέλιον
Phl 2 25 Ἐπαφρ..ον –, – λ..ὸν τῆς χρείας μου
Hb 1 7 „ὁ ποιῶν – τοὺς λειτουργοὺς αὐτοῦ
πυρὸς φλόγα"
8 2 τῶν ἁγίων λ..ὸς καὶ τῆς σκηνῆς

λεμά S⁰ – lamma (vl lema) Mat 27 46

λέντιον S⁰ – linteum Joh 13 4.5

λεπίς squama Act 9 18 ὡς λεπίδες

λέπρα lepra Mat 8 3 ‖ Mar 1 42 Luc 5 12.13

λεπρός leprosus Mat 8 2 ‖ Mar 1 40
Mat 10 8 λεπροὺς καθαρίζετε, δαιμόνια ἐκβ.
11 5 λεπροὶ καθαρίζονται ‖ Luc 7 22
26 6 Σίμωνος τοῦ λεπροῦ ‖ Mar 14 3
Luc 4 27 πολλοὶ λεπροὶ ἦσαν ἐν τῷ Ἰσραήλ
17 12 ἀπήντησαν δέκα λεπροὶ ἄνδρες

λεπτόν S⁰ – minutum ᵇaes minutum
Mar 12 42 χήρα ἔβαλεν λεπτὰ δύο ‖ Luc 21 2ᵇ
Luc 12 59 ἕως καὶ τὸ ἔσχατον λεπτὸν ἀποδῷς

Λευίς Jacobi filius Hb 7 5.9 Ap 7 7 φυλὴ
Λευί – duo maiores Jesu Luc 3 24.
29 – publicanus Mar 2 14 ‖ Luc 5 27.29

Λευίτης Luc 10 32 Joh 1 19 Act 4 36

Λευιτικός Hb 7 11 διὰ τῆς Λ. ἱερωσύνης

λευκαίνειν ᵃdealbare ᵇcandidum facere
Mar 9 3ᵇ Ap 7 14ᵃ τὰς στολάς

λευκός albus ᵇcandidus
Mat 5 36 μίαν τρίχα λευκὴν ποιῆσαι ἢ μέλαιν.
17 2 τὰ δὲ ἱμάτια αὐτοῦ – λευκὰ ὡς τὸ
φῶς ‖ Mar 9 3 στίλβοντα λ.ᵇ λίαν Luc
9 29 – Mat 28 3 (vg⁰) ‖ Mar 16 5ᵇ
Joh 20 12 ἐν λευκοῖς – Act 1 10
Joh 4 35 ὅτι λευκαί εἰσιν πρὸς θερισμόν
Ap 1 14 „αἱ τρίχες λευκαίᵇ ὡς ἔριον" λ..όν
2 17 τῷ νικῶντι δώσω – ψῆφον λευκήνᵇ
3 4 περιπατήσουσιν μετ' ἐμοῦ ἐν λευκοῖς
5 ὁ νικῶν – περιβαλεῖται ἐν ἱματίοις
λευκοῖς 18 ἱμάτια λευκὰ ἵνα περιβάλῃ
4 4 6 11 ἐδόθη – ἑκάστῳ στολὴ λευκή
7 9.13 19 14 ἐνδεδυμένοι βύσσινον λευ-
κὸν καθαρόν [λευκοῖς
6 2 ἰδοὺ „ἵππος λ." 19 11.14 ἐφ' ἵπποις

Ap 14 14 εἶδον, καὶ ἰδοὺ νεφέλη λευκήᵇ
20 11 „εἶδον θρόνον" μέγαν λευκόνᵇ

λέων leo
2 Ti 4 17 ἐρρύσθην „ἐκ στόματος λέοντος"
Hb 11 33 ἔφραξαν στόματα λεόντων
1 Pe 5 8 διάβολος „ὡς λέων ὠρυόμενος"
Ap 4 7 τὸ ζῷον τὸ πρῶτον ὅμοιον λέοντι
5 5 ἐνίκησεν ὁ „λέων – Ἰούδα"
9 8 „οἱ ὀδόντες αὐτῶν ὡς λεόντων" 17
ὡς κεφαλαὶ λ. 13 2 ὡς στόμα λ..ος
10 3 ἔκραξεν – ὥσπερ λέων μυκᾶται

λήθη oblivio 2 Pe 1 9 λήθην λαβὼν τοῦ
καθαρισμοῦ τῶν πάλαι – ἁμαρτιῶν

λῆμψις acceptum Phl 4 15 ἐκοινώνησεν (sc
μοὶ) εἰς λόγον δόσεως καὶ λήμψεως

ληνός lacus ᵇtorcular
Mar 21 33 „ὤρυξεν ἐν αὐτῷ ληνόνᵇ"
Ap 14 19 ἔβαλεν εἰς τὴν ληνὸν τοῦ θυμοῦ τοῦ
θεοῦ τὸν μέγαν (vl τὴν μεγάλην) 20 „ἐ-
πατήθη ἡ ληνὸς" ἔξωθεν τῆς πόλεως, καὶ
ἐξῆλθεν αἷμα ἐκ τῆς ληνοῦ 19 15 „πατεῖ
τὴν ληνὸνᵇ" τοῦ οἴνου τοῦ θυμοῦ

λῆρος deliramentum Luc 24 11 ὡσεὶ λῆρος

ληστής latro
Mat 21 13 „σπήλαιον λ..ῶν" ‖ Mar 11 17 Luc 19 46
26 55 ὡς ἐπὶ λῃστὴν ‖ Mar 14 48 Luc 22 52
27 38 σὺν αὐτῷ δύο λ..αί 44 οἱ λ. – ὠνείδι-
ζον αὐτόν ‖ Mar 15 27 δύο λῃστάς
Luc 10 30 λῃσταῖς περιέπεσεν 36 εἰς τοὺς λ..άς
Joh 10 1 κλέπτης ἐστὶν καὶ λ. 8 ὅσοι ἦλθον
πρὸ ἐμοῦ κλέπται εἰσὶν καὶ λῃσταί
18 40 ἦν δὲ ὁ Βαραββᾶς λῃστής
2 Co 11 26 κινδύνοις λῃστῶν

λίαν valde ᵇnimis ᶜplus ᵈvehementer
Mat 2 16 ἐθυμώθη λίαν 27 14 θαυμάζειν λ.ᵈ
Mar 6 51ᶜ ἐξίσταντο Luc 23 8 ἐχάρη 2 Ti
4 15 λίαν – ἀντέστη τοῖς ἡμετέροις λόγοις
2 Jo 4 ἐχάρην 3 Jo 3 – Mat 4 8 ὄρος ὑψη-
λὸν λ. 8 28 χαλεποὶ λ.ᵇ Mar 9 3 λευκὰ λ.ᵇ
1 35 πρωῒ ἔννυχα λίαν 16 2 λίαν πρωῒ

λίβανος thus Mat 2 11 Ap 18 13

λιβανωτός thuribulum Ap 8 3.5

Λιβερτῖνοι Act 6 9 συναγωγῆς – Λιβερτίνων

Λιβύη ἡ κατὰ Κυρήνην Act 2 10

λιθάζειν *lapidare*
Joh [8 5 ἐνετείλατο τὰς τοιαύτας λιθάζειν]
10 31 ἵνα λιθάσωσιν αὐτόν 32. 33 11 8
Act 5 26 – 14 19 λιθάσαντες τὸν Παῦλον
2 Co 11 25 ἅπαξ ἐλιθάσθην, τρὶς ἐναυάγησα
Hb 11 37 ἐλιθάσθησαν, ἐπειράσθησαν

λίθινος *lapideus* Joh 2 6 λίθιναι ὑδρίαι
2 Co 3 3 οὐκ ἐν „πλαξὶν λ." Ap 9 20 εἴδωλα

λιθοβολεῖν *lapidare* Mat 21 35 ὃν δὲ ἐλ..η-
σαν 23 37 Ἰερουσαλ., ἡ λ..οῦσα τοὺς ἀπ-
εσταλμένους πρὸς αὐτήν ‖ Luc 13 34
Act 7 58. 59 (Stephanum) 14 5 – Hb 12 20

λίθος *lapis* b*saxum*
Mat 3 9 δύναται – ἐκ τῶν λίθων τούτων ἐγεῖ-
ραι τέκνα τῷ Ἀβραάμ ‖ Luc 3 8
4 3 ἵνα οἱ λ. οὗτοι ἄρτοι γέν. ‖ Luc 4 3
– 6 „μήποτε προσκόψῃς πρὸς λίθον τὸν
πόδα σου" ‖ Luc 4 11
7 9 μὴ λίθον ἐπιδώσει – ; (Luc 11 11 vl)
21 42 „λίθον ὃν ἀπεδοκίμασαν – , – ἐγενή-
θη εἰς κεφαλὴν γωνίας" [44 ὁ πεσὼν
ἐπὶ τὸν λ. τοῦτον – · ἐφ' ὃν δ' ἂν πέ-
σῃ –] ‖ Mar 12 10 Luc 20 17. 18 – Act
4 11 οὗτός ἐστιν „ὁ λ. ὁ ἐξουθενη-
θεὶς" ὑφ' ὑμῶν „τῶν οἰκοδόμων, ὁ
γενόμενος εἰς κεφαλὴν γωνίας"
24 2 οὐ μὴ ἀφεθῇ – λίθος ἐπὶ λίθον ‖ Mar
13 1 ἴδε ποταποὶ λίθοι 2 Luc 19 44
21 5 λίθοις καλοῖς κεκόσμηται 6
27 60 προσκυλίσας λίθον b μέγαν 66 σφρα-
γίσαντες τὸν λίθον ‖ Mar 15 46
28 2 ἄγγελος – ἀπεκύλισεν τὸν λ. Mar 16 3
τίς ἀποκυλίσει ἡμῖν τὸν λ. – ; 4 ὅτι
ἀνακεκύλισται ὁ λ. ‖ Luc 24 2 Joh
20 1 βλέπει τὸν λίθον ἠρμένον
Mar 5 5 ἦν – κατακόπτων ἑαυτὸν λίθοις
Luc 17 2 εἰ λ. μυλικὸς περίκειται περὶ τὸν τρά-
χηλον – Ap 18 21 λίθον ὡς μύλινον
19 40 οἱ λίθοι κράξουσιν   [βολὴν
22 41 ἀπεσπάσθη ἀπ' αὐτῶν ὡσεὶ λίθου
Joh 8 [7 πρῶτος ἐπ' αὐτὴν βαλέτω λίθον]
– 59 ἦραν – λίθους ἵνα βάλωσιν ἐπ' αὐ-
τόν 10 31 ἐβάστασαν πάλιν λίθους
11 38 λίθος ἐπέκειτο 39. 41 ἦραν τὸν λίθον
Act 17 29 ἢ λίθῳ – τὸ θεῖον εἶναι ὅμοιον
Rm 9 32 προσέκοψαν „τῷ λ. τοῦ προσκόμμα-
τος" 33 τίθημι – „λίθον πρ..ος"

1 Co 3 12 εἰ δέ τις ἐποικοδομεῖ – λίθους τιμίους
2 Co 3 7 ἐν γράμμασιν ἐντετυπωμένη λίθοις
1 Pe 2 4 πρὸς ὃν προσερχόμενοι, λίθον ζῶν-
τα, – 5 αὐτοὶ ὡς λίθοι ζῶντες οἰκο-
δομεῖσθε 6 τίθημι – „λίθον ἐκλεκτὸν
ἀκρογωνιαῖον ἔντιμον 7 ἀπιστοῦσιν
δὲ „λίθος ὃν ἀπεδοκίμασαν – , – ἐγε-
νήθη – 8 λίθος προσκόμματος"
Ap 4 3 ὅμοιος – λίθῳ ἰάσπιδι 17 4 κεχρυσω-
μένη – λίθῳ τιμίῳ 18 12. 16 21 11 τιμιω-
τάτῳ, ὡς λίθῳ ἰάσπιδι 19 – (vl 15 6
„ἐνδεδυμένοι λίθον" (vg vl) καθαρόν)

Λιθόστρωτον *lithostrotos* (..*us*) Joh 19 13

λικμᾶν S° – a*conterere* b*comminuere*
[Mat 21 44 ἐφ' ὃν δ' ἂν πέσῃ, λικμήσει a αὐτόν]
‖ Luc 20 18 b

λιμήν *portus* Act 27 8 Καλοὶ λιμένες 12

λίμνη *stagnum* Luc 5 1 Γεννησ. 2 8 22. 23. 33
Ap 19 20 εἰς τὴν λ. τοῦ πυρός 20 10. 14. 15 21 8

λιμός, ὁ et ἡ *fames*
Mat 24 7 ἔσονται λιμοὶ καὶ σεισμοί ‖ Mar 13 8
Luc 21 11 λοιμοὶ καὶ λιμοί
Luc 4 25 ὡς ἐγένετο λ. μέγας Act 11 28 ἐσή-
μαινεν – λιμὸν μεγάλην – ἔσεσθαι
15 14 λ. ἰσχυρά 17 ἐγὼ – λιμῷ – ἀπόλλυμαι
Act 7 11 „λιμὸς ἐφ' ὅλην τὴν Αἴγ. καὶ Χαν."
Rm 8 35 ἢ διωγμὸς ἢ λιμὸς ἢ γυμνότης – ;
2 Co 11 27 ἐν λιμῷ καὶ δίψει, ἐν νηστείαις
Ap 6 8 „ἀποκτεῖναι – ἐν λιμῷ καὶ ἐν θανάτῳ"
18 8 θάνατος καὶ πένθος καὶ λιμός

λίνον *linum* Mat 12 20 „λίνον τυφόμενον"
Ap 15 6 „ἐνδεδυμένοι λ." (vl λίθον) – καθαρόν

Λίνος 2 Ti 4 21 ἀσπάζεταί σε – Λίνος

λιπαρός *pinguis* Ap 18 14 τὰ λ. – ἀπώλετο

λίτρα S° – *libra* Joh 12 3 μύρου 19 39

λίψ *Africus* Act 27 12 βλέποντα κατὰ λίβα

λογεία S° – *collecta* 1 Co 16 1 εἰς τοὺς ἁγ. 2

λογίζεσθαι *reputare* b*accepto ferre* c*ae-
stimare* d*arbitrari* e*cogitare* f*de-
putare* g*existimare* h*imputare*
Luc 22 37 „καὶ μετὰ ἀνόμων ἐλογίσθη f" (‖ vl
Mar 15 28 vg *reputatus est*)

Joh 11 50 οὐδὲ λογίζεσθε e ὅτι συμφέρει ὑμῖν
Act 19 27 τὸ – ἱερὸν εἰς οὐθὲν λογισθῆναι
Rm 2 3 λογίζῃ g – τοῦτο, – ὅτι σὺ ἐκφεύξῃ –;
  – 26 οὐχ ἡ ἀκροβυστία αὐτοῦ εἰς περιτο-
    μὴν λογισθήσεται;
  3 28 λ..όμεθα d – δικαιοῦσθαι πίστει ἄνθρ.
  4 3 „ἐλογίσθη αὐτῷ εἰς δικαιοσύνην" 9
    „ἡ πίστις" 22. 23 Gal 3 6 Jac 2 23
  – 4 τῷ – ἐργαζομένῳ ὁ μισθὸς οὐ λ..εται h
    κατὰ χάριν 5 πιστεύοντι δὲ –, λ..εται
    ἡ πίστις αὐτοῦ εἰς δικαιοσύνην
  – 6 ᾧ ὁ θεὸς λ..εται b δικαιοσύνην χωρὶς
    ἔργων 8 „ἀνὴρ οὗ (vl ᾧ) οὐ μὴ λο-
    γίσηται h κύριος ἁμαρτίαν"
  – 10 πῶς οὖν ἐλογίσθη; (sc τῷ 'Αβρ.)
  – 11 εἰς τὸ λογισθῆναι (vl + καὶ vg) αὐ-
    τοῖς [τὴν] δικαιοσύνην
  – 24 καὶ δι' ἡμᾶς, οἷς μέλλει λογίζεσθαι
  6 11 λ..εσθε g ἑαυτοὺς εἶναι νεκροὺς μέν
  8 18 λ..ομαι g – ὅτι οὐκ ἄξια τὰ παθήμα.
  – 36 „ἐλογίσθημεν c ὡς πρόβατα σφαγῆς"
  9 8 τὰ τέκνα τῆς ἐπαγγελίας λογίζεται c
    εἰς σπέρμα
  14 14 εἰ μὴ τῷ λογιζομένῳ g τι κοινὸν εἶ-
    ναι, ἐκείνῳ κοινόν
1 Co 4 1 οὕτως ἡμᾶς λ..έσθω g ἄνθρωπος ὡς
    ὑπηρέτας Χοῦ καὶ οἰκονόμους
  13 5 ἡ ἀγάπη – „οὐ λ..εται e τὸ κακόν"
  – 11 ἐλογιζόμην e ὡς νήπιος
2 Co 3 5 οὐχ ὅτι ἀφ' ἑαυτῶν ἱκανοί ἐσμεν λο-
    γίσασθαί e τι ὡς ἐξ ἑαυτῶν, ἀλλ' ἡ
    ἱκανότης ἡμῶν ἐκ τοῦ θεοῦ
  5 19 μὴ λ..όμενος αὐτοῖς τὰ παραπτώμα.
  10 2 τῇ πεποιθήσει ᾗ λ..ομαι g (existimor)
    τολμῆσαι ἐπί τινας τοὺς λ..ομένους d
    ἡμᾶς ὡς κατὰ σάρκα περιπατοῦντας
  – 7 τοῦτο λογιζέσθω e πάλιν ἐφ' ἑαυτοῦ,
    ὅτι – καὶ ἡμεῖς (sc Χοῦ ἐσμεν)
  – 11 τοῦτο λογιζέσθω e ὁ τοιοῦτος, ὅτι
  11 5 λογίζομαι g γὰρ μηδὲν ὑστερηκέναι
  12 6 μή τις εἰς ἐμὲ λογίσηται g ὑπὲρ ὅ
Phl 3 13 ἐγὼ ἐμαυτὸν οὔπω (vl οὐ vg) λογί-
    ζομαι d κατειληφέναι· ἓν δέ, τὰ μέν
  4 8 ὅσα ἐστὶν ἀληθῆ, –, ταῦτα λογίζεσθε e
2 Ti 4 16 μὴ αὐτοῖς λογισθείη h (vl a)
Hb 11 19 λογισάμενος d ὅτι καὶ ἐκ νεκρῶν ἐ-
    γείρειν δυνατὸς ὁ θεός
1 Pe 5 12 τοῦ πιστοῦ ἀδελφοῦ, ὡς λογίζομαι d

λογικός S o – rationabilis
Rm 12 1 τὴν λογικὴν λατρείαν ὑμῶν
1 Pe 2 2 τὸ λ..ὸν ἄδολον γάλα ἐπιποθήσατε

λόγια, τά sermones b eloquia c verba
Act 7 38 ὃς ἐδέξατο λ. c ζῶντα δοῦναι ὑμιν
  Rm 3 2 ἐπιστεύθησαν τὰ λ. b τοῦ θεοῦ
Hb 5 12 τὰ στοιχεῖα τῆς ἀρχῆς τῶν λ. τοῦ θ.
1 Pe 4 11 εἴ τις λαλεῖ, ὡς λόγια θεοῦ· εἴ τις

λόγιος S o – eloquens Act 18 24 'Απ. – ἀνὴρ λ.

λογισμός a cogitatio b consilium
Rm 2 15 τῶν λογισμῶν a κατηγορούντων ἢ καί
2 Co 10 4 λ..οὺς b καθαιροῦντες καὶ πᾶν ὕψω.

λογομαχεῖν S o – contendere verbis 2 Ti 2 14

λογομαχία S o – pugna verborum 1 Ti 6 4

λόγος ad 1) et 2) verbum b sermo
  1) verbum Dei substantiale
Joh 1 1 ἐν ἀρχῇ ἦν ὁ λόγ., καὶ ὁ λόγος ἦν
    πρὸς τὸν θεόν, καὶ θεὸς ἦν ὁ λόγος
  – 14 ὁ λόγος σὰρξ ἐγένετο καὶ ἐσκήνωσεν
1 Jo 1 1 ὃ ἐθεασάμεθα –, περὶ τοῦ λόγου τῆς
    ζωῆς, – ἀπαγγέλλομεν καὶ ὑμῖν
Ap 19 13 κέκληται τὸ ὄνομα αὐτοῦ ὁ λόγος
    τοῦ θεοῦ

  2) verbum Dei et Christi (ὁ λόγος, ὁ λ.
    τοῦ θεοῦ, τοῦ κυρίου, Χοῦ, ὁ ἐμός, τῆς
    ἀληθείας, σωτηρίας, χάριτος, τοῦ εὐαγ-
    γελίου, τῆς βασιλείας, τοῦ σταυροῦ, ὁ
    ἐν τῷ νόμῳ κτλ.)
Mat 7 24 ὅστις ἀκούει μου τοὺς λόγους τού-
    τους καὶ ποιεῖ 26 ὁ ἀκούων – καὶ μὴ
    ποιῶν ‖ Luc 6 47 b
  – 28 ὅτε ἐτέλεσεν – τοὺς λόγ. 19 1 b 26 1 b
  13 19 παντὸς ἀκούοντος τὸν λ. τῆς βασι-
    λείας καὶ μὴ συνιέντος 20 ὁ τὸν λόγ.
    ἀκούων καὶ εὐθὺς – λαμβάνων 21 διωγ-
    μοῦ διὰ τὸν λ. 22 ὁ τὸν λ. ἀκούων,
    – συμπνίγει τὸν λ. καὶ ἄκαρπος γίνε-
    ται 23 ὁ τὸν λ. ἀκ. καὶ συνιείς ‖ Mar
    4 14 τὸν λ. σπείρει 15 ὅπου σπείρεται
    ὁ λ., καί – ὁ σατ. – αἴρει τὸν λ. 16.17.
    18.19 συμπνίγουσιν τὸν λ. 20 ἀκούου-
    σιν τὸν λ. καὶ παραδέχονται Luc 8 11
    ὁ σπόρος ἐστὶν ὁ λ. τοῦ θεοῦ 12 αἴ-
    ρει τὸν λόγον 13 δέχονται τὸν λόγον
    15 ἐν καρδίᾳ – ἀγαθῇ ἀκούσαντες τὸν
    λόγον κατέχουσιν
  15 6 ἠκυρώσατε τὸν λ. (vl νόμον et ἐντο-
    λὴν vg mandatum) τ. θεοῦ ‖ Mar 7 13

Mat 15 12 ἀκούσαντες τὸν λ. ἐσκανδαλίσθησαν
19 11 οὐ πάντες χωροῦσιν τὸν λ. τοῦτον
– 22 ἀκούσας ὁ νεανίσκος τὸν λ. ‖ Mar
10 22 στυγνάσας ἐπὶ τῷ λ. ἀπῆλθεν
24 35 οἱ δὲ λόγ. μου οὐ μὴ παρέλθωσιν ‖
Mar 13 31 οὐ παρελεύσονται Luc 21 33
26 44 τὸν αὐτὸν λόγ.ᵇ εἰπών ‖ Mar 14 39ᵇ
Mar 2 2 ἐλάλει αὐτοῖς τὸν λόγον 8 32 παρρη-
σίᾳ 4 33 παραβολαῖς πολλαῖς
8 38 ὃς – ἐὰν ἐπαισχυνθῇ με καὶ τοὺς ἐ-
μοὺς λ. ‖ Luc 9 26ᵇ (vl om λόγους)
9 10 τὸν λόγον ἐκράτησαν πρὸς ἑαυτούς
10 24 ἐθαμβοῦντο ἐπὶ τοῖς λόγοις αὐτοῦ
[16 20 τοῦ κυρίου – τὸν λόγ.ᵇ βεβαιοῦντος]
Luc 1 2 οἱ – ὑπηρέται γενόμενοι τοῦ λόγουᵇ
4 22 ἐθαύμαζον ἐπὶ τοῖς λ. τῆς χάριτος
– 32 ἐν ἐξουσίᾳ ἦν ὁ λόγοςᵇ αὐτοῦ 36
5 1 ἐν τῷ – ἀκούειν τὸν λόγον τοῦ θεοῦ
8 21 οἱ τὸν λόγον τοῦ θεοῦ ἀκούοντες
καὶ ποιοῦντες 11 28 καὶ φυλάσσοντες
9 44 θέσθε – εἰς τὰ ὦτα – τοὺς λ.ᵇ τούτους
10 39 Μαριάμ, ἣ – ἤκουεν τὸν λόγ. αὐτοῦ
22 61 ὑπεμνήσθη ὁ Πέτρ. τοῦ λ. τοῦ κυρίου
24 19 προφήτης δυνατὸς ἐν ἔργῳ καὶ λ.ᵇ
– 44 οἱ λόγ. μου οὓς ἐλάλησα πρὸς ὑμᾶς
Joh 2 22 ἐπίστευσαν – τῷ λόγῳᵇ ὃν εἶπεν ὁ
Ἰησοῦς 4 41 πλείους ἐπίστευσαν διὰ
τὸν λόγονᵇ αὐτοῦ 50 ἐπίστευσεν –
τῷ λόγῳᵇ – 15 20 μνημονεύετε τοῦ
λόγουᵇ οὗ ἐγὼ εἶπον ὑμῖν 18 9 ἵνα
πληρωθῇ ὁ λόγοςᵇ ὃν εἶπεν 32 ἵνα
ὁ λόγοςᵇ τοῦ Ἰησοῦ πληρωθῇ
5 24 ὁ τὸν λόγον μου ἀκούων cfr 8 43ᵇ
– 38 τὸν λ. αὐτοῦ οὐκ ἔχετε ἐν ὑμῖν μέ-
6 60 σκληρός ἐστιν ὁ λ.ᵇ οὗτος |νοντα
7 36 τίς ἐστιν ὁ λόγ.ᵇ οὗτος ὃν εἶπεν· –;
– 40 ἀκούσαντες τῶν λ.ᵇ τούτων ἔλεγον
8 31 ἐὰν – μείνητε ἐν τῷ λόγῳᵇ τῷ ἐμῷ
– 37 ὁ λόγοςᵇ ὁ ἐμὸς οὐ χωρεῖ ἐν ὑμῖν
– 43 διὰ τί τὴν λαλιὰν (loquelam) τὴν ἐ-
μὴν οὐ γινώσκετε; ὅτι οὐ δύνασθε
ἀκούειν τὸν λόγονᵇ τὸν ἐμόν
– 51 ἐάν τις τὸν ἐμὸν λ.ᵇ τηρήσῃ 52ᵇ 55
τὸν λ.ᵇ αὐτοῦ τηρῶ 14 23 τὸν λ.ᵇ μου
τηρήσει 24 τοὺς λόγ.ᵇ μου οὐ τηρεῖ
15 20 εἰ τὸν λ.ᵇ μου ἐτήρησαν 17 6 τὸν
λόγονᵇ σου τετήρηκαν → 1 Jo 2 5
10 19 σχίσμα – ἐγέν. – διὰ τοὺς λ.ᵇ τούτους
– 35 πρὸς οὓς ὁ λόγ.ᵇ τοῦ θεοῦ ἐγένετο
12 48 ὁ λόγοςᵇ ὃν ἐλάλησα, – κρινεῖ αὐτόν
14 24 ὁ λόγ.ᵇ ὃν ἀκούετε οὐκ ἔστιν ἐμός
15 3 καθαροὶ – διὰ τὸν λ.ᵇ ὃν λελάληκα

Joh 15 25 ἵνα πληρωθῇ ὁ λόγοςᵇ ὁ ἐν τῷ νό-
μῳ αὐτῶν γεγραμμένος
17 14 ἐγὼ δέδωκα αὐτοῖς τὸν λόγονᵇ σου
– 17 ὁ λόγοςᵇ ὁ σὸς ἀλήθειά ἐστιν
Act 4 4 πολλοὶ – τῶν ἀκουσάντων τὸν λόγον
ἐπίστευσαν 10 44 ἐπέπεσεν τὸ πνεῦ-
μα – ἐπὶ πάντας τ. ἀκούοντας τὸν λ.
– 29 δὸς – μετὰ παρρησίας – λαλεῖν τὸν
λ. σου 31 ἐλάλουν τὸν λ. τοῦ θεοῦ
μετὰ παρρησ. 8 25 τὸν λ. τοῦ κυρίου
11 19 μηδενὶ λαλοῦντες τὸν λ. εἰ μὴ –
Ἰουδαίοις 13 46 λαληθῆναι τὸν λ. τοῦ
θ. 14 25 λαλήσαντες εἰς τὴν Πέργην
τὸν λ. 16 6 κωλυθέντες – λαλῆσαι τὸν
λόγον ἐν τῇ Ἀσίᾳ 32 ἐλάλησαν αὐ-
τῷ τὸν λόγον τοῦ θεοῦ (vl κυρίου)
6 2 καταλείψαντας τὸν λόγον τοῦ θεοῦ
– 4 τῇ διακονίᾳ τοῦ λ. προσκαρτερήσομ.
– 7 ὁ λ. τοῦ θεοῦ ηὔξανεν 12 24 κυρίου
ηὔξανεν καὶ ἐπληθύνετο 19 20 κατὰ
κράτος – ηὔξανεν καὶ ἴσχυεν
8 4 εὐαγγελιζόμενοι τὸν λ. 15 35 τοῦ κυ.
– 14 δέδεκται ἡ Σαμάρεια τὸν λ. τοῦ θεοῦ
11 1 τὰ ἔθνη ἐδέξαντο 17 11 τὸν λόγ.
10 36 „τὸν λ. – ἀπέστειλεν" τ. υἱοῖς „Ἰσρ."
13 5 κατήγγελλον τὸν λόγ. τοῦ θεοῦ 15 36
τοῦ κυρίου 17 13 τοῦ θεοῦ
– 7 ἐπεζήτησεν ἀκοῦσαι τὸν λ. τοῦ θεοῦ
44 ἡ πόλις συνήχθη ἀκοῦσαι 15 7 ἀ-
κοῦσαι τὰ ἔθνη τὸν λ. τοῦ εὐαγγελ.
19 10 τοῦ κυρίου, Ἰουδ. τε καὶ Ἕλλ.
– 26 ἡμῖν (vl ὑμῖν vg) „ὁ λόγος" τῆς σω-
τηρίας ταύτης „ἐξαπεστάλη"
– 48 ἐδόξαζον τὸν λ. τοῦ κυρ. (vl θεοῦ)
– 49 διεφέρετο – ὁ λ. τοῦ κυρίου δι' ὅλης
14 3 ἐπὶ τ. κυρίῳ τ. μαρτυροῦντι ἐπὶ (vlᵒ
vg) τῷ λ. τῆς χάριτος αὐτοῦ 20 32
παρατίθεμαι ὑμᾶς τῷ κυρίῳ (vl θε-
ῷ) καὶ τῷ λόγῳ τῆς χάριτος αὐτοῦ
18 5 συνείχετο τῷ λόγῳ ὁ Παῦλος
– 11 διδάσκων ἐν αὐτοῖς τὸν λ. τοῦ θεοῦ
20 35 μνημονεύειν – τῶν λ. τοῦ κυρ. Ἰησοῦ
Rm 3 4 „ὅπως ἂν δικαιωθῇς ἐν τοῖς λ.ᵇ σου"
9 6 οὐχ οἷον – ὅτι ἐκπέπτωκεν ὁ λ. τοῦ
– 9 ἐπαγγελίας γὰρ ὁ λ. οὗτος |θεοῦ
– 28 „λόγον γὰρ συντελῶν καὶ συντέμνων
ποιήσει κύριος ἐπὶ τῆς γῆς"
13 9 ἐν τῷ λόγῳ τούτῳ ἀνακεφαλαιοῦται
Gal 5 14 ἐν ἑνὶ λόγῳᵇ πεπλήρωται
1 Co 1 18 ὁ λόγος – τοῦ σταυροῦ – μωρία ἐστίν
14 36 ἀφ' ὑμῶν ὁ λ. τοῦ θεοῦ ἐξῆλθεν –;
15 54 τότε γενήσεται ὁ λ.ᵇ ὁ γεγραμμένος

2 Co 2 17 καπηλεύοντες τὸν λόγον τοῦ θεοῦ
      4 2 μηδὲ δολοῦντες τὸν λόγον τοῦ θεοῦ
      5 19 θέμενος ἐν ἡμῖν τὸν λόγον τῆς κατ-
      αλλαγῆς
      6 7 ἐν λόγῳ ἀληθείας, ἐν δυνάμει θεοῦ
Gal 6 6 ὁ κατηχούμενος τὸν λόγον
Eph 1 13 ἀκούσαντες τὸν λόγον τῆς ἀληθείας
Phl 1 14 περισσοτέρως τολμᾶν ἀφόβως τὸν
      λόγον τοῦ θεοῦ (vl κυρίου) λαλεῖν
      2 16 λόγον ζωῆς ἐπέχοντες (continentes)
Col 1 5 ἐν τῷ λ. τῆς ἀληθείας τοῦ εὐαγγελ.
   – 25 πληρῶσαι τὸν λόγον τοῦ θεοῦ
     3 16 ὁ λόγος τοῦ Χοῦ ἐνοικείτω ἐν ὑμῖν
     4 3 ἵνα – ἀνοίξῃ ἡμῖν θύραν τοῦ λόγου[b]
1 Th 1 6 δεξάμενοι τὸν λόγ. ἐν θλίψει πολλῇ
   – 8 ἀφ᾽ ὑμῶν – ἐξήχηται ὁ λ.[b] τοῦ κυρ.
     2 13 παραλαβόντες λόγον ἀκοῆς παρ᾽ ἡ-
     μῶν τοῦ θεοῦ ἐδέξασθε οὐ λόγον
     ἀνθρώπων ἀλλὰ – λόγον θεοῦ
     4 15 τοῦτο – ὑμῖν λέγομεν ἐν λόγῳ κυρίου
2 Th 3 1 ἵνα ὁ λόγος[b] τοῦ κυρίου τρέχῃ καὶ
     δοξάζηται καθὼς καὶ πρὸς ὑμᾶς
1 Ti 1 15 πιστὸς ὁ λ.[b] καὶ – ἀποδοχῆς ἄξιος
     3 1 πιστ. ὁ λ.[b] 4 9[b] 2 Ti 2 11[b] Tit 3 8[b]
     4 5 ἁγιάζεται γὰρ διὰ λόγου θεοῦ
   – 6 ἐντρεφόμενος τοῖς λόγ. τῆς πίστεως
     6 3 εἴ τις – μὴ προσέρχεται ὑγιαίνουσιν
     λόγοις[b] τοῖς τοῦ κυρίου ἡμῶν Ἰ. Χ.
2 Ti 2 9 ἀλλὰ ὁ λόγος τοῦ θεοῦ οὐ δέδεται
   – 15 ὀρθοτομοῦντα τὸν λ. τῆς ἀληθείας
     4 2 κήρυξον τὸν λόγ., ἐπίστηθι εὐκαίρως
Tit 1 3 ἐφανέρωσεν – τὸν λ. αὐτοῦ ἐν κηρύγ-
     ματι ὃ ἐπιστεύθην ἐγώ
   – 9 ἀντεχόμενον (sc τὸν ἐπίσκοπον) τοῦ
     κατὰ τὴν διδαχὴν πιστοῦ λόγου[b]
     2 5 ἵνα μὴ ὁ λ. τοῦ θεοῦ βλασφημῆται
Hb 2 2 ὁ δι᾽ ἀγγέλων λαληθεὶς λ.[b] ἐγέν. βέβ.
     4 2 οὐκ ὠφέλησεν ὁ λόγος[b] τῆς ἀκοῆς
   – 12 ζῶν – ὁ λόγ.[b] τοῦ θεοῦ καὶ ἐνεργής
     6 1 ἀφέντες τὸν τῆς ἀρχῆς τοῦ Χοῦ λ.[b]
     7 28 ὁ λόγος[b] – τῆς ὁρκωμοσίας τῆς μετὰ
     τὸν νόμον „υἱὸν – ᾽τετελειωμένον (sc
     καθίστησιν ἀρχιερέα)
     12 19 μὴ προστεθῆναι (fieret) αὐτοῖς λόγον
     13 7 οἵτινες ἐλάλησαν ὑμῖν τὸν λ. τ. θεοῦ
Jac 1 18 ἀπεκύησεν ἡμᾶς λόγῳ ἀληθείας
   – 21 δέξασθε τὸν ἔμφυτον λόγον τὸν δυ-
     νάμενον σῶσαι τὰς ψυχὰς ὑμῶν
   – 22 γίνεσθε δὲ ποιηταὶ λόγου, καὶ μὴ
   – 23 εἴ τις ἀκροατὴς λόγου ἐστὶν καὶ οὐ
1 Pe 1 23 διὰ λόγου ζῶντος θεοῦ καὶ μένοντος
     2 8 προσκόπτουσιν τῷ λόγ. ἀπειθοῦντες

1 Pe 3 1 ἵνα καὶ εἴ τινες ἀπειθοῦσιν τῷ λόγῳ
2 Pe 1 19 ἔχομεν βεβαιότερον τὸν προφητ. λ.[b]
     3 5 γῆ ἐξ ὕδατος – συνεστῶσα τῷ τοῦ
     θεοῦ λόγῳ 7 οἱ δὲ νῦν οὐρ. καὶ ἡ γῆ
     τῷ αὐτῷ λόγῳ τεθησαυρισμένοι
1 Jo 1 10 καὶ ὁ λόγ. αὐτοῦ οὐκ ἔστιν ἐν ἡμῖν
     2 5 ὃς δ᾽ ἂν τηρῇ αὐτοῦ τὸν λόγον
   – 7 ἡ ἐντολὴ ἡ παλαιά ἐστιν ὁ λ. ὃν ἠ-
     κούσατε 14 ὁ λ. τοῦ θ. ἐν ὑμ. μένει
Ap 1 2 ὃς ἐμαρτύρησεν τὸν λόγον τοῦ θεοῦ
   – 3 οἱ ἀκούοντες τοὺς λ. τῆς προφητείας
   – 9 ἐν – Πάτμῳ διὰ τὸν λόγον τοῦ θεοῦ
     3 8 ἐτήρησάς μου τὸν λ. 10 ὅτι ἐτήρησας
     τὸν λόγον τῆς ὑπομονῆς μου, κἀγώ
     6 9 τῶν ἐσφαγμένων διὰ τὸν λ. τοῦ θε-
     οῦ 20 4 πεπελεκισμένων – διὰ κτλ.
     17 17 ἄχρι τελεσθήσονται οἱ λόγοι τ. θεοῦ
     19 9 οὗτοι οἱ λ. ἀληθινοὶ τοῦ θεοῦ εἰσιν
     21 5 πιστοὶ καὶ ἀληθινοί εἰσιν 22 6
     22 7 ὁ τηρῶν τοὺς λ. τῆς προφητείας 9. 10
     μὴ σφραγίσῃς τοὺς λ. τ. προφ. 18 τῷ
     ἀκούοντι τοὺς λ. τ. προφ. 19 ἐάν τις
     ἀφέλῃ ἀπὸ τῶν λ. τοῦ βιβλ. τ. προφ.

3) reliqui loci. vg: verbum [b]sermo
   [c]causa [d]ratio [e](κατὰ λόγον) recte

Mat 5 32 παρεκτὸς λόγου[c] πορνείας (19 9 vl)
   – 37 ἔστω δὲ ὁ λ.[b] ὑμῶν ναὶ ναί, οὒ οὔ
     8 8 ἀλλὰ μόνον εἰπὲ λόγῳ ‖ Luc 7 7
   – 16 ἐξέβαλεν τὰ πνεύματα λόγῳ
     10 14 ὃς ἂν μὴ – ἀκούσῃ τοὺς λόγ.[b] ὑμῶν
     12 32 ὃς ἐὰν εἴπῃ λόγον κατὰ τ. υἱοῦ τοῦ
     ἀνθρ. ‖ Luc 12 10 πᾶς ὃς ἐρεῖ λ. εἰς –
   – 36 πᾶν ῥῆμα ἀργὸν –, ἀποδώσουσιν
     (vg reddent) περὶ αὐτοῦ λόγον[d]
     Luc 16 2 ἀπόδος τὸν λ.[d] τῆς οἰκονο-
     μίας σου Act 19 40 οὐ δυνησόμεθα
     ἀποδοῦναι λ.[d] Rm 14 12 ἕκαστος –
     περὶ ἑαυτοῦ λ.[d] δώσει [τῷ θεῷ] Hb
     13 17 ὡς λ.[d] ἀποδώσοντες 1 Pe 3 15
     τῷ αἰτοῦντι (vg poscenti) ὑμᾶς λ.[d]
     περὶ τῆς ἐν ὑμῖν ἐλπίδος 4 5 ἀποδώ-
     σουσιν λόγον[d] τῷ ἑτοίμως ἔχοντι
     κρῖναι → Mat 18 23
   – 37 ἐκ – τῶν λόγων σου δικαιωθήσῃ, καὶ
     ἐκ τῶν λόγων σου καταδικασθήσῃ
     15 23 οὐκ ἀπεκρίθη αὐτῇ λόγον – 22 46
     18 23 συνᾶραι (ponere) λόγον[d] μετὰ τ. δού-
     λων 25 19 συναίρει λόγ.[d] μετ᾽ αὐτῶν
     21 24 ἐρωτήσω ὑμᾶς κἀγὼ λόγον[b] ἕνα ‖
     Mar 11 29 Luc 20 3 λόγον
     22 15 ὅπως αὐτὸν παγιδεύσωσιν ἐν λόγῳ[b]

‖ Mat 12 13 ἀγρεύσωσιν λόγῳ Luc
20 20 ἐπιλάβωνται αὐτοῦ λόγου[b]
Mat 28 15 διεφημίσθη ὁ λόγος οὗτος Mar 1 45[b]
    Luc 5 15 διήρχετο μᾶλλον ὁ λ.[b] περὶ
    αὐτοῦ 7 17 ἐξῆλθεν ὁ λ.[b] Joh 21 23[b]
Mar 5 36 ὁ δὲ Ἰησοῦς παρακούσας τὸν λόγον
    7 29 διὰ τοῦτον τὸν λ.[b] ὕπαγε, ἐξελήλυθ.
Luc 1 4 περὶ ὧν κατηχήθης λόγων τὴν ἀσφ.
    – 20 ἀνθ᾽ ὧν οὐκ ἐπίστευσας τοῖς λ. μου
    – 29 ἡ δὲ ἐπὶ τῷ λόγῳ[b] διεταράχθη
    3 4 γέγραπται ἐν βίβλῳ λόγων[b] Ἡσαΐου
    9 28 ἐγένετο δὲ μετὰ τοὺς λόγ. τούτους
    23 9 ἐπηρώτα – αὐτὸν ἐν λόγοις[b] ἱκανοῖς
    24 17 τίνες οἱ λ.[b] οὗτοι οὓς ἀντιβάλλετε –;
Joh 4 37 ἐν – τούτῳ ὁ λόγος ἐστὶν ἀληθινός
    – 39 ἐπίστευσαν – διὰ τὸν λ. τῆς γυναικ.
    12 38 ἵνα ὁ λόγος[b] Ἡσαΐου – πληρωθῇ
    17 20 περὶ τῶν πιστευόντων διὰ τοῦ λόγου
    αὐτῶν εἰς ἐμέ (sc ἐρωτῶ)
    19 8 ὅτε – ἤκουσεν – τὸν λόγ.[b] 13 τῶν λ.[b]
Act 1 1 τὸν μὲν πρῶτον λόγον[b] ἐποιησάμην
    2 22.40.41[b] 5 5.24[b] 6 5[b]
    7 22 δυνατὸς ἐν λόγοις καὶ ἔργοις αὐτοῦ
    – 29 „ἔφυγεν – Μωϋσῆς ἐν τῷ λ. τούτῳ"
    8 21 οὐκ ἔστιν σοι – κλῆρος ἐν τῷ λόγῳ[b]
    10 29 τίνι λόγῳ[c] μετεπέμψασθέ με;
    11 22 ἠκούσθη (pervenit) ὁ λ.[b] εἰς τὰ ὦτα
    τῆς ἐκκλησίας – περὶ αὐτῶν
    13 15 εἴ τίς ἐστιν ἐν ὑμῖν λόγος[b] παρα-
    κλήσεως πρὸς τὸν λαόν, λέγετε
    14 12 αὐτὸς ἦν ὁ ἡγούμενος τοῦ λόγου
    15 6 ἰδεῖν περὶ τοῦ λόγου τούτου
    – 15 συμφωνοῦσιν οἱ λόγοι τῶν προφητῶν
    – 24.27 διὰ λόγου 32 πολλοῦ – 16 36
    18 14 κατὰ λόγον[e] ἂν ἀνεσχόμην ὑμῶν
    – 15 ζητήματα – περὶ λόγου καὶ ὀνομάτων
    19 38 εἰ – ἔχουσι πρός τινα λόγον[c]
    20 2 παρακαλέσας αὐτοὺς λόγῳ[b] πολλῷ
    – 7 παρέτεινεν – τὸν λ.[b] μέχρι μεσονυκτ.
    – 24 οὐδενὸς λόγου ποιοῦμαι τὴν ψυχὴν
    τιμίαν ἐμαυτῷ (t. r. οὐδενὸς λόγον
    ἔχω vg nihil horum vereor)
    – 38 ὀδυνώμενοι – ἐπὶ τῷ λόγῳ ᾧ εἰρήκει
    22 22 ἤκουον – αὐτοῦ ἄχρι τούτου τοῦ λ.
Rm 15 18 ὧν οὐ κατειργάσατο Χὸς δι᾽ ἐμοῦ –,
    λόγῳ καὶ ἔργῳ – 2 Co 10 11 οἷοί ἐ-
    σμεν τῷ λ. –, τοιοῦτοι καὶ – τῷ ἔργῳ
1 Co 1 5 ἐπλουτίσθητε –, ἐν παντὶ λόγῳ καὶ
    πάσῃ γνώσει 2 Co 8 7 ἐν παντὶ περισ-
    σεύετε, πίστει καὶ λόγῳ[b] καὶ γνώσει
    – 17 οὐκ ἐν σοφίᾳ λόγου 2 1 ἦλθον οὐ
    καθ᾽ ὑπεροχὴν λόγου[b] ἢ σοφίας 4

ὁ λ.[b] μου – οὐκ ἐν πειθοῖς σοφίας
λόγοις 13 λαλοῦμεν οὐκ ἐν διδακτοῖς
ἀνθρωπίνης σοφίας λόγοις
1 Co 4 19 γνώσομαι οὐ τὸν λ.[b] τῶν πεφυσιωμέ-
    νων ἀλλὰ τὴν δύναμιν 20 οὐ γὰρ ἐν
    λόγῳ[b] ἡ βασ. τοῦ θεοῦ, ἀλλ᾽ ἐν δυ.
    12 8 ᾧ μὲν – δίδοται λόγος[b] σοφίας, ἄλλῳ
    δὲ λόγος[b] γνώσεως
    14 9 ἐὰν μὴ εὔσημον λόγον[b] δῶτε
    – 19 θέλω πέντε λόγους τῷ νοΐ μου λα-
    λῆσαι – ἢ μυρίους λόγους ἐν γλώσσῃ
    15 2 τίνι λόγῳ[d] εὐηγγελισάμην ὑμῖν
2 Co 1 18 ὁ λόγ.[b] ἡμῶν – οὐκ ἔστιν ναὶ καὶ οὔ
    10 10 καὶ ὁ λόγος[b] ἐξουθενημένος
    11 6 εἰ – καὶ ἰδιώτης (imperitus) τῷ λόγῳ[b],
    ἀλλ᾽ οὐ τῇ γνώσει
Eph 4 29 πᾶς λόγ.[b] σαπρὸς ἐκ τοῦ στόματος
    5 6 μηδεὶς ὑμᾶς ἀπατάτω κενοῖς λόγοις
    6 19 ἵνα μοι δοθῇ λ.[b] ἐν ἀνοίξει τ. στόμ.
Phl 4 15 εἰς λόγον[d] δόσεως καὶ λήμψεως
    – 17 ἐπιζητῶ τὸν καρπὸν – εἰς λ.[d] ὑμῶν
Col 2 23 λόγον[d] μὲν ἔχοντα σοφίας ἐν
    3 17 ὅ τι ἐὰν ποιῆτε ἐν λόγῳ ἢ ἐν ἔργῳ
    4 6 ὁ λόγος[b] ὑμῶν πάντοτε ἐν χάριτι
1 Th 1 5 τὸ εὐαγγ. ἡμῶν οὐκ ἐγενήθη – ἐν λό-
    γῳ[b] μόνον, ἀλλὰ καὶ ἐν δυνάμει
    2 5 οὔτε – ἐν λόγῳ[b] κολακείας ἐγενήθη.
    4 18 ὥστε παρακαλεῖτε ἀλλήλους ἐν τοῖς
    λόγοις τούτοις
2 Th 2 2 μήτε διὰ λόγου[b] μήτε δι᾽ ἐπιστολῆς
    – 15 ἐδιδάχθητε εἴτε διὰ λόγου[b] εἴτε δι᾽
    ἐπιστολῆς ἡμῶν 3 14 εἰ δέ τις οὐχ
    ὑπακούει τῷ λ. ἡμῶν διὰ τῆς ἐπιστ.
    – 17 ἐν παντὶ ἔργῳ καὶ λόγῳ[b] ἀγαθῷ
1 Ti 4 12 τύπος γίνου τῶν πιστῶν ἐν λόγῳ
    5 17 οἱ κοπιῶντες ἐν λόγῳ καὶ διδασκαλίᾳ
2 Ti 1 13 ὑποτύπωσιν ἔχε ὑγιαινόντων λόγων
    2 17 ὁ λ.[b] αὐτῶν ὡς γάγγραινα νομήν
    4 15 λίαν – ἀντέστη τοῖς ἡμετέροις λόγοις
Tit 2 8 λόγον ὑγιῆ ἀκατάγνωστον
Hb 4 13 αὐτοῦ, πρὸς ὃν ἡμῖν ὁ λόγος[b]
    5 11 πολὺς ἡμῖν ὁ λ.[b] καὶ δυσερμήνευτος
    – 13 ἄπειρος λόγου[b] δικαιοσύνης
    13 17 → Mat 12 36 – Hb 13 22 ἀνέχεσθε
    (sufferatis) τοῦ λ. τῆς παρακλήσεως
Jac 3 2 εἴ τις ἐν λόγῳ οὐ πταίει, – τέλειος
1 Pe 3 1 ἵνα – ἄνευ λόγου κερδηθήσονται
    – 15 45 → Mat 12 36
2 Pe 2 3 πλαστοῖς λόγοις ὑμᾶς ἐμπορεύσονται
1 Jo 3 18 μὴ ἀγαπῶμεν λόγῳ μηδὲ τῇ γλώσσῃ,
    ἀλλ᾽ ἐν ἔργῳ καὶ ἀληθείᾳ
3 Jo 10 λόγοις πονηροῖς φλυαρῶν ἡμᾶς

Ap 1211 ἐνίκησαν αὐτόν – διὰ τὸν λόγον τῆς
μαρτυρίας αὐτῶν alia → 2) Ap

λόγχη *lancea* Joh 1934 – (t. r. Mat 2749)

λοιδορεῖν *maledicere* Joh 928 Act 234
1 Co 412 λοιδορούμενοι εὐλογοῦμεν
1 Pe 223 ὃς λοιδορούμενος οὐκ ἀντελοιδόρει

λοιδορία *maledictum* 1 Ti 514 1 Pe 39

λοίδορος *maledicus* 1 Co 511 610 οὐ λ..οι

λοιμός *pestilentia* [b](adject.) *pestifer*
Luc 2111 κατὰ τόπους λ..οὶ καὶ λιμοὶ ἔσονται
Act 24 5 εὑρόντες γὰρ τὸν ἄνδρα – λοιμόν[b]

*λοιποί, ..ά *ceteri, a* [b]*reliqui, a* – (τὸ) λοι-
πόν: [c]*ceterum* [d]*iam* [e]*in reliquo* –
τοῦ λοιποῦ: [f]*de cetero*
Mat 2645 καθεύδετε (vl τὸ) λ.[d] ‖ Mar 1441 τό[d]
Mar 419 αἱ περὶ τὰ λοιπὰ[b] ἐπιθυμίαι
Luc 810 τοῖς δὲ λ. ἐν παραβολαῖς – 189.11
249.10 Act 513 179 2744 – (Luc 112vl)
1226 τί περὶ τῶν λοιπῶν μεριμνᾶτε;
1 Co 116 λοιπὸν[c] οὐκ οἶδα 42 ὧδε λοιπόν[d]
729 τὸ λοιπὸν (*reliquum est*) ἵνα – οἱ ἔ-
χοντες γυναῖκας ὡς μὴ ἔχοντες ὦσιν
Gal 617 τοῦ λ.[f] κόπους μοι μηδεὶς παρεχέτω
Eph 2 3 τέκνα – ὀργῆς ὡς καὶ οἱ λοιποί
610 τοῦ λοιποῦ[f], ἐνδυναμοῦσθε ἐν κυρίῳ
Phl 113 τοὺς δεσμούς μου φανεροὺς ἐν Χῷ
γενέσθαι – καὶ τοῖς λοιποῖς πᾶσιν
1 Th 413 ἵνα μὴ λυπῆσθε καθὼς καὶ οἱ λοιποί
5 6 μὴ καθεύδωμεν ὡς (vl + καὶ) οἱ λ.
2 Ti 4 8 λοιπόν[e] ἀπόκειταί μοι ὁ – στέφανος
Hb 1013 τὸ λ.[f] ἐκδεχόμενος „ἕως τεθῶσιν"
Ap 3 2 στήρισον τὰ λ. ἃ ἔμελλον ἀποθαν.
813 οὐαὶ – ἐκ τῶν λ. φωνῶν τῆς σάλπιγγ.
920 οἱ λ. τῶν ἀνθρ. 1113 οἱ λ.[b] ἔμφοβοι

λούειν *lavare* [b]*abluere*
Joh 1310 ὁ λελουμένος οὐκ ἔχει χρείαν – νίψ.
Act 937 1633 ἀπὸ – πληγῶν – 2 Pe 222
Hb 1022 λελουσμένοι[b] τὸ σῶμα ὕδατι καθα.
(Ap 1 5 vl τῷ – λ..σαντι ἡμ. ἐκ τῶν ἁμαρτ. vg)

Λουκᾶς Col 414 ὁ ἰατρός 2 Ti 411 Phm 24

Λούκιος Act 131 ὁ Κυρηναῖος – Rm 1621

λουτρόν *lavacrum* Eph 526 καθαρίσας τῷ

λουτρῷ τοῦ ὕδατος ἐν ῥήματι
Tit 3 5 ἔσωσεν ἡμᾶς διὰ λ..οῦ παλιγγενεσίας

Λύδδα Act 932.35 Λύδδα καὶ τὸν Σαρῶνα 38

Λυδία Act 1614 πορφυρόπωλις 40

λύειν *solvere* [b]*dimittere* [c]*dissolvere*
Mat 519 ὃς ἐὰν – λύσῃ μίαν τῶν ἐντολῶν
1619 ὃ ἐὰν λύσῃς ἐπὶ τῆς γῆς ἔσται λε-
λυμένον ἐν τοῖς οὐρ. 1818 ὅσα ἐὰν
λύσητε ἐπὶ τ. γῆς ἔσται λ..να ἐν οὐρ.
21 2 λύσαντες ἀγάγετέ μοι ‖ Mar 112.4.5
Luc 1930.31 διὰ τί λύετε; 33
Mar 1 7 λῦσαι τὸν ἱμάντα τῶν ὑποδημάτων ‖
Luc 316 Joh 127 Act 1325 ὑπόδημα
735 εὐθὺς ἐλύθη ὁ δεσμὸς τῆς γλώσσης
Luc 1315 οὐ λύει – τὸν ὄνον ἀπὸ τῆς φάτνης
–; 16 ταύτην δὲ –, οὐκ ἔδει λυθῆναι
ἀπὸ τοῦ δεσμοῦ – τῇ ἡμ. τοῦ σαββ.;
Joh 219 λύσατε τὸν ναὸν τοῦτον
518 ὅτι οὐ μόνον ἔλυεν τὸ σάββατον
723 ἵνα μὴ λυθῇ ὁ νόμος Μωϋσέως
1035 καὶ οὐ δύναται λυθῆναι ἡ γραφή
1144 λύσατε αὐτὸν καὶ ἄφετε – ὑπάγειν
Act 224 λύσας τὰς ὠδῖνας τοῦ θανάτου
733 „λῦσον τὸ ὑπόδημα τῶν ποδῶν σου"
1343 λυθείσης[b] δὲ τῆς συναγωγῆς
2230 ἔλυσεν αὐτόν – 2741 ἡ δὲ πρύμνα
ἐλύετο ὑπὸ τῆς βίας
1 Co 727 λέλυσαι ἀπὸ γυναικός; μὴ ζήτει
Eph 214 τὸ μεσότοιχον τοῦ φραγμοῦ λύσας
2 Pe 310 στοιχεῖα – καυσούμενα λυθήσεται 11
τούτων οὕτως – λυομένων[c] 12 οὐρα-
νοὶ πυρούμενοι λυθήσονται
1 Jo 3 8 ἵνα λύσῃ[c] τὰ ἔργα τοῦ διαβόλου
(4 3 vl πᾶν πνεῦμα ὃ λύει (vg) τὸν Ἰησ.)
Ap 1 5 τῷ – „λύσαντι" (vl λούσαντι vg) ἡ-
μᾶς „ἐκ τῶν ἁμαρτιῶν" ἡμῶν
5 2 τίς ἄξιος – λῦσαι τὰς σφραγῖδας –;
914 λῦσον τοὺς – ἀγγέλους τ. δεδεμέν. 15
20 3 δεῖ λυθῆναι 7 λυθήσεται ὁ σατανᾶς

Λυκαονία, Λυκαονιστί Act 146.11

Λυκία Act 275 εἰς Μύρρα τῆς Λυκίας

λύκος *lupus*
Mat 715 ἔσωθεν – λύκοι ἅρπαγες – 1016 ὡς
πρόβατα ἐν μέσῳ λύκων ‖ Luc 103
Joh 1012 θεωρεῖ τὸν λ. ἐρχόμενον καὶ – φεύ-
γει, – καὶ ὁ λ. ἁρπάζει – Act 2029 λύ-

κοι βαρεῖς – μὴ φειδόμ. τοῦ ποιμνίου

λυμαίνεσϑαι *devastare* Act 83 ἐκκλησίαν

λυπεῖν, ..εῖσϑαι *contristare,* ..ari – b(λυπούμενος) *tristis* c(idem) *moerens*
Mat 14 9 λυπηϑεὶς (vl ἐλυπήϑη) ὁ βασιλεύς
17 23 ἐλυπήϑησαν σφόδρα 18 31 – 26 22 λυπούμενοι σφόδρα ‖ Mar 14 19
19 22 ἀπῆλϑεν λυπούμενος b ‖ Mar 10 22 c
26 37 ἤρξατο λυπεῖσϑαι καὶ ἀδημονεῖν
Joh 16 20 ὑμεῖς λυπηϑήσεσϑε, ἀλλ᾽ ἡ λύπη
21 17 ἐλυπήϑη ὁ Πέτρ. ὅτι εἶπεν – τὸ τρί.
Rm 14 15 εἰ – διὰ βρῶμα ὁ ἀδελφός σου λυπεῖται, οὐκέτι κατὰ ἀγάπην περιπατ.
2 Co 2 2 εἰ – ἐγὼ λυπῶ ὑμᾶς, – τίς ὁ εὐφραίνων με εἰ μὴ ὁ λυπούμενος ἐξ ἐμοῦ;
4 οὐχ ἵνα λυπηϑῆτε 5 εἰ δέ τις λελύπηκεν, οὐκ ἐμὲ λελύπηκεν, ἀλλὰ ἀπὸ μέρους – πάντας ὑμᾶς
6 10 ὡς λυπούμενοι b ἀεὶ δὲ χαίροντες
7 8 εἰ καὶ ἐλύπησα ὑμᾶς ἐν τῇ ἐπιστολῇ, – · – ἡ ἐπιστολὴ – εἰ καὶ πρὸς ὥραν ἐλύπησεν ὑμᾶς 9 χαίρω, οὐχ ὅτι ἐλυπήϑητε, ἀλλ᾽ ὅτι ἐλυπήϑητε εἰς μετάνοιαν· ἐλ. γὰρ κατὰ ϑεόν 11 αὐτὸ τοῦτο τὸ κατὰ ϑεὸν λυπηϑῆναι πόσην κατειργάσατο ὑμῖν σπουδήν
Eph 4 30 μὴ λυπεῖτε τὸ πνεῦμα τὸ ἅγ. τοῦ ϑ.
1 Th 4 13 ἵνα μὴ λυπῆσϑε καϑὼς καὶ οἱ λοιποί
1 Pe 1 6 ὀλίγον ἄρτι εἰ δέον λυπηϑέντες ἐν ποικίλοις πειρασμοῖς

λύπη *tristitia* b*moeror*
Luc 22 45 εὗρεν κοιμωμένους – ἀπὸ τῆς λύπης
Joh 16 6 ἡ λ. πεπλήρωκεν ὑμῶν τὴν καρδίαν
– 20 ἡ λύπη ὑμῶν εἰς χαρὰν γενήσεται
– 21 ἡ γυνὴ ὅταν τίκτῃ λύπην ἔχει
– 22 ὑμεῖς οὖν νῦν μὲν λύπην ἔχετε
Rm 9 2 ὅτι λύπη μοί ἐστιν μεγάλη
2 Co 2 1 μὴ πάλιν ἐν λύπῃ πρὸς ὑμᾶς ἐλϑεῖν
3 ἵνα μὴ ἐλϑὼν λύπην σχῶ ἀφ᾽ ὧν ἔδει με χαίρειν 7 μή πως τῇ περισσοτέρα λύπῃ καταποϑῇ ὁ τοιοῦτος
7 10 ἡ – κατὰ ϑεὸν λ. μετάνοιαν – ἐργάζεται· ἡ δὲ τοῦ κόσμου λύπη ϑάνατον
9 7 μὴ ἐκ λύπης ἢ ἐξ ἀνάγκης
Phl 2 27 ἵνα μὴ λύπην ἐπὶ λύπην σχῶ
Hb 12 11 πᾶσα – παιδεία πρὸς μὲν τὸ παρὸν οὐ δοκεῖ χαρᾶς εἶναι ἀλλὰ λύπης b
1 Pe 2 19 χάρις εἰ διὰ συνείδησιν ϑεοῦ ὑποφέρει τις λύπας πάσχων ἀδίκως

Λυσανίας Luc 3 1   **Λυσίας** Act 23 26 24 22

λύσις *solutio* 1 Co 7 27 μὴ ζήτει λύσιν

λυσιτελεῖ *utilius est* Luc 17 2 εἰ λίϑος μυλ.

Λύστρα Act 14 6.8.21 16 1.2 2 Ti 3 11

λύτρον *redemptio*
Mat 20 28 καὶ δοῦναι τὴν ψυχὴν αὐτοῦ λύτρον ἀντὶ πολλῶν ‖ Mar 10 45

λυτροῦσϑαι (med. et pass.) *redimere, redimi*
Luc 24 21 ὁ μέλλων λυτροῦσϑαι τὸν Ἰσραήλ
Tit 2 14 ἵνα „λυτρώσηται" ἡμᾶς „ἀπὸ πάσης ἀνομίας" 1 Pe 1 18 ὅτι οὐ φϑαρτοῖς, „ἀργυρίῳ" ἢ χρυσίῳ, „ἐλυτρώϑητε" ἐκ τῆς ματαίας ὑμῶν ἀναστροφῆς

λύτρωσις *redemptio* → ἀπολύτρωσις
Luc 1 68 ἐποίησεν „λύτρωσιν τῷ λαῷ αὐτοῦ"
2 38 τοῖς προσδεχομένοις λ..ιν Ἰερουσ.
Hb 9 12 αἰωνίαν λύτρωσιν εὑράμενος

λυτρωτής *redemptor* Act 7 35 τοῦτον ὁ ϑεὸς καὶ ἄρχοντα καὶ λ..ὴν ἀπέσταλκεν

λυχνία *candelabrum*
Mat 5 15 καίουσιν λύχνον καὶ τιϑέασιν – ἐπὶ τὴν λυχνίαν ‖ Mar 4 21 Luc 8 16 11 33
Hb 9 2 σκηνή – ἡ πρώτη, ἐν ᾗ ἥ τε λυχνία
Ap 1 12 ἑπτὰ λυχνίας χρυσᾶς 13.20 21
2 5 κινήσω τὴν λ. σου ἐκ τ. τόπου αὐτῆς
11 4 αἱ δύο „λ." αἱ „ἐνώπιον τοῦ κυρίου"

λύχνος *lucerna*
Mat 5 15 οὐδὲ καίουσιν λύχνον ‖ Mar 4 21 μήτι ἔρχεται ὁ λ. ἵνα –; Luc 8 16 οὐδεὶς – λύχνον ἅψας καλύπτει αὐτόν 11 33
6 22 ὁ λ. τοῦ σώματός ἐστιν ὁ ὀφϑαλμός ‖ Luc 11 34. 36 ὡς ὅταν ὁ λύχνος τῇ ἀστραπῇ (vl τῆς ἀ. vg) φωτίζῃ σε
Luc 12 35 ἔστωσαν ὑμῶν – οἱ λύχνοι καιόμενοι
15 8 οὐχὶ ἅπτει λ..ον καὶ σαροῖ τ. οἰκ. –;
Joh 5 35 ἦν ὁ λύχνος ὁ καιόμενος καὶ φαίνων
2 Pe 1 19 ὡς λ..ῳ φαίνοντι ἐν αὐχμηρῷ τόπῳ
Ap 18 23 „φῶς λ..ου" οὐ μὴ φάνῃ ἐν σοὶ ἔτι
21 23 ὁ λύχνος αὐτῆς τὸ ἀρνίον
22 5 οὐκ ἔχουσιν χρείαν φωτὸς λύχνου

Λωΐς 2 Ti 1 5 ἐν τῇ μάμμῃ σου Λωΐδι

Λώτ Luc 17 28. 29. 32 τῆς γυναικὸς Λ. 2 Pe 2 7

M

Μάαϑ Luc 3 26

Μαγαδάν (vl Μαγδαλά) Mat 15 39

Μαγδαληνή Mat 27 56.61 28 1 Mar 15 40.47 16 1. [9] Luc 8 2 24 10 Joh 19 25 20 1.18

μαγεία S° – magia (vl magica) Act 8 11

μαγεύειν S° – (part.) magus Act 8 9 Σίμων

μάγος magus Mat 2 1.7.16 Act 13 6.8

Μαγώγ Ap 20 8   Μαδιάμ Act 7 29

μαϑητεύειν S° – docēre ᵇdiscipulum esse Mat 13 52 γραμματεὺς μ..ϑεὶς τῇ βασ. τῶν οὐρ. 27 57 Ἰωσήφ, ὃς καὶ αὐτὸς ἐμαϑητεύϑη (vl ἐμαϑήτευσεν) ᵇ τῷ Ἰησοῦ 28 19 μαϑητεύσατε πάντα τὰ ἔϑνη, βαπτ. Act 14 21 μαϑητεύσαντες ἱκανοὺς ὑπέστρεψαν

μαϑητής S° – discipulus

1) Jesu discipuli

Mat 5 1 προσῆλϑαν αὐτῷ οἱ μαϑ. αὐτοῦ ‖ Luc 6 20 ἐπάρας τοὺς ὀφϑ. – εἰς τοὺς μαϑ. αὐτοῦ – Mat 13 10.36 14 15 ‖ Mar 6 35 – Mat 15 12.23 17 19 18 1 24 1 ‖ Mar 13 1 λέγει αὐτῷ εἷς τῶν μαϑ. αὐτοῦ – Mat 24 3 οἱ μαϑηταὶ κατ᾽ ἰδίαν 26 17 8 21 ἕτερος δὲ τῶν μαϑητῶν εἶπεν αὐτῷ – 23 ἠκολούϑησαν αὐτῷ οἱ μαϑ. αὐτοῦ ‖ Luc 8 22 ἐνέβη εἰς πλοῖον καὶ οἱ μ. αὐτοῦ – Mar 6 1 ἀκολουϑοῦσιν Luc 22 39 9 10 συνανέκειντο τῷ Ἰησοῦ καὶ τοῖς μαϑ. αὐτοῦ 11 οἱ Φαρ. ἔλεγον τοῖς μαϑ. 14 οἱ δὲ μαϑητ. σου οὐ νηστεύουσιν; ‖ Mar 2 15.16.18 Luc 5 30 ἐγόγγυζον οἱ Φαρ. – πρὸς τοὺς μαϑητ. αὐτοῦ (33) – 19 Ἰησοῦς ἠκολούϑει αὐτῷ καὶ οἱ μαϑ. αὐτοῦ – 37 λέγει τοῖς μαϑητ. αὐτοῦ 16 24 ‖ Mar 8 34 – Mat 19 23 23 1 ἐλάλησεν τοῖς ὄχλοις καὶ τοῖς μαϑ. αὐτοῦ 26 1.36 καϑίσατε αὐτοῦ ἕως οὗ ‖ Mar 14 32 – 3 9 10 23 – Luc 9 14.43 12 1.22 16 1 17 1.22 20 45 Joh 11 7 10 1 προσκαλεσάμενος τοὺς δώδεκα μαϑ. 11 1 ὅτε ἐτέλεσεν – διατάσσων τοῖς δώδεκα μαϑηταῖς αὐτοῦ

Mat 10 24 οὐκ ἔστιν μαϑ. ὑπὲρ τὸν διδάσκαλον 25 ἀρκετὸν τῷ μαϑητῇ ἵνα γένηται ὡς ὁ διδάσκαλος ‖ Luc 6 40 – 42 ὃς ἐὰν ποτίσῃ – εἰς ὄνομα μαϑητοῦ 12 1 οἱ δὲ μαϑ. – ἐπείνασαν 2 οἱ μαϑ. σου ποιοῦσιν ὃ οὐκ ἔξεστιν – ἐν σαββάτῳ ‖ Mar 2 23 Luc 6 1 ἔτιλλον οἱ μαϑητ. – 49 ἐκτείνας τὴν χεῖρα – ἐπὶ τοὺς μαϑητ. αὐτοῦ – · ἰδοὺ ἡ μήτηρ καὶ οἱ ἀδελφοί 14 19 ἔδωκεν τοῖς μαϑητ. τοὺς ἄρτους, οἱ δὲ μαϑ. τοῖς ὄχλοις 15 36 ‖ Mar 6 41 8 6 Luc 9 16 – Joh 6 12 λέγει τοῖς μαϑ. αὐτοῦ· συναγάγετε τὰ – κλάσματα – 22 ἠνάγκασεν τοὺς μαϑ. ἐμβῆναι 26 οἱ δὲ μαϑηταὶ ἰδόντες αὐτόν ‖ Mar 6 45 15 2 διὰ τί οἱ μαϑητ. σου παραβαίνουσιν τὴν παράδοσιν τῶν πρεσβ. ‖ Mar 7 2.5 – 32 προσκαλεσάμενος τοὺς μαϑ. 33.36 ‖ Mar 8 1.4.6.10 12 43 – Mat 16 5 16 13 ἠρώτα τοὺς μαϑ. – · τίνα λέγουσιν – εἶναι τὸν υἱὸν τοῦ ἀνϑρώπου 20 ἐπετίμησεν τοῖς μαϑ. ἵνα μηδενὶ εἴπωσιν 21 ἤρξατο δεικνύειν τοῖς μαϑ. αὐτοῦ ὅτι δεῖ αὐτὸν – πολλὰ παϑεῖν ‖ Mar 8 27 Luc 9 18 συνῆσαν αὐτῷ οἱ μαϑ., καὶ ἐπηρώτησεν αὐτούς· τίνα με 17 6 ἀκούσαντες οἱ μαϑ. – ἐφοβήϑησαν – 10 ἐπηρώτησαν αὐτὸν οἱ μαϑ.· τί οὖν – ὅτι Ἡλίαν δεῖ ἐλθεῖν πρῶτον; 13 συνῆκαν οἱ μαϑ. ὅτι περὶ Ἰωάννου – εἶπεν – 16 προσήνεγκα αὐτὸν τοῖς μαϑ. σου ‖ Mar 9 14.18 Luc 9 40 ἐδεήϑην τῶν μαϑ. 19 10 λέγουσιν αὐτῷ οἱ μαϑητ.· εἰ οὕτως ἐστὶν ἡ αἰτία τοῦ ἀνϑρώπ. μετὰ τῆς – 13 οἱ δὲ μαϑ. ἐπετίμησαν αὐτοῖς ‖ Mar 10 13 Luc 18 15 ἰδόντες – οἱ μαϑηταί – 25 ἀκούσαντες – οἱ μαϑ. ἐξεπλήσσοντο ‖ Mar 10 24 ἐϑαμβοῦντο ἐπὶ τ. λόγοις 21 1 τότε Ἰησοῦς ἀπέστειλεν δύο μαϑητάς 6 ‖ Mar 11 1 Luc 19 29 δύο τῶν μ. – 20 ἰδόντες οἱ μαϑηταὶ ἐϑαύμασαν 26 8 ἰδόντες δὲ οἱ μαϑηταὶ ἠγανάκτησαν – 18 πρὸς σὲ ποιῶ τὸ πάσχα μετὰ τῶν μαϑ. μου 19.20 ἀνέκειτο μετὰ τῶν δώδεκα [μαϑ.] 26 δοὺς τοῖς μαϑ. ‖ Mar 14 12 λέγουσιν αὐτῷ οἱ μαϑηταὶ αὐτοῦ 13.14.16 Luc 22 11 – 35 ὁμοίως καὶ πάντες οἱ μαϑηταὶ εἶπαν

Mat 26 40 ἔρχεται πρὸς τοὺς μαθ. καὶ εὑρίσκει
αὐτοὺς καθεύδοντας 45 ‖ Luc 22 45
– 56 τότε οἱ μαθ. πάντες ἀφέντες αὐτόν
27 64 μήποτε – οἱ μαθηταὶ κλέψωσιν αὐτόν
28 7 εἴπατε τοῖς μαθ. αὐτοῦ 8 ‖ Mar 16 7
– 13 ὅτι οἱ μαθητ. αὐτοῦ – ἔκλεψαν αὐτόν
– 16 οἱ δὲ ἕνδεκα μαθ. ἐπορεύθησαν εἰς
Mar 3 7 μετὰ τῶν μαθ. – ἀνεχώρ. πρὸς τ. θάλ.
4 34 τοῖς ἰδίοις μαθηταῖς ἐπέλυεν πάντα
5 31 7 17 ἐπηρώτων αὐτὸν οἱ μαθ. αὐτοῦ
τὴν παραβολήν 9 28 ἐπηρ. – ˙ ὅτι ἡ-
μεῖς οὐκ ἠδυνήθημεν ἐκβαλεῖν αὐτό;
8 33 ἐπιστραφεὶς καὶ ἰδὼν τοὺς μ. αὐτοῦ
9 31 ἐδίδασκεν γὰρ τοὺς μαθ. αὐτοῦ, –
ὅτι – παραδίδοται
10 10 πάλιν οἱ μαθ. περὶ τούτου ἐπηρώτων
– 46 ἐκπορευομένου αὐτοῦ – καὶ τῶν μαθ.
11 14 καὶ ἤκουον οἱ μαθηταὶ αὐτοῦ
Luc 6 13 προσεφώνησεν τοὺς μαθητὰς αὐτοῦ
– 17 ὄχλος πολὺς μαθητῶν αὐτοῦ 7 11
8 9 ἐπηρώτων – αὐτὸν οἱ μαθ. αὐτοῦ τίς
αὕτη εἴη ἡ παραβολή (Mat 13 10)
9 54 οἱ μαθηταὶ Ἰάκωβος καὶ Ἰωάννης
10 23 στραφεὶς πρὸς τοὺς μαθ. κατ᾽ ἰδίαν
11 1 εἶπέν τις τῶν μαθ. – ˙ κύριε, δίδαξον
14 26 οὐ δύναται εἶναί μου μαθητής 27.33
19 37 ἅπαν τὸ πλῆθος τῶν μαθ. – αἰνεῖν
– 39 διδάσκαλε, ἐπιτίμησον τοῖς μαθ. σου
Joh 2 2 ἐκλήθη – καὶ ὁ Ἰησοῦς καὶ οἱ μαθ.
– 11 ἐπίστευσαν εἰς αὐτὸν οἱ μαθ. αὐτοῦ
– 12 ἡ μήτηρ – καὶ οἱ ἀδελφ. καὶ οἱ μαθ.
– 17 ἐμνήσθησαν οἱ μ. αὐτοῦ ὅτι γεγραμ-
μένον ἐστίν˙ 22 ὅτι τοῦτο ἔλεγεν
3 22 ἦλθεν ὁ Ἰησοῦς καὶ οἱ μ. αὐτοῦ εἰς
4 1 ὅτι Ἰησοῦς πλείονας μαθητὰς ποιεῖ
– 2 Ἰησ. – οὐκ ἐβάπτιζεν, ἀλλ᾽ οἱ μαθητ.
– 8. 27 ἦλθαν οἱ μ. 31.33 ἔλεγον – πρὸς ἀλλ.
6 3 ἐκεῖ ἐκάθητο μετὰ τῶν μαθ. 8 λέγει
– εἷς ἐκ τῶν μ. αὐτοῦ 16 κατέβη-
σαν οἱ μ. – ἐπὶ τὴν θάλασσαν 22 οὐ
συνεισῆλθεν τοῖς μαθ. – ἀλλὰ μόνοι
οἱ μαθ. – ἀπῆλθον 24 οὐκ ἔστιν ἐκεῖ
οὐδὲ οἱ μαθ. αὐτοῦ
– 60 πολλοὶ ἀκούσαντες ἐκ τῶν μ. αὐτοῦ
– 61 ὅτι γογγύζουσιν περὶ τούτου οἱ μαθ.
– 66 πολλοὶ τῶν μ. – ἀπῆλθον εἰς τ. ὀπίσω
7 3 ἵνα καὶ οἱ μαθ. σου θεωρήσουσιν τὰ
ἔργα σου ἃ ποιεῖς
8 31 ἐὰν – μείνητε –, ἀληθῶς μ..αί μού ἐ-
στε 15 8 ἵνα – γενήσεσθε ἐμοὶ μ..αί
9 2. 27 μὴ καὶ ὑμεῖς θέλετε αὐτοῦ μ..αὶ
γενέσθαι; 28 σὺ μαθητὴς εἶ ἐκείνου

Joh 11 8.12.54 κἀκεῖ ἔμεινεν μετὰ τῶν μαθητ.
12 4. 16 οὐκ ἔγνωσαν αὐτοῦ οἱ μ. τὸ πρῶ.
13 5 νίπτειν τοὺς πόδας τῶν μ. 22 ἔβλε-
πον εἰς ἀλλήλους οἱ μ. 23.35 ἐν τού-
τῳ γνώσονται πάντες ὅτι ἐμοὶ μ..αί
ἐστε – 16 17. 29 18 1.2 πολλάκις συν-
ήχθη – ἐκεῖ μετὰ τῶν μαθ. αὐτοῦ
18 15 Πέτρος καὶ ἄλλος μαθητής. ὁ δὲ μαθ.
ἐκεῖνος ἦν γνωστὸς τῷ ἀρχιερεῖ 16
ὁ μαθ. ὁ ἄλλος 20 3 ὁ ἄλλος μαθ.
– 17 μὴ καὶ σὺ ἐκ τῶν μαθ. εἶ τοῦ ἀνθρώ-
που τούτου; 25
– 19 ἠρώτησεν τὸν Ἰησ. περὶ τῶν μ. αὐτοῦ
19 26 τὸν μαθητ. παρεστῶτα ὃν ἠγάπα 27
– 38 ὢν μ..ὴς [τοῦ] Ἰησοῦ κεκρυμμένος
20 2 πρὸς τὸν ἄλλον μαθ. ὃν ἐφίλει ὁ Ἰη-
σοῦς 4 ὁ ἄλλος μαθ. προέδραμεν 8.
10.18 ἀγγέλλουσα τοῖς μ. 19 ὅπου ἦ-
σαν οἱ μ. 20 ἐχάρησαν – οἱ μ. 25.26.30
21 1 ἐφανέρωσεν ἑαυτὸν πάλιν – τοῖς μαθ.
14 τρίτον ἐφανερώθη – 2.4.7 μαθ. –
ὃν ἠγάπα 20 – 8.12 οὐδεὶς ἐτόλμα
τῶν μαθ. (vg discumbentium vl dis-
centium) ἐξετάσαι αὐτόν˙ σὺ τίς εἶ;
– 23 ὅτι ὁ μαθ. ἐκεῖνος οὐκ ἀποθνήσκει
– 24 οὗτός ἐστιν ὁ μαθητὴς ὁ μαρτυρῶν
Act 6 1 πληθυνόντων τῶν μαθ. 2 τὸ πλῆθος
τῶν μαθητ. 7 ἐπληθύνετο ὁ ἀριθμός
9 1 φόνου εἰς τοὺς μαθητὰς τοῦ κυρίου
– 10 ἦν δέ τις μαθ. ἐν Δαμασκῷ 19 ἐγέ-
νετο – μετὰ τῶν ἐν Δαμασκῷ μαθ. 25
– 26 ἐπείραζεν κολλᾶσθαι τοῖς μαθητ.˙ –
μὴ πιστεύοντες ὅτι ἐστὶν μαθητής
– 38 οἱ μαθ. ἀκούσαντες ὅτι Πέτρος ἐστίν
11 26 χρηματίσαι τε πρώτως ἐν Ἀντιοχείᾳ
τοὺς μαθητὰς Χριστιανούς 29 τῶν δὲ
μαθητ. καθὼς εὐπορεῖτό τις, ὥρισαν
13 52 οἵ τε μαθητ. ἐπληροῦντο χαρᾶς καί
14 20 κυκλωσάντων δὲ τῶν μαθητῶν αὐτόν
– 22 ἐπιστηρίζοντες τὰς ψυχὰς τῶν μ. 28
15 10 ζυγὸν ἐπὶ τὸν τράχηλον τῶν μαθητ.
16 1 ἰδοὺ μαθητής τις ἦν ἐκεῖ – Τιμόθεος
18 23 στηρίζων πάντας τοὺς μαθητὰς – 27
19 1 Παῦλον – εὑρεῖν τινας μ..τάς 9 ἀφ-
ώρισεν τοὺς μ. 30 οὐκ εἴων αὐτὸν οἱ μ.
20 1.30 τοῦ ἀποσπᾶν τοὺς μ. ὀπίσω ἑαυ.
21 4 ἀνευρόντες – τοὺς μ. 16 τῶν μ. ἀπὸ
Καισαρ. –, – Μνάσωνι –, ἀρχαίῳ μ.

2) Johannis Baptistae, Pharisaeorum,
Mosis discipuli

Mat 9 14 προσέρχονται – οἱ μαθ. Ἰωάννου ‖

Mar 2 18 οἱ μ. Ἰω. – · διὰ τί οἱ μ. Ἰω. καὶ
οἱ μ. τῶν Φαρ. νηστεύουσιν –; Luc 5 33 –
Mat 11 2 Ἰω. – πέμψας διὰ τῶν μ. – εἶπεν
‖ Luc 7 18 ἀπήγγειλαν Ἰω..ῃ οἱ μ. αὐτοῦ
κτλ. – Mat 14 12 οἱ μαθ. αὐτοῦ ἦραν τὸ
πτῶμα ‖ Mar 6 29 – Mat 22 16 (οἱ Φαρ.)
ἀποστέλλουσιν αὐτῷ τοὺς μαθητ. αὐτῶν
Luc 11 1 καθὼς καὶ Ἰω. ἐδίδαξεν τοὺς μαθητ.
Joh 1 35.37 οἱ δύο μαθ. (sc Ἰωάννου) – ἠκο-
λούθησαν τῷ Ἰησοῦ – 3 25 ζήτησις ἐκ
τῶν μαθητῶν Ἰωάννου μετὰ Ἰουδαίου
9 28 ἡμεῖς – τοῦ Μωϋσέως ἐσμὲν μαθηταί

μαθήτρια S° – discipula Act 9 36 Ταβιθά

Μαθθαῖος Mt 9 9 10 3 Mr 3 18 Lc 6 15 Act 1 13

Μαθθάν Mat 1 15   **Μαθθάτ** Luc 3 29

Μαθθίας Act 1 23.26   **Μαθουσάλα** Luc 3 37

μαίνεσθαι insanire
Joh 10 20 δαιμόνιον ἔχει καὶ μαίνεται (Jesus)
Act 12 15 26 24 μαίνῃ, Παῦλε 25 οὐ μαίνομαι
1 Co 14 23 οὐκ ἐροῦσιν ὅτι μαίνεσθε;

μακαρίζειν ᵃbeatam dicere ᵇbeatificare
Luc 1 48 μακαριοῦσίνᵃ με πᾶσαι αἱ γενεαί
Jac 5 11 „μακαρίζομενᵇ τοὺς ὑπομείναντας"

μακάριος beatus
Mat 5 3 μακάριοι οἱ πτωχοὶ τῷ πνεύματι 4-11
    (novies) ‖ Luc 6 20.21.22 (quater)
    11 6 μακάριός ἐστιν ὃς ἐὰν μὴ σκανδα-
    λισθῇ ἐν ἐμοί ‖ Luc 7 23
    13 16 ὑμῶν – μ..οι οἱ ὀφθαλμοὶ ὅτι βλέπου-
    σιν ‖ Luc 10 23 οἱ βλέποντες ἃ β..ετε
    16 17 μακάριος εἶ, Σίμων Βαριωνᾶ, ὅτι
    24 46 μ. ὁ δοῦλος ‖ Luc 12 43 – 37 οἱ δ. 38
Luc 1 45 μακαρία ἡ πιστεύσασα ὅτι ἔσται
    11 27 μακαρία ἡ κοιλία ἡ βαστάσασά σε
    28 μ..οι οἱ ἀκούοντες τὸν λόγον τοῦ
    θεοῦ καὶ φυλάσσοντες
    14 14 μακάριος ἔσῃ, ὅτι οὐκ ἔχουσιν ἀντα-
    ποδοῦναί σοι
    – 15 μ. ὅστις φάγεται ἄρτον ἐν τῇ βασ.
    23 29 μακάριαι αἱ στεῖραι, καὶ αἱ κοιλίαι
Joh 13 17 εἰ ταῦτα οἴδατε, μ..οί ἐστε ἐὰν ποιῆτε
    20 29 μ..οι οἱ μὴ ἰδόντες καὶ πιστεύσαντες
Act 20 35 μ..όν ἐστιν μᾶλλον διδόναι ἢ λαμβ.
    26 2 ἥγημαι ἐμαυτὸν μακάριον ἐπὶ σοῦ
Rm 4 7 „μ..οι ὧν ἀφέθησαν αἱ ἀνομίαι 8 μ.
    ἀνὴρ οὗ οὐ μὴ λογίσηται κύριος"

Rm 14 22 μ. ὁ μὴ κρίνων ἑαυτὸν ἐν ᾧ δοκιμ.
1 Co 7 40 μ..ωτέρα δέ ἐστιν ἐὰν οὕτως μείνῃ
1 Ti 1 11 κατὰ τὸ εὐαγγ. τῆς δόξης τοῦ μ..ου
    θεοῦ 6 15 ὁ μ. καὶ μόνος δυνάστης
Tit 2 13 προσδεχόμενοι τὴν μακαρίαν ἐλπίδα
Jac 1 12 „μ." ἀνὴρ „ὃς ὑπομένει" πειρασμόν
    – 25 οὗτος μ. ἐν τῇ ποιήσει αὐτοῦ ἔσται
1 Pe 3 14 εἰ καὶ πάσχοιτε διὰ δικαιοσύνην, μα-
    κάριοι 4 14 εἰ ὀνειδίζεσθε ἐν ὀνόματι
    Χοῦ, μακάριοι
Ap 1 3 μ. ὁ ἀναγινώσκων καὶ οἱ ἀκούοντες
    τοὺς λόγους τῆς προφ. 22 7 ὁ τηρῶν
    14 13 μ..οι οἱ νεκροὶ οἱ ἐν κυρίῳ ἀποθνήσκ.
    16 15 μ. ὁ γρηγορῶν καὶ τηρῶν τὰ ἱμάτια
    19 9 μ..οι οἱ εἰς τὸ δεῖπνον – κεκλημένοι
    20 6 μακάριος καὶ ἅγιος ὁ ἔχων μέρος ἐν
    τῇ ἀναστάσει τῇ πρώτῃ 22 14 μ..οι οἱ
    „πλύνοντες τὰς στολὰς" αὐτῶν

μακαρισμός S° – beatitudo Rm 4 6.9
Gal 4 15 ποῦ οὖν ὁ μ. ὑμῶν; μαρτυρῶ – ὑμῖν

Μακεδονία Act 16 9.10.12 18 5 19 21.22 20 1.3 –
    Rm 15 26 ηὐδόκησαν – Μ. καὶ Ἀχαΐα κοι-
    νωνίαν – ποιήσασθαι 1 Co 16 5 ὅταν Μ..αν
    διέλθω κτλ. 2 Co 1 16 2 13 7 5 8 1 ἐν ταῖς
    ἐκκλ. τῆς Μ. 11 9 Phl 4 15 1 Th 1 7.8 4 10
1 Ti 1 3 πορευόμενος εἰς Μακεδονίαν

Μακεδών Act 16 9 19 29 27 2 2 Co 9 2.4

μάκελλον S° – macellum 1 Co 10 25 ἐν μ..ῳ

μακράν longe
Mat 8 30 μακ. (vl οὐ μ. vg) ἀπ' αὐτῶν ἀγέλη
Mar 12 34 οὐ μ. εἶ ἀπὸ τῆς βασιλείας τοῦ θεοῦ
Luc 7 6 15 20 ἔτι – αὐτοῦ μ. ἀπέχοντος εἶδεν
Joh 21 8 οὐ γὰρ ἦσαν μ. ἀπὸ τῆς γῆς ἀλλά
Act 2 39 ὑμῖν – καὶ πᾶσιν „τοῖς εἰς μακράν,
    ὅσους ἂν προσκαλέσηται κύριος"
    17 27 οὐ μ. ἀπὸ – ἑκάστου ἡμ. ὑπάρχοντα
    22 21 ἐγὼ εἰς ἔθνη μακρὰν ἐξαποστελῶ σε
Eph 2 13 ὑμεῖς οἵ ποτε ὄντες „μακρὰν" ἐγε-
    νήθητε „ἐγγὺς" 17 „εἰρήνην" ὑμῖν
    „τοῖς μακρ. καὶ εἰρήνην τοῖς ἐγγύς"

μακρόθεν, ἀπὸ μα. a longe ᵇlonge ᶜde longe
Mat 26 58 ἠκολούθει ‖ Mar 14 54 Luc 22 54
    27 55 θεωροῦσαι ‖ Mar 15 40ᶜ Luc 23 49
Mar 5 6 8 3 καί τινες – ἀπὸ μ.ᶜ εἰσίν 11 13 συκῆν
Luc 16 23 ὁρᾷ Ἀβραὰμ ἀπὸ μ. καὶ Λάζαρον
    18 13 ὁ δὲ τελώνης μ. ἑστὼς οὐκ ἤθελεν
Ap 18 10 ἀπὸ μ.ᵇ ἑστηκότες διὰ τ. φόβον 15ᵇ 17ᵇ

μακροθυμεῖν *patientem esse* ᵇ*patientiam*
  habēre ᶜ*patienter agere* ᵈ*patienter*
  ferre ᵉ*longanimiter ferre*
Mat 18 26 μ..ησον ᵇ ἐπ᾽ ἐμοί, καὶ πάντα 29 ᵇ
Luc 18 7 ὁ δὲ θεὸς οὐ μὴ – μ..εῖ ᵇ ἐπ᾽ αὐτοῖς;
1 Co 13 4 ἡ ἀγάπη μακροθυμεῖ, χρηστεύεται
1 Th 5 14 μακροθυμεῖτε πρὸς πάντας
Hb 6 15 μ..ήσας ᵉ ἐπέτυχεν τῆς ἐπαγγελίας
Jac 5 7 μ..ήσατε – ἕως τῆς παρουσίας τοῦ
  κυρίου. ἰδοὺ ὁ γεωργὸς ἐκδέχεται
  τὸν – καρπὸν τῆς γῆς, μ..ῶν ᵈ ἐπ᾽ αὐ-
  τῷ 8 μακροθυμήσατε καὶ ὑμεῖς
2 Pe 3 9 κύριος – μ..εῖ ᶜ εἰς (vl δι᾽ vg) ὑμᾶς

μακροθυμία *patientia* ᵇ*longanimitas*
Rm 2 4 ἢ – αὐτοῦ – τῆς μ.ᵇ καταφρονεῖς – ;
  9 22 ἤνεγκεν ἐν πολλῇ μ. „σκεύη ὀργῆς"
2 Co 6 6 ἐν γνώσει, ἐν μ.ᵇ, ἐν χρηστότητι
Gal 5 22 καρπὸς τοῦ πνεύμ. – εἰρήνη, μακρ.
Eph 4 2 μετὰ μ..ας, ἀνεχόμενοι ἀλλήλων
Col 1 11 εἰς πᾶσαν ὑπομονὴν καὶ μ..αν ᵇ
  3 12 ἐνδύσασθε – πραΰτητα, μακροθυμίαν
1 Ti 1 16 ἵνα ἐν ἐμοὶ πρώτῳ ἐνδείξηται Ἰησοῦς
  Χὸς τὴν ἅπασαν μακροθυμίαν
2 Ti 3 10 παρηκολούθησάς μου – τῇ μ..ᾳ ᵇ
  4 2 παρακάλεσον ἐν πάσῃ μ. καὶ διδαχῇ
Hb 6 12 τῶν διὰ πίστεως καὶ μ. κληρονομούν.
Jac 5 10 ὑπόδειγμα λάβετε – τῆς κακοπαθίας
  καὶ τῆς μ..ας τοὺς προφήτας
1 Pe 3 20 ὅτε ἀπεξεδέχετο ἡ τοῦ θεοῦ μ. ἐν
2 Pe 3 15 τὴν τοῦ κυρίου ἡμῶν μακροθυμίαν ᵇ
  σωτηρίαν ἡγεῖσθε

μακροθύμως Sᵒ – *patienter*
Act 26 3 διὸ δέομαι μ..ως ἀκοῦσαί μου

μακρός *longus* ᵇ*prolixus* ᶜ*longinquus*
Mar 12 40 προφάσει μακρὰ ᵇ προσευχόμενοι ‖
  Luc 20 47 (vl Mat 23 14 vg, vl om)
Luc 15 13 ἀπεδήμησεν εἰς χώραν μ..άν ᶜ 19 12 ᶜ

μακροχρόνιος *longaevus* Eph 6 3 „ἐπὶ τ. γῆς"

μαλακία *infirmitas* Mat 4 23 9 35 10 1

μαλακός *mollis* Mat 11 8 Luc 7 25 (ἱμάτια)
1 Co 6 9 οὔτε μοιχοὶ οὔτε μ..οὶ – θεοῦ βασ.

Μαλελεήλ Luc 3 37

*μάλιστα *maxime* Act 20 38 25 26 26 3
Gal 6 10 μ. δὲ πρὸς τοὺς οἰκείους τῆς πίστ.
Phl 4 22 μάλ. δὲ οἱ ἐκ τῆς Καίσαρος οἰκίας

1 Ti 4 10 ὅς ἐστιν σωτὴρ πάντων –, μ. πιστῶν
  5 8 τῶν ἰδίων καὶ μ. οἰκείων οὐ προνο.
  – 17 μάλιστα οἱ κοπιῶντες ἐν λόγῳ
Tit 1 10 μάλιστα οἱ ἐκ τῆς περιτομῆς
Phm 16 μάλιστα ἐμοί, πόσῳ δὲ μᾶλλον σοί

*μᾶλλον *magis* ᵇ*potius* ᶜ*immo*
Mat 6 26 οὐχ ὑμεῖς μ. διαφέρετε –; ‖ Luc 12 24
  – 30 οὐ πολλῷ μ. ὑμᾶς, –; ‖ Luc 12 28
  7 11 πόσῳ μ. ὁ πατὴρ ὑμῶν – δώσει ἀγα-
  θά ‖ Luc 11 13 δώσει πνεῦμα ἅγιον
  10 6 πορεύεσθε δὲ μ.ᵇ πρὸς τὰ πρόβατα
  – 25 πόσῳ μᾶλλον τοὺς οἰκιακοὺς αὐτοῦ
  – 28 φοβεῖσθε – μ.ᵇ τὸν δυνάμ. – ἀπολέσαι
  18 13 χαίρει ἐπ᾽ αὐτῷ μ. ἢ ἐπὶ τοῖς ἐνενή.
Mar 5 26 ἀλλὰ μᾶλλ. εἰς τὸ χεῖρον ἐλθοῦσα
  7 36 αὐτοὶ μᾶλλ. περισσότερον ἐκήρυσσον
  9 42 καλὸν – αὐτῷ μ. εἰ περίκειται μύλος
  15 11 ἵνα μᾶλλον τὸν Βαραββᾶν ἀπολύσῃ
Luc 5 15 διήρχετο – μᾶλλ. ὁ λόγος περὶ αὐτοῦ
Joh 3 19 ἠγάπησαν – μ. τὸ σκότος 12 43 τὴν
  δόξαν τῶν ἀνθρώπων μ. – 5 18 19 8
Act 4 19 εἰ δίκαιον –, ὑμῶν ἀκούειν μ.ᵇ ἢ τοῦ
  θεοῦ 5 29 πειθαρχεῖν δεῖ θεῷ μᾶλλον
  5 14 μᾶλλον δὲ προσετίθεντο πιστεύοντες
  20 35 μακάριόν ἐστιν μᾶλλον διδόναι ἤ
Rm 5 9 πολλῷ – μᾶλλον – σωθησόμεθα 10 κατ-
  αλλαγέντες σωθ. 15 ἡ χάρις – ἐπε-
  ρίσσευσεν 17 ἐν ζωῇ βασιλεύσουσιν
  8 34 ὁ ἀποθανών, μᾶλλον ᶜ δὲ ἐγερθείς
  11 12 πόσῳ μᾶλλ. τὸ πλήρωμα αὐτῶν 24 οἱ
  κατὰ φύσιν ἐγκεντρισθήσονται τῇ
  14 13 τοῦτο κρίνατε μ., τὸ μὴ τιθ. – σκάνδ.
1 Co 5 2 οὐχὶ μ. ἐπενθήσατε –; 6 7 διὰ τί οὐχὶ
  μ. ἀδικεῖσθε; – οὐχὶ μ. ἀποστερεῖσθε;
  7 21 ἀλλ᾽ εἰ καὶ δύνασαι ἐλεύθερος γενέ-
  σθαι, μᾶλλον χρῆσαι
  9 12 εἰ ἄλλοι τῆς ὑμῶν ἐξουσίας μετέχου-
  σιν, οὐ μᾶλλον ᵇ ἡμεῖς;
  – 15 καλὸν γάρ μοι μᾶλλ. ἀποθανεῖν ἤ
  14 1 μ. δὲ ἵνα προφητεύητε 5 – 18 πάν-
  των ὑμῶν μ. (vgᵒ) γλώσσαις λαλῶ
2 Co 5 8 εὐδοκοῦμεν μᾶλλον ἐκδημῆσαι
  12 9 μ. (vgᵒ) καυχήσομαι ἐν ταῖς ἀσθεν.
Gal 4 9 μᾶλλον ᶜ δὲ γνωσθέντες ὑπὸ θεοῦ
Eph 5 4 ἀλλὰ μᾶλλον εὐχαριστία 11 ἐλέγχετε
Phl 1 9 ἵνα ἡ ἀγάπη ὑμῶν – μ. καὶ μ. περισ-
  σεύῃ 12 μ. εἰς προκοπὴν τοῦ εὐαγγ.
  – 23 σὺν Χῷ εἶναι, πολλῷ – μ. κρεῖσσον
  2 12 νῦν πολλῷ μᾶλλ. ἐν τῇ ἀπουσίᾳ μου
  3 4 εἴ τις δοκεῖ ἄλλος πεποιθέναι ἐν σαρ-
  κί, ἐγὼ μᾶλλον

1 Th 4 1 ἵνα περισσεύητε μ. 10 περισσεύειν μ.
1 Ti 6 2 μᾶλλ. δουλευέτωσαν, ὅτι πιστοί εἰσιν
2 Ti 3 4 φιλήδονοι μᾶλλον ἢ φιλόθεοι
Phm 9 διὰ τὴν ἀγάπην μᾶλλον παρακαλῶ
16 μάλιστα ἐμοί, πόσῳ δὲ μᾶλλον σοί
Hb 9 14 πόσῳ μ. τὸ αἷμα τοῦ Χοῦ – καθαριεῖ
10 25 τοσούτῳ μ. ὅσῳ βλέπετε ἐγγίζουσαν
τὴν ἡμέραν – 11 25 μ. ἑλόμενος συγ-
κακουχεῖσθαι τῷ λαῷ τοῦ θεοῦ
12 9 οὐ πολὺ μ. ὑποταγησόμεθα τῷ πατρί
–; 25 πολὺ μ. ἡμεῖς οἱ τὸν ἀπ' οὐρ.
2 Pe 1 10 διὸ μ. – σπουδάσατε βεβαίαν ὑμῶν
τὴν κλῆσιν καὶ ἐκλογὴν ποιεῖσθαι

Μάλχος Joh 18 10 ἦν δὲ ὄνομα τῷ δούλῳ Μ.

μάμμη avia 2 Ti 1 5 ἐν τῇ μ. σου Λωΐδι

μαμωνᾶς S⁰ – mammona (vl mamona)
Mat 6 24 θεῷ δουλεύειν καὶ μ..ᾷ ‖ Luc 16 13
Luc 16 9 φίλους ἐκ τοῦ μ..ᾶ τῆς ἀδικίας 11 εἰ
– ἐν τῷ ἀδίκῳ μ. πιστοὶ οὐκ ἐγένεσθε

Μαναήν Act 13 1 **Μανασσῆς** Mat 1 10 Ap 7 6

μανθάνειν discere ᵇcognoscere
Mat 9 13 μάθετε τί ἐστιν· „ἔλεος θέλω καὶ οὐ"
11 29 καὶ μάθετε ἀπ' ἐμοῦ, ὅτι πραΰς εἰμι
24 32 ἀπὸ δὲ τῆς συκῆς μάθετε τὴν παρα-
βολήν ‖ Mar 13 28
Joh 6 45 πᾶς ὁ ἀκούσας παρὰ τοῦ πατρὸς
καὶ μαθὼν ἔρχεται πρὸς ἐμέ
7 15 πῶς – γράμματα οἶδεν μὴ μεμαθηκώς;
Act 23 27 μαθὼνᵇ (cognito) ὅτι Ῥωμαῖός ἐστιν
Rm 16 17 παρὰ τὴν διδαχὴν ἣν ὑμεῖς ἐμάθετε
1 Co 4 6 ἵνα ἐν ἡμῖν μάθητε τὸ μὴ ὑπὲρ ἃ
14 31 ἵνα πάντες μανθάνωσιν |γέγραπται
– 35 εἰ δέ τι μαθεῖν θέλουσιν, ἐν οἴκῳ
Gal 3 2 τοῦτο μόνον θέλω μαθεῖν ἀφ' ὑμῶν
Eph 4 20 ὑμεῖς – οὐχ οὕτως ἐμάθετε τὸν Χόν
Phl 4 9 ἃ καὶ ἐμάθετε – καὶ εἴδετε ἐν ἐμοί
– 11 ἔμαθον ἐν οἷς εἰμι αὐτάρκης εἶναι
Col 1 7 καθὼς ἐμάθετε ἀπὸ Ἐπαφρᾶ
1 Ti 2 11 γυνὴ ἐν ἡσυχίᾳ μ..έτω ἐν – ὑποταγῇ
5 4 μ..έτωσαν (vl ..έτω vg, vl discant)
πρῶτον τὸν ἴδιον οἶκον εὐσεβεῖν
– 13 ἀργαὶ μ..ουσιν (cj λανθάνουσιν) πε-
ριερχόμεναι τὰς οἰκίας
2 Ti 3 7 πάντοτε μ..οντα καὶ μηδέποτε εἰς ἐπί-
γνωσιν ἀληθείας ἐλθεῖν δυνάμενα
14 σὺ δὲ μένε ἐν οἷς ἔμαθες –, εἰδὼς
παρὰ τίνων (vl τίνος vg) ἔμαθες

Tit 3 14 μανθανέτωσαν δὲ καὶ οἱ ἡμέτεροι κα-
λῶν ἔργων προΐστασθαι
Hb 5 8 ἔμαθεν ἀφ' ὧν ἔπαθεν τὴν ὑπακοήν
Ap 14 3 οὐδεὶς ἐδύνατο μαθεῖν (vg dicere,
num discere?) τὴν ᾠδὴν εἰ μή

μανία insania Act 26 24 εἰς μ. περιτρέπει

μάννα manna Joh 6 31.49 Hb 9 4 Ap 2 17

μαντεύεσθαι divinare Act 16 16 μαντευομένη

μαραίνεσθαι marcescere Jac 1 11 ὁ πλούσιος

μαρὰν ἀθά S⁰ – maran atha 1 Co 16 22

μαργαρίτης S⁰ – margarita
Mat 7 6 τοὺς μ. ὑμῶν ἔμπροσθεν τῶν χοίρων
13 45 ἐμπόρῳ ζητοῦντι καλοὺς μαργ. 46
εὑρὼν – ἕνα πολύτιμον μαργαρίτην
1 Ti 2 9 γυναῖκας –, μὴ ἐν – χρυσίῳ ἢ μ..αις
Ap 17 4 18 12.16 21 21 οἱ – πυλῶνες δώδ. μ..αι

Μάρθα Luc 10 38.40.41 Joh 11 1.5.19-39 12 2

Μαρία, Μαριάμ Μαριάμᵇ (saepius vl ..ία)
Jesu mater: Mat 1 16.18.20 2 11 13 55ᵇ –
Mar 6 3 – Luc 1 27ᵇ 30ᵇ 34ᵇ 38ᵇ 39ᵇ 41.46ᵇ (vl
Elisabet) 56ᵇ 2 5ᵇ 16ᵇ 19.34ᵇ – Act 1 14ᵇ
Maria Magdalena: Mat 27 56.61ᵇ 28 1ᵇ –
Mar 15 40.47 16 1.[9] – Luc 8 2 24 10 – Joh 19 25
20 1.11.16ᵇ 18ᵇ
Jacobi mater: Mat 27 56.61 (ἡ ἄλλη Μαρία
28 1) – Mar 15 40.47 16 1 – Luc 24 10
Μαρία ἡ τοῦ Κλωπᾶ: Joh 19 25
soror Marthae: Luc 10 39ᵇ 42ᵇ – Joh 11 1.
2ᵇ 19ᵇ 20ᵇ 28ᵇ 31ᵇ 32ᵇ 45ᵇ 12 3ᵇ
Joannis Marci mater: Act 12 12
mulier quaedam christiana: Rm 16 6

Μᾶρκος Act 12 12.25 15 37.39 – Col 4 10 ὁ ἀνε-
ψιὸς Βαρναβᾶ – 2 Ti 4 11 Phm 24 1 Pe 5 13

μάρμαρος marmor Ap 18 12

μαρτυρεῖν testimonium perhibēre ᵇtest. dare
ᶜtest. dicere ᵈtest. reddere ᵉt..io esse
ᶠtestari ᵍcontestari ʰprotestari ⁱtesti-
ficari – **μαρτυρεῖσθαι** (pass): ᵏtesti-
monium consequi ˡtest. habēre ᵐboni
test..ii (esse) ⁿtest..io probari
Mat 23 31 ὥστε μ..εῖτεᵉ ἑαυτοῖς ὅτι υἱοί ἐστε

Luc 4 22 πάντες ἐμαρτύρουν^b αὐτῷ (sc Jesu)
Joh 1 7 ἵνα μαρτυρήσῃ περὶ τοῦ φωτός 8
- 15 Ἰωάννης μ..εῖ περὶ αὐτοῦ 32.34 με-
μ..ηκα ὅτι οὗτός ἐστιν ὁ υἱὸς τοῦ
θεοῦ 3 26 ᾧ σὺ μεμ..ηκας 28 αὐτοὶ ὑ-
μεῖς μοι μ..εῖτε ὅτι εἶπον· 5 33 με-
μαρτύρηκεν (sc Ἰω.) τῇ ἀληθείᾳ
2 25 οὐ χρείαν εἶχεν ἵνα τις μ..ήσῃ περὶ
τοῦ ἀνθρώπου· αὐτὸς γὰρ ἐγίνωσκεν
3 11 ὃ ἑωράκαμεν μαρτυροῦμεν^f - 32^f
4 39 τῆς γυναικὸς μ..ούσης ὅτι εἶπέν μοι
- 44 αὐτὸς - Ἰησ. ἐμ..ησεν ὅτι προφήτης
5 31 ἐὰν ἐγὼ μ..ῶ περὶ ἐμαυτοῦ 32 ἄλλος
ἐστιν ὁ μ..ῶν περὶ ἐμοῦ, - ἀληθής ἐ-
στιν ἡ μαρτυρία ἣν μ..εῖ περὶ ἐμοῦ
37 ὁ πέμψας με - μεμ..ηκεν περὶ ἐμοῦ
8 13 σὺ περὶ σεαυτοῦ μ..εῖς 14 κἂν ἐ-
γὼ μ..ῶ περὶ ἐμαυτοῦ 18 ἐγώ εἰμι ὁ
μ..ῶν περὶ ἐμ., καὶ μ..εῖ περὶ ἐμοῦ ὁ
πέμψας με πατήρ
- 36 τὰ ἔργα ἃ ποιῶ μ..εῖ περὶ ἐμοῦ 10 25
- 39 ἐκεῖναί (sc αἱ γραφαί) εἰσιν αἱ μαρ-
τυροῦσαι περὶ ἐμοῦ
7 7 ἐγὼ μ..ῶ περὶ αὐτοῦ (sc τ. κόσμου)
12 17 ἐμαρτύρει - ὁ ὄχλος ὁ ὢν μετ' αὐτοῦ
13 21 Ἰησοῦς ἐταράχθη - καὶ ἐμ..ησεν^h
15 26 (ὁ παράκλητος) μ..ήσει περὶ ἐμοῦ
- 27 καὶ ὑμεῖς - μ..εῖτε (vg fut, vl praes)
18 23 εἰ κακῶς ἐλάλησα, μαρτύρησον πε-
ρὶ τοῦ κακοῦ· εἰ δὲ καλῶς, τί με -;
- 37 ἐλήλυθα -, ἵνα μ..ήσω τῇ ἀληθείᾳ
19 35 καὶ ὁ ἑωρακὼς μεμαρτύρηκεν
21 24 ὁ μαθητὴς ὁ μ..ῶν περὶ τούτων
Act 6 3 ἐπισκέψασθε - μ..ουμένους^m ἑπτά
10 22 μ..ούμενος^l - ὑπὸ - τῶν Ἰουδ. 22 12^l
- 43 τούτῳ πάντες οἱ προφῆται μ..οῦσιν
13 22 ᾧ (David) καὶ εἶπεν μαρτυρήσας·
14 3 κυρίῳ τῷ μ..οῦντι ἐπὶ τῷ λόγῳ
15 8 θεὸς ἐμ..ησεν αὐτοῖς δοὺς τὸ πνεῦ.
16 2 ὃς ἐμ..εῖτο^d ὑπὸ τῶν - ἀδελφῶν
22 5 ὡς καὶ ὁ ἀρχιερεὺς μαρτυρεῖ^d μοι
23 11 οὕτω σε δεῖ καὶ εἰς Ῥώμην μαρτυ-
26 5 ἐὰν θέλωσι μαρτυρεῖν |ρῆσαι^i
Rm 3 21 δικαιοσύνη θεοῦ -, μαρτυρουμένη^i
ὑπὸ τοῦ νόμου καὶ τῶν προφητῶν
10 2 μ..ῶ - αὐτοῖς ὅτι ζῆλον θεοῦ ἔχου.
1 Co 15 15 ὅτι ἐμ..ήσαμεν^c κατὰ τοῦ θεοῦ
2 Co 8 3 ὅτι κατὰ δύναμιν, μ..ῶ^d, καὶ παρὰ
Gal 4 15 μ..ῶ - ὑμῖν ὅτι εἰ δυνατὸν τοὺς ὀφθ.
Col 4 13 μ..ῶ - αὐτῷ ὅτι ἔχει πολὺν πόνον
1 Ti 5 10 ἐν ἔργοις καλοῖς μαρτυρουμένη^l
6 13 Ἰησοῦ τοῦ μαρτυρήσαντος^d ἐπὶ -

Πιλάτου τὴν καλὴν ὁμολογίαν
Hb 7 8 ἐκεῖ δὲ μαρτυρούμενος^g ὅτι ζῇ
- 17 μ..εῖται^g γὰρ ὅτι „σὺ ἱερεὺς εἰς - "
10 15 μ..εῖ^g - ἡμῖν καὶ τὸ πνεῦ. τὸ ἅγιον
11 2 ἐν ταύτῃ - ἐμ..ήθησαν^k οἱ πρεσβύ.
- 4 ἐμ..ήθη^k εἶναι δίκαιος, μ..οῦντος „ἐπὶ
τοῖς δώροις αὐτοῦ τοῦ θεοῦ"
- 5 μεμ..ηται^l „εὐαρεστηκέναι τῷ θεῷ"
- 39 πάντες μ..ηθέντες^n διὰ τῆς πίστεως
1 Jo 1 2 καὶ ἑωράκαμεν καὶ μαρτυροῦμεν^f
4 14 τεθεάμεθα καὶ μ..οῦμεν^i ὅτι ὁ πα.
5 6 τὸ πνεῦμά ἐστιν τὸ μαρτυροῦν^i
- 7 τρεῖς εἰσιν οἱ μ..οῦντες^b, τὸ πνεῦ.
- 9 μεμ..ηκεν^i περὶ τοῦ υἱοῦ αὐτοῦ 10^i
3 Jo 3 ἀδελφῶν - μ..ούντων σου τῇ ἀληθ.
6 οἳ ἐμαρτύρησάν^d σου τῇ ἀγάπῃ
12 Δημητρίῳ μεμαρτύρηται^d ὑπὸ πάν-
των καὶ ὑπὸ αὐτῆς τῆς ἀληθείας·
καὶ ἡμεῖς δὲ μαρτυροῦμεν
Ap 1 2 Ἰωάννῃ, ὃς ἐμ..ησεν τὸν λόγ. τοῦ θ.
22 16 ἔπεμψα τὸν ἄγγελόν μου μ..ῆσαι^i
- 18 μ..ῶ^g - τῷ ἀκούοντι τοὺς λόγους
- 20 λέγει ὁ μ..ῶν ταῦτα· ναί, ἔρχομαι

μαρτύρεσθαι *testificari* ^b *contestari*
Act 20 26 μ..ομαι^b ὑμῖν - ὅτι καθαρός εἰμι
26 22 μ..όμενος μικρῷ τε καὶ μεγάλῳ
Gal 5 3 μ..ομαι - παντὶ - περιτεμνομένῳ ὅτι
Eph 4 17 μ..ομαι ἐν κυρίῳ, μηκέτι ὑμᾶς περι.
1 Th 2 12 μ..όμενοι εἰς τὸ περιπατεῖν ὑμᾶς ἀξ.

μαρτυρία *testimonium*
Mar 14 55 ἐζήτουν κατὰ τοῦ Ἰησοῦ μαρτυρίαν
- 56 ἴσαι αἱ μαρτυρίαι οὐκ ἦσαν 59
Luc 22 71 τί ἔτι ἔχομεν μαρτυρίας χρείαν;
Joh 1 7 οὗτος ἦλθεν εἰς μαρτυρίαν 19 αὕτη
ἐστὶν ἡ μαρτυρία τοῦ Ἰωάννου
3 11 τὴν μ. ἡμῶν οὐ λαμβάνετε 32 τὴν μ.
αὐτοῦ οὐδεὶς λαμβάνει 33 ὁ λαβὼν
αὐτοῦ τὴν μ. ἐσφράγισεν ὅτι ὁ θεὸς
ἀληθής ἐστιν
5 31 ἡ μ. μου οὐκ ἔστιν ἀληθής 32 οἶδα
ὅτι ἀληθής ἐστιν ἡ μ. - περὶ ἐμοῦ
- 34 οὐ παρὰ ἀνθρώπου τὴν μ. λαμβάνω
36 ἔχω τὴν μ. μείζω τοῦ Ἰωάννου
8 13 ἡ μαρτυρία σου οὐκ ἔστιν ἀληθής 14
ἀληθής ἐστιν ἡ μαρτ. μου 17 δύο ἀν-
θρώπων ἡ μαρτ. ἀληθής ἐστιν
19 35 ἀληθινὴ αὐτοῦ ἐστιν ἡ μ. 21 24 οἴδα-
μεν ὅτι ἀληθὴς αὐτοῦ ἡ μαρτ. ἐστίν
Act 22 18 οὐ παραδέξονταί σου μ..αν περὶ ἐμοῦ
1 Ti 3 7 δεῖ - μ..αν καλὴν ἔχειν ἀπὸ τῶν ἔξ.

Tit 1 13 ἡ μ. αὕτη (de Cret.) ἐστὶν ἀληθής
1 Jo 5 9 εἰ τὴν μ. τῶν ἀνθρ. λαμβάνομεν, ἡ μ.
τοῦ θεοῦ μείζων ἐστίν, ὅτι – ἐστὶν ἡ
μ. τοῦ θ. 10 ἔχει τὴν μ. (vl + τοῦ θε-
οῦ vg) ἐν αὐτῷ (vl αὐ. vg se). –
ὅτι οὐ πεπίστευκεν εἰς τὴν μαρτ. 11
αὕτη ἐστὶν ἡ μ., ὅτι ζωὴν – ἔδωκεν
3 Jo 12 οἶδας ὅτι ἡ μαρτ. ἡμῶν ἀληθής ἐστιν
Ap 1 2 ὃς ἐμαρτύρησεν – τὴν μ. Ἰησ. Χοῦ 9
ἐν – Πάτμῳ διὰ – τὴν μαρτυρ. Ἰησοῦ
6 9 ἐσφαγμένων – διὰ τὴν μαρτ. ἣν εἶχον
12 17 τῶν – ἐχόντων τὴν μ. Ἰησοῦ 19 10
20 4 πεπελεκισμένων διὰ τὴν μ. Ἰησ.
11 7 ὅταν τελέσωσιν τὴν μαρτυρ. αὐτῶν
12 11 ἐνίκησαν αὐτὸν – διὰ τὸν λόγον τῆς
μαρτ. αὐτῶν 19 10 ἡ γὰρ μαρτ. Ἰησοῦ
ἐστιν τὸ πνεῦμα τῆς προφητείας

μαρτύριον *testimonium*
Mat 8 4 προσένεγκον τὸ δῶρον – , εἰς μαρ-
τύριον αὐτοῖς ‖ Mar 1 44 Luc 5 14
10 18 εἰς μαρτ. αὐτοῖς καὶ τοῖς ἔθνεσιν ‖
Mar 13 9 Luc 21 13 ἀποβήσεται ὑμῖν
εἰς μαρτ. – Mat 24 14 κηρυχθήσεται
– τὸ εὐαγγ. – εἰς μαρτ. – τοῖς ἔθνεσιν
Mar 6 11 ἐκτινάξατε τὸν χοῦν – εἰς μαρτ. αὐ-
τοῖς ‖ Luc 9 5 εἰς μαρτ. ἐπ' αὐτούς
Act 4 33 ἀπεδίδουν τὸ μαρτύρ. οἱ ἀπόστολοι
τοῦ κυρίου Ἰησοῦ τῆς ἀναστάσεως
7 44 "ἡ σκηνὴ τοῦ μαρτυρίου" Ap 15 5
1 Co 1 6 τὸ μαρτ. τοῦ Χοῦ ἐβεβαιώθη ἐν ὑμῖν
2 1 καταγγέλλων ὑμῖν τὸ μαρτύριον (vl
μυστήριον) τοῦ θεοῦ
2 Co 1 12 ἡ – καύχησις ἡμῶν αὕτη ἐστίν, τὸ
μαρτύριον τῆς συνειδήσεως ἡμῶν
2 Th 1 10 ἐπιστεύθη τὸ μαρτ. ἡμῶν ἐφ' ὑμᾶς
1 Ti 2 6 τὸ μαρτύριον καιροῖς ἰδίοις
2 Ti 1 8 μὴ – ἐπαισχυνθῇς τὸ μ. τοῦ κυρίου
Hb 3 5 εἰς μαρτύριον τῶν λαληθησομένων
Jac 5 3 ὁ ἰὸς αὐτῶν εἰς μαρτύρ. ὑμῖν ἔσται

μάρτυς *testis* [b]*martyr* [c](μάρτυρα εἶναι)
testificari
Mat 18 16 "ἐπὶ στόματος δύο μαρτύρων ἢ τρι-
ῶν" 2 Co 13 1 1 Ti 5 19 Hb 10 28
26 65 τί ἔτι χρείαν ἔχομεν μ..ων; ‖ Mar 14 63
Luc 11 48 ἄρα μάρτυρές ἐστε[c] καὶ συνευδοκεῖτε
τοῖς ἔργοις τῶν πατέρων ὑμῶν
24 48 ὑμεῖς (vl + ἐστε) μάρτυρες τούτων
Act 1 8 ἔσεσθέ μου μάρτυρες 2 32 οὗ – ἡμεῖς
ἐσμεν μ..ες 3 15 5 32 τῶν ῥημάτων τού-
των 10 39 πάντων ὧν ἐποίησεν 13 31

οἵτινες [νῦν] εἰσιν μάρτυρες αὐτοῦ
πρὸς τὸν λαόν – 1 22 μ..α τῆς ἀνα-
στάσεως αὐτοῦ σὺν ἡμῖν γενέσθαι
Act 6 13 ἔστησάν τε μ..ας ψευδεῖς λέγοντας·
7 58 οἱ μ..ες ἀπέθεντο τὰ ἱμάτια αὐτῶν
10 41 μάρτυσιν τοῖς προκεχειροτονημένοις
22 15 ἔσῃ μάρτ. αὐτῷ πρὸς πάντας ἀνθρ.
ὧν ἑώρακας καὶ ἤκουσας 26 16
– 20 τὸ αἷμα Στεφάνου τοῦ μάρτυρός σου
Rm 1 9 μάρτυς γάρ μού ἐστιν ὁ θεός Phl
1 8 1 Th 2 5 θεὸς μ. 10 ὑμεῖς μ..ες καὶ
ὁ θεός 2 Co 1 23 μάρτυρα τὸν θεὸν
ἐπικαλοῦμαι ἐπὶ τὴν ἐμὴν ψυχήν
1 Ti 6 12 ὡμολόγησας τὴν καλὴν ὁμολογίαν
ἐνώπιον πολλῶν μ..ων 2 Ti 2 2 ἃ ἤ-
κουσας παρ' ἐμοῦ διὰ πολλῶν μ..ων
Hb 12 1 τοσοῦτον ἔχοντες – νέφος μαρτύρων
1 Pe 5 1 μάρτυς τῶν τοῦ Χοῦ παθημάτων
Ap 1 5 ἀπὸ – Χοῦ, "ὁ μάρτυς ὁ πιστός" 3 14
2 13 Ἀντιπᾶς ὁ μάρτυς μου ὁ πιστός μου
11 3 δώσω τοῖς δυσὶν μάρτυσίν μου
17 6 ἐκ τοῦ αἵματος τῶν μ..ων[b] Ἰησοῦ

μασᾶσθαι S° – *commanducare* Ap 16 10

μαστιγοῦν *flagellare*
Mat 10 17 ἐν τ. συναγωγαῖς – μ..ώσουσιν ὑμᾶς
20 19 εἰς τὸ – μ..ῶσαι ‖ Mar 10 34 Luc 18 33
23 34 ἐξ αὐτῶν μ..ώσετε ἐν ταῖς συναγωγ.
Joh 19 1 Πιλᾶτος τὸν Ἰησοῦν – ἐμαστίγωσεν
Hb 12 6 "μ..οῖ δὲ πάντα υἱὸν ὃν παραδέχ."

μαστίζειν *flagellare* Act 22 25 Ῥωμαῖον – ;

μάστιξ, ..ιγες *plaga* [b]*flagella* [c]*verbera*
Mar 3 10 ὅσοι εἶχον μάστιγας 5 29.34 Luc 7 21
Act 22 24[b] Hb 11 36 μαστίγων[c] πεῖραν ἔλαβον

μαστοί *ubera* [b]*mamillae*
Luc 11 27 23 29 μ..οὶ οἳ οὐκ ἔθρεψαν Ap 1 13[b]

ματαιολογία S° – *vaniloquium* 1 Ti 1 6

ματαιολόγος S° – *vaniloquus* Tit 1 10 μ..οι

μάταιος *vanus*
Act 14 15 ἀπὸ τούτων τῶν μ. – ἐπὶ θεὸν ζῶντα
1 Co 3 20 "γινώσκει τοὺς διαλογισμοὺς τῶν"
σοφῶν, "ὅτι εἰσὶν μάταιοι"
15 17 ματαία ἡ πίστις ὑμῶν [ἐστιν]
Tit 3 9 μάχας νομικὰς περιΐστασο· εἰσὶν γὰρ
ἀνωφελεῖς καὶ μάταιοι

Jac 1 26 τούτου μάταιος ἡ θρησκεία
1 Pe 1 18 ἐκ τῆς ματαίας ὑμῶν ἀναστροφῆς

ματαιότης *vanitas*
Rm 8 20 τῇ γὰρ μ..τητι ἡ κτίσις ὑπετάγη
Eph 4 17 τὰ ἔθνη – ἐν μ..τητι τοῦ νοὸς αὐτῶν
2 Pe 2 18 ὑπέρογκα γὰρ μ..τητος φθεγγόμενοι

ματαιοῦσθαι *evanescere* Rm 1 21 ἐματαιώθη-
σαν ἐν τοῖς διαλογισμοῖς αὐτῶν

μάτην   [a] *sine causa*   [b] *in vanum*
Mat 15 9 „μάτην[a] σέβονταί με" ‖ Mar 7 7[b]

Ματθάτ Luc 3 24   **Ματταθά** Luc 3 31

Ματταθίας Luc 3 25. 26

μάχαιρα *gladius*
Mat 10 34 οὐκ ἦλθον βαλεῖν εἰρήνην ἀλλὰ μ.
26 47 μετὰ μ..ῶν καὶ ξύλων 55. 51 ἀπέσπα-
σεν τὴν μ. ‖ Mar 14 43. 48. 47 Luc 22 52
Joh 18 10 – Mat 26 52 ἀπόστρεψον
τὴν μ. σου (Joh 18 11) – οἱ λαβόντες
μ..αν ἐν μ..ῃ ἀπολοῦνται Ap 13 10 „εἴ
τις ἐν μ..ῃ" ἀποκτενεῖ, δεῖ αὐτὸν „ἐν
μαχαίρῃ" ἀποκτανθῆναι
Luc 21 24 πεσοῦνται στόματι (*in ore*) μαχαίρης
22 36 καὶ ἀγορασάτω μ..αν 38 ἰδοὺ μ..αι
ὧδε δύο 49 εἰ πατάξομεν ἐν μαχαίρῃ;
Act 12 2 ἀνεῖλεν – Ἰάκωβον – μαχαίρῃ – 16 27
Rm 8 35 τίς ἡμᾶς χωρίσει –; – ἢ κινδ. ἢ μ..α;
13 4 οὐ γὰρ εἰκῆ τὴν μάχαιραν φορεῖ
Eph 6 17 καὶ „τὴν μάχαιραν τοῦ πνεύμ
Hb 4 12 ὑπὲρ πᾶσαν μάχαιραν δίστομον
11 34 ἔφυγον στόματα (*aciem*) μαχαίρης
– 37 ἐν φόνῳ μαχαίρης ἀπέθανον
Ap 6 4 ἐδόθη αὐτῷ μάχαιρα μεγάλη
13 14 ἔχει τὴν πληγὴν τῆς μ..ης καὶ ἔζησεν

μάχεσθαι *litigare* Joh 6 52 Act 7 26
2 Ti 2 24 δοῦλον – κυρίου οὐ δεῖ μ. – Jac 4 2

μάχη   [a] *pugna*   [b] *lis, litis*
2 Co 7 5 ἔξωθεν μάχαι[a], ἔσωθεν φόβοι
2 Ti 2 23[b] Tit 3 9[a] Jac 4 1 πόθεν μάχαι[b] –;

μεγαλεῖα *magnalia* Act 2 11 τὰ μ. τοῦ θεοῦ

μεγαλειότης *magnitudo* [b] *maiestas*
Luc 9 43 ἐπὶ τῇ μ. τοῦ θεοῦ Act 19 27[b] Ἀρτέμ.
2 Pe 1 16 ἀλλ' ἐπόπται γενηθέντες τῆς ἐκείνου
(sc Χριστοῦ) μεγαλειότητος

μεγαλοπρεπής *magnificus* 2 Pe 1 17 δόξα

μεγαλύνειν *magnificare* Mat 23 5 κράσπεδα
Luc 1 46 μεγαλύνει „ἡ ψυχή μου τὸν κύριον"
– 58 ἐμεγάλυνεν κύριος τὸ ἔλεος αὐτοῦ
Act 5 13 ἀλλ' ἐμεγάλυνεν αὐτοὺς ὁ λαός
10 46 ἤκουον – αὐτῶν – μ..όντων τὸν θεόν
19 17 ἐμεγαλύνετο τὸ ὄνομα τοῦ κυρ. Ἰησ.
2 Co 10 15 ἐλπίδα – ἔχοντες – ἐν ὑμῖν μ..θῆναι
Phl 1 20 μ..θήσεται Χὸς ἐν τῷ σώματί μου

μεγάλως *vehementer* Phl 4 10 ἐχάρην – ἐν κυ.

μεγαλωσύνη   [a] *magnitudo*   [b] *magnificentia*
     [c] *maiestas*
Hb 1 3 „ἐκάθισεν ἐν δεξιᾷ" τῆς μ.[c] ἐν ὑψη-
λοῖς 8 1 τοῦ θρόνου τῆς μ.[a] ἐν τοῖς οὐρ.
Jud 25 θεῷ σωτῆρι ἡμῶν – μεγαλ.[b] κράτος

*μέγας, μείζων (..ότερος)**, μέγιστος**
     magnus, maior, maximus [b] *grandis*
     [c] *princeps* [d] (comp) *amplior*
Mat 5 19 μέγ. κληθήσεται ἐν τῇ βασ. τῶν οὐρ.
– 35 „πόλις" ἐστὶν „τοῦ μεγ. βασιλέως"
11 11 οὐκ ἐγήγερται – μείζων Ἰωάννου – ·
ὁ δὲ μικρότερος ἐν τῇ βασ. τῶν οὐρ.
μείζων αὐτοῦ ἐστιν ‖ Luc 7 28
12 6 τοῦ ἱεροῦ μεῖζόν (*maior*) ἐστιν ὧδε
15 28 ὦ γύναι, μεγάλη σου ἡ πίστις
18 1 τίς ἄρα μείζων ἐστὶν ἐν τῇ βασ. τῶν
οὐρ.; 4 οὗτός ἐστιν ὁ μείζων ‖ Mar
9 34 διελέχθησαν – τίς μείζων Luc 9 46
τίς ἂν εἴη μείζων αὐτῶν 48 ὁ – μικρό-
τερος ἐν – ὑμῖν –, οὗτός ἐστιν μέγας
(*maior*) – 22 24 φιλονεικία –, τὸ τίς
αὐτῶν δοκεῖ εἶναι μείζων
20 25 οἱ μεγάλοι (*maiores*) κατεξουσιάζου-
σιν αὐτῶν 26 ὃς ἐὰν θέλῃ ἐν ὑμῖν μέ-
γας (*maior*) γενέσθαι ‖ Mar 10 42 οἱ
μεγ.[c] αὐτῶν 43 μέγ. (*maior*) γενέσθαι
Luc 22 26 ὁ μείζων ἐν ὑμῖν γινέσθω
ὡς ὁ νεώτερος 27 τίς γὰρ μείζων, ὁ
ἀνακείμενος ἢ ὁ διακονῶν; Mat 23 11
ὁ δὲ μείζων ὑμῶν ἔσται ὑμῶν διάκονος
22 36 ποία ἐντολὴ μεγάλη –; 38 αὕτη ἐ-
στὶν ἡ μεγ. (*max.*) καὶ πρώτη ἐντολὴ
‖ Mar 12 31 μείζων – οὐκ ἔστιν
Luc 1 15 ἔσται – μέγας ἐνώπιον κυρίου 32
– 49 ἐποίησέν μοι μεγάλα ὁ δυνατός
7 16 προφήτης μέγας ἠγέρθη ἐν ἡμῖν
Joh 1 50 μείζω (*maius*) τούτων ὄψῃ 5 20 μεί-
ζονα – δείξει αὐτῷ ἔργα 14 12 μείζονα
τούτων ποιήσει (sc ἔργα)

Joh 4 12 μὴ σὺ μείζων εἶ τοῦ πατρὸς ἡμῶν Ἰα-
κώβ –; 8 53 Ἀβραάμ, –;
5 36 ἔχω τὴν μαρτυρίαν μείζω τοῦ Ἰωά.
10 29 ὁ πατήρ μου ὃ δέδωκέν μοι πάντων
μεῖζόν ἐστιν (vl ὃς et μείζων)
13 16 οὐκ ἔστιν δοῦλος μείζων τοῦ κυρίου
αὐτοῦ, οὐδὲ ἀπόστολος μείζων τοῦ
πέμψαντος αὐτόν 15 20
14 28 ὅτι ὁ πατὴρ μείζων μού ἐστιν
15 13 μείζονα ταύτης ἀγάπην οὐδεὶς ἔχει
19 11 ὁ παραδοὺς – μείζονα ἁμαρτίαν ἔχει
– 31 ἦν–μεγάλη ἡ ἡμέρα ἐκείνου τοῦ σαββ.
Act 8 9 λέγων εἶναί τινα ἑαυτὸν μέγαν 10 ἡ
δύναμις τοῦ θεοῦ ἡ καλου. μεγάλη
– 10 πάντες ἀπὸ μικροῦ ἕως μεγάλου
(max.) cfr Hb 8 11 – Act 26 22 μαρ-
τυρόμενος μικρῷ τε καὶ μεγ. (mai.)
Ap 11 18 „τοῖς μι. καὶ τοῖς μεγ." 13 16
19 5.18 20 12 τοὺς νεκρούς, τ. μεγ. καὶ
19 27 τῆς μεγάλης θεᾶς Ἀρτέμ. 28. 34. 35
Rm 9 12 „ὁ μείζων δουλεύσει τῷ ἐλάσσονι"
1 Co 9 11 μέγα εἰ ἡμεῖς ὑμῶν τὰ σαρκικὰ θερί-
σομεν; cfr 2 Co 11 15 οὐ μέγα – εἰ
12 31 ζηλοῦτε – τὰ χαρίσματα τὰ μείζονα
(vl κρείττονα vg meliora vl maiora)
13 13 μείζων δὲ τούτων ἡ ἀγάπη
14 5 μείζ. – ὁ προφητεύων ἢ ὁ λαλῶν γλ.
Eph 5 32 τὸ μυστήριον τοῦτο μέγα ἐστίν
1 Ti 3 16 ὁμολογουμένως μέγα ἐστὶν τὸ τῆς
εὐσεβείας μυστήριον
6 6 ἔστιν δὲ πορισμὸς μέγας ἡ εὐσέβεια
μετὰ αὐταρκείας
Tit 2 13 ἐπιφάνειαν τῆς δόξης τοῦ μεγ. θεοῦ
Hb 4 14 ἔχοντες – ἀρχιερέα μέγαν 10 21 ἱερέα
6 13 ἐπεὶ κατ᾽ οὐδενὸς εἶχεν μείζονος ὀ-
μόσαι 16 κατὰ τοῦ μείζ. ὀμνύουσιν
9 11 διὰ τῆς μείζονος d – σκηνῆς
10 35 ἥτις ἔχει μεγάλην μισθαποδοσίαν
11 24 πίστει „Μωϋσῆς μέγας b γενόμενος"
– 26 μείζονα πλοῦτον ἡγησάμενος
13 20 „τὸν ποιμένα τ. προβάτων" τὸν μέγ.
Jac 3 1 εἰδότες ὅτι μεῖζον κρίμα λημψόμεθα
– 5 ἡ γλῶσσα μικρὸν μέλος ἐστὶν καὶ
μεγάλα αὐχεῖ (vl μεγαλαυχεῖ)
4 6 μείζονα δὲ „δίδωσιν χάριν"
2 Pe 1 4 δι᾽ ὧν τὰ τίμια καὶ μέγιστα ἡμῖν ἐπ-
αγγέλματα δεδώρηται
2 11 ἄγγελοι – δυνάμει μείζονες ὄντες
1 Jo 3 20 μείζων – ὁ θεὸς τῆς καρδίας ἡμῶν
4 4 μείζ. – ὁ ἐν ὑμῖν ἢ ὁ ἐν τῷ κόσμῳ
5 9 ἡ μαρτυρία τοῦ θεοῦ μείζων ἐστίν
3 Jo 4 μειζοτέραν τούτων οὐκ ἔχω χαράν

Jud 6 εἰς κρίσιν μεγάλης ἡμέρας
Ap 6 17 ἦλθεν „ἡ ἡμέρα ἡ μεγ. τῆς ὀργῆς"
13 5 „στόμα λαλοῦν μεγάλα" καὶ βλασ.
16 14 εἰς τὸν πόλεμον τῆς ἡμέρας τῆς με-
γάλης τοῦ θεοῦ
19 17 εἰς τὸ δεῖπνον τὸ μέγα τοῦ θεοῦ

μέγεθος magnitudo Eph 1 19 τῆς δυνάμεως

μεγιστᾶνες principes Mar 6 21 Ap 6 15 18 23

μεθερμηνεύειν interpretari Mat 1 23 Mar 5 41
15 22. 34 Joh 1 38. 41 Act 4 36 13 8

μέθη ebrietas Luc 21 34 Rm 13 13 Gal 5 21

μεθιστάναι amovēre b avertere c transferre
Luc 16 4 ὅταν μετασταθῶ ἐκ τῆς οἰκονομίας
Act 13 22 μεταστήσας αὐτόν 19 26 b ὄχλον
1 Co 13 2 τὴν πίστιν ὥστε ὄρη μεθιστάναι c
Col 1 13 μετέστησεν c εἰς τὴν βασ. τοῦ υἱοῦ

μεθοδεία S° – circumventio b insidiae
Eph 4 14 πρὸς τὴν μεθοδείαν τῆς πλάνης
6 11 στῆναι πρὸς τὰς μ. b τοῦ διαβόλου

(**μεθόρια, τά** vl fines Mar 7 24 Τύρου)

μεθύειν ebrium esse μεθύων: b ebrius
c ebriosus (vl ebrius)
Mat 24 49 μετὰ τῶν μ..όντων c Act 2 15 Ap 17 6 b
1 Co 11 21 ὃς μὲν πεινᾷ, ὃς δὲ μεθύει
1 Th 5 7 οἱ μεθυσκόμενοι νυκτὸς μ..ουσιν

μεθύσκεσθαι inebriari b ebrium esse
Luc 12 45 Joh 2 10 – 1 Th 5 7 b Ap 17 2
Eph 5 18 „μὴ μ..εσθε οἴνῳ", ἐν ᾧ ἐστιν ἀσωτία

μέθυσος ebriosus 1 Co 5 11 6 10 οὐ μέθυσοι

μέλαν, τό S° – atramentum
2 Co 3 3 οὐ μέλανι 2 Jo 12 διὰ – μ..ος 3 Jo 13

μέλας niger Mat 5 36 τρίχα – Ap 6 5. 12

Μελεά Luc 3 31

μέλει μοί τινος, περί τινος, ὅτι cura mihi est
de b curae mihi est c curo aliquem
d pertinet ad me de, ad me quia
Mat 22 16 οὐ μ. σοι περὶ οὐδενός ‖ Mar 12 14 c
Mar 4 38 οὐ μέλει σοι ὅτι d ἀπολλύμεθα;
Luc 10 40 οὐ μέλει σοι b ὅτι ἡ ἀδελφή μου –;

Joh 10 13 οὐ μέλει[d] αὐτῷ περὶ τῶν προβάτων
12 6 οὐχ ὅτι περὶ τ. πτωχῶν ἔμελεν[d] αὐ.
Act 18 17 οὐδὲν τούτων – Γαλλίωνι ἔμελεν[b]
1 Co 7 21 δοῦλος ἐκλήθης; μή σοι μελέτω[b]
9 9 μὴ τῶν βοῶν μέλει τῷ θεῷ; ἤ
1 Pe 5 7 ὅτι αὐτῷ μέλει περὶ ὑμῶν

μελετᾶν *meditari* Act 4 25 „κενά" 1 Ti 4 15

μέλι *mel* Mat 3 4 ἄγριον ‖ Mar 1 6 – Ap 10 9.10

Μελίτη Act 28 1 ὅτι Μελ. ἡ νῆσος καλεῖται

(μελίσσιος S⁰ – Luc 24 42 καὶ ἀπὸ μελισσίου
κηρίου vel κηρίον vg *favum mellis*)

*μέλλειν latine plerumque redditur tem-
pore futuro (coniug. periphr.) vel
[b]gerundivo. [c]*futurum est, ut* [d]*in-
cipiet* [e]*oportet* μέλλων: [f]*futurus*
[g]*venturus* – [h]*morari*

Mat 3 7 τίς ὑπέδειξεν ὑμῖν φυγεῖν ἀπὸ τῆς
μελλούσης[g] (vl[f]) ὀργῆς; ‖ Luc 3 7[g]
11 14 ἐστὶν Ἠλίας ὁ μέλλων ἔρχεσθαι[g]
12 32 οὔτε ἐν τῷ μέλλοντι[f] (sc αἰῶνι) –
Eph 1 21 καὶ ἐν τῷ μ.[f] Hb 6 5 δυνά-
μεις τε μέλλοντος[g] αἰῶνος
16 27 μέλλει – ἔρχεσθαι[g] ἐν τῇ δόξῃ τοῦ
πατρός 17 12 μέλλει πάσχειν (fut) 22
μέλλει – παραδίδοσθαι[b] (gerund) ‖
Luc 9 44[c] – Mat 20 22 ὃ ἐγὼ μέλλω
πίνειν; Mar 10 32 τὰ μέλλοντα αὐτῷ
συμβαίνειν Luc 9 31 τὴν ἔξοδον –, ἥν
ἤμελλεν πληροῦν ἐν Ἰερουσαλήμ
24 6 μελλήσετε – ἀκούειν πολέμους Mar
13 4 ὅταν μέλλῃ[d] ταῦτα συντελεῖ-
σθαι –; ‖ Luc 21 7[d] γίνεσθαι 36[f]
Luc 7 2 ἤμελλεν τελευτᾶν (*erat moriturus*)
Joh 4 47[d] (*incipiebat – mori*)
13 9 κἂν – ποιήσῃ καρπὸν εἰς τὸ μέλλ.[f]
19 11 ὅτι – μέλλει ἡ βασιλεία τοῦ θεοῦ ἀνα-
φαίνεσθαι (*manifestaretur*)
24 21 αὐτός ἐστιν ὁ μέλλων λυτροῦσθαι
Joh 6 71 ἔμελλεν παραδιδόναι αὐτόν 12 4
11 51 ἐπροφήτευσεν ὅτι ἔμελλεν Ἰησοῦς
ἀποθνήσκειν ὑπὲρ τοῦ ἔθνους
12 33 ποίῳ θανάτῳ ἤμελλεν ἀποθνῄ. 18 32
Act 17 31 ἔστησεν ἡμέραν ἐν ᾗ μέλλει κρίνειν
22 16 καὶ νῦν τί μέλλεις[h]; – βάπτισαι
24 15 ἀνάστασιν μέλλειν ἔσεσθαι 25 διαλε-
γομένου – περὶ τοῦ κρίμ. τοῦ μέλλ.[f]
Rm 5 14 Ἀδάμ, – τύπος τοῦ μέλλοντος[f]

Rm 8 18 πρὸς τὴν μέλλουσαν[f] δόξαν ἀποκα-
λυφθῆναι Gal 3 23 πίστιν[b]
– 38 οὔτε ἐνεστῶτα (*instantia*) οὔτε μέλ-
λοντα[f] 1 Co 3 22 εἴτε ἐνεστῶτα (*prae-
sentia*) εἴτε μέλλοντα[f], πάντα ὑμῶν
Col 2 17 ἅ ἐστιν σκιὰ τῶν μελλόντων[f]
1 Th 3 4 προελέγομεν – ὅτι μ..ομεν θλίβεσθαι
1 Ti 1 16 ὑποτύπωσιν τῶν μ..όντων πιστεύειν
4 8 ζωῆς τῆς νῦν καὶ τῆς μελλούσης[f]
6 19 θεμέλιον καλὸν εἰς τὸ μέλλον[f]
2 Ti 4 1 τοῦ μέλλοντος κρίνειν ζῶντας καί
Hb 1 14 διὰ τοὺς μέλλ. κληρονομεῖν σωτηρίαν
2 5 τὴν οἰκουμένην τὴν μέλλουσαν[f]
10 1 σκιὰν – ἔχων ὁ νόμος τῶν μελλ.[f] ἀ-
γαθῶν (9 11 vl ἀρχιερεὺς τ. μ.[f] ἀγ.)
– 27 „πυρὸς – ἐσθίειν" μελλόντος „τούς"
11 20 καὶ περὶ μελλόντων[f] εὐλόγησεν |λιν
13 14 τὴν μέλλουσαν[f] ἐπιζητοῦμεν (sc πό-
1 Pe 5 1 τῆς μελλούσης ἀποκαλύπτεσθαι (*in
futuro revelanda*) δόξης
2 Pe 2 6 ὑπόδειγμα μελλόντων ἀσεβεῖν
Ap 1 19 „ἅ μέλλει[e] γενέσθαι μετὰ ταῦτα"
3 2 στήρισον – ἃ ἔμελλον ἀποθανεῖν
– 10 ἐκ τῆς ὥρας τοῦ πειρασμοῦ τῆς μελ-
λούσης ἔρχεσθαι ἐπὶ τῆς οἰκουμένης

μέλος *membrum*
Mat 5 29 ἵνα ἀπόληται ἓν τῶν μελῶν σου 30
Rm 6 13 μηδὲ παριστάνετε τὰ μ. ὑμῶν ὅπλα
ἀδικίας –, ἀλλὰ παραστήσατε – τὰ μ.
ὑμῶν ὅπλα δικαιοσύνης τῷ θεῷ
– 19 ὥσπερ – παρεστήσατε τὰ μ. ὑμῶν δοῦ-
λα τῇ ἀκαθαρσίᾳ –, οὕτως νῦν πα-
ραστήσατε τὰ μ. ὑμ. δοῦλα τῇ δικαιο.
7 5 ἐνηργεῖτο ἐν τοῖς μέλεσιν ἡμῶν
– 23 βλέπω – ἕτερον νόμον ἐν τοῖς μ. μου
– αἰχμαλωτίζοντά με ἐν τῷ νόμῳ τῆς
ἁμαρτίας τῷ ὄντι ἐν τοῖς μέλεσίν μου
12 4 ἐν ἑνὶ σώματι πολλὰ μέλη ἔχομεν,
τὰ δὲ μ. πάντα οὐ τὴν αὐτὴν ἔχει
πρᾶξιν 5 οἱ πολλοὶ ἓν σῶμά ἐσμεν
–, τὸ δὲ καθ' εἷς ἀλλήλων μέλη
1 Co 6 15 οὐκ οἴδατε ὅτι τὰ σώματα ὑμῶν μέ-
λη Χοῦ ἐστιν; ἄρας οὖν τὰ μέλη
τοῦ Χοῦ ποιήσω πόρνης μέλη;
12 12 τὸ σῶμα ἕν ἐστιν καὶ μέλη πολλὰ
ἔχει, πάντα δὲ τὰ μ. – ἕν ἐστιν σῶμα
14 οὐκ ἔστιν ἓν μέλος ἀλλὰ πολλά
18 ὁ θεὸς ἔθετο τὰ μ. 19 εἰ δὲ ἦν τὰ
πάντα ἓν μ. 20 νῦν δὲ πολλὰ μὲν μ.,
ἓν δὲ σῶμα 22 τὰ δοκοῦντα μ. – ἀ-
σθενέστερα 25 ἵνα – τὸ αὐτὸ ὑπὲρ

(1 Co 12) ἀλλήλων μεριμνῶσι‧ τὰ μ. 26 εἴτε πά-
σχει ἓν μέλος, συμπάσχει πάντα τὰ
μ.‧ – εἴτε δοξάζεται μ., συγχαίρει πάν-
τα τὰ μ. 27 ὑμεῖς δέ ἐστε σῶμα Χοῦ
καὶ μέλη ἐκ μέρους (vl μέλους vg)
– (Eph 4 16 vl μέλους vg)
Eph 4 25 ὅτι ἐσμὲν ἀλλήλων μέλη
5 30 ὅτι μέλη ἐσμὲν τοῦ σώματος αὐτοῦ
Col 3 5 νεκρώσατε – τὰ μέλη τὰ ἐπὶ τῆς γῆς
Jac 3 5 ἡ γλῶσσα μικρὸν μέλος 6 ὁ κόσμος
τῆς ἀδικίας, (vel sine,) ἡ γλῶσσα
καθίσταται ἐν τοῖς μέλεσιν ἡμῶν
4 1 τῶν στρατευομένων ἐν τοῖς μ. ὑμῶν

Μελχί Luc 3 24. 28

Μελχισέδεκ Hb 5 6. 10 6 20 7 1. 10. 11. 15. 17

μεμβράνα Sᵒ – *membrana* 2 Ti 4 13 τὰς μ.

μέμφεσθαι ᵃ*queri* (vl *quae.*) ᵇ*vituperare*
(Mar 7 2 vl ᵇ) Rm 9 19 τί ἔτι μέμφεται ᵃ;
Hb 8 8 μεμφόμενος ᵇ γὰρ αὐτοὺς λέγει‧

μεμψίμοιρος Sᵒ – *querulosus* (vl *querello.*)
Jud 16 οὗτοί εἰσιν γογγυσταὶ μεμψίμοιροι

μένειν *manēre* ᵇ*permanēre* ᶜ*remanēre*
ᵈ*morari* ᵉ*sustinēre* ᶠ*habitare*
Mat 10 11 κἀκεῖ μείνατε ‖ Mar 6 10 Luc 9 4 10 7
11 23 ἔμεινεν ἂν μέχρι τῆς σήμερον
26 38 μείνατε ᵉ ὧδε καὶ γρηγ. ‖ Mar 14 34 ᵉ
Luc 1 56 8 27 19 5 ἐν τῷ οἴκῳ σου δεῖ με μεῖν.
24 29 μεῖνον μεθ᾽ ἡμῶν – . – εἰσῆλθεν τοῦ
μεῖναι (vg om τοῦ μ.) σὺν αὐτοῖς
Joh 1 32 ἔμεινεν (sc τὸ πνεῦμα) ἐπ᾽ αὐτόν 33
– 38 ῥαββί –, ποῦ μένεις ᶠ; 39 εἶδαν ποῦ
μένει, καὶ παρ᾽ αὐτῷ ἔμειναν 2 12
3 36 ἡ ὀργὴ τοῦ θεοῦ μένει ἐπ᾽ αὐτόν
4 40 ἠρώτων αὐτὸν μεῖναι – ‧ καὶ ἔμεινεν
5 38 τὸν λόγον αὐτοῦ οὐκ ἔχετε ἐν ὑμῖν
μένοντα → 1 Jo 2 14. 24
6 27 ἐργάζεσθε – τὴν βρῶσιν τὴν μένου-
σαν ᵇ εἰς ζωὴν αἰώνιον
– 56 ὁ τρώγων μου τὴν σάρκα – ἐν ἐμοὶ
μένει κἀγὼ ἐν αὐτῷ 15 4 μείνατε ἐν
ἐμοί, κἀγὼ ἐν ὑμῖν. καθὼς τὸ κλῆμα
– ἐὰν μὴ μένῃ ἐν τῇ ἀμπέλῳ, οὕτως
οὐδὲ ὑμεῖς ἐὰν μὴ ἐν ἐμοὶ μένητε 5
ὁ μένων ἐν ἐμοὶ κἀγὼ ἐν αὐτῷ 6 ἐὰν
μή τις μένῃ ἐν ἐμοὶ 7 ἐὰν μείνητε ἐν
ἐμοὶ καὶ τὰ ῥήματά μου ἐν ὑμῖν μεί-
νῃ → 1 Jo 3 6. 24
7 9 ἔμεινεν ἐν τῇ Γαλιλαίᾳ 10 40 11 6. 54

(vl διέτριβεν ᵈ) μετὰ τῶν μαθητῶν
Joh 8 31 ἐὰν – μείνητε ἐν τῷ λόγῳ τῷ ἐμῷ
– 35 δοῦλος οὐ μένει ἐν τῇ οἰκίᾳ εἰς τὸν
αἰῶνα‧ ὁ υἱὸς μένει εἰς τὸν αἰῶνα
9 41 ἡ ἁμαρτία ὑμῶν μένει
12 24 αὐτὸς (sc κόκκος σίτου) μόνος μένει
– 34 ὅτι ὁ χριστὸς μένει „εἰς τὸν αἰῶνα”
– 46 φῶς – ἐλήλυθα, ἵνα πᾶς ὁ πιστεύων
εἰς ἐμὲ ἐν τῇ σκοτίᾳ μὴ μείνῃ
14 10 ὁ δὲ πατὴρ ἐν ἐμοὶ μένων ποιεῖ τὰ
ἔργα αὐτοῦ (vl αὐτός, vg *ipse*)
– 17 γινώσκετε αὐτό (sc τὸ πνεῦμα), ὅτι
παρ᾽ ὑμῖν μένει (vl μενεῖ vg)
– 25 ταῦτα λελάληκα ὑμῖν παρ᾽ ὑμῖν μένων
15 (7 → 6 56.) 9 μείνατε ἐν τῇ ἀγάπῃ τῇ ἐ-
μῇ 10 ἐὰν τὰς ἐντολάς μου τηρήση-
τε, μενεῖτε ἐν τῇ ἀγ. μου, καθὼς ἐγὼ
– μένω αὐτοῦ (sc τοῦ πατρός) ἐν τῇ
– 16 ἵνα – ὁ καρπὸς ὑμῶν μένῃ [ἀγάπῃ
19 31 ἵνα μὴ μείνῃ ᶜ ἐπὶ τοῦ σταυροῦ
21 22 ἐὰν αὐτὸν θέλω μένειν ἕως ἔρχ. 23
Act 5 4 οὐχὶ μένον σοὶ ἔμενεν – ;
9 43 μεῖναι ᵈ ἐν Ἰόππῃ 16 15 18 3. 20
20 5 ἔμενον ᵉ ἡμᾶς ἐν Τρῳάδι
– 23 ὅτι δεσμὰ καὶ θλίψεις με μένουσιν
21 7. 8 27 31. 41 28 16 μένειν καθ᾽ ἑαυτόν
Rm 9 11 ἵνα ἡ – πρόθεσις τοῦ θεοῦ μένῃ
1 Co 3 14 εἴ τινος τὸ ἔργον μενεῖ ὃ ἐποικοδ.
7 8 καλὸν αὐτοῖς ἐὰν μείνωσιν ᵇ (vl ᵃ) ὡς
κἀγὼ 11 μενέτω ἄγαμος (sc ἡ γυνή)
20 ἕκαστος ἐν τῇ κλήσει ᾗ ἐκλήθη, –
μενέτω ᵇ 24 ἐν ᾧ ἐκλήθη, –, ἐν τούτῳ
μενέτω ᵇ (vl ᵃ) 40 μακαριωτέρα δέ ἐ-
στιν ἐὰν οὕτως μείνῃ ᵇ
13 13 μένει πίστις, ἐλπίς, ἀγάπη, τὰ τρία
15 6 ἐξ ὧν οἱ πλείονες μένουσιν ἕως ἄρτι
2 Co 3 11 πολλῷ μᾶλλον τὸ μένον ἐν δόξῃ
– 14 τὸ αὐτὸ κάλυμμα – μένει
9 9 „ἡ δικαιοσύνη αὐτοῦ μένει εἰς τόν”
Phl 1 25 ὅτι μενῶ καὶ παραμενῶ ᵇ – ὑμῖν
1 Ti 2 15 ἐὰν μείνωσιν ᵇ ἐν πίστει καὶ ἀγάπῃ
2 Ti 2 13 εἰ ἀπιστοῦμεν, ἐκεῖνος πιστός μ..ει ᵇ
3 14 σὺ δὲ μένε ᵇ ἐν οἷς ἔμαθες [(vl ᵃ)
4 20 Ἔραστος ἔμεινεν ᶜ ἐν Κορίνθῳ
Hb 7 3 μένει „ἱερεὺς” εἰς τὸ διηνεκές
– 24 διὰ τὸ μένειν αὐτὸν „εἰς τὸν αἰῶνα”
10 34 κρείσσονα ὕπαρξιν καὶ μένουσαν
12 27 ἵνα μείνῃ τὰ μὴ σαλευόμενα
13 1 ἡ φιλαδελφία μενέτω
– 14 οὐ γὰρ ἔχομεν ὧδε μένουσαν πόλιν
1 Pe 1 23 διὰ λόγου ζῶντος θεοῦ καὶ μένον-
τος ᵇ (vl + εἰς τὸν αἰῶνα vg)

1 Pe 1 25 „ῥῆμα" κυρίου „μένει εἰς τὸν αἰῶνα"
1 Jo 2 6 ὁ λέγων ἐν αὐτῷ μένειν 27 μένετε ἐν
αὐτῷ 28 μένετε ἐν αὐτῷ, ἵνα ἐὰν φα-
νερωθῇ σχῶμεν παρρησίαν
– 10 ὁ ἀγαπῶν τὸν ἀδ. – ἐν τῷ φωτὶ μένει
– 14 ὁ λόγος τοῦ θεοῦ ἐν ὑμῖν μένει
– 17 ὁ – ποιῶν τὸ θέλημα τοῦ θεοῦ μένει
εἰς τὸν αἰῶνα
– 19 μεμενήκεισαν [b] ἂν μεθ᾿ ἡμῶν
– 24 ὃ ἠκούσατε –, ἐν ὑμῖν μενέτω [b]. ἐὰν
ἐν ὑμῖν μείνῃ [b] –, καὶ ὑμεῖς ἐν τῷ
υἱῷ καὶ [ἐν] τῷ πατρὶ μενεῖτε
– 27 τὸ χρῖσμα – μένει (vl ..έτω vg) ἐν ὑμ.
3 6 πᾶς ὁ ἐν αὐτῷ μένων οὐχ ἁμαρτά-
νει 9 ὅτι σπέρμα αὐτοῦ ἐν αὐτῷ μέ-
νει 24 ὁ τηρῶν τὰς ἐντολὰς αὐτοῦ
ἐν αὐτῷ μένει καὶ αὐτὸς ἐν αὐτῷ·
– γινώσκομεν ὅτι μένει ἐν ἡμῖν
– 14 ὁ μὴ ἀγαπῶν μένει ἐν τῷ θανάτῳ
– 15 ἀνθρωποκτόνος οὐκ ἔχει ζωὴν αἰώ. ἐν
αὐτῷ (vg semetipso vl se) μένουσαν
– 17 πῶς ἡ ἀγάπη τοῦ θ. μένει ἐν αὐτῷ;
4 12 ἐὰν ἀγαπῶμεν ἀλλήλους, ὁ θεὸς ἐν
ἡμῖν μένει 13 ἐν τούτῳ γινώσκομεν
ὅτι ἐν αὐτῷ μένομεν καὶ αὐτὸς ἐν
ἡμῖν 15 ὁ θεὸς ἐν αὐτῷ μένει καὶ
αὐτὸς ἐν τῷ θεῷ
– 16 ὁ μένων ἐν τῇ ἀγάπῃ ἐν τῷ θεῷ μέ-
νει καὶ ὁ θεὸς ἐν αὐτῷ μένει
2 Jo 2 διὰ τ. ἀλήθειαν τὴν μ..ουσαν [b] ἐν ἡμῖν
9 ὁ – μὴ μένων [b] (vl [a]) ἐν τῇ διδαχῇ τ.
Χοῦ θεὸν οὐκ ἔχει· ὁ μένων [b] –, – ἔχει
Ap (11 17 vl εἴληφας τὴν δύναμίν σου τὴν μέ-
νουσαν)
17 10 ὅταν ἔλθῃ ὀλίγον αὐτὸν δεῖ μεῖναι

Μεννά Luc 3 31

μερίζειν, ..εσθαι dividere [b]dispertire [c]metiri
Mat 12 25 πᾶσα βασιλεία μερισθεῖσα καθ᾿ ἑαυ-
τῆς –, – πόλις ἢ οἰκία μερ. καθ᾿ ἑαυ-
τῆς 26 εἰ ὁ σατανᾶς –, ἐφ᾿ ἑαυτὸν ἐ-
μερίσθη ‖ Mr 3 24.25 [b] 26 [b] (Lc 11 17 vl)
Mar 6 41 τοὺς δύο ἰχθύας ἐμέρισεν πᾶσιν
Luc 12 13 μερίσασθαι μετ᾿ ἐμοῦ τὴν κληρονομ.
Rm 12 3 ἑκάστῳ ὡς ὁ θεὸς ἐμέρισεν μέτρον
πίστεως 1 Co 7 17 ὡς μεμέρικεν ὁ κύ.
1 Co 1 13 (vl μὴ) μεμέρισται ὁ Χός;
7 34 ὁ δὲ γαμήσας – μεμέρισται
2 Co 10 13 κατὰ τὸ μέτρον τοῦ κανόνος οὗ ἐμέ-
ρισεν [c] ἡμῖν ὁ θεὸς μέτρου
Hb 7 2 „δεκάτην ἀπὸ πάντων" ἐμέρισεν Ἀβ.

μέριμνα solicitudo (vl soll.) [b]aerumna [c]cura
Mat 13 22 ἡ μέρ. τοῦ αἰῶνος – συμπνίγει τὸν
λόγον ‖ Mar 4 19 αἱ μέρ. [b] Luc 8 14
Luc 21 34 μήποτε βαρηθῶσιν ὑμῶν αἱ καρδίαι
ἐν – μερίμναις [c] βιωτικαῖς
2 Co 11 28 ἡ μέριμνα πασῶν τῶν ἐκκλησιῶν
1 Pe 5 7 πᾶσαν „τὴν μέρ. ὑμῶν ἐπιρίψαντες"
ἐπ᾿ αὐτόν, ὅτι αὐτῷ μέλει περὶ ὑμῶν

μεριμνᾶν solicitum (vl soll.) esse [b]cogitare
Mat 6 25 μὴ μ..ᾶτε τῇ ψυχῇ ὑμῶν τί φάγητε
27 τίς – μ..ῶν [b] δύναται προσθεῖναι –
πῆχυν ἕνα; 28 περὶ ἐνδύματος τί μ..
ᾶτε; 31 μὴ οὖν μ..ήσητε λέγοντες· ‖
Luc 12 22.25 [b] 26 τί περὶ τῶν λοιπῶν
μεριμνᾶτε;
– 34 μὴ – μεριμνήσητε εἰς τὴν αὔριον, ἡ
γὰρ αὔριον μεριμνήσει ἑαυτῆς
10 19 μὴ μ..ήσητε [b] πῶς ἢ τί λαλήσητε ‖
Luc 12 11 ἀπολογήσησθε ἢ τί εἴπητε
Luc 10 41 μεριμνᾷς καὶ θορυβάζῃ περὶ πολλά
1 Co 7 32 ὁ ἄγαμος μεριμνᾷ τὰ τοῦ κυρίου 33
ὁ δὲ γαμήσας μ..ᾷ τὰ τοῦ κόσμου
34 ἡ ἄγαμος καὶ ἡ παρθένος μ..ᾷ [b]
τὰ τοῦ κυρ. – · ἡ δὲ γαμήσασα – μ..ᾷ [b]
τὰ τοῦ κόσμου
12 25 ἵνα – τὸ αὐτὸ ὑπὲρ ἀλλήλων μεριμνῶ-
σιν τὰ μέλη
Phl 2 20 ὅστις γνησίως τὰ περὶ ὑμῶν μ..ήσει
4 6 μηδὲν μ..ᾶτε, ἀλλ᾿ ἐν παντὶ – τὰ αἰτή-
ματα ὑμῶν γνωριζέσθω πρὸς τ. θεόν

μερίς pars
Luc 10 42 Μαρ. – τὴν ἀγαθὴν μ..δα ἐξελέξατο
Act 8 21 οὐκ ἔστιν σοι μερὶς οὐδὲ κλῆρος ἐν
τῷ λόγῳ τούτῳ
16 12 πρώτη τῆς μερίδος Μακεδονίας πόλις
2 Co 6 15 τίς μερὶς πιστῷ μετὰ ἀπίστου;
Col 1 12 εἰς τὴν μερίδα τοῦ κλήρου τῶν ἁγίων

μερισμός [a]distributio [b]divisio
Hb 2 4 πνεύματος ἁγίου μερισμοῖς [a]
4 12 ἄχρι μερισμοῦ [b] ψυχῆς καὶ πνεύματος

μεριστής S⁰ – divisor Luc 12 14 κριτὴν ἢ μ.

μέρος pars [b]portio [c](ἀνὰ μ.) per partes
[d](ἀπὸ μέρους, ἐκ μ.) ex parte [e](κα-
τὰ μ.) per singula [f](εἰς τὰ δεξιὰ
μέρη) in dexteram
Mat 2 22 εἰς τὰ μέρη τῆς Γαλιλαίας 15 21 Τύ-
ρου καὶ Σιδῶνος 16 13 Καισαρείας

Mar 8 10 Δαλμανουθά Act 2 10 τῆς
Λιβύης 19 1 διελθόντα τὰ ἀνωτερικὰ
μέρη 20 2 διελθὼν τὰ μέρη ἐκεῖνα

Mat 24 51 τὸ μέρος αὐτοῦ μετὰ τῶν ὑποκριτῶν
θήσει ‖ Luc 12 46 μετὰ τῶν ἀπίστων

Luc 11 36 μὴ ἔχον μέρος (vl μέλος) τι σκοτεινόν
15 12 δός μοι τὸ ἐπιβάλλον μ.b τῆς οὐσίας
24 42 ἐπέδωκαν – ἰχθύος ὀπτοῦ μέρος

Joh 13 8 ἐὰν μὴ –, οὐκ ἔχεις μέρος μετ᾽ ἐμοῦ
19 23 ἐποίησαν τέσσερα μέρη. ἑκάστῳ στρα-
τιώτῃ μέρος, καὶ τὸν χιτῶνα
21 6 βάλετε εἰς τὰ δεξιὰ μ.f τοῦ πλοίου

Act 5 2 (Ἀναν.) ἐνέγκας μέρος τι – 19 27
τοῦτο – τὸ μέρος (sc ἡ εὐπορία)
23 6 τὸ ἓν μέρος ἐστὶν Σαδδουκαίων 9 τι-
νὲς – τοῦ μέρους (vg°) τῶν Φαρισαί.

Rm 11 25 πώρωσις ἀπὸ μέρουςd τῷ Ἰσραὴλ
15 15 τολμηροτέρως – ἔγραψα – ἀπὸ μ.d
– 24 ἐὰν ὑμῶν – ἀπὸ μέρουςd ἐμπλησθῶ

1 Co 11 18 καὶ μέρος τι (ex parte) πιστεύω
12 27 ὑμεῖς – ἐστε σῶμα Χοῦ καὶ μέλη ἐκ
μέρους (vl μέλους vg)
13 9 ἐκ μέρουςd (ex parte) – γινώσκομεν
καὶ ἐκ μ.d προφητεύομεν 10 τὸ ἐκ μ.d
καταργηθήσεται 12 ἄρτι γινώσκω ἐκ
μέρουςd, τότε δὲ ἐπιγνώσομαι καθὼς
14 27 δύο ἢ – τρεῖς, καὶ ἀνὰ μέρος c

2 Co 1 14 καθὼς – ἐπέγνωτε ἡμᾶς ἀπὸ μέρουςd
2 5 ἀπὸ μ.d – πάντας ὑμᾶς (sc λελύπηκ.)
3 10 οὐ δεδόξασται – ἐν τούτῳ τῷ μέρει
9 3 ἵνα μὴ – κενωθῇ ἐν τῷ μ. τούτῳ

Eph 4 9 εἰς τὰ κατώτερα μέρη τῆς γῆς
– 16 ἐν μέτρῳ – ἑκάστου μ. (vl μέλ. vg)

Col 2 16 ἢ ἐν μέρει ἑορτῆς ἢ νεομηνίας

Hb 9 5 οὐκ ἔστιν νῦν λέγειν κατὰ μέρος e

Ap 16 19 ἐγένετο ἡ πόλις – εἰς τρία μέρη
20 6 ὁ ἔχων μέρος ἐν τῇ ἀναστάσει τῇ
21 8 τὸ μ. αὐτῶν ἐν τῇ λίμνῃ   [πρώτῃ
22 19 ἀφελεῖ ὁ θεὸς τὸ μέρος αὐτοῦ ἀπὸ
„τοῦ ξύλου τῆς ζωῆς"

μεσημβρία   a meridianus   b media dies
Act 8 26 πορεύου κατὰ μ..αν a 22 6 περὶ μ..αν b

μεσιτεύειν   S° – interponere (iusiurandum)
Hb 6 17 ἐμεσίτευσεν ὅρκῳ (sc ὁ θεός)

μεσίτης   mediator
Gal 3 19 ἐν χειρὶ μεσίτου 20 ὁ δὲ μεσίτης ἑνὸς
οὐκ ἔστιν, ὁ δὲ θεὸς εἷς ἐστιν
1 Ti 2 5 εἷς καὶ μεσίτης θεοῦ καὶ ἀνθρώπων
Hb 8 6 κρείττονός ἐστιν διαθήκης μεσίτης

Hb 9 15 διαθήκης καινῆς μεσίτης 12 24 νέας

μεσονύκτιον   media nox
Mar 13 35 Luc 11 5 Act 16 25 20 7 μέχρι μ..ου

Μεσοποταμία   Act 2 9 (Judaei) 7 2 (Abr.)

μέσος   medius, ..um   b (ἀνὰ μέσον, ἐν μέσῳ)
inter   c (ἐκ μέσου) de medio   d (διὰ μέ-
σου) per medium   e (μέσον) in medio
Mat 10 16 ἐν μέσῳ λύκων ‖ Luc 10 3 ἐν μέσῳ b
13 25 ζιζάνια ἀνὰ μέσον (in m.) τοῦ σίτου
– 49 τοὺς πονηροὺς ἐκ μ..ου c τῶν δικαίων
14 6 ὠρχήσατο – ἐν τῷ μέσῳ [Joh 8 3 στή-
σαντες αὐτὴν ἐν μέσῳ 9 ἐν μ. οὖσα]
Act 4 7 στήσαντες αὐτοὺς ἐν τῷ μ. –
Mar 3 3 ἔγειρε εἰς τὸ μ. Luc 4 35 5 19
6 8 Joh 20 19 ἔστη εἰς τὸ μ. 26 – Mar
14 60 ἀναστὰς – εἰς μέσον
18 2 προσκαλεσάμενος παιδίον ἔστησεν
αὐτὸ ἐν μέσῳ αὐτῶν ‖ Mar 9 36
– 20 οὗ – εἰσιν –, ἐκεῖ εἰμι ἐν μ. αὐτῶν
25 6 μέσης δὲ νυκτὸς κραυγὴ γέγονεν –
Act 26 13 ἡμέρας μέσης 27 27 κατὰ
μέσον τῆς νυκτός (circa m..am n.)
Mar 6 47 ἐν μέσῳ τῆς θαλάσσης (‖ Mat 14 24
vl) Luc 8 7 b τῶν ἀκανθῶν 21 21 οἱ ἐν
μ. αὐτῆς (sc Ἰερουσαλήμ) 22 55 τῆς
αὐλῆς Act 17 22 τοῦ Ἀρείου πάγου
7 31 ἀνὰ μέσον τῶν ὁρίων (inter m. fines)
Luc 2 46 ἐν μέσῳ τῶν διδασκάλων 24 36 αὐτῶν
Act 1 15 τῶν ἀδελφῶν 2 22 ὑμῶν 27 21
4 30 διελθὼν διὰ μέσου d αὐτῶν (Jh 8 59 vl)
17 11 διὰ μέσον (per m..am) Σαμαρείας
22 27 ἐν μέσῳ ὑμῶν εἰμι ὡς ὁ διακονῶν
– 55 ἐκάθητο ὁ Πέτ. μέσος (in m.) αὐτῶν
23 45 ἐσχίσθη – τὸ καταπέτασμα – μέσον
Act 1 18 ἐλάκησεν μέσος (Judas)
Joh 1 26 μέσος ὑμῶν στήκει ὃν ὑμεῖς οὐκ οἴ-
δατε 19 18 μέσον δὲ τὸν Ἰησοῦν
Act 17 33 ἐξῆλθεν ἐκ μέσου c αὐτῶν – 23 10 c
1 Co 5 2 ἵνα ἀρθῇ ἐκ μ.c ὑμῶν ὁ – τοῦτο πράξ.
6 5 ὃς δυνήσεται διακρῖναι ἀνὰ μ.b τοῦ
ἀδελφ. (vl + καὶ τ. ἀδελφοῦ) αὐτοῦ;
2 Co 6 17 διὸ „ἐξέλθατε ἐκ μέσου c αὐτῶν"
Phl 2 15 μέσον e „γενεᾶς σκολιᾶς καὶ διεστρ."
Col 2 14 αὐτὸ ἦρκεν ἐκ τοῦ μέσου c
1 Th 2 7 ἐγενήθημεν ἤπιοι ἐν μέσῳ ὑμῶν
2 Th 2 7 μόνον ὁ κατέχων ἄρτι ἕως ἐκ μέσου c
γένηται
Hb 2 12 „ἐν μέσῳ ἐκκλησίας ὑμνήσω σε"
Ap 1 13 ἐν μέσῳ τῶν λυχνιῶν 21 46 τοῦ θρό-

(Ap) νου 5 6 τοῦ ϑρ. – καὶ ἐν μ. τῶν πρεσβυ-
τέρων 6 6 τῶν τεσσάρων ζῴων 22 2 ἐν μ.
τῆς πλατείας αὐτῆς – 7 17 τὸ ἀρνίον τὸ
ἀνὰ μέσον (in m.) τοῦ θρόνου

μεσότοιχον S° – medius paries Eph 2 14

μεσοῦν mediare Joh 7 14 τ. ἑορτῆς μ..ούσης

μεσουράνημα S° – medium caeli (vl ..um)
Ap 8 13 ἀετοῦ πετομένου ἐν μ. 14 6 ἄγγελον
πετόμενον ἐν μ. 19 17 „τοῖς ὀρνέοις τοῖς πετ."

Μεσσίας S° – Joh 1 41 4 25 ὅτι Μ. ἔρχεται

μεστός plenus
Mat 23 28 μεστοὶ ὑποκρίσεως καὶ ἀνομίας
Joh 19 29 ὄξους μεστόν 21 11 ἰχϑύων μεγάλων
Rm 1 29 μεστοὺς φϑόνου φόνου ἔριδος
    15 14 καὶ αὐτοὶ μεστοί ἐστε ἀγαϑωσύνης
Jac 3 8 μεστὴ ἰοῦ ϑανατηφόρου (sc γλῶσσα)
    – 17 ἡ δὲ ἄνωϑεν σοφία – μεστὴ ἐλέους
    καὶ καρπῶν ἀγαϑῶν
2 Pe 2 14 ὀφϑαλμοὺς ἔχοντες μεστοὺς μοιχα-
λίδος (vl ..λίας vg adulterii vl ..o)

μεστοῦσϑαι plenum esse Act 2 13 γλεύκους

*μετά cum genitivo cum
Mat 1 23 „μεϑ' ἡμῶν ὁ ϑεός" Luc 1 28 ὁ κύ-
ριος μετὰ σοῦ 6 6 χεὶρ κυρίου ἦν μετ' αὐτοῦ
    – Joh 3 2 ἐὰν μὴ ᾖ ὁ ϑεός μετ' αὐτοῦ 8 29
καὶ ὁ πέμψας με μετ' ἐμοῦ ἐστιν 16 32 ὅτι ὁ
πατὴρ μετ' ἐμοῦ ἐστιν – Act (2 28) 7 9 „ἦν ὁ
ϑεὸς μετ' αὐτοῦ" (Joseph) 10 38 (Jesus) 11 21
ἦν χεὶρ κυρίου μετ' αὐτῶν 14 27 ὅσα ἐποίησεν
ὁ ϑ. μετ' αὐτῶν 15 4 18 10 „ἐγώ εἰμι μετὰ σοῦ"
(Paul.) – Rm 15 33 ὁ δὲ ϑεός τῆς εἰρήνης με-
τὰ πάντων ὑμῶν 2 Co 13 11 ὁ ϑεός τῆς ἀγάπης
καὶ εἰρήνης ἔσται μεϑ' ὑμῶν Phl 4 9 ὁ ϑεός τῆς
εἰρήνης ἔσται μεϑ' ὑμῶν 2 Th 3 16 ὁ κύριος με-
τὰ πάντων ὑμῶν 2 Ti 4 22 ὁ κύριος μετὰ τοῦ
πνεύματός σου – Ap 21 3 „σκηνώσει μετ' αὐ-
τῶν, – καὶ – μετ' αὐτῶν ἔσται" (→ χάρις 2b)
sub Rm 1 7 et 16 20)
Mat 9 15 ἐφ' ὅσον μετ' αὐτῶν ἐστιν ὁ νυμφίος;
    ‖ Mar 2 19 Luc 5 34
    12 30 ὁ μὴ ὢν μετ' ἐμοῦ κατ' ἐμοῦ ἐστιν,
    καὶ ὁ μὴ συνάγων μετ' ἐμοῦ σκορπί-
    ζει ‖ Luc 11 23 → κατὰ Mar 9 40
    17 17 ἕως πότε μεϑ' ὑμῶν ἔσομαι; (‖ →
    πρός 3) sub Mar 9 19) – Mat 28 20
    μεϑ' ὑμῶν εἰμι πάσας τὰς ἡμέρας

Luc (22 53) 23 43 σήμερον μετ' ἐμοῦ
ἔσῃ 24 29 μεῖνον μεϑ' ἡμῶν – Joh
7 33 ἔτι χρόνον μικρὸν μεϑ' ὑμῶν εἰ-
μι 13 33 14 9 τοσοῦτον χρόνον μεϑ' ὑ-
μῶν εἰμι 16 ἄλλον παράκλητον –, ἵνα
ᾖ μεϑ' ὑμῶν εἰς τὸν αἰῶνα 15 27 ὅτι
ἀπ' ἀρχῆς μετ' ἐμοῦ ἐστε 16 4 ὅτι μεϑ'
ὑμῶν ἤμην 17 12 ὅτι ἤμην μετ' αὐτῶν
24 ἵνα – κἀκεῖνοι ὦσιν μετ' ἐμοῦ
Mat 26 51 εἶς τῶν μετὰ Ἰησοῦ 69 καὶ σὺ ἦ-
σϑα μετὰ Ἰησ. 71 ‖ Mar 14 67 Luc
22 59 – Mar 3 14 δώδεκα ἵνα ὦσιν μετ'
αὐτοῦ 5 18 παρεκάλει αὐτόν – ἵνα μετ'
αὐτοῦ ᾖ 40 τοὺς μετ' αὐτοῦ [16 10
τοῖς μετ' αὐτοῦ γενομένοις]
Mar 9 8 εἶδον – τὸν Ἰησ. μόνον μεϑ' ἑαυτῶν
    10 30 καὶ ἀγροὺς μετὰ διωγμῶν
Joh 9 40 ἐκ τῶν Φαρισ. – οἱ μετ' αὐτοῦ ὄντες
    12 17 ὁ ὄχλος ὁ ὢν μετ' αὐτοῦ ὅτε τὸν Λ.
Eph 6 23 εἰρήνη – καὶ ἀγάπη μετὰ πίστεως
1 Ti 1 14 ἡ χάρις – μετὰ πίστεως καὶ ἀγάπης
    2 15 ἐὰν μείνωσιν ἐν – ἁγιασμῷ μετὰ σω-
    φροσύνης 6 6 ἔστιν – πορισμὸς μέγας
    ἡ εὐσέβεια μετὰ αὐταρκείας
1 Jo 2 19 μεμενήκεισαν ἂν μεϑ' ἡμῶν

μεταβαίνειν transire [b]transferri [c]migrare
Mat 8 34 11 1 12 9 15 29 17 20 ἐρεῖτε – · μετάβα
    ἔνϑεν ἐκεῖ, καὶ μεταβήσεται
Luc 10 7 μὴ μ..βαίνετε ἐξ οἰκίας εἰς οἰκίαν
Joh 5 24 μεταβέβηκεν ἐκ τοῦ ϑανάτου εἰς τὴν
    ζωὴν 1 Jo 3 14 μεταβεβήκαμεν [b]
    7 3 μετάβηϑι ἐντεῦϑεν – Act 18 7 [c]
    13 1 ἡ ὥρα ἵνα μεταβῇ ἐκ τοῦ κόσμου

μεταβάλλεσϑαι se convertere Act 28 6

μετάγειν circumferre Jac 3 3.4 πλοῖα – μ..ται

μεταδιδόναι [a]dare [b]impertiri [c]tradere
    [d]tribuere
Luc 3 11 ὁ ἔχων – μεταδότω [a] τῷ μὴ ἔχοντι
Rm 1 11 ἵνα τι μεταδῶ [b] χάρισμα ὑμῖν πνευμα-
    12 8 ὁ μεταδιδοὺς [d] ἐν ἁπλότητι |τικόν
Eph 4 28 ἵνα ἔχῃ μεταδιδ.[d] τῷ χρείαν ἔχοντι
1 Th 2 8 μεταδοῦναι [c] ὑμῖν οὐ μόνον τὸ εὐαγγ.
    τοῦ ϑ. ἀλλὰ καὶ τὰς ἑαυτῶν ψυχάς

μετάϑεσις translatio Hb 7 12 νόμου 11 5 12 27

μεταίρειν [a]transire [b]migrare
Mat 13 53 μετῆρεν [a] ἐκεῖϑεν 19 1 [b] ἀπὸ τῆς Γαλ.

μετακαλεῖσϑαι *accersere*, *..ire* [b]*vocare*
Act 7₁₄ 10₃₂ 20₁₇[b] τοὺς πρεσβυτέρους 24₂₅

μετακινεῖσϑαι Col 1₂₃ μὴ μ..ούμενοι (*immo-biles*) ἀπὸ τῆς ἐλπίδος τοῦ εὐαγγελίου

μεταλαμβάνειν et μετάλημψις [a]*accipere* [b]*percipere* [c]*recipere* [d]*sumere*
Act 2₄₆[d] τροφῆς 27₃₃[d] ₃₄[a] – 24₂₅ καιρὸν δὲ μεταλαβὼν (vl καιρῷ δὲ ἐπιτηδείῳ vg *tempore – opportuno*)
1 Ti 4 3 ἃ ὁ ϑεὸς ἔκτισεν εἰς μετάλημψιν[b]
2 Ti 2 6 δεῖ πρῶτον τῶν καρπῶν μετ.[b] (vl[a])
Hb 6 7 γῆ – μ..ει[a] εὐλογίας ἀπὸ τοῦ ϑεοῦ 12₁₀ ὁ δὲ (sc παιδεύει ἡμᾶς) – εἰς τὸ μεταλαβεῖν[c] τῆς ἁγιότητος αὐτοῦ

μεταλλάσσειν [a]*commutare* [b]*immutare*
Rm 1₂₅ μετήλλαξαν[a] τὴν ἀλήϑειαν τοῦ ϑεοῦ ἐν τῷ ψεύδει 26 μετήλλαξαν[b] τὴν φυσικὴν χρῆσιν εἰς τὴν παρὰ φύσιν

μεταμέλεσϑαι *poenitet* [b]*poenitentia duci* [c]*poenitentiam habēre* [d]*p..a movēri*
Mat 21₃₀ μ..ηϑεὶς[d] ἀπῆλϑεν 27₃[b] ἔστρεψεν – 32 ὑμεῖς δὲ – οὐδὲ μετεμελήϑητε[c] ὕστ.
2 Co 7 8 εἰ καὶ ἐλύπησα ὑμᾶς –, οὐ μ..ομαι· εἰ καὶ μετεμελόμην, –, νῦν χαίρω
Hb 7₂₁ „οὐ μεταμεληϑήσεται" (sc κύριος)

μεταμορφοῦσϑαι [a]*transfigurari* [b]*transformari* [c]*reformari*
Mat 17 2 μετεμορφώϑη[a] ἔμπροσϑεν αὐτῶν ‖ Mar 9₂[a]
Rm 12 2 μ..οῦσϑε[c] τῇ ἀνακαινώσει τοῦ νοός
2 Co 3₁₈ τὴν αὐτὴν εἰκόνα μεταμορφούμεϑα[b]

μετανοεῖν *poenitentiam agere* [b]*p..am habēre* [c]*poenitet* [d]*poenitēre* [e]*poenitēri*
Mat 3 2 μ..εῖτε 4₁₇ ‖ Mar 1₁₅[e] καὶ πιστεύετε 11₂₀ τὰς πόλεις –, ὅτι οὐ μετενόησαν – 21 πάλαι ἂν – μετενόησαν ‖ Luc 10₁₃[d] 12₄₁ ὅτι μετενόησαν εἰς τὸ κήρυγμα Ἰωνᾶ ‖ Luc 11₃₂
Mar 6₁₂ ἐξελϑόντες ἐκήρυξαν ἵνα μετανοῶσιν
Luc 13 3 ἐὰν μὴ μετανοῆτε[b], πάντες ὁμοίως ἀπολεῖσϑε 5 μ..ήσητε, – ὡσαύτως 15 7 ἐπὶ ἑνὶ ἁμαρτωλῷ μ..οῦντι (vl[b]) 10 16₃₀ ἐάν τις ἀπὸ νεκρῶν –, μ..ήσουσιν 17 3 καὶ ἐὰν μετανοήσῃ, ἄφες αὐτῷ – 4 λέγων· μετανοῶ[c], ἀφήσεις αὐτῷ
Act 2₃₈ μ..ήσατε καὶ βαπτισϑήτω ἕκαστος

Act 3₁₉ μ..ήσατε[e] – καὶ ἐπιστρέψατε πρὸς τὸ ἐξαλειφϑῆναι ὑμῶν τὰς ἁμαρτίας 8₂₂ μ..όησον – ἀπὸ τῆς κακίας σου ταύτ. 17₃₀ ὁ ϑεὸς τὰ νῦν ἀπαγγέλλει – μετανο. 26₂₀ τοῖς ἔϑνεσιν ἀπήγγελλον μετανοεῖν καὶ ἐπιστρέφειν ἐπὶ τὸν ϑεόν
2 Co 12₂₁ πολλοὺς τῶν – μὴ μετανοησάντων ἐπὶ τῇ ἀκαϑαρσίᾳ – ᾗ ἔπραξαν
Ap 2 5 μετανόησον καὶ τὰ πρῶτα ἔργα ποίησον· – ἐὰν μὴ μ..ήσῃς 16 μ..ησον οὖν – 21 ἔδωκα αὐτῇ χρόνον ἵνα μ..ήσῃ, καὶ οὐ ϑέλει μ..ῆσαι[d] (vl[e]) ἐκ τῆς πορνείας αὐτῆς 22 ἐὰν μὴ μ..ήσουσιν ἐκ τῶν ἔργων αὐτῆς (vl ..ῶν vg, vl *eius*) 3 3 τήρει (sc πῶς εἴληφας) καὶ μετανόησον 19 ζήλευε οὖν καὶ μετανόησον 9₂₀ οἳ – οὐδὲ μετενόησαν ἐκ τῶν ἔργων – αὐτῶν 16₁₁ – 9₂₁ ἐκ τῶν φόνων αὐτ. 16 9 οὐ μετενόησαν δοῦναι αὐτῷ δόξαν

μετάνοια *poenitentia*
Mat 3 8 ποιήσατε οὖν καρπὸν ἄξιον τῆς μετανοίας ‖ Luc 3₈ καρποὺς ἀξίους – 11 ὑμᾶς βαπτίζω ἐν ὕδατι εἰς μετάνοιαν
Mar 1 4 κηρύσσων βάπτισμα μ..ας εἰς ἄφεσιν ‖ Luc 3₃ – Act 13₂₄ 19₄ ἐβάπτ. β. μ.
Luc 5₃₂ καλέσαι – ἁμαρτωλοὺς εἰς μετάνοιαν (‖ t. r. Mat 9₁₃ Mar 2₁₇) 15 7 οἵτινες οὐ χρείαν ἔχουσιν μετανοίας 24₄₇ κηρυχϑῆναι – μ..αν εἰς ἄφεσιν ἁμαρτ.
Act 5₃₁ τοῦ δοῦναι μετάνοιαν τῷ Ἰσραὴλ καὶ ἄφεσιν ἁμαρτιῶν 11₁₈ καὶ τοῖς ἔϑνεσιν ὁ ϑεὸς τὴν μ..αν εἰς ζωὴν ἔδωκεν 20₂₁ τὴν εἰς ϑεὸν μ..αν καὶ πίστιν εἰς – Ἰησ. 26₂₀ ἄξια τῆς μετανοίας ἔργα πράσσοντας
Rm 2 4 ἢ – καταφρονεῖς, ἀγνοῶν ὅτι τὸ χρηστὸν τοῦ ϑεοῦ εἰς μετάνοιάν σε ἄγει;
2 Co 7 9 ὅτι ἐλυπήϑητε εἰς μ..αν 10 ἡ – κατὰ ϑεὸν λύπη μ..αν εἰς σωτηρίαν – ἐργ.
2 Ti 2₂₅ μήποτε δώῃ αὐτοῖς ὁ ϑ. μετάνοιαν εἰς ἐπίγνωσιν ἀληϑείας
Hb 6 1 ϑεμέλιον – μ..ας ἀπὸ νεκρῶν ἔργων – 6 ἀδύνατον – ἀνακαινίζειν εἰς μ..αν 12₁₇ μετανοίας γὰρ τόπον οὐχ εὗρεν, καίπερ μετὰ δακρύων ἐκζητήσας αὐτήν
2 Pe 3 9 ἀλλὰ πάντας εἰς μετάνοιαν χωρῆσαι

*μεταξύ *inter* Mat 18₁₅ ἔλεγξον αὐτὸν μεταξὺ σοῦ καὶ αὐτοῦ μόνου Act 15₉ ϑεὸς – οὐϑὲν διέκρινεν μ. ἡμῶν τε καὶ αὐτῶν (sc τῶν ἐϑνῶν) Rm 2₁₅ μ. ἀλλήλων τῶν λογισμῶν κατηγορούντων ἢ καὶ ἀπολογουμ.

μεταπέμπεσθαι *accersire*, ..*ere* [b]*vocare* [c]*iubēre perduci* Act 10 5 Σίμωνα 22.29 11 13 20 1[b] τοὺς μαθητάς 24 24[b] Παῦλον 26 25 3[c]

μεταστρέφειν *convertere* Act 2 20 „ὁ ἥλιος μεταστραφήσεται εἰς σκότος" – (vl Jac 49) Gal 1 7 θέλοντες μ..έψαι τὸ εὐαγγέλ. τ. Χοῦ

μετασχηματίζειν, ..εσθαι *transfigurare*, ..*ari* [b]*se transfigurare* [c]*reformare* 1 Co 4 6 ταῦτα – μετεσχημάτισα εἰς ἐμαυτὸν καὶ Ἀπολλῶν δι' ὑμᾶς 2 Co 11 13 μ..όμενοι[b] εἰς ἀποστόλους Χοῦ – 14 ὁ σατανᾶς μ..εται[b] εἰς ἄγγελ. φωτός – 15 οὐ μέγα – εἰ καὶ οἱ διάκονοι αὐτοῦ μ..ονται ὡς διάκονοι δικαιοσύνης Phl 3 21 μ..τίσει[c] τὸ σῶμα τῆς ταπεινώσεως ἡμῶν σύμμορφον τῷ σώμ. τῆς δόξ.

μετατιθέναι, ..εσθαι *transferre* [b]*tr..rri* Act 7 16 „μετετέθησαν[b] εἰς Συχέμ" Gal 1 6 ὅτι οὕτως ταχέως μ..εσθε[b] ἀπὸ τοῦ καλέσαντος ὑμᾶς – εἰς ἕτερ. εὐαγγ. Hb 7 12[b] – 11 5 πίστει Ἐνὼχ μετετέθη[b] –, – „διότι μετέθηκεν αὐτὸν ὁ θεός" Jud 4 θεοῦ – χάριτα μ..θέντες εἰς ἀσέλγειαν

μετατρέπεσθαι *converti* Jac 4 9 ὁ γέλως ὑμῶν εἰς πένθος μετατραπήτω (vl ..στραφ.)

μετέχειν *participem esse* [b]*participare* [c]*percipere* (*fructus*) [d]*esse de* (*alia tribu*) 1 Co 9 10 ὁ ἀλοῶν ἐπ' ἐλπίδι τοῦ μετέχειν[c] – 12 εἰ ἄλλοι τῆς ὑμῶν ἐξουσίας μ..ουσιν 10 17 οἱ γὰρ πάντες ἐκ τοῦ ἑνὸς ἄρτου μετέχομεν[b] (vl *participamur*) – 21 οὐ δύνασθε „τραπέζης κυρίου" μετέχειν καὶ τραπέζης δαιμονίων – 30 εἰ ἐγὼ χάριτι (*cum gratia*) μετέχω[b] Hb 2 14 παραπλησίως μετέσχεν[b] τῶν αὐτῶν 5 13 πᾶς γὰρ ὁ μετέχων γάλακτος ἄπειρος λόγου δικαιοσύνης 7 13 φυλῆς ἑτέρας μετέσχηκεν[d], ἀφ' ἧς

μετεωρίζεσθαι *in sublime tolli* Luc 12 29

μετοικεσία *transmigratio* Mat 1 11.12.17

μετοικίζειν *transferre* Act 7 4.43

μετοχή *participatio* 2 Co 6 14 τίς γὰρ μετοχὴ δικαιοσύνῃ καὶ ἀνομίᾳ;

μέτοχος *particeps* [b]*socius* Luc 5 7[b] Hb 1 9 „ἔλαιον ἀγαλλιάσεως παρὰ τοὺς μ. 3 1 κλήσεως ἐπουρανίου μ..οι |σου" – 14 μ..οι – τοῦ Χοῦ γεγόναμεν, ἐάνπερ 6 4 μ..ους γενηθέντας πνεύματος ἁγίου 12 8 εἰ δὲ χωρίς ἐστε „παιδείας", ἧς μέτοχοι γεγόνασιν πάντες

μετρεῖν *metiri* Mat 7 2 et ‖ → μέτρον 2 Co 10 12 αὐτοὶ ἐν ἑαυτοῖς ἑαυτοὺς μ..οῦντες Ap 11 1 τὸν ναόν 2 – 21 15 τὴν πόλιν 16.17

μετρητής *metreta* Joh 2 6 ἀνὰ μ..ὰς δύο

μετριοπαθεῖν S[o] – *condolēre* Hb 5 2 μετριοπαθεῖν δυνάμενος τοῖς – πλανωμένοις

οὐ μετρίως *non minime* Act 20 12 παρεκλήθ.

μέτρον *mensura* [b](ἐκ μ.) *ad mensuram* Mat 7 2 ἐν ᾧ μέτρῳ μετρεῖτε μετρηθήσεται (*remetietur* vl *met.*) ὑμῖν ‖ Mar 4 24 (*remetietur*) Luc 6 38 μέτρον καλὸν πεπιεσμένον σεσαλευμένον – δώσουσιν – · ᾧ γὰρ μέτρῳ μετρεῖτε ἀντιμετρηθήσεται (*remet.*) ὑμῖν 23 32 πληρώσατε τὸ μ. τῶν πατέρων ὑμῶν Joh 3 34 οὐ γὰρ ἐκ μ..ου[b] δίδωσιν τὸ πνεῦμα Rm 12 3 ὡς ὁ θεὸς ἐμέρισεν μέτρον πίστεως 2 Co 10 13 κατὰ τὸ μέτρον τοῦ κανόνος (*regulae*) οὗ ἐμέρισεν ἡμῖν ὁ θεὸς μέτρου Eph 4 7 ἑκάστῳ ἡμῶν ἐδόθη ἡ χάρις κατὰ τὸ μέτρον τῆς δωρεᾶς τοῦ Χοῦ – 13 εἰς μέτρον ἡλικίας τοῦ πληρώματος τοῦ Χοῦ 16 κατ' ἐνέργειαν ἐν μέτρῳ ἑνὸς ἑκάστου μέρους Ap 21 15.17 μέτρον ἀνθρώπου, ὅ ἐστιν ἀγγέλου

μέτωπον *frons* Ap 7 3 ἄχρι „σφραγίσωμεν" τοὺς δούλους τοῦ θεοῦ ἡμῶν „ἐπὶ τῶν μετώπων" 9 4 14 1 22 4 – 13 16 χάραγμα – ἐπὶ τὸ μέτ. 14 9 20 4 – 17 5 ἐπὶ τὸ μέτ. αὐτῆς ὄνομα γεγραμμένον, μυστήριον

*μέχρι, ..ις *usque ad, in* [b](μ..ις οὗ) *donec* Mat 11 23 ἔμεινον ἂν μ. τῆς σήμερον – 28 15 Mar 13 10 μέχρις οὗ[b] ταῦτα πάντα γένηται Luc 16 16 ὁ νόμος καὶ οἱ προφ. μέχρι Ἰωάννου Rm 5 14 ἐβασίλευσεν ὁ θάν. – μ. Μωϋσέως Gal 4 19 μέχρις οὗ[b] μορφωθῇ Χὸς ἐν ὑμῖν Eph 4 13 μέχρι[b] καταντήσωμεν οἱ πάντες εἰς τὴν ἑνότητα τῆς πίστεως

Phl   2 8 γενόμενος ὑπήκοος μέχρι θανάτου
     – 30 διὰ τὸ ἔργον Χοῦ μ. θανάτ. ἤγγισεν
1 Ti   6 14 μέχρι τῆς ἐπιφανείας τοῦ κυρίου
2 Ti   2 9 ἐν ᾧ κακοπαθῶ μέχρι δεσμῶν
Hb   3 6 τὴν παρρησίαν – [μ. τέλους βεβαίαν]
      14 τὴν ἀρχὴν τῆς ὑποστάσεως
      9 10 μέχρι καιροῦ διορθώσεως
      12 4 οὔπω μέχρις αἵματος ἀντικατέστητε
        πρὸς τὴν ἁμαρτ. ἀνταγωνιζόμενοι

μηδέπω   adhuc non   Hb 11 7 πίστει χρηματι-
     σθεὶς Νῶε περὶ τῶν μηδ. βλεπομένων

Μῆδοι   Act 2 9 Πάρθοι καὶ Μ. καὶ Ἐλαμῖται

*μηκέτι   iam non   b iam noli   c amplius noli
     d non amplius   e noli adhuc   f ultra
     non   g nunquam
Mat 21 19 οὐ (vl°) μηκέτι g ἐκ σοῦ καρπὸς γέ-
     νηται εἰς τὸν αἰῶνα
Joh   5 14 μηκέτι b ἁμάρτανε [8 11 c] Eph 4 28 μ.
     κλεπτέτω – 1 Ti 5 23 μ. e ὑδροπότει
Rm   6 6 τοῦ μ. f δουλεύειν ἡμᾶς τῇ ἁμαρτίᾳ
     14 13 μηκέτι d οὖν ἀλλήλους κρίνωμεν
2 Co   5 15 ἵνα οἱ ζῶντες μηκέτι ἑαυτοῖς ζῶσιν
Eph   4 14 ἵνα μηκέτι ὦμεν νήπιοι 17 μηκέτι ὑ-
     μᾶς περιπατεῖν καθὼς καὶ τὰ ἔθνη
1 Th   3 1 μηκέτι d στέγοντες 5 μηκέτι d στέγων
1 Pe   4 2 εἰς τὸ μηκέτι ἀνθρώπων ἐπιθυμίαις

μῆκος   longitudo   Eph 3 18 Ap 21 16

μηκύνεσθαι   increscere   Mar 4 27 σπόρος

μηλωτή   melota   Hb 11 37 ἐν μηλωταῖς

μήν   mensis   Luc 1 24.26.36.56 4 25 Jac 5 17
Act   7 20 18 11 19 8 20 3 28 11
Gal   4 10 ἡμέρας παρατηρεῖσθε καὶ μῆνας
Ap   9 5.10.15 11 2 13 5 22 2 „κατὰ μῆνα”

μηνύειν   indicare   b ostendere   c perferre
Luc 20 37 Μωϋσῆς ἐμήνυσεν b ἐπὶ τῆς βάτου
Joh 11 57 Act 23 30 c 1 Co 10 28 μὴ ἐσθίετε δι’
     ἐκεῖνον τὸν μ..σαντα καὶ τὴν συνείδησιν

μήπω   nondum   Rm 9 11 μ. γὰρ γεννηθέντων
Hb   9 8 μ. πεφανερῶσθαι τὴν τῶν ἁγ. ὁδόν

μηρός   foemur   Ap 19 16 ἐπὶ τὸν μ. – γεγρ.

μήτηρ   mater
Mat   1 18 μνηστευθείσης τῆς μητρὸς αὐτοῦ Μα-

ρίας 2 11.13.14.20.21 – Luc 1 43 ἵνα ἔλ-
     θῃ ἡ μ. τοῦ κυρίου μου 2 33 ὁ πατὴρ
     αὐτοῦ καὶ ἡ μήτηρ 34.48.51 ἡ μήτηρ
     αὐτοῦ διετήρει – τὰ ῥήματα
Mat 10 35 διχάσαι – „θυγατέρα κατὰ τῆς μητρὸς
     αὐτῆς” ‖ Luc 12 53 μ. ἐπὶ θυγ. καὶ –
   – 37 ὁ φιλῶν – μητέρα ὑπὲρ ἐμέ ‖ Luc 14
     26 εἴ τις – οὐ μισεῖ – τὴν μητέρα
     12 46 ἡ μ. καὶ οἱ ἀδελφοὶ αὐτοῦ εἱστήκει-
     σαν ἔξω [47] 48 τίς ἐστιν ἡ μ. μου 49
     ἰδοὺ ἡ μ. μου 50 αὐτός μου – μ. ἐστίν
     ‖ Mar 3 31-35 Luc 8 19-21
     13 55 οὐχ ἡ μ. αὐτοῦ λέγεται Μαριάμ –;
14 8 προβιβασθεῖσα ὑπὸ τῆς μητρὸς αὐ-
     τῆς 11 ἤνεγκεν τῇ μητρί ‖ Mar 6 24.28
15 4 „τίμα τὸν πατ. καὶ τὴν μητέρα”, καί·
     „ὁ κακολογῶν π. ἢ μητέρα” 5 ὃς ἂν
     εἴπῃ – ἢ τῇ μητρί· δῶρον 6 οὐ μὴ τι-
     μήσει – ἢ τὴν μητέρα αὐτοῦ (19 19
     „τίμα – καὶ τὴν μ.”) ‖ Mar 7 10-12 οὐκ-
     έτι ἀφίετε αὐτὸν οὐδὲν ποιῆσαι τῷ
     π. ἢ τῇ μητρί (Mar 10 19 Luc 18 20)
19 5 „καταλείψει ἄνθρωπ. τὸν πατέρα καὶ
     τὴν μητέρα” ‖ Mar 10 7 → Eph 5 31
   – 12 εὐνοῦχοι – ἐκ κοιλίας μητρός
   – 29 ὅστις ἀφῆκεν – πατέρα ἢ μητέρα ‖
     Mar 10 29.30 ἐὰν μὴ λάβῃ – μητέρας
     20 20 ἡ μήτηρ τῶν υἱῶν Ζεβεδαίου 27 56
     27 56 Μαρία ἡ τοῦ Ἰακώβου καὶ Ἰωσὴφ
     μήτηρ ‖ Mar 15 40 καὶ Ἰωσῆτος μήτ.
Mar   5 40 παραλαμβάνει τὸν πατέρα τοῦ παι-
     δίου καὶ τὴν μητέρα ‖ Luc 8 51
Luc   1 15 ἐκ κοιλίας μητρός 60 (Elisabeth)
     7 12 μονογενὴς υἱὸς τῇ μητρὶ αὐτοῦ 15
Joh   2 1 ἦν ἡ μήτηρ τοῦ Ἰησοῦ ἐκεῖ 3.5
   – 12 εἰς Καφαρν. αὐτὸς καὶ ἡ μήτ. αὐτοῦ
     3 4 εἰς τὴν κοιλίαν τῆς μ. δεύτ. εἰσελθεῖν
     6 42 οὗ ἡμεῖς οἴδαμεν – καὶ τὴν μητέρα
     19 25 παρὰ τῷ σταυρῷ – ἡ μήτ. αὐτοῦ καὶ
     ἡ ἀδελφὴ τῆς μητ. αὐτοῦ 26 ἰδὼν τὴν
     μητέρα καὶ τὸν μαθητὴν – ὃν ἠγάπα,
     λέγει τῇ μητρί· 27 ἴδε ἡ μήτηρ σου
Act   1 14 σὺν – Μαριὰμ τῇ μητρὶ [τοῦ] Ἰησοῦ
     3 2 χωλὸς ἐκ κοιλίας μητρός 14 8
     12 12 Μαρίας τῆς μητ. Ἰωάννου (Marci)
Rm   16 13 καὶ τὴν μητ. αὐτοῦ (Rufi) καὶ ἐμοῦ
Gal   1 15 ὁ ἀφορίσας με ἐκ κοιλίας μητρός
     4 26 ἡ δὲ ἄνω Ἰερουσαλὴμ ἐλευθέρα ἐ-
     στίν, ἥτις ἐστὶν μήτηρ ἡμῶν
Eph   5 31 „καταλείψει ἄνθρ. – πατέρα καὶ – μη-
     τέρα” 62 „τίμα – καὶ τὴν μητέρα”
1 Ti   5 2 παρακάλει – πρεσβυτέρας ὡς μ..ας

2 Ti 1 5 ἐνῴκησεν – ἐν – τῇ μητρί σου Εὐνίκῃ
Ap 17 5 ἡ μ. τῶν πορνῶν (vl πορνειῶν vg)

μήτρα   vulva   Luc 2 23 Rm 4 19

μητρολῴας   S⁰ – matricida   1 Ti 1 9

μιαίνειν inquinare ᵇcoinquinare ᶜcontaminare ᵈmaculare
Joh 18 28 ἵνα μὴ μιανθῶσιν ᶜ ἀλλὰ φάγωσιν
Tit 1 15 τοῖς δὲ μεμιαμμένοις ᵇ καὶ ἀπίστοις οὐδὲν καθαρόν, ἀλλὰ μεμίανται αὐτῶν καὶ ὁ νοῦς καὶ ἡ συνείδησις
Hb 12 15 „μή τις ῥίζα πικρίας – ἐνοχλῇ" καὶ διὰ ταύτης μιανθῶσιν οἱ πολλοί
Jud 8 σάρκα μὲν μ..ουσιν ᵈ, κυριότητα δέ

μίασμα coinquinatio 2 Pe 2 20 ἀποφυγόντες τὰ μ. τοῦ κόσμου ἐν ἐπιγνώσει τοῦ κυ.

μιασμός immunditia 2 Pe 2 10 τοὺς ὀπίσω σαρκὸς ἐν ἐπιθυμίᾳ μ..οῦ πορευομένους

μίγμα   mixtura   Joh 19 39 σμύρνης καὶ ἀλ.

μιγνύναι, μίσγειν miscēre Mat 27 34
Luc 13 1 ὧν τὸ αἷμα Πιλ. ἔμιξεν μετὰ τ. θυσι.
Ap 8 7 15 2 θάλασσαν ὑαλ. μεμιγμένην πυρί

μικρός, μικρόν modicus, um ᵇpusillus, um ᶜminor, us ᵈminimus ᵉpaululum – conjunctae voces μικρός et μέγας → μέγας sub Act 8 10
Mat 10 42 ὃς ἐὰν ποτίσῃ ἕνα τῶν μικρῶν (vl ἐλαχίστων ᵈ) τούτων ποτήρ. ψυχροῦ
11 11 ὁ δὲ μικρότερος ᶜ ἐν τῇ βασ. τῶν οὐρανῶν μείζων αὐτοῦ ‖ Luc 7 28 ᶜ
13 32 ὃ μικρότερον ᵈ μέν ἐστιν πάντων τῶν σπερμάτων ‖ Mar 4 31 ᶜ
18 6 ὃς δ' ἂν σκανδαλίσῃ ἕνα τῶν μικρῶν ᵇ τούτων τῶν πιστευόντων εἰς ἐμέ ‖ Mar 9 42 ᵇ Luc 17 2 ᵇ – Mat 18 10 μὴ καταφρονήσητε ἑνὸς τῶν μικρῶν ᵇ τούτων 14 οὐκ ἔστιν θέλημα – ἵνα ἀπόληται ἓν τῶν μικρῶν ᵇ τούτων
26 39 προελθὼν μικρόν ᵇ ‖ Mar 14 35 ᵉ
– 73 μετὰ μικρόν ᵇ δέ ‖ Mar 14 70 ᵇ
Mar 15 40 ἡ Ἰακώβου τοῦ μικροῦ ᶜ μήτηρ
Luc 9 48 ὁ γὰρ μικρότερος ᶜ ἐν πᾶσιν ὑμῖν ὑπάρχων, οὗτός ἐστιν μέγας
12 32 μὴ φοβοῦ, τὸ μικρὸν ᵇ ποίμνιον
19 3 ὅτι τῇ ἡλικίᾳ μικρὸς ᵇ ἦν

Joh 7 33 ἔτι χρόνον μικρὸν μεθ' ὑμῶν εἰμι (13 33 ἔτι μικρόν) 12 35 τὸ φῶς ἐν ὑμῖν ἐστιν 14 19 καὶ ὁ κόσμος με οὐκέτι θεωρεῖ 16 16 καὶ οὐκέτι θεωρεῖτέ με, καὶ πάλιν μικρὸν καὶ ὄψεσθέ με 17. 18 τί ἐστιν – τὸ μικρόν; 19
1 Co 5 6 οὐκ οἴδατε ὅτι μικρὰ ζύμη ὅλον τὸ φύραμα ζυμοῖ; Gal 5 9
2 Co 11 1 ἀνείχεσθέ μοι μικρόν τι ἀφροσύνης – 16 ἵνα κἀγὼ μικρόν τι καυχήσωμαι
Hb 10 37 „μικρὸν ὅσον ὅσον, ὁ ἐρχόμ. ἥξει"
Jac 3 5 ἡ γλῶσσα μικρὸν μέλος ἐστίν
Ap 3 8 ὅτι μικρὰν ἔχεις δύναμιν
6 11 ἵνα ἀναπαύσωνται ἔτι χρόνον μικρόν
20 3 δεῖ λυθῆναι αὐτὸν μικρὸν χρόνον

Μίλητος Act 20 15. 17 2 Ti 4 20 ἀπέλιπον ἐν Μ.

μίλιον   S⁰ – mille passus   Mat 5 41 μίλιον ἕν

μιμεῖσθαι imitari 2 Th 3 7 οἴδατε πῶς δεῖ μιμ. ἡμᾶς 9 τύπον – εἰς τὸ μιμ. ἡμᾶς
Hb 13 7 ὧν – μιμεῖσθε τὴν πίστιν
3 Jo 11 μὴ μιμοῦ τὸ κακὸν ἀλλὰ τὸ ἀγαθόν

μιμητής   S⁰ – imitator
1 Co 4 16 μιμηταί μου γίνεσθε 11 1 μιμηταί μου γίνεσθε, καθὼς κἀγὼ Χοῦ
Eph 5 1 γίνεσθε οὖν μιμηταὶ τοῦ θεοῦ
1 Th 1 6 μιμηταὶ ἡμῶν ἐγενήθητε καὶ τοῦ κυρίου 2 14 τῶν ἐκκλησιῶν τοῦ θεοῦ
Hb 6 12 μιμηταὶ – τῶν διὰ πίστεως – κληρονομούντων τὰς ἐπαγγελίας

μιμνήσκεσθαι, μνησθῆναι recordari ᵇmemorem esse, (part.) memor ᶜmemorari ᵈmeminisse ᵉ(pass.) commemorari ᶠ(pass.) in memoriam venire
Mat 5 23 ἐὰν οὖν – κἀκεῖ μνησθῇς ὅτι ὁ ἀδελ.
26 75 ἐμνήσθη ὁ Πέτρ. τοῦ ῥήματος – Ἰησ.
27 63 ἐμνήσθημεν ὅτι ἐκεῖνος ὁ πλάνος
Luc 1 54 „μνησθῆναι (vl ᶜ) ἐλέους" 72 „μνησθῆναι ᶜ διαθήκης" ἁγίας „αὐτοῦ"
16 25 μνήσθητι ὅτι ἀπέλαβες τὰ ἀγαθά σου
23 42 μνήσθητί ᵈ μου ὅταν ἔλθῃς εἰς τήν
24 6 μνήσθητε ὡς ἐλάλησεν ὑμῖν ἔτι ὢν – 8 ἐμνήσθησαν τῶν ῥημάτων αὐτοῦ
Joh 2 17 ἐμνήσθησαν οἱ μαθηταί – ὅτι γεγραμμένον ἐστίν 12 16 – 2 22 ὅτι – ἔλεγεν
Act 10 31 αἱ ἐλεημοσύναι σου ἐμνήσθησαν ᵉ ἐνώπιον τοῦ θεοῦ Ap 16 19 Βαβυλὼν – ἐμνήσθη ᶠ – δοῦναι αὐτῇ τὸ ποτήρ.
Act 11 16 ἐμνήσθην – τοῦ ῥήματος τοῦ κυρίου

1 Co 11 2 ἐπαινῶ – ὅτι πάντα μου μέμνησθε^b

2 Ti 1 4 μεμνημένος^b σου τῶν δακρύων

Hb 2 6 „ἄνθρωπος ὅτι μιμνήσκῃ^b αὐτοῦ;"
8 12 „τῶν ἁμαρτιῶν αὐτῶν οὐ μὴ μνησθῶ^c ἔτι" 10 17 „μνησθήσομαι ἔτι"
13 3 μιμνήσκεσθε^d τῶν δεσμίων ὡς

2 Pe 3 2 μνησθῆναι^b τῶν προειρημένων ῥημάτων ὑπὸ τῶν – προφητῶν καὶ τῆς – ἐντολῆς τοῦ κυρίου – Jud 17^b

μισεῖν odisse (odiet, odientes) ^bodio habēre ^c(pass.) odio esse ^d(μεμισημ.) odibilis

Mat 5 43 καὶ μισήσεις^b τὸν ἐχθρόν σου
6 24 ἢ γὰρ τὸν ἕνα μισήσει^b ‖ Luc 16 13
10 22 ἔσεσθε μισούμενοι^c ὑπὸ πάντων διὰ τὸ ὄνομά μου ‖ Mar 13 13^c Luc 21 17^c
24 9 τότε–ἔσεσθε μισούμενοι^c ὑπὸ πάντων τῶν ἐθνῶν 10 μισήσουσιν^b ἀλλήλους

Luc 1 71 σωτηρίαν – „ἐκ χειρὸς" πάντων „τῶν μισούντων" ἡμᾶς
6 22 μακάριοί ἐστε ὅταν μισήσωσιν ὑμᾶς
– 27 καλῶς ποιεῖτε τοῖς μισοῦσιν ὑμᾶς
14 26 εἴ τις – οὐ μισεῖ τὸν πατέρα αὐτοῦ –, ἔτι τε καὶ τὴν ψυχὴν ἑαυτοῦ
19 14 οἱ δὲ πολῖται αὐτοῦ ἐμίσουν αὐτόν

Joh 3 20 ὁ φαῦλα πράσσων μισεῖ τὸ φῶς
7 7 οὐ δύναται ὁ κόσμος μισεῖν ὑμᾶς, ἐμὲ δὲ μισεῖ 15 18 εἰ ὁ κόσμος ὑμᾶς μισεῖ, – ἐμὲ πρῶτον ὑμῶν μεμίσηκεν^b
19 διὰ τοῦτο μισεῖ ὑμᾶς ὁ κόσμος
12 25 ὁ μισῶν τὴν ψυχὴν αὐτοῦ ἐν τῷ κόσμῳ τούτῳ → Luc 14 26
15 23 ὁ ἐμὲ μισῶν καὶ τὸν πατέρα μου μισεῖ 24 μεμισήκασιν καὶ ἐμὲ καὶ τὸν πατ. μου 25 „ἐμίσησάν^b με δωρεάν"
17 14 καὶ ὁ κόσμος ἐμίσησεν^b αὐτούς

Rm 7 15 ἀλλ᾽ ὃ μισῶ τοῦτο ποιῶ
9 13 „τὸν δὲ Ἠσαῦ ἐμίσησα^b"

Eph 5 29 οὐδεὶς γάρ ποτε τὴν ἑαυτοῦ σάρκα ἐμίσησεν^b, ἀλλὰ – θάλπει αὐτήν

Tit 3 3 στυγητοί, μισοῦντες ἀλλήλους

Hb 1 9 „ἐμίσησας ἀνομίαν· διὰ τοῦτο"

1 Jo 2 9 ὁ λέγων ἐν τῷ φωτὶ εἶναι καὶ τὸν ἀδελφὸν αὐτοῦ μισῶν 11 3 15 ὁ μισῶν τὸν ἀδελφὸν αὐτοῦ ἀνθρωποκτόνος ἐστίν 4 20 ἐάν τις εἴπῃ ὅτι ἀγαπῶ τὸν θεόν, καὶ τὸν ἀδελφὸν αὐτοῦ μισῇ, ψεύστης ἐστίν
3 13 μὴ θαυμάζετε, – εἰ μισεῖ ὑμᾶς ὁ κόσ.

Jud 23 μισοῦντες καὶ τὸν – ἐσπιλωμ. χιτῶνα

Ap 2 6 τοῦτο ἔχεις, ὅτι μισεῖς τὰ ἔργα τῶν Νικολαϊτῶν, ἃ κἀγὼ μισῶ

Ap 17 16 οὗτοι μισήσουσιν τὴν πόρνην
18 2 φυλακὴ παντὸς ὀρνέου ἀκαθάρτου καὶ μεμισημένου^d (vg vl°)

μισθαποδοσία S° – remuneratio ^bmercedis retributio

Hb 2 2 παρακοὴ ἔλαβεν ἔνδικον μ..αν^b
10 35 μὴ ἀποβάλητε – τὴν παρρησίαν ὑμῶν, ἥτις ἔχει μεγάλην μ..αν
11 26 ἀπέβλεπεν γὰρ εἰς τὴν μισθαποδοσ.

μισθαποδότης S° – remunerator Hb 11 6
τοῖς ἐκζητοῦσιν αὐτὸν μισθαποδ. γίνεται

μίσθιος mercenarius (vl ..nn.) Luc 15 17. 19

μισθός merces

Mat 5 12 ὁ μισθὸς ὑμῶν πολὺς ἐν τοῖς οὐρανοῖς ‖ Luc 6 23. 35 ἔσται – πολύς
– 46 τίνα μισθὸν ἔχετε; 6 1 μισθὸν οὐκ ἔχετε παρὰ τῷ πατρὶ ὑμ. τῷ ἐν τοῖς
6 2 ἀπέχουσιν τὸν μισθὸν αὐτῶν 5. 16
10 41 μισθὸν προφήτου λήμψεται, – μισθὸν δικαίου λήμψεται 42 οὐ μὴ ἀπολέσῃ τὸν μισθὸν αὐτοῦ ‖ Mar 9 41
20 8 καὶ ἀπόδος (vl + αὐτοῖς vg) τὸν μ.

Luc 10 7 ἄξιος γὰρ ὁ ἐργάτης τοῦ μισθοῦ αὐτοῦ 1 Ti 5 18 (vl τῆς τροφῆς)

Joh 4 33 ἤδη ὁ θερίζων μισθὸν λαμβάνει

Act 1 18 ἐκτήσατο χωρίον ἐκ μισθοῦ τῆς ἀδικίας 2 Pe 2 15 Βαλαάμ –, ὃς μισθὸν ἀδ. ἠγάπησεν 13 ἀδικούμενοι (vl κομιούμενοι vg) μισθὸν ἀδικίας

Rm 4 4 τῷ – ἐργαζομένῳ ὁ μισθὸς οὐ λογίζεται κατὰ χάριν ἀλλὰ κατὰ ὀφείλ.

1 Co 3 8 ἕκαστος δὲ τὸν ἴδιον μισθὸν λήμψεται κατὰ τὸν ἴδιον κόπον 14 εἴ τινος τὸ ἔργον μενεῖ –, μισθὸν λήμψεται
9 17 εἰ – ἑκὼν τοῦτο πράσσω, μ..ὸν ἔχω
– 18 τίς οὖν μού ἐστιν ὁ μισθός;

Jac 5 4 ὁ μισθὸς τῶν ἐργατῶν – „κράζει"

2 Jo 8 ἵνα – μισθὸν πλήρη ἀπολάβητε

Jud 11 τῇ πλάνῃ τοῦ Βαλαὰμ μισθοῦ

Ap 11 18 δοῦναι τὸν μισθὸν „τοῖς δούλοις σου τοῖς προφήταις" καὶ τοῖς ἁγίοις
22 12 „ἔρχομαι –, καὶ ὁ μ." μου μετ᾽ ἐμοῦ

μισθοῦσθαι conducere Mat 20 1 ἐργάτας 7

μίσθωμα conductum Act 28 30 ἐν ἰδίῳ μ.

μισθωτός mercenarius (vl ..nn) Mar 1 20
Joh 10 12 ὁ μισθωτὸς καὶ οὐκ ὢν ποιμήν 13

Μιτυλήνη Act 2014 ἤλθομεν εἰς Μιτυλήνην

Μιχαήλ Jud 9 „ὁ ἀρχάγγελος" Ap 127

μνᾶ mna Luc 1913.16.18.20.24.25

Μνάσων Act 2116 παρὰ – Μ..ί τινι Κυπρίῳ

μνεία memoria (m..am facere, habēre)
Rm 1 9 ἀδιαλείπτως μνείαν ὑμῶν ποιοῦμαι
– ἐπὶ τῶν προσευχῶν μου Eph 116 1 Th
12 Phm 4 – Phl 13 εὐχαριστῶ τῷ θεῷ
μου ἐπὶ πάσῃ τῇ μνείᾳ ὑμῶν [τοτε
1 Th 3 6 ὅτι ἔχετε μνείαν ἡμῶν ἀγαθὴν πάν-
2 Ti 1 3 ἀδιάλειπτον ἔχω τὴν περὶ σοῦ (tui)
μνείαν ἐν ταῖς δεήσεσίν μου

μνῆμα monumentum ᵇsepulchrum
Mar 5 3 ἐν τοῖς μνήμασιν 5 ‖ Luc 827
1546 κατέθηκεν αὐτὸν ἐν μνήματι ‖ Luc
2353 ἐν μνήματι λαξευτῷ – Mar 162
ἔρχονται ἐπὶ τὸ μνῆμα ‖ Luc 241
Act 229ᵇ (Davidis) 716ᵇ „ᾧ ὠνήσατο Ἀβρ."
Ap 11 9 τὰ πτώματα αὐτῶν οὐκ ἀφίουσιν τε-
θῆναι εἰς μνῆμα (vl ..ατα vg)

μνημεῖον monumentum
Mat 828 δαιμονιζόμενοι ἐκ τῶν μνημείων ἐξ-
ερχόμενοι ‖ Mar 52 ἐκ τῶν μνημείων
2329 κοσμεῖτε τὰ μνημεῖα τῶν δικαίων ‖
Luc 1147 οἰκοδομεῖτε—τῶν προφητῶν
2752 τὰ μνημεῖα ἀνεῴχθησαν 53 ἐκ τῶν μν.
– 60 ἐν τῷ καινῷ αὐτοῦ μν.., – προσκυ-
λίσας λίθον – τῇ θύρᾳ τοῦ μν. ‖ Mar
1546 Joh 1941.42 ἐγγὺς ἦν τὸ μν.
28 8 ἀπελθοῦσαι ταχὺ ἀπὸ τοῦ μν. ‖ Mar
168 ἐξελθοῦσαι ἔφυγον ἀπὸ τοῦ μν.
Mar 629 ἔθηκαν αὐτὸ (sc τὸ πτῶμα) ἐν μ..ῳ
16(2 vl)3 τὸν λίθον ἐκ τῆς θύρας τοῦ μν.;
– 5 εἰσελθοῦσαι εἰς τὸ μν. εἶδον νεαν.
Luc 1144 ἐστὲ ὡς τὰ μνημεῖα τὰ ἄδηλα
2355 ἐθεάσαντο τὸ μν. καὶ ὡς ἐτέθη τὸ σῶ.
24 2 ἀποκεκυλισμένον ἀπὸ τοῦ μνημείου
– 9 ὑποστρέψασαι ἀπὸ τοῦ μν. ἀπήγγ.
– (12 vl Πέτρ. – ἔδραμεν ἐπὶ τὸ μν.) 22 γε-
νόμεναι ὀρθριναὶ ἐπὶ τὸ μν. 24 ἀπῆλ-
θόν τινες τῶν σὺν ἡμῖν ἐπὶ τὸ μνημ.
Joh 528 οἱ ἐν τοῖς μν. ἀκούσουσιν τῆς φωνῆς
1117 τέσσαρας ἤδη ἡμέρας – ἐν τῷ μνημ.
– 31 ὑπάγει εἰς τὸ μνημ. ἵνα κλαύσῃ ἐκεῖ
– 38 Ἰησοῦς – ἔρχεται εἰς τὸ μνημεῖον
1217 ὅτε τὸν Λάζ. ἐφώνησεν ἐι: τοῦ μνημ.

Joh 20 1 ἡ Μαγδαλ. ἔρχεται – εἰς τὸ μν., καὶ
βλέπει τὸν λίθον ἠρμένον ἐκ τοῦ μν.
– 2 ἦραν τὸν κύριον ἐκ τοῦ μν. 3 Πέτρος
καὶ ὁ ἄλλος μαθητής, – ἤρχοντο εἰς
τὸ μν. 4 ὁ ἄλλος μαθ. – ἦλθεν πρῶ-
τος εἰς τὸ μν. 8.6 Πέτρ. – εἰσῆλθεν εἰς
τὸ μν. – 11 Μαρία δὲ εἱστήκει πρὸς
τῷ μνημ. –. – παρέκυψεν εἰς τὸ μνημ.
Act 1329 ἔθηκαν εἰς μνημεῖον (sc Ἰησοῦν)

μνήμη memoria 2 Pe 115 ἑκάστοτε ἔχειν
ὑμᾶς – τὴν τούτων μνήμην ποιεῖσθαι

μνημονεύειν memorem esse ᵇmeminisse
ᶜrecordari ᵈreminisci ᵉmemoria
retinēre ᶠretinēre ᵍmemorari ʰin
mente habēre
Mat 16 9 οὐδὲ μν..ετε ᶜ τοὺς πέντε ἄρτους –; ‖
Mar 818 οὐ μν..ετε ᶜ, ὅτε – ἔκλασα –;
Luc 1732 μνημονεύετε τῆς γυναικὸς Λώτ
Joh 1520 μν..ετε ᵇ τοῦ λόγου οὗ ἐγὼ εἶπον ὑ-
μῖν 164 ταῦτα λελάληκα ὑμῖν ἵνα –
μν..ητε ᵈ αὐτῶν, ὅτι ἐγὼ εἶπον ὑμῖν
1621 οὐκέτι μν..ει ᵇ τῆς θλίψεως διὰ
Act 2031 μν..οντες ᵉ ὅτι – οὐκ ἐπαυσάμην – νου-
θετῶν 35 ὅτι – δεῖ – μνημονεύειν ᵇ τε
τῶν λόγων τοῦ κυρίου Ἰησοῦ, ὅτι
Gal 210 μόνον τῶν πτωχῶν ἵνα μν..ωμεν
Eph 211 μν..ετε ὅτι ποτὲ ὑμεῖς τὰ ἔθνη ἐν
σαρκί, –, ὅτι ἦτε – χωρὶς Χοῦ
Col 418 μνημονεύετέ μου τῶν δεσμῶν
1 Th 1 3 μν..οντες ὑμῶν τοῦ ἔργου τῆς πίστ.
2 9 μν..ετε γὰρ – τὸν κόπον ἡμῶν
2 Th 2 5 οὐ μν..ετε ᶠ ὅτι – ταῦτα ἔλεγον ὑμῖν;
2 Ti 2 8 μν..ε Ἰ. Χὸν ἐγηγερμένον ἐκ νεκρῶν
Hb 1115 εἰ – ἐκείνης (sc πατρίδος) ἐμν..ον ᵇ
ἀφ' ἧς ἐξέβησαν, εἶχον ἂν καιρόν
– 22 Ἰωσήφ – περὶ τῆς ἐξόδου τῶν υἱῶν
Ἰσραὴλ ἐμνημόνευσεν ᵍ
13 7 μν..ετε ᵇ τῶν ἡγουμένων ὑμῶν
Ap 2 5 μνημόνευε οὖν πόθεν πέπτωκας
3 3 μν..ε ʰ – πῶς εἴληφας καὶ ἤκουσας
18 5 ἐμν..σεν ᶜ ὁ θεὸς τὰ ἀδικήμ. αὐτῆς

μνημόσυνον memoria Mat 2613 εἰς μν. αὐ-
τῆς ‖ Mar 149 – Act 104 αἱ προσευχαὶ
σου – ἀνέβησαν εἰς μν. ἔμπροσθεν τ. θεοῦ

μνηστεύεσθαι desponsari Mat 1 (16 vl) 18 μ..
θείσης – Μαρίας τῷ Ἰωσήφ ‖ Luc 127 – 25

μογιλάλος mutus Mar 732 κωφὸν καὶ μογ.

μόδιος S⁰ – *modius* Mt 5₁₅ ‖ Mr 4₂₁ Lc 11₃₃

μοιχαλίς *adultera*
Mat 12₃₉ γενεὰ πονηρὰ καὶ μ. σημεῖον ἐπιζη-
τεῖ 16₄ – Mar 8₃₈ ἐν τῇ γενεᾷ ταύ-
τῃ τῇ μοιχαλίδι καὶ ἁμαρτωλῷ
Rm 7 ₃ ζῶντος τοῦ ἀνδρὸς μοιχαλὶς χρημα-
τίσει ἐὰν γένηται ἀνδρὶ ἑτέρῳ· ἐὰν
δὲ ἀποθάνῃ ὁ ἀνήρ, ἐλευθέρα –, τοῦ
μὴ εἶναι αὐτὴν μοιχαλίδα γενομένην
ἀνδρὶ ἑτέρῳ
Jac 4 ₄ μ..ίδες (*adulteri*), οὐκ οἴδατε ὅτι ἡ
φιλία τοῦ κόσμου ἔχθρα τοῦ θεοῦ
2 Pe 2₁₄ ὀφθαλμοὺς – μεστοὺς μοιχαλίδος (vl
..λίας vg *adulterii* vl ..*rio*)

μοιχᾶσθαι ᵃ*adulterare* ᵇ*adulterium com-
mittere* (*super*) ᶜ*moechari*
Mat 5₃₂ ὃς ἐὰν ἀπολελυμένην γαμήσῃ, μοιχᾶ-
ται ᵃ 19₉ ὃς ἂν ἀπολύσῃ τὴν γυναῖκα μὴ
ἐπὶ πορνείᾳ –, μοιχᾶται ᶜ (vl + καὶ ὁ ἀπο-
λελυμένην γαμήσας μοιχᾶται ᶜ) ‖ Mar 10₁₁
ὃς ἂν ἀπολύσῃ –, μοιχᾶται ᵇ ἐπ᾽ αὐτήν
Mar 10₁₂ ἐὰν αὐτὴ ἀπολύσασα τὸν ἄνδρα αὐ-
τῆς γαμήσῃ ἄλλον, μοιχᾶται ᶜ

μοιχεία *adulterium*
Mat 15₁₉ ἐκ γὰρ τῆς καρδίας ἐξέρχονται – μοι-
χεῖαι, πορνεῖαι ‖ Mar 7₂₂
[Joh 8 ₃ γυναῖκα ἐπὶ μοιχείᾳ κατειλημμένην]

μοιχεύειν *moechari* ᵇ*adulterare*
Mat 5₂₇ „οὐ μοιχεύσεις" 19₁₈ᵇ ‖ Mar 10₁₉
„μὴ μ..σῃς ᵇ" Luc 18₂₀ – Jac 2₁₁ Rm
13₉ τὸ γὰρ „οὐ μοιχεύσεις ᵇ"
– 28 ὁ βλέπων γυναῖκα πρὸς τὸ ἐπιθυμῆ-
σαι – ἤδη ἐμοίχευσεν αὐτὴν ἐν τῇ καρ-
δίᾳ αὐτοῦ 32 ὁ ἀπολύων τὴν γυν. –
ποιεῖ αὐτὴν μοιχευθῆναι ‖ Luc 16₁₈
ὁ ἀπολύων τὴν γυναῖκα καὶ γαμῶν
ἑτέραν μοιχεύει, καὶ ὁ ἀπολελυμένην
ἀπὸ ἀνδρὸς γαμῶν μοιχεύει
[Joh 8 ₄ αὕτη – κατείληπται ἐπ᾽ αὐτοφώρῳ μοι-
χευομένη (*in adulterio*)]
Rm 2₂₂ ὁ λέγων μὴ μοιχεύειν μοιχεύεις;
Jac 2₁₁ εἰ δὲ οὐ μοιχεύεις, φονεύεις δέ
Ap 2₁₁ τοὺς μ..οντας μετ᾽ αὐτῆς εἰς θλῖψιν

μοιχός *adulter*
Luc 18₁₁ ἅρπαγες, ἄδικοι, μοιχοί, ἢ καὶ ὡς
1 Co 6 ₉ οὔτε μοιχοὶ οὔτε μαλακοὶ οὔτε
Hb 13 ₄ πόρνους – καὶ μοιχοὺς κρινεῖ ὁ θεός

μόλις *vix* Luc 9₃₉ Act 14₁₈ 27₇.₈.₁₆
Rm 5 ₇ μ. γὰρ ὑπὲρ δικαίου τις ἀποθανεῖται
1 Pe 4₁₈ „εἰ ὁ δίκαιος μόλις σῴζεται"

Μόλοχ Act 7₄₃ „ἀνελάβετε τ. σκηνὴν τοῦ Μ."

μολύνειν *polluere* ᵇ*inquinare* ᶜ*coinquinare*
1 Co 8 ₇ ἡ συνείδησις αὐτῶν – μολύνεται
Ap 3 ₄ ἃ οὐκ ἐμόλυναν ᵇ τὰ ἱμάτια αὐτῶν
14 ₄ μετὰ γυναικῶν οὐκ ἐμολύνθησαν ᶜ

μολυσμός *inquinamentum* 2 Co 7₁ ἀπὸ παν-
τὸς μολυσμοῦ σαρκὸς καὶ πνεύματος

μομφή S⁰ – *querela* Col 3₁₃ χαριζόμενοι
ἑαυτοῖς, ἐάν τις πρός τινα ἔχῃ μομφήν

μονή *mansio*
Joh 14 ₂ ἐν τῇ οἰκίᾳ τοῦ πατρός μου μοναὶ
πολλαί εἰσιν· εἰ δὲ μή, εἶπον ἂν ὑ.
– 23 μονὴν παρ᾽ αὐτῷ ποιησόμεθα

μονογενής *unigenitus* ᵇ*unicus*
Luc 7₁₂ μονογενής ᵇ υἱὸς τῇ μητρὶ αὐτοῦ
8₄₂ θυγάτηρ μονογεν. ᵇ ἦν αὐτῷ ὡς ἐτῶν
9₃₈ ἐπιβλέψαι ἐπὶ τὸν υἱόν μου, ὅτι μο-
νογενής ᵇ μοί ἐστιν, καὶ ἰδοὺ πνεῦμα
Joh 1₁₄ δόξαν ὡς μονογενοῦς παρὰ πατρός
– 18 μονογενὴς θεὸς (vl ὁ μον. υἱός vg)
ὁ ὢν εἰς τὸν κόλπον τοῦ πατρός
3₁₆ ὥστε τὸν υἱὸν (vl + αὐτοῦ vg) τὸν
μον. ἔδωκεν 1 Jo 4₉ ὅτι τὸν υἱ. αὐτοῦ
τὸν μον. ἀπέσταλκεν – εἰς τὸν κόσμον
– 18 ὅτι μὴ πεπίστευκεν εἰς τὸ ὄνομα τοῦ
μονογενοῦς υἱοῦ τοῦ θεοῦ
Hb 11₁₇ „τὸν μονογενῆ" προσέφερεν (Abr.)

*μόνον *tantum* ᵇ*tantummodo* ᶜ*solum* ᵈ*vel*
Mat 8 ₈ ἀλλὰ μόνον εἰπὲ λόγῳ, καὶ ἰαθήσεται
9₂₁ ἐὰν μόνον ἅψωμαι τοῦ ἱματίου 14₃₆ᵈ
10₄₂ ὃς ἐὰν ποτίσῃ – ποτήριον ψυχροῦ μ.
21₂₁ οὐ μόνον ᶜ τὸ τῆς συκῆς ποιήσετε
Mar 5₃₆ μὴ φοβοῦ, μόνον ᵇ πίστευε ‖ Luc 8₅₀
Joh 17₂₀ οὐ περὶ τούτων δὲ ἐρωτῶ μόνον
Act 8₁₆ μόνον – βεβαπτισμένοι ὑπῆρχον εἰς
τὸ ὄνομα – Ἰησοῦ 18₂₅ ἐπιστάμενος
μόνον τὸ βάπτισμα Ἰωάννου
Rm 3₂₉ ἢ Ἰουδαίων ὁ θεὸς μόνον; οὐχὶ καί
9₂₄ οὓς καὶ ἐκάλεσεν ἡμᾶς οὐ μόνον ᶜ ἐξ
Ἰουδαίων ἀλλὰ καὶ ἐξ ἐθνῶν
13 ₅ ἀνάγκη ὑποτάσσ., οὐ μ. ᶜ διὰ τ. ὀργήν
1 Co 7₃₉ ἐλευθέρα – γαμηθῆναι, μόν. ἐν κυρίῳ

1 Co 1519 εἰ ἐν τῇ ζωῇ ταύτῃ ἐν Χῷ ἠλπικότες ἐσμὲν μόνον
Gal 123 μόνον δὲ ἀκούοντες ἦσαν ὅτι ὁ
  210 μόν. τῶν πτωχῶν ἵνα μνημονεύωμεν
  3 2 τοῦτο μόνον ᶜ ϑέλω μαϑεῖν ἀφ᾽ ὑμῶν
  513 μόνον μὴ τὴν ἐλευϑερίαν εἰς ἀφορμὴν τῇ σαρκί
Phl 127 μόν. ἀξίως τοῦ εὐαγγ. – πολιτεύεσϑε
2 Th 2 7 μ. ὁ κατέχων ἄρτι ἕως ἐκ μέσου γένηται
Jac 122 μὴ ἀκροαταὶ μόνον παραλογιζόμενοι
  224 δικαιοῦται ἄνϑρ. – οὐκ ἐκ πίστεως μ.

μόνος, κατὰ μόνας (Mar 410 Luc 918) solus ᵇtantum ᶜsingularis
Mat 4 4 „οὐκ ἐπ᾽ ἄρτῳ μόνῳ ζήσ.“ ‖ Luc 44
  – 10 „αὐτῷ“ μόνῳ „λατρεύσεις“ ‖ Luc 48
  12 4 εἰ μὴ τοῖς ἱερεῦσιν μόνοις; ‖ Luc 64ᵇ
  1423 μόνος ἦν ἐκεῖ ‖ Mar 647 Joh 615
  17 8 οὐδένα εἶδον εἰ μὴ – Ἰησοῦν μόνον ‖ Mar 92.8ᵇ Luc 936 εὑρέϑη Ἰ. μόν.
  1815 μεταξὺ σοῦ καὶ αὐτοῦ μόνου
  2436 οὐδεὶς οἶδεν, –, εἰ μὴ ὁ πατὴρ μόνος
Mar 410 ὅτε ἐγένετο κατὰ μόνας ᶜ Luc 918 ἐν τῷ εἶναι αὐτὸν προσευχόμ. κατὰ μό.
Luc 521 τίς δύναται ἁμαρτίας ἀφεῖναι εἰ μὴ μόνος ὁ θεός;
  1040 μόνην με κατέλειπεν διακονεῖν;
  24[12] – 18 σὺ μόν. – οὐκ ἔγνως τὰ γεν. –;
Joh 544 τὴν δόξαν τὴν παρὰ τοῦ μόνου θεοῦ οὐ ζητεῖτε;
  622 μόνοι οἱ μαϑηταὶ αὐτοῦ ἀπῆλϑον
  8[9 κατελείφϑη μόνος, καὶ ἡ γυνή]
  – 16 μόνος οὐκ εἰμί, ἀλλ᾽ ἐγὼ καὶ ὁ πέμψας με 29 οὐ ἀφῆκέν με μόνον
  1224 ὁ κόκκος –, αὐτὸς μόνος μένει
  1632 ἵνα σκορπισϑῆτε – κἀμὲ μόνον ἀφῆτε· καὶ οὐκ εἰμὶ μόνος, ὅτι ὁ πατήρ
  17 3 σὲ τὸν μόνον ἀληθινὸν θεόν
Rm 11 3 „κἀγὼ ὑπελείφϑην μόνος“
  16 4 οἷς οὐκ ἐγὼ μόνος εὐχαριστῶ
  – 27 μόνῳ σοφῷ θεῷ –, ᾧ (vlᵒ) ἡ δόξα
1 Co 9 6 ἢ μόνος ἐγὼ καὶ Βαρνάβας οὐκ ἔχομεν ἐξουσίαν μὴ ἐργάζεσϑαι;
  1436 εἰς ὑμᾶς μ..ους κατήντησεν; (ὁ λόγ.)
Gal 6 4 εἰς ἑαυτὸν μόνον ᵇ τὸ καύχημα ἕξει
Phl 415 οὐδεμία μοι ἐκκλησία ἐκοινώνησεν – εἰ μὴ ὑμεῖς μόνοι
Col 411 οὗτοι μόνοι συνεργοὶ εἰς τὴν βασιλ.
1 Th 3 1 καταλειφϑῆναι ἐν Ἀϑήναις μόνοι
1 Ti 117 ἀφϑάρτῳ ἀοράτῳ μόνῳ θεῷ, τιμή
  615 ὁ μακάριος καὶ μόνος δυνάστης 16 ὁ μόνος ἔχων ἀϑανασίαν

2 Ti 411 Λουκᾶς ἐστιν μόνος μετ᾽ ἐμοῦ
Hb 9 7 ἅπαξ τοῦ ἐνιαυτοῦ μόν. ὁ ἀρχιερεύς
2 Jo 1 οὓς ἐγὼ ἀγαπῶ –, καὶ οὐκ ἐγὼ μόν.
Jud 4 τὸν μόνον δεσπότην καὶ κύριον ἡμῶν Ἰησοῦν Χὸν ἀρνούμενοι
  25 μόνῳ θεῷ σωτῆρι ἡμῶν – δόξα
Ap 15 4 ὅτι μόνος ὅσιος (vg pius es γl pius)

μονοῦσϑαι (pass) Sᵒ – desolari
1 Ti 5 5 ἡ δὲ ὄντως χήρα καὶ μεμονωμένη

μονόφϑαλμος Sᵒ – ᵃcum uno oculo (vl? unoculus) ᵇluscus Mat 189 καλόν σοι – μ..ονᵃ εἰς τὴν ζωὴν εἰσελϑεῖν ‖ Mar 947ᵇ

μορφή forma ᵇeffigies
[Mar1612 δυσὶν – ἐφανερώϑη ἐν ἑτέρᾳ μορφῇ ᵇ]
Phl 2 6 ὃς ἐν μορφῇ θεοῦ ὑπάρχων 7 ἑαυτὸν ἐκένωσεν μορφὴν δούλου λαβών

μορφοῦσϑαι Sᵒ – formari
Gal 419 μέχρις οὗ μορφωϑῇ Χὸς ἐν ὑμῖν

μόρφωσις Sᵒ – ᵃforma ᵇspecies
Rm 220 ἔχοντα τὴν μόρφωσινᵃ τῆς γνώσεως καὶ τῆς ἀληθείας ἐν τῷ νόμῳ
2 Ti 3 5 ἔχοντες μόρφωσινᵇ εὐσεβείας τὴν δὲ δύναμιν αὐτῆς ἠρνημένοι

μοσχοποιεῖν Sᵒ – vitulum facere Act 741

μόσχος vitulus Luc 1523.27.30 Hb 912.19
Ap 4 7 „τὸ δεύτερον“ ζῷον ὅμοιον „μ..ῳ“

μουσικός musicus Ap 1822 φωνὴ – μ..ῶν

μόχϑος ᵃaerumna ᵇfatigatio
2 Co 1127 κόπῳ καὶ μόχϑῳᵃ, ἐν ἀγρυπνίαις
1 Th 2 9 μνημονεύετε – τὸν κόπον ἡμῶν καὶ τὸν μόχϑονᵇ 2 Th 38 ἐν κόπῳ καὶ μόχϑῳᵇ νυκτὸς καὶ ἡμέρας ἐργαζόμενοι

μυεῖσϑαι (pass) institui Phl 412 ἐν παντὶ καὶ ἐν πᾶσιν μεμύημαι, – χορτάζεσϑαι κ. πεινᾶν

μυελός medulla Hb 412 διϊκνούμενος ἄχρι μερισμοῦ –, ἁρμῶν τε καὶ μυελῶν

μῦϑος fabula
1 Ti 1 4 μηδὲ προσέχειν μύϑοις καὶ γενεαλογίαις Tit 114 Ἰουδαϊκοῖς μύϑοις
  4 7 τοὺς δὲ βεβήλους – μύϑους παραιτοῦ

2 Ti 4 4 ἐπὶ δὲ τοὺς μύϑους ἐκτραπήσονται
2 Pe 1 16 οὐ – σεσοφισμένοις μύϑοις ἐξακολου-
ϑήσαντες ἐγνωρίσαμεν ὑμῖν

μυκᾶσϑαι Sᵒ – rugire Ap 103 ὥσπερ λέων

μυκτηρίζειν irridēre
Gal 6 7 μὴ πλανᾶσϑε, ϑεὸς οὐ μυκτηρίζεται

μυλικός Sᵒ – et μύλινος Sᵒ – molaris
Luc 17 2 εἰ λίϑος μ..κὸς περίκειται περὶ – τρ.
Ap 1821 ἦρεν – ἄγγελος „λίϑον" ὡς μ..νον

μύλος mola
Mat 18 6 ἵνα κρεμασϑῇ μύλ. ὀνικός ‖ Mar 942
2441 δύο ἀλήϑουσαι ἐν τῷ μύλῳ
Ap 1822 „φωνὴ μύλου" οὐ μὴ ἀκουσϑῇ ἐν

μυριάδες millia (vl milia) ᵇdena m. ᶜmul-
ta m. ᵈ(vl πολλοί) multi
Luc 121ᵈ τοῦ ὄχλ. Act 1919 ἀργυρ. μ. πέν-
τε (quinquaginta millium) 2120 τῶν πε-
πιστευκότων Hb 1222ᶜ ἀγγέλων Jud 14 κύ-
ριος ἐν ἁγίαις μυριάσιν αὐτοῦ Ap 511 „μυ-
ριάδες μυριάδων" 916 δισμυριάδες μ..ωνᵇ

μυρίζειν Sᵒ – ungere Mar 148 τὸ σῶμά μου

μύριοι, μυρίοι decem millia (vl milia)
Mat 1824 ὀφειλέτης μυρίων ταλάντων
1 Co 415 ἐὰν γὰρ μυρίους παιδαγωγοὺς ἔχητε
1419 ἢ μυρίους λόγους ἐν γλώσσῃ

μύρον unguentum (vl ungentum) Mat 267
ἔχουσα ἀλάβαστρον μύρου 12 ‖ Mar 143.
4.5 Luc 737.38.46 Joh 112 123.5 – Luc 23
56 ἀρώματα καὶ μύρα – Ap 1813

Μύρρα (vl Μύρα) Act 275 τῆς Λυκίας

Μυσία Act 166.7 παρελϑόντες – τὴν Μυσίαν

μυστήριον mysterium ᵇsacramentum
Mat 1311 ὑμῖν δέδοται γνῶναι τὰ μ. τῆς βασ.
τῶν οὐρ. ‖ Mar 411 ὑμῖν τὸ μ. δέδο-
ται Luc 810 δέδοται γνῶναι τὰ μυστ.
Rm 1125 οὐ – ϑέλω ὑμᾶς ἀγνοεῖν τὸ μ. τοῦτο
1625 κατὰ ἀποκάλυψιν μυστηρίου χρόνοις
αἰωνίοις σεσιγημένου
1 Co 2(1 vl καταγγέλλων ὑμῖν τὸ μ. τοῦ ϑεοῦ
vg testimonium → μαρτύριον)
– 7 λαλοῦμεν ϑεοῦ σοφίαν ἐν μυστηρίῳ
4 1 ὡς – οἰκονόμους μυστηρίων ϑεοῦ

1 Co 13 2 ἐὰν – εἰδῶ τὰ μυστήρια πάντα
14 2 πνεύματι δὲ λαλεῖ μυστήρια
1551 ἰδοὺ μ..ον ὑμῖν λέγω· πάντες οὐ
Eph 1 9 γνωρίσας ἡμῖν τὸ μ.ᵇ τοῦ ϑελήμα-
τος αὐτοῦ 39 φωτίσαι τίς ἡ οἰκονο-
μία τοῦ μυστηρίουᵇ τοῦ ἀποκεκρυμ-
μένου ἀπὸ τῶν αἰώνων ἐν τῷ ϑεῷ
3 3 ἐγνωρίσϑη μοι τὸ μυστήριονᵇ 4 δύ-
νασϑε – νοῆσαι τὴν σύνεσίν μου ἐν
τῷ μυστηρίῳ τοῦ Χοῦ
532 τὸ μυστήριονᵇ τοῦτο μέγα ἐστίν
619 γνωρίσαι τὸ μυστήριον τοῦ εὐαγγ.
Col 126 πληρῶσαι – τὸ μυστήριον τὸ ἀποκε-
κρυμμένον 27 τί τὸ πλοῦτος τῆς δό-
ξης τοῦ μ.ᵇ τούτου ἐν τοῖς ἔϑνεσιν,
ὅς (vl ὅ) ἐστιν Χὸς ἐν ὑμῖν 22 εἰς
ἐπίγνωσιν τοῦ μυστ. τοῦ ϑεοῦ, Χοῦ
4 3 λαλῆσαι τὸ μυστήριον τοῦ Χοῦ
2 Th 2 7 τὸ γὰρ μυστήριον ἤδη ἐνεργεῖται τῆς
ἀνομίας
1 Ti 3 9 ἔχοντας τὸ μ. τῆς πίστεως ἐν καϑα-
ρᾷ συνειδήσει 16 ὁμολογουμένως μέ-
γα ἐστιν τὸ τῆς εὐσεβείας μυστήρ.ᵇ
Ap 120 τὸ „μυστήριονᵇ" τῶν ἑπτὰ ἀστέρων
10 7 καὶ ἐτελέσϑη „τὸ μυστήρ. τοῦ ϑεοῦ"
17 5 ὄνομα – γεγραμμένον, μυστήριον, Βα-
βυλὼν ἡ μεγάλη 7 ἐγὼ ἐρῶ σοι τὸ
μυστ.ᵇ τῆς γυναικὸς καὶ τοῦ ϑηρίου

μυωπάζειν Sᵒ – manu tentare 2 Pe 19

μώλωψ livor 1 Pe 224 οὗ „τῷ μ..πι ἰάϑητε"

μωμᾶσϑαι (med et pass) vituperare, ..ri
2 Co 6 3 ἵνα μὴ μωμηϑῇ ἡ διακονία
820 μή τις ἡμᾶς μωμήσηται ἐν τῇ ἀδρό-
τητι – τῇ διακονουμένῃ ὑφ᾿ ἡμῶν

μῶμος macula 2 Pe 213 σπίλοι καὶ μῶμοι

μωραίνειν, ..εσϑαι ᵃstultum facere, fieri –
μ..εσϑαι ᵇevanescere
Mat 513 ἐὰν δὲ τὸ ἅλας μωρανϑῇᵇ ‖ Luc 14
34ᵇ καὶ τὸ ἅλας (vg vl sal quoque)
Rm 122 φάσκοντες εἶναι σοφοὶ ἐμωράνϑη-
σανᵃ 1 Co 120 οὐχὶ „ἐμώρανενᵃ" ὁ
ϑεὸς „τὴν σοφίαν" τοῦ κόσμου;

μωρία stultitia
1 Co 118 τοῖς μὲν ἀπολλυμένοις μωρία ἐστὶν
– 21 διὰ τῆς μω. τοῦ κηρύγματος σῶσαι
– 23 Χὸν ἐσταυρωμένον, – ἔϑνεσιν – μ..αν

1 Co 2 14 ψυχικὸς – οὐ δέχεται τὰ τοῦ πνεύματος τ. θεοῦ· μωρία γὰρ αὐτῷ ἐστιν
3 19 ἡ γὰρ σοφία τοῦ κόσμου τούτου μωρία παρὰ τῷ θεῷ ἐστιν

μωρολογία Sᵒ – *stultiloquium* Eph 54

μωρός *stultus* b*fatuus*
Mat 5 22 ὃς δ᾽ ἂν εἴπῃ μωρέᵇ, ἔνοχος ἔσται
7 26 ὁμοιωθήσεται ἀνδρὶ μωρῷ 25 2 πέντε
– ἦσαν μωραίᵇ 3ᵇ 8 αἱ δὲ μωραίᵇ
23 17 μωροὶ καὶ τυφλοί, τίς – μείζων –;
1 Co 1 25 τὸ μωρὸν τοῦ θεοῦ σοφώτερον τῶν
– 27 τὰ μωρὰ τοῦ κόσμου ἐξελέξατο
3 18 μωρὸς γενέσθω, ἵνα γένηται σοφός
4 10 ἡμεῖς μωροὶ διὰ Χόν, ὑμεῖς δὲ φρόνιμοι (*prudentes*) ἐν Χῷ
2 Ti 2 23 τὰς δὲ μωρὰς – ζητήσεις Tit 3 9

Μωϋσῆς → νόμος Joh 1 17.45 etc.
Mat 8 4 δῶρον ὃ προσέταξεν Μ. || Mar 1 44
Luc 5 14 – Mat 19 7 τί – Μ. ἐνετείλατο –; 8
ἐπέτρεψεν – ἀπολῦσαι || Mar 10 3.4 – Mat
22 24 Μ. εἶπεν· || Mar 12 19 ἔγραψεν ἡμῖν
Luc 20 28 – Mar 7 10 Μ. γὰρ εἶπεν· „τίμα –”
Mat 17 3 ὤφθη αὐτοῖς Μωϋσῆς καὶ Ἡλίας 4
Μωϋσεῖ μίαν || Mar 9 4.5 Luc 9 30.33
23 2 ἐπὶ τῆς Μ..έως καθέδρας ἐκάθισαν
Mar 12 26 ἐν τῇ βίβλῳ Μ.έως ἐπὶ τοῦ βάτου ||
Luc 20 37 Μ. ἐμήνυσεν ἐπὶ τῆς βάτ.
Luc 16 29 ἔχουσι Μωϋσέα καὶ τοὺς προφ. 31
24 27 ἀρξάμενος ἀπὸ Μωϋσέως καὶ ἀπὸ
πάντων τῶν προφητῶν διηρμήνευσεν
Joh 3 14 καθὼς Μ. ὕψωσεν τὸν ὄφιν ἐν τῇ ἐρ.
5 45 ἔστιν ὁ κατηγορῶν ὑμῶν Μ., εἰς ὃν
ὑμεῖς ἠλπίκατε 46 εἰ γὰρ ἐπιστεύετε
Μωϋσεῖ, ἐπιστεύετε ἂν ἐμοί
6 32 οὐ Μ. δέδωκεν ὑμῖν τὸν ἄρτον ἐκ
7 22 Μ. δέδωκεν ὑμῖν τὴν περιτομήν, – οὐχ
ὅτι ἐκ τοῦ Μωϋσέως ἐστὶν ἀλλ᾽ ἐκ
τῶν πατέρων – 23 8 5 → νόμος

Joh 9 28 ἡμεῖς – τοῦ Μωϋσέως ἐσμὲν μαθηταί
– 29 οἴδαμεν ὅτι Μ..εῖ λελάληκεν ὁ θεός
Act 3 22 Μ. – εἶπεν ὅτι „προφήτην – ὡς ἐμέ”
6 11 βλάσφημα εἰς Μωϋσῆν καὶ τὸν θεόν
– 14 τὰ ἔθη ἃ παρέδωκεν ἡμῖν Μωϋσῆς
7 20 ἐγεννήθη Μ. 22 ἐπαιδεύθη Μ. πάσῃ
σοφίᾳ Αἰγ. 29 „ἔφυγεν δὲ Μ. 31.32.35.
37 οὗτός ἐστιν ὁ Μ. ὁ εἴπας – · „προφήτην – ὡς ἐμέ” 40.44
15 1 ἐὰν μὴ περιτμηθῆτε τῷ ἔθει τῷ Μωϋσέως (5 → νόμος) 21 Μ. – ἐκ γενεῶν – τοὺς κηρύσσοντας αὐτὸν ἔχει
21 21 ἀποστασίαν διδάσκεις ἀπὸ Μωϋσέως
26 22 οὐδὲν ἐκτὸς λέγων ὧν τε οἱ προφῆται ἐλάλησαν μελλόντων γίνεσθαι καὶ
Μωϋσῆς, εἰ παθητός
Rm 5 14 ἀλλὰ ἐβασίλευσεν ὁ θάνατος ἀπὸ
Ἀδὰμ μέχρι Μωϋσέως
9 15 τῷ Μ. – λέγει· „ἐλεήσω ὃν ἂν ἐλεῶ”
10 5 Μ. – γράφει ὅτι τὴν δικαιοσύνην τὴν
ἐκ νόμου „ὁ ποιήσας – ζήσεται”
– 19 πρῶτος Μ. λέγει· „ἐγὼ παραζηλώσω” ὑμᾶς „ἐπ᾽ οὐκ ἔθνει”
1 Co 10 2 πάντες εἰς τὸν Μωϋσ. ἐβαπτίσαντο
2 Co 3 7 ὥστε μὴ δύνασθαι ἀτενίσαι – εἰς τὸ
πρόσωπον Μ..έως 13 „Μ. ἐτίθει κάλυμμα” 15 ἡνίκα ἂν ἀναγινώσκηται Μ.
2 Ti 3 8 Ἰάννης καὶ Ἰαμ. ἀντέστησαν Μ..εῖ
Hb 3 2 „πιστὸν” ὄντα –, ὡς καὶ „Μ. ἐν [ὅλῳ] τῷ οἴκῳ αὐτοῦ” 3 πλείονος – οὗτος δόξης παρὰ Μωϋσῆν ἠξίωται 5
– 16 οἱ ἐξελθόντες ἐξ Αἰγ. διὰ Μωϋσέως
7 14 Ἰούδα –, εἰς ἣν φυλὴν περὶ ἱερέων
οὐδὲν Μωϋσῆς ἐλάλησεν
8 5 καθὼς κεχρημάτισται Μωϋσῆς – ·
11 23 πίστει Μ.. – „ἐκρύβη τρίμηνον” 24 πίστει
„Μ. μέγας γενόμενος” ἠρνήσατο λέγεσθαι υἱὸς θυγατρὸς Φαραώ – 12 21
Jud 9 διελέγετο περὶ τοῦ Μ..έως σώματος
Ap 15 3 „ᾄδουσιν τὴν ᾠδὴν Μωϋσέως τοῦ
δούλου τοῦ θεοῦ”

N

Νααςςών Mat 1 4 Luc 3 32   **Ναγγαί** Luc 3 25

Ναζαρά Mat 4 13 Luc 4 16

Ναζαρέθ Mat 2 23 21 11 Mar 1 9 Luc 1 26 24.39.
51 Joh 1 45.46 Act 10 38

Ναζαρηνός Mar 1 24 Ν..έ 10 47 ὁ Ν. 14 67 καὶ
σὺ μετὰ τοῦ Ν. ἦσθα 16 6 Ἰησοῦν ζητεῖτε τὸν Ν. Luc 4 34 Ναζαρηνέ 24 19

Ναζωραῖος Mat 2 23 Ν. κληθήσεται 26 (69 vl) 71
οὗτος ἦν μετὰ Ἰ. τοῦ Ν. Luc 18 37 Ἰ. ὁ

N. παρέρχεται Joh 185.7 1919 'I. ὁ N. ὁ
βασιλεὺς τῶν Ἰουδ. – Act 222 36 410 614
228 245 τῆς τῶν N..ων αἱρέσεως 269 πρὸς
τὸ ὄνομα Ἰησοῦ τοῦ Ναζωραίου

Ναθάμ Luc 331 **Ναθαναήλ** Joh 145-49 212

ναί etiam [b]est [c]iam [d]immo [e]ita [f]utique
Mat 537 ἔστω δὲ ὁ λόγος ὑμῶν ναὶ ναί[bb]
928 ναί[f], κύριε 1351 λέγουσιν αὐτῷ· ναί
1527 ἡ δὲ εἶπεν· ναί, κύριε 1725 ναί
2116 Ἰησοῦς λέγει αὐτοῖς· ναί[f] – Mar
728 ναί[f], κύριε – Joh 1127 πιστεύεις
τοῦτο; –· ναί[f], κύριε 2115 ναί, κύριε
16 – Act 58 ναί, τοσούτου 2227 ναί
11 9 προφήτην ἰδεῖν; ναὶ λέγω ὑμῖν || Luc
726[f] – 1151[e] 125[e]
– 26 ναί[e], ὁ πατήρ, ὅτι οὕτως || Luc 1021
Rm 329 οὐχὶ καὶ ἐθνῶν; ναὶ[d] καὶ ἐθνῶν
2 Co 117 ἵνα ᾖ παρ' ἐμοὶ τὸ ναὶ ναί[b] (semel)
καὶ τὸ οὒ οὔ (non semel); 18 ὁ λό-
γος ἡμῶν – οὐκ ἔστιν ναί[b] καὶ οὒ 19
Χὸς Ἰ. ὁ – δι' ἡμῶν κηρυχθεὶς – οὐκ
ἐγένετο ναί[b] καὶ οὔ, ἀλλὰ ναὶ[b] ἐν
αὐτῷ γέγονεν 20 ὅσαι γὰρ ἐπαγγε-
λίαι θεοῦ, ἐν αὐτῷ τὸ ναί[b]
Phl 4 3 ναὶ ἐρωτῶ καὶ σέ, γνήσιε σύζυγε
Phm 20 ναί[e], ἀδελφέ, ἐγώ σου ὀναίμην
Jac 512 ἤτω – ὑμῶν τὸ ναὶ ναί[bb] καὶ τὸ οὒ
Ap 1 7 ναί, ἀμήν 2220 ναί, ἔρχομαι ταχύ
1413 ναί[c], λέγει τὸ πνεῦμα, ἵνα ἀναπαή-
σονται ἐκ τῶν κόπων αὐτῶν
16 7 ναί, κύριε ὁ θεὸς ὁ παντοκράτωρ

Ναιμάν Luc 427 ὁ Σύρος **Ναΐν** Luc 711

ναός templum [b]aedes
Mat 2316 ὃς ἂν ὀμόσῃ ἐν τῷ ναῷ κτλ. 17.21
– 35 μεταξὺ τοῦ v. καὶ τοῦ θυσιαστηρίου
2661 καταλῦσαι τὸν ναὸν τοῦ θεοῦ 2740
ὁ καταλύων τὸν ναόν || Mar 1458 15
29 – Joh 219 λύσατε τὸν v. τοῦτον 20.
21 περὶ τοῦ v. τοῦ σώματος αὐτοῦ
27 5 ῥίψας τὰ ἀργύρια εἰς τὸν ναόν
– 51 τὸ καταπέτασμα τοῦ ναοῦ ἐσχίσθη
|| Mar 1538 Luc 2345 μέσον
Luc 1 9 εἰς τὸν ναὸν τοῦ κυρίου 21 ἐν τῷ v. 22
Act 1724 οὐκ ἐν χειροποιήτοις ναοῖς κατοικεῖ
1924 ποιῶν ναοὺς[b] ἀργυροῦς Ἀρτέμιδος
1 Co 316 ὅτι ναὸς θεοῦ ἐστε 17 εἴ τις τὸν ναὸν
τοῦ θεοῦ φθείρει –· ὁ γὰρ ναὸς τοῦ
θεοῦ ἅγιός ἐστιν, οἵτινές ἐστε ὑμεῖς

1 Co 619 οὐκ οἴδατε ὅτι τὸ σῶμα ὑμῶν ναὸς
τοῦ ἐν ὑμῖν ἁγίου πνεύματός ἐστιν –;
2 Co 616 τίς – συγκατάθεσις ναῷ θεοῦ μετὰ εἰ-
δώλων; ἡμεῖς – ναὸς θ. ἐσμεν ζῶντος
Eph 221 αὔξει εἰς ναὸν ἅγιον ἐν κυρίῳ
2 Th 2 4 ὥστε αὐτὸν εἰς τὸν v. τοῦ θ. καθίσαι
Ap 312 στῦλον ἐν τῷ ναῷ τοῦ θεοῦ μου
715 λατρεύουσιν αὐτῷ – ἐν τῷ ναῷ αὐτοῦ
11 1 μέτρησον τὸν ναὸν τοῦ θεοῦ 2
– 19 ἠνοίγη ὁ ναὸς τοῦ θ. ὁ ἐν τῷ οὐρα-
νῷ, καὶ ὤφθη ἡ κιβωτὸς – ἐν τῷ v.
αὐτοῦ 1415 ἄγγελος ἐξῆλθεν ἐκ τοῦ
ναοῦ 17 ἐκ τοῦ v. τοῦ ἐν τῷ οὐρανῷ
15 5 ἠνοίγη ὁ ναὸς τῆς σκηνῆς τοῦ μαρ-
τυρίου ἐν τῷ οὐρανῷ 6 ἐκ τοῦ ναοῦ
8 „ἐγεμίσθη ὁ ναὸς καπνοῦ –, καὶ
οὐδεὶς ἐδύνατο εἰσελθεῖν" εἰς τὸν v.
16 1 ἤκουσα – „φωνῆς ἐκ τοῦ ναοῦ" 17
2122 ναὸν οὐκ εἶδον ἐν αὐτῇ· ὁ – κύριος
– ναὸς αὐτῆς ἐστιν, καὶ τὸ ἀρνίον

Ναούμ Luc 325

νάρδος nardus Mar 143 μύρου v..ου Joh 123

Ναρκίσσος Rm 1611 τοὺς ἐκ τῶν N..ου

ναυαγεῖν S° – [a]naufragium facere [b]nau-
fragare 2 Co 1125 τρὶς ἐναυάγησα[a]
1 Ti 119 περὶ τὴν πίστιν ἐναυάγησαν[b]

ναύκληρος S° – nauclerus (vl ..ius) Act 2711

ναῦς navis Act 2741 ἐπέκειλαν τὴν ναῦν

ναύτης S° – nauta Act 2727.30 Ap 1817

Ναχώρ Luc 334

νεανίας adolescens (vl ..ul.) Act 758 209 2317

νεανίσκος adolescens (vl ..ul.) [b]iuvenis
Mat 1920.22 ὁ v. – ἀπῆλθεν λυπούμενος
Mar 1451 165 εἶδον νεανίσκον[b] καθήμενον
Luc 714 νεανίσκε, σοὶ λέγω, ἐγέρθητι
Act 217[b] 510[b] 2318.22 – 1 Jo 213 γράφω ὑ-
μῖν, v..οι 14 ἔγραψα ὑμῖν, v..οι[b] (vl[a])

Νέα πόλις Act 1611 εἰς N..ν π..ν, κἀκεῖθεν

νεκρός mortuus
qui sunt de resurrectione mortuo-
rum loci → ἀνάστασις, ἐξανάστα-

σις, ἀνιστάναι, ἐγείρειν – (ἀνάγειν
ἐκ νεκρῶν hic)

Mat 8 22 ἄφες τοὺς νεκροὺς θάψαι τοὺς ἑαυ-
τῶν νεκρ. ‖ Luc 9 60 σὺ δὲ – διάγγελλε
22 32 οὐκ ἔστιν [ὁ] θεὸς νεκρῶν ἀλλὰ ζών-
των ‖ Mar 12 27 Luc 20 38 πάντες γὰρ
αὐτῷ ζῶσιν
23 27 ἔσωθεν δὲ γέμουσιν ὀστέων νεκρῶν
28 4 ἐγεν. ὡς ν..οί Mar 9 26 ἐγέν. ὡσεὶ ν..ός

Luc 7 15 ἀνεκάθισεν ὁ ν. καὶ ἤρξατο λαλεῖν
15 24 ὁ υἱός μου νεκρὸς ἦν 32 καὶ ἔζησεν
16 30 ἐάν τις ἀπὸ ν..ῶν πορευθῇ πρός 31
24 5 τί ζητεῖτε τὸν ζῶντα μετὰ τῶν νεκρ.;

Joh 5 25 ὅτε οἱ νεκροὶ ἀκούσουσιν τῆς φωνῆς
τοῦ υἱοῦ τοῦ θεοῦ

Act 5 10 εὗρον αὐτὴν (Saphiram) νεκράν
10 42 ὁ ὡρισμένος – κριτὴς ζώντων καὶ ν.
20 9 ἤρθη νεκρός 28 6 αὐτὸν μέλλειν – κα-
ταπίπτειν ἄφνω νεκρόν (et mori)

Rm 4 17 θεοῦ τοῦ ζωοποιοῦντος τοὺς νεκρ.
6 11 λογίζεσθε ἑαυτοὺς εἶναι νεκροὺς μὲν
τῇ ἁμαρτίᾳ 13 παραστήσατε ἑαυτοὺς
τῷ θεῷ ὡσεὶ ἐκ νεκρῶν ζῶντας
7 8 χωρὶς γὰρ νόμου ἁμαρτία νεκρά
8 10 τὸ μὲν σῶμα νεκρὸν διὰ ἁμαρτίαν
10 7 τοῦτ᾿ ἔστιν Χὸν ἐκ ν..ῶν ἀναγαγεῖν
11 15 τίς ἡ πρόσλημψις εἰ μὴ ζωὴ ἐκ ν..ῶν;
14 9 ἵνα καὶ ν..ῶν καὶ ζώντων κυριεύσῃ

1 Co 15 29 τί ποιήσουσιν οἱ βαπτιζόμενοι ὑπὲρ
τῶν νεκρῶν; εἰ ὅλως νεκροὶ οὐκ ἐ-
γείρονται, τί καὶ β..ονται ὑπ. αὐτῶν;

Eph 2 1 ὑμᾶς ὄντας νεκροὺς τοῖς παραπτώ-
μασιν καὶ ταῖς ἁμαρτίαις ὑμῶν 5 ὄν-
τας ἡμᾶς νεκροὺς τοῖς παραπτώμα-
σιν συνεζωοποίησεν τῷ Χῷ Col 2 13
νεκροὺς ὄντας τοῖς παραπτώμασιν
καὶ τῇ ἀκροβυστίᾳ τῆς σαρκός

Col 1 18 πρωτότοκος ἐκ τῶν νεκρῶν → Ap 1 5

2 Ti 4 1 τοῦ μέλλοντος κρίνειν ζῶντας καὶ νε-
κρούς 1 Pe 4 5 τῷ ἑτοίμως ἔχοντι

Hb 6 1 μετανοίας ἀπὸ ν..ῶν ἔργων 9 14 κα-
θαριεῖ τὴν συνείδησιν ἡμῶν ἀπὸ –
9 17 διαθήκη γὰρ ἐπὶ νεκροῖς βεβαία
11 35 ἔλαβον – ἐξ ἀναστάσεως τοὺς νεκρ.
13 20 „ὁ ἀναγαγὼν" ἐκ νεκρῶν „τὸν ποι-
μένα τῶν προβάτων" τὸν μέγαν

Jac 2 17 ἡ πίστις, ἐὰν μὴ ἔχῃ ἔργα, νεκρά ἐ-
στιν καθ᾿ ἑαυτήν (20 vl vg)
– 26 ὥσπερ – τὸ σῶμα χωρὶς πνεύματος
νεκρόν ἐστιν, οὕτως καὶ ἡ πίστις χω-
ρὶς ἔργων νεκρά ἐστιν

1 Pe 4 6 εἰς τοῦτο καὶ νεκροῖς εὐηγγελίσθη

Ap 1 5 ὁ „πρωτότοκος" τῶν νεκρῶν
– 17 ὅτε εἶδον αὐτόν, ἔπεσα – ὡς νεκρός
– 18 ἐγενόμην νεκρὸς καὶ ἰδοὺ ζῶν εἰμι
2 8 ὃς ἐγένετο νεκρὸς καὶ ἔζησεν
3 1 ὄνομα ἔχεις ὅτι ζῇς, καὶ νεκρὸς εἶ
11 18 ἦλθεν – ὁ καιρὸς τῶν νεκρ. κριθῆναι
14 13 μακάριοι οἱ νεκροὶ οἱ ἐν κυρίῳ ἀπο-
θνήσκοντες ἀπ᾿ ἄρτι
16 3 „καὶ ἐγένετο αἷμα" ὡς νεκροῦ
20 5 οἱ λοιποὶ τῶν νεκ. οὐκ ἔζησαν ἄχρι
– 12 εἶδον τοὺς νεκροὺς – ἑστῶτας – · καὶ
ἐκρίθησαν οἱ νεκροὶ – κατὰ τὰ ἔργα
– 13 ἔδωκεν ἡ θάλασσα τοὺς νεκροὺς – ,
καὶ ὁ θάνατος καὶ ὁ ᾅδης ἔδωκαν
τοὺς νεκροὺς τοὺς ἐν αὐτοῖς

νεκροῦν, ..σθαι S⁰ – ᵃmortificare ᵇemori

Rm 4 19 τὸ ἑαυτοῦ σῶμα νενεκρωμένον ᵇ, – ,
καὶ τὴν νέκρωσιν (emortuam) τῆς
μήτρας Σάρρας

Col 3 5 ν..ώσατε ᵃ – τὰ μέλη τὰ ἐπὶ τῆς γῆς

Hb 11 12 ἀφ᾿ ἑνὸς ἐγενήθησαν, – νεν..ωμένου ᵇ

νέκρωσις S⁰ – mortificatio Rm 4 19 → νεκροῦν

2 Co 4 10 πάντοτε τὴν νέκρωσιν τοῦ Ἰησοῦ ἐν
τῷ σώματι περιφέροντες

νεομηνία neomenia Col 2 16 ἐν μέρει – ν..ας

νέος, νεώτερος novus ᵇ(vl novellus) ᶜado-
lescens ᵈadolescentior ᵉadolescentula
ᶠiuvenis ᵍiunior ʰiuvencula ⁱminor

Mat 9 17 οὐδὲ βάλλουσιν οἶνον νέον bis ‖ Mar
2 22 (priore loco vl ᵇ) Luc 5 37.38.39
οὐδεὶς πιὼν παλαιὸν θέλει νέον

Luc 15 12 εἶπεν ὁ νεώτερος ᵈ τῷ πατρί 13 ᵈ
22 26 ὁ μείζων – γινέσθω ὡς ὁ νεώτ.ⁱ (vl ᵍ)

Joh 21 18 ὅτε ἦς νεώτερος ᵍ, ἐζώννυες σεαυτόν

Act 5 6 ἀναστάντες δὲ οἱ νεώτεροι ᶠ

1 Co 5 7 ἵνα ἦτε νέον φύραμα

Col 3 10 ἐνδυσάμενοι τὸν νέον (sc ἄνθρωπον)

1 Ti 5 1 νεωτέρους ᶠ ὡς ἀδελφούς 2 νεωτέ-
ρας ʰ ὡς ἀδελφάς 11 νεωτέρας ᵈ δὲ
χήρας παραιτοῦ 14 βούλομαι – νεω-
τέρας ᵍ (vl iuveniores) γαμεῖν

Tit 2 4 ἵνα σωφρονίζωσιν τὰς νέας ᵉ
– 6 τοὺς νεωτ. ᶠ – παρακάλει σωφρονεῖν

Hb 12 24 διαθήκης νέας μεσίτῃ Ἰησοῦ

1 Pe 5 5 νεώτεροι ᶜ, ὑποτάγητε πρεσβυτέροις

νεότης iuventus ᵇadolescentia

Mar 10 20 πάντα ἐφυλαξάμην ἐκ νεότητός μου

|| Luc 18 21 ἐφύλαξα ἐκ νεότητος
Act 26 4 τὴν μὲν – βίωσίν μου ἐκ νεότητος
1 Ti 4 12 μηδείς σου τῆς νεότ.ᵇ καταφρονείτω

νεόφυτος neophytus 1 Ti 3 6 δεῖ – τὸν ἐπίσκο-
πον – εἶναι – μὴ ν..ον, ἵνα μὴ τυφωθείς

νεύειν innuere Joh 13 24, annuere Act 24 10

νεφέλη nubes (Mat 17 5 vl nubis)
Mat 17 5 νεφέλη φωτεινὴ ἐπεσκίασεν αὐτούς,
καὶ – φωνὴ ἐκ τῆς νεφ. (de nube) ||
Mar 9 7 Luc 9 34 ἐγένετο νεφ. –˙ ἐφο-
βήθησαν δὲ ἐν τῷ εἰσελθεῖν – εἰς τὴν
νεφ. 35 φωνὴ ἐγένετο ἐκ τῆς νεφέλ.
24 30 „ἐρχόμενον ἐπὶ τῶν νεφ. τοῦ οὐρα-
νοῦ" 26 64 || Mar 13 26 ἐν ν..αις 14 62
μετὰ τῶν νεφ. Luc 21 27 ἐν νεφέλῃ
Luc 12 54 ὅταν ἴδητε ν..ην ἀνατέλλουσαν ἐπί
Act 1 9 ἐπήρθη, καὶ νεφέλη ὑπέλαβεν αὐτόν
1 Co 10 1 οἱ πατέρες – ὑπὸ τὴν νεφ. ἦσαν 2 καὶ
– ἐβαπτίσαντο ἐν τῇ νεφ. καὶ – θαλ.
1 Th 4 17 οἱ ζῶντες - ἁρπαγησόμεθα ἐν ν..αις
Jud 12 οὗτοί εἰσιν – νεφέλαι ἄνυδροι
Ap 1 7 „ἰδοὺ ἔρχεται μετὰ τῶν νεφελῶν"
10 1 ἄγγελον –, περιβεβλημένον νεφέλην
11 12 ἀνέβησαν εἰς τὸν οὐρανὸν ἐν τῇ νεφ.
14 14 ἰδοὺ νεφέλη λευκή, καὶ „ἐπὶ τὴν νεφ."
καθήμενον „ὅμοιον υἱὸν ἀνθρώπου"
15.16 ὁ καθήμενος ἐπὶ τῆς νεφέλης

Νεφθαλίμ Mat 4 13.15 γῇ Ap 7 6 φυλῆς Νεφθ.

νέφος nubes Hb 12 1 τοσοῦτον – ν. μαρτύρων

νεφρός ren Ap 2 23 γνώσονται – ὅτι ἐγώ εἰμι
ὁ „ἐρευνῶν νεφροὺς καὶ καρδίας"

νεωκόρος Sᵒ – cultrix Act 19 35 ᾿Αρτέμιδος

νεωτερικός iuvenilis
2 Ti 2 22 τὰς δὲ νεωτερικὰς ἐπιθυμίας φεῦγε

νή per (vl propter) 1 Co 15 31 νὴ τὴν ὑμ. καύχ.

νήθειν nēre Mat 6 28 || Luc 12 27 οὔτε ν..ει

νηπιάζειν Sᵒ – parvulum esse
1 Co 14 20 ἀλλὰ τῇ κακίᾳ νηπιάζετε

νήπιος parvulus ᵇinfans
Mat 11 25 ἀπεκάλυψας αὐτὰ ν..οις || Luc 10 21

Mat 21 16 „ἐκ στόματος ν..ωνᵇ – κατηρτίσω"
Rm 2 20 σεαυτὸν – εἶναι – διδάσκαλον νηπίωνᵇ
1 Co 3 1 λαλῆσαι ὑμῖν –, ὡς νηπίοις ἐν Χῷ
13 11 ὅτε ἤμην νήπιος, ἐλάλουν ὡς νήπιος,
ἐφρόνουν ὡς νήπιος, ἐλογιζόμην ὡς
νήπιος· ὅτε γέγονα ἀνήρ, κατήργη-
κα τὰ τοῦ νηπίου 1 Th 2 7 → ἤπιος
Gal 4 1 ἐφ᾽ ὅσον χρόνον ὁ κληρονόμος νήπι-
ός ἐστιν, – 3 ὅτε ἦμεν νήπιοι, ὑπό
Eph 4 14 ἵνα μηκέτι ὦμεν νήπιοι
Hb 5 13 ὁ μετέχων γάλακτος ἄπειρος λόγου
δικαιοσύνης, νήπιος γάρ ἐστιν

Νηρί Luc 3 27 Νηρεύς Rm 16 15

νησίον (Act 27 16) Sᵒ – et νῆσος insula
Act 13 6 (Κύπρον) 27 16 νησίον – καλούμενον
Κλαῦδα 26 28 1 Μελίτῃ 7.9.11
Ap 1 9 (Πάτμος) – 6 14 16 20 πᾶσα ν. ἔφυγεν

νηστεία ieiunium ᵇieiunatio
(Mat17 21 vl οὐκ ἐκπορεύεται εἰ μὴ ἐν προσευ-
χῇ καὶ νηστείᾳ vg Mar 9 29 vl vg)
Luc 2 37 νηστείαις καὶ δεήσεσιν λατρεύουσα
Act 14 23 προσευξάμενοι μετὰ νηστειῶνᵇ
27 9 διὰ τὸ – τὴν ν..αν ἤδη παρεληλυθέναι
2 Co 6 5 ἐν ἀγρυπνίαις, ἐν νηστείαις
11 27 ἐν νηστείαις πολλάκις, ἐν ψύχει

νηστεύειν ieiunare
Mat 4 2 νηστεύσας ἡμέρας τεσσεράκοντα
6 16 ὅταν δὲ νηστεύητε, μὴ γίνεσθε – σκυ-
θρωποί·– ὅπως φανῶσιν τοῖς ἀνθρ.
νηστεύοντες 17 σὺ δὲ νηστεύων ἄλει-
ψαι 18 ὅπως μὴ φανῇς – νηστεύων
9 14 διὰ τί ἡμεῖς καὶ οἱ Φαρ. νηστεύομεν
(vl + πολλά vg frequenter), οἱ δὲ
μαθηταί σου οὐ ν..ουσιν; 15 καὶ τότε
ν..σουσιν || Mar 2 18.19 μὴ δύνανται οἱ
υἱοὶ τοῦ νυμφῶνος – νηστεύειν; 20 Luc
5 33 νηστεύουσιν πυκνά 34.35
Luc 18 12 νηστεύω δὶς τοῦ σαββάτου
Act 13 2 λειτουργούντων – αὐτῶν τῷ κυρίῳ καὶ
ν..όντων εἶπεν τὸ πνεῦμα 3 ν..σαν-
τες καὶ προσευξάμενοι – ἀπέλυσαν

νῆστις ieiunus Mat 15 32 νήστεις || Mar 8 3

νηφάλιος Sᵒ – sobrius 1 Ti 3 2 δεῖ – τὸν ἐπί-
σκοπον – εἶναι – νηφάλιον 11 γυναῖκας –
ν..ους Tit 2 2 πρεσβύτας νηφαλίους εἶναι

νήφειν S° – *sobrium esse* [b]*vigilare*
1 Th 5 6 ἀλλὰ γρηγορῶμεν καὶ νήφωμεν
– 8 ἡμεῖς δὲ ἡμέρας ὄντες νήφωμεν
2 Ti 4 5 σὺ δὲ νῆφε[b] ἐν πᾶσιν, κακοπάθησον
1 Pe 1 13 νήφοντες, τελείως ἐλπίσατε (fort.
melius νήφ. τελ..) ἐπὶ τὴν – χάριν
4 7 νήψατε[b] εἰς προσευχάς (*in oration*.)
5 8 νήψατε, γρηγορήσατε. ὁ ἀντίδικος

Νίγερ Act 13 1 Συμεὼν ὁ καλούμενος Ν.

νικᾶν *vincere* et νίκη *victoria* (1 Jo 5 4)
Luc 11 22 ἐπὰν δὲ ἰσχυρότερος – νικήσῃ αὐτόν
Joh 16 33 θαρσεῖτε, ἐγὼ νενίκηκα τὸν κόσμον
Rm 3 4 „ὅπως ἂν δικαιωθῇς – καὶ νικήσεις
(vl ..σῃς) ἐν τῷ κρίνεσθαί σε"
12 21 μὴ νικῶ ὑπὸ τοῦ κακοῦ, ἀλλὰ νίκα
ἐν τῷ ἀγαθῷ τὸ κακόν
1 Jo 2 13 ὅτι νενικήκατε τὸν πονηρόν 14
4 4 ἐκ τοῦ θεοῦ ἐστε, –, καὶ νενικήκατε
αὐτούς 5 αὐτοὶ ἐκ τοῦ κόσμου εἰσίν
5 4 πᾶν τὸ γεγεννημένον ἐκ τοῦ θεοῦ
νικᾷ τὸν κόσμον· καὶ αὕτη ἐστὶν ἡ
νίκη ἡ νικήσασα τὸν κόσμον, ἡ πί-
στις ἡμῶν 5 τίς ἐστιν – ὁ νικῶν τὸν
κόσμον εἰ μὴ ὁ πιστεύων –;
Ap 2 7 τῷ νικῶντι δώσω – „φαγεῖν ἐκ τοῦ
ξύλου τῆς ζωῆς" 11 ὁ νικῶν οὐ μὴ ἀ-
δικηθῇ ἐκ τοῦ θαν. τοῦ δευτ. 17 τῷ
νικ. „δώσω – τοῦ μάννα" 26 ὁ νικῶν
–, „δώσω αὐτῷ" ἐξουσίαν ἐπὶ „τῶν
ἐθνῶν" 3 5 ὁ νικῶν – περιβαλεῖται ἐν
ἱματίοις λευκοῖς 12 ὁ νικῶν, ποιήσω
αὐτὸν στῦλον ἐν τῷ ναῷ 21 ὁ νικῶν,
δώσω αὐτῷ καθίσαι μετ᾽ ἐμοῦ –, ὡς
κἀγὼ ἐνίκησα καὶ ἐκάθισα μετὰ τοῦ
πατρός μου 21 7 ὁ νικῶν κληρονο-
μήσει ταῦτα
5 5 ἐνίκησεν ὁ „λέων" –, ἀνοῖξαι τὸ βιβ.
6 2 ἐξῆλθεν νικῶν καὶ (vl° vg) ἵνα νικήσῃ
11 7 τὸ „θηρίον – νικήσει αὐτούς" (testes)
12 11 αὐτοὶ ἐνίκησαν αὐτὸν διὰ τὸ αἷμα
13 7 ἐδόθη αὐτῷ – νικῆσαι αὐτούς (τ. ἁγ.)
15 2 τοὺς νικῶντας ἐκ τοῦ θηρίου
17 14 τὸ ἀρνίον νικήσει αὐτούς (sc reges)

Νικάνωρ Act 6 5 νίκη → νικᾶν 1 Jo 5 4

Νικόδημος Joh 3 1.4.9 7 50 19 39

Νικολαῖται Ap 2 6.15 τὴν διδαχὴν τῶν Ν.

Νικόλαος Act 6 5 προσήλυτος Ἀντιοχεύς

Νικόπολις Tit 3 12 ἐλθεῖν πρός με εἰς Ν..ιν

νῖκος *victoria*
Mat 12 20 „ἕως ἂν ἐκβάλῃ εἰς νῖ. τὴν κρίσιν"
1 Co 15 54 „κατεπόθη ὁ θάνατ. εἰς νῖκος. 55 ποῦ
σου, θάνατε, τὸ νῖκος;" 57 χάρις τῷ
διδόντι ἡμῖν τὸ νῖ. διὰ – Ἰησοῦ Χοῦ

Νινευῖται Mat 12 41 ‖ Luc 11 30.32

νίπτειν *lavare* νιπτήρ S° – *pelvis* (Joh 13 5)
Mat 6 17 καὶ τὸ πρόσωπόν σου νίψαι, ὅπως
15 2 οὐ γὰρ νίπτονται τὰς χεῖρας ‖ Mar 7 3
ἐὰν μὴ πυγμῇ (vl πυκνά vg *crebro*)
νίψωνται τὰς χεῖρας οὐκ ἐσθίουσιν
Joh 9 7 νίψαι εἰς τὴν κολυμβήθραν τοῦ Σι-
λωάμ –. – καὶ ἐνίψατο 11.15
13 5 βάλλει ὕδωρ εἰς τὸν νιπτῆρα, καὶ ἤρ-
ξατο νίπτειν τοὺς πόδας τῶν μαθη-
τῶν 6 σύ μου νίπτεις τ. πό.; 8 οὐ μὴ
νίψῃς μου τ. πόδας εἰς τὸν αἰῶνα. –
ἐὰν μὴ νίψω σε 10 οὐκ ἔχει χρείαν
[εἰ μὴ τοὺς πόδας] νίψασθαι 12.14 εἰ
οὖν ἐγὼ ἔνιψα ὑμῶν τ. πόδας –, καὶ
ὑμεῖς ὀφείλετε ἀλλήλων νίπτειν τ. πό.
1 Ti 5 10 εἰ ἁγίων πόδας ἔνιψεν (sc χήρα)

νοεῖν *intelligere* [b]*cognoscere*
Mat 15 17 οὐ νοεῖτε ὅτι – τὸ εἰσπορευόμενον εἰς
τὸ στόμα –; ‖ Mar 7 18 εἰς τὸν ἄνθρ.
16 9 οὔπω νοεῖτε –; 11 πῶς οὐ νοεῖτε ὅτι
οὐ περὶ ἄρτων εἶπον ὑμῖν; ‖ Mar 8 17[b]
24 15 ὁ ἀναγινώσκων νοείτω ‖ Mar 13 14
Joh 12 40 „ἵνα μὴ – νοήσωσιν τῇ καρδίᾳ"
Rm 1 20 τὰ – ἀόρατα αὐτοῦ – τοῖς ποιήμασιν
νοούμενα καθορᾶται
Eph 3 4 δύνασθε – νοῆσαι τὴν σύνεσίν μου
– 20 ὑπερεκπερισσοῦ ὧν – νοοῦμεν
1 Ti 1 7 μὴ νοοῦντες μήτε ἃ λέγουσιν μήτε
περὶ τίνων διαβεβαιοῦνται
2 Ti 2 7 νόει ὃ (vl ἃ vg) λέγω· δώσει – σοι
Hb 11 3 πίστει νοοῦμεν κατηρτίσθαι τοὺς αἰ-
ῶνας ῥήματι θεοῦ

νόημα [a]*cogitatio* [b]*intellectus* [c]*intelligentia*
[d]*mens* (*mentes*) [e]*sensus*
2 Co 2 11 οὐ γὰρ αὐτοῦ τὰ νοήμ.[a] ἀγνοοῦμεν
3 14 ἀλλὰ ἐπωρώθη τὰ νοήματα[e] αὐτῶν
4 4 ἐτύφλωσεν τὰ νοήματα[d] τῶν ἀπίστων
10 5 αἰχμαλωτίζοντες πᾶν νόημα[b] εἰς τὴν
ὑπακοὴν τοῦ Χοῦ
11 3 μή πως – φθαρῇ τὰ νο.[e] ὑμῶν ἀπὸ

τ. ἁπλότητος – τῆς εἰς (vl + τὸν) Χὸν
Phl 4 7 φρουρήσει – τὰ νοήμ.ᶜ ὑμῶν ἐν Χῷ

νόϑος adulter Hb 12 8 ν..οι καὶ οὐχ υἱοί ἐστε

νομή ᵃpascua (neutr.) ᵇ(ν..ὴν ἔχειν) serpere
Joh 10 9 καὶ ἐξελεύσεται καὶ νομὴνᵃ εὑρήσει
2 Ti 2 17 ὁ λόγος αὐτῶν ὡς γάγγραινα ν. ἕξειᵇ

νομίζειν existimare ᵇaestimare ᶜarbitrari
ᵈputare ᵉ(ν..εσϑαι) vidēri
Mat 5 17 μὴ νομίσητεᵈ ὅτι ἦλϑον καταλῦσαι
10 34ᶜ ὅτι ἦλϑον βαλεῖν εἰρήνην
20 10 ἐνόμισανᶜ ὅτι πλεῖον λήμψονται
Luc 2 44 ν..σαντες – αὐτὸν εἶναι ἐν τῇ συνοδίᾳ
3 23 ὧν υἱός, ὡς ἐνομίζετοᵈ, Ἰωσήφ
Act 7 25 8 20 14 19 (vlᵇ) 16 13 οὗ ἐν..ομεν προσ-
ευχὴν (vl ἐν..ετοᵉ πρ..ὴ) εἶναι 27ᵇ
17 29 οὐκ ὀφείλομεν νομίζεινᵇ, χρυσῷ ἢ
ἀργύρῳ – τὸ θεῖον εἶναι ὅμοιον
21 29 ὃν ἐνόμιζονᵇ ὅτι εἰς τὸ ἱερὸν εἰσή-
γαγεν ὁ Παῦλος
1 Co 7 26 νομίζω οὖν τοῦτο καλὸν ὑπάρχειν
– 36 εἰ δέ τις ἀσχημονεῖν – νομίζει
1 Ti 6 5 ν..όντων πορισμὸν εἶναι τὴν εὐσέβει.

νομικός legisperitus ᵇlegis doctor ᶜlegis
Mat 22 35 εἷς ἐξ αὐτῶν νομικόςᵇ ‖ Luc 10 25
Luc 7 30 11 45.46 ὑμῖν τοῖς ν..οῖς οὐαί 52 14 3
Tit 3 9 ἔριν καὶ μάχας νομικὰςᶜ περιΐστασο
– 13 Ζηνᾶν τὸν νομικὸν καὶ Ἀπολλῶν

νομίμως legitime 1 Ti 1 8 καλὸς ὁ νόμος, ἐάν
τις αὐτῷ νομ. χρῆται 2 Ti 2 5 ἐὰν – ἀθλῇ
τις, οὐ στεφανοῦται ἐὰν μὴ νομ. ἀθλήσῃ

νόμισμα numisma (vl no.) Mat 22 19 κῆνσου

νομοδιδάσκαλος Sᵒ – legis doctor
Luc 5 17 Φαρισ. καὶ ν..οι Act 5 34 νομ. τίμιος
1 Ti 1 7 θέλοντες εἶναι ν..οι, μὴ νοοῦντες

νομοθεσία legislatio Rm 9 4 ὧν – ἡ νομοθ.

νομοθετεῖσθαι ᵃlegem accipere ᵇsanciri
Hb 7 11 ὁ λαὸς – νεν..ηταιᵃ 8 6ᵇ διαθήκη

νομοθέτης legislator Jac 4 12 εἷς ἐστιν νομ.

νόμος lex
Mat 5 17 καταλῦσαι τὸν νόμον ἢ τοὺς προφ.
5 18 ἰῶτα ἓν – οὐ μὴ παρέλθῃ ἀπὸ τοῦ ν. ‖
Luc 16 17 ἢ τοῦ ν. μίαν κεραίαν πεσεῖν

Mat 7 12 οὗτος γάρ ἐστιν ὁ νόμ. καὶ οἱ προφ.
22 40 ὁ νόμ. κρέμαται καὶ οἱ προφ.
11 13 οἱ προφῆται καὶ ὁ νόμ. ἕως Ἰωάννου
ἐπροφήτευσαν ‖ Luc 16 16 ὁ νόμος
καὶ οἱ προφῆται μέχρι Ἰωάννου
12 5 οὐκ ἀνέγνωτε ἐν τῷ νό. ὅτι – οἱ ἱερεῖς
ἐν τῷ ἱερῷ τὸ σάββ. βεβηλοῦσιν – ;
15 6 ἠκυρώσατε τὸν λόγον (vl νόμον et
ἐντολὴν vg mandatum) τοῦ θεοῦ
22 36 ποία ἐντολὴ μεγάλη ἐν τῷ νόμῳ; 40
23 23 καὶ ἀφήκατε τὰ βαρύτερα τοῦ νόμου
Luc 2 22 καθαρισμοῦ – κατὰ τὸν νό. 23 καθὼς
γέγραπται ἐν νόμῳ κυρίου 24 ἐν τῷ
νό. κυρίου 27 κατὰ τὸ εἰθισμένον τοῦ
νό. 39 πάντα τὰ κατὰ τὸν νό. κυρίου
10 26 ἐν τῷ νό. τί γέγραπται; πῶς ἀναγιν.;
24 44 τὰ γεγραμμ. ἐν τῷ νόμῳ Μωϋσέως καὶ
τοῖς προφήταις καὶ ψαλμοῖς περὶ ἐμοῦ
Joh 1 17 ὁ νόμος διὰ Μωϋσέως ἐδόθη
– 45 ὃν ἔγραψεν Μω. ἐν τῷ νό. καὶ οἱ πρ.
7 19 οὐ Μω. ἔδωκεν ὑμῖν τὸν νόμον; καὶ
οὐδεὶς ἐξ ὑμῶν ποιεῖ τὸν νόμον
– 23 περιτομὴν λαμβάνει – ἄνθρ. ἐν σαβ-
βάτῳ ἵνα μὴ λυθῇ ὁ νό. Μωϋσέως
– 49 ὁ ὄχλος οὗτος ὁ μὴ γινώσκων τὸν ν.
– 51 μὴ ὁ νόμος ἡμῶν κρίνει τὸν ἄνθρ.
ἐὰν μὴ ἀκούσῃ πρῶτον παρ᾽ αὐτοῦ – ;
8 [5 ἐν τῷ νόμῳ – Μωϋσῆς ἐνετείλατο]
– 17 ἐν τῷ νόμῳ – τῷ ὑμετέρῳ γέγραπται
10 34 15 25 ὁ λόγος ὁ ἐν τῷ νό. αὐτῶν
12 34 ἠκούσαμεν ἐκ τοῦ νό. ὅτι ὁ χριστός
18 31 κατὰ τὸν νόμον ὑμῶν κρίνατε αὐτόν
19 7 ἡμεῖς νόμον ἔχομεν, καὶ κατὰ τὸν
νόμον ὀφείλει ἀποθανεῖν
Act 6 13 λαλῶν ῥήματα κατὰ – τοῦ νό. 21 28
7 53 ἐλάβετε τὸν νόμον εἰς διαταγὰς ἀγ-
γέλων, καὶ οὐκ ἐφυλάξατε
13 15 μετὰ – τὴν ἀνάγνωσιν τοῦ νό. καὶ τῶν
προφητῶν 24 14 πιστεύων – τοῖς κατὰ
τὸν νό. καὶ τοῖς ἐν τοῖς προφήταις
γεγραμμένοις 28 23 πείθων – ἀπό τε
τοῦ νό. Μωϋσέως καὶ τῶν προφητῶν
– 38 ἀπὸ πάντων ὧν οὐκ ἠδυνήθητε ἐν
νόμῳ Μωϋσέως δικαιωθῆναι
15 5 παραγγέλλειν τε τηρεῖν τὸν νό. Μωϋ
18 13 παρὰ τὸν ν. ἀναπείθει – σέβεσθαι τ. θ.
– 15 ζητήματα – περὶ – νόμου τοῦ καθ᾽ ὑ-
μᾶς 23 29 περὶ ζητ..ων τοῦ νό. αὐτῶν
21 20 πάντες ζηλωταὶ τοῦ νό. ὑπάρχουσιν
– 24 ὅτι – στοιχεῖς – φυλάσσων τὸν νόμον
22 3 πεπαιδευμένος κατὰ ἀκρίβειαν τοῦ
πατρῴου νόμου

Act 22 12 ἀνὴρ εὐλαβὴς κατὰ τὸν νό. (Anan.)
23 3 σὺ κάθῃ κρίνων με κατὰ τὸν νό. –;
(24 6 vl κατὰ τὸν ἡμέτερον νόμον ἠθελήσαμεν κρίνειν vg)
25 8 οὔτε εἰς τὸν νόμον τῶν Ἰουδαίων οὔτε εἰς τὸ ἱερόν – τι ἥμαρτον

Rm 2 12 ὅσοι ἐν νόμῳ ἥμαρτον, διὰ νόμου κριθήσονται 13 οὐ γὰρ οἱ ἀκροαταὶ νόμου δίκαιοι –, ἀλλ᾿ οἱ ποιηταὶ ν..ου
– 14 ὅταν γὰρ ἔθνη τὰ μὴ νόμον ἔχοντα φύσει τὰ τοῦ νό. ποιῶσιν, οὗτοι νόμον μὴ ἔχοντες ἑαυτοῖς εἰσιν νόμος
– 15 ἐνδείκνυνται τὸ ἔργον τοῦ νόμου γραπτὸν ἐν ταῖς καρδίαις αὐτῶν
– 17 εἰ δὲ σὺ – ἐπαναπαύῃ νόμῳ 18 κατηχούμενος ἐκ τοῦ νό. 20 ἔχοντα τὴν μόρφωσιν τῆς γνώσεως – ἐν τῷ νόμῳ 23 ὃς ἐν νόμῳ καυχᾶσαι, διὰ τῆς παραβάσεως τοῦ νό. τὸν θεὸν ἀτιμάζεις; 25 περιτομὴ – ὠφελεῖ ἐὰν νόμον πράσσῃς· ἐὰν δὲ παραβάτης νόμου ᾖς 26 ἐὰν – ἡ ἀκροβ. τὰ δικαιώματα τοῦ νόμου φυλάσσῃ 27 κρινεῖ ἡ – ἀκροβυστία τὸν νόμον τελοῦσα σὲ τὸν – παραβάτην νόμου
3 19 ὅσα ὁ νό. λέγει τοῖς ἐν τῷ νόμῳ λαλεῖ 20 ἐξ ἔργων νόμου „οὐ δικαιωθήσεται πᾶσα σάρξ" · διὰ γὰρ νόμου ἐπίγνωσις ἁμαρτίας → Gal 2 16
– 21 νυνὶ δὲ χωρὶς νόμου „δικαιοσύνη θεοῦ" πεφανέρωται, μαρτυρουμένη ὑπὸ τοῦ νόμου καὶ τῶν προφητῶν
– 27 ποῦ οὖν ἡ καύχησις; ἐξεκλείσθη. διὰ ποίου νόμου; – διὰ νόμου πίστεως
– 28 δικαιοῦσθαι – χωρὶς ἔργων νόμου
– 31 νόμον οὖν καταργοῦμεν –; μὴ γένοιτο, ἀλλὰ νόμον ἱστάνομεν
4 13 οὐ – διὰ νόμου ἡ ἐπαγγελία τῷ Ἀβρ.
– 14 εἰ – οἱ ἐκ νόμου κληρονόμοι, κεκένωται ἡ πίστις 15 ὁ γὰρ νό. ὀργὴν κατεργάζεται· οὗ δὲ οὐκ ἔστιν νόμος, οὐδὲ παράβασις → 5 20
– 16 εἰς τὸ εἶναι βεβαίαν τὴν ἐπαγγελίαν –, οὐ τῷ ἐκ τοῦ νόμου μόνον
5 13 ἄχρι – νόμου ἁμαρτία ἦν ἐν κόσμῳ, ἁμαρτία δὲ οὐκ ἐλλογεῖται μὴ ὄντος νόμου 20 νόμος δὲ παρεισῆλθεν ἵνα πλεονάσῃ τὸ παράπτωμα
6 14 ἁμαρτία – ὑμῶν οὐ κυριεύσει· οὐ γὰρ ἐστε ὑπὸ ν..ον ἀλλὰ ὑπὸ χάρ. 15 ἁμαρτήσωμεν, ὅτι οὐκ ἐσμὲν ὑπὸ νόμον –;
7 1 γινώσκουσιν γὰρ νόμον λαλῶ

Rm 7 1 ὁ νό. κυριεύει τοῦ ἀνθρ. ἐφ᾿ ὅσον – ζῇ 2 ἡ – γυνὴ τῷ ζῶντι ἀνδρὶ δέδεται νόμῳ· – κατήργηται ἀπὸ τοῦ νό. τοῦ ἀνδρός 3 ἐλευθέρα ἐστὶν ἀπὸ τοῦ νό. (vl 1 Co 7 39 γυνὴ δέδεται νόμῳ vg legi, vlº)
– 4 ὑμεῖς ἐθανατώθητε τῷ νό. 5 τὰ παθήματα τῶν ἁμαρτιῶν τὰ διὰ τοῦ νόμου ἐνηργεῖτο 6 νυνὶ δὲ κατηργήθημεν ἀπὸ τοῦ νόμου
– 7 ὁ νόμος ἁμαρτία; – ἀλλὰ τὴν ἁμαρτ. οὐκ ἔγνων εἰ μὴ διὰ νόμου· – εἰ μὴ ὁ νόμος ἔλεγεν· „οὐκ ἐπιθυμήσεις" 8 χωρὶς γὰρ νόμου ἁμαρτία νεκρά
– 9 ἐγὼ δὲ ἔζων χωρὶς νόμου ποτέ
– 12 ὁ μὲν νόμος ἅγιος 14 ὁ νό. πνευματικός ἐστιν· ἐγὼ δὲ σάρκινός εἰμι
– 16 σύμφημι τῷ νόμῳ ὅτι καλός
– 21 εὑρίσκω ἄρα τὸν νόμον –, ὅτι ἐμοὶ τὸ κακὸν παράκειται 22 συνήδομαι γὰρ τῷ νόμῳ τοῦ θεοῦ 23 βλέπω δὲ ἕτερον νόμ. – ἀντιστρατευόμενον τῷ νόμῳ τοῦ νοός μου καὶ αἰχμαλωτίζοντά με ἐν τῷ νόμῳ τῆς ἁμαρτίας
– 25 τῷ μὲν νοῒ δουλεύω νόμῳ θεοῦ, τῇ δὲ σαρκὶ νόμῳ ἁμαρτίας
8 2 ὁ – νό. τοῦ πνεύματος τῆς ζωῆς ἐν Χῷ – ἠλευθέρωσέν σε ἀπὸ τοῦ νό. τῆς ἁμαρτίας καὶ τοῦ θανάτου
– 3 τὸ – ἀδύνατον τοῦ νό., ἐν ᾧ ἠσθένει
– 4 ἵνα τὸ δικαίωμα τοῦ νόμου πληρωθῇ
– 7 τῷ γὰρ νό. τοῦ θ. οὐχ ὑποτάσσεται
9 31 Ἰσραὴλ – διώκων νό. δικαιοσύνης εἰς νό. (vl + δικ..ης vg) οὐκ ἔφθασεν
10 4 τέλος γὰρ νόμου Χός 5 τὴν δικαιοσ. τὴν ἐκ νόμου „ὁ ποιήσας – ζήσεται"
13 8 ὁ – ἀγαπῶν τὸν ἕτερον νόμον πεπλήρωκεν 10 πλήρωμα – νόμου ἡ ἀγάπη

1 Co 9 8 ἢ καὶ ὁ νό. ταῦτα οὐ λέγει; 9 ἐν – τῷ Μω. νό. γέγραπται· „οὐ κημώσεις"
– 20 ἐγενόμην – τοῖς ὑπὸ νόμον ὡς ὑπὸ νόμον, μὴ ὢν αὐτὸς ὑπὸ νόμον, ἵνα τοὺς ὑπὸ νόμον κερδήσω
14 21 ἐν τῷ νό. γέγραπται ὅτι „ἐν ἑτερογλώσσοις" 34 καθὼς καὶ ὁ νό. λέγει
15 56 ἡ δὲ δύναμις τῆς ἁμαρτίας ὁ νόμος

Gal 2 16 εἰδότες – ὅτι οὐ δικαιοῦται ἄνθρ. ἐξ ἔργων νόμου –, καὶ ἡμεῖς – ἐπιστεύσαμεν, ἵνα δικαιωθῶμεν – οὐκ ἐξ ἔργων νόμου, ὅτι ἐξ ἔργ. νό. „οὐ δικαιωθ."
– 19 ἐγὼ – διὰ νόμου νόμῳ ἀπέθανον
– 21 εἰ – διὰ νόμου δικαιοσύνη, ἄρα Χός

Gal 3 2 ἐξ ἔργων νόμου τὸ πνεῦμα ἐλάβετε
–; 5 ὁ – ἐνεργῶν δυνάμεις ἐν ὑμῖν,
ἐξ ἔργων νόμου ἢ ἐξ ἀκοῆς πίστεως;
– 10 ὅσοι – ἐξ ἔργ. νό. εἰσίν, ὑπὸ κατάραν
εἰσίν· – „ἐπικατάρατος – ὃς οὐκ ἐμ-
μένει τοῖς γεγρ. ἐν τῷ βιβλ. τοῦ νό."
– 11 ὅτι – ἐν νό. οὐδεὶς δικαιοῦται – δῆλον
– 12 ὁ δὲ νόμος οὐκ ἔστιν ἐκ πίστεως
– 13 ἐξηγόρασεν ἐκ τῆς κατάρας τοῦ νό.
– 17 ὁ μετὰ – ἔτη γεγονὼς νό. οὐκ ἀκυροῖ
– 18 εἰ γὰρ ἐκ νόμου ἡ κληρονομία
– 19 τί οὖν ὁ νό.; τῶν παραβάσεων χάριν
προσετέθη, – διαταγεὶς δι' ἀγγέλων
– 21 ὁ – νό. κατὰ τῶν ἐπαγγελιῶν –; μὴ
γένοιτο. εἰ γὰρ ἐδόθη νόμος ὁ δυνά-
μενος ζωοποιῆσαι, ὄντως ἐκ νόμου
ἂν ἦν ἡ δικαιοσύνη
– 23 ὑπὸ νόμον ἐφρουρούμεθα 24 ὁ νόμος
παιδαγωγὸς ἡμῶν γέγονεν εἰς Χόν
4 4 τὸν υἱὸν αὐτοῦ, –, γενόμενον ὑπὸ
νόμον 5 ἵνα τοὺς ὑπὸ νό. ἐξαγοράσῃ
– 21 λέγετέ μοι, οἱ ὑπὸ νόμον θέλοντες
εἶναι, τὸν νόμον οὐκ ἀκούετε;
5 3 ὅτι ὀφειλέτης – ὅλον τὸν νό. ποιῆσαι
– 4 οἵτινες ἐν νόμῳ δικαιοῦσθε, τῆς χά-
ριτος ἐξεπέσατε
– 14 ὁ – πᾶς νό. ἐν ἑνὶ λόγῳ πεπλήρωται
– 18 εἰ δὲ πνεύματι ἄγεσθε, οὐκ ἐστὲ ὑπὸ
νόμον 23 κατὰ τῶν τοιούτων οὐκ ἔ-
στιν νόμος 6 2 ἀλλήλων τὰ βάρη βα-
στάζετε, καὶ οὕτως ἀναπληρώσετε
(vl ..σατε vg fut) τὸν νό. τοῦ Χοῦ
6 13 οὐδὲ γὰρ οἱ περιτεμνόμενοι αὐτοὶ
νόμον φυλάσσουσιν
Eph 2 15 ἐν τῇ σαρκὶ αὐτοῦ τὸν νόμον τῶν
ἐντολῶν ἐν δόγμασιν καταργήσας
Phl 3 5 κατὰ νόμον Φαρισαῖος 6 κατὰ δικαι-
οσύνην τὴν ἐν νόμῳ – ἄμεμπτος
– 9 μὴ ἔχων ἐμὴν δικαιος. τὴν ἐκ νόμου
1 Ti 1 8 οἴδαμεν – ὅτι καλὸς ὁ νόμος, ἐάν τις
αὐτῷ νομίμως χρῆται 9 εἰδὼς τοῦτο,
ὅτι δικαίῳ νόμος οὐ κεῖται
Hb 7 5 ἀποδεκατοῦν τὸν λαὸν κατὰ τὸν νό.
– 12 καὶ νόμου μετάθεσις γίνεται
– 16 ἱερεὺς ἕτερος, ὃς οὐ κατὰ νόμον ἐν-
τολῆς σαρκίνης γέγονεν
– 19 οὐδὲν γὰρ ἐτελείωσεν ὁ νόμος
– 28 ὁ νόμος – ἀνθρώπους καθίστησιν ἀρχ-
ιερεῖς ἔχοντας ἀσθένειαν, ὁ λόγος
δὲ τῆς ὁρκωμοσίας τῆς μετὰ τὸν νό-
μον „υἱὸν –" τετελειωμένον
8 4 ὄντων τῶν προσφερόντων κατὰ ν..ον

Hb 8 10 „διδοὺς νόμους μου εἰς τὴν διάνοιαν
αὐτῶν" 10 16 „ἐπὶ καρδίας αὐτῶν"
9 19 λαληθείσης – πάσης ἐντολῆς κατὰ
τὸν νόμον (legis) ὑπὸ Μωϋσέως – τῷ
λαῷ – 22 σχεδὸν ἐν αἵματι πάντα
καθαρίζεται κατὰ τὸν νόμον
10 1 σκιὰν – ἔχων ὁ νό. τῶν μελλόντ. ἀγ.
– 8 αἵτινες κατὰ νόμον προσφέρονται
– 28 ἀθετήσας τις νόμον Μωϋσέως
Jac 1 25 ὁ – παρακύψας εἰς νόμον τέλειον τὸν
τῆς ἐλευθερίας 2 12 ὡς διὰ νόμου ἐ-
λευθερίας μέλλοντες κρίνεσθαι
2 8 εἰ μέντοι νόμον τελεῖτε βασιλικόν
– 9 ἐλεγχόμενοι ὑπὸ τοῦ νό. ὡς παραβά-
ται 10 ὅστις – ὅλον τὸν νόμον τηρήσῃ
11 γέγονας παραβάτης νόμου
4 11 καταλαλεῖ νόμου καὶ κρίνει νόμον·
εἰ δὲ νόμον κρίνεις, οὐκ εἶ ποιητὴς
νόμου ἀλλὰ κριτής

νοσεῖν languēre 1 Ti 6 4 περὶ – λογομαχίας

(**νόσημα** S⁰ – infirmitas vl Joh 5 4 vg, vl⁰)

νόσος languor ᵇaegrotatio
Mat 4 23 θεραπεύων πᾶσαν νόσον 9 35 10 1 ἐξ-
ουσίαν – θεραπεύειν ‖ Luc 9 1 νόσους
– 24 τοὺς κακῶς ἔχοντας ποικίλαις νό-
σοις ‖ Mar 1 34 Luc 4 40 ἀσθενοῦντας
8 17 „καὶ τὰς νόσουςᵇ ἐβάστασεν"
Luc 6 18 ἦλθον – ἰαθῆναι ἀπὸ τῶν νόσ. αὐτῶν
7 21 ἐθεράπευσεν πολλοὺς ἀπὸ νόσων
Act 19 12 ἀπαλλάσσεσθαι ἀπ' αὐτῶν τὰς νόσ.

νοσσιά nidus **νοσσίον** pullus
Luc 13 34 ὄρνις τὴν ἑαυτῆς νοσσιάν ‖ Mat 23 37
ὄρνις ἐπισυνάγει τὰ νοσσία [αὐτῆς]

νοσσός pullus Luc 2 24 „δύο ν..οὺς περιστερ."

νοσφίζεσθαι fraudare Act 5 2.3
Tit 2 10 δούλους –, μὴ νοσφιζομένους

νότος auster Mat 12 42 ‖ Luc 11 31 – 12 55
Luc 13 29 ἥξουσιν – ἀπὸ βορρᾶ καὶ νότου
Act 27 13 28 13 – Ap 21 13 „ἀπὸ ν. πυλῶνες τρ."

νουθεσία correptio
1 Co 10 11 ἐγράφη δὲ πρὸς νουθεσίαν ἡμῶν
Eph 6 4 ἐκτρέφετε αὐτὰ ἐν – „ν..ίᾳ κυρίου"
Tit 3 10 μετὰ μίαν καὶ δευτέραν νουθεσίαν

νουθετεῖν *corripere* ᵇ*commonēre* ᶜ*monēre*
Act 20₃₁ μετὰ δακρύων ν..ῶνᶜ ἕνα ἕκαστον
Rm 15₁₄ δυνάμενοι καὶ ἀλλήλους νουθετεῖνᶜ
1 Co 4₁₄ ὡς τέκνα μου – ν..ῶν (vl ..τῷ vg)ᶜ
Col 1₂₈ ν..οῦντες πάντα ἄνθρωπον καὶ διδ.
 3₁₆ διδάσκοντες καὶ ν..οῦντεςᵇ ἑαυτούς
1 Th 5₁₂ εἰδέναι τοὺς – νουθετοῦνταςᶜ ὑμᾶς
 – 14 ν..εῖτε τοὺς ἀτάκτους, παραμυθεῖσθε
2 Th 3₁₅ ἀλλὰ νουθετεῖτε ὡς ἀδελφόν

νουνεχῶς Sᵒ – *sapienter* Mr 12₃₄ ν. ἀπεκρίθη

νοῦς *sensus* ᵇ*mens* ᶜ*intellectus*
Luc 24₄₅ διήνοιξεν αὐτῶν τὸν νοῦν τοῦ συνιέ-
 ναι τὰς γραφάς
Rm 1₂₈ παρέδωκεν αὐτοὺς – εἰς ἀδόκιμον ν.
 7₂₃ ἀντιστρατευόμενον τῷ νόμῳ τοῦ νο-
 όςᵇ μου 25 τῷ μὲν νοΐᵇ δουλεύω νό-
 μῳ θεοῦ, τῇ δὲ σαρκὶ νό. ἁμαρτίας
 11₃₄ „τίς – ἔγνω νοῦν κυρίου;" 1 Co 2₁₆ –
 κυρίου, – ;" ἡμεῖς δὲ νοῦν Χοῦ ἔχομεν
 12₂ ἀλλὰ μεταμορφοῦσθε τῇ ἀνακαινώσει
 τοῦ νοός (vl + ὑμῶν vg)
 14₅ ἕκαστος ἐν τ. ἰδίῳ νοΐ πληροφορείσθω
1 Co 1₁₀ ἵνα –, ἦτε δὲ κατηρτισμένοι ἐν τῷ αὐ-
 τῷ νοΐ καὶ ἐν τῇ αὐτῇ γνώμῃ
 14₁₄ ὁ δὲ νοῦςᵇ μου ἄκαρπός ἐστιν
 – 15 προσεύξομαι τῷ πνεύματι, προσεύξο-
 μαι δὲ καὶ τῷ νοΐᵇ· ψαλῶ τῷ πνεύ-
 ματι, ψαλῶ δὲ καὶ τῷ νοΐᵇ 19 θέλω
 πέντε λόγους τῷ νοΐ μου λαλῆσαι
Eph 4₁₇ ἐν ματαιότητι τοῦ νοὸς αὐτῶν
 – 23 ἐδιδάχθητε – ἀνανεοῦσθαι – τῷ πνεύ-
 ματι τοῦ νοὸςᵇ ὑμῶν
Phl 4₇ ἡ εἰρήνη τ. θεοῦ ἡ ὑπερέχουσα πάν-
 τα νοῦν φρουρήσει τὰς καρδίας
Col 2₁₈ εἰκῇ φυσιούμενος ὑπὸ τοῦ νοὸς τῆς
 σαρκὸς αὐτοῦ
2 Th 2₂ μὴ – σαλευθῆναι ὑμᾶς ἀπὸ τοῦ νοός
1 Ti 6₅ διεφθαρμένων ἀνθρώπων τὸν νοῦνᵇ
2 Ti 3₈ ἄνθρωποι κατεφθαρμένοι τὸν νοῦνᵇ
Tit 1₁₅ μεμίανται αὐτῶν καὶ ὁ νοῦςᵇ καὶ ἡ
 συνείδησις
Ap 13₁₈ ὁ ἔχων νοῦνᶜ ψηφισάτω τὸν ἀριθμόν
 17₉ ὧδε ὁ νοῦς ὁ ἔχων σοφίαν

Νύμφα Col 4₁₅ Ν..αν καὶ τὴν κατ' οἶκον αὐτῆς
 ἐκκλ. (vl Ν..ᾶν – οἶκ. αὐτοῦ vel αὐτῶν)

νύμφη *sponsa* ᵇ*nurus* Mat 10₃₅ „νύμφηνᵇ
 κατὰ τῆς πενθερᾶς" ‖ Luc 12₅₃ᵇ
Joh 3₂₉ Ap 18₂₃ → νυμφίος

Ap 21₂ „ὡς ν..ην κεκοσμημένην" τῷ ἀνδρὶ
 – 9 τὴν νύμφην τὴν γυναῖκα τοῦ ἀρνίου
 22₁₇ τὸ πνεῦμα καὶ ἡ ν. λέγουσιν· ἔρχου

νυμφίος *sponsus* νυμφών *nuptiae*
Mat 9₁₅ μὴ δύνανται οἱ υἱοὶ τοῦ νυμφῶνος
 (vl ν..ίου vg) πενθεῖν ἐφ' ὅσον μετ'
 αὐτῶν ἐστιν ὁ ν..ίος; – ὅταν ἀπαρθῇ
 ἀπ' αὐτῶν ὁ ν..ίος ‖ Mar 2₁₉ οἱ υἱοὶ
 τοῦ ν..ῶνος ἐν ᾧ ὁ ν..ίος 20 Luc 5₃₄
 τ. υἱοὺς τοῦ νυμφῶνος (*sponsi*) κτλ. 35
 22₁₀ ἐπλήσθη ὁ νυμφών (vl γάμος)
 25₁ εἰς ὑπάντησιν τοῦ νυμφίου 5 χρονί-
 ζοντος δὲ τοῦ νυμφίου 6 ἰδοὺ ὁ νυμ-
 φίος 10 ἦλθεν ὁ νυμφίος
Joh 2₉ φωνεῖ τὸν νυμφίον ὁ ἀρχιτρίκλινος
 3₂₉ ὁ ἔχων τὴν νύμφην (*sponsam*) ν..ίος
 ἐστίν· ὁ δὲ φίλος τοῦ νυμφίου – χαί-
 ρει διὰ τὴν φωνὴν τοῦ νυμφίου
Ap 18₂₃ „καὶ φωνὴ νυμφίου καὶ νύμφης"

*νῦν, νυνί *nunc* ᵇ*iam* ᶜ*modo* – (ὁ, ἡ
 νῦν:) ᵈ*hic, haec* ᵉ*qui nunc est* ᶠ*prae-
 sens* – (ἀπὸ τοῦ νῦν:) ᵍ*ex hoc, ex hoc
 iam* – (ἄχρι τοῦ νῦν:) ʰ*usque adhuc,
 usque nunc* – (ἕως τοῦ νῦν:) ⁱ*usque mo-
 do, usque nunc* – (τὸ νῦν ἔχον:) ᵏ*quod
 nunc attinet* → ἄρτι
Mat 24₂₁ θλῖψις –, οἵα οὐ γέγονεν ἀπ' ἀρχῆς
 κόσμου ἕως τοῦ νῦνⁱ" ‖ Mar 13₁₉ⁱ
 26₆₅ νῦν ἠκούσατε τὴν βλασφημίαν
 27₄₂ καταβάτω νῦν ‖ Mar 15₃₂ – Mat 27
 43 „ῥυσάσθω" νῦν „εἰ θέλει αὐτόν"
Mar 10₃₀ ἐὰν μὴ λάβῃ ἑκατονταπλασίονα νῦν
 ἐν τῷ καιρῷ τούτῳ
Luc 1₄₈ ἀπὸ τοῦ νῦνᵍ „μακαριοῦσίν με"
 2₂₉ νῦν ἀπολύεις τὸν δοῦλόν σου
 5₁₀ ἀπὸ τοῦ νῦνᵍ ἀνθρώπους ἔσῃ ζωγρ.
 6₂₁ μακάριοι οἱ πεινῶντες νῦν, – . – οἱ
 κλαίοντες νῦν 25 οὐαὶ ὑμῖν, οἱ ἐμπε-
 πλησμένοι νῦν (vlᵒ vgᵒ) – . οὐαί, οἱ
 γελῶντες νῦν
 12₅₂ ἔσονται – ἀπὸ τοῦ νῦνᵍ πέντε ἐν ἑνὶ
 οἴκῳ διαμεμερισμένοι
 16₂₅ νῦν δὲ ὧδε παρακαλεῖται, σὺ δέ
 19₄₂ νῦν δὲ ἐκρύβη ἀπὸ ὀφθαλμῶν σου
 22₁₈ οὐ μὴ πίω ἀπὸ τοῦ νῦν (vgᵒ) ἀπό
 – 36 ἀλλὰ νῦν ὁ ἔχων βαλλάντιον
 – 69 ἀπὸ τοῦ νῦνᵍ – ἔσται „ὁ υἱὸς τοῦ
 ἀνθρώπου καθήμενος ἐκ δεξιῶν"
Joh 2₈ ἀντλήσατε νῦν 4₁₈ νῦν ὃν ἔχεις
 4₂₃ ἔρχεται ὥρα καὶ νῦν· ἐστιν 5₂₅

Joh 8 40 νῦν δὲ ζητεῖτέ με ἀποκτεῖναι
— 52 νῦν ἐγνώκαμεν ὅτι δαιμόνιον ἔχεις
9 21 πῶς δὲ νῦν βλέπει οὐκ οἴδαμεν
— 41 νῦν δὲ λέγετε ὅτι βλέπομεν
11 8 νῦν ἐζήτουν σε λιθάσαι οἱ Ἰουδαῖοι
— 22 νῦν οἶδα ὅτι ὅσα ἂν αἰτήσῃ τὸν θ.
12 27 νῦν ἡ ψυχή μου τετάρακται
— 31 νῦν κρίσις ἐστὶν τοῦ κόσμου τούτου·
νῦν ὁ ἄρχων τοῦ κόσμου τούτου ἐκ-
βληθήσεται ἔξω
13 31 νῦν ἐδοξάσθη ὁ υἱὸς τοῦ ἀνθρώπου
— 36 οὐ δύνασαί μοι νῦνᶜ ἀκολουθῆσαι
14 29 νῦν εἴρηκα ὑμῖν πρὶν γενέσθαι
15 22 νῦν δὲ πρόφασιν οὐκ ἔχουσιν περὶ
τῆς ἁμαρτίας αὐτῶν
— 24 νῦν δὲ καὶ ἑωράκασιν (sc ἔργα)
16 5 νῦν — ὑπάγω πρὸς τὸν πέμψαντά με
— 22 ὑμεῖς — νῦν μὲν λύπην ἔχετε
— 29 ἴδε νῦν ἐν παρρησίᾳ λαλεῖς
17 5 νῦν δόξασόν με σύ, πάτερ 7 νῦν ἔ-
γνωκαν ὅτι πάντα — παρὰ σοῦ
— 13 νῦν δὲ πρὸς σὲ ἔρχομαι
18 36 νῦν δὲ ἡ βασιλεία ἡ ἐμὴ οὐκ ἔστιν
ἐντεῦθεν
21 40 τῶν ὀψαρίων ὧν ἐπιάσατε νῦν
Act 4 29 τὰ νῦν, κύριε, ἔπιδε 5 38 τὰ νῦν λέγω
ὑμῖν 17 30 τὰ νῦν ἀπαγγέλλει — μετα-
νοεῖν 20 32 τὰ νῦν παρατίθεμαι ὑμᾶς
τῷ κυρίῳ 27 22 τὰ νῦν παραινῶ ὑμᾶς
εὐθυμεῖν
7 4 γῆν — εἰς ἣν — νῦν κατοικεῖτε 52 οὗ
νῦν ὑμεῖς προδόται — ἐγένεσθε
10 5 νῦν πέμψον ἄνδρας 12 11 νῦν οἶδα
ἀληθῶς 15 10 νῦν — τί πειράζετε τὸν
θεόν, — ; 16 36 νῦν — „πορεύεσθε ἐν
εἰρήνῃ" 37 νῦν λάθρα ἡμᾶς ἐκβάλ-
λουσιν; 22 16 νῦν τί μέλλεις; 23 15 νῦν
— ἐμφανίσατε 21 νῦν εἰσιν ἕτοιμοι 26 6
13 31 οἵτινες [νῦνʰ] εἰσιν μάρτυρες αὐτοῦ
18 6 καθαρὸς ἐγὼ ἀπὸ τοῦ νῦνᵍ εἰς τὰ
ἔθνη πορεύσομαι
22 1 τῆς πρὸς ὑμᾶς νυνὶ ἀπολογίας
24 13 περὶ ὧν νυνὶ κατηγοροῦσίν μου
— 25 τὸ νῦν ἔχονᵏ πορεύου, καιρὸν δέ
Rm 3 21 νυνὶ δὲ χωρὶς νόμου „δικαιοσ. θεοῦ"
— 26 πρὸς τὴν ἔνδειξιν τῆς δικαιοσύνης
αὐτοῦ ἐν τῷ νῦνᵈ καιρῷ 8 18 τὰ πα-
θήματα τοῦ νῦνᵈ καιροῦ 11 5 ἐν τῷ
νῦνᵈ καιρῷ λεῖμμα — γέγονεν
5 9 δικαιωθέντες νῦν ἐν τῷ αἵματι αὐτ.
— 11 δι᾿ οὗ νῦν τ. καταλλαγὴν ἐλάβομεν
6 21 ἐφ᾿ οἷς νῦν ἐπαισχύνεσθε

Rm 7 6 νυνὶ δὲ κατηργήθημεν ἀπὸ τοῦ νόμου
— 17 νυνὶ — οὐκέτι ἐγὼ κατεργάζομαι
8 1 οὐδὲν ἄρα νῦν κατάκριμα τοῖς
— 22 ἡ κτίσις συστενάζει — ἄχρι τοῦ νῦνʰ
11 30 νῦν δὲ ἠλεήθητε 31 καὶ οὗτοι νῦν ἠ-
πείθησαν — ἵνα καὶ αὐτοὶ νῦν (vlᵒ
vgᵒ) ἐλεηθῶσιν
13 11 νῦν γὰρ ἐγγύτερον — ἡ σωτηρία
15 23 νυνὶ — μηκέτι τόπον ἔχων 25 νυνὶ δὲ
πορεύομαι εἰς Ἰερουσαλήμ
16 26 μυστηρίου —, φανερωθέντος — νῦν
1 Co 3 2 ἀλλ᾿ οὐδὲ [ἔτι] νῦν δύνασθε
5 11 νῦν δὲ ἔγραψα ὑμῖν 7 14 νῦν δὲ ἅγιά
ἐστιν 12 18 νῦν δὲ — ἔθετο τὰ μέλη 20
νῦν δὲ πολλὰ μὲν μέλη
13 13 νυνὶ δὲ μένει πίστις, ἐλπίς, ἀγάπη
14 6 νῦν δέ, —, ἐὰν ἔλθω πρὸς ὑμᾶς
15 20 νυνὶ δὲ Χριστὸς ἐγήγερται ἐκ νεκρ.
16 12 οὐκ ἦν θέλημα ἵνα νῦν ἔλθῃ
2 Co 5 16 ἀπὸ τοῦ νῦνᵍ οὐδένα οἴδαμεν κατὰ
σάρκα· — νῦν οὐκέτι γινώσκομεν
6 2 ἰδοὺ νῦν „καιρὸς εὐπρόσδεκτος", ἰδοὺ
νῦν „ἡμέρα σωτηρίας"
8 11 νυνὶ — καὶ τὸ ποιῆσαι ἐπιτελέσατε
— 14 ἐν τῷ νῦνᶠ καιρῷ τὸ ὑμῶν περίσσευ-
μα εἰς τὸ ἐκείνων ὑστέρημα
— 22 νυνὶ δὲ πολὺ σπουδαιότερον
13 2 ὡς — ἀπὼν νῦν (sc λέγω)
Gal 1 23 νῦν εὐαγγελίζεται τὴν πίστιν ἣν
2 20 ὃ δὲ νῦν ζῶ ἐν σαρκί, ἐν πίστει
3 3 νῦν σαρκὶ ἐπιτελεῖσθε;
4 9 νῦν δὲ γνόντες θεόν, μᾶλλον δέ
— 25 συστοιχεῖ δὲ τῇ νῦνᵉ Ἰερουσαλήμ
— 29 ὥσπερ τότε —, οὕτως καὶ νῦν
Eph 2 13 νυνὶ — ἐν Χῷ — ἐγενήθητε ἐγγύς
3 5 ὡς νῦν ἀπεκαλύφθη τοῖς — ἀποστό-
λοις 10 ἵνα γνωρισθῇ νῦν (vlᵒ vgᵒ)
ταῖς ἀρχαῖς Col 1 26 νῦν δὲ ἐφανερώ-
θη τοῖς ἁγίοις αὐτοῦ
5 8 ἦτε γάρ ποτε σκότος, νῦν δὲ φῶς
Phl 1 5 ἀπὸ τῆς πρώτης ἡμέρας ἄχρι τοῦ
νῦνʰ 20 ὡς πάντοτε καὶ νῦν μεγαλυν-
θήσεται Χριστός 30 ἀγῶνα — οἷον —
νῦν ἀκούετε ἐν ἐμοί
2 12 νῦν πολλῷ μᾶλλον ἐν τῇ ἀπουσίᾳ μου
3 18 ἔλεγον —, νῦν δὲ καὶ κλαίων λέγω
Col 1 22 νυνὶ δὲ ἀποκατήλλαξεν — διά
3 8 νυνὶ δὲ ἀπόθεσθε —, ὀργήν, θυμόν
1 Th 3 8 νῦν ζῶμεν ἐὰν ὑμεῖς στήκετε ἐν κυρ.
2 Th 2 6 καὶ νῦν τὸ κατέχον οἴδατε
1 Ti 4 8 ἐπαγγελίαν ἔχουσα ζωῆς τῆς νῦνᵉ
6 17 τοῖς πλουσίοις ἐν τῷ νῦνᵈ αἰῶνι

2 Ti   1 10 χάριν –, φανερωθεῖσαν δὲ νῦν
     4 10 Δημᾶς – ἀγαπήσας τὸν νῦν[d] αἰῶνα
Tit   2 12 εὐσεβῶς ζήσωμεν ἐν τῷ νῦν[d] αἰῶνι
Phm   9 νυνὶ δὲ καὶ δέσμιος Χοῦ Ἰησοῦ
     11 νυνὶ – καὶ σοὶ καὶ ἐμοὶ εὔχρηστον
Hb   2 8 νῦν δὲ οὔπω ὁρῶμεν αὐτῷ τὰ „πάντα
     ὑποτεταγμένα" 8 6 νῦν (vl νυνὶ) δὲ δια-
     φορωτέρας τέτυχεν λειτουργίας 9 26
     νυνὶ δὲ ἅπαξ – πεφανέρωται 11 16 νῦν
     –κρείττονος (sc πατρίδος) ὀρέγονται
     12 26 νῦν (vg vl[c]) δὲ ἐπήγγελται λέγων·
Jac   4 16 νῦν – καυχᾶσθε ἐν ταῖς ἀλαζονείαις
1 Pe   1 12 ἃ νῦν ἀνηγγέλη ὑμῖν
     2 10 νῦν δὲ λαὸς θεοῦ, –, νῦν δὲ ἐλεη-
     θέντες 2 25 ἐπεστράφητε νῦν ἐπὶ τὸν
     ποιμένα καὶ ἐπίσκοπον τῶν ψυχῶν
     3 21 ὃ – ὑμᾶς ἀντίτυπον νῦν σῴζει βάπτ.
2 Pe   3 7 οἱ δὲ νῦν[e] οὐρανοὶ καὶ ἡ γῆ
     – 18 αὐτῷ ἡ δόξα καὶ νῦν καὶ εἰς ἡμέραν
     αἰῶνος Jud 25 εἰς πάντ. τοὺς αἰῶνας
1 Jo   2 18 νῦν ἀντίχριστοι πολλοὶ γεγόνασιν
     – 28 νῦν, τεκνία, μένετε ἐν αὐτῷ
     3 2 νῦν τέκνα θεοῦ ἐσμεν, καὶ οὔπω
     4 3 νῦν ἐν τῷ κόσμῳ ἐστὶν ἤδη (sc ὁ ἀν-
     τίχριστος) – 2 Jo 5 νῦν ἐρωτῶ σε

νύξ *nox* νύκτα καὶ ἡμέραν, νυκτὸς καὶ ἡμέ-
     ρας → ἡμέρα 4) | → μεσονύκτιον
Mat   2 14 παρέλαβεν τὸ παιδίον – νυκτός 28 13
     νυκτὸς ἐλθόντες ἔκλεψαν αὐτόν
     4 2 νηστεύσας – τεσσεράκοντα νύκτας
     12 40 „τρεῖς ἡμέρας καὶ τρ. νύκτας" bis
     14 25 τετάρτη – φυλακῇ τῆς ν. ‖ Mar 6 48
     25 6 μέσης δὲ νυκτὸς κραυγὴ γέγονεν·
     26 31 σκανδαλισθήσεσθε ἐν ἐμοὶ ἐν τῇ ν.
     ταύτῃ 34 τρὶς ἀπαρνήσῃ με ‖ Mar 14 30
Luc   2 8 φυλάσσοντες φυλακὰς τῆς νυκτός
     5 5 δι' ὅλης νυκτὸς κοπιάσαντες οὐδὲν
     ἐλάβομεν Joh 21 3 ἐν ἐκείνῃ τῇ νυκτὶ
     ἐπίασαν οὐδέν
     12 20 ταύτῃ τῇ ν. τὴν ψυχήν σου ἀπαιτοῦ-
     σιν ἀπὸ σοῦ 17 34 ταύτῃ τῇ ν. ἔσονται
     δύο ἐπὶ κλίνης μιᾶς, ὁ εἷς – ὁ ἕτερος

Luc   21 37 τὰς δὲ ν. – ηὐλίζετο εἰς τὸ ὄρος – ἐλ·
Joh   3 2 ἦλθεν πρὸς αὐτὸν νυκτός 19 39
     9 4 ἔρχεται νὺξ ὅτε οὐδεὶς δύν. ἐργάζ.
     11 10 ἐὰν δέ τις περιπατῇ ἐν τῇ ν., προσ-
     κόπτει, ὅτι τὸ φῶς οὐκ ἔστιν ἐν αὐτῷ
     13 30 ἐξῆλθεν εὐθύς· ἦν δὲ νύξ
Act   5 19 ἄγγελος – διὰ νυκτὸς ἤνοιξε 16 9 ὅ-
     ραμα διὰ ν. τῷ Παύλῳ ὤφθη 27 23
     παρέστη – μοι ταύτῃ τῇ ν. – ἄγγελος
     9 25 12 6 τῇ ν. ἐκείνῃ ἦν ὁ Πέτρος κοιμώ-
     μενος 16 33 17 10 εὐθέως διὰ νυκτὸς
     ἐξέπεμψαν – Παῦλον 23 23. 31
     18 9 εἶπεν δὲ ὁ κύριος ἐν νυκτὶ δι' ὁρά-
     ματος 23 11 τῇ δὲ ἐπιούσῃ νυκτὶ ἐπι-
     στὰς αὐτῷ ὁ κύριος – 27 27 bis
Rm   13 12 ἡ νὺξ προέκοψεν, ἡ δὲ ἡμέρα ἤγγικεν
1 Co   11 23 Ἰησοῦς ἐν τῇ νυκτὶ ᾗ παρεδίδοτο
1 Th   5 2 ὡς κλέπτης ἐν νυκτὶ – ἔρχεται
     – 5 οὐκ ἐσμὲν νυκτὸς οὐδὲ σκότους
     – 7 οἱ – καθεύδοντες νυκτὸς καθεύδουσιν,
     καὶ οἱ μεθυσκόμ. νυκτὸς μεθύουσιν
Ap   8 12 ἵνα – ἡ ἡμέρα μὴ φάνῃ τὸ τρίτον αὐ-
     τῆς, καὶ ἡ νὺξ ὁμοίως
     21 25 νὺξ γὰρ οὐκ ἔσται ἐκεῖ 22 5 ἔσται ἔτι

νύσσειν *aperire* Joh 19 34 τὴν πλευράν

νυστάζειν *dormitare* Mat 25 5 ἐνύσταξαν
2 Pe   2 3 ἡ ἀπώλεια αὐτῶν οὐ νυστάζει

νυχθήμερον S° – *nocte et die*
2 Co   11 25 νυχθήμερον ἐν τῷ βυθῷ πεποίηκα

Νῶε Mat 24 37 ὥσπερ – αἱ ἡμέραι τοῦ Ν. 38 ‖
     Luc 17 26. 27 1 Pe 3 20 ὅτε ἀπεξεδέχετο ἡ
     τοῦ θεοῦ μακροθυμία ἐν ἡμέραις Ν. –
     Luc 3 36 Hb 11 7 πίστει χρηματισθεὶς Ν.
     περὶ τῶν μηδέπω βλεπομένων 2 Pe 2 5
     ὄγδοον Ν. δικαιοσύνης κήρυκα ἐφύλαξεν

νωθρός [a]*imbecillis* (*ad audiendum*) [b]*segnis*
Hb   5 11 ἐπεὶ νωθροὶ[a] γεγόνατε ταῖς ἀκοαῖς
     6 12 ἵνα μὴ νωθροὶ[b] γένησθε, μιμηταὶ δέ

νῶτος *dorsum* Rm 11 10 „τὸν ν. – σύγκαμψον"

Ξ

ξενία *hospitium* Act 28 23 εἰς τὴν ξενίαν
Phm   22 ἅμα δὲ καὶ ἑτοίμαζέ μοι ξενίαν

ξενίζειν [a]*hospitio recipere* [b]*exhibēre* [c](ξ..ον-
τα) *nova* – **ξενίζεσθαι** [d]*hospitari* [e]*ho-*
spitium habēre [f]*admirari* [g]*peregrinari*
Act   10 6 ξενίζεται[d] παρά τινι Σίμωνι 18[e] 32[d]
     – 23 αὐτοὺς ἐξένισεν[a] 21 16 παρ' ᾧ

(Act)   ξενισθῶμεν^d Μνάσωνι 28 7 φιλοφρό-
        νως (sc ἡμᾶς) ἐξένισεν^b (1 Co 16 19
        vl παρ᾽ οἷς καὶ ξενίζομαι^d) – Hb 13 2
        ἔλαθόν τινες ξενίσαντες^a ἀγγέλους
Act 17 20 ξενίζοντα^c γάρ τινα εἰσφέρεις εἰς
1 Pe 4 4 ἐν ᾧ ξ..ονται^f μὴ συντρεχόντων ὑμῶν
        εἰς τὴν – τῆς ἀσωτίας ἀνάχυσιν
        – 12 μὴ ξενίζεσθε^g τῇ ἐν ὑμῖν πυρώσει

ξενοδοχεῖν S° – hospitio recipere
1 Ti 5 10 εἰ ἐξενοδόχησεν (sc χήρα)

ξένος hospes ^bperegrinus ^cnovus
Mat 25 35 ξένος ἤμην καὶ συνηγάγετέ με 38 πό-
        τε δέ σε εἴδομεν ξένον –; 43. 44
        27 7 τὸν ἀγρὸν – εἰς ταφὴν τοῖς ξένοις^b
Act 17 18 ξένων^c δαιμονίων – καταγγελεύς
        – 21 καὶ οἱ ἐπιδημοῦντες ξένοι
Rm 16 23 Γάϊος ὁ ξ. μου καὶ ὅλης τῆς ἐκκλησ.
Eph 2 12 ξένοι τῶν διαθηκῶν τῆς ἐπαγγελίας
        – 19 οὐκέτι ἐστὲ ξένοι καὶ πάροικοι
Hb 11 13 ὅτι „ξένοι^b καὶ παρεπίδημοι" εἰσὶν
        13 9 διδαχαῖς – ξέναις^b μὴ παραφέρεσθε
1 Pe 4 12 ὡς ξένου^c ὑμῖν συμβαίνοντος
3 Jo 5 εἰς τοὺς ἀδελφοὺς καὶ τοῦτο ξένους^b

ξέστης S° – urceus Mar 7 4 (vl 8)

ξηραίνειν, ..εσθαι arescere ^bexarescere ^care-
facere (Jac 1 11), ..ieri ^daridum fieri,
aridus (Mar 3 1) ^esiccare, ..ari
Mat 13 6 διὰ τὸ μὴ ἔχειν ῥίζαν ἐξηράνθη ‖ Mar
        4 6^b Luc 8 6 – Mat 21 19 ἐξηράνθη^c πα-
        ραχρῆμα ἡ συκῆ 20 ‖ Mar 11 20^d 21
Mar 3 1 ἐξηραμμένην^d ἔχων τὴν χεῖρα
        5 29 ἐξηράνθη^e ἡ πηγὴ τοῦ αἵματος
        9 18 τρίζει τοὺς ὀδόντας καὶ ξηραίνεται

Joh 15 6 ἐβλήθη ἔξω ὡς τὸ κλῆμα καὶ ἐξηράν-
        θη (vg arescet, vl aruit)
Jac 1 11 ὁ ἥλιος – „ἐξήρανεν^c τὸν χόρτον"
1 Pe 1 24 „ἐξηράνθη^b ὁ χόρτος, καὶ τὸ ἄνθος"
Ap 14 15 ἐξηράνθη ὁ θερισμὸς τῆς γῆς
        16 12 „ἐξηράνθη^e τὸ ὕδωρ" (sc τοῦ Εὐφρ.)

ξηρός aridus ^b(ἡ ξηρά) arida (sc terra)
Mat 12 10 χεῖρα ἔχων ξηράν ‖ Mar 3 3 Luc 6 6. 8
        23 15 περιάγετε τὴν θάλασσαν καὶ τὴν ξ.^b
Luc 23 31 ἐν τῷ ξηρῷ (sc ξύλῳ) τί γένηται;
Joh 5 3 κατέκειτο πλῆθος τῶν – χωλῶν, ξ..ῶν
Hb 11 20 διέβησαν τὴν – θάλ. ὡς διὰ ξηρᾶς γῆς

ξύλινος ligneus 2 Ti 2 20 Ap 9 20 εἴδωλα

ξύλον lignum ^bfustis
        ξύλον τῆς ζωῆς → ζωή Ap 2 7
Mat 26 47 ὄχλος πολὺς μετὰ μαχαιρῶν καὶ ξύ-
        λων^b 55^b ‖ Mar 14 43. 48 Luc 22 52^b
Luc 23 31 εἰ ἐν ὑγρῷ ξύλῳ ταῦτα ποιοῦσιν
Act 5 30 „κρεμάσαντες ἐπὶ ξύλου" 10 39
        13 29 καθελόντες ἀπὸ τοῦ ξύλ. ἔθηκαν εἰς
        16 24 τοὺς πόδας ἠσφαλίσατο – εἰς τὸ ξύλ.
1 Co 3 12 λίθους τιμίους, ξύλα, χόρτον
Gal 3 13 „πᾶς ὁ κρεμάμενος ἐπὶ ξύλου"
1 Pe 2 24 ὃς „τὰς ἁμαρτίας" ἡμῶν „αὐτὸς ἀν-
        ήνεγκεν" – ἐπὶ τὸ ξύλον
Ap 18 12 πᾶν ξύλον θύϊνον – καὶ πᾶν σκεῦος
        ἐκ ξύλου (vl λίθου vg) τιμιωτάτου
        22 2 „τὰ φύλλα" τοῦ ξύλου „εἰς θεραπεί-
        αν" τῶν ἐθνῶν

ξυρᾶσθαι decalvari ^bradere Act 21 24 δα-
πάνησον ἐπ᾽ αὐτοῖς ἵνα ξυρήσονται^b τὴν
κεφαλήν – 1 Co 11 5 ἓν γάρ ἐστιν καὶ τὸ
αὐτὸ τῇ ἐξυρημένῃ 6 εἰ – αἰσχρὸν γυναικὶ
τὸ κείρασθαι ἢ ξυρᾶσθαι

O

ὀγδοήκοντα octoginta Luc 2 37 16 7

ὄγδοος octavus
Luc 1 59 τῇ ἡμέρᾳ τῇ ὀγ. – περιτεμεῖν Act 7 8
2 Pe 2 5 ὄγδοον Νῶε – ἐφύλαξεν – Ap 21 20
Ap 17 11 αὐτὸς ὄ. ἐστιν, καὶ ἐκ τῶν ἑπτά ἐστ.

ὄγκος S° – pondus Hb 12 1 ὄ..ον ἀποθέμενοι

ὁδεύειν iter facere Luc 10 33 Σαμαρ. – ὁ..ων

ὁδηγεῖν ^aducere ^bducatum praestare ^cde-
ducere ^dostendere (alicui)
Mat 15 14 τυφλὸς δὲ τυφλὸν ἐὰν ὁδηγῇ^b
Luc 6 39 μήτι δύναται τυφλὸς τ..ὸν ὁδ..εῖν^a;
Joh 16 13 ὁδηγήσει (vl διηγήσεται vg doce-
        bit) ὑμᾶς εἰς τὴν ἀλήθειαν πᾶσαν
        (vl ἐν τῇ ἀληθείᾳ πάσῃ et τὴν ἀλή-
        θειαν πᾶσαν vg)
Act 8 31 ἐὰν μή τις ὁδηγήσει (vl ..σῃ)^d με;
Ap 7 17 „ὁ..ήσει^c αὐτοὺς ἐπὶ ζωῆς πηγάς"

ὁδηγός *dux*
Mat 15 14 τυφλοί εἰσιν ὁ..οὶ τυφλῶν 23 16 οὐαὶ
ὑμῖν, ὁ..οὶ τ..οί 24 ὁδ. τυ., οἱ διϋλίζοντες
Rm 2 19 πέποιθας – σεαυτὸν ὁ..ὸν εἶναι τ..ῶν
Act 1 16 περὶ Ἰούδα τοῦ γενομένου ὁδηγοῦ
τοῖς συλλαβοῦσιν Ἰησοῦν

ὁδοιπορεῖν Sᵒ – *iter facere* Act 10 9

ὁδοιπορία *iter* Joh 4 6 κεκοπιακὼς ἐκ τῆς ὁδ.
ἐκαθέζετο 2 Co 11 26 ὁ..αις πολλάκις

ὁδός *via* ᵇ*iter* ᶜ*secta*
*1) vox proprie dicta
Mat 2 12 δι’ ἄλλης ὁδοῦ ἀνεχώρησαν εἰς
4 15 „ὁ..ν (*via*) θαλάσσης, πέραν τοῦ Ἰορ.”
5 25 ἕως ὅταν εἶ μετ’ αὐτοῦ ἐν τῇ ὁδῷ ‖
Luc 12 58 ἐν τῇ ὁδῷ δὸς ἐργασίαν
ἀπηλλάχθαι ἀπ’ αὐτοῦ
10 5 εἰς ὁδὸν ἐθνῶν μὴ ἀπέλθητε 10 μὴ
πήραν εἰς ὁδόν ‖ Mar 6 8 Luc 9 3 10 4
καὶ μηδένα κατὰ τὴν ὁδὸν ἀσπάσησθε
13 4 ἐν τῷ σπείρειν – ἃ μὲν ἔπεσεν παρὰ
τὴν ὁδόν 19 ‖ Mar 4 4.15 Luc 8 5.12
22 9 ἐπὶ τὰς διεξόδους τῶν ὁδῶν 10 ‖ Luc
14 23 εἰς τὰς ὁδοὺς καὶ φραγμούς
Mar 2 23 οἱ μαθηταὶ αὐτοῦ ἤρξαντο ὁδὸν ποι-
εῖν (vl ὁδοποιεῖν vg *progredi* vl
praegredi) τίλλοντες τοὺς στάχυας
8 27 ἐν τῇ ὁδῷ ἐπηρώτα τοὺς μαθητάς
9 33 τί ἐν τῇ ὁδῷ διελογίζεσθε; 34
10 52 ἠκολούθει αὐτῷ ἐν τῇ ὁδῷ
Luc 2 44 ἦλθον ἡμέρας ὁδόνᵇ – Act 1 12 ἐγ-
γὺς Ἱερουσ. σαββάτου ἔχον ὁδόνᵇ
11 6 φίλος μου παρεγένετο ἐξ ὁδοῦ
24 32 ὡς ἐλάλει ἡμῖν ἐν τῇ ὁδῷ 35 τὰ ἐν –
1 Th 3 11 κατευθύναι τὴν ὁ. ἡμῶν πρὸς ὑμᾶς
Ap 16 12 ἵνα ἑτοιμασθῇ ἡ ὁδὸς τῶν βασιλέων
τῶν „ἀπὸ ἀνατολῆς ἡλίου”

2) vox ὁδός translato usu
Mat 3 3 „ἑτοιμάσατε τὴν ὁδὸν κυρίου” ‖ Mar
1 3 Luc 3 4.5 „αἱ τραχεῖαι εἰς ὁδοὺς
λείας” Joh 1 23 „εὐθύνατε τὴν ὁ. κυ.”
7 13 πλατεῖα [ἡ πύλη] καὶ εὐρύχωρος ἡ
ὁδός 14 καὶ τεθλιμμένη ἡ ὁδός
11 10 „ὃς κατασκευάσει τὴν ὁδόν σου ἔμ-
προσθέν σου” ‖ Luc 7 27 – Mar 1 2
21 32 ἦλθεν – Ἰωάνν. – ἐν ὁδῷ δικαιοσύνης
22 16 τὴν ὁδὸν τοῦ θεοῦ ἐν ἀληθείᾳ διδά-
σκεις ‖ Mar 12 14 ἐπ’ ἀ..ας Luc 20 21
Luc 1 76 „ἐνώπ. κυρ. ἑτοιμάσαι ὁδοὺς αὐτοῦ”

Luc 1 79 τοῦ κατευθῦναι τοὺς πόδας ἡμῶν
„εἰς ὁδὸν εἰρήνης” → Rm 3 17
Joh 14 4 ὅπου ἐγὼ ὑπάγω οἴδατε τὴν ὁδόν
(vl οἴδατε καὶ τὴν ὁ. οἴδατε vg) 5 πῶς
οἴδαμεν τὴν ὁδόν; 6 ἐγώ εἰμι ἡ ὁδός
Act 2 28 „ἐγνώρισάς μοι ὁδοὺς ζωῆς”
9 2 ἐάν τινας εὕρῃ τῆς ὁδοῦ ὄντας 19 9
κακολογοῦντες τὴν ὁδόν (vg + *do-
mini*, vlᵒ) 23 τάραχος οὐκ ὀλίγος
περὶ τῆς ὁδοῦ (vg item) 22 4 ὃς ταύ-
την τὴν ὁδὸν ἐδίωξα 24 14 κατὰ τὴν
ὁδόνᶜ ἣν λέγουσιν αἵρεσιν 22 ἀκρι-
βέστερον εἰδὼς τὰ περὶ τῆς ὁδοῦ
13 10 οὐ παύσῃ διαστρέφων „τὰς ὁδοὺς
τοῦ (vlᵒ) κυρίου τὰς εὐθείας”;
14 16 ὃς – εἴασεν πάντα τὰ ἔθνη πορεύε-
σθαι ταῖς ὁδοῖς αὐτῶν
16 17 καταγγέλλουσιν ὑμῖν ὁδὸν σωτηρίας
18 25 ἦν κατηχημένος τὴν ὁδὸν τοῦ κυρίου
– 26 αὐτῷ ἐξέθεντο τὴν ὁδὸν τοῦ θεοῦ
Rm 3 16 „σύντριμμα – ἐν ταῖς ὁδοῖς αὐτῶν”
17 „καὶ ὁδὸν εἰρήνης οὐκ ἔγνωσαν”
11 33 ὡς – ἀνεξιχνίαστοι αἱ ὁδοὶ αὐτοῦ
1 Co 4 17 ἀναμνήσει ὑμᾶς τὰς ὁδούς μου τὰς
ἐν Χῷ –, καθὼς πανταχοῦ – διδάσκω
12 31 καθ’ ὑπερβολὴν ὁδὸν ὑμῖν δείκνυμι
Hb 3 10 „οὐκ ἔγνωσαν τὰς ὁδούς μου”
9 8 μήπω πεφανερῶσθαι τὴν τῶν ἁγίων
(neutr.) ὁδόν 10 20 ἣν ἐνεκαίνισεν
ὁδὸν πρόσφατον καὶ ζῶσαν
Jac 1 8 ἀκατάστατος ἐν πάσ. ταῖς ὁδ. αὐτοῦ
5 20 ὁ ἐπιστρέψας ἁμαρτωλὸν ἐκ πλάνης
ὁδοῦ αὐτοῦ – καλύψει πλῆθος ἁμαρ.
2 Pe 2 2 ἡ ὁδ. τῆς ἀληθείας βλασφημηθήσεται
– 15 καταλείποντες εὐθεῖαν ὁδὸν –, ἐξ-
ακολουθήσαντες τῇ ὁδ. τοῦ Βαλαάμ
– 21 κρεῖττον – ἦν αὐτοῖς μὴ ἐπεγνωκέναι
τὴν ὁδὸν τῆς δικαιοσύνης, ἤ
Jud 11 ὅτι τῇ ὁδῷ τοῦ Κάϊν ἐπορεύθησαν
Ap 15 3 „δίκαιαι καὶ ἀληθιναὶ αἱ ὁδοί σου”

ὁδούς *dens* βρυγμὸς τῶν ὁδ. → βρυγμός
Mat 5 38 καὶ „ὀδόντα ἀντὶ ὀδόντος”
Mar 9 18 Act 7 54 ἔβρυχον τοὺς ὀδ. – Ap 9 8

ὀδυνᾶσθαι ᵃ*dolēre* ᵇ*cruciari*
Luc 2 48 ὀδυνώμενοιᵃ ζητοῦμέν σε
16 24 ὀδυνῶμαιᵇ ἐν τῇ φλογὶ ταύτῃ 25ᵇ
Act 20 38 ὀδυνώμενοιᵃ μάλιστα ἐπὶ τῷ λόγῳ

ὀδύνη *dolor*
Rm 9 2 ὅτι – ἀδιάλειπτος ὀδ. τῇ καρδίᾳ μου
1 Ti 6 10 ἑαυτοὺς περιέπειραν ὀ..αις πολλαῖς

ὀδυρμός *ululatus* Mat 2 18 *fletus* 2 Co 7 7

Ὀζίας Mat 1 8.9 ὄζειν *foetēre* Joh 11 39

ὀθόνη Sᵒ et ὀθόνιον ᵃ*linteum* ᵇ*linteamen*
Act 10 11 ὡς ὀ..ην ᵃ μεγάλην 11 5 ᵃ – (vl Luc
24 12 τὰ ὀ..α ᵇ μόνα) Joh 19 40 ᵃ 20 5-7 ᵇ

οἴεσθαι ᵃ*aestimare* ᵇ*arbitrari* ᶜ*existimare*
Joh 21 25 ᵇ Phl 1 17 ᶜ Jac 1 7 ᵃ

οἰκεῖν *habitare* ᵇ*inhabitare* → ἐνοικεῖν
Rm 7 (17 vl) 18 οἶδα – ὅτι οὐκ οἰκεῖ ἐν ἐμοί –
ἀγαθόν 20 ἡ οἰκοῦσα ἐν ἐμοὶ ἁμαρτία
8 9 εἴπερ πνεῦμα θεοῦ οἰκεῖ ἐν ὑμῖν 11
1 Co 3 16 οὐκ οἴδατε ὅτι ναὸς θεοῦ ἐστε καὶ
τὸ πνεῦμα τοῦ θεοῦ ἐν ὑμῖν οἰκεῖ;
7 12 εἰ – αὕτη συνευδοκεῖ οἰκεῖν μετ᾽ αὐ-
τοῦ (sc τοῦ ἀδελφοῦ) 13 οὗτος (sc
ὁ ἄπιστος) συνευδοκεῖ οἰ. μετ᾽ αὐτῆς
1 Ti 6 16 φῶς οἰκῶν ᵇ (vl ᵃ) ἀπρόσιτον

οἰκεῖος *domesticus*
Gal 6 10 μάλιστα – πρὸς τοὺς οἰ. τῆς πίστεως
Eph 2 19 ἀλλὰ ἐστὲ – οἰκεῖοι τοῦ θεοῦ
1 Ti 5 8 εἰ δέ τις τῶν – οἰκείων οὐ προνοεῖ

οἰκετεία Sᵒ – *familia* Mat 24 45 ἐπὶ τῆς οἰκ.

οἰκέτης *servus* ᵇ*domesticus*
Luc 16 13 οὐδεὶς οἰκ. δύναται δυσὶ κυρίοις δου-
Act 10 7 φωνήσας δύο τῶν οἰκ. ᵇ |λεύειν
Rm 14 4 τίς εἶ ὁ κρίνων ἀλλότριον οἰκέτην;
1 Pe 2 18 οἱ οἰκέται, ὑποτασσόμενοι ἐν – φόβῳ

οἴκημα *habitaculum* Act 12 7 φῶς – ἐν τῷ οἰ.

οἰκητήριον ᵃ*habitatio* ᵇ*domicilium*
2 Co 5 2 τὸ οἰκ. ᵃ ἡμῶν τὸ ἐξ οὐρανοῦ ἐπενδύ.
Jud 6 ἀγγέλ. – ἀπολιπόντας τὸ ἴδιον οἰκ. ᵇ

οἰκία *domus*

*1) vox οἰκία proprio usu
Mat 5 15 λάμπει πᾶσιν τοῖς ἐν τῇ οἰκίᾳ
7 24 τὴν οἰκίαν ἐπὶ τὴν πέτραν 25.26 ἐπὶ
τὴν ἄμμον 27 ‖ Luc 6 48.49 ἐπὶ τὴν γῆν
10 12 εἰσερχόμενοι – εἰς τὴν οἰκ. ἀσπάσα-
σθε αὐτήν ‖ Mar 6 10 ἐκεῖ μένετε Luc
9 4 10 5 εἰς ἣν δ᾽ ἂν εἰσέλθητε οἰκίαν
7 ἐν αὐτῇ δὲ τῇ οἰκίᾳ μένετε –. μὴ
μεταβαίνετε ἐξ οἰκίας εἰς οἰκίαν
18 29 πᾶς ὅστις ἀφῆκεν οἰκίας ‖ Mar 10 29

οἰκίαν 30 ἐὰν μὴ λάβῃ – οἰκίαν Luc
18 29 οὐδείς ἐστιν ὃς ἀφῆκεν οἰ..αν
Mat 24 17 μὴ καταβάτω ἆραι τὰ ἐκ τῆς οἰκίας
αὐτοῦ ‖ Mar 13 15 Luc 17 31
Mar 12 40 οἱ κατέσθοντες τὰς οἰκίας τῶν χη-
ρῶν ‖ Luc 20 47 (vl Mat 23 14 vg, vl ᵒ)
13 35 πότε ὁ κύριος τῆς οἰκίας ἔρχεται
Luc 15 8 σαροῖ τὴν οἰκίαν καὶ ζητεῖ ἐπιμελῶς
22 10 ἀκολουθήσατε αὐτῷ εἰς τὴν οἰκ. 11
καὶ ἐρεῖτε τῷ οἰκοδεσπότῃ τῆς οἰκίας
Joh 8 35 δοῦλος οὐ μένει ἐν τῇ οἰκίᾳ εἰς – αἰῶ.
1 Co 11 22 μὴ γὰρ οἰκίας οὐκ ἔχετε εἰς τὸ ἐσθί-
ειν καὶ πίνειν;
1 Ti 5 13 μανθάνουσιν περιερχόμεναι τὰς οἰκ.
2 Ti 3 6 οἱ ἐνδύνοντες εἰς τ. οἰκίας καὶ αἰχμ.
2 Jo 10 μὴ λαμβάνετε αὐτὸν εἰς οἰκίαν

2) vox οἰκία translato usu
Mat 10 12 ἀσπάσασθε αὐτήν (sc τὴν οἰ.) 13 ἐὰν
– ᾖ ἡ οἰκία ἀξία, ἐλθάτω ἡ εἰρήνη
ὑμῶν ἐπ᾽ αὐτήν· ἐὰν – μὴ ᾖ ἀξία
12 25 πᾶσα – οἰκία μερισθεῖσα ‖ Mar 3 25
13 57 οὐκ ἔστιν προφήτης ἄτιμος εἰ μὴ ἐν
τῇ πατρίδι καὶ ἐν τῇ οἰκίᾳ αὐτοῦ ‖
Mar 6 4 καὶ ἐν τοῖς συγγενεῦσιν καὶ
ἐν τῇ οἰκίᾳ αὐτοῦ
Joh 4 53 ἐπίστευσεν αὐτὸς καὶ ἡ οἰ. αὐτοῦ ὅλη
14 2 ἐν τῇ οἰ. τ. πατρός μου μοναὶ πολλαί
1 Co 16 15 οἴδατε τὴν οἰκίαν Στεφανᾶ
2 Co 5 1 ἐὰν ἡ ἐπίγειος ἡμῶν οἰκία – καταλυ-
θῇ, –, οἰκίαν ἀχειροποίητον αἰώνιον
Phl 4 22 μάλιστα – οἱ ἐκ τῆς Καίσαρος οἰκίας

οἰκιακός Sᵒ – *domesticus*
Mat 10 25 πόσῳ μᾶλλον τοὺς οἰκιακοὺς αὐτοῦ
– 36 „ἐχθροὶ τοῦ ἀνθρ. οἱ οἰκιακοὶ αὐτοῦ"

οἰκοδεσποτεῖν Sᵒ – *matresfamilias esse*
1 Ti 5 14 βούλομαι οὖν νεωτέρας – οἰ..εῖν

οἰκοδεσπότης Sᵒ – *paterfamilias* (p. f.)
ᵇ*dominus domus* Mat 10 25 εἰ τὸν οἰκοδ.
Βεεζεβοὺλ ἐπεκάλεσαν, πόσῳ μᾶλλον
Mat 13 27.52 ὅμοιός ἐστιν ἀνθρώπῳ οἰ..ῃ 20 1.11
ἐγγύζον κατὰ τοῦ οἰ. 21 33 ἦν οἰκ.
24 43 εἰ ᾔδει ὁ οἰ. ποίᾳ φυλακῇ ‖ Luc 12 39
Mar 14 14 εἴπατε τῷ οἰ. ᵇ ‖ Luc 22 11 τῆς οἰκίας
Luc 13 25 ἀφ᾽ οὗ ἂν ἐγερθῇ ὁ οἰ. καὶ ἀποκλεί-
σῃ τὴν θύραν – 14 21 ὀργισθεὶς ὁ οἰ.

οἰκοδομεῖν *aedificare* ᵇ*reaedificare*
Mat 7 24 ᾠκοδόμησεν – ἐπὶ τὴν πέτραν 26 τὴν

ἄμμον ‖ Luc 6 48 οἰ..οῦντι οἰκίαν, –
διὰ τὸ καλῶς οἰκοδομῆσθαι αὐτήν 49
Mat 16 18 ἐπὶ ταύτῃ τῇ πέτρᾳ οἰκοδομήσω μου
τὴν ἐκκλησίαν
21 33 „καὶ ᾠκοδόμησεν πύργον" ‖ Mar 12 1
– 42 „λίθον ὃν ἀπεδοκίμασαν οἱ οἰκοδο-
μοῦντες" ‖ Mar 12 10 Luc 20 17 1 Pe 2 7
23 29 οἰ..εῖτε τοὺς τάφους τῶν προφητῶν ‖
Luc 11 47 τὰ μνημεῖα 48 ὑμεῖς δὲ οἰκ.
26 61 καταλῦσαι τὸν ναὸν – καὶ διὰ τριῶν
ἡμερῶν οἰκοδομῆσαι[b] (vl[a]) ‖ Mar
14 58 ἄλλον ἀχειροποίητον οἰ..ήσω
27 40 ὁ – ἐν τρισὶν ἡμέραις οἰ..ῶν[b] ‖ Mar
15 29[b] (vl[a]) cfr Joh 2 20 τεσσεράκ.
καὶ ἓξ ἔτεσιν οἰ..ήθη ὁ ναὸς οὗτος
Luc 4 29 ὄρους ἐφ᾽ οὗ ἡ πόλις ᾠκοδόμητο
7 5 τὴν συναγωγὴν αὐτὸς ᾠκ..ησεν ἡμῖν
12 18 μείζονας (sc ἀποθήκας) οἰκοδομήσω
(vl ποιήσω αὐτὰς μείζονας vg mai-
ora faciam)
14 28 τίς – θέλων πύργον οἰ..ῆσαι οὐχί –;
– 30 ἤρξατο οἰκοδομεῖν καὶ οὐκ ἴσχυσεν
17 28 ἐπώλουν, ἐφύτευον, ᾠκοδόμουν
Act 7 47.49 „ποῖον οἶκον οἰκοδομήσετέ μοι;"
9 31 ἡ – ἐκκλησία – εἶχεν εἰρήνην οἰκοδο-
μουμένη καὶ πορευομένη τῷ φόβῳ
20 32 τῷ δυναμένῳ οἰ..ῆσαι καὶ δοῦναι
Rm 15 20 ἵνα μὴ ἐπ᾽ ἀλλότριον θεμέλιον οἰ..ῶ
1 Co 8 1 ἡ δὲ ἀγάπη οἰκοδομεῖ
– 10 οὐχὶ ἡ συνείδησις αὐτοῦ – οἰκοδομη-
θήσεται εἰς τὸ τὰ εἰδωλόθ. ἐσθίειν;
10 23 πάντα ἔξεστιν, ἀλλ᾽ οὐ πάντα οἰ..εῖ
14 4 ὁ λαλῶν γλώσσῃ ἑαυτὸν οἰ..εῖ· ὁ δὲ
προφητεύων ἐκκλησίαν οἰκοδομεῖ
– 17 ἀλλ᾽ ὁ ἕτερος οὐκ οἰκοδομεῖται
Gal 2 18 εἰ – ἃ κατέλυσα ταῦτα πάλιν οἰ..ῶ
1 Th 5 11 διὸ – οἰκοδομεῖτε εἷς τὸν ἕνα
1 Pe 2 5 ὡς λίθοι ζῶντες οἰ..εῖσθε (vl ἐποικο-
δομεῖσθε vg superaedificamini) οἶ-
κος πνευματικός 7 → Mat 21 42

οἰκοδομή aedificatio [b]structura
Mat 24 1 τὰς οἰκ. τοῦ ἱεροῦ ‖ Mar 13 1 ποταπαὶ
οἰ..αί[b] 2 βλέπεις – τὰς μεγάλας οἰ..άς;
Rm 14 19 διώκομεν (vl ..ωμεν vg) – τὰ τῆς οἰκ.
τῆς εἰς ἀλλήλους 15 2 ἕκαστος ἡμῶν
τῷ πλησίον ἀρεσκέτω εἰς τὸ ἀγαθὸν
πρὸς οἰκοδομήν
1 Co 3 9 θεοῦ γεώργιον, θεοῦ οἰκοδομή ἐστε
14 3 ὁ δὲ προφητεύων ἀνθρώποις λαλεῖ
οἰκοδομὴν καὶ παράκλησιν
– 5 ἐκτὸς εἰ μὴ διερμηνεύῃ, ἵνα ἡ ἐκκλ.

οἰ..ὴν λάβῃ 12 πρὸς τὴν οἰκοδομὴν
τῆς ἐκκλησ. ζητεῖτε ἵνα περισσεύητε
1 Co 14 26 πάντα πρὸς οἰκοδομὴν γινέσθω
2 Co 5 1 ὅτι –, οἰ..ὴν ἐκ θεοῦ ἔχομεν, οἰκίαν
10 8 ἐξουσίας ἡμῶν, ἧς ἔδωκεν ὁ κύριος
εἰς οἰκοδομὴν – ὑμῶν 13 10
12 19 τὰ δὲ πάντα – ὑπὲρ τῆς ὑμῶν οἰ..ῆς
Eph 2 21 Χοῦ –, ἐν ᾧ πᾶσα (vl + ἡ) οἰκ. συν-
αρμολογουμένη αὔξει εἰς ναὸν ἅγιον
4 12 εἰς οἰκοδομὴν τοῦ σώματος τοῦ Χοῦ
– 16 εἰς οἰκοδομὴν ἑαυτοῦ ἐν ἀγάπῃ
– 29 εἴ τις (sc λόγος) ἀγαθὸς πρὸς οἰ..ὴν
τῆς χρείας (vl πίστεως vg fidei)
(1 Ti 1 4 vl → οἰκονομία)

οἰκοδόμος aedificans Act 4 11 ὑφ᾽ ὑμῶν τ. οἰ.

οἰκονομεῖν villicare Luc 16 2 οὐ – δύνῃ – οἰ.

οἰκονομία dispensatio [b]villicatio
Luc 16 2 ἀπόδος τὸν λόγον τῆς οἰκ.[b] σου 3[b] 4[b]
1 Co 9 17 εἰ δὲ ἄκων, οἰκονομίαν πεπίστευμαι
Eph 1 10 εἰς οἰκ. τοῦ πληρώματος τῶν καιρῶν
3 2 τὴν οἰκ. τῆς χάριτος – τῆς δοθείσης
μοι εἰς ὑμᾶς Col 1 25 κατὰ τὴν οἰκ.
τοῦ θεοῦ τὴν δοθεῖσάν μοι εἰς ὑμᾶς
– 9 τίς ἡ οἰκονομία τοῦ μυστηρίου
1 Ti 1 4 ἐκζητήσεις παρέχουσιν μᾶλλον ἢ οἰ-
κονομίαν (vl οἰκοδομὴν vg aedifica-
tionem) θεοῦ τὴν ἐν πίστει

οἰκονόμος dispensator [b]actor [c]arcarius
[d]villicus
Luc 12 42 τίς – ὁ πιστὸς οἰκ. ὁ φρόνιμος, –;
16 1 εἶχεν οἰ..ον[d], καὶ οὗτος διεβλήθη 3[d]
– 8 ἐπήνεσεν – τὸν οἰκονόμ.[d] τῆς ἀδικίας
Rm 16 23 Ἔραστος ὁ οἰκονόμος[c] τῆς πόλεως
1 Co 4 1 ὡς – οἰκονόμους μυστηρίων θεοῦ
– 2 ζητεῖται ἐν τοῖς οἰκ. ἵνα πιστός τις
Gal 4 2 ὑπὸ ἐπιτρόπους ἐστὶν καὶ οἰ..ους[b]
Tit 1 7 ἀνέγκλητον εἶναι ὡς θεοῦ οἰ..ον
1 Pe 4 10 αὐτὸ διακονοῦντες ὡς καλοὶ οἰκονό-
μοι ποικίλης χάριτος θεοῦ

οἶκος domus [b]aedes [c](κατ᾽ οἶκον) domesticus
1) vox proprie dicta
   a) domus Dei
Mat 12 4 πῶς εἰσῆλθεν (sc Δαυίδ) εἰς τὸν οἶ-
κον τοῦ θεοῦ ‖ Mar 2 26 Luc 6 4
21 13 „ὁ οἶκός μου οἶκος προσευχῆς" ‖
Mar 11 17 Luc 19 46 – Joh 2 16 μὴ ποι-

εἴτε τὸν οἴ. τοῦ πατρός μου οἶκον
ἐμπορίου 17 „ὁ ζῆλος τοῦ οἴκ. σου"
Luc 1151 μεταξὺ τοῦ θυσιαστηρίου καὶ τοῦ οἴ.[b]
Act 747 „Σολ. – οἰκοδόμησεν αὐτῷ οἶκον" 49

*b) hominum (vel ipse homo daemonis) domicilium

Mat 9 6 ὕπαγε εἰς τὸν οἶκόν σου 7 ‖ Mar 211
Luc 524.25 – Mar 519 826
1244 εἰς τὸν οἶκόν μου ἐπιστρέψω ὅθεν
ἐξῆλθον ‖ Luc 1124
2338 ἰδοὺ „ἀφίεται ὑμῖν ὁ οἶκος ὑμῶν" (vl
+ ἔρημος vg deserta) ‖ Luc 1335
Mar 2 1 ὅτι ἐν οἴκῳ ἐστίν (Jesus) 320 717 928
Luc 961 ἀποτάξασθαι τοῖς εἰς τὸν οἶκόν μου
1117 καὶ οἶκος ἐπὶ οἶκον πίπτει
1252 πέντε ἐν ἑνὶ οἴκῳ διαμεμερισμένοι
14 1.23 ἵνα γεμισθῇ μου ὁ οἶκος
16 4 ἵνα – δέξωνταί με εἰς τοὺς οἴκους
19 5 ἐν τῷ οἴκῳ σου δεῖ με μεῖναι
Act 246 κλῶντές τε κατ' οἶκον ἄρτον
542 κατ' οἶκον – διδάσκοντες 2020
8 3 κατὰ τοὺς οἴκους εἰσπορευόμενος
Rm 16 5 τὴν κατ' οἶκον[c] αὐτῶν ἐκκλησίαν 1 Co
1619 σὺν τῇ κατ' οἶκον[c] αὐτῶν ἐκκλ.
Col 415 Phm 2 κατ' οἶκόν σου
1 Co 1134 ἐν οἴκῳ ἐσθιέτω 1435 ἐν οἴκῳ τοὺς
ἰδίους ἄνδρας ἐπερωτάτωσαν
Hb 3 3 καθ' ὅσον πλείονα τιμὴν ἔχει τοῦ οἴκου
ὁ κατασκευάσας αὐτόν 4

2) οἶκος = domestici, familia, stirps

Mat 10 6 πρὸς τὰ πρόβατα τὰ ἀπολωλότα οἴκου Ἰσραήλ 1524 εἰς τὰ πρόβ. κτλ.
Luc 127 ἐξ οἴκου Δαυίδ 69 ἐν οἴκῳ Δαυίδ 24
ἐξ οἴκου καὶ πατριᾶς Δαυίδ
– 33 βασιλεύσει ἐπὶ τὸν οἶκον Ἰακώβ
10 5 πρῶτον λέγετε· εἰρήνη τῷ οἴ. τούτῳ
1627 ἐρωτῶ σε –, ἵνα πέμψῃς αὐτὸν εἰς
τὸν οἶκον τοῦ πατρός μου
19 9 σωτηρία τῷ οἴκῳ τούτῳ ἐγένετο
Act 236 γινωσκέτω πᾶς οἶκ. Ἰσρ. 742 Hb 8 8
καὶ – Ἰούδα 10 – Act 746 „εὑρεῖν σκήνωμα τῷ οἴκῳ (vl θεῷ vg) Ἰακώβ"
710 „ἡγούμενον ἐπ' Αἴγυπτον καὶ ὅλον
τὸν οἶκον" (sc Pharaonis)
10 2 φοβούμενος τ. θεὸν σὺν – τῷ οἴ. αὐτ.
1114 σωθήσῃ σὺ καὶ πᾶς ὁ οἶκός σου 1631
1615 ἐβαπτίσθη καὶ ὁ οἶκος αὐτῆς
18 8 ἐπίστευσεν – σὺν ὅλῳ τῷ οἴ. αὐτοῦ
1 Co 116 ἐβάπτισα δὲ καὶ τὸν Στεφανᾶ οἶκον
1 Ti 3 4 τοῦ ἰδίου οἴκου καλῶς προϊστάμενον
5.12 τῶν ἰδίων οἴκων

1 Ti 315 πῶς δεῖ ἐν οἴκῳ θεοῦ ἀναστρέφεσθαι,
ἥτις ἐστὶν ἐκκλησία θεοῦ
5 4 μανθανέτωσαν πρῶτον τὸν ἴδιον οἶκον εὐσεβεῖν
2 Ti 116 ἔλεος – τῷ Ὀνησιφόρου οἴκῳ 419
Tit 111 ὅλους οἴκους ἀνατρέπουσιν διδάσκ.
Hb 3 2 „πιστὸν" –, ὡς καὶ „Μωϋσῆς ἐν [ὅλῳ] τῷ οἴκῳ αὐτοῦ" 5.6 Χὸς δὲ ὡς
υἱὸς ἐπὶ „τὸν οἶκον αὐτοῦ"· οὗ οἶκός ἐσμεν ἡμεῖς, ἐὰν τὴν παρρησίαν
1021 „ἱερέα μέγαν ἐπὶ τὸν οἶκ. τοῦ θεοῦ"
11 7 κιβωτὸν εἰς σωτηρίαν τοῦ οἴ. αὐτοῦ
1 Pe 2 5 οἰκοδομεῖσθε οἶκος πνευματικός
417 ὅτι [ὁ] καιρὸς τοῦ ἄρξασθαι τὸ κρίμα
ἀπὸ τοῦ οἴκου τοῦ θεοῦ

οἰκουμένη orbis [b]universus orbis [c]orbis
terrae, ..arum [d]terra
Mat 2414 κηρυχθήσεται – ἐν ὅλῃ τῇ οἰκουμένῃ
Luc 2 1 ἀπογράφεσθαι πᾶσαν τὴν οἰκουμέν.
4 5 πάσας τὰς βασιλείας τῆς οἰκουμέν.[c]
2126 ἀπὸ – προσδοκίας τῶν ἐπερχομένων
τῇ οἰκ.[b] Act 1128 λιμὸν – μέλλειν ἔσεσθαι ἐφ' ὅλην τὴν οἰκ.[c] Ap 310 ὥρας τοῦ πειρασμοῦ – ἐπὶ τῆς οἰκ. ὅλ.
Act 17 6 οἱ τὴν οἰκ. (urbem vl orbem) ἀναστατώσαντες οὗτοι – πάρεισιν
– 31 „κρίνειν τὴν οἰκουμ. ἐν δικαιοσύνῃ"
1927 ἦν – ἡ Ἀσία καὶ ἡ οἰκουμένη σέβεται
24 5 Ἰουδαίοις τοῖς κατὰ τὴν οἰκουμέν.[b]
Rm 1018 „εἰς τὰ πέρατα τῆς οἰκουμένης[c]"
Hb 1 6 ὅταν – εἰσαγάγῃ τὸν πρωτότοκον εἰς
τὴν οἰκ.[c] 2 5 οὐ γὰρ ἀγγέλοις ὑπέταξεν τὴν οἰκουμέν.[c] τὴν μέλλουσαν
Ap 12 9 ὁ πλανῶν τὴν οἰκουμένην ὅλην
1614 ἐπὶ τοὺς βασιλεῖς τῆς οἰκουμ.[d] ὅλης

οἰκουργός (vl ..ρός) S° – domus curam
habens Tit 25 τὰς νέας – οἰκουργούς

οἰκτείρειν misericordiam praestare et misereri Rm 915 „οἰκτειρήσω ὃν ἂν οἰ..ω"

οἰκτιρμός, ..οί misericordia [b]miseratio
Rm 12 1 παρακαλῶ – διὰ τῶν οἰκτ. τοῦ θεοῦ
2 Co 1 3 ὁ πατὴρ τῶν οἰκτ. καὶ θεὸς πάσης
Phl 2 1 εἴ τις σπλάγχνα καὶ οἰ..οί[b] (vg viscera m..ionis vl et m..iones)
Col 312 ἐνδύσασθε – σπλάγχνα οἰκτιρμοῦ
Hb 1028 χωρὶς οἰκτιρμῶν[b] – „ἀποθνήσκει"

οἰκτίρμων misericors [b]miserator
Luc 636 γίνεσθε οἰκτίρμονες, καθὼς (vl + καὶ

vg) ὁ πατὴρ ὑμῶν οἰκτίρμων ἐστίν
Jac   5 11 „πολύσπλαγχνος – ὁ κύρ. καὶ οἰ.ᵇ"

οἰνοπότης   ᵃ*potator vini*   ᵇ*bibens vinum*
Mat 11 19 φάγος καὶ οἰνοπότηςᵃ ‖ Luc 7 34ᵇ

οἶνος   *vinum*
Mat   9 17 οὐδὲ βάλλουσιν οἶνον νέον – · – ὁ οἶ-
νος ἐκχεῖται – · ἀλλὰ βάλλουσιν οἶ-
νον νέον ‖ Mar 2 22 Luc 5 37. 38
27 34 οἶνον (vl ὄξος) μετὰ χολῆς μεμιγμέ-
νον ‖ Mar 15 23 ἐσμυρνισμένον οἶνον
Luc   1 15 „οἶνον καὶ σίκερα οὐ μὴ πίῃ"
7 33 Ἰωάννης – μήτε πίνων οἶνον
10 34 ἐπιχέων ἔλαιον καὶ οἶνον
Joh   2 3 ὑστερήσαντος οἴνου – · οἶνον οὐκ ἔ-
χουσιν 9 τὸ ὕδωρ οἶνον γεγενημένον
10 4 46 ὅπου ἐποίησεν τὸ ὕδωρ οἶνον
Rm 14 21 καλὸν τὸ – μηδὲ πιεῖν οἶνον
Eph   5 18 καὶ „μὴ μεθύσκεσθε οἴνῳ", ἐν ᾧ
1 Ti   3 8 διακόνους – μὴ οἴνῳ πολλῷ προσέ-
χοντας Tit 2 3 πρεσβύτιδας – μηδὲ οἴ-
νῳ πολλῷ δεδουλωμένας
5 23 οἴνῳ ὀλίγῳ χρῶ διὰ τὸν στόμαχον
Ap   6 6 τὸν οἶνον μὴ ἀδικήσῃς (*laeseris*)
14 8 „ἐκ τοῦ οἴνου" τοῦ θυμοῦ τῆς πορ-
νείας – „πεπότικεν – τὰ ἔθνη" 18 3 17 2
„ἐμεθύσθησαν – ἐκ τοῦ οἴ." τῆς πορ.
– 10 „πίεται ἐκ τοῦ οἴ." τοῦ θυμοῦ τοῦ
θεοῦ τοῦ „κεκερασμένου ἀκράτου"
16 19 δοῦναι αὐτῇ „τὸ ποτήριον τοῦ οἴνου
τοῦ θυμοῦ – αὐτοῦ" 19 15 „πατεῖ τὴν
ληνὸν" τοῦ οἴνου τοῦ θυ. – τοῦ θεοῦ
18 13 λίβανον καὶ οἶνον καὶ ἔλαιον

οἰνοφλυγία   Sᵒ – *vinolentia*   1 Pe 4 3

ὀκνεῖν   *pigritari*   Act 9 38 μὴ ὀκνήσῃς

ὀκνηρός   *piger*   Mat 25 26   Rm 12 11   Phl 3 1

ὀκταήμερος   Sᵒ – *octavo* (vl ..*a*) *die*   Phl 3 5

ὀκτώ   *octo*   Luc 2 21 ἡμέραι ὀ. τοῦ περιτεμεῖν
αὐτόν 9 28 Joh 5 5 20 26 μεθ' ἡμέρας ὀκτώ
Act 9 33 25 6   1 Pe 3 20 ὀλίγοι, τοῦτ' ἔστιν
ὀκτὼ ψυχαί, διεσώθησαν δι' ὕδατος

ὀλεθρεύειν   *vastare*   Hb 11 28 „ὁ ὀλεθρεύων"

ὀλεθρευτής   Sᵒ – *exterminator*   1 Co 10 10

ὄλεθρος   *interitus*
1 Co   5 5 τῷ σατανᾷ εἰς ὄλεθρον τῆς σαρκός
1 Th   5 3 τότε αἰφνίδιος αὐτοῖς ἐφίσταται ὄ..ος
2 Th   1 9 οἵτινες δίκην τίσουσιν ὄ..ον αἰώνιον
1 Ti   6 9 βυθίζουσιν τοὺς ἀνθρ. εἰς ὄλεθρον

ὀλιγοπιστία   Sᵒ –   Mat 17 20 διὰ τὴν ὀ..ίαν
(vl ἀπιστίαν   vg *incredulitatem*) ὑμῶν

ὀλιγόπιστος   Sᵒ –   *modicae fidei*   ᵇ*pusillae
fidei*   Mat 6 30 ὀ..οι (vl *minimae fidei*) ‖
Luc 12 28ᵇ – Mat 8 26 14 31 ὀ..ε 16 8 ὀ..οι

ὀλίγος, ὀλίγον, πρὸς ὀλίγον, ἐν ὀλίγῳ
paucus   ᵇ*pusillus*   ᶜ*modicus* (*m..um, ad
m., in m..o*)   ᵈ*parvus*   ᵉ(ὀ..ον) *minus*
ᶠ*minimus*   ᵍ*exiguus*   ʰ*breviter, in brevi,
breve tempus*
Mat   7 14 ὀλίγοι εἰσὶν οἱ εὑρίσκοντες αὐτήν
9 37 οἱ δὲ ἐργάται ὀλίγοι ‖ Luc 10 2
15 34 καὶ ὀλίγα ἰχθύδια ‖ Mar 8 7 εἶχον
22 14 ὀλίγοι δὲ ἐκλεκτοί (vl 20 16 vg)
25 21 δοῦλε – πιστέ, ἐπὶ ὀλίγα ἦς πιστός 23
Mar   1 19 προβὰς ὀλίγονᵇ 6 31 ἀναπαύσασθε
ὀλίγονᵇ Luc 5 3 ἠρώτησεν αὐτὸν ἀπὸ
τῆς γῆς ἐπαναγαγεῖν ὀλίγονᵇ
6 5 ὀλίγοις ἀρρώστοις ἐπιθεὶς τὰς χεῖρας
Luc   7 47 ᾧ δὲ ὀλίγονᵉ ἀφίεται, ὀλ.ᵉ ἀγαπᾷ
10 42 ὀλίγων δέ ἐστιν χρεία ἢ ἑνός (vl ἑ-
νὸς δέ ἐστιν χρεία vg *unum*)
12 48 δαρήσεται ὀλίγας (sc πληγάς)
13 23 κύριε, εἰ ὀλίγοι οἱ σῳζόμενοι;
Act   12 18 ἦν τάραχος οὐκ ὀλίγοςᵈ 19 23ᶠ
14 28 διέτριβον δὲ χρόνον οὐκ ὀλίγονᶜ
15 2 στάσεως καὶ ζητήσεως οὐκ ὀλίγηςᶠ
17 4 γυναικῶν τε τῶν πρώτων οὐκ ὀλίγαι
– 12 γυναικῶν – καὶ ἀνδρῶν οὐκ ὀλίγοι
19 24 τοῖς τεχνίταις οὐκ ὀ..ηνᶜ ἐργασίαν
26 28 ἐν ὀ..ῳᶜ με πείθεις 29ᶜ καὶ ἐν μεγάλῳ
27 20 χειμῶνός τε οὐκ ὀλίγουᵍ ἐπικειμένου
2 Co   8 15 „ὁ τὸ ὀλίγονᶜ οὐκ ἠλαττόνησεν"
Eph   3 3 προέγραψα ἐν ὀλίγῳʰ 1 Pe 5 12ʰ
1 Ti   4 8 πρὸς ὀλίγονᶜ ἐστὶν ὠφέλιμος
5 23 οἴνῳ ὀλίγῳᶜ χρῶ διὰ τὸν στόμαχον
Hb   12 10 πρὸς ὀλίγας ἡμέρας – ἐπαίδευον
Jac   (3 5 vl ὀλίγον (vgᵒ) πῦρ ἡλίκην ὕλην
ἀνάπτει)
4 14 ἀτμίς – ἡ πρὸς ὀλίγονᶜ φαινομένη
1 Pe   1 6 ὀλίγονᶜ ἄρτι εἰ δέον λυπηθέντες
3 20 ὀλίγοι – διεσώθησαν δι' ὕδατος
5 10 ὀλίγονᶜ παθόντας αὐτὸς καταρτίσει
Ap   2 14 ἀλλ' ἔχω κατὰ σοῦ ὀλίγα, ὅτι ἔχεις

Ap 3 4 ἔχεις ὀλίγα ὀνόματα ἐν Σάρδεσιν
12 12 εἰδώς ὅτι ὀλίγον^c καιρὸν ἔχει
17 10 ὀλίγον^h αὐτὸν δεῖ μεῖναι

ὀλιγόψυχος pusillanimis
1 Th 5 14 παραμυθεῖσθε τοὺς ὀλιγοψύχους

ὀλιγωρεῖν negligere Hb 12 5 „παιδείας κυρ."

ὀλίγως S° – paullulum 2 Pe 2 18 ὀλ. ἀποφεύ-
γοντας τοὺς ἐν πλάνη ἀναστρεφομένους

ὀλοκαύτωμα holocautoma (vl ..caust.)
Mar 12 33 περισσότερόν ἐστιν πάντων „τῶν ὀλ."
Hb 10 6 „ὁ..τα–οὐκ εὐδόκησας" 8 „οὐκ ἠθέλ."

ὀλοκληρία integra sanitas Act 3 16 ἡ πίστις –
ἔδωκεν αὐτῷ τὴν ὀλοκληρίαν ταύτην

ὀλόκληρος integer
1 Th 5 23 ὁ..ον ὑμῶν τὸ πνεῦμα – τηρηθείη
Jac 1 4 ἵνα ἦτε τέλειοι καὶ ὀλόκληροι, ἐν μη-
δενὶ λειπόμενοι

ὀλολύζειν ululare Jac 5 1 κλαύσατε ὀ..οντες

*ὅλος totus ^bomnis ^cuniversus
Mat 1 22 τοῦτο δὲ ὅλον γέγονεν ἵνα 26 56
5 29 ἵνα – μὴ ὅλον τὸ σῶμά σου βληθῆ
εἰς γέενναν 30 εἰς γέενναν ἀπέλθη
6 22 ὅλον τὸ σῶμά σου φωτεινὸν ἔσται 23
σκοτεινόν ‖ Luc 11 34.36 φωτ. ὅλον
13 33 ἕως οὗ ἐζυμώθη ὅλον ‖ Luc 13 21
16 26 ἐὰν τὸν κόσμον ὅλον^c κερδήση ‖ Mar
8 36 Luc 9 25 κερδήσας τὸν κό. ὅλον^c
22 37 „ἐν ὅλη τῇ καρδίᾳ σου καὶ ἐν ὅλη
τῇ ψυχῇ σου καὶ ἐν ὅλη τῇ διανοίᾳ
σου" ‖ Mar 12 20 „καὶ ἐξ ὅλ. τῆς ἰσχ.
σου" 33 „συνέσεως" Luc 10 27 ^{a a b b}
– 40 ὅλος^c ὁ νόμος κρέμαται καὶ οἱ πρ.
Joh 7 23 ὅτι ὅλον ἄνθρωπον ὑγιῆ ἐποίησα
11 50 ἵνα – μὴ ὅλον τὸ ἔθνος ἀπόληται
13 10 ἀλλ' ἔστιν καθαρὸς ὅλος
19 23 ὑφαντὸς δι' ὅλου (per totum)
Rm 1 8 καταγγέλλεται ἐν ὅλῳ^c τῷ κόσμῳ
16 23 ὁ ξένος μου καὶ ὅλης^c τῆς ἐκκλησ.
1 Co 5 6 ὅλον τὸ φύραμα ζυμοῖ Gal 5 9
12 17 εἰ ὅλον τὸ σῶμα ὀφθαλμός κτλ.
Gal 5 3 ὀφειλέτης – ὅλον^c τὸν νόμ. ποιῆσαι
Tit 1 11 ὅλους^c οἴκους ἀνατρέπουσιν διδά-
σκοντες
Hb 3 2 „πιστὸν" ὄντα –, ὡς καὶ „Μωϋσῆς
ἐν [ὅλῳ]^b τῷ οἴκῳ αὐτοῦ" 5

Jac 2 10 ὅστις γὰρ ὅλον τὸν νόμον τηρήση
3 2 δυνατὸς χαλιναγωγῆσαι καὶ ὅλον τὸ
σῶμα 3 ὅλον^b τὸ σῶμα – μετάγομεν
– 6 ἡ σπιλοῦσα ὅλον τὸ σῶμα
1 Jo 2 2 περὶ ὅλου τοῦ κόσμου (sc ἁμαρτιῶν)
5 19 ὁ κόσμος ὅλος ἐν τῷ πονηρῷ κεῖται
Ap 3 10 ἐπὶ τῆς οἰκουμένης ὅλης^c 16 14
12 9 ὁ πλανῶν τὴν οἰκουμένην ὅλην^e

ὀλοτελής S° – per omnia
1 Th 5 23 ὁ θεὸς – ἁγιάσαι ὑμᾶς ὀλοτελεῖς

Ὀλυμπᾶς Rm 16 15 (vg Olympiadem)

ὄλυνθος grossus Ap 6 13 ὡς συκῆ – τοὺς ὀλ.

ὅλως omnino Mat 5 34 μὴ ὀμόσαι ὅλως
1 Co 5 1 ὅλως ἀκούεται ἐν ὑμῖν πορνεία
6 7 ὅλως ἥττημα ὑμῖν ἐστιν ὅτι κρίματα
15 29 εἰ ὅλως νεκροὶ οὐκ ἐγείρονται

ὄμβρος nimbus Luc 12 54 ὄμβρος ἔρχεται

ὀμείρεσθαι desiderare 1 Th 2 8 ὑμῶν

ὀμιλεῖν loqui ^balloqui ^cfabulari
Luc 24 14 ὡμίλουν πρὸς ἀλλήλους περὶ 15^c
Act 20 11 ὁμιλήσας^b ἄχρι αὐγῆς (sc Παῦλος)
24 26 διὸ καὶ πυκνότερον – ὡμίλει αὐτῷ

ὀμιλία colloquium 1 Co 15 33 ὀμιλίαι κακαί

ὀμίχλη nebula 2 Pe 2 17 ὀ..αι – ἐλαυνόμεναι

ὄμμα oculus Mat 20 34 Mar 8 23

ὀμνύειν, ὀμνύναι iurare
Mat 5 34 μὴ ὀμόσαι ὅλως· μήτε ἐν τῷ οὐρα-
νῷ 35 μήτε ἐν τῇ γῇ –· μήτε εἰς Ἱε-
ροσόλυμα 36 μήτε ἐν τῇ κεφαλῇ σου
ὀμόσης → Jac 5 12
23 16 ὃς ἂν ὀμόση ἐν τῷ ναῷ, –· ὃς δ' ἂν
ὀμόση ἐν τῷ χρυσῷ τοῦ ναοῦ 18.20.
21.22 ὁ ὀμόσας ἐν τῷ οὐρανῷ ὀμνύει
ἐν τῷ θρόνῳ τοῦ θεοῦ καὶ ἐν τῷ καθ-
ημένῳ ἐπάνω αὐτοῦ
26 74 ἤρξατο – ὀμνύειν ὅτι οὐκ οἶδα τὸν
ἄνθρωπον ‖ Mar 14 71 ὀμνύναι
Mar 6 23 ὤμοσεν αὐτῇ ὅτι ὃ ἐὰν αἰτήσης
Luc 1 73 ὅρκον ὃν „ὤμοσεν πρὸς Ἀβραάμ"
Act 2 30 ὅρκῳ „ὤμοσεν αὐτῷ" ὁ θεός
Hb 3 11 „ὡς ὤμοσα ἐν τῇ ὀργῇ μου" 4 3

Hb   3 18 τίσιν δὲ „ὤμοσεν μὴ εἰσελεύσεσθαι
εἰς τὴν κατάπαυσιν αὐτοῦ –;
6 13 ἐπεὶ κατ᾽ οὐδενὸς εἶχεν μείζονος ὀ-
μόσαι, „ὤμοσεν καθ᾽ ἑαυτοῦ" 16 ἄν-
θρωποι γὰρ κατὰ τοῦ μείζ. ὀ..ουσιν
7 21 „ὤμοσεν κύριος, καὶ οὐ μεταμελη."
Jac   5 12 μὴ ὀμνύετε, μήτε τὸν οὐρανὸν μήτε
Ap   10 6 „ὤμοσεν ἐν τῷ ζῶντι εἰς τοὺς αἰῶν."

ὁμοθυμαδόν *unanimiter* b*unanimes* c*uno animo* d*collecti in unum*
Act   1 14 προσκαρτεροῦντες ὁμ. τῇ προσευχῇ
2 46 ἐν τῷ ἱερῷ – 4 24 5 12 ἦσαν ὁμ.
πάντες ἐν τῇ στοᾷ Σολομῶντος 8 6
προσεῖχον – τοῖς λεγομένοις – ὁμοθ.
15 25 ἔδοξεν ἡμῖν γενομένοις ὁμοθ.d
7 57 12 20b 18 12c 19 29c εἰς τὸ θέατρον
Rm   15 6 ἵνα ὁμοθ.b ἐν ἑνὶ στόματι δοξάζητε

(**ὁμοιάζειν** So – vl Mat 26 73 ἡ λαλιά σου
ὁμοιάζει Mar 14 70 vgo)

ὁμοιοπαθής Act 14 15 ὁ..εῖς – ὑμῖν ἄνθρωποι
(*mortales – similes vobis*) Jac 5 15
Ἠλίας ἄνθρωπος ἦν ὁμ. ἡμῖν (*homo – similis nobis passibilis*)

ὅμοιος *similis*
Mat   11 16 ὁμοία ἐστὶν παιδίοις ‖ Luc 7 31 τίνι εἰ-
σὶν ὅμοιοι; 32 ὅμοιοί εἰσιν παιδίοις
13 31 ὁμοία ἐστὶν ἡ βασ. τῶν οὐρ. κόκκῳ
σινάπεως 33 ζύμῃ 44 θησαυρῷ 45 ἐμ-
πόρῳ 47 σαγήνῃ ‖ Luc 13 18 τίνι ὁ-
μοία ἐστὶν ἡ βασ. τοῦ θεοῦ –; 19 ὁμ.
ἐστὶν κόκκῳ σιν. 21 ζύμῃ – Mat 20 1
ὁμ. – ἡ βασ. τ. οὐρ. ἀνθρώπῳ οἰκο-
δεσπότῃ (semel: οὕτως ἐστὶν ἡ βα-
σιλεία τοῦ θεοῦ, ὡς Mar 4 26 *sic est*)
– 52 γραμματεὺς μαθητευθεὶς τῇ βασιλείᾳ
τῶν οὐρανῶν ὅμ. ἐστιν – οἰκοδεσπότῃ
22 39 δευτέρα (sc ἐντολή) ὁμοία αὐτῇ· (vl
Mar 12 31 ὁμοία ταύτῃ vg)
Luc   6 47 ὑποδείξω ὑμῖν τίνι ἐστὶν ὅμοιος 48 ὅ-
μοιός ἐστιν – οἰκοδομοῦντι οἰκίαν 49
12 36 ὑμεῖς ὅμοιοι ἀνθρώποις προσδεχο-
μένοις τὸν κύριον ἑαυτῶν
Joh   8 55 ἔσομαι ὅμοιος ὑμῖν (vl ..ὦν) ψεύστης
9 9 οὐχί, ἀλλὰ ὅμοιος αὐτῷ ἐστιν
Act   17 29 χρυσῷ – τὸ θεῖον εἶναι ὅμοιον
Gal   5 21 μέθαι, κῶμοι, καὶ τὰ ὅμοια τούτοις
1 Jo   3 2 ὅτι – ὅμοιοι αὐτῷ ἐσόμεθα
Jud   7 τὸν ὅμοιον τρόπον – ἐκπορνεύσασαι

Ap   1 13 εἶδον – ἐν μέσῳ τῶν λυχνιῶν „ὅμοιον
υἱὸν (vl υἱῷ vg) ἀνθρώπου" 14 14
– 15 2 18 4 3.6.7 9 7.10.19 11 1 13 2.4 τίς ὅ-
μοιός τῷ θηρίῳ –; 11 18 18 21 11.18

ὁμοιότης *similitudo* Hb 4 15 πεπειρασμένον –
καθ᾽ ὁμοιότητα 7 15 εἰ „κατὰ τὴν" ὁμ.
„Μελχισέδεκ" ἀνίσταται „ἱερεὺς" ἕτερος

ὁμοιοῦν act.: *similem aestimare* b*similem dicere* c*assimilare* – pass.: d*assimi-lari* e*s..em fieri* f*s..em esse* g*similari*
Mat   6 8 μὴ οὖν ὁμοιωθῆτεd αὐτοῖς· οἶδεν γὰρ
7 24 ὁμοιωθήσεταιd ἀνδρὶ φρονίμῳ 26f
11 16 τίνι δὲ ὁμοιώσω τὴν γενεὰν ταύτην;
‖ Luc 7 31b τοὺς ἀνδρ. τῆς γενεᾶς
13 24 ὡμοιώθηe ἡ βασ. τῶν οὐρ. ἀνθρώπῳ
σπείραντι 18 23d βασιλεῖ 22 2e βασιλεῖ
25 1 ὁμοιωθήσεταιf – δέκα παρθένοις
Mar   4 30 πῶς ὁμοιώσωμενc τὴν βασ. τ. θεοῦ
–; ‖ Luc 13 8 τίνι ὁμοιώσω (vl *simi-lem esse existimabo*) –; 20 τίνι ὁμ. –;
Act   14 11 οἱ θεοὶ ὁμοιωθέντεςe ἀνθρώποις
Rm   9 29 „ὡς Γόμορρα ἂν ὡμοιώθημενf"
Hb   2 17 ὤφειλεν κατὰ πάντα τοῖς ἀδελφοῖς
ὁμοιωθῆναιg (vl [se] *similare*)

ὁμοίωμα *similitudo* (ἐν, ἐπὶ τῷ ὁμ. *in s..nem*)
Rm   1 23 „ἤλλαξαν – ἐν ὁμοιώματι" εἰκόνος
φθαρτοῦ ἀνθρώπου καὶ πετεινῶν
5 14 ἐπὶ τοὺς μὴ ἁμαρτήσαντας ἐπὶ τῷ ὁ-
μοιώματι τῆς παραβάσεως Ἀδάμ
6 5 σύμφυτοι – τῷ ὁμ. τοῦ θανάτου αὐτοῦ
8 3 πέμψας ἐν ὁ..τι σαρκὸς ἁμαρτίας
Phl   2 7 ἐν ὁμοιώματι ἀνθρώπων γενόμενος
Ap   9 7 „τὰ ὁμοιώματα" τῶν ἀκρίδων „ὅμοιοι
ἵπποις" ἡτοιμασμένοις „εἰς πόλεμον"

*ὁμοίως *similiter*
Mat   26 35 ὁμοίως καὶ πάντες οἱ μαθηταὶ εἶπαν
Mar   4 16 οὗτοί εἰσιν ὁμ. οἱ ἐπὶ τὰ πετρώδη
Luc   6 31 ποιεῖτε αὐτοῖς ὁμ. |σπειρόμενοι
10 37 πορεύου καὶ σὺ ποίει ὁμοίως
Joh   5 19 ταῦτα καὶ ὁ υἱὸς ὁμοίως ποιεῖ

ὁμοίωσις *similitudo* (ad si..nem)
Jac   3 9 τοὺς „καθ᾽ ὁμοίωσιν θεοῦ" γεγονότας

ὁμολογεῖν *confitēri* b(pass.) *confessio fit* c*pollicēri*
Mat   7 23 ὁ..ήσω αὐτοῖς ὅτι οὐδέποτε ἔγνων
10 32 ὅστις ὁ..ήσει ἐν ἐμοὶ ἔμπροσθεν τῶν

ἀνθρώπων, όμολογήσω κἀγὼ ἐν αὐτῷ ἔμπρ. τοῦ πατρός μου ‖ Luc 12 8
Mat 14 7 μεθ' ὅρκου ὡμολόγησεν ᶜ αὐτῇ δοῦναι
Joh 1 20 ὡμολόγησεν καὶ οὐκ ἠρνήσατο, καὶ ὡμολόγησεν ὅτι οὐκ εἰμὶ ὁ χριστός
9 22 ἐάν τις αὐτὸν όμολογήσῃ χριστόν
12 42 διὰ τοὺς Φαρισαίους οὐχ ὡμολόγουν
Act 7 17 τῆς ἐπαγγ. ἧς ὠ..ησεν ὁ θ. τῷ Ἀβ.
23 8 Φαρισαῖοι δὲ ὁ..οῦσιν τὰ ἀμφότερα
24 14 ὁμολογῶ δὲ τοῦτό σοι, ὅτι κατὰ
Rm 10 9 ἐὰν όμολογήσῃς (vl + τὸ ῥῆμα) „ἐν τῷ στόματί σου" κύριον Ἰησοῦν (vl ὅτι κύριος Ἰησοῦς) 10 στόματι δὲ ὁμολογεῖται ᵇ εἰς σωτηρίαν
1 Ti 6 12 ὡμολόγησας τὴν καλὴν όμολογίαν
Tit 1 16 θεὸν όμολογοῦσιν εἰδέναι, τοῖς δὲ ἔργοις ἀρνοῦνται
Hb 11 13 ὁ..ήσαντες ὅτι „ξένοι καὶ παρεπίδη."
13 15 χειλέων ὁ..ούντων τῷ ὀνόματι αὐτοῦ
1 Jo 1 9 ἐὰν όμολογῶμεν τὰς ἁμαρτίας ἡμῶν
2 23 ὁ ὁ..ῶν τὸν υἱὸν καὶ τὸν πατέρα ἔχει
4 2 πᾶν πνεῦμα ὃ ὁ..εῖ Ἰησοῦν Χὸν ἐν σαρκὶ ἐληλυθότα 3 ὃ μὴ ὁ..εῖ (vl ὃ λύει vg solvit) τὸν Ἰησοῦν 15 ὃς ἐὰν ὁ..ήσῃ ὅτι Ἰησοῦς ἐστιν ὁ υἱὸς τ. θ.
2 Jo 7 οἱ μὴ όμολογοῦντες Ἰησοῦν Χὸν ἐρχόμενον (venisse) ἐν σαρκὶ
Ap 3 5 όμολογήσω τὸ ὄνομα αὐτοῦ ἐνώπιον τοῦ πατρός μου καὶ – τῶν ἀγγέλων

όμολογία confessio
2 Co 9 13 ἐπὶ τῇ ὑποταγῇ τῆς όμολογίας ὑμῶν εἰς τὸ εὐαγγέλιον τοῦ Χοῦ
1 Ti 6 12 → όμολογεῖν – 13 Χοῦ Ἰησοῦ τοῦ μαρτυρήσαντος – τ. καλὴν όμολογίαν
Hb 3 1 τὸν ἀπόστολον καὶ ἀρχιερέα τῆς όμολογίας ἡμῶν Ἰησοῦν
4 14 κρατῶμεν τῆς όμ. 10 23 κατέχωμεν τὴν όμολογίαν τῆς ἐλπίδος ἀκλινῆ

όμολογουμένως manifeste 1 Ti 3 16 μέγα

(όμόσε vl Act 20 18 όμόσε ὄντων vg simul)

όμότεχνος S⁰ – eiusdem artis Act 18 3

όμοῦ simul ᵇpariter Joh 4 36 20 4 21 2
Act 2 1 ἦσαν πάντες όμοῦ ᵇ ἐπὶ τὸ αὐτό

όμόφρων S⁰ – unanimis 1 Pe 3 8 πάντες όμ.

ὅμως tamen ᵇ(όμ. μέντοι) verumtamen
Joh 12 42 ὅμως μέντοι ᵇ καὶ ἐκ τῶν ἀρχόντων πολλοὶ ἐπίστευσαν

1 Co 14 7 ὅμως – πῶς γνωσθήσεται τὸ αὐλούμενον ἢ τὸ κιθαριζόμενον;
Gal 3 15 ὅμως ἀνθρώπου κεκυρωμένην διαθήκην οὐδεὶς ἀθετεῖ

κατ' ὄναρ S⁰ – in somnis ᵇper visum
Mat 1 20 ἐφάνη 2 12. 13. 19. 22 27 19 ᵇ ἔπαθον

ὀνάριον S⁰ – asellus Joh 12 14 εὑρὼν – ὄν.

ὀνειδίζειν exprobrare ᵇimproperare ᶜmaledicere ᵈconvitiari
Mat 5 11 μακάριοι – ὅταν ὀνειδίσωσιν ᶜ ὑμᾶς
Luc 6 22 – 1 Pe 4 14 εἰ ὀνειδίζεσθε ἐν ὀνόματι Χοῦ, μακάριοι, ὅτι
11 20 ἤρξατο ὀνειδίζειν τὰς πόλεις ἐν αῖς
27 44 τὸ δ' αὐτὸ καὶ οἱ λησταὶ – ὠνείδιζον ᵇ αὐτόν ‖ Mar 15 32 ᵈ (34 vl, vg⁰)
Mar [16 14 ὠνείδισεν τὴν ἀπιστίαν αὐτῶν
Rm 15 3 „οἱ ὀνειδισμοὶ (improperia) τῶν ὀνειδιζόντων ᵇ σε ἐπέπεσαν ἐπ' ἐμέ"
(1 Ti 4 10 vl κοπιῶμεν καὶ ὀνειδιζόμεθα ᶜ)
Jac 1 5 αἰτείτω παρὰ τοῦ διδόντος θεοῦ πᾶσιν ἁπλῶς καὶ μὴ ὀνειδίζοντος ᵇ

ὀνειδισμός opprobrium ᵇimproperium
Rm 15 3 → ὀνειδίζειν – 1 Ti 3 7 ἵνα μὴ εἰς ὀνειδισμὸν ἐμπέσῃ (sc ὁ ἐπίσκοπος)
Hb 10 33 ὁ..οῖς τε καὶ θλίψεσιν θεατριζόμενοι
11 26 μείζονα πλοῦτον ἡγησάμενος – „τὸν ὀνειδισμὸν ᵇ τοῦ Χοῦ"
13 13 τὸν ὀν. ᵇ αὐτοῦ (sc Ἰησοῦ) φέροντες

ὄνειδος opprobrium Luc 1 25 ἀφελεῖν

Ὀνήσιμος Col 4 9 ὅς ἐστιν ἐξ ὑμῶν Phm 10

Ὀνησίφορος 2 Ti 1 16 4 19 τὸν Ὀ..ου οἶκον

μύλος ὀνικός S⁰ – mola asinaria
Mat 18 6 ἵνα κρεμασθῇ μύλος ὀν. ‖ Mar 9 42

ὀνίνασθαι frui Phm 20 ἐγώ σου ὀναίμην

ὄνομα nomen ᵇ(κατ' ὄν.) nominatim
ᶜ(ὀνόματα) homines
ὄνομα cum βαπτίζειν, ἐπικαλεῖν,
..εῖσθαι → βαπτίζειν et ἐπικαλεῖν

1) Dei, Domini nomen
Mat 6 9 ἁγιασθήτω τὸ ὄνομά σου ‖ Luc 11 2
21 9 „ὁ ἐρχόμενος ἐν ὀνόματι κυρίου" ‖

Mar 11 9 Luc 19 38 „ὁ ἐρχ.", ὁ βασι-
λεὺς „ἐν –" Joh 12 13 – Mat 23 39 ||
Luc 13 35
Luc 1 49 καὶ „ἅγιον τὸ ὄνομα αὐτοῦ"
Joh 5 43 ἐλήλυθα ἐν τῷ ὀν. τοῦ πατρός μου
10 25 ἃ ἐγὼ ποιῶ ἐν τῷ ὀν. τοῦ πατ. μου
12 28 δόξασόν σου τὸ ὄνομα (vl τὸν υἱόν)
17 6 ἐφανέρωσά σου τὸ ὄν. τοῖς ἀνθρώπ.
– 11 τήρησον αὐτοὺς ἐν τῷ ὀν. σου ᾧ δέ-
δωκάς μοι 12 ἐγὼ ἐτήρουν αὐτοὺς
ἐν τῷ ὀνόματί σου ᾧ δέδωκάς μοι
– 26 ἐγνώρισα αὐτοῖς τὸ ὄνομά σου καὶ
γνωρίσω Hb 2 12 „ἀπαγγελῶ τὸ ὄνο-
μά σου τοῖς ἀδελφοῖς μου"
Act 15 14 λαβεῖν ἐξ ἐθνῶν λαὸν τῷ ὀν. αὐτοῦ
Rm 2 24 „τὸ – ὄν. τοῦ θεοῦ δι' ὑμᾶς βλασφη-
μεῖται" 1 Ti 6 1 ἵνα μὴ – βλασφημῆται
9 17 „ὅπως διαγγελῇ τὸ ὄν. μου ἐν – τ. γῇ"
15 9 „τῷ ὀνόματί σου ψαλῶ"
Phl 2 9 → infra sub f)
2 Ti 2 19 πᾶς ὁ „ὀνομάζων τὸ ὄνομα κυρίου
Hb 2 12 → Joh 17 26 | Hb 6 10 τῆς ἀγάπης
ἧς ἐνεδείξασθε εἰς τὸ ὄνομα αὐτοῦ
13 15 χειλέων ὁμολογούντων τῷ ὀν. αὐτοῦ
Jac 5 10 οἳ ἐλάλησαν ἐν τῷ ὀνόματι κυρίου
– 14 ἀλείψαντες ἐλαίῳ ἐν τῷ ὀν. τοῦ κυ.
Ap 3 12 γράψω ἐπ' αὐτὸν τὸ ὄν. τ. θεοῦ μου
11 18 „τοῖς φοβουμένοις" τὸ ὄνομά σου
13 6 βλασφημῆσαι τὸ ὄνομα αὐτοῦ 16 9 ἐ-
βλασφήμησαν τὸ ὄνομα τοῦ θεοῦ
14 1 τὸ ὄνομα τοῦ πατρὸς αὐτοῦ γεγραμ-
μένον „ἐπὶ τῶν μετώπων" 22 4
15 4 „τίς οὐ μὴ – δοξάσει τὸ ὄνομά σου;"

2) Jesu Christi nomen
a) διὰ τὸ ὄνομα, διὰ et ἕνεκεν τοῦ
ὀνόματος
Mat 10 22 ἔσεσθε μισούμενοι – διὰ τὸ ὄν. μου
24 9 || Mar 13 13 Luc 21 17. 12 ἀπαγομέ-
νους ἐπὶ – ἡγεμόνας ἕν. τοῦ ὀνόμα-
τός μου Joh 15 21 ταῦτα πάντα ποιή-
σουσιν εἰς ὑμᾶς διὰ τὸ ὄνομά μου
19 29 ἀφῆκεν οἰκίας – ἕν. τοῦ ἐμοῦ ὀν..ος
Act 4 30 τέρατα γίνεσθαι διὰ τοῦ ὀν. τοῦ ἁ-
γίου παιδός σου Ἰησοῦ 10 43 ἄφεσιν
ἁμαρτιῶν λαβεῖν διὰ τοῦ ὀν. αὐτοῦ
1 Co 1 10 παρακαλῶ – διὰ τοῦ ὀν. τοῦ κυρ. ἡμ.
1 Jo 2 12 ἀφέωνται ὑμῖν αἱ ἁμαρτίαι διὰ τὸ ὄ-
νομα αὐτοῦ
Ap 2 3 ἐβάστασας διὰ τὸ ὄνομά μου
b) εἰς τὸ ὄνομα
Mat 18 20 ἢ τρεῖς συνηγμένοι εἰς τὸ ἐμὸν ὄν.

Joh 1 12 τοῖς πιστεύουσιν εἰς τὸ ὄνομα αὐτοῦ
2 23 πολλοὶ ἐπίστευσαν εἰς τὸ ὄν. αὐτοῦ
3 18 ὅτι μὴ πεπίστευκεν εἰς τὸ ὄνομα τοῦ
μονογενοῦς υἱοῦ τοῦ θεοῦ
1 Jo 5 13 τοῖς πιστεύουσιν εἰς τὸ ὄνομα τοῦ
υἱοῦ τοῦ θεοῦ → d) 1 Jo 3 23

c) ἐν et ἐπὶ τῷ ὀνόματι
Mat 18 5 ὃς ἐὰν δέξηται ἓν παιδίον – ἐπὶ τῷ ὀν.
μου || Mar 9 37 Luc 9 48 τοῦτο τὸ παι.
24 5 πολλοὶ – ἐλεύσονται ἐπὶ τῷ ὀνόματί
μου || Mar 13 6 Luc 21 8
Mar 9 38 ἐν τῷ ὀν. σου ἐκβάλλοντα δαιμόνια
39 οὐδεὶς – ποιήσει δύναμιν ἐπὶ τῷ ὀν.
μου || Luc 9 49 ἐν τῷ ὀνόματί σου
– 41 ὃς – ἂν ποτίσῃ ὑμᾶς – ἐν ὀνόματι (vl
+ μου vg), ὅτι Χοῦ ἐστε
[16 17 ἐν τῷ ὀν. μου δαιμόνια ἐκβαλοῦσιν
κτλ.] Luc 10 17 καὶ τὰ δαιμόνια ὑπο-
τάσσεται ἡμῖν ἐν τῷ ὀνόματί σου
Luc 24 47 κηρυχθῆναι ἐπὶ τῷ ὀν. αὐτοῦ μετά-
νοιαν – Act 4 17 μηκέτι λαλεῖν ἐπὶ τῷ
ὀν. τούτῳ 18 μηδὲ διδάσκειν ἐπὶ τῷ
ὀνόματι τοῦ Ἰησοῦ 5 28 διδ. 40 λαλεῖν
Joh 14 13 ὅ τι ἂν αἰτήσητε ἐν τῷ ὀν. μου 14
ἐάν τι αἰτήσητέ με ἐν τῷ ὀνόματί μου
– 15 16 τὸν πατέρα ἐν τῷ ὀν. μου
16 23 δώσει ὑμῖν ἐν τῷ ὀν. μου 24 ἕως
ἄρτι οὐκ ᾐτήσατε – ἐν τῷ ὀνόματί μου
26 ἐν τῷ ὀνόματί μου αἰτήσεσθε
– 26 τὸ πνεῦμα τὸ ἅγιον ὃ πέμψει ὁ πα-
τὴρ ἐν τῷ ὀνόματί μου
20 31 ἵνα – ζωὴν ἔχητε ἐν τῷ ὀνόμ. αὐτοῦ
Act 3 6 ἐν τῷ ὀνόμ. Ἰησοῦ Χοῦ – περιπάτει
4 7 ἐν ποίῳ ὀν. ἐποιήσατε τοῦτο –; 10 ἐν
τῷ ὀν. Ἰ. Χοῦ – παρέστηκεν – ὑγιής
– 12 οὐδὲ γὰρ ὄνομά ἐστιν ἕτερον – ἐν ᾧ
δεῖ σωθῆναι ἡμᾶς
– 17. 18 5 28. 40 → Luc 24 47
9 27 πῶς – ἐπαρρησιάσατο ἐν τῷ ὀν. Ἰη-
σοῦ 28 π.ζόμενος ἐν τῷ ὀν. τοῦ κυ.
16 18 παραγγέλλω σοι ἐν ὀνόματι Ἰησοῦ
Χοῦ ἐξελθεῖν ἀπ' αὐτῆς – 19 13 → f)
1 Co 5 4 ἐν τῷ ὀν. τοῦ κυ. Ἰης. συναχθέντων
6 11 ἐδικαιώθητε ἐν τῷ ὀνόμ. τοῦ κυρίου
Ἰ. Χοῦ καὶ ἐν τῷ πνεύματι τοῦ θεοῦ
Eph 5 20 εὐχαριστοῦντες – ἐν ὀν. τοῦ κυ. ἡμ.
Phl 2 10 ἵνα ἐν τῷ ὀν. Ἰης. „πᾶν γόνυ κάμψῃ"
Col 3 17 πᾶν ὅ τι ἂν ποιῆτε ἐν λόγῳ ἢ ἐν ἔρ-
γῳ, πάντα ἐν ὀνόματι κυρίου Ἰησοῦ
2 Th 3 6 παραγγέλλομεν – ὑμῖν – ἐν ὀνόματι
τοῦ κυρίου Ἰησοῦ Χοῦ

1 Pe 4 14 εἰ ὀνειδίζεσθε ἐν ὀνόματι Χοῦ
– 16 εἰ δὲ ὡς Χριστιανός (sc πάσχει), –
δοξαζέτω – τὸν θεὸν ἐν τῷ ὀν. τούτῳ

    d) τῷ ὀνόματι

Mat 7 22 οὐ „τῷ σῷ ὀνόμ. ἐπροφητεύσαμεν,"
καὶ τῷ σῷ ὀν. δαιμόνια ἐξεβάλομεν,
καὶ τῷ σῷ ὀν. δυνάμεις – ἐποιήσαμεν;
1 Jo 3 23 ἵνα πιστεύσωμεν τῷ ὀν. – Ἰησοῦ Χοῦ

    e) πρὸς τὸ ὄν., περὶ et ὑπὲρ τοῦ ὀν.

Act 5 41 ὑπὲρ τοῦ ὀνόματος ἀτιμασθῆναι
8 12 εὐαγγελιζομένῳ περὶ τῆς βασιλείας
τοῦ θεοῦ καὶ τοῦ ὀνόμ. Ἰησοῦ Χοῦ
9 16 ὅσα δεῖ – ὑπὲρ τοῦ ὀν. μου παθεῖν
15 26 παραδεδωκόσι τὰς ψυχὰς – ὑπὲρ τοῦ
ὀνόμ. τοῦ κυρίου ἡμῶν Ἰησοῦ Χοῦ
21 13 ἀποθανεῖν – ἑτοίμως ἔχω ὑπὲρ τοῦ
ὀνόματος τοῦ κυρίου Ἰησοῦ
26 9 ἔδοξα ἐμαυτῷ πρὸς τὸ ὄνομα Ἰησοῦ
– δεῖν πολλὰ ἐναντία πρᾶξαι
Rm 1 5 εἰς ὑπακοὴν πίστεως ἐν πᾶσιν τοῖς
ἔθνεσιν ὑπὲρ τοῦ ὀνόματος αὐτοῦ
3 Jo 7 ὑπὲρ γὰρ τοῦ ὀνόματος ἐξῆλθαν

    f) reliqui loci nomen Jesu, Domini,
    Agni continentes

Mat 1 21 καλέσεις τὸ ὄν. αὐτοῦ Ἰησοῦν 25 ‖
Luc 1 31 2 21 – Mat 1 23 „καλέσουσιν
τὸ ὄνομα αὐτοῦ Ἐμμανουήλ"
12 21 „τῷ ὀνόματι αὐτοῦ ἔθνη ἐλπιοῦσιν"
Mar 6 14 φανερὸν γὰρ ἐγένετο τὸ ὄν. αὐτοῦ
Act 3 16 ἐπὶ τῇ πίστει τοῦ ὀν. αὐτοῦ τοῦτον
– ἐστερέωσεν τὸ ὄνομα αὐτοῦ
9 15 βαστάσαι τὸ ὄν. μου ἐνώπ. – ἐθνῶν
19 13 ὀνομάζειν (invocare) ἐπὶ τοὺς ἔχον-
τας τὰ πνεύμ. – τὸ ὄν. τοῦ κυρ. Ἰησ.
– 17 ἐμεγαλύνετο τὸ ὄν. τοῦ κυρ. Ἰησοῦ
Phl 2 9 ἐχαρίσατο αὐτῷ τὸ ὄνομα τὸ ὑπὲρ
πᾶν ὄνομα cfr 3) Eph 1 21
2 Th 1 12 „ὅπως ἐνδοξασθῇ τὸ ὄνομα" τοῦ κυ-
ρίου ἡμῶν Ἰησοῦ „ἐν ὑμῖν"
2 Ti 2 19 ὁ „ὀνομάζων τὸ ὄν. κυρίου" → 1)
Hb 1 4 ὅσῳ διαφορώτερον παρ' αὐτοὺς κε-
κληρονόμηκεν ὄνομα
Jac 2 7 οὐκ αὐτοὶ βλασφημοῦσιν τὸ καλὸν
ὄνομα τὸ ἐπικληθὲν ἐφ' ὑμᾶς;
Ap 2 13 κρατεῖς τὸ ὄνομά μου 3 8 καὶ οὐκ ἠρ-
νήσω τὸ ὄνομά μου
3 12 γράψω ἐπ' αὐτὸν – τὸ ὄν. μου τὸ και-
νόν – 19 12 ἔχων ὄν. γεγραμμένον ὃ
οὐδεὶς οἶδεν 13 κέκληται τὸ ὄν. αὐ-

τοῦ ὁ λόγος τοῦ θεοῦ (cfr 2 17) 19 16
ὄνομα γεγραμμένον· βασιλεὺς β..έων
Ap 14 1 τὸ ὄν. αὐτοῦ (sc τοῦ ἀρνίου) – γε-
γραμμ. „ἐπὶ τῶν μετώπων" αὐτῶν 22 4

*3) ὄνομα non ad Deum vel Christum
relatum

Mat 10 2 τῶν – ἀποστόλων τὰ ὀν. ‖ Mar 3 16 ἐπ-
έθηκεν ὄνομα τῷ Σίμωνι Πέτρον 17
ὄνομα Βοανηργές Luc 6 13 → ὀνο-
μάζειν – cfr Ap 21 14
– 41 ὁ δεχόμενος προφήτην εἰς ὄν. προ-
φήτου – , – δίκαιον εἰς ὄνομα δικαίου
42 ὃς ἐὰν ποτίσῃ ἕνα τῶν μικρῶν τού-
των – εἰς ὄνομα μαθητοῦ ‖ Mar 9 41
ὑμᾶς – ἐν ὀνόματι (vl + μου vg),
ὅτι Χοῦ ἐστε
Mar 5 9 τί ὄν. σοι; – λεγιὼν ὄν. μοι ‖ Luc 8 30
Luc 6 22 ὅταν – ἐκβάλωσιν τὸ ὄνομα ὑμῶν ὡς
πονηρὸν ἕνεκα τοῦ υἱοῦ τοῦ ἀνθρ.
10 20 χαίρετε – ὅτι τὰ ὀνόματα ὑμῶν ἐγ-
γέγραπται ἐν τοῖς οὐρανοῖς
Joh 5 43 ἐὰν ἄλλος ἔλθῃ ἐν τῷ ὀνόμ. τῷ ἰδίῳ
10 3 τὰ ἴδια πρόβατα καλεῖ κατ' ὄνομα b
Act 1 15 ἦν – ὄχλος ὀνομάτων c ἐπὶ τὸ αὐτό
Ap 3 4 ἔχεις ὀλίγα ὀν. ἐν Σάρδεσιν
11 13 ὀν..τα ἀνθρώπων χιλιάδες ἑπτά
18 15 ζητήματα – περὶ – ὀν..των καὶ νόμου
Eph 1 21 ὑπεράνω – παντὸς ὀνόματος ὀνομα-
ζομένου – Phl 2 9 → 2) f)
Phl 4 3 ὧν τὰ ὀν. „ἐν βίβλῳ ζωῆς" → Ap 3 5
3 Jo 15 ἀσπάζου τοὺς φίλους κατ' ὄνομα b
Ap 2 17 ἐπὶ τὴν ψῆφον „ὄν. καινὸν" γεγραμμ.
3 1 ὄνομα ἔχεις ὅτι ζῆς, καὶ νεκρὸς εἶ
– 5 οὐ μὴ „ἐξαλείψω" τὸ ὄν. αὐτοῦ „ἐκ
τῆς βίβλου τῆς ζωῆς", καὶ ὁμολογή-
σω τὸ ὄνομα αὐτοῦ 13 8 οὗ οὐ „γέ-
γραπται" τὸ ὄν. αὐτοῦ „ἐν τῷ βιβλίῳ
τῆς ζωῆς" τοῦ ἀρνίου 17 8 ὧν οὐ –
– 12 γράψω ἐπ' αὐτὸν – „τὸ ὄνομα τῆς
πόλεως τοῦ θεοῦ μου → 1) et 2) f)
6 8 ὄν. αὐτῷ „[ὁ] θάνατος" καὶ „ὁ ᾅδ.
8 11 τὸ ὄνομα τοῦ ἀστέρος – ὁ Ἄψινθος
9 11 ὄνομα αὐτῷ – Ἀβαδδών, καὶ ἐν τῇ
Ἑλληνικῇ ὄνομα ἔχει Ἀπολλύων
13 1 ὀνόματα (vl sing) βλασφημίας 17 3
– 17 εἰ μὴ ὁ ἔχων τὸ χάραγμα τὸ ὄνομα
τοῦ θηρίου ἢ τὸν ἀριθμὸν τοῦ ὀν.
αὐτοῦ 14 11 εἴ τις λαμβάνει τὸ χά-
ραγμα τοῦ ὀν. αὐτοῦ 15 2 τοὺς νικῶν-
τας – ἐκ τοῦ ἀριθμοῦ τοῦ ὀν. αὐτοῦ
17 5 ὄν. γεγραμμ., μυστήριον, Βαβυλών

Ap 21 12 „ὀνόματα" ἐπιγεγραμμένα, – „τῶν"
δώδεκα „φυλῶν" 14 ὀνόματα τῶν δώ-
δεκα ἀποστόλων τοῦ ἀρνίου

ὀνομάζειν nominare ᵇcogn- ᶜinvocare
Luc 6 13 οὓς καὶ ἀποστόλους ὠνόμασεν 14
Σίμωνα, ὃν καὶ ὠνόμασενᵇ Πέτρον
Act 19 13ᶜ → ὄνομα 2) f)
Rm 15 20 εὐαγγελ. οὐχ ὅπου ὠνομάσθη Χός
1 Co 5 11 ἐάν τις ἀδελφὸς ὀ..όμενος ἢ πόρνος
ἢ πλεονέκτης – Eph 1 21 → ὄνομα 3)
Eph 3 15 τὸν πατέρα, ἐξ οὗ πᾶσα πατριὰ ἐν
οὐρανοῖς καὶ ἐπὶ γῆς ὀνομάζεται
5 3 πορνεία – μηδὲ ὀνομαζέσθω ἐν ὑμῖν
2 Ti 2 19 „ὁ ὀνομάζων τὸ ὄνομα κυρίου"

ὄνος, ὁ et ἡ asinus ᵇasina Mat 21 2ᵇ 5ᵇ 7ᵇ
Luc 13 15 λύει – τὸν ὄν. (vl 14 5) Joh 12 15ᵇ

ὄντως vere ᵇ(adiectivi vice) verus
Mar 11 32 εἶχον τὸν Ἰωάν. ὄ. ὅτι προφήτης ἦν
Luc 23 47 ὄντως ὁ ἄνθρωπος οὗτος δίκαιος ἦν
24 34 ὅτι ὄντως ἠγέρθη ὁ κύριος
Joh 8 36 ὄντως ἐλεύθεροι ἔσεσθε
1 Co 14 25 ὅτι „ὄντως ὁ θεὸς ἐν ὑμῖν ἐστιν"
Gal 3 21 ὄντως ἐκ νόμου ἂν ἦν ἡ δικαιοσύνη
1 Ti 5 3 χήρας τίμα τὰς ὄντως χήρας 5 ἡ δὲ
ὄντως χήρα καὶ μεμονωμένη 16 ἵνα
ταῖς ὄντως χήραις ἐπαρκέσῃ
6 19 ἵνα ἐπιλάβωνται τῆς ὄντωςᵇ ζωῆς

ὄξος acetum Mat 27(vl 34)48 ‖ Mar 15 36 –
Luc 23 36 Joh 19 29.30 ὅτε – ἔλαβεν τὸ ὄξος

ὀξύς acutus ᵇvelox
Rm 3 15 „ὀξεῖςᵇ οἱ πόδες αὐτῶν ἐκχέαι αἷμα"
Ap 1 16 ἐκ τ. στόματος – ῥομφαία – ὀξεῖα 2 12
19 15 – 14 14 δρέπανον ὀξύ 17.18

ὀπή ᵃcaverna ᵇforamen Hb 11 38ᵃ
Jac 3 11 ἡ πηγὴ ἐκ τῆς αὐτῆς ὀπῆςᵇ βρύει

ὄπισθεν retro ᵇpost
Mat 9 20 προσελθοῦσα ὄπ. ‖ Mar 5 27 Luc 8 44
15 23ᵇ – Luc 23 26 σταυρὸν φέρειν ὄπι-
σθενᵇ τοῦ Ἰησοῦ
Ap 4 6 – 5 1 „βιβλίον γεγραμμένον ἔσωθεν
καὶ ὄπισθεν" (vl ἔξωθεν vg foris)

ὀπίσω post ᵇretro ᶜretrorsum ᵈ(cum ἀ-
κολουθεῖν, ἔρχεσθαι) sequi aliquem
Mat 3 11 ὁ δὲ ὀπίσω μου ἐρχόμενος ‖ Mar 1 7

Joh 1 15 ἔμπροσθέν μου γέγονεν 27.30
Mat 4 19 δεῦτε ὀπίσω μου ‖ Mar 1 17.20 καὶ –
ἀπῆλθον ὀπίσω αὐτοῦᵈ
10 38 ὃς οὐ λαμβάνει τὸν σταυρὸν – καὶ ἀ-
κολουθεῖ ὀπ. μουᵈ ‖ Luc 14 27 ἔρχεται
16 23 ὕπαγε ὀπ. μου, σατανᾶ ‖ Mar 8 33ᵇ
– 24 εἴ τις θέλει ὀπίσω μου ἐλθεῖν ‖ Mar
8 34ᵈ (vl post me sequi) Luc 9 23 ἔρχ.
24 18 μὴ ἐπιστρεψάτω ὀπ. (vgᵒ) ‖ Mar 13 16
εἰς τὰ ὀπίσωᵇ Luc 17 31 εἰς τὰ ὀπ.ᵇ
Luc 7 38 στᾶσα ὀπ.ᵇ 9 62 βλέπων εἰς τὰ ὀπ.ᵇ
19 14 ἀπέστειλαν πρεσβείαν ὀπίσω αὐτοῦ
21 8 μὴ πορευθῆτε ὀπίσω αὐτῶν
Joh 6 66 πολλοὶ – ἀπῆλθον εἰς τὰ ὀπίσωᵇ
12 19 ὁ κόσμος ὀπίσω αὐτοῦ ἀπῆλθεν
18 6 ἀπῆλθαν εἰς τὰ ὀπίσωᶜ καὶ ἔπεσαν
20 14 ἐστράφη εἰς τὰ ὀπίσωᶜ, καὶ θεωρεῖ
Act 5 37 ἀπέστησεν λαὸν ὀπίσω αὐτοῦ
20 30 τοῦ ἀποσπᾶν τοὺς μαθητὰς ὀπίσω
ἑαυτῶν (vl αὐτῶν)
Phl 3 13 τὰ μὲν ὀπ.ᵇ (quae r. sunt) ἐπιλανθα-
νόμενος τοῖς δὲ ἔμπρ. ἐπεκτεινόμενος
1 Ti 5 15 ἐξετράπησαν ὀπ.ᵇ (vlᵃ) τοῦ σατανᾶ
2 Pe 2 10 τοὺς ὀπίσω σαρκὸς – πορευομένους
Jud 7 ἀπελθοῦσαι ὀπίσω σαρκὸς ἑτέρας
Ap 1 10 ἤκουσα ὀπ. μου φωνήν 12 15 ἔβαλεν
– ὀπ. τῆς γυναικὸς ὕδωρ ὡς ποταμόν –
13 3 ἐθαυμάσθη ὅλη ἡ γῆ ὀπ. τοῦ θηρίου

ὅπλα arma ὁπλίζεσθαι Sᵒ – armari
Joh 18 3 μετὰ φανῶν καὶ – ὅπλων
Rm 6 13 μηδὲ – τὰ μέλη ὑμῶν ὅπλα ἀδικίας –,
ἀλλὰ – ὅπλα δικαιοσύνης τῷ θεῷ
13 12 ἐνδυσώμεθα δὲ τὰ ὅπλα τοῦ φωτός
2 Co 6 7 διὰ τῶν ὅπλων τῆς δικαιοσύνης τῶν
δεξιῶν (a dextris) καὶ ἀριστερῶν
10 4 τὰ γὰρ ὅπλα τῆς στρατείας ἡμῶν οὐ
σαρκικὰ ἀλλὰ δυνατὰ τῷ θεῷ
1 Pe 4 1 ὑμεῖς τὴν αὐτὴν ἔννοιαν ὁπλίσασθε

ὁποῖος qualis Act 26 29 1 Co 3 13
Gal 2 6 ὁποῖοί ποτε ἦσαν οὐδέν μοι διαφέρει
1 Th 1 9 ὁποίαν εἴσοδον ἔσχομεν πρὸς ὑμᾶς
Jac 1 24 καὶ εὐθέως ἐπελάθετο ὁποῖος ἦν

ὀπτάνεσθαι apparēre
Act 1 3 δι' ἡμερῶν τεσσεράκοντα ὀπτανόμε-
νος αὐτοῖς

ὀπτασία visio
Luc 1 22 ὅτι ὀπτασίαν ἑώρακεν ἐν τῷ ναῷ
24 23 λέγουσαι – ὀ..αν ἀγγέλων ἑωρακέναι

Act 26 19 οὐκ ἐγεν. ἀπειθὴς τῇ οὐρανίῳ ὀπτ.

2 Co 12 1 ἐλεύσομαι δὲ εἰς ὀπτασίας – κυρίου

ὀπτός assus Luc 24 42 ἰχθύος ὀπτοῦ μέρος

ὀπώρα poma (pl) Ap 18 14 τῆς ἐπιθυμίας

ὅραμα visio ᵇvisus → ὅρασις
Mat 17 9 μηδενὶ εἴπητε τὸ ὅρ. ἕως οὗ ὁ υἱός
Act 7 31 Μωϋσῆς – ἐθαύμαζεν τὸ ὅραμαᵇ
9 10 εἶπεν – ἐν ὁ..ατιᵇ 10 3 εἶδεν ἐν ὁρ.ᵇ
10 17 τί ἂν εἴη τὸ ὅρ. ὃ εἶδεν (Petrus) 19
11 5 εἶδον ἐν ἐκστάσει ὅραμα (Petrus)
12 9 ἐδόκει δὲ ὅραμαᵇ βλέπειν (Petrus)
16 9 ὅρ. διὰ νυκτὸς τῷ Παύλῳ ὤφθη 10ᵇ
18 9 εἶπεν – ὁ κύριος ἐν νυκτὶ δι' ὁ..τος

ὁρᾶν εἶδον κτλ. → ἰδεῖν

1) formae vis transitivae: ὁρᾶν, ἑωρα-
κέναι (ἑορ.), ὄψεσθαι vidēre
a) personae videntur
α) Deus, pater, dominus
Mat 5 8 ὅτι αὐτοὶ τὸν θεὸν ὄψονται
Joh 1 18 θεὸν οὐδεὶς ἑώρακεν πώποτε
5 37 οὔτε εἶδος αὐτοῦ ἑωράκατε
6 46 οὐχ ὅτι τὸν πατέρα ἑωράκέν τις, εἰ
μὴ –, οὗτος ἑώρακεν τὸν πατέρα
11 40 οὐκ εἶπόν σοι ὅτι ἐὰν πιστεύσῃς ὄψῃ
τὴν δόξαν τοῦ θεοῦ;
14 7 ἀπ' ἄρτι – αὐτὸν – ἑωράκατε 9 ὁ ἑω-
ρακὼς ἐμὲ ἑώρακεν τὸν πατέρα
Hb 11 27 τὸν – ἀόρατον ὡς ὁρῶν ἐκαρτέρησεν
12 14 οὗ χωρὶς οὐδεὶς ὄψεται τὸν κύριον
1 Jo 3 2 ὀψόμεθα αὐτὸν καθώς ἐστιν
– 6 ὁ ἁμαρτάνων οὐχ ἑώρακεν αὐτόν
4 20 τὸν θεὸν ὃν οὐχ ἑώρακεν → γ)
3 Jo 11 ὁ κακοποιῶν οὐχ ἑώρακεν τὸν θεόν
Ap 22 4 „ὄψονται τὸ πρόσωπον αὐτοῦ"

β) videtur Christus, filius etc.
Mat 24 30 ὄψονται „τ. υἱὸν τοῦ ἀνθρ. ἐρχόμενον
ἐπὶ τῶν νεφ." || Mar 13 26 Luc 21 27
26 64 ὄψεσθε „τὸν υἱὸν τοῦ ἀνθρ. καθήμε-
νον ἐκ δεξιῶν τῆς δυν." || Mar 14 62
28 7 ἐκεῖ αὐτὸν ὄψεσθε || Mar 16 7
– 10 εἰς τὴν Γαλιλαίαν, κἀκεῖ με ὄψονται
Joh 6 36 ἑωράκατέ [με] καὶ οὐ πιστεύετε
9 37 ἑώρακας αὐτὸν καὶ ὁ λαλῶν μετὰ σοῦ
14 9 ὁ ἑωρακὼς ἐμὲ ἑώρακεν τὸν πατέρα
16 16 πάλιν μικρὸν καὶ ὄψεσθέ με 17.19
19 37 „ὄψονται εἰς ὃν ἐξεκέντησαν" Ap 1 7

„ὄψεται" αὐτὸν πᾶς ὀφθαλμὸς καὶ
οἵτινες αὐτὸν „ἐξεκέντησαν"
Joh 20 18 ὅτι ἑώρακα (vl ..κεν) τὸν κύριον 25
ἑωράκαμεν τὸν κύριον 29 ὅτι ἑωρα-
κάς με, πεπίστευκας; [τοῦ"
Rm 15 21 „ὄψονται οἷς οὐκ ἀνηγγέλη περὶ αὐ-
1 Co 9 1 οὐχὶ Ἰησοῦν τὸν κύρ. ἡμῶν ἑόρακα;
1 Pe 1 8 εἰς ὃν ἄρτι μὴ ὁρῶντες πιστεύοντες
δὲ ἀγαλλιᾶσθε

γ) videntur homines
Mar 8 24 ὡς δένδρα ὁρῶ περιπατοῦντας
Luc 13 28 ὅταν ὄψησθε Ἀβρ. – ἐν τῇ βασ. τ. θ.
16 23 ὁρᾷ Ἀβρ. ἀπὸ μακρόθεν καὶ Λάζ.
Joh 8 57 καὶ Ἀβραὰμ ἑώρακας (vl ..κέν σε);
16 22 πάλιν δὲ ὄψομαι ὑμᾶς, καὶ χαρήσεται
Act 8 23 „σύνδεσμον ἀδικίας" ὁρῶ σε ὄντα
20 25 ὅτι οὐκέτι ὄψεσθε τὸ πρόσωπόν μου
Col 2 1 ὅσοι οὐχ ἑόρακαν τὸ πρόσωπόν μου
Hb 13 23 μεθ' οὗ (sc Τιμοθέου) – ὄψομαι ὑμᾶς
1 Jo 4 20 ὁ – μὴ ἀγαπῶν τὸν ἀδελφὸν αὐτοῦ
ὃν ἑώρακεν, τὸν θεὸν ὃν οὐχ ἑώρα-
κεν οὐ δύναται ἀγαπᾶν

b) videntur res vel facta
Luc 1 22 ὅτι ὀπτασίαν ἑώρακεν ἐν τῷ ναῷ
3 6 „ὄψεται πᾶσα σὰρξ τὸ σωτήριον τοῦ
9 36 οὐδὲν ὧν ἑώρακαν [θεοῦ"
17 22 ἐπιθυμήσετε μίαν τῶν ἡμερῶν τοῦ
υἱοῦ τ. ἀνθρ. ἰδεῖν καὶ οὐκ ὄψεσθε
23 49 καὶ γυναῖκες –, ὁρῶσαι ταῦτα
24 23 καὶ ὀπτασίαν ἀγγέλων ἑωρακέναι
Joh 1 34 κἀγὼ ἑώρακα, καὶ μεμαρτύρηκα
– 39 λέγει αὐτοῖς· ἔρχεσθε καὶ ὄψεσθε
– 50 μείζω τούτων ὄψῃ 51 ὄψεσθε τὸν οὐ-
ρανὸν ἀνεῳγότα καὶ τοὺς ἀγγέλους
ἀναβαίνοντας καὶ καταβαίνοντας
3 11 ὃ ἑωράκαμεν μαρτυροῦμεν 32 ὃ ἑώ-
ρακεν –, τοῦτο μαρτυρεῖ – 19 35 ὁ
ἑωρακὼς μεμαρτύρηκεν
– 36 ὁ – ἀπειθῶν – οὐκ ὄψεται ζωήν
4 45 πάντα ἑωρακότες ὅσα ἐποίησεν
6 2 ὅτι ἑώρων (vl ἐθεώρουν) τὰ σημεῖα
8 38 ἃ ἐγὼ ἑώρακα παρὰ τῷ πατρί λαλῶ
15 24 καὶ ἑωράκασιν (sc τὰ ἔργα) καὶ με-
μισήκασιν καὶ ἐμὲ καὶ τ. πατέρα μου
Act 2 17 „οἱ νεανίσκοι – ὁράσεις ὄψονται"
7 44 „κατὰ τὸν τύπον ὃν ἑωράκει"
22 15 ἔσῃ μάρτυς – ὧν ἑώρακας καὶ ἤκουσ.
Col 2 18 ἃ (vl + μὴ vg) ἑόρακεν ἐμβατεύων
Hb 2 8 οὔπω ὁρῶμεν – „πάντα ὑποτεταγμέ.
Jac 2 24 ὁρᾶτε ὅτι ἐξ ἔργων δικαιοῦται ἄν-
θρωπος καὶ οὐκ ἐκ πίστεως μόνον

1 Jo 1 1 ὃ ἑωράκαμεν τοῖς ὀφθαλμοῖς ἡμῶν
 –, περὶ τοῦ λόγου τῆς ζωῆς 2 καὶ ἑω-
 ράκαμεν καὶ μαρτυροῦμεν 3 ὃ ἑωρ. καὶ
 ἀκηκόαμεν, ἀπαγγέλλομεν καὶ ὑμῖν

 c) ὅρα, ὁρᾶτε μή –, σὺ ὄψῃ, ὑμεῖς
 ὄψεσθε vide, vidēte ne ᵇintuemini
 ᶜtu vidēris, vos videritis

Mat 8 4 ὅρα μηδενὶ εἴπῃς ‖ Mar 1 44
 9 30 ὁρᾶτε μηδεὶς γινωσκέτω
 16 6 ὁρᾶτεᵇ καὶ προσέχετε ἀπὸ τῆς ζύ-
 μης τῶν Φαρ. ‖ Mar 8 15 – Luc 12 15
 18 10 ὁρᾶτε μὴ καταφρονήσητε ἑνὸς τῶν
 24 6 ὁρᾶτε μὴ θροεῖσθε· |μικρῶν
 27 4 τί πρὸς ἡμᾶς; σὺ ὄψῃᶜ 24 ὑμεῖς ὄ-
 ψεσθεᶜ – Act 18 15 ὄψεσθεᶜ αὐτοί
1 Th 5 15 ὁρᾶτε μή τις κακόν – τινι ἀποδῷ
Hb 8 5 „ὅρα –, ποιήσ. πάντα κατὰ τ. τύπον"
Ap 19 10 ὅρα μή· σύνδουλός σού εἰμι 22 9

 2) formae vis passivae: ὀφθῆναι, ὀφθή-
 σεσθαι – apparēre ᵇvidēri ᶜostendi

Mat 17 3 ὤφθη αὐτοῖς Μωϋσῆς καὶ Ἠλίας ‖
 Mar 9 4 Luc 9 31 οἳ ὀφθέντεςᵇ ἐν δόξῃ
Luc 1 11 ὤφθη – αὐτῷ ἄγγελος κυρίου 22 43
 24 34 ὤφθη Σίμωνι → 1 Co 15 5
Act 2 3 ὤφθησαν αὐτοῖς – γλῶσσαι ὡσεί
 7 2 ὁ θεός – ὤφθη – Ἀβρ. 30 „ὤφθη αὐτῷ
 (sc Μωϋσεῖ) – ἄγγελος ἐν φλογί" 35
 – 26 (Μωϋσ.) ὤφθη αὐτοῖς μαχομένοις
 9 17 Ἰησοῦς ὁ ὀφθείς σοι → 26 16
 13 31 ὃς ὤφθηᵇ – τοῖς συναναβᾶσιν αὐτῷ
 ἀπὸ τῆς Γαλιλαίας εἰς Ἰερουσαλήμ
 16 9 ὅραμα διὰ νυκτὸς τῷ Παύλῳ ὤφθηᶜ
 26 16 ὤφθην σοι, – μάρτυρα ὧν τε εἶδές
 με (vlᵒ vgᵒ) ὧν τε ὀφθήσομαί σοι
1 Co 15 5 ὅτι ὤφθηᵇ Κηφᾷ 6 ὤφθηᵇ ἐπάνω
 πεντακοσίοις – ἐφάπαξ 7 ὤφθηᵇ Ἰα-
 κώβῳ 8 ὤφθηᵇ κἀμοί
1 Ti 3 16 ὤφθη ἀγγέλοις, ἐκηρύχθη ἐν ἔθνεσιν
Hb 9 28 ὁ Χός, –, ἐκ δευτέρου χωρὶς ἁμαρ-
 τίας ὀφθήσεται τοῖς αὐτὸν ἀπεκδε-
 χομένοις
Ap 11 19 ὤφθηᵇ „ἡ κιβωτὸς τῆς διαθήκης"
 12 1 σημεῖον μέγα ὤφθη 3ᵇ ἄλλο σημεῖον

ὅρασις visio ᵇaspectus
Act 2 17 „ὁράσεις ὄψονται" – Ap 9 17 ἐν τῇ ὁ.
Ap 4 3 ὅμοιος ὁ..ειᵇ – ἰάσπιδι –, καὶ Ἶρις κυ-
 κλόθεν – ὅμοιος ὁράσει σμαραγδίνῳ

ὁρατός visibilis Col 1 16 ἐν αὐτῷ ἐκτίσθη τὰ

πάντα –, τὰ ὁρατὰ καὶ τὰ ἀόρατα

ὀργή ira ᵇindignatio
Mat 3 7 φυγεῖν ἀπὸ τῆς μελλούσης ὀ. ‖ Luc
 3 7 – 21 23 ἔσται – ὀρ. τῷ λαῷ τούτῳ
Mar 3 5 περιβλεψάμενος αὐτοὺς μετ' ὀργῆς
Joh 3 36 ἡ ὀργὴ τοῦ θεοῦ μένει ἐπ' αὐτόν
Rm 1 18 ἀποκαλύπτεται – ὀργὴ θεοῦ ἐπὶ πᾶ-
 σαν ἀσέβειαν καὶ ἀδικίαν
 2 5 θησαυρίζεις σεαυτῷ ὀργὴν ἐν ἡμέρᾳ
 ὀργῆς → Ap 6 17
 – 8 τοῖς δὲ ἐξ ἐριθείας –, ὀργὴ κ. θυμός
 3 5 μὴ ἄδικος ὁ θ. ὁ ἐπιφέρων τὴν ὀρ.;
 4 15 ὁ γὰρ νόμος ὀργὴν κατεργάζεται
 5 9 σωθησόμεθα δι' αὐτοῦ ἀπὸ τῆς ὀρ.
 9 22 εἰ – θέλων ὁ θεὸς ἐνδείξασθαι τὴν
 ὀργὴν – „ἤνεγκεν – σκεύη ὀργῆς"
 12 19 ἀλλὰ δότε τόπον τῇ ὀργῇ
 13 4 ἔκδικος εἰς ὀργήν (sc ἡ ἐξουσία)
 – 5 διὸ ἀνάγκη ὑποτάσσεσθαι, οὐ μόνον
 διὰ τὴν ὀργήν
Eph 2 3 ἤμεθα τέκνα φύσει ὀργῆς ὡς καί
 4 31 ὀργὴ ᵇ – ἀρθήτω ἀφ' ὑμῶν Col 3 8 ἀ-
 πόθεσθε καὶ ὑμεῖς –, ὀργήν, θυμόν
 5 6 ἔρχεται ἡ ὀργὴ τοῦ θεοῦ Col 3 6
1 Th 1 10 Ἰησοῦν τὸν ῥυόμενον ἡμᾶς ἐκ (vl
 ἀπὸ vg ab) τῆς ὀργῆς τ. ἐρχομένης
 2 16 ἔφθασεν – ἐπ' αὐτοὺς ἡ ὀ. εἰς τέλος
 5 9 οὐκ ἔθετο ἡμᾶς ὁ θεὸς εἰς ὀργήν
1 Ti 2 8 χωρὶς ὀργῆς καὶ διαλογισμοῦ
Hb 3 11 „ὡς ὤμοσα ἐν τῇ ὀργῇ μου" 4 3
Jac 1 19 βραδὺς εἰς ὀργήν· 20 ὀργὴ – ἀνδρὸς
 δικαιοσύνην θεοῦ οὐκ ἐργάζεται
Ap 6 16 ἀπὸ τῆς ὀργῆς τοῦ ἀρνίου 17 ἦλθεν
 „ἡ ἡμέρα ἡ μεγάλη τῆς ὀργῆς" αὐ-
 τῶν (sc Dei et Agni)
 11 18 ἦλθεν „ἡ ὀργή" σου καὶ ὁ καιρός
 14 10 „ἐν τῷ ποτηρίῳ τῆς ὀργῆς αὐτοῦ"
 16 19 „τὸ ποτήριον" – τῆς ὀργῆς „αὐτοῦ"
 19 15 „πατεῖ τὴν ληνόν" – τῆς ὀρ. τοῦ θεοῦ

ὀργίζεσθαι irasci ᵇindignari
Mat 5 22 πᾶς ὁ ὀργιζόμενος τῷ ἀδελφῷ
 18 34 ὀργισθεὶς ὁ κύριος – παρέδωκεν
 22 7 ὁ δὲ βασιλεὺς ὠργίσθη ‖ Luc 14 21
Luc 15 28 ὠργίσθηᵇ – καὶ οὐκ ἤθελεν εἰσελθεῖν
Eph 4 26 „ὀργίζεσθε καὶ μὴ ἁμαρτάνετε"
Ap 11 18 „τὰ ἔθνη ὠργίσθησαν" – 12 17

ὀργίλος iracundus Tit 1 7 ἐπίσκ. – μὴ ὀ..ον

ὀργυιά Sᵒ – passus Act 27 28 (bis)

ὀρέγεσθαι Sº – appetere ᵇdesiderare
1 Ti 3 1 εἴ τις ἐπισκοπῆς ὀρέγεταιᵇ, καλοῦ
6 10 ἡ φιλαργυρία, ἧς τινες ὀρεγόμενοι
Hb 11 16 κρείττονος ὀρέγονται (sc πατρίδος)

ὀρεινή, ἡ montana (neutr pl) Luc 1 39.65

ὄρεξις desideria (pl) Rm 1 27 ἐν τῇ ὀρέξει

ὀρθοποδεῖν Sº – recte ambulare Gal 2 14
οὐκ ὀ..οῦσιν πρὸς τ. ἀλήθειαν τοῦ εὐαγγ.

ὀρθός rectus Act 14 10 Hb 12 13 „τροχιὰς ὀρ."

ὀρθοτομεῖν recte tractare 2 Ti 2 15 ὀρθοτο-
μοῦντα τὸν λόγον τῆς ἀληθείας

ὀρθρίζειν manicare Luc 21 38 πρὸς αὐτόν

ὀρθρινός ante lucem Luc 24 22 ὀρθριναί

ὄρθρος diluculum Luc 24 1 [Joh 8 2] Act 5 21

ὀρθῶς recte Mar 7 35 ἐλάλει ὀ. Luc 7 43 ὀ.
ἔκρινας 10 28 20 21 λέγεις καὶ διδάσκεις

ὅρια, τά fines Mat 2 16 Βηθλέεμ 4 13 Ζαβου-
λὼν καὶ Νεφθ. 8 34 (τῶν Γαδαρ. ‖ Mar 5 17)
15 22 (Τύρου καὶ Σιδ. ‖ Mar 7 24.31 Δεκα-
πόλεως) 15 39 Μαγαδάν 19 1 (τῆς Ἰουδαί-
ας ‖ Mar 10 1) – Act 13 50 (Ant. Pis.)

ὁρίζειν definire ᵇstatuere ᶜconstituere
ᵈpraedestinare ᵉproponere ᶠterminare
Luc 22 22 ὁ υἱὸς μὲν τοῦ ἀνθρώπου κατὰ τὸ
ὡρισμένον (quod def. est) πορεύεται
Act 2 23 τοῦτον τῇ ὡρισμένῃ βουλῇ καὶ προ-
γνώσει τοῦ θεοῦ ἔκδοτον – ἀνείλατε
10 42 ὁ ὡρ.ᶜ ὑπὸ τοῦ θεοῦ κριτής 17 31 ᵇ
11 29 ὥρισανᵉ – πέμψαι – 17 26 ὁρίσας –
καιροὺς καὶ τ. ὁροθεσίας τῆς κατοικ.
Rm 1 4 τοῦ ὁρισθέντοςᵈ υἱοῦ θεοῦ ἐν δυνά.
Hb 4 7 πάλιν τινὰ ὁρίζειᶠ ἡμέραν, „σήμερον"

ὁρκίζειν adiurare per → ἐν- et ἐξορκίζειν
Mar 5 7 ὁρκίζω σε τὸν θεόν, μή με βασανίσῃς
Act 19 13 ὁρκίζω ὑμᾶς τὸν Ἰησοῦν ὃν Παῦλος

ὅρκος iuramentum ᵇiusiurandum
Mat 5 33 „ἀποδώσεις – τοὺς ὅρκους σου"
14 7 μεθ' ὅρκου (9 ‖ Mar 6 26 ᵇ) – 26 72
Luc 1 73 ὅρκονᵇ ὃν „ὤμοσεν πρὸς Ἀβραάμ"

Act 2 30 ὅτι ὅρκῳᵇ „ὤμοσεν αὐτῷ" (Davidi)
Hb 6 16 πάσης – ἀντιλογίας πέρας – ὁ ὅρκος
– 17 ὁ θεὸς – ἐμεσίτευσεν ὅρκῳᵇ
Jac 5 12 μὴ ὀμνύετε, – μήτε ἄλλον τινὰ ὅρκον

ὁρκωμοσία iusiurandum Hb 7 20 οὐ χωρὶς
ὁ..ας, – οἱ μὲν γὰρ χωρὶς ὁ..ας εἰσὶν ἱε-
ρεῖς γεγονότες 21 ὁ δὲ μετὰ ὁ..ας 28

ὁρμᾶν impetu abire ᵇimpetum facere ᶜma-
gno i..u praecipitari Mat 8 32 ‖ Mar 5 13 ᶜ
Luc 8 33 – Act 7 57 ᵇ 19 29 ᵇ εἰς τὸ θέατρον

ὁρμή impetus Act 14 5 Jac 3 4 τοῦ εὐθύνοντ.

ὅρμημα impetus Ap 18 21 ὁ..τι βληθήσεται

ὄρνεον avis ᵇvolucris Ap 18 2 ᵇ 19 17.21

ὄρνις gallina ᵇavis Mat 23 37 ‖ Luc 13 34 ᵇ

ὁροθεσία Sº – terminus Act 17 26 κατοικίας

ὄρος mons ὄρος τῶν ἐλαιῶν et τὸ καλού-
μενον ἐλαιών → ἐλαία et ἐλαιών
Mat 4 8 ὁ διάβολος εἰς ὄρος ὑψηλὸν λίαν
5 1 ἀνέβη εἰς τὸ ὄρος 8 1 καταβάντος
δὲ αὐτοῦ ἀπὸ τοῦ ὄρους – Mat 15 29
ἀναβὰς εἰς τὸ ὄρος ἐκάθητο Joh 6 3
– 14 πόλις – ἐπάνω ὄρους κειμένη
14 23 ἀνέβη εἰς τὸ ὄρος κατ' ἰδίαν προσ-
εύξασθαι ‖ Mar 6 46 cfr Joh 6 15 μόνος
17 1 ἀναφέρει αὐτοὺς εἰς ὄρ. ὑψηλὸν κατ'
ἰδίαν 9 ‖ Mar 9 2 μόνους 9 Luc 9 28
προσεύξασθαι 37 → 2 Pe 1 18
– 20 ἐρεῖτε τῷ ὄρει τούτῳ· μετάβα – ἐκεῖ
21 21 ἄρθητι καὶ βλήθητι εἰς τὴν θά-
λασσαν ‖ Mar 11 23 → 1 Co 13 2
18 12 οὐχὶ ἀφήσει τὰ ἐνενήκ. ἐννέα ἐπὶ τὰ
ὄρη –; – 24 16 οἱ ἐν τῇ Ἰουδαίᾳ φευ-
γέτωσαν εἰς τ. ὄρη ‖ Mr 13 14 Lc 21 21
28 16 εἰς τὸ ὄρ. οὗ ἐτάξατο αὐτοῖς ὁ Ἰησ.
Mar 3 13 ἀναβαίνει εἰς τὸ ὄρος, καὶ προσκα-
λεῖται οὓς ἤθελεν ‖ Luc 6 12 προσεύ-
ξασθαι
5 5 ἐν τοῖς ὄρεσιν ἦν κράζων 11 ‖ Luc 8 32
Luc 3 5 „πᾶν ὄρος – ταπεινωθήσεται"
4 29 ἤγαγον αὐτὸν ἕως ὀφρύος τοῦ ὄρ.
23 30 λέγειν „τοῖς ὄρ.· πέσατε ἐφ' ἡμᾶς"
Joh 4 20 ἐν τῷ ὄρει τούτῳ προσεκύνησαν 21
οὔτε ἐν τῷ ὄρ. τούτῳ προσκυνήσετε
Act 7 30 „ἐν τῇ ἐρήμῳ τοῦ ὄρους" Σινά 38

1 Co 13 2 πᾶσαν τ. πίστιν ὥστε ὄρη μεθιστάναι

Gal 4 24 μία (sc διαθήκη) μὲν ἀπὸ ὄρους Σινά 25 τὸ δὲ Ἀγὰρ Σινὰ ὄρος ἐστίν

Hb 8 5 „κατὰ τὸν τύπον τὸν δειχθέντα σοι ἐν τῷ ὄρει" – 12 20 – 22 Σιὼν ὄρει 11 38 ἐπὶ ἐρημίαις πλανώμενοι καὶ ὄρεσιν

2 Pe 1 18 σὺν αὐτῷ ὄντες ἐν τῷ ἁγίῳ ὄρει

Ap 6 14 πᾶν ὄρος καὶ νῆσος – ἐκινήθησαν 15 „ἔκρυψαν ἑαυτοὺς – εἰς τὰς πέτρας" τῶν ὀρέων 16 „λέγουσιν τοῖς ὄρεσιν –· πέσετε ἐφ' ἡμᾶς 8 8 „ὡς ὄρος" μέγα – ἐβλήθη εἰς τὴν θάλασσαν 14 1 τὸ ἀρνίον ἑστὸς ἐπὶ τὸ ὄρος Σιὼν 16 20 ὄρη οὐχ εὑρέθησαν – 17 9 αἱ ἑπτὰ κεφαλαὶ ἑπτὰ ὄρη εἰσίν 21 10 „ἀπήνεγκέν με – ἐπὶ ὄρος – ὑψηλόν"

ὀρύσσειν fodere Mat 21 33 „ὤρυξεν – ληνόν" ‖ Mar 12 1 „ὑπολήνιον" – Mat 25 18 γῆν

ὀρφανός orphanus (vl orf.) b pupillus
Joh 14 18 οὐκ ἀφήσω ὑμᾶς ὀρφανούς
Jac 1 27 ἐπισκέπτεσθαι ὀρφανοὺς b καὶ χήρας

ὀρχεῖσθαι saltare Mat 11 17 καὶ οὐκ ὠρχήσασθε ‖ Luc 7 32 – Mat 14 6 ‖ Mar 6 22

ὅσιος sanctus b pius c purus
Act 2 27 „οὐδὲ δώσεις τὸν ὅσιόν σου ἰδεῖν διαφθοράν" 13 35.34 δώσω „ὑμῖν τὰ ὅσια Δαυὶδ τὰ πιστά"
1 Ti 2 8 ἄνδρας – ἐπαίροντας ὁσίους c χεῖρας
Tit 1 8 τὸν ἐπίσκοπον –, ὅσιον, ἐγκρατῆ
Hb 7 26 ἀρχιερεύς, ὅσιος, ἄκακος, ἀμίαντος
Ap 15 4 ὅτι μόνος „ὅσιος b" 16 5 ὁ „ὅσιος"

ὁσιότης sanctitas
Luc 1 75 λατρεύειν αὐτῷ ἐν ὁσ. καὶ δικαιοσύνῃ
Eph 4 24 τὸν καινὸν ἄνθρωπον τὸν – κτισθέντα ἐν δικαιοσύνῃ καὶ ὁ..τητι τ. ἀληθείας

ὁσίως sancte 1 Th 2 10 ὡς ὁσίως καὶ δικαίως – ὑμῖν τοῖς πιστεύουσιν ἐγενήθημεν

ὀσμή odor
Joh 12 3 ἐπληρώθη ἐκ τῆς ὀσμῆς τοῦ μύρου
2 Co 2 14 τὴν ὀσμὴν τῆς γνώσεως αὐτοῦ φανεροῦντι δι' ἡμῶν 16 οἷς μὲν ὀσμὴ ἐκ (vl o vg o) θανάτου εἰς θάνατον, οἷς δὲ ὀσμὴ ἐκ (vl o vg o) ζωῆς εἰς ζωὴν
Eph 5 2 „θυσίαν" τῷ θεῷ „εἰς ὀσ. εὐωδίας"
Phl 4 18 δεξάμενος – τὰ παρ' ὑμῶν, „ὀσμὴν εὐωδίας", θυσίαν δεκτήν

ὀστοῦν (ὀστέα) os (ossa) Mat 23 27 Luc 24 39 Joh 19 36 (vl Eph 5 30 vg) Hb 11 22

ὀστράκινος fictilis 2 Co 4 7 ἔχομεν – τὸν θησαυρὸν τοῦτον ἐν ὀ..οις σκεύεσιν 2 Ti 2 20

ὄσφρησις S o – odoratus 1 Co 12 17 ποῦ ἡ ὄσ.;

ὀσφῦς, ὀσφύες lumbus, lumbi
Mat 3 4 ζώνην δερμ. περὶ τὴν ὀσφ. ‖ Mar 1 6
Luc 12 35 ἔστωσαν ὑμῶν αἱ ὀσφ. περιεζωσμέναι
Act 2 30 „ἐκ καρποῦ τῆς ὀσφ." Hb 7 5.10 Ἀβρ.
Eph 6 14 „περιζωσάμενοι τὴν ὀ. – ἐν ἀληθείᾳ"
1 Pe 1 13 ἀναζωσάμενοι τὰς ὀσφ. τῆς διανοίας

*οὖ non Mat 5 37 ἔστω δὲ ὁ λόγος ὑμῶν ναὶ ναί, οὖ οὖ ‖ Jac 5 12 ἤτω δὲ ὑμῶν τὸ ναὶ ναί, καὶ τὸ οὖ οὖ – 2 Co 1 17 ἵνα ᾖ παρ' ἐμοὶ τὸ ναὶ ναὶ καὶ τὸ οὖ οὖ; 18 ὁ λόγος ἡμῶν – οὐκ ἔστιν ναὶ καὶ οὖ 19 Χὸς Ἰησοῦς – οὐκ ἐγένετο ναὶ καὶ οὖ

οὐά S o – vah (vl ua) Mar 15 29 οὐὰ ὁ καταλύ.

οὐαί, ἡ Οὐαί vae
Mat 11 21 οὐαί σοι, Χοραζίν κτλ. ‖ Luc 10 13 18 7 οὐαὶ τῷ κόσμῳ ἀπὸ τῶν σκανδάλων· –, πλὴν οὐαὶ τῷ ἀνθρώπῳ δι' οὗ τὸ σκάνδαλον ἔρχεται ‖ Luc 17 1
23 13 οὐαὶ δὲ ὑμῖν, γραμματεῖς καὶ Φαρ. (14 vl, vg, vl o) 15.16 οὐαὶ ὑμῖν, ὁδηγοὶ τυφλοί 23.25.27.29 ‖ Luc 11 42.43. 44.46 ὑμῖν τοῖς νομικοῖς οὐαί 47.52 οὐαὶ ὑμῖν τοῖς νομικοῖς
24 19 οὐαὶ δὲ ταῖς ἐν γαστρὶ ἐχούσαις – ἐν ἐκ. τ. ἡμέραις ‖ Mar 13 17 Luc 21 23
26 24 οὐαὶ δὲ τῷ ἀνθρ. – δι' οὗ – παραδίδοται ‖ Mar 14 21 Luc 22 22
Luc 6 24 οὐαὶ ὑμῖν τοῖς πλουσίοις 25 οὐαὶ ὑμῖν, οἱ ἐμπεπλησμένοι νῦν, –. οὐαὶ οἱ γελῶντες νῦν 26 οὐαὶ ὅταν καλῶς ὑμᾶς εἴπωσιν πάντες οἱ ἄνθρωποι
1 Co 9 16 οὐαὶ – μοί ἐστιν ἐὰν μὴ εὐαγγελίσωμ.
Jud 11 οὐαὶ αὐτοῖς, ὅτι τῇ ὁδῷ τοῦ Κάϊν
Ap 8 13 οὐαὶ οὐαὶ οὐαὶ τοὺς κατοικοῦντας ἐπὶ τῆς γῆς 9 12 ἡ Οὐαὶ ἡ μία ἀπῆλθεν· – ἔρχεται ἔτι δύο Οὐαί 11 14 12 12 18 10 οὐαὶ οὐαί, ἡ πόλις ἡ μεγάλη 16.19

οὐδαμῶς nequaquam Mat 2 6 οὐ. ἐλαχίστη

οὐδέποτε numquam
Mat 7 23 οὐδέποτε ἔγνων ὑμᾶς· „ἀποχωρεῖτε"

Mat 9 33 οὐδ. ἐφάνη οὕτως ἐν τῷ Ἰσραήλ ‖
    Mar 2 12 οὕτως οὐδ. εἴδαμεν – Joh
    7 46 οὐδ. ἐλάλησεν οὕτως ἄνθρωπος
    21 16 οὐδέποτε ἀνέγνωτε –; 42 ‖ Mar 2 25
    26 33 ἐγὼ οὐδ. σκανδαλισθήσομαι ἐν σοί
Luc 15 29 οὐδέποτε ἐντολήν σου παρῆλθον κτλ.
Act 10 14 οὐδ. ἔφαγον – κοινόν 11 8 – 14 8
1 Co 13 8 ἡ ἀγάπη οὐδέποτε πίπτει
Hb 10 1 οὐδέποτε δύναται – τελειῶσαι 11 οὐδ.
    δύνανται περιελεῖν ἁμαρτίας

οὐδέπω *nondum* → οὔπω
Joh 7 39 οὔπω γὰρ ἦν πνεῦμα, ὅτι Ἰησοῦς
    οὐδέπω ἐδοξάσθη – 19 41
    20 9 οὐδέπω γὰρ ᾔδεισαν τὴν γραφήν
Act 8 16 οὐδέπω γὰρ ἦν – ἐπιπεπτωκός

*οὐκέτι *iam non* [b]*ultra non* [c]*non amplius*
    [d]*amplius iam non* [e]*ex hoc non*
Mar 14 25 οὐκέτι οὐ μὴ πίω ‖ Luc 22 16 [e] φάγω
Luc 15 19 οὐκέτι εἰμὶ ἄξιος κληθῆναι υἱός 21
Joh 4 42 οὐκ. διὰ τὴν σὴν λαλιὰν πιστεύομεν
    6 66 οὐκέτι μετ᾽ αὐτοῦ περιεπάτουν
    11 54 οὐκ. παρρησίᾳ περιεπάτει ἐν τοῖς Ἰ.
    14 19 ὁ κόσμος με οὐκ. θεωρεῖ, ὑμεῖς δέ
    – 30 οὐκέτι πολλὰ λαλήσω μεθ᾽ ὑμῶν
    15 15 οὐκέτι λέγω ὑμᾶς δούλους
    16 10 οὐκ. θεωρεῖτέ με 16 μικρὸν καὶ οὐκ.
    – 21 οὐκέτι μνημονεύει τῆς θλίψεως
    – 25 ὅτε οὐκ. ἐν παροιμίαις λαλήσω ὑμῖν
    17 11 οὐκέτι εἰμὶ ἐν τῷ κόσμῳ
Rm 6 9 Χὸς ἐγερθεὶς – οὐκέτι ἀποθνήσκει,
    θάνατος αὐτοῦ οὐκ.[b] κυριεύει [*iam*)
    7 17 οὐκ. ἐγὼ κατεργ. αὐτό 20 (vg vl om
    11 6 εἰ δὲ χάριτι, οὐκ. (vg vl om *iam*) ἐξ
    ἔργων, ἐπεὶ ἡ χάρις οὐκ. γίνεται χάρ.
    14 15 οὐκέτι κατὰ ἀγάπην περιπατεῖς
2 Co 5 16 ἀλλὰ νῦν οὐκ. γινώσκομεν (sc Χόν)
Gal 2 20 ζῶ δὲ οὐκέτι ἐγώ, ζῇ δὲ ἐν ἐμοί
    3 18 οὐκ. ἐξ ἐπαγγελίας (sc ἡ κληρονο.)
    – 25 οὐκέτι ὑπὸ παιδαγωγόν ἐσμεν
    4 7 ὥστε οὐκέτι εἶ δοῦλος, ἀλλὰ υἱός
Eph 2 19 οὐκέτι ἐστὲ ξένοι καὶ παρεπίδημοι
Phm 16 οὐκέτι ὡς δοῦλον ἀλλὰ ὑπὲρ δοῦλον
Ap 10 6 ὅτι χρόνος οὐκ.[c] ἔσται – 18 11 [c] 14 [d]

οὐκοῦν *ergo* Joh 18 37 οὐ. βασιλεὺς εἶ σύ;

οὔπω *nondum* [b]*necdum* [c]*non* [d](*nemo*)
    adhuc → οὐδέπω
Mat 16 9 οὔπω νοεῖτε, –; ‖ Mar 8 17.21 συνίετε;
    24 6 οὔπω ἐστὶν τὸ τέλος ‖ Mar 13 7

Mar (4 40 vl οὔπω[b] ἔχετε πίστιν; txt πῶς οὐκ)
    11 2 ἐφ᾽ ὃν οὐδεὶς οὔπω[d] – ἐκάθισεν
Luc 23 53 οὗ οὐκ ἦν οὐδεὶς οὔπω κείμενος
Joh 2 4 οὔπω ἥκει ἡ ὥρα μου 7 6 ὁ καιρὸς
    ὁ ἐμὸς οὔπω πάρεστιν 8 ὁ ἐμὸς και-
    ρὸς οὔπω πεπλήρωται 30 οὔπω ἐλη-
    λύθει ἡ ὥρα αὐτοῦ 8 20 [b]
    3 24 6 17 [c] 7 8 ἐγὼ οὔπω (vl οὐκ vg[c]) ἀνα-
    βαίνω εἰς τὴν ἑορτὴν ταύτην 11 30
    7 39 οὔ. (vg vl[c]) – ἦν πνεῦμα → οὐδέπω
    8 57 πεντήκοντα ἔτη οὔπω ἔχεις –;
    20 17 οὔπω – ἀναβέβηκα πρὸς τὸν πατέρα
1 Co 3 2 οὔπω γὰρ ἐδύνασθε. ἀλλ᾽ οὐδὲ – νῦν
    8 2 οὔπω ἔγνω καθὼς δεῖ γνῶναι
Phl 3 13 ἐγὼ ἐμαυτὸν οὔπω (vl οὐ vg[c]) λο-
    γίζομαι κατειληφέναι
Hb 2 8 οὔπω[b] ὁρῶμεν – „πάντα ὑποτεταγ.“
    12 4 οὔπω μέχρις αἵματος ἀντικατέστητε
1 Jo 3 2 οὔπω ἐφανερώθη τί ἐσόμεθα
Ap 17 10 ὁ ἄλλος (sc βασιλεὺς) οὔπω ἦλθεν
    12 βασιλείαν οὔπω ἔλαβον

οὐρά *cauda* Ap 9 10.19 12 4

οὐράνιος *caelestis* → ἐπουράνιος
    ὁ πατὴρ ὑμῶν, πατήρ μου ὁ οὐράνιος
    → πατήρ 1 a) Mat 5 48 1 b) sub 7 21
Luc 2 13 πλῆθος στρατιᾶς οὐρανίου (vl .νοῦ)
Act 26 19 οὐκ ἐγεν. ἀπειθὴς τῇ οὐρ. ὀπτασίᾳ

οὐρανόθεν *de caelo* Act 14 17 26 13 φῶς

οὐρανός, ..οί *caelum, caeli*
    βασιλεία τῶν οὐρανῶν → βασιλεία
    ὁ πατὴρ ὁ ἐν οὐρανῷ → πατήρ
    οὐρανός et γῆ – coniuncta et adver-
    sa – → γῆ sub 1)
Mat 3 16 ἠνεῴχθησαν (vl + αὐτῷ vg) οἱ οὐρ.
    17 φωνὴ ἐκ τῶν οὐρ. ‖ Mar 1 10 σχι-
    ζομένους τοὺς οὐρ. 11 Luc 3 21 ἐγέ-
    νετο – ἀνεῳχθῆναι τὸν οὐρ. 22 καὶ
    φωνὴν ἐξ οὐρανοῦ γενέσθαι Joh 1 32
    τεθέαμαι τὸ πνεῦμα καταβαῖνον – ἐξ
    οὐρανοῦ
    5 12 ὁ μισθὸς ὑμῶν πολὺς ἐν τοῖς οὐρ.
    ‖ Luc 6 23 ἐν τῷ οὐρανῷ
    6 26 τὰ πετεινὰ τοῦ οὐρ. 8 20 τὰ πετ. τοῦ
    οὐρ. κατασκηνώσεις (sc ἔχουσιν) ‖
    Luc 9 58 – Mat 13 32 „τὰ πετ. τοῦ οὐρ.
    – κατασκηνοῦν ἐν τοῖς κλάδοις“
    Mr 4 32 Lc 13 19 – 8 5 κατέφαγεν αὐτό
    11 23 μὴ „ἕως οὐρανοῦ ὑψωθήσῃ;“ ‖ Luc
    10 15 (vl ἡ – ὑψωθεῖσα vg)

Mat 14 19 ἀναβλέψας εἰς τὸν οὐρ. εὐλόγησεν
|| Mar 6 41 Luc 9 16 – Mar 7 34 ἐστένα-
ξεν Luc 18 13 οὐκ ἤθελεν – τοὺς ὀφθ.
ἐπᾶραι εἰς τὸν οὐρ. Joh 17 1 ἐπάρας
τοὺς ὀφθ. εἰς τὸν οὐρ. – Act 1 11 τί
ἑστήκατε βλέποντες εἰς τὸν οὐρ. 7 55
ἀτενίσας εἰς τὸν οὐρανόν (Steph.)
16 1 σημεῖον ἐκ τοῦ οὐρ. ἐπιδεῖξαι [2
πυρράζει – ὁ οὐρ. 3 πυρρ. – στυγνά-
ζων ὁ οὐρ.. – τὸ μὲν πρόσωπον τοῦ
οὐρ. γινώσκετε διακρίνειν] || Mar 8 11
σημεῖον ἀπὸ τοῦ οὐρ. Luc 11 16 ἐξ
οὐρανοῦ
18 10 οἱ ἄγγελοι – ἐν οὐρανοῖς (vl τῷ
οὐρ. vg pl) – βλέπουσιν – 22 30 ὡς
ἄγγ. ἐν τῷ οὐρ. εἰσιν || Mar 12 25 ἐν
τοῖς οὐρ. – Mat 24 36 οὐδὲ οἱ ἄγγ.
τῶν οὐρ. || Mar 13 32 ἐν οὐρανῷ –
Mat 28 2 ἄγγελος – κυρίου καταβὰς
ἐξ οὐρανοῦ – Luc 2 15 ὡς ἀπῆλθον
– εἰς τὸν οὐρανόν [22 43 ὤφθη – αὐ-
τῷ ἄγγελος ἀπ’ οὐρανοῦ]
19 21 ἕξεις θησαυρὸν ἐν οὐρανοῖς (vl
..ῷ vg) || Mar 10 21 οὐρανῷ Luc 18 22
ἐν [τοῖς] οὐρ. – 12 33 θησαυρὸν ἀν-
έκλειπτον ἐν τοῖς οὐρανοῖς
21 25 ἐξ οὐρανοῦ ἢ ἐξ ἀνθρώπων; κτλ. ||
Mar 11 30.31 Luc 20 4.5
23 22 ὁ ὀμόσας ἐν τῷ οὐρανῷ ὀμνύει ἐν
24 29 „οἱ ἀστέρες πεσοῦνται” ἀπὸ τοῦ οὐρ.,
„καὶ αἱ δυνάμεις τῶν οὐρ.” σαλευ-
θήσονται 30 φανήσεται τὸ σημεῖον
τοῦ υἱοῦ τοῦ ἀνθρ. ἐν οὐρανῷ, – ὄ-
ψονται – „ἐρχόμενον ἐπὶ τῶν νεφε-
λῶν τοῦ οὐρ.” 26 64 || Mar 13 25 14 62
Luc 21 11 ἀπ’ οὐρανοῦ σημεῖα 26
– 31 τοὺς ἐκλεκτοὺς – „ἀπ’ ἄκρων οὐρα-
νῶν ἕως [τῶν] ἄκρων αὐτῶν” || Mar
13 27 cf Luc 17 24 ἐκ τῆς ὑπὸ τὸν οὐ-
ρανὸν εἰς τὴν ὑπ’ οὐρανὸν λάμπει
Mar[16 19 „ἀνελήμφθη εἰς τὸν οὐρ.”] (Luc 24
51 vl ἀνεφέρετο vg) Act 1 10 εἰς τὸν
οὐρανὸν πορευομένου αὐτοῦ 11
Luc 4 25 ὅτε ἐκλείσθη ὁ οὐρανός → Ap 11 6
9 54 „πῦρ καταβῆναι ἀπὸ τοῦ οὐρανοῦ”
10 18 τὸν σατανᾶν – ἐκ τοῦ οὐρ. πεσόντα
– 20 ὅτι τὰ ὀνόματα ὑμῶν ἐγγέγρα-
πται ἐν τοῖς οὐρ. Hb 12 23 ἐκκλησία
πρωτοτόκων ἀπογεγραμμέν. ἐν οὐρ.
15 7 χαρὰ ἐν τῷ οὐρ. ἔσται ἐπὶ ἑνὶ ἁμαρτ.
– 18 ἥμαρτον εἰς τὸν οὐρανόν 21
17 29 „ἔβρεξεν πῦρ καὶ θεῖον ἀπ’ οὐ..οῦ”

Luc 19 38 ἐν οὐρανῷ εἰρήνη καὶ δόξα ἐν ὑψ.
Joh 1 51 ὄψεσθε τὸν οὐρανὸν ἀνεῳγότα καὶ
τοὺς ἀγγέλους – ἀναβαίνοντας καί
3 13 οὐδεὶς ἀναβέβηκεν εἰς τὸν οὐρανὸν
εἰ μὴ ὁ ἐκ τοῦ οὐρανοῦ καταβάς, –
(vl + ὁ ὢν ἐν τῷ οὐρανῷ vg)
– 27 οὐ δύναται ἄνθρ. λαμβάνειν οὐδὲν ἐὰν
μὴ ᾖ δεδομένον αὐτῷ ἐκ τοῦ οὐραν.
6 31 „ἄρτον ἐκ τοῦ οὐρ. ἔδωκεν αὐτοῖς”
– 32 οὐ Μωϋσῆς δέδωκεν ὑμῖν τὸν ἄρ-
τον ἐκ τοῦ οὐρανοῦ, ἀλλ’ ὁ πατήρ
μου δίδωσιν ὑμῖν τὸν ἄρτον ἐκ τοῦ
οὐρανοῦ τὸν ἀληθινόν 33 ὁ – ἄρτος
τοῦ θεοῦ ἐστιν ὁ καταβαίνων ἐκ τοῦ
οὐρανοῦ 38 καταβέβηκα ἀπὸ τοῦ οὐ-
ρανοῦ 41 ἐγώ εἰμι ὁ ἄρτος ὁ κατα-
βὰς ἐκ τοῦ οὐρανοῦ 42.50.51.58
12 28 ἦλθεν οὖν φωνὴ ἐκ τοῦ οὐρανοῦ
Act 2 2 ἐγένετο ἄφνω ἐκ τοῦ οὐρανοῦ ἦχος
– 5 ἀπὸ παντὸς ἔθνους τῶν ὑπὸ τὸν
οὐρανόν 4 12 οὐδὲ – ὄνομά ἐστιν ἕ-
τερον ὑπὸ τὸν οὐρανόν – Col 1 23
ἐν πάσῃ κτίσει τῇ ὑπὸ τὸν οὐρανόν
– 34 οὐ γὰρ Δαυὶδ ἀνέβη εἰς τοὺς οὐρ.
3 21 Χὸν –, ὃν δεῖ οὐρανὸν μὲν δέξασθαι
7 42 λατρεύειν „τῇ στρατιᾷ τοῦ οὐρανοῦ”
– 56 θεωρῶ τοὺς οὐρανοὺς διηνοιγμένους
9 3 περιήστραψεν φῶς ἐκ. τοῦ οὐρ. 22 6
10 11 θεωρεῖ τὸν οὐρ. ἀνεῳγμένον 16 ἀνε-
λήμφθη τὸ σκεῦος εἰς τὸν οὐρ. 11 5.
6 πετεινὰ τ. οὐ. 9 φωνὴ ἐκ τ. οὐ. 10
Rm 1 18 ἀποκαλύπτεται – ὀργὴ θεοῦ ἀπ’ οὐρ.
10 6 „τίς ἀναβήσεται εἰς τὸν οὐρανόν;”
2 Co 5 1 οἰκίαν – αἰώνιον ἐν τοῖς οὐρανοῖς
– 2 τὸ οἰκητήριον ἡμῶν τὸ ἐξ οὐρανοῦ
12 2 ἁρπαγέντα – ἕως τρίτου οὐρανοῦ
Gal 1 8 καὶ ἐὰν – ἄγγελος ἐξ οὐρ. εὐαγγελ.
Eph 4 10 ὁ ἀναβὰς ὑπεράνω πάντων τῶν οὐρ.
6 9 καὶ αὐτῶν καὶ ὑμῶν ὁ κύριός ἐστιν
ἐν οὐρανοῖς Col 4 1 καὶ ὑμεῖς ἔχετε
κύριον ἐν οὐρανῷ
Phl 3 20 ἡμῶν γὰρ τὸ πολίτευμα ἐν οὐρανοῖς
Col 1 5 τὴν ἐλπίδα τὴν ἀποκειμένην ὑμῖν ἐν
τοῖς οὐρανοῖς 1 Pe 1 4 κληρονομίαν
–, τετηρημένην ἐν οὐρανοῖς εἰς ὑμᾶς
1 Th 1 10 ἀναμένειν τὸν υἱὸν αὐτοῦ ἐκ τῶν οὐρ.
4 16 αὐτὸς – καταβήσεται ἀπ’ οὐραν.
2 Th 1 7 ἐν τῇ ἀποκαλύψει – Ἰησοῦ ἀπ’ οὐρ.
Hb 4 14 διεληλυθότα τοὺς οὐρ. 7 26 ὑψηλό-
τερος τῶν οὐρ. γενόμενος 8 1 „ἐκά-
θισεν ἐν δεξιᾷ” – τῆς μεγαλωσύνης
ἐν τοῖς οὐρανοῖς 9 24 εἰσῆλθεν – εἰς

αὐτὸν τὸν οὐρ. – 12 23 → Luc 10 20

Hb   9 23 τὰ – ὑποδείγματα τῶν ἐν τοῖς οὐρα-
νοῖς (caelestium) – καθαρίζεσθαι
   11 12 „καθὼς τὰ ἄστρα τοῦ οὐρ. τῷ πλ."
   12 25 τὸν ἀπ᾽ οὐρανῶν ἀποστρεφόμενοι

1 Pe 1 12 ἐν πνεύματι – ἀποσταλέντι ἀπ᾽ οὐρ.
   3 22 ἐν δεξιᾷ θεοῦ, πορευθεὶς εἰς οὐραν.

2 Pe 1 18 φωνὴν – ἐξ οὐρανοῦ ἐνεχθεῖσαν
   3 12 οὐρανοὶ πυρούμενοι λυθήσονται

Ap   3 12 Ἰερουσαλὴμ ἡ καταβαίνουσα ἐκ τοῦ
οὐρανοῦ ἀπὸ τοῦ θεοῦ 21 2.10
   4 1 ἰδοὺ θύρα ἠνεῳγμένη ἐν τῷ οὐρανῷ
   – 2 ἰδοὺ θρόνος ἔκειτο ἐν τῷ οὐρανῷ
   6 14 „ὁ οὐρανός" ἀπεχωρίσθη „ὡς βιβλί-
ον ἑλισσόμενον" 20 11 – Hb 1 10-12
   8 1 ἐγένετο σιγὴ ἐν τῷ οὐρ. ὡς ἡμιώριον
   – 10 „ἔπεσεν ἐκ τοῦ οὐρανοῦ ἀστήρ" 9 1
   10 1 ἄγγελον – καταβαίνοντα ἐκ τοῦ οὐρ.
   4 ἤκουσα φωνὴν ἐκ τοῦ οὐρ. 5 „ἦ-
ρεν τὴν – δεξιὰν εἰς τὸν οὐρ." 8 18 1.
   4 20 1 – 11 12 ἤκουσαν φωνῆς – ἐκ
τοῦ οὐρ. 12 10 ἐν τῷ οὐρ. 14 2.13 19 1
ὡς φωνὴν – ὄχλου πολλοῦ ἐν τῷ οὐρ.
   11 15 φωναὶ μεγάλαι ἐν τῷ οὐρανῷ
   11 6 τὴν ἐξουσίαν κλεῖσαι τὸν οὐρανόν
   – 12 ἀνέβησαν εἰς τὸν οὐρ. ἐν τῇ νεφέλῃ
   – 13 ἔδωκαν δόξαν „τῷ θεῷ τοῦ οὐρ." 16
   11 ἐβλασφήμησαν „τ. θεὸν τοῦ οὐρ."
   – 19 ἠνοίγη ὁ ναὸς τοῦ θεοῦ ὁ ἐν τῷ οὐ-
ρανῷ 14 17 15 5
   12 1 σημεῖον – ὤφθη ἐν τῷ οὐρανῷ 3 15 1
   – 4 τὸ τρίτον „τῶν ἀστέρων τοῦ οὐραν."
   – 7 ἐγένετο πόλεμος ἐν τῷ οὐρανῷ 8
   – 12 „εὐφραίνεσθε, οὐρανοί" 18 20
   13 6 βλασφημῆσαι – τοὺς ἐν τῷ οὐρανῷ
σκηνοῦντας
   16 21 χάλαζα – καταβαίνει ἐκ τοῦ οὐρανοῦ
   20 9 „κατέβη πῦρ ἐκ τοῦ οὐρανοῦ"
   18 5 „ἐκολλήθησαν αὐτῆς" αἱ ἁμαρτίαι
„ἄχρι τοῦ οὐρανοῦ"
   19 11 „εἶδον τὸν οὐρανὸν ἠνεῳγμένον"
   – 14 τὰ στρατεύματα τὰ ἐν τῷ οὐρανῷ ἠ-
κολούθει αὐτῷ

Οὐρβανός Rm 16 9 Οὐ..ὸν τὸν συνεργὸν ἡμ.

Οὐρίας Mat 1 6 Σολομ. ἐκ τῆς τοῦ Οὐρίου

οὖς   auris ᵇauricula ᶜ(ὦτα) corda
Mat 10 27 ὃ εἰς τὸ οὖς ἀκούετε ‖ Luc 12 3 ὃ
πρὸς τὸ οὖς ἐλαλήσατε ἐν τοῖς ταμι.
   11 15 ὁ ἔχων ὦτα (vl + ἀκούειν vg) ἀ-

κουέτω 13 9 ‖ Mar 4 9.23 (vl 7 16 vg)
Luc 8 8 – Mat 13 43 Luc 14 35 – Ap 2 7
ὁ ἔχων οὖς ἀκουσάτω τί τὸ πνεῦμα
λέγει ταῖς ἐκκλησίαις 11.17.29 3 6.13.22
   13 9 εἴ τις ἔχει οὖς, ἀκουσάτω
Mat 13 15 „τοῖς ὠσὶν βαρέως ἤκουσαν, – μήπο-
τε – τοῖς ὠσὶν ἀκούσωσιν" Act 28 27
   – Mar 8 18 „ὦτα ἔχοντες οὐκ ἀκού-
ετε;" Rm 11 8 „ὦτα τοῦ μὴ ἀκούειν"
   – 16 μακάρ. – τὰ ὦτα [ὑμ.] ὅτι ἀκούουσιν
Mar 7 33 τοὺς δακτύλους – εἰς τὰ ὦταᵇ αὐτοῦ
Luc 1 44 ἐγέν. ἡ φωνή – σου εἰς τὰ ὦτά μου
   4 21 πεπλήρωται – ἐν τοῖς ὠσὶν ὑμῶν
   9 44 θέσθε – εἰς τὰ ὦ.ᶜ ὑμῶν τοὺς λόγους
   22 50 ἀφεῖλεν τὸ οὖςᵇ αὐτοῦ τὸ δεξιόν
Act 7 51 „ἀπερίτμητοι καρδίαις καὶ τοῖς ὠσίν"
   – 57 κράξαντες – συνέσχον τὰ ὦτα αὐτῶν
   11 22 ἠκούσθη – εἰς τὰ ὦτα τῆς ἐκκλησίας
1 Co 2 9 ἃ – „οὖς οὐκ ἤκουσεν καὶ ἐπὶ καρδ."
   12 16 ἐὰν εἴπῃ τὸ οὖς· ὅτι οὐκ εἰμὶ ὀφθ.
Jac 5 4 αἱ βοαὶ τῶν θερισάντων „εἰς τὰ ὦτα
κυρίου σαβαὼθ" εἰσελήλυθαν
1 Pe 3 12 „ὦτα αὐτοῦ εἰς δέησιν αὐτῶν"

οὐσία   substantia Luc 15 12.13 διεσκόρπισεν

ὀφείλειν   debēre ᵇ(ὀφείλει) oportet ᶜ(τὸ ὀ-
φειλόμενον) debitum

1) cum infinitivo

Luc 17 10 ὃ ὠφείλομεν ποιῆσαι πεποιήκαμεν
Joh 13 14 ὀφείλετε ἀλλήλων νίπτειν τοὺς πόδας
   19 7 κατὰ τὸν νόμον ὀφείλει ἀποθανεῖν
Act 17 29 οὐκ ὀφείλομεν νομίζειν, χρυσῷ ἤ
Rm 15 1 ὀ..ομεν – τὰ ἀσθενήματα τῶν ἀδυνά-
των βαστάζειν 27 ὀ..ουσιν καὶ ἐν τοῖς
σαρκικοῖς λειτουργῆσαι αὐτοῖς
1 Co 5 10 ἐπεὶ ὠφείλετε ἄρα ἐκ τοῦ κόσμου ἐξ-
ελθεῖν 7 36 ἐὰν –, – οὕτως ὀφείλειᵇ
γίνεσθαι 9 10 ὀ..ει ἐπ᾽ ἐλπίδι ὁ ἀροτρι-
ῶν ἀροτριᾶν 11 7 ἀνὴρ – οὐκ ὀφείλει
κατακαλύπτεσθαι 10 ὀφείλει ἡ γυνὴ
ἐξουσίαν ἔχειν ἐπὶ τῆς κεφαλῆς
2 Co 12 11 ἐγὼ – ὤφειλον ὑφ᾽ ὑμῶν συνίστασθαι
   14 οὐ – ὀ..ει τὰ τέκνα τοῖς γονεῦσιν
θησαυρίζειν, ἀλλὰ οἱ γονεῖς τοῖς τ.
Eph 5 28 ὀ..ουσιν – οἱ ἄνδρες ἀγαπᾶν τὰς – γ.
2 Th 1 3 εὐχαριστεῖν ὀ..ομεν – περὶ ὑμῶν 2 13
Hb 2 17 ὤφειλεν – τοῖς ἀδελφοῖς ὁμοιωθῆναι
   5 3 ὀ..ει – καὶ περὶ ἑαυτοῦ προσφέρειν
   – 12 ὀ..οντες εἶναι διδάσκαλοι διὰ τ. χρό.
1 Jo 2 6 ὀ..ει καθὼς ἐκεῖνος – καὶ αὐτὸς – πε-

(1 Jo) ῥιπατεῖν 316 ἡμεῖς ὀ..ομεν ὑπὲρ τῶν
ἀδελφῶν τὰς ψυχὰς θεῖναι 411 καὶ
ἡμεῖς ὀφείλομεν ἀλλήλους ἀγαπᾶν
3 Jo 8 ὀ..ομεν ὑπολαμβάνειν τοὺς τοιούτ.

2) cum accusativo et absolute

Mat 1828 ὃς ὤφειλεν αὐτῷ ἑκατὸν δηνάρια, –·
ἀπόδος εἴ τι ὀφείλεις 30 ἕως ἀποδῷ
τὸ ὀφειλόμενον^c 34 πᾶν τὸ ὀφ.^c αὐτῷ
2316 ὃς δ’ ἂν ὀμόσῃ ἐν –, ὀφείλει 18
Luc 741 ὁ εἷς ὤφειλεν δηνάρια πεντακόσια
11 4 αὐτοὶ ἀφίομεν παντὶ ὀφείλοντι ἡμῖν
16 5 πόσον ὀφείλεις τῷ κυρίῳ μου; 7
Rm 13 8 μηδενὶ μηδὲν ὀφείλετε (vl ..λητε, vg
debeatis), εἰ μὴ τὸ ἀλλήλους ἀγαπᾶν
Phm 18 εἰ δέ τι ἠδίκησέν σε ἢ ὀφείλει

ὀφειλέτης S° – debitor ^b qui debebat
Mat 612 ὡς καὶ ἡμεῖς ἀφήκαμεν τοῖς ὀφ. ἡμ.
1824 προσήχθη – αὐτῷ ὀφ.^b μυρίων ταλ.
Luc 13 4 δοκεῖτε ὅτι – ὀ..αι ἐγένοντο παρὰ πάν-
τας τοὺς – κατοικοῦντας Ἰερουσαλ.;
Rm 114 Ἕλλησίν τε καὶ βαρβάροις – ὀφ. εἰμί
812 ἄρα οὖν, –, ὀφειλέται ἐσμέν, οὐ τῇ
σαρκὶ τοῦ κατὰ σάρκα ζῆν
1527 ὀ..αι εἰσὶν αὐτῶν (sc τῶν ἐν Ἰερουσ.)
Gal 5 3 ὀφ. ἐστὶν ὅλον τὸν νόμον ποιῆσαι

ὀφειλή S° – debitum
Mat 1832 πᾶσαν τὴν ὀφειλ. ἐκείνην ἀφῆκά σοι
Rm 13 7 ἀπόδοτε πᾶσιν τὰς ὀφειλάς, – φόρον
1 Co 7 3 τῇ γυναικὶ ὁ ἀνὴρ τὴν ὀφ. ἀποδιδό-
τω, ὁμοίως – καὶ ἡ γυνὴ τῷ ἀνδρί

ὀφείλημα S° – debitum
Mat 612 ἄφες ἡμῖν τὰ ὀφειλήματα ἡμῶν
Rm 4 4 ὁ μισθὸς – λογίζεται – κατὰ ὀφείλημα

ὄφελον utinam 1 Co 48 ὄφελόν γε ἐβασιλεύ-
σατε 2 Co 111 ὄφ. ἀνείχεσθέ μου μικρόν
τι ἀφροσύνης Gal 512 ὄφελον καὶ ἀπο-
κόψονται Ap 315 ὄφ. ψυχρὸς ἦς ἢ ζεστός

τί τὸ ὄφελος; ^a quid prodest? ^b quid proderit?
1 Co 1532 εἰ κατὰ ἄνθρωπον ἐθηριομά-
χησα –, τί μοι τὸ ὄφελος^a; Jac 214 τί τὸ
ὄφελος^b, ἐὰν πίστιν λέγῃ τις ἔχειν –; 16^b

κατ’ ὀφθαλμοδουλίαν, ἐν ὀ..αις S° – ad o-
culum servientes Eph 66 Col 322

ὀφθαλμός oculus → ὄμμα
ὀφθ. cum ἀνοίγειν, διανοίγειν → ibi

ἐπαίρειν, αἴρειν ὀφθαλμούς → ibi
Mat 529 εἰ δὲ ὁ ὀφθ. σου ὁ δεξιὸς σκανδαλί-
ζει σε 189 (sine δεξιός) – · – ἢ δύο
ὀ..οὺς ἔχοντα βληθῆναι || Mar 947
– 38 ἐρρέθη· „ὀφθαλμὸν ἀντὶ ὀφθαλμοῦ”
622 ὁ λύχνος τοῦ σώματός ἐστιν ὁ ὀφθ.
– ἐὰν οὖν ᾖ ὁ ὀφθ. σου ἁπλοῦς 23
ἐὰν δὲ ὁ ὀ. σου πονηρὸς ᾖ || Luc 1134
7 3 τὸ κάρφος τὸ ἐν τῷ ὀφθ. τοῦ ἀδελ-
φοῦ σου, τὴν δὲ ἐν τῷ σῷ ὀφθαλ-
μῷ δοκόν 4.5 || Luc 641.42
929 ἥψατο τῶν ὀφθαλ. αὐτῶν 30 Mar 825
ἐπέθηκεν τὰς χεῖρας ἐπὶ τοὺς ὀφθ.
αὐτοῦ Joh 96 τὸν πηλὸν ἐπὶ τοὺς
ὀφθ. 11 ἐπέχρισέν μου τοὺς ὀφθ. 15
1315 „τοὺς ὀφθ. αὐτῶν ἐκάμμυσαν· μή-
ποτε ἴδωσιν τοῖς ὀφθ.” Joh 1240 „τε-
τύφλωκεν αὐτῶν τοὺς ὀφθαλ. –, ἵνα
μὴ ἴδωσιν τοῖς ὀφθαλμοῖς” Act 2827
– 16 ὑμῶν δὲ μακάριοι οἱ ὀφθ. || Luc 1023
2015 ὁ ὀφθ. σου πονηρός ἐστιν ὅτι ἐγὼ
ἀγαθός εἰμι; – Mar 722 ἔσωθεν – ἐκ
τῆς καρδίας – ἐκπορ. – ὀφθ. πονηρός
2142 „θαυμαστὴ ἐν ὀ..οῖς ἡμῶν” || Mar 1211
2643 οἱ ὀφθαλμοὶ βεβαρημένοι || Mar 1440
Mar 818 „ὀφθαλμοὺς ἔχοντες οὐ βλέπετε”
Luc 230 εἶδον οἱ ὀφθ. μου τὸ σωτήριόν σου
420 οἱ ὀφθαλ. – ἦσαν ἀτενίζοντες αὐτῷ
1942 νῦν δὲ ἐκρύβη ἀπὸ ὀφθαλμῶν σου
2416 οἱ δὲ ὀφθ. αὐτῶν ἐκρατοῦντο τοῦ μὴ
ἐπιγνῶναι αὐτόν 31 διηνοίχθησαν
Act 1 9 νεφέλη ὑπέλαβεν αὐτὸν ἀπὸ τῶν ὀ.
918 ἀπέπεσαν αὐτοῦ ἀπὸ τῶν ὀφθαλμῶν
ὡς λεπίδες
Rm 318 „οὐκ ἔστιν φόβος θεοῦ ἀπέναντι τῶν
ὀφθαλμῶν αὐτῶν”
11 8 „ἔδωκεν αὐτοῖς – ὀ..οὺς τοῦ μὴ βλέ-
πειν” 10 „σκοτισθήσονται οἱ ὀφθαλ.”
1 Co 2 9 ἃ „ὀφθαλμὸς οὐκ εἶδεν καὶ οὖς”
1216 ὅτι οὐκ εἰμὶ ὀφθαλμός 17 εἰ ὅλον τὸ
σῶμα ὀφθαλμός 21 οὐ δύναται δὲ ὁ
ὀφθαλ. εἰπεῖν τῇ χειρί· χρείαν σου
1552 ἐν ἀτόμῳ, ἐν ῥιπῇ ὀφθαλμοῦ
Gal 3 1 οἷς κατ’ ὀ..οὺς Ἰησοῦς Χὸς προε-
γράφη (vl + ἐν ὑμῖν vg, vl°) ἐσταυ-
ρωμένος;
415 τοὺς ὀφθαλμοὺς ὑμῶν ἐξορύξαντες
Eph 118 πεφωτισμένους τοὺς ὀ. τῆς καρδίας
Hb 413 πάντα – γυμνὰ καὶ τετραχηλισμένα
τοῖς ὀφθ. αὐτοῦ, πρὸς ὃν – ὁ λόγος
1 Pe 312 „ὀφθαλμοὶ κυρίου ἐπὶ δικαίους”
2 Pe 214 ὀ..οὺς ἔχοντες μεστοὺς μοιχαλίδος

1 Jo 1 1 ὃ ἑωράκαμεν τοῖς ὀφθαλμοῖς ἡμῶν
2 11 ἡ σκοτία ἐτύφλωσεν τοὺς ὀ. αὐτοῦ
   – 16 καὶ ἡ ἐπιθυμία τῶν ὀφθαλμῶν
Ap   1 7 „ὄψεται" αὐτὸν πᾶς ὀφθαλμός
   – 14 „οἱ ὀφθαλμοὶ αὐτοῦ ὡς" φλὸξ „πυ-
     ρός" 2 18 19 12
   3 18 κολλύριον ἐγχρῖσαι τοὺς ὀφθ. σου
   4 6 „γέμοντα ὀ..ῶν" 8 „γέμουσιν ὀ..ῶν"
   5 6 „ἀρνίον –, ἔχων – ὀφθαλμοὺς ἑπτά"
   7 17 „ἐξαλείψει ὁ θεὸς πᾶν δάκρυον ἐκ"
     τῶν ὀφθαλμῶν αὐτῶν 21 4

ὄφις   serpens
Mat   7 10 μὴ ὄφιν ἐπιδώσει αὐτῷ; ‖ Luc 11 11
   10 16 φρόνιμοι ὡς οἱ ὄφεις (vl ὁ ὄφις)
   23 33 ὄφεις, γεννήματα ἐχιδνῶν, πῶς –;
Mar[16 18 ὄφεις ἀροῦσιν] Luc 10 19 „πατεῖν ἐπ-
     άνω ὄφεων" καὶ σκορπίων
Joh   3 14 καθὼς Μωϋσῆς ὕψωσεν τὸν ὄφιν ἐν
1 Co 10 9 καὶ ὑπὸ τῶν ὄφεων ἀπώλλυντο
2 Co 11 3 ὡς „ὁ ὄφις ἐξηπάτησεν" Εὕαν
Ap   9 19 αἱ – οὐραὶ αὐτῶν ὅμοιαι ὄφεσιν
   12 9 ὁ „ὄφις" ὁ ἀρχαῖος 20 2 – 12 14 ὅπου
     τρέφεται – ἀπὸ προσώπου τοῦ ὄφεως
   15 ἔβαλεν ὁ ὄφ. – ὕδωρ ὡς ποταμόν

ὀφρῦς   supercilium   Luc 4 29 τοῦ ὄρους

ὀχλεῖσθαι   vexari   Act 5 16 ὑπὸ πνευμάτων

ὀχλοποιεῖν   S⁰ – turbam facere   Act 17 5

ὄχλος, ὄχλοι   turba, turbae ᵇmultitudo ᶜpo-
pulus, ..i ᵈplebs – (plurali ὄχλοι se-
mel utuntur Mar (10 1) et Joh (7 12))
Mat   4 25 ἠκολούθησαν αὐτῷ ὄχλοι πολλοὶ ἀ-
     πὸ τῆς Γαλιλαίας ‖ Luc 6 17 ὄχλος
     πολὺς μαθητῶν αὐτοῦ – Mat 8 1 14
   13 ἠκολούθησαν αὐτῷ πεζῇ ἀπὸ τῶν
     πόλεων 19 2 ‖ Mar 10 1 συμπορεύ-
     ονται – ὄχλοι πρὸς αὐτόν
   5 1 ἰδὼν – τοὺς ὄ. ἀνέβη εἰς τὸ ὄρος 9 36
     ἐσπλαγχνίσθη περὶ αὐτῶν 8 18 ἰδὼν –
     ὄχλον (vl πολλοὺς ὄ.) περὶ αὐτόν
   7 28 ἐξεπλήσσοντο οἱ ὄ. ἐπὶ τῇ διδαχῇ
     αὐτοῦ 22 33 ‖ Mar 11 18 ὁ ὄχλος
   9 8 οἱ ὄ. ἐφοβήθησαν 33 ἐθαύμασαν οἱ
     ὄ. – Mat 12 23 ἐξίσταντο πάντες οἱ
     ὄ. ‖ Luc 11 14 ἐθαύμασαν οἱ ὄχλοι
   – 23 ἰδὼν – τὸν ὄχλον θορυβούμενον 25
   11 7 λέγειν τοῖς ὄ. περὶ Ἰωάννου ‖ Luc 7 24
   12 46 ἔτι αὐτοῦ λαλοῦντος τοῖς ὄχλοις

Mat 13 2 συνήχθησαν πρὸς αὐτὸν ὄ. πολλοί
     –, καὶ πᾶς ὁ ὄχ. ἐπὶ τὸν αἰγιαλὸν
     εἱστήκει ‖ Mar 4 1 ὄχλος πλεῖστος, –
     καὶ πᾶς ὁ ὄ. – ἐπὶ τῆς γῆς Luc 8 4
     συνιόντος – ὄχλου πολλοῦ
   – 34 ἐλάλησεν – ἐν παραβολαῖς τοῖς ὄχ.
   – 36 ἀφεὶς τοὺς ὄ. ἦλθεν εἰς τὴν οἰκίαν
     – Mar 4 36 ἀφέντες τὸν ὄχλον
   14 5 ἐφοβήθη (sc Herodes) τὸν ὄ.ᶜ 21 26
     φοβούμεθα τὸν ὄχ. 46 ἐφοβήθησαν
     τοὺς ὄ. ‖ Mar 11 32 τὸν ὄ.ᶜ 12 12 τὸν ὄ.
   – 13 ἀκούσαντες οἱ ὄ. 14 εἶδεν πολὺν ὄ.,
     καὶ ἐσπλαγχνίσθη ἐπ᾽ αὐτοῖς 15 ἀπό-
     λυσον – τοὺς ὄ. 19 κελεύσας τοὺς ὄ.
     ἀνακλιθῆναι –, οἱ δὲ μαθηταὶ τοῖς
     ὄ. ‖ Mar 6 34 Luc 9 11.12.16 Joh 6 2
     ἠκολούθει – αὐτῷ ὄχλοςᵇ πολύς 5ᵇ
   – 22 ἕως οὗ ἀπολύση τοὺς ὄ. 23 ἀπολύ-
     σας τοὺς ὄχλους ‖ Mar 6 45ᶜ
   15 10 προσκαλεσάμενος τὸν ὄ. ‖ Mar 7 14.
     17 ὅτε εἰσῆλθεν εἰς οἶκον ἀπὸ τοῦ ὄ.
     – 8 34 προσκ. τὸν ὄχ. σὺν τοῖς μαθ.
   – 30 προσῆλθον αὐτῷ ὄ. πολλοὶ 31 ὥστε
     τὸν ὄχλον θαυμάσαι ‖ Mar 7 33 ἀπο-
     λαβόμενος αὐτὸν ἀπὸ τοῦ ὄχλου
   – 32 σπλαγχνίζομαι ἐπὶ τὸν ὄχλον 33 χορ-
     τάσαι ὄχλον τοσοῦτον; 35. 36ᶜ. 39 ἀπο-
     λύσας τοὺς ὄχλους ‖ Mar 8 1 πάλιν
     πολλοῦ ὄχλου ὄντος 2. 6
   17 14 ἐλθόντων πρὸς τὸν ὄ. ‖ Mar 9 14 ὄ-
     χλον πολὺν περὶ αὐτούς (sc τοὺς μα-
     θητάς) 15 πᾶς ὁ ὄ.ᶜ – ἐξεθαμβήθη-
     σαν 17 εἷς ἐκ τοῦ ὄχλου 25 ὅτι ἐπι-
     συντρέχει ὄχλος ‖ Luc 9 37. 38
   20 29 ἠκολούθησαν – ὄ. πολύς 31 ὁ δὲ ὄ.
     ἐπετίμησεν αὐτοῖς ‖ Mar 10 46 ὄ-
     χλουᵇ ἱκανοῦ Luc 18 36 ἀκούσας δὲ
     ὄχλου διαπορευομένου
   21 8 ὁ δὲ πλεῖστος ὄ. ἔστρωσαν – ἱμάτια
   9 οἱ δὲ ὄ. οἱ προάγοντες 11 οἱ δὲ ὄ.·
     ἔλεγον· – ὁ προφήτης Ἰησοῦς
   23 1 ἐλάλησεν τοῖς ὄ. καὶ τοῖς μαθηταῖς
   26 47 μετ᾽ αὐτοῦ ὄ. πολὺς μετὰ μαχαιρῶν
     55 εἶπεν ὁ Ἰησοῦς τοῖς ὄχλοις ‖ Mar
     14 43 ὄχλος Luc 22 47 ἰδοὺ ὄχλος
   27 15 ἀπολύειν ἕνα τῷ ὄχλῳᶜ 20 ἔπεισαν
     τοὺς ὄχ.ᶜ 24 ἀπενίψατο τὰς χεῖρας
     κατέναντι τοῦ ὄ.ᶜ ‖ Mar 15 8. 11. 15 βου-
     λόμενος τῷ ὄχλῳᶜ τὸ ἱκανὸν ποιῆ-
     σαι Luc 23 4 εἶπεν πρὸς – τοὺς ὄχ.
Mar   2 4 μὴ δυνάμενοι προσενέγκαι διὰ τὸν
     ὄχ. ‖ Luc 5 19 – Mar 3 9 Luc 8 19 οὐκ

(Luc) ἠδύναντο συντυχεῖν αὐτῷ διὰ τὸν ὄ.
19₃ ἀπὸ τοῦ ὄχλου, ὅτι – μικρὸς ἦν
Mar 2₁₃ πᾶς ὁ ὄ. ἤρχετο πρὸς αὐτόν 3₂₀ συν-
έρχεται πάλιν 3₂ ἐκάθητο περὶ αὐτὸν
ὄ. 5₂₁ συνήχθη ὄ. πολὺς ἐπ' αὐτόν
2₄ ἠκολούθει αὐτῷ 2₇ ἐλθοῦσα ἐν τῷ
ὄχλῳ ὄπισθεν 3₀ ἐπιστραφεὶς ἐν τῷ
ὄ. 3₁ βλέπεις τὸν ὄ. συνθλίβοντά σε
‖ Luc 8₄₀ ἀπεδέξατο αὐτὸν ὁ ὄ. 4₂
οἱ ὄ. συνέπνιγον αὐτόν 4₅ οἱ ὄχλοι
12₃₇ ὁ πολὺς ὄχλος ἤκουεν αὐτοῦ ἡδέως
– 4₁ πῶς ὁ ὄ. βάλλει χαλκὸν εἰς τὸ γαζ.
Luc 3 ₇ ἔλεγεν – τοῖς ἐκπορευομένοις ὄ. βα-
πτισθῆναι 1₀ ἐπηρώτων αὐτὸν οἱ ὄ.
4₄₂ οἱ ὄ. ἐπεζήτουν αὐτόν 5₁ ἐν τῷ τὸν
ὄχλον ἐπικεῖσθαι αὐτῷ 3 ἐδίδασκεν
τοὺς ὄ. 1₅ συνήρχοντο ὄ. πολλοὶ 11
2₉ τῶν δὲ ὄχ. ἐπαθροιζομένων 14₂₅
συνεπορεύοντο – αὐτῷ ὄχλοι πολλοί
5₂₉ ἦν ὄχλος πολὺς τελωνῶν καὶ ἄλλων
6₁₉ πᾶς ὁ ὄχ. ἐζήτουν ἄπτεσθαι αὐτοῦ
7 ₉ στραφεὶς τῷ ἀκολουθοῦντι – ὄχλῳ
– 11 συνεπορεύοντο – οἱ μαθηταὶ – καὶ ὄ.
πολὺς 12 ὄχλος τῆς πόλεως ἱκανός
9₁₈ τίνα με οἱ ὄχλοι λέγουσιν εἶναι;
11₂₇ γυνὴ ἐκ τοῦ ὄχλου εἶπεν –· μακαρία
12 ₁ ἐπισυναχθεισῶν τῶν μυριάδων τοῦ ὄ.
1₃ εἶπεν δέ τις ἐκ τοῦ ὄ. 19₃₉ τινὲς
τῶν Φαρισαίων ἀπὸ τοῦ ὄχ. εἶπαν
– 5₄ ἔλεγεν – τοῖς ὄ.· ὅταν ἴδητε νεφέλην
13₁₄ ἔλεγεν τῷ ὄχλῳ ὅτι ἓξ ἡμέραι εἰσὶν
1₇ πᾶς ὁ ὄχλος ͨ ἔχαιρεν ἐπὶ πᾶσιν
22 ₆ τοῦ παραδοῦναι αὐτὸν ἄτερ ὄχλου
23₄₈ οἱ συμπαραγενόμενοι ὄχλοι ἐπὶ τὴν
θεωρίαν ταύτην – ὑπέστρεψαν
Joh 5₁₃ ἐξένευσεν ὄχλου ὄντος ἐν τῷ τόπῳ
6 2.₅ → supra Mat 14₁₃ – Joh 6₂₂ ὁ ὄ.
ὁ ἑστηκὼς πέραν τῆς θαλάσσης 24
7₁₂ γογγυσμὸς – πολὺς ἐν τοῖς ὄ.· – πλα-
νᾷ τὸν ὄχ. 20 ἀπεκρίθη ὁ ὄ.· δαιμό-
νιον ἔχεις 31 ἐκ τοῦ ὄ. δὲ πολλοὶ ἐ-
πίστευσαν 32.40.43 σχίσμα οὖν ἐγέ-
νετο ἐν τῷ ὄχλῳ 49 ἀλλὰ ὁ ὄχλος
οὗτος ὁ μὴ γινώσκων τὸν νόμον
11₄₂ διὰ τὸν ὄχ.ͨ τὸν περιεστῶτα εἶπον
12 ₉ ἔγνω οὖν ὁ ὄ. πολὺς ἐκ τῶν Ἰουδ.
12 ὁ ἐλθὼν εἰς τὴν ἑορτὴν 17 ὁ ὄ. ὁ
ὢν μετ' αὐτοῦ ὅτε τὸν Λάζαρον 18
ὑπήντησεν αὐτῷ ὁ ὄ. 29 ὁ – ὄχλος ὁ
ἑστὼς καὶ ἀκούσας ἔλεγεν βροντήν
– 34 ἀπεκρίθη αὐτῷ ὁ ὄχλος· ἡμεῖς ἠκού-
σαμεν – ὅτι ὁ χριστὸς μένει εἰς

Act 1₁₅ ἦν τε ὄχλος ὀνομάτων ἐπὶ τὸ αὐτό
6 ₇ πολύς τε ὄχ. τῶν ἱερέων ὑπήκουον
τῇ πίστει 8₆ προσεῖχον – οἱ ὄχλοι
τοῖς λεγομένοις 11₂₄ προσετέθη ὄ-
χλος ἱκανὸς τῷ κυρίῳ 26 διδάξαι ὄ-
χλον ἱκανόν 19₂₆ ὁ Παῦλος οὗτος
πείσας μετέστησεν ἱκανὸν ὄχλον
13₄₅ ἰδόντες – οἱ Ἰουδαῖοι τοὺς ὄχλους
14₁₁ οἵ τε ὄχλοι ἰδόντες ὃ ἐποίησεν Παῦ-
λος 13 σὺν τοῖς ὄ.ͨ ἤθελεν θύειν 14
ἐξεπήδησαν εἰς τὸν ὄ. 18 μόλις κατ-
έπαυσαν τοὺς ὄ. 19 πείσαντες τοὺς
ὄ. 16₂₂ συνεπέστη ὁ ὄ.ͩ κατ' αὐτῶν
17₈ ἐτάραξαν – τὸν ὄ.ͩ 13 τοὺς ὄ.ᵇ
19₃₃ ἐκ – τοῦ ὄχλου συνεβίβασαν Ἀλέξαν-
δρον 35 καταστείλας – τὸν ὄχλον
21₂₇ συνέχεον πάντα τὸν ὄχλονͨ 34 ἄλλο
τι ἐπεφώνουν ἐν τῷ ὄχλῳ 35 βαστά-
ζεσθαι αὐτὸν – διὰ τὴν βίαν τοῦ ὄ.ͨ
24₁₂ οὔτε – εὖρόν με – ἐπίστασιν ποιοῦν-
τα ὄχλου 18 οὐ μετὰ ὄχλου οὐδέ
Ap 7 ₉ ἰδοὺ ὄχλος πολὺς – ἐνώπιον τοῦ θρό-
νου 19₁ ἤκουσα ὡς φωνὴν μεγάλην
ὄχλου πολλοῦ ἐν τῷ οὐρανῷ 6
17₁₅ τὰ ὕδατα ἃ εἶδες, –, λαοὶ (populi)
καὶ ὄ. (vg°) εἰσὶν καὶ ἔθνη (gentes)

ὀχύρωμα munitio 2 Co 10₄ ὅπλα – δυνατὰ
τῷ θεῷ εἰς καθαίρεσιν ὀχυρωμάτων

ὀψάριον piscis Joh 6₉.₁₁ 21₉.₁₀.₁₃

ὀψέ vespere ᵇvespera (hora) ͨsero
Mat 28 ₁ ὀψὲ – σαββάτων Mar 11₁₁ᵇ 19ᵇ 13₃₅ͨ

ὀψία (sc ὥρα) vesper ᵇsero Mat 8₁₆ 14₁₅.
23 [16₂] 20₈ᵇ 26₂₀ 27₅₇ᵇ Mar 1₃₂ 4₃₅ᵇ
6₄₇ᵇ 14₁₇ 15₄₂ᵇ Joh 6₁₆ ὡς δὲ ὀψίαᵇ ἐ-
γένετο 20₁₉ οὔσης οὖν ὀψίαςᵇ

ὄψιμος serotinus Jac 5₇ „πρόϊμον καὶ ὄ."

ὄψις facies – (κατ' ὄψιν) secundum faciem
Joh 7₂₄ μὴ κρίνετε κατ' ὄψιν – 11₄₄
Ap 1₁₆ ἡ ὄψις αὐτοῦ ὡς ὁ ἥλιος φαίνει

ὀψώνιον stipendium
Luc 3₁₄ ἀρκεῖσθε τοῖς ὀψωνίοις ὑμῶν
Rm 6₂₃ τὰ – ὀψώνια τῆς ἁμαρτίας θάνατος
1 Co 9 ₇ τίς στρατεύεται ἰδίοις ὀψωνίοις ποτέ;
2 Co 11 ₈ ἄλλας ἐκκλησίας ἐσύλησα λαβὼν ὀ-
ψώνιον πρὸς τὴν ὑμῶν διακονίαν

Π

παγιδεύειν *capere* Mat 22 15 αὐτὸν – ἐν λόγῳ

παγίς *laqueus* Luc 21 35 μήποτε – ἐπιστῇ – ἡ ἡμέρα ἐκείνη ὡς „παγίς" Rm 11 9 „ἡ τράπεζα αὐτῶν εἰς παγίδα" 1 Ti 3 7 τοῦ διαβόλου 2 Ti 2 26 – 1 Ti 6 9 ἐμπίπτουσιν εἰς πειρασμὸν καὶ παγίδα

πάθημα Sᵒ – *passio* ᵇ*vitium*
Rm 7 5 τὰ παθήμ. τῶν ἁμαρτιῶν - ἐνηργεῖτο 8 18 οὐκ ἄξια τὰ παθήμ. τοῦ νῦν καιροῦ
2 Co 1 5 περισσεύει τὰ π. τοῦ Χοῦ εἰς ἡμᾶς – 6 ἐν ὑπομονῇ τῶν αὐτῶν π. ὧν καὶ ἡμεῖς πάσχομεν 7 ὡς κοινωνοί ἐστε τῶν π., οὕτως καὶ τῆς παρακλήσεως
Gal 5 24 τὴν σάρκα ἐσταύρωσαν σὺν τοῖς π.ᵇ
Phl 3 10 γνῶναι – κοινωνίαν π..άτων αὐτοῦ
Col 1 24 νῦν χαίρω ἐν τοῖς παθ. ὑπὲρ ὑμῶν
2 Ti 3 11 παρηκολούθησάς μου – τοῖς παθήμ.
Hb 2 9 Ἰησοῦν διὰ τὸ π. τοῦ θανάτου „δόξῃ – ἐστεφανωμένον" 10 ἔπρεπεν – αὐτῷ – τὸν ἀρχηγὸν τῆς σωτηρίας – διὰ π..άτων (vg sing, vl plur) τελειῶσαι 10 32 πολλὴν ἄθλησιν ὑπεμείνατε π..άτων
1 Pe 1 11 προμαρτυρόμενον τὰ εἰς Χὸν παθ. 4 13 καθὸ κοινωνεῖτε τοῖς τοῦ Χοῦ π..σιν 5 1 μάρτυς τῶν τοῦ Χοῦ παθημάτων – 9 εἰδότες τὰ αὐτὰ τῶν π. τῇ ἐν τῷ κόσμῳ ὑμῶν ἀδελφότητι ἐπιτελεῖσθαι

παθητός Sᵒ – *passibilis* Act 26 23 εἰ π. ὁ χρ.

πάθος *passio* ᵇ*libido*
Rm 1 26 παρέδωκεν αὐτοὺς – εἰς π..η ἀτιμίας
Col 3 5 νεκρώσατε – πάθος ᵇ, ἐπιθυμ. κακήν
1 Th 4 5 ἐν – τιμῇ, μὴ ἐν πάθει ἐπιθυμίας

παιδαγωγός Sᵒ – *paedagogus*
1 Co 4 15 ἐὰν – μυρίους π..οὺς ἔχητε ἐν Χῷ
Gal 3 24 ὥστε ὁ νόμος παιδ. ἡμῶν γέγονεν εἰς Χόν 25 οὐκέτι ὑπὸ π..όν ἐσμεν

παιδάριον *puer* Joh 6 9 ἔστιν π. ὧδε ὅς

παιδεία *disciplina* ᵇ(πρὸς π..αν) *ad erudiendum* Eph 6 4 ἐν „παιδείᾳ – κυρίου"
2 Ti 3 16 πρὸς παιδείαν ᵇ τὴν ἐν δικαιοσύνῃ
Hb 12 5 „μὴ ὀλιγώρει παιδείας κυρίου" 7 εἰς

(vl εἰ) „παιδείαν" ὑπομένετε 8 εἰ δὲ χωρίς ἐστε „παιδείας" 11 πᾶσα μὲν παιδεία πρὸς μὲν τὸ παρὸν οὐ δοκεῖ χαρᾶς εἶναι

παιδεύειν *castigare* ᵇ*corripere* ᶜ(pass) *discere* ᵈ*emendare* ᵉ*erudire*
Luc 23 16 παιδεύσας ᵈ – αὐτὸν ἀπολύσω 22 ᵇ
Act 7 22 ἐπ..θη ᵉ Μω. πάσῃ σοφίᾳ Αἰγυπτίων 22 3 πεπαιδ.ᵉ κατὰ ἀκρίβειαν τοῦ – νόμου
1 Co 11 32 ὑπὸ τοῦ κυρίου παιδευόμεθα ᵇ
2 Co 6 9 ὡς „π..όμενοι καὶ μὴ θανατούμενοι"
1 Ti 1 20 ἵνα παιδευθῶσιν ᶜ μὴ βλασφημεῖν
2 Ti 2 25 δοῦλον – κυρίου – ἐν πραΰτητι παιδεύοντα ᵇ τοὺς ἀντιδιατιθεμένους
Tit 2 12 ἡ χάρις τοῦ θ. –, παιδεύουσα ᵉ ἡμᾶς
Hb 12 6 „ὃν γὰρ ἀγαπᾷ κύριος παιδεύει" – 7 τίς – „υἱὸς" ὃν οὐ „π..ει" ᵇ πατήρ; – 10 κατὰ τὸ δοκοῦν αὐτοῖς ἐπαίδευον ᵉ
Ap 3 19 „ὅσους ἐὰν φιλῶ ἐλέγχω καὶ π..ω"

παιδευτής *eruditor* Rm 2 20 Hb 12 9

ἐκ παιδιόθεν *ab infantia* Mar 9 21

παιδίον *puer* ᵇ*puella* ᶜ*parvulus* ᵈ*infans* ᵉ*filius* ᶠ*filiolus*
Mat 2 8.9.11.13.14.20.21 Luc 2 17.27.40 11 16 ὁμοία ἐστὶν παιδίοις καθημένοις ἐν ταῖς ἀγοραῖς ‖ Luc 7 32 14 21 χωρὶς γυναικῶν καὶ παιδίων ᶜ 15 38 ᶜ 18 2 προσκαλεσάμενος παιδίον ᶜ 3 ἐὰν μὴ – γένησθε ὡς τὰ π.ᶜ 4 ὅστις – ταπεινώσει ἑαυτὸν ὡς τὸ π.ᶜ τοῦτο 5 ὃς ἐὰν δέξηται ἓν π.ᶜ τοιοῦτο ‖ Mar 9 36 λαβὼν παιδίον 37 Luc 9 47 ἐπιλαβόμενος 48 19 13 προσηνέχθησαν αὐτῷ παιδία ᶜ 14 ἄφετε τὰ παιδία ᶜ ‖ Mar 10 13 ᶜ 14 ᶜ ἔρχεσθαι πρός με 15 ὃς ἂν μὴ δέξηται τὴν βασιλείαν τοῦ θεοῦ ὡς π.ᶜ Luc 18 16.17 τὴν βασιλείαν τ. θεοῦ ὡς π.
Mar 5 39 τὸ παιδίον ᵇ οὐκ ἀπέθανεν 40 ᵇ 41 ᵇ 7 28 ἐσθίουσιν ἀπὸ τῶν ψιχίων τῶν παιδίων 30 εὗρεν τὸ π.ᵇ βεβλημένον ἐπὶ 9 24 κράξας ὁ πατὴρ τοῦ παιδίου ἔλεγεν·
Luc 1 59 (Joh.) 66.76.80 τὸ δὲ παιδίον ηὔξανε 11 7 τὰ π. μου μετ᾽ ἐμοῦ εἰς τὴν κοίτην
Joh 4 49 πρὶν ἀποθανεῖν τὸ παιδίον ᵉ μου

Joh 16 21 ὅταν δὲ γεννήσῃ τὸ παιδίον, οὐκέτι
21 5 παιδία – 1 Jo 2 14 ὑμῖν, παιδία[d] 18[f]
1 Co 14 20 μὴ παιδία γίνεσθε ταῖς φρεσίν
Hb 2 13 „ἐγὼ καὶ τὰ π." 14 ἐπεὶ – τὰ π. κε-
κοινώνηκεν αἵματος καὶ σαρκός
11 23 διότι „εἶδον ἀστεῖον" τὸ π.[d] (Mos.)

παιδίσκη ancilla [b]puella
Mat 26 69 ‖ Mar 14 66. 69 Luc 22 56 Joh 18 17
Luc 12 45 τύπτειν – τὰς π. – Act 12 13[b] 16 16[b]
Gal 4 22 ἕνα (sc υἱὸν) ἐκ τῆς π. 23. 30 „ἔκβα-
λε τὴν π." 30. 31 οὐκ ἐσμὲν παιδίσκης τέκνα

παίειν percutere
Mat 26 68 τίς ἐστιν ὁ παίσας σε; ‖ Luc 22 64
Mar 14 47 ‖ Joh 18 10 τὸν – δοῦλον – Ap 9 5

παίζειν ludere 1 Co 10 7 „ἀνέστησαν παί."

παῖς, ὁ et **ἡ** puer [b]puella [c]filius [d]servus
Mat 2 16 ἀνεῖλεν τοὺς π. Luc 2 43 Ἰησοῦς ὁ π.
8 6 ὁ π. μου βέβληται – παραλυτικός 8.
13 ἰάθη ὁ π. ‖ Luc 7 7 ἰαθήτω ὁ π.
12 18 „ὁ π. μου ὃν ᾑρέτισα" Act 3 13 „ἐδό-
ξασεν τὸν π.[c] αὐτοῦ" Ἰησοῦν 26 ἀ-
ναστήσας ὁ θεὸς τὸν π.[c] αὐτοῦ –
4 27 „συνήχθησαν" – ἐπὶ τὸν ἅγιον π.
σου Ἰησοῦν 30 τέρατα γίνεσθαι διὰ
τοῦ ὀνόματ. τοῦ ἁγίου παιδός[c] σου
14 2 Ἡρῴδης – εἶπεν τοῖς παισὶν αὐτοῦ
17 18 ἐθεραπεύθη ὁ π. ‖ Luc 9 42 ἰάσατο
21 15 τοὺς π. τοὺς κράζοντας ⌊τὸν π.
Luc 1 54 „ἀντελάβετο Ἰσραὴλ παιδὸς αὐτοῦ"
– 69 Δαυὶδ παιδὸς αὐτοῦ Act 4 25 σου
8 51 τὸν πατέρα τῆς π.[b] 54 ἡ π.[b], ἔγειρε
12 45 τύπτ. τοὺς π.[d] (vl[a]) 15 26 ἕνα τῶν π.[d]
Joh 4 51 ὅτι ὁ π.[c] – ζῇ – Act 20 12 τὸν π. ζῶντα

πάλαι olim [b](ἡ π. ἁμαρτία) vetus
Mat 11 21 πάλαι ἂν – μετενόησαν ‖ Luc 10 13
Mar 15 44 εἰ πάλαι (vl ἤδη vg iam) ἀπέθανεν
2 Co 12 19 Hb 1 1 πάλαι ὁ θεὸς λαλήσας Jud 4
2 Pe 1 9 καθαρισμοῦ τῶν πάλαι[b] – ἁμαρτιῶν

παλαιός vetus **παλαιότης** S[o] – vetustas
Mat 9 16 ἐπὶ ἱματίῳ π..ῷ 17 εἰς ἀσκοὺς π..ούς
‖ Mar 2 21 bis 22 Luc 5 36. 37 – 39 πι-
ὼν παλαιὸν – λέγει γάρ· ὁ παλαιὸς
χρηστός ἐστιν
13 52 ὅστις ἐκβάλλει – καινὰ καὶ παλαιά
Rm 6 6 ὁ παλαιὸς ἡμῶν ἄνθρ. συνεσταυρώθη
7 6 δουλεύειν [ἡμᾶς] ἐν καινότητι πνεύ-

ματος καὶ οὐ παλαιότητι γράμματος
1 Co 5 7 ἐκκαθάρατε τὴν παλαιὰν ζύμην 8
2 Co 3 14 ἐπὶ τῇ ἀναγνώσει τῆς παλ. διαθήκης
Eph 4 22 ἀποθέσθαι – τὸν παλ. ἄνθρωπον Col
3 9 ἀπεκδυσάμενοι τὸν παλ. ἄνθρωπ.
1 Jo 2 7 ἐντολὴν π..ὰν – · ἡ ἐντ. ἡ παλ. ἐστιν

παλαιοῦν veterare π..οῦσθαι: [b]veterascere
(vl ..escere) [c]antiquari
Luc 12 33 βαλλάντια μὴ παλαιούμενα[b]
Hb 1 11 „ὡς ἱμάτιον παλαιωθήσονται[b]"
8 13 πεπαλαίωκεν τὴν πρώτην· τὸ δὲ πα-
λαιούμενον[c] – ἐγγὺς ἀφανισμοῦ

πάλη S[o] – colluctatio Eph 6 12 οὐκ ἔστιν ἡ-
μῖν ἡ π. πρὸς αἷμα καὶ σάρκα, ἀλλὰ

παλιγγενεσία S[o] – regeneratio
Mat 19 28 ἐν τῇ παλ., ὅταν καθίσῃ ὁ υἱὸς τοῦ
Tit 3 5 διὰ λουτροῦ π..ας καὶ ἀνακαινώσεως

*πάλιν iterum [b]rursus, rursum [c]vg[o]
— πάλιν – λέγω ὑμῖν → λέγειν
Joh 10 17 τίθημι τὴν ψυχήν μου, ἵνα π. λάβω
αὐτήν 18 ἐξουσίαν ἔχω πάλιν λαβεῖν
11 7. 8 καὶ πάλιν ὑπάγεις ἐκεῖ;
12 28 καὶ ἐδόξασα καὶ πάλιν δοξάσω
14 3 π. ἔρχομαι καὶ παραλήμψομαι ὑμᾶς
16 16 πάλιν μικρὸν καὶ ὄψεσθέ με 17. 19. 22
πάλιν δὲ ὄψομαι ὑμᾶς 28 πάλιν ἀφί-
ημι τὸν κόσμον
Act 17 32 ἀκουσόμεθά σου περὶ τούτου καὶ π.
Rm 8 15 πνεῦμα δουλείας πάλιν εἰς φόβον
1 Co 7 5 ἵνα – καὶ πάλιν ἐπὶ τὸ αὐτὸ ἦτε
2 Co 2 1 τὸ μὴ π. ἐν λύπῃ πρὸς ὑμᾶς ἐλθεῖν
12 21 13 2 ἐὰν ἔλθω εἰς τὸ π. φείσ.
10 7 τοῦτο λογιζέσθω πάλιν ἐφ᾿ ἑαυτοῦ
Gal 4 9 πῶς ἐπιστρέφετε π. ἐπὶ τὰ – στοιχεῖα,
οἷς πάλ.[c] ἄνωθεν δουλεῦσαι θέλετε;
– 19 τέκνα μου, οὓς πάλιν ὠδίνω
5 1 μὴ πάλιν ζυγῷ δουλείας ἐνέχεσθε
– 3 μαρτύρομαι – π.[b] παντὶ – περιτεμνο-
Phl 4 4 χαίρετε· πάλιν ἐρῶ, χαίρετε ⌊μένῳ
Hb 5 12 π.[b] χρείαν ἔχετε τοῦ διδάσκειν ὑμᾶς
6 1 μὴ πάλ.[b] θεμέλιον καταβαλλόμενοι
– 6 ἀδύνατον – τοὺς – παραπεσόντας, π.[b]
ἀνακαινίζειν εἰς μετάνοιαν 2 Pe 2 20
πάλ.[b] ἐμπλακέντες (sc τοῖς μιάσμα.)
1 Jo 2 8 πάλιν ἐντολὴν καινὴν γράφω ὑμῖν

παμπληθεί S[o] – simul universa turba Lc 23 18

Παμφυλία Act 2 10 13 13 14 24 15 38 27 5

πανδοχεῖον S° – *stabulum* Luc 10 34

πανδοχεύς S° – *stabularius* Luc 10 35 τῷ π.

πανήγυρις *frequentia* Hb 12 22 ἀγγέλων π.. εἰ καὶ ἐκκλησία πρωτοτόκων (vg *ad – angelorum fr..am*)

πανοικεί *cum omni domo sua* Act 16 34

πανοπλία *armatura* [b]*universa arma* Luc 11 22[b] Eph 6 11 τὴν παν. τοῦ θεοῦ 13 idem

πανουργία *astutia* [b]*dolus* Luc 20 23 κατανοήσας δὲ αὐτῶν τὴν παν.[b] 1 Co 3 19 2 Co 4 2 μὴ περιπατοῦντες ἐν π..ία 2 Co 11 3 Eph 4 14 ἐν τῇ κυβείᾳ τῶν ἀνθ., ἐν π.

πανοῦργος *astutus* 2 Co 12 16 ὑπάρχων παν.

πανταχῇ *ubique* Act 21 28 πανταχῇ διδάσκων

πανταχοῦ *ubique* Mar 1 28 (vg°) [16 20] Luc 9 6 Act 17 30 πάντας π. μετανοεῖν 24 3 28 22 γνωστὸν ἡμῖν – ὅτι π. ἀντιλέγεται 1 Co 4 17 καθὼς π. ἐν πάσῃ ἐκκλησίᾳ διδάσκω

εἰς τὸ παντελές S° – [a]*omnino* [b]*in perpetuum* (vl ..o) Luc 13 11[a] Hb 7 25 σῴζειν εἰς τὸ π.[b] δύναται τοὺς προσερχομένους δι'

πάντη *semper* Act 24 3 π. τε καὶ πανταχοῦ

πάντοθεν *undique* [b]*ex omni parte* Mar 1 45 Luc 19 43 συνέξουσίν σε π. Hb 9 4[b]

παντοκράτωρ *omnipotens* 2 Co 6 18 „λέγει κύριος π." Ap 1 8 ὁ ὢν καὶ ὁ ἦν καὶ ὁ ἐρχόμ., ὁ π. 4 8 11 17 κύριε ὁ θ. ὁ π. 15 3 16 7 19 6 ἐβασίλευσεν κύριος ὁ θ. ἡμῶν ὁ π. 21 22 ὁ – κύρ. ὁ θ. ὁ π. ναὸς αὐτῆς ἐστιν – 16 14 εἰς τὸν πόλεμον τῆς ἡμέρας τῆς μεγ. τοῦ θ. τοῦ π. 19 15 τὴν ληνὸν – τῆς ὀργῆς τοῦ θεοῦ τοῦ π.

πάντοτε *semper* Mat 26 11 πάντοτε – τοὺς πτωχοὺς ἔχετε –, ἐμὲ δὲ οὐ π. ἔχετε ‖ Mar 14 7 Joh 12 8 Luc 15 31 τέκνον, σὺ πάντοτε μετ' ἐμοῦ εἶ Joh 6 34 πάντοτε δὸς ἡμῖν τὸν ἄρτον τοῦτον 7 6 8 29 11 42 πάντοτέ μου ἀκούεις 18 20 Rm 1 10 π. ἐπὶ τῶν προσευχῶν μου 1 Co 1 4 εὐχαριστῶ τῷ θεῷ π. Eph 5 20 Phl

14 π. ἐν πάσῃ δεήσει μου Col 1 3 εὐχαριστοῦμεν – π. περὶ ὑμῶν 1 Th 1 2 2 Th 1 3.11 προσευχόμεθα πάντ. περὶ ὑμῶν 2 13 Phm 4 εὐχαριστῶ – πάντ. 1 Co 15 58 2 Co 2 14 4 10 5 6 9 8 Gal 4 18 Phl 1 20 ὡς π. καὶ νῦν μεγαλυνθήσεται Χός 2 12 καθὼς π. ὑπηκούσατε 4 4 χαίρετε ἐν κυρίῳ π. 1 Th 5 16 πάντοτε χαίρετε Col 4 6 ὁ λόγος ὑμῶν πάντ. ἐν χάριτι – 12 1 Th 2 16 3 6 4 17 πάντοτε σὺν κυρίῳ ἐσόμεθα 5 15 π. τὸ ἀγαθὸν διώκετε – εἰς πάντας 2 Ti 3 7 π. μανθάνοντα (sc τὰ γυναικάρια) Hb 7 25 π. ζῶν εἰς τὸ ἐντυγχάνειν ὑπὲρ αὐτ.

πάντως *utique* [b](οὐ π.) *nequaquam* Luc 4 23 Act (vl 18 21 vg°) 21 22 28 4 Rm 3 9 προεχόμεθα; οὐ π.[b] – 1 Co 5 10 9 10 1 Co 9 22 ἵνα πάντως τινὰς σώσω – 16 12

*παρά

1) cum genitivo

παρά cum ἀκριβοῦν, μανθάνειν, παραλαμβάνειν – ἐλπίζειν, ζητεῖν – ἀγοράζειν → sub his verbis; παρὰ θεοῦ → θεός; παρὰ τ. πατρός → πατήρ vg *a, ab, abs* [b]*apud* [c]*de* [d](οἱ παρ' αὐτοῦ) *sui* – (τὰ παρά τινος): [e]*sua* [f]*quae misistis*

Mat 21 42 „παρὰ κυρίου ἐγένετο" ‖ Mar 12 11 Mar 3 21 ἀκούσαντες οἱ παρ' αὐτοῦ[d] 5 26 δαπανήσασα τὰ παρ' αὐτῆς[e] πάντα [16 9 παρ'[c] ἧς ἐκβεβλήκει ἑπτὰ δαιμόνια] Luc 1 45 τελείωσις τοῖς λελαλημέν. π. κυρίου 10 7 καὶ πίνοντες τὰ παρ'[b] αὐτῶν Phl 4 18 δεξάμενος – τὰ παρ'[f] ὑμῶν Joh 5 34 οὐ παρὰ ἀνθρώπου τὴν μαρτυρίαν λαμβάνω 41 δόξαν παρὰ ἀνθρώπων 44 δόξαν παρὰ ἀλλήλων λαμβάνοντες, καὶ τὴν δόξαν τὴν παρὰ τοῦ μόνου θεοῦ οὐ ζητεῖτε; 6 46 ὁ ὢν παρὰ τοῦ θεοῦ, – ἑώρακεν 7 29 οἶδα αὐτόν, ὅτι παρ' αὐτοῦ εἰμι 8 26 ἃ ἤκουσα παρ' αὐτοῦ 17 7 ὅσα δέδωκάς μοι παρὰ σοῦ εἰσιν 8 ἔγνωσαν – ὅτι παρὰ σοῦ ἐξῆλθον – 51 ἐὰν μὴ ἀκούσῃ πρῶτον παρ' αὐτοῦ Rm 11 27 αὕτη αὐτοῖς ἡ παρ' ἐμοῦ (vl παρ' ἐμοῦ ἥ) διαθήκη (*a me t..um*)

2) cum dativo

ἀδύνατον, δυνατόν, μένειν, μονὴν

ποιεῖν παρά τινι → sub his verbis;
παρὰ (τῷ) ϑεῷ (in epistolis) → ϑεός
vg *apud*
Mat 6 1 μισϑὸν οὐκ ἔχετε παρὰ τῷ πατρὶ ὑμ.
Luc 1 30 εὗρες – χάριν παρὰ τῷ ϑεῷ 2 52 „προ-
έκοπτεν – χάριτι παρὰ ϑεῷ καὶ – ”
Joh 8 38 ἃ ἐγὼ ἑώρακα παρὰ τῷ πατρί
17 5 καὶ νῦν δόξασόν με – παρὰ σεαυτῷ
τῇ δόξῃ ᾗ εἶχον – παρὰ σοί
Rm 12 16 „μὴ γίνεσϑε φρόνιμοι παρ᾽ ἑαυτοῖς”
(11 25 vl παρ᾽ ἑαυτοῖς vg *vobisipsis*)
1 Co 16 2 παρ᾽ ἑαυτῷ τιϑέτω ϑησαυρίζων
2 Co 1 17 ἵνα ᾖ παρ᾽ ἐμοὶ τὸ ναὶ ναὶ καὶ τό
Eph 6 9 προσωπολημψία οὐκ ἔστιν παρ᾽ αὐτῷ
Jac 1 17 παρ᾽ ᾧ οὐκ ἔνι παραλλαγή
2 Pe 2 11 οὐ φέρουσιν – παρὰ κυρίῳ βλάσφη-
μον κρίσιν
3 8 μία ἡμέρα παρὰ κυρίῳ ὡς χίλια ἔτη

3) cum accusativo

vg ᵃ*prae* ᵇ*praeter* ᶜ*praeterquam* ᵈ*plus
quam* ᵉ*potius quam* ᶠ*quam* ᵍ*contra*
ʰ*supra* ⁱ*inter* ᵏ(π. τοῦτο) *ideo* ˡ(π. μίαν)
una minus*

Act 18 13 παρὰ ᵍ τὸν νόμον Rm 1 26 παρὰ ᵍ φύ-
σιν 4 18 ᵍ ἐλπίδα 16 17 παρὰ ᵇ τὴν δι-
δαχήν 2 Co 8 3 παρὰ ʰ δύναμιν
Rm 1 25 τῇ κτίσει παρὰ ᵉ τὸν κτίσαντα
12 3 μὴ ὑπερφρονεῖν παρ᾽ ὅ ᵈ δεῖ φρονεῖν
14 5 ὃς μὲν – κρίνει ἡμέραν παρ᾽ ⁱ ἡμέραν
1 Co 3 11 ϑεμέλιον – παρὰ ᵇ τὸν κείμενον
12 15 οὐ παρὰ τοῦτο ᵏ οὐκ ἔστιν ἐκ τοῦ
σώματος 16 ᵏ
2 Co 11 24 τεσσεράκοντα παρὰ μίαν ˡ ἔλαβον
Gal 1 8 παρ᾽ ὅ ᶜ εὐηγγελισάμεϑα ὑμῖν 9 ᵇ
Hb 1 4 διαφορώτερον παρ᾽ ᵃ αὐτοὺς – ὄνομα
3 3 πλείονος – δόξης παρὰ ᵃ Μωϋσῆν
11 4 παρὰ ᶠ Κάϊν 12 24 ᶠ Ἄβελ
11 11 Σάρρα – παρὰ ᵇ καιρὸν ἡλικίας

παραβαίνειν *transgredi* ᵇ*praevaricari*
Mat 15 2 τὴν παράδοσιν τῶν πρεσβυτέρων; 3
ὑμεῖς π..ετε τὴν ἐντολὴν τοῦ ϑεοῦ
Act 1 25 ἀποστολῆς, ἀφ᾽ ἧς παρέβη ᵇ Ἰούδας

παραβάλλειν *applicare* Act 20 15 εἰς Σάμ.

παράβασις *praevaricatio* ᵇ*transgressio*
Rm 2 23 ὃς ἐν νόμῳ καυχᾶσαι, διὰ τῆς παρ.
τοῦ νόμου τὸν ϑεὸν ἀτιμάζεις;
4 15 οὗ – οὐκ ἔστιν νόμος, οὐδὲ παράβας.
5 14 ἐπὶ τῷ ὁμοιώματι τῆς παραβ. Ἀδάμ

Gal 3 19 τῶν παραβάσεων ᵇ χάριν προσετέϑη
1 Ti 2 14 ἡ δὲ γυνὴ – ἐν παραβάσει γέγονεν
Hb 2 2 πᾶσα παράβασις καὶ παρακοὴ ἔλα-
βεν ἔνδικον μισϑαποδοσίαν
9 15 τῶν ἐπὶ τῇ πρώτῃ διαϑήκῃ π..εων

παραβάτης Sᵒ – *praevaricator* ᵇ*transgres-
sor* (Luc 6 5 vl π. εἶ τοῦ νόμου vgᵒ)
Rm 2 25 ἐὰν δὲ παραβ. νόμου ᾖς 27 Jac 2 11 ᵇ
Gal 2 18 παραβάτην ἐμαυτὸν συνιστάνω
Jac 2 9 ἐλεγχόμενοι ὑπὸ τ. νόμου ὡς π..αιᵇ

παραβιάζεσϑαι *cogere* Luc 24 29 Act 16 15

παραβολεύεσϑαι Sᵒ – *tradere* Phl 2 30 ψυχῇ

παραβολή *parabola* ᵇ*similitudo*
Mat 13 3 ἐλάλησεν αὐτοῖς πολλὰ ἐν π..αῖς
10 διὰ τί ἐν π. λαλεῖς αὐτοῖς; 13 διὰ
τοῦτο ἐν π. αὐτοῖς λαλῶ 33 ἄλλην π.
ἐλ. αὐτοῖς 34 ταῦτα πάντα ἐλ. – ἐν π.
τοῖς ὄχλοις, καὶ χωρὶς παραβολῆς
οὐδὲν ἐλάλει αὐτοῖς ‖ Mar 4 33 τοι-
αύταις π..αῖς πολλαῖς ἐλάλει αὐτοῖς
τὸν λόγον 34 12 1 ἤρξατο αὐτοῖς ἐν
παραλ. λαλεῖν cfr παροιμία Joh 16 25
– 18 ἀκούσατε τὴν παρ. τοῦ σπείραντος
– 24 ἄλλην π..ὴν παρέϑηκεν αὐτοῖς 31
– 35 „ἀνοίξω ἐν π..αῖς τὸ στόμα μου”
– 36 διασάφησον ἡμῖν τὴν π. τῶν ζιζανίων
– 53 ὅτε ἐτέλεσεν ὁ Ἰησ. τὰς π. ταύτας
15 15 φράσον ἡμῖν τὴν π. ‖ Mar 7 17 ἐπη-
ρώτων αὐτὸν – τὴν π. – 4 10 τὰς π.
‖ Luc 8 9 τίς αὕτη εἴη ἡ παραβολή
21 33 ἄλλην π..ὴν ἀκούσατε ‖ Luc 20 9
– 45 ἀκούσαντες – οἱ Φαρισαῖοι τὰς πα-
ραβολάς ‖ Mar 12 12 ὅτι πρὸς αὐ-
τοὺς τὴν παραβολὴν εἶπεν Luc 20 19 ᵇ
22 1 πάλιν εἶπεν ἐν παραβολαῖς αὐτοῖς
24 32 ἀπὸ – τῆς συκῆς μάϑετε τὴν παρ. ‖
Mar 13 28 – Luc 21 29 εἶπεν π..ὴν ᵇ
Mar 3 23 ἐν παραβολαῖς ἔλεγεν αὐτοῖς
4 2 ἐδίδασκεν – ἐν παραβολαῖς πολλά ‖
Luc 8 4 εἶπεν διὰ παραβολῆς ᵇ
– 11 τοῖς ἔξω ἐν π..αῖς τὰ πάντα γίνεται
‖ Luc 8 10 τοῖς δὲ λοιποῖς ἐν π..αῖς
– 13 οὐκ οἴδατε τὴν παρ. ταύτην, καὶ πῶς
πάσας τὰς παραβολὰς γνώσεσϑε;
– 30 ἢ ἐν τίνι αὐτὴν παραβολῇ ϑῶμεν;
Luc 4 23 ἐρεῖτέ μοι τὴν παρ. ᵇ ταύτην· ἰατρέ
5 36 ἔλεγεν – π..ὴν ᵇ 6 39 ᵇ 12 16 ᵇ 13 6 ᵇ 14 7
πρὸς τοὺς κεκλημένους παραβολήν

(Luc)   15₃ 181.9 πρός τινας τοὺς πεποιθό-
        τας ἐφ' ἑαυτοῖς ὅτι εἰσὶν δίκαιοι 19₁₁
        προσθεὶς εἶπεν παραβολήν 20₉ 21₂₉ᵇ
Luc 8₁₁ ἔστιν δὲ αὕτη ἡ παραβολή
     12₄₁ πρὸς ἡμᾶς τὴν παραβολὴν ταύτην
        λέγεις ἢ καὶ πρὸς πάντας;
Hb   9 9 ἥτις παραβολὴ εἰς τὸν καιρὸν τὸν
        ἐνεστηκότα
     11₁₉ ὅθεν αὐτὸν (sc τὸν Ἰσαὰκ) καὶ ἐν
        παραβολῇ ἐκομίσατο (sc Ἀβραάμ)

παραγγελία Sᵒ – praeceptum ᵇ(π..ίᾳ) prae-
        cipiendo Act 5₂₈ᵇ 16₂₄ π..αν – λαβών
1 Th 4 2 τίνας παραγγελίας ἐδώκαμεν ὑμῖν
1 Ti 1 5 τὸ – τέλος τῆς παρ. ἐστὶν ἀγάπη ἐκ
     – 18 ταύτην τὴν παρ. παρατίθεμαί σοι

παραγγέλλειν praecipere ᵇdenunciare
Mat 10 5 (sc τοῖς δώδεκα) ‖ Mar 6₈ ἵνα μηδέν
     15₃₅ τῷ ὄχλῳ ἀναπεσεῖν ‖ Mar 8₆
[Mar brev. claus. πάντα δὲ τὰ παρηγγελμένα
        τοῖς περὶ τὸν Πέτρον – ἐξήγγειλαν vgᵒ]
Luc 5₁₄ παρήγγειλεν αὐτῷ μηδενὶ εἰπεῖν 8₅₆
        αὐτοῖς 9₂₁ – 8₂₉ τῷ πνεύ. – ἐξελθεῖν
Act 1 4 παρήγγειλεν – ἀπὸ Ἱεροσ. μὴ χωρίζ.
     4₁₈ παρήγγειλανᵇ – μὴ – διδάσκειν ἐπὶ τῷ
        ὀνόματι – Ἰησοῦ 5₂₈.₄₀ᵇ μὴ λαλεῖν
     10₄₂ παρήγγειλεν ἡμῖν κηρύξαι τῷ λαῷ
     15 5 π..ειν τε τηρεῖν τὸν νόμον Μωϋσέως
     16₁₈ παραγγέλλω σοι – ἐξελθεῖν ἀπ' αὐτῆς
     – 23 (vl 17₃₀) 23₂₂ μηδενὶ ἐκλαλῆσαι 30ᵇ
1 Co 7₁₀ παραγγέλλω, οὐκ ἐγὼ ἀλλὰ ὁ κύριος
     11₁₇ τοῦτο δὲ π..ων οὐκ ἐπαινῶ ὅτι
1 Th 4₁₁ καθὼς ὑμῖν παρηγγείλαμεν
2 Th 3 4 πεποίθαμεν –, ὅτι ἃ π..ομεν – ποιεῖτε
        καὶ ποιήσετε 6 παραγγέλλομενᵇ – ὑμῖν
        – στέλλεσθαι ὑμᾶς ἀπὸ – ἀδελφοῦ
        ἀτάκτως περιπατοῦντος 10 παρηγ-
        γέλλομενᵇ ὑμῖν, ὅτι εἴ τις οὐ θέλει
        ἐργάζεσθαι 12 τοῖς – τοιούτοις παρ-
        αγγέλλομενᵇ καὶ παρακαλοῦμεν – ἵνα
1 Ti 1 3 ἵνα παραγγείλῃςᵇ τισὶν μὴ ἑτεροδι-
        δασκαλεῖν 4₁₁ παράγγελλε ταῦτα 5 7
        6₁₇ τοῖς πλουσίοις – παράγγελλε
        6₁₃ π..ω –, τηρῆσαί σε τὴν ἐντολήν

παράγειν, ..εσθαι praeterire ᵇtransire
Mat 9 9ᵇ 27ᵇ 20₃₀ᵇ Mar 1₁₆ 2₁₄ 15₂₁ Joh (vl
        8₅₉ παρῆγεν οὕτως vgᵒ) 9₁
1 Co 7₃₁ παράγει γὰρ τὸ σχῆμα τοῦ κόσμου
1 Jo 2 8 ἡ σκοτία παράγεταιᵇ 17 ὁ κόσμος
        παράγεταιᵇ καὶ ἡ ἐπιθυμία αὐτοῦ

*παραγίνεσθαι venire ᵇadesse ᶜassistere
        ᵈpraesentem esse
Luc 11 6 φίλος μου παρεγένετο ἐξ ὁδοῦ πρός
     12₅₁ ὅτι εἰρήνην παρεγενόμην δοῦναι – ;
1 Co 16 3 ὅταν δὲ παραγένωμαιᵈ, – πέμψω
2 Ti 4₁₆ ἐν τῇ πρώτῃ μου ἀπολογίᾳ οὐδείς
        μοι παρεγένετοᵇ
Hb   9₁₁ Χὸς – π..όμενοςᶜ ἀρχιερεὺς τῶν γε-
        νομένων (vl μελλόντων vg) ἀγαθῶν

παραδειγματίζειν ᵃostentui habēre ᵇtra-
        ducere (Mat 1₁₉ vl μὴ θέλων αὐτὴν π..
        ἶσαιᵇ) Hb 6₆ ἀνασταυροῦντας ἑαυτοῖς
        τὸν υἱὸν τοῦ θεοῦ καὶ π..οντας ᵃ

παράδεισος paradisus
Luc 23₄₃ σήμερον μετ' ἐμοῦ ἔσῃ ἐν τῷ παρ.
2 Co 12 4 ἡρπάγη εἰς τὸν παράδ. καὶ ἤκουσεν
Ap   2 7 „ἐκ τοῦ ξύλου τ. ζωῆς", ὅ ἐστιν „ἐν
        τῷ παρ. τοῦ θεοῦ" (vl + μου vg)

παραδέχεσθαι recipere ᵇsuscipere
Mar 4₂₀ᵇ τὸν λόγον Act 22₁₈ μαρτυρίαν περί
Act 15 4 παρεδέχθησανᵇ ἀπὸ τῆς ἐκκλησίας
     16₂₁ ἔθη ἃ οὐκ ἔξεστιν ἡμῖν π..σθαιᵇ
1 Ti 5₁₉ κατὰ πρεσβυτέρου κατηγορίαν μὴ
        παραδέχου, ἐκτὸς εἰ μὴ „ἐπὶ δύο"
Hb 12 6 „μαστιγοῖ δὲ πάντα υἱὸν ὃν π..εται"

παραδιδόναι tradere ᵇ(part.) traditor
        ᶜprodere ᵈproducere

1) traduntur res, praecepta, rationes,
   potestas, fides, animae

Mat 11₂₇ πάντα μοι παρεδόθη ὑπὸ τοῦ πα-
        τρός μου ‖ Luc 10₂₂ – 4₆ σοὶ δώσω
        τὴν ἐξουσίαν ταύτην –, ὅτι ἐμοὶ πα-
        ραδέδοται cfr διδόναι Mat 28₁₈
     25₁₄ τὰ ὑπάρχοντα αὐτοῦ 20.22
Mar 7₁₃ τῇ παραδόσει ὑμῶν ᾗ παρεδώκατε
Luc 1 2 καθὼς παρέδοσαν ἡμῖν οἱ ἀπ' ἀρχῆς
Joh 19₃₀ παρέδωκεν τὸ πνεῦμα
Act 6₁₄ τὰ ἔθη ἃ παρέδωκεν ἡμῖν Μωϋσῆς
     15₂₆ τὰς ψυχὰς – ὑπὲρ τοῦ ὀνόμ. τοῦ κυρ.
     16 4 παρεδίδοσαν αὐτοῖς φυλάσσειν τὰ
        δόγματα τὰ κεκριμ. ὑπὸ τῶν ἀποστ.
Rm   6₁₇ ὑπηκούσατε – ἐκ καρδίας εἰς ὃν παρ-
        εδόθητε τύπον διδαχῆς
1 Co 11 2 καθὼς παρέδωκα ὑμῖν τὰς παραδό-
        σεις 23 παρέλαβον –, ὃ καὶ παρέδω-
        κα ὑμῖν 15₃ παρέδωκα – ὑμῖν ἐν πρώ-
        τοις, ὃ καὶ παρέλαβον, ὅτι Χός

1 Co 13 3 καὶ ἐὰν παραδῶ τὸ σῶμά μου ἵνα 15 24 ὅταν παραδιδοῖ τὴν βασιλ. τῷ θεῷ
1 Pe 2 23 παρεδίδου δὲ τῷ κρίνοντι δικαίως
2 Pe 2 21 ἢ – ὑποστρέψαι ἐκ τῆς παραδοθείσης αὐτοῖς ἁγίας ἐντολῆς
Jud 3 ἐπαγωνίζεσθαι τῇ ἅπαξ παραδοθείσῃ τοῖς ἁγίοις πίστει

2) traduntur homines

a) Jesus, filius hominis

Mat 10 4 Ἰούδας ὁ καὶ παραδοὺς αὐτόν 26 15 κἀγὼ ὑμῖν παραδώσω αὐτόν 16.21 εἰς ἐξ ὑμῶν παραδώσει με 23.24.25.46.48 27 3. 4 παραδοὺς αἷμα ἀθῷον – Mar 3 19 14 10 ἵνα αὐτὸν παραδοῖ[c] αὐτοῖς 11.18.21.42.44[b] – Luc 22 4 τὸ πῶς αὐτοῖς παραδῷ αὐτόν 6 ἄτερ ὄχλου 21.22.48 φιλήματι – παραδί-δως; – Joh 6 64 τίς ἐστιν ὁ παραδώσων αὐτόν 71 12 4 13 2.11.21 18 2.5.36 οἱ ὑπηρέ-ται ἂν οἱ ἐμοὶ ἠγωνίζοντο, ἵνα μὴ παρα-δοθῶ τοῖς Ἰουδαίοις 19 11 ὁ παραδούς μέ σοι μείζονα ἁμαρτίαν ἔχει 21 20
Mat 17 22 μέλλει ὁ υἱὸς τοῦ ἀνθρ. παραδίδο-σθαι εἰς χεῖρας ἀνθρ. || Mar 9 31 Luc 9 44 – Mat 20 18.19 παραδώσουσιν αὐ-τὸν τοῖς ἔθνεσιν Mar 10 33 Luc 18 32 26 2 παραδίδοται εἰς τὸ σταυρωθῆναι 45 || Mar 14 41 – Luc 24 7 δεῖ παραδιδ. 27 2 παρέδωκαν Πιλάτῳ || Mar 15 1 – Joh 18 30.35 οἱ ἀρχιερεῖς π..άν σε ἐμοί – 18 διὰ φθόνον παρέδωκαν || Mar 15 10 – 26 παρέδωκεν ἵνα σταυρωθῇ || Mar 15 15 Luc 23 25 τῷ θελήματι αὐτῶν Joh 19 16 – Luc 24 20 εἰς κρίμα θανάτου
Luc 20 20 ὥστε παραδοῦναι αὐτὸν τῇ ἀρχῇ καὶ τῇ ἐξουσίᾳ τοῦ ἡγεμόνος
Act 3 13 ὃν ὑμεῖς – παρεδώκατε καὶ ἠρνήσ.
Rm 4 25 „παρεδόθη διὰ τὰ παραπτώ.” ἡμῶν 8 32 ὑπὲρ ἡμῶν πάντων παρέδωκεν αὐτόν
1 Co 11 23 ἐν τῇ νυκτὶ ᾗ παρεδίδοτο ἔλαβεν
Gal 2 20 τοῦ – παραδόντος ἑαυτὸν ὑπὲρ ἐμοῦ
Eph 5 2 καθὼς καὶ ὁ Χὸς – παρέδωκεν ἑαυ-τὸν ὑπὲρ ἡμῶν 25 ὑπὲρ αὐτῆς (sc τῆς ἐκκλησίας)

b) traduntur alii homines

Mat 4 12 ὅτι Ἰωάννης παρεδόθη || Mar 1 14 5 25 μήποτέ σε παραδῷ ὁ ἀντίδικος τῷ κριτῇ || Luc 12 58 ὁ κριτής σε παρα-δώσει τῷ πράκτορι 10 17 παραδώσουσιν – ὑμᾶς εἰς συνέδρια 19 ὅταν δὲ παραδῶσιν ὑμᾶς 24 9 παρα-

δώσουσιν ὑμ. εἰς θλῖψιν || Mar 13 9. 11 Luc 21 12 εἰς τὰς συναγωγάς
Mat 10 21 παραδώσει – ἀδελφὸς ἀδελφὸν εἰς θάνατον (24 10) Mar 13 12 Luc 21 16 18 34 παρέδωκεν αὐτὸν τοῖς βασανισταῖς
Act 7 42 παρέδωκεν αὐτοὺς λατρεύειν „τῇ στρατιᾷ τοῦ οὐρανοῦ” 8 3 παρεδίδου εἰς φυλακήν 22 4 cfr 12 4 21 11 εἰς χεῖρας ἐθνῶν 27 1 28 17 14 26 ὅθεν ἦσαν παραδεδομένοι τῇ χάριτι τοῦ θεοῦ εἰς τὸ ἔργον 15 40
Rm 1 24 διὸ παρέδωκεν αὐτοὺς ὁ θεὸς – εἰς ἀκαθαρσίαν 26 εἰς πάθη ἀτιμίας 28 εἰς ἀδόκιμον νοῦν, ποιεῖν τὰ μὴ 6 17 –→ supra sub 1)
1 Co 5 5 παραδοῦναι – τῷ σατανᾷ 1 Ti 1 20
2 Co 4 11 οἱ ζῶντες εἰς θάνατον π..όμεθα
Eph 4 19 ἑαυτοὺς παρέδωκαν τῇ ἀσελγείᾳ
2 Pe 2 4 ὁ θεὸς – παρέδωκεν (sc ἀγγέλους) εἰς κρίσιν τηρουμένους

3) licet (per maturitatem frugum)

Mar 4 29 ὅταν δὲ παραδοῖ[d] ὁ καρπός (vg cum produxerit fructus)

παράδοξος mirabilis Luc 5 26 εἴδομεν π..α

παράδοσις traditio [b]praeceptum
Mat 15 2 τῶν πρεσβυτέρων || Mar 7 3. 5 – 3 διὰ τί – ὑμεῖς παραβαίνετε τὴν ἐντο-λὴν τοῦ θεοῦ διὰ τὴν παράδ. ὑμῶν; 6 ἠκυρώσατε τὸν λόγον τ. θ. διά – || Mar 7 13 τῇ παρ. ὑμῶν 9 ἵνα τὴν παράδοσιν ὑμῶν τηρήσητε 8 κρατεῖτε τὴν παράδοσιν τῶν ἀνθρώπων
1 Co 11 2 ὅτι – καθὼς παρέδωκα (tradidi) ὑ-μῖν τὰς παραδόσεις[b] κατέχετε
Gal 1 14 ζηλωτὴς – τῶν πατρικῶν μου παραδ.
Col 2 8 ἀπάτης κατὰ τὴν παρ. τῶν ἀνθρώ.
2 Th 2 15 κρατεῖτε τὰς παραδ. ἃς ἐδιδάχθητε 3 6 μὴ κατὰ τὴν παράδ. ἣν παρελάβετε

παραζηλοῦν aemulari [b]ad aemulationem adducere [c]ad aem. provocare
Rm 10 19 „π..ώσω[b]” ὑμᾶς „ἐπ᾿ οὐκ ἔθνει” 11 11 11 14 εἴ πως παραζηλώσω[c] μου τὴν σάρκα
1 Co 10 22 ἢ „παραζηλοῦμεν τὸν κύριον”;

παραθαλάσσιος maritimus Mat 4 13 Καφαρ.

παραθεωρεῖσθαι S° – despici Act 6 1 χῆρ.

παραθήκη depositum 1 Ti 6 20 τὴν παρ. φύ-

λᾷον 2 Ti 1 14 τὴν καλὴν παρ. – 12 ὅτι
δυνατός ἐστιν τὴν παραθ. μου φυλάξαι

παραινεῖν ᵃconsolari ᵇsuadēre Act 27 9
παρήνει ᵃ ὁ Παῦλος 22 π..ῶ ᵇ – εὐθυμεῖν

παραιτεῖσθαι devitare ᵇexcusare (excusatum habēre), exc. se ᶜrecusare
Mar 15 6 ἕνα δέσμιον ὃν παρητοῦντο (vl ὅν-
περ vel ὃν ἂν ᾐτοῦντο vg quem-
cumque petissent) ⌈μένον ᵇ
Luc 14 18 (med et pass) ᵇᵇ 19 ἔχε με παρητη-
Act 25 11 οὐ παραιτοῦμαι ᶜ τὸ ἀποθανεῖν
1 Ti 4 7 μύθους παραιτοῦ 2 Ti 2 23 ζητήσεις
5 11 νεωτέρας δὲ χήρας παραιτοῦ
Tit 3 10 αἱρετικὸν ἄνθρωπον – παραιτοῦ
Hb 12 19 παρητήσαντο ᵇ μὴ προστεθῆναι αὐ-
τοῖς λόγον 25 μὴ παραιτήσησθε ᶜ τὸν
λαλοῦντα· εἰ – οὐκ ἐξέφυγον ἐπὶ γῆς
παραιτησάμενοι ᶜ τὸν χρηματίζοντα

παρακαθέζεσθαι Sᵒ – sedēre secus Lc 10 39

παρακαλεῖν rogare ᵇorare ᶜconsolari et
consolare ᵈdeprecari ᵉobsecrare ᶠhortari
ᵍadhortari ʰexhortari (aliquotiens
vi passiva)

1) = arcessere, advocare Act 28 20

2) = rogare, animum confirmare, hortari
Mat 8 5 ἑκατόνταρχος παρακαλῶν αὐτὸν –·
κύριε ‖ Luc 7 4 παρεκάλουν αὐτὸν
σπουδαίως
– 31 οἱ – δαίμονες παρεκάλουν αὐτόν 34
παρεκάλεσαν ὅπως μεταβῇ ‖ Mar 5
10 ᵈ 12 ᵈ 17.18 παρεκάλει ᵈ αὐτ. ὁ δαι-
μονισθεὶς ἵνα μετ' αὐτοῦ ᾖ Luc 8 31.32
14 36 παρεκάλουν αὐτὸν ἵνα μόνον ἅψων-
ται τοῦ κρασπέδου ‖ Mar 6 56 ᵈ
18 29 παρεκάλει αὐτὸν –· μακροθύμησον
32 ἀφῆκά σοι, ἐπεὶ παρεκάλεσάς με
26 53 ὅτι οὐ δύναμαι π..έσαι τὸν πατέρα
Mar 1 40 λεπρὸς π..ῶν ᵈ αὐτόν 5 23 Ἰάϊρος, –
παρακαλεῖ ᵈ αὐτὸν πολλά ‖ Luc 8 41
7 32 π..οῦσιν ᵈ αὐτὸν ἵνα ἐπιθῇ αὐτῷ τὴν
χεῖρα 8 22 ἵνα αὐτοῦ ἅψηται
Luc 3 18 πολλὰ – π..ῶν ʰ εὐηγγελίζετο τ. λαόν
15 28 ὁ δὲ πατὴρ αὐτοῦ – παρεκάλει αὐτόν
Act 2 40 παρεκάλει ʰ αὐτοὺς –· σώθητε 11 23 ᶠ
προσμένειν τῷ κυρίῳ 14 22 π..οῦντες ʰ
ἐμμένειν τῇ πίστει
8 31 9 38 13 42 16 9 ᵈ 15 ᵈ 39 ᵈ 19 31
15 32 διὰ λόγου πολλοῦ παρεκάλεσαν ᶜ τ.

ἀδελφούς 16 40 ᶜ 20 1 τ. μαθητάς ʰ 2 ʰ
Act 21 12 24 4 ᵇ 25 2 27 33.34 28 14.20
Rm 12 1 παρακαλῶ ᵉ – ὑμᾶς – διὰ τῶν οἰκτιρ-
μῶν τοῦ θεοῦ, παραστῆσαι 15 30 ᵉ συν-
αγωνίσασθαί μοι 16 17 σκοπεῖν τοὺς
τὰς διχοστασίας – ποιοῦντας
– 8 εἴτε ὁ π..ῶν ʰ, ἐν τῇ παρακλήσει ʰ
1 Co 1 10 π..ῶ ᵉ – ὑμᾶς – διὰ τοῦ ὀνόματος –
Ἰ. Χοῦ, ἵνα τὸ αὐτὸ λέγητε 4 16 μι-
μηταί μου γίνεσθε 16 15 ᵉ ἵνα – ὑπο-
τάσσησθε τοῖς τοιούτοις
4 13 δυσφημούμενοι παρακαλοῦμεν ᵉ
14 31 ἵνα πάντες μανθάνωσιν καὶ – παρα-
καλῶνται ʰ 2 Co 13 11 παρακαλεῖσθε ʰ
16 12 πολλὰ παρεκάλεσα αὐτὸν ἵνα ἔλθῃ
2 Co 2 8 διὸ π..ῶ ᵉ ὑμᾶς κυρῶσαι εἰς αὐτὸν
ἀγάπην 10 1 π..ῶ ᵉ ὑμ. διὰ τῆς πρα-
ΰτητος καὶ ἐπιεικείας τοῦ Χοῦ
5 20 ὡς τοῦ θεοῦ π..οῦντος ʰ δι' ἡμῶν
6 1 παρακαλοῦμεν ʰ μὴ εἰς κενὸν τὴν
χάριν τοῦ θεοῦ δέξασθαι ὑμᾶς
8 6 εἰς τὸ π..έσαι ἡμᾶς Τίτον, ἵνα 12 18
9 5 π..έσαι τοὺς ἀδελφ. ἵνα προέλθωσιν
12 8 τρὶς τὸν κύριον παρεκάλεσα, ἵνα
Eph 4 1 π..ῶ ᵉ – ὑμᾶς – ἀξίως περιπατῆσαι
Phl 4 2 Εὐοδίαν π..ῶ καὶ Συντύχην παρακα-
λῶ ᵈ τὸ αὐτὸ φρονεῖν ἐν κυρίῳ
1 Th 2 12 π..οῦντες ᵈ ὑμᾶς καὶ παραμυθούμ.
3 2 ὑμᾶς – π..έσαι ʰ ὑπὲρ τ. πίστεως ὑμ.
4 1 ὑμᾶς – π..οῦμεν ᵉ ἐν κυρίῳ –, ἵνα
– 10 π..οῦμεν – ὑμᾶς –, περισσεύειν μᾶλ-
λον 5 14 νουθετεῖτε τοὺς ἀτάκτους
5 11 π..εῖτε ᶜ ἀλλήλους καὶ οἰκοδομεῖτε
2 Th 3 12 π..οῦμεν ᵉ ἐν κυρίῳ – ἵνα ἐργαζόμενοι
1 Ti 1 3 π..εσά σε προσμεῖναι ἐν Ἐφέσῳ
2 1 π..ῶ ᵉ – πρῶτον – ποιεῖσθαι δεήσεις
5 1 ἀλλὰ παρακάλει ᵉ ὡς πατέρα
6 2 ταῦτα δίδασκε καὶ παρακάλει ʰ
2 Ti 4 2 ἔλεγξον, ἐπιτίμησον, παρακάλεσον ᵉ
Tit 1 9 δυνατὸς – καὶ π. ʰ ἐν τῇ διδασκαλίᾳ
2 6 τοὺς νεωτέρους – π..ει ᶠ σωφρονεῖν
– 15 ταῦτα λάλει καὶ παρακάλει ʰ
Phm 9 διὰ τὴν ἀγάπην μᾶλλον παρακαλῶ ᵉ
10 π..ῶ ᵉ σε περὶ τοῦ ἐμοῦ τέκνου
Hb 3 13 π..εῖτε ᵍ ἑαυτοὺς καθ' ἑκάστ. ἡμέραν
10 25 μὴ ἐγκαταλείποντες τὴν ἐπισυναγω-
γὴν ἑαυτῶν, –, ἀλλὰ π..οῦντες ᶜ
13 19 περισσοτέρως – π..ῶ ᵈ τοῦτο ποιῆσαι
– 22 π..ῶ – ὑμᾶς –, ἀνέχεσθε τοῦ λόγου
τῆς παρακλήσεως 1 Pe 2 11 π..ῶ ᵉ ὡς
παροίκους – ἀπέχεσθαι τῶν – ἐπιθυ.
1 Pe 5 1 πρεσβυτέρους – π..ῶ ᵉ –· ποιμάνατε

1 Pe 5 12 παρακαλῶν[e] καὶ ἐπιμαρτυρῶν ταύτην εἶναι ἀληθῆ χάριν τοῦ θεοῦ
Jud 3 π..ῶν[d] ἐπαγωνίζεσθαι τῇ – πίστει

3) consolari, erigere, animum addere

Mat 2 18 „οὐκ ἤθελεν παρακληθῆναι[c]"
5 4 ὅτι αὐτοὶ „παρακληθήσονται[c]"
Luc 16 25 νῦν δὲ ὧδε π..εῖται[c] (Lazarus)
Act 20 12 παρεκλήθησαν[c] οὐ μετρίως
2 Co 1 4 ὁ π..ῶν[c] ἡμᾶς ἐπὶ – τῇ θλίψει ἡμῶν, εἰς τὸ δύνασθαι ἡμᾶς παρακαλεῖν[c] – διὰ τῆς παρακλήσεως ἧς π..ούμεθα[h] αὐτοί 6 εἴτε παρακ.[c·h] (vl[h])
2 7 ὥστε – μᾶλλον ὑμᾶς – παρακαλέσαι[c]
7 6 ὁ π..ῶν[c] τοὺς ταπεινοὺς παρεκάλεσεν[c] ἡμᾶς ὁ θεός 7 καὶ ἐν τῇ παρακλήσει ᾗ παρεκλήθη[c] (sc Τίτος) ἐφ' ὑμῖν 13 διὰ τοῦτο παρακεκλήμεθα[c]
Eph 6 22 ἵνα – π..έσῃ[c] τὰς καρδίας ὑμῶν Col 4 8[c] 2 22 π..κληθῶσιν[c] αἱ καρδ. αὐτῶν
1 Th 3 7 παρεκλήθημεν[c] – ἐφ' ὑμῖν ἐπί
4 18 π..εῖτε[c] ἀλλήλους ἐν τ. λόγοις τούτ.
2 Th 2 17 ὁ θεὸς –, παρακαλέσαι[h] (vl[c]) ὑμῶν τὰς καρδίας καὶ στηρίξαι

παρακαλύπτεσθαι velari Luc 9 45 τὸ ῥῆμα

παρακεῖσθαι adiacēre Rm 7 18 τὸ – θέλειν παράκειταί μοι 21 ἐμοὶ τὸ κακὸν π..ται

παράκλησις consolatio ᵇsolatium ᶜexhortatio ᵈ(ἐν τῇ π.) in exhortando
Luc 2 25 προσδεχόμενος π..ιν τοῦ Ἰσραήλ
6 24 ὅτι ἀπέχετε τὴν παράκλησιν ὑμῶν
Act 4 36 Βαρναβᾶς –, – υἱὸς παρακλήσεως
9 31 τῇ παρ. τοῦ – πνεύματος ἐπληθύνετο
13 15 εἴ τίς ἐστιν ἐν ὑμῖν λόγος π..εως[c]
15 31 ἐχάρησαν ἐπὶ τῇ παρακλήσει
Rm 12 8 ὁ παρακαλῶν, ἐν τῇ παρακλήσει[d]
15 4 ἵνα διὰ τῆς ὑπομονῆς καὶ διὰ τῆς παρ. τῶν γραφῶν τὴν ἐλπίδα ἔχωμεν
5 ὁ δὲ θεὸς τῆς ὑπομονῆς καὶ τῆς παρακλ.[b] δώῃ ὑμῖν τὸ αὐτὸ φρονεῖν
1 Co 14 3 ὁ – προφητεύων – λαλεῖ – π..κλησιν[c]
2 Co 1 3 ὁ – θεὸς πάσης παρ. 4 διὰ τῆς παρ.[c] ἧς παρακαλούμεθα αὐτοὶ ὑπὸ τ. θ.
– 5 περισσεύει καὶ ἡ παράκλησις ἡμῶν
– 6 εἴτε – θλιβόμεθα, ὑπὲρ τῆς ὑμῶν παρ.[c] καὶ σωτηρίας· εἴτε παρακαλούμεθα, ὑπὲρ τῆς ὑμῶν παρ.[a·c] (vl[c]) 7 οὕτως καὶ τῆς παρακλ. (sc κοινωνοί ἐστε)
7 4 πεπλήρωμαι τῇ παρακλ. 7 (vl[b]) 13

2 Co 8 4 μετὰ πολλῆς παρ.[c] δεόμενοι ἡμῶν
– 17 τὴν μὲν παράκλ.[c] ἐδέξατο (sc Τίτος)
Phl 2 1 εἴ τις οὖν παράκλησις ἐν Χῷ, εἴ τι
1 Th 2 3 ἡ – παρ.[c] ἡμῶν οὐκ ἐκ πλάνης οὐδέ
2 Th 2 16 ὁ – δοὺς π..ιν αἰωνίαν καὶ ἐλπίδα
1 Ti 4 13 πρόσεχε – τῇ παρ.[c], τῇ διδασκαλίᾳ
Phm 7 χαρὰν – ἔσχον καὶ π..ιν ἐπὶ τῇ ἀγάπῃ
Hb 6 18 ἵνα – ἰσχυρὰν παράκλησιν[b] ἔχωμεν
12 5 ἐκλέλησθε τῆς παρ., ἥτις ὑμῖν
13 22 ἀνέχεσθε τοῦ λόγου τῆς παρ.[b]

παράκλητος Sᵒ – paraclitus (vl ..et.) ᵇadvocatus Joh 14 16 ἄλλον π..ον δώσει ὑμῖν 26 ὁ δὲ παρ. – ὑμᾶς διδάξει πάντα 15 26 ὅταν ἔλθῃ ὁ παρ. μαρτυρήσει περὶ ἐμοῦ 16 7 ὁ παρ. οὐ μὴ ἔλθῃ πρὸς ὑμᾶς
1 Jo 2 1 π..ον[b] ἔχομεν πρὸς τὸν πατέρα

παρακοή Sᵒ – inobedientia
Rm 5 19 διὰ τῆς παρ. τοῦ ἑνὸς ἀνθρώπου
2 Co 10 6 ἐν ἑτοίμῳ ἔχοντες ἐκδικῆσαι πᾶσαν π.
Hb 2 2 πᾶσα – π. ἔλαβεν ἔνδικον μισθαποδ.

παρακολουθεῖν assequi ᵇsequi [Mar 16 17 σημεῖα – π..ήσει[b]] Luc 1 3 πᾶσιν ἀκριβῶς 1 Ti 4 6 (sc καλῇ διδασκαλίᾳ) 2 Ti 3 10

παρακούειν non audire Mat 18 17 ἐὰν δὲ π.. σῃ αὐτῶν (sc τῶν μαρτύρων) –· ἐὰν δὲ καὶ τῆς ἐκκλησίας π..σῃ, ἔστω σοι
Mar 5 36 ὁ δὲ Ἰησοῦς π..σας (vl ἀκούσας vg) τὸν λόγον λαλούμενον

παρακύπτειν se inclinare ᵇperspicere ᶜprocumbere ᵈprospicere
[Luc24 12[c]] || Joh 20 5.11 εἰς τὸ μνημεῖον
Jac 1 25[b] εἰς νόμον τέλειον τὸν τῆς ἐλευθερ.
1 Pe 1 12 εἰς ἃ ἐπιθυμοῦσιν ἄγγελοι π..κῦψαι[d]

παραλαμβάνειν accipere ᵇadhibēre ᶜassumere ᵈrecipere ᵉsuscipere ᶠtollere ᵍ(παρέλαβον) mihi traditum est

1) assumuntur etc. homines

Mat 1 20 Μαρίαν 24 τὴν γυναῖκα αὐτοῦ
2 13 τὸ παιδίον 14.20.21 καὶ τὴν μητέρα
4 5 π..ει[c] αὐτὸν ὁ διάβολος εἰς 8[c]
12 45[c] ἑπτὰ ἕτερα πνεύματα || Luc 11 26[c]
17 1[c] Πέτρον καὶ Ἰάκ. καὶ Ἰω. || Mar 9 2[c]
Luc 9 28[c] – Mat 26 37[c] || Mar 14 33[c]
– Mat 20 17[c] τοὺς δώδεκα κατ' ἰδίαν
|| Mar 10 32[c] Luc 18 31[c] – Luc 9 10[c]

Mat 18 16 παράλαβε [b] μετὰ σοῦ ἔτι ἕνα ἢ δύο
24 40 εἷς [c] 41 μία π..εται [c] ‖ Luc 17 34 [c] 35 [c]
27 27 π..βόντες [c] τὸν Ἰησ. εἰς τὸ πραιτώρ.
Mar 4 36 [c] 5 40 [c] – Joh 19 16 [e] τὸν Ἰησοῦν
Joh 1 11 οἱ ἴδιοι αὐτὸν οὐ παρέλαβον [d]
14 3 παραλήμψομαι ὑμᾶς πρὸς ἐμαυτόν
Act 15 39 [c] 16 33 [f] 21 24 [c] 26 [c] 32 [c] 23 18 [c]
Col 2 6 ὡς – παρελάβετε τὸν Χρ. – τὸν κύρ.

2) accipiuntur etc. res, verba

Mar 7 4 πολλά ἐστιν ἃ π..έλαβον [g] κρατεῖν
1 Co 11 23 ἐγὼ – παρέλαβον ἀπὸ τοῦ κυρίου, ὅ
15 1 τὸ εὐαγγέλιον –, ὃ καὶ παρελάβετε
– 3 ὃ καὶ παρέλαβον, ὅτι Χὸς ἀπέθα-
νεν ὑπὲρ τῶν ἁμαρτιῶν ἡμῶν
Gal 1 9 εὐαγγελίζεται παρ᾽ ὃ παρελάβετε
– 12 οὐδὲ – ἐγὼ παρὰ ἀνθρ. παρέλαβον
Phl 4 9 ἃ καὶ ἐμάθετε καὶ παρελάβετε
Col 4 17 διακονίαν 1 Th 2 13 λόγον ἀκοῆς παρ᾽
ἡμῶν 41 τὸ πῶς δεῖ ὑμᾶς περιπατεῖν
2 Th 3 6 παράδοσιν – παρ᾽ ἡμῶν
Hb 12 28 βασιλείαν ἀσάλευτον π..άνοντες [e]

παραλέγεσθαι S° – iuxta navigare [b] legere
Act 27 8.13 παρελέγοντο [b] τὴν Κρήτην

παράλιος, ἡ sc χώρα maritima Luc 6 17

παραλλαγή transmutatio Jac 1 17 οὐκ ἔνι

παραλογίζεσθαι decipere [b] fallere
Col 2 4 ἵνα μηδεὶς ὑμᾶς π..ηται ἐν πιθανο.
Jac 1 22 μὴ ἀκροαταὶ μόνον π..όμενοι [b] ἑαυτ.

παραλυτικός (Mt Mr) S° – et **παραλελυ-
μένος** (Lc Act Hb) paralyticus [b] solutus
Mat 4 24 8 6 9 2.6 ‖ Mar 2 3.4.5.9.10 Luc 5 18.
24 – Act 8 7 9 33 – Hb 12 12 „π..να [b] γόνατα"

παραμένειν permanēre [b] manēre
(1 Co 16 6 vl πρὸς ὑμᾶς – τυχὸν παραμενῶ [b])
Phl 1 25 ὅτι μενῶ καὶ παραμενῶ – ὑμῖν
Hb 7 23 διὰ τὸ θανάτῳ κωλύεσθαι π..ειν
Jac 1 25 ὁ – παρακύψας εἰς νόμον τέλειον τὸν
τῆς ἐλευθερίας καὶ παραμείνας

παραμυθεῖσθαι consolari Joh 11 19.31
1 Th 2 12 5 14 παραμυθεῖσθε τοὺς ὀλιγοψύχους

παραμυθία consolatio 1 Co 14 3 ὁ – προφη-
τεύων ἀνθρώποις λαλεῖ – παραμυθίαν

παραμύθιον solatium
Phl 2 1 εἴ τι παραμύθιον ἀγάπης, εἴ τις

παρανομεῖν (π..ῶν) contra legem Act 23 3

παρανομία 2 Pe 2 16 ἔλεγξιν – ἔσχεν ἰδίας πα-
ρανομίας (vl παρανοίας vg suae vesa-
niae vl [propriae iniquitatis])

παραπικραίνειν exacerbare Hb 3 16 τίνες –;

παραπικρασμός exacerbatio Hb 3 8.15

παραπίπτειν prolabi Hb 6 6 π..πεσόντας

παραπλεῖν S° – transnavigare Act 20 16 Ἔφ.

παραπλήσιον S° – usque ad Phl 2 27 θανάτῳ

παραπλησίως S° – similiter Hb 2 14 μετέσχ.

παραπορεύεσθαι praeterire [b] praetergredi
[c] transire [d] ambulare
Mat 27 39 οἱ δὲ π..όμενοι ἐβλασφ. ‖ Mar 15 29
Mar 2 23 [d] (vl διαπορ.) 9 30 [b] διὰ τῆς Γαλιλ. 11 20 [c]

παράπτωμα delictum [b] peccatum
Mat 6 14 ἐὰν – ἀφῆτε τοῖς ἀνθρ. τὰ παρ. [b] αὐ-
τῶν 15 οὐδὲ ὁ πατὴρ – ἀφήσει τὰ παρ. [b]
ὑμῶν ‖ Mar 11 25 ἵνα καὶ ὁ πατὴρ –
ἀφῇ ὑμῖν τὰ παρ. [b] ὑμῶν (vl 26 [b])
Rm 4 25 ὃς „παρεδόθη διὰ τὰ παρ." ἡμῶν
5 15 οὐχ ὡς τὸ παρ., οὕτως – τὸ χάρισμα·
εἰ – τῷ τοῦ ἑνὸς παρ. οἱ πολλοὶ ἀπέ-
θανον 16 τὸ – χάρισμα ἐκ πολλῶν παρ.
εἰς δικαίωμα 17 τῷ τοῦ ἑνὸς παρ. ὁ
θάνατος ἐβασίλευσεν 18 δι᾽ ἑνὸς παρ.
– 20 νόμος δὲ παρεισῆλθεν ἵνα πλεονάσῃ
τὸ παράπτωμα
11 11 τῷ αὐτῶν παρ. ἡ σωτηρία τοῖς ἔθνε-
σιν 12 τὸ παρ. αὐτῶν πλοῦτος κόσμου
2 Co 5 19 μὴ λογιζόμενος αὐτοῖς τὰ π. αὐτῶν
Gal 6 1 ἐὰν – προλημφθῇ ἀνθρ. ἔν τινι παρ.
Eph 1 7 ἐν ᾧ ἔχομεν – τὴν ἄφεσιν τῶν παρ. [b]
2 1 ὄντας νεκροὺς τοῖς παρ. 5 [b] Col 2 13
Col 2 13 χαρισάμενος ἡμῖν πάντα τὰ παραπτ.

παραρρεῖν pereffluere (vl effluere)
Hb 2 1 προσέχειν –, μήποτε παραρυῶμεν

παράσημος S° – cui est insigne Act 28 11

παρασκευάζειν [a] parare [b] (med) se parare
[c] (prf pass) paratum esse Act 10 10 [a] – 1 Co
14 8 τίς π..άσεται [b] εἰς πόλεμον; 2 Co 9 2 Ἀ-
χαΐα παρεσκεύασται [c] 3 ἵνα π..εσκ. ἦτε [c]

παρασκευή *parasceve* Mat 27 62 Mar 15 42 ὅ
ἐστιν προσάββατον Luc 23 54 Joh 19 14
παρασκ. τοῦ πάσχα 31. 42 τῶν Ἰουδαίων

παρατείνειν *protrahere* Act 20 7 τὸν λόγον

παρατηρεῖν, ..σθαι *observare* ᵇ*custodire*
Mar 3 2 παρετήρουν αὐτὸν εἰ ‖ Luc 6 7 π..ντο
Luc 14 1 ἦσαν π..ούμενοι αὐτόν 20 20
Act 9 24 παρετηροῦντο ᵇ – καὶ τὰς πύλας
Gal 4 10 ἡμέρας παρατηρεῖσθε καὶ μῆνας

παρατήρησις Sᵒ – *observatio* Luc 17 20 οὐκ
ἔρχεται ἡ βασιλ. τοῦ θεοῦ μετὰ π..εως

παρατιθέναι, ..εσθαι *apponere* ᵇ*ponere ante*
ᶜ*proponere* ᵈ*insinuare* ᵉ*commendare*
Mat 13 24 παραβολὴν παρέθηκεν ᶜ αὐτοῖς 31 ᶜ
Mar 6 41 ᵇ (ἄρτους) 86.7 ‖ Luc 9 16 ᵇ – 10 8 116 ᵇ
Luc 12 48 ᾧ παρέθεντο ᵉ πολύ, περισσότερον
23 46 „εἰς χεῖράς σου π..εμαι ᵉ τὸ πνεῦμ."
Act 14 23 παρέθεντο ᵉ αὐτοὺς τῷ κυρίῳ 20 32 ᵉ
16 34 παρέθηκεν τράπεζαν
17 3 π..έμενος ᵈ ὅτι τὸν χρ. ἔδει παθεῖν
1 Co 10 27 πᾶν τὸ παρατιθέμενον ὑμῖν ἐσθίετε
1 Ti 1 18 τὴν παραγγελίαν παρατίθεμαί ᵉ σοι
2 Ti 2 2 ταῦτα παράθου ᵉ πιστοῖς ἀνθρώποις
1 Pe 4 19 πιστῷ κτίστῃ παρατιθέσθωσαν ᵉ τὰς
ψυχὰς αὐτῶν ἐν ἀγαθοποιΐᾳ

παρατυγχάνειν Sᵒ – *adesse* Act 17 17

παραυτίκα *in praesenti* 2 Co 4 17 π. ἐλαφρ.

παραφέρειν, ..εσθαι *transferre* ᵇ*abduci*
ᶜ*circumferri*
Mar 14 36 παρένεγκε τὸ ποτήριον ‖ Luc 22 42
Hb 13 9 διδαχαῖς ποικίλαις – μὴ π..εσθε ᵇ
Jud 12 νεφέλαι – ὑπὸ ἀνέμων π..όμεναι ᶜ

παραφρονεῖν (π..ῶν) *ut minus sapiens*
2 Co 11 23 παραφρονῶν λαλῶ· ὑπὲρ ἐγώ

παραφρονία Sᵒ – *insipientia* 2 Pe 2 16

παραχειμάζειν Sᵒ et π..ασία Sᵒ – *hiemare*
Act 27 12 πρὸς π..ίαν (*ad h..andum*) 12 28 11
1 Co 16 6 π..άσω Tit 3 12 κέκρικα π..άσαι

παραχρῆμα *confestim* ᵇ*continuo* ᶜ*illico* (vl
ilico) ᵈ*protinus* ᵉ*statim*
Mat 21 19 ἐξηράνθη παρ. ᵇ ἡ συκῆ 20 πῶς – ᵇ;

Luc 1 64 ᶜ 4 39 ᵇ 5 25 8 44. 47 ἰάθη 55 ᵇ 13 13 ἀνωρ-
θώθη 18 43 ἀνέβλεψεν 22 60 ᵇ
19 11 διὰ τὸ – δοκεῖν αὐτοὺς ὅτι παρ. μέλ-
λει ἡ βασ. τοῦ θεοῦ ἀναφαίνεσθαι
Act 3 7 ᵈ 5 10 12 23 13 11 16 26 ᵉ. 33 ἐβαπτίσθη ᵇ

πάρδαλις, ἡ *pardus* Ap 13 2 „ὅμοιον π..ει"

παρεδρεύειν *deservire* 1 Co 9 13 τῷ θυσιαστ.

παρεῖναι, πάρειμι *adesse* ᵇ*advenisse* ᶜ*es-
se apud* ᵈ*pervenisse* ᵉ*praesentem esse*
ᶠ(παρών) *praesens* ᵍ(πρὸς τὸ παρόν) *in
praesenti* ʰ*praesto esse* ⁱ*venisse*
Mat 26 50 ἑταῖρε, ἐφ' ὃ πάρει ⁱ – Luc 13 1
Joh 7 6 ὁ καιρὸς ὁ ἐμὸς οὔπω πάρεστιν ᵇ
11 28 ὁ διδάσκαλος πάρεστιν – Act 10 21 ⁱ
33 πάρεσμεν ἀκοῦσαι 12 20 ⁱ 17 6 ⁱ 24 19
οὓς ἔδει ἐπὶ σοῦ παρεῖναι ʰ
1 Co 5 3 ἐγὼ –, παρὼν ᶠ δὲ τῷ πνεύματι, ἤδη
κέκρικα ὡς παρών ᶠ 2 Co 10 2 δέομαι
– τὸ μὴ παρὼν ᶠ θαρρῆσαι 11 ᶠ
2 Co 11 9 παρὼν πρὸς ὑμᾶς ᶜ 13 2 ὡς παρών ᶠ
10 ἵνα παρὼν ᶠ μὴ ἀποτόμως χρήσ.
Gal 4 18 μὴ μόνον ἐν τῷ παρεῖναί με ᵉ 20 ᶜ
Col 1 6 τοῦ εὐαγγ. τοῦ παρόντος ᵈ εἰς ὑμᾶς
Hb 12 11 πρὸς – τὸ παρὸν ᵍ οὐ δοκεῖ χαρᾶς
13 5 ἀρκούμενοι τοῖς παροῦσιν ᶠ
2 Pe 1 9 ᾧ γὰρ μὴ πάρεστιν ʰ ταῦτα, τυφλός
– 12 ἐστηριγμ. ἐν τῇ παρούσῃ ᶠ ἀληθείᾳ
Ap 17 8 βλεπόντων τὸ θηρίον ὅτι ἦν καὶ οὐκ
ἔστιν καὶ παρέσται (vg ᵒ)

παρεισάγειν Sᵒ – *introducere* 2 Pe 2 1 αἱρέσεις

παρείσακτος Sᵒ – *subintroductus*
Gal 2 4 διὰ – τοὺς παρ..ους ψευδαδέλφους

παρεισδύειν Sᵒ – *subintroire* Jud 4

παρεισέρχεσθαι Sᵒ – *subintrare* ᵇ*s..troire*
Rm 5 20 νόμος – παρεισῆλθεν ἵνα πλεονάσῃ
Gal 2 4 οἵτινες π..ῆλθον ᵇ κατασκοπῆσαι

παρεισφέρειν Sᵒ – *subinferre* 2 Pe 1 5

παρεκτός Sᵒ – ᵃ(παρ. cum gen) *exceptus* (abl
abs) ᵇ(τὰ παρ.) *quae extrinsecus sunt*
Mat 5 32 παρεκτ. ᵃ λόγου πορνείας Act 26 29 ᵃ
2 Co 11 28 χωρὶς τῶν παρεκτ. ᵇ ἡ ἐπίστασίς μοι

παρεμβάλλειν *circumdare* Luc 19 43

παρεμβολή *castra* Act 2134.37 2224 2310.16. 32 – Hb 1134 1311.13 – Ap 209 ἁγίων

παρενοχλεῖν *inquietare* Act 1519 μὴ παρενοχλεῖν τοῖς ἀπὸ τῶν ἐθνῶν ἐπιστρέφουσιν ἐπὶ τὸν θεόν

παρεπίδημος [a]*advena* [b]*hospes* [c]*peregrinus* Hb 1113 ὁμολογήσαντες ὅτι „ξένοι καὶ παρεπίδημοί[b]" εἰσιν „ἐπὶ τῆς γῆς" 1 Pe 1 1 ἐκλεκτοῖς π..οις[a] 211 παρακαλῶ ὡς „παροίκους καὶ π..ους[c]" ἀπέχεσθαι

παρέρχεσθαι *praeterire* [b]*transire* [c]*pertransire* [d]*supervenire* Mat 518 ἕως ἂν παρέλθῃ[b] ὁ οὐρ. καὶ ἡ γῆ, ἰῶτα ἓν – οὐ μὴ παρέλθῃ ἀπὸ τ. νόμου Luc 1617 τὸν οὐρ. καὶ τὴν γῆν παρελθεῖν ἢ – κεραίαν πεσεῖν 828[b] Mar 648 Luc 1837 ὅτι Ἰησοῦς ὁ Ναζωραῖος παρέρχεται[b] Act 168[c] 1415 ἡ ὥρα Act 279 τὴν νηστείαν ἤδη 2434 οὐ μὴ παρέλθῃ ἡ γενεὰ αὕτη ἕως ἂν ταῦτα γένη. ‖ Mar 1330[b] Luc 2132 – 35 ὁ οὐρ. καὶ ἡ γῆ παρελεύσεται[b], οἱ δὲ λόγοι μου οὐ μὴ παρέλθωσιν ‖ Mar 1331[bb] Luc 2133[bb] 2639 παρελθάτω[b] ἀπ' ἐμοῦ τὸ ποτήριον 42 εἰ οὐ δύναται τοῦτο παρελθεῖν[b] ‖ Mar 1435 ἵνα – παρέλθῃ[b] – ἡ ὥρα Luc 1142 π..σθε τὴν κρίσιν καὶ τὴν ἀγάπην 1237 παρελθὼν[b] διακονήσει αὐτοῖς 177 παρελθὼν[b] ἀνάπεσε (vl Act 247[d]) 1529 οὐδέποτε ἐντολήν σου παρῆλθον 2 Co 517 τὰ ἀρχαῖα παρῆλθεν[b], ἰδοὺ γέγονεν Jac 110 „ὡς ἄνθος χόρτου" παρελεύσεται[b] 1 Pe 4 3 ἀρκετὸς – ὁ παρεληλυθὼς χρόνος τὸ βούλημα τῶν ἐθνῶν κατειργάσθαι 2 Pe 310 ἐν ᾗ οἱ οὐρανοὶ – παρελεύσονται[b]

πάρεσις S[o] – *remissio* Rm 325 διὰ τὴν πάρεσιν τῶν προγεγονότων ἁμαρτημάτων

παρέχειν, ..εσθαι *praebere* [b]*praestare* [c](κόπους παρέχειν) *molestum esse* Mat 2610 τί κόπους π..ετε[c] τῇ γυναικί; ‖ Mar 146[c] – Luc 117[c] 185[c] διὰ – τὸ π. μοι Luc 629 πάρεχε καὶ τὴν ἄλλην (sc σιαγόνα) 7 4 ἄξιός ἐστιν ᾧ παρέξῃ[b] τοῦτο Act 1616 ἐργασίαν πολλὴν παρεῖχεν[b] 1924[b] 1731 πίστιν παρασχὼν πᾶσιν ἀναστήσας 22 2 π..έσχον[b] ἡσυχίαν 282[b] φιλανθρωπ.

Gal 617 κόπους μοι μηδεὶς παρεχέτω[c] Col 4 1 ἰσότητα τοῖς δούλοις παρέχεσθε[b] 1 Ti 1 4 αἵτινες ἐκζητήσεις π..ουσιν[b] μᾶλλον 617 θεῷ τῷ π..οντι[b] ἡμῖν πάντα πλου. Tit 2 7 σεαυτὸν παρεχόμενος τύπον καλῶν

παρηγορία *solatium* Col 411 ἐγενήθ. μοι π.

παρθενία *virginitas* Luc 236 ἀπὸ τῆς παρθ.

παρθένος *virgo* Mat 123 Luc 127 Mat 25 1 ὁμοιωθήσεται – δέκα παρθένοις 7.11 Act 21 9 θυγατέρες τέσσ. π..οι προφητεύουσαι 1 Co 725 περὶ – τῶν παρ. ἐπιταγὴν κυρίου οὐκ ἔχω 28 ἐὰν γήμῃ ἡ παρθ. 34.36.37.38 2 Co11 2 → παριστάνειν 1) – Ap 144 μετὰ γυναικῶν οὐκ ἐμολύνθησαν· π..οι – εἰσίν

Πάρθοι Act 29 Π. καὶ Μῆδοι καὶ Ἐλαμῖται

παριέναι *omittere* [b](παρειμένος) *remissus* Luc 1142 ταῦτα – ποιῆσαι κἀκεῖνα μὴ π..εῖναι Hb 1212 „τὰς παρειμ.[b] χεῖρας – ἀνορθώσατε"

παριστάνειν, παριστάναι

1) formae transitivae. *exhibere* [b]*assignare* [c]*commendare* [d]*constituere* [e]*praebere* [f]*praeparare* [g]*probare* [h]*sistere* [i]*statuere* (ante)

Mat 2653 παραστήσει μοι – λεγιῶνας ἀγγέλων; Luc 222 αὐτὸν – παραστῆσαι[h] τῷ κυρίῳ Act 1 3 οἷς καὶ παρέστησεν[e] ἑαυτὸν ζῶντα 941 παρέστησεν[b] αὐτὴν ζῶσαν (Ταβ.) 2324 κτήνη[f] 33[i] τὸν Παῦλον αὐτῷ 2413 οὐδὲ π..στῆσαι[g] δύνανταί σοι περὶ Rm 613 μηδὲ παριστάνετε τὰ μέλη ὑμῶν ὅπλα ἀδικίας τῇ ἁμαρτίᾳ, ἀλλὰ παραστήσατε ἑαυτοὺς τῷ θεῷ ὡσεὶ ζῶντας καὶ τὰ μέλη – ὅπλα δικαιοσύνης τῷ θεῷ 16 ᾧ παριστάνετε ἑαυτοὺς δούλους 19 ὥσπερ – παρεστήσατε τὰ μέλη – δοῦλα τῇ ἀκαθαρσίᾳ –, οὕτως νῦν παραστήσατε – δοῦλα τῇ δικαιοσύνῃ 121 παρακαλῶ – παραστῆσαι τὰ σώματα ὑμῶν θυσίαν ζῶσαν ἁγίαν τῷ θεῷ 1 Co 8 8 βρῶμα – ἡμᾶς οὐ π..στήσει[c] τῷ θεῷ 2 Co 414 ἡμᾶς – ἐγερεῖ καὶ π..στήσει[d] σὺν ὑμ. 11 2 ἡρμοσάμην – ὑμᾶς ἑνὶ ἀνδρὶ παρθένον ἁγνὴν παραστῆσαι τῷ Χῷ Eph 527 ἵνα παραστήσῃ αὐτὸς ἑαυτῷ ἔνδοξον τὴν ἐκκλησίαν

Col 122 παραστῆσαι ὑμᾶς ἁγίους καὶ ἀμώμ.
– 28 ἵνα παραστήσωμεν πάντα ἄνθρωπον
τέλειον ἐν Χῷ
2 Ti 215 σεαυτὸν δόκιμον π..στῆσαι τῷ θεῷ

2) formae intransitivae. astare (vl
adstare) ᵇadesse ᶜassistere ᵈcircum-
stare ᵉstare (ante)

Mar 429 „ὅτι παρέστηκεν ᵇ ὁ θερισμός"
1447 εἷς – τις τῶν παρεστηκότων ᵈ 69 τοῖς
παρεστῶσιν ᵈ 70 1535 ᵈ 39 ᵉ Luc 1924
Joh 1822 ᶜ 1926 ᵉ Act 232.4
Luc 119 Γαβριὴλ ὁ παρεστηκὼς ἐνώπ. τ. ϑ.
Act 110 ἄνδρες δύο παρειστήκεισαν αὐτοῖς
410 παρέστηκεν ἐνώπιον ὑμῶν ὑγιής
– 26 „παρέστησαν οἱ βασιλεῖς τῆς γῆς"
939 παρέστησαν ᵈ αὐτῷ – αἱ χῆραι
2723 παρέστη – μοι – τοῦ θεοῦ – ἄγγελος
– 24 Καίσαρί σε δεῖ παραστῆναι ᶜ
Rm 1410 παραστησόμεθα ᵉ τῷ βήματι τ. θεοῦ
16 2 ἵνα – παραστῆτε ᶜ αὐτῇ ἐν ᾧ ἄν
2 Ti 417 ὁ δὲ κύριός μοι παρέστη

Παρμενᾶς Act 65 Παρμενᾶν καὶ Νικόλαον

πάροδος transitus 1 Co 167 ἐν π..ῳ ἰδεῖν

παροικεῖν ᵃdemorari (vl mor.) ᵇperegrinum
esse Luc 2418 ᵇ Hb 119 ᵃ

παροικία ᵃ(ἐν τῇ παρ.) cum essent incolae
ᵇincolatus Act 1317 ᵃ 1 Pe 117 ᵇ

πάροικος advena ᵇaccola Act 76 ᵇ 29
Eph 219 οὐκέτι ἐστὲ ξένοι καὶ πάροικοι
1 Pe 211 παρακαλῶ ὡς „π..ους καὶ παρεπ."

παροιμία proverbium
Joh 10 6 ταύτην τὴν παροι. εἶπεν – ὁ Ἰησοῦς
1625 ταῦτα ἐν π..αις λελάληκα ὑμῖν· – ὅτε
οὐκέτι ἐν παροιμίαις λαλήσω ὑμῖν
– 29 παροιμίαν οὐδεμίαν λέγεις
2 Pe 222 τὸ τῆς ἀληθοῦς παροιμ.· „κύων –"

πάροινος Sᵒ – vinolentus 1 Ti 33 Tit 17

παροίχεσθαι Sᵒ – praeterire Act 1416

παρομοιάζειν Sᵒ – similem esse Mat 2327

παρόμοιος Sᵒ – similis Mr 713 π..α – ποιεῖτε

παροξύνεσθαι ᵃincitari ᵇirritari
Act 1716 ᵃ 1 Co 135 ἡ ἀγάπη – οὐ π..ύνεται ᵇ

παροξυσμός ᵃdissensio ᵇprovocatio
Act 1539 ᵃ Hb 1024 κατανοῶμεν ἀλλήλους εἰς
π..ὸν ᵇ ἀγάπης καὶ καλῶν ἔργων

παροργίζειν ᵃin iram mittere ᵇad iracun-
diam provocare Rm 1019 ᵃ
Eph 6 4 οἱ πατέρες, μὴ π..ετε ᵇ τὰ τέκνα ὑμ.

παροργισμός iracundia Eph 426 ὁ ἥλιος μὴ
ἐπιδυέτω ἐπὶ παροργισμῷ ὑμῶν

παροτρύνειν Sᵒ – concitare Act 1350

παρουσία adventus ᵇpraesentia

1) Christi et Antichristi adventus

Mat 24 3 τί τὸ σημεῖον τῆς σῆς παρουσίας;
– 27 οὕτως ἔσται ἡ παρουσία τοῦ υἱοῦ
τοῦ ἀνθρώπου 37.39 ἔσται καὶ ἡ παρ.
1 Co 1523 ἀπαρχὴ Χός, ἔπειτα οἱ τοῦ Χοῦ ἐν
τῇ παρουσίᾳ αὐτοῦ
1 Th 219 τίς – ἡμῶν ἐλπὶς – ἔμπροσθεν τοῦ κυ-
ρίου ἡμῶν Ἰησοῦ ἐν τῇ αὐτοῦ παρ.;
313 τὰς καρδίας ἀμέμπτους – ἐν τῇ παρ.
τοῦ κυρ. ἡμ. Ἰησ. μετά – τῶν ἁγίων
415 ἡμεῖς – οἱ περιλειπόμεν. εἰς τὴν παρ.
523 ἀμέμπτως ἐν τῇ παρους. τοῦ κυρίου
2 Th 2 1 ἐρωτῶμεν –, ὑπὲρ τῆς παρ. τοῦ κυρ.
– καὶ ἡμῶν ἐπισυναγωγῆς ἐπ᾽ αὐτόν
– 8 ὃν ὁ κύριος – καταργήσει τῇ ἐπιφα-
νείᾳ (illustratione) τῆς παρ. αὐτοῦ
– 9 οὗ ἐστιν ἡ παρ. κατ᾽ ἐνέργ. τοῦ σατ.
Jac 5 7 μακροθυμήσατε – ἕως τῆς παρ. τοῦ
κυρ. 8 ὅτι ἡ παρ. τοῦ κυρ. ἤγγικεν
2 Pe 116 ἐγνωρίσαμεν ὑμῖν τὴν τοῦ κυρίου ἡ-
μῶν Ἰ. Χοῦ δύναμιν καὶ παρουσίαν ᵇ
3 4 ποῦ ἐστιν ἡ ἐπαγγελία τῆς π. αὐτοῦ;
(vg promissio, aut adventus eius?)
– 12 σπεύδοντας τὴν π. τῆς τ. θεοῦ ἡμέρ.
1 Jo 228 μὴ αἰσχυνθῶμεν – ἐν τῇ παρ. αὐτοῦ

2) hominum praesentia vel adventus

1 Co 1617 χαίρω – ἐπὶ τῇ π.ᵇ Στεφανᾶ 2 Co 76
παρεκάλεσεν ἡμᾶς ὁ θεὸς ἐν τῇ π.
Τίτου 7 οὐ μόνον δὲ ἐν τῇ π. αὐτοῦ
2 Co 1010 ἡ δὲ παρ.ᵇ τοῦ σώματος ἀσθενής
Phl 126 διὰ τῆς ἐμῆς παρ. πάλιν πρὸς ὑμᾶς
212 μὴ ὡς ἐν τῇ παρουσίᾳ ᵇ μου μόνον

παροψίς Sᵒ – paropsis (vl ..aps.) Mat 2325

παρρησία *fiducia (cum fid.)* [b]*confidentia* [c](ἐν π..ᾳ) *confidenter* [d]*constantia* [e](μετὰ π..ας) *audenter* [f](π..ᾳ) *manifeste* [g](π..ᾳ, ἐν π..ᾳ) *palam, in palam*

Mar 8 32 παρρησίᾳ[g] τὸν λόγον ἐλάλει
Joh 7 4 καὶ ζητεῖ αὐτὸς ἐν π..ᾳ[g] εἶναι 11 54 οὐκέτι π..ᾳ[g] περιεπάτει ἐν τοῖς Ἰου.
– 13 οὐδεὶς – π..ᾳ[g] ἐλάλει περὶ αὐτοῦ 26 ἴδε π..ᾳ[g] λαλεῖ 10 24 εἰπὸν ἡμῖν π..ᾳ[g] 11 14 εἶπεν αὐτοῖς παρρησίᾳ[f]
16 25 π..ᾳ[g] περὶ τοῦ πατρὸς ἀπαγγελῶ ὑμῖν 29 νῦν ἐν π.[g] λαλεῖς 18 20 παρρησίᾳ[g] λελάληκα τῷ κόσμῳ
Act 2 29 ἐξὸν εἰπεῖν μετὰ π..ας[e] πρὸς ὑμᾶς
4 13 θεωροῦντες – τὴν τοῦ Πέτρου παρρ.[d]
– 29 δὸς – μετὰ π..ας πάσης λαλεῖν τὸν λόγον σου 31 28 31 διδάσκων τὰ περὶ τοῦ κυρ. Ἰ. Χοῦ μετὰ πάσης παρρ.
2 Co 3 12 πολλῇ παρρησίᾳ χρώμεθα
7 4 πολλή μοι παρρησία πρὸς ὑμᾶς
Eph 3 12 ἐν ᾧ ἔχομεν τὴν παρρησίαν
6 19 ἐν π..ᾳ γνωρίσαι τὸ μυστ. τοῦ εὐ.
Phl 1 20 ἐν πάσῃ παρρ. ὡς πάντοτε καὶ νῦν μεγαλυνθήσεται Χὸς ἐν τῷ σώματι
Col 2 15 τὰς ἀρχὰς – ἐδειγμάτισεν ἐν παρρ.[c]
1 Ti 3 13 περιποιοῦνται – πολλὴν π. ἐν πίστει
Phm 8 πολλὴν ἐν Χῷ π. ἔχων ἐπιτάσσειν
Hb 3 6 ἐὰν τὴν παρρησίαν – κατάσχωμεν
4 16 προσερχώμεθα – μετὰ π..ας τῷ θρόνῳ 10 19 ἔχοντες – π..αν εἰς τὴν εἴσοδον τῶν ἁγίων ἐν τῷ αἵμ. Ἰησοῦ
10 35 μὴ ἀποβάλητε – τὴν παρρησ.[b] ὑμῶν
1 Jo 2 28 ἵνα ἐὰν φανερωθῇ σχῶμεν π..αν
3 21 παρρησίαν ἔχομεν πρὸς τὸν θεόν
4 17 ἵνα π..αν ἔχωμεν ἐν τῇ ἡμ. τ. κρίσεως
5 14 αὕτη ἐστὶν ἡ παρρησία ἣν ἔχομεν πρὸς αὐτόν, ὅτι – ἀκούει ἡμῶν

παρρησιάζεσθαι *fiducialiter agere* [b]*fiduciam habēre* [c]*cum fide loqui* [d]*audēre* [e](part.) *constanter*

Act 9 27 πῶς – ἐπ..άσατο ἐν τῷ ὀνόμ. Ἰησ. 28
13 46 παρρησιασάμενοι[e] – εἶπαν 26 26[e]
14 3 π..όμενοι ἐπὶ τῷ κυρίῳ 18 26 ἐν τῇ συναγωγῇ 19 8[c] διαλεγόμενος
Eph 6 20 ἵνα ἐν αὐτῷ (sc τῷ εὐ.) π..σωμαι[d]
1 Th 2 2 ἐπαρρησιασάμεθα[b] ἐν τῷ θεῷ ἡμῶν λαλῆσαι – τὸ εὐαγγέλιον

***πᾶς, πᾶν, (οἱ) πάντες, (τὰ) πάντα** *omnis* etc. [b]*quicumque* [c]*universa*

Mat 11 27 πάντα μοι παρεδόθη ‖ Luc 10 22 cfr Mat 28 18 ἐδόθη μοι πᾶσα ἐξουσία
Mat 13 56 πόθεν οὖν τούτῳ ταῦτα πάντα;
19 3 ἔξεστιν ἀπολῦσαι τὴν γυναῖκα κατὰ πᾶσαν[b] αἰτίαν; 11 οὐ πάντες χωροῦσιν τὸν λόγον τοῦτον, ἀλλ᾽ οἷς
25 29 τῷ – ἔχοντι παντὶ δοθήσεται ‖ Luc 19 26 – 12 48 παντὶ – ᾧ ἐδόθη πολύ
Mar 4 11 τοῖς ἔξω ἐν παραβολαῖς τὰ πάντα γίνεται – 34 τοῖς – μαθητ. ἐπέλυεν πάν.
5 33 εἶπεν αὐτῷ πᾶσαν τὴν ἀλήθειαν
7 14 ἀκούσατέ μου πάντες καὶ σύνετε
12 28 ποία ἐστὶν ἐντολὴ πρώτη πάντων;
13 37 ὃ δὲ ὑμῖν λέγω, πᾶσιν λέγω cfr Luc 12 41 ἢ καὶ πρὸς πάντας; – 9 23
Luc 3 20 προσέθηκεν καὶ τοῦτο ἐπὶ πᾶσιν
4 7 ἔσται σοῦ πᾶσα (sc ἡ ἐξουσία)
6 40 κατηρτισμένος δὲ πᾶς ἔσται ὡς ὁ διδάσκαλος αὐτοῦ
15 31 πάντα τὰ ἐμὰ σά ἐστιν cfr Joh 17 10 τὰ ἐμὰ πάντα σά ἐστιν 16 15 πάντα ὅσα ἔχει ὁ πατὴρ ἐμά ἐστιν
Joh 1 3 πάντα δι᾽ αὐτοῦ ἐγένετο → Col 1 16
3 31 ὁ ἄνωθεν ἐρχόμενος ἐπάνω πάντων ἐστίν· – ὁ ἐκ τοῦ οὐρανοῦ ἐρχ. ἐπάνω πάντων ἐστίν 35 πάντα δέδωκεν ἐν τῇ χειρὶ αὐτοῦ (sc τοῦ υἱοῦ)
6 37 πᾶν ὃ δίδωσίν μοι ὁ πατὴρ πρὸς ἐμὲ ἥξει 39 ἵνα πᾶν ὃ δέδωκέν μοι μὴ ἀπολέσω 10 29 ὁ πατήρ μου ὃ (vl ὃς) δέδ. μοι πάντων μεῖζόν (vl μείζων π. vg *maius o..ibus*) ἐστιν
13 3 εἰδὼς ὅτι πάντα ἔδωκεν αὐτῷ ὁ πατὴρ εἰς τὰς χεῖρας 10 καθαροί ἐστε, ἀλλ᾽ οὐχὶ πάντες 11
16 30 νῦν οἴδαμεν ὅτι οἶδας πάντα 21 17
17 2 ἔδωκας αὐτῷ ἐξουσίαν πάσης σαρκός, ἵνα πᾶν ὃ δέδωκας αὐτῷ δώσῃ αὐτοῖς ζωὴν αἰώνιον 7 πάντα ὅσα δέδωκάς μοι παρὰ σοῦ εἰσιν – 21 ἵνα πάντες ἓν ὦσιν
Rm 8 32 ὑπὲρ ἡμῶν πάντων παρέδωκεν αὐτόν, πῶς οὐχὶ καὶ σὺν αὐτῷ τὰ πάντα ἡμῖν χαρίσεται;
9 5 ὁ ὢν ἐπὶ πάντων θεὸς εὐλογητός
10 12 ὁ γὰρ αὐτὸς κύριος πάντων
– 16 οὐ πάντες ὑπήκουσαν τῷ εὐαγγελίῳ
11 32 συνέκλεισεν – ὁ θεὸς τοὺς πάντας (vl τὰ πάντα vg) εἰς ἀπείθειαν ἵνα τοὺς πάντας ἐλεήσῃ Gal 3 22 τὰ π.
14 10 πάντες – παραστησόμεθα τῷ βήματι τοῦ θεοῦ 2 Co 5 10 τοὺς – πάντας ἡμᾶς φανερωθῆναι δεῖ ἔμπροσθεν

1 Co 3 21 πάντα γὰρ ὑμῶν ἐστιν 22 πάντα ὑμ.
6 12 πάντα μοι ἔξεστιν, ἀλλ' οὐ πάντα
συμφέρει 10 23 – οὐ πάντα οἰκοδομεῖ
8 6 ϑεὸς –, ἐξ οὗ τὰ πάντα –, – Χός, δι'
οὗ τὰ πάντα 11 12 τὰ δὲ πάντα ἐκ
τοῦ ϑεοῦ 12 6 ϑεὸς ὁ ἐνεργῶν τὰ
πάντα ἐν πᾶσιν 15 27 „πάντα – ὑπέ-
ταξεν ὑπὸ τοὺς πόδας αὐτοῦ" κτλ.
28 ὅταν – ὑποταγῇ αὐτῷ τὰ πάντα, –
τῷ ὑποτάξαντι αὐτῷ τὰ πάντα, ἵνα
ᾖ ὁ ϑεὸς πάντα ἐν πᾶσιν 2 Co 5 18
τὰ δὲ πάντα ἐκ τοῦ ϑεοῦ
9 19 ἐλεύϑερος – ὢν ἐκ πάντων πᾶσιν ἐμ-
αυτὸν ἐδούλωσα 22 τοῖς πᾶσιν γέ-
γονα πάντα 10 33 καϑὼς κἀγὼ πάντα
πᾶσιν ἀρέσκω
10 17 οἱ – πάντες ἐκ τοῦ ἑνὸς ἄρτου μετ-
έχομεν 12 13 πάντες εἰς ἓν σῶμα ἐ-
βαπτίσϑημεν –, καὶ πάντες ἓν πνεῦ-
μα ἐποτίσϑημεν 19 εἰ δὲ ἦν τὰ πάν-
τα ἓν μέλος 26.29 μὴ πάντες ἀπό-
στολοι; κτλ. 30 μὴ πάντες χαρίσμα-
τα ἔχουσιν ἰαμάτων; κτλ.
15 51 πάντες οὐ κοιμηϑησόμεϑα (vl πά.
ἀναστησόμεϑα vg), πάντες δὲ ἀλ-
λαγησόμεϑα (vl οὐ πά. δὲ vg)
16 14 πάντα ὑμῶν ἐν ἀγάπῃ γινέσϑω
2 Co 4 15 τὰ – πάντα δι' ὑμᾶς, ἵνα ἡ χάρις
5 14 εἷς ὑπὲρ πάντων ἀπέϑανεν· ἄρα οἱ
πάντες ἀπέϑανον 15 cfr 1 Ti 2 6 ὁ
δοὺς ἑαυτὸν ἀντίλυτρον ὑπὲρ πάντ.
6 10 ὡς μηδὲν ἔχοντες καὶ πάντα κατέχ.
9 13 ἁπλότητι τῆς κοινωνίας εἰς αὐτοὺς
καὶ εἰς πάντας cfr Gal 6 10 ἐργαζώ-
μεϑα τὸ ἀγαϑὸν πρὸς πάντας
Gal 3 28 πάντες γὰρ ὑμεῖς εἷς ἐστε ἐν Χῷ
Eph 1 10 ἀνακεφαλαιώσασϑαι τὰ πάντα ἐν τῷ
Χῷ 11 κατὰ πρόϑεσιν τοῦ τὰ πάντα
ἐνεργοῦντος κατὰ τὴν βουλήν
– 23 τοῦ τὰ πάντα ἐν πᾶσιν πληρουμέ-
νου 4 10 ἵνα πληρώσῃ τὰ πάντα
3 9 ἐν τῷ ϑεῷ τῷ τὰ πάντα κτίσαντι
4 6 εἷς ϑεὸς καὶ πατὴρ πάντων, ὁ ἐπὶ
πάντων καὶ διὰ π..ων καὶ ἐν πᾶσιν
– 13 μέχρι καταντήσωμεν οἱ πάντες εἰς
τὴν ἑνότητα τῆς πίστεως 15 αὐξή-
σωμεν εἰς αὐτὸν τὰ πάντα (per om.)
Phl 3 21 δύνασϑαι – ὑποτάξαι αὐτῷ τὰ πάντα
Col 1 16 ἐν αὐτῷ ἐκτίσϑη τὰ πάν.ᶜ –· τὰ πάν.
δι' αὐτοῦ καὶ εἰς αὐτὸν ἔκτισται
– 17 αὐτός ἐστιν πρὸ πάντων καὶ τὰ πάν-
τα ἐν αὐτῷ συνέστηκεν 18 ἐν πᾶσιν

αὐτὸς πρωτεύων 19 ἐν αὐτῷ εὐδό-
κησεν πᾶν τὸ πλήρωμα κατοικῆσαι
Col 1 20 ἀποκαταλλάξαι τὰ πάντα εἰς αὐτόν
3 11 ἀλλὰ πάντα καὶ ἐν πᾶσιν Χός
1 Th 3 12 τῇ ἀγάπῃ εἰς ἀλλήλους καὶ εἰς πάν-
τας 5 14 μακροϑυμεῖτε πρὸς πάντας
15 τὸ ἀγαϑὸν διώκετε εἰς ἀλλήλους
καὶ εἰς πάντας
2 Th 3 2 οὐ γὰρ πάντων ἡ πίστις
1 Ti 6 13 ϑεοῦ τοῦ ζωογονοῦντος τὰ πάντα
Hb 1 2 ὃν ἔϑηκεν κληρονόμον πάντωνᶜ
– 3 φέρων τε τὰ π. τῷ ῥήματι τῆς δυν.
2 8 „πάντα ὑπέταξας" – . ἐν τῷ – ὑπο-
τάξαι – τὰ πάντα – . νῦν δὲ οὔπω ὁ-
ρῶμεν αὐτῷ τὰ πάντα ὑποτεταγμένα
– 9 ὅπως – ὑπὲρ παντὸς γεύσηται ϑαν.
– 10 δι' ὃν τὰ πάντα καὶ δι' οὗ τὰ πάντα
1 Pe 4 7 πάντων δὲ τὸ τέλος ἤγγικεν
2 Pe 1 3 τὰ πάντα ἡμῖν – τὰ πρὸς ζωὴν καὶ
3 4 πάντα οὕτως διαμένει ἀπ' ἀρχῆς
– 11 τούτων οὕτως πάντων λυομένων
1 Jo 2 16 πᾶν τὸ ἐν τῷ κόσμῳ, ἡ ἐπιϑυμία
– 19 οὐκ εἰσὶν πάντες ἐξ ἡμῶν
– 20 ὑμεῖς – οἴδατε πάντες (vl ..τα vg)
– 27 χρῖσμα διδάσκει ὑμᾶς περὶ πάντων
3 20 μείζων ἐστὶν ὁ ϑεὸς τῆς καρδίας ἡ-
μῶν καὶ γινώσκει πάντα
Jud 15 ἦλϑεν – ποιῆσαι κρίσιν κατὰ πάντων
Ap 4 11 ὅτι σὺ ἔκτισας τὰ πάντα 5 13
21 5 „ἰδοὺ καινὰ ποιῶ" πάντα

πάσχα   *pascha*

Mat 26 2 μετὰ δύο ἡμέρας τὸ πάσχα γίνεται
17 φαγεῖν τὸ π. 18 πρὸς σὲ ποιῶ τὸ
π. 19 ἡτοίμασαν τὸ π. ‖ Mar 14 1 ἦν
– τὸ π. καὶ τὰ ἄζυμα 12.14 ὅπου τὸ
π. – φάγω; 16 Luc 22 1.7.8.11.13.15 ἐπε-
ϑύμησα τοῦτο τὸ πάσχα φαγεῖν
Luc 2 41 ἐπορεύοντο – τῇ ἑορτῇ τοῦ πάσχα
Joh 2 13 ἐγγὺς ἦν τὸ π. τῶν Ἰουδαίων 23 ἐν
τῷ π. ἐν τῇ ἑορτῇ 6 4 11 55 12 1 πρὸ
ἓξ ἡμερῶν τοῦ π. 13 1 18 28 ἵνα μὴ
μιανϑῶσιν ἀλλὰ φάγωσιν τὸ πάσχα
39 ἵνα ἕνα ἀπολύσω ὑμῖν ἐν τῷ π.
19 14 ἦν δὲ παρασκευὴ τοῦ πάσχα
Act 12 4 μετὰ τὸ π. ἀναγαγεῖν – τῷ λαῷ
1 Co 5 7 καὶ γὰρ „τὸ π." ἡμῶν „ἐτύϑη" Χός
Hb 11 28 πίστει πεποίηκεν „τὸ πάσχα"

πάσχειν *pati* ᵇ(τὸ π.) *passio* ᶜ*perpeti*

1) Jesu Christi passio

Mat 16 21 ὅτι δεῖ αὐτὸν – πολλὰ παϑεῖν ‖ Mar

831 Luc 922 – 1725 πρῶτον δὲ δεῖ
Mat 1712 μέλλει πάσχειν ὑπ᾽ αὐτῶν ‖ Mar 912
Luc 2215 φαγεῖν μεθ᾽ ὑμ. πρὸ τοῦ με παθεῖν
2426 οὐχὶ ταῦτα ἔδει παθεῖν τὸν χριστὸν
   –; 46 οὕτως γέγραπται παθεῖν τὸν
   χριστόν – Act 318 χρ. αὐτοῦ 173
Act   1 3 ζῶντα μετὰ τὸ παθεῖνᵇ αὐτόν
Hb   218 ἐν ᾧ – πέπονθεν αὐτὸς πειρασθείς
   5 8 ἔμαθεν ἀφ᾽ ὧν ἔπαθεν τὴν ὑπακοήν
   926 ἔδει αὐτὸν πολλάκις παθεῖν ἀπό
   1312 καὶ Ἰησοῦς – ἔξω τῆς πύλης ἔπαθεν
1 Pe   221 ὅτι καὶ Χὸς ἔπαθεν ὑπὲρ ὑμῶν
   – 23 πάσχων οὐκ ἠπείλει, παρεδίδου δέ
   (318 vl ἅπαξ περὶ ἁμαρτιῶν ἔπαθεν)
   4 1 Χοῦ οὖν παθόντος σαρκὶ καὶ ὑμεῖς

2) quod aliis hominibus accidit

Mat 2719 πολλὰ – ἔπαθον – κατ᾽ ὄναρ δι᾽ αὐτόν
Mar   526 πολλὰ παθοῦσαᶜ ὑπὸ πολλ. ἰατρῶν
Luc 13 2 ἁμαρτωλοὶ παρὰ πάντας τοὺς Γαλιλ.
   ἐγένοντο, ὅτι ταῦτα πεπόνθασιν;
Act   916 ὅσα δεῖ αὐτὸν ὑπὲρ τοῦ ὀνόματός
   μου παθεῖν Phl 129 ὑμῖν ἐχαρίσθη
   τὸ ὑπὲρ Χοῦ – καὶ – πάσχειν
   28 5 ὁ μὲν οὖν – ἔπαθεν οὐδὲν κακόν
1 Co 1226 εἴτε πάσχει ἓν μέλος, συμπάσχει
2 Co   1 6 παθημάτων ὧν καὶ ἡμεῖς π..ομεν
Gal   3 4 τοσαῦτα ἐπάθετε εἰκῇ; εἴ γε καὶ εἰ.
Phl   129 → Act 916 – 1 Th 214 τ. αὐτὰ ἐπάθετε
   καὶ ὑμεῖς ὑπὸ τῶν ἰδίων συμφυλετῶν
2 Th   1 5 βασ. τοῦ θεοῦ, ὑπὲρ ἧς καὶ πάσχετε
2 Ti   112 δι᾽ ἣν αἰτίαν καὶ ταῦτα πάσχω
1 Pe   219 διὰ συνείδησιν θεοῦ – π..ων ἀδίκως
   – 20 εἰ ἀγαθοποιοῦντες καὶ πάσχοντες
   (vg patienter vl et p..tes) ὑπομενεῖτε
   317 κρεῖττον – ἀγαθοπ. – πάσχειν ἤ
   314 εἰ καὶ πάσχοιτε διὰ δικαιοσύνην
   4 1 ὁ παθὼν σαρκὶ πέπαυται ἁμαρτίας
   – 15 μή – τις ὑμῶν πασχέτω ὡς φονεύς
   – 19 οἱ π..οντες κατὰ τὸ θέλημα τ. θεοῦ
   510 ὀλίγον παθόντας αὐτὸς καταρτίσει
Ap   210 μὴ φοβοῦ ἃ μέλλεις πάσχειν

Πάταρα Act 211 Ῥόδον κἀκεῖθεν εἰς Πάταρα

πατάσσειν percutere Mat 2631 „πατάξω τὸν
   ποιμένα" ‖ Mar 1427 – Mat 2651 τὸν δοῦ-
   λον τοῦ ἀρχιερέως ‖ Luc 2249.50 – Act
   724 127.23 Ap 116 τὴν γῆν 1915 τὰ ἔθνη

πατεῖν calcare Luc 1019 „π. ἐπάνω ὄφεων"
Luc 2124 „Ἱερουσαλὴμ – πατουμένη" Ap 112
Ap   1420 „ἐπατήθη ἡ ληνός" 1915 „πατεῖ"

πατήρ   pater

1) Deus pater hominum ipso verbo
   dictus: ὁ πατὴρ ὑμῶν, σου, αὐτῶν, πάν-
   των – ὁ πατὴρ ὑμῶν (πάτερ ἡμῶν) ὁ
   ἐν (τοῖς) οὐρανοῖς, ὁ οὐράνιος – θεὸς
   πατὴρ ἡμῶν, ὁ θεὸς καὶ πατὴρ ἡμῶν
   – ὁ πατὴρ τῶν πνευμάτων

Mat   516 ὅπως – δοξάσωσιν τὸν πατέρα ὑμῶν
   τὸν ἐν τοῖς οὐρανοῖς 45 γένησθε
   υἱοὶ τοῦ πατρός – 61 μισθὸν οὐκ ἔ-
   χετε παρὰ τῷ πατρί – 9 πάτερ ἡμῶν
   ὁ – (Luc 112 → sub 3)) 711 πόσῳ
   μᾶλλον ὁ πατὴρ ὑμῶν ὁ – δώσει (‖
   Luc 1113 ὁ π. ὁ ἐξ οὐρανοῦ) – Mat
   1814 οὐκ ἔστιν θέλημα ἔμπροσθεν
   τοῦ πατρός – Mar 1125 ἵνα καὶ ὁ
   πατὴρ – ἀφῇ ὑμῖν (vl 26)
   – 48 ὡς ὁ πατὴρ ὑμῶν ὁ οὐράνιος τέ-
   λειός ἐστιν 614 ἀφήσει καὶ ὑμῖν ὁ π.
   – 26 καὶ ὁ π. – τρέφει αὐτά 32 οἶδεν
   – ὁ π. – ὅτι χρῄζετε τούτων 239 πα-
   τέρα μὴ καλέσητε ὑμῶν –· εἷς γάρ
   ἐστιν ὑμῶν ὁ πατὴρ ὁ οὐράνιος
   6 4 ὁ πατήρ σου ὁ βλέπων ἐν τῷ κρυ-
   πτῷ 6 πρόσευξαι τῷ π. σου τῷ ἐν τῷ
   κρυπτῷ· καὶ ὁ π. σου ὁ βλέπων 18
   μὴ φανῇς τοῖς ἀνθρ. νηστεύων ἀλ-
   λὰ τῷ π. σ. τῷ ἐν τῷ κρυφαίῳ· καὶ
   ὁ π. σου ὁ βλέπων ἐν τῷ κρυφαίῳ
   – 8 οἶδεν – [ὁ θεὸς] ὁ πατὴρ ὑμῶν ὧν
   χρείαν ἔχετε ‖ Luc 1230 ὑμῶν δὲ ὁ π.
   – 15 οὐδὲ ὁ πατὴρ ὑμῶν ἀφήσει τὰ παρ.
   1020 ἀλλὰ τὸ πνεῦμα τοῦ πατρὸς ὑμῶν
   – 29 οὐ πεσεῖται – ἄνευ τοῦ πατρὸς ὑμῶν
   1343 „οἱ δίκαιοι ἐκλάμψουσιν" ὡς ὁ ἥλι-
   ος ἐν τῇ βασιλείᾳ τοῦ πατρ. αὐτῶν
Luc   636 καθὼς ὁ πατ. ὑμῶν οἰκτίρμων ἐστίν
   1232 ὅτι εὐδόκησεν ὁ π. ὑμῶν δοῦναι ὑμῖν
   τὴν βασιλείαν cfr 2229 sub 2)
Joh   841 ἕνα πατέρα ἔχομεν τὸν θεόν 42 εἰ ὁ
   θ. πατὴρ ὑμῶν ἦν, ἠγαπᾶτε ἂν ἐμέ
   2017 ἀναβαίνω πρὸς τὸν πατέρα μου καὶ
   πατέρα ὑμῶν καὶ θεόν μου κ. θ. ὑ.
Rm   1 7 εἰρήνη ἀπὸ θεοῦ πατρὸς ἡμῶν 1 Co
   13 2 Co 12 Gal 13 Eph 12 Phl 12 Col
   12 Phm 3 – 2 Th 11 τῇ ἐκκλησίᾳ – ἐν
   θεῷ πατρὶ ἡμ. 2 εἰρήνη ἀπὸ θεοῦ πα-
   τρός (vl + ἡμῶν vg) 1 Ti 12 (vl ἡμ.)
1 Co 8 6 ἀλλ᾽ ἡμῖν εἷς θεὸς ὁ πατήρ, ἐξ οὗ
2 Co 618 „ἔσομαι" ὑμῖν „εἰς πατέρα"
Gal   1 4 κατὰ τὸ θέλημα τοῦ θεοῦ καὶ πα-

τρὸς ἡμῶν Phl 4 20 τῷ δὲ θεῷ καὶ
πατρὶ ἡμῶν ἡ δόξα 1 Th 1 3 ἔμπρο-
σθεν τοῦ θεοῦ καὶ πατρὸς ἡμῶν 3 13
3 11 ὁ θεὸς καὶ πατ. ἡμῶν καὶ ὁ κύ-
ριος ἡμ. Ἰησοῦς 2 Th 2 16 καὶ ὁ θεὸς
(vl + καὶ vg) ὁ πατὴρ ἡμῶν
Eph 4 6 εἷς θεὸς καὶ πατὴρ πάντων
Hb 12 9 οὐ πολὺ μᾶλλον ὑποταγησόμεθα τῷ
πατρὶ τῶν πνευμάτων –;
1 Pe 1 17 εἰ „πατέρα ἐπικαλεῖσθε" τὸν – κρίν.

2) Deus Jesu Christi pater ipsis
verbis dictus: ὁ πατήρ μου, αὐτοῦ –
ὁ πατήρ μου ὁ ἐν οὐρανοῖς, ὁ οὐρά-
νιος – πάτερ, ὁ πατήρ (in sermone
Jesu) – ὁ θεὸς καὶ πατὴρ τοῦ κυρίου

Mat 7 21 ὁ ποιῶν τὸ θέλημα τοῦ π. μου τοῦ
ἐν τοῖς οὐρανοῖς 10 32 ὁμολογή-
σω – ἔμπροσθεν τοῦ π. – 33 ἀρνήσο-
μαι 12 50 τὸ θέλ. τοῦ π. – 16 17 ἀπε-
κάλυψέν σοι – ὁ π. – 18 10 βλέπουσι
τὸ πρόσωπον τοῦ π. – 19 γενήσεται
αὐτοῖς παρὰ τοῦ π. μου τοῦ ἐν οὐρ.
11 25 πάτερ, κύριε τοῦ οὐρανοῦ καὶ τῆς
γῆς 26 ναί, ὁ πατὴρ 27 πάντα μοι
παρεδόθη ὑπὸ τοῦ π. μου ‖ Luc 10
21.22 – Mat 15 13 ἣν οὐκ ἐφύτευσεν
ὁ π. μου ὁ οὐράνιος 18 35 οὕτως
καὶ ὁ πατήρ μου ὁ οὐράνιος ποιή-
σει ὑμῖν, ἐὰν μὴ ἀφῆτε
16 27 ἔρχεσθαι ἐν τῇ δόξῃ τοῦ π. αὐτοῦ ‖
Mar 8 38 Luc 9 26 ὅταν ἔλθῃ ἐν τῇ
δόξῃ αὐτοῦ καὶ τοῦ πατρός
20 23 οἷς ἡτοίμασται ὑπὸ τοῦ πατρός μου
25 34 δεῦτε οἱ εὐλογημένοι τοῦ πατ. μου
26 29 καινὸν ἐν τῇ βασιλείᾳ τοῦ πατ. μου
– 39 πάτερ μου, εἰ δυνατόν ἐστιν 42 εἰ οὐ
δύναται – παρελθεῖν ‖ Mar 14 36 ἀβ-
βὰ ὁ πατήρ, πάντα δυνατά σοι Luc
22 42 πάτερ, εἰ βούλει παρένεγκε
– 53 παρακαλέσαι τὸν πατέρα μου, –;
Luc 2 49 ὅτι ἐν τοῖς τοῦ π. μου δεῖ εἶναί με;
22 29 καθὼς διέθετό μοι ὁ π. μου βασιλ.
23 34 πάτερ, ἄφες αὐτοῖς· οὐ γὰρ οἴδασιν
– 46 πάτ., „εἰς χεῖράς σου παρατίθεμαι"
24 49 ἐξαποστέλλω τὴν ἐπαγγ. τοῦ π. μου
Joh 2 16 μὴ ποιεῖτε τὸν οἶκον τοῦ π. μου οἶκ.
5 17 ὁ πατήρ μου ἕως ἄρτι ἐργάζεται
– 18 καὶ πατέρα ἴδιον ἔλεγεν τὸν θεόν
– 43 ἐγὼ ἐλήλυθα ἐν τῷ ὀνόματι τοῦ πα-
τρός μου 10 25 ἃ ἐγὼ ποιῶ ἐν τῷ –
6 32 ὁ πατήρ μου δίδωσιν ὑμῖν τὸν ἄρτον

Joh 6 40 τοῦτο – ἐστιν τὸ θέλημα τοῦ π. μου
8 19 ποῦ ἐστιν ὁ πατ. σου; – οὔτε ἐμὲ οἴ-
δατε οὔτε τὸν πατ. μου· εἰ ἐμὲ ᾔ-
δειτε, καὶ τὸν π. μου ἂν ᾔδειτε 14 7
εἰ ἐγνώκειτέ με, καὶ τὸν πατ. μου –
– 49 ἀλλὰ τιμῶ τὸν πατέρα μου
– 54 ἐστιν ὁ πατήρ μου ὁ δοξάζων με
10 18 τὴν ἐντολὴν ἔλαβον παρὰ τοῦ π. μ.
– 29 ὁ πατήρ μου ὃ δέδωκέν μοι
– 37 εἰ οὐ ποιῶ τὰ ἔργα τοῦ πατρός μου
11 41 πάτερ, εὐχαριστῶ σοι ὅτι ἤκουσας
12 27 πάτερ, σῶσόν με ἐκ τῆς ὥρας ταύτης
– 28 πάτερ, δόξασόν σου τὸ ὄνομα
14 2 ἐν τῇ οἰκίᾳ τοῦ πατ. μου μοναὶ πολ.
– 20 γνώσεσθε – ὅτι ἐγὼ ἐν τῷ πατρί μου
– 21 ἀγαπηθήσεται ὑπὸ τοῦ πατ. μου 23
15 1 ὁ πατήρ μου ὁ γεωργός ἐστιν
– 8 ἐν τούτῳ ἐδοξάσθη ὁ πατήρ μου
– 10 καθὼς ἐγὼ τοῦ πατρός μου τὰς ἐν-
τολὰς τετήρηκα καὶ μένω αὐτοῦ ἐν
τῇ ἀγάπῃ
– 15 ἃ ἤκουσα παρὰ τοῦ π. μου ἐγνώρ.
– 23 καὶ τὸν πατέρα μου μισεῖ 24
17 1 πάτερ, ἐλήλυθεν ἡ ὥρα 5 δόξασόν
με σύ, πάτερ 11 πάτερ ἅγιε, τήρησον
αὐτούς 21 καθὼς σύ, πατήρ, ἐν ἐμοὶ
κἀγὼ ἐν σοί 24 πατήρ, ὃ δέδωκάς
μοι, θέλω 25 πατὴρ δίκαιε, καὶ ὁ
κόσμος σε οὐκ ἔγνω
20 17 ἀναβαίνω πρὸς τὸν πατέρα μου καὶ
πατέρα ὑμῶν → 3)
Rm 15 6 τὸν θεὸν καὶ πατέρα τοῦ κυρίου ἡ-
μῶν Ἰ. Χοῦ 2 Co 13 11 31 Eph 1 3 Col
1 3 τῷ θεῷ πατρὶ τοῦ κυρίου ἡμῶν
Hb 1 5 „ἐγὼ ἔσομαι αὐτῷ εἰς πατέρα"
1 Pe 1 3 ὁ θεὸς καὶ πατὴρ τοῦ κυρίου ἡμῶν
Ἰησ. Χοῦ – 1 Jo 1 3 2 Jo 3.9 → 3)
Ap 1 6 ἐποίησεν ἡμᾶς – ἱερεῖς τῷ θεῷ καὶ
πατρὶ αὐτοῦ – 2 28 ὡς κἀγὼ εἴληφα
(sc ἐξουσίαν) παρὰ τοῦ πατρός μου
3 5 ὁμολογήσω τὸ ὄνομα αὐτοῦ ἐνώπιον
τοῦ πατρός μου 21 ὡς κἀγὼ – ἐκά-
θισα μετὰ τοῦ π. μου ἐν τῷ θρόνῳ
14 1 ἔχουσαι τὸ ὄνομα αὐτοῦ (sc τοῦ ἀρνί-
ου) καὶ τὸ ὄν. τοῦ π. αὐτοῦ γεγραμμ.

3) ὁ πατήρ, πατήρ (nomen absolutum) et
ὁ πατὴρ τῆς δόξης, τῶν οἰκτιρμῶν, ὁ ἐξ
σὐρανοῦ, ὁ πατὴρ πάντων, τῶν φώτων

Mat 11 27 (→ 2) Mat 11 25ss) οὐδεὶς ἐπιγινώ-
σκει τὸν υἱὸν εἰ μὴ ὁ πατήρ, οὐδὲ τὸν
πατέρα τις ἐπιγ. εἰ μὴ ὁ υἱός ‖ Luc

10 22 cfr Joh 10 15 καθὼς γινώσκει με
ὁ πατὴρ κἀγὼ γινώσκω τὸν πατέρα
Mat 24 36 οὐδεὶς οἶδεν –, εἰ μὴ ὁ πατὴρ μόνος
‖ Mar 13 32 εἰ μὴ ὁ πατήρ
28 19 βαπτίζοντες – εἰς τὸ ὄνομα τοῦ πατ.
Luc 9 26 ἐν τῇ δόξῃ αὐτοῦ καὶ τοῦ πατρός
11 2 πάτερ, ἁγιασθήτω τὸ ὄνομά σου
– 13 πόσῳ μᾶλλον ὁ πατὴρ ὁ ἐξ οὐρανοῦ
δώσει πνεῦμα ἅγιον → 1) Mat 5 16
Joh 1 14 δόξαν ὡς μονογενοῦς παρὰ πατρός
– 18 ὁ ὢν εἰς τὸν κόλπον τοῦ πατρός
3 35 ὁ πατ. ἀγαπᾷ τὸν υἱόν, καὶ πάντα δέ-
δωκεν 5 20 φιλεῖ τὸν υἱὸν καὶ πάντα
δείκνυσιν αὐτῷ 10 17 διὰ τοῦτό με ὁ
πατὴρ ἀγαπᾷ 15 9 καθὼς ἠγάπησέν
με ὁ πατήρ, κἀγὼ ὑμᾶς ἠγάπησα
4 21 οὔτε ἐν Ἱεροσ. προσκυνήσετε τῷ πα-
τρί 23 προσκυνήσουσιν τῷ πατρὶ ἐν
πνεύματι καὶ ἀληθείᾳ· – ὁ π. τοιού-
τους ζητεῖ τοὺς προσκυνοῦντας
5 19 ἂν μή τι βλέπῃ τὸν πατ. ποιοῦντα
– 21 ὥσπερ – ὁ πατ. ἐγείρει τοὺς νεκρούς
– 22 οὐδὲ – ὁ πατὴρ κρίνει οὐδένα, ἀλλά
– 23 καθὼς τιμῶσι τὸν πατέρα. ὁ μὴ τι-
μῶν τὸν υἱὸν οὐ τιμᾷ τὸν πατέρα
– 26 ὥσπερ – ὁ πατὴρ ἔχει ζωὴν ἐν ἑαυτῷ
– 36 τὰ – ἔργα ἃ δέδωκέν μοι ὁ πατήρ –,
μαρτυρεῖ – ὅτι ὁ π. με ἀπέσταλκεν
– 37 ὁ πέμψας με πατ. 6 44 8 18 12 49 14 24
– 45 ὅτι – κατηγορήσω ὑμῶν πρὸς τὸν π.
6 27 τοῦτον – ὁ πατ. ἐσφράγισεν ὁ θεός
– 37 ὃ δίδωσίν μοι ὁ πατ. πρὸς ἐμὲ ἥξει
– 45 ὁ ἀκούσας παρὰ τοῦ πατ. – ἔρχεται
– 46 οὐχ ὅτι τὸν πατ. ἑώρακέν τις, εἰ μὴ
ὁ ὢν –, οὗτος ἑώρακεν τὸν πατέρα
– 57 ἀπέστειλέν με ὁ ζῶν πατὴρ κἀγὼ ζῶ
διὰ τὸν πατέρα → 5 26
– 65 ἐὰν μὴ ᾖ δεδομένον αὐτῷ ἐκ τοῦ π.
8 27 οὐκ ἔγνωσαν ὅτι τὸν πατ. – ἔλεγεν
– 28 καθὼς ἐδίδαξέν με ὁ πατὴρ 12 50
– 38 ἃ ἐγὼ ἑώρακα παρὰ τῷ πατρὶ λαλῶ
10 29 ὁ πατ. μου ὃ δέδωκέν μοι – οὐδεὶς
δύναται ἁρπάζειν ἐκ τῆς χειρὸς τοῦ
πατρός 30 ἐγὼ καὶ ὁ πατ. ἕν ἐσμεν
– 32 ἔργα ἔδειξα ὑμῖν καλὰ ἐκ τοῦ πατ.
– 36 ὃν ὁ πατὴρ ἡγίασεν καὶ ἀπέστειλεν
– 38 ὅτι ἐν ἐμοὶ ὁ πατ. κἀγὼ ἐν τῷ πατ.
14 10.11 cfr 20 17 21 σύ, πατ., ἐν ἐμοί
12 26 τιμήσει αὐτὸν ὁ πατήρ
13 1 ἵνα μεταβῇ – πρὸς τὸν πατ. 14 12 πο-
ρεύομαι 28 16 28. 10 ὑπάγω 17
– 3 πάντα ἔδωκεν αὐτῷ ὁ π. εἰς τὰς χ.

Joh 14 6 οὐδεὶς ἔρχεται πρὸς τὸν πατ. εἰ μὴ
– 8 δεῖξον ἡμῖν τὸν π. 9 ὁ ἑωρακὼς ἐμὲ
ἑώρακεν τὸν πατ. κτλ. 10 ὁ δὲ πατ.
ἐν ἐμοὶ μένων ποιεῖ τὰ ἔργα αὐτοῦ
– 13 ἵνα δοξασθῇ ὁ πατὴρ ἐν τῷ υἱῷ
– 16 ἐρωτήσω τὸν πατ. 16 26 οὐ λέγω – ὅ-
τι ἐγὼ ἐρωτήσω τὸν πατ. περὶ ὑμῶν
– 26 τὸ πνεῦμα – ὃ πέμψει ὁ π. ἐν τῷ ὀν.
– 28 ὅτι ὁ πατὴρ μείζων μού ἐστιν
– 31 ὅτι ἀγαπῶ τὸν πατέρα, καὶ καθὼς
ἐνετείλατό μοι ὁ πατ., οὕτως ποιῶ
15 16 ὅ τι ἂν αἰτήσητε τὸν πατέρα 16 23
– 26 ὁ παράκλητος – παρὰ τοῦ πατ., τὸ
πνεῦμα – ὃ παρὰ τοῦ π. ἐκπορεύεται
16 3 ὅτι οὐκ ἔγνωσαν τὸν πατ. οὐδὲ ἐμέ
– 15 πάντα ὅσα ἔχει ὁ πατὴρ ἐμά ἐστιν
– 25 παρρησίᾳ περὶ τοῦ π. ἀπαγγελῶ ὑμ.
– 27 αὐτὸς γὰρ ὁ πατὴρ φιλεῖ ὑμᾶς
– 28 ἐξῆλθον ἐκ τοῦ πατρός – · – καὶ πο-
ρεύομαι πρὸς τὸν πατέρα 32 οὐκ εἰ-
μὶ μόνος, ὅτι ὁ πατ. μετ᾿ ἐμοῦ ἐστιν
18 11 τὸ ποτήριον ὃ δέδωκέν μοι ὁ πατὴρ
20 17 οὔπω – ἀναβέβηκα πρὸς τὸν πατέρα
– 21 καθὼς ἀπέσταλκέν με ὁ πατ., κἀγὼ
Act 1 4 περιμένειν τὴν ἐπαγγελίαν τοῦ πατ.
– 7 καιροὺς οὓς ὁ π. ἔθετο ἐν τῇ ἰδίᾳ
2 33 τὴν – ἐπαγγελίαν τοῦ πνεύματος –
λαβὼν παρὰ τοῦ πατ. ἐξέχεεν τοῦτο
Rm 6 4 ἠγέρθη Χὸς – διὰ τῆς δόξης τοῦ πατ.
8 15 κράζομεν· Ἀββᾶ ὁ πατήρ Gal 4 6
1 Co 8 6 ἀλλ᾿ ἡμῖν εἷς θεὸς ὁ πατήρ, ἐξ οὗ
τὰ πάντα καὶ ἡμεῖς εἰς αὐτόν
15 24 ὅταν παραδιδοῖ τὴν βασιλείαν τῷ
θεῷ καὶ πατρί
2 Co 1 3 ὁ πατὴρ τῶν οἰκτιρμῶν καὶ θεός
Gal 1 1 διὰ – θεοῦ πατρὸς τοῦ ἐγείραντος
αὐτόν Eph 6 23 ἀγάπη μετὰ πίστεως
ἀπὸ θεοῦ π. Phl 2 11 εἰς δόξαν θεοῦ
π. Col 3 17 εὐχαριστοῦντες τῷ θεῷ π.
1 Th 1 1 τῇ ἐκκλησίᾳ Θεσσ. ἐν θεῷ π.
1 Ti 1 2 εἰρήνη ἀπὸ θεοῦ π. 2 Ti 1 2
Tit 1 4 → Jac 1 27
Eph 1 17 ἵνα ὁ θεὸς –, ὁ πατ. τῆς δόξης, δώῃ
2 18 ἔχομεν – προσαγωγὴν – πρὸς τὸν π.
3 14 πρὸς τὸν πατ., ἐξ οὗ πᾶσα πατριά
4 6 εἷς θεὸς καὶ πατ. πάντων 5 20 εὐ-
χαριστοῦντες – τῷ θεῷ καὶ π. Col 1 12
τῷ (vl + θεῷ vg deo vl°) πατρί
Hb 12 9 τῷ πατρὶ τῶν πνευμάτων → Hb 12 9
Jac 1 17 καταβαῖνον ἀπὸ τοῦ π. τῶν φώτων
– 27 θρησκεία – ἀμίαντος παρὰ τῷ θεῷ
καὶ πατρί 3 9 εὐλογοῦμεν τὸν κύ-

ριον καὶ πατέρα 1 Pe 12 κατὰ πρό-
γνωσιν θεοῦ πατρός 2 Pe 117 πα-
ρὰ θεοῦ πατρὸς τιμὴν καὶ δόξαν 2 Jo
3 εἰρήνη παρὰ θεοῦ πατρὸς καὶ πα-
ρὰ Ἰ. Χοῦ τοῦ υἱοῦ τοῦ πατ. Jud 1
τοῖς ἐν θεῷ πατρὶ ἠγαπημένοις
1 Pe 117 εἰ „πατέρα ἐπικαλεῖσθε" τὸν – κρίν.
1 Jo 1 2 τὴν ζωὴν –, ἥτις ἦν πρὸς τὸν πατ.
– 3 ἡ κοινωνία – μετὰ τοῦ πατρὸς καὶ
μετὰ τοῦ υἱοῦ αὐτοῦ Ἰησοῦ Χοῦ
2 1 παράκλητον ἔχομεν πρὸς τὸν πατ.
– 14 ὅτι ἐγνώκατε τὸν πατ. 15 ἐάν τις ἀ-
γαπᾷ τὸν κόσμον, οὐκ ἔστιν ἡ ἀγά-
πη τοῦ πατ. ἐν αὐτῷ 16 πᾶν τὸ ἐν
τῷ κόσμῳ, –, οὐκ ἔστιν ἐκ τοῦ πατ.
– 22 ὁ ἀρνούμενος τὸν πατ. καὶ τὸν υἱόν
23 ὁ ἀρν. τὸν υἱὸν οὐδὲ τὸν πατ. ἔ-
χει· ὁ ὁμολογῶν τὸν υἱὸν καὶ τὸν
πατ. ἔχει 24 ἐν τῷ υἱῷ καὶ [ἐν] τῷ
πατρὶ μενεῖτε 2 Jo 9 ὁ μένων ἐν τῇ
διδαχῇ – καὶ τὸν π. καὶ τὸν υἱὸν ἔχει
3 1 ποταπὴν ἀγάπην δέδωκεν ἡμῖν ὁ π.
4 14 ὁ πατ. ἀπέσταλκεν τὸν υἱὸν σωτῆρα
2 Jo 4 καθὼς ἐντολὴν ἐλάβομ. παρὰ τοῦ π.

4) diabolus auctor mendacii et odii

Joh 8 38 ὑμεῖς – ἃ ἠκούσατε παρὰ τοῦ πατρὸς
(vl + ὑμῶν vg) ποιεῖτε 41 ποιεῖτε τὰ ἔρ-
γα τοῦ πατ. ὑμῶν 44 ὑμεῖς ἐκ τοῦ πατ.
τοῦ διαβόλου ἐστὲ καὶ τὰς ἐπιθυμίας τοῦ
πατ. ὑμῶν θέλετε ποιεῖν. – ὅτι ψεύστης
ἐστὶν καὶ ὁ πατὴρ αὐτοῦ

5) patres, maiores (parentes)
a) singulariter: πατήρ, ὁ πατήρ

Mat 2 22 ἀντὶ τοῦ πατρὸς αὐτοῦ Ἡρῴδου
3 9 πατέρα ἔχομεν τὸν Ἀβραάμ || Luc
3 8 – 1 73 ὅρκον – πρὸς Ἀ. τὸν πατ.
ἡμῶν 16 24 πάτερ Ἀ., ἐλέησόν με 27
ἐρωτῶ σε –, πάτερ, ἵνα πέμψῃς 30
οὐχί, πάτερ Ἀ. – Joh 8 39 ὁ πατ.
ἡμῶν Ἀ. ἐστιν 53 μὴ σὺ μείζων εἶ τοῦ
πατ. ἡμῶν Ἀ., ὅστις ἀπέθανεν; 56
Ἀβρ. ὁ πατὴρ ὑμῶν ἠγαλλιάσατο
4 21 μετὰ Ζεβεδαίου τοῦ πατ. αὐτῶν 22
ἀφέντες – τὸν πατ. αὐτῶν || Mar 1 20
8 21 θάψαι τὸν πατέρα μου || Luc 9 59
10 21 παραδώσει – πατ. τέκνον || Mar 13 12
– 35 διχάσαι ἄνθρωπον „κατὰ τοῦ πατρὸς
αὐτοῦ" || Luc 12 53 διαμερισθήσονται,
πατὴρ ἐπὶ υἱῷ καὶ „υἱὸς ἐπὶ πατρί"
– 37 ὁ φιλῶν πατέρα – ὑπὲρ ἐμέ || Luc 14
26 εἴ τις – οὐ μισεῖ τὸν πατέρα αὐτοῦ

Mat 15 4 „τίμα τὸν πατ. καὶ τὴν μητέρα" καί·
„ὁ κακολογῶν πατέρα ἢ μητ." 5 ὃς
ἂν εἴπῃ τῷ πατ. –· δῶρον 6 οὐ μὴ
τιμήσει τὸν πατέρα || Mar 7 10.11.12
19 5 „καταλείψει ἄνθρ. τὸν πατ. καὶ τὴν
μητέρα" || Mar 10 7 – Eph 5 31
– 19 „τίμα τὸν πατ. καὶ τὴν μητέρα" ||
Mar 10 19 Luc 18 20 – Eph 6 2
– 29 ὅστις ἀφῆκεν – ἢ πατέρα || Mar 10 29
21 31 τίς – ἐποίησεν τὸ θέλημα τοῦ πατ.;
23 9 πατέρα μὴ καλέσητε ὑμῶν ἐπὶ τῆς
γῆς· εἷς – ἐστιν ὑμῶν ὁ π. ὁ οὐράνι.
Mar 5 40 || Luc 8 51 – Mar 9 21.24 || Luc 9 42
11 10 βασιλεία τοῦ πατ. ἡμῶν Δαυίδ Luc
1 32 „τὸν θρόνον Δ." τοῦ πατ. αὐτοῦ
Act 4 25 τοῦ πατ. ἡμῶν – Δ. παιδός σου
15 21 τὸν πατ. Ἀλεξάνδρου καὶ Ῥούφου
Luc 1 59.62.67 Ζαχαρίας ὁ πατὴρ αὐτοῦ
2 33 ὁ πατ. αὐτοῦ (Jesu) καὶ ἡ μήτηρ 48
ὁ πατ. σου κἀγὼ – ζητοῦμέν σε Joh
6 42 οὗ ἡμεῖς οἴδαμεν τὸν πατ. καί
11 11 τίνα – τὸν πατ. αἰτήσει ὁ υἱὸς ἰχθύν
15 12 εἶπεν ὁ νεώτερος – τῷ πατρί· πάτερ,
δός μοι 17.18.20.21.22.27.28.29
16 27 πέμψῃς – εἰς τὸν οἶκον τοῦ πατ. μου
Joh 4 12 μείζων εἶ τοῦ πατ. ἡμῶν Ἰακώβ – ;
– 53 ἔγνω – ὁ πατὴρ ὅτι ἐκείνῃ τῇ ὥρᾳ
Act 7 2 ὤφθη τῷ πατ. ἡμῶν Ἀβραάμ 4 με-
τὰ τὸ ἀποθανεῖν τὸν πατ. αὐτοῦ 14
(Josephi pater) 20 (Mosis pater)
16 1 υἱὸς – πατρὸς – Ἕλληνος 3 – 28 8
Rm 4 11 εἰς τὸ εἶναι αὐτὸν (Abr.) πατέρα –
τῶν πιστευόντων δι' ἀκροβυστίας 12
καὶ πατέρα περιτομῆς – τοῖς στοιχοῦ-
σιν τοῖς ἴχνεσιν τῆς ἐν ἀκρ. πίστεως
τοῦ πατ. ἡμῶν Ἀβρ. 16 ὅς ἐστιν πατ.
πάντων ἡμῶν 17 „πατέρα πολλῶν
ἐθνῶν" 18 – Hb 7 10 (Abr. p. Levi)
9 10 ἐξ ἑνός –, Ἰσαὰκ τοῦ πατρὸς ἡμῶν
1 Co 5 1 ὥστε γυναῖκά τινα τοῦ πατρὸς ἔχειν
Gal 4 2 ἄχρι τῆς προθεσμίας τοῦ πατρός
Eph 5 31 → Mat 19 5 – Eph 6 2 → Mat 19 19
Phl 2 22 ὡς πατρὶ τέκνον σὺν ἐμοὶ ἐδούλευ.
1 Th 2 11 ὡς πατὴρ τέκνα – παρακαλοῦντες
1 Ti 5 1 (πρεσβ.) παρακάλει ὡς πατέρα
Hb 12 7 τίς – υἱὸς ὃν οὐ παιδεύει πατήρ;
Jac 2 21 Ἀβρ. ὁ πατ. ἡμῶν οὐκ ἐξ ἔργων ἐ-
δικαιώθη, ἀνενέγκας Ἰσαάκ –;

b) pluraliter: πατέρες, οἱ πατέρες
vg patres ᵇparentes

Mat 23 30 εἰ ἤμεθα ἐν ταῖς ἡμέραις τῶν πατ.

ἡμῶν 32 πληρώσατε τὸ μέτρον τῶν
πατέρων ὑμῶν ‖ Luc 11 47. 48 συνευ-
δοκεῖτε τοῖς ἔργοις τῶν πατ. ὑμῶν
Luc 1 17 „ἐπιστρέψαι καρδίας π..ων ἐπὶ τέκ."
– 55 καθὼς ἐλάλησεν „πρὸς τοὺς π. ἡμῶν"
– 72 ποιῆσαι „ἔλεος μετὰ τῶν πατ. ἡμῶν"
6 23 κατὰ τὰ αὐτὰ – ἐποίουν τοῖς προφ. οἱ
πατ. αὐτῶν 26 τοῖς ψευδοπροφήταις
Joh 4 20 οἱ πατ. ἡμῶν ἐν τῷ ὄρει – προσεκύν.
6 31 οἱ πατ. ἡμῶν τὸ μάννα ἔφαγον 49. 58
οὐ καθὼς ἔφαγ. οἱ π. καὶ ἀπέθανον
7 22 οὐχ ὅτι ἐκ τοῦ Μωϋσέως ἐστὶν ἀλλ'
ἐκ τῶν πατέρων (sc ἡ περιτομή)
Act 3 13 „ὁ θεὸς τῶν πατ. ἡμῶν" 5 30 ἤγειρεν
Ἰησοῦν 22 14 7 32 „τῶν πατέρων σου"
– 25 τῆς διαθήκης ἧς ὁ θεὸς διέθετο πρὸς
τοὺς πατέρας ὑμῶν 13 17 ἐξελέξατο
τοὺς πατέρας ἡμῶν 32 τὴν πρὸς τοὺς
πατέρας ἐπαγγελίαν γενομένην 26 6
7 2 ἄνδρες ἀδελφοὶ καὶ πατέρες 22 1
– 11. 12. 15. 19. 38. 39. 44. 45. 51 „τῷ πνεύματι –
ἀντιπίπτετε", ὡς οἱ πατέρες ὑμῶν καὶ
ὑμεῖς 52 τίνα τῶν προφητῶν οὐκ ἐδί-
ωξαν οἱ πατέρες ὑμῶν;
13 36 προσετέθη „πρὸς τοὺς πατ. αὐτοῦ"
15 10 ζυγὸν –, ὃν οὔτε οἱ πατ. ἡμῶν οὔτε
ἡμεῖς ἰσχύσαμεν βαστάσαι;
28 25 καλῶς – ἐλάλησεν – πρὸς τοὺς π. ὑμ.
Rm 9 5 ὧν οἱ πατέρες, καὶ ἐξ ὧν ὁ Χός
11 28 ἀγαπητοὶ (sc Ἰσραὴλ) διὰ τοὺς πατ.
15 8 εἰς τὸ βεβαιῶσαι τὰς ἐπαγγ. τῶν π.
1 Co 4 15 ἐὰν – μυρίους παιδαγωγοὺς ἔχητε ἐν
Χῷ, ἀλλ' οὐ πολλοὺς πατέρας
10 1 οἱ πατ. ἡμ. πάντες ὑπὸ τὴν νεφέλην
Eph 6 4 οἱ πατ., μὴ παροργίζετε τὰ τέκνα ὑ-
μῶν Col 3 21 οἱ πατέρες, μὴ ἐρεθίζετε
Hb 1 1 λαλήσας τοῖς πατ. ἐν τοῖς προφήτ.
3 9 „οὗ ἐπείρασαν οἱ πατέρες ὑμῶν"
8 9 „διαθήκην ἣν ἐποίησα τοῖς πατράσ."
11 23 Μωϋσ. – ἐκρύβη – ὑπὸ τῶν π.b αὐτοῦ
12 9 τοὺς – τ. σαρκὸς – πατ. εἴχ. παιδευτάς
2 Pe 3 4 ἀφ' ἧς – οἱ πατ. ἐκοιμήθησαν, πάντα
1 Jo 2 13 γράφω ὑμῖν, πατέρες 14 ἔγραψα

Πάτμος Ap 1 9 ἐν τῇ νήσῳ τῇ καλουμ. Π..ῳ

πατριά familia bpaternitas Luc 2 4 Δαυίδ
Act 3 25 „πᾶσαι αἱ πα. τῆς γῆς" Eph 3 15
πατέρα, ἐξ οὗ πᾶσα πα.b – ὀνομάζεται

πατριάρχης patriarcha
Act 2 29 Δαυίδ 7 8 τοὺς δώδεκα πατριάρχας 9
Hb 7 4 „δεκάτην Ἀβρ. ἔδωκεν" – ὁ πατριάρ.

πατρικός paternus Gal 1 14 (παραδόσεις)

πατρίς patria (vl Act 18 27 vgᵒ)
Mat 13 54 ἐλθὼν εἰς τ. πατρίδα αὐτοῦ ‖ Mar 6 1
– 57 οὐκ ἔστιν προφήτης ἄτιμος εἰ μὴ ἐν
τῇ πα. αὐτ. ‖ Mar 6 4 Luc 4 24 Joh 4 44
Luc 4 23 ποίησον καὶ ὧδε ἐν τῇ πατρίδι σου
Hb 11 14 ἐμφανίζουσιν ὅτι πατρίδα ἐπιζητοῦσιν

Πατροβᾶς Rm 16 14 ἀσπάσασθε – Πατροβᾶν

πατρολῴας Sᵒ – parricida (vl patric.)
1 Ti 1 9 π..αις καὶ μητρολ. (sc κεῖται νόμος)

πατροπαράδοτος Sᵒ – paternae traditionis
1 Pe 1 18 ἐκ τῆς ματαίας ὑμ. ἀναστροφῆς πα.

πατρῷος paternus bpatrius
Act 22 3 (νόμος) 24 14 λατρεύω τῷ πα. θεῷ
(vg patri, et deo meo vlb p..io deo) 28 17
οὐδὲν ἐναντίον – τοῖς ἔθεσι τοῖς πατρῴοις

παύειν, παύεσθαι cessare bcoёrcёre cde-
sinere Luc 5 4 ὡς – ἐπ..σατο λαλῶν – 11 1
Luc 8 24 καὶ ἐπαύσαντο, καὶ ἐγένετο γαλήνη
Act 5 42 6 13 13 10c 20 1.31 21 32 τύπτοντες
1 Co 13 8 εἴτε γλῶσσαι, παύσονται
Eph 1 16 οὐ παύομαι εὐχαριστῶν ὑπὲρ ὑμῶν
Col 1 9 οὐ π..όμεθα ὑπ. ὑμ. προσευχόμενοι
Hb 10 2 οὐκ ἂν ἐπαύσαντο προσφερόμεναι –;
(vl om οὐκ, vg item, vl non cess.)
1 Pe 3 10 „παυσάτωb τ. γλῶσσαν ἀπὸ κακοῦ"
4 1 ὁ παθὼν σαρκὶ πέπαυταιc ἁμαρτίας
(vl ἁμαρτίαις vg a peccatis)

Παῦλος Sergius Paulus proconsul Act 13 7
Paulus apostolus:
Act 13 9 Σαῦλος δέ, ὁ καὶ Π. 13 οἱ περὶ Παῦ-
λον – Antiochiae Pis. 13 16. 43. 45. 46. 50 –
Lystris 14 9. 11. 12. 14. 19 – in Jerus. 15 2.
12. 22. 25 – Ant. 35. 36. 38. 40 – Lystris 16 3
– Troade 9 – Philippis 14. 17. 18. 19. 25. 28.
29. 36. 37 – Thessal. 17 2. 4 – Beroeae 10.
13. 14. 15 – Athenis 16. 22. 33 – Corinthi
18 5. 9. 12. 14. 18 – Ephesi 19 1. 4. 6. 11. 13. 15. 21.
26. 29. 30 20 1 – Troade 7. 9. 10. 13. 16 – Mi-
leti 37 – Tyri 21 4 – Caesareae 11. 13 –
in Jerus. 18. 26. 29. 30. 32. 37. 39. 40 22 25. 28. 30
23 1. 3. 5. 6. 10. 12. 14. 16 ss. 20. 24 – Caes. 31. 33
24 1. 10. 24. 26. 27 25 2. 4. 6. 8. 9. 10. 14. 19. 21. 23 26 1.
24. 25. 28. 29 – in itinere 27 1. 3. 9. 11. 21. 24. 31.
33. 43 28 3. 8. 15 – Romae 16. 25

Rm 1 1 Π. δοῦλος Χοῦ Ἰησοῦ, κλητὸς ἀπό-
στολος Phl 1 1 Π. καὶ Τιμόθεος δοῦ-
λοι Χοῦ Ἰησοῦ Tit 1 1 Π. δοῦλος θε-
οῦ, ἀπόστολος δὲ Ἰησοῦ Χοῦ
1 Co 1 1 Π. κλητὸς ἀπόστ. Χοῦ Ἰ. διὰ θελήμα-
τος θεοῦ – sine κλητός 2 Co Eph
Col 1 Ti (κατ᾽ ἐπιταγὴν θεοῦ σωτῆ-
ρος) 2 Ti 1 1 – Gal 1 1 Π. ἀπ., οὐκ
ἀπ᾽ ἀνθρώπων οὐδὲ δι᾽ ἀνθρώπου ἀλ-
λὰ διὰ Ἰησοῦ Χοῦ καὶ θεοῦ πατρός
– 12 ἐγὼ μέν εἰμι Παύλου 3 4.5 τί δέ ἐστιν
Παῦλ.; διάκονοι δι᾽ ὧν ἐπιστεύσατε
– 13 μὴ Παῦλ. ἐσταυρώθη ὑπὲρ ὑμῶν, ἢ
εἰς τὸ ὄνομα Παύλου ἐβαπτίσθητε;
3 22 εἴτε Π. εἴτε Ἀπολλῶς –, πάντα ὑμῶν
16 21 ὁ ἀσπασμὸς τῇ ἐμῇ χειρὶ Παύλου Col
4 18 2 Th 3 17 – Phm 19 ἐγὼ Π. ἔγραψα
2 Co 10 1 ἐγὼ Π. παρακαλῶ Gal 5 2 λέγω ὑμῖν
Eph 3 1 ἐγὼ Π. ὁ δέσμιος τοῦ Χοῦ Ἰ. ὑπὲρ ὑ-
μῶν τῶν ἐθνῶν Phm 1 Π. δέσμ. Χ. Ἰ.
Col 1 23 εὐαγγ. –, οὗ ἐγεν. ἐγὼ Π. διάκονος
1 Th 1 1 2 Th 1 1 Π. καὶ Σιλουανὸς καὶ Τιμό-
θεος τῇ ἐκκλησίᾳ Θεσσαλονικέων
2 18 ἠθελήσαμεν ἐλθεῖν –, ἐγὼ μὲν Παῦλ.
Phm 9 τοιοῦτος ὢν ὡς Παῦλος πρεσβύτης
2 Pe 3 15 ὁ ἀγαπητὸς ἡμῶν ἀδελφὸς Παῦλος

Πάφος Act 13 6.13 ἀναχθέντες – ἀπὸ τῆς Π.

παχύνεσθαι incrassari Mat 13 15 Act 28 27

πέδη compes Mar 5 4 || Luc 8 29

πεδινός campester Luc 6 17 ἐπὶ τόπου π..οῦ

πεζεύειν Sᵒ – per terram iter facere Act 20 13

πεζῇ pedester Mat 14 13 (vl π..οί) || Mar 6 33

πειθαρχεῖν obedire ᵇdicto obedire ᶜaudire
Act 5 29 πειθ. δεῖ θεῷ μᾶλλον ἢ ἀνθρώποις
– 32 τὸ πνεῦμα τὸ ἅγιον ὃ ἔδωκεν ὁ θεὸς
τοῖς πειθαρχοῦσιν αὐτῷ – 27 21 ᶜ
Tit 3 1 ἀρχαῖς (vl + καὶ vg) ἐξουσίαις – π.ᵇ

πείθειν, πείθεσθαι

1) formae transitivae: praes, impf, aor I
vg suadēre ᵇpersuadēre

Mat 27 20 ἔπεισαν ᵇ τοὺς ὄχλους Act 14 19 ᵇ
28 14 ἡμεῖς πείσομεν (vl + αὐτόν vg, sc ἡ-
γεμόνα) Act 12 20 πείσαντες ᵇ Βλάστ.

Act 13 43 ἔπειθον αὐτοὺς προσμένειν τῇ χάριτι
18 4 ἔπειθέν τε Ἰουδαίους καὶ Ἕλληνας
19 8 πείθων (vl + τὰ) περὶ τ. βασ. τ. θεοῦ
– 26 πείσας μετέστησεν ἱκανὸν ὄχλον
26 28 ἐν ὀλίγῳ με πείθεις Χριστιανὸν ποι-
ῆσαι (vl γενέσθαι vg fieri)
28 23 πείθων τε αὐτοὺς περὶ τοῦ Ἰησοῦ
2 Co 5 11 ἀνθρώπους πείθομεν, θεῷ δὲ πεφα-
νερώμεθα – Gal 1 10 ἄρτι γὰρ ἀνθρώ-
πους πείθω ἢ τὸν θεόν; ἢ ζητῶ –;
1 Jo 3 19 ἔμπροσθεν αὐτοῦ πείσομεν (vg vl
praes) τὴν καρδίαν (vl τὰς καρδίας
vg) ἡμῶν

2) perf II et plsqpf: πέποιθα κτλ. ἐπί, εἰς,
ἐν, cum dativo – vg confidere ᵇfi-
dere ᶜfiduciam habēre

Mat 27 43 „πέποιθεν ἐπὶ τὸν θεόν, ῥυσάσθω"
(Mar 10 24 vl τοὺς πεποιθότας ἐπὶ χρήμασιν vg)
Luc 11 22 τὴν πανοπλίαν –, ἐφ᾽ ᾗ ἐπεποίθει
18 9 πρὸς – τοὺς π..ότας ἐφ᾽ ἑαυτοῖς ὅτι
Rm 2 19 πέποιθάς τε σεαυτὸν ὁδηγὸν εἶναι
2 Co 1 9 ἵνα μὴ πεποιθότες ᵇ ὦμεν ἐφ᾽ ἑαυ-
τοῖς ἀλλ᾽ ἐπὶ τῷ θεῷ τῷ ἐγείροντι
2 3 π..ὡς ἐπὶ πάντας ὑμᾶς ὅτι ἡ – χαρά
10 7 εἴ τις πέποιθεν ἑαυτῷ Χοῦ εἶναι
Gal 5 10 ἐγὼ πέποιθα εἰς ὑμᾶς ἐν κυρίῳ ὅτι
Phl 1 6 πεποιθὼς αὐτὸ τοῦτο, ὅτι ὁ ἐναρξά-
μενος 25 πεποιθὼς οἶδα, ὅτι μενῶ
– 14 ἐν κυρίῳ π..ότας τοῖς δεσμοῖς μου
2 24 πέποιθα – ἐν κυρίῳ ὅτι – ἐλεύσομαι
3 3 οὐκ ἐν σαρκὶ πεποιθότες ᶜ 4 εἴ τις
δοκεῖ ἄλλος πεποιθέναι ἐν σαρκί
2 Th 3 4 π..αμεν δὲ ἐν κυρίῳ ἐφ᾽ ὑμᾶς, ὅτι
Phm 21 πεποιθὼς τῇ ὑπακοῇ σου ἔγραψα
Hb 2 13 „ἐγὼ ἔσομαι πεποιθὼς ᵇ ἐπ᾽ αὐτῷ"

3) medium et passivum
certum esse ᵇconfidere ᶜconsentire
ᵈcredere ᵉarbitrari ᶠobedire ᵍposse
suadēre alicui

Luc 16 31 οὐδὲ ἐάν τις ἐκ νεκρῶν ἀναστῇ πει-
σθήσονται ᵈ Act 17 4 τινὲς – ἐπείσθη-
σαν ᵈ 21 14 μὴ πειθομένου ᵍ – αὐτοῦ
20 6 πεπεισμένος γάρ ἐστιν (sc ὁ λαὸς)
Ἰωάννην προφήτην εἶναι
Act 5 36 ὅσοι ἐπείθοντο ᵈ αὐτῷ 37 ᶜ – 39 ᶜ
23 21 σὺ οὖν μὴ πεισθῇς ᵈ αὐτοῖς
26 26 λανθάνειν – αὐτὸν – οὐ πείθομαι ᵉ
27 11 τῷ ναυκλήρῳ μᾶλλον ἐπείθετο ᵈ
28 24 οἱ μὲν ἐπείθοντο ᵈ τοῖς λεγομένοις
Rm 2 8 πειθομένοις ᵈ δὲ τῇ ἀδικίᾳ

Rm 8 38 πέπεισμαι – ὅτι 2 Ti 15.12 ὅτι δυνατ.
14 14 οἶδα καὶ πέπεισμαι[b] ἐν κυρίῳ Ἰης.
15 14 πέπεισμαι – καὶ – ἐγὼ περὶ ὑμῶν
Gal 5 7 τίς ὑμᾶς ἐνέκοψεν ἀληθείᾳ μὴ πεί-
θεσθαι[f] (vl 31 vg[f] vl[o])
Hb 6 9 πεπείσμεθα[b] – περὶ ὑμῶν – τὰ κρείσ-
σονα καὶ ἐχόμενα σωτηρίας
13 17 πείθεσθε[f] τοῖς ἡγουμένοις ὑμῶν
– 18 π..όμεθα[b] – ὅτι καλὴν συνείδησιν ἔ-
χομεν (11 13 vl πεισθέντες vg[o])
Jac 3 3 εἰς τὸ πείθεσθαι[c] αὐτοὺς ἡμῖν

πειθός S[o] – persuasibilis (vl persuasio)
1 Co 2 4 οὐκ ἐν πειθοῖς (vl ..οῖ) σοφίας λόγοις

πεινᾶν, πρόσπεινον γίγνεσθαι esurire
Mat 4 2 ὕστερον ἐπείνασεν ‖ Luc 42
5 6 μακάριοι οἱ πεινῶντες – τὴν δικαιο-
σύνην ‖ Luc 6 21 οἱ πειν. νῦν 25 οὐαὶ
–, οἱ ἐμπεπλησμ. νῦν, ὅτι πεινάσετε
12 1 οἱ δὲ μαθηταὶ – ἐπείνασαν 3 Δαυὶδ
ὅτε ἐπείνασεν ‖ Mar 2 25 Luc 63
21 18 ἐπαναγαγὼν εἰς τὴν πόλιν ἐπείνα-
σεν. καὶ ἰδὼν συκῆν ‖ Mar 11 12
25 35 ἐπείνασα – καὶ ἐδώκατέ μοι φαγεῖν
37 πότε σε εἴδομεν πεινῶντα –; 42 ἐ-
πείν. – καὶ οὐκ ἐδώκ. 44 πότε σε –;
Luc 1 53 „πεινῶντας ἐνέπλησεν ἀγαθῶν"
Joh 6 35 ὁ ἐρχόμενος πρὸς ἐμὲ οὐ μὴ πεινάσῃ
Act 10 10 ἐγένετο – πρόσπεινος (sc Πέτρος)
Rm 12 20 „ἐὰν πεινᾷ ὁ ἐχθρός σου, ψώμιζε"
1 Co 4 11 ἄχρι τῆς ἄρτι ὥρας καὶ πεινῶμεν
11 21 καὶ ὃς μὲν πεινᾷ, ὃς δὲ μεθύει
– 34 εἴ τις πεινᾷ, ἐν οἴκῳ ἐσθιέτω
Phl 4 12 ἐν πᾶσιν μεμύημαι, καὶ χορτάζεσθαι
καὶ πεινᾶν, καὶ περισσεύειν
Ap 7 16 „οὐ πεινάσουσιν" ἔτι „οὐδὲ διψής."

πεῖραν λαμβάνειν experiri Hb 11 29.36

πειράζειν et **πειρᾶσθαι** tentare (vl temt.)
[b](ὁ πειράζων) tentator [c]conari
Mat 4 1 πειρασθῆναι ὑπὸ τ. διαβόλου ‖ Mar
1 13 π..ζόμενος ὑπὸ τ. σατανᾶ Luc 42
– 3 προσελθὼν ὁ πειράζων[b] → 1 Th 35
16 1 πειράζοντες ἐπηρώτησαν αὐτὸν ση-
μεῖον – ἐπιδεῖξαι ‖ Mar 8 11 Luc 11 16
19 3 Φαρισ. π..ζοντες αὐτὸν –· εἰ ἔξεστιν
ἀπολῦσαι – γυναῖκα ‖ Mar 102
22 18 τί με πειράζετε, ὑποκριταί; ‖ Mar 12
15 τί με πειράζετε; (Luc 20 23 vg)
– 35 ἐπηρώτησεν – νομικὸς πειράζων αὐ-

τόν· – ποία ἐντολή –; → ἐκπειράζειν
Joh 6 6 ἔλεγεν π..ζων αὐτόν [8 6 π..ζοντες]
Act 5 (3 vl διὰ τί ἐπείρασεν ὁ σατανᾶς τὴν
καρδίαν σου –; vg) 9 τί ὅτι συνεφω-
νήθη ὑμῖν πειράσαι τὸ πνεῦμα κυρ.;
9 26 ἐπείραζεν κολλᾶσθαι τοῖς μαθηταῖς
– 16 7 ἐπείραζον – πορευθῆναι 24 6
τὸ ἱερὸν ἐπείρασεν[c] βεβηλῶσαι
15 10 τί π..ζετε τὸν θεόν, ἐπιθεῖναι ζυγ. –;
26 21 ἐπειρῶντο διαχειρίσασθαι (Paul.)
1 Co 7 5 ἵνα μὴ πειράζῃ ὑμᾶς ὁ σατανᾶς
10 9 καθὼς τινες – ἐπείρασαν (vl ἐξεπεί-
ρασαν) (sc τ. κύριον) → ἐκπειράζειν
– 13 ὃς οὐκ ἐάσει ὑμᾶς πειρασθῆναι ὑπὲρ
ὃ δύνασθε
2 Co 13 5 ἑαυτοὺς π..ζετε εἰ ἐστὲ ἐν τῇ πίστει
Gal 6 1 σκοπῶν –, μὴ καὶ σὺ πειρασθῇς
1 Th 3 5 μή πως ἐπείρασεν ὑμᾶς ὁ πειράζων
Hb 2 18 ἐν ᾧ – πέπονθεν αὐτὸς πειρασθείς,
δύναται τοῖς π..ζομένοις βοηθῆσαι
3 9 „οὗ ἐπ..σαν (vl + με vg) οἱ πατέρες"
4 15 ἀρχιερέα –, πεπειρασμένον – κατὰ
πάντα καθ' ὁμοιότητα χωρὶς ἁμαρτ.
11 17 „προσενήνοχεν Ἀβρ. – π..ζόμενος"
– 37 ἐπειράσθησαν, ἐπρίσθησαν
Jac 1 13 μηδεὶς π..ζόμενος λεγέτω ὅτι ἀπὸ θε-
οῦ π..ζομαι· ὁ γὰρ θεὸς ἀπείραστός
(intentator) ἐστιν κακῶν, π..ζει δὲ
αὐτὸς οὐδένα 14 ἕκαστος δὲ π..ζεται
ὑπὸ τῆς ἰδίας ἐπιθυμίας ἐξελκόμενος
Ap 2 2 ἐπείρασας τοὺς λέγοντας ἑαυτοὺς
ἀποστόλους καὶ οὐκ εἰσίν
– 10 βάλλειν – εἰς φυλακὴν ἵνα π..σθῆτε
3 10 πειράσαι τοὺς κατοικ. ἐπὶ τῆς γῆς

πειρασμός tentatio
Mat 6 13 μὴ εἰσενέγκῃς ἡμ. εἰς π..όν ‖ Luc 11 4
26 41 ἵνα μὴ εἰσέλθητε εἰς π..όν ‖ Mar 14
38 ἔλθητε Luc 22 40 προσεύχεσθε μὴ
εἰσελθεῖν 46 ἵνα μὴ εἰσέλθητε
Luc 4 13 συντελέσας πάντα π..ὸν ὁ διάβολος
8 13 ἐν καιρῷ πειρασμοῦ ἀφίστανται
22 28 ὑμεῖς δέ ἐστε οἱ διαμεμενηκότες μετ'
ἐμοῦ ἐν τοῖς πειρασμοῖς μου
Act 20 19 μετὰ – π..ῶν τῶν συμβάντων μοι
1 Co 10 13 πειρασμὸς ὑμᾶς οὐκ εἴληφεν εἰ μὴ
ἀνθρώπινος· πιστὸς – ὁ θεός, ὃς –
ποιήσει σὺν τῷ πειρασμῷ καὶ τὴν ἔκ-
βασιν τοῦ δύνασθαι ὑπενεγκεῖν
Gal 4 14 τὸν π. ὑμῶν ἐν τῇ σαρκί μου οὐκ ἐξ-
ουθενήσατε οὐδὲ ἐξεπτύσατε
1 Ti 6 9 ἐμπίπτουσιν εἰς π..ὸν καὶ παγίδα

Hb 3 8 „κατὰ τ. ἡμέραν τοῦ π. ἐν τ. ἐρήμῳ"

Jac 1 2 ὅταν π..οῖς περιπέσητε ποικίλοις
– 12 „μακάριος ἀνὴρ ὃς ὑπομένει" π..όν

1 Pe 1 6 ὀλίγον – λυπηθέντες ἐν ποικ. π..οῖς
4 12 μὴ ξενίζεσθε τῇ ἐν ὑμῖν πυρώσει πρὸς
πειρασμὸν ὑμῖν γινομένῃ

2 Pe 2 9 οἶδεν – εὐσεβεῖς ἐκ π..οῦ ῥύεσθαι

Ap 3 10 σὲ τηρήσω ἐκ τῆς ὥρας τοῦ π..οῦ

πεισμονή Sᵒ – persuasio Gal 5 8 τίς ὑμᾶς
ἐνέκοψεν –; ἡ π. οὐκ ἐκ τοῦ καλοῦντος

πέλαγος profundum Mat 18 6 pelag. Act 27 5

πελεκίζεσθαι Sᵒ – decollari Ap 20 4 τὰς
ψυχὰς τῶν πεπελεκισμένων διὰ τὴν
μαρτυρίαν Ἰησοῦ

*πέμπειν mittere

Mat 11 2 πέμψας διὰ τῶν μαθητῶν εἶπεν

Luc 4 26 πρὸς οὐδεμίαν – ἐπέμφθη Ἠλίας
20 11.12.13 πέμψω τὸν υἱόν μου τὸν ἀγαπ.

Joh 1 33 ὁ πέμψας με βαπτίζειν ἐν ὕδατι
4 34 ἵνα ποιῶ (vl ..ήσω) τὸ θέλημα τοῦ
πέμψαντός με 5 30 ζητῶ – τὸ θέλημα
6 38 ἵνα ποιῶ 39 τοῦτο δέ ἐστιν τὸ
θέλ. 9 4 ἐργάζεσθαι τὰ ἔργα τοῦ π.
5 23 οὐ τιμᾷ τὸν πατέρα τὸν πέμψ. αὐτόν
– 24 ὁ – πιστεύων τῷ πέμψ. με 12 44 εἰς
– 37 ὁ πέμψας με πατὴρ – μεμαρτύρηκεν
περὶ ἐμοῦ 8 18 μαρτυρεῖ
6 44 ἐὰν μὴ ὁ πατ. ὁ πέμψας με ἑλκύσῃ
7 16 ἡ – διδαχὴ – ἔστιν – τοῦ πέμψ. με 12
49 ὁ πέμψ. με πατὴρ – ἐντολὴν δέδω-
κεν τί εἴπω 14 24 ὁ λόγος – οὐκ ἔστιν
ἐμὸς ἀλλὰ τοῦ πέμψαντός με πατρός
– 18 ὁ – ζητῶν τὴν δόξαν τοῦ πέμψ. αὐτ.
– 28 ἔστιν ἀληθινός ὁ πέμψας με 8 26 ὁ
πέμψας με ἀληθής ἐστιν
– 33 ὑπάγω πρὸς τὸν πέμψαντά με 16 5
8 16 μόνος οὐκ εἰμί, ἀλλ᾽ ἐγὼ καὶ ὁ πέμψ.
με 29 ὁ πέμψας με μετ᾽ ἐμοῦ ἐστιν
12 45 ὁ θεωρῶν ἐμὲ θεωρεῖ τὸν πέμψ. με
13 16 οὐδὲ ἀπόστολος μείζων τοῦ πέμψ.
αὐτόν 20 ὁ λαμβάνων ἄν τινα πέμ-
ψω –, – λαμβάνει τὸν πέμψαντά με
14 26 τὸ πνεῦμα – ὃ πέμψει ὁ πατὴρ 15 26
ὁ παράκλητος ὃν ἐγὼ πέμψω 16 7
15 21 ὅτι οὐκ οἴδασιν τὸν πέμψαντά με
20 21 καθὼς –, κἀγὼ πέμπω ὑμᾶς

Rm 8 3 ὁ θεὸς τὸν ἑαυτοῦ υἱὸν πέμψας

Phl 4 16 ἅπαξ καὶ δὶς εἰς τὴν χρείαν μοι ἐ-

πέμψατε cfr Act 11 29 εἰς – διακονίαν π.

1 Th 3 5 ἔπεμψα εἰς τὸ γνῶναι τὴν πίστιν ὑμ.

2 Th 2 11 πέμπει – ὁ θεὸς ἐνέργειαν πλάνης

1 Pe 2 14 ἡγεμόσιν ὡς δι᾽ αὐτοῦ πεμπομένοις

Ap 1 11 πέμψον (sc τὸ βιβλ.) ταῖς – ἐκκλησ.
14 15 „πέμψον τὸ δρέπανόν" σου 18
22 16 ἔπεμψα τὸν ἄγγελ. μου μαρτυρῆσαι

πέμπτος quintus Ap 6 9 9 1 16 10 21 20

πένης pauper 2 Co 9 9 „ἔδωκεν τοῖς π..ησιν"

πενθεῖν lugēre ᵇluctum habēre

Mat 5 4 μακάριοι οἱ „πενθοῦντες", ὅτι
9 15 μὴ δύνανται οἱ υἱοὶ τοῦ νυμφῶνος
πενθεῖν ἐφ᾽ ὅσον μετ᾽ αὐτῶν – ὁ νυμ.;

Mar 16 [10 τοῖς μετ᾽ αὐτοῦ γενομένοις π..οῦσι]

Luc 6 25 οἱ γελῶντες νῦν, ὅτι πενθήσετε

1 Co 5 2 οὐχὶ μᾶλλον ἐπενθήσατεᵇ, ἵνα –;

2 Co 12 21 μὴ – πενθήσω πολλοὺς τῶν προημαρ-
τηκότων καὶ μὴ μετανοησάντων

Jac 4 9 καὶ πενθήσατε καὶ κλαύσατε

Ap 18 11 „κλαίουσιν καὶ πενθοῦσιν" 15.19

πενθερά socrus et πενθερός ᵇsocer

Mat 8 14 Πέτρου ‖ Mar 1 30 Luc 4 38
10 35 „νύμφην κατὰ τῆς π." ‖ Luc 12 53

Joh 18 13 ἦν γὰρ πενθερὸςᵇ τοῦ Καϊάφα

πένθος luctus Jac 4 9 γέλως – εἰς π. Ap 18 7.8

Ap 21 4 θάνατος οὐκ ἔσται ἔτι, οὔτε πένθος

πενιχρός pauperculus Luc 21 2 χήραν π..άν

πεντάκις quinquies 2 Co 11 24 ὑπὸ Ἰουδαίων
π. τεσσεράκοντα παρὰ μίαν ἔλαβον

πεντακισχίλιοι quinque millia (vl milia)

Mat 14 21 16 9 Mar 6 44 8 19 Luc 9 14 Joh 6 10

πεντακόσιοι quingenti Luc 7 41 1 Co 15 6 ἔπ-
ειτα ὤφθη ἐπάνω π..οις ἀδελφοῖς

*πέντε quinque

Mat 14 17 ἄρτους 19 16 9 ‖ Mar 6 38.41 8 19 Luc
9 13.16 Joh 6 9 ἄρτους κριθίνους 13
25 2 π. – ἦσαν μωραὶ καὶ πέντε φρόνιμοι
– 15 ᾧ μὲν – π. τάλαντα 16.20 ‖ Luc 19 18
π. μνᾶς 19 ἐπάνω γίνου π. πόλεων

Luc 12 6 π. στρουθία – 52 π. ἐν ἑνὶ οἴκῳ δια-
μεμερισμένοι 14 19 ζεύγη βοῶν – π.

1 Co 14 19 θέλω π. λόγους τῷ νοΐ μου λαλῆσαι

Ap 17 10 οἱ πέντε ἔπεσαν, ὁ εἷς ἔστιν

πεντεκαιδέκατος *quintusdecimus* Luc 3 1

πεντήκοντα *quinquaginta* ᵇ*quinquageni*
Mar 6 40 κατὰ π.ᵇ ‖ Luc 9 14ᵇ – 7 41 16 6
Joh 8 57 πεντήκοντα ἔτη οὔπω ἔχεις καὶ Ἀ-
βραὰμ ἑώρακας; 21 11 – Act 13 20

πεντηκοστή *pentecoste* Act 21 20 16 1 Co 16 8

πεποίθησις *confidentia* ᵇ*fiducia*
2 Co 1 15 ταύτῃ τῇ π. 8 22 π..ει πολλῇ τῇ εἰς
3 4 π..ιν ᵇ δὲ τοιαύτην ἔχομεν διὰ τ. Χοῦ
πρὸς τὸν θεόν 10 2 δέομαι – τὸ μὴ
παρὼν θαρρῆσαι τῇ π. ᾗ λογίζομαι
Eph 3 12 ἔχομεν – προσαγωγὴν ἐν πεπ..ει
Phl 3 4 καίπερ ἐγὼ ἔχων π..ιν καὶ ἐν σαρκί

περαιτέρω (adv) S° – Act 19 39 εἰ δέ τι περ.
(vl περὶ ἑτέρων vg *alterius rei*) ἐπιζητεῖτε

πέραν *trans* ᵇ*trans fretum* ᶜ*contra* ᵈ*ultra*
Mat 4 15 „π. τοῦ Ἰορδάνου" 25 ἀπὸ – π. τοῦ
(*de trans Iordanem*) ‖ Mar 3 8 –
Mat 19 1 π. τοῦ Ἰορδάν. ‖ Mar 10 1ᵈ
8 18 ἀπελθεῖν εἰς τὸ π.ᵇ 28ᵇ ‖ Mar 5 1 εἰς
τὸ π.ᵇ τῆς θαλάσσης – Mat 14 22ᵇ ‖
Mar 6 45ᵇ – Mat 16 5ᵇ
Mar 4 35 διέλθωμεν εἰς τὸ π.ᶜ ‖ Luc 8 22 εἰς τὸ
π. τῆς λίμνης – Mar 5 21ᵇ 8 13 ἀπ-
ῆλθεν εἰς τὸ πέρανᵇ
Joh 1 28 ἐγένετο π. τοῦ Ἰορ. 3 26 ὃς ἦν μετὰ
σοῦ π. τοῦ Ἰορ. 10 40 ἀπῆλθεν πάλιν
π. τοῦ Ἰορ. – 61 π. τῆς θαλάσσης 17.
22.25 18 1 ἐξῆλθεν – π. – τοῦ Κεδρών

πέρας *finis* Mat 12 42 Luc 11 31 Rm 10 18
Hb 6 16 πάσης – ἀντιλογίας πέρας – ὁ ὅρκος

Πέργαμον Ap 1 11 2 12 τῆς ἐν Π..ῳ ἐκκλησίας

Πέργη τῆς Παμφυλίας Act 13 13.14 14 25

*περί 1) cum genitivo
(→ imprimis δέησις, δεῖσθαι, ἐρω-
τᾶν, εὐχαριστεῖν, εὐχαριστία, μνεί-
α, προσεύχεσθαι, προσευχή – μέ-
λει, μεριμνᾶν, σπλαγχνίζεσθαι)
pro ᵇ*circa* ᶜ*de* ᵈgenit. sine praep.
Mat 26 28 τὸ περὶ πολλῶν ἐκχυννόμενον
Mar 1 44 προσένεγκε περὶ τοῦ καθαρισμοῦ
σου ‖ Luc 5 14 → Hb 5 3 et 13 11
5 27 τὰ περὶᶜ τοῦ Ἰησοῦ Luc 24 19ᶜ τοῦ
Ναζαρηνοῦ 27 τὰ περὶᶜ ἑαυτοῦ – 22

37 τὸ περὶᶜ ἐμοῦ τέλος ἔχει 24 44 τὰ
γεγραμμένα – περὶᶜ ἐμοῦ – Act 18 25
ἐδίδασκεν – τὰ περὶᵈ τοῦ Ἰησ. 28 31ᶜ
Joh 9 18 οὐκ ἐπίστευσαν – περὶᶜ αὐτοῦ ὅτι
10 33 περὶᶜ καλοῦ ἔργου οὐ λιθάζομέν σε
ἀλλὰ περὶᶜ βλασφημίας
16 26 ὅτι ἐγὼ ἐρωτήσω – περὶᶜ ὑμῶν 17 9
περὶ αὐτῶν ἐρωτῶ· οὐ περὶ τοῦ κό-
σμου ἐρωτῶ, ἀλλὰ περὶ ὧν δέδωκάς
μοι 20 οὐ περὶ τούτων – μόνον, – καὶ
περὶ τῶν πιστευόντων
Act 1 3 λέγων τὰ περὶᶜ τῆς βασιλ. 8 12ᶜ 19 8ᶜ
23 6 περὶᶜ ἐλπίδος καὶ ἀναστάσεως νε-
κρῶν κρίνομαι 24 21ᶜ 25 9ᶜ 20ᶜ
24 22 ἀκριβέστερον εἰδὼς τὰ π.ᶜ τῆς ὁδοῦ
Rm 8 3 τὸν – υἱὸν πέμψας – περὶᶜ (vl *prop-*
ter) ἁμαρτίας κατέκρινεν τὴν ἁμαρτ.
1 Co 7 1 περὶᶜ – ὧν ἐγράψατε 8 1 περὶᶜ – τῶν
εἰδωλοθύτων 4ᶜ 16 1 περὶᶜ – τῆς λο-
γείας 12 π.ᶜ Ἀπολλῶ – 12 1 π.ᶜ – τῶν
πνευματικῶν – οὐ θέλω ὑμᾶς ἀγνοεῖν
– 37 ἐξουσίαν – περὶᵈ τοῦ ἰδίου θελήματ.
Eph 6 22 ἵνα γνῶτε τὰ περὶᵇ ἡμῶν Col 4 8ᵇ
Phl 1 27 ἀκούω τὰ περὶᶜ ὑμῶν 2 19ᵇ 20 γνη-
σίως τὰ περὶ ὑμῶν μεριμνήσει
1 Th 4 6 „ἔκδικος κύριος" περὶᶜ πάντων
1 Ti 1 7 μὴ νοοῦντες – περὶᶜ τίνων διαβεβαι-
οῦνται Tit 3 8 περὶᶜ τούτων
Phm 10 παρακαλῶ σε περὶ τοῦ ἐμοῦ τέκνου
Hb 5 3 περὶ τοῦ λαοῦ, – καὶ περὶ ἑαυτοῦ
προσφέρειν περὶ ἁμαρτιῶν 10 6 „πε-
ρὶ ἁμαρτίας οὐκ εὐδόκησας" 8 cfr
18 οὐκέτι προσφορὰ περὶ ἁμαρτίας
26 οὐκέτι περὶ ἁμαρτιῶν – θυσία
11 40 τοῦ θεοῦ περὶ ἡμῶν κρεῖττόν τι προ-
βλεψαμένου
13 11 „εἰσφέρεται – τὸ αἷμα περὶ ἁμαρτίας"
1 Pe 3 18 Χὸς ἅπαξ περὶ ἁμαρτιῶν ἀπέθανεν
1 Jo 2 2 αὐτὸς ἱλασμός ἐστιν περὶ τῶν ἁμαρ-
τιῶν ἡμῶν, οὐ περὶ τῶν ἡμετέρων δὲ μό-
νον ἀλλὰ καὶ περὶ ὅλου τοῦ κόσμου cfr
4 10 ἀπέστειλεν τὸν υἱὸν αὐτοῦ ἱλασμὸν
περὶ τῶν ἁμαρτιῶν ἡμῶν
3 Jo 2 περὶᶜ πάντων εὔχομαί σε εὐοδοῦ-
σθαι καὶ ὑγιαίνειν

2) cum accusativo *circa* ᵇ*cum* ᶜ*erga*
ᵈ*a* ᵉ*in* ᶠ(π. τὰ τοιαῦτα) *huiusmodi*
Mar 4 10 οἱ περὶᵇ αὐτόν Luc 22 49 Act 13 13ᵇ
– 19 αἱ περὶ τὰ λοιπὰ ἐπιθυμίαι
Luc 10 40 περιεσπᾶτο περὶ πολλὴν διακονίαν
41 θορυβάζῃ περὶᶜ (vlᵃ) πολλά

(Joh 11 19 vl πρὸς τὰς περὶ (vg°) τ. Μάρθαν)
Act 19 25 τοὺς περὶ τὰ τοιαῦτα^f ἐργάτας
Phl 2 23 ὡς ἂν ἀφίδω τὰ περὶ ἐμέ
1 Ti 1 19 περὶ τὴν πίστιν ἐναυάγησαν 6 21 ἡ-
στόχησαν 2 Ti 2 18 περὶ^d τὴν ἀλή-
θειαν 3 8 ἀδόκιμοι περὶ τὴν πίστιν
6 4 νοσῶν περὶ ζητήσεις καὶ λογομαχ.
Tit 2 7 παρακάλει σωφρονεῖν περὶ^e πάντα

περιάγειν *circuire* (vl ..*am.*) ^b*circumducere*
Mat 4 23 9 35 Mar 6 6 — Act 13 11
23 15 περιάγετε τὴν θάλασσαν καὶ – ξηράν
1 Co 9 5 ἀδελφὴν γυναῖκα περιάγειν^b, ὡς

περιαιρεῖν *auferre* ^b*tollere* (vl *auferre*)
Act 27 20 περιηρεῖτο ἐλπὶς πᾶσα — 40^b ἀγκύρ.
2 Co 3 16 „περιαιρεῖται (..*feretur*) τὸ κάλυμμα"
Hb 10 11 οὐδέποτε δύνανται περιελεῖν ἁμαρ.

περιάπτειν *accendere* Luc 22 55 πῦρ

περιαστράπτειν *circumfulgēre* Act 9 3 22 6

περιβάλλειν, ..**εσθαι** ^a*amiciri* ^b*circumami-*
ciri ^c*circumdare aliquem, sibi, se*
^d*cooperire, se coop., c..ri* ^e*indui*
^f*operire, ..ri* ^g*vestiri*
Mat 6 29 οὐδὲ Σολομὼν – περιεβάλετο^d ὡς ἓν
τούτων ‖ Luc 12 27^g
– 31 τί πίωμεν; ἤ· τί περιβαλώμεθα^f;
25 36 γυμνὸς καὶ περιεβάλετέ^d (vl^f) με 38^d
43 οὐ περιεβάλετέ^d (vl^f) με
Mar 14 51 περιβεβλημένος^a σινδόνα 16 5 περι-
βεβλημένον^d στόλην λευκήν
Luc 23 11 περιβαλὼν^e ἐσθῆτα λαμπράν
Joh 19 2 πορφυροῦν περιέβαλον^c αὐτόν
Act 12 8 περιβαλοῦ^c τὸ ἱμάτιόν σου
Ap 3 5 ὁ νικῶν – π..εῖται^g ἐν ἱματ. λευκοῖς
– 18 ἱμάτια λευκὰ ἵνα περιβάλη^e
4 4 περιβεβλημένους^b ἐν ἱματίοις
λευκοῖς 7 9^a στολὰς λευκὰς 13^a 10 1
π..ον^a νεφέλην 11 3 π..οι^a σάκκους
– 12 1 π..η^a τὸν ἥλιον 17 4^c πορφυ-
ροῦν καὶ κόκκινον 18 16^a βύσσινον
καὶ πορφ. καὶ κόκκ. – 19 13 π..ος^g
ἱμάτιον βεβαμμένον αἵματι
19 8 ἐδόθη αὐτῇ ἵνα περιβάληται^d βύσ-
σινον λαμπρὸν καθαρόν

περιβλέπεσθαι *circumspicere*
Mar 3 5.34 5 32 9 8 10 23 11 11 πάντα Luc 6 10

περιβόλαιον ^a*velamen* ^b*amictus*
1 Co 11 15 ἡ κόμη ἀντὶ π..ου^a δέδοται αὐτῇ
Hb 1 12 „ὡσεὶ π..ον^b ἑλίξεις αὐτούς"

περιδεῖσθαι (pass) *ligari* Joh 11 44 σουδαρίῳ

περιεργάζεσθαι *curiose agere* 2 Th 3 11 μη-
δὲν ἐργαζομένους, ἀλλὰ π..ομένους

περίεργος S° – *curiosus* Act 19 19 τῶν τὰ
π. πραξάντων 1 Ti 5 13 φλύαροι καὶ π..οι

περιέρχεσθαι *circu(m)ire* ^b*circumlegere*
Act 19 13 28 13^b 1 Ti 5 13 τὰς οἰκίας – Hb 11 37

περιέχειν ^a*circumdare* ^b*continēre*
Luc 5 9 θάμβος – περιέσχεν^a αὐτὸν καὶ πάντ.
1 Pe 2 6 περιέχει^b ἐν γραφῇ· → περιοχή

περιζώννυσθαι (med et pass) *praecingi* ^b*se*
praecingere ^c*succingi* Luc 12 35 37^b 17 8^b
Eph 6 14 „περιζωσάμενοι^c – ἐν ἀληθείᾳ"
Ap 1 13 περιεζωσμένον – ζώνην χρυσᾶν 15 6

περίθεσις S° – *circumdatio* 1 Pe 3 3 χρυσίων

περιΐστάναι *circumstare* Joh 11 42 Act 25 7 –
π..ασθαι S° – *devitare* 2 Ti 2 16 βεβήλους
κενοφωνίας π..ασο Tit 3 9 μάχας νομικάς

περικαθάρματα *purgamenta* 1 Co 4 13 κόσμου

περικαλύπτειν *velare* ^b*circumtegere*
Mar 14 65 ‖ Luc 22 64 – Hb 9 4^b χρυσίῳ

περικεῖσθαι *circumdari* ^b*imponi*
Mar 9 42 ‖ Luc 17 2^b – Act 28 20 ἅλυσιν – π..μαι
Hb 5 2 περίκειται ἀσθένειαν 12 1^b νέφος

περικεφαλαία *galea*
Eph 6 17 „τὴν περ. τοῦ σωτηρίου" δέξασθε
1 Th 5 8 „ἔνδυσ. – π..αν" ἐλπίδα „σωτηρίας"

περικρατῆ γίνεσθαι *obtinēre* Act 27 16 σκάφης

περικρύβειν S° – *occultare* Luc 1 24 ἑαυτήν

περικυκλοῦν *circumdare* Luc 19 43 (πόλιν)

περιλάμπειν S° – *c..fulgēre* Luc 2 9 Act 26 13

περιλειπόμενοι ^a*qui residui sumus* ^b*qui*
relinquimur 1 Th 4 15 οἱ ζῶντες οἱ π.^a 17^b

περίλυπος ᵃ(π..ον γίνεσθαι) contristari ᵇtristis Mar 6 26ᵃ ὁ βασιλεύς Luc 18 23ᵃ ἦν γὰρ πλούσιος σφόδρα (24 vl, vg ᵇfactus) Mat 26 38 „περίλυπός ᵇ ἐστιν ἡ ψυχή μου" ἕως θανάτου ‖ Mar 14 34ᵇ

περιμένειν expectare Act 1 4 τὴν ἐπαγγελίαν

αἱ πέριξ πόλεις Sᵒ – vicinae Act 5 16

περίοικοι Luc 1 58, π..οικοῦντες 65 vicini

περιούσιος acceptabilis Tit 2 14 „λαὸν π..ον"

περιοχή locus Act 8 32 τῆς γραφῆς ἦν – ·

περιπατεῖν ambulare ᵇcircuire ᶜingredi

*1) vox proprie dicta

Mat 9 5 ἔγειρε καὶ περιπάτει ‖ Mar 2 9 Luc 5 23 Joh 5 8.9.11.12 – Mat 11 5 χωλοὶ π..οῦσιν ‖ Luc 7 22 – Mat 15 31 βλέποντας – χωλοὺς π..οῦντας – Act 3 6 ἐν τῷ ὀνόματι Ἰ. Χοῦ – περιπάτει 8.9.12 14 8.10

Mar 5 42 ἀνέστη τὸ κοράσιον καὶ περιεπάτει 8 24 ὡς δένδρα ὁρῶ περιπατοῦντας 12 38 θελόντων ἐν στολαῖς π. ‖ Luc 20 46 16 [12 δυσὶν – π..οῦσιν ἐφανερ.] ‖ Luc 24 17

Joh 6 66 οὐκέτι μετ' αὐτοῦ περιεπάτουν 11 9 ἐάν τις π..ῇ ἐν τῇ ἡμέρᾳ 10 νυκτί – 54 ὁ οὖν Ἰησοῦς οὐκέτι παρρησίᾳ περιεπάτει ἐν τοῖς Ἰουδαίοις 21 18 καὶ περιεπάτεις ὅπου ἤθελες

1 Pe 5 8 διάβολος „ὡς λέων –" π..εῖ ᵇ ζητῶν

Ap 2 1 ὁ π..ῶν ἐν μέσῳ τῶν ἑπτὰ λυχνιῶν 3 4 π..ήσουσιν μετ' ἐμοῦ ἐν λευκοῖς 9 20 „ἃ οὔτε βλέπειν" δύνανται – „οὔτε π." 16 15 ἵνα μὴ γυμνὸς περιπατῇ 21 24 „π..ήσουσιν τὰ ἔθνη διὰ τοῦ φωτὸς" αὐτῆς (sc τῆς πόλεως τῆς ἁγίας)

2) vox translata = vitam agere

Mar 7 5 διὰ τί οὐ π..οῦσιν – κατὰ τὴν παράδοσιν τῶν πρεσβυτέρων Act 21 21 λέγων μὴ – τοῖς ἔθεσιν περιπατεῖν ᶜ

Joh 8 12 οὐ μὴ περιπατήσῃ ἐν τῇ σκοτίᾳ 12 35 π..εῖτε ὡς τὸ φῶς ἔχετε – · καὶ ὁ π.. ῶν ἐν τῇ σκοτίᾳ οὐκ οἶδεν ποῦ

Rm 6 4 ἵνα –, οὕτως καὶ ἡμεῖς ἐν καινότητι ζωῆς περιπατήσωμεν 8 4 τοῖς μὴ κατὰ σάρκα π..οῦσιν (vl 1 vg) ἀλλὰ κατὰ πνεῦμα → 2 Co 10 2

Rm 13 13 ὡς ἐν ἡμέρᾳ εὐσχημόνως π..ήσωμεν, μὴ κώμοις καὶ μέθαις, κτλ.

1 Co 3 3 οὐχὶ – κατὰ ἄνθρωπον περιπατεῖτε; 7 17 ἕκαστον ὡς κέκληκεν ὁ θεός, οὕτως περιπατείτω

2 Co 4 2 μὴ περιπατοῦντες ἐν πανουργίᾳ 5 7 διὰ πίστεως – π..οῦμεν, οὐ διὰ εἴδους 10 2 λογιζομένους ἡμᾶς ὡς κατὰ σάρκα π..οῦντας 3 ἐν σαρκὶ γὰρ π..οῦντες οὐ κατὰ σάρκα στρατευόμεθα 12 18 οὐ τῷ αὐτῷ πνεύματι περιεπατήσαμεν; οὐ τοῖς αὐτοῖς ἴχνεσιν;

Gal 5 16 πνεύματι π..εῖτε καὶ ἐπιθυμίαν σαρ.

Eph 2 2 νεκροὺς – ταῖς ἁμαρτίαις, ἐν αἷς ποτε π..επατήσατε Col 3 7 ἐν οἷς καὶ ὑ. – 10 ἵνα ἐν αὐτοῖς (sc ἔργοις ἀγαθοῖς) περιπατήσωμεν 4 1 ἀξίως π..ῆσαι τῆς κλήσεως Col 1 10 τοῦ κυρίου 1 Th 2 12 τ. θεοῦ τοῦ καλ. – 17 μηκέτι ὑμᾶς π..εῖν καθὼς καὶ τὰ ἔθνη π..εῖ ἐν ματαιότητι τοῦ νοός 5 2 π..εῖτε ἐν ἀγάπῃ, καθὼς καὶ ὁ Χός – 8 ὡς τέκνα φωτὸς π..εῖτε 15 βλέπετε οὖν ἀκριβῶς πῶς π..εῖτε, μὴ ὡς ἄσοφοι ἀλλ' ὡς σοφοί

Phl 3 17 σκοπεῖτε τοὺς οὕτω π..οῦντας καθὼς ἔχετε τύπον ἡμᾶς 18 πολλοὶ – π..οῦσιν οὓς – κλαίων λέγω, – ἐχθρ.

Col 2 6 ἐν αὐτῷ (sc Ἰησοῦ Χῷ) π..εῖτε 4 5 ἐν σοφίᾳ π..εῖτε πρὸς τοὺς ἔξω

1 Th 4 1 καθὼς παρελάβετε – τὸ πῶς δεῖ ὑμᾶς π..εῖν –, καθὼς καὶ περιπατεῖτε – 12 ἵνα π..ῆτε εὐσχημόνως πρὸς τοὺς ἔξω

2 Th 3 6 στέλλεσθαι – ἀπὸ – ἀδελφοῦ ἀτάκτως π..οῦντος καὶ μὴ κατὰ τὴν παράδοσιν 11 ἀκούομεν γάρ τινας π..οῦντας ἐν ὑμῖν ἀτάκτως

Hb 13 9 οὐ βρώμασιν, ἐν οἷς οὐκ ὠφελήθησαν οἱ π..οῦντες (vl ..ήσαντες)

1 Jo 1 6 ἐὰν – ἐν τῷ σκότει π..ῶμεν 7 ἐὰν – ἐν τῷ φωτὶ π..ῶμεν 2 11 ὁ – μισῶν τὸν ἀδελφὸν – ἐν τῇ σκοτίᾳ περιπατεῖ 2 6 ὀφείλει καθὼς ἐκεῖνος περιεπάτησεν καὶ αὐτὸς οὕτως περιπατεῖν

2 Jo 4 εὕρηκα ἐκ τῶν τέκνων σου π..οῦντας ἐν ἀληθείᾳ 3 Jo 3 περιπατεῖς 4 6 αὕτη ἐστὶν ἡ ἀγάπη, ἵνα π..ῶμεν κατὰ τὰς ἐντολὰς αὐτοῦ · αὕτη ἡ ἐντολή ἐστιν, –, ἵνα ἐν αὐτῇ περιπατῆτε

περιπείρειν Sᵒ – inserere (se alicui rei) 1 Ti 6 10 ἑαυτοὺς περιέπειραν ὀδύναις πολλ.

περιπίπτειν *incidere* Luc 10 30 λῃσταῖς
Act 27 41 — Jac 1 2 πειρασμοῖς — ποικίλοις

περιποιεῖσθαι *acquirere*
Luc 17 33 ὃς ἐὰν ζητήσῃ τὴν ψυχὴν αὐτοῦ π..
ήσασθαι (vl σῶσαι *salvam facere*)
Act 20 28 „τὴν ἐκκλησίαν τοῦ θεοῦ", ἣν „περι-
εποιήσατο" διὰ τοῦ αἵματος τοῦ ἰδ.
1 Ti 3 13 βαθμὸν ἑαυτοῖς καλὸν π..οῦνται

περιποίησις *acquisitio*
Eph 1 14 εἰς ἀπολύτρωσιν τῆς περιποιήσεως
1 Th 5 9 ἔθετο ἡμᾶς ὁ θεὸς — εἰς π..ιν σωτη-
ρίας 2 Th 2 14 δόξης τοῦ κυρίου
Hb 10 39 ἐσμὲν —, — πίστεως εἰς π..ιν ψυχῆς
1 Pe 2 9 ὑμεῖς δὲ — „λαὸς εἰς περιποίησιν"

περιρηγνύναι *scindere* Act 16 22 ἱμάτια

περισπᾶσθαι *satagere* Luc 10 40 περὶ — διακον.

περισσεία *abundantia*
Rm 5 17 οἱ τὴν περ. τ. χάριτος — λαμβάνοντες
2 Co 8 2 ἡ περ. τ. χαρᾶς αὐτῶν — 10 15 εἰς π..ν
Jac 1 21 ἀποθέμενοι πᾶσαν — π..αν κακίας

περισσεύειν *abundare* ᵇ*superabundare* ᶜ(τὸ
π..ειν) *abundantia* ᵈ*abundare facere*
ᵉ*superare* ᶠ*s..esse* ᵍ(τὸ π..ον) *reliquiae*
Mat 5 20 ἐὰν μὴ περισσεύσῃ ὑμῶν ἡ δικαιο-
σύνη πλεῖον τῶν γραμματέων
13 12 ὅστις — ἔχει, δοθήσεται αὐτῷ καὶ πε-
ρισσευθήσεται 25 29 τῷ — ἔχοντι
14 20 ἦραν τὸ περισσεῦον ᵍ τῶν κλασμάτων
15 37 ᶠ ‖ Luc 9 17 ᶠ Joh 6 12 ᵉ 13 ᶠ
Mar 12 44 πάντες — ἐκ τοῦ περισσεύοντος αὐ-
τοῖς ἔβαλον Luc 21 4 εἰς τὰ δῶρα
Luc 12 15 οὐκ ἐν τῷ π.ᶜ τινὶ ἡ ζωὴ αὐτοῦ
15 17 πόσοι μίσθιοι — περισσεύονται ἄρτων
Act 16 5 αἱ — ἐκκλησίαι — ἐπ..ον τῷ ἀριθμῷ
Rm 3 7 εἰ — ἡ ἀλήθεια τοῦ θεοῦ ἐν τῷ ἐμῷ
ψεύσματι ἐπ..ευσεν εἰς τὴν δόξαν
5 15 ἡ χάρις — εἰς τοὺς πολλοὺς ἐπ..ευσεν
15 13 εἰς τὸ π..εύειν ὑμᾶς ἐν τῇ ἐλπίδι
1 Co 8 8 οὔτε ἐὰν φάγωμεν περισσεύομεν
14 12 ἐπεὶ ζηλωταί ἐστε πνευμάτων, — ζη-
τεῖτε ἵνα περισσεύητε
15 58 π..οντες ἐν τῷ ἔργῳ τοῦ κυρίου
2 Co 1 5 καθὼς π..ει τὰ παθήματα τοῦ Χοῦ
εἰς ἡμᾶς, οὕτως διὰ τοῦ Χοῦ π..ει
καὶ ἡ παράκλησις ἡμῶν
3 9 πολλῷ μᾶλλον περισσεύει ἡ διακονία

τῆς δικαιοσύνης (vl + ἐν vg) δόξῃ
2 Co 4 15 ἵνα ἡ χάρις — π..σῃ εἰς τὴν δόξαν
8 2 ἡ — πτωχεία αὐτῶν ἐπερίσσευσεν εἰς
— 7 ὥσπερ ἐν παντὶ π..ετε, — ἵνα καὶ ἐν
ταύτῃ τῇ χάριτι περισσεύητε
9 8 δυνατεῖ — ὁ θεὸς πᾶσαν χάριν περισ-
σεῦσαι ᵈ εἰς ὑμᾶς, ἵνα ἐν παντὶ — πε-
ρισσεύητε εἰς πᾶν ἔργον ἀγαθόν
— 12 ἡ διακονία — ἐστὶν — καὶ περισσεύου-
σα διὰ — εὐχαριστιῶν τῷ θεῷ
Eph 1 8 τῆς χάριτος αὐτοῦ, ἧς ἐπερίσσευ-
σεν ᵇ εἰς ἡμᾶς ἐν πάσῃ σοφίᾳ
Phl 1 9 ἵνα ἡ ἀγάπη ὑμῶν — περισσεύῃ ἐν
ἐπιγνώσει καὶ πάσῃ αἰσθήσει
— 26 ἵνα τὸ καύχημα ὑμῶν περισσεύῃ
4 12 οἶδα καὶ π..ειν· — ἐν πᾶσιν μεμύημαι,
— καὶ περισσεύειν καὶ ὑστερεῖσθαι
— 18 ἀπέχω δὲ πάντα καὶ περισσεύω
Col 2 7 περισσεύοντες ἐν εὐχαριστίᾳ
1 Th 3 12 ὑμᾶς — ὁ κύριος πλεονάσαι καὶ περισ-
σεύσαι ᵈ τῇ ἀγάπῃ εἰς ἀλλήλους
4 1 ἵνα περισσεύητε μᾶλλον 10

περίσσευμα *abundantia* ᵇ*quod superaverat*
Mat 12 34 ἐκ — τοῦ π. τῆς καρδίας ‖ Luc 6 45
Mar 8 8 ἦραν περισσεύματα ᵇ κλασμάτων
2 Co 8 14 τὸ ὑμῶν περ. εἰς τὸ ἐκείνων ὑστέρη-
μα, ἵνα καὶ τὸ ἐκείνων περίσσευμα
γένηται εἰς τὸ ὑμῶν ὑστέρημα

περισσόν, (τὸ) (*quod*) *abundantius* (*est*) ᵇ*ex*
abundanti ᶜ*amplius* ᵈ*magis*
Mat 5 37 τὸ δὲ π. τούτων ἐκ τοῦ πονηροῦ ἐστιν
— 47 τί π.ᶜ ποιεῖτε; — Mar 6 51 ἐκ π..οῦ ᵈ
Joh 10 10 ἵνα ζωὴν ἔχωσιν καὶ περισσὸν ἔχωσιν
Rm 3 1 τί οὖν τὸ περισσὸν ᶜ τοῦ Ἰουδαίου — ;
2 Co 9 1 περισσόν ᵇ μοί ἐστιν τὸ γράφειν ὑμῖν

περισσότερος, περισσότερον *abundantior*
..*ius* ᵇ*amplius* ᶜ*maior*, ..*us* ᵈ*proli-
xior*, ..*us* ᵉ*plus* (*quam*)
Mat 11 9 καὶ π..ον ᵉ προφήτου ‖ Luc 7 26 ᵉ
Mar 7 36 αὐτοὶ μᾶλλον π..ον ᵉ ἐκήρυσσον
12 33 π..όν ᶜ ἐστιν πάντων „τῶν ὁλοκαυτ."
— 40 λήμψονται π..ον ᵈ κρίμα ‖ Luc 20 47 ᶜ
(Mat 23 14 vl, vg ᵇ, vl om)
Luc 12 4 μὴ ἐχόντων π..ερόν ᵇ τι ποιῆσαι
— 48 ᾧ παρέθεντο πολύ, περισσότερον ᵉ
αἰτήσουσιν αὐτόν
1 Co 12 23 τιμὴν π..αν 24.23 εὐσχημοσύνην
15 10 π..ον αὐτῶν πάντων ἐκοπίασα
2 Co 2 7 μή πως τῇ π..ᾳ λύπῃ καταποθῇ

2 Co 10 8 ἐάν τε – π..ερόν^b τι καυχήσωμαι
Hb 6 17 π..ον βουλόμενος ὁ θεὸς ἐπιδεῖξαι
7 15 π..ον^b ἔτι κατάδηλόν ἐστιν, εἰ

περισσῶς, περισσοτέρως *abundantius*
^b*amplius* ^c*magis* ^d*plus* ^e*plurimi*
Mat 27 23 π..ῶς^c ἔκραζον ‖ Mar 15 14^c – 10 26^c
ἐξεπλήσσοντο – Act 26 11^b ἐμμαινόμενος
2 Co 1 12 ἐν ἁγιότητι – ἀνεστράφημεν ἐν τῷ
κόσμῳ, π..τέρως δὲ πρὸς ὑμᾶς 24 ἦν (sc
ἀγάπην) ἔχω π..τέρως εἰς ὑμᾶς 7 13 π..
τέρως μᾶλλον ἐχάρημεν 15 τὰ σπλάγχνα
αὐτοῦ π..τέρως εἰς ὑμᾶς ἐστιν 11 23 ἐν
κόποις π..τέρως^e, ἐν φυλακαῖς περισσο-
τέρως 12 15 εἰ π..τέρως^d ὑμᾶς ἀγαπῶ
Gal 1 14 π..τέρως ζηλωτὴς ὑπάρχων τῶν
Phl 1 14 π..τέρως τολμᾶν – τὸν λόγον – λαλεῖν
1 Th 2 17 π..τέρως ἐσπουδάσαμεν – ἰδεῖν
Hb 2 1 δεῖ π..τέρως προσέχειν ἡμᾶς τοῖς ἀ-
κουσθεῖσιν – 13 19 π..τέρως^b – παρακαλῶ

περιστερά *columba*
Mat 3 16 πνεῦμα θεοῦ καταβαῖνον ὡσεὶ περι-
στεράν ‖ Mar 1 10 Luc 3 22 Joh 1 32
10 16 γίνεσθε οὖν – ἀκέραιοι ὡς αἱ π..αί
21 12 τῶν πωλούντων τὰς περ. ‖ Mar 11 15
Joh 2 14.16 – Luc 2 24 „νοσσοὺς π..ῶν"

περιτέμνειν *circumcidere*
Luc 1 59 τὸ παιδ. (sc 'Ιω.) – 2 21 αὐτόν (sc 'Ιησ.)
Joh 7 22 ἐν σαββάτῳ περιτέμνετε ἄνθρωπον
Act 7 8 „περιέτεμεν αὐτόν" (sc τὸν 'Ισαάκ)
15 1 ἐὰν μὴ περιτμηθῆτε 5 ὅτι δεῖ περ.
16 3 περιέτεμεν αὐτόν (sc Τιμόθεον)
21 21 λέγων μὴ π..ειν αὐτοὺς τὰ τέκνα
1 Co 7 18 περιτετμημένος τις ἐκλήθη; μὴ ἐπι-
σπάσθω· ἐν ἀκροβυστίᾳ κέκληταί
τις; μὴ περιτεμνέσθω
Gal 2 3 οὐδὲ Τίτος –, Ἕλλην ὤν, ἠναγκάσθη
περιτμηθῆναι
5 2 ἐὰν π..ησθε Χὸς ὑμᾶς οὐδὲν ὠφελή-
σει 3 μαρτύρομαι παντὶ ἀνθρώπῳ
περιτεμνομένῳ ὅτι ὀφειλέτης
6 12 ἀναγκάζουσιν ὑμᾶς περιτέμνεσθαι
– 13 οὐδὲ – οἱ π..όμενοι αὐτοὶ νόμον φυ-
λάσσουσιν, ἀλλὰ θέλουσιν ὑμᾶς π..
εσθαι ἵνα ἐν τῇ ὑμετέρᾳ σαρκὶ καυ-
χήσωνται
Col 2 11 ἐν ᾧ (sc Χ῀) καὶ περιετμήθητε περι-
τομῇ ἀχειροποιήτῳ –, ἐν τῇ περι-
τομῇ τοῦ Χριστοῦ

περιτιθέναι *circumdare* ^b*circumponere*
^c*imponere*
Mat 21 33 „φραγμὸν – περιέθηκεν" ‖ Mar 12 1
27 28 χλαμύδα κοκκίνην ‖ Mar 15 17 (vl
ἐπιτιθέασιν^c) ἀκάνθινον στέφανον
– 48 σπόγγον – περιθεὶς^c καλάμῳ ‖ Mar
15 36^b (vl ἐπιθείς) Joh 19 29^b
1 Co 12 23 τούτοις τιμὴν περισσοτέραν π..εμεν

περιτομή *circumcisio*
Joh 7 22 Μωϋσῆς δέδωκεν ὑμῖν τὴν περιτομ.
– 23 εἰ π..ὴν λαμβάνει – ἄνθρ. ἐν σαββ.
Act 7 8 ἔδωκεν αὐτῷ „διαθήκην περιτομῆς"
10 45 οἱ ἐκ π..ῆς πιστοί 11 2 διεκρίνοντο
πρὸς αὐτὸν οἱ ἐκ π..ῆς Gal 2 12 φο-
βούμενος τοὺς ἐκ περιτομῆς
Rm 2 25 π. – ὠφελεῖ ἐὰν νόμον πράσσῃς· ἐὰν
δὲ –, ἡ π. σου ἀκροβυστία γέγονεν
– 26 οὐχ ἡ ἀκροβυστία αὐτοῦ εἰς π..ὴν
λογισθήσεται; 27 σὲ τὸν διὰ – π..ῆς
παραβάτην νόμου 28 οὐδὲ ἡ – ἐν σαρ-
κὶ περιτομή (sc ἐστιν)· 29 ἀλλὰ – πε-
ριτομὴ καρδίας ἐν πνεύματι
3 1 ἢ τίς ἡ ὠφέλεια τῆς περιτομῆς;
– 30 ὃς δικαιώσει περιτομὴν ἐκ πίστεως
4 9 ὁ μακαρισμὸς – ἐπὶ τὴν περιτομήν –;
– 10 πῶς – ἐλογίσθη; ἐν π..ῇ ὄντι –; οὐκ
ἐν π..ῇ ἀλλ' ἐν ἀκροβυστίᾳ 11 καὶ
„σημεῖον" ἔλαβεν „π..ῆς" σφραγῖδα
τῆς δικαιοσύνης τῆς πίστεως τῆς ἐν
τῇ ἀκροβυστίᾳ
– 12 εἰς τὸ εἶναι αὐτὸν – πατέρα περιτο-
μῆς τοῖς οὐκ ἐκ π..ῆς μόνον ἀλλὰ
15 8 Χὸν διάκονον γεγενῆσθαι περιτομῆς
1 Co 7 19 ἡ περ. οὐδέν ἐστιν, καὶ ἡ ἀκροβυστία
Gal 2 7 καθὼς Πέτρος τῆς περιτομῆς 8 ὁ –
ἐνεργήσας Πέτρῳ εἰς ἀποστολὴν τῆς
περ. 9 ἵνα ἡμεῖς εἰς τὰ ἔθνη, αὐτοὶ
δὲ εἰς τὴν περιτομήν 12 supra
5 6 ἐν – Χῷ – οὔτε περ. τι ἰσχύει οὔτε
– 11 εἰ π..ὴν ἔτι κηρύσσω, τί ἔτι διώκομαι
6 15 οὔτε – περ. τί ἐστιν οὔτε ἀκροβυστ.
Eph 2 11 οἱ λεγόμενοι ἀκροβυστία ὑπὸ τῆς
λεγομένης περιτομῆς ἐν σαρκὶ χειρο-
ποιήτου, – ἦτε – χωρὶς Χοῦ
Phl 3 3 ἡμεῖς γάρ ἐσμεν ἡ περιτομή
– 5 περιτομῇ (*circumcisus*) ὀκταήμερος
Col 2 11 → περιτέμνειν sub finem
3 11 ὅπου οὐκ ἔνι – περ. καὶ ἀκροβυστία
4 11 Μᾶρκος – καὶ 'Ιησοῦς ὁ λεγόμενος
'Ιοῦστος, οἱ ὄντες ἐκ περιτομῆς
Tit 1 10 φρεναπάται, μάλιστα οἱ ἐκ τῆς περ.

περιτρέπειν *convertere* Act 26 24 εἰς μανίαν

περιτρέχειν *percurrere* Mar 6 55 χώραν

περιφέρειν *circumferre* Mar 6 55
2 Co 4 10 πάντοτε τὴν νέκρωσιν τοῦ Ἰησοῦ ἐν
τῷ σώματι περιφέροντες
Eph 4 14 π..όμενοι παντὶ ἀνέμῳ τῆς διδασκ.

περιφρονεῖν *contemnere* Tit 2 15 σοῦ

περίχωρος, ἡ *regio* [b]*regio circa* (vl *circum*)
[c]*circa regio* [d]*in circuitu regio* Mat 3 5[b]
(τοῦ Ἰορδ. Luc 3 3) 14 35 Mar 1 28 τῆς Γαλ.
‖ Luc 4 37 – Luc 4 14 7 17[c] 8 37 τῶν Γερασ.
– Act 14 6 Δέρβην καὶ τὴν περίχωρον[d]

περίψημα *peripsema* (vl *..psi.*) 1 Co 4 13

περπερεύεσθαι S° – *agere perperam*
1 Co 13 4 ἡ ἀγάπη οὐ περπερεύεται

Περσίς Rm 16 12 Περσίδα τὴν ἀγαπητήν

ἀπὸ πέρυσι S° – [a]*ab anno priore* [b]*ab anno praeterito* 2 Co 8 10[a] 9 2[b]

τὰ πετεινά *volucres* [b]*volatilia* [c]*aves*
Mat 6 26 ἐμβλέψατε εἰς τὰ πετ.[b] τοῦ οὐρανοῦ
‖ Luc 12 24 διαφέρετε τῶν πετ. (*illis*)
8 20 τὰ πετ. τοῦ οὐρανοῦ κατασκηνώσεις
(sc ἔχουσιν) ‖ Luc 9 58
13 4 τὰ πετ. κατέφαγεν αὐτά 32 „τὰ πετ.
τοῦ οὐρ. – κατασκηνοῦν ἐν τοῖς κλά-
δοις" ‖ Mar 4 4.32[c] Luc 8 5 13 19
Act 10 12[b] 11 6[b] – Rm 1 23 – Jac 3 7 φύσις–π..ῶν

πέτεσθαι *volare* Ap 4 7 8 13 12 14 14 6 19 17

πέτρα *petra*
Mat 7 24 ᾠκοδόμησεν – ἐπὶ τὴν π. 25 ‖ Luc 6 48
16 18 ἐπὶ ταύτῃ τῇ πέτρᾳ οἰκοδομήσω μου
27 51 – 60 Mar 15 46 – Luc 8 6.13
Rm 9 33 „πέτραν σκανδάλου" 1 Pe 2 8
1 Co 10 4 ἔπινον – ἐκ πνευματικῆς ἀκολουθού-
σης πέτρας, ἡ πέτρα δὲ ἦν ὁ Χός
Ap 6 15.16 „λέγουσιν – ταῖς πέτραις· πέσετε"

Πέτρος → Σίμων, Συμεών, Κηφᾶς
Mat 4 18 εἶδεν – Σίμωνα τὸν λεγ. Πέτρον 10 2
‖ Mar 3 16 ἐπέθηκεν ὄνομα τῷ Σίμω-
νι Πέτρον Luc 6 14 Σίμωνα, ὃν καὶ
ὠνόμασεν Πέτρον cfr Act 1 13

Mat 8 14 οἰκίαν Π..ου 14 28.29 Πέτρος περιεπά-
τησεν ἐπὶ τὰ ὕδατα 15 15
16 16 Σ. Π. εἶπεν· σὺ εἶ ὁ χριστός 18 σὺ εἶ
Π., καὶ ἐπὶ ταύτῃ τῇ πέτρᾳ ‖ Mar 8 29
Luc 9 20 Joh 1 42 σὺ κληθήσῃ Κηφᾶς
(ὃ ἑρμηνεύεται Πέτρος)
– 22 ὁ Π. ἤρξατο ἐπιτιμᾶν αὐτῷ 23 ‖ Mar
8 32.33 ἐπετίμησεν Πέτρῳ
17 1 παραλαμβάνει – τὸν Π. καὶ Ἰάκ. καὶ
Ἰω. 4 ὁ Π. ‖ Mar 9 2.5 Luc 9 28.32.33
– Mat 26 37 τὸν Π. καὶ τοὺς δύο υἱ-
οὺς Ζεβ. ‖ Mar 14 33 – Mar 5 37 οὐδέ-
να – εἰ μὴ τὸν Π. καὶ Ἰάκ. καὶ Ἰω. ‖
Luc 8 51 – Mar 13 3 καὶ Ἀνδρέας –
Luc 22 8 ἀπέστειλεν Π..ον καὶ Ἰωάννην
– 24 προσῆλθον – τῷ Π. 18 21 Π. εἶπεν αὐ-
τῷ· κύριε, ποσάκις ἁμαρτήσει –; 19 27
ἰδοὺ ἡμεῖς ἀφήκαμεν ‖ Mar 10 28 Luc
18 28 – Mat 26 33 εἰ πάντες σκανδα-
λισθήσονται ἐν σοί 35 κἂν δέῃ με σὺν
σοὶ ἀποθανεῖν ‖ Mar 14 29 Luc 22 34
Πέτρε, οὐ φωνήσει
26 40 τῷ Π.· οὕτως οὐκ ἰσχύσατε – γρηγο-
ρῆσαι –; ‖ Mar 14 37 καθεύδεις;
– 58 ὁ – Π. ἠκολούθει – μακρόθεν 69 ἐκά-
θητο ἔξω 73.75 ἐμνήσθη ὁ Π. ‖ Mar
14 54. 66. 67. 70. 72 Luc 22 54. 55. 58. 60. 61
Joh 18 15. 16 εἰσήγαγεν τὸν Π. 17 S. 25 SS
Mar 11 21 ἀναμνησθεὶς ὁ Πέτρος λέγει αὐτῷ·
16 7 εἴπατε τοῖς μαθηταῖς – καὶ τῷ Πέτρῳ
(brevior clausula τοῖς περὶ τὸν Πέτρον)
Luc 5 8 8 45 12 41 – (24 12 vl et vg) Joh 20 2
ἔρχεται πρὸς Σ. Π..ον καὶ πρὸς τὸν
ἄλλον μαθητήν 3.4 τάχιον τοῦ Π. 6
Joh 1 40 Ἀνδρέας ὁ ἀδελφὸς Σ. Πέτρου 6 8
– 44 ἐκ τῆς πόλεως Ἀνδρέου καὶ Πέτρου
6 68 13 6.8.9.24 νεύει – τούτῳ Σίμων Πέ-
τρος 36.37 18 10 Σίμων οὖν Πέτρος ἔ-
χων μάχαιραν 11 21 2.3.7.11.15.17.20.21
Act 1 13.15 ἀναστὰς Πέτρος ἐν μέσῳ 2 14.37.38
3 1 Πέτρ. – καὶ Ἰωάννης 3.4.11 4 13.19 8 14
– 6.12 48 5 3.8.9.15.29 (Π. καὶ οἱ ἀπόστο-
λοι) 8 20 9 32.34.38.39.40
10 5 μετάπεμψαι Σίμωνά τινα ὃς ἐπικαλεῖ-
ται Π. 18.32 11 13 – 10 9.13 S. 17.19.21.25 S.
34.44 SS 11 2.4.7 12 3.5 SS.11.14.16.18 15 7
Gal 2 7 καθὼς Πέτρος τῆς περιτομῆς 8
1 Pe 1 1 Πέτρος ἀπόστολος Ἰησοῦ Χοῦ
2 Pe 1 1 Συμεὼν Π. δοῦλος καὶ ἀπόστολος

πετρώδης S° – *petrosus*
Mat 13 5 ἔπεσεν ἐπὶ τὰ π..η 20 ‖ Mar 4 5.16

πήγανον Sᵒ – ruta Lc 11 42 ἀποδεκατοῦτε–π.

πηγή fons
Mar 5 29 τοῦ αἵματος Joh 46 τοῦ Ἰακώβ
Joh 4 14 ὕδατος ἀλλομένου εἰς ζωὴν αἰώνιον
Jac 3 11 μήτι ἡ π. ἐκ τῆς αὐτῆς ὀπῆς βρύει
2 Pe 2 17 οὗτοί εἰσιν πηγαὶ ἄνυδροι
Ap 7 17 „ὁδηγήσει αὐτοὺς ἐπὶ ζωῆς (vl ζώ-
      σας) πηγὰς ὑδάτων"
    8 10 ἔπεσεν – ἐπὶ τὰς π. τῶν ὑδάτων 16 4
    14 7 τῷ ποιήσαντι – θάλασσαν καὶ πηγάς
    21 6 „τῷ διψῶντι" δώσω ἐκ τῆς πηγῆς „τοῦ
      ὕδατος τῆς ζωῆς δωρεάν"

πηγνύειν figere Hb 8 2 „ἣν ἔπηξεν ὁ κύριος"

πηδάλιον Sᵒ – gubernaculum Act 27 40
Jac 3 4 μετάγεται ὑπὸ ἐλαχίστου πηδαλίου

πηλίκος ᵃqualis ᵇquantus Hb 74 ᵇ
Gal 6 11 πηλίκοις ᵃ ὑμῖν γράμμασιν ἔγραψα

πηλός lutum Joh 96.11.14.15 Rm 9 21

πήρα pera Mat 10 10 μὴ πήραν εἰς ὁδόν ∥
      Mar 68 Luc 93 104 22 35 ἄτερ – πήρας – 36

(πηροῦν vl → πωροῦν)

πῆχυς cubitus
Mat 6 27 προσθεῖναι – πῆχυν ἕνα; ∥ Luc 12 25
Joh 21 8 Ap 21 17 ἑκατὸν – π..ῶν, μέτρον ἀνθρ.

πιάζειν apprehendere ᵇcompr. ᶜprendere
Joh 7 30 ἐζήτουν – αὐτὸν πιάσαι 32.44 8 20 οὐδὲ-
      εἰς ἐπίασεν αὐτόν 10 39 11 57 – 21 3
      ἐν – τῇ νυκτὶ ἐπίασαν ᶜ οὐδέν 10 ᶜ
Act 3 7 124 – 2 Co 11 32 ᵇ – Ap 19 20 τ. θηρίον

πιέζειν confercire Luc 6 38 μέτρον – πεπιεσμ.

πιθανολογία Sᵒ – sublimitas (vl subtilitas)
      sermonum Col 2 4 παραλογίζ. ἐν πιθ..ᾳ

πικραίνειν facere amaricari (vl ..re) — πι-
      κραίνεσθαι ᵇamarum esse ᶜamarum
      fieri ᵈamaricari Ap 8 11 ᶜ 109.10 ᵈ
Col 3 19 μὴ πικραίνεσθε ᵇ πρὸς αὐτάς

πικρία amaritudo
Act 8 23 „χολὴν π..ας" Hb 12 15 „ῥίζα π..ας"
Rm 3 14 – Eph 4 31 πᾶσα πικρία καὶ θυμός

πικρός amarus Jac 3 11.14 ζῆλον πικρόν

πικρῶς amarē Mat 26 75 ∥ Luc 22 62

Πιλᾶτος
Mat 27 2.13.17.22.24.58.62.65
Mar 15 1.2.4.5.9.12.14.15.43.44
Luc 3 1 ἡγεμονεύοντος Ποντίου Πιλάτου τῆς
      Ἰουδαίας 13 1 ὧν τὸ αἷμα Π. ἔμιξεν
      23 1.3.4.6.11.12.13.20.24.52
Joh 18 29.31.33.35.37.38 19 1.4.6.8.10.12.13.15.19.21.
      22.31.38
Act 3 13 ὃν – ἠρνήσασθε κατὰ πρόσωπον Πι-
      λάτου 4 27 συνήχθησαν – Ἡρώδης τε
      καὶ Πόντιος Πιλᾶτος – 13 28 ᾐτήσαν-
      το Πιλᾶτον ἀναιρεθῆναι αὐτόν
1 Ti 6 13 Ἰησοῦ τοῦ μαρτυρήσαντος ἐπὶ Πον-
      τίου Πιλάτου τὴν καλὴν ὁμολογίαν

πιμπλάναι, (πλήθειν) implēre ᵇreplēre
Mat 22 10 ἐπλήσθη ὁ νυμφὼν ἀνακειμένων
      27 48 λαβὼν σπόγγον πλήσας τε ὄξους
Luc 1 15 πνεύματος ἁγ. πλησθήσεται ᵇ 41 ἐ-
      πλήσθη ᵇ 67 ᵇ (vl ᵃ) Act 24 ἐπλήσθη-
      σαν ᵇ 48 ᵇ 31 ᵇ 9 17 ὅπως – πλησθῇς 139 ᵇ
      – 23 ὡς ἐπλήσθησαν αἱ ἡμέραι 26.21 (vl
      συνετελέσθησαν consummati sunt)
      22 1 57 ἐπλήσθη ὁ χρόνος τοῦ τεκεῖν
      4 28 ἐπλήσθησαν ᵇ – θυμοῦ 5 26 ᵇ φόβου
      6 11 ᵇ ἀνοίας Act 3 10 θάμβους 5 17 ᵇ
      ζήλου 13 45 ᵇ ζήλου – 19 29 ἐπλήσθη
      ἡ πόλις τῆς συγχύσεως
      5 7 ἔπλησαν – τὰ πλοῖα ὥστε βυθίζεσθαι
      21 22 τοῦ πλησθῆναι – τὰ γεγραμμένα

πίμπρασθαι Sᵒ – in tumorem converti
Act 28 6 προσεδόκων αὐτὸν μέλλειν πίμπρ.

πινακίδιον Sᵒ – pugillaris Luc 1 63 αἰτήσας

πίναξ discus ᵇcatinus
Mat 14 8 ἐπὶ π..κι 11 ∥ Mar 6 25.28 – Luc 11 39 ᵇ

πίνειν bibere
Mat 6 25 τί φάγητε [ἢ τί πίητε vgᵒ] 31 τί φά-
      γωμεν; ἤ· τί πίωμεν; ∥ Luc 12 29
      11 18 Ἰωάννης μήτε ἐσθίων μήτε πίνων 19
      ὁ υἱὸς τοῦ ἀνθρ. ἐσθίων καὶ πίνων ∥
      Luc 7 33 πίνων οἶνον 34
      20 22 δύνασθε πιεῖν τὸ ποτήριον ὃ ἐγὼ
      μέλλω πίνειν; 23 τὸ μὲν ποτήρ. μου
      πίεσθε ∥ Mar 10 38.39 τὸ ποτ. ὃ ἐγὼ

πίνω πίεσθε — Mat 2642 εἰ οὐ δύνα-
ται τοῦτο παρελθεῖν ἐὰν μὴ αὐτὸ
πίω Joh 1811 οὐ μὴ πίω αὐτό;
Mat 2438 πρὸ τοῦ κατακλυσμοῦ τρώγοντες καὶ
πίνοντες ‖ Luc 1727 ἔπινον 28
— 49 ἐὰν — ἐσθίῃ δὲ καὶ πίνῃ μετὰ τῶν με-
θυόντων ‖ Luc 1245
2627 πίετε ἐξ αὐτοῦ πάντες ‖ Mar 1423
καὶ ἔπιον ἐξ αὐτοῦ πάντες
— 29 οὐ μὴ πίω ἀπ᾿ ἄρτι — ἕως — ὅταν αὐ-
τὸ πίνω μεθ᾿ ὑμῶν καινόν ‖ Mar 1425
Luc 2218 οὐ μὴ πίω ἀπὸ τοῦ νῦν —
ἕως οὗ ἡ βασιλεία τοῦ θεοῦ ἔλθῃ
2734 ἔδωκαν αὐτῷ πιεῖν οἶνον μετὰ χο-
λῆς μεμιγμένον· — καὶ — οὐκ ἠθέλη-
σεν πιεῖν (‖ Mar 1523 vg)
Mar16[18 κἂν θανάσιμόν τι πίωσιν οὐ μή]
Luc 115 „οἶνον καὶ σίκερα οὐ μὴ πίῃ"
530 διὰ τί μετὰ τῶν — ἁμαρτωλῶν ἐσθίετε
καὶ πίνετε; (‖ Mar 216 vl πίνει, vg)
— 33 οἱ δὲ σοὶ ἐσθίουσιν καὶ πίνουσιν
— 39 οὐδεὶς πιὼν παλαιὸν θέλει νέον
10 7 ἔσθοντες καὶ πίνοντες τὰ παρ᾿ αὐτῶν
1219 ἀναπαύου, φάγε, πίε, εὐφραίνου
1326 ἐφάγομεν ἐνώπιόν σου καὶ ἐπίομεν
17 8 διακόνει μοι ἕως φάγω καὶ πίω, — με-
τὰ ταῦτα φάγεσαι καὶ πίεσαι σύ
2230 ἵνα ἔσθητε καὶ πίνητε ἐπὶ τῆς τρα-
πέζης μου ἐν τῇ βασιλείᾳ μου
Joh 4 7 δός μοι πεῖν 9 πῶς — παρ᾿ ἐμοῦ πεῖν
αἰτεῖς —; 10.12 αὐτὸς ἐξ αὐτοῦ ἔπιεν
13 πᾶς ὁ πίνων ἐκ τοῦ ὕδατος τού-
του 14 ὃς δ᾿ ἂν πίῃ ἐκ τοῦ ὕδατος
οὗ ἐγὼ δώσω αὐτῷ
653 ἐὰν μὴ — πίητε αὐτοῦ τὸ αἷμα 54 ὁ —
πίνων μου τὸ αἷμα ἔχει ζωήν 56
737 ἐρχέσθω πρός με καὶ πινέτω
Act 9 9 οὐκ ἔφαγεν οὐδὲ ἔπιεν (sc Σαῦλ.)
2312 μήτε φαγεῖν μήτε πεῖν ἕως οὗ 21
Rm 1421 καλὸν τὸ — μηδὲ πιεῖν οἶνον μηδὲ
1 Co 9 4 μὴ οὐκ ἔχομεν ἐξουσίαν — καὶ πεῖν;
10 4 πνευματικὸν ἔπιον πόμα· ἔπινον γὰρ
ἐκ πνευματικῆς — πέτρας
— 7 „ἐκάθισεν ὁ λαὸς φαγεῖν καὶ πεῖν"
— 21 οὐ δύνασθε ποτήριον κυρίου πίνειν
καὶ ποτ. δαιμονίων 31 εἴτε οὖν ἐσθί-
ετε εἴτε πίνετε —, πάντα εἰς δόξαν
1122 μὴ — οἰκίας οὐκ ἔχετε εἰς τὸ ἐσθίειν
καὶ πίνειν; 25 τοῦτο ποιεῖτε, ὁσάκις
ἐὰν πίνητε, — 26 ὁσάκις — ἐὰν — τὸ
ποτήριον πίνητε 27 ὃς ἂν — πίνῃ τὸ
ποτήριον τοῦ κυρίου ἀναξίως 28 οὔ-

τως — ἐκ τοῦ ποτηρίου πινέτω
1 Co 1129 ὁ — πίνων (vl + ἀναξίως vg) κρίμα
ἑαυτῷ — πίνει μὴ διακρίνων τὸ σῶμα
1532 „φάγωμεν καὶ πίωμεν, αὔριον γάρ"
Hb 6 7 γῆ γὰρ ἡ πιοῦσα τὸν — ὑετόν
Ap 1410 „πίεται ἐκ τοῦ οἴνου" τοῦ θυμοῦ
16 6 „αἷμα αὐτοῖς" δέδωκας „πεῖν"
18 3 „ἐκ τοῦ οἴνου" τοῦ θυμοῦ τῆς πορ-
νείας „αὐτῆς πέπωκαν — τὰ ἔθνη"

πιότης *pinguedo* (vl *..ido*) Rm 1117 ἐλαίας

πιπράσκειν, *..εσθαι* *vendere* [b]*venundari,*
vaenundari [c]*vaenire*
Mat 1346 πέπρακεν — ὅσα εἶχεν 1825 ἐκέλευ-
σεν αὐτὸν πραθῆναι[b] καὶ τὴν γυναῖ-
26 9 ἐδύνατο — πραθῆναι[b] πολλοῦ ‖ Mar
145[b] Joh 125[c] — Act 245 τὰς ὑπάρ-
ξεις ἐπίπρασκον 434 54[b]
Rm 714 πεπραμένος[b] ὑπὸ τὴν ἁμαρτίαν

*πίπτειν *cadere* [b]*corruere* (vl *ruere*) [c]*de-*
cidere [d]*elidi* [e]*incidere* [f]*procidere*
[g]*prosterni*
Mat 211 πεσόντες[f] προσεκύνησαν αὐτῷ 49
ἐὰν πεσὼν προσκυνήσῃς μοι 1826 πε-
σὼν[f] — ὁ δοῦλος προσεκύνει αὐτῷ 29[f]
725 καὶ οὐκ ἔπεσεν (sc ἡ οἰκία) 27
1029 ἓν ἐξ αὐτῶν οὐ πεσεῖται ἐπὶ τ. γῆν
13 4 ἔπεσεν παρὰ τὴν ὁδόν 5 ἐπὶ τὰ πε-
τρώδη 7.8 ‖ Mar 44.5.7.8 Luc 85.6
ἐπὶ τὴν πέτραν 7.8.14 τ. — πεσόν
1514 ἀμφότεροι εἰς βόθυνον πεσοῦνται
17 6 ἔπεσαν ἐπὶ πρόσωπον — καὶ ἐφοβή-
θησαν σφόδρα 2639 ἔπεσεν[f] ἐπὶ πρ.
αὐτοῦ προσευχόμενος ‖ Mar 1435[f]
— 15 πίπτει εἰς τὸ πῦρ καὶ — εἰς τὸ ὕδωρ
[2144 ὁ πεσὼν ἐπὶ τὸν λίθον τοῦτον —· ἐφ᾿
ὃν δ᾿ ἂν πέσῃ] ‖ Luc 2018
Mar 522 πίπτει[f] πρὸς τοὺς πόδας αὐτοῦ ‖
Luc 841 — 512 πεσὼν[f] ἐπὶ πρός. ἐ-
δεήθη 1716 εὐχαριστῶν — Joh 1132 —
Act 1025[f] προσεκύνησεν
920 πεσὼν[d] ἐπὶ τῆς γῆς ἐκυλίετο
Luc 1018 τὸν σατανᾶν — ἐκ τοῦ οὐρ. πεσόντα
1617 ἢ τοῦ νόμου μίαν κεραίαν πεσεῖν
2330 „πέσατε ἐφ᾿ ἡμᾶς" Ap 616 „π..ετε"
Joh 1224 ὁ κόκκος — πεσὼν εἰς τὴν γῆν
Act 1516 „σκηνὴν Δαυὶδ τὴν πεπτωκυῖαν[c]"
Rm 1111 μὴ ἔπταισαν ἵνα πέσωσιν;
— 22 ἐπὶ μὲν τοὺς πεσόντας ἀποτομία
14 4 τῷ ἰδίῳ κυρίῳ στήκει ἢ πίπτει

1 Co 10 12 ὁ δοκῶν ἑστάναι βλεπέτω μὴ πέσῃ
13 8 ἡ ἀγάπη οὐδέποτε πίπτει (vl ἐκπίπτει vg *excidit*)
14 25 πεσὼν ἐπὶ πρόσ. προσκυνήσει – θεῷ
Hb 3 17 ὧν „τὰ κῶλα ἔπεσεν^g ἐν τῇ ἐρήμῳ"
4 11 ἵνα μὴ ἐν τῷ αὐτῷ τις ὑποδείγματι πέσῃ^e τῆς ἀπειθείας
11 30 πίστει τὰ τείχη Ἱεριχὼ ἔπεσαν^b
Jac 5 12 ἵνα μὴ ὑπὸ κρίσιν πέσητε^c
Ap 1 17 ἔπεσα – ὡς νεκρός 4 10 πεσοῦνται^f – καὶ προσκυνήσουσιν 5 8 ἔπεσαν ἐνώπ. τοῦ ἀρνίου 14 7 11 τοῦ θρόνου 11 16 19 4.10 22 8 ἔπεσα προσκυνῆσαι
2 5 μνημόνευε οὖν πόθεν πέπτωκας (vl ἐκπέπτωκας vg *excideris*)
7 16 „οὐδὲ μὴ πέσῃ ἐπ' αὐτοὺς ὁ ἥλιος"
11 13 τὸ δέκατον τῆς πόλεως „ἔπεσεν"
14 8 „ἔπεσεν ἔπεσεν Βαβυλών" 18 2 16 19
17 10 οἱ πέντε ἔπεσαν, ὁ εἷς ἔστιν

Πισιδία Act 14 24 — Πισίδιος Act 13 14

πιστεύειν *credere* ^b(part.) *fidelis* ^c(pass) *creditur, creditum est mihi*

1) confidere, fidem habere
a) absolute, – cum accusativo, – περί τινος, – πιστεύω ὅτι, – cum infinitivo, – cum passivo
Mat 8 13 ὡς ἐπίστευσας γενηθήτω σοι
9 28 π..ετε ὅτι δύναμαι τοῦτο ποιῆσαι;
21 22 ὅσα ἂν αἰτήσητε – π..οντες λήμψεσθε ‖ Mar 11 24 πιστεύετε ὅτι ἐλάβετε
24 23 ἐάν τις ὑμῖν εἴπῃ· – ὧδε ὁ χριστός –· μὴ π..σητε 26 ‖ Mar 13 21 μὴ π..ετε (vl π..σητε vg *ne credideritis*)
Mar 5 36 μὴ φοβοῦ, μόνον πίστευε ‖ Luc 8 50 μόνον πίστευσον, καὶ σωθήσεται
9 23 πάντα δυνατὰ τῷ πιστεύοντι
– 24 πιστεύω· βοήθει μου τῇ ἀπιστίᾳ
– 42 ὃς ἂν σκανδαλίσῃ ἕνα τῶν μικρῶν – τῶν π..όντων (vl + εἰς ἐμέ vg)
11 23 ὃς ἂν – πιστεύῃ ὅτι ὃ λαλεῖ γίνεται, ἔσται αὐτῷ → Mat 21 22
15 32 ἵνα ἴδωμεν καὶ πιστεύσωμεν
16 [16 ὁ π..σας καὶ βαπτισθεὶς σωθήσεται]
– [17 σημεῖα – τοῖς π..σασιν – παρακολ.]
Luc 1 45 μακαρία ἡ π..σασα ὅτι ἔσται τελείωσις τοῖς λελαλημένοις αὐτῇ
8 12 ἵνα μὴ πιστεύσαντες σωθῶσιν
– 13 οἳ πρὸς καιρὸν πιστεύουσιν
22 67 ἐὰν ὑμῖν εἴπω, οὐ μὴ πιστεύσητε

Joh 1 7 ἵνα πάντες πιστεύσωσιν δι' αὐτοῦ
– 50 ὅτι εἶπόν σοι ὅτι –, πιστεύεις;
3 12 εἰ τὰ ἐπίγεια εἶπον ὑμῖν καὶ οὐ π..ετε, πῶς ἐὰν εἴπω – τὰ ἐπουρ. π..σετε;
– 15 ἵνα πᾶς ὁ π..ων ἐν αὐτῷ ἔχῃ ζωήν
– 18 ὁ πιστεύων εἰς αὐτὸν οὐ κρίνεται· ὁ μὴ πιστεύων ἤδη κέκριται
4 41 πλείους ἐπίστευσαν διὰ τὸν λόγον αὐτοῦ 42 οὐκέτι διὰ τὴν σὴν λαλιὰν πιστεύομεν· αὐτοὶ γὰρ ἀκηκόαμεν
– 48 ἐὰν μὴ σημεῖα καὶ τέρατα ἴδητε, οὐ μὴ πιστεύσητε 53 ἐπίστευσεν αὐτὸς καὶ ἡ οἰκία αὐτοῦ
5 44 πῶς δύνασθε ὑμεῖς πιστεῦσαι –;
6 36 ἑωράκατέ [με] καὶ οὐ πιστεύετε
– 47 ὁ π..ων (vl + εἰς ἐμὲ vg) ἔχει ζωὴν αἰ.
– 64 εἰσὶν ἐξ ὑμῶν τινες οἳ οὐ π..ουσιν. ᾔδει γὰρ – τίνες εἰσὶν οἱ μὴ π..οντες
– 69 πεπ..καμεν καὶ ἐγνώκαμεν ὅτι σύ
8 24 ἐὰν – μὴ π..σητε ὅτι ἐγώ εἰμι, ἀποθ.
9 18 οὐκ ἐπ..σαν – περὶ αὐτοῦ ὅτι – τυφ.
– 38 πιστεύω, κύριε· καὶ προσεκύνησεν
10 25 εἶπον ὑμῖν, καὶ οὐ πιστεύετε 26
11 15 χαίρω δι' ὑμᾶς, ἵνα πιστεύσητε
– 26 π..εις τοῦτο; 27 ἐγὼ πεπ..κα ὅτι σὺ εἶ ὁ χριστός 40 οὐκ εἶπόν σοι ὅτι ἐὰν π..σῃς ὄψῃ τὴν δόξαν τοῦ θεοῦ;
– 42 ἵνα π..σωσιν ὅτι σύ με ἀπέστειλας
12 39 οὐκ ἠδύναντο π..ειν ὅτι – εἶπεν Ἡσ.
13 19 ἵνα π..ητε (vl ..σῃ.) – ὅτι ἐγώ εἰμι
14 10 οὐ π..εις ὅτι ἐγὼ ἐν τῷ πατρί –;
– 11 διὰ τὰ ἔργα αὐτὰ π..ετε (vl + μοι)
– 29 ἵνα ὅταν γένηται πιστεύσητε
16 27 ὅτι – πεπ..κατε ὅτι ἐγὼ παρὰ – θεοῦ
– 30 ἐν τούτῳ π..ομεν ὅτι ἀπὸ θεοῦ ἐξῆλθες 31 ἄρτι πιστεύετε;
17 8 ἐπ..σαν ὅτι σύ με ἀπέστειλας 21 ἵνα ὁ κόσμος π..ῃ ὅτι σύ με ἀπέστειλας
19 35 ἵνα καὶ ὑμεῖς π..ητε (vl ..σητε)
20 8 ὁ ἄλλος μαθητὴς – εἶδεν καὶ ἐπ..σεν
– 25 ἐὰν μὴ ἴδω –, οὐ μὴ πιστεύσω
– 29 ὅτι ἑώρακάς με, πεπ..κας; μακάριοι οἱ μὴ ἰδόντες καὶ πιστεύσαντες
– 31 γέγραπται ἵνα π..ητε (vl ..σητε) ὅτι Ἰησοῦς ἐστιν ὁ χριστὸς –, καὶ ἵνα π..οντες ζωὴν ἔχητε
Act 2 44 πάντες δὲ οἱ π..σαντες (vl ..οντες) – εἶχον ἅπαντα κοινά 4 32 πλήθους τῶν π..σάντων 11 21 ἀριθμὸς ὁ π..σας
4 4 πολλοὶ – ἐπ..σαν 13 48 ἐπ. ὅσοι ἦσαν τεταγμένοι εἰς ζωήν 14 1 ὥστε π..εῦσαι – πολὺ πλῆθος 17 12 πολλοὶ – ἐπί-

στευσαν 34 τινὲς δὲ ἄνδρες – ἐπ..σαν
Act 8 13 Σίμων – ἐπ..σεν, καὶ βαπτισθείς
(– 37 vl εἰ π..εις ἐξ ὅλης τῆς καρδίας, ἔξ-
εστιν. – πιστεύω τὸν υἱὸν τοῦ θεοῦ
εἶναι τὸν Ἰησοῦν Χόν vg, vl°)
9 26 μὴ πιστεύοντες ὅτι ἐστὶν μαθητής
13 12 ἰδὼν – τὸ γεγονὸς ἐπίστευσεν
– 39 ἐν τούτῳ πᾶς ὁ π..ων δικαιοῦται
– 41 ἔργον „ὃ οὐ μὴ π..σητε ἐάν τις"
15 5 τινὲς – τῶν Φαρισαίων πεπιστευκότες
– 7 ἀκοῦσαι – τὸν λόγον – καὶ πιστεῦσαι
– 11 πιστεύομεν σωθῆναι καθ᾽ ὃν τρόπον
18 8 πολλοὶ – ἀκούοντες ἐπίστευον
– 27 συνεβάλετο πολὺ τοῖς πεπ..κόσιν
19 2 εἰ πνεῦμα – ἐλάβετε πιστεύσαντες;
– 18 πολλοί τε τῶν πεπ..κότων ἤρχοντο
ἐξομολογούμενοι 21 20 πόσαι μυριά-
δες εἰσὶν ἐν τοῖς Ἰουδ. τῶν πεπιστευ-
κότων 25 περὶ – τῶν πεπ. ἐθνῶν
26 27 π..εις – τοῖς προφήταις; οἶδα ὅτι π..εις
Rm 1 16 εἰς σωτηρίαν παντὶ τῷ πιστεύοντι
3 22 δικαιοσύνη – θεοῦ – εἰς (vl ἐπὶ vg
super) πάντας τοὺς π..οντας 10 4 εἰς
δικαιοσύνην παντὶ τῷ πιστεύοντι
4 11 πάντων τῶν π..όντων δι᾽ ἀκροβυστ.
– 18 ὃς παρ᾽ ἐλπίδα ἐπ᾽ ἐλπίδι ἐπ..σεν
6 8 π..ομεν ὅτι καὶ συζήσομεν αὐτῷ
10 9 ἐὰν – πιστεύσῃς „ἐν τῇ καρδίᾳ σου"
ὅτι ὁ θεὸς αὐτὸν ἤγειρεν 10 καρδίᾳ
γὰρ πιστεύεται εἰς δικαιοσύνην
– 14 πῶς – ἐπικαλέσωνται εἰς ὃν οὐκ ἐπί-
στευσαν; πῶς – πιστεύσωσιν οὗ οὐκ
ἤκουσαν;
13 11 ἐγγύτερον ἡμῶν – ἢ ὅτε ἐπ..σαμεν
14 2 ὃς μὲν πιστεύει φαγεῖν πάντα
15 13 ὁ δὲ θεὸς πληρώσαι ὑμᾶς πάσης χα-
ρᾶς καὶ εἰρήνης ἐν τῷ πιστεύειν
1 Co 1 21 εὐδόκησεν – σῶσαι τοὺς π..οντας
3 5 διάκονοι δι᾽ ὧν (vg eius, cui) ἐπι-
11 18 καὶ μέρος τι πιστεύω   [στεύσατε
13 7 ἡ ἀγάπη – πάντα πιστεύει
14 22 αἱ γλῶσσαι εἰς σημεῖόν εἰσιν οὐ τοῖς
πιστεύουσιν b –, ἡ δὲ προφητεία –
τοῖς πιστεύουσιν b
15 2 ἐκτὸς εἰ μὴ εἰκῆ ἐπιστεύσατε
– 11 οὕτως κηρύσσομεν καὶ οὕτως ἐπι-
στεύσατε
(15 23 οἱ τοῦ Χοῦ ἐν τῇ παρουσίᾳ αὐτοῦ
vg qui in adventu eius crediderunt,
vl om qui et crediderunt)
2 Co 4 13 „ἐπίστευσα, διὸ ἐλάλησα", καὶ ἡμεῖς
πιστεύομεν, διὸ καὶ λαλοῦμεν

Gal 3 22 ἵνα ἡ ἐπαγγ. – δοθῇ τοῖς π..ουσιν
Eph 1 13 ἐν ᾧ (sc Χῷ) καὶ π..σαντες ἐσφραγ.
– 19 τί τὸ – μέγεθος τῆς δυνάμεως αὐτοῦ
εἰς ἡμᾶς τοὺς πιστεύοντας
1 Th 1 7 τύπον – τοῖς π..ουσιν ἐν τῇ Μακεδ.
2 10 ὡς ὁσίως – ὑμῖν τοῖς π..ουσιν ἐγενή-
θημεν 13 ὃς (sc θεός vg) καὶ ἐνερ-
γεῖται ἐν ὑμῖν τοῖς πιστεύουσιν
4 14 εἰ – πιστεύομεν ὅτι Ἰησοῦς – ἀνέστη
2 Th 1 10 „ὅταν ἔλθῃ – θαυμασθῆναι" ἐν πᾶσιν
τοῖς π..σασιν, ὅτι ἐπιστεύθη (vl ..ώ-
θη) τὸ μαρτύριον ἡμῶν ἐφ᾽ ὑμᾶς
1 Ti 3 16 ὃς (vl ὃ vg) – ἐπιστεύθη ἐν κόσμῳ
Hb 4 3 εἰσερχόμεθα – οἱ πιστεύσαντες
11 6 πιστεῦσαι – δεῖ –, ὅτι ἔστιν καὶ τοῖς
Jac 2 19 σὺ π..εις ὅτι εἷς ἐστιν ὁ θεός; – καὶ
τὰ δαιμόνια π..ουσιν καὶ φρίσσουσιν
1 Pe 2 7 ὑμῖν οὖν ἡ τιμὴ τοῖς πιστεύουσιν
1 Jo 4 16 ἐγνώκαμεν καὶ πεπιστεύκαμεν τὴν
ἀγάπην ἣν ἔχει ὁ θεὸς ἐν ἡμῖν
5 1 ὁ π..ων ὅτι Ἰησοῦς ἐστιν ὁ χριστός
– 5 εἰ μὴ ὁ π..ων ὅτι Ἰησ. ἐστιν ὁ υἱός
Jud 5 τοὺς μὴ πιστεύσαντας ἀπώλεσεν

b) cum dativo personae vel rei

Mat 21 25 διὰ τί – οὐκ ἐπιστεύσατε αὐτῷ; 32
οὐκ ἐπ..σατε αὐτῷ· οἱ δὲ τελῶναι –
ἐπ..σαν αὐτῷ· ὑμεῖς δὲ ἰδόντες οὐδὲ
μετεμελήθητε ὕστερον τοῦ πιστεῦσαι
αὐτῷ || Mar 11 31 Luc 20 5
Mar 16 [13 οὐδὲ ἐκείνοις ἐπίστευσαν 14 ὅτι τοῖς
θεασαμένοις αὐτὸν – οὐκ ἐπ..σαν]
Luc 1 20 ἀνθ᾽ ὧν οὐκ ἐπ..σας τ. λόγοις μου
Joh 2 22 ἐπ..σαν τῇ γραφῇ καὶ τῷ λόγῳ ὃν
4 21 πίστευέ μοι, γύναι, ὅτι ἔρχεται ὥρα
– 50 ἐπ..σεν – τῷ λόγῳ ὃν εἶπεν – ὁ Ἰησ.
5 24 ὁ – π..ων τῷ πέμψαντί με ἔχει ζωήν
– 38 ὅτι ὃν ἀπέστειλεν ἐκεῖνος, τούτῳ ὑ-
μεῖς οὐ πιστεύετε 46 εἰ – ἐπιστεύετε
Μωϋσεῖ, ἐπ..ετε ἂν ἐμοί 47 εἰ – τοῖς
ἐκείνου γράμμασιν οὐ π..ετε, πῶς
τοῖς ἐμοῖς ῥήμασιν πιστεύσετε;
6 30 ἵνα ἴδωμεν καὶ πιστεύσωμέν σοι;
8 31 πρὸς τοὺς πεπ..κότας αὐτῷ Ἰουδ.
– 45 ὅτι τὴν ἀλήθειαν λέγω, οὐ π..ετέ μοι
46 εἰ –, διὰ τί – οὐ πιστεύετέ μοι;
10 37 εἰ οὐ ποιῶ τὰ ἔργα τοῦ πατρός μου,
μὴ πιστεύετέ μοι· 38 εἰ δὲ ποιῶ, κἂν
ἐμοὶ μὴ π..ητε (vl ..ετε), τοῖς ἔργοις
π..ετε 14 11 π..ετέ μοι ὅτι ἐγὼ ἐν τῷ
πατρὶ –· εἰ δὲ μή, διὰ τὰ ἔργα αὐτὰ
πιστεύετε (vl + μοι)

Joh 12 38 „τίς ἐπ..σεν τῇ ἀκοῇ ἡμῶν;" Rm 10 16
Act 5 14 μᾶλλον δὲ προσετίθεντο πιστεύοντες
τῷ κυρίῳ (vg in domino) 18 8 Κρῖσπος – ἐπίστευσεν τῷ κυρίῳ
8 12 ἐπ..σαν τῷ Φιλίππῳ εὐαγγελιζομένῳ
16 34 πανοικεὶ πεπιστευκὼς τῷ θεῷ
24 14 πιστεύων πᾶσι τοῖς – γεγραμμένοις
26 27 —› sub a) – 27 25 π..ω – τῷ θεῷ ὅτι
Rm 4 3 „ἐπ..σεν – Ἀβρ. τῷ θεῷ" Gal 3 6 Jac
2 23 – Rm 4 17 γέγραπται ὅτι „πατέρα – ἐθνῶν τέθεικά σε", κατέναντι οὗ ἐπ..σεν θεοῦ – 10 14 —› a)
2 Th 2 11 εἰς τὸ πιστεῦσαι αὐτοὺς τῷ ψεύδει
– 12 οἱ μὴ πιστεύσαντες τῇ ἀληθείᾳ
2 Ti 1 12 οἶδα γὰρ ᾧ πεπίστευκα
Tit 3 8 ἵνα φροντίζωσιν καλῶν ἔργων προΐστασθαι οἱ πεπιστευκότες θεῷ
1 Jo 3 23 ἵνα π..σωμεν (vl ..ωμεν) τῷ ὀνόματι
(vg in nomine) τοῦ υἱοῦ αὐτοῦ
4 1 μὴ παντὶ πνεύματι πιστεύετε
5 10 ὁ μὴ π..ων τῷ θεῷ (vl υἱῷ vg)

c) πιστεύειν εἴς τινα, εἴς τι

Mat 18 6 τῶν μικρῶν – τῶν π..όντων εἰς ἐμέ
Joh 1 12 τοῖς π..ουσιν εἰς τὸ ὄνομα (vg in
nomine) αὐτοῦ 2 23 (in no..e) 3 18 ὅτι
μὴ πεπ..κεν εἰς τὸ ὄνομα (in no..e)
τοῦ μονογενοῦς υἱοῦ τοῦ θεοῦ
2 11 ἐπίστευσαν εἰς αὐτὸν οἱ μαθηταί
3 16 ἵνα πᾶς ὁ π..ων εἰς αὐτὸν μὴ ἀπόληται 18 —› sub a) – 36 ὁ π..ων εἰς
τὸν υἱόν 4 39 πολλοὶ ἐπ..σαν εἰς αὐτόν 6 29 ἵνα π..ητε εἰς ὃν ἀπέστειλεν
ἐκεῖνος 35 ὁ π..ων εἰς ἐμὲ οὐ μὴ διψήσει 40 7 5 οὐδὲ – οἱ ἀδελφοὶ αὐτοῦ
ἐπ..ον εἰς αὐτόν 31 πολλοὶ ἐπ..σαν
εἰς αὐτόν 38 ὁ π..ων εἰς ἐμέ, –, ποταμοὶ 39 οὗ ἔμελλον λαμβάνειν οἱ
π..σαντες εἰς αὐτόν 48 μὴ τις ἐκ τῶν
ἀρχόντων ἐπίστευσεν εἰς αὐτόν – ;
8 30 πολλοὶ ἐπ..σαν εἰς αὐτόν 9 35 σὺ π..
εἰς εἰς τὸν υἱὸν τοῦ ἀνθρ.; 36 τίς ἐστιν, – ἵνα π..σω εἰς αὐτόν; 10 42 πολλοὶ ἐπ..σαν εἰς αὐτὸν ἐκεῖ 11 25 ὁ π..
ων εἰς ἐμὲ κᾶν ἀποθάνῃ ζήσεται 26
καὶ πᾶς ὁ ζῶν καὶ π..ων εἰς ἐμὲ οὐ
μὴ ἀποθάνῃ 45.48 πάντες π..σουσιν
εἰς αὐτόν 12 11 πολλοὶ – ἐπ..ον εἰς τὸν
Ἰησοῦν 37 οὐκ ἐπ..ον εἰς αὐτόν 42 ἐκ
τῶν ἀρχόντων πολλοὶ ἐπ..σαν εἰς αὐτόν 44 ὁ π..ων εἰς ἐμὲ οὐ π..ει εἰς
ἐμὲ ἀλλὰ εἰς τὸν πέμψαντά με 46 ἵνα

(Joh) πᾶς ὁ π..ων εἰς ἐμέ 14 1 π..ετε εἰς
τὸν θεόν, καὶ εἰς ἐμὲ π..ετε 12 ὁ π..
ων εἰς ἐμὲ τὰ ἔργα – κἀκεῖνος ποιήσει 16 9 ὅτι οὐ π..ουσιν εἰς ἐμέ 17 20
ἐρωτῶ –, – καὶ περὶ τῶν π..όντων (vl
..σόντων vg) διὰ τοῦ λόγου αὐτῶν
εἰς ἐμέ
Joh 12 36 πιστεύετε εἰς τὸ φῶς, ἵνα υἱοί
Act 10 43 πάντα τὸν πιστεύοντα εἰς αὐτόν
14 23 τῷ κυρίῳ εἰς ὃν πεπιστεύκεισαν
19 4 εἰς τὸν ἐρχόμενον μετ᾽ αὐτὸν ἵνα π..
σωσιν, τοῦτ᾽ ἔστιν εἰς τὸν Ἰησοῦν
Rm 10 14 εἰς ὃν οὐκ ἐπ..σαν —› sub a)
Gal 2 16 ἡμεῖς εἰς Χὸν Ἰ. (vg in Christo Iesu)
ἐπιστεύσαμεν (vg credimus)
Phl 1 29 οὐ μόνον τὸ εἰς αὐτὸν πιστεύειν
1 Pe 1 8 εἰς ὃν – μὴ ὁρῶντες πιστεύοντες δέ
1 Jo 5 10 ὁ π..ων εἰς τὸν υἱὸν (vg in filium
vl in filio) τοῦ θεοῦ –. – ὅτι οὐ πεπ..
κεν εἰς τὴν μαρτυρίαν (vg in testimonium vl in t..io)
– 13 τοῖς π..ουσιν (vl ἵνα π..ητε vg) εἰς
τὸ ὄνομα (vg in n..ne) τοῦ υἱοῦ

d) πιστεύειν ἐπί τινα, ἐπί τινι, ἔν
τινι

Mat 27 42 καταβάτω νῦν – καὶ π..σομεν (vl ..ομεν vg) ἐπ᾽ αὐτόν (vl αὐτῷ vg ei)
Mar 1 15 π..ετε ἐν τῷ εὐαγγελίῳ (vg dat.)
Luc 24 25 βραδεῖς – τοῦ πιστεύειν ἐπὶ πᾶσιν
(vg in omnibus) οἷς ἐλάλησαν
Joh 3 15 ἵνα πᾶς ὁ π..ων ἐν αὐτῷ (vg in ipsum vl in ipso) ἔχῃ ζωὴν αἰώνιον
Act 9 42 ἐπ..σαν πολλοὶ ἐπὶ τὸν κύριον (vg
in d..no) 11 17 ἡμῖν, π..σασιν ἐπὶ τὸν
κύριον (vg in d..um) 16 31 πίστευσον
ἐπὶ τὸν κύριον (vg in d..um vl in d..
no) – 22 19 δέρων – τοὺς πιστεύοντας ἐπὶ σέ (vg in te)
Rm 4 5 τῷ –, π..οντι δὲ ἐπὶ τὸν δικαιοῦντα
(vg in eum, qui) 24 τοῖς π..ουσιν ἐπὶ
τὸν ἐγείραντα (vg it.)
9 33 „λίθον –, καὶ ὁ π..ων ἐπ᾽ αὐτῷ (vg
in eum) οὐ καταισχυνθήσεται" 10 11
(vg in illum) 1 Pe 2 6 (vg in eum)
1 Ti 1 16 μελλόντων π..ειν ἐπ᾽ αὐτῷ (vg illi)

2) committere alicui aliquid

c(pass) creditur, creditum est mihi
Luc 16 11 τὸ ἀληθινὸν τίς ὑμῖν πιστεύσει;
Joh 2 24 οὐκ ἐπίστευσεν αὐτὸν αὐτοῖς
Rm 3 2 ὅτι ἐπιστεύθησανc τὰ λόγια τ. θεοῦ

1 Co 9 17 εἰ δὲ ἄκων, οἰκονομίαν πεπίστευμαι^c
Gal 2 7 πεπ..μαι^c τὸ εὐαγγ. τῆς ἀκροβυστ.
1 Th 2 4 καθὼς δεδοκιμάσμεθα π..θῆναι^c (ut crederetur nobis) τὸ εὐαγγέλιον
1 Ti 1 11 κατὰ τὸ εὐαγγ. –, ὃ ἐπ..θην^c ἐγώ
Tit 1 3 ἐν κηρύγματι ὃ ἐπιστεύθην^c ἐγώ

πιστικός S° – spicatus Mr 14 3 pisticus Jh 12 3

πίστις fides
1) sine coniunctione casus et cum genitivo subiectivo (sine obiecto)
Mat 8 10 παρ' οὐδενὶ τοσαύτην πίστιν ἐν τῷ Ἰσραὴλ εὗρον ‖ Luc 7 9 οὐδὲ ἐν τ. Ἰ.
9 2 ἰδὼν – τὴν π. αὐτῶν ‖ Mar 2 5 Luc 5 20
– 22 ἡ π. σου σέσωκέν σε ‖ Mar 5 34 Luc 8 48 – Mar 10 52 ‖ Luc 18 42 – 7 50 17 19
– Mat 9 29 κατὰ τὴν π. ὑμῶν γενηθήτω ὑμῖν 15 28 μεγάλη σου ἡ πίστις· γενηθήτω σοι ὡς θέλεις
17 20 ἐὰν ἔχητε πίστιν ὡς κόκκον σινάπεως ‖ Luc 17 6 εἰ ἔχετε (vl εἴχετε)
21 21 ἐὰν ἔχητε π..ιν καὶ μὴ διακριθῆτε
23 23 ἀφήκατε – τὸ ἔλεος καὶ τὴν πίστιν
Mar 4 40 πῶς οὐκ (vl ; οὔπω vg) ἔχετε πίστιν; ‖ Luc 8 25 ποῦ ἡ πίστις ὑμῶν;
Luc 17 5 πρόσθες (adauge) ἡμῖν πίστιν
18 8 ἆρα εὑρήσει τὴν πίστιν ἐπὶ τῆς γῆς;
22 32 ἐδεήθην – ἵνα μὴ ἐκλίπῃ ἡ πίστις σου
Act 3 16 ἡ π. ἡ δι' αὐτοῦ ἔδωκεν αὐτῷ → 2)
6 5 πλήρη πίστεως καὶ πνεύματος 11 24
– 7 ὄχλος – ἱερέων ὑπήκουον τῇ πίστει
13 8 διαστρέψαι – ἀπὸ τῆς πίστεως
14 9 ἰδὼν ὅτι ἔχει πίστιν τοῦ σωθῆναι
– 22 παρακαλοῦντες ἐμμένειν τῇ πίστει
– 27 ἤνοιξεν τοῖς ἔθνεσιν θύραν πίστεως
15 9 τῇ πίστει καθαρίσας τὰς καρδίας
16 5 αἱ – ἐκκλησίαι ἐστερεοῦντο τῇ πίστει
17 31 πίστιν παρασχὼν πᾶσιν ἀναστήσας
Rm 1 5 ἐλάβομεν – ἀποστολὴν εἰς ὑπακοὴν πίστεως ἐν – τοῖς ἔθνεσιν 16 26 μυστηρίου – εἰς ὑπακοὴν πίστεως εἰς – τὰ ἔθνη γνωρισθέντος
– 8 ὅτι ἡ πίστις ὑμῶν καταγγέλλεται ἐν
– 12 συμπαρακληθῆναι – διὰ τῆς ἐν ἀλλήλοις πίστεως ὑμῶν τε καὶ ἐμοῦ
– 17 δικαιοσύνη – ἐκ πίστεως εἰς πίστιν
– – „ὁ – δίκαιος ἐκ πίστεως ζήσεται" Gal 3 11 cfr Hb 10 38 „δίκαιός μου"
3 3 μὴ – τὴν πίστ. τοῦ θεοῦ καταργήσει;
– 25 ἱλαστήριον διὰ (vl + τῆς) πίστεως
– 27 ἐξεκλείσθη. – διὰ νόμου πίστεως

Rm 3 28 δικαιοῦσθαι πίστει ἄνθρωπον
– 30 ὃς δικαιώσει περιτομὴν ἐκ πίστεως καὶ ἀκροβυστίαν διὰ τῆς πίστεως
– 31 νόμον – καταργοῦμεν διὰ τῆς πίστ.;
4 5 λογίζεται ἡ π. αὐτοῦ εἰς δικαιοσύνην
– 9 „ἐλογίσθη τῷ Ἀβρ. ἡ π. εἰς δικαιοσ."
– 11 σφραγῖδα τῆς δικ. τῆς π. τῆς ἐν τῇ ἀκροβυστίᾳ 12 τῆς ἐν ἀκρ. πίστεως
– 13 ἡ ἐπαγγ. – διὰ δικαιοσύνης πίστεως
– 14 εἰ – οἱ ἐκ νόμου κληρονόμοι, κεκένωται ἡ πίστις
– 16 ἐκ πίστεως, ἵνα κατὰ χάριν, εἰς τὸ εἶναι βεβαίαν τὴν ἐπαγγελίαν – καὶ τῷ ἐκ πίστεως Ἀβραάμ
– 19 μὴ ἀσθενήσας τῇ πίστει κατενόησεν τὸ ἑαυτοῦ σῶμα νενεκρωμένον
– 20 ἀλλὰ ἐνεδυναμώθη τῇ πίστει
5 1 δικαιωθέντες – ἐκ π. εἰρήνην ἔχωμεν
– 2 τὴν προσαγωγὴν ἐσχήκαμεν [τῇ π.]
9 30 ἔθνη – κατέλαβεν δικαιοσύνην, δικαιοσύνην δὲ τὴν ἐκ πίστεως
– 32 Ἰσραὴλ – εἰς νόμον οὐκ ἔφθασεν. διὰ τί; ὅτι οὐκ ἐκ πίστεως ἀλλ' – ἐξ ἔργ.
10 6 ἡ δὲ ἐκ π..εως δικαιοσ. οὕτως λέγει·
– 8 τὸ ῥῆμα τῆς πίστεως ὃ κηρύσσομεν
– 17 ἄρα ἡ πίστις ἐξ ἀκοῆς, ἡ δὲ ἀκοή
11 20 σὺ δὲ τῇ πίστει ἔστηκας
12 3 ὡς ὁ θεὸς ἐμέρισεν μέτρον π..εως
– 6 κατὰ τὴν ἀναλογίαν τῆς πίστεως
14 1 τὸν – ἀσθενοῦντα τῇ π. προσλαμβάνεσθε, μὴ εἰς διακρίσεις
– 22 σὺ πίστιν ἣν ἔχεις κατὰ σεαυτὸν ἔχε ἐνώπιον τοῦ θεοῦ 23 ὁ δὲ διακρινόμενος ἐὰν φάγῃ κατακέκριται, ὅτι οὐκ ἐκ πίστεως· πᾶν δὲ ὃ οὐκ ἐκ πίστεως ἁμαρτία ἐστίν
1 Co 2 5 ἵνα ἡ π. ὑμῶν μὴ ᾖ ἐν σοφίᾳ ἀνθρ.
12 9 ἑτέρῳ πίστις ἐν τῷ αὐτῷ πνεύματι
13 2 κἂν ἔχω πᾶσαν τὴν πίστιν ὥστε ὄρη
– 13 νυνὶ δὲ μένει πίστις, ἐλπίς, ἀγάπη
15 14 κενὴ καὶ ἡ πίστις ὑμῶν 17 ματαία
16 13 στήκετε ἐν τῇ πίστει, ἀνδρίζεσθε
2 Co 1 24 οὐχ ὅτι κυριεύομεν ὑμῶν τῆς πίστεως, –· τῇ γὰρ πίστει ἑστήκατε
4 13 ἔχοντες – τὸ αὐτὸ πνεῦμα τῆς πίστ.
5 7 διὰ πίστεως γὰρ περιπατοῦμεν, οὐ διὰ εἴδους
8 7 ἐν παντὶ περισσεύετε, π..ει καὶ λόγῳ
10 15 αὐξανομένης τῆς πίστεως ὑμῶν
13 5 ἑαυτοὺς πειράζετε εἰ ἐστὲ ἐν τῇ πίστει, ἑαυτοὺς δοκιμάζετε
Gal 1 23 νῦν εὐαγγελίζεται τὴν πίστ. ἥν ποτε

Gal 3 2 ἢ ἐξ ἀκοῆς πίστεως; 5
 – 7 ὅτι οἱ ἐκ π..εως, οὗτοι υἱοὶ – Ἀβραάμ
 – 8 ὅτι ἐκ πίστ. δικαιοῖ τὰ ἔθνη ὁ θεός
 – 9 οἱ ἐκ π. εὐλογοῦνται σὺν τῷ – Ἀβρ.
 – 12 ὁ δὲ νόμος οὐκ ἔστιν ἐκ πίστεως
 – 14 ἵνα τὴν ἐπαγγ. – λάβωσιν διὰ τῆς π.
 – 23 πρὸ τοῦ δὲ ἐλθεῖν τὴν πίστιν
 – – εἰς τὴν μέλλουσαν π. ἀποκαλυφθῆν.
 – 24 ἵνα ἐκ πίστεως δικαιωθῶμεν
 – 25 ἐλθούσης δὲ τῆς πίστεως οὐκέτι ὑπό
 5 5 πνεύματι ἐκ πίστεως ἐλπίδα δικαιο-
   σύνης ἀπεκδεχόμεθα
 – 6 ἀλλὰ πίστις δι' ἀγάπης ἐνεργουμένη
 – 22 χρηστότης, ἀγαθωσύνη, πίστις
 6 10 πρὸς τοὺς οἰκείους τῆς πίστεως
Eph 2 8 χάριτί ἐστε σεσωσμένοι διὰ πίστεως
 3 17 κατοικῆσαι τὸν Χὸν διὰ τῆς πίστεως
   ἐν ταῖς καρδίαις ὑμῶν
 4 5 εἷς κύριος, μία πίστις, ἓν βάπτισμα
 – 13 οἱ πάντες εἰς τὴν ἑνότητα τῆς πίστ.
 (– 29 vl πρὸς οἰκοδομὴν τῆς πίστεως vg)
 6 16 ἀναλαβόντες τὸν θυρεὸν τῆς πίστ.
 – 23 εἰρήνη – καὶ ἀγάπη μετὰ πίστεως
Phl 1 25 παραμενῶ – ὑμῖν εἰς – χαρὰν τῆς π.
 2 17 ἐπὶ τῇ – λειτουργίᾳ τῆς πίστ. ὑμῶν
 3 9 τὴν ἐκ θεοῦ δικαιοσύν. ἐπὶ τῇ πίστει
Col 1 4 ἀκούσαντες τὴν π. ὑμῶν ἐν Χῷ Ἰησ.
 – 23 εἴ γε ἐπιμένετε τῇ π. τεθεμελιωμένοι
 2 7 βεβαιούμενοι (vl + ἐν) τῇ πίστει
1 Th 1 3 μνημονεύον. ὑμῶν τοῦ ἔργου τῆς π.
 – 8 ἐν παντὶ τόπῳ ἡ π. ὑμῶν – ἐξελήλυθεν
 3 2 παρακαλέσαι ὑπὲρ τῆς πίστεως ὑμῶν
 – 5 εἰς τὸ γνῶναι τὴν πίστιν ὑμῶν
 – 6 εὐαγγελισαμένου ἡμῖν τὴν πίστιν καὶ
   τὴν ἀγάπην ὑμῶν
 – 7 παρεκλήθημεν – διὰ τῆς ὑμῶν πίστ.
 – 10 εἰς τὸ – καταρτίσαι τὰ ὑστερήματα
   τῆς πίστεως ὑμῶν
 5 8 „ἐνδυσάμενοι θώρακα" πίστεως καὶ
   ἀγάπης
2 Th 1 3 ὅτι ὑπεραυξάνει ἡ π. ὑμῶν καὶ πλεο-
   νάζει ἡ ἀγάπη 4 ἐγκαυχᾶσθαι – ὑ-
   πὲρ τῆς ὑπομονῆς ὑμ. καὶ πίστεως
 – 11 ἵνα – πληρώσῃ – ἔργον πίστεως ἐν δυν.
 3 2 οὐ γὰρ πάντων ἡ πίστις
1 Ti 1 2 γνησίῳ τέκνῳ ἐν πίστει Tit 1 4 γνη-
   σίῳ τέκνῳ κατὰ κοινὴν πίστιν
 – 4 ἢ οἰκονομίαν (vl ..δομὴν vg) θεοῦ
   τὴν ἐν πίστει 5 ἀγάπη ἐκ – πίστεως
   ἀνυποκρίτου 2 Ti 1 5 ὑπόμνησιν – τῆς
   ἐν σοὶ ἀνυποκρίτου πίστεως
 – 14 μετὰ π..εως καὶ ἀγάπης τῆς ἐν Χῷ

Ἰ. 2 Ti 1 13 ἐν πίστει – τῇ ἐν Χῷ Ἰησ.
1 Ti 1 19 ἔχων πίστιν καὶ ἀγαθὴν συνείδησιν
 – – περὶ τὴν πίστιν ἐναυάγησαν
 2 7 διδάσκαλος ἐθνῶν ἐν πίστει καί
 – 15 ἐὰν μείνωσιν ἐν πίστει καὶ ἀγάπῃ
 3 9 ἔχοντας τὸ μυστήριον τῆς πίστεως
   ἐν καθαρᾷ συνειδήσει → 1 19
 4 1 ἀποστήσονταί τινες τῆς πίστεως
 – 6 ἐντρεφόμενος τοῖς λόγοις τῆς πίστ.
 – 12 τύπος γίνου – ἐν ἀγάπῃ, ἐν πίστει
 5 8 εἰ δέ τις –, τὴν πίστιν ἤρνηται
 – 12 ὅτι τὴν πρώτην πίστιν ἠθέτησαν
 6 10 ἀπεπλανήθησαν ἀπὸ τῆς πίστεως
 – 11 δίωκε δὲ – εὐσέβειαν, πίστιν, ἀγάπην
   2 Ti 2 22 δικαιοσύνην, πίστιν, ἀγάπην
 – 12 ἀγωνίζου τὸν καλὸν ἀγῶνα τῆς π.
 – 21 περὶ τὴν πίστιν ἠστόχησαν
2 Ti 2 18 ἀνατρέπουσιν τήν τινων πίστιν
 3 8 ἀδόκιμοι περὶ τὴν πίστιν
 – 10 παρηκολούθησάς μου – τῇ πίστει
 4 7 τὴν πίστιν τετήρηκα· λοιπόν
Tit 1 1 ἀπόστολος – κατὰ πίστιν ἐκλεκτῶν
 – 13 ἵνα ὑγιαίνωσιν ἐν τῇ π. 2 2 τῇ πίστει
 2 10 πᾶσαν πίστ. ἐνδεικνυμένους ἀγαθήν
 3 15 τοὺς φιλοῦντας ἡμᾶς ἐν πίστει
Phm 6 ἡ κοινωνία τῆς πίστεώς σου ἐνεργής
Hb 4 2 ὁ λόγος – μὴ συγκεκερασμένος τῇ
   πίστει τοῖς ἀκούσασιν
 6 12 τῶν διὰ πίστεως καὶ μακροθυμίας
   κληρονομούντων τὰς ἐπαγγελίας
 10 22 προσερχώμεθα – ἐν πληροφορίᾳ π.
 – 39 οὐκ ἐσμὲν „ὑποστολῆς" –, ἀλλὰ „π..
   εως" εἰς περιποίησιν ψυχῆς → 1 Pe 1 9
 11 1 ἔστιν δὲ π. ἐλπιζομένων ὑπόστασις.
   πραγμάτων ἔλεγχος οὐ βλεπομένων
 – 3 πίστει νοοῦμεν κατηρτίσθαι τοὺς αἰ-
   ῶνας cfr 4. 5. 7. 8. 9. 11. 17. 20. 21. 22. 23. 24.
   27. 28. 29. 30. 31
 – 6 χωρὶς δὲ π..εως ἀδύνατον εὐαρεστ.
 – 7 τῆς κατὰ πίστιν δικαιοσύνης – κληρ.
 – 13 κατὰ πίστιν ἀπέθανον οὗτοι πάντες
 – 33 διὰ π..εως κατηγωνίσαντο βασιλείας
 – 39 μαρτυρηθέντες διὰ τῆς πίστεως
 12 2 ἀφορῶντες εἰς τὸν τῆς πίστεως ἀρχ-
   ηγὸν καὶ τελειωτὴν Ἰησοῦν
 13 7 ὧν (sc τῶν ἡγουμ.) – μιμεῖσθε τὴν π.
Jac 1 3 τὸ δοκίμιον ὑμῶν τῆς π. κατεργάζε-
   ται ὑπομονήν 1 Pe 1 7 ἵνα τὸ δ. ὑ. τῆς
   π. πολυτιμότερον χρυσίου – εὑρεθῇ
   εἰς ἔπαινον καὶ δόξαν
 – 6 αἰτείτω δὲ ἐν π..ει, μηδὲν διακρινόμ.
 2 5 τοὺς πτωχοὺς – πλουσίους ἐν πίστει

Jac 2 14 ἐὰν πίστιν λέγῃ τις ἔχειν ἔργα δὲ μὴ
ἔχῃ; μὴ δύναται ἡ πίστις σῶσαι αὐ-
τόν; 17 ἡ πίστις, ἐὰν μὴ ἔχῃ ἔργα,
νεκρά ἐστιν καθ᾽ ἑαυτήν 20 ἡ πίστις
χωρὶς τῶν ἔργων ἀργή 26 νεκρά
– 18 σὺ πίστιν ἔχεις, κἀγὼ ἔργα ἔχω· δεῖ-
ξόν μοι τὴν π. σου χωρὶς τ. ἔργων, κἀ-
γώ σοι δείξω ἐκ τ. ἔργων μου τὴν π.
– 22 ἡ πίστις συνήργει τοῖς ἔργοις αὐτοῦ,
καὶ ἐκ τῶν ἔργων ἡ πίστις ἐτελειώθη
24 ὁρᾶτε ὅτι – δικαιοῦται ἄνθρωπος
– οὐκ ἐκ πίστεως μόνον
5 15 ἡ εὐχὴ τῆς π. σώσει τὸν κάμνοντα
1 Pe 1 5 ὑμᾶς τοὺς – φρουρουμένους διὰ πί-
στεως εἰς σωτηρίαν 9 κομιζόμενοι τὸ
τέλος τῆς πίστεως (vl + ὑμῶν vg)
σωτηρίαν ψυχῶν
5 9 ᾧ ἀντίστητε στερεοὶ τῇ πίστει
2 Pe 1 1 τοῖς ἰσότιμον ἡμῖν λαχοῦσιν πίστιν
– 5 ἐν τῇ πίστει ὑμῶν τὴν ἀρετήν
1 Jo 5 4 αὕτη ἐστὶν ἡ νίκη ἡ νικήσασα τὸν
κόσμον, ἡ πίστις ἡμῶν
Jud 3 ἐπαγωνίζεσθαι τῇ ἅπαξ παραδοθεί-
σῃ τοῖς ἁγίοις πίστει
20 ἐποικοδομοῦντες ἑαυτοὺς τῇ ἁγιω-
τάτῃ ὑμῶν πίστει → Col 27
Ap 2 19 οἶδά σου – τὴν π. καὶ τὴν διακονίαν
13 10 ὧδέ ἐστιν ἡ ὑπομονὴ καὶ ἡ πίστις
τῶν ἁγίων

2) cum obiecto fidei, sive in geniti-
vo, sive cum εἰς, ἐν, ἐπὶ, πρός

Mar 11 22 ἔχετε (vl εἰ ἔχετε) πίστιν θεοῦ
Act 3 16 ἐπὶ τῇ π. τοῦ ὀνόματος αὐτοῦ τοῦ-
τον – ἐστερέωσεν τὸ ὄν. αὐτοῦ → 1)
20 21 πίστιν εἰς τὸν κύριον ἡμῶν Ἰησοῦν
24 24 περὶ τῆς εἰς Χὸν Ἰησοῦν πίστεως
26 18 τοῖς ἡγιασμένοις πίστει τῇ εἰς ἐμέ
Rm 3 22 δικαιοσύνη – διὰ πίστεως [Ἰησ.] Χοῦ
– 26 δικαιοῦντα τὸν ἐκ πίστεως Ἰησοῦ
Gal 2 16 οὐ δικαιοῦται ἄνθρ. – ἐὰν μὴ διὰ πί-
στεως Χοῦ Ἰ., – , ἵνα δικαιωθῶμεν
ἐκ πίστεως Χοῦ 20 ἐν πίστει ζῶ τῇ
τοῦ υἱοῦ τοῦ θεοῦ τοῦ ἀγαπήσαντ.
3 22 ἵνα ἡ ἐπαγγελία ἐκ πίστεως Ἰησοῦ
Χοῦ δοθῇ τοῖς πιστεύουσιν 26 υἱοὶ
θεοῦ ἐστε διὰ τῆς π. ἐν Χῷ Ἰησοῦ
Eph 1 15 τὴν καθ᾽ ὑμᾶς π. ἐν τῷ κυρίῳ Ἰησοῦ
3 12 ἔχομεν τὴν – προσαγωγὴν ἐν πεποι-
θήσει διὰ τῆς πίστεως αὐτοῦ
Phl 1 27 συναθλοῦντες τῇ π. τοῦ εὐαγγελίου
3 9 ἀλλὰ τὴν διὰ πίστεως Χοῦ, τὴν ἐκ

θεοῦ δικαιοσύνην ἐπὶ τῆς πίστεως
Col 1 4 → 1) – 2 5 βλέπων – τὸ στερέωμα
τῆς εἰς Χὸν πίστεως ὑμῶν
2 12 διὰ τῆς π. τῆς ἐνεργείας τοῦ θεοῦ
1 Th 1 8 ἡ π. ὑμῶν ἡ πρὸς τὸν θεὸν ἐξελήλ.
2 Th 2 13 εἵλατο ὑμᾶς – ἐν – πίστει ἀληθείας
1 Ti 3 13 περιποιοῦνται – πολλὴν παρρησίαν
ἐν πίστει τῇ ἐν Χῷ Ἰησοῦ
2 Ti 3 15 δυνάμενά σε σοφίσαι εἰς σωτηρίαν
διὰ πίστεως τῆς ἐν Χῷ Ἰησοῦ
Phm 5 τὴν ἀγάπην καὶ τὴν πίστιν ἣν ἔχεις
πρὸς τὸν κύριον Ἰ. καὶ εἰς τοὺς ἅγ.
Hb 6 1 θεμέλιον – , – πίστεως ἐπὶ θεὸν
Jac 2 1 μὴ ἐν προσωπολημψίαις ἔχετε τὴν
πίστιν τοῦ κυρίου ἡμῶν Ἰησοῦ Χοῦ
1 Pe 1 21 ὥστε τὴν πίστ. ὑμῶν – εἶναι εἰς θεόν
Ap 2 13 καὶ οὐκ ἠρνήσω τὴν πίστιν μου
14 12 οἱ τηροῦντες – τὴν πίστιν Ἰησοῦ

πιστός *fidelis*

1) de Deo, de Christo dictum

1 Co 1 9 πιστὸς ὁ θεός, δι᾽ οὗ ἐκλήθητε 10 13
ὃς οὐκ ἐάσει ὑμᾶς πειρασθῆναι ὑπὲρ
ὃ δύνασθε 2 Co 1 18 ὅτι ὁ λόγος ἡ-
μῶν – οὐκ ἔστιν ναὶ καὶ οὔ
1 Th 5 24 πιστ. ὁ καλῶν ὑμᾶς, ὃς καὶ ποιήσει
2 Th 3 3 πιστ. δέ ἐστιν ὁ κύριος, ὃς στηρίξει
2 Ti 2 13 ἐκεῖνος πιστ. μένει, ἀρνήσασθαι γάρ
Hb 2 17 πιστὸς ἀρχιερεὺς τὰ πρὸς τὸν θεόν
3 2 Ἰησοῦν, „πιστὸν" ὄντα τῷ ποιήσαντι
αὐτόν, ὡς καὶ „Μωϋσῆς ἐν – τ. οἴκῳ"
10 23 πιστὸς – ὁ ἐπαγγειλάμενος 11 11
1 Pe 4 19 οἱ πάσχοντες – πιστῷ κτίστῃ παρατι-
θέσθωσαν τὰς ψυχὰς αὐτῶν
1 Jo 1 9 πιστ. ἐστιν καὶ δίκαιος, ἵνα ἀφῇ ἡμῖν
Ap 1 5 „ὁ μάρτυς ὁ π." 3 14 καὶ ἀληθινός
19 11 πιστὸς καλούμενος καὶ ἀληθινός

2) de hominibus dictum

Mat 24 45 τίς – ὁ π. δοῦλος καὶ φρόνιμος –; ‖
Luc 12 42 ὁ π. οἰκονόμος ὁ φρόνιμ.
25 21 εὖ, δοῦλε ἀγαθὲ καὶ πιστέ, ἐπὶ ὀλίγα
ἦς πιστός 23 ‖ Luc 19 17 ὅτι ἐν ἐλα-
χίστῳ πιστὸς ἐγένου
Luc 16 10 ὁ π. ἐν ἐλαχίστῳ καὶ ἐν πολλῷ πιστ.
ἐστιν 11 εἰ οὖν ἐν τῷ – μαμωνᾷ πι-
στοὶ οὐκ ἐγένεσθε 12 ἐν τῷ ἀλλοτρ.
Joh 20 27 μὴ γίνου ἄπιστος ἀλλὰ πιστός
Act 10 45 οἱ ἐκ περιτομῆς πιστοί 16 1 Τιμόθεος,
υἱὸς γυναικὸς Ἰουδαίας πιστῆς
16 15 εἰ κεκρίκατέ με πιστὴν τῷ κυρίῳ

1 Co 4 2 ζητεῖται – ἵνα πιστός τις εὑρεθῇ
  – 17 ἐστίν μοι τέκνον πιστὸν ἐν κυρίῳ
  7 25 ἠλεημένος ὑπὸ κυρίου πιστὸς εἶναι
2 Co 6 15 ἢ τίς μερὶς πιστῷ μετὰ ἀπίστου;
Gal 3 9 εὐλογοῦνται σὺν τῷ πιστῷ ᾿Αβραάμ
Eph 1 1 τοῖς ἁγίοις – καὶ πιστοῖς ἐν Χῷ Col
  1 2 τοῖς ἁγ. καὶ π. ἀδελφοῖς ἐν Χῷ
  6 21 ὁ – πιστὸς διάκονος ἐν κυρίῳ Col 1 7
  ὅς ἐστιν π. ὑπὲρ ὑμῶν διάκονος τοῦ
  Χοῦ 4 7 πιστὸς διάκονος καὶ σύνδου-
  λος ἐν κυρίῳ 9 τῷ π. καὶ ἀγαπητῷ
  ἀδελφῷ 1 Pe 5 12 διὰ – τοῦ π. ἀδελφοῦ
1 Ti 1 12 ὅτι πιστόν με ἡγήσατο θέμενος
  3 11 γυναῖκας –, πιστὰς ἐν πᾶσιν
  4 3 τοῖς π. καὶ ἐπεγνωκόσι τὴν ἀλήθει.
  – 10 σωτὴρ πάντων ἀνθρ., μάλιστα π..ῶν
  – 12 τύπος γίνου τῶν π. ἐν λόγῳ, ἐν ἀν.
  5 16 εἴ τις πιστὴ (vl πιστὸς ἢ πιστή vg
  quis f. vl qua f.) ἔχει χήρας
  6 2 οἱ δὲ πιστοὺς ἔχοντες δεσπότας
  – – ὅτι πιστοί εἰσιν καὶ ἀγαπητοί
2 Ti 2 2 ταῦτα παράθου πιστοῖς ἀνθρώποις
Tit 1 6 εἴ τις ἐστιν –, τέκνα ἔχων πιστά
Hb 3 5 „πιστὸς ἐν ὅλῳ τῷ οἴκῳ αὐτοῦ"
1 Pe 1 21 ὑμᾶς τοὺς δι᾿ αὐτοῦ π..οὺς εἰς θεόν
Ap 2 10 γίνου πιστὸς ἄχρι θανάτου
  – 13 ᾿Αντιπᾶς ὁ μάρτυς μου ὁ πιστός μου
  17 14 οἱ μετ᾿ αὐτοῦ – ἐκλεκτοὶ καὶ πιστοί

3) de rebus, imprimis de verbis

Act 13 34 δώσω „ὑμῖν τὰ ὅσια Δαυὶδ τὰ πιστά"
1 Ti 1 15 πιστὸς ὁ λόγος καὶ – ἀποδοχῆς ἄξι-
  ος 4 9 – 3 1 π. ὁ λόγος· εἴ τις ἐπισκο-
  πῆς ὀρέγεται 2 Ti 2 11 · εἰ – συναπε-
  θάνομεν, καὶ συζήσομεν Tit 3 8
Tit 1 9 τὸν ἐπίσκοπον –, ἀντεχόμενον τοῦ
  κατὰ τὴν διδαχὴν πιστοῦ λόγου
3 Jo 5 πιστὸν ποιεῖς (fideliter facis) ὃ ἐὰν
  ἐργάσῃ εἰς τοὺς ἀδελφούς
Ap 21 5 οὗτοι οἱ λόγοι πιστοὶ (fidelissima)
  καὶ ἀληθινοί εἰσιν 22 6 (fid..ma)

πιστοῦν (ἐπιστώθην) mihi creditum est
2 Ti 3 14 μένε ἐν οἷς ἔμαθες καὶ ἐπιστώθης

πλανᾶν, πλανᾶσθαι

1) **πλανᾶν** τινα seducere [b]in errorem
  mittere [c]in errorem inducere, ..ci

Mat 24 4 μή τις ὑμᾶς πλανήσῃ 5 πολλοὶ – πολ-
  λοὺς π..ήσουσιν 11.24 ὥστε π..ῆσαι (vl π..
  ᾶσθαι et π..ηθῆναι) [c], εἰ δυνατόν, καὶ τοὺς

ἐκλεκτούς ‖ Mar 13 5.6 Luc 21 8 μὴ π..ηθῆτε
Joh 7 12 οὔ, ἀλλὰ πλανᾷ τὸν ὄχλον
2 Ti 3 13 π..ῶντες [b] καὶ πλανώμενοι (errantes
  et in errorem mittentes)
1 Jo 1 8 ἑαυτοὺς πλανῶμεν (ipsi nos sed.)
  2 26 περὶ τῶν πλανώντων ὑμᾶς
  3 7 τεκνία, μηδεὶς πλανάτω ὑμᾶς
Ap 2 20 πλανᾷ τοὺς ἐμοὺς δούλους πορνεῦ.
  12 9 Σατανᾶς, ὁ πλανῶν τὴν οἰκουμένην
  13 14 πλανᾷ τοὺς κατοικοῦντας ἐπὶ τῆς
  19 20 τὰ σημεῖα –, ἐν οἷς ἐπλάνησεν τούς
  20 3 ἵνα μὴ πλανήσῃ ἔτι τὰ ἔθνη 8
  – 10 ὁ διάβολος ὁ πλανῶν αὐτούς

2) **πλανᾶσθαι** errare [b]seduci

Mat 18 12 ἐὰν – πλανηθῇ ἓν ἐξ αὐτῶν, οὐχὶ –
  ζητεῖ τὸ πλανώμενον; 13 χαίρει – μᾶλ-
  λον ἢ ἐπὶ τοῖς – μὴ πεπλανημένοις
  22 29 πλανᾶσθε μὴ εἰδότες τὰς γραφάς ‖
  Mar 12 24.27 πολὺ πλανᾶσθε
Luc 21 8 → 1) πλανᾶν sub Mat 24 4
Joh 7 47 μὴ καὶ ὑμεῖς πεπλάνησθε [b];
1 Co 6 9 μὴ πλανᾶσθε· 15 33 [b] Gal 6 7 Jac 1 16
  – 2 Ti 3 13 → 1)
Tit 3 3 ἦμεν – καὶ ἡμεῖς – πλανώμενοι
Hb 3 10 „ἀεὶ πλανῶνται τῇ καρδίᾳ"
  5 2 μετριοπαθεῖν – τοῖς – πλανωμένοις
  11 38 ἐπὶ ἐρημίαις πλανώμενοι καὶ ὄρεσιν
Jac 5 19 ἐάν τις – πλανηθῇ ἀπὸ τῆς ἀληθείας
1 Pe 2 25 ἦτε – „ὡς πρόβατα πλανώμενοι"
2 Pe 2 15 καταλείποντες εὐθεῖαν ὁδὸν ἐπλανή-
  θησαν – Ap 18 23 „ἐν τῇ φαρμακείᾳ
  σου" ἐπλανήθησαν πάντα τὰ ἔθνη

πλάνη error

Mat 27 64 ἡ ἐσχάτη πλάνη χείρων τῆς πρώτης
Rm 1 27 τὴν ἀντιμισθίαν – τῆς πλάνης αὐτῶν
Eph 4 14 πρὸς τὴν μεθοδείαν τῆς πλάνης
1 Th 2 3 ἡ – παράκλησις ἡμῶν οὐκ ἐκ πλάνης
2 Th 2 11 πέμπει – ὁ θεὸς ἐνέργειαν πλάνης
Jac 5 20 ἁμαρτωλὸν ἐκ πλάνης ὁδοῦ αὐτοῦ
2 Pe 2 18 τοὺς ἐν πλάνῃ ἀναστρεφομένους
  3 17 ἵνα μὴ τῇ τῶν ἀθέσμων πλάνῃ συν-
  απαχθέντες ἐκπέσητε
1 Jo 4 6 γινώσκομεν – τὸ πνεῦμα τῆς πλάνης
Jud 11 τῇ πλάνῃ τοῦ Βαλαὰμ μισθοῦ

πλανήτης (vl πλάνης) Jud 13 ἀστέρες πλα-
νῆται (vl πλάνητες) sidera errantia

πλάνος seductor

Mat 27 63 ἐκεῖνος ὁ πλάνος εἶπεν ἔτι ζῶν

2 Co 6 8 ὡς πλάνοι καὶ ἀληθεῖς (veraces)
1 Ti 4 1 προσέχοντες πνεύμασιν πλάνοις (vl πλάνης vg erroris)
2 Jo 7 πολλοὶ πλάνοι ἐξῆλθον – · οὗτός ἐστιν ὁ πλάνος καὶ ὁ ἀντίχριστος

πλάξ   tabula 2 Co 3 3 Hb 9 4

πλάσμα figmentum Rm 9 20 „ἐρεῖ τὸ πλάσμα"

πλάσσειν fingere ᵇformare
Rm 9 20 „μὴ ἐρεῖ τὸ πλάσμα τῷ πλάσαντι;"
1 Ti 2 13 Ἀδὰμ γὰρ πρῶτος ἐπλάσθη ᵇ, εἶτα

πλαστός Sᵒ – fictus 2 Pe 2 3 π..οῖς λόγοις

πλατεῖα platea
Mat 6 5 12 19 (Mar 6 56 vl et vg) – Luc 10 10
Luc 13 26 ἐν ταῖς πλ. ἡμῶν ἐδίδαξας – 14 21
Act 5 15 Ap 11 8 21 21 ἡ πλατ.–χρυσίον 22 2

πλάτος latitudo Eph 3 18 Ap 20 9 21 16

πλατύνειν, ..εσθαι dilatare, ..ari
Mat 23 5 π..ουσιν – τὰ φυλακτήρια αὐτῶν
2 Co 6 11 „ἡ καρδία" ἡμῶν „πεπλάτυνται"
– 13 ὡς τέκνοις λέγω, π..θητε καὶ ὑμεῖς

πλατύς latus Mat 7 13 πλατεῖα [ἡ πύλη]

πλέγματα Sᵒ – torti crines 1 Ti 2 9 μὴ ἐν πλ.

πλεῖν navigare Luc 8 23 Act 21 3 27 2.6.24
Ap 18 17 καὶ πᾶς ὁ ἐπὶ τόπον (?) πλέων

*πλείων (πλεῖον, πλέον), πλεῖστος
   plus ᵇplures, ..a ᶜamplius ᵈplurimus, ..mi ᵉ(οἱ πλείονες) multi
Mat 5 20 ἐὰν μὴ περισσεύσῃ ὑμῶν ἡ δικαιοσύνη πλεῖον τῶν γραμματέων
   6 25 οὐχὶ ἡ ψυχὴ πλεῖόν ἐστιν τῆς τροφῆς –; ‖ Luc 12 23 ἡ γὰρ ψ. πλ. ἐστιν
   11 20 ἐγένοντο αἱ πλεῖσται ᵈ δυνάμεις
   12 41 καὶ ἰδοὺ πλεῖον Ἰωνᾶ ὧδε 42 Σολομῶνος ‖ Luc 11 32.31
Mar 12 43 πλεῖον πάντων ἔβαλεν ‖ Luc 21 3
Luc 3 13 μηδὲν πλέον ᶜ παρὰ τὸ διατεταγμένον ὑμῖν πράσσετε
   7 42 τίς – πλεῖον ἀγαπήσει αὐτόν; 48 ὑπολαμβάνω ὅτι ᾧ τὸ πλεῖον ἐχαρίσατο
Joh 21 15 ἀγαπᾷς με πλέον τούτων;
1 Co 9 19 ἵνα τοὺς πλείονας ᵇ κερδήσω

1 Co 15 6 ἐξ ὧν οἱ πλείονες ᵉ μένουσιν ἕως ἄρτι
2 Co 2 6 ἡ ἐπιτιμία – ἡ ὑπὸ τῶν πλειόνων ᵇ
   4 15 ἡ χάρις πλεονάσασα διὰ τ. πλειόνων ᵉ
   9 2 τὸ ὑμῶν ζῆλος ἠρέθισεν τοὺς πλεί.ᵈ
Hb 11 4 πλείονα ᵈ θυσίαν Ἄβελ παρὰ Κάϊν
Ap 2 19 οἶδα – τὰ ἔργα σου τὰ ἔσχατα πλείονα ᵇ τῶν πρώτων (prioribus)

πλέκειν plectere Mat 27 29 Mar 15 17 Joh 19 2

πλεονάζειν abundare ᵇsuperare ᶜmultiplicare
Rm 5 20 ἵνα πλεονάσῃ τὸ παράπτωμα· οὗ δὲ ἐπλεόνασεν ἡ ἁμαρτία
   6 1 ἵνα ἡ χάρις πλεονάσῃ; μὴ γένοιτο
2 Co 4 15 ἵνα ἡ χάρις π..σασα διὰ – πλειόνων
   8 15 „ὁ τὸ πολὺ οὐκ ἐπλεόνασεν"
Phl 4 17 ἀλλὰ ἐπιζητῶ τὸν καρπὸν τὸν πλεονάζοντα εἰς λόγον ὑμῶν
1 Th 3 12 ὑμᾶς – ὁ κύριος π..άσαι ᶜ – τῇ ἀγάπῃ
2 Th 1 3 ὅτι – π..ζει ἡ ἀγάπη – εἰς ἀλλήλους
2 Pe 1 8 ταῦτα γὰρ ὑμῖν – πλεονάζοντα ᵇ οὐκ ἀργοὺς οὐδὲ ἀκάρπους καθίστησιν

πλεονεκτεῖν, ..εῖσθαι circumvenire, ..ri
2 Co 2 11 ἵνα μὴ πλ..ηθῶμεν ὑπὸ τοῦ σατανᾶ
   7 2 οὐδένα ἐπλ..ήσαμεν cfr 12 17.18
1 Th 4 6 μὴ ὑπερβαίνειν καὶ πλεονεκτεῖν ἐν τῷ πράγματι τὸν ἀδελφόν

πλεονέκτης avarus
1 Co 5 10 οὐ πάντως – τοῖς πλ. 11 ἐάν τις ἀδελφὸς – ᾖ – πλ. 6 10 οὔτε πλ..αι – βασιλείαν θεοῦ κληρονομήσουσιν
Eph 5 5 πᾶς – πλ., ὅ ἐστιν εἰδωλολάτρης, οὐκ ἔχει κληρονομίαν ἐν τῇ βασ. τ. Χοῦ

πλεονεξία avaritia
Mar 7 22 μοιχεῖαι, πλ..αι, πονηρίαι, δόλος
Luc 12 15 φυλάσσεσθε ἀπὸ πάσης πλεονεξίας
Rm 1 29 πεπληρωμένους – πονηρίᾳ πλεονεξίᾳ
2 Co 9 5 ὡς εὐλογίαν καὶ μὴ ὡς πλεονεξίαν
Eph 4 19 εἰς ἐργασίαν ἀκαθαρσίας – ἐν πλ..ᾳ
   5 3 πλεονεξία μηδὲ ὀνομαζέσθω ἐν ὑμῖν
Col 3 5 τὴν πλ. ἥτις ἐστιν εἰδωλολατρία
1 Th 2 5 οὔτε ἐν προφάσει πλ..ας (sc ἐγενή.)
2 Pe 2 3 ἐν πλεονεξίᾳ – ὑμᾶς ἐμπορεύσονται
   – 14 καρδίαν γεγυμνασμένην πλεονεξίας

πλευρά latus Joh 19 34 20 20.25.27 Act 12 7

πληγή plaga
Luc 10 30 12 48 ἄξια πληγῶν – Act 16 23.33

2 Co 6 5 ἐν πληγαῖς 1123 ὑπερβαλλόντως
Ap 918.20 116 „πατάξαι" τὴν γῆν „ἐν πάσῃ
πληγῇ" 133 ἡ πλ. τοῦ θανάτου αὐτοῦ
ἐθεραπεύθη 12.14 ὃς ἔχει τὴν πλ. τῆς μα-
χαίρης 151 πληγὰς ἑπτά 6.8 169.21 184.
8 219 γεμόντων τῶν „ἑπτὰ πληγῶν" τῶν
ἐσχάτων 2218 ἐπιθήσει ὁ θεὸς ἐπ᾽ αὐτὸν
τὰς πλ. „τὰς γεγραμμέν. ἐν τῷ βιβλίῳ"

πλήθειν → πιμπλάναι

πλῆθος multitudo ᵇturba ᶜturbae
Mar 3 7 πολὺ πλ.ᵇ ἀπὸ τῆς Γαλ. 8 ‖ Luc 617
 − 837 τὸ πλ. τῆς περιχώρου τῶν Γερ.
Luc 110 πᾶν τὸ πλ. ἦν τοῦ λαοῦ προσευχόμε-
 213 πλῆθος στρατιᾶς οὐρανίου |νον
 5 6 πλ. ἰχθύων πολύ Joh 216 − Act 283
 1937 ἅπαν τὸ πλ.ᶜ τῶν μαθητῶν χαίροντες
 23 1 ἅπαν τὸ πλ. αὐτῶν ἤγαγον αὐτόν
 − 27 ἠκολούθει − αὐτῷ πολὺ πλ.ᵇ τ. λαοῦ
Joh 5 3 κατέκειτο πλῆθος τῶν ἀσθενούντων
Act 2 6 συνῆλθεν τὸ πλῆθος καὶ συνεχύθη
 432 τοῦ − πλήθους τῶν πιστευσάντων ἦν
 καρδία καὶ ψυχὴ μία 514 προσετίθεν-
 το −, πλήθη ἀνδρῶν τε καὶ γυναι-
 κῶν 16 συνήρχετο − καὶ τὸ πλῆθος
 τῶν πέριξ πόλεων Ἰερουσαλήμ
 6 2 προσκαλεσάμενοι − τὸ πλ. τῶν μαθη-
 τῶν 5 ἤρεσεν ὁ λόγος ἐνώπιον παν-
 τὸς τοῦ πλήθους
 14 1 ὥστε πιστεῦσαι Ἰουδαίων τε καὶ Ἑλ-
 λήνων πολὺ πλ. 4 ἐσχίσθη − τὸ πλ.
 1512 ἐσίγησεν δὲ πᾶν τὸ πλ. 30 συναγα-
 γόντες τὸ πλ. ἐπέδωκαν τὴν ἐπιστ.
 17 4 τῶν τε σεβομένων Ἑλλ. πλῆθος πολύ
 19 9 κακολογοῦντες τὴν ὁδὸν ἐνώπιον τοῦ
 πλ. − 2524 ἅπαν τὸ πλ. τῶν Ἰουδ.
 (2122 vl δεῖ συνελθεῖν πλῆθος vg)
 − 36 ἠκολούθει − τὸ πλῆθος τοῦ λαοῦ
 23 7 ἐγένετο στάσις − καὶ ἐσχίσθη τὸ πλ.
Hb 1112 „καθὼς τὰ ἄστρα τοῦ οὐρ. τῷ πλ."
Jac 520 „καλύψει" πλῆθος „ἁμαρτιῶν"
1 Pe 4 8 „ἀγάπη καλύπτει" πλ. „ἁμαρτιῶν"

πληθύνειν, ..εσθαι multiplicare, ..ri ᵇabun-
dare ᶜadimplēri ᵈcrescit numerus
ᵉreplēri
Mat 2412 διὰ τὸ πληθυνθῆναιᵇ τὴν ἀνομίαν
Act 6 1 πληθυνόντωνᵈ τῶν μαθητῶν 7
 717 ὁ λαὸς − ἐπληθύνθη. ἐν Αἰγύπτῳ
 931 ἡ − ἐκκλησία − τῇ παρακλήσει τοῦ ἁ-
 γίου πνεύματος ἐπληθύνετοᵉ

Act 1224 ὁ − λόγος τοῦ κυρίου − ἐπληθύνετο
2 Co 910 πληθυνεῖ τὸν σπόρον ὑμῶν
Hb 614 „εἰ μὴν − πληθύνων πληθυνῶ σε"
1 Pe 1 2 χάρις ὑμῖν καὶ εἰρήνη πληθυνθείη
2 Pe 1 2ᶜ Jud 2ᶜ ἔλεος − καὶ εἰρήνη

πλήκτης Sᵒ − percussor 1 Ti 33 Tit 17

πλήμμυρα inundatio Luc 648 π..ης γενομέν.

πλήρης plenus ᵇ(γίνεσθαι π..η) replēri
Mat 1420 κοφίνους πλήρεις 1537 Mar 819
Mar 428 εἶτεν πλήρης σῖτος ἐν τῷ στάχυϊ
Luc 4 1 Ἰησοῦς − πλήρης πνεύματος ἁγίου
 512 ἰδοὺ ἀνὴρ πλήρης λέπρας
Joh 114 πλήρης χάριτος καὶ ἀληθείας
Act 6 3 πλήρεις πνεύματος καὶ σοφίας 755
 πλήρης πν. ἁγίου 1124 καὶ πίστεως
 − 5 πλήρη πίστεως καὶ πν. ἁγ. 8 πλ. χά-
 ριτος καὶ δυνάμεως 936 αὕτη ἦν πλή-
 ρης ἔργων ἀγαθῶν καὶ ἐλεημοσυνῶν
 1310 πλ. δόλου 1928 γενόμ. π..ειςᵇ θυμοῦ
2 Jo 8 ἵνα − μισθὸν πλήρη ἀπολάβητε

πληροῦν, ..οῦσθαι implēre ᵇadimplēre ᶜre-
plēre ᵈcomplēre ᵉexplēre ᶠsupplēre
ᵍ(part. pass.) plenus
1) vas, spatium, mensuram
Mat 1348 Luc 35 „φάραγξ" Joh 123 Act 22ᶜ
 2332 πληρώσατε τὸ μέτρον τῶν πατέρων
Act 528 πεπληρώκατεᶜ τὴν Ἰερουσαλὴμ τῆς
 διδαχῆς ὑμῶν

2) homines, animos
Luc 240 ἐκραταιοῦτο πληρούμενονᵍ σοφίᾳ
Joh 16 6 λύπη πεπλήρωκεν ὑμῶν τὴν καρδίαν
Act 228 „πληρώσειςᶜ με εὐφροσύνης"
 5 3 διὰ τί ἐπλήρωσεν (vl ἐπείρασεν vg
 tentavit) ὁ σατανᾶς τὴν καρδίαν σου
 1352 ἐπλ..οῦντοᶜ χαρᾶς καὶ πνεύμ. ἁγίου
Rm 129 πεπληρωμένουςᶜ πάσῃ ἀδικίᾳ
 1513 ὁ δὲ θεὸς − πληρῶσαιᶜ ὑμᾶς πάσης
 χαρᾶς καὶ εἰρήνης ἐν τῷ πιστεύειν
 − 14 πεπληρωμένοιᶜ πάσης τῆς γνώσεως
2 Co 7 4 πεπλήρωμαιᶜ τῇ παρακλήσει
Eph 319 ἵνα πληρωθῆτε εἰς πᾶν τὸ πλήρωμα
 (plenitudinem) τοῦ θεοῦ
 518 ἀλλὰ πληροῦσθε ἐν πνεύματι
Phl 111 πεπληρωμένοιᶜ καρπὸν δικαιοσύνης
 418 πεπλήρωμαιᶜ δεξάμενος − τὰ παρ᾽ ὑ-
 μῶν 19 ὁ δὲ θεός μου πληρώσει πᾶ-
 σαν χρείαν ὑμῶν

Col 1 9 ἵνα πληρωθῆτε τὴν ἐπίγνωσιν τοῦ
θελήματος αὐτοῦ
2 10 καὶ ἐστὲ ἐν αὐτῷ πεπληρωμένοι[c]
2 Ti 1 4 ἵνα χαρᾶς πληρωθῶ

3) universum, mundum

Eph 1 23 τοῦ τὰ πάντα ἐν πᾶσιν πληρουμέ-
νου[b] 4 10 ἵνα πληρώσῃ τὰ πάντα

4) praedestinata vel praedicta

Mat 1 22 ἵνα πληρωθῇ[b] τὸ ῥηθὲν ὑπὸ κυρίου
2 15[b] 17 (τότε ἐπλ.[b]) 23 (ὅπως πλ.[b])
4 14[b] (vl[a]) 8 17[b] 12 17[b] 13 35 (vl[b]) 21
4[b] (vl[a]) 26 54 πῶς – πληρωθῶσιν αἱ
γραφαί –; 56 ἵνα πλ.[b] (vl[a]) αἱ γρα-
φαὶ τῶν προφ. ‖ Mar 14 49 (vl[b]) –
Mat 27 9 τότε ἐπληρώθη τὸ ῥηθέν (35
vl ἵνα πλ. τὸ ῥηθέν vg, vl⁰ Mar 15
28 vl καὶ ἐπληρ. ἡ γραφή vg[a] vl[b])
Luc 1 20 τοῖς λόγοις μου, οἵτινες πληρωθή-
σονται εἰς τὸν καιρὸν αὐτῶν
4 21 σήμερον πεπλήρωται ἡ γραφὴ αὕτη
9 31 ἔλεγον τ. ἔξοδον –, ἣν ἤμελλεν πλ.[d]
24 44 δεῖ πληρωθῆναι – τὰ γεγραμμένα
Joh 12 38 ἵνα ὁ λόγος Ἡσαΐου – πληρωθῇ 15
25[b] (vl[a]) ὁ ἐν τῷ νόμῳ 18 9 ὃν εἶπεν
32 ὁ λόγος τοῦ Ἰησοῦ – 13 18[b] (vl[a])
ἡ γραφή 17 12 19 24.36
Act 1 16 ἔδει πληρωθῆναι τὴν γραφήν
3 18 ἃ προκατήγγειλεν – ἐπ..ωσεν οὕτως
13 27 τὰς φωνὰς τῶν προφητῶν – κρίναν-
τες ἐπλήρωσαν
Jac 2 23 καὶ ἐπληρώθη[f] ἡ γραφὴ ἡ λέγουσα·

5) praecepta, legem Dei

Mat 3 15 πληρῶσαι πᾶσαν δικαιοσύνην
Rm 8 4 ἵνα τὸ δικαίωμα τοῦ νόμου πληρωθῇ
ἐν ἡμῖν – Mat 5 17 → 7)
13 8 τὸν ἕτερον νόμον πεπλήρωκεν
Gal 5 14 ὁ – πᾶς νόμος ἐν ἑνὶ λόγῳ πεπ..ωται
(vl πλ..οῦται vg), ἐν τῷ· „ἀγαπήσ."

6) temporis numerique modum
(praefinitum)

Mar 1 15 πεπλήρωται ὁ καιρὸς καὶ ἤγγικεν
Luc 21 24 ἄχρι οὗ πληρωθῶσιν καιροὶ ἐθνῶν
Joh 7 8 ὁ ἐμὸς καιρὸς οὔπω πεπλήρωται
Act 7 23 ὡς δὲ ἐπληροῦτο αὐτῷ – χρόνος 30[e]
9 23 ὡς – ἐπληροῦντο ἡμέραι ἱκαναὶ 24 27
διετίας δὲ πληρωθείσης[e] – 13 25 → 7)
Ap 6 11 ἕως πληρωθῶσιν[d] (vl[a], vl πληρώ-
σωσιν) καὶ οἱ σύνδουλοι αὐτῶν – οἱ
μέλλοντες ἀποκτέννεσθαι ὡς

7) πληροῦν = perficere, ad finem
perducere, absolvere

Mat 5 17 οὐκ ἦλθον καταλῦσαι (solvere), ἀλ-
λὰ πληρῶσαι[b] (sc τὸν νόμον)
Luc 7 1 ἐπειδὴ ἐπλήρωσεν – τὰ ῥήματα αὐτοῦ
22 16 ἕως ὅτου πληρωθῇ ἐν τῇ βασιλείᾳ
Joh 3 29 αὕτη – ἡ χαρὰ ἡ ἐμὴ πεπλήρωται
15 11 ἵνα – ἡ χαρὰ ὑμῶν πληρωθῇ 16 24 ἦ
πεπληρωμένη[g] 1 Jo 1 4 ἡ χαρὰ ἡμῶν
(vl ὑμῶν vg) ἦ πεπληρωμένη[g] 2 Jo
12 ἡ χ. ἡμῶν (vl ὑμ. vg) πεπλ.[g] ἡ
17 13 ἵνα ἔχωσιν τὴν χαρὰν τὴν ἐμὴν πε-
πληρωμένην ἐν ἑαυτοῖς
Act 12 25 πληρώσαντες[e] τὴν διακονίαν
13 25 ὡς – ἐπλήρου Ἰωάννης τὸν δρόμον
14 26 εἰς τὸ ἔργον ὃ ἐπλήρωσαν[d]
19 21 ὡς δὲ ἐπληρώθη[e] ταῦτα, ἔθετο ὁ
Rm 15 19 ὥστε με – μέχρι τοῦ Ἰλλυρικοῦ πε-
πληρωκέναι[c] τὸ εὐαγγέλιον τοῦ Χοῦ
2 Co 10 6 ὅταν πληρωθῇ ὑμῶν ἡ ὑπακοή
Phl 2 2 πληρώσατέ μου τὴν χαρὰν ἵνα τό
Col 1 25 εἰς ὑμᾶς πληρῶσαι τὸν λόγον τοῦ θ.
4 17 βλέπε τὴν διακονίαν ἣν παρέλαβες
ἐν κυρίῳ, ἵνα αὐτὴν πληροῖς
2 Th 1 11 ἵνα – ὁ θεὸς – πληρώσῃ πᾶσαν εὐδο-
κίαν ἀγαθωσύνης καὶ ἔργ. πίστεως
1 Jo 1 4 2 Jo 12 → Joh 15 11 – Ap 6 11 → 6)
Ap 3 2 οὐ γὰρ εὕρηκά σου ἔργα πεπληρω-
μένα[g] ἐνώπιον τοῦ θεοῦ μου

πληροφορεῖν, ..εῖσθαι [a]implēre, ..ri [b]com-
plēri [c]abundare [d]plenissime scire
[e](part. pass.) plenus

Luc 1 1 τῶν πεπλ..ημένων[b] ἐν ἡμῖν πραγμ.
Rm 4 21 πλ..ηθεὶς[d] ὅτι – δυνατός ἐστιν
14 5 ἕκαστος ἐν τ. ἰδίῳ νοῒ πλ..είσθω[c]
Col 4 12 πεπλ..ημένοι[e] ἐν – θελήματι τ. θεοῦ
2 Ti 4 5 τὴν διακονίαν σου πληροφόρησον[a]
– 17 ἵνα δι' ἐμοῦ τὸ κήρυγμα πλ..ηθῇ[a]

πληροφορία S⁰ – plenitudo [b]expletio

Col 2 2 συμβιβασθέντες – εἰς πᾶν πλοῦτος
τῆς πληροφορίας τῆς συνέσεως
1 Th 1 5 τὸ εὐαγγ. ἡμῶν – ἐγενήθη εἰς ὑμᾶς
– ἐν πνεύμ. ἁγίῳ καὶ πλ..ίᾳ πολλῇ
Hb 6 11 σπουδὴν πρὸς τὴν πλ.[b] τῆς ἐλπίδος
10 22 προσερχώμεθα – ἐν πλ..ᾳ πίστεως

πλήρωμα plenitudo [b]abundantia [c]supple-
mentum [d](cophinus) plenus

Mat 9 16 αἴρει – τὸ π. αὐτοῦ ‖ Mar 2 21[c] ἀπ' αὐ.
Mar 6 43 δώδεκα κοφίνων πληρώματα[d] 8 20[d]

Joh 1 16 ἐκ τοῦ πλ. αὐτοῦ ἡμεῖς – ἐλάβομεν
Rm 11 12 πόσῳ μᾶλλον τὸ πλ. αὐτῶν (sc τοῦ
Ἰσραήλ – sc σωτηρία τοῖς ἔθνεσιν)
– 25 ἄχρι οὗ τὸ πλ. τῶν ἐθνῶν εἰσέλθῃ
13 10 πλήρωμα οὖν νόμου ἡ ἀγάπη
15 29 ἐν π..τι b εὐλογίας Χοῦ ἐλεύσομαι
1 Co 10 26 „τοῦ κυρίου – ἡ γῆ καὶ τὸ πλ. αὐτῆς"
Gal 4 4 ὅτε δὲ ἦλθεν τὸ πλήρ. τοῦ χρόνου
Eph 1 10 εἰς οἰκονομίαν τοῦ πλ. τῶν καιρῶν
– 23 τῇ ἐκκλησίᾳ, ἥτις ἐστὶν –, τὸ πλήρ.
τοῦ τὰ πάντα ἐν πᾶσιν πληρουμένου
3 19 –→ πληροῦν 2) – 4 13 εἰς μέτρον ἡ-
λικίας τοῦ πληρώματος τοῦ Χοῦ
Col 1 19 ἐν αὐτῷ εὐδόκησεν πᾶν τὸ πλ. κατ-
οικῆσαι 2 9 ἐν αὐτῷ κατοικεῖ πᾶν τὸ
πλήρωμα τῆς θεότητος σωματικῶς

πλησίον (ὁ πλ.) *proximus* b *iuxta*
ἀγαπᾶν τὸν πλησίον –→ ἀγαπᾶν 2)
Luc 10 29 τίς ἐστίν μου πλ.; 36 τίς – πλ. δοκεῖ
σοι γεγονέναι τοῦ ἐμπεσόντος
Joh 4 5 πλησ. b τοῦ χωρίου ὃ ἔδωκεν Ἰακώβ
Act 7 27 „ὁ – ἀδικῶν τὸν πλ." ἀπώσατο αὐτόν
Rm 13 9.10 ἡ ἀγάπη τῷ πλ. κακὸν οὐκ ἐργάζ.
15 2 ἕκαστος ἡμῶν τῷ πλησίον ἀρεσκέτω
Eph 4 25 „λαλεῖτε ἀλήθειαν ἕκαστος μετὰ τοῦ
πλησίον αὐτοῦ", ὅτι ἐσμὲν – μέλη
(Hb 8 11 vl „οὐ μὴ διδάξωσιν ἕκαστος τὸν π.")
Jac 4 12 σὺ δὲ τίς εἶ, ὁ κρίνων τὸν πλησίον;

πλησμονή *saturitas* Col 2 23 οὐκ ἐν τιμῇ τινι
πρὸς πλησμονὴν τῆς σαρκός

πλήσσειν *percutere* Ap 8 12 ἐπλήγη τὸ τρίτον

πλοιάριον S° – *navis* b *navicula* c *navigium*
Mar 3 9 ἵνα πλ. b προσκαρτερῇ αὐτῷ – Luc 5 2
Joh 6 22 ὅτι πλοι. b ἄλλο οὐκ ἦν ἐκεῖ 23.24 b
21 8 οἱ – ἄλλοι μαθηταὶ τῷ πλοι. c ἦλθον

πλοῖον *navis* b *navicula* c *navigium*
Mat 4 21.22 ἀφέντες τὸ πλ. (vg *relictis reti-
bus*) ‖ Mar 1 19.20 – Luc 5 3 a b 7 a b 11
8 23 b 24 ὥστε τὸ πλ. b καλύπτεσθαι ‖ Mar
4 36.37 Luc 8 22 b – Mat 9 1 b 13 2 εἰς
πλοῖον b ἐμβάντα καθῆσθαι ‖ Mar 4 1
14 13 ἀνεχώρησεν – ἐν πλοίῳ b ‖ Mar 6 32
– 22 b 24 b 29 καταβὰς ἀπὸ τοῦ πλοίου b
Πέτρος 32 b 33 b ‖ Mar 6 45.47.51.54
Joh 6 17.19.21 ἤθελον – λαβεῖν αὐτὸν
εἰς τὸ πλοῖον καὶ εὐθέως ἐγένετο
τὸ πλοῖον ἐπὶ τῆς γῆς

Mat 15 39 b ‖ Mar 8 10 – Mar 5 2.18.21 ‖ Luc 8 37
– Mar 8 14 ἕνα ἄρτον – ἐν τῷ πλοίῳ
Joh 6 22 21 3.6 βάλετε εἰς τὰ δεξ. – τοῦ πλ. c
Act 20 13.38 προέπεμπον – αὐτὸν εἰς τὸ πλοῖον
21 2.3.6 27 2 ἐπιβάντες – πλοίῳ Ἀδραμυτ-
τηνῷ 6 πλοῖον Ἀλεξ. 10.15.17 ὑποζωννύν-
τες τὸ πλ. 19 τὴν σκευὴν τοῦ πλ. ἔρριψαν
22.30.31.37.38.39.44 28 11 ἐν πλοίῳ – Ἀλε-
ξανδρίνῳ, παρασήμῳ Διοσκούροις
Jac 3 4 τὰ πλοῖα, τηλικαῦτα ὄντα –, μετάγε-
τσι· ὑπὸ ἐλαχίστου πηδαλίου
Ap 8 9 18 19 ἐπλούτησαν – οἱ ἔχοντες τὰ πλ.

πλοῦς *navigatio* Act 21 7 27 9.10

πλούσιος *dives*
Mat 19 23 πλούσιος δυσκόλως εἰσελεύσεται
– 24 ἢ πλούσιον εἰς τὴν βασιλείαν τοῦ
θεοῦ ‖ Mar 10 25 Luc 18 25
27 57 ἦλθεν ἄνθρωπος πλ. ἀπὸ Ἀριμαθ.
Mar 12 41 πολλοὶ πλούσιοι ἔβαλλον πολλά ‖
Luc 21 1 τοὺς βάλλοντας – πλουσίους
Luc 6 24 πλὴν οὐαὶ ὑμῖν τοῖς πλ., ὅτι ἀπέχετε
12 16 τινὸς πλουσίου εὐφόρησεν ἡ χώρα
14 12 μὴ φώνει – μηδὲ γείτονας πλουσίους
16 1 ἦν πλούσιος ὃς εἶχεν οἰκονόμον
– 19 ἦν πλ., καὶ ἐνεδιδύσκετο πορφύραν
21 ἀπὸ τῆς τραπέζης τοῦ πλ. 22 ἀπ-
έθανεν δὲ καὶ ὁ πλούσ. καὶ ἐτάφη
18 23 περίλυπος –, ἦν γὰρ πλούσ. σφόδρα
19 2 ἀρχιτελώνης, καὶ αὐτὸς πλούσιος
2 Co 8 9 δι' ὑμᾶς ἐπτώχευσεν πλούσιος ὤν
Eph 2 4 ὁ δὲ θεὸς πλούσιος ὢν ἐν ἐλέει
1 Ti 6 17 τοῖς πλ. ἐν τῷ νῦν αἰῶνι παράγγελλε
Jac 1 10 καυχάσθω –, ὁ δὲ πλ. ἐν τῇ ταπει-
νώσει αὐτοῦ 11 οὕτως καὶ ὁ πλ. ἐν
ταῖς πορείαις αὐτοῦ μαρανθήσεται
2 5 τοὺς πτωχοὺς – πλουσίους ἐν πίστει
– 6 οὐχ οἱ πλ. καταδυναστεύουσιν ὑμ. –;
5 1 ἄγε νῦν οἱ πλ., κλαύσατε ὀλολύζον.
Ap 2 9 οἶδά σου τὴν θλῖψιν καὶ τὴν πτωχεί-
αν, ἀλλὰ πλ. εἶ – 3 17 –→ πλουτεῖν
6 15 καὶ οἱ πλούσιοι – „ἔκρυψαν ἑαυτούς"
13 16 ποιεῖ πάντας, – τοὺς πλ. καὶ τοὺς
πτωχ., –, ἵνα δῶσιν αὐτοῖς χάραγμα

πλουσίως S° – *abundanter* b *abunde*
Col 3 16 ὁ λόγος τοῦ Χ. ἐνοικείτω ἐν ὑμ. πλ.
1 Ti 6 17 τῷ παρέχοντι ἡμῖν πάντα πλουσίως b
Tit 3 6 πνεύματος ἁγ., οὗ ἐξέχεεν – πλους. b
2 Pe 1 11 πλους. ἐπιχορηγηθήσεται ὑμῖν ἡ εἴσ-
οδος εἰς τὴν αἰώνιον βασιλείαν

πλουτεῖν *divitem fieri* b*divitem esse* c(πλ.
   ῶν) *dives* d*locupletari* e*locupletem fieri*
Luc 1 53 „πλουτοῦντας c ἐξαπέστειλεν κενούς"
   12 21 ὁ – μὴ εἰς θεὸν πλουτῶν b
Rm 10 12 κύριος –, πλουτῶν c εἰς πάντας
1 Co 4 8 ἤδη ἐπλουτήσατε· χωρὶς ἡμῶν
2 Co 8 9 ἵνα – τῇ ἐκείνου πτωχείᾳ π..ήσητε b
1 Ti 6 9 οἱ δὲ βουλόμενοι π..εῖν ἐμπίπτουσιν
   – 18 παράγγελλε – πλ. ἐν ἔργοις ἀγαθοῖς
Ap 3 17 πλούσιός εἰμι καὶ „πεπλούτηκα d"
   – 18 ἀγοράσαι – χρυσίον – ἵνα π..ήσης e
   18 3 οἱ ἔμποροι τῆς γῆς ἐκ – τοῦ στρή-
   νους αὐτῆς ἐπλούτησαν 15. 19

πλουτίζειν, ..εσθαι a*locupletare* b*locupletari*
   c*divitem fieri*
1 Co 1 5 ἐν παντὶ ἐπλουτίσθητε c ἐν αὐτῷ
2 Co 6 10 ὡς πτωχοὶ πολλοὺς δὲ π..οντες a
   9 11 π..όμενοι b εἰς πᾶσαν ἁπλότητα

πλοῦτος, ὁ et τό *divitiae* b*divinitas* (?)
Mat 13 22 ἡ ἀπάτη τοῦ πλ. συμπνίγει || Mar 4 19
   Luc 8 14 ὑπὸ μεριμνῶν καὶ πλούτου
Rm 2 4 ἢ τοῦ πλ. τῆς χρηστότητος αὐτοῦ καὶ
   τῆς ἀνοχῆς – καταφρονεῖς, –;
   9 23 ἵνα γνωρίσῃ τὸν πλ. τῆς δόξης αὐτοῦ
   11 12 εἰ – τὸ παράπτωμα αὐτῶν πλ. κόσμου
   καὶ τὸ ἥττημα – πλοῦτος ἐθνῶν
   – 33 ὧ βάθος πλούτου καὶ σοφίας – θεοῦ
2 Co 8 2 εἰς τὸ πλοῦτ. τῆς ἁπλότητος αὐτῶν
Eph 1 7 κατὰ τὸ πλοῦτος τῆς χάριτος αὐτοῦ
   – 18 τίς ὁ πλ. τῆς δόξης τῆς κληρον. αὐτ.
   2 7 τὸ ὑπερβάλλον πλ. τῆς χάριτος αὐ.
   3 8 τὸ ἀνεξιχνίαστον πλοῦτος τοῦ Χοῦ
   – 16 ἵνα δῷ ὑμῖν κατὰ τὸ πλ. τῆς δόξης
Phl 4 19 ὁ – θεός μου πληρώσει πᾶσαν χρεί-
   αν ὑμῶν κατὰ τὸ πλ. αὐτοῦ ἐν δόξῃ
Col 1 27 τί τὸ πλ. τῆς δόξης τοῦ μυστηρίου
   2 2 εἰς πᾶν πλ. τῆς πληροφ. → πληροφ.
1 Ti 6 17 μηδὲ ἠλπικέναι ἐπὶ π..ου ἀδηλότητι
Hb 11 26 μείζονα πλοῦτον ἡγησάμενος – „τὸν
   ὀνειδισμὸν τοῦ Χοῦ"
Jac 5 2 ὁ πλοῦτος ὑμῶν σέσηπεν
Ap 5 12 λαβεῖν τὴν δύναμιν καὶ πλοῦτον b
   18 17 μιᾷ ὥρᾳ ἠρημώθη ὁ τοσοῦτος πλου.

πλύνειν *lavare* Luc 5 2 – Ap 7 14 22 14

πνεῖν *flare* b*spirare* c(ἡ πνέουσα) *aurae*
   flatus Mat 7 25.27 ἄνεμοι Luc 12 55 νότος
Act 27 (15 vl *flatibus*) 40 τῇ πνεούσῃ c
Joh 3 8 τὸ πνεῦμα ὅπου θέλει πνεῖ b – 6 18
Ap 7 1 ἵνα μὴ πνέῃ ἄνεμος ἐπὶ τῆς γῆς

πνεῦμα *spiritus*

1) Dei spiritus, spiritus caelestes

Mat 1 18 ἐν γαστρὶ ἔχουσα ἐκ πνεύματος ἁ-
   γίου 20 Luc 1 35 πν. ἅγ. ἐπελεύσεται
   3 11 ὑμᾶς β α π τ ί σ ε ι ἐν πν. ἅγ. καὶ πυρί
   || Mar 1 8 πν. ἁγίῳ Luc 3 16 ἐν πν.
   ἁγ. καὶ πυρί Joh 1 33 οὗτός ἐστιν ὁ
   βαπτίζων ἐν πν. ἁγίῳ – Act 1 5 ἐν
   πνεύματι βαπτισθήσεσθε ἁγίῳ 11 16
   – 16 εἶδεν πν. θεοῦ κ α τ α β α ῖ ν ο ν || Mar
   1 10 τὸ πν. Luc 3 22 τὸ ἅγ. Joh 1 32
   τὸ πν. 33 ἐφ' ὃν ἂν ἴδῃς τὸ πν. κα-
   ταβαῖνον καὶ μένον ἐπ' αὐτόν
   4 1 ἀνήχθη εἰς τὴν ἔρημον ὑπὸ τοῦ πν.
   || Mar 1 12 τὸ πν. αὐτὸν ἐκβάλλει Luc
   4 1 πλήρης π..τος ἅγ. –, – ἤγετο ἐν
   τῷ πν. ἐν τῇ ἐρήμῳ 14 ὑπέστρεψεν
   – ἐν τῇ δυνάμει τοῦ πν. εἰς τὴν Γαλ.
   10 20 ἀλλὰ τὸ πν. τοῦ πατρὸς ὑμῶν τὸ λα-
   λοῦν ἐν ὑμῖν || Luc 12 12 τὸ – ἅγ. πν.
   διδάξει ὑμᾶς cfr Mar 13 11 ἀλλὰ τὸ
   πνεῦμα τὸ ἅγιον → Joh 14 17. 26
   12 18 „θήσω τὸ πνεῦμά μου ἐπ' αὐτόν"
   – 28 εἰ – ἐν πν. θεοῦ ἐγὼ ἐκβάλλω τὰ δ.
   – 31 ἡ δὲ τοῦ πν. βλασφημία 32 ὃς δ'
   ἂν εἴπῃ κατὰ τοῦ πν. τοῦ ἅγ. || Mar
   3 29 ὃς δ' ἂν βλασφημήσῃ εἰς τὸ πν.
   τὸ ἅγ. Luc 12 10 τῷ – εἰς τὸ ἅγ. πν. βλ.
   22 43 πῶς – Δαυὶδ ἐν πν. καλεῖ αὐτὸν κύ-
   ριον –; || Mar 12 36 ἐν τῷ πν. τῷ ἅγ.
   28 19 εἰς τὸ ὄνομα – τοῦ ἁγίου πνεύματος
Luc 1 15 πνεύματος ἅγ. πλησθήσεται ἔτι ἐκ
   κοιλίας μητρὸς 17 προελεύσεται – ἐν
   πνεύματι καὶ δυνάμει Ἠλίου
   – 41 ἐπλήσθη π..τος ἁγίου ἡ Ἐλισάβετ
   67 Ζαχ. ἐπλ. π. ἁ. καὶ ἐπροφήτευσεν
   2 25 πν. ἦν ἅγ. ἐπ' αὐτὸν 26 ἦν αὐτῷ κε-
   χρηματισμένον ὑπὸ τοῦ πν. τοῦ ἅγ.
   27 ἦλθεν ἐν τῷ πνεύματι εἰς τὸ ἱερόν
   4 18 „πνεῦμα κυρίου ἐπ' ἐμέ"
   (9 55 vl οὐκ οἴδατε ποίου π..τός ἐστε; vg)
   10 21 ἠγαλλιάσατο τῷ πνεύματι τῷ ἁγίῳ
   11 13 πόσῳ μᾶλλον ὁ πατὴρ – δώσει πν.
   ἅγιον (vl ἀγαθὸν vg) τοῖς αἰτοῦσιν
Joh 3 5 ἐὰν μή τις γεννηθῇ ἐξ ὕδατ. καὶ πν.
   – 6 τὸ γεγεννημένον ἐκ τοῦ πν. πνεῦμά
   ἐστιν 8 τὸ πν. ὅπου θέλει πνεῖ· οὕ-
   τως ἐστὶν πᾶς ὁ γεγεννημένος ἐκ τοῦ πν.
   – 34 οὐ γὰρ ἐκ μέτρου δίδωσιν τὸ πνεῦμα
   4 23 προσκυνήσουσιν τῷ πατρὶ ἐν πνεύ-
   ματι καὶ ἀληθείᾳ 24 πνεῦμα ὁ θεός,

καὶ – ἐν πν. καὶ ἀληθ. δεῖ προσκυνεῖν
Joh 6 63 τὸ πν. ἐστιν τὸ ζωοποιοῦν, – · τὰ ῥή-
ματα – πνεῦμά ἐστιν καὶ ζωή ἐστιν
7 39 εἶπεν περὶ τοῦ πν. οὗ ἔμελλον λαμ-
βάνειν οἱ πιστεύσαντες – · οὔπω γὰρ
ἦν πνεῦμα (vl + δεδομένον vg)
14 17 ἄλλον παράκλητον δώσει ὑμῖν, –, τὸ
πν. τῆς ἀληθείας 26 τὸ πν. τὸ ἅγιον
–, ἐκεῖνος ὑμᾶς διδάξει πάντα 15 26
τὸ πν. τῆς ἀλ. 16 13 ὁδηγήσει ὑμᾶς
εἰς τὴν ἀλήθειαν πᾶσαν → 1 Jo 4 6
20 22 λέγει αὐτοῖς· λάβετε πνεῦμα ἅγιον
Act 1 2 ἐντειλάμενος – διὰ πνεύματος ἁγίου
– 5 ἐν π..ατι βαπτισθήσεσθε ἁγίῳ 8 λήμ-
ψεσθε δύναμιν – τοῦ ἁγίου πνεύματ.
– 16 τὴν γραφὴν ἣν προεῖπεν τὸ πν. τὸ
ἅγ. 4 25 ὁ – διὰ π..τος ἁγίου στόμα-
τος Δαυὶδ – εἰπών 28 25 καλῶς τὸ πν.
τὸ ἅγιον ἐλάλησεν διὰ Ἠσαΐου τοῦ
προφήτου
2 4 ἐπλήσθησαν – π..τος ἁγ., καὶ ἤρξαντο
λαλεῖν – καθὼς τὸ πν. ἐδίδου 17 „ἐκ-
χεῶ ἀπὸ τοῦ πν. μου" 18. 33 τὴν – ἐπ-
αγγ. τοῦ πν. τοῦ ἁγ. λαβὼν – ἐξέ-
χεεν 38 λήμψεσθε τὴν δωρεὰν τοῦ
ἁγίου πνεύματος – 10 45
4 8 Πέτρος πλησθεὶς π..τος ἁγ. – 13 9
– 31 ἐπλήσθησαν ἅπαντες τοῦ ἁγίου πν.
5 3 ψεύσασθαί σε τὸ πνεῦμα τὸ ἅγιον 9
πειράσαι τὸ πνεῦμα κυρίου;
– 32 ἡμεῖς ἐσμεν μάρτυρες – καὶ τὸ πν. τὸ
ἅγ. ὃ ἔδωκεν ὁ θεὸς τοῖς πειθαρ-
χοῦσιν αὐτῷ 15 28 ἔδοξεν – τῷ πνεύ-
ματι τῷ ἁγίῳ καὶ ἡμῖν
6 3 πλήρεις π..τος καὶ σοφίας 5 πλήρη
πίστεως καὶ πν. ἁγίου 7 55 πν. ἁγίου
11 24 πλήρης πνεύμ. ἁγ. καὶ πίστεως
– 10 οὐκ ἴσχυον ἀντιστῆναι τῇ σοφίᾳ καὶ
τῷ πνεύματι ᾧ ἐλάλει 21 4 ἔλεγον διὰ
τοῦ πν. 21 11 τάδε λέγει τὸ πν. τὸ ἅγ.
7 51 ἀεὶ „τῷ πνεύμ. τῷ ἁγ. ἀντιπίπτετε"
8 15 ὅπως λάβωσιν πν. ἅγ. 17. 18 ὅτι διὰ
τῆς ἐπιθέσεως τῶν χειρῶν – δίδοται
τὸ πν. 19 10 47 τὸ πν. τὸ ἅγ. ἔλαβον
– 29 εἶπεν – τὸ πν. τῷ Φιλίππῳ 10 19 11 12
13 2 τὸ πν. τὸ ἅγ. – 11 28 Ἄγαβος
ἐσήμαινεν διὰ τοῦ πν. 20 23 τὸ πν.
τὸ ἅγιον – διαμαρτύρεταί μοι λέγον
– 39 πν. κυρίου ἥρπασεν τὸν Φίλιππον
9 17 ὅπως – πλησθῇς πνεύματος ἁγίου
– 31 ἡ – ἐκκλησία – τῇ παρακλήσει τοῦ ἁ-
γίου πνεύματος ἐπληθύνετο

Act 10 38 Ἰησοῦν –, ὡς „ἔχρισεν" αὐτὸν „ὁ
θεὸς πνεύματι" ἁγίῳ καὶ δυνάμει
– 44 ἐπέπεσεν τὸ πν. τὸ ἅγ. ἐπὶ πάντας
45 καὶ ἐπὶ τὰ ἔθνη ἡ δωρεὰ τοῦ ἁγίου
πν. ἐκκέχυται 47 – 11 15 ἐπέπεσεν
13 4 ἐκπεμφθέντες ὑπὸ τοῦ ἁγίου πν. 16
6 κωλυθέντες 7 οὐκ εἴασεν αὐτοὺς
τὸ πν. Ἰησοῦ (19 1 D εἶπεν αὐτῷ τὸ
πν. ὑποστρέφειν) 20 22 → sub 3)
– 9 Σαῦλος –, πλησθεὶς π..τος ἁγίου
– 52 ἐπληροῦντο χαρᾶς καὶ πνεύμ. ἁγίου
15 8 ἐμαρτύρησεν αὐτοῖς δοὺς τὸ πνεῦμα
τὸ ἅγιον καθὼς καὶ ἡμῖν
19 2 εἰ πν. ἅγ. ἐλάβετε πιστεύσαντες; –
ἀλλ᾽ οὐδ᾽ εἰ πν. ἅγ. ἔστιν ἠκούσαμεν
6 ἦλθε τὸ πν. τὸ ἅγιον ἐπ᾽ αὐτοὺς
20 28 ὑμᾶς τὸ πν. τὸ ἅγ. ἔθετο ἐπισκόπους
23 8 μὴ εἶναι – μήτε ἄγγελον μήτε πνεῦμα
– 9 εἰ δὲ πν. ἐλάλησεν αὐτῷ ἢ ἄγγελος
Rm 1 4 ὁρισθέντος υἱοῦ θεοῦ ἐν δυνάμει κα-
τὰ πνεῦμα ἁγιωσύνης
2 29 περιτομὴ καρδίας ἐν π..τι οὐ γράμ-
ματι 7 6 ὥστε δουλεύειν – ἐν καινότη-
τι π..τος καὶ οὐ παλαιότητι γρ..τος
5 5 ἡ ἀγάπη τοῦ θεοῦ ἐκκέχυται – διὰ
πνεύματος ἁγίου τοῦ δοθέντος ἡμῖν
8 2 ὁ – νόμος τοῦ πν. τῆς ζωῆς ἐν Χῷ
ἠλευθέρωσέν σε ἀπὸ τοῦ νόμου τῆς
– 4 ἐν ἡμῖν τοῖς μὴ κατὰ σάρκα περιπα-
τοῦσιν ἀλλὰ κατὰ πν. 5 οἱ – κατὰ πν.
(sc ὄντες) τὰ τοῦ πν. (sc φρονοῦ-
σιν) 6 τὸ δὲ φρόνημα τοῦ πν. ζωὴ
καὶ εἰρήνη 9 ὑμεῖς – οὐκ ἐστὲ ἐν σαρ-
κὶ ἀλλὰ ἐν πν., εἴπερ πνεῦμα θεοῦ
οἰκεῖ ἐν ὑμῖν. εἰ δέ τις πν. Χοῦ οὐκ
ἔχει, οὗτος οὐκ ἔστιν αὐτοῦ 10 εἰ –
Χὸς ἐν ὑμῖν, –, τὸ – πνεῦμα ζωὴ
– 11 εἰ – τὸ πν. τοῦ ἐγείραντος τὸν Ἰησοῦν
– οἰκεῖ ἐν ὑμῖν, ὁ ἐγείρας – Χὸν –
ζωοποιήσει καὶ τὰ – σώμ. ὑμ. διὰ τοῦ
ἐνοικοῦντος αὐτοῦ π..τος ἐν ὑμῖν
– 13 εἰ δὲ π..τι τὰς πράξεις τοῦ σώματος
θανατοῦτε, ζήσεσθε 14 ὅσοι – πνεύμα-
τι θεοῦ ἄγονται, – υἱοί εἰσιν θεοῦ
– 15 οὐ γὰρ ἐλάβετε πν. δουλείας –, ἀλ-
λὰ – πν. υἱοθεσίας 16 αὐτὸ τὸ πν. συμ-
μαρτυρεῖ τῷ πνεύματι ἡμῶν ὅτι ἐσμὲν
– 23 τὴν ἀπαρχὴν τοῦ πνεύματος ἔχοντες
– 26 τὸ πν. συναντιλαμβάνεται τῇ ἀσθε-
νείᾳ ἡμῶν· – αὐτὸ τὸ πνεῦμα ὑπερεν-
τυγχάνει στεναγμοῖς ἀλαλήτοις
– 27 οἶδεν τί τὸ φρόνημα τοῦ πνεύματος

Rm 9 1 οὐ ψεύδομαι, συμμαρτυρούσης μοι
τῆς συνειδήσεώς μου ἐν π..τι ἁγίῳ
12 11 τῷ πνεύματι ζέοντες → 3) Act 18 25
14 17 εἰρήνη καὶ χαρὰ ἐν πνεύματι ἁγίῳ
15 13 εἰς τὸ περισσεύειν ὑμᾶς ἐν τῇ ἐλπί-
δι ἐν δυνάμει π..τος ἁγ. → Gal 5 5
– 16 ἡ προσφορὰ τῶν ἐθνῶν εὐπρόσδε-
κτος, ἡγιασμένη ἐν πνεύματι ἁγίῳ
– 19 ἐν δυνάμει σημείων καὶ τεράτων, ἐν
δυνάμει πνεύματος (vl + ἁγίου vg)
– 30 παρακαλῶ – διὰ τῆς ἀγάπης τοῦ πν.
1 Co 2 4 ἐν ἀποδείξει π..τος καὶ δυνάμεως
– 10 ἡμῖν – ἀπεκάλυψεν ὁ θεὸς διὰ τοῦ
πν.· τὸ γὰρ πνεῦμα πάντα ἐρευνᾷ
– 11 → 3) – καὶ τὰ τοῦ θεοῦ οὐδεὶς ἔ-
γνωκεν εἰ μὴ τὸ πν. τοῦ θεοῦ 12 ἡ-
μεῖς δὲ οὐ τὸ πν. τοῦ κόσμου ἐλά-
βομεν ἀλλὰ τὸ πν. τὸ ἐκ τοῦ θεοῦ
– 13 ἃ καὶ λαλοῦμεν – ἐν διδακτοῖς πνεύ-
ματος (sc λόγοις) 14 ψυχικὸς δὲ ἄνθρ.
οὐ δέχεται τὰ τοῦ πνεύμ. τοῦ θεοῦ
3 16 ὅτι ναὸς θεοῦ ἐστε καὶ τὸ πν. τοῦ
θεοῦ ἐν ὑμῖν οἰκεῖ; 6 19 τὸ σῶμα ὑ-
μῶν ναὸς τοῦ ἐν ὑμῖν ἁγίου π..τος
4 21 ἢ ἐν ἀγάπῃ π..τί τε πραΰτητος;
6 11 ἐδικαιώθητε – ἐν τῷ πν. τοῦ θ. ἡμῶν
– 17 ὁ – κολλώμενος τῷ κυρίῳ ἓν πν. ἐστ.
7 40 δοκῶ δὲ κἀγὼ πνεῦμα θεοῦ ἔχειν
12 3 οὐδεὶς ἐν π..τι θεοῦ λαλῶν λέγει·
εἰ μὴ ἐν π..τι ἁγίῳ 4 διαιρέσεις – χα-
ρισμάτων εἰσίν, τὸ δὲ αὐτὸ πνεῦμα
– 7 ἑκάστῳ – δίδοται ἡ φανέρωσις τοῦ
πν. πρὸς τὸ συμφέρον 8 διὰ τοῦ πν.
– λόγος σοφίας, – λόγος γνώσεως
κατὰ τὸ αὐτὸ πνεῦμα 9 πίστις ἐν τῷ
αὐτῷ πνεύματι, – χαρίσματα ἰαμάτων
ἐν τῷ ἑνὶ πν. 10 διακρίσεις πνευμάτων
– 11 πάντα – ἐνεργεῖ τὸ ἓν καὶ τὸ αὐτὸ
πν., διαιροῦν – ἑκάστῳ καθὼς βούλ.
– 13 ἐν ἑνὶ πν. – εἰς ἓν σῶμα ἐβαπτίσθη-
μεν, – καὶ – ἓν πνεῦμα ἐποτίσθημεν
14 2 πνεύματι δὲ λαλεῖ μυστήρια
– 12 ἐπεὶ ζηλωταί ἐστε πνευμάτων
– 14 τὸ πν. μου προσεύχεται, ὁ δὲ νοῦς
– 15 προσεύξομαι τῷ πνεύματι, προσεύ-
ξομαι δὲ καὶ τῷ νοΐ· ψαλῶ τῷ πνεύ-
ματι, ψαλῶ δὲ καὶ τῷ νοΐ 16 ἐὰν εὐ-
λογῇς [ἐν] πνεύματι
– 32 πνεύματα προφητῶν προφήταις ὑπο-
τάσσεται· οὐ γάρ ἐστιν ἀκαταστασίας
15 45 ὁ ἔσχατος Ἀδὰμ εἰς πν. ζῳοποιοῦν
2 Co 1 22 δοὺς τὸν ἀρραβῶνα τοῦ πνεύμ. 5 5

2 Co 3 3 ἐστὲ ἐπιστολὴ Χοῦ –, ἐγγεγραμμένη
– πνεύματι θεοῦ ζῶντος
– 6 ἡμᾶς διακόνους καινῆς διαθήκης, οὐ
γράμματος ἀλλὰ πνεύματος· τὸ γὰρ
γρ. ἀποκτείνει, τὸ δὲ πν. ζῳοποιεῖ
– 8 πῶς οὐχὶ μᾶλλον ἡ διακονία τοῦ
πνεύματος ἔσται ἐν δόξῃ;
– 17 ὁ δὲ κύριος τὸ πν. ἐστιν· οὗ δὲ τὸ
πνεῦμα κυρίου, ἐλευθερία
– 18 καθάπερ ἀπὸ κυρίου πνεύματος
4 13 ἔχοντες – τὸ αὐτὸ πν. τῆς πίστεως
6 4.6 συνιστάνοντες ἑαυτοὺς ὡς θεοῦ
διάκονοι –, ἐν πνεύματι ἁγίῳ
11 4 εἰ – πνεῦμα ἕτερον λαμβάνετε ὃ οὐκ
12 18 οὐ τῷ αὐτῷ πνεύμ. περιεπατήσαμεν;
13 13 ἡ κοινωνία τοῦ ἁγ. πν. μετὰ πάντων
Gal 3 2 ἐξ ἔργων νόμου τὸ πν. ἐλάβετε –;
– 3 ἐναρξάμενοι π..τι νῦν σαρκὶ ἐπιτε-
λεῖσθε; 5 ὁ – ἐπιχορηγῶν ὑμῖν τὸ πν.
– ἐξ ἔργων νόμου ἢ ἐξ ἀκοῆς πίστε-
ως; 14 ἵνα τὴν ἐπαγγελίαν τοῦ πνεύ-
ματος λάβωμεν διὰ τῆς πίστεως
4 6 ἐξαπέστειλεν ὁ θεὸς τὸ πν. τοῦ υἱοῦ
– 29 ὁ κατὰ σάρκα γεννηθεὶς ἐδίωκεν τὸν
κατὰ πνεῦμα, οὕτως καὶ νῦν
5 5 ἡμεῖς γὰρ πνεύματι ἐκ πίστεως ἐλ-
πίδα δικαιοσύνης ἀπεκδεχόμεθα
– 16 πνεύματι περιπατεῖτε καὶ ἐπιθυμίαν
σαρκὸς οὐ μὴ τελέσητε 17 ἡ – σὰρξ
ἐπιθυμεῖ κατὰ τοῦ πν., τὸ δὲ πνεῦμα
κατὰ τῆς σαρκός 18 εἰ δὲ πνεύματι
ἄγεσθε, οὐκ ἐστὲ ὑπὸ νόμον 22 ὁ δὲ
καρπὸς τοῦ πν. ἐστιν ἀγάπη, χαρά
– 25 εἰ ζῶμεν π..τι, π..τι καὶ στοιχῶμεν
6 1 καταρτίζετε – ἐν πνεύματι πραΰτητος
– 8 ὁ δὲ σπείρων εἰς τὸ πνεῦμα ἐκ τοῦ
πνεύματος θερίσει ζωὴν αἰώνιον
Eph 1 13 ἐσφραγίσθητε τῷ πν. τῆς ἐπαγγελίας
τῷ ἁγ., 14 ὅς (vl ὅ) ἐστιν ἀρραβὼν
τῆς κληρονομίας ἡμῶν 4 30 μὴ λυπεῖτε
τὸ πν. τὸ ἁγ. τοῦ θεοῦ, ἐν ᾧ ἐσφρα-
γίσθητε εἰς ἡμέραν ἀπολυτρώσεως
– 17 δῴη ὑμῖν πν. σοφίας καὶ ἀποκαλύψ.
2 18 προσαγωγὴν – ἐν ἑνὶ πν. πρὸς τ. πατ.
– 22 εἰς κατοικητήριον τοῦ θεοῦ ἐν π..τι
3 5 ἀπεκαλύφθη τοῖς – προφήταις ἐν πν.
– 16 κραταιωθῆναι διὰ τοῦ πνεύματος αὐ-
τοῦ εἰς τὸν ἔσω ἄνθρωπον
4 3 τηρεῖν τὴν ἑνότητα τοῦ πνεύματος
– 4 ἓν σῶμα καὶ ἓν πνεῦμα
– 23 ἀνανεοῦσθαι – τῷ πν. τοῦ νοὸς ὑμῶν
5 18 ἀλλὰ πληροῦσθε ἐν πνεύματι

Eph 6 17 „τὴν μάχαιραν τοῦ πν., – ῥῆμα θεοῦ"
 – 18 προσευχόμενοι – ἐν πνεύματι
Phl 1 19 διὰ τῆς – ἐπιχορηγίας τοῦ πν. Ἰ. Χοῦ
 – 27 ὅτι στήκετε ἐν ἑνὶ πνεύματι
 2 1 εἴ τις κοινωνία πνεύματος
 3 3 οἱ π..τι θεοῦ (vl θεῷ vg) λατρεύοντες
Col 1 8 τὴν ὑμῶν ἀγάπην ἐν πνεύματι
1 Th 1 5 τὸ εὐαγγέλιον ἡμῶν – ἐγενήθη – καὶ
 ἐν δυνάμει καὶ ἐν πνεύματι ἁγίῳ
 – 6 ἐν θλίψει – μετὰ χαρᾶς π..τος ἁγίου
 4 8 θεὸν τὸν καὶ „διδόντα τὸ πνεῦμα
 αὐτοῦ" τὸ ἅγιον „εἰς ὑμᾶς"
 5 19 τὸ πνεῦμα μὴ σβέννυτε
2 Th 2 2 εἰς τὸ μὴ – σαλευθῆναι ὑμᾶς – μήτε
 διὰ πνεύματος μήτε διὰ λόγου μήτε
 – 13 εἵλατο ὑμᾶς ὁ θεὸς – εἰς σωτηρίαν
 ἐν ἁγιασμῷ π..τος καὶ πίστει ἀληθ.
1 Ti 3 16 ὃς (vl ὃ vg) – , ἐδικαιώθη ἐν πν..τι
 4 1 τὸ δὲ πν. ῥητῶς λέγει ὅτι ἐν ὑστέροις
2 Ti 1 7 οὐ – πν. δειλίας, ἀλλὰ δυνάμεως καὶ
 ἀγάπης καὶ σωφρονισμοῦ
 – 14 τὴν – παραθήκην φύλαξον διὰ π..τος
 ἁγίου τοῦ ἐνοικοῦντος ἐν ἡμῖν
Tit 3 5 διὰ λουτροῦ παλιγγενεσίας καὶ ἀνα-
 καινώσεως π..τος ἁγίου, οὗ ἐξέχεεν
Hb 1 14 εἰσὶν λειτουργικὰ π..τα (cfr sub 4)
 Hb 1 7) εἰς διακονίαν ἀποστελλόμενα
 2 4 συνεπιμαρτυροῦντος τοῦ θεοῦ – πνεύ-
 ματος ἁγίου μερισμοῖς
 3 7 καθὼς λέγει τὸ πν. τὸ ἅγ.· „σήμερ."
 6 4 μετόχους γενηθέντας π..τος ἁγίου
 9 8 τοῦτο δηλοῦντος τοῦ πν. τοῦ ἁγίου
 – 14 Χοῦ, ὃς διὰ π..τος αἰωνίου (vl ἁγ.
 vg) ἑαυτὸν προσήνεγκεν – τῷ θεῷ
 10 15 μαρτυρεῖ – ἡμῖν καὶ τὸ πν. τὸ ἅγιον
 – 29 ὁ – τὸ πνεῦμα τῆς χάριτος ἐνυβρίσας
Jac 4 5 πρὸς φθόνον ἐπιποθεῖ τὸ πνεῦμα ὃ
 κατῴκισεν (vl ..ησεν vg) ἐν ἡμῖν
1 Pe 1 2 ἐν ἁγιασμῷ πνεύματος → 2 Th 2 13
 – 11 εἰς τίνα – καιρὸν ἐδήλου τὸ ἐν αὐ-
 τοῖς πνεῦμα Χοῦ προμαρτυρόμενον
 – 12 διὰ τῶν εὐαγγελισαμένων ὑμᾶς ἐν
 πνεύματι ἁγίῳ ἀποσταλέντι ἀπ᾽ οὐρ.
 3 18 Χὸς –, ζωοποιηθεὶς – π..τι 19 ἐν ᾧ καὶ
 τοῖς ἐν φυλακῇ – ἐκήρυξεν → 3)
 4 6 ἵνα –, ζῶσι δὲ κατὰ θεὸν πνεύματι
 – 14 ὅτι τὸ τῆς δόξης καὶ „τὸ τοῦ θεοῦ
 πνεῦμα" ἐφ᾽ ὑμᾶς „ἀναπαύεται"
2 Pe 1 21 ὑπὸ π..τος ἁγ. φερόμενοι ἐλάλησαν
1 Jo 3 24 γινώσκομεν ὅτι μένει (sc Χὸς) ἐν ἡ-
 μῖν, ἐκ τοῦ πν. οὗ ἡμῖν ἔδωκεν 4 13
 ὅτι ἐκ τοῦ πν. αὐτοῦ δέδωκεν ἡμῖν

1 Jo 4 1 μὴ παντὶ πν. πιστεύετε, ἀλλὰ δοκι-
 μάζετε τὰ πνεύματα εἰ ἐκ τοῦ θεοῦ
 – 2 ἐν τούτῳ γινώσκετε τὸ πν. τοῦ θεοῦ·
 πᾶν πνεῦμα ὃ ὁμολογεῖ Ἰ. Χόν 3 ὃ
 μὴ ὁμολογεῖ (vl ὃ λύει vg) τὸν Ἰη-
 σοῦν ἐκ τοῦ θεοῦ οὐκ ἔστιν
 – 6 γινώσκομεν τὸ πνεῦμα τῆς ἀληθείας
 καὶ τὸ πν. τῆς πλάνης → Joh 14 17
 5 6 τὸ πν. ἐστιν τὸ μαρτυροῦν, ὅτι τὸ πν.
 ἐστιν ἡ ἀλήθεια 7.8 τρεῖς εἰσιν οἱ
 μαρτυροῦντες, τὸ πν. καὶ τὸ ὕδωρ
Jud 19 ψυχικοί, πνεῦμα μὴ ἔχοντες
 20 ὑμεῖς δέ, – ἐν πν. ἁγ. προσευχόμενοι
Ap 1 4 ἀπὸ τῶν ἑπτὰ πν. – ἐνώπ. τοῦ θρόν
 – 10 ἐγενόμην ἐν π..τι 4 2 – 17 3 ἀπήνεγ-
 κέν με εἰς ἔρημον ἐν πνεύματι 21 10
 2 7 ἀκουσάτω τί τὸ πνεῦμα λέγει ταῖς
 ἐκκλησίαις 11.17.29 3 6.13.22
 3 1 ὁ ἔχων τὰ ἑπτὰ πν. τοῦ θεοῦ 4 5 5 6
 14 13 ναί, λέγει τὸ πν., ἵνα ἀναπαήσονται
 19 10 ἡ – μαρτυρία Ἰησοῦ ἐστιν τὸ πνεῦμα
 τῆς προφητείας
 22 6 ὁ κύρ. ὁ θεὸς τῶν πν. τῶν προφητῶν
 – 17 τὸ πνεῦμα καὶ ἡ νύμφη λέγουσιν

2) spiritus mali et malorum auctores
 (vg spiritus immundi ᵇmali ᶜmaligni
 ᵈnequam (nequiores) ᵉpessimi)

Mat 8 16 ἐξέβαλεν τὰ πν. λόγῳ 10 1 ἔδωκεν
 – ἐξουσίαν πνευμάτων ἀκαθάρτων
 ὥστε ἐκβάλλειν αὐτά ‖ Mar 6 7
 12 43 ὅταν – τὸ ἀκάθαρτον πνεῦμα ἐξέλθῃ
 45 ἑπτὰ ἕτερα πνεύματα πονηρότε-
 ρα ᵈ ἑαυτοῦ ‖ Luc 11 24.26 ᵈ
Mar 1 23 ἄνθρωπος ἐν πνεύματι ἀκαθάρτῳ 26
 ‖ Luc 4 33 ἔχων πν. δαιμονίου ἀκαθ.
 – 27 καὶ τοῖς πν. τοῖς ἀκαθάρτοις ἐπιτάσ-
 σει ‖ Luc 4 36 ἐν ἐξουσίᾳ καὶ δυνάμει
 3 11 τὰ πν. τὰ ἀκάθ. – προσέπιπτον αὐ-
 τῷ καὶ ἔκραζον – ὅτι σὺ εἶ ὁ υἱός
 – 30 ἔλεγον· πνεῦμα ἀκάθαρτον ἔχει
 5 2 ἄνθρωπος ἐν π..τι ἀκάθ. 8 ἔξελθε τὸ
 πν. τὸ ἀκάθ. 13 ἐξελθόντα τὰ πν. τὰ
 ἀκάθαρτα ‖ Luc 8 29 παρήγγελλεν
 τῷ πνεύματι τῷ ἀκαθάρτῳ ἐξελθεῖν
 7 25 εἶχεν τὸ θυγάτριον – πν. ἀκάθαρτον
 9 17 υἱόν –, ἔχοντα πν. ἄλαλον 20 ἰδὼν
 αὐτὸν τὸ πν. συνεσπάραξεν αὐτόν
 25 ἐπετίμησεν τῷ πν. τῷ ἀκάθ. – · τὸ
 ἄλαλον καὶ κωφὸν πν., – , ἔξελθε ‖
 Luc 9 39 πνεῦμα λαμβάνει αὐτόν 42
Luc 6 18 οἱ ἐνοχλούμενοι ἀπὸ πνευμάτων ἀ-

(Luc) καθάρτων ἐθεραπεύοντο 7 21 ἀπὸ –
π..των πονηρῶν[b] 8 2 αἳ ἦσαν τεθερα-
πευμέναι ἀπὸ πνευμάτων πονηρῶν[c]
Luc 10 20 πλὴν ἐν τούτῳ μὴ χαίρετε ὅτι τὰ
πνεύματα ὑμῖν ὑποτάσσεται
13 11 γυνὴ πν. ἔχουσα ἀσθενείας ἔτη δε.
Act 5 16 ὀχλουμένους ὑπὸ π..των ἀκαθάρτ.
8 7 πολλοὶ – τῶν ἐχόντων π..τα ἀκάθαρτα
16 16 ἔχουσαν πν. πύθωνα 18 τῷ πν. εἶπεν
19 12 τὰ – πν. τὰ πονηρὰ[d] ἐκπορεύεσθαι
– 13 ὀνομάζειν ἐπὶ τοὺς ἔχοντας τὰ πν.
τὰ πονηρὰ[b] τὸ ὄνομα τοῦ κυρ. Ἰησ.
– 15 τὸ πν. τὸ πονηρὸν[d] εἶπεν αὐτοῖς
– 16 τὸ πν. τὸ πον.[e] (daemonium pessim.)
Rm 11 8 „ἔδωκεν – ὁ θεὸς πν. κατανύξεως"
1 Co 2 12 οὐ τὸ πνεῦμα τοῦ κόσμου ἐλάβομεν
Eph 2 2 τοῦ πνεύματος τοῦ νῦν ἐνεργοῦντος
ἐν τοῖς υἱοῖς τῆς ἀπειθείας
1 Ti 4 1 προσέχοντες πνεύμασιν πλάνοις
2 Ti 1 7 οὐ γὰρ ἔδωκεν ἡμῖν ὁ θεὸς πνεῦμα
δειλίας – 1 Pe 3 19 → sub 3)
1 Jo 4 1 μὴ παντὶ πν. πιστεύετε, ἀλλὰ δοκι-
μάζετε τὰ πν. 3 πᾶν πν. ὃ μὴ ὁμο-
λογεῖ (vl ὃ λύει vg) τὸν Ἰησοῦν –·
καὶ τοῦτό ἐστιν τὸ τοῦ ἀντιχρίστου
6 γινώσκομεν – τὸ πνεῦμα τῆς πλάνης
Ap 16 13 π..τα τρία ἀκάθαρτα ὡς βάτραχοι
14 εἰσὶν γὰρ πνεύματα δαιμονίων
18 2 φυλακὴ παντὸς π..τος ἀκαθάρτου

3) hominis animus, – animae defunc-
torum

Mat 5 3 μακάριοι „οἱ πτωχοὶ" τῷ πνεύματι
26 41 τὸ μὲν πν. πρόθυμον (promptus), ἡ
δὲ σὰρξ ἀσθενής ‖ Mar 14 38
27 50 ἀφῆκεν τὸ πν. Joh 19 30 παρέδωκεν
Mar 2 8 ἐπιγνοὺς ὁ Ἰησοῦς τῷ πν. αὐτοῦ ὅτι
8 12 ἀναστενάξας τῷ πν..τι αὐτοῦ λέγει
Luc 1 47 „ἠγαλλίασεν" τὸ πν. μου „ἐπὶ τ. θεῷ"
– 80 τὸ – παιδίον – ἐκραταιοῦτο πνεύματι
8 55 ἐπέστρεψεν τὸ πνεῦμα αὐτῆς
23 46 „εἰς χεῖράς σου παρατίθεμαι τὸ πν.
μου" Act 7 59 δέξαι τὸ πνεῦμά μου
24 37 ἐδόκουν πν. θεωρεῖν 39 ὅτι πν. σάρ-
κα καὶ ὀστέα οὐκ ἔχει καθώς
Joh 11 33 Ἰησοῦς – ἐνεβριμήσατο τῷ πνεύματι
13 21 Ἰησοῦς ἐταράχθη τῷ πνεύματι
Act 17 16 παρωξύνετο τὸ πν. αὐτοῦ ἐν αὐτῷ
18 25 ζέων τῷ πν..τι ἐλάλει 19 21 ἔθετο ὁ
Παῦλος ἐν τῷ πν. – πορεύεσθαι εἰς
20 22 δεδεμένος ἐγὼ τῷ πν..τι πορεύομαι
Rm 1 9 ὁ θεός, ᾧ λατρεύω ἐν τῷ πν..τί μου

Rm 8 10 τὸ δὲ πνεῦμα ζωὴ διὰ δικαιοσύνην
– 16 αὐτὸ τὸ πνεῦμα συμμαρτυρεῖ τῷ πνεύ-
ματι ἡμῶν ὅτι ἐσμὲν τέκνα
1 Co 2 11 τίς – οἶδεν – τὰ τοῦ ἀνθρώπου εἰ μὴ
τὸ πν. τοῦ ἀνθρώπου τὸ ἐν αὐτῷ;
5 3 ἀπὼν τῷ σώματι, παρὼν δὲ τῷ πν..τι
– 4 συναχθέντων ὑμῶν καὶ τοῦ ἐμοῦ π..
τος σὺν τῇ δυνάμει τοῦ κυρίου
– 5 ἵνα τὸ πνεῦμα σωθῇ ἐν τῇ ἡμέρᾳ
7 34 ἵνα ᾖ ἁγία καὶ τῷ σώμ. καὶ τῷ πν.
14 14 τὸ πν. μου προσεύχεται, ὁ δὲ νοῦς
16 18 ἀνέπαυσαν – τὸ ἐμὸν πν. καὶ τὸ ὑ-
μῶν – 2 Co 7 13 ἀναπέπαυται τὸ πν.
2 Co 2 13 οὐκ ἔσχηκα ἄνεσιν τῷ πνεύματί μου
7 1 ἀπὸ – μολυσμοῦ σαρκὸς καὶ πν..τος
Gal 6 18 ἡ χάρις – μετὰ τοῦ πν. ὑμῶν Phl 4 23
Phm 25 – 2 Ti 4 22 ὁ κύριος μετὰ τοῦ
πνεύματός σου. ἡ χάρις μεθ᾽ ὑμῶν
Eph 4 23 ἀνανεοῦσθαι – τῷ πν. τοῦ νοὸς ὑμῶν
Col 2 5 ἀλλὰ τῷ πνεύματι σὺν ὑμῖν εἰμι
1 Th 5 23 ὁλόκληρον ὑμῶν τὸ πν. καὶ ἡ ψυχὴ
καὶ τὸ σῶμα – τηρηθείη
Hb 4 12 ἄχρι μερισμοῦ ψυχῆς καὶ πνεύματος
12 9 οὐ – μᾶλλον ὑποταγησόμεθα τῷ πα-
τρὶ τῶν πνευμάτων καὶ ζήσομεν;
– 23 πνεύμασι δικαίων τετελειωμένων
Jac 2 26 ὥσπερ – σῶμα χωρὶς π..τος νεκρόν
4 5 ἐπιποθεῖ τὸ πνεῦμα – ἐν ἡμῖν
1 Pe 3 4 τοῦ πραέος καὶ ἡσυχίου πνεύματος
– 19 τοῖς ἐν φυλακῇ πνεύμασιν – ἐκήρυξεν

4) spiritus vitalis, halitus, ventus

Joh 3 8 τὸ πνεῦμα ὅπου θέλει πνεῖ καὶ τὴν
φωνὴν αὐτοῦ ἀκούεις
2 Th 2 8 ὃν ὁ κύριος – „ἀνελεῖ τῷ πνεύματι
τοῦ στόματος αὐτοῦ"
Hb 1 7 „ὁ ποιῶν τοὺς ἀγγέλους – π..τα"
Ap 11 11 „πνεῦμα ζωῆς" ἐκ τοῦ θεοῦ „εἰσῆλ-
θεν ἐν αὐτοῖς, καὶ ἔστησαν"
13 15 δοῦναι πνεῦμα τῇ εἰκόνι τοῦ θηρίου

πνευματικός, ..κῶς S° – spiritualis (vl
..talis), spiritualiter (vl ..taliter)
Rm 1 11 ἵνα τι μεταδῶ χάρισμα ὑμῖν πν..όν
7 14 ὅτι ὁ νόμος πν. ἐστιν· ἐγὼ – σάρκ.
15 27 εἰ – τοῖς π..οῖς αὐτῶν ἐκοινώνησαν
τὰ ἔθνη 1 Co 9 11 εἰ ἡμεῖς ὑμῖν τὰ
πν..α ἐσπείραμεν, μέγα εἰ ἡμεῖς –;
1 Co 2 13 π..οῖς (vl π..κῶς) π..ὰ συγκρίνοντες
14 ὅτι π..ῶς ἀνακρίνεται 15 ὁ – π..ὸς
ἀνακρίνει μὲν πάντα, αὐτὸς δὲ ὑπ᾽
οὐδενὸς ἀνακρίνεται

1 Co 3 1 οὐκ ἠδυνήθην λαλῆσαι ὑμῖν ὡς π..οῖς
Gal 6 1 ὑμεῖς οἱ πν..οὶ καταρτίζετε
10 3 τὸ αὐτὸ π..ὸν βρῶμα ἔφαγον 4 τὸ
αὐτὸ π..ὸν ἔπιον πόμα· ἔπινον – ἐκ
πνευματικῆς ἀκολουθούσης πέτρας
12 1 περὶ – τῶν π..ῶν – οὐ θέλω ὑμᾶς ἀ-
γνοεῖν 14 1 ζηλοῦτε δὲ τὰ π..ά
14 37 εἴ τις δοκεῖ προφήτης εἶναι ἢ π..ός
15 44 ἐγείρεται σῶμα π..όν. εἰ ἔστιν σῶμα
ψυχικόν, ἔστιν καὶ π..όν 46 ἀλλ᾽ οὐ
πρῶτον τὸ πν..ὸν ἀλλὰ τὸ ψυχικόν
Eph 1 3 ἐν πάσῃ εὐλογίᾳ π..ῇ ἐν τοῖς ἐπου.
5 19 λαλοῦντες ἑαυτοῖς – ᾠδαῖς πν..αῖς
Col 3 16 ᾠδαῖς πν..αῖς – ᾄδοντες
6 12 ἡμῖν ἡ πάλη – πρὸς τὰ π..ὰ τῆς πο-
νηρίας (nequitiae) ἐν τοῖς ἐπουραν.
Col 1 9 ἐν πάσῃ σοφίᾳ καὶ συνέσει π..ῇ
1 Pe 2 5 οἰκοδομεῖσθε οἶκος π..ὸς –, ἀνενέγ-
και πνευματικὰς θυσίας – θεῷ
Ap 11 8 ἥτις καλεῖται π..ῶς Σόδ. καὶ Αἴγυπτ.

πνίγειν suffocare Mat (13 7 vl) 18 28 Mar 5 13

πνικτόν Sᵒ – suffocatum Act 15 20.29 21 25

πνοή ᵃspiritus ᵇinspiratio Act 2 2ᵃ
Act 17 25 „διδοὺς" πᾶσι ζωὴν καὶ „πνοήνᵇ"

ποδήρης poderes Ap 1 13 „ἐνδεδυμένον π..η"

*ποιεῖν facere
Mat 5 19 ὃς δ᾽ ἂν ποιήσῃ καὶ διδάξῃ
– 46 οὐχὶ καὶ οἱ τελῶναι τὸ αὐτὸ ποιοῦ-
σιν; 47 οἱ ἐθνικοὶ ‖ Luc 6 33 τὸ αὐτὸ ‖ οἱ ἁμαρτ.
7 12 ὅσα ἐὰν θέλητε ἵνα ποιῶσιν ὑμῖν οἱ
ἄνθρ., – καὶ ὑμεῖς ποιεῖτε αὐτοῖς ‖
Luc 6 31 καθὼς –, – ὁμοίως
– 24 ὅστις ἀκούει μου τοὺς λόγους τού-
τους καὶ ποιεῖ αὐτούς 26 ὁ ἀκούων
– καὶ μὴ ποιῶν ‖ Luc 6 47.49 – 46 τί
– με καλεῖτε· κύριε κύριε, καὶ οὐ
ποιεῖτε ἃ λέγω;
8 9 ποίησον τοῦτο, καὶ ποιεῖ ‖ Luc 7 8
9 28 ὅτι δύναμαι τοῦτο ποιῆσαι;
12 33 ἢ ποιήσατε τὸ δένδρον καλόν –, ἢ
ποιήσατε τὸ δένδρον σαπρὸν κτλ.
17 12 ἐποίησαν ἐν αὐτῷ (sc Ἠλίᾳ) ὅσα ἠ-
θέλησαν ‖ Mar 9 13 ἐποίησαν αὐτῷ
18 35 οὕτως – ὁ πατήρ μου – ποιήσει ὑμῖν
19 4 οὐκ ἀνέγνωτε ὅτι ὁ κτίσας (vl ποιή-
σας vg) ἀπ᾽ ἀρχῆς „ἄρσεν καὶ θῆλυ
ἐποίησεν αὐτούς"; ‖ Mar 10 6
– 16 τί ἀγαθὸν ποιήσω ἵνα σχῶ ζωὴν αἰ-

ώνιον; ‖ Mar 10 17 τί ποιήσω –; Luc
18 18 τί ποιήσας – κληρονομήσω; 10
25.28 „τοῦτο ποίει καὶ ζήσῃ"
Mat 20 5.12 μίαν ὥραν ἐποίησαν κτλ. 15
21 21 οὐ μόνον τὸ τῆς συκῆς ποιήσετε
23 3 ὅσα ἐὰν εἴπωσιν ὑμῖν ποιήσατε –,
κατὰ δὲ τὰ ἔργα – μὴ ποιεῖτε· λέγου-
σιν γὰρ καὶ οὐ ποιοῦσιν 5.15 ποιῆ-
σαι ἕνα προσήλυτον κτλ. 23 ταῦτα
– ἔδει ποιῆσαι ‖ Luc 11 42
25 40 ἐφ᾽ ὅσον ἐποιήσατε ἑνὶ – τῶν ἐλαχί-
στων, ἐμοὶ ἐποιήσατε 45 οὐκ ἐποιήσ.
Mar 3 14 ἐποίησεν δώδεκα ἵνα ὦσιν μετ᾽ αὐτοῦ
14 7 δύνασθε αὐτοῖς εὖ ποιῆσαι 8 ὃ ἔ-
σχεν ἐποίησεν 9 ὃ ἐποίησεν αὕτη
Luc 10 37 ὁ ποιήσας τὸ ἔλεος μετ᾽ αὐτοῦ· –
πορεύου καὶ σὺ ποίει ὁμοίως
11 40 οὐχ ὁ ποιήσας τὸ ἔξωθεν καὶ τὸ ἔ-
σωθεν ἐποίησεν;
17 10 ὃ ὠφείλομεν ποιῆσαι πεποιήκαμεν
23 34 οὐ γὰρ οἴδασιν τί ποιοῦσιν
Joh 5 19 οὐ δύναται ὁ υἱὸς ποιεῖν ἀφ᾽ ἑαυτοῦ
οὐδέν κτλ. 20.27.30 8 28.29 17 4 ὃ δέ-
δωκάς μοι ἵνα ποιήσω
13 7 ὃ ἐγὼ ποιῶ σὺ οὐκ οἶδας ἄρτι
– 12 γινώσκετε τί πεποίηκα ὑμῖν;
– 15 ἵνα καθὼς ἐγὼ ἐποίησα ὑμῖν καὶ ὑ-
μεῖς ποιῆτε 17
– 27 ὃ ποιεῖς ποίησον τάχιον
15 5 χωρὶς ἐμοῦ οὐ δύνασθε ποι. οὐδέν
Act 2 37 τί ποιήσωμεν, –; 16 30 τί με δεῖ ποι-
εῖν ἵνα σωθῶ; 22 10 τί π..ήσω, κύριε;
4 24 ὁ „ποιήσας τὸν οὐρ. καὶ τὴν γῆν"
14 15 17 24 τὸν κόσμον 26 Ap 14 7
26 28 ἐν ὀλίγῳ με πείθεις Χριστιανὸν ποι-
ῆσαι (vl γενέσθαι vg fieri)
Rm 1 28 ποιεῖν τὰ μὴ καθήκοντα 32 οὐ μόνον
αὐτὰ ποιοῦσιν, ἀλλὰ καὶ συνευδο-
κοῦσιν τοῖς πράσσουσιν 2 3 ὁ κρίνων
τοὺς – πράσσοντας καὶ ποιῶν αὐτά
4 21 πληροφορηθεὶς ὅτι ὃ ἐπήγγελται δυ-
νατός ἐστιν καὶ ποιῆσαι
7 15 ὃ μισῶ τοῦτο ποιῶ 16 εἰ δὲ ὃ οὐ θέ-
λω τοῦτο ποιῶ 19 οὐ γὰρ ὃ θέλω
ποιῶ ἀγαθόν 20.21 ποιεῖν τὸ καλόν
9 20 τί με ἐποίησας οὕτως; 21
1 Co 7 36 ὃ θέλει ποιείτω· οὐχ ἁμαρτάνει 37
καλῶς ποιήσει 38 – κρεῖσσον π..ει
9 23 πάντα – ποιῶ διὰ τὸ εὐαγγέλιον
10 13 ποιήσει σὺν τῷ πειρασμῷ καὶ τὴν ἔκ-
βασιν τοῦ δύνασθαι ὑπενεγκεῖν
– 31 πάντα εἰς δόξαν θεοῦ ποιεῖτε

2 Co 8 10 οὐ μόνον τὸ ποιῆσαι ἀλλὰ καὶ τὸ
θέλειν προενήρξασθε 11 νυνὶ δὲ καὶ
τὸ ποιῆσαι ἐπιτελέσατε

11 12 ὃ δὲ ποιῶ, καὶ ποιήσω 7

13 7 ἵνα ὑμεῖς τὸ καλὸν ποιῆτε, ἡμεῖς δέ

Gal 5 17 ἵνα μὴ ἃ ἐὰν θέλητε ταῦτα ποιῆτε

6 9 τὸ – καλὸν ποιοῦντες μὴ ἐγκακῶμεν

Eph 2 14 ὁ ποιήσας τὰ ἀμφότερα ἕν

3 20 τῷ – δυναμένῳ ὑπὲρ πάντα ποιῆσαι
ὑπερεκπερισσοῦ ὧν αἰτούμεθα

Phl 2 14 πάντα ποιεῖτε χωρὶς γογγυσμῶν

Col 3 17 πᾶν ὅ τι ἐὰν ποιῆτε 23 – 4 16

1 Th 5 24 πιστὸς ὁ καλῶν ὑμᾶς, ὃς καὶ ποιήσει

2 Th 3 4 πεποίθαμεν – ὅτι ἃ παραγγέλλομεν
[καὶ] ποιεῖτε καὶ ποιήσετε

1 Ti 4 16 τοῦτο – ποιῶν καὶ σεαυτὸν σώσεις

5 21 μηδὲν ποιῶν κατὰ πρόσκλισιν

Hb 1 2 δι' οὗ καὶ ἐποίησεν τοὺς αἰῶνας

3 2 „πιστὸν" ὄντα τῷ ποιήσαντι αὐτόν

13 21 ποιῶν ἐν ἡμῖν (vl ὑμῖν vg) τὸ εὐά-
ρεστον ἐνώπιον αὐτοῦ

Jac 3 18 καρπὸς δὲ δικαιοσύνης ἐν εἰρήνῃ
σπείρεται τοῖς ποιοῦσιν εἰρήνην

4 17 εἰδότι – καλὸν ποιεῖν καὶ μὴ ποιοῦν-
τι, ἁμαρτία αὐτῷ ἐστιν

ποίημα ᵃ(pl) *quae facta sunt* ᵇ*factura*

Rm 1 20 τοῖς π..σιν ᵃ νοούμενα καθορᾶται

Eph 2 10 αὐτοῦ γάρ ἐσμεν π.ᵇ, κτισθέντες

ποίησις *factum*

Jac 1 25 μακάριος ἐν τῇ ποιήσει αὐτοῦ ἔσται

ποιητής *factor* ᵇ*poëta*

Act 17 28 τινὲς τῶν καθ' ὑμᾶς π..ῶν ᵇ εἰρήκασιν

Rm 2 13 ἀλλ' οἱ π. νόμου δικαιωθήσονται

Jac 1 22 γίνεσθε – π..αὶ λόγου 23.25 ἔργου

4 11 εἰ – νόμον κρίνεις, οὐκ εἶ π. νόμου

ποικίλος *varius* ᵇ*multiformis*

Mat 4 24 ποικίλαις νόσοις Mar 1 34 Luc 4 40

2 Ti 3 6 (ἐπιθυμίαι) Tit 3 3 (καὶ ἡδοναί)

Hb 2 4 (δυνάμεις) 13 9 διδαχαῖς π..αις καὶ

Jac 1 2 (πειρασμοί) 1 Pe 1 6 [ξέναις

1 Pe 4 10 οἰκονόμοι π..ης ᵇ χάριτος θεοῦ

ποιμαίνειν *pascere* ᵇ*regere* (→ βόσκειν)

Mat 2 6 „ὅστις ποιμανεῖ ᵇ τὸν λαόν μου"

Luc 17 7 δοῦλον – ἀροτριῶντα ἢ π..οντα

Joh 21 16 ποίμαινε τὰ προβάτιά μου

Act 20 28 ἐπισκόπους, π.ᵇ τὴν ἐκκλησίαν

1 Co 9 7 τίς π..ει ποίμνην καὶ ἐκ τοῦ γάλ. –;

1 Pe 5 2 ποιμάνατε τὸ ἐν ὑμῖν ποίμνιον τοῦ

Jud 12 ἑαυτοὺς ποιμαίνοντες [θεοῦ

Ap 2 27 „ποιμανεῖ ᵇ αὐτοὺς ἐν ῥάβδῳ σιδη-
ρᾷ" 12 5 ᵇ „τὰ ἔθνη" 19 15 ᵇ

7 17 „ποιμανεῖ ᵇ αὐτοὺς καὶ ὁδηγήσει"

ποιμήν *pastor*

Mat 9 36 „πρόβατα μὴ ἔχ. ποιμένα" Mar 6 34

25 32 ὥσπερ ὁ π. ἀφορίζει τὰ πρόβατα

26 31 „πατάξω τὸν ποιμένα" ‖ Mar 14 27

Luc 2 8 ποιμένες ἦσαν ἐν τῇ χώρᾳ 15.18.20

Joh 10 2 ὁ – εἰσερχ. διὰ τῆς θύρας π. ἐστιν

– 11 ἐγώ εἰμι ὁ π. ὁ καλός. ὁ π. ὁ καλὸς
τὴν ψυχὴν αὐτοῦ τίθησιν 14

– 12 ὁ μισθωτὸς καὶ οὐκ ὢν ποιμήν

– 16 γενήσεται μία ποίμνη, εἷς ποιμήν

Eph 4 11 ἔδωκεν – τοὺς δὲ ποιμένας καὶ διδ.

Hb 13 20 τὸν ποιμ. τῶν προβάτων τὸν μέγαν

1 Pe 2 25 ἐπεστράφητε – ἐπὶ τὸν ποιμένα καὶ
ἐπίσκοπον τῶν ψυχῶν ὑμῶν

ποίμνη *grex* ᵇ*ovile* Mat 26 31 Luc 2 8

Joh 10 16 ᵇ → ποιμήν 1 Co 9 7 → ποιμαίνειν

ποίμνιον *grex*

Luc 12 32 μὴ φοβοῦ, τὸ μικρὸν ποίμνιον

Act 20 28 προσέχετε ἑαυτοῖς καὶ παντὶ τῷ π.

– 29 λύκοι – μὴ φειδόμενοι τοῦ ποιμνίου

1 Pe 5 2 → ποιμαίνειν 3 τύποι γινόμ. τοῦ π.

πολεμεῖν *pugnare* ᵇ*praeliari* ᶜ*belligerare*

Jac 4 2 μάχεσθε καὶ πολεμεῖτε ᶜ

Ap 2 16 π..ήσω μετ' αὐτῶν 12 7 ᵇ μετὰ τοῦ
δράκοντος. καὶ ὁ δρ. ἐπ..ησεν 13 4 17 14
μετὰ τοῦ ἀρνίου πολεμήσουσιν – 19 11
„ἐν δικαιοσύνῃ κρίνει" καὶ πολεμεῖ

πόλεμος *bellum* ᵇ*praelium* (vl proe.)

Mat 24 6 μελλήσετε – ἀκούειν π..ους ᵇ καὶ ἀ-
κοὰς π..ων ᵇ ‖ Mar 13 7 Luc 21 9 ᵇ

Luc 14 31 1 Co 14 8 Hb 11 34 ἰσχυροὶ ἐν π..ῳ

Jac 4 1 πόθεν π..οι καὶ πόθεν μάχαι –;

Ap 9 7 ᵇ 9 11 7 12 17 ᵇ 13 7 19 19 ᵇ 20 8 ᵇ

12 7 ἐγένετο πόλεμος ᵇ ἐν τῷ οὐρανῷ

16 14 εἰς τὸν π.ᵇ τῆς ἡμέρας – τοῦ θεοῦ

πόλις *civitas* ᵇ*urbs*

Mat 2 23 κατῴκησεν εἰς πόλιν λεγομ. Ναζαρέθ

4 5 παραλαμβάνει αὐτὸν εἰς τὴν ἁγίαν
πόλιν 27 53 εἰσῆλθον εἰς τ. ἁγ. πόλιν

5 14 οὐ δύναται πόλις κρυβῆναι ἐπάνω

– 35 μήτε εἰς Ἱεροσύλυμα, ὅτι „πόλις" ἐ-
στὶν „τοῦ μεγάλου βασιλέως"

Mat 8 33 ἀπελθόντες εἰς τὴν πόλιν ἀπήγγει-
λαν πάντα 34 πᾶσα ἡ πόλ. ἐξῆλθεν ‖
Mar 5 14 Luc 8 34. 39 καθ' ὅλην τὴν
πόλιν κηρύσσων
9 1 ἦλθεν εἰς τὴν ἰδίαν πόλ. (‖ Caphar.)
– 35 περιῆγεν ὁ Ἰησοῦς τὰς πόλεις πάσας
10 5 εἰς πόλιν (vg civitates) Σαμαριτῶν
μὴ εἰσέλθητε 11 εἰς ἣν δ' ἂν πόλιν –
εἰσέλθητε 14 ἐξερχόμενοι ἔξω – τῆς
πόλ. ἐκείνης 15 ἀνεκτότερον – ἢ τῇ
πόλ. ἐκείνῃ 23 ὅταν – διώκωσιν ὑμᾶς
ἐν τῇ πόλ. ταύτῃ, – · οὐ μὴ τελέσητε
τὰς πόλ. [τοῦ] Ἰσραήλ ‖ Luc 10 1 εἰς
πᾶσαν πόλ. – οὗ ἔμελλεν αὐτὸς ἔρ-
χεσθαι 8 εἰς ἣν ἂν πόλιν εἰσέρχησθε
10. 11 τ. κονιορτὸν – ἐκ τῆς πόλ. ὑμῶν
12 ἀνεκτότερον – ἢ τῇ πόλ. ἐκείνῃ 9 5
11 1 μετέβη – τοῦ διδάσκειν – ἐν ταῖς πόλ.
– 20 ἤρξατο ὀνειδίζειν τὰς πόλεις ἐν αἷς
12 25 πᾶσα πόλις – μερισθεῖσα καθ' ἑαυτῆς
14 13 ἠκολούθησαν αὐτῷ – ἀπὸ τῶν πόλ. ‖
Mar 6 33 ἀπὸ πασῶν τ. π. συνέδραμον
21 10 ἐσείσθη πᾶσα ἡ πόλις – · τίς ἐστιν –;
– 17 ἐξῆλθεν ἔξω τῆς πόλ. εἰς Βηθανίαν
18 ἐπαναγαγὼν εἰς τὴν π. ἐπείνασεν
22 7 τὴν πόλιν αὐτῶν ἐνέπρησεν
23 34 ἐξ αὐτῶν – διώξετε ἀπὸ πόλ. εἰς πόλ.
26 18 ὑπάγετε εἰς τὴν πόλιν πρὸς τὸν δεῖ-
να ‖ Mar 14 13. 16 Luc 22 10
28 11 ἐλθόντες εἰς τὴν πόλιν ἀπήγγειλαν
Mar 1 33 ἦν ὅλη ἡ πόλ. ἐπισυνηγμένη πρὸς
τὴν θύραν 45 ὥστε μηκέτι αὐτὸν δύ-
νασθαι φανερῶς εἰς πόλιν εἰσελθεῖν
6 56 ὅπου ἂν εἰσεπορεύετο – εἰς πόλεις ἢ
11 19 ὅταν ὀψὲ ἐγέν., ἐξεπορ. ἔξω τῆς πό.
Luc 1 26 εἰς πόλιν τῆς Γαλιλ. ᾗ ὄνομα Ναζ.
– 39 ἐπορεύθη – εἰς πόλιν Ἰούδα
2 3 ἕκαστος εἰς τὴν ἑαυτοῦ πόλιν 4 ἐκ
πόλεως Ναζ. – εἰς πόλιν Δαυίδ 11
ἐτέχθη – σωτήρ, –, ἐν πόλει Δαυ. 39
ἐπέστρεψαν – εἰς πόλ. ἑαυτῶν Ναζ.
4 29 ἐξέβαλον αὐτὸν ἔξω τῆς πόλεως
– – τοῦ ὄρους ἐφ' οὗ ἡ πόλ. ᾠκοδόμητο
– 31 εἰς Καφαρ. πόλιν τῆς Γαλιλαίας
– 43 καὶ ταῖς ἑτέραις πόλεσιν εὐαγγελί-
σασθαί με δεῖ 8 1 διώδευεν κατὰ πό-
λιν 4 τῶν κατὰ πόλιν ἐπιπορευομέ-
νων πρὸς αὐτόν 13 22 διεπορεύετο
κατὰ πόλεις καὶ κώμας διδάσκων
5 12 ἐν τῷ εἶναι αὐτὸν ἐν μιᾷ τῶν πόλεων
7 11 εἰς πόλιν καλουμένην Ναΐν 12 bis
– 37 γυνὴ ἥτις ἦν ἐν τῇ πόλ. ἁμαρτωλός

Luc 8 27 ἀνήρ τις ἐκ τῆς πόλ. (vg°) ἔχων δαι.
9 10 εἰς πόλιν (vl τόπον ἔρημον vg) κα-
λουμένην Βηθ..δά (vg qui est B..dae)
– 52 εἰς κώμην (vl πόλιν vg) Σαμαριτῶν
14 21 ἔξελθε εἰς τὰς – ῥύμας τῆς πόλεως
18 2 κριτής τις ἦν ἔν τινι πόλει 3 χήρα
19 17 ἐπάνω δέκα πόλεων 19 πέντε πόλεων
– 41 ἰδὼν τὴν πόλιν ἔκλαυσεν ἐπ' αὐτήν
23 19 διὰ στάσιν – γενομένην ἐν τῇ πόλει
– 51 ἀπὸ Ἀριμαθαίας πόλεως τῶν Ἰουδ.
24 49 ὑμεῖς δὲ καθίσατε ἐν τῇ πόλει
Joh 1 44 Βηθσ., ἐκ τῆς πόλ. Ἀνδρέου καὶ Φ.
4 5 εἰς πόλιν τῆς Σαμαρ. λεγομ. Σύχαρ
8. 28. 30 ἐξῆλθον ἐκ τῆς πόλεως 39 ἐκ
– τῆς πόλεως – πολλοὶ ἐπίστευσαν
11 54 ἀπῆλθεν – εἰς Ἐφραὶμ λεγομ. πόλιν
19 20 ἐγγὺς ἦν ὁ τόπος τῆς πόλεως ὅπου
Act 4 27 συνήχθησαν – ἐν τῇ πόλει ταύτῃ ἐπὶ
τὸν – παῖδά σου Ἰησοῦν – 22 3 ἀνα-
τεθραμμένος – ἐν τῇ πόλει ταύτῃ
5 16 τὸ πλῆθος τῶν πέριξ πόλεων Ἱερου.
7 58 ἐκβαλόντες ἔξω τῆς πόλ. ἐλιθοβόλ.
8 5 κατελθὼν εἰς τὴν πόλ. τῆς Σαμαρεί-
ας 8 πολλὴ χαρὰ ἐν τῇ πόλ. ἐκείνῃ 9
προϋπῆρχεν ἐν τῇ πόλει μαγεύων 40
εὐηγγελίζετο τὰς πόλεις πάσας
9 6 εἴσελθε εἰς τὴν πόλ. 10 9 τῇ πόλ. ἐγ-
γιζόντων 11 5 ἐν πόλει Ἰόππῃ – 12 10
13 44 σχεδὸν πᾶσα ἡ πόλ. συνήχθη ἀκοῦ-
σαι τὸν λόγον 50 τ. πρώτους τῆς π.
14 4 ἐσχίσθη – τὸ πλῆθος τῆς πόλ. 6 εἰς
τὰς πόλ. τῆς Λυκαονίας 13. 19. 20. 21
εὐαγγελιζόμενοί τε τὴν πόλ. ἐκείνην
15 21 Μωϋ. – κατὰ πόλιν τοὺς κηρύσσοντας
αὐτὸν ἔχει 36 ἐπισκεψώμεθα τοὺς ἀ-
δελφοὺς κατὰ πόλιν πᾶσαν ἐν αἷς
16 4 διεπορεύοντο τὰς πόλ. 12 πρώτη τῆς
μερίδος Μακεδονίας πόλις – . ἦμεν
ἐν ταύτῃ τῇ πολ.[b] 14 πορφυρόπωλις
πόλεως Θυατίρων 20 ἐκταράσσουσιν
ἡμῶν τὴν πόλιν 39 ἠρώτων ἀπελθεῖν
ἀπὸ τῆς πόλεως[b] – 17 5
17 16 κατείδωλον οὖσαν τὴν πόλιν
18 10 λαός ἐστί μοι πολὺς ἐν τῇ π. ταύτῃ
19 29 ἐπλήσθη ἡ πόλις τῆς συγχύσεως 35
20 23 τὸ πνεῦ. – κατὰ πόλιν διαμαρτύρεται
21 5 προπεμπόντων ἡμᾶς – ἕως ἔξω τῆς
πόλεως (Tyr.) 29 προεωρακότες Τρόφ-
ιμον – ἐν τῇ πόλει σὺν αὐτῷ 30 ἐκι-
νήθη τε ἡ πόλ. ὅλη 39 τῆς Κιλικίας
οὐκ ἀσήμου πόλεως πολίτης 22 3
24 12 οὔτε ἐν ταῖς συναγωγαῖς οὔτε κατὰ

(Act)   τὴν πόλ. 2523 σὺν–τοῖς κατ᾽ ἐξοχὴν
τῆς πόλ. 2611 ἕως–εἰς τὰς ἔξω πόλεις 278 ᾧ ἐγγὺς ἦν πόλις Λασαία
Rm 1623 Ἔραστος ὁ οἰκονόμος τῆς πόλεως
2 Co 1126 κινδύνοις ἐν πόλει, κινδ. ἐν ἐρημίᾳ
  –32 ἐφρούρει τὴν πόλιν Δαμασκηνῶν
Tit   1 5 καταστήσῃς κατὰ π. πρεσβυτέρους
Hb   1110 ἐξεδέχετο–τὴν τοὺς θεμελίους ἔχουσαν πόλ. 16 ἡτοίμασεν–αὐτοῖς πόλιν
     1222 προσεληλύθατε–πόλει θεοῦ ζῶντος
     1314 οὐ γὰρ ἔχομεν ὧδε μένουσαν πόλιν,
     ἀλλὰ τὴν μέλλουσαν ἐπιζητοῦμεν
Jac   413 πορευσόμεθα εἰς τήνδε τὴν πόλιν
2 Pe   2 6 πόλεις Σοδ. καὶ Γομ. τεφρώσας Jud 7
Ap   312 „τὸ ὄνομα τῆς πόλεως" τ. θεοῦ μου
   11 2 τὴν πόλιν τὴν ἁγίαν „πατήσουσιν"
   –8 ἐπὶ τῆς πόλεως τ. μεγάλης,–, ὅπου
     καὶ ὁ κύριος αὐτῶν ἐσταυρώθη 13
     1420 „ἐπατήθη ἡ ληνὸς" ἔξω τῆς πόλεως
     1619 ἐγένετο ἡ πόλις ἡ μεγάλη εἰς τρία
     μέρη, καὶ αἱ πόλεις τῶν ἐθνῶν ἔπεσαν 1718 ἡ γυνὴ – ἔστιν ἡ πόλ. ἡ μεγ.
     1816 οὐαί, ἡ πόλ. ἡ μεγ. 18 „τίς ὁμοία
     τῇ πόλ. τῇ μεγ. 19.21 οὕτως – βληθήσεται „Βαβυλὼν ἡ μεγάλη" πόλις –
     1810 οὐαί, ἡ πόλις „ἡ μεγάλη, Βαβυλὼν ἡ πόλις ἡ ἰσχυρά"
    20 9 ἐκύκλευσαν–τὴν πόλιν „τὴν ἠγαπημένην" 212 „τὴν πόλ. τὴν ἁγίαν Ἰερουσ." καινήν 10.14 τὸ τεῖχος τῆς πόλ.
     15 ἵνα μετρήσῃ τὴν πόλιν 16.18.19.21.
     23 ἡ πόλις οὐ χρείαν ἔχει τοῦ ἡλίου
    2214 τοῖς πυλῶσιν εἰσέλθωσιν εἰς τὴν πόλιν 19 ἀφελεῖ ὁ θεὸς τὸ μέρος αὐτοῦ–ἐκ τῆς πόλεως τῆς ἁγίας

πολιτάρχαι Sᵒ – *principes civitatis*
Act 17 6 ἔσυρον Ἰάσονα – ἐπὶ τοὺς πολιτ. 8

πολιτεία ᵃ*civilitas* (vl *..vitas*) ᵇ*conversatio*
Act 2228 πολλοῦ–τὴν π.ᵃ ταύτην ἐκτησάμην
Eph 212 ἀπηλλοτριωμένοι τῆς π.ᵇ τοῦ Ἰσραήλ

πολιτεύεσθαι *conversari*
Act 23 1 πάσῃ συνειδήσει ἀγαθῇ πεπολίτευμαι τῷ θεῷ ἄχρι ταύτης τῆς ἡμέρας
Phl 127 μόνον ἀξίως τοῦ εὐαγγελ.–π..εσθε

πολίτευμα *conversatio*
Phl 320 ἡμῶν–τὸ πολ. ἐν οὐρανοῖς ὑπάρχει

πολίτης *civis* ᵇ*municeps* Luc 1515 1914
Act 2139 Κιλικίας οὐκ ἀσήμου πόλεως πολ.ᵇ

Hb   811 „οὐ μὴ διδάξωσιν ἕκαστος τὸν πολ.
     (vl πλησίον vg *proximum*) αὐτοῦ"

πολλαπλασίονα Sᵒ – *multo plura*
Mat 1929 π..ονα (vl ἑκατονταπλασ. vg *centuplum*) λήμψεται ‖ Luc 1830 (vl ἑπταπλ.)

πολυλογία *multiloquium* Mat 67 ἐν τῇ π.

πολυμερῶς *multifariam* Hb 11 λαλήσας

πολυποίκιλος Sᵒ – *multiformis* Eph 310
     ἵνα γνωρισθῇ – ἡ πολ. σοφία τοῦ θεοῦ

*****πολύς** κτλ.   *multus – multi – multa* ᵇ*magnus* ᶜ*maior, maius* ᵈ*copiosus* ᵉ*grandis* ᶠ*plures, plura* ᵍ*nimius*
Mat   512 ὁ μισθὸς ὑμῶν π.ᵈ ‖ Luc 623.35
    713 καὶ πολλοί εἰσιν οἱ εἰσερχόμενοι ‖
     Luc 1324 ζητήσουσιν εἰσελθεῖν
  –22 πολλοὶ ἐροῦσίν μοι ἐν ἐκ. τῇ ἡμέρᾳ·
     –δυνάμεις πολλὰς ἐποιήσαμεν
    811 πολλοὶ ἀπὸ ἀνατολῶν–ἥξουσιν
    937 ὁ μὲν θερισμὸς πολύς ‖ Luc 102
    1621 ὅτι δεῖ αὐτὸν–πολλὰ παθεῖν ‖ Mar
     831 Luc 922 – Mar 912 Luc 1725
    1930 πολλοὶ–ἔσονται πρῶτοι ἔσχατοι καὶ
     ἔσχατοι πρῶτοι ‖ Mar 1031
    2028 λύτρον ἀντὶ πολλῶν ‖ Mar 1045
    2214 πολλοί – εἰσιν κλητοί (vl 2016 vg)
    24 5 πολλοὶ–ἐλεύσονται–· –καὶ πολλοὺς
     πλανήσουσιν 10 „σκανδαλισθήσονται
     πολλοί" 11 πολλοὶ ψευδοπροφῆται–
     πλανήσουσιν πολλούς 12 ψυγήσεται ἡ
     ἀγάπη τῶν πολλῶν ‖ Mar 136 Luc 21
     8 πολλοὶ–ἐλεύσονται ἐπὶ τῷ ὀνόματι
    2521 ἐπὶ πολλῶν σε καταστήσω 23
    2628 τὸ περὶ πολλῶν ἐκχυννόμενον ‖ Mar
     1424 ὑπὲρ πολλῶν
Mar   5 9 λεγιών–· ὅτι πολλοί ἐσμεν ‖ Luc 830
     ὅτι εἰσῆλθεν δαιμόνια πολλὰ εἰς αὐτ.
Luc   747 ἀφέωνται αἱ ἁμαρτίαι αὐτῆς αἱ πολλαί, ὅτι ἠγάπησεν πολύ
    1248 ᾧ ἐδόθη πολύ, πολὺ ζητηθήσεται
    1610 καὶ ἐν πολλῷᶜ πιστός ἐστιν κτλ.
Joh   826 πολλὰ ἔχω περὶ ὑμῶν λαλεῖν καὶ
    1612 ἔτι πολλὰ ἔχω ὑμῖν λέγειν, ἀλλ᾽ οὐ
    2125 ἔστιν δὲ καὶ ἄλλα πολλὰ ἃ ἐποίησεν
Rm   515 οἱ πολλοὶ ἀπέθανον,–ἡ χάρις–εἰς
     τοὺς πολλοὺςᶠ ἐπερίσσευσεν 16
  –19 ἁμαρτωλοὶ κατεστάθησαν οἱ πολλοί,
     –δίκαιοι κατασταθήσονται οἱ πολλοί

Rm 8 29 πρωτότοκον ἐν πολλοῖς ἀδελφοῖς
12 5 οἱ πολλοὶ ἓν σῶμά ἐσμεν 1 Co 10 17
1 Co 1 26 οὐ πολλοὶ σοφοὶ –, – δυνατοί, – εὐγ.
10 33 μὴ ζητῶν τὸ ἐμαυτοῦ σύμφορον ἀλ-
λὰ τὸ τῶν πολλῶν, ἵνα σωθῶσιν
2 Co 6 10 ὡς πτωχοὶ π..οὺς δὲ πλουτίζοντες
Eph 2 4 ὁ δὲ θεὸς –, διὰ τὴν πολ.g ἀγάπην
Hb 5 11 περὶ οὗ πολύςe ἡμῖν ὁ λόγος
Jac 3 1 μὴ πολλοίf διδάσκαλοι γίνεσθε
– 2 πολλὰ γὰρ πταίομεν ἅπαντες
5 16 πολὺ ἰσχύει δέησις δικαίου ἐνεργου.
1 Pe 1 3 κατὰ τὸ πολὺb αὐτοῦ ἔλεος

πολύσπλαγχνος S° – misericors Jac 5 11

πολυτελής pretiosus b locuples
Mar 14 3 (νάρδος) -- 1 Ti 2 9 (ἱματισμός)
1 Pe 3 4 ἐν τῷ ἀφθάρτῳ τοῦ πραέος καὶ ἡ-
συχίου πνεύματος, ὅ ἐστιν ἐνώπιον τοῦ
θεοῦ πολυτελέςb (spir., qui – est loc.)

πολύτιμος S° – pretiosus (vl Mat 26 7)
Mat 13 46 εὑρών – ἕνα π..ον μαργαρίτην
Joh 12 3 λίτραν μύρου νάρδου – πολυτίμου
1 Pe 1 7 τὸ δοκίμιον ὑμῶν τῆς πίστεως πολυ-
τιμότερον (multo pret.) χρυσίου

πολυτρόπως multis modis Hb 1 1 λαλήσας

πόμα potus Hb 9 10 ἐπὶ – πόμασιν
1 Co 10 4 τὸ αὐτὸ πνευματικὸν ἔπιον πόμα

πονηρία nequitia b iniquitas c malitia
Mat 22 18 γνοὺς δὲ ὁ Ἰησοῦς τὴν πον. αὐτῶν
Mar 7 22 πονηρίαι, δόλος cfr Rm 1 29 c
Luc 11 39 γέμει ἁρπαγῆς καὶ πονηρίαςb
Act 3 26 ἀποστρέφειν – ἀπὸ τῶν πονηρ. ὑμῶν
1 Co 5 8 μηδὲ ἐν ζύμῃ κακίας καὶ πονηρίας
Eph 6 12 πρὸς τὰ πνευματικὰ τῆς π..ας ἐν
τοῖς ἐπουρανίοις (sc ἡμῖν ἡ πάλη)

πονηρός malus b malignus c nequam d ne-
quissimus e iniquus f pessimus
πνεύματα πονηρά → πνεῦμα 2)
Mat 5 11 ὅταν – εἴπωσιν πᾶν π..ὸν καθ᾽ ὑμῶν
– 37 τὸ δὲ περισσὸν – ἐκ τοῦ π..οῦ ἐστιν
– 39 λέγω ὑμῖν μὴ ἀντιστῆναι τῷ πονηρῷ
– 45 ἐπὶ πονηροὺς καὶ ἀγαθούς – 22 10
6 13 ἀλλὰ ῥῦσαι ἡμᾶς ἀπὸ τοῦ πονηροῦ
– 23 ἐὰν δὲ ὁ ὀφθαλμός σου πον.c ᾖ ||
Luc 11 34 c – Mat 20 15 ἢ ὁ ὀφθ. σου
πονηρόςc ἐστιν ὅτι ἐγὼ ἀγαθός εἰμι;
Mar 7 22 ὀφθαλμὸς πον., βλασφημία

Mat 7 11 εἰ οὖν ὑμεῖς π..οὶ ὄντες || Luc 11 13
– 17 καρποὺς πονηροὺς ποιεῖ 18 ἐνεγκεῖν
9 4 ἱνατί ἐνθυμεῖσθε π..ὰ ἐν ταῖς καρ.
12 34 πῶς δύνασθε ἀγαθὰ λαλεῖν π..οὶ ὄν-
τες; 35 ὁ π. ἄνθρ. ἐκ τοῦ π. θησαυ-
ροῦ ἐκβάλλει π..ά || Luc 6 45 τὸ π.
– 39 γενεὰ π..ὰ καὶ μοιχαλὶς σημεῖον ἐ-
πιζητεῖ 16 4 || Luc 11 29 γενεὰ π..άc
ἐστιν – Mat 12 45 οὕτως ἔσται καὶ τῇ
γενεᾷ ταύτῃ τῇ πονηρᾷf
13 19 ἔρχεται ὁ π. καὶ ἁρπάζει τὸ ἐσπαρ.
– 38 τὰ – ζιζάνιά εἰσιν οἱ υἱοὶ τοῦ πον.c
– 49 ἀφοριοῦσιν τοὺς πον. ἐκ μέσου τῶν
15 19 ἐξέρχονται διαλογισμοὶ πονηροί
18 32 δοῦλε πονηρέc 25 26 || Luc 19 22 c
Mar 7 23 πάντα ταῦτα τὰ π. ἔσωθεν ἐκπορ.
Luc 3 19 περὶ πάντων ὧν ἐποίησεν πονηρῶν
6 22 ἐκβάλωσιν τὸ ὄνομα ὑμῶν ὡς π..όν
– 35 αὐτὸς (sc ὁ ὕψιστος) χρηστός ἐστιν
ἐπὶ τοὺς ἀχαρίστους καὶ πονηρούς
Joh 3 19 ἦν γὰρ αὐτῶν πονηρὰ τὰ ἔργα 7 7
17 15 ἵνα τηρήσῃς αὐτοὺς ἐκ τοῦ πονηροῦ
Act 17 5 προσλαβόμ. ἄνδρας τινὰς πονηροὺς
18 14 ἀδίκημά τι ἢ ῥᾳδιούργημα π.f
25 18 αἰτίαν – ὧν ἐγὼ ὑπενόουν πονηρῶν
28 21 οὔτε – ἐλάλησέν τι περὶ σοῦ πονηρόν
Rm 12 9 ἀποστυγοῦντες τὸ πονηρόν
1 Co 5 13 „ἐξάρατε τὸν πον. ἐξ ὑμῶν αὐτῶν"
Gal 1 4 ἐκ τοῦ αἰῶνος τοῦ ἐνεστῶτος π..οῦc
Eph 5 16 ὅτι αἱ ἡμέραι πονηραί εἰσιν
6 13 ἀντιστῆναι ἐν τῇ ἡμέρᾳ τῇ πονηρᾷ
– 16 τὰ βέλη τοῦ πον.d τὰ πεπυρωμένα
Col 1 21 ἐχθροὺς – ἐν τοῖς ἔργοις τοῖς πον.
1 Th 5 22 „ἀπὸ παντὸς" εἴδους „π..οῦ ἀπέ-
χεσθε" 2 Th 3 2 ἵνα ῥυσθῶμεν ἀπὸ
τῶν – πον. ἀνθρώπων 3 ὅς – ὑμᾶς –
φυλάξει ἀπὸ τοῦ πονηροῦ
1 Ti 6 4 ἐξ ὧν γίνεται –, ὑπόνοιαι πονηραί
2 Ti 3 13 πονηροὶ δὲ ἄνθρωπον καὶ γόητες
4 18 ῥύσεταί με – ἀπὸ παντὸς ἔργου π.
Hb 3 12 μήποτε ἔσται – καρδία π..ὰ ἀπιστίας
10 22 ῥεραντισμένοι – ἀπὸ συνειδήσ. π..ᾶς
Jac 2 4 ἐγένεσθε κριταὶ διαλογισμῶν π..ῶνe
4 16 πᾶσα καύχησις τοιαύτη π..άb ἐστιν
1 Jo 2 13 ὅτι νενικήκατε τὸν πονηρόνb 14 b
3 12 καθὼς Κάϊν ἐκ τοῦ π.b ἦν – ᾽ – ὅτι
τὰ ἔργα αὐτοῦ πονηρὰb ἦν
5 18 ὁ πονηρόςb οὐχ ἅπτεται αὐτοῦ
– 19 ὁ κόσμος ὅλος ἐν τῷ πον.b κεῖται
2 Jo 11 κοινωνεῖ τοῖς ἔργοις αὐτοῦ τοῖς π.b
3 Jo 10 λόγοις πονηροῖςb φλυαρῶν ἡμᾶς
Ap 16 2 „ἐγένετο ἕλκος – π..ὸνf ἐπὶ τούς"

πόνος *dolor* [b]*labor* (pro vl κόπον?)
Col 4 13 ὅτι ἔχει πολὺν πόνον[b] ὑπὲρ ὑμῶν
Ap 16 10.11 21 4 οὔτε πόνος οὐκ ἔσται ἔτι

Ποντικός τῷ γένει Act 18 2 Ἀκύλας

Πόντιος → Πιλᾶτος – Πόπλιος Act 28 7.8

Πόντος Act 2 9 1 Pe 1 1 διασπορᾶς Πόντου

πορεία *iter* Luc 13 22 πορείαν – εἰς Ἱεροσ.
Jac 1 11 οὕτως καὶ ὁ πλούσιος ἐν ταῖς πορεί-
αις αὐτοῦ μαρανθήσεται

*πορεύεσθαι *vadere* [b]*abire* [c]*ambulare* [d]*in-
cedere* [e]*ingredi* [f]*ire* [g]*proficisci* [h]*venire*
Mat 8 9 πορεύθητι καὶ πορεύεται ‖ Luc 7 8
10 7 π..όμενοι[f] – κηρύσσετε 28 19 π.θέν-
τες[f] – μαθητεύσατε [Mar 16 15[f]]
Luc 1 6 π..όμενοι[d] ἐν πάσαις ταῖς ἐντολαῖς
7 50 „πορεύου εἰς εἰρήνην" 8 48 Act 16 36
„πορεύεσθε[f] ἐν εἰρήνῃ"
8 14 πορευόμενοι[f] συμπνίγονται καὶ οὐ
21 8 μὴ πορευθῆτε[f] ὀπίσω αὐτῶν
22 22 ὁ υἱὸς – τοῦ ἀνθρώπου – πορεύεται
– 33 μετὰ σοῦ – καὶ εἰς θάνατον πορ.[f]
Joh 10 4 ἔμπροσθεν αὐτῶν πορεύεται
14 2 π..ομαι ἑτοιμάσαι τόπον 3[b] 16 7[b]
– 12 πρὸς τὸν πατέρα π..ομαι 28 16 28
Act 1 10 εἰς τὸν οὐρανὸν π..ομένου[f] αὐτοῦ 11[f]
9 31 ἐκκλ. – π..ομένη[c] ἐν φόβῳ τοῦ κυρ.
14 16 τὰ ἔθνη π..εσθαι[e] ταῖς ὁδοῖς αὐτῶν
Jac 4 13 π..σόμεθα[f] εἰς τήνδε τὴν πόλιν
1 Pe 3 19 τοῖς – πνεύμασιν π..θεὶς[h] ἐκήρυξεν
– 22 πορευθεὶς[g] εἰς οὐρανόν
4 3 πεπορευμένους[c] ἐν ἀσελγείαις
2 Pe 2 10 τοὺς ὀπίσω σαρκὸς – π..ομένους[c]
3 3 κατὰ τὰς ἰδίας ἐπιθυμίας – πορευό-
μενοι[c] Jud 16[c] 18[c]
Jud 11 ὅτι τῇ ὁδῷ τοῦ Κάϊν ἐπορεύθησαν[b]

πορθεῖν *expugnare*
Act 9 21 ὁ πορθήσας εἰς Ἱερουσαλὴμ τοὺς
ἐπικαλουμένους τὸ ὄνομα τοῦτο
Gal 1 13 ἐδίωκον τὴν ἐκκλ. – καὶ ἐπόρθουν αὐ-
τήν 23 τὴν πίστιν ἥν ποτε ἐπόρθει

πορισμός *quaestus* 1 Ti 6 5 νομιζόντων π..ὸν
εἶναι τὴν εὐσέβειαν 6 ἔστιν δὲ πορ.
μέγας ἡ εὐσέβεια μετὰ αὐταρκείας

Πόρκιος Φῆστος Act 24 27

πορνεία *fornicatio* [b]*prostitutio*
Mat 5 32 ὁ ἀπολύων – παρεκτὸς λόγου π..ας
19 9 ὃς ἂν ἀπολύσῃ – μὴ ἐπὶ πορνείᾳ
15 19 ἐξέρχονται –, πορνεῖαι ‖ Mar 7 21
Joh 8 41 ἡμεῖς ἐκ πορνείας οὐκ ἐγεννήθημεν
Act 15 20 ἀπέχεσθαι – τῆς πορνείας 29 21 25 –
(Rm 1 29 vl)
1 Co 5 1 ἀκούεται ἐν ὑμῖν πορ., καὶ τοιαύτη
πορνεία ἥτις οὐδὲ ἐν τοῖς ἔθνεσιν
6 13 τὸ δὲ σῶμα οὐ τῇ π. ἀλλὰ τῷ κυρ.
– 18 φεύγετε τὴν π. 7 2 διὰ – τὰς π. ἕκα-
στος τὴν ἑαυτοῦ γυναῖκα ἐχέτω
2 Co 12 21 πολλοὺς τῶν – μὴ μετανοησάντων ἐπὶ
τῇ – πορνείᾳ – ᾗ ἔπραξαν
Gal 5 19 τὰ ἔργα τῆς σαρκός, ἅτινά ἐστιν π.
Eph 5 3 π. – καὶ ἀκαθαρσία πᾶσα – μηδὲ ὀνο-
μαζέσθω Col 3 5 νεκρώσατε – π..αν
1 Th 4 3 ἀπέχεσθαι ὑμᾶς ἀπὸ τῆς πορνείας
Ap 2 21 οὐ θέλει μετανοῆσαι ἐκ τῆς π. αὐτ.
9 21 οὐ μετενόησαν – ἐκ τ. π. αὐτῶν
14 8 ἐκ τοῦ οἴνου τοῦ θυμοῦ τῆς π. αὐ-
τῆς 18 3 17 2[b] 4 τὰ ἀκάθαρτα τῆς π.
αὐτῆς (5 vl ἡ μήτηρ τῶν π. vg)
19 2 ἔφθειρεν τὴν γῆν ἐν τῇ πορ.[b] αὐτῆς

πορνεύειν *fornicari*
1 Co 6 18 ὁ – π..ων εἰς τὸ ἴδιον σῶμα ἁμαρτ.
10 8 μηδὲ π..ωμεν, καθώς τινες ἐπ..σαν
Ap 2 14 „φαγεῖν εἰδωλόθυτα καὶ π..σαι" 20
17 2 „μεθ᾽ ἧς ἐπ..σαν οἱ βασιλεῖς" 18 3.9

πόρνη *meretrix* [b]*fornicaria*
Mat 21 31 οἱ τελῶναι καὶ αἱ πόρναι προάγου-
σιν ὑμᾶς 32 ἐπίστευσαν αὐτῷ
Luc 15 30 ὁ υἱός σου οὗτος ὁ καταφαγών σου
τὸν βίον μετὰ (vl + τῶν) πορνῶν
1 Co 6 15 τὰ μέλη τοῦ Χοῦ ποιήσω πόρνης μέ-
λη; 16 ὁ κολλώμενος τῇ π. ἓν σῶμα
Hb 11 31 Ῥαὰβ ἡ πόρνη Jac 2 25 ἐδικαιώθη
Ap 17 1 τὸ κρίμα τῆς π. τῆς μεγάλης 19 2
– 5 Βαβ. –, ἡ μήτηρ τῶν πορνῶν (? πόρ-
νων, vl πορνειῶν vg *fornicationum*)
– 15 τὰ ὕδατα –, οὗ ἡ πόρνη κάθηται
– 16 μισήσουσιν τὴν π.[b], καὶ ἠρημωμένην

πόρνος *fornicarius* [b]*fornicator* [c]*impudicus*
(vl *impudicitia*)
1 Co 5 9 μὴ συναναμίγνυσθαι πόρνοις 10 οὐ
πάντως τοῖς π. τοῦ κόσμου 11 ἐάν τις
ἀδελφὸς ὀνομαζόμενος ἢ π.[b] ἢ πλ.
6 9 οὔτε πόρνοι οὔτε εἰδωλολάτραι
Eph 5 5 πᾶς π.[b] –, οὐκ ἔχει κληρονομίαν

1 Ti 1 10 π..οις, ἀρσενοκοίταις, ἀνδραποδιστ.
Hb 12 16 μή τις πόρνος [b] ἢ βέβηλος ὡς Ἠσαῦ
13 4 π..ους [b] – καὶ μοιχοὺς κρινεῖ ὁ θεός
Ap 21 8 τοῖς – π..οις [b] – τὸ μέρος – ἐν τῇ λίμνῃ
22 15 ἔξω – οἱ πόρνοι [c] καὶ οἱ φονεῖς

πόρρω, ..ώτερον longe, longius [b] (πόρρω
εἶναι) longe agere Luc 14 32 [b]
Mat 15 8 "ἡ δὲ καρδία αὐτῶν πόρρω ἀπέχει
(vl ἐστίν vg) ἀπ' ἐμοῦ" ‖ Mar 7 6
Luc 24 28 προσεποιήσατο π..ώτερον πορεύεσθ.

πόρρωθεν a longe Luc 17 12 ἔστησαν
Hb 11 13 π. αὐτὰς (sc τὰς ἐπαγγελ.) ἰδόντες

πορφύρα purpura
Mar 15 17 ἐνδιδύσκουσιν αὐτὸν π..αν 20 ἐξέδυσ.
Luc 16 19 ἐνεδιδύσκετο πορφύραν καὶ βύσσον
Ap 18 12 γόμον – βυσσίνου καὶ πορφύρας

πορφυρόπωλις S° – purpuraria Act 16 14

πορφυροῦς purpureus [b] (π..οῦν) purpura
Joh 19 2 (ἱμάτιον) 5 – Ap 17 4 [b] 18 16 [b]

ποσάκις quoties (vl quotiens)
Mat 18 21 π. ἁμαρτήσει εἰς ἐμὲ ὁ ἀδελφός μου
23 37 ποσάκις ἠθέλησα ἐπισυναγαγεῖν τὰ
τέκνα σου, ὃν τρόπον ‖ Luc 13 34

πόσις potus
Joh 6 55 τὸ αἷμά μου ἀληθής ἐστιν πόσις
Rm 14 17 οὐ γάρ ἐστιν ἡ βασιλεία τοῦ θεοῦ
βρῶσις καὶ πόσις Col 2 16 μὴ οὖν τις ὑ-
μᾶς κρινέτω ἐν βρώσει καὶ ἐν πόσει

*πόσος quantus [b] quot
πόσῳ (quanto) μᾶλλον → μᾶλλον
Mat 6 23 τὸ σκότος (vg + ipsae, vl°) πόσον
15 34 πόσους [b] ἄρτους –; 16 9 [b] κοφίνους
10 [b] Mar 6 38 [b] 8 5 [b] 19 [b] 20 [b] – Act 21 20 [b]
12 12 πόσῳ – διαφέρει ἄνθρωπος προβά-
του (quanto magis melior est)
2 Co 7 11 πόσην κατειργάσατο ὑμῖν σπουδήν

ποταμός flumen [b] fluvius
Mat 3 6 ἐν τῷ Ἰορδάνῃ π..ῷ (vg°) ‖ Mar 1 5
7 25 ἦλθον οἱ ποταμοί 27 ‖ Luc 6 48.49 [b]
Joh 7 38 ποταμοὶ ἐκ τῆς κοιλίας αὐτοῦ ῥεύ-
σουσιν ὕδατος ζῶντος
Act 16 13 παρὰ ποταμὸν – προσευχὴν εἶναι
2 Co 11 26 κινδύνοις ποταμῶν, κινδύνοις λῃστῶν

Ap 8 10 ἐπὶ τὸ τρίτον τῶν ποταμῶν 16 4
9 14 ἐπὶ „τῷ π. τῷ μεγ. Εὐφράτῃ" 16 12
12 15 ἔβαλεν ὁ ὄφις – ὕδωρ ὡς ποταμόν
– 16 ἡ γῆ – κατέπιεν τὸν ποταμόν
22 1 „π..ὸν [b] ὕδατος ζωῆς" λαμπρόν 2

ποταμοφόρητος S° – Ap 12 15 ἵνα αὐτὴν
π..ον (trahi a flumine) ποιήσῃ

ποταπός qualis
Mat 8 27 ποτ. ἐστιν οὗτος, ὅτι καὶ οἱ ἄνεμοι
Mar 13 1 ἴδε π..οὶ λίθοι καὶ π..αὶ οἰκοδομαί
Luc 1 29 π. εἴη ὁ ἀσπασμός 7 39 π..ὴ ἡ γυνή
2 Pe 3 11 ποταποὺς δεῖ ὑπάρχειν [ὑμᾶς]
1 Jo 3 1 π..ὴν ἀγάπην δέδωκεν ἡμῖν ὁ πατήρ

πότε; quando [b] (ἕως π.) quamdiu [c] (ἕως
π.) quousque, usquequo
Mat 17 17 ἕως πότε [c] μεθ' ὑμῶν ἔσομαι; ἕ. π.[c]
ἀνέξομαι ὑμῶν; ‖ Mar 9 19 [b b] Luc 9 41 [c]
24 3 πότε ταῦτα ἔσται, καὶ τί τὸ σημεῖον
–; ‖ Mar 13 4 Luc 21 7
25 37 πότε σε εἴδομεν πεινῶντα –; 38 s.44
Mar 13 33 οὐκ οἴδατε – πότε ὁ καιρός ἐστιν 35
πότε ὁ κύριος τῆς οἰκίας ἔρχεται
Luc 12 36 πότε ἀναλύσῃ ἐκ τῶν γάμων
17 20 πότε ἔρχεται ἡ βασιλεία τοῦ θεοῦ
Joh 6 25 ῥαββί, πότε ὧδε γέγονας;
10 24 ἕ. π.[c] τὴν ψυχὴν ἡμῶν αἴρεις; εἰ σύ
Ap 6 10 „ἕως πότε" [c], – οὐ „κρίνεις" καὶ „ἐκ-
δικεῖς" –;

ποτήριον calix [b] poculum
Mat 10 42 π. ψυχροῦ μόνον ‖ Mar 9 41 ὕδατος
20 22 δύνασθε πιεῖν τὸ ποτ. ὃ ἐγὼ μέλλω
πίνειν; 23 τὸ μὲν ποτ. μου πίεσθε ‖
Mar 10 38.39
23 25 καθαρίζετε τὸ ἔξωθεν τοῦ π. 26 κα-
θάρισον – τὸ ἐντὸς τοῦ π. ‖ Luc 11 39
26 27 λαβὼν ποτήριον – ἔδωκεν ‖ Mar 14 23
Luc 22 17 [20 τὸ ποτήριον – μετὰ τὸ
δειπνῆσαι, λέγων· τοῦτο τὸ ποτήριον
ἡ καινὴ διαθήκη] 1 Co 11 25
26 39 παρελθάτω ἀπ' ἐμοῦ τὸ π. τοῦτο ‖
Mar 14 36 παρένεγκε (vl 42 vg) Luc
22 42 cfr Joh 18 11 τὸ π. ὃ δέδωκέν
μοι ὁ πατήρ, οὐ μὴ πίω αὐτό;
Mar 7 4 βαπτισμοὺς ποτηρίων (vl 8 vg)
1 Co 10 16 τὸ ποτ. τῆς εὐλογίας ὃ εὐλογοῦμεν
– 21 ποτήριον κυρίου – καὶ ποτ. δαιμονίων
11 26 ὁσάκις γὰρ ἐὰν – τὸ ποτήριον πίνητε
– 27 ὃς ἂν – πίνῃ τὸ π. τοῦ κυρίου ἀνα-

ξίως 28 ὅὕτως – ἐκ τοῦ ποτ. πινέτω
Ap 1410 „ἐν τῷ ποτ. τῆς ὀργῆς αὐτοῦ" 1619
    δοῦναι αὐτῇ „τὸ ποτ. τοῦ οἴνου τοῦ
    θυμοῦ" 186 ἐν τῷ ποτ.[b] ᾧ ἐκέρασεν
    κεράσατε αὐτῇ διπλοῦν
17 4 „π.[b] χρυσοῦν" – γέμον βδελυγμάτων

ποτίζειν *potum dare* [b]*potare* (vl *potionare*
Ap) [c]*rigare* [d]*dare bibere* [e]*adaquare*
Mat 1042 ὃς ἐὰν ποτίσῃ ἕνα τῶν μικρῶν τούτων
    ποτήριον ψυχροῦ ‖ Mar 941 ὑμᾶς
2535 ἐδίψησα καὶ ἐποτίσατέ[d] με 37. 42
2748 ἐπότιζεν[d] αὐτόν (Jes.) ‖ Mar 1536
Luc 1315 τῷ σαββάτῳ οὐ – βοῦν – ποτίζει[e];
Rm 1220 „ἐὰν διψᾷ, πότιζε αὐτόν"
1 Co 3 2 γάλα ὑμᾶς ἐπότισα, οὐ βρῶμα
    – 6 ἐγὼ ἐφύτευσα, Ἀπολλῶς ἐπότισεν[c]
    – 7 οὔτε ὁ φυ. ἐστίν τι οὔτε ὁ ποτίζων[c]
    8 ὁ φυτ. δὲ καὶ ὁ ποτίζων[c] ἕν εἰσιν
1213 πάντες ἓν πνεῦμα ἐποτίσθημεν[b]
Ap 14 8 ἤ – „πεπότικεν[b] πάντα τὰ ἔθνη"

Ποτίολοι Act 2813 ἤλθομεν εἰς Ποτιόλους

πότος *potatio* 1 Pe 43 ἐν – κώμοις, π..οις

*ποῦ *ubi* [b]*quo* (omnes loci ex epist.)
Luc 825 εἶπεν – αὐτοῖς· ποῦ ἡ πίστις ὑμῶν;
    958 οὐκ ἔχει ποῦ τὴν κεφαλὴν κλίνῃ
    1717 οἱ [δὲ] ἐννέα ποῦ; – 37 ποῦ, κύριε;
Joh 138 ῥαββί, –, ποῦ μένεις; 39 ποῦ μένει
    819 ποῦ ἐστιν ὁ πατήρ σου;
    1235 οὐκ οἶδεν ποῦ[b] ὑπάγει 1 Jo 211[d]
Rm 327 ποῦ οὖν ἡ καύχησις; ἐξεκλείσθη
1 Co 120 „ποῦ σοφός; ποῦ γραμματεύς; ποῦ"
    συζητητὴς τοῦ αἰῶνος τούτου;
    1217 π. ἡ ἀκοή; – ἡ ὄσφρησις; 19 – τὸ σῶ.;
    1555 „ποῦ σου, θάνατε, τὸ νῖκος; ποῦ
    σου, θάνατε, τὸ κέντρον;"
Gal 415 ποῦ οὖν ὁ μακαρισμὸς ὑμῶν;
Hb 11 8 μὴ ἐπιστάμενος ποῦ[b] ἔρχεται
1 Pe 418 „ὁ – ἁμαρτωλὸς ποῦ φανεῖται;"
2 Pe 3 4 π. ἐστιν ἡ ἐπαγγελία τῆς παρουσ. –;

Πούδης *Pudens* 2 Ti 421 ἀσπάζεται – Πούδ.

*πούς *pes*
Mat 4 6 „μήποτε προσκόψῃς πρὸς λίθον τὸν
    πόδα σου" ‖ Luc 411
    535 μήτε ἐν „τῇ γῇ", ὅτι „ὑποπόδιόν ἐ-
    στιν τῶν ποδῶν αὐτοῦ" Act 749
    1014 ἐκτινάξατε τὸν κονιορτὸν τῶν πο-
    δῶν ὑμῶν ‖ Mar 611 Luc 95 – 1011

Act 1351 ἐκτιναξάμενοι – ἐπ᾽ αὐτούς
Mat 18 8 εἰ – ὁ πούς σου σκανδαλίζει σε, – · –
    ἢ δύο πόδας ἔχοντα ‖ Mar 945
    2244 „τοὺς ἐχθρούς σου ὑποκάτω τῶν
    ποδῶν σου" ‖ Mar 1236 Luc 2043 –
    Act 235 Hb 113 1013 cfr 1 Co 1525
    28 9 αἱ δὲ – ἐκράτησαν αὐτοῦ τοὺς πόδας
Mar 522 πίπτει πρὸς τοὺς π. αὐτοῦ ‖ Luc
    841 (παρά) – Mar 725 Luc 1716 εὐ-
    χαριστῶν – Joh 1132 Act 510 καὶ
    ἐξέψυξεν 1025 (ἐπί) – Ap 117 ἔπεσα
    – ὡς νεκρός 1910 ἔμπροσθεν τῶν π.
    αὐτοῦ 39 228
Luc 738 στᾶσα ὀπίσω παρὰ τοὺς π. αὐτοῦ –
    ἤρξατο βρέχειν τοὺς π. – καὶ κατ-
    εφίλει τοὺς π. 44 ὕδωρ μοι ἐπὶ πό-
    δας οὐκ ἔδωκας· – ἔβρεξέν μου τοὺς
    πόδας 45. 46 cfr Joh 123 ἤλειψεν
    835 καθήμενον – σωφρονοῦντα παρὰ τοὺς
    πόδας τοῦ Ἰησοῦ 1039 παρακαθ-
    εσθεῖσα πρὸς τοὺς πόδ. τοῦ κυρίου
    2439 ἴδετε – καὶ τοὺς π. μου (vl 40 vg)
Joh 11 2 ἤ – ἐκμάξασα τοὺς πόδας αὐτοῦ 123
    13 5 νίπτειν τοὺς π. τῶν μαθητῶν 6.8.9.
    [10].12.14 → 1 Ti 510
Act 5 9 οἱ π. τῶν θαψάντων τὸν ἄνδρα σου
    7 5 „οὐκ ἔδωκεν" αὐτῷ κληρονομίαν ἐν
    αὐτῇ „οὐδὲ βῆμα ποδός"
    – 33 „λῦσον τὸ ὑπόδημα τῶν π. σου" cfr
    1325 οὐκ – ἄξιος τὸ ὑπόδ. τ. π. λῦσαι
    14 8.10 ἀνάστηθι ἐπὶ τοὺς πόδ. σου 2616
    2111 δήσας ἑαυτοῦ τοὺς π. καὶ τ. χεῖρας
    22 3 παρὰ τοὺς π. Γαμαλ. πεπαιδευμένος
Rm 315 „ὀξεῖς οἱ πόδες αὐτῶν ἐκχέαι αἷμα"
    1015 „ὡς ὡραῖοι οἱ π. τῶν εὐαγγελιζομ."
    1620 ὁ δὲ θεὸς τῆς εἰρήνης συντρίψει τὸν
    σατανᾶν ὑπὸ τοὺς πόδας ὑμῶν
1 Co 1215 ἐὰν εἴπῃ ὁ π. 21 ἡ κεφαλὴ τοῖς π.
    1527 „πάντα – ὑπέταξεν ὑπὸ τοὺς π. αὐ-
    τοῦ" Eph 122 Hb 28 „ὑπέταξας"
Eph 615 ὑποδησάμενοι „τοὺς πόδας ἐν ἑτοι-
    μασίᾳ τοῦ εὐαγγελίου τῆς εἰρήνης"
1 Ti 510 εἰ ἁγίων πόδας ἔνιψεν (sc χήρα)
Hb 1213 „τροχιὰς ὀρθὰς ποιεῖτε τοῖς π." ὑμ.
Ap 115 „οἱ π. αὐτοῦ ὅμοιοι χαλκολιβάνῳ"
    218 101 ὡς στῦλοι πυρός – 2 τὸν π.
    τὸν δεξιὸν ἐπὶ τῆς θαλάσσης – 1111
    12 1 ἡ σελήνη ὑποκάτω τῶν ποδ. αὐτῆς
    13 2 οἱ π. αὐτοῦ (sc θηρίου) „ὡς ἄρκου"

πρᾶγμα *res* [b]*negotium* [c]*opus*
Mat 1819 περὶ παντὸς πρ. οὗ ἐὰν αἰτήσωνται

Luc 1 1 διήγησιν περὶ τῶν πεπληροφορημέ-
νων ἐν ἡμῖν πραγμάτων
Act 5 4 τί ὅτι ἔθου ἐν τῇ καρδίᾳ – τὸ πρ. –;
Rm 16 2 ἐν ᾧ ἂν ὑμῶν χρήζῃ πράγματι [b]
1 Co 6 1 πρᾶγμα [b] ἔχων πρὸς τὸν ἕτερον
2 Co 7 11 ἑαυτοὺς ἁγνοὺς εἶναι τῷ πράγματι [b]
1 Th 4 6 μὴ – πλεονεκτεῖν ἐν τῷ πρ. [b] τὸν ἀδ.
Hb 6 18 διὰ δύο πραγμάτων ἀμεταθέτων
10 1 οὐκ αὐτὴν τὴν εἰκόνα τῶν πραγμάτ.
11 1 πραγμάτων ἔλεγχος οὐ βλεπομένων
Jac 3 16 ἀκαταστασία καὶ πᾶν φαῦλον πρ. [c]

πραγματεία negotium 2 Ti 2 4 οὐδεὶς στρα-
τευόμενος ἐμπλέκεται ταῖς τοῦ βίου πρ.

πραγματεύεσθαι negotiari
Luc 19 13 εἶπεν – · πρ..εύσασθε ἐν ᾧ ἔρχομαι

πραιτώριον S° – praetorium
Mat 27 27 ‖ Mar 15 16 Joh 18 28.33 19 9
Act 23 35 τοῦ Ἡρώδου Phl 1 13 ἐν ὅλῳ τῷ πρ.

πράκτωρ exactor Luc 12 58 τῷ π., καὶ ὁ π.

πρᾶξις actus [b] factum [c] opus (txt pl, vl vg)
Mat 16 27 „ἑκάστῳ κατὰ τὴν πρᾶξιν [c] αὐτοῦ”
Luc 23 51 τῇ βουλῇ καὶ τῇ πρ. (actibus) αὐτῶν
Act 19 18 ἀναγγέλλοντες τὰς πράξεις αὐτῶν
Rm 8 13 εἰ – τὰς πρ. [b] τοῦ σώματος θανατοῦτε
12 4 τὰ – μέλη – οὐ τὴν αὐτὴν ἔχει πρᾶξιν
Col 3 9 ἀπεκδυσάμενοι τὸν παλαιὸν ἄνθρω-
πον σὺν ταῖς πράξεσιν αὐτοῦ

πρασιαὶ πρασιαί in partes Mar 6 40

πράσσειν agere [b] facere [c] gerere [d] admittere
[e] exigere [f] sectari
Luc 3 13 μηδὲν πλέον – πρ..ετε [b] 19 23 κἀγὼ
ἐλθὼν σὺν τόκῳ ἂν – ἔπραξα [e]
22 23 τίς ἄρα εἴη – ὁ τοῦτο μέλλων πρ. [b]
23 15 ἄξιον θανάτου Act 25 11 [b] 25 [d] 26 31 [b]
– 41 ἄξια – ὧν ἐπράξαμεν (factis) ἀπο-
λαμβάνομεν· οὗτος δὲ οὐδὲν ἄτο-
πον (vl πονηρὸν vg) ἔπραξεν [c]
Joh 3 20 πᾶς – ὁ φαῦλα πράσσων 5 29
Act 3 17 οἶδα ὅτι κατὰ ἄγνοιαν ἐπράξατε [b]
5 35 προσέχετε ἑαυτοῖς τί μέλλετε πρ. 19
36 δέον ἐστὶν – μηδὲν προπετὲς πρ.
15 29 διατηροῦντες ἑαυτοὺς εὖ πράξετε
16 28 μηδὲν πράξῃς [b] σεαυτῷ κακόν
17 7 ἀπέναντι τῶν δογμάτων Καίσαρος
πράσσουσιν [b]
19 19 ἱκανοὶ – τῶν τὰ περίεργα πραξάν-

τῶν [f] – 26 9 πολλὰ ἐναντία πρᾶξαι
Act 26 20 ἄξια τῆς μετανοίας ἔργα π..οντας [b]
– 26 οὐ γάρ ἐστιν ἐν γωνίᾳ πεπραγμέν. [c]
Rm 1 32 ὅτι οἱ τὰ τοιαῦτα π..οντες ἄξιοι
θανάτου εἰσίν 2 2 τὸ κρίμα – ἐπὶ τοὺς
τὰ τοιαῦτα π..οντας 3 ὦ ἄνθρωπε ὁ
κρίνων τοὺς τὰ τοι. π..οντας Gal 5 21
οἱ τὰ τοιαῦτα πρ. βασιλείαν θεοῦ οὐ
κληρονομήσουσιν – Rm 1 32 καὶ συν-
ευδοκοῦσιν τοῖς πράσσουσιν [b] 21 τὰ
– αὐτὰ πράσσεις ὁ κρίνων
2 25 περιτομὴ – ὠφελεῖ ἐὰν νόμον πράσ-
σῃς (vl φυλάσσῃς vg observes)
7 15 οὐ γὰρ ὃ θέλω τοῦτο πράσσω
– 19 ὃ οὐ θέλω κακὸν τοῦτο πράσσω
9 11 μηδὲ πραξάντων τι ἀγαθὸν ἢ φαῦ-
λον 2 Co 5 10 πρὸς ἃ ἔπραξεν [c], εἴτε
13 4 εἰς ὀργὴν τῷ τὸ κακὸν πράσσοντι
1 Co 5 2 ἵνα ἀρθῇ – ὁ τὸ ἔργον – πράξας [b]
9 17 εἰ γὰρ ἑκὼν τοῦτο πράσσω
2 Co 12 21 ἐπὶ τῇ ἀκαθαρσίᾳ – ἧ ἔπραξαν [c]
Eph 6 21 τὰ κατ᾿ ἐμέ, τί πράσσω, – γνωρίσει
Phl 4 9 ἃ καὶ ἐμάθετε –, ταῦτα πράσσετε
Col 4 9 τὰ ὧδε (vl + πραττόμενα vg quae
hic aguntur)
1 Th 4 11 ἡσυχάζειν καὶ πράσσειν τὰ ἴδια

πραϋπαθία (vl πραΰτης) S° – mansuetudo
1 Ti 6 11 δίωκε δὲ – ὑπομονήν, πραϋπαθίαν

πραΰς mitis [b] mansuetus [c] modestus
Mat 5 5 μακάριοι „οἱ πραεῖς”
11 29 πραΰς εἰμι καὶ ταπεινὸς τῇ καρδίᾳ
21 5 „ὁ βασιλεύς σου ἔρχεταί σοι πρ. [b]”
1 Pe 3 4 τοῦ πραέος [c] καὶ ἡσυχίου πνεύματος

πραΰτης mansuetudo [b] modestia [c] lenitas
1 Co 4 21 ἐν ἀγάπῃ πνεύματί τε πραΰτητος;
2 Co 10 1 διὰ τῆς πρ. καὶ ἐπιεικείας τοῦ Χοῦ
Gal 5 23 ἀγαθωσύνη, πίστις, πρ. [b], ἐγκράτεια
6 1 καταρτίζετε τὸν τοιοῦτον ἐν πνεύ-
ματι πραΰτητος [c], σκοπῶν ἑαυτόν
Eph 4 2 μετὰ πάσης ταπεινοφρ. καὶ π..τος
Col 3 12 ἐνδύσασθε – ταπεινοφρ., πραΰτητα [b]
2 Ti 2 25 ἐν πρ..τι [b] παιδεύοντα τοὺς ἀντιδια.
Tit 3 2 πᾶσαν ἐνδεικνυμένους πραΰτητα
Jac 1 21 ἐν πραΰτητι δέξασθε τὸν – λόγον
3 13 τὰ ἔργα αὐτοῦ ἐν πραΰτητι σοφίας
1 Pe 3 16 ἀλλὰ μετὰ πραΰτητος [b] καὶ φόβου

πρέπει, πρέπον ἐστίν decet
Mat 3 15 π..ον ἐστὶν ἡμῖν πληρῶσαι – δικαιοσ.

1 Co 11 13 πρέπον ἐστὶν γυναῖκα ἀκατακάλυ-
πτον τῷ θεῷ προσεύχεσθαι;
Eph 5 3 καθὼς πρέπει ἁγίοις
1 Ti 2 10 ἀλλ' ὃ πρέπει γυναιξὶν ἐπαγγελλο-
μέναις θεοσέβειαν
Tit 2 1 λάλει ἃ πρέπ. τῇ ὑγιαιν. διδασκαλίᾳ
Hb 2 10 ἔπρεπεν γὰρ αὐτῷ - τὸν ἀρχηγὸν
τῆς σωτηρίας αὐτῶν διὰ παθημάτων
τελειῶσαι
7 26 τοιοῦτος - ἡμῖν - ἔπρεπεν ἀρχιερεύς

πρεσβεία *legatio* Luc 14 32 19 14

πρεσβεύειν S° - *legatione fungi*
2 Co 5 20 ὑπὲρ Χοῦ οὖν πρεσβεύομεν
Eph 6 20 τοῦ εὐαγγελίου, ὑπὲρ οὗ πρεσβεύω

πρεσβυτέριον ᵃ*maiores natu* ᵇ*seniores*
ᶜ*presbyterium*
Luc 22 66 συνήχθη τὸ πρεσβυτέριον ᵇ τοῦ λαοῦ
Act 22 5 μαρτυρεῖ μοι - πᾶν τὸ πρεσβυτέριον ᵃ
1 Ti 4 14 μετὰ ἐπιθέσεως τῶν χειρῶν τοῦ πρ.ᶜ

πρεσβύτερος, ..τέρα *senior, seniores* ᵇ(*se-
nex*) *senes* ᶜ*presbyter,* ..*i* ᵈ*anus*

1) natu maiores
Luc 15 25 ὁ υἱὸς αὐτοῦ ὁ πρεσβ. - [Joh 8 9]
Act 2 17 „οἱ νεανίσκοι - καὶ οἱ πρεσβ. ὑμῶν"
1 Ti 5 1 π..ῳ μὴ ἐπιπλήξῃς, ἀλλὰ παρακάλει
- 2 πρεσβυτέρας ᵈ ὡς μητέρας, νεωτέρας
1 Pe 5 5 νεώτεροι, ὑποτάγητε πρεσβυτέροις

2) veteres, proavi
Mat 15 2 τὴν παράδοσιν τῶν πρ. ‖ Mar 7 3.5
Hb 11 2 ἐν ταύτῃ - ἐμαρτυρήθησαν οἱ πρ.ᵇ

3) primores, antistites ecclesiae
a) Judaeorum (vg *seniores*)
Mat 16 21 παθεῖν ἀπὸ τῶν πρ. καὶ ἀρχιερέων
καὶ γραμματέων ‖ Mar 8 31 Luc 9 22
21 23 προσῆλθον - οἱ ἀρχ. καὶ οἱ πρ. τοῦ
λαοῦ ‖ Mar 11 27 οἱ ἀρχ. καὶ οἱ γρ.
καὶ οἱ πρ. Luc 20 1 σὺν τοῖς πρεσβ.
26 3 συνήχθησαν οἱ ἀρχ. καὶ οἱ πρ. τοῦ
λαοῦ 47 ὄχλος πολὺς - ἀπὸ τῶν ἀρχ.
καὶ πρ. τοῦ λαοῦ ‖ Mar 14 43 τῶν πρ.
- 57 ὅπου οἱ γρ. καὶ οἱ πρ. συνήχθησαν
‖ Mar 14 53 ἀρχ. - πρ. - γραμματεῖς
27 1 συμβούλιον ἔλαβον - οἱ ἀρχ. καὶ οἱ
πρ. τοῦ λαοῦ ‖ Mar 15 1 οἱ ἀρχιερεῖς

μετὰ τῶν πρ. καὶ γρ. καὶ ὅλον τὸ
συνέδριον - Mat 27 3 τὰ τριάκοντα
ἀργύρια τοῖς ἀρχ. καὶ πρεσβυτέροις
Mat 27 12 ἐν τῷ κατηγορεῖσθαι - ὑπὸ τῶν ἀρχ.
καὶ πρ. 20 οἱ - ἀρχ. καὶ οἱ πρ. ἔπει-
σαν τοὺς ὄχλους 41 οἱ ἀρχ. ἐμπαί-
ζοντες μετὰ τῶν γραμμ. καὶ πρεσβ.
28 12 συναχθέντες μετὰ τῶν πρεσβυτέρων
Luc 7 3 ἀπέστειλεν - π..ους τῶν Ἰουδαίων
22 52 πρὸς τοὺς - ἀρχ. καὶ στρατηγοὺς τοῦ
ἱεροῦ καὶ πρεσβυτέρους
Joh [8 9 ἐξήρχοντο εἷς καθ' εἷς ἀρξάμενοι ἀπὸ
τῶν πρ. vl + ἕως τῶν ἐσχάτων vgᵒ]
Act 4 5 συναχθῆναι αὐτῶν τοὺς ἄρχοντας
καὶ τοὺς πρ. καὶ τοὺς γρ. 8 ἄρχον-
τες τοῦ λαοῦ καὶ πρ. 23 οἱ ἀρχιερ.
καὶ οἱ πρ. 23 14 προσελθόντες τοῖς
ἀρχιερ. καὶ τοῖς πρ. 25 15 οἱ ἀρχιερ.
καὶ οἱ πρεσβύτεροι τῶν Ἰουδαίων
6 12 τὸν λαὸν καὶ τοὺς πρ. καὶ τοὺς γρ.
24 1 ὁ ἀρχ. Ἀνανίας μετὰ πρεσβ. τινῶν

b) Christianorum (vg *seniores*
ᶜ*presbyter,* ..*i* ᵉ*maiores natu*)
Act 11 30 ἀποστείλαντες πρὸς τοὺς πρεσβυτ.
14 23 χειροτονήσαντες - αὐτοῖς κατ' ἐκκλη-
σίαν πρεσβυτέρους ᶜ 20 17 μετεκαλέ-
σατο τοὺς πρεσβυτ.ᵉ τῆς ἐκκλησίας
15 2 πρὸς τοὺς ἀποστόλους καὶ πρ.ᶜ εἰς
Ἱερουσ. 4 παρεδέχθησαν ἀπὸ τῆς
ἐκκλ. καὶ τῶν ἀποστ. καὶ τῶν πρεσβ.
6 οἱ ἀπ. καὶ οἱ πρ. 22 ἔδοξε τοῖς ἀπ.
καὶ τοῖς πρ. 23 οἱ ἀπ. καὶ οἱ πρ. ἀ-
δελφοὶ 16 4 τὰ δόγματα τὰ κεκριμένα
ὑπὸ τῶν ἀπ. καὶ πρ. τῶν ἐν Ἱεροσ.
(vl 15 41 τὰς ἐντολὰς τῶν πρ. vg,
om vl) 21 18 πάντες τε παρεγένοντο
οἱ πρεσβύτεροι (cum Jacobo)
1 Ti 5 17 οἱ καλῶς προεστῶτες πρ.ᶜ διπλῆς
τιμῆς ἀξιούσθωσαν 19 κατὰ πρεσβυ-
τέρου ᶜ κατηγορίαν μὴ παραδέχου
Tit 1 5 καταστήσῃς κατὰ πόλιν πρ..ους ᶜ
Jac 5 14 προσκαλεσάσθω τοὺς πρ.ᶜ τῆς ἐκκλ.
1 Pe 5 1 π..ους - ἐν ὑμῖν παρακαλῶ ὁ συμ-
πρεσβύτερος (*consenior*)
- 5 νεώτεροι, ὑποτάγητε πρεσβυτέροις
2 Jo 1 ὁ πρεσβύτερος ἐκλεκτῇ κυρίᾳ
3 Jo 1 ὁ πρεσβύτερος Γαΐῳ τῷ ἀγαπητῷ

4) vigintiquattuor *seniores* in caelo
Ap 4 4.10 5 5 (εἷς ἐκ τῶν πρεσβυτ.) 6.8.11.14
7 11.13 (εἷς ἐκ τῶν πρεσβ.) 11 16 14 3 19 4

πρεσβύτης senex   **πρεσβῦτις** anus
Luc 1 18 Zacharias: ἐγὼ γάρ εἰμι πρεσβύτης
Tit   2 2 π..ας νηφαλίους εἶναι 3 π..ιδας ὡσ-
      αύτως ἐν καταστήματι ἱεροπρεπεῖς
Phm   9 τοιοῦτος ὢν ὡς Παῦλος πρεσβύτης

πρηνής suspensus   Act 1 18 πρην. γενόμενος

πρίζειν secare   Hb 11 37 ἐπρίσθησαν

Πρῖσκα, Πρίσκιλλα (sic in Act)
Act 18 2.18.26 Rm 16 3 1 Co 16 19 2 Ti 4 19

προάγειν praecedere [b]antecedere [c]praeire
     [d]producere [e]recedere
Mat   2 9 ὁ ἀστὴρ – προῆγεν[b] αὐτούς
   14 22 π..ειν αὐτὸν εἰς τὸ πέραν ‖ Mar 6 45
   21 9 οἱ – ὄχλοι οἱ π..οντες αὐτόν ‖ Mar 11
    9[c] καὶ οἱ ἀκολουθοῦντες – Luc 18 39[c]
  – 31 αἱ πόρναι π..ουσιν ὑμᾶς εἰς τὴν βασ.
  26 32 προάξω ὑμᾶς εἰς τὴν Γαλιλ. 28 7 ἰ-
    δοὺ προάγει ὑμᾶς ‖ Mar 14 28 16 7
Mar 10 32 ἦν προάγων αὐτοὺς ὁ Ἰησοῦς
Act 12 6[d] 16 30[d] 17 5[d] εἰς τὸν δῆμον 25 26[d]
1 Ti   1 18 κατὰ τὰς π..ούσας ἐπὶ σὲ προφητείας
   5 24 τινῶν ἀνθρώπων αἱ ἁμαρτίαι πρό-
    δηλοί εἰσιν π..ουσαι εἰς κρίσιν
Hb   7 18 ἀθέτησις – γίνεται π..ούσης ἐντολῆς
2 Co   9 πᾶς ὁ προάγων[e] (vl[a]) καὶ μὴ μέ-
    νων ἐν τῇ διδαχῇ τοῦ Χοῦ

προαιρεῖσθαι destinare   2 Co 9 7 ἕκαστος
    καθὼς προῄρηται τῇ καρδίᾳ, μὴ ἐκ

προαιτιᾶσθαι S° – causari   Rm 3 9

προακούειν S° – audire   Col 1 5 ἐλπίδα

προαμαρτάνειν S° – ante peccare
2 Co 12 21 μὴ – πενθήσω πολλοὺς τῶν προη-
    μαρτηκότων 13 2 προλέγω – τοῖς προημ.

προαύλιον S° – atrium   Mar 14 68 εἰς τὸ π.

προβαίνειν procedere [b]progredi
Mat   4 21 ‖ Mar 1 19[b] ὀλίγον – Luc 1 7 προβε-
    βηκότες ἐν ταῖς ἡμέραις αὐτῶν 18 2 36

προβάλλειν [a]producere ex se fructum [b]pro-
    pellere Luc 21 30[a] Act 19 33[b] αὐτόν

προβατική (sc πύλη) probatica   Joh 5 2

προβάτιον (vl π..τον) S° – agnus [b]ovis
Joh 21 16 ποίμαινε 17 βόσκε τὰ π..ιά[b] μου

πρόβατον ovis
Mat   7 15 ἔρχονται – ἐν ἐνδύμασι προβάτων
   9 36 ἐσκυλμένοι καὶ ἐρριμένοι „ὡσεὶ πρό-
    βατα μὴ ἔχοντα ποιμένα" ‖ Mar 6 34
   10 6 πορεύεσθε δὲ μᾶλλον πρὸς τὰ πρ.
    τὰ ἀπολωλότα οἴκου Ἰσραήλ 15 24
    οὐκ ἀπεστάλην εἰ μὴ εἰς κτλ.
  – 16 ὡς πρόβατα ἐν μέσῳ λύκων
   12 11 ὃς ἕξει πρόβατον ἕν, καὶ ἐὰν ἐμπέσῃ
  – 12 πόσῳ – διαφέρει ἄνθρωπος π..του
   18 12 ἑκατὸν π..τα καὶ πλανηθῇ ἕν ‖ Luc
    15 4.6 εὗρον τὸ πρ. μου τὸ ἀπολωλός
   25 32 ἀφορίζει τὰ πρ. ἀπὸ τῶν ἐρίφων 33
    στήσει τὰ μὲν πρ. ἐκ δεξιῶν αὐτοῦ
   26 31 „διασκορπισθήσονται τὰ πρ. τῆς ποί-
    μνης" ‖ Mar 14 27 (cfr Joh 16 32)
Joh   2 14 πωλοῦντας βόας καὶ πρόβατα 15
   10 1 διὰ τῆς θύρας εἰς τὴν αὐλὴν τῶν πρ.
    7 ἐγώ εἰμι ἡ θύρα τῶν προβάτων
  – 2 ποιμήν ἐστιν τῶν πρ. 3 τὰ πρ. τῆς
    φωνῆς αὐτοῦ ἀκούει, καὶ τὰ ἴδια πρ.
    φωνεῖ κατ' ὄνομα 4 τὰ πρ. αὐτῷ ἀ-
    κολουθεῖ – 8 ὅσοι ἦλθον πρὸ ἐμοῦ
    – ἀλλ' οὐκ ἤκουσαν αὐτῶν τὰ πρ.
  – 11 τὴν ψυχὴν αὐτοῦ τίθησιν ὑπὲρ τῶν
    πρ. 15 τὴν ψυχήν μου τίθημι
  – 12 ὁ μισθωτὸς –, οὗ οὐκ ἔστιν τὰ πρ.
    ἴδια, – ἀφίησιν τὰ πρ. καὶ φεύγει 13
    ὅτι – οὐ μέλει αὐτῷ περὶ τῶν προβ.
  – 16 ἄλλα π..τα ἔχω ἃ οὐκ ἔστιν ἐκ τῆς
  – 26 ὅτι οὐκ ἐστὲ ἐκ τῶν πρ. τῶν ἐμῶν
  – 27 τὰ πρ. τὰ ἐμὰ τῆς φωνῆς μου ἀκού-
    ουσιν, κἀγὼ γινώσκω αὐτά
Act   8 32 „ὡς πρόβατον ἐπὶ σφαγὴν ἤχθη"
Rm   8 36 „ἐλογίσθημεν ὡς π..τα σφαγῆς"
Hb   13 20 „ὁ ἀναγαγὼν" ἐκ νεκρῶν „τὸν ποι-
    μένα τῶν προβάτων" τὸν μέγαν
1 Pe   2 25 ἦτε – „ὡς πρόβατα πλανώμενοι"
Ap   18 13 καὶ σῖτον καὶ κτήνη καὶ πρόβατα

προβιβάζειν praemonēre (vl Act 19 33)
Mat 14 8 ἡ δὲ π..βασθεῖσα ὑπὸ τῆς μητρός

προβλέπεσθαι providēre   Hb 11 40 τοῦ θεοῦ
    περὶ ἡμῶν κρεῖττόν τι π..ψαμένου

προγίνεσθαι praecedere   Rm 3 25 διὰ τὴν πάρ-
    εσιν τῶν προγεγονότων ἁμαρτημάτων

προγινώσκειν *praescire* [b]*praecognoscere*
Act 26 5 πάντες Ἰουδ., π..οντές με ἄνωθεν
Rm 8 29 οὓς προέγνω, καὶ προώρισεν
11 2 „τὸν λαὸν αὐτοῦ" ὃν προέγνω
1 Pe 1 20 Χοῦ, προεγνωσμένου[b] μὲν πρὸ κα-
ταβολῆς κόσμου, φανερωθέντος δέ
2 Pe 3 17 π..οντες φυλάσσεσθε ἵνα μὴ – ἐκπ.

πρόγνωσις *praescientia*
Act 2 23 τῇ – προγνώσει τοῦ θεοῦ ἔκδοτον
1 Pe 1 2 ἐκλεκτοῖς –, κατὰ π..ιν θεοῦ πατρός

πρόγονοι [a]*parentes* [b]*progenitores*
1 Ti 5 4 ἀμοιβὰς ἀποδιδόναι τοῖς προγόνοις[a]
2 Ti 1 3 θεῷ, ᾧ λατρεύω ἀπὸ προγόνων[b]

προγράφειν *praescribere* [b]*supra scribere*
Rm 15 4 ὅσα – προεγράφη (vl ἐγρ. vg), εἰς
τὴν ἡμετέραν διδασκαλίαν ἐγράφη
Gal 3 1 οἷς κατ' ὀφθαλμοὺς – Χὸς προεγρά-
φη (vg vl *proscr.*) ἐσταυρωμένος;
Eph 3 3 καθὼς προέγραψα[b] ἐν ὀλίγῳ
Jud 4 τινὲς ἄνθρωποι, οἱ πάλαι προγε-
γραμμένοι εἰς τοῦτο τὸ κρίμα

πρόδηλος *manifestus*
1 Ti 5 24 τινῶν ἀνθρ. αἱ ἁμαρτίαι πρόδηλοί
εἰσιν 25 καὶ τὰ ἔργα τὰ καλὰ π..α
Hb 7 14 π..ον – ὅτι ἐξ Ἰούδα ἀνατέταλκεν

προδιδόναι *priorem dare* Rm 11 35

προδότης *proditor* Luc 6 16 Jud. Iscar.
Act 7 52 οὗ – ὑμεῖς π..αι καὶ φονεῖς ἐγένεσθε
2 Ti 3 4 ἔσονται – οἱ ἀνθρ. – π..αι, προπετεῖς

πρόδρομος *praecursor* Hb 6 20 ὅπου πρό-
δρομος ὑπὲρ ἡμῶν εἰσῆλθεν Ἰησοῦς

προειπεῖν, προείρηκα, ..ημαι → προλέγειν

προελπίζειν S° – *ante sperare*
Eph 1 12 εἰς τὸ εἶναι ἡμᾶς – τοὺς προηλπικό-
τας ἐν τῷ Χριστῷ

προενάρχεσθαι S° – (aor.) *coepisse*
2 Co 8 6.10 καὶ τὸ θέλειν προενήρξασθε

προεπαγγέλλειν, ..εσθαι S° – [a]*ante pro-
mittere* [b]*repromittere* Rm 1 2 εὐαγγέλ.
θεοῦ, ὃ π..ηγγείλατο[a] διὰ τῶν προφητῶν
2 Co 9 5 τὴν π..ηγγελμένην[b] εὐλογίαν ὑμῶν

προέρχεσθαι *antecedere* [b]*praecedere*
[c]*praevenire* [d]*procedere* [e]*progredi*
Mat 26 39[e] μικρόν ‖ Mar 14 35[d] – 6 33[c] Luc 22 47
Luc 1 17 προελεύσεται[b] ἐνώπ. αὐτοῦ ἐν πνεύ.
Act 12 10[d] ῥύμην μίαν (13 vl[d]) 20 5[b] 13 προελ-
θόντες (vl προσελθ. vg *ascendentes*)
ἐπὶ τὸ πλοῖον – 2 Co 9 5[c]

προετοιμάζειν *praeparare*
Rm 9 23 τὸν πλοῦτον τῆς δόξης ἐπὶ σκεύη ἐ-
λέους, ἃ προητοίμασεν εἰς δόξαν
Eph 2 10 κτισθέντες – ἐπὶ ἔργοις ἀγαθοῖς, οἷς
προητοίμασεν ὁ θεὸς ἵνα ἐν αὐτοῖς

προευαγγελίζεσθαι S° – *praenunciare*
Gal 3 8 π..ηγγελίσατο τῷ Ἀβρ. ὅτι „ἐνευλογ."

προέχεσθαι S° – *praecellere* Rm 3 9

προηγεῖσθαι *praevenire* (*invicem*)
Rm 12 10 τῇ τιμῇ ἀλλήλους προηγούμενοι

πρόθεσις *propositum* [b]*propositio*
[c]*praefinitio*
Mat 12 4 τοὺς ἄρτους τῆς πρ.[b] ‖ Mar 2 26[b] Luc
64[b] – Hb 9 2 καὶ ἡ πρ.[b] τῶν ἄρτων
Act 11 23 παρεκάλει πάντας τῇ προθέσει τῆς
καρδίας προσμένειν τῷ κυρίῳ
27 13 δόξαντες τῆς προθές. κεκρατηκέναι
Rm 8 28 τοῖς κατὰ πρόθεσιν κλητοῖς οὖσιν
9 11 ἵνα ἡ κατ' ἐκλογὴν πρ. τ. θεοῦ μένῃ
Eph 1 11 κατὰ πρ. τοῦ τὰ πάντα ἐνεργοῦντος
3 11 κατὰ πρόθεσιν[c] τῶν αἰώνων ἣν ἐποί-
ησεν ἐν τῷ Χῷ Ἰησοῦ
2 Ti 1 9 θεοῦ, τοῦ σώσαντος ἡμᾶς –, – κατὰ
ἰδίαν πρόθεσιν καὶ χάριν
3 10 παρηκολούθησάς μου – τῇ προθέσει

προθεσμία S° – *praefinitum tempus*
Gal 4 2 ἄχρι τῆς προθεσμίας τοῦ πατρός

προθυμία [a]*aviditas* [b]*promptus animus*
[c]*voluntas* [d]*destinata voluntas*
Act 17 11 οἵτινες ἐδέξαντο τὸν λόγον μετὰ πά-
σης προθυμίας[a]
2 Co 8 11 καθάπερ ἡ πρ.[b] τοῦ θέλειν 12 εἰ – ἡ
πρ.[c] πρόκειται 19 πρὸς τὴν – πρ.[d] ἡ-
μῶν 9 2 οἶδα γὰρ τὴν προθ.[b] ὑμῶν

πρόθυμος *promptus* π..ως *voluntarie*
Mat 26 41 τὸ μὲν πνεῦμα π..ον ‖ Mar 14 38
Rm 1 15 οὕτως τὸ κατ' ἐμὲ πρόθυμον καὶ ὑ-

μῖν τοῖς ἐν Ῥώμῃ εὐαγγελίσασθαι
1 Pe 5 2 μηδὲ αἰσχροκερδῶς ἀλλὰ προθύμως

προϊδεῖν providere → προορᾶν

πρόϊμος (sc ὑετός) temporaneus Jac 5 7

προϊστάναι, ..σθαι praeesse [b]praeponi
Rm 12 8 ὁ π..άμενος (qui praeest) ἐν σπουδῇ
1 Th 5 12 εἰδέναι τοὺς – προϊσταμένους ὑμῶν
1 Ti 3 4 τοῦ ἰδίου οἴκου καλῶς π..άμενον[b]
  – 5 εἰ δέ τις τοῦ ἰδίου οἴκου προστῆναι
  οὐκ οἶδεν 12 τέκνων καλῶς προϊστά-
  μενοι καὶ τῶν ἰδίων οἴκων
  5 17 οἱ καλῶς προεστῶτες πρεσβύτεροι
Tit 3 8 ἵνα φροντίζωσιν καλῶν ἔργων προΐ-
  στασθαι 14 μανθανέτωσαν – πρ..αι

προκαλεῖσθαι provocare Gal 5 26 ἀλλήλους

προκαταγγέλλειν S⁰ – praenunciare
Act 3 18 7 52 περὶ τῆς ἐλεύσεως τοῦ δικαίου

προκαταρτίζειν S⁰ – praeparare 2 Co 9 5

προκεῖσθαι (part.) propositus [b]promptum
  esse [c]factum esse
2 Co 8 12 εἰ γὰρ ἡ προθυμία πρόκειται[b]
Hb 6 18 κρατῆσαι τῆς προκειμένης ἐλπίδος
  12 1 τὸν προκείμενον ἡμῖν ἀγῶνα
  – 2 ἀντὶ τῆς προκειμένης αὐτῷ χαρᾶς
Jud 7 Σόδ. καὶ Γόμ. – πρόκεινται[c] δεῖγμα

προκηρύσσειν S⁰ – praedicare Act 13 24

προκοπή profectus Phl 1 12 τὰ κατ' ἐμὲ – εἰς
  π..ὴν τοῦ εὐαγγ. ἐλήλυθεν 25 εἰς τὴν ὑ-
  μῶν προκοπὴν καὶ χαρὰν τῆς πίστεως
1 Ti 4 15 ἵνα σου ἡ προκοπὴ φανερὰ ᾖ πᾶσιν

προκόπτειν S⁰ – proficere [b]praecedere
Luc 2 52 προέκοπτεν ἐν τῇ σοφίᾳ καὶ ἡλικίᾳ
Rm 13 12 ἡ νὺξ προέκοψεν[b], ἡ δὲ ἡμέρα
Gal 1 14 προέκοπτον ἐν τῷ Ἰουδαϊσμῷ ὑπέρ
2 Ti 2 16 ἐπὶ πλεῖον γὰρ προκόψουσιν ἀσεβεί-
  ας 3 9 οὐ προκόψουσιν ἐπὶ πλεῖον
  3 13 πονηροὶ – προκόψουσιν ἐπὶ τὸ χεῖρον

πρόκριμα S⁰ – praeiudicium
1 Ti 5 21 ἵνα ταῦτα φυλάξῃς χωρὶς π..ατος

προκυροῦν S⁰ – confirmare Gal 3 17 διαθήκ.

προλαμβάνειν [a]praesumere [b]praevenire
  [c]praeoccupare Mar 14 8[b] μυρίσαι
1 Co 11 21 τὸ ἴδιον δεῖπνον προλαμβάνει[a]
Gal 6 1 ἐὰν καὶ προλημφθῇ[c] ἄνθρωπος ἔν
  τινι παραπτώματι, ὑμεῖς οἱ

προλέγειν, πρόειπεῖν, προειρηκέναι κτλ.
  praedicere [b]supra dictum est
Mat 24 25 ἰδοὺ προείρηκα ὑμῖν ‖ Mar 13 23
Act 1 16 γραφὴν ἣν προεῖπεν τὸ πνεῦμα τὸ
  ἅγιον Rm 9 29 Hb 4 7 καθὼς προείρηται[b]
  2 Pe 3 2 μνησθῆναι τῶν προειρημένων
  (quae praedixi) ῥημάτων ὑπὸ τῶν – προ-
  φητῶν Jud 17 (quae praedicta sunt)
2 Co 7 3 προείρηκα – ὅτι 13 2 προείρηκα καὶ
  προλέγω Gal 1 9 5 21 ἃ προλέγω ὑμῖν
  καθὼς προεῖπον 1 Th 3 4 προελέγο-
  μεν ὑμῖν 4 6 προείπαμεν ὑμῖν

προμαρτύρεσθαι S⁰ – praenunciare
1 Pe 1 11 τὸ ἐν αὐτοῖς πνεῦμα Χοῦ π..όμενον
  τὰ εἰς Χὸν παθήματα καὶ τὰς – δόξας

προμελετᾶν S⁰ – praemeditari Luc 21 14

προμεριμνᾶν S⁰ – praecogitare Mar 13 11

προνοεῖν, ..εῖσθαι providēre [b]curam hab.
Rm 12 17 „καλὰ ἐνώπιον" πάντων 2 Co 8 21
1 Ti 5 8 εἰ δέ τις τῶν ἰδίων καὶ μάλιστα οἰκεί-
  ων οὐ προνοεῖ (vl ..εῖται)[b]

πρόνοια [a]providentia [b]cura Act 24 2[a]
Rm 13 14 τῆς σαρκὸς πρόνοιαν[b] μὴ ποιεῖσθε
  εἰς ἐπιθυμίας

προορᾶν, **προϊδεῖν** providēre [b]vidēre
Act 2 25 „προορώμην τὸν κύριον ἐνώπ. μου"
  – 31 π..ὼν ἐλάλησεν περὶ τ. ἀναστάσεως
  21 29 ἦσαν – προεωρακότες[b] Τρόφιμον
Gal 3 8 προϊδοῦσα – ἡ γραφὴ ὅτι ἐκ πίστεως

προορίζειν S⁰ – praedestinare [b]decernere
Act 4 28 ὅσα ἡ χείρ σου – προώρισεν[b] γενέσθ.
Rm 8 29 οὓς προέγνω, καὶ προώρισεν
  – 30 οὓς δὲ προώρισεν, – καὶ ἐκάλεσεν
1 Co 2 7 θεοῦ σοφίαν –, ἣν προώρισεν ὁ θεός
Eph 1 5 προορίσας ἡμᾶς εἰς υἱοθεσίαν
  – 11 ἐν ᾧ – ἐκληρώθημεν προορισθέντες

προπάσχειν S⁰ – ante pati 1 Th 2 2 ἐν Φιλ.

προπάτωρ (vl πατήρ) pater Rm 4 1 Ἀβρ.

προπέμπειν *deducere* ᵇ*praemittere*
Act 15 3 προπεμφθέντες ὑπὸ τῆς ἐκκλησίας
20 38 21 5 Rm 15 24 1 Co 16 6. 11 προπέμψα-
τε – αὐτὸν ἐν εἰρήνῃ 2 Co 1 16 Tit 3 13 ᵇ
3 Jo 6 οὓς καλῶς ποιήσεις προπέμψας ἀ-
ξίως τοῦ θεοῦ

προπετής ᵃ(..ές) *temerē* ᵇ(..εῖς) *protervi*
Act 19 36 μηδὲν π..ὲς ᵃ πράσσειν 2 Ti 3 4 ᵇ

προπορεύεσθαι ᵃ*praeire* ᵇ*praecedere*
Luc 1 76 ᵃ „ἐνώπιον κυρίου" Act 7 40 ᵇ „ἡμῶν"

πρός *ad* ᵇ*adversus* ᶜ*apud* ᵈ*circa* ᵉ*cum*
ᶠ*inter* ᵍ*intra* ʰ*secundum*

1) cum genitivo
Act 27 34 μεταλαβεῖν τροφῆς· τοῦτο γὰρ πρός ᶠ
τῆς ὑμετέρας σωτηρίας ὑπάρχει

2) cum dativo
Mar 5 11 πρὸς ᵈ τῷ ὄρει Luc 19 37 πρ. τῇ κα-
ταβάσει τοῦ ὄρους Joh 18 16 τῇ θύρᾳ 20
11 τῷ μνημείῳ 12 τῇ κεφαλῇ Ap 1 13

*3) cum accusativo
Mat 13 56 οὐχὶ πᾶσαι πρός ᶜ ἡμᾶς –; ‖ Mar 6 3 ᵉ
– 9 19 πρ.ᶜ ὑμᾶς ἔσομαι; 14 49 ᶜ Luc
9 41 ᶜ 1 Th 3 4 ὅτε πρ.ᶜ ὑμᾶς ἤμεν 2 Th
2 5 ἔτι ὢν πρ.ᶜ ὑμᾶς 3 10 πρ.ᶜ ὑμᾶς
26 18 πρός ᶜ σὲ ποιῶ τὸ πάσχα 27 4 τί πρ.
ἡμᾶς; Joh 21 11 τί πρὸς σέ; 23
Mar 8 16 διελογίζοντο πρὸς ἀλλήλους 9 34 ᶠ 11
31 πρ.ᵉ ἑαυτούς ‖ Luc 20 5 πρ.ᵍ (vl ᶠ)
ἑαυτούς – 20 14 πρ.ᵍ (vl ᶠ) ἀλλήλους
– 18 11 πρὸς ᶜ ἑαυτὸν προσηύχετο
12 12 ὅτι πρὸς αὐτοὺς τὴν παραβολὴν
εἶπεν ‖ Luc 20 19 – 12 41 πρὸς ἡμᾶς
– λέγεις ἢ καὶ πρὸς πάντας;
Luc 12 47 μὴ – ποιήσας πρός ʰ τὸ θέλημα
14 32 ἐρωτᾷ τὰ πρὸς εἰρήνην (*quae pacis
sunt*) 19 42 (*ad pacem*)
Joh 1 1 ἦν πρός ᶜ τὸν θεόν 2 ᶜ 1 Jo 1 2 ᶜ
Act 8 24 δεήθητε – πρὸς τὸν κύριον 12 5 τὸν
θεόν Rm 15 30 ἐν ταῖς προσευχαῖς
– πρ. τὸν θεόν – 10 1 δέησις πρ. τὸν
θεόν – 2 Co 13 7 εὐχόμεθα – πρ. τὸν
θεόν (*oramus – Deum*)
Rm 4 2 ἔχει καύχημα· ἀλλ' οὐ πρός ᶜ θεόν
15 17 ἔχω – καύχησιν – τὰ πρὸς τὸν θεόν
1 Co 6 1 πρᾶγμα ἔχων πρός ᵇ τὸν ἕτερον
2 Co 3 4 πεποίθησιν – ἔχομεν – πρὸς τὸν θεόν

2 Co 11 9 παρὼν πρός ᶜ ὑμᾶς Gal 4 18 ᶜ 20 ᶜ Phl
1 26 παρουσίας πάλιν πρὸς ὑμᾶς
Eph 3 4 πρὸς ὃ (*prout*) δύνασθε – νοῆσαι
1 Th 1 8 ἡ πίστις ὑμῶν ἡ πρὸς τὸν θεόν
Phm 5 τὴν πίστιν ἣν ἔχεις πρὸς (vl εἰς vg
in cum abl.) τὸν κύριον Ἰησοῦν
Hb 2 17 πιστὸς ἀρχιερεὺς τὰ πρ. τὸν θεόν
5 1 καθίσταται τὰ πρὸς τὸν θεόν
4 13 πρὸς ὃν ἡμῖν ὁ λόγος

προσάββατον *ante sabbatum* Mar 15 42

προσάγειν *offerre* ᵇ*adducere* ᶜ*apparēre*
Mat 18 24 προσήχθη (vl προσηνέχθη) εἷς αὐτῷ
Luc 9 41 ᵇ Act 16 20 27 27 ὑπενόουν – προσά-
γειν ᶜ τινὰ αὐτοῖς χώραν
1 Pe 3 18 Χὸς – ἀπέθανεν, –, ἵνα ὑμᾶς (vl ἡ-
μᾶς vg) προσαγάγῃ τῷ θεῷ

προσαγορεύειν *appellare* Hb 5 10 ἀρχιερ.

προσαγωγή Sº – *accessus*
Rm 5 2 δι' οὗ καὶ τὴν πρ. ἐσχήκαμεν [τῇ πί-
στει] εἰς τὴν χάριν ταύτην
Eph 2 18 δι' αὐτοῦ ἔχομεν τὴν πρ. – πρὸς τὸν
πατέρα 3 12 ἐν ᾧ ἔχομεν τὴν – πρ.

προσαιτεῖν *mendicare* Joh 9 8 ὁ – πρ..ῶν

προσαίτης Sº – ᵃ*mendicans* ᵇ*mendicus*
Mar 10 46 τυφλὸς πρ.ᵃ Joh 9 8 ὅτι προσ.ᵇ ἦν

προσαναβαίνειν *ascendere* Luc 14 10 ἀνώτ.

(προσαναλίσκειν Sº – *erogare* Luc 8 43 vl)

προσαναπληροῦν *supplēre* 2 Co 9 12 11 9

προσανατίθεσθαι Sº – ᵃ*acquiescere* ᵇ*con-
ferre* Gal 1 16 οὐ προσανεθέμην ᵃ σαρκὶ
καὶ αἵματι 2 6 οὐδὲν προσανέθεντο ᵇ

προσαπειλεῖσθαι Sº – *comminari* Act 4 21

προσδαπανᾶν Sº – *supererogare* Luc 10 35

προσδεῖσθαι *indigēre* Act 17 25 τινός

προσδέχεσθαι *expectare* ᵇ*excipere* ᶜ*reci-
pere* ᵈ*suscipere*
Mar 15 43 π..όμενος τὴν βασιλείαν τοῦ θεοῦ ‖
Luc 23 51 – Luc 2 25 παράκλησιν τοῦ

Ἰσραήλ 38 λύτρωσιν Ἰερουσαλήμ
Luc 12 36 ὅμοιοι – π..ομένοις τὸν κύριον ἑαυ.
15 2 οὗτος ἁμαρτωλοὺς προσδέχεται c
Act 23 21 π..όμενοι τὴν ἀπὸ σοῦ ἐπαγγελίαν
24 15 ἐλπίδα –, ἣν καὶ – οὗτοι π..δέχονται
Rm 16 2 ἵνα αὐτὴν προσδέξησθε d – ἀξίως τῶν
ἁγίων Phl 2 29 π..εσθε b – αὐτόν
Tit 2 13 π..δεχόμενοι τὴν μακαρίαν ἐλπίδα
Hb 10 34 τὴν ἁρπαγὴν τῶν ὑπαρχόντων ὑμῶν
μετὰ χαρᾶς προσεδέξασθε d
11 35 οὐ προσδεξάμενοι d τὴν ἀπολύτρωσιν
Jud 21 π..όμενοι τὸ ἔλεος τοῦ κυρίου ἡμῶν

προσδοκᾶν expectare b existimare c sperare
Mat 11 3 ἢ ἕτερον π..ῶμεν; ‖ Luc 7 19.20
24 50 ἐν ἡμέρᾳ ἧ οὐ π..ᾷ c ‖ Luc 12 46 c
Luc 1 21 3 15 b 8 40 Act 3 5 c 10 24 27 33 28 6 b 6 a (vl c)
2 Pe 3 12 π..ῶντας – τὴν παρουσίαν τῆς τοῦ
θεοῦ ἡμέρας 13 „καινοὺς – οὐρανοὺς καὶ
γῆν καινὴν" – π..ῶμεν 14 ταῦτα π..ῶντες
σπουδάσατε ἄσπιλοι – εὑρεθῆναι

προσδοκία expectatio Luc 21 26 Act 12 11

προσεᾶν S o – (μὴ πρ.) prohibēre Act 27 7

(προσεγγίζειν vl Mar 2 4 → προσφέρειν)

προσεργάζεσθαι S o – acquirere Luc 19 16

***προσέρχεσθαι** accedere b adire
1 Ti 6 3 εἴ τις – μὴ προσέρχεται (vl ..έχεται
vg acquiescit) ὑγιαίνουσιν λόγοις
Hb 4 16 π..ώμεθα b – μετὰ παρρησίας τῷ θρό-
νῳ τῆς χάριτος 10 22 μετὰ ἀληθινῆς
καρδίας ἐν πληροφορίᾳ πίστεως
7 25 σώζειν – δύναται (sc Ἰης.) τοὺς π..
ομένους δι᾿ αὐτοῦ τῷ θεῷ cfr 11 6
10 1 οὐδέποτε δύναται (sc ὁ νόμος) τοὺς
προσερχομένους τελειῶσαι
12 18 οὐ – προσεληλύθατε ψηλαφωμένῳ (sc
ὄρει) 22 ἀλλὰ προσεληλ. Σιὼν ὄρει
1 Pe 2 3 πρὸς ὃν π..όμενοι, „λίθον" ζῶντα

προσεύχεσθαι orare (περί, ὑπέρ pro)
Mat 5 44 π..σθε ὑπὲρ τῶν διωκόντων ὑμᾶς ‖
Luc 6 28 περὶ τῶν ἐπηρεαζόντων ὑμ.
6 5 ὅταν π..ησθε, οὐκ ἔσεσθε ὡς οἱ ὑπο-
κριταί· – φιλοῦσιν – π..σθαι, ὅπως φα-
νῶσιν 6 σὺ δὲ ὅταν προσεύχῃ, –
„πρόσευξαι" τῷ πατρί σου τῷ (vl
om τῷ) ἐν τῷ κρυπτῷ

Mat 6 7 π..όμενοι δὲ μὴ βατταλογήσητε
– 9 οὕτως – π..σθε ὑμεῖς ‖ Luc 11 2
14 23 εἰς τὸ ὄρος κατ᾿ ἰδίαν προσεύξασθαι
‖ Mar 6 46 εἰς τὸ ὄρ. προσεύξασθαι
19 13 ἵνα τὰς χεῖρας ἐπιθῇ αὐτοῖς (sc τοῖς
παιδίοις) καὶ προσεύξηται
24 20 π..σθε δὲ ἵνα μὴ γένηται ἡ φυγὴ ὑ-
μῶν χειμῶνος μηδὲ σαββ. ‖ Mar 13 18
26 36 ἕως οὗ – προσεύξωμαι 39 ἐπὶ τὸ πρόσ-
ωπον – π..όμενος ‖ Mar 14 32.35 προσ-
ηύχετο ἵνα εἰ δυνατὸν Luc 22 41 θεὶς
τὰ γόνατα προσηύχετο λέγων·
– 41 γρηγορεῖτε καὶ π..σθε, ἵνα μὴ εἰσέλ-
θητε εἰς πειρ. ‖ Mar 14 38 Luc 22 40
π..σθε μὴ εἰσελθεῖν 46 ἵνα μὴ εἰσέλ.
– 42 πάλιν – προσηύξατο 44 ἐκ τρίτου ‖
Mar 14 39 τὸν αὐτὸν λόγον εἰπών –
Luc 22 44 ἐκτενέστερον προσηύχετο
Mar 1 35 εἰς ἔρημον τόπον, κἀκεῖ π..ηύχετο
11 24 ὅσα π..σθε –, πιστεύετε ὅτι ἐλάβετε
– 25 ὅταν στήκετε π..όμενοι, ἀφίετε
12 40 προφάσει μακρὰ π..όμενοι (sub ob-
tentu prolixae orationis ‖ Luc 20 47
(simulantes longam orationem) (Mat
23 14 vl orationes longas orantes)
13 33 ἀγρυπνεῖτε (vl + καὶ π..σθε vg)
Luc 1 10 τὸ πλῆθος ἦν – προσευχόμενον ἔξω
3 21 Ἰησοῦ βαπτισθέντος καὶ π..ομένου
5 16 ἐν ταῖς ἐρήμοις καὶ προσευχόμενος
6 12 εἰς τὸ ὄρος προσεύξασθαι 9 28.29
9 18 εἶναι π..όμενον κατὰ μόνας 11 1
11 1 κύριε, δίδαξον ἡμᾶς προσεύχεσθαι
18 1 δεῖν πάντοτε πρ. – καὶ μὴ ἐγκακεῖν
– 10 δύο ἀνέβησαν – προσεύξασθαι 11 ὁ
Φαρ. – ταῦτα πρὸς ἑαυτὸν π..ηύχετο·
Act 1 24 προσευξάμενοι εἶπαν· σὺ κύριε 6 6
πρ. ἐπέθηκαν – τὰς χεῖρας 13 3 νη-
στεύσαντες καὶ πρ. καὶ ἐπιθέντες 14
23 προσευξάμενοι μετὰ νηστειῶν
8 15 προσηύξαντο περὶ αὐτῶν ὅπως λά-
βωσιν πνεῦμα ἅγιον
9 11 ἰδοὺ γὰρ προσεύχεται, καὶ εἶδεν
– 40 θεὶς τὰ γόνατα προσηύξ. 20 36 21 5
10 9 ἀνέβη Πέτρος – προσεύξασθαι
– 30 ἤμην – π..όμενος 11 5 – 12 12 ἦσαν
16 25 προσευχόμενοι ὕμνουν τὸν θεόν
22 17 προσευχομένου μου ἐν τῷ ἱερῷ
28 8 προσευξάμενος, ἐπιθεὶς τὰς χεῖρας
Rm 8 26 τὸ – τί προσευξώμεθα καθὸ δεῖ
1 Co 11 4 πᾶς ἀνὴρ π..όμενος – κατὰ κεφαλῆς
ἔχων 5 γυνὴ π..ομένη – ἀκαταλ.
– 13 ἀκατακάλυπτον τῷ θεῷ προσεύχεσθ

1 Co 14 13 προσευχέσθω ἵνα διερμηνεύῃ
 – 14 ἐὰν–προσεύχωμαι γλώσσῃ, τὸ πνεῦ-
  μά μου π..εται 15 π..ξομαι τῷ πνεύ-
  ματι, π..ξομαι δὲ καὶ τῷ νοΐ
Eph 6 18 π..όμενοι ἐν παντὶ καιρῷ ἐν πνεύ-
  ματι Jud 20 ἐν πνεύμ. ἁγίῳ π..όμενοι
Phl 1 9 τοῦτο π..ομαι, ἵνα ἡ ἀγάπη ὑμῶν
Col 1 3 πάντοτε περὶ ὑμῶν π..όμενοι 9 οὐ
  παυόμεθα ὑπὲρ ὑμῶν π..όμενοι
 4 3 προσευχόμενοι ἅμα καὶ περὶ ἡμῶν
  1 Th 5 25 προσεύχεσθε [καὶ] περὶ ἡ-
  μῶν 2 Th 3 1 Hb 13 18
1 Th 5 17 ἀδιαλείπτως προσεύχεσθε
2 Th 1 11 εἰς ὃ καὶ π..όμεθα πάντοτε περὶ ὑ.
1 Ti 2 8 π..εσθαι τοὺς ἄνδρας ἐν παντὶ τόπῳ
  ἐπαίροντας ὁσίους χεῖρας
Jac 5 13 κακοπαθεῖ τις –; προσευχέσθω
 – 14 προσευξάσθωσαν ἐπ' αὐτόν (super)
 – 16 προσεύχεσθε ὑπὲρ ἀλλήλων, ὅπως
  ἰαθῆτε 17 Ἠλίας–προσευχῇ (oratio-
  ne) προσηύξατο τοῦ μὴ βρέξαι 18 καὶ
  πάλιν προσηύξατο, καὶ ὁ οὐρανός

προσευχή oratio Jc 5 17 → πρ..χεσθαι
Mat 21 13 „οἶκος προσευχῆς κληθήσεται" ‖
  Mar 11 17 Luc 19 46 „ἔσται"
 – 22 ὅσα ἂν αἰτήσητε ἐν τῇ προσευχῇ πι-
  στεύοντες λήμψεσθε
Mar 9 29 ἐν οὐδενὶ δύναται ἐξελθεῖν εἰ μὴ ἐν
  προσευχῇ (vl + καὶ νηστείᾳ vg ‖
  Mat 17 21 vl vg)
Luc 6 12 ἦν διανυκτερεύων ἐν τῇ π. τοῦ θεοῦ
  22 45 ἀναστὰς ἀπὸ τῆς προσευχῆς
Act 1 14 ἦσαν προσκαρτεροῦντες – τῇ πρ.
  2 42 ταῖς πρ. 6 4 ἡμεῖς δὲ τῇ πρ. –
  προσκαρτερήσομεν Rm 12 12 τῇ πρ.
  πρ..οῦντες Col 4 2 τῇ πρ. πρ..εῖτε
 3 1 ἐπὶ τὴν ὥραν τῆς πρ. τὴν ἐνάτην
 10 4 αἱ πρ. σου καὶ αἱ ἐλεημοσύναι σου
  ἀνέβησαν 31 εἰσηκούσθη σου ἡ πρ.
 12 5 προσευχὴ – ἦν ἐκτενῶς γινομένη ὑπὸ
  τῆς ἐκκλησίας πρὸς τὸν θεὸν περὶ
 16 13 οὗ ἐνομίζομεν προσευχὴν εἶναι 16
Rm 1 10 μνείαν ὑμῶν ποιοῦμαι – ἐπὶ τῶν πρ.
  μου Eph 1 16 1 Th 1 2 Phm 4
  15 30 συναγωνίσασθαί μοι ἐν ταῖς πρ. ὑ-
  πὲρ ἐμοῦ πρὸς τὸν θεόν Col 4 12
1 Co 7 5 πρὸς καιρὸν ἵνα σχολάσητε τῇ πρ.
Eph 6 18 διὰ πάσης προσευχῆς καὶ δεήσεως
Phl 4 6 τῇ πρ. καὶ τῇ δεήσει – τὰ αἰτήματα
  ὑμῶν γνωριζέσθω πρὸς τὸν θεόν
1 Ti 2 1 ποιεῖσθαι δεήσεις, προσευχάς, ἐν-

τεύξεις – ὑπὲρ πάντων ἀνθρώπων
1 Ti 5 5 ἡ – ὄντως χήρα – προσμένει ταῖς δε-
  ήσεσιν καὶ ταῖς πρ. νυκτὸς καὶ
Phm 22 ὅτι διὰ τῶν πρ. ὑμῶν χαρισθήσομαι
1 Pe 3 7 εἰς τὸ μὴ ἐγκόπτεσθαι τὰς πρ. ὑμῶν
 4 7 σωφρονήσατε καὶ νήψατε εἰς π..άς
Ap 5 8 φιάλας – γεμούσας θυμιαμάτων, αἵ
  εἰσιν αἱ πρ. τῶν ἁγίων cfr 8 3. 4

προσέχειν attendere [b]cavēre [c]intendere
  [d]observare [e]auscultare [f]praesto
  esse [g](προσέχων) deditus
Mat 6 1 προσέχετε – τὴν δικαιοσύνην ὑμῶν
  μὴ ποιεῖν – πρὸς τὸ θεαθῆναι
 7 15 π..ετε ἀπὸ τῶν ψευδοπροφητῶν 10
  17[b] τῶν ἀνθρ. Luc 20 46 γραμματέων
 16 6 π..ετε[b] ἀπὸ τῆς ζύμης τῶν Φαρισ.
  καὶ Σαδδ. 11[b] 12[b] ‖ Luc 12 1 ἑαυτοῖς
Luc 17 3 π..ετε ἑαυτοῖς. ἐὰν ἁμάρτῃ ὁ ἀδελφ.
  21 34 π..ετε – ἑαυτοῖς, μήποτε βαρηθῶσιν
  ὑμῶν αἱ καρδίαι ἐν κραιπάλῃ
Act 5 35 π..ετε ἑαυτοῖς ἐπὶ τοῖς ἀνθρ. τούτ.
 8 6 προσεῖχον[c] – τοῖς λεγομένοις 16 14[c]
 – 10 ᾧ (sc Simoni) προσεῖχον[e] πάντες 11
  20 28 προσέχετε ἑαυτοῖς καὶ – τῷ ποιμνίῳ
1 Ti 1 4 μηδὲ πρ.[c] μύθοις Tit 1 14[c] Ἰουδαϊκ.
 3 8 μὴ οἴνῳ πολλῷ προσέχοντας[g]
 4 1 προσέχοντες πνεύμασιν πλάνοις
 – 13 πρόσεχε τῇ ἀναγνώσει, τῇ παρακλ.
  (6 3 vl π..εται vg acquiescit → π..έρχ.)
Hb 2 1 δεῖ – πρ.[d] ἡμᾶς τοῖς ἀκουσθεῖσιν
 7 13 οὐδεὶς προσέσχηκεν[f] τῷ θυσιαστηρ.
2 Pe 1 19 τὸν προφητικὸν λόγον, ᾧ καλῶς ποι-
  εῖτε προσέχοντες ὡς λύχνῳ

προσηλοῦν affigere Col 2 14 τῷ σταυρῷ

προσήλυτος advena [b]proselytus
Mat 23 15 ποιῆσαι ἕνα π..ον[b] – Act 2 11[b] 65
Act 13 43 πολλοὶ – τῶν σεβομένων προσηλύτων

πρόσκαιρος temporalis
Mat 13 21 ἀλλὰ πρ. ἐστιν ‖ Mar 4 17 π..οί εἰσιν
2 Co 4 18 τὰ γὰρ βλεπόμενα πρόσκαιρα
Hb 11 25 ἢ π..ον ἔχειν ἁμαρτίας ἀπόλαυσιν

προσκαλεῖσθαι convocare [b]advocare [c]vo-
  care [d]accersere [e]assumere [f]inducere
Mat 10 1 τοὺς δώδεκα μαθητάς 15 32 20 25[c]
  Mar 3 13[c] οὓς ἤθελεν αὐτός 6 7[c] (vl[a])
  8 1 10 42[c] 12 43 Luc 7 18 δύο τινὰς
  τῶν μαθητῶν αὐτοῦ – ὁ Ἰωάννης

Mat 15 10 τὸν ὄχλον Mar 7 14^b 8 34 σὺν τ. μαθ.
18 2 παιδίον^b Luc 18 16 τὰ βρέφη
– 32^c (δοῦλον) – Mar 3 23 αὐτούς 15 44^d
τὸν κεντυρίωνα – Luc 15 26^c ἕνα τῶν
παίδων 16 5 ἕκαστον τῶν χρεοφειλ.
– Act 5 40 τοὺς ἀποστόλους 6 2 τὸ
πλῆθος τῶν μαθ. – 13 7^d 23 17^c 18
(vg^o vl^c) 23^c
Act 2 39 „ὅσους ἂν π..έσηται^b κύριος"
13 2 εἰς τὸ ἔργ. ὃ προσκέκλημαι^e αὐτούς
16 10 προσκέκληται^c ἡμᾶς ὁ θεὸς εὐαγ-
γελίσασθαι αὐτούς
Jac 5 14 προσκαλεσάσθω^f τοὺς πρεσβυτέρους

προσκαρτερεῖν ^a perseverare ^b perdurare
^c instare ^d instantem esse ^e adhae-
rēre ^f deservire ^g parēre ^h servire
Mar 3 9 ἵνα πλοιάριον προσκαρτερῇ^f αὐτῷ
Act 8 13 ἦν π..ὼν^e Φιλίππῳ 10 7^g
Act 1 14 π..οῦντες^a τῇ προσευχῇ Rm 12 12^c
Col 4 2 τῇ πρ. π..εῖτε^c Act 6 4 ἡμεῖς
– τῇ πρ. καὶ τῇ διακονίᾳ τοῦ λόγου
π..ήσομεν^d – 2 42 ἦσαν π..οῦντες^a τῇ
διδαχῇ τῶν ἀποστόλων κτλ. 46^b ὁ-
μοθυμαδὸν ἐν τῷ ἱερῷ
Rm 13 6 λειτουργοὶ – θεοῦ εἰσιν εἰς αὐτὸ τοῦ-
το προσκαρτεροῦντες^h

προσκαρτέρησις S^o – instantia Eph 6 18 ἀ-
γρυπνοῦντες ἐν πάσῃ πρ. καὶ δεήσει

προσκεφάλαιον cervical Mar 4 38

προσκληροῦσθαι S^o – adiungi Act 17 4

προσκλίνεσθαι consentire Act 5 36

πρόσκλισις S^o – in alteram (vl aliam) par-
tem declinare 1 Ti 5 21 χωρὶς προκρίμα-
τος, μηδὲν ποιῶν κατὰ πρόσκλισιν

προσκολλᾶσθαι adhaerēre Eph 5 31

πρόσκομμα offensio ^b offendiculum
Rm 9 32 προσέκοψαν „τῷ λίθῳ τοῦ πρ."
– 33 τίθημι – „λίθον π..τος" 1 Pe 2 8
14 13 τὸ μὴ τιθέναι πρ.^b τῷ ἀδελφῷ
– 20 κακὸν – τῷ διὰ π..τος^b ἐσθίοντι
1 Co 8 9 μή πως ἡ ἐξουσία ὑμῶν – πρόσκομ-
μα^b γένηται τοῖς ἀσθενέσιν

προσκοπή S^o – offensio 2 Co 6 3 μηδεμίαν
ἐν μηδενὶ διδόντες προσκοπήν

προσκόπτειν offendere ^b offendi (vl ..ere)
^c irruere
Mat 4 6 „μήποτε προσκόψῃς πρὸς λίθον τὸν
πόδα σου" ‖ Luc 4 11
7 27 καὶ προσέκοψαν^c τῇ οἰκίᾳ ἐκείνῃ
Joh 11 9 ἐν τῇ ἡμέρᾳ, οὐ π..ει 10 ἐν τῇ νυ., π.
Rm 9 32 προσέκοψαν „τῷ λίθῳ τοῦ προσκ."
14 21 μηδὲ ἐν ᾧ ὁ ἀδελφός σου π..τει^b
1 Pe 2 8 π..ουσιν τῷ λόγῳ ἀπειθοῦντες

προσκυλίειν S^o – advolvere
Mat 27 60 λίθον μέγαν τῇ θύρᾳ ‖ Mar 15 46

προσκυνεῖν adorare ^b orare
Mat 2 2 ἤλθομεν π..ῆσαι αὐτῷ 8 π..ήσω 11
4 9 ἐὰν πεσὼν π..ήσῃς μοι 10 „τὸν θεόν
σου π..ήσεις" ‖ Luc 4 7 ἐνώπ. ἐμοῦ 8
8 2 λεπρὸς – προσεκύνει αὐτῷ 9 18 ἄρχων
15 25 γυνὴ Χαναναία 20 20 ἡ μήτηρ
τῶν υἱῶν Ζεβεδαίου – π..οῦσα
14 33 οἱ – ἐν τῷ πλοίῳ προσεκύνησαν αὐ-
τῷ 28 9.17 ἰδόντες αὐτὸν π..ησαν
18 26 πεσὼν – ὁ δοῦλος προσεκύνει^b αὐ.
Mar 5 6 καὶ προσεκύνησεν αὐτόν (vl αὐτῷ)
15 19 τιθέντες τὰ γόν. προσεκύνουν αὐτῷ
Luc 24 52 (vl π..ήσαντες αὐτὸν vl om αὐτὸν
vg) ὑπέστρεψαν εἰς Ἰερουσαλήμ
Joh 4 20 ἐν τῷ ὄρει τούτῳ προσεκύνησαν·–
ἐστὶν ὁ τόπος ὅπου π..εῖν δεῖ 21
– 22 ὑμεῖς π..εῖτε ὃ οὐκ οἴδατε, ἡμεῖς π..
οῦμεν ὃ οἴδαμεν 23 π..ήσουσιν τῷ
πατρὶ ἐν πνεύματι καὶ ἀληθείᾳ 24 τοι-
ούτους ζητεῖ τοὺς π..οῦντας αὐτόν·
– τοὺς π..οῦντας ἐν πνεύματι καὶ
ἀληθείᾳ δεῖ προσκυνεῖν
9 38 πιστεύω, –· καὶ προσεκύνησεν αὐτῷ
12 20 Ἕλληνές τινες – ἵνα π..ήσωσιν ἐν
Act 7 43 „οὓς ἐποιήσατε" προσκυνεῖν αὐτοῖς
8 27 ἐληλύθει π..ήσων εἰς Ἰερουσαλ. 24 11
10 25 Κορνήλ. πεσὼν ἐπὶ τ. πόδας π..ησεν
1 Co 14 25 πεσὼν ἐπὶ πρόσωπον π..ήσει τῷ θεῷ,
ἀπαγγέλλων ὅτι ὄντως ὁ θεός
Hb 1 6 „π..ησάτωσαν αὐτῷ – ἄγγελοι θεοῦ"
11 21 „π..ησεν ἐπὶ τὸ ἄκρον τῆς ῥάβδου"
Ap 3 9 „π..ήσουσιν ἐνώπ. – σου" cfr 15 4
4 10 π..ήσουσιν „τῷ ζῶντι εἰς τοὺς αἰῶ."
5 14 οἱ πρεσβ. ἔπεσαν καὶ π..ησαν 11 16
τῷ θεῷ 19 4 – 7 11 πάντες οἱ ἄγγελ.
9 20 οὐδὲ μετενόησαν –, ἵνα μὴ π..ήσου-
σιν „τὰ δαιμόνια" καὶ „τὰ εἴδωλα"
11 1 τοὺς π..οῦντας ἐν αὐτῷ (sc τ. ναῷ)
13 4 π..ησαν τῷ δράκοντι, –, καὶ π..ησαν

(Ap) τῷ θηρίῳ 8.12 20₄ οἵτινες οὐ π..ησαν
τὸ θηρίον 13₁₅ τῇ εἰκόνι τοῦ θηρίου
14₉ εἴ τις π..εῖ τὸ θηρίον 11 16₂
19₂₀ 20₄

Ap 14 7 π..ήσατε „τῷ ποιήσαντι τὸν οὐραν."
19₁₀ ἔπεσα – π..ῆσαι αὐτῷ. – τῷ θεῷ προσ-
κύνησον 22₈.₉ τῷ θεῷ προσκύνησον

προσκυνηταί adoratores Joh 4₂₃

προσλαλεῖν loqui Act 13₄₃ alloqui 28₂₀

προσλαμβάνεσθαι assumere ᵇsumere ᶜap-
prchendere ᵈaccipere ᵉsuscipere
ᶠreficere
Mat 16₂₂ προσλαβόμενος αὐτόν ‖ Mar 8₃₂ᶜ
Act 17 5 18₂₆ προσελάβοντο αὐτόν (Apoll.)
27₃₃ᵈ 36ᵇ (vl ᵃ) τροφῆς – 28₂ᶠ ἡμᾶς
Rm 14 1 τὸν – ἀσθενοῦντα τῇ πίστει π..εσθε
– 3 ὁ θεὸς γὰρ αὐτὸν προσελάβετο
15 7 π..εσθεᵉ ἀλλήλους, καθὼς καὶ ὁ Χὸς
προσελάβετοᵉ ἡμᾶς (vl ὑμ.)
Phm 17 προσλαβοῦᵉ αὐτὸν ὡς ἐμέ (vl 12 vgᵉ)

πρόσλημψις Sᵒ – assumptio
Rm 11₁₅ τίς ἡ πρ. εἰ μὴ ζωὴ ἐκ νεκρῶν;

προσμένειν permanēre in ᵇinstare (alicui)
ᶜperseverare cum ᵈremanēre ᵉsu-
stinēre (aliquem)
Mat 15₃₂ προσμένουσίνᶜ μοι ‖ Mar 8₂ᵉ
Act 11₂₃ τῷ κυρίῳ 13₄₃ τῇ χάριτι τοῦ θεοῦ
18₁₈ᵉ – 1 Ti 1 3ᵈ ἐν Ἐφέσῳ
1 Ti 5 5 ἡ – ὄντως χήρα – π..ειᵇ ταῖς δεήσεσιν

προσορμίζεσθαι Sᵒ – applicare Mar 6₅₃

προσοφείλειν Sᵒ – debēre Phm 19 σεαυτόν

προσοχθίζειν infensum esse Hb 3₁₀.₁₇

πρόσπεινον γίνεσθαι Sᵒ – esurire Act 10₁₀

προσπηγνύναι Sᵒ – affigere Act 2₂₃

προσπίπτειν procidere ᵇirruere
Mat 7₂₅ προσέπεσανᵇ τῇ οἰκίᾳ ἐκείνῃ
Mar 3₁₁ προσέπιπτον αὐτῷ (sc daemonia)
5₃₃ ἡ δὲ γυνὴ φοβηθεῖσα – προσέπεσεν
αὐτῷ ‖ Luc 8₄₇ (cfr 28) Mar 7₂₅
Luc 5 8 Πέτρ. προσέπεσεν τοῖς γόνασιν Ἰησ.
Act 16₂₉ προσέπεσεν τῷ Παύλῳ καὶ Σιλᾷ

προσποιεῖσθαι se (vlᵒ) fingere Luc 24₂₈

προσπορεύεσθαι accedere Mar 10₃₅

προσρήσσειν Sᵒ – illidi Luc 6₄₈ τῇ οἰκίᾳ 49

προστάσσειν praecipere ᵇiubēre ᶜstatuere
Mat 1 24 84 ὃ προσέταξεν Μωϋσῆς ‖ Mar 1 44
Luc 5₁₄ – Act 10₃₃ τὰ προστεταγμένα
ὑπὸ τοῦ κυρίου 48ᵇ 17₂₆ ὁρίσας προσ-
τεταγμένουςᶜ καιρούς

προστάτις ἐγενήθη Sᵒ – astitit
Rm 16 2 πρ. πολλῶν ἐγεν. καὶ ἐμοῦ αὐτοῦ

προστιθέναι adicere ᵇaddere ᶜapponere
ᵈaugēre ᵉadaugēre ᶠfieri
Mat 6₂₇ προσθεῖναι – πῆχυν ἕνα; 33 πάντα
προστεθήσεται ὑμῖν ‖ Luc 12₂₅.₃₁
Mar 4₂₄ μετρηθήσεται –, καὶ προστεθήσεται
ὑμῖν – (14₂₅ vl οὐ μὴ προσθῶ πεῖν)
Luc 3₂₀ 19₁₁ 20₁₁ᵇ 12ᵇ Act 12 3ᶜ
17 5 πρόσθεςᵉ ἡμῖν πίστιν
Act 2₄₁ προσετέθησανᶜ – ψυχαί 47 κύριος
προσετίθειᵈ τοὺς σῳζομένους 5₁₄
προσετίθεντοᵈ πιστεύοντες 11₂₄ᶜ
13₃₆ προσετέθηᶜ „πρὸς τοὺς πατέρας"
Gal 3₁₉ τί οὖν ὁ νόμος; τῶν παραβάσεων
χάριν προσετέθη (vl ἐτέθη vg po-
sita est), ἄχρις ἂν ἔλθῃ τὸ σπέρμα
Hb 12₁₉ μὴ προστεθῆναιᶠ αὐτοῖς λόγον

προστρέχειν accurrere ᵇprocurrere
Mar 9₁₅ 10₁₇ᵇ Act 8₃₀ προσδραμὼν ὁ Φίλ.

προσφάγιον Sᵒ – pulmentarium Joh 21₅

πρόσφατος novus Hb 10₂₀ ὁδὸν πρόσφατον

προσφάτως nuper Act 18₂ πρ. ἐληλυθότα

προσφέρειν offerre ᵇafferre ᶜpraestare –
ᵈ(προσφέρεσθαι) se offerre
Mat 2₁₁ προσήνεγκαν αὐτῷ δῶρα
4₂₄ τοὺς κακῶς ἔχοντας 8₁₆ δαιμονι-
ζομένους 9₂ παραλυτικόν ‖ Mar 2₄
(vl προσεγγίσαι) – Mat 9₃₂ κωφὸν
δαιμονιζόμενον 12₂₂ 14₃₅ 17₁₆ προσ-
ήνεγκα αὐτὸν τοῖς μαθηταῖς σου
5₂₃ ἐὰν – π..ῃς τὸ δῶρόν σου 24 π..φερε
8 4 προσένεγκον τὸ δῶρον ‖ Mar 1 44
περὶ τοῦ καθαρισμοῦ σου Luc 5₁₄

Mat(18₂₄ vl προσηνέχθη – αὐτῷ ὀφειλέτης)
19₁₃ προσηνέχθησαν αὐτῷ παιδία ‖ Mar
10₁₃ προσέφερον Luc 18₁₅ᵇ τὰ βρέφη
22₁₉ δηνάριον 25₂₀ ἄλλα πέντε τάλαντα
Luc 23₁₄ προσηνέγκατέ μοι τὸν ἄνθρ. τοῦτον
– 36 ὄξος προσφέροντες αὐτῷ Joh 19₂₉
Joh 16 2 ἵνα – δόξῃ λατρείαν πρ.ᶜ τῷ θεῷ
Act 7₄₂ „μὴ σφάγια – προσηνέγκατέ μοι –;”
8₁₈ προσήνεγκεν αὐτοῖς χρήματα
21₂₆ ἕως οὗ προσηνέχθη – ἡ προσφορά
Hb 5 1 ἵνα π..ῃ δῶρα – ὑπὲρ ἁμαρτιῶν 3 καὶ
περὶ ἑαυτοῦ πρ..ειν περὶ ἁμαρτιῶν
– 7 δεήσεις τε καὶ ἱκετηρίας πρὸς τὸν
δυνάμενον σῴζειν – προσενέγκας
8 3 ἀρχιερεὺς εἰς τὸ π..ειν δῶρά τε καὶ
θυσίας καθίσταται· ὅθεν ἀναγκαῖον
ἔχειν τι – ὃ προσενέγκῃ 4 ὄντων τῶν
προσφερόντων – τὰ δῶρα
9 7 οὐ χωρὶς αἵματος ὃ προσφέρει 9
– 14 Χοῦ, ὃς – ἑαυτὸν προσήνεγκεν ἄμω-
μον τῷ θεῷ 25 οὐδ' ἵνα πολλάκις
προσφέρῃ ἑαυτόν 28 ὁ Χός, ἅπαξ
προσενεχθεὶς – 10₁.₂ οὐκ ἂν ἐπαύ-
σαντο προσφερόμεναι 8.11.12 οὗτος
– μίαν – προσενέγκας θυσίαν
11 4 πλείονα θυσίαν Ἄβελ – προσήνεγκεν
– 17 πίστει „προσενή'οχεν Ἀβρ. τὸν Ἰσα-
ὰκ –, καὶ τὸν μονογενῆ” προοέφερεν
12 7 ὡς „υἱοῖς” ὑμῖν προσφέρεταιᵈ ὁ θ.

προσφιλής amabilis Phl 4₈ ὅσα προσφιλῆ

προσφορά oblatio Act 21₂₆ → προσφέρειν
Act 24₁₇ ἐλεημοσύνας ποιήσων – καὶ π..άς
Rm 15₁₆ ἵνα γένηται ἡ προσφορὰ τῶν ἐθνῶν
εὐπρόσδεκτος, ἡγιασμένη
Eph 5 2 ὁ Χός – παρέδωκεν ἑαυτὸν ὑπὲρ ἡ-
μῶν „π..ὰν καὶ θυσίαν” τῷ θεῷ
Hb 10 5 „θυσίαν καὶ πρ. οὐκ ἠθέλησας” 8
– 10 διὰ τῆς „πρ. τοῦ σώματος” Ἰησ. Χοῦ
– 14 μιᾷ – πρ. τετελείωκεν – τοὺς ἁγιαζομ.
– 18 οὐκέτι προσφορὰ περὶ ἁμαρτίας

προσφωνεῖν loqui ad ᵇalloqui ᶜclamare
ᵈvocare
Mat 11₁₆ᶜ ‖ Luc 7₃₂ – 6₁₃ᵈ 13₁₂ᵈ 23₂₀
Act 21₄₀ᵇ τῇ Ἑβραΐδι διαλέκτῳ 22₂

πρόσχυσις Sᵒ – effusio Hb 11₂₈ αἵματος

προσψαύειν Sᵒ – tangere Luc 11₄₆ φορτίοις

προσωπολημπτεῖν Sᵒ – personas accipere
Jac 2 9 εἰ δὲ π..εῖτε, ἁμαρτίαν ἐργάζεσθε

προσωπολήμπτης Sᵒ – personarum accep-
tor Act 10₃₄ „οὐκ ἔστιν πρ. ὁ θεός”

προσωπολημψία Sᵒ – acceptio persona-
rum Rm 2₁₁ οὐ γάρ ἐστιν πρ. παρὰ τῷ
θεῷ Eph 6₉ παρ' αὐτῷ Col 3₂₅
Jac 2 1 μὴ ἐν π..αις ἔχετε τὴν πίστιν τοῦ κυ.

πρόσωπον facies ᵇaspectus ᶜconspectus
ᵈpersona ᵉvultus ᶠpraesentes
Mat 6₁₆ ἀφανίζουσιν γὰρ τὰ πρ. αὐτῶν
– 17 νηστεύων – τὸ πρ. σου νίψαι, ὅπως
11₁₀ „πρὸ προσώπου σου” Mar 1 2 Luc
(1 76 vl vg) 7₂₇ 9₅₂ᶜ αὐτοῦ 10₁ –
Act 13₂₄ τῆς εἰσόδου αὐτοῦ
16 3 τὸ πρ. τοῦ οὐρανοῦ ‖ Luc 12₅₆
17 2 ἔλαμψεν τὸ πρ. αὐτοῦ ‖ Luc 9₂₉ᵉ
– 6 ἔπεσαν ἐπὶ πρ. αὐτῶν 26₃₉ ἔπεσεν
– αὐτοῦ Luc 5₁₂ 17₁₆ 1 Co 14₂₅ πε-
σών – προσκυνήσει Ap 7₁₁ 11₁₆
18₁₀ βλέπουσι τὸ πρ. τοῦ πατρός μου
22₁₆ οὐ – βλέπεις εἰς πρ.ᵈ ἀνθρώπων ‖
Mar 12₁₄ Luc 20₂₁ λαμβάνεις πρ.ᵈ
– Gal 2₆ „πρ.ᵈ – θεὸς ἀνθρώπου οὐ
λαμβάνει” Jud 16 θαυμάζοντες π..αᵈ
26₆₇ ἐνέπτυσαν εἰς τὸ πρόσωπον αὐτοῦ
Mar 14₆₅ περικαλύπτειν αὐτοῦ τὸ πρόσωπον
Luc 23₁ „κατὰ πρ. – τῶν λαῶν” – Act 3₁₃
ἠρνήσασθε κατὰ πρ. Πιλάτου 25₁₆
πρὶν ἢ – κατὰ πρ.ᶠ ἔχοι τοὺς κατηγό-
ρους – 2 Co 10₁ κατὰ πρ. μὲν ταπει-
νὸς ἐν ὑμῖν 7 τὰ κατὰ πρ. βλέπετε
Gal 2₁₁ κατὰ πρ. αὐτῷ ἀντέστην
9₅₁ τὸ πρ. ἐστήρισεν τοῦ πορεύεσθαι εἰς
Ἰερ. 53 τὸ πρ. αὐτοῦ ἦν πορευόμε-
νον (vl ..ομένου vg euntis) εἰς Ἰερ.
21₃₅ ἐπὶ πρ. πάσης τῆς γῆς Act 17₂₆
24 5 κλινουσῶν τὰ πρ.ᵉ εἰς τὴν γῆν
Act 2₂₈ „εὐφροσύνης μετὰ τοῦ πρ. σου”
3₂₀ καιροὶ ἀναψύξεως ἀπὸ πρ.ᶜ τοῦ κυ-
ρίου 5₄₁ ἐπορεύοντο χαίροντες ἀπὸ
πρ.ᶜ τοῦ συνεδρίου 7₄₅ ἐξῶσεν ὁ θε-
ὸς ἀπὸ πρ. τῶν πατέρων ἡμῶν –
2 Th 1 9 δίκην τίσουσιν – „ἀπὸ πρ. τοῦ
κυρίου” – Ap 6₁₆ „κρύψατε ἡμᾶς ἀ-
πὸ πρ. τοῦ καθημ.” 12₁₄ ἀπὸ πρ. τοῦ
ὄφεως 20₁₁ οὗ „ἀπὸ τοῦ πρ.ᶜ ἔφυ-
γεν ἡ γῆ” καὶ ὁ οὐρανός
6₁₅ τὸ πρ. αὐτοῦ ὡσεὶ πρόσ. ἀγγέλου

Act 20₂₅ οὐκέτι ὄψεσθε τὸ πρ. μου 38 αὐτοῦ
1 Co 13₁₂ τότε δὲ πρόσωπον πρὸς πρόσωπον
2 Co 1₁₁ ἵνα ἐκ πολλῶν πρ.ᵈ – εὐχαριστηθῇ
    2₁₀ εἴ τι κεχάρισμαι, – ἐν π..ῳᵈ Χοῦ
    3 ₇ μὴ δύνασθαι ἀτενίσαι – εἰς τὸ πρ.
      Μωϋσέως διὰ τὴν δόξαν τοῦ προσ.ᵉ
   – 13 „ἐτίθει κάλυμμα ἐπὶ τὸ πρ. αὐτοῦ"
   – 18 ἡμεῖς – ἀνακεκαλυμμένῳ προσώπῳ
    4 ₆ πρὸς φωτισμὸν τῆς γνώσεως τῆς δό-
      ξης τοῦ θεοῦ ἐν προσώπῳ Χοῦ
    5₁₂ πρὸς τοὺς ἐν προσώπῳ καυχωμένους
      καὶ μὴ ἐν καρδίᾳ
    8₂₄ εἰς πρόσωπον τῶν ἐκκλησιῶν
   11₂₀ εἴ τις εἰς πρόσωπον ὑμᾶς δέρει
Gal   1₂₂ ἀγνοούμενος τῷ πρ. ταῖς ἐκκλησίαις
Col   2 ₁ ὅσοι οὐχ ἑόρακαν τὸ πρόσ. μου ἐν
1 Th 2₁₇ ἀπορφανισθέντες ἀφ' ὑμῶν – π..ῳᵇ
      οὐ καρδίᾳ, – ἐσπουδάσαμεν τὸ πρ. ὑ-
      μῶν ἰδεῖν 3₁₀ δεόμενοι–ἰδεῖν ὑμ. τ. πρ.
Hb   9₂₄ ἐμφανισθῆναι τῷ προσ.ᵉ τοῦ θεοῦ
Jac   1₁₁ ἡ εὐπρέπεια τοῦ πρ.ᵉ αὐτοῦ ἀπώλ.
   – 23 κατανοοῦντι τὸ πρ.ᵉ τῆς γενέσεως
1 Pe 3₁₂ „πρ.ᵉ – κυρίου ἐπὶ ποιοῦντας κακά"
Ap   4 ₇ ἔχων „τὸ πρ." ὡς „ἀνθρώπου" 9₇
   10 ₁ τὸ πρ. αὐτοῦ (sc ἀγγ.) ὡς ὁ ἥλιος
   22 ₄ „ὄψονται τὸ πρ. αὐτοῦ" (sc θεοῦ)

προτείνειν astringere Act 22₂₅ ἱμᾶσιν

πρότερος, ὁ et **τὸ πρότερον** ᵃprior ᵇpri-
     stinus ᶜprius ᵈiampridem
Joh   6₆₂ ἀναβαίνοντα ὅπου ἦν τὸ πρ.ᶜ 7₅₀ ὁ
      ἐλθὼν πρὸς αὐτὸν π..ον (vgᵒ) 9₈ᶜ
2 Co 1₁₅ᶜ ἐλθεῖν Gal 4₁₃ᵈ εὐηγγελισάμην
Eph   4₂₂ κατὰ τὴν προτέρανᵇ ἀναστροφήν
1 Ti   1₁₃ τὸ πρότερονᶜ ὄντα βλάσφημον
Hb   4 ₆ οἱ π..ονᵃ εὐαγγελισθέντες 7₂₇ᶜ 10₃₂ᵇ
1 Pe 1₁₄ ταῖς – πρότερονᵃ ἐπιθυμίαις

προτίθεσθαι proponere Rm 1₁₃ ἐλθεῖν
Rm   3₂₅ ὃν προέθετο ὁ θεὸς ἱλαστήριον
Eph   1 ₉ κατὰ τὴν εὐδοκίαν αὐτοῦ, ἣν προ-
      έθετο ἐν αὐτῷ

προτρέπεσθαι exhortari Act 18₂₇

προτρέχειν praecurrere Luc 19₄ Joh 20₄

προϋπάρχειν antea, ante esse Lc 23₁₂ Act 8₉

πρόφασις ᵃexcusatio προφάσει: ᵇsub ob-
     tentu ᶜin occasione ᵈper occasi-
     onem ᵉsimulantes

Mar 12₄₀ π..ειᵇ μακρὰ προσευχόμενοι ‖ Luc
     20₄₇ π..ειᵉ μ. π..ονται (vl Mat 23₁₄)
Joh 15₂₂ π..ιναᵃ οὐκ ἔχουσιν περὶ τῆς ἁμαρτίας
Act 27₃₀ προφάσειᵇ ὡς – ἀγκύρας – ἐκτείνειν
Phl 1₁₈ εἴτε π..ειᵈ εἴτε ἀληθείᾳ, Χὸς καταγγ.
1 Th 2 ₅ οὔτε ἐν προφάσειᶜ πλεονεξίας

προφέρειν proferre Luc 6₄₅ ἀγαθόν, – πον.

προφητεία prophetia
Mat 13₁₄ ἀναπληροῦται αὐτοῖς ἡ πρ. Ἡσαΐου
Rm 12 ₆ εἴτε π..αν, κατὰ τὴν ἀναλογ. – πίστ.
1 Co 12₁₀ ἄλλῳ – πρ., ἄλλῳ – διακρίσεις πνευμ.
   13 ₂ ἐὰν ἔχω π..αν καὶ εἰδῶ τὰ μυστήρια
   – 8 εἴτε δὲ π..αι, καταργηθήσονται
   14 ₆ ἐὰν μὴ – λαλήσω – ἢ ἐν π..ᾳ ἢ διδ.
   – 22 ἡ δὲ προφητ. οὐ τοῖς ἀπίστοις ἀλλὰ
      τοῖς πιστεύουσιν (sc εἰς σημεῖόν ἐστ.)
1 Th 5₂₀ προφητείας μὴ ἐξουθενεῖτε
1 Ti 1₁₈ κατὰ τὰς προαγούσας ἐπὶ σὲ π..ας
    4₁₄ χαρίσματος, ὃ ἐδόθη σοι διὰ π..ας
2 Pe 1₂₀ πᾶσα πρ. γραφῆς ἰδίας ἐπιλύσεως οὐ
      γίνεται· 21 οὐ γὰρ θελήματι ἀνθρώ-
      που ἠνέχθη προφητεία ποτέ
Ap   1 ₃ οἱ ἀκούοντες τοὺς λόγους τῆς πρ.
   11 ₆ τὰς ἡμέρας τῆς προφητείας αὐτῶν
   19₁₀ ἡ – μαρτυρία Ἰησοῦ ἐστιν τὸ πνεῦμα
      τῆς προφητείας
   22 ₇ ὁ τηρῶν τοὺς λόγους τῆς πρ. (vl 9
      vg vlᵒ) 10 μὴ σφραγίσῃς 18.19 ἐάν
      τις ἀφέλῃ ἀπὸ τῶν λόγων – τῆς πρ.

προφητεύειν prophetare ᵇprophetizare
Mat 7₂₂ οὐ „τῷ σῷ ὀνόματι ἐπ..εύσαμεν" –;
   11₁₃ ἕως Ἰωάννου ἐπροφήτευσαν
   15 ₇ καλῶς ἐπ..σεν περὶ ὑμῶν Ἡσαΐας ‖
      Mar 7₆ – Jud 14 ἐπ..σεν – Ἑνώχ
   26₆₈ προφήτευσονᵇ ἡμῖν, χριστέ, τίς ἐστιν
      ὁ παίσας σε; ‖ Mar 14₆₅ᵇ Luc 22₆₄ᵇ
Luc 1₆₇ Ζαχ. – ἐπ..σεν – Joh 11₅₁ ἀρχιερ. ὤν
Act 2₁₇ „π..σουσιν οἱ υἱοὶ ὑμῶν καὶ αἱ θυγ." 18
   19 ₆ ἐλάλουν τε γλώσσαις καὶ ἐπ..ευον
   21 ₉ θυγατέρες τέσσ. παρθένοι π..ουσαι
1 Co 11 ₄ ἀνὴρ – π..ων κατὰ κεφαλῆς ἔχων 5
   13 ₉ καὶ ἐκ μέρους προφητεύομεν
   14 ₁ ζηλοῦτε –, μᾶλλον – ἵνα π..ητε 5.39
   – 3 ὁ – π..ων ἀνθρώποις λαλεῖ οἰκοδο-
      μὴν 4 ἐκκλησίαν οἰκοδομεῖ 5 μείζων
      – ὁ π..ων ἢ ὁ λαλῶν γλώσσαις
   – 24 ἐὰν δὲ πάντες προφητεύσωσιν
   – 31 δύνασθε – καθ' ἕνα πάντες π..τεύειν
1 Pe 1₁₀ οἱ περὶ τῆς εἰς ὑμᾶς χάριτος προ-

φητεύσαντες – Jud 14 → Mat 15 7
Ap 10 11 „δεῖ σε – π..σαι ἐπὶ λαοῖς" – 11 3

προφήτης *propheta*
νόμος καὶ προφῆται, Μωϋσῆς καὶ προ-
φῆται → νόμος et Μωϋσῆς
Praemittuntur loci referentes dicta
prophetarum (nomine interdum appel-
latorum)
Mat 1 22 2 5.15.17 (Jer.) 23 ῥηθὲν διὰ τῶν πρ.
3 3 (Jes.) ‖ Mar 1 2 Luc 3 4 – Mat 4 14 (Jes., ut
8 17 12 17 13 35) 21 4 24 15 („τὸ βδέλυγμα τῆς ἐρη-
μώσεως" τὸ ῥηθὲν διὰ Δανιὴλ τοῦ πρ.) 27 9
(Jer. vl Sach., Jes.) – Luc 1 70 διὰ στόμα-
τος τῶν ἁγίων ἀπ' αἰῶνος πρ. αὐτοῦ 4 17 βι-
βλίον τοῦ πρ. Ἠσ. – Joh 1 23 (Jes.) 6 45 ἔ-
στιν γεγρ. ἐν τοῖς πρ. 12 38 (Jes.) – Act 2 16
(Joel) 30 (Dav., πρ. οὖν ὑπάρχων) 3 18.21 τῶν
ἁγίων ἀπ' αἰ. αὐτοῦ πρ. 22 (Moses) 24 οἱ πρ.
ἀπὸ Σαμουὴλ 7 42 ἐν βίβλῳ τῶν προφητῶν 48
8 28 (Jes. 30.34 περὶ τίνος ὁ πρ. λέγει τοῦτο;)
13 40 15 15 28 25 (Jes.) → Tit 1 12
Mat 5 12 οὕτως – ἐδίωξαν τοὺς πρ. τοὺς πρὸ
ὑμῶν ‖ Luc 6 23 → Act 7 52
   10 41 ὁ δεχόμενος προφήτην εἰς ὄνομα
   προφήτου μισθὸν π..ου λήμψεται
   11 9 τί ἐξήλθατε; προφήτην ἰδεῖν; – καὶ
   περισσότερον π..ου ‖ Luc 7 26
   12 39 εἰ μὴ τὸ σημεῖον Ἰωνᾶ τοῦ προφ.
   13 17 πολλοὶ **πρ.** καὶ δίκαιοι ‖ Luc 10 24
   – 57 οὐκ ἔστιν πρ. ἄτιμος εἰ μὴ ἐν τῇ πα-
   τρίδι ‖ Mar 6 4 Luc 4 24 οὐδεὶς πρ
   δεκτός Joh 4 44 πρ. – τιμὴν οὐκ ἔχει
   14 5 ὡς προφήτην αὐτὸν (Joh.) εἶχον
   21 26 ‖ Mar 11 32 Luc 20 6 – Mat 21 46
   εἰς π..ην αὐτὸν (Jesum) εἶχον
   16 14 ἕτεροι δὲ Ἰερεμίαν ἢ ἕνα τῶν πρ. ‖
   Mar 8 28 Luc 9 19 πρ. τις τῶν ἀρχαί-
   ων ἀνέστη – Mar 6 15 πρ. ὡς εἷς τῶν
   πρ. ‖ Luc 9 8 πρ. τις τῶν ἀρχαίων
   21 11 ὁ προφήτης Ἰησοῦς ὁ ἀπὸ Ναζαρέθ
   23 29 τοὺς τάφους τῶν πρ. καὶ – τῶν δι-
   καίων 30 οὐκ ἂν ἤμεθα – κοινωνοὶ ἐν
   τῷ αἵματι τῶν πρ. 31 υἱοί ἐστε τῶν
   φονευσάντων τοὺς πρ. 34 ἐγὼ ἀπο-
   στέλλω – π..ας καὶ σοφοὺς 37 Ἰερουσ.,
   ἡ ἀποκτείνουσα τοὺς πρ. ‖ Luc 11 47.
   49 π..ας καὶ ἀποστόλους 50 ἵνα ἐκ-
   ζητηθῇ τὸ αἷμα – τῶν πρ. 13 34 cfr 33
   οὐκ ἐνδέχεται προφήτην ἀπολέσθαι
   ἔξω Ἰερουσαλήμ
   26 56 ἵνα πληρωθῶσιν αἱ γραφαὶ τῶν πρ.

(27 35 vl πλ..ῇ τὸ ῥηθὲν ὑπὸ τοῦ πρ.)
Luc 1 76 προφήτης ὑψίστου κληθήσῃ
   4 27 πολλοὶ λεπροὶ – ἐπὶ Ἐλισ. τοῦ πρ.
   7 16 προφήτης μέγας ἠγέρθη ἐν ἡμῖν
   – 39 οὗτος εἰ ἦν [ὁ] πρ., ἐγίνωσκεν ἄν
   13 28 Ἀβρ. καὶ Ἰσ. – καὶ πάντας τοὺς πρ.
   18 31 τελεσθήσεται – τὰ γεγραμμένα διὰ
   τῶν προφητῶν τῷ υἱῷ τοῦ ἀνθρώπου
   24 19 Ἰησοῦ –, ὃς ἐγένετο ἀνὴρ προφήτης
   – 25 βραδεῖς τῇ καρδίᾳ τοῦ πιστεύειν ἐπὶ
   πᾶσιν οἷς ἐλάλησαν οἱ προφῆται
Joh 1 21 ὁ πρ. εἶ σύ; 25 εἰ σὺ οὐκ εἶ – οὐδὲ ὁ
   πρ.; – 4 19 θεωρῶ ὅτι πρ. εἶ σύ 6 14
   οὗτός ἐστιν ἀληθῶς ὁ πρ. ὁ ἐρχό-
   μενος 7 40 ὁ πρ. 9 17 ὅτι πρ. ἐστίν
   7 52 ἐκ τῆς Γαλιλ. προφήτ. οὐκ ἐγείρεται
   8 52 Ἀβρ. ἀπέθανεν καὶ οἱ προφῆται 53
Act 3 22 „π..ην ὑμῖν ἀναστήσει κύριος" 7 37
   – 23 „ἐὰν μὴ ἀκούσῃ τοῦ προφ. ἐκείνου"
   – 25 ὑμεῖς ἐστε οἱ υἱοὶ τῶν προφητῶν
   7 52 τίνα τῶν προφ. οὐκ ἐδίωξαν οἱ πατέ-
   ρες ὑμῶν;
   10 43 τούτῳ πάντες οἱ πρ. μαρτυροῦσιν
   11 27 κατῆλθον ἀπὸ Ἰεροσολ. προφῆται
   13 1 ἐν Ἀντιοχ. – π..αι καὶ διδάσκαλοι
   – 20 κριτὰς ἕως Σαμουὴλ προφήτου
   – 27 τὰς φωνὰς τῶν προφ. – ἐπλήρωσαν
   15 32 Ἰούδας τε καὶ Σιλᾶς, καὶ αὐτοὶ προ-
   φῆται ὄντες, – παρεκάλεσαν
   21 10 κατῆλθέν τις – πρ. ὀνόματι Ἅγαβος
   26 27 πιστεύεις, βασιλεῦ Ἀγρ., τοῖς πρ.;
Rm 1 2 ὃ προεπηγγείλατο διὰ τῶν πρ. αὐτοῦ
   11 3 „τοὺς πρ. σου ἀπέκτειναν"
1 Co 12 28 οὓς μὲν ἔθετο – ἐν τῇ ἐκκλησίᾳ – προ-
   φήτας 29 μὴ πάντες προφῆται;
   14 29 π..αι δὲ δύο ἢ τρεῖς λαλείτωσαν
   – 32 πνεύματα π..ῶν π..αις ὑποτάσσεται
   37 εἴ τις δοκεῖ πρ. εἶναι ἢ πνευματι-
   κός, ἐπιγινωσκέτω ἃ γράφω ὑμῖν
Eph 2 20 ἐπὶ τῷ θεμελίῳ τῶν ἀποστ. καὶ πρ.
   3 5 ὡς νῦν ἀπεκαλύφθη τοῖς ἁγίοις ἀ-
   ποστόλοις αὐτοῦ καὶ πρ. ἐν πνεύμ.
   4 11 ἔδωκεν τοὺς μὲν ἀποστ., τοὺς δὲ πρ.
1 Th 2 15 τῶν καὶ τὸν κύριον ἀποκτεινάντων
   Ἰησοῦν καὶ τοὺς προφήτας
Tit 1 12 εἶπέν τις ἐξ αὐτῶν ἴδιος αὐτῶν πρ.
Hb 1 1 λαλήσας τοῖς πατράσιν ἐν τοῖς πρ.
   11 32 τῶν πρ., οἳ διὰ πίστεως κατηγωνίσ.
Jac 5 10 ὑπόδειγμα – μακροθυμίας τοὺς πρ.
1 Pe 1 10 περὶ ἧς σωτηρίας – ἐξηρεύνησαν π..
   αι οἱ περὶ τῆς εἰς ὑμᾶς χάριτος
2 Pe 2 16 ἐκώλυσεν τὴν τοῦ πρ. παραφρονίαν

2 Pe 3 2 μνησθῆναι τῶν προειρημένων ῥη-
μάτων ὑπὸ τῶν ἁγίων προφητῶν
Ap 10 7 ὡς εὐηγγέλισεν „τοὺς – προφήτας"
11 10 οἱ δύο πρ. ἐβασάνισαν τοὺς κατοικ.
– 18 μισθὸν „τοῖς δούλοις σου τοῖς πρ."
16 6 αἷμα ἁγίων καὶ πρ. ἐξέχεαν 18 24
18 20 οἱ ἅγιοι καὶ οἱ ἀπόστολοι καὶ οἱ πρ.
22 6 ὁ θεὸς τῶν πνευμάτων τῶν προφητ.
– 9 σύνδουλός σού εἰμι καὶ τῶν ἀδελφῶν
σου τῶν προφητῶν

προφητικός S⁰ – ᵃprophetarum ᵇpr..icus
Rm 16 26 γραφαί ᵃ 2 Pe 1 19 τὸν προφ.ᵇ λόγον

προφῆτις ᵃprophetissa ᵇpr..tes Luc 2 36
Ἅννα ᵃ Ap 2 20 Ἰεζ. ἡ λέγουσα ἑαυτὴν πρ.ᵇ

προφθάνειν praevenire Mat 17 25 αὐτόν

προχειρίζειν ᵃconstituere ᵇpraedicare ᶜprae-
ordinare Act 3 20 τὸν προκεχειρισμέ-
νον ᵇ ὑμῖν χριστὸν Ἰησ. 22 14 ᶜ 26 16 ᵃ

προχειροτονεῖν S⁰ – praeordinare Act 10 41

Πρόχορος Act 6 5 Φίλιππον καὶ Πρόχορον

πρύμνα S⁰ – puppis Mat 4 38 Act 27 29.41

πρωΐ mane Mat [16 3] 20 1 21 18 Mar 1 35 πρ.
(vg⁰) ἔννυχα λίαν 11 20 13 35 ἢ ἀλεκτο-
ροφωνίας ἢ πρ. 15 1 (Joh 18 28) 16 2 λίαν
πρωΐ (Joh 20 1) [16 9] Act 28 23

πρωΐα mane Mat 27 1 Joh 21 4

πρωϊνός (sc ἀστήρ) matutina (sc stella)
Ap 2 28 22 16 ὁ ἀστὴρ ὁ λαμπρὸς ὁ πρωϊνός

πρῴρα S⁰ – prora Act 27 30.41

πρωτεύειν primatum tenēre Col 1 18

πρωτοκαθεδρία S⁰ – prima cathedra
Mat 23 6 φιλοῦσιν – τὰς πρ. ἐν ταῖς συναγω-
γαῖς ‖ Mr 12 39 Lc 11 43 τὴν πρ. 20 46 π..ας

πρωτοκλισία S⁰ – primus discubitus ᵇpr.
accubitus ᶜpr. recubitus ᵈpr. locus
Mat 23 6 ᶜ ‖ Mar 12 39 Luc 20 46 – 14 7 ᵇ 8 ᵈ

*πρῶτον primum ᵇprimo ᶜprius
Mat 5 24 πρῶτον ᶜ διαλλάγηθι τῷ ἀδελφῷ σου
6 33 πρ. τὴν βασιλ. καὶ τὴν δικαι. αὐτοῦ

Mat 17 10 Ἠλίαν δεῖ ἐλθεῖν πρ.; ‖ Mar 9 11.12
Mar 13 10 εἰς – τὰ ἔθνη πρῶτον δεῖ κηρυχθῆναι
Luc 17 25 πρῶτον δὲ δεῖ αὐτὸν πολλὰ παθεῖν
21 9 δεῖ γὰρ ταῦτα γενέσθαι πρῶτον
Rm 1 16 Ἰουδαίῳ τε πρῶτ. καὶ Ἕλληνι 2 9.10
1 Th 4 16 οἱ νεκροὶ ἐν Χῷ ἀναστήσονται πρ.
(vl πρῶτοι vg primi), ἔπειτα ἡμεῖς
2 Th 2 3 ἐὰν μὴ ἔλθῃ ἡ ἀποστασία πρῶτον
Jac 3 17 πρ. μὲν ἁγνή ἐστιν, ἔπειτα εἰρηνική

*πρῶτος primus ᵇprior, prius ᶜprinceps
ᵈnobilis
Mat 12 45 γίνεται τὰ ἔσχατα τοῦ ἀνθρ. – χεί-
ρονα τῶν πρ.ᵇ ‖ Lc 11 26 ᵇ – 2 Pe 2 20 ᵇ
19 30 ἔσονται πρῶτοι ἔσχατοι καὶ ἔσχατοι
πρῶτοι 20 16 ‖ Mar 10 31 Luc 13 30
20 8 ἀπὸ τῶν ἐσχάτων ἕως τῶν πρώτων
– 27 ὃς ἂν θέλῃ ἐν ὑμῖν εἶναι πρῶτος,
ἔσται ὑμῶν δοῦλος ‖ Mar 10 44 9 35
22 38 αὕτη ἐστὶν ἡ μεγάλη καὶ πρώτη ἐν-
τολή ‖ Mar 12 28.29
27 64 ἡ ἐσχάτη πλάνη χείρων τῆς πρώτης ᵇ
Mar 6 21 τοῖς πρώτοις τῆς Γαλιλ. Luc 19 47 οἱ
πρ.ᶜ τοῦ λαοῦ Act 13 50 τῆς πόλεως
25 2 τῶν Ἰουδ. 28 17.7 τῷ πρ.ᶜ τῆς
νήσου – 17 4 γυναικῶν πρώτων ᵈ
[16 9 ἀναστὰς – πρωΐ πρώτῃ σαββάτου]
Joh 1 15 ὅτι πρῶτός ᵇ μου ἦν 30 ᵇ
[8 7 πρῶτος ἐπ᾽ αὐτὴν βαλέτω λίθον]
Act 26 23 εἰ πρῶτος ἐξ ἀναστάσεως νεκρῶν
1 Co 15 45 ἐγένετο ὁ πρ. ἄνθρωπος Ἀδάμ 47
Eph 6 2 ἥτις – ἐντολὴ πρώτη ἐν ἐπαγγελίᾳ
1 Ti 1 15 ἁμαρτωλοὺς σῶσαι· ὧν πρ. εἰμι ἐγώ
16 ἵνα ἐν ἐμοὶ πρώτῳ ἐνδείξηται Ἰ.
Χὸς τὴν ἅπασαν μακροθυμίαν
2 13 Ἀδὰμ γὰρ πρ. ἐπλάσθη, εἶτα Εὕα
5 12 ὅτι τὴν πρώτην πίστιν ἠθέτησαν
2 Ti 4 16 ἐν τῇ πρώτῃ μου ἀπολογίᾳ οὐδείς
Hb 8 7 εἰ – ἡ πρώτη ᵇ (sc διαθήκη) 13 πεπα-
λαίωκεν τὴν πρ.ᵇ 9 1 ᵇ 15 ἐπὶ τῇ πρ.ᵇ
διαθήκη 18 9 2 σκηνή – ἡ πρ. 6 ᵇ 8 ᵇ
10 9 ἀναιρεῖ τὸ πρ., ἵνα τὸ δεύτ. στήσῃ
1 Jo 4 19 ὅτι αὐτὸς πρῶτος ᵇ ἠγάπησεν ἡμᾶς
Ap 1 17 „ὁ πρῶτος καὶ ὁ ἔσχατος" 2 8 22 13
2 4 τὴν ἀγάπην σου τὴν πρώτ. ἀφῆκας
– 5 τὰ πρ. ἔργα ποίησον cfr 19 τὰ ἔργα
σου τὰ ἔσχατα πλείονα τῶν πρώτ.ᵇ
20 5 ἡ ἀνάστασις ἡ πρ. 6 μέρος ἐν τῇ ἀν.
21 1 ὁ – πρ. οὐρανὸς καὶ ἡ πρ. γῆ ἀπῆλ-
θαν 4 ὅτι „τὰ πρῶτα" ἀπῆλθαν

πρωτοστάτης auctor seditionis Act 24 5

πρωτοτόκια *primitiva* Hb 12 16 „ἀπέδοτο"

πρωτότοκος *primogenitus* [b]*primitivus*
Luc 2 7 ἔτεκεν τὸν υἱὸν αὐτῆς τὸν πρωτότ.
Rm 8 29 εἶναι – π..ον ἐν πολλοῖς ἀδελφοῖς
Col 1 15 ὅς ἐστιν –, πρ. πάσης κτίσεως
– 18 ὅς ἐστιν –, πρ. ἐκ τῶν νεκρῶν Ap 1 5
Hb 1 6 ὅταν – εἰσαγάγῃ τὸν πρ. εἰς τ. οἴκου.
11 28 ἵνα μὴ ὁ ὀλεθρεύων τὰ πρ.[b] θίγῃ
12 23 προσεληλύθατε – ἐκκλησίᾳ πρωτοτό-
κων[b] ἀπογεγραμμένων ἐν οὐρανοῖς

πρώτως S° – *primum* Act 11 26 Χριστιανούς

πταίειν *offendere* [b]*peccare*
Rm 11 11 μὴ ἔπταισαν ἵνα πέσωσιν; μὴ γέν.
Jac 2 10 πταίσῃ δὲ ἐν ἑνί 3 2 πολλὰ – π..ομεν
ἅπαντες· εἴ τις ἐν λόγῳ οὐ πταίει
2 Pe 1 10 ταῦτα – ποιοῦντες οὐ μὴ π..σητέ[b] ποτε

πτέρνα *calcaneus* Joh 13 18 „ἐπῆρεν – τήν"

πτερύγιον [a]*pinnaculum* [b]*pinna*
Mat 4 5 ἐπὶ τὸ πτερύγιον[a] τοῦ ἱεροῦ || Lc 4 9[b]

πτέρυξ *ala* [b]*penna* (vl *pinna*) Mat 23 37
ὑπὸ τὰς πτ. || Luc 13 34[b] – Ap 4 8 9 9 12 14

πτηνόν S° – *volucris* 1 Co 15 39 σὰρξ π..ῶν

πτοεῖσθαι [a]*terrēri* [b]*conturbari*
Luc 21 9 μὴ πτοηθῆτε[a] 24 37 πτοηθέντες[b]

πτόησις *perturbatio* 1 Pe 3 6 „μὴ φοβούμε-
ναι" μηδεμίαν „πτόησιν"

Πτολεμαΐς Act 21 7 ἀπὸ Τύρου – εἰς Πτολ.

πτύειν *expuere* Mar 7 33 8 23 Joh 9 6

πτύον S° – *ventilabrum* Mat 3 12 || Luc 3 17

πτύρεσθαι (pass) S° – *terrēri* Phl 1 28 μὴ
π..όμενοι ἐν μηδενὶ ὑπὸ τῶν ἀντικειμένων

πτύσμα S° – *sputum* Joh 9 6 ἐκ τοῦ πτύσ.

πτύσσειν S° – *plicare* Luc 4 20 τὸ βιβλίον

πτῶμα *corpus* Mat 14 12 || Mar 6 29
Mat 24 28 Mar 15 45 Ap 11 8.9

πτῶσις *ruina* Mat 7 27 Luc 2 34 εἰς πτῶσιν

πτωχεία *paupertas* [b]*inopia*
2 Co 8 2 ἡ κατὰ βάθους πτ. αὐτῶν ἐπερίσσ.
– 9 ἐπτώχευσεν πλούσιος ὤν, ἵνα ὑμεῖς
τῇ ἐκείνου πτωχείᾳ[b] πλουτήσητε

πτωχεύειν *egenum fieri* → πτωχεία 2 Co 89

πτωχός *pauper* [b]*egenus* [c]*egens* [d]*mendicus*
Mat 5 3 μακάριοι „οἱ πτ." τῷ πνεύματι || Luc
6 20 οἱ πτωχοί, ὅτι ὑμετέρα
11 5 „πτωχοὶ εὐαγγελίζονται" || Luc 7 22
– 4 18 „εὐαγγελίσασθαι πτωχοῖς"
19 21 καὶ δὸς πτωχοῖς || Mar 10 21 Luc 18 22
διάδος cfr 19 8 τὰ ἡμίση μου τῶν ὑπ-
αρχόντων – τοῖς πτωχοῖς δίδωμι
26 9 ἐδύνατο – δοθῆναι πτωχοῖς 11 πάν-
τοτε – τοὺς πτ. ἔχετε μεθ᾽ ἑαυτῶν ||
Mar 14 5.7 Joh 12 5[b] 6 οὐχ ὅτι περὶ
τῶν πτ.[b] ἔμελεν αὐτῷ 8 – 13 29 ἢ
τοῖς πτωχοῖς[b] ἵνα τι δῷ
Mar 12 42 μία χήρα πτωχή 43 || Luc 21 3
Luc 14 13 κάλει π..ούς 21 τοὺς πτ. – εἰσάγαγε
16 20 πτ.[d] δέ τις ὀνόματι Λάζαρος 22[d]
Rm 15 26 κοινωνίαν τινὰ ποιήσασθαι εἰς τοὺς
πτ. τῶν ἁγίων τῶν ἐν Ἱερουσαλήμ
2 Co 6 10 ὡς π..οὶ[c] πολλοὺς δὲ πλουτίζοντες
Gal 2 10 μόνον τῶν πτωχ. ἵνα μνημονεύωμεν
4 9 ἐπὶ τὰ ἀσθενῆ καὶ π..ὰ[b] στοιχεῖα
Jac 2 2 εἰσέλθῃ δὲ καὶ πτ. 3 τῷ πτ. εἴπητε·
5 οὐχ ὁ θεὸς ἐξελέξατο τοὺς πτ. τῷ
κόσμῳ πλουσίους ἐν πίστει –; 6 ὑ-
μεῖς δὲ ἠτιμήσατε τὸν πτωχόν
Ap 3 17 οὐκ οἶδας ὅτι σὺ εἶ – πτωχός
13 16 ποιεῖ – καὶ τοὺς πτωχ. –, ἵνα δῶσιν

πυγμή Mar 7 3 ἐὰν μὴ πυγμῇ (vl πυκνά vg
crebro) νίψωνται τὰς χεῖρας

πύθων S° – *python* Act 16 16 πνεῦμα π..α

πυκνός *frequens* [b](π..ά, π..ότερον) *frequen-
ter* Luc 5 33 νηστεύουσιν π..ά[b] Act 24 26[b]
1 Ti 5 23 διὰ – τὰς πυκνάς σου ἀσθενείας

πυκτεύειν S° – *pugnare*
1 Co 9 26 οὕτως πυκτεύω ὡς οὐκ ἀέρα δέρων

πύλη *porta*
Mat 7 13 εἰσέλθατε διὰ τῆς στενῆς πύλης· ὅτι
πλατεῖα [ἡ π.] 14 ὅτι στενὴ ἡ πύλη
16 18 πύλαι ᾅδου οὐ κατισχύσουσιν αὐτῆς

Luc 712 τῆς πόλεως – Act 310 ἐπὶ τῇ ὡραίᾳ
πύλῃ τοῦ ἱεροῦ – 924 1210 1613
Hb 1312 διὸ καὶ Ἰης. – ἔξω τῆς πύλης ἔπαθεν

πυλών ianua (Evv et Act) porta (Ap)
Mat 2671 Luc 1620 Act 1017 1213.14 1413
Ap 2112 πυλῶνες δώδεκα 13.15.21.25 2214

πυνθάνεσθαι interrogare ᵇinquirere ᶜsciscitari ᵈcognoscere
Mat 2 4 ἐπ..ετοᶜ παρ' αὐτῶν ποῦ ὁ χριστὸς
γεννᾶται – Luc 1526 τί ἂν εἴη ταῦτα 1836
Joh 452 ἐπύθετο οὖν τὴν ὥραν παρ' αὐτῶν
Act 4 7 ἐπυνθάνοντο· ἐν ποίᾳ δυνάμει –;
1018.29 2133 2319.20ᵇ 34ᵈ ὅτι ἀπὸ Κιλικίας

πῦρ ignis
Mat 310 ἐκκόπτεται καὶ εἰς πῦρ βάλλεται ‖
Luc 39 – Mat 719
– 11 ὑμᾶς βαπτίσει ἐν – πυρί ‖ Luc 316
– 12 τὸ δὲ ἄχυρον κατακαύσει πυρὶ ἀ-
σβέστῳ ‖ Luc 317 – Mar 943 ἢ – ἀπ-
ελθεῖν – εἰς τὸ πῦρ τὸ ἄσβεστον (45.47
vl) 48 ὅπου – „τὸ πῦρ οὐ σβέννυται"
522 ἔνοχος – εἰς τὴν γέενναν τοῦ πυρός
189 ἢ – βληθῆναι εἰς τὴν γ. τοῦ πυ.
1340 τὰ ζιζάνια – πυρὶ κατακαίεται
– 42 εἰς τὴν κάμινον τοῦ πυρός 50
1715 πολλάκις – πίπτει εἰς τὸ π. ‖ Mar 922
18 8 ἢ – βληθῆναι εἰς τὸ πῦρ τὸ αἰώνιον
2541 πορεύεσθε – εἰς τὸ πῦρ τὸ αἰώνιον
Mar 949 πᾶς γὰρ πυρὶ ἁλισθήσεται
Luc 954 „πῦρ καταβῆναι ἀπὸ τοῦ οὐρανοῦ"
1249 πῦρ ἦλθον βαλεῖν ἐπὶ τὴν γῆν καὶ
τί θέλω εἰ ἤδη ἀνήφθη
1729 „ἔβρεξεν πῦρ καὶ θεῖον" – 2255
Joh 15 6 εἰς τὸ πῦρ βάλλουσιν (sc τὸ κλῆμα)
Act 2 3 ὤφθησαν – γλῶσσαι ὡσεὶ πυρός
– 19 730 „ἐν φλογὶ πυρὸς βάτου" – 285
Rm 1220 „ἄνθρακας πυρὸς σωρεύσεις ἐπὶ – "
1 Co 313 ἐν πυρὶ ἀποκαλύπτεται, – ἑκάστου
τὸ ἔργον – τὸ π. αὐτὸ δοκιμάσει 15
αὐτὸς δὲ σωθήσεται, – ὡς διὰ πυρός
2 Th 1 8 ἐν τῇ ἀποκαλύψει – Ἰησοῦ – „ἐν πυ-
ρὶ φλογός, διδόντος ἐκδίκησιν"
Hb 1 7 „τοὺς λειτουργοὺς – πυρὸς φλόγα"
1027 „πυρὸς ζῆλος" – 1134 1218
1229 „ὁ θεὸς" ἡμῶν „πῦρ καταναλίσκον"
Jac 3 5 ἡλίκον πῦρ ἡλίκην ὕλην ἀνάπτει
– 6 ἡ γλῶσσα πῦρ, ὁ κόσμος τῆς ἀδικ.
5 3 φάγεται τὰς σάρκας ὑμῶν ὡς πῦρ
1 Pe 1 7 χρυσίου –, διὰ πυρὸς – δοκιμαζομέν.

2 Pe 3 7 πυρὶ τηρούμενοι εἰς ἡμέραν κρίσεως
Jud 7 πυρὸς αἰωνίου δίκην ὑπέχουσαι
23 σῴζετε „ἐκ πυρὸς ἁρπάζοντες"
Ap 114 „οἱ ὀφθαλμοὶ αὐτοῦ ὡς φλὸξ πυ-
ρός" 218 1912 – 101 ὡς στῦλοι πυρός
318 χρυσίον πεπυρωμένον ἐκ πυρός
4 5 85.7.8 917.18 115 1313 1410.18 152
16 8 1716 188 1920 εἰς τὴν λίμνην τοῦ πυ-
ρός 2010.14.15 218 – 209

πυρά ᵃpyra ᵇignis Act 282ᵃ 3ᵇ

πύργος turris Mat 2133 „ᾠκοδόμησεν πύρ-
γον" ‖ Mar 121 – Luc 134 ὁ π. ἐν τῷ
Σιλωάμ 1428 θέλων π..ον οἰκοδομῆσαι

πυρέσσειν Sᵒ – febricitare Mat 814 ‖ Mar 130

πυρετός febris Mat 815 ‖ Mar 131 Luc 438.39
ἐπετίμησεν τῷ πυρ. – Joh 452 Act 288

πύρινος igneus Ap 917 θώρακας πυρίνους

πυροῦσθαι (pass.) uri ᵇ(π..ούμενος) ardens
ᶜ(πεπυρωμένος) igneus ᵈignitus probatus
1 Co 7 9 κρεῖττόν – ἐστιν γαμεῖν ἢ π..οῦσθαι
2 Co 1129 καὶ οὐκ ἐγὼ πυροῦμαι;
Eph 616 τὰ βέλη τοῦ πονηροῦ τὰ πεπυρ.ᶜ
2 Pe 312 οὐρανοὶ πυρούμενοιᵇ λυθήσονται
Ap 115ᵇ 318 ἀγοράσαι – χρυσίον πεπυρ.ᵈ

πυρράζειν Sᵒ – ᵃrubicundum esse ᵇruti-
lare Mat 162 π..ειᵃ ὁ οὐρανός 3ᵇ

πυρρός rufus Ap 64 ἵππος 123 δράκων

Πύρρος Act 204 Σώπατρος Πύρρου

πύρωσις incendium ᵇfervor
1 Pe 412 μὴ ξενίζεσθε τῇ ἐν ὑμῖν πυρώσειᵇ
Ap 18 9 τὸν καπνὸν τῆς πυρώσεως αὐτῆς 18

πωλεῖν vendere ᵇ(pass) vaenire (vl ve.)
Mat 1029 οὐχὶ δύο στρουθία ἀσσαρίου πωλεῖ-
ται;ᵇ ‖ Luc 126 πέντε – ἀσσ. δύο;ᵇ
1344 πωλεῖ ὅσα ἔχει 1921 πώλησόν σου
τὰ ὑπάρχοντα ‖ Mar 1021 Luc 1822
– 1233 πωλήσατε τὰ ὑπάρχ. ὑμῶν
2112 ἐξέβαλεν – τοὺς πωλοῦντας κτλ. ‖
Mar 1115 Luc 1945 Joh 214.16
25 9 πορεύεσθε – πρὸς τοὺς πωλοῦντας
Luc 1728 ἠγόραζον, ἐπώλουν, ἐφύτευον

Luc 22₃₆ πωλησάτω τὸ ἱμάτιον αὐτοῦ
Act 4₃₄ πωλοῦντες ἔφερον τὰς τιμὰς τῶν
πιπρασκομένων 37 5₁ ἐπώλησεν
1 Co 10₂₅ πᾶν τὸ ἐν μακέλλῳ πωλούμενον[b]
Ap 13₁₇ ἵνα μή τις δύνηται – πωλῆσαι εἰ μή

πῶλος (sc ὄνου) pullus Mat 21₂.₅.₇ ‖ Mar
11₂.₄.₅.₇ Luc 19₃₀.₃₃.₃₅ Joh 12₁₅

πώποτε umquam
Luc 19₃₀ ἐφ' ὃν οὐδεὶς πώποτε – ἐκάθισεν
Joh 1₁₈ θεὸν οὐδεὶς ἑώρακεν πώποτε 1 Jo
4₁₂ θεὸν οὐδεὶς πώποτε τεθέαται
5₃₇ οὔτε φωνὴν αὐτοῦ πώπ. ἀκηκόατε
6₃₅ ὁ πιστεύων εἰς ἐμὲ οὐ μὴ διψήσει
πώποτε 8₃₃ οὐδενὶ δεδουλεύκαμεν

πώποτε· πῶς σὺ λέγεις ὅτι ἐλεύθεροι

πωροῦν [a]indurare πωροῦσθαι [b]caecari
[c]excaecari [d]obcaecari ([b c d] ex vl
πηροῦσθαι) [e]obtundi
Mar 6₅₂ ἦν αὐτῶν ἡ καρδία πεπωρωμένη[d]
8₁₇ πεπ..ην[b] ἔχετε τὴν καρδίαν –;
Joh 12₄₀ „ἐπώρωσεν[a] αὐτῶν τὴν καρδίαν”
Rm 11 ₇ οἱ δὲ λοιποὶ ἐπωρώθησαν[c]
2 Co 3₁₄ ἐπωρώθη[e] τὰ νοήματα αὐτῶν

πώρωσις caecitas (ex vl πήρωσις)
Mar 3 ₅ συλλυπούμενος ἐπὶ τῇ π. τῆς καρ-
δίας αὐτῶν – Eph 4₁₈ διὰ τὴν π.
Rm 11₂₅ ὅτι πώρ. ἀπὸ μέρους τῷ Ἰσραὴλ γέ-
γονεν ἄχρι οὗ τὸ πλήρωμα

P

Ῥαάβ Hb 11₃₁ Jac 2₂₅ → Ῥαχάβ

ῥαββί S⁰ – rabbi
Mat 23 ₇ φιλοῦσιν – καλεῖσθαι – ῥαββί
– 8 ὑμεῖς δὲ μὴ κληθῆτε ῥαββί
26₂₅.₄₉ Mar 9₅ 11₂₁ 14₄₅ Joh 1₃₈ (ὃ λέ-
γεται μεθερμηνευόμενον διδάσκαλε)
49 32.26 (Johannes) 4₃₁ 6₂₅ 9₂ 11₈

ῥαββουνί S⁰ – rabboni Mar 10₅₁ Joh 20₁₆
λέγει – Ἑβραϊστί· ῥ. (ὃ λέγεται διδ.)

ῥαβδίζειν virgis caedere Act 16₂₂ ἐκέλευον
ῥαβδίζ. 2 Co 11₂₅ τρὶς ἐρραβδίσθην

ῥάβδος virga
Mat 10₁₀ μηδὲ ῥάβδον ‖ Mar 6₈ μηδὲν – εἰ μὴ
ῥάβδον μόνον Luc 9₃ μήτε ῥάβδον
1 Co 4₂₁ ἐν ῥάβδῳ ἔλθω –, ἢ ἐν ἀγάπῃ –;
Hb 1 ₈ „ῥ. τῆς εὐθύτητος ῥ. τῆς βασιλείας”
αὐτοῦ 9₄ ἐν ᾗ – ἡ ῥάβδος Ἀαρὼν
11₂₁ „ἐπὶ τὸ ἄκρον τῆς ῥάβδου αὐτοῦ”
Ap 2₂₇ „ἐν ῥάβδῳ σιδηρᾷ” 12₅ 19₁₅ – 11₁

ῥαβδοῦχοι S⁰ – lictores Act 16₃₅.₃₈

Ῥαγαύ Luc 3₃₅ τοῦ Ναχὼρ – τοῦ Ῥαγαύ

ῥᾳδιούργημα S⁰ – facinus Act 18₁₄ πονη.

ῥᾳδιουργία S⁰ – fallacia Act 13₁₀

ῥακά S⁰ – raca (vl racha) Mat 5₂₂

ῥάκος pannus Mat 9₁₆ ‖ Mar 2₂₁

Ῥαμά Mat 2₁₈ „φωνὴ ἐν Ῥαμὰ ἠκούσθη”

ῥαντίζειν. ῥαντίζεσθαι aspergere [b]aspergi
[c]baptizari
Mar 7 ₄ ἀπ' ἀγορᾶς ἐὰν μὴ ῥαντίσωνται (vl
βαπτίσωνται[c]) οὐκ ἐσθίουσιν
Hb 9₁₃[b] 19.21 10₂₂ ῥεραντισμένοι[b] τὰς καρ-
δίας ἀπὸ συνειδήσεως πονηρᾶς
(Ap 19₁₃ vl ἱμάτιον ῥεραντισμένον[b] αἵματι)

ῥαντισμός aspersio (Hb vl sparsio)
Hb 12₂₄ αἵματι ῥ..οῦ κρεῖττον λαλοῦντι
1 Pe 1 ₂ εἰς – ῥ..ον αἵματος Ἰησοῦ Χοῦ

ῥαπίζειν [a]percutere [b]palmas in faciem dare
Mat 5₃₉ ὅστις σε ῥαπίζει[a] – 26₆₇[b]

ῥάπισμα alapa Mar 14₆₅ Joh 18₂₂ 19₃

ῥαφίς S⁰ – acus Mat 19₂₄ ‖ Mar 10₂₅

Ῥαχάβ Mat 1₅ → Ῥαάβ

Ῥαχήλ Mat 2₁₈ Ῥεβέκκα Rm 9₁₀

ῥέδη S⁰ – rheda Ap 18₁₃ ἵππων καὶ ῥ..ων

ῥεῖν fluere Joh 7₃₈ ποταμοὶ – ὕδατος ζῶντος

Ῥήγιον Act 28 13 κατηντήσαμεν εἰς Ῥήγιον

ῥῆγμα ruina Luc 6 49 τῆς οἰκίας μέγα

ῥηγνύναι, ῥήσσειν dirumpere (disr.) ᵇerumpere ᶜrumpere ᵈallidere ᵉelidere
Mat 7 6 μήποτε – στραφέντες ῥήξωσιν ὑμᾶς
9 17 ῥήγνυνταιᶜ οἱ ἀσκοί ‖ Mar 2 22 ῥήξει
ὁ οἶνος τοὺς ἀσκούς Luc 5 37ᶜ
Mar 9 18 ῥήσσειᵈ (sc τὸ πνεῦμα) αὐτόν ‖ Luc
9 42 ἔρρηξενᵉ
Gal 4 27 „ῥῆξονᵇ καὶ βόησον, ἡ οὐκ ὠδίνουσα

ῥῆμα verbum
Mat 4 4 „ἐπὶ παντὶ ῥήματι ἐκπορευομένῳ διὰ
στόματος θεοῦ"
12 36 πᾶν ῥῆμα ἀργὸν ὃ λαλήσουσιν οἱ
18 16 ἵνα „ἐπὶ στόματος δύο μαρτύρων ἢ
τριῶν σταθῇ πᾶν ῥῆμα" 2 Co 13 1
26 75 ἐμνήσθη – τοῦ ῥήμ. Ἰησοῦ ‖ Mar 14
72 – Luc 24 8 Act 11 16 τοῦ κυρίου
27 14 οὐκ ἀπεκρίθη – πρὸς οὐδὲ ἓν ῥῆμα
Mar 9 32 ἠγνόουν τὸ ῥ. ‖ Luc 9 45.45 καὶ ἐφοβοῦντο ἐρωτῆσαι – περὶ τοῦ ῥ. cfr
2 50 οὐ συνῆκαν τὸ ῥ. 18 34 ἦν τὸ ῥ.
– κεκρυμμένον ἀπ' αὐτῶν 24 11 ἐφάνησαν ἐνώπιον αὐτῶν ὡσεὶ λῆρος τὰ
ῥήματα ταῦτα
Luc 1 37 „οὐκ ἀδυνατήσει – πᾶν ῥῆμα"
– 38 γένοιτό μοι κατὰ τὸ ῥῆμά σου 2 29
ἀπολύεις τὸν δοῦλόν σου κατὰ –
– 65 διελαλεῖτο – τὰ ῥ. ταῦτα 2 15 ἴδωμεν
τὸ ῥῆμα τοῦτο 17 ἐγνώρισαν περὶ
τοῦ ῥ. 19 συνετήρει τὰ ῥ. 51 διετήρει
3 2 ἐγένετο ῥῆμα θεοῦ ἐπὶ Ἰωάννην
5 5 ἐπὶ δὲ τῷ ῥ. σου χαλάσω τὰ δίκτυα
7 1 ἐπλήρωσεν – τὰ ῥ. αὐτοῦ 20 26 οὐκ
ἴσχυσαν ἐπιλαβέσθαι αὐτοῦ ῥήματος
Joh 3 34 ὃν – ἀπέστειλεν ὁ θεὸς τὰ ῥήματα τοῦ
θεοῦ λαλεῖ 8 47 τὰ ῥ. τ. θεοῦ ἀκούει
5 47 πῶς τοῖς ἐμοῖς ῥήμασιν πιστεύσετε;
6 63 τὰ ῥ. ἃ ἐγὼ λελάληκα – πνεῦμά ἐστιν
– 68 ῥήματα ζωῆς αἰωνίου ἔχεις
8 20 ταῦτα τὰ ῥ. ἐλάλ. ἐν τῷ γαζοφυλακ.
10 21 ταῦτα τὰ ῥ. οὐκ ἔστιν δαιμονιζομένου
12 47 ἐάν τίς μου ἀκούσῃ τῶν ῥημάτων
– 48 ὁ – μὴ λαμβάνω τὰ ῥήματά μου
14 10 τὰ ῥήματα – ἀπ' ἐμαυτοῦ οὐ λαλῶ
15 7 ἐὰν – τὰ ῥήματά μου ἐν ὑμῖν μείνῃ
17 8 τὰ ῥ. ἃ ἔδωκάς μοι δέδωκα αὐτοῖς
Act 2 14 καὶ ἐνωτίσασθε τὰ ῥήματά μου
5 20 λαλεῖτε – τὰ ῥήματα τῆς ζωῆς ταύτης
– 32 ἡμεῖς ἐσμεν μάρτυρες τῶν ῥ. τούτων

Act 6 11 ῥ..τα βλάσφημα εἰς Μωϋσῆν 13 κατὰ
τοῦ τόπου τοῦ ἁγ. – καὶ τοῦ νόμου
10 22 ἀκοῦσαι ῥήματα παρὰ σοῦ 44 11 14
– 37 οἴδατε τὸ γενόμ. ῥ. καθ' – Ἰουδαίας
13 42 λαληθῆναι αὐτοῖς τὰ ῥήματα ταῦτα
16 38 26 25 σωφροσύνης ῥ..τα ἀποφθέγγ.
28 25 εἰπόντος τοῦ Παύλου ῥῆμα ἕν
Rm 10 8 „ἐγγύς σου τὸ ῥ. ἐστιν" – ' τοῦτ' ἔστιν τὸ ῥ. τῆς πίστεως 17 ἡ δὲ ἀκοὴ
διὰ ῥ..τος Χοῦ 18 „εἰς πέρατα τῆς
οἰκουμένης τὰ ῥήματα αὐτῶν"
2 Co 12 4 ἤκουσεν ἄρρητα ῥήματα, ἃ οὐκ ἐξὸν
ἀνθρώπῳ λαλῆσαι
Eph 5 26 τῷ λουτρῷ τοῦ ὕδατος ἐν ῥήματι
6 17 καὶ „τὴν μάχαιραν τοῦ πνεύματος",
ὅ ἐστιν „ῥῆμα θεοῦ"
Hb 1 3 φέρων τε τὰ πάντα τῷ ῥήματι τῆς
· δυνάμεως αὐτοῦ
6 5 καλὸν γευσαμένους θεοῦ ῥῆμα
11 3 κατηρτίσθαι τοὺς αἰῶνας ῥ..τι θεοῦ
12 19 „σάλπιγγος ἤχῳ καὶ φωνῇ ῥ..των"
1 Pe 1 25 „τὸ δὲ ῥ." κυρίου „μένει εἰς τ. αἰῶ."
2 Pe 3 2 μνησθῆναι τῶν προειρημένων ῥημάτων ὑπὸ τῶν – προφ. Jud 17 ὑπὸ
τῶν ἀποστόλων τοῦ κυρίου ἡμῶν

Ῥησά Luc 3 27 τοῦ Ζοροβαβέλ

ῥήσσειν → ῥηγνύναι

ῥήτωρ Sᵒ – orator Act 24 1 Τέρτυλλος

ῥητῶς Sᵒ – manifeste 1 Ti 4 1 πνεῦμα ῥ. λέγει

ῥίζα radix
Mat 3 10 πρὸς τὴν ῥίζαν – κεῖται ‖ Luc 3 9
13 6 διὰ τὸ μὴ ἔχειν ῥίζαν 21 ἐν ἑαυτῷ ‖
Mar 4 6.17 ἐν ἑαυτοῖς Luc 8 13
Mar 11 20 τὴν συκῆν ἐξηραμμένην ἐκ ῥιζῶν
Rm 11 16 εἰ ἡ ῥ. ἁγία 17 συγκοινωνὸς τῆς ῥίζης τῆς πιότητος – ἐγένου 18 οὐ σὺ
τὴν ῥίζαν βαστάζεις ἀλλὰ ἡ ῥίζα σέ
15 12 „ἔσται ἡ ῥίζα τοῦ Ἰεσσαί"
1 Ti 6 10 ῥ. – πάντων τ. κακῶν – ἡ φιλαργυρία
Hb 12 15 „μή τις ῥίζα πικρίας – ἐνοχλῇ"
Ap 5 5 ἐνίκησεν ὁ λέων –, ἡ ῥίζα Δαυίδ
22 16 ἐγώ εἰμι „ἡ ῥ." καὶ τὸ γένος Δαυ.

ῥιζοῦσθαι radicari Eph 3 17 ἐν ἀγάπῃ ἐρριζωμένοι καὶ τεθεμελιωμένοι Col 2 7
ἐρριζωμένοι καὶ ἐποικοδομ. ἐν αὐτῷ

ῥιπή Sᵒ – ictus 1 Co 15 52 ἐν ῥιπῇ ὀφθαλ.

ῥιπίζεσθαι *circumferri* Jac 1 6

ῥίπτειν, ῥιπτεῖν (Act 22 23) *proicere* ᵇ *mittere* ᶜ (prf pass) *iacēre*
Mat 9 36 ἐρριμμένοι ᶜ ὡσεὶ πρόβατα μὴ ἔχοντα
15 30 ἔρριψαν αὐτούς 27 5 ῥίψας τὰ ἀργ.
Luc 4 35 ῥῖψαν αὐτὸν τὸ δαιμόνιον 17 2 εἰ—
ἔρριπται εἰς τὴν θάλασσαν
Act 22 23 ῥιπτούντων τὰ ἱμάτια 27 19. 29 ᵇ

Ῥοβοάμ Mat 1 7 Ῥόδη Act 12 13 παιδίσκη

Ῥόδος Act 21 1 Ῥομφά Act 7 43 θεοῦ Ῥ.

ῥοιζηδόν Sᵒ — *magno impetu* 2 Pe 3 10

ῥομφαία *gladius* ᵇ *rhomphaea* (..*ea*)
Luc 2 35 σοῦ—τὴν ψυχὴν διελεύσεται ῥομφ.
Ap 1 16 ἐκ τοῦ στόματος αὐτοῦ ῥομφαία δί-
στομος ὀξεῖα 19 15 cfr 2 12 ᵇ 16
6 8 „ἀποκτεῖναι ἐν ῥομφαίᾳ" 19 21

Ῥουβήν Ap 7 5 ἐκ φυλῆς Ῥ. δώδεκα χιλιάδες

Ῥούθ Mat 1 5 Ῥοῦφος Mar 15 21 Rm 16 13

ῥύεσθαι *eripere* ᵇ *eruere* ᶜ *liberare*, ..*ri*
Mat 6 13 ῥῦσαι ᶜ ἡμᾶς ἀπὸ τοῦ πονηροῦ
27 43 „ῥυσάσθω ᶜ νῦν εἰ θέλει αὐτόν"
Luc 1 74 ἐκ χειρὸς ἐχθρῶν ῥυσθέντας ᶜ
Rm 7 24 ταλαίπωρος ἐγώ—· τίς με ῥύσεται ᶜ
ἐκ τοῦ σώματος τοῦ θανάτου τούτου;
11 26 „ἥξει ἐκ Σιὼν ὁ ῥυόμενος"
15 31 ἵνα ῥυσθῶ ᶜ ἀπὸ τῶν ἀπειθούντων
2 Co 1 10 ὃς ἐκ τηλικούτου θανάτου ἐρρύσατο
ἡμᾶς καὶ ῥύσεται ᵇ (vl ῥύεται vg
eruit vl *eruet*), εἰς ὃν ἠλπίκαμεν [ὅτι]
καὶ ἔτι ῥύσεται
Col 1 13 ὃς ἐρρύσατο ἡμᾶς ἐκ τῆς ἐξουσίας
τοῦ σκότους καὶ μετέστησεν εἰς
1 Th 1 10 Ἰησοῦν τὸν ῥυόμενον ἡμᾶς ἐκ (vl
ἀπὸ) τῆς ὀργῆς τῆς ἐρχομένης
2 Th 3 2 ἵνα ῥυσθῶμεν ᶜ ἀπὸ τῶν ἀτόπων καὶ
πονηρῶν ἀνθρώπων

2 Ti 3 11 ἐκ πάντων με ἐρρύσατο ὁ κύριος
4 17 ἐρρύσθην ᶜ „ἐκ στόματος λέοντος"
— 18 ῥύσεταί ᶜ με ὁ κύριος ἀπὸ παντὸς
ἔργου πονηροῦ καὶ σώσει εἰς
2 Pe 2 7 δίκαιον Λὼτ—ἐρρύσατο 9 οἶδεν κύρ.
εὐσεβεῖς ἐκ πειρασμοῦ ῥύεσθαι

ῥύμη *vicus* Mat 6 2 Luc 14 21 Act 9 11 12 10

ῥυπαίνεσθαι (vl ῥυπαρεύεσθαι) Sᵒ — *sordescere* Ap 22 11

ῥυπαρία Sᵒ — *immunditia* Jac 1 21 ἀποθέ-
μενοι πᾶσαν ῥ. καὶ περισσείαν κακίας

ῥυπαρός ᵃ *sordidus* ᵇ *in sordibus*
Jac 2 2 ἐν ῥ..ᾷ ᵃ ἐσθῆτι Ap 22 11 ὁ ῥυπαρός ᵇ

ῥύπος *sordes* 1 Pe 3 21 ἀπόθεσις ῥύπου

ῥύσις (αἵματος) ᵃ *profluvium* ᵇ *fluxus*
Mar 5 25 ᵃ ‖ Luc 8 43 ᵇ 44 παραχρῆμα ἔστη ᵇ

ῥυτίς Sᵒ — *ruga* Eph 5 27 μὴ ἔχουσαν—ῥ.

Ῥωμαῖος *Romanus* ᵇ *civis Romanus*
Joh 11 48 ἐλεύσονται οἱ Ῥ. καὶ ἀροῦσιν ἡμῶν
Act 2 10 οἱ ἐπιδημοῦντες Ῥ. 16 21 οὐκ ἔξεστιν
ἡμῖν—Ῥ..οις οὖσιν 37 ἡμᾶς—ἀνθρώπους
Ῥ..ους ὑπάρχοντας 38 ὅτι Ῥ..οί εἰσιν
22 25. 26 ᵇ 27. 29 ᵇ 23 27 25 16 οὐκ ἔστιν ἔθος
Ῥωμαίοις 28 17 παρεδόθην εἰς τὰς χεῖ-
ρας τῶν Ῥωμαίων

Ῥωμαϊστί Sᵒ — *Latine* Joh 19 20 (vg Luc 23 38)

Ῥώμη Act 18 2 19 21 δεῖ με καὶ Ῥώμην ἰδεῖν
23 11 οὕτω σε δεῖ καὶ εἰς Ῥώμην μαρτυ-
ρῆσαι 28 14. 16 — Rm 1 7. 15 καὶ ὑμῖν τοῖς
ἐν Ῥ. εὐαγγελίσασθαι — 2 Ti 1 17 γενό-
μενος ἐν Ῥώμῃ σπουδαίως ἐζήτησέν με
καὶ εὗρεν

ῥώννυσθαι Act 15 29 ἔρρωσθε *valete* (vl 23 30
ἔρρωσο *vale* vlᵒ)

Σ

σαβαχθάνι Sᵒ — *sabacthani*
Mat 27 46 λεμὰ σαβαχθάνι ‖ Mar 15 34 λαμὰ
σαβαχθάνι

Σαβαώθ *sabaoth* (*sabb.*) Rm 9 29 Jac 5 4

σαββατισμός Sᵒ — *sabbatismus*
Hb 4 9 ἄρα ἀπολείπεται σ. τῷ λαῷ τοῦ θεοῦ

σάββατον, ..α sabbatum ^bsabbata

1) dies septimus, ad quietem datus

Mat 12 1 ἐπορεύθη – τοῖς σ. διὰ τῶν σπορί-
μων ‖ Mar 2 23^b Luc 6 1 ἐν σ..ῳ (vl +
δευτεροπρώτῳ vg secundo primo)
– 2 ὃ οὐκ ἔξεστιν ποιεῖν ἐν σαββάτῳ^b ‖
Mar 2 24 τοῖς σαββ.^b Luc 6 2 τοῖς σ.^b
– 5 τοῖς σ.^b οἱ ἱερεῖς – τὸ σ. βεβηλοῦσιν
– 8 κύριός – ἐστιν τοῦ σ. ὁ υἱὸς τ. ἀνϑρ.
‖ Mar 2 28 καὶ τοῦ σ. Luc 6 5 τοῦ σ.
– 10 εἰ ἔξεστιν τοῖς σ.^b ϑεραπεῦσαι; ‖
Mar 3 2 εἰ τοῖς σ.^b ϑεραπεύσει Luc
6 7 εἰ ἐν τῷ σαββάτῳ ϑεραπεύει
– 11 ἐὰν ἐμπέσῃ – τοῖς σ.^b εἰς βόϑυνον
– 12 ὥστε ἔξεστιν τοῖς σ.^b καλῶς ποιεῖν ‖
Mar 3 4 ἔξεστιν τοῖς σ.^b ἀγαϑὸν ποι-
ῆσαι ἢ κακοποιῆσαι –; Luc 6 9 τῷ σ.^b
(vl sabbato)
24 20 ἵνα μὴ γένηται ἡ φυγὴ ὑμῶν χειμῶ-
νος μηδὲ σαββάτῳ
28 1 ὀψὲ δὲ σαββάτων ‖ Mar 16 1 διαγενο-
μένου τοῦ σ. Luc 23 54 καὶ σάββατον
ἐπέφωσκεν
Mar 1 21 τοῖς σ.^b εἰσελϑὼν εἰς τὴν συναγω-
γὴν ἐδίδασκεν ‖ Luc 4 31 ἐν τοῖς σ.^b
– Mar 6 2 γενομένου σ..ου Luc 4 16
ἐν τῇ ἡμέρᾳ τῶν σ. 6 6 ἐν ἑτέρῳ σ.
13 10 διδάσκων – ἐν τοῖς σάββασιν^b
2 27 τὸ σ. διὰ τὸν ἄνϑρωπον ἐγένετο, καὶ
οὐχ ὁ ἄνϑρωπος διὰ τὸ σάββατον
Luc (6 5 D ϑεασάμενός τινα ἐργαζόμενον τῷ
σαββάτῳ εἶπεν αὐτῷ· – εἰ – οἶδας)
13 14 ἀγανακτῶν ὅτι τῷ σ. ἐθεράπευσεν,
– μὴ τῇ ἡμέρᾳ τοῦ σ. (sc ϑ..εσϑε)
– 15 τῷ σ. οὐ λύει τὸν βοῦν –; 16 οὐκ ἔδει
λυθῆναι – τῇ ἡμέρᾳ τοῦ σαββάτου;
14 1 σαββάτῳ φαγεῖν ἄρτον 3 ἔξεστιν τῷ
σ. ϑεραπεῦσαι ἢ οὔ; 5 τίνος – υἱὸς –
εἰς φρέαρ πεσεῖται, καὶ οὐκ – ἀνα-
σπάσει αὐτὸν ἐν ἡμέρᾳ τοῦ σαββ.;
23 56 τὸ μὲν σάββατον ἡσύχασαν
Joh 5 9 ἦν δὲ σάββ. ἐν ἐκείνῃ τῇ ἡμέρᾳ 9 14
– 10 σάββατόν ἐστιν, καὶ οὐκ ἔξεστίν σοι
ἆραι τὸν κράβατον 16 ὅτι ταῦτα ἐ-
ποίει ἐν σαββάτῳ 18 οὐ μόνον ἔλυεν
τὸ σάββατον 9 16 τὸ σάββ. οὐ τηρεῖ
7 22 ἐν σ..ῳ περιτέμνετε ἄνϑρωπον 23
– 23 ὅτι ὅλον ἀνϑρ. ὑγιῆ ἐποίησα ἐν σ.;
19 31 ἵνα μὴ μείνῃ ἐπὶ τοῦ σταυροῦ τὰ σώ-
ματα ἐν τῷ σ., ἦν γὰρ μεγάλη ἡ ἡ-
μέρα ἐκείνου τοῦ σαββάτου

Act 1 12 ἐγγὺς Ἱερουσ. σαββάτου ἔχον ὁδόν
13 14 εἰς τὴν συναγωγὴν τῇ ἡμέρᾳ τῶν
σ.^b 16 13^b 17 2 ἐπὶ σάββατα^b τρία
18 4 διελέγετο – κατὰ πᾶν σάββατον
– 27 τὰς φωνὰς τῶν προφητῶν τὰς κατὰ
πᾶν σάββατον ἀναγινωσκομένας 15 21
Μωϋσῆς – ἀναγινωσκόμενος
– 42 εἰς τὸ μεταξὺ σ. λαληϑῆναι αὐτοῖς
– 44 τῷ δὲ ἐρχομένῳ σαββάτῳ – συνήχϑη
Col 2 16 ἐν μέρει – νεομηνίας ἢ σαββάτων^b

2) spatium septem dierum, hebdomas

Mat 28 1 τῇ ἐπιφωσκούσῃ εἰς μίαν σαββάτων
‖ Mar 16 2 πρωΐ [τῇ] μιᾷ τῶν σαββ.^b
Luc 24 1 τῇ δὲ μιᾷ τῶν σαββ. ὄρϑρου
βαϑέως Joh 20 1 τῇ δὲ μιᾷ τῶν σ. 19
ὀψίας – τῇ μιᾷ σαββάτων^b
[Mar 16 9 ἀναστὰς – πρωΐ πρώτῃ σαββάτου]
Luc 18 12 νηστεύω δὶς τοῦ σαββ., ἀποδεκατεύω
Act 20 7 ἐν δὲ τῇ μιᾷ τῶν σαββ. συνηγμένων
1 Co 16 2 κατὰ μίαν σαββάτου ἕκαστος ὑμῶν
παρ' ἑαυτῷ τιϑέτω ϑησαυρίζων

σαγήνη sagena Mat 13 47 ὁμοία – σαγήνη

Σαδδουκαῖοι Mat 3 7 16 1.6.11.12 22 23.34 Mar
12 18 Luc 20 27 Act 4 1 5 17 23 6.7.8

Σαδώκ Mat 1 14

σαίνεσϑαι S⁰ – moveri 1 Th 3 3 ἐν – ϑλίψεσιν

σάκκος ^acilicium ^bsaccus
Mat 11 21^a Luc 10 13^a Ap 6 12^b 11 3^b

Σάλα Luc 3 32.35   **Σαλαϑιήλ** Mat 1 12 Luc 3 27

Σαλαμίς Act 13 5 γενόμενοι ἐν Σαλαμῖνι

σαλεύειν, ..εσϑαι ^aagitare ^bcoagitare ^ccom-
movēre ^dmovēre ^e(τὰ σ..όμενα, μὴ
σ.) mobilia, immobilia
Mat 11 7 κάλαμον ὑπὸ ἀνέμου σαλευόμενον^a;
‖ Luc 7 24^a (vl^d)
24 29 „αἱ δυνάμεις τῶν οὐρανῶν" σαλευ-
ϑήσονται^c ‖ Mar 13 25^d Luc 21 26^d
Luc 6 38 μέτρον καλὸν – σεσαλευμένον^b
– 48 οὐκ ἴσχυσεν σαλεῦσαι^d αὐτήν
Act 2 25 „ἵνα μὴ σαλευϑῶ^c" 4 31 ἐσαλεύθη^d
ὁ τόπος 16 26^d τὰ θεμέλια 17 13^c
2 Th 2 2 εἰς τὸ μὴ ταχέως σαλευϑῆναι^d ὑμᾶς
ἀπὸ τοῦ νοὸς μηδὲ θροεῖσϑαι

Hb 12 26 οὗ ἡ φωνὴ τὴν γῆν ἐσάλευσεν d
— 27 δηλοῖ τὴν τῶν σ..ομένων e μετάθεσιν
—, ἵνα μείνῃ τὰ μὴ σαλευόμενα e

Σαλήμ Hb 7 1.2 **Σαλίμ** Joh 3 23

Σαλμών Mat 1 4.5 **Σαλμώνη** Act 27 7

σάλος fluctus Luc 21 25 θαλάσσης καὶ σάλου

σάλπιγξ tuba
Mat 24 31 τοὺς ἀγγέλους – „μετὰ σάλπιγγος
μεγάλης" 1 Co 15 52 ἐν τῇ ἐσχάτῃ σ.
1 Th 4 16 ἐν σάλπιγγι θεοῦ
1 Co 14 8 ἐὰν ἄδηλον σάλπιγξ φωνὴν δῷ
Hb 12 19 „σάλπιγγος ἤχῳ καὶ φωνῇ ῥημάτων"
Ap 1 10 ἤκουσα – φωνὴν μεγάλην ὡς σάλπιγ-
γος 4 1 λαλούσης μετ' ἐμοῦ
8 2 ἑπτὰ σάλπιγγες 6 — 13 οὐαὶ – ἐκ τῶν
λοιπῶν φωνῶν τῆς σάλπιγγος 9 14

σαλπίζειν (tuba) canere
Mat 6 2 μὴ σαλπίσῃς ἔμπροσθέν σου
1 Co 15 52 σαλπίσει –, καὶ οἱ νεκροὶ ἐγερθήσον.
Ap 8 6 ἵνα σαλπίσωσιν 7 ὁ πρῶτος ἐσάλπι-
σεν 8.10.12.13 τῶν τριῶν ἀγγέλων τῶν
μελλόντων σαλπίζειν 9 1.13 10 7 11 15

σαλπισταί S o – tuba (sc canentes) Ap 18 22

Σαλώμη Mar 15 40 16 1

Σαμάρεια Luc 17 11 διὰ μέσον Σ..ας Joh 4 4.
5.7 Act 1 8 8 1.5.9.14 9 31 15 3

Σαμαρίτης, ..ῖτις Samaritanus, ..ana
Mat 10 5 εἰς πόλιν Σ..ῶν μὴ εἰσέλθητε
Luc 9 52 εἰς κώμην Σ..ῶν, ὥστε ἑτοιμάσαι
10 33 Σ. δέ τις ὁδεύων ἦλθεν κατ' αὐτόν
17 16 εὐχαριστῶν – · καὶ αὐτὸς ἦν Σαμαρ.
Joh 4 9 λέγει – ἡ γυνὴ ἡ Σ..ις · παρ' ἐμοῦ –
γυναικὸς Σ..ιδος οὔσης; [οὐ γὰρ
συγχρῶνται Ἰουδαῖοι Σ..αις] 39 πολ-
λοὶ ἐπίστευσαν – τῶν Σαμαριτῶν 40
8 48 οὐ καλῶς λέγομεν – ὅτι Σαμ. εἶ σύ;
Act 8 25 πολλάς τε κώμας τῶν Σ. εὐήγγελ.

Σαμοθρᾴκη Act 16 11 **Σάμος** Act 20 15

Σαμουήλ Act 3 24 13 20 Hb 11 32

Σαμψών Hb 11 32 περὶ – Βαράκ, Σαμψών

σανδάλιον sandalium b caliga (vl gallicula)
Mar 6 9 ὑποδεδεμένους σ..α Act 12 8 b

σανίς tabula Act 27 44 οὓς μὲν ἐπὶ σανίσιν

Σαούλ → Σαῦλος Act 13 21 υἱὸν Κίς – 9 4
(Σ. Σ., τί με διώκεις; 22 7 26 14) – 9 17 22 13

σαπρός S o – malus
Mat 7 17 τὸ δὲ σαπρὸν δένδρον 18 12 33 καὶ
τὸν καρπὸν αὐτοῦ σαπρόν ‖ Luc 6 43
– Mat 13 48 τὰ δὲ σαπρὰ ἔξω ἔβαλον
Eph 4 29 πᾶς λόγος σ. ἐκ τοῦ στόματος ὑμῶν
μὴ ἐκπορευέσθω, ἀλλά – ἀγαθός

Σάπφιρα Act 5 1

σάπφιρος sapphirus Ap 21 19 ὁ δεύτ. σάπφ.

σαργάνη S o – sporta 2 Co 11 33 ἐν σαργάνῃ

Σάρδεις Ap 1 11 3 1 τῆς ἐν Σ..εσιν ἐκκλησίας 4

σάρδιον a sardo (vl ..dinus) b sardius (vl ..nus)
Ap 4 3 ὅμοιος ὁράσει – σαρδίῳ a 21 20 b

σαρδόνυξ S o – sardonyx Ap 21 20

Σάρεπτα Luc 4 26 „Σάρεπτα τῆς Σιδωνίας"

σαρκικός S o – carnalis
Rm 15 27 ὀφείλουσιν (sc τὰ ἔθνη) καὶ ἐν τοῖς
σαρκικοῖς λειτουργῆσαι αὐτοῖς
1 Co 3 3 ἔτι γὰρ σαρκικοί ἐστε. ὅπου γὰρ ἐν
ὑμῖν – ἔρις, οὐχὶ σαρκικοί ἐστε –;
9 11 μέγα εἰ ἡμεῖς ὑμῶν τὰ σαρκικὰ θε-
ρίσομεν;
2 Co 1 12 οὐκ ἐν σοφίᾳ σ..ῇ ἀλλ' ἐν χάριτι
10 4 τὰ – ὅπλα τῆς στρατείας ἡμῶν οὐ
σαρκικὰ ἀλλὰ δυνατὰ τῷ θεῷ
1 Pe 2 11 ἀπέχεσθαι τῶν σαρκικῶν ἐπιθυμιῶν

σάρκινος carnalis
Rm 7 14 ἐγὼ δὲ σάρκινός εἰμι, πεπραμένος
1 Co 3 1 ἀλλ' ὡς σ..οις, ὡς νηπίοις ἐν Χῷ
2 Co 3 3 ἀλλ' ἐν „πλαξὶν καρδίαις σαρκίναις"
Hb 7 16 οὐ κατὰ νόμον ἐντολῆς σαρκίνης

σάρξ caro b (οἱ κατὰ σάρκα) carnales
c (τῇ σαρκί) corpore
σὰρξ καὶ αἷμα, αἷ. καὶ σ. → αἷμα
Mat 19 5 „ἔσονται οἱ δύο εἰς σάρκα μίαν" 6

οὐκέτι εἰσὶν δύο ἀλλὰ σὰρξ μία ‖
Mar 10 8 1 Co 6 16 Eph 5 31
Mat 24 22 οὐκ ἂν ἐσώθη πᾶσα σ. ‖ Mar 13 20
26 41 ἡ δὲ σὰρξ ἀσθενής ‖ Mar 14 38
Luc 3 6 „ὄψεται πᾶσα σὰρξ τὸ σωτήριον"
24 39 πνεῦμα σάρκα καὶ ὀστέα οὐκ ἔχει
Joh 1 14 ὁ λόγος σὰρξ ἐγένετο καὶ ἐσκήνω.
3 6 τὸ γεγεννημένον ἐκ τῆς σαρκὸς σὰρξ
ἐστιν, καὶ τὸ γεγεννημέν. ἐκ τ. πνεύ.
6 51 ὁ ἄρτος δὲ – ἡ σάρξ μού ἐστιν ὑπὲρ
τῆς τοῦ κόσμου ζωῆς 52 ἡμῖν δοῦ-
ναι τὴν σ. φαγεῖν; 53 ἐὰν μὴ φάγητε
τὴν σ. τοῦ υἱοῦ τοῦ ἀνθρ. 54 ὁ τρώ-
γων μου τὴν σ. 56.55 ἡ – σ. μου ἀλη-
θής ἐστιν βρῶσις
– 63 ἡ σὰρξ οὐκ ὠφελεῖ οὐδέν
8 15 ὑμεῖς κατὰ τὴν σάρκα κρίνετε
17 2 ἔδωκας αὐτῷ ἐξουσίαν πάσης σ..ός
Act 2 17 „ἐκχεῶ ἀπὸ τοῦ πνεύματός μου ἐπὶ
πᾶσαν σάρκα" 26 „καὶ ἡ σάρξ μου
κατασκηνώσει ἐπ᾽ ἐλπίδι"
– 31 οὔτε ἡ σ. αὐτοῦ „εἶδεν διαφθοράν"
Rm 1 3 ἐκ σπέρματος Δαυὶδ κατὰ σάρκα
2 28 οὐδὲ ἡ – ἐν σαρκὶ περιτομή Eph 2 11
3 20 „οὐ δικαιωθήσεται πᾶσα σάρξ"
4 1 τὸν προπάτορα ἡμῶν κατὰ σάρκα
6 19 διὰ τὴν ἀσθένειαν τῆς σαρκὸς ὑμῶν
7 5 ὅτε γὰρ ἦμεν ἐν τῇ σαρκί
– 18 ἐν ἐμοί, τοῦτ᾽ ἔστιν ἐν τῇ σαρκί μου
– 25 τῇ δὲ σ. νόμῳ ἁμαρτίας (sc δουλεύω)
8 3 ἐν ᾧ ἠσθένει (sc ὁ νόμος) διὰ τῆς
σ., – τὸν – υἱὸν πέμψας ἐν ὁμοιώματι
σαρκὸς ἁμαρτίας – κατέκρινεν τὴν
ἁμαρτίαν ἐν τῇ σ. 4 ἐν ἡμῖν τοῖς μὴ
κατὰ σάρκα περιπατοῦσιν (idem 8 1
vl et vg) ἀλλὰ κατὰ πνεῦμα
– 5 οἱ – κατὰ σάρκα ὄντες τὰ τῆς σαρ-
κὸς φρονοῦσιν 6 τὸ – φρόνημα τῆς
σ. θάνατος 7 διότι τὸ φρόν. τῆς σ.
ἔχθρα εἰς θεόν 8 οἱ – ἐν σαρκὶ ὄντες
θεῷ ἀρέσαι οὐ δύνανται 9 ὑμεῖς δὲ
οὐκ ἐστὲ ἐν σαρκί
– 12 ὀφειλέται ἐσμέν, οὐ τῇ σαρκὶ τοῦ
κατὰ σάρκα ζῆν 13 εἰ – κατὰ σάρκα
ζῆτε, μέλλετε ἀποθνήσκειν
9 3 ὑπὲρ – τῶν συγγενῶν μου κατὰ σ..κα
– 5 ἐξ ὧν ὁ Χριστὸς τὸ κατὰ σάρκα
– 8 οὐ τὰ τέκνα τῆς σ. – τέκνα τοῦ θεοῦ,
ἀλλὰ τὰ τέκνα τῆς ἐπαγγελίας
11 14 εἴ πως παραζηλώσω μου τὴν σάρκα
13 14 τῆς σαρκὸς πρόνοιαν μὴ ποιεῖσθε εἰς
1 Co 1 26 οὐ πολλοὶ σοφοὶ κατὰ σάρκα

1 Co 1 29 ὅπως μὴ καυχήσηται πᾶσα σάρξ
5 5 τῷ σατανᾷ εἰς ὄλεθρον τῆς σαρκός
7 28 θλῖψιν δὲ τῇ σ. ἕξουσιν οἱ τοιοῦτοι
10 18 βλέπετε τὸν Ἰσραὴλ κατὰ σάρκα
15 39 οὐ πᾶσα σὰρξ ἡ αὐτὴ σάρξ, – ἄλλη
δὲ σὰρξ κτηνῶν, ἄλλη δὲ σ. πτηνῶν
2 Co 1 17 ἢ – κατὰ σάρκα βουλεύομαι, –;
4 11 ἵνα καὶ ἡ ζωὴ τοῦ Ἰησοῦ φανερωθῇ
ἐν τῇ θνητῇ σαρκὶ ἡμῶν
5 16 οὐδένα οἴδαμεν κατὰ σάρκα· εἰ καὶ
ἐγνώκαμεν κατὰ σάρκα Χόν
7 1 καθαρίσωμεν ἑαυτοὺς ἀπὸ παντὸς
μολυσμοῦ σαρκὸς καὶ πνεύματος
– 5 οὐδεμίαν ἔσχηκεν ἄνεσιν ἡ σ. ἡμῶν
10 2 λογιζομένους ἡμᾶς ὡς κατὰ σάρκα
περιπατοῦντας 3 ἐν σαρκὶ – περιπα-
τοῦντες οὐ κατὰ σ. στρατευόμεθα
11 18 ἐπεὶ πολλοὶ καυχῶνται κατὰ [τὴν]
σάρκα, κἀγὼ καυχήσομαι
12 7 ἐδόθη μοι σκόλοψ τῇ σαρκί
Gal 2 16 „οὐ δικαιωθήσεται πᾶσα σάρξ"
– 20 ὃ δὲ νῦν ζῶ ἐν σαρκί, ἐν πίστει ζῶ
3 3 οὕτως ἀνόητοί ἐστε; ἐναρξάμενοι
πνεύματι νῦν σαρκὶ ἐπιτελεῖσθε;
4 13 δι᾽ ἀσθένειαν τῆς σ. εὐηγγελισάμην
ὑμῖν 14 τὸν πειρασμὸν ὑμῶν ἐν τῇ
σαρκί μου οὐκ ἐξουθενήσατε –, ἀλλὰ
– 23 ὁ – ἐκ τῆς παιδίσκης κατὰ σάρκα γε-
γέννηται 29 ὁ κατὰ σάρκα γεννηθείς
5 13 μὴ τὴν ἐλευθερίαν εἰς ἀφορμὴν τῇ
σαρκί 16 καὶ ἐπιθυμίαν σαρκὸς οὐ μὴ
τελέσητε 17 ἡ – σὰρξ ἐπιθυμεῖ κατὰ
τοῦ πνεύματος, τὸ δὲ πνεῦμα κατὰ
τῆς σαρκός
– 19 φανερὰ δέ ἐστιν τὰ ἔργα τῆς σαρκός
– 24 οἱ – τοῦ Χοῦ – τὴν σ. ἐσταύρωσαν σὺν
τοῖς παθήμασιν καὶ ταῖς ἐπιθυμίαις
6 8 ὁ σπείρων εἰς τὴν σάρκα ἑαυτοῦ ἐκ
τῆς σαρκὸς θερίσει φθοράν
– 12 θέλουσιν εὐπροσωπῆσαι ἐν σαρκί
– 13 ἵνα ἐν τῇ ὑμετέρᾳ σ. καυχήσωνται
Eph 2 3 ἀνεστράφημέν ποτε ἐν ταῖς ἐπιθυ-
μίαις τῆς σ. ἡμῶν, ποιοῦντες τὰ θε-
λήματα τῆς σαρκὸς καὶ τῶν διανοιῶν
– 11 ὑμεῖς τὰ ἔθνη ἐν σαρκί, οἱ λεγόμε-
νοι ἀκροβυστία ὑπὸ τῆς λεγ. περι-
τομῆς ἐν σαρκὶ χειροποιήτου
– 14 ἐν τῇ σαρκὶ αὐτοῦ – καταργήσας
5 29 οὐδεὶς – ποτε τὴν ἑαυτοῦ σ. ἐμίσησεν
(– 30 vl μέλη ἐσμὲν – ἐκ τῆς σ. αὐτοῦ vg)
6 5 οἱ δοῦλοι, ὑπακούετε τοῖς κατὰ σάρ-
κα[b] κυρίοις Col 3 22 [b]

Phl 1 22 εἰ δὲ τὸ ζῆν ἐν σαρκί, τοῦτό μοι
 – 24 τὸ δὲ ἐπιμένειν τῇ σ. ἀναγκαιότερον
 3 3 οἱ – οὐκ ἐν σαρκὶ πεποιθότες 4 καί-
    περ ἐγὼ ἔχων πεποίθησιν καὶ ἐν σ.
Col 1 22 νυνὶ δὲ (sc ὑμᾶς) ἀποκατήλλαξεν ἐν
    τῷ σώματι τῆς σαρκὸς αὐτοῦ
 – 24 ἀνταναπληρῶ τὰ ὑστερήματα τῶν
    θλίψεων τοῦ Χοῦ ἐν τῇ σαρκί μου
 2 1 ὅσοι οὐχ ἑόρακαν τὸ πρόσωπόν μου
    ἐν σαρκί 5 εἰ – καὶ τῇ σαρκί[c] ἄπειμι
 – 11 ἐν τῇ ἀπεκδύσει τοῦ σώμ. τῆς σαρ.
 – 13 νεκροὺς – τῇ ἀκροβυστίᾳ τῆς σαρκός
 – 18 εἰκῇ φυσιούμενος ὑπὸ τοῦ νοὸς τῆς
    σαρκὸς αὐτοῦ 23 οὐκ ἐν τιμῇ τινι
    πρὸς πλησμονὴν τῆς σαρκός
1 Ti 3 16 ὃς (vl ὃ vg) ἐφανερώθη ἐν σαρκί,
    ἐδικαιώθη ἐν πνεύματι
Phm 16 ἀδελφὸν – ἐν σαρκὶ καὶ ἐν κυρίῳ
Hb 5 7 ὃς ἐν ταῖς ἡμέραις τῆς σαρ. αὐτοῦ
 9 10 δικαιώματα σαρκὸς – ἐπικείμενα
 – 13 πρὸς τὴν τῆς σαρκὸς καθαρότητα
 10 20 ὁδὸν – διὰ τοῦ καταπετάσματος, τοῦτ'
    ἔστιν τῆς σαρκὸς αὐτοῦ
 12 9 τοὺς μὲν τῆς σαρκὸς ἡμῶν πατέρας
Jac 5 3 φάγεται τὰς σάρκας ὑμῶν ὡς πῦρ
1 Pe 1 24 „πᾶσα σὰρξ" ὡς „χόρτος, καὶ πᾶσα
    δόξα" αὐτῆς „ὡς ἄνθος χόρτου"
 3 18 θανατωθεὶς μὲν σαρκὶ ζωοποιηθεὶς
    δὲ πνεύματι
 – 21 οὐ σαρκὸς ἀπόθεσις ῥύπου ἀλλά
 4 1 Χοῦ – παθόντος σαρκὶ –, ὅτι ὁ πα-
    θὼν σαρκὶ πέπαυται ἁμαρτίας
 – 2 τὸν – ἐν σαρκὶ βιῶσαι χρόνον
 – 6 ἵνα κριθῶσι μὲν κατὰ ἀνθρώπους
    σαρκί, ζῶσι δὲ κατὰ θεὸν πνεύματι
2 Pe 2 10 τοὺς ὀπίσω σαρκὸς – πορευομένους
 – 18 ἐν ἐπιθυμίαις σαρκὸς ἀσελγείαις
1 Jo 2 16 ἡ ἐπιθυμία τῆς σ. καὶ – τῶν ὀφθαλ.
 4 2 Χὸν ἐν σαρκὶ ἐληλυθότα 2 Jo 7
Jud 7 ἀπελθοῦσαι ὀπίσω σαρκὸς ἑτέρας
 8 σάρκα μὲν μιαίνουσιν, κυριότητα
 23 μισοῦντες καὶ τὸν ἀπὸ τῆς σαρκὸς
    ἐσπιλωμένον χιτῶνα (vg et eam,
    quae carnalis est, – tunicam)
Ap 17 16 τὰς σάρκας αὐτῆς φάγονται 19 18
    ἵνα φάγητε σάρκας βασιλέων κτλ.
 19 21 „πάντα τὰ ὄρνεα ἐχορτάσθησαν ἐκ
    τῶν σαρκῶν" αὐτῶν

σαροῦν S[o] – scopis mundare [b]everrere
Mat 12 44 ‖ Luc 11 25 – 15 8 σαροῖ[b] τὴν οἰκίαν

Σάρρα Rm 4 19 9 9 Hb 11 11 1 Pe 3 6

Σαρών Act 9 35 οἱ κατοικοῦντες – τ. Σαρῶνα

σατανᾶς satanas
Mat 4 10 ὕπαγε, σατανᾶ – 16 23 ὕπαγε ὀπί-
    σω μου, σατανᾶ ‖ Mar 8 33
 12 26 εἰ ὁ σ..ᾶς τὸν σ..ᾶν ἐκβάλλει ‖ Mar
    3 23 πῶς δύναται σ..ᾶς σ..ᾶν ἐκβάλ-
    λειν; 26 εἰ ὁ σ..ᾶς ἀνέστη ἐφ' ἑαυτόν
    Luc 11 18 ἐφ' ἑαυτὸν διεμερίσθη
Mar 1 13 πειραζόμενος ὑπὸ τοῦ σατανᾶ
 4 15 ἔρχεται ὁ σατ. καὶ αἴρει τὸν λόγον
Luc 10 18 ἐθεώρουν τὸν σατανᾶν ὡς ἀστραπὴν
    ἐκ τοῦ οὐρανοῦ πεσόντα
 13 16 ἣν ἔδησεν ὁ σατανᾶς ἰδοὺ δέκα – ἔτη
 22 3 εἰσῆλθεν δὲ σατανᾶς εἰς Ἰούδαν
    Joh 13 27 εἰς ἐκεῖνον ὁ σατανᾶς
 – 31 ἰδοὺ ὁ σατανᾶς ἐξῃτήσατο ὑμᾶς τοῦ
Act 5 3 διὰ τί ἐπλήρωσεν ὁ σ. τὴν καρδίαν
 26 18 τοῦ ἐπιστρέψαι ἀπὸ – τῆς ἐξουσίας
    τοῦ σατανᾶ ἐπὶ τὸν θεόν
Rm 16 20 θεὸς – συντρίψει τὸν σατ. ὑπὸ τούς
1 Co 5 5 παραδοῦναι τὸν τοιοῦτον τῷ σατανᾷ
    εἰς ὄλεθρον τῆς σαρκός
 7 5 ἵνα μὴ πειράζῃ ὑμᾶς ὁ σατανᾶς διὰ
    τὴν ἀκρασίαν [ὑμῶν]
2 Co 2 11 ἵνα μὴ πλεονεκτηθῶμεν ὑπὸ τοῦ σ.
 11 14 αὐτὸς γὰρ ὁ σατανᾶς μετασχηματί-
    ζεται εἰς ἄγγελον φωτός
 12 7 ἄγγελος σατανᾶ, ἵνα με κολαφίζῃ
1 Th 2 18 καὶ ἐνέκοψεν ἡμᾶς ὁ σατανᾶς
2 Th 2 9 οὗ ἐστιν ἡ παρουσία κατ' ἐνέργειαν
    τοῦ σατανᾶ ἐν πάσῃ δυνάμει
1 Ti 1 20 οὓς παρέδωκα τῷ σ., ἵνα παιδευθ.
 5 15 τινὲς ἐξετράπησαν ὀπίσω τοῦ σατ.
Ap 2 9 συναγωγὴ τοῦ σατ. 3 9 ἐκ τῆς συν.
 – 13 ὅπου ὁ θρόνος τοῦ σατανᾶ · – ἀπ-
    εκτάνθη –, ὅπου ὁ σατανᾶς κατοικεῖ
 – 24 οὐκ ἔγνωσαν τὰ βαθέα τοῦ σατανᾶ
 12 9 ἐβλήθη – „ὁ Σατανᾶς", ὁ πλανῶν
    τὴν οἰκουμένην –, εἰς τὴν γῆν 20 2
 20 7 λυθήσεται ὁ σατανᾶς ἐκ τῆς φυλακῆς

σάτον satum Mat 13 33 ἀλεύρου ‖ Luc 13 21

Σαῦλος Act 7 58 8 1.3 9 1.8.11 (Σ..ον ὀνόματι
    Ταρσέα) 22.24 11 25 (ἀναζητῆσαι Σ..
    ον) 30 (Βαρν. καὶ Σ. 12 25 13 1.2.7)
 13 9 Σαῦλος δέ, ὁ καὶ Παῦλος

σβεννύναι, ..υσθαι extinguere, ..i
Mat 12 20 „λίνον τυφόμενον οὐ σβέσει"
 25 8 αἱ λαμπάδες ἡμῶν σβέννυνται

Mar 9 48 „τὸ πῦρ οὐ σβέννυται (vl 44.46 vg)
Eph 6 16 τὰ βέλη τοῦ πονηροῦ – σβέσαι
1 Th 5 19 τὸ πνεῦμα μὴ σβέννυτε
Hb 11 34 ἔσβεσαν δύναμιν πυρός

σεβάζεσθαι S° – colere Rm 1 25 ἐσεβάσθη-
σαν καὶ ἐλάτρευσαν τῇ κτίσει παρά

σέβασμα ᵃsimulachrum ᵇquod colitur
Act 17 23 ἀναθεωρῶν τὰ σεβάσματαᵃ ὑμῶν
2 Th 2 4 ἐπὶ πάντα λεγόμενον θεὸν ἢ σέβ.ᵇ

Σεβαστός, ..ή S° – Augustus, ..a
Act 25 21 εἰς τὴν τοῦ Σ. διάγνωσιν 25 τὸν Σ.
27 1 ἑκατοντάρχῃ – σπείρης Σ..ῆς

σέβεσθαι colere — σεβόμενος colens
ᵇreligiosus
Mat 15 9 „μάτην – σέβονταί με" ‖ Mar 7 7
Act 13 43 τῶν σεβομ. προσηλύτων 17 17 διελέ-
γετο – καὶ τοῖς σεβ. – 13 50 τὰς σεβ.ᵇ
γυναῖκας 16 14 Λυδία –, σεβομένη τὸν
θεόν 17 4 τῶν τε σεβ. Ἑλλήνων πλῆθος
18 7 Ἰούστου σεβομένου τὸν θεόν
18 13 παρὰ τὸν νόμον – σέβεσθαι τὸν θ.
19 27 ἦν ὅλη ἡ Ἀσία – σέβεται (sc Ἄρτ.)

σείειν movēre ᵇcommovēre ᶜexterrēre
Mat 21 10ᵇ 27 51 28 4ᶜ Hb 12 26 Ap 6 13

σειραί → σιροί

σεισμός terraemotus (vl ..ae m.) ᵇmotus
Mat 8 24 σ.ᵇ μέγας ἐγένετο ἐν τῇ θαλάσσῃ
24 7 ἔσονται λιμοὶ καὶ σεισμοί ‖ Mar 13 8
Luc 21 11 σεισμοί τε μεγάλοι
27 54 ἰδόντες τὸν σεισμόν 28 2 σ. ἐγένετο
μέγας cfr Act 16 26 Ap 6 12 16 18
Ap 8 5 ἐγένοντο βρονταὶ – καὶ σεισμός 11 19
11 13 ἐγένετο σ. μέγας, – καὶ ἀπεκτάνθη-
σαν ἐν τῷ σ. ὀνόματα ἀνθρώπων

Σέκουνδος Act 20 4   Σελεύκεια Act 13 4

σελήνη luna
Mat 24 29 „ἡ σ. οὐ δώσει τὸ φέγγος αὐτῆς" ‖
Mar 13 24 Luc 21 25 σημεῖα ἐν σελ.
Act 2 20 „ἡ σελήνη εἰς αἷμα" Ap 6 12 ὡς αἷμα
1 Co 15 41 καὶ ἄλλη δόξα σελήνης
Ap 8 12 ἐπλήγη – τὸ τρίτον τῆς σελήνης
12 1 ἡ σελήνη ὑποκάτω τῶν ποδῶν αὐτῆς
21 23 οὐ χρείαν ἔχει – „οὐδὲ τῆς σελήνης"

σεληνιάζεσθαι lunaticum esse
Mat 4 24 σεληνιαζομένους 17 15 σεληνιάζεται

Σεμεΐν Luc 3 26

σεμίδαλις simila Ap 18 13 σ..ιν καὶ σῖτον

σεμνός pudicus
Phl 4 8 ὅσα ἐστὶν ἀληθῆ, ὅσα σεμνά
1 Ti 3 8 διακόνους ὡσαύτως σεμνούς 11 γυ-
ναῖκας ὡσαύτως σεμνάς
Tit 2 2 πρεσβύτας νηφαλίους –, σεμνούς

σεμνότης castitas ᵇgravitas
1 Ti 2 2 ἵνα – ἡσύχιον βίον διάγωμεν ἐν πάσῃ
εὐσεβείᾳ καὶ σεμνότητι
3 4 τέκνα ἔχοντα (sc τὸν ἐπίσκοπον) ἐν
ὑποταγῇ μετὰ πάσης σεμνότητος
Tit 2 7 ἐν τῇ διδασκαλίᾳ –, σεμνότηταᵇ

Σέργιος Act 13 7 ὃς ἦν σὺν – Σεργίῳ Παύλῳ

Σερούχ Luc 3 35   Σήθ 3 38   Σήμ 3 36

σημαίνειν significare
Joh 12 33 σ..ων ποίῳ θανάτῳ ἤμελλεν ἀπο-
θνῄσκειν 18 32 21 19 δοξάσει τὸν θεόν
Act 11 28 ἐσήμαινεν διὰ τοῦ πνεύματος λιμὸν
– ἔσεσθαι – 25 27 τὰς – αἰτίας Ap 1 1

σημεῖον signum
σημεῖα καὶ τέρατα → τέρας
Mat 12 38 θέλομεν ἀπὸ σοῦ σημεῖον ἰδεῖν 39
γενεὰ πονηρὰ – σ. ἐπιζητεῖ, καὶ σ. οὐ
δοθήσεται αὐτῇ εἰ μὴ τὸ σ. Ἰωνᾶ ‖
Luc 11 29.30 καθὼς – ἐγένετο [ὁ] Ἰω-
νᾶς – σημεῖον, οὕτως ἔσται – ὁ υἱός
16 1 ἐπηρώτησαν αὐτὸν σ. ἐκ τοῦ οὐρα-
νοῦ [3 τὰ δὲ σ. τῶν καιρῶν οὐ δύ-
νασθε;] 4 = Mat 12 39 supra ‖ Mar
8 11.12 τί ἡ γενεὰ αὕτη ζητεῖ σ.; –,
εἰ δοθήσεται – σημεῖον Luc 11 16
24 3 τί τὸ σ. τῆς σῆς παρουσίας καὶ συν-
τελείας τοῦ αἰῶνος; ‖ Mar 13 4 Luc
21 7 – Mat 24 30 τότε φανήσεται τὸ
σ. τοῦ υἱοῦ τοῦ ἀνθρώπ. ἐν οὐρανῷ
26 48 ὁ δὲ παραδιδοὺς – ἔδωκεν – σημεῖον
Mar 16 [17 σημεῖα δὲ τοῖς πιστεύσασιν ταῦτα
παρακολουθήσει 20 τοῦ κυρίου – τὸν
λόγον βεβαιοῦντος διὰ τῶν ἐπακο-
λουθούντων σημείων]
Luc 2 12 καὶ τοῦτο ὑμῖν (vl + τὸ) σημεῖον
– 34 κεῖται – εἰς σημεῖον ἀντιλεγόμενον
21 11 ἀπ' οὐρανοῦ σημεῖα μεγάλα ἔσται
– 25 ἔσονται σ..α ἐν ἡλίῳ καὶ σελήνη

Luc 23 8 ἤλπιζέν τι σ. ἰδεῖν ὑπ' αὐτοῦ γινόμεν.
Joh 2 11 ταύτην ἐποίησεν ἀρχὴν τῶν σημείων
 – 18 τί σημεῖον δεικνύεις ἡμῖν –; cfr 6 30
 – 23 θεωροῦντες αὐτοῦ τὰ σημεῖα
 3 2 οὐδεὶς γὰρ δύναται – τὰ σημ. ποιεῖν
 4 54 τοῦτο – δεύτερον σ. ἐποίησεν ὁ Ἰησ.
 6 2 ὅτι ἑώρων τὰ σ. 14 ἰδόντες ὃ ἐποί-
  ησεν σημ. 26 οὐχ ὅτι εἴδετε σημεῖα
 7 31 ὁ χριστὸς ὅταν ἔλθῃ, μὴ πλείονα
  σημεῖα ποιήσει ὧν οὗτος ἐποίησεν;
 9 16 πῶς δύναται ἄνθρωπος ἁμαρτωλὸς
  τοιαῦτα σημεῖα ποιεῖν;
 10 41 Ἰωάννης μὲν σημεῖον ἐποίησεν οὐδέν
 11 47 ὁ ἄνθρωπος πολλὰ ποιεῖ σημεῖα
 12 18 ἤκουσαν – αὐτὸν πεποιηκέναι τὸ σ.
 – 37 τοσαῦτα – αὐτοῦ σ..α πεποιηκότος
 20 30 πολλὰ – καὶ ἄλλα σημεῖα ἐποίησεν
Act 4 16 γνωστὸν σημεῖον γέγονεν δι' αὐτῶν
 – 22 γεγόνει τὸ σημ. τοῦτο τῆς ἰάσεως
 8 6 ἐν τῷ – βλέπειν τὰ σημεῖα ἃ ἐποίει
 – 13 θεωρῶν τε σημεῖα καὶ δυνάμεις
Rm 4 11 „σημεῖον" ἔλαβεν „περιτομῆς"
1 Co 1 22 Ἰουδαῖοι σημεῖα αἰτοῦσιν καὶ Ἕλλ.
 14 22 αἱ γλῶσσαι εἰς σημεῖόν εἰσιν οὐ τοῖς
  πιστεύουσιν ἀλλὰ τοῖς ἀπίστοις
2 Co 12 12 τὰ – σ. τοῦ ἀποστόλου κατειργάσθη
  ἐν ὑμῖν ἐν πάσῃ ὑπομονῇ, σημείοις
2 Th 3 17 ὅ ἐστιν σημεῖον ἐν πάσῃ ἐπιστολῇ
Ap 12 1 σ. μέγα ὤφθη ἐν τῷ οὐρανῷ 3 15 1
 13 13 ποιεῖ σημεῖα μεγάλα 14 πλανᾷ – διὰ
  τὰ σημεῖα ἃ ἐδόθη αὐτῷ ποιῆσαι
 16 14 πνεύματα δαιμονίων ποιοῦντα σ..α
 19 20 ὁ ψευδοπροφ. ὁ ποιήσας τὰ σ.

σημειοῦσθαι notare 2 Th 3 14 τοῦτον σ..σθε

*σήμερον hodie ᵇ(ἡ σ.) hodiernus (dies)
Mat 6 11 τὸν ἄρτον ἡμῶν – δὸς ἡμῖν σήμερον
 – 30 τὸν χόρτον – σήμ. ὄντα ‖ Luc 12 28
Mar 14 30 σήμερον ταύτῃ τῇ νυκτὶ – τρίς με ‖
  Luc 22 34 οὐ φωνήσει σήμ. ἀλέκτωρ 61
Luc 2 11 ὅτι ἐτέχθη ὑμῖν σήμερον σωτήρ
 13 32 ἰάσεις ἀποτελῶ σήμερον καὶ αὔριον
  καὶ τῇ τρίτῃ τελειοῦμαι 33
 19 5 σήμ. – ἐν τῷ οἴκῳ σου δεῖ με μεῖναι
 – 9 σ. σωτηρία τῷ οἴκῳ τούτῳ ἐγένετο
 23 43 σ. μετ' ἐμοῦ ἔσῃ ἐν τῷ παραδείσῳ
Act 13 33 „σήμερον γεγέννηκά σε" Hb 1 5 5 5
2 Co 3 14 ἄχρι – τῆς σ.ᵇ ἡμέρας τὸ – κάλυμμα
  ἐπὶ τῇ ἀναγνώσει 15 ἕως σήμερονᵇ
Hb 3 7 „σήμ. ἐὰν τῆς φωνῆς αὐτοῦ" 15 4 7
 – 13 ἄχρις οὗ τὸ „σήμερον" καλεῖται

Hb 13 8 ἐχθὲς καὶ σήμ. ὁ αὐτὸς καὶ εἰς τούς
Jac 4 13 σήμερον ἢ αὔριον πορευσόμεθα εἰς

σήπειν (pf II) putrefieri Jac 5 2 πλοῦτος

σηρικόν (vl σιρ.) S° – sericum Ap 18 12

σής tinea Mat 6 19. 20 ‖ Luc 12 33

σητόβρωτος a tineis comestus Jac 5 2

σθενοῦν S° – solidare 1 Pe 5 10 σθενώσει

σιαγών maxilla Mat 5 39 ‖ Luc 6 29

σιγᾶν tacēre Luc 9 36 18 39 20 26 Act 12 17
Act 15 12 ἐσίγησαν – πᾶν τὸ πλῆθος 13
Rm 16 25 μυστηρίου χρόνοις αἰωνίοις σεσιγη-
  μένου, φανερωθέντος δὲ νῦν
1 Co 14 28 σιγάτω ἐν ἐκκλησίᾳ, ἑαυτῷ δὲ λα-
  λείτω 30 ὁ πρῶτος σιγάτω
 – 34 αἱ γυναῖκες ἐν ταῖς ἐκκλησίαις σιγά-
  τωσαν

σιγή silentium Act 21 40 Ap 8 1 ἐν – οὐρανῷ

σίδηρος ferrum Ap 18 12 ἐκ σιδήρου

σιδηροῦς ferreus Act 12 10 Ap 2 27 „ἐν ῥά-
  βδῳ σιδηρᾷ" 12 5 19 15 – 9 9 θώρακας σ.

Σιδών Mat 11 21. 22 ‖ Luc 10 13. 14 – Mat 15 21
  Mar 3 8 ‖ Luc 6 17 – Mar 7 31 Act 27 3

Σιδωνία Luc 4 26 Σιδώνιοι Act 12 20

σικάριοι S° – sicarii Act 21 38

σίκερα sicera Luc 1 15 „οἶνον καὶ σίκερα"

Σίλας (Act), Σιλουανός (Paul. Petr.) Act
 15 22. 27. 32 (vl 34) 40 16 19. 25. 29 17 4. 10. 14. 15
 18 5 – 2 Co 1 19 1 Th 1 1 2 Th 1 1 1 Pe 5 12

Σιλωάμ Luc 13 4 Joh 9 7. 11

σιμικίνθιον S° – semicinctium Act 19 12

Σίμων → Συμεών

 1) primus Jesu discipulus
  Σ. Πέτρος, ὁ λεγόμενος Π. → Πέτρος
Mat 16 17 μακάριος εἶ, Σίμων Βαριωνᾶ

Mat 17 25 τί σοι δοκεῖ, Σίμων; οἱ βασιλεῖς –;
Mar 1 16 εἶδεν Σίμωνα καὶ 'Ανδρέαν τὸν ἀ-
δελφὸν Σ..ος cfr 29 εἰς τὴν οἰκίαν Σ..ος
καὶ 'Ανδρέου 30 ἡ δὲ πενθερὰ Σ..ος (Luc
4 38) 36 κατεδίωξεν αὐτὸν Σ. 14 37 λέγει
τῷ Πέτρῳ· Σίμων, καθεύδεις;
Luc 5 3 ἐν τῶν πλοίων, ὃ ἦν Σ..ος 4.5.10
22 31 Σ. Σ., ἰδοὺ ὁ σατανᾶς ἐξητήσατο
24 34 ἠγέρθη ὁ κύριος καὶ ὤφθη Σίμωνι
Joh 1 41.42 σὺ εἶ Σίμων ὁ υἱὸς 'Ιωάννου
21 15 Σίμων 'Ιωάννου, ἀγαπᾷς με –; 16.17

2) Σίμων ὁ Καναναῖος, ὁ ζηλωτής
Mat 10 4 ‖ Mar 3 18 Luc 6 15 ζηλ. Act 1 13 ζηλ.

3) Σ., Jesu frater Mat 13 55 ‖ Mar 6 3

4) Σίμων ὁ λεπρός Mat 26 6 ‖ Mar 14 3

5) Σίμων (Pharisaeus) Luc 7 40.43.44

6) Σίμων τις Κυρηναῖος
Mat 27 32 ‖ Mar 15 21 Luc 23 26

7) proditoris pater Joh 6 71 13 2.26

8) Σίμων (magus) Act 8 9.13.18.24

9) Σίμων τις βυρσεύς Act 9 43 10 6.17.32

Σινά Act 7 30.38 Gal 4 24.25 'Αγὰρ Σινὰ ὄρος

σίναπι S° – sinapis Mat 13 31 ‖ Mar 4 31
Luc 13 19 – Mat 17 20 ‖ Luc 17 6

σινδών sindon
Mat 27 59 ‖ Mar 15 46 Luc 23 53 – Mar 14 51.52

σινιάζειν S° – cribrare Luc 22 31 ὡς – σῖτον

σιροί S° – (vl σειραί vg rudentes) 2 Pe 2 4
σιροῖς ζόφου ταρταρώσας (sc ἀγγέλους)

σιτευτός saginatus Luc 15 23 μόσχος 27.30

σιτίον frumentum Act 7 12 „σ..α εἰς Αἴγ."

σιτιστά S° – altilia Mat 22 4 τὰ σ. τεθυμένα

σιτομέτριον S° – tritici mensura Luc 12 42

σῖτος triticum b frumentum
Mat 3 12 συνάξει τὸν σῖτον αὐτοῦ ‖ Luc 3 17
13 25 ζιζάνια ἀνὰ μέσον τοῦ σ. 29.30 τὸν
δὲ σ. συναγάγετε εἰς τὴν ἀποθήκην
Mar 4 28 εἶτεν πλήρης σῖτος b ἐν τῷ στάχυϊ
Luc 12 18 συνάξω ἐκεῖ πάντα τὸν σ. (vl τὰ γε-

νήματά μου vg quae nata sunt mihi)
Luc 16 7 ὁ δὲ εἶπεν· ἑκατὸν κόρους σίτου
22 31 τοῦ σινιάσαι ὡς τὸν σῖτον
Joh 12 24 ἐὰν μὴ ὁ κόκκος τοῦ σίτου b πεσὼν
εἰς τὴν γῆν ἀποθάνῃ, αὐτὸς μόνος
Act 27 38 ἐκβαλλόμενοι τὸν σ. εἰς τὴν θάλασ.
1 Co 15 37 γυμνὸν κόκκον εἰ τύχοι σίτου
Ap 6 6 χοῖνιξ σίτου δηναρίου – 18 13

Σιών
Mat 21 5 „εἴπατε τῇ θυγατρὶ Σ.· ἰδοὺ ὁ βασ."
Joh 12 15 „μὴ φοβοῦ, θυγάτηρ Σ.· ἰδοὺ ὁ β."
Rm 9 33 τίθημι „ἐν Σιὼν λίθον" 1 Pe 2 6
11 26 „ἥξει ἐκ Σιὼν ὁ ῥυόμενος"
Hb 12 22 ἀλλὰ προσεληλύθατε Σιὼν ὄρει
Ap 14 1 τὸ ἀρνίον ἑστὸς ἐπὶ τὸ ὄρος Σιών

σιωπᾶν tacēre cfr σιγᾶν
Mat 20 31 ἵνα σιωπήσωσιν ‖ Mar 10 48 σιωπήσῃ
26 63 ὁ δὲ 'Ιησοῦς ἐσιώπα ‖ Mat 14 61
Mar 3 4 οἱ δὲ ἐσιώπων 9 34
4 39 τῇ θαλάσσῃ· σιώπα, πεφίμωσο
Luc 1 20 ἔσῃ σ..ῶν καὶ μὴ δυνάμενος λαλῆσαι
19 40 ἐὰν οὗτοι σιωπήσουσιν, οἱ λίθοι
Act 18 9 ἀλλὰ λάλει καὶ μὴ σιωπήσῃς

σκανδαλίζειν, ..εσθαι scandalizare, ..ari
b scandalum pati
Mat 5 29 εἰ – ὁ ὀφθαλμός σου – σκανδαλίζει σε
30 ἡ – χείρ 18 8 ἡ χείρ σου ἢ ὁ πούς
σου 9 ὁ ὀφθαλμός ‖ Mar 9 43.45.47
11 6 μακάριός ἐστιν ὃς ἐὰν μὴ σκανδα-
λισθῇ ἐν ἐμοί ‖ Luc 7 23
13 21 γενομένης δὲ θλίψεως – εὐθὺς σκαν-
δαλίζεται ‖ Mar 4 17 σκανδαλίζονται
– 57 ἐσκανδαλίζοντο ἐν αὐτῷ ‖ Mar 6 3
15 12 οἱ Φαρ. ἀκούσαντες – ἐσκ..ίσθησαν
17 27 ἵνα δὲ μὴ σκανδαλίσωμεν αὐτούς
18 6 ὃς δ' ἂν σκανδαλίσῃ ἕνα τῶν μικρῶν
τούτων ‖ Mar 9 42 Luc 17 2
24 10 τότε „σκανδαλισθήσονται πολλοί"
26 31 πάντες ὑμεῖς σκανδαλισθήσεσθε b ἐν
ἐμοί 33 εἰ πάντες σκανδαλισθήσονται
ἐν σοί, ἐγὼ οὐδέποτε σκ..ισθήσομαι
‖ Mar 14 27.29 ἀλλ' οὐκ ἐγώ
Joh 6 61 τοῦτο ὑμᾶς σκανδαλίζει; ἐὰν οὖν
16 1 λελάληκα –, ἵνα μὴ σκανδαλισθῆτε
(Rm 14 21 vl ἐν ᾧ ὁ ἀδελφὸς – σκ..εται vg)
1 Co 8 13 εἰ βρῶμα σκ..ίζει τὸν ἀδελφόν μου,
–, ἵνα μὴ τὸν ἀδελφόν μου σκ..ίσω
2 Co 11 29 τίς σκανδαλίζεται, καὶ οὐκ ἐγὼ πυ-
ροῦμαι;

σκάνδαλον *scandalum* [b]*offendiculum*
Mat 13 41 συλλέξουσιν – πάντα „τὰ σκάνδαλα"
16 23 σατανᾶ· σκάνδαλον εἶ ἐμοῦ, ὅτι
18 7 οὐαὶ τῷ κόσμῳ ἀπὸ τῶν σκ.· ἀνάγ-
κη – ἐλθεῖν τὰ σκ., πλὴν οὐαὶ – δι᾽ οὗ
τὸ σκ. ἔρχεται ‖ Luc 17 1
Rm 9 33 τίθημι – „πέτραν σκ.ου" 1 Pe 2 8
11 9 „εἰς θήραν καὶ εἰς σκάνδαλον"
14 13 μὴ τιθέναι πρόσκομμα – ἢ σκάνδαλ.
16 17 τοὺς τὰς διχοστασίας καὶ τὰ σκάνδ. [b]
παρὰ τὴν διδαχὴν – ποιοῦντας
1 Co 1 23 Ἰουδαίοις μὲν σκ., ἔθνεσιν δὲ μωρίαν
Gal 5 11 ἄρα κατήργηται τὸ σκ. τοῦ σταυροῦ
1 Jo 2 10 σκάνδαλον ἐν αὐτῷ οὐκ ἔστιν
Ap 2 14 βαλεῖν σκάνδαλον ἐνώπιον – Ἰσραήλ

σκάπτειν *fodere* Luc 6 48 13 8 16 3 οὐκ ἰσχύω

σκάφη *scapha* Act 27 16.30.32

σκέλη, τὰ *crura* Joh 19 31.32.33

σκεπάσματα S⁰ – *quibus tegamur*
1 Ti 6 8 ἔχοντες δὲ διατροφὰς καὶ σκ..τα

Σκευᾶς (Ἰουδαῖος ἀρχιερεύς) Act 19 14

σκευή S⁰ – *armamenta* Act 27 19 τ. πλοίου

σκεῦος *vas* [b]*vasculum* (vl *vasum*)
Mat 12 29 Mar 3 27 11 16 Luc 8 16 17 31
Joh 19 29 – Act 10 11.16 11 5 27 17 χαλάσαντες
Act 9 15 σκεῦος ἐκλογῆς ἐστίν μοι οὗτος
Rm 9 21 ποιῆσαι ὃ μὲν εἰς τιμὴν σκεῦος
– 22 „σκεύη ὀργῆς" 23 ἐπὶ σκεύη ἐλέους
2 Co 4 7 ἔχομεν δὲ τὸν θησαυρὸν τοῦτον ἐν
ὀστρακίνοις σκεύεσιν
1 Th 4 4 τὸ ἑαυτοῦ σκ. κτᾶσθαι ἐν ἁγιασμῷ
2 Ti 2 20 σκεύη χρυσᾶ – , ξύλινα καὶ ὀστρ.
– 21 ἔσται σκεῦος εἰς τιμήν, ἡγιασμένον
Hb 9 21 πάντα τὰ σκεύη τῆς λειτουργίας
1 Pe 3 7 συνοικοῦντες κατὰ γνῶσιν ὡς ἀ-
σθενεστέρῳ σκεύει [b] τῷ γυναικείῳ
Ap 2 27 „ὡς τὰ σκεύη τὰ κεραμικά" – 18 12

σκηνή *tabernaculum* [b]*casula*
Mat 17 4 ποιήσω ὧδε τρεῖς σκηνάς ‖ Mar 9 5
ποιήσωμεν τρεῖς σκηνάς Luc 9 33
Luc 16 9 ὑμᾶς εἰς τὰς αἰωνίους σκηνάς
Act 7 43 „ἀνελάβετε τὴν σκ. τοῦ Μόλοχ" 44
„ἡ σκ. τοῦ μαρτυρίου" 15 16 Δαυίδ
Hb 8 2 τῆς σκ. τῆς ἀληθινῆς (sc λειτουργός)

– 5 9 2 σκηνή – ἡ πρώτη 3.6.8.21
Hb 9 11 διὰ τῆς – τελειοτέρας σκηνῆς
11 9 (Ἀβρ.) ἐν σκηναῖς [b] κατοικήσας
13 10 οἱ τῇ σκηνῇ λατρεύοντες
Ap 13 6 βλασφημῆσαι – τὴν σκηνὴν αὐτοῦ
15 5 ὁ ναὸς „τῆς σκηνῆς τοῦ μαρτυρίου"
21 3 ἡ σκ. τοῦ θεοῦ μετὰ τῶν ἀνθρώπων

σκηνοπηγία *scenopegia* Joh 7 2 ἡ ἑορτή

σκηνοποιός τῇ τέχνῃ S⁰ – *scenofactoriae
artis* Act 18 3 ἦσαν γὰρ σ..οὶ τῇ τέχνῃ

σκῆνος [a]*habitatio* [b]*tabernaculum*
2 Co 5 1 ἡ ἐπίγειος ἡμῶν οἰκία τοῦ σκήνους [a]
– 4 οἱ ὄντες ἐν τῷ σκήνει [b] στενάζομεν

σκηνοῦν *habitare*
Joh 1 14 ὁ λόγος – ἐσκήνωσεν ἐν ἡμῖν
Ap 7 15 ὁ „καθήμενος ἐπὶ τ. θρόνου" σκηνώ-
σει ἐπ᾽ αὐτούς 21 3 „σκ. μετ᾽ αὐτῶν"
12 12 οὐρανοὶ καὶ οἱ ἐν αὐτοῖς σκηνοῦν-
τες 13 6 βλασφημῆσαι – τὴν σκηνὴν
αὐτοῦ, τοὺς ἐν τῷ οὐρ. σκηνοῦντας

σκήνωμα *tabernaculum*
Act 7 46 „εὑρεῖν σκήνωμα τῷ οἴκῳ Ἰακώβ"
2 Pe 1 13 ἐφ᾽ ὅσον εἰμὶ ἐν τούτῳ τῷ σκ..τι
– 14 εἰδὼς ὅτι ταχινή ἐστιν ἡ ἀπόθεσις
τοῦ σκηνώματός μου

σκιά *umbra*
Mat 4 16 „ἐν – σκιᾷ θανάτου" Luc 1 79
Mar 4 32 „ὑπὸ τὴν σκιὰν αὐτοῦ τὰ πετεινά"
Act 5 15 ἵνα – κἂν ἡ σκιὰ αὐτοῦ ἐπισκιάσῃ
Col 2 17 ἅ ἐστιν σκιὰ τῶν μελλόντων
Hb 8 5 σκιᾷ λατρεύουσιν τῶν ἐπουρανίων
10 1 σκιὰν – ἔχων ὁ νόμος τῶν μελλόντων
ἀγαθῶν, οὐκ αὐτὴν τὴν εἰκόνα τῶν
πραγμάτων

σκιρτᾶν *exultare* Luc 1 41.44 6 23 σκιρτήσατε

σκληροκαρδία *duritia cordis*
Mat 19 8 Μωϋσῆς πρὸς τὴν σκλ. ὑμῶν ἐπέτρε-
ψεν ὑμῖν ἀπολῦσαι ‖ Mar 10 5
[Mar 16 14 ὠνείδισεν τὴν ἀπιστίαν αὐτῶν καὶ
σκληροκαρδίαν]

σκληρός *durus* [b]*validus*
Mat 25 24 ἔγνων σε ὅτι σκληρὸς εἶ ἄνθρωπος
Joh 6 60 εἶπαν· σκληρός ἐστιν ὁ λόγος οὗτος

Act 26₁₄ σκληρόν σοι πρὸς κέντρα λακτίζειν
Jac 3 4 ὑπὸ ἀνέμων σκληρῶνᵇ ἐλαυνόμενα
Jud 15 περὶ – τῶν σκληρ. ὧν ἐλάλησαν κατ᾽

σκληρότης *duritia* Rm 25 κατὰ – τὴν σκλ.
σου καὶ ἀμετανόητον καρδίαν

σκληροτράχηλοι *dura* (vl *duri*) *cervice*
Act 7₅₁ „σκ. καὶ ἀπερίτμητοι καρδίαις"

σκληρύνειν *obdurare* ᵇ*indurare*
Act 19 9 ὡς δέ τινες ἐσ..οντοᵇ καὶ ἠπείθουν
Rm 9₁₈ ἐλεεῖ, ὃν δὲ θέλει „σκληρύνειᵇ"
Hb 3 8 „μὴ σκληρύνητε τὰς καρδίας ὑμῶν"
15 47 – 3₁₃ ἵνα μὴ σκληρυνθῇ τις
ἐξ ὑμῶν ἀπάτῃ τῆς ἁμαρτίας

σκολιός *pravus* ᵇ*dyscolus* (vl *disc.*)
Luc 3 5 „ἔσται τὰ σκολιὰ εἰς εὐθείας"
Act 2₄₀ σώθητε ἀπὸ τῆς γενεᾶς τῆς σκολιᾶς
ταύτης Phl 2₁₅ μέσον „γενεᾶς σκο-
λιᾶς καὶ διεστραμμένης"
1 Pe 2₁₈ οὐ μόνον τοῖς ἀγαθοῖς καὶ ἐπιεικέ-
σιν ἀλλὰ καὶ τοῖς σκολιοῖςᵇ

σκόλοψ *stimulus* 2 Co 12₇ σκόλοψ τῇ σαρκί

σκοπεῖν *considerare* ᵇ*contemplari*
ᶜ*observare* ᵈ*videre*
Luc 11₃₅ σκόπειᵈ – μὴ τὸ φῶς τὸ ἐν σοί
Rm 16₁₇ σκ.ᶜ τοὺς τὰς διχοστασίας – ποιοῦν-
τας Phl 3₁₇ᶜ τοὺς οὕτω περιπατοῦντ.
2 Co 4₁₈ μὴ σκοπούντωνᵇ ἡμῶν τὰ βλεπόμενα
ἀλλὰ τὰ μὴ βλεπόμενα
Gal 6 1 σκοπῶν σεαυτόν, μὴ – πειρασθῇς
Phl 2 4 μὴ τὰ ἑαυτῶν ἕκαστοι σκοποῦντες,
ἀλλὰ καὶ τὰ ἑτέρων ἕκαστοι

σκοπός *destinatum* Phl 3₁₄ κατὰ σκοπὸν
διώκω εἰς τὸ βραβεῖον τῆς ἄνω κλήσεως

σκορπίζειν *dispergere* ᵇ*spargere*
Mat 12₃₀ ὁ μὴ συνάγων μετ᾽ ἐμοῦ σκορπίζειᵇ
‖ Luc 11₂₃
Joh 10₁₂ ὁ λύκος ἁρπάζει αὐτὰ καὶ σκ..ζει
16₃₂ ἵνα σκορπισθῆτε ἕκαστος εἰς τὰ ἴδια
2 Co 9 9 „ἐσκόρπισεν, ἔδωκεν τοῖς πένησιν"

σκορπίος *scorpio* ᵇ*scorpius*
Luc 10₁₉ ἐξουσίαν τοῦ πατεῖν ἐπάνω – σ..ων
11₁₂ αἰτήσει ᾠόν, ἐπιδώσει αὐτῷ σ..ον;
Ap 9 3.5ᵇ 10 οὐρὰς ὁμοίας σκορπίοις

σκοτεινός *tenebrosus* Mat 6₂₃ ὅλον τὸ σῶ-
μά σου σ..ὸν ἔσται ‖ Luc 11₃₄.₃₆ μὴ ἔ-
χον μέρος (vl μέλος) τι σ..όν (vg *ali-
quam partem tenebrarum*)

σκοτία *tenebrae*
Mat 4₁₆ „ὁ λαὸς ὁ καθήμενος ἐν σκοτίᾳ"
10₂₇ ὃ λέγω ὑμῖν ἐν τῇ σκοτίᾳ ‖ Luc 12₃
ὅσα ἐν τῇ σκοτίᾳ εἴπατε
Joh 1 5 τὸ φῶς ἐν τῇ σκοτίᾳ φαίνει, καὶ ἡ
σκοτία αὐτὸ οὐ κατέλαβεν
6₁₇ σκοτία ἤδη ἐγεγόνει 20 1 ἔρχεται πρωῒ
σκοτίας ἔτι οὔσης εἰς τὸ μνημεῖον
8₁₂ οὐ μὴ περιπατήσῃ ἐν τῇ σκοτίᾳ
12₃₅ ἵνα μὴ σκοτία ὑμᾶς καταλάβῃ· καὶ
ὁ περιπατῶν ἐν τῇ σκοτίᾳ οὐκ οἶδεν
– 46 ἐγὼ φῶς – ἐλήλυθα, ἵνα πᾶς ὁ πι-
στεύων εἰς ἐμὲ ἐν τῇ σκοτίᾳ μὴ μείνῃ
1 Jo 1 5 σκοτία ἐν αὐτῷ οὐκ ἔστιν οὐδεμία
2 8 ἡ σκ. παράγεται καὶ τὸ φῶς τὸ ἀλ.
– 9 ὁ – τὸν ἀδελφὸν – μισῶν ἐν τῇ σκοτίᾳ
ἐστὶν ἕως ἄρτι 11 ἐν τῇ σκοτίᾳ ἐστὶν καὶ
ἐν τῇ σκοτίᾳ περιπατεῖ, –, ὅτι ἡ σκοτία
ἐτύφλωσεν τοὺς ὀφθαλμοὺς αὐτοῦ

σκοτίζεσθαι *obscurari* ᵇ*contenebrari*
Mat 24₂₉ „ὁ ἥλιος σκοτισθήσεται" ‖ Mar 13₂₄ᵇ
(Luc23₄₅ vl καὶ ἐσκοτίσθη ὁ ἥλιος vg)
Rm 1₂₁ ἐσκοτίσθη ἡ ἀσύνετος – καρδία
11₁₀ „σκοτισθήτωσαν οἱ ὀφθαλμοὶ αὐτῶν"
Ap 8₁₂ ἵνα σκοτισθῇ τὸ τρίτον αὐτῶν

σκότος *tenebrae* (vl Mat 4₁₆)
Mat 6₂₃ εἰ – τὸ φῶς τὸ ἐν σοὶ σκότος ἐστίν,
τὸ σκότος πόσον ‖ Luc 11₃₅ σκόπει
– μὴ τὸ φῶς τὸ ἐν σοὶ σκότ. ἐστίν
8₁₂ ἐκβληθήσονται εἰς τὸ σκότος τὸ ἐξώ-
τερον 22₁₃ ἐκβάλετε αὐτόν 25₃₀
27₄₅ σκότος ἐγένετο ‖ Mar 15₃₃ Luc 23₄₄
Luc 1 79 „τοῖς ἐν σκότει – καθημένοις"
22₅₃ ἀλλ᾽ αὕτη ἐστὶν ὑμῶν ἡ ὥρα καὶ ἡ
ἐξουσία τοῦ σκότους → Col 1₁₃
Joh 3₁₉ ἠγάπησαν οἱ ἄνθρ. μᾶλλον τὸ σκότ.
Act 2₂₀ „ὁ ἥλιος μεταστραφήσεται εἰς σκότ."
13₁₁ ἔπεσεν ἐπ᾽ αὐτὸν ἀχλὺς καὶ σκότος
26₁₈ ἐπιστρέψαι „ἀπὸ σκότους εἰς φῶς"
Rm 2₁₉ πέποιθάς τε σεαυτὸν ὁδηγὸν εἶναι
τυφλῶν, φῶς τῶν ἐν σκότει
13₁₂ ἀποθώμεθα – τὰ ἔργα τοῦ σκότους
1 Co 4 5 ὃς – φωτίσει τὰ κρυπτὰ τοῦ σκότους
2 Co 4 6 ὁ εἰπών· ἐκ σκότους φῶς λάμψει
6₁₄ τίς κοινωνία φωτὶ πρὸς σκότος

Eph 5 8 ἦτε γάρ ποτε σκότος, νῦν δὲ φῶς
 – 11 μὴ συγκοινωνεῖτε τοῖς ἔργοις τοῖς
    ἀκάρποις τοῦ σκότους
    6 12 τοὺς κοσμοκράτορας τοῦ σκ. τούτου
Col 1 13 ὃς ἐρρύσατο ἡμᾶς ἐκ τῆς ἐξουσίας
    τοῦ σκότους → Luc 22 53
1 Th 5 4 ὑμεῖς δὲ – οὐκ ἐστὲ ἐν σκότει 5 οὐκ
    ἐσμὲν νυκτὸς οὐδὲ σκότους
1 Pe 2 9 τοῦ ἐκ σκότους ὑμᾶς καλέσαντος
2 Pe 2 17 οἷς ὁ ζόφος τοῦ σκότους τετήρηται
    Jud 13 εἰς αἰῶνα τετήρηται
1 Jo 1 6 ἐὰν – ἐν τῷ σκότει περιπατῶμεν

σκοτοῦσθαι ᵃobscurari ᵇtenebris obscurari
    ᶜ(prt pf pass) tenebrosus
Eph 4 18 ἐσκοτωμένοι ᵇ τῇ διανοίᾳ ὄντες
Ap 9 2 „ἐσκοτώθη ᵃ ὁ ἥλιος" καὶ ὁ ἀήρ
    16 10 „ἐγένετο" ἡ βασιλεία αὐτοῦ (sc τοῦ
    θηρίου) „ἐσκοτωμένη" ᶜ

σκύβαλον stercus Phl 3 8 ἡγοῦμαι σκύβαλα

Σκύθης Col 3 11 βάρβαρος, Σκύθης

σκυθρωπός tristis
Mat 6 16 μὴ γίνεσθε ὡς οἱ ὑποκριταὶ σκ..οί
Luc 24 17 ἐστάθησαν (vl ἐστὲ vg) σκυθρωποί

σκύλλειν, ..εσθαι Sᵒ – vexare ᵇvexari
Mat 9 36 ἦσαν ἐσκυλμένοι – Mar 5 35 τί ἔτι
    σκύλλεις τὸν διδάσκαλον; ‖ Luc 8 49 μη-
    κέτι σκύλλε – 7 6 κύριε, μὴ σκύλλου ᵇ

σκῦλα spolia Luc 11 22 τὰ σκ. – διαδίδωσιν

σκωληκόβρωτος Sᵒ – consumptus a ver-
    mibus Act 12 23 γενόμενος σκωληκόβρ.

σκώληξ vermis Mar 9 48 ὅπου „ὁ σκώληξ
    αὐτῶν οὐ τελευτᾷ" (vl 44.46 vg)

σμαράγδινος Sᵒ – smaragdinus Ap 4 3

σμάραγδος smaragdus Ap 21 19

σμύρνα myrrha (vl murra) Mat 2 11 Joh 19 39
    — ἐσμυρνισμένος Sᵒ – myrrhatus
    (vl murratus) Mar 15 23 ἐσ..ένον οἶνον

Σμύρνα Ap 1 11 εἰς Σμύρναν 2 8 ἐν Σμύρνῃ

Σόδομα Mat 10 15 (καὶ Γόμ. Rm 9 29 2 Pe 2 6
    Jud 7) 11 23.24 Luc 10 12 17 29 Ap 11 8

Σολομών Mat 1 6.7 6 29 12 42 Luc 11 31 12 27
    Joh 10 23 Act 3 11 5 12 7 47

σορός loculus Luc 7 14 ἥψατο τῆς σοροῦ

*σός, τὸ σόν tuus, quod tuum est
Mat 20 14 ἆρον τὸ σὸν καὶ ὕπαγε 25 25 ἴδε ἔ-
    χεις τὸ σόν Luc 6 30 ἀπὸ τοῦ αἴρον-
    τος τὰ σὰ μὴ ἀπαίτει
Luc 15 31 πάντα τὰ ἐμὰ σά ἐστιν cfr Joh 17 10
    τὰ ἐμὰ πάντα σά ἐστιν καὶ τὰ σὰ ἐμά
    22 42 ἀλλὰ τὸ σὸν (sc θέλημα) γινέσθω
Joh 17 6 σοὶ ἦσαν κἀμοὶ αὐτοὺς ἔδωκας 9 πε-
    ρὶ ὧν δέδωκάς μοι, ὅτι σοί εἰσιν

σουδάριον Sᵒ – sudarium
Luc 19 20 ἡ μνᾶ σου, ἣν εἶχον ἀποκειμένην ἐν
    σουδαρίῳ – Act 19 12 (Pauli)
Joh 11 44 ἡ ὄψις αὐτοῦ σ..ῳ περιεδέδετο 20 7

Σουσάννα Luc 8 3

σοφία sapientia
Mat 11 19 ἐδικαιώθη ἡ σ. ἀπὸ τῶν ἔργων (vl
    τέκνων vg filiis) αὐτῆς ‖ Luc 7 35
    ἀπὸ πάντων τῶν τέκνων αὐτῆς
    12 42 ἀκοῦσαι τὴν σ. Σολομῶνος ‖ Luc
    11 31 – Act 7 22 Αἰγυπτίων 10
    13 54 πόθεν τούτῳ ἡ σοφία αὕτη; ‖ Mar
    6 2 τίς ἡ σοφία ἡ δοθεῖσα τούτῳ
Luc 2 40 ἐκραταιοῦτο πληρούμενον σοφίᾳ
    – 52 προέκοπτεν ἐν τῇ σοφίᾳ καὶ ἡλικίᾳ
    11 49 καὶ ἡ σοφία τοῦ θεοῦ εἶπεν·
    21 15 δώσω ὑμῖν στόμα καὶ σοφίαν
Act 6 3 πλήρεις πνεύματος καὶ σοφίας
    – 10 τῇ σοφίᾳ καὶ τῷ πνεύματι ᾧ ἐλάλει
Rm 11 33 ὦ βάθος πλούτου καὶ (vl om καί
    vg) γνώσεως θεοῦ
1 Co 1 17 εὐαγγελίζεσθαι, οὐκ ἐν σοφίᾳ λό-
    γου 2 4 οὐκ ἐν πειθοῖς σοφίας λό-
    γοις 13 οὐκ ἐν διδακτοῖς ἀνθρωπίνης
    σοφίας λόγοις
    – 19 „ἀπολῶ τὴν σοφίαν τῶν σοφῶν"
    – 20 οὐχὶ „ἐμώρανεν – τὴν σ." τοῦ κό-
    σμου; 3 19 ἡ γὰρ σ. τοῦ κόσμου τού-
    του μωρία παρὰ τῷ θεῷ ἐστιν
    – 21 ἐν τῇ σ. τοῦ θεοῦ οὐκ ἔγνω ὁ κό-
    σμος διὰ τῆς σ. τὸν θεόν 22 Ἕλλη-
    νες σοφίαν ζητοῦσιν 24 τοῖς κλητοῖς,
    –, Χὸν θεοῦ δύναμιν καὶ θεοῦ σο-
    φίαν 30 ὃς ἐγενήθη σοφία ἡμῖν ἀπὸ
    θεοῦ, δικαιοσύνη τε καὶ ἁγιασμός
    2 1 ἦλθον οὐ καθ' ὑπεροχὴν λόγου ἢ

σοφίας καταγγέλλων – τὸ μαρτύριον

1 Co 2 5 ἵνα ἡ πίστις ὑμῶν μὴ ᾖ ἐν σοφίᾳ
ἀνθρώπων 6 σοφίαν δὲ λαλοῦμεν ἐν
τοῖς τελείοις, σοφίαν δὲ οὐ τοῦ αἰ-
ῶνος τούτου οὐδὲ τῶν ἀρχόντων τοῦ
αἰῶνος τούτου 7 ἀλλὰ λαλοῦμεν θε-
οῦ σοφίαν ἐν μυστηρίῳ
12 8 ᾧ μὲν γὰρ – δίδοται λόγος σοφίας
2 Co 1 12 οὐκ ἐν σοφίᾳ σαρκικῇ – ἀνεστράφημ.
Eph 1 8 χάριτος –, ἧς ἐπερίσσευσεν εἰς ἡμᾶς
ἐν πάσῃ σοφίᾳ καὶ φρονήσει
– 17 δώῃ ὑμῖν πνεῦμα σοφίας
3 10 ἡ πολυποίκιλος σοφία τοῦ θεοῦ
Col 1 9 ἵνα πληρωθῆτε τὴν ἐπίγνωσιν τοῦ
θελήματος αὐτοῦ ἐν πάσῃ σοφίᾳ καὶ
συνέσει πνευματικῇ → Eph 1 8
– 28 διδάσκοντες – ἐν πάσῃ σοφίᾳ 3 16
2 3 Χοῦ, ἐν ᾧ εἰσιν – „οἱ θησαυροὶ τῆς
σοφίας" καὶ γνώσεως „ἀπόκρυφοι"
– 23 ἐστὶν λόγον μὲν ἔχοντα σοφίας
4 5 ἐν σοφίᾳ περιπατεῖτε πρὸς τοὺς ἔξω
Jac 1 5 εἰ δέ τις ὑμῶν λείπεται σοφίας
3 13 τὰ ἔργα αὐτοῦ ἐν πραΰτητι σοφίας
– 15 οὐκ ἔστιν αὕτη ἡ σοφία ἄνωθεν κατ-
ερχομένη 17 ἡ δὲ ἄνωθεν σ. πρῶτον
μὲν ἁγνή ἐστιν, ἔπειτα εἰρηνική
2 Pe 3 15 Παῦλος κατὰ τὴν δοθεῖσαν αὐτῷ σ.
Ap 5 12 ἄξιός ἐστιν – λαβεῖν – καὶ σοφίαν
7 12 ἡ δόξα καὶ ἡ σοφία – τῷ θεῷ ἡμῶν
13 18 ὧδε ἡ σοφία ἐστίν 17 9 ὧδε ὁ νοῦς ὁ
ἔχων σοφίαν

σοφίζειν [a]instruere [b](prt pf pass) doctus
2 Ti 3 15 ὅτι – ἱερὰ γράμματα οἶδας, τὰ δυνά-
μενά σε σοφίσαι[a] εἰς σωτηρίαν
2 Pe 1 16 οὐ γὰρ σεσοφισμένοις[b] μύθοις ἐξα-
κολουθήσαντες ἐγνωρίσαμεν ὑμῖν

σοφός sapiens
Mat 11 25 ὅτι ἔκρυψας ταῦτα ἀπὸ σοφῶν καὶ
συνετῶν ‖ Luc 10 21 ἀπέκρυψας
23 34 ἀποστέλλω πρὸς ὑμᾶς προφήτας καὶ
σοφοὺς καὶ γραμματεῖς
Rm 1 14 σοφοῖς τε καὶ ἀνοήτοις ὀφειλέτης
– 22 φάσκοντες εἶναι σοφοὶ ἐμωράνθησαν
16 19 θέλω – ὑμᾶς σοφοὺς εἶναι εἰς τὸ ἀ-
γαθόν, ἀκεραίους δὲ εἰς τὸ κακόν
– 27 μόνῳ σοφῷ θεῷ – ᾧ (vl[o]) ἡ δόξα
1 Co 1 19 „ἀπολῶ τὴν σοφίαν τῶν σοφῶν"
– 20 „ποῦ σοφός; ποῦ γραμματεύς;"
– 25 τὸ μωρὸν τοῦ θεοῦ σοφώτερον τῶν
ἀνθρώπων ἐστίν

1 Co 1 26 οὐ πολλοὶ σοφοὶ κατὰ σάρκα, οὐ
– 27 ἵνα καταισχύνῃ τοὺς σοφούς
3 10 ὡς σοφ. ἀρχιτέκτων θεμέλιον ἔθηκα
– 18 εἴ τις δοκεῖ σοφὸς εἶναι – ἐν τῷ αἰῶ-
νι τούτῳ, μωρὸς γενέσθω, ἵνα γένη-
ται σοφός 19 „ὁ δρασσόμενος τοὺς σ.
ἐν τῇ πανουργίᾳ αὐτῶν" 20 „κύριος
γινώσκει τοὺς διαλογισμοὺς τῶν" σο-
φῶν, „ὅτι εἰσὶν μάταιοι"
6 5 οὕτως οὐκ ἔνι ἐν ὑμῖν οὐδεὶς σ., –;
Eph 5 15 μὴ ὡς ἄσοφοι ἀλλ᾽ ὡς σοφοί
Jac 3 13 τίς σοφὸς καὶ ἐπιστήμων ἐν ὑμῖν;

Σπανία Rm 15 24. 28 δι᾽ ὑμῶν εἰς Σπανίαν

σπαράσσειν discerpere [b]dissipare
Mar 1 26 9 26 πολλὰ σπαράξας ‖ Luc 9 39[b]

σπαργανοῦν pannis involvere Luc 2 7. 12

σπᾶσθαι [a]educere [b]evaginare Mar 14 47
σπασάμενος[a] τὴν μάχαιραν Act 16 27[b]

σπαταλᾶν in deliciis esse [b]in luxuriis
1 Ti 5 6 ἡ δὲ σπαταλῶσα ζῶσα τέθνηκεν
Jac 5 5 ἐσ..ήσατε[b], ἐθρέψατε τὰς καρδίας

σπεῖρα cohors Mat 27 27 Mar 15 16 Joh 18 3.
12 Act 10 1 (Ἰταλική) 21 31 27 1 (Σεβαστή)

σπείρειν seminare [b]serere
Mat 6 26 οὐ σπείρουσιν[b] οὐδὲ θερ. ‖ Luc 12 24
13 3 ἐξῆλθεν ὁ σπείρων τοῦ σπείρειν 4. 18
ἀκούσατε τὴν παραβολὴν τοῦ σπεί-
ραντος 19. 20. 22. 23 ‖ Mar 4 3. 4. 14 ὁ
σπείρων τὸν λόγον σπείρει 15. 16. 18. 20
‖ Luc 8 5 ἐξῆλθεν ὁ σπείρων τοῦ
σπεῖραι τὸν σπόρον αὐτοῦ. καὶ ἐν
τῷ σπείρειν αὐτόν
– 24 ἀνθρώπῳ σπείραντι καλὸν σπέρμα ἐν
τῷ ἀγρῷ αὐτοῦ 27. 37. 39
– 31 κόκκῳ σινάπεως, ὃν λαβὼν ἄνθρω-
πος ἔσπειρεν ‖ Mar 4 31. 32
25 24 θερίζων ὅπου οὐκ ἔσπειρας 26 ‖ Luc
19 21 ὃ οὐκ ἔσπειρας 22
Joh 4 36 ἵνα ὁ σπείρων ὁμοῦ χαίρῃ καὶ ὁ θε-
ρίζων 37 ἄλλος ἐστὶν ὁ σπείρων καὶ
ἄλλος ὁ θερίζων
1 Co 9 11 εἰ ἡμεῖς ὑμῖν τὰ πνευματικὰ ἐσπεί-
ραμεν, μέγα εἰ – ὑμῶν –;
15 36 σὺ ὃ σπείρεις, οὐ ζωοποιεῖται ἐὰν
– 37 ὃ σπείρεις, οὐ τὸ σῶμα τὸ γενησό-
μενον σπείρεις, ἀλλὰ γυμνὸν κόκκον

1 Co 1542 σπείρεται ἐν φθορᾷ 43 σπείρεται ἐν ἀτιμίᾳ, – σπείρεται ἐν ἀσθενείᾳ 44 σπείρεται σῶμα ψυχικόν

2 Co 9 6 ὁ σπείρων φειδομένως –, καὶ ὁ σπείρων ἐπ' εὐλογίαις 10 ὁ δὲ ἐπιχορηγῶν „σπέρμα τῷ σπείροντι"

Gal 6 7 ὃ γὰρ ἐὰν σπείρῃ ἄνθρωπος 8 ὁ σπείρων εἰς τὴν σάρκα ἑαυτοῦ –, ὁ δὲ σπείρων εἰς τὸ πνεῦμα

Jac 318 καρπὸς δὲ δικαιοσύνης ἐν εἰρήνῃ σπείρεται τοῖς ποιοῦσιν εἰρήνην

σπεκουλάτωρ S⁰ – spiculator (vl spec.)
Mar 627 ἀποστείλας ὁ βασιλεὺς σ..λάτορα

σπένδεσθαι ᵃimmolari ᵇdelibari
Phl 217 εἰ καὶ σπένδομαι ᵃ ἐπὶ τῇ θυσίᾳ
2 Ti 4 6 ἐγὼ – ἤδη σ..ομαι ᵇ, καὶ ὁ καιρός

σπέρμα semen
Mat 1324 σπείραντι καλὸν σπέρμα 27 οὐχὶ καλὸν σπ. ἔσπειρας –; 37.38.32 μικρότερον – πάντων τῶν σπ. || Mar 431
2224 „ἀναστήσει σπ. τῷ ἀδελφῷ" 25 μὴ ἔχων σπ. || Mar 1219-22 Luc 2028
Luc 155 „τῷ Ἀβρ. καὶ τῷ σπ. αὐτοῦ" Joh 833 σπ. Ἀβρ. ἐσμεν 37 οἶδα ὅτι σπέρμα Ἀβρ. ἐστε – Act 325 „ἐν τῷ σπέρματί σου ἐνευλογηθήσονται 75.6
Joh 742 „ἐκ τοῦ σπ. Δαυὶδ – ἔρχεται" ὁ χριστός Act 1323 Rm 1 3 2 Ti 2 8
Rm 413 οὐ – διὰ νόμου ἡ ἐπαγγελία τῷ Ἀβρ. ἢ τῷ σπ. αὐτοῦ 16 παντὶ τῷ σπ. 18 „οὕτως ἔσται τὸ σπέρμα σου"
9 7 οὐδ' ὅτι εἰσὶν σπέρμα Ἀβρ., πάντες τέκνα, ἀλλ'· „ἐν Ἰσαὰκ κληθήσεταί σοι σπέρμα" 8 τὰ τέκνα τῆς ἐπαγγελίας λογίζεται εἰς σπέρμα
– 29 „εἰ μὴ – ἐγκατέλιπεν ἡμῖν σπέρμα"
11 1 Ἰσραηλίτης εἰμί, ἐκ σπ. Ἀβραάμ
1 Co 1538 ἑκάστῳ τῶν σπερμάτων ἴδιον σῶμα
2 Co 910 ὁ – ἐπιχορηγῶν „σπ. τῷ σπείροντι" – πληθυνεῖ τὸν σπόρον ὑμῶν
1122 σπέρμα Ἀβραάμ εἰσιν; κἀγώ
Gal 316 τῷ δὲ Ἀβρ. ἐρρέθησαν αἱ ἐπαγγελίαι „καὶ τῷ σπ." αὐτοῦ. οὐ λέγει· καὶ τοῖς σπέρμασιν, –, ἀλλ'–· „καὶ τῷ σπ. σου", ὅς ἐστιν Χός 19 ἄχρις ἂν ἔλθῃ τὸ σπέρμα ᾧ ἐπήγγελται
– 29 ἄρα τοῦ Ἀβραὰμ σπέρμα ἐστέ
Hb 216 „σπέρματος Ἀβρ. ἐπιλαμβάνεται"
1111 δύναμιν εἰς καταβολὴν σπ..τος ἔλα-

βεν 18 „ἐν Ἰσαὰκ κληθήσεταί σοι σπ."
1 Jo 3 9 σπ. αὐτοῦ (sc θεοῦ) ἐν αὐτῷ μένει
Ap 1217 μετὰ τῶν λοιπῶν τοῦ σπέρμ. αὐτῆς

σπερμολόγος S⁰ – seminiverbius Act 1718

σπεύδειν festinare ᵇproperare in
Luc 216 195.6 Act 2016 2218 2 Pe 312 σ..οντας ᵇ τὴν παρουσίαν τῆς τ. θεοῦ ἡμέρας

σπήλαιον spelunca Mat 2113 ὑμεῖς δὲ αὐτὸν ποιεῖτε „σπήλ. λῃστῶν" || Mat 1117
Luc 1946 – Joh 1138 Hb 1138 Ap 615

σπιλάς S⁰ – macula Jud 12 εἰσὶν – σ..άδες

σπίλος S⁰ – ᵃmacula ᵇcoinquinatio
Eph 527 τὴν ἐκκλησίαν, μὴ ἔχουσαν σπίλον ᵃ
2 Pe 213 σπίλοι ᵇ καὶ μῶμοι ἐντρυφῶντες

σπιλοῦν maculare Jac 36 Jud 23

σπλάγχνα, τά viscera
Luc 178 διὰ σπλάγχνα ἐλέους θεοῦ ἡμῶν
Act 118 ἐξεχύθη πάντα τὰ σπλάγχνα αὐτοῦ
2 Co 612 στενοχωρεῖσθε – ἐν τοῖς σπ. ὑμῶν
715 τὰ σπ. αὐτοῦ (sc Τίτου) περισσοτέρως εἰς ὑμᾶς ἐστιν
Phl 1 8 ἐπιποθῶ – ὑμᾶς ἐν σ..οις Χοῦ Ἰησ.
2 1 εἴ τις σπλάγχνα καὶ οἰκτιρμοί
Col 312 ἐνδύσασθε – σπλάγχνα οἰκτιρμοῦ
Phm 7 τὰ σπ. τῶν ἁγίων ἀναπέπαυται διὰ σοῦ 20 ἀνάπαυσόν μου τὰ σπλάγχνα
12 αὐτόν, τοῦτ' ἔστιν τὰ ἐμὰ σπλάγχνα
1 Jo 317 ὃς δ' ἂν – θεωρῇ τὸν ἀδελφὸν – χρείαν ἔχοντα καὶ κλείσῃ τὰ σπλάγχνα αὐτοῦ ἀπ' αὐτοῦ, πῶς ἡ ἀγάπη –;

σπλαγχνίζεσθαι miserēri ᵇmisericordia movēri cf ἐλεεῖν
Mat 936 ἐσπλαγχνίσθη περὶ αὐτῶν 1414 ἐπ' αὐτοῖς || Mar 634 ἐπ' αὐτούς – Mat 1532 σ..ομαι ἐπὶ τὸν ὄχλον || Mar 82
1827 σ..ισθεὶς δὲ ὁ κύριος τοῦ δούλου
2034 σ..ισθεὶς δὲ ὁ Ἰησοῦς ἥψατο τῶν ὀμμάτων αὐτῶν Mar 141 σ..ισθεὶς (D ὀργισθεὶς) – ἥψατο αὐτοῦ
Mar 922 βοήθησον ἡμῖν σ..ισθεὶς ἐφ' ἡμᾶς
Luc 713 ὁ κύριος ἐσπλαγχνίσθη ᵇ ἐπ' αὐτῇ
1033 Σαμ. δέ τις – ἰδὼν ἐσπλαγχνίσθη ᵇ
1520 εἶδεν αὐτὸν ὁ πατὴρ – καὶ ἐσπλ. ᵇ

σπόγγος Sᵒ – *spongia* Mat 27 48 λαβὼν σ..
ον πλήσας τε ὄξους ‖ Mar 15 36 Joh 19 29

σποδός *cinis* Mat 11 21 ‖ Luc 10 13 – Hb 9 13

σπορά *semen* 1 Pe 1 23 οὐκ ἐκ σ. φθαρτῆς

σπόριμα, τά *sata* Mat 12 1 ‖ Mar 2 23 Luc 6 1

σπόρος *semen* ᵇ*sementis* Mar 4 26 ᵇ 27 ‖ Luc
8 5.11 – 2 Co 9 10 πληθυνεῖ τὸν σπ. ὑμῶν

σπουδάζειν *festinare* ᵇ*solicitum esse* ᶜ(part)
     solicitus ᵈ*solicite curare* ᵉ*satagere*
     (vl *satis ag.*) ᶠ*dare operam*
Gal   2 10 ἐσπούδασα ᵇ αὐτὸ τοῦτο ποιῆσαι
Eph   4 3 σ..οντες ᶜ τηρεῖν τὴν ἑνότητα τοῦ
     πνεύματος 1 Th 2 17 τὸ πρόσωπον ὑ-
     μῶν ἰδεῖν 2 Ti 2 15 σπούδασον ᵈ σεαυ-
     τὸν δόκιμον παραστῆσαι τῷ θεῷ
2 Ti   4 9 σ..σον ἐλθεῖν πρός με 21 Tit 3 12
Hb   4 11 σπουδάσωμεν – „εἰσελθεῖν εἰς – τὴν
     κατάπαυσιν"
2 Pe   1 10 σπουδάσατε ᵉ βεβαίαν ὑμῶν τὴν κλῆ-
     σιν – ποιεῖσθαι 3 14 σπουδάσατε ᵉ ἄ-
     σπιλοι – αὐτῷ εὑρεθῆναι
     – 15 σπουδάσω ᶠ – ἑκάστοτε ἔχειν ὑμᾶς –
     τὴν τούτων μνήμην ποιεῖσθαι

σπουδαῖος *solicitus* 2 Co 8 17 σ..ότερος 22

σπουδαίως, ..οτέρως *solicite* ᵇ*festinantius*
Luc   7 4 Phl 2 28 ᵇ 2 Ti 1 17 Tit 3 13

σπουδή *solicitudo* ᵇ*festinatio* ᶜ*cura*
Mar   6 25 μετὰ σπουδῆς ᵇ Luc 1 39 ᵇ
Rm   12 8 ὁ προϊστάμενος ἐν σπουδῇ
     – 11 τῇ σπουδῇ μὴ ὀκνηροί, τῷ πνεύματι
2 Co   7 11 πόσην κατειργάσατο – σπουδήν 12
     8 7 ὥσπερ – περισσεύετε – πάσῃ σπουδῇ
     – 8 διὰ τῆς ἑτέρων σπουδῆς
     – 16 τῷ διδόντι τὴν αὐτὴν σπουδὴν ὑπὲρ
     ὑμῶν ἐν τῇ καρδίᾳ Τίτου
Hb   6 11 τὴν αὐτὴν ἐνδείκνυσθαι σπουδήν
2 Pe   1 5 σπουδὴν ᶜ πᾶσαν παρεισενέγκαντες
Jud   3 πᾶσαν σπ. ποιούμενος γράφειν ὑμ.

σπυρίς Sᵒ – *sporta* Mat 15 37 16 10 πόσας
     σπυρίδας ‖ Mar 8 8.20 – Act 9 25 χα-
     λάσαντες ἐν σπυρίδι

στάδιον, στάδιοι *stadium* Mat 14 24 (vgᵒ)

Luc 24 13 Joh 6 19 11 18 Ap 14 20 21 16
1 Co   9 24 οἱ ἐν σταδίῳ τρέχοντες πάντες

στάμνος *urna* Hb 9 4 στάμνος χρυσῆ

στασιαστής Sᵒ – *seditiosus* Mar 15 7

στάσις *seditio* ᵇ*dissensio* ᶜ*status*
Mar   15 7 ‖ Luc 23 19.25 – Act 19 40 ἐγκαλεῖσθαι
     στάσεως – 15 2 στάσεως καὶ ζητήσεως
     23 7 στ.ᵇ τῶν Φαρ. καὶ Σαδδ. 10 ᵇ – 24 5
Hb   9 8 ἔτι τ. πρώτης σκηνῆς ἐχούσης στάσιν ᶜ

στατήρ Sᵒ – *stater* Mat 17 27 εὑρήσεις στ..α
(Mat 26 15 D „ἔστησαν – τριάκοντα" στατῆρας)

σταυρός Sᵒ – *crux*
Mat   10 38 ὃς οὐ λαμβάνει τὸν σταυρὸν αὐτοῦ
     ‖ Luc 14 27 οὐ βαστάζει – ἑαυτοῦ
     16 24 ἀράτω τὸν σταυρὸν αὐτοῦ ‖ Mar 8 34
     Luc 9 23 καθ' ἡμέραν
     27 32 ἠγγάρευσαν ἵνα ἄρῃ τὸν στ. αὐτοῦ
     ‖ Mar 15 21 Luc 23 26 ἐπέθηκαν
     – 40 κατάβηθι ἀπὸ τοῦ στ. 42 καταβάτω
     νῦν ‖ Mar 15 30 καταβάς 32
Joh   19 17 βαστάζων ἑαυτῷ τὸν σταυρὸν
     – 19 ἔθηκεν ἐπὶ τοῦ στ.· ἦν – γεγραμμέν.
     – 25 εἰστήκεισαν δὲ παρὰ τῷ σταυρῷ
     – 31 ἵνα μὴ μείνῃ ἐπὶ τοῦ στ. τὰ σώματα
1 Co   1 17 ἵνα μὴ κενωθῇ ὁ σταυρὸς τοῦ Χοῦ
     – 18 ὁ λόγος – ὁ τοῦ στ. – μωρία ἐστίν
Gal   5 11 κατήργηται τὸ σκάνδαλον τοῦ στ.
     6 12 μόνον ἵνα τῷ στ. τοῦ Χοῦ – μὴ διώ-
     κωνται 14 ἐμοὶ δὲ μὴ γένοιτο καυ-
     χᾶσθαι εἰ μὴ ἐν τῷ σταυρῷ τοῦ κυ-
     ρίου ἡμῶν Ἰησοῦ Χοῦ
Eph   2 16 ἵνα – ἀποκαταλλάξῃ τοὺς ἀμφοτέ-
     ρους – τῷ θεῷ διὰ τοῦ σταυροῦ
Phl   2 8 μέχρι θανάτου, θανάτου δὲ σταυροῦ
     3 18 τοὺς ἐχθροὺς τοῦ σταυροῦ τοῦ Χοῦ
Col   1 20 διὰ τοῦ αἵματος τοῦ σταυροῦ αὐτοῦ
     2 14 προσηλώσας αὐτὸ (sc τὸ καθ' ἡμῶν
     χειρόγραφον) τῷ σταυρῷ
Hb   12 2 Ἰησοῦν, ὃς – ὑπέμεινεν σταυρόν

σταυροῦν (S Esth. bis) – *crucifigere*
Mat   20 19 παραδώσουσιν αὐτὸν τοῖς ἔθνεσιν
     εἰς τὸ – σταυρῶσαι 26 2 παραδίδοται
     εἰς τὸ σταυρωθῆναι – 23 34 ἐξ αὐτῶν
     ἀποκτενεῖτε καὶ σταυρώσετε
     27 22 σταυρωθήτω 23 ‖ Mar 15 13 σ..ωσον
     αὐτόν 14 Luc 23 21 σταύρου στ. αὐτόν

23 αἰτούμενοι αὐτὸν σ..ωθῆναι Joh
19 6 σ..ωσον σ..ωσον. – λάβετε αὐ-
τὸν ὑμεῖς καὶ σ..ώσατε 10 ὅτι – ἐξου-
σίαν ἔχω σ..ῶσαί σε; 15 ἆρον ἆρον,
σταύρωσον αὐτόν. λέγει αὐτοῖς ὁ Πι-
λᾶτος· τὸν βασιλέα ὑμῶν σταυρώσω;
Mat 27 26 παρέδωκεν ἵνα σ..ωθῇ ‖ Mar 15 15 Joh
19 16 – Mat 27 31 ἀπήγαγον αὐτὸν
εἰς τὸ σταυρῶσαι ‖ Mat 15 20
– 35. 38 σ..οῦνται σὺν αὐτῷ δύο λῃσταί ‖
Mar 15 24. 25 ἦν δὲ ὥρα τρίτη καὶ ἐσ..
ωσαν αὐτόν 27 σὺν αὐτῷ σ..οῦσιν
δύο Luc 23 33 ἐκεῖ ἐσ..ωσαν αὐτόν
Joh 19 18 ὅπου αὐτὸν ἐσ..ωσαν 20. 23. 41
28 5 Ἰησοῦν τὸν ἐσ..ωμένον ζητεῖτε ‖ Mar
16 6 – Luc 24 7 ὅτι δεῖ – σ..ωθῆναι
καὶ τῇ τρίτῃ ἡμέρᾳ ἀναστῆναι
Luc 24 20 ὅπως τε παρέδωκαν αὐτὸν οἱ ἀρχιε-
ρεῖς – καὶ ἐσ..ωσαν αὐτόν – Act 2 36
ὃν ὑμεῖς ἐσταυρώσατε 4 10
1 Co 1 13 μὴ Παῦλος ἐσταυρώθη ὑπὲρ ὑμῶν;
– 23 κηρύσσομεν Χὸν ἐσταυρωμένον
2 2 Ἰησ. Χὸν καὶ τοῦτον ἐσταυρωμένον
– 8 εἰ γὰρ ἔγνωσαν, οὐκ ἂν τὸν κύριον
τῆς δόξης ἐσταύρωσαν
2 Co 13 4 ἐσταυρώθη ἐξ ἀσθενείας, ἀλλὰ ζῇ
Gal 3 1 οἷς – Χὸς προεγράφη ἐσ..ωμένος
5 24 οἱ – τοῦ Χοῦ – τὴν σάρκα ἐσ..ωσαν
6 14 ἐν τῷ σταυρῷ – Χοῦ, δι' οὗ ἐμοὶ κό-
σμος ἐσταύρωται κἀγὼ κόσμῳ
Ap 11 8 ὅπου καὶ ὁ κύριος – ἐσταυρώθη

σταφυλή uva Mat 7 16 ἀπὸ ἀκανθῶν σ..άς –;
‖ Luc 6 44 οὐδὲ ἐκ βάτου σταφυλήν
Ap 14 18 ὅτι ἤκμασαν αἱ σταφυλαὶ αὐτῆς

στάχυς spica
Mat 12 1 τίλλειν στάχυας ‖ Mar 2 23 Luc 6 1
Mar 4 28 εἶτεν στάχυν, εἶτεν πλήρης σῖτος ἐν
τῷ στάχυϊ

Στάχυς Rm 16 9 Σ..υν τὸν ἀγαπητόν μου

στέγειν sustinēre [b]sufferre 1 Co 9 12 πάντα
στέγομεν 13 7 ἡ ἀγάπη – πάντα στέγει[b]
1 Th 3 1. 5 κἀγὼ μηκέτι στέγων ἔπεμψα

στέγη tectum Mat 8 8 ‖ Luc 7 6 – Mar 2 4

στεῖρα sterilis Luc 1 7. 36 23 29 Gal 4 27

στέλλεσθαι devitare [b]se subtrahere a
2 Co 8 20 στελλόμενοι τοῦτο, μή τις ἡμᾶς μω-

μήσηται ἐν τῇ ἁδρότητι ταύτῃ
2 Th 3 6 σ..εσθαι[b] ὑμᾶς ἀπὸ παντὸς ἀδελ-
φοῦ ἀτάκτως περιπατοῦντος

στέμματα S[o] – coronae Act 14 13

στεναγμός gemitus Act 7 34 τοῦ λαοῦ
Rm 8 26 ὑπερεντυγχάνει σ..οῖς ἀλαλήτοις

στενάζειν ingemiscere [b]gemere
Mar 7 34 ἐστέναξεν, καὶ λέγει – · ἐφφαθά
Rm 8 23 καὶ αὐτοὶ ἐν ἑαυτοῖς στενάζομεν[b]
2 Co 5 2. 4 οἱ ὄντες ἐν τῷ σκήνει στενάζομεν
βαρούμενοι, ἐφ' ᾧ οὐ θέλομεν
Hb 13 17 μετὰ χαρᾶς – καὶ μὴ στενάζοντες[b]
Jac 5 9 μὴ στενάζετε – κατ' ἀλλήλων

στενός angustus Mat 7 13. 14 ‖ Luc 13 24

στενοχωρεῖσθαι angustiari
2 Co 4 8 θλιβόμενοι ἀλλ' οὐ στ..ούμενοι
6 12 οὐ στενοχωρεῖσθε ἐν ἡμῖν, στ..εῖσθε
δὲ ἐν τοῖς σπλάγχνοις ὑμῶν

στενοχωρία angustia
Rm 2 9 θλῖψις καὶ στ. 8 35 θλ. ἢ στ. –;
2 Co 6 4 ἐν ἀνάγκαις, ἐν στενοχωρίαις
12 10 ἐν διωγμοῖς καὶ στ..αις, ὑπὲρ Χοῦ

στερεός solidus [b]firmus [c]fortis
2 Ti 2 19 [b] θεμέλιος Hb 5 12 οὐ στ..ᾶς τροφῆς
14 τελείων δέ ἐστιν ἡ στερεὰ τροφή
1 Pe 5 9 ᾧ ἀντίστητε στερεοί[c] τῇ πίστει

στερεοῦν confirmare [b]consolidare
Act 3 7 ἐστερεώθησαν[b] αἱ βάσεις αὐτοῦ
– 16 τοῦτον – ἐστερέωσεν τὸ ὄνομα αὐτοῦ
16 5 αἱ – ἐκκλησ. ἐστερεοῦντο τῇ πίστει

στερέωμα firmamentum Col 2 5 βλέπων –
τὸ στερ. τῆς εἰς Χὸν πίστεως ὑμῶν

Στεφανᾶς 1 Co 1 16 τὸν Σ..ᾶ οἶκον 16 15. 17

Στέφανος Act 6 5. 8. 9 7 59 8 2 11 19 22 20

στέφανος corona
Mat 27 29 πλέξαντες στέφανον ἐξ ἀκανθῶν ‖
Mar 15 17 ἀκάνθινον Joh 19 2. 5
1 Co 9 25 ἵνα φθαρτὸν στέφανον λάβωσιν
Phl 4 1 ἀδελφοί μου –, χαρὰ καὶ στέφ. μου
1 Th 2 19 τίς – ἡμῶν – στέφανος καυχήσεως –;

2 Ti   4 8 ἀπόκειταί μοι ὁ τῆς δικαιοσύνης στέ-
φανος, ὃν ἀποδώσει μοι ὁ κύριος
Jac   1 12 λήμψεται τὸν στέφανον τῆς ζωῆς
1 Pe   5 4 τὸν ἀμαράντινον τῆς δόξης στ..ον
Ap   2 10 δώσω σοι τὸν στέφανον τῆς ζωῆς
     3 11 ἵνα μηδεὶς λάβῃ τὸν στέφανόν σου
     4 4 ἐπὶ τὰς κεφαλὰς αὐτῶν στεφάνους
     χρυσοῦς cfr 9 17 14 14 σ..ον χρυσοῦν
     – 10 βαλοῦσιν τοὺς στ. – ἐνώπ. τ. θρόνου
     6 2 ἐδόθη αὐτῷ στέφανος, καὶ ἐξῆλθεν
     νικῶν καὶ ἵνα νικήσῃ
     12 1 ἐπὶ τῆς κεφαλῆς αὐτῆς στέφανος ἀ-
     στέρων δώδεκα

στεφανοῦν coronare
2 Ti   2 5 οὐ στ..ται ἐὰν μὴ νομίμως ἀθλήσῃ
Hb   2 7 „δόξῃ καὶ τιμῇ ἐσ..ωσας αὐτόν"
     – 9 Ἰησοῦν διὰ τὸ πάθημα τοῦ θανάτου
     „δόξῃ καὶ τιμῇ ἐστεφανωμένον"

στῆθος pectus
Luc   18 13 ἔτυπτεν τὸ στ. αὐτοῦ – 23 48 στήθη
Joh   13 25 ἀναπεσὼν – ἐπὶ τὸ στ. τοῦ Ἰησ. 21 20
Ap   15 6 περιεζωσμένοι περὶ τὰ στήθη

στήκειν Sº – stare
Mar   3 31 ἔξω στήκοντες 11 25 ὅταν στήκετε
     προσευχόμενοι Joh 1 26 μέσος ὑμῶν
     στήκει ὃν ὑμεῖς οὐκ οἴδατε
Joh   8 44 ἐν τῇ ἀληθείᾳ οὐκ ἔστηκεν
Rm   14 4 τῷ ἰδίῳ κυρίῳ στήκει ἢ πίπτει
1 Co 16 13 γρηγορεῖτε, στήκετε ἐν τῇ πίστει
Gal   5 1 στήκετε οὖν καὶ μὴ πάλιν ζυγῷ δου-
     λείας ἐνέχεσθε
Phl   1 27 ὅτι στήκετε ἐν ἑνὶ πνεύματι
     4 1 οὕτως στήκετε ἐν κυρίῳ, ἀγαπητοί
1 Th   3 8 ἐὰν ὑμεῖς στήκετε ἐν κυρίῳ
2 Th   2 15 στήκετε, καὶ κρατεῖτε τὰς παραδό-
     σεις ἃς ἐδιδάχθητε
(Ap 12 4 vl ὁ δράκων ἔστηκεν ἐνώπιον τῆς
     γυναικός)

στηριγμός Sº – firmitas 2 Pe 3 17 φυλάσ-
σεσθε ἵνα μὴ – ἐκπέσητε τοῦ ἰδίου σ..οῦ

στηρίζειν confirmare ᵇfirmare
Luc   9 51 ᵇ – 16 26 χάσμα μέγα ἐστήρικται ᵇ
     22 32 στήρισον τοὺς ἀδελφούς σου
Act   18 23 στηρίζων πάντας τοὺς μαθητάς
Rm   1 11 εἰς τὸ στηριχθῆναι ὑμᾶς, 12 τοῦτο δέ
     ἐστιν συμπαρακληθῆναι ἐν ὑμῖν
     16 25 τῷ δὲ δυναμένῳ ὑμᾶς στηρίξαι

1 Th   3 2 εἰς τὸ σ..ίξαι ὑμᾶς καὶ παρακαλέσαι
     13 εἰς τὸ στ..ίξαι ὑμῶν τὰς καρδίας
2 Th   2 17 στηρίξαι ἐν παντὶ ἔργῳ καὶ λόγῳ
     3 3 ὃς στηρίξει ἡμᾶς καὶ φυλάξει
Jac   5 8 στηρίξατε τὰς καρδίας ὑμῶν
1 Pe   5 10 καταρτίσει, στηρίξει, σθενώσει
2 Pe   1 12 ἐστηριγμένους ἐν τῇ – ἀληθείᾳ
Ap   3 2 στήρισον – ἃ ἔμελλον ἀποθανεῖν

στιβάδες Sº – frondes Mar 11 8 ἄλλοι – σ..ας

στίγμα stigma Gal 6 17 τὰ στ. τοῦ Ἰησοῦ

στιγμή momentum Luc 4 5 ἐν σ..ῇ χρόνου

στίλβειν splendēre Mar 9 3 ἱμάτια

στοά porticus Joh 5 2 10 23 Act 3 11 5 12

στοιχεῖα, τά elementa
Gal   4 3 ὑπὸ τὰ στ. τοῦ κόσμου ἤμεθα δε-
     δουλωμένοι 9 πῶς ἐπιστρέφετε πά-
     λιν ἐπὶ τὰ ἀσθενῆ καὶ πτωχὰ στ. – ;
Col   2 8 κατὰ τὰ στ. τοῦ κόσμου 20 ἀπεθά-
     νετε σὺν Χῷ ἀπὸ τῶν στ. τοῦ κόσ.
Hb   5 12 διδάσκειν ὑμᾶς τινα (vl τίνα vg) τὰ
     στ. τῆς ἀρχῆς τῶν λογίων τοῦ θεοῦ
2 Pe   3 10 στοιχ. δὲ καυσούμενα λυθήσεται 12

στοιχεῖν ambulare ᵇsectari (vestigia) ᶜse-
qui (regulam) ᵈpermanēre (in reg.)
Act   21 24 ἀλλὰ στοιχεῖς – φυλάσσων τὸν νόμον
Rm   4 12 τοῖς στοιχοῦσιν ᵇ τοῖς ἴχνεσιν τῆς ἐν
     ἀκροβυστίᾳ πίστεως τοῦ – Ἀβραάμ
Gal   5 25 πνεύματι καὶ στοιχῶμεν
     6 16 ὅσοι τῷ κανόνι τούτῳ σ..ήσουσιν ᶜ
Phl   3 16 εἰς ὃ ἐφθάσαμεν, τῷ αὐτῷ (vl + κα-
     νόνι vg) στοιχεῖν (vl συστοιχεῖν) ᵈ

στολή stola
Mar   12 38 ἐν στολαῖς περιπατεῖν ‖ Luc 20 46
     16 5 περιβεβλημένον στολὴν λευκήν
Luc   15 22 ταχὺ ἐξενέγκατε στολὴν τὴν πρώτην
Ap   6 11 ἐδόθη αὐτοῖς ἑκάστῳ στολὴ λευκή
     7 9 περιβεβλημένους στολὰς λευκάς 13
     – 14 „ἔπλυναν τὰς στ. αὐτῶν – ἐν τῷ αἵ-
     ματι" τοῦ ἀρνίου 22 14 μακάριοι οἱ
     „πλύνοντες τὰς στ." αὐτῶν, ἵνα

στόμα os ᵇacies
     ἀνοίγειν τὸ στόμα, ἄνοιξις τοῦ στό-
     ματος → ἀνοίγειν, ἄνοιξις
Mat   4 4 „διὰ στόματος θεοῦ" cfr Luc 1 70

τῶν ἁγίων ἀπ᾽ αἰῶνος προφητῶν

Mat 1234 ἐκ – τοῦ περισσεύματος τῆς καρδίας τὸ στόμα λαλεῖ ‖ Luc 645 αὐτοῦ

1511 οὐ τὸ εἰσερχόμενον εἰς τὸ στ. κοινοῖ –, ἀλλὰ τὸ ἐκπορευόμενον ἐκ τοῦ στόματος, τοῦτο κοινοῖ 17.18

1816 „ἐπὶ στόματος δύο μαρτύρων ἢ τριῶν" 2 Co 131 „καὶ τριῶν"

2116 „ἐκ στόματος νηπίων – κατηρτίσω"

Luc 422 ἐπὶ τοῖς λόγοις τῆς χάριτος τοῖς ἐκπορευομένοις ἐκ τοῦ στόματ. αὐτοῦ

1154 θηρεῦσαί τι ἐκ τοῦ στόματος αὐτοῦ

1922 ἐκ τοῦ στόματός σου κρινῶ σε

2115 δώσω ὑμῖν στόμα καὶ σοφίαν

– 24 στόματι μαχαίρης Hb 1134 στ..ταᵇ

2271 ἠκούσαμεν ἀπὸ τοῦ στόματ. αὐτοῦ

Joh 1929 προσήνεγκαν αὐτοῦ τῷ στόματι

Act (1 4 vl διὰ τοῦ στ. μου vg) 116 διὰ στ. Δαυίδ 318 πάντων τῶν προφητῶν 21 τῶν ἁγ. προφ. 425 διὰ πνεύματος ἁγίου στόματος Δαυίδ 157 (Petrus:) διὰ τοῦ στόματός μου ἀκοῦσαι τὰ ἔθνη τὸν λόγον

11 8 κοινὸν ἢ ἀκάθαρτον οὐδέποτε εἰσῆλθεν εἰς τὸ στόμα μου

2214 ἀκοῦσαι φωνὴν ἐκ τοῦ στόμ. αὐτοῦ

23 2 ἐπέταξεν – τύπτειν αὐτοῦ τὸ στόμα

Rm 314 „ὧν τὸ στ. ἀρᾶς καὶ πικρίας γέμει"

– 19 ἵνα πᾶν στόμα φραγῇ (obstruatur)

10 8 „ἐγγύς σου τὸ ῥῆμά ἐστιν, ἐν τῷ στ. σου" 9 ἐὰν ὁμολογήσῃς „ἐν τῷ στ. σου" κύριον Ἰησοῦν 10 στόματι – ὁμολογεῖται εἰς σωτηρίαν

15 6 ἵνα – ἐν ἑνὶ στ. δοξάζητε τὸν θεόν

Eph 429 λόγος σαπρὸς ἐκ τοῦ στόματος ὑμῶν μὴ ἐκπορευέσθω cfr Col 38

2 Th 2 8 „ἀνελεῖ τῷ πνεύμ. τοῦ στόμ. αὐτοῦ"

2 Ti 417 ἐρρύσθην „ἐκ στόματος λέοντος"

Hb 1133 ἔφραξαν στόματα λεόντων 34ᵇ

Jac 3 3 τοὺς χαλινοὺς εἰς τὰ στ. βάλλομεν

– 10 ἐκ τοῦ αὐτοῦ στόματος ἐξέρχεται

1 Pe 222 „οὐδὲ εὑρέθη δόλος ἐν τῷ στόματι"

2 Jo 12 στόμα πρὸς στόμα λαλῆσαι 3 Jo 14

Jud 16 τὸ στόμα αὐτῶν λαλεῖ ὑπέρογκα

Ap 116 ἐκ τοῦ στόματος αὐτοῦ ῥομφαία – ἐκπορευομένη 1915.21 216 πολεμήσω – ἐν τῇ ῥομφαίᾳ τοῦ στόματός μου

316 μέλλω σε ἐμέσαι ἐκ τοῦ στόματ. μου

917 ἐκ τῶν στομ. – πῦρ 18 115 cfr 1613 πνεύματα τρία ἀκάθαρτα 1215 ὕδωρ ὡς ποταμόν 16 ποταμόν

– 19 ἡ – ἐξουσία τῶν ἵππων ἐν τῷ στόμ.

Ap 10 9 ἐν „τῷ στόματί σου" ἔσται γλυκύ 10

13 2 τὸ στόμα αὐτοῦ ὡς στόμα λέοντος – 5 „στ. λαλοῦν μεγάλα" καὶ βλασφ..ίας

14 5 „ἐν τῷ στ." αὐτῶν „οὐχ εὑρ. ψεῦδος"

στόμαχος Sᵒ – stomachus 1 Ti 523

στρατεία militia

2 Co 10 4 τὰ – ὅπλα τῆς στρατείας ἡμῶν οὐ σαρκικὰ ἀλλὰ δυνατὰ τῷ θεῷ

1 Ti 118 ἵνα στρατεύῃ – τὴν καλὴν στρατείαν

στρατεύεσθαι militare ᵇ(part) milites

Luc 314 ἐπηρώτων – αὐτὸν καὶ στ..όμενοιᵇ

1 Co 9 7 τίς σ..εται ἰδίοις ὀψωνίοις ποτέ;

2 Co 10 3 οὐ κατὰ σάρκα στρατευόμεθα

1 Ti 118 → στρατεία 2 Ti 24 οὐδεὶς σ..όμενος ἐμπλέκεται ταῖς – πραγματείαις

Jac 4 1 οὐκ –, ἐκ τῶν ἡδονῶν ὑμῶν τῶν σ.. ομένων ἐν τοῖς μέλεσιν ὑμῶν;

1 Pe 211 αἵτινες σ..ονται κατὰ τῆς ψυχῆς

στράτευμα exercitus ᵇmilites

Mat 22 7 Luc 2311 σὺν τοῖς στρ. (cum ex..tu)

Act 2310ᵇ 27 Ap 916 1914 τὰ στρ. τὰ ἐν τῷ οὐρανῷ 19 (sc τῶν βασιλέων τ. γῆς et τοῦ καθημένου ἐπὶ τοῦ ἵππου)

στρατηγός magistratus

Luc 22 4 συνελάλησεν τοῖς ἀρχιερεῦσιν καὶ στρ. 52 στρατηγοὺς τοῦ ἱεροῦ Act 41 ὁ στρ. τοῦ ἱεροῦ 524 καὶ οἱ ἀρχ. 26 ὁ στρ.

Act 1620 (Philippis) 22.35.36.38

στρατιά militia

Luc 213 πλῆθος στρατιᾶς οὐρανίου

Act 742 λατρεύειν „τῇ στρατίᾳ τοῦ οὐρανοῦ"

στρατιώτης miles Mat 89 ‖ Luc 78 – Mat 2727 ‖ Mar 1516 – Mat 2812 Luc 2336 Joh 192.23.24.32.34 – Act 107 124.6.18 21 32.35 2323.31 2731.32.42 2816

2 Ti 2 3 συγκακοπάθησον ὡς καλὸς στρατιώτης Χοῦ Ἰησοῦ

στρατολογεῖν Sᵒ – (part) cui se probavit

2 Ti 2 4 ἵνα τῷ στρατολογήσαντι ἀρέσῃ

(στρατοπέδαρχος, ..ης Sᵒ – vl Act 2816 vgᵒ)

στρατόπεδον exercitus Luc 2120

στρεβλοῦν depravare 2 Pe 316

στρέφειν, στραφῆναι *convertere, ..verti*
ᵇ*praebēre* ᶜ*referre*
Mat 5₃₉ στρέψονᵇ αὐτῷ καὶ τὴν ἄλλην
7 ₆ μήποτε – στραφέντες ῥήξωσιν ὑμᾶς
– 9₂₂ στραφεὶς – εἶπεν 16₂₃ Luc 7₉.
44 9₅₅ 10₂₃ 14₂₅ 22₆₁ 23₂₈ Joh 1₃₈
20₁₆ – 14 ἐστράφη εἰς τὰ ὀπίσω, καὶ
θεωρεῖ τὸν Ἰησοῦν
18 ₃ ἐὰν μὴ στραφῆτε καὶ γένησθε ὡς
27 ₃ ἔστρεψενᶜ τὰ τριάκοντα ἀργύρια
Joh 12₄₀ „ἵνα μὴ – στραφῶσιν, καὶ ἰάσομαι
αὐτούς"
Act 7₃₉ „ἐστράφησαν" (vl ἀπεστρ. vg *aversi
sunt*) ἐν τ. καρδίαις – „εἰς Αἴγυπτον"
– 42 ἔστρεψεν δὲ ὁ θεὸς καὶ παρέδωκεν
13₄₆ ἰδοὺ στρεφόμεθα εἰς τὰ ἔθνη
Ap 11 ₆ „στρέφειν (sc τὰ ὕδατα) – εἰς αἷμα"

στρηνιᾶν Sᵒ – *in deliciis esse* ᵇ*i. d. vivere*
Ap 18 ₇ ὅσα – ἐστρηνίασεν, τοσοῦτον δότε 9ᵇ

στρῆνος *deliciae* Ap 18₃ δυνάμεως τοῦ στρ.

στρουθίον *passer* Mat 10₂₉ οὐχὶ δύο στρ.
ἀσσαρίου πωλεῖται; 31 ‖ Luc 12₆ πέντε
στρουθία πωλοῦνται ἀσσαρίων δύο; 7

στρωννύειν, στρωννύναι *sternere*
Mat 21 8 ‖ Mar 11₈ – 14₁₅ ἀνάγαιον – ἐστρωμέ-
νον ‖ Luc 22₁₂ – Act 9₃₄ στρῶσον σεαυτῷ

στυγητός Sᵒ – *odibilis* Tit 3₃ ἦμεν – στ..οί

στυγνάζειν *tristem (esse)* ᵇ*contristari*
Mat 16 ₃ πυρράζει στυγνάζων ὁ οὐρανός
Mar 10₂₂ ὁ δὲ στυγνάσαςᵇ ἐπὶ τῷ λόγῳ

στῦλος *columna*
Gal 2 ₉ οἱ δοκοῦντες στῦλοι εἶναι
1 Ti 3₁₅ στῦλος καὶ ἑδραίωμα τῆς ἀληθείας
Ap 3₁₂ ποιήσω αὐτὸν στῦλον ἐν τῷ ναῷ
10 ₁ οἱ πόδες αὐτοῦ ὡς στῦλοι πυρός

Στωϊκοὶ φιλόσοφοι Act 17₁₈

συγγένεια *cognatio* Luc 1₆₁ Act 7₃.₁₄

συγγενής *cognatus* ᵇ(οἱ σ..εῖς) *cognatio*
Mar 6 ₄ οὐκ ἔστιν προφήτης ἄτιμος εἰ μὴ –
ἐν τοῖς συγγενεῦσινᵇ αὐτοῦ
Luc 1₅₈ 2₄₄ 14₁₂ 21₁₆ Joh 18₂₆ Act 10₂₄
Rm 9 ₃ ὑπὲρ τῶν ἀδελφῶν μου τῶν συγγε-

νῶν μου κατὰ σάρκα 16₇ Ἀνδρόνικον
καὶ Ἰουνιᾶν τοὺς σ. μου 11 τὸν σ. μου
21 Ἰάσων καὶ Σωσίπατρος οἱ σ. μου

συγγενίς Sᵒ – *cognata* Luc 1₃₆ Ἐλισ. ἡ σ.

συγγνώμη *indulgentia* 1 Co 7₆ τοῦτο δὲ λέ-
γω κατὰ συγγνώμην, οὐ κατ᾽ ἐπιταγήν

συγκαθῆσθαι Sᵒ – *sedēre (cum)* ᵇ*assidēre*
alicui Mar 14₅₄ Act 26₃₀ᵇ

συγκαθίζειν *circumsedēre* ᵇ*consedēre* (vl
conresedēre) *facere* Luc 22₅₅ (vl περικ.)
Eph 2 ₆ ἡμᾶς συνήγειρεν καὶ συνεκάθισενᵇ
ἐν τοῖς ἐπουρανίοις ἐν Χῷ Ἰησοῦ

συγκακοπαθεῖν Sᵒ – *collaborare alicui*
2 Ti 1 ₈ συγκακοπάθησον τῷ εὐαγγελίῳ 2₃
σ..ησον (vl κακοπ. vg *labora*) ὡς
καλὸς στρατιώτης Χοῦ Ἰησοῦ

συγκακουχεῖσθαι Sᵒ – *affligi cum* Hb 11₂₅
μᾶλλον ἑλόμενος σ. τῷ λαῷ τοῦ θεοῦ

συγκαλεῖν, ..εῖσθαι *convocare*
Mar 15₁₆ τὴν σπεῖραν Luc 9₁ τοὺς δώδεκα 15
₆ τοὺς φίλους καὶ τοὺς γείτονας 9 τὰς φί-
λας 23₁₃ τοὺς ἀρχιερεῖς καὶ τοὺς ἄρχοντ.
Act 5₂₁ τὸ συνέδριον 10₂₄ τ. συγγενεῖς 28₁₇

συγκαλύπτειν *operire* Luc 12₂

συγκάμπτειν *incurvare* Rm 11₁₀ „νῶτον"

συγκαταβαίνειν *descendere simul* Act 25₅

συγκατάθεσις Sᵒ – *consensus*
2 Co 6₁₆ τίς δὲ σ. ναῷ θεοῦ μετὰ εἰδώλων;

συγκατατίθεσθαι *consentire* Luc 23₅₁ βουλῇ

συγκαταψηφίζεσθαι Sᵒ – *annumerari* Act 1₂₆

συγκεραννύναι *temperare* ᵇ*admiscēre*
1 Co 12₂₄ ἀλλὰ ὁ θεὸς συνεκέρασεν τὸ σῶμα
Hb 4 ₂ οὐκ ὠφέλησεν ὁ λόγος τῆς ἀκοῆς
ἐκείνους μὴ συγκεκερασμένοςᵇ (vg *ad-
mistus*, vl ..μένους vg vl *admixtis*) τῇ
πίστει τοῖς ἀκούσασιν

συγκινεῖν Sᵒ – *commovēre* Act 6₁₂ τ. λαόν

συγκλείειν *concludere* Luc 5 6 πλῆθος ἰχθ.
Rm 11 32 συνέκλεισεν – πάντας εἰς ἀπείθειαν
Gal 3 22 συνέκλεισεν ἡ γραφὴ τὰ πάντα ὑπὸ
ἁμαρτίαν 23 ὑπὸ νόμον ἐφρουρούμεθα
συγκλειόμενοι εἰς τὴν μέλλουσαν πίστιν
ἀποκαλυφθῆναι

συγκληρονόμοι, ..α S° – *coheredes*
Rm 8 17 συγκληρονόμοι δὲ Χοῦ, εἴπερ
Eph 3 6 εἶναι τὰ ἔθνη σ..α – τῆς ἐπαγγελίας
Hb 11 9 μετὰ Ἰσαὰκ καὶ Ἰακὼβ τῶν συγκλη-
ρονόμων τῆς ἐπαγγελίας τῆς αὐτῆς
1 Pe 3 7 ὡς καὶ σ..οις χάριτος ζωῆς

συγκοινωνεῖν S° – *communicare* [b]*parti-
cipem esse* Eph 5 11 μὴ σ..εῖτε τοῖς ἔρ-
γοις τοῖς ἀκάρποις τοῦ σκότους Ap 18 4
ἵνα μὴ σ..ήσητε[b] ταῖς ἁμαρτίαις αὐτῆς
Phl 4 14 καλῶς ἐποιήσατε συγκοινωνήσαντές
μου τῇ θλίψει

συγκοινωνός S° – [a]*particeps* [b]*socius*
Rm 11 17 σ..ὸς[b] τῆς ῥίζης τῆς πιότητος
1 Co 9 23 ἵνα σ..ὸς[a] αὐτοῦ (sc τοῦ εὐαγγ.) γέ-
νωμαι Phl 1 7 σ..ούς[b] μου τῆς χάρι-
τος (vg *gaudii*) πάντας ὑμᾶς ὄντας
Ap 1 9 σ..ὸς[a] ἐν τῇ θλίψει καὶ βασιλείᾳ

συγκομίζειν *curare* Act 8 2 τὸν Στέφανον

συγκρίνειν *comparare*
1 Co 2 13 πνευματικοῖς πνευματικὰ σ..οντες
2 Co 10 12 οὐ – τολμῶμεν ἐγκρῖναι ἢ συγκρῖναι
ἑαυτούς τισιν · ἀλλὰ αὐτοὶ – σ..ον-
τες ἑαυτοὺς ἑαυτοῖς οὐ συνιᾶσιν

συγκύπτειν *inclinari* Luc 13 11 ἦν σ..ουσα

κατὰ συγκυρίαν S° – *accidit ut* Luc 10 31
κ. σ. δὲ ἱερεύς τις κατέβαινεν ἐν τ. ὁδῷ

συγχαίρειν *congratulari* [b]*congaudēre*
Luc 1 58 συνέχαιρον αὐτῇ 15 6 συγχάρητέ μοι 9
1 Co 12 26 συγχαίρει[b] πάντα τὰ μέλη
13 6 συγχαίρει[b] δὲ τῇ ἀληθείᾳ
Phl 2 17 χαίρω καὶ σ..ω πᾶσιν ὑμῖν 18 καὶ ὑ-
μεῖς χαίρετε καὶ συγχαίρετέ μοι

συγχέειν, συγχύννειν, ..εσθαι *confundere*
[b]*confundi* [c]*mente confundi* [d]*concitare*
Act 2 6 τὸ πλῆθος – συνεχύθη[c] 9 22 συνέχυν-
νεν Ἰουδαίους 19 32 ἦν – ἡ ἐκκλησία συγ-

κεχυμένη[b] 21 27 συνέχεον[d] – τὸν ὄχλον
31 ὅλη συγχύννεται[b] Ἰερουσαλήμ

[**συγχρῆσθαι** S° – *couti* Joh 4 9 Σαμ..ίταις]

σύγχυσις *confusio* Act 19 29 ἐπλήσθη σ..εως

συζευγνύειν *coniungere* (Mar vl *iungere*)
Mat 19 6 ὃ – ὁ θεὸς συνέζευξεν ‖ Mar 10 9

συζῆν S° – *convivere* [b]*simul vivere cum*
Rm 6 8 πιστεύομεν ὅτι καὶ σ..σομεν[b] αὐτῷ
2 Co 7 3 ἐν ταῖς καρδίαις ἡμῶν ἐστε εἰς τὸ
συναποθανεῖν καὶ συζῆν
2 Ti 2 11 εἰ – συναπεθάνομεν, καὶ συζήσομεν

συζητεῖν *conquirere* [b]*quaerere* (*secum*) [c]*dis-
putare cum* Mar 1 27 8 11 αὐτῷ 9 10 πρὸς
ἑαυτούς 14 πρὸς αὐτοὺς 16 12 28 Luc
22 23[b] πρὸς ἑαυτούς 24 15[b] Act 6 9[c] τῷ
Στεφάνῳ 9 29[c] πρὸς τοὺς Ἑλληνιστάς

(**συζήτησις** vl S° – *quaestio* Act 28 29)

συζητητής S° – *conquisitor* (vl *inquisitor*)
1 Co 1 20 ποῦ συζητητὴς τοῦ αἰῶνος τούτου;

σύζυγος (vl Σύ.) S° – *compar* Phl 4 3

συζωοποιεῖν S° – *convivificare*
Eph 2 5 ἡμᾶς – συνεζωοποίησεν τῷ Χῷ
Col 2 13 συνεζωοποίησεν ὑμᾶς σὺν αὐτῷ

συκάμινος *arbor morus* Luc 17 6 τῇ σ. ταύτῃ

συκῆ *ficus* [b]*arbor fici* [c]*ficulnea*
Mat 21 19 ἰδὼν συκῆν[b] –, καὶ οὐδὲν εὗρεν ἐν
αὐτῇ · – ἐξηράνθη – ἡ συκῆ[c] 20 (vg°)
21 οὐ μόνον τὸ τῆς σ.[c] ποιήσετε ‖
Mar 11 13.20 τὴν σ. ἐξηραμμένην 21
24 32 ἀπὸ – τῆς σ.[b] μάθετε τὴν παραβο-
λήν ‖ Mar 13 28 Luc 21 29[c]
Luc 13 6 συκῆν[b] εἶχέν τις – ἐν τῷ ἀμπελ. 7[c]
Joh 1 48 ὄντα ὑπὸ τὴν συκῆν εἶδόν σε 50
Jac 3 12 μὴ δύναται – συκῆ ἐλαίας ποιῆσαι –;
Ap 6 13 „ὡς συκῆ" βάλλει τοὺς ὀλύνθους

συκομορέα S° – *arbor sycomorus* Luc 19 4

σῦκον *ficus* Mat 7 16 ‖ Luc 6 44 – Jac 3 12
Mar 11 13 ὁ γὰρ καιρὸς οὐκ ἦν σύκων

συκοφαντεῖν *calumniam facere* [b]*defraudare*
Luc 3 14 19 8 εἴ τινός τι ἐσυκοφάντησα[b]

συλαγωγεῖν S⁰ – *decipere* Col 2 8 μή τις
ὑμᾶς ἔσται ὁ σ..ῶν διὰ τῆς φιλοσοφίας

συλᾶν *expoliare* 2 Co 11 8 ἄλλας ἐκκλησίας

συλλαλεῖν *loqui (cum)* [b]*colloqui*
Mat 17 3 σ..οῦντες μετ᾽ αὐτοῦ ‖ Mar 9 4 Luc 9 30
Luc 4 36 [b] 22 4 τοῖς ἀρχιερεῦσιν – Act 25 12

συλλαμβάνειν, ..εσθαι *comprehendere* [b]*ap-
prehendere* [c]*adiuvare* [d]*capere* [e]*concipere*
Mat 26 55 ἐξήλθατε – συλλαβεῖν με ‖ Mar 14 48
cfr Luc 22 54 Joh 18 12 Act 1 16 – 12 3 [b]
Πέτρον 23 27 26 21 μὲ Ἰουδαῖοι σ..όμενοι
Luc 1 24 συνέλαβεν[e] Ἐλισάβετ 31 [e] 36 [e] 2 21 [e]
5 7 σ..έσθαι[c] αὐτοῖς 9 θάμβος – ἐπὶ τῇ
ἄγρᾳ τῶν ἰχθύων ᾗ συνέλαβον[d]
Phl 4 3 ἐρωτῶ σε –, συλλαμβάνου[c] αὐταῖς
Jac 1 15 ἡ ἐπιθυμία συλλαβοῦσα[e] τίκτει ἁ-
μαρτίαν, ἡ δὲ ἁμ. – ἀποκύει θάνατον

συλλέγειν *colligere* [b]*eligere*
Mat 7 16 ἀπ᾽ ἀκανθῶν σταφυλὰς ἢ ἀπὸ τρι-
βόλων σῦκα; ‖ Luc 6 44 σῦκα
13 28 (sc τὰ ζιζάνια) 29.30.40.41 συλλέξου-
σιν – πάντα „τὰ σκάνδαλα"
– 48 συνέλεξαν[b] τὰ καλὰ εἰς ἄγγη

συλλογίζεσθαι *cogitare* Luc 20 5 πρὸς ἑαυτ.

συλλυπεῖσθαι *contristari* Mar 3 5 σ..ούμενος
ἐπὶ τῇ πωρώσει τῆς καρδίας αὐτῶν

συμβαίνειν *contingere* [b]*accidere* [c]*evenire*
Mar 10 32 τὰ μέλλοντα αὐτῷ συμβαίνειν[c]
Luc 24 14 [b] Act 3 10 20 19 [b] 21 35 συνέβη
1 Co 10 11 ταῦτα – τυπικῶς συνέβαινεν ἐκείνοις
1 Pe 4 12 ὡς ξένου ὑμῖν συμβαίνοντος
2 Pe 2 22 συμβέβηκεν αὐτοῖς τὸ τῆς – παροιμίας

συμβάλλειν, ..εσθαι *conferre* [b]*committere*
(*bellum*) [c]*convenire* [d]*disserere*
Luc 2 19 σ..ουσα ἐν τ. καρδίᾳ αὐτῆς – Act 4 15
(11 53 vl σ..ειν (vg⁰) αὐτῷ περὶ πλειόνων)
14 31 ἑτέρῳ βασιλεῖ σ..λεῖν[b] εἰς πόλεμον
Act 17 18 τινὲς δὲ – συνέβαλλον[d] αὐτῷ
18 27 συνεβάλετο πολὺ τοῖς πεπιστευκόσιν
20 14 ὡς δὲ συνέβαλλεν[c] ἡμῖν εἰς – Ἄσσον

συμβασιλεύειν [a]*regnare cum* [b]*conregnare*
1 Co 4 8 ἵνα καὶ ἡμεῖς ὑμῖν συμβασιλεύσωμεν[a]
2 Ti 2 12 εἰ ὑπομένομεν, καὶ σ..εύσομεν[b]

συμβιβάζειν [a]*affirmare* [b]*certum fieri* [c]*in-
struere*, ..*ui* [d]*connecti* [e]*construi*
Act 9 22 σ..ων[a] ὅτι οὗτός ἐστιν ὁ χριστός
16 10 σ..οντες[b] ὅτι προσκέκληται ἡμᾶς ὁ
θεὸς εὐαγγελίσασθαι αὐτούς
19 33 ἐκ – τοῦ ὄχλου συνεβίβασαν (vl κατ-
εβίβ. vg *detraxerunt*) Ἀλέξανδρον
1 Co 2 16 „ὃς σ..σει[c] αὐτόν;" (sc τὸν κύριον)
Eph 4 16 τὸ σῶμα – σ..όμενον[d] Col 2 19 [e]
Col 2 2 σ..σθέντες[c] ἐν ἀγάπῃ καὶ εἰς πᾶν

συμβουλεύειν, ..εσθαι [a]*consilium dare*
[b]*consilium facere* [c]*suadēre*
Mat 26 4 [b] Joh 18 14 [a] Act 9 23 [b] ἀνελεῖν αὐτόν
Ap 3 18 σ..ω[c] σοι ἀγοράσαι παρ᾽ ἐμοῦ χρυσίον

συμβούλιον *consilium* [b]*concilium* (vl[a])
Mat 12 14 ‖ Mar 3 6 – Mat 22 15 27 1 ‖ Mar 15 1 –
Mat 27 7 28 12 Act 25 12 συλλαλήσας μετὰ τοῦ
συμβουλίου[b]

σύμβουλος *consiliarius*
Rm 11 34 „τίς σύμβουλος αὐτοῦ ἐγένετο;"

Συμεών φυλὴ Σ. Ap 7 7 – Σ. τοῦ Ἰούδα
Luc 3 30 – Σ. – ἐν Ἱερουσ. Luc 2 25.34
– Petrus Act 15 14 2 Pe 1 1 (vl Σίμων)
– Σ. ὁ καλούμενος Νίγερ Act 13 1

συμμαθητής S⁰ – *condiscipulus* Joh 11 16

συμμαρτυρεῖν S⁰ – *testimonium reddere*
[b]*testimonium perhibēre*
Rm 2 15 σ..ούσης αὐτῶν τῆς συνειδήσεως
8 16 τὸ πνεῦμα σ..εῖ τῷ πνεύματι ἡμῶν
9 1 σ..ούσης[b] μοι τῆς συνειδήσεώς μου

συμμερίζεσθαι *participare* (vl ..*ri*) *cum*
1 Co 9 13 τῷ θυσιαστηρίῳ συμμερίζονται

συμμέτοχος S⁰ – *comparticeps* [b]*particeps*
Eph 3 6 εἶναι τὰ ἔθνη – σ..α τῆς ἐπαγγελίας
5 7 μὴ οὖν γίνεσθε συμμέτοχοι[b] αὐτῶν

συμμιμηταί S⁰ – *imitatores* Phl 3 17 μου γίν.

συμμορφίζεσθαι S⁰ – *configurari*
Phl 3 10 σ..ιζόμενος τῷ θανάτῳ αὐτοῦ

σύμμορφος S° – *conformis* [b]*configuratus*
Rm 8 29 σ..ους τῆς εἰκόνος τοῦ υἱοῦ αὐτοῦ
Phl 3 21 τὸ σῶμα τῆς ταπεινώσεως ἡμῶν σ..
ον[b] τῷ σώματι τῆς δόξης αὐτοῦ

συμπαθεῖν *compati* Hb 4 15 μὴ δυνάμενον
συμπαθῆσαι ταῖς ἀσθενείαις ἡμῶν 10 34
καὶ γὰρ τοῖς δεσμίοις συνεπαθήσατε

συμπαθής *compatiens* 1 Pe 3 8 σ..εῖς, φιλάδ.

συμπαραγίνεσθαι *simul adesse* Luc 23 48

συμπαρακαλεῖσθαι S° – *simul consolari*
Rm 1 12 σ..κληθῆναι ἐν ὑμῖν διὰ τῆς ἐν ἀλλή-
λοις πίστεως ὑμῶν τε καὶ ἐμοῦ

συμπαραλαμβάνειν *assumere (secum)* [b]*re-
cipere* Act 12 25 Ἰωάννην 15 37. 38 Παῦλος
– ἠξίου – μὴ συμπ.[b] τοῦτον Gal 2 1 Τίτον

συμπαρεῖναι *simul adesse* Act 25 24

συμπάσχειν S° – *compati*
Rm 8 17 εἴπερ σ..ομεν ἵνα – συνδοξασθῶμεν
1 Co 12 26 συμπάσχει πάντα τὰ μέλη

συμπέμπειν S° – *mittere (cum)* 2 Co 8 18. 22

συμπεριλαμβάνειν *complecti* Act 20 10

συμπίνειν *bibere cum* Act 10 41 αὐτῷ

συμπίπτειν *cadere* Luc 6 49 (οἰκία)

συμπληροῦν *complēre* Luc 8 23 9 51 Act 2 1

συμπνίγειν S° – *suffocare* [b]*comprimere*
Mat 13 22 τὸν λόγον ‖ Mar 4 7. 19 Luc 8 14 – 42[b]

συμπολῖται S° – *cives* Eph 2 19 τῶν ἁγίων

συμπορεύεσθαι *ire cum* Mar 10 1 σ..ονται –
ὄχλοι (vl συνέρχεται – ὄχλος *convenire*)
Luc 7 11 οἱ μαθηταί 14 25 ὄχλοι 24 15 Ἰησοῦς

συμπόσιον *contubernium* Mar 6 39 ἀνακλι-
θῆναι – σ..α σ..α (*secundum c..ia*)

συμπρεσβύτερος S° – *consenior* 1 Pe 5 1

συμφάναι, σύμφημι S° – *consentire*
Rm 7 16 σύμφημι τῷ νόμῳ ὅτι καλός

συμφέρειν
1) *conferre* Act 19 19 τὰς βίβλους
2) συμφέρει, ..ον *expedit* [b]*utile est*
Mat 5 29 συμφέρει – σοὶ ἵνα ἀπόληται ἕν 30
18 6 συμφέρει αὐτῷ ἵνα κρεμασθῇ μύλος
19 10 εἰ οὕτως –, οὐ συμφέρει γαμῆσαι
Joh 11 50 σ..ει ὑμῖν ἵνα εἷς – ἀποθάνῃ 18 14
16 7 συμφέρει ὑμῖν ἵνα ἐγὼ ἀπέλθω
1 Co 6 12 ἀλλ' οὐ πάντα συμφέρει 10 23
2 Co 8 10 γνώμην ἐν τούτῳ δίδωμι· τοῦτο γὰρ
ὑμῖν συμφέρει[b]
12 1 καυχᾶσθαι δεῖ, οὐ συμφέρον μέν
3) τὸ συμφέρον *utile* [b]*utilitas*
Act 20 20 οὐδὲν ὑπεστειλάμην τῶν σ..όντων
1 Co 12 7 ἑκάστῳ – δίδοται ἡ φανέρωσις τοῦ
πνεύματος πρὸς τὸ συμφέρον[b]
Hb 12 10 ὁ δὲ ἐπὶ τὸ σ..ον (sc παιδεύει)

σύμφορον, τό *utilitas* [b]*quod utile est*
1 Co 7 35 πρὸς τὸ ὑμῶν αὐτῶν σύμφορον λέγω
10 33 μὴ ζητῶν τὸ ἐμαυτοῦ σύμφορον[b]

συμφυλέται S° – *contribules* 1 Th 2 14

σύμφυτος *complantatus* Rm 6 5 εἰ γὰρ σ..οι
γεγόναμεν τῷ ὁμοιώματι τοῦ θαν.

συμφύεσθαι S° – *simul exoriri* Luc 8 7

συμφωνεῖν *convenire* [b]*convenit alicui* [c]*con-
ventionem facere* [d]*concordare* [e]*con-
sentire*
Mat 18 19 ἐὰν δύο σ..ήσωσιν[e] ἐξ ὑμῶν – περὶ
20 2[c] ἐκ δηναρίου τὴν ἡμέραν 13 δηναρίου
Luc 5 36 τῷ παλαιῷ οὐ σ..ήσει τὸ ἐπίβλημα
Act 5 9 τί ὅτι συνεφωνήθη ὑμῖν[b] πειράσαι
15 15 τούτῳ σ..οῦσιν[d] οἱ λόγοι τῶν προφ.

συμφώνησις S° – *conventio*
2 Co 6 15 τίς δὲ συμφ. Χοῦ πρὸς Βελίαρ – ;

συμφωνία *symphonia* Luc 15 25

ἐκ συμφώνου *ex consensu* 1 Co 7 5

συμψηφίζειν S° – *computare* Act 19 19

σύμψυχος S° – *unanimis* Phl 2 2 σ..οι

*σύν *cum*
Rm 6 8 εἰ δὲ ἀπεθάνομεν σὺν Χριστῷ

Rm 832 πῶς οὐχὶ καὶ σὺν αὐτῷ τὰ πάντα
ἡμῖν χαρίσεται;
1 Co 1013 ποιήσει σὺν τῷ πειρασμῷ καὶ τὴν
ἔκβασιν τοῦ δύνασθαι ὑπενεγκεῖν
1510 ἀλλὰ ἡ χάρις τοῦ θεοῦ σὺν ἐμοί
2 Co 414 καὶ ἡμᾶς σὺν Ἰησοῦ ἐγερεῖ
13 4 ζήσομεν σὺν αὐτῷ ἐκ δυνάμ. θεοῦ
Gal 3 9 εὐλογοῦνται σὺν τῷ πιστῷ Ἀβραάμ
Phl 123 ἀναλῦσαι καὶ σὺν Χριστῷ εἶναι
Col 213 συνεζωοποίησεν ὑμᾶς σὺν αὐτῷ
– 20 εἰ ἀπεθάνετε σὺν Χῷ ἀπὸ τῶν στοιχ.
3 3 ἡ ζωὴ ὑμῶν κέκρυπται σὺν τῷ Χρι-
στῷ ἐν τῷ θεῷ 4 καὶ ὑμεῖς σὺν αὐτῷ
φανερωθήσεσθε ἐν δόξῃ
1 Th 414 ὁ θεὸς τοὺς κοιμηθέντας διὰ τοῦ
Ἰησοῦ ἄξει σὺν αὐτῷ
– 17 οὕτως πάντοτε σὺν κυρίῳ ἐσόμεθα
510 ἵνα – ἅμα σὺν αὐτῷ ζήσωμεν

συνάγειν, ..εσθαι congregare, ..ri b convenire
c colligere d conversari
Mat 2 4 τοὺς ἀρχιερεῖς καὶ γραμματεῖς cfr
2234 συνήχθησαν b 41 263.57 b 2762 b
2812 – Mar 71 b Luc 2266 συνήχθη b
τὸ πρεσβυτέριον Joh 1147 συνήγα-
γον c – συνέδριον Act 45.26 „οἱ ἄρ-
χοντες συνήχθησαν b ἐπὶ τὸ αὐτό"
27 b ἐπὶ – Ἰησοῦν
312 συνάξει τὸν σῖτον – εἰς τὴν ἀποθή-
κην ‖ Luc 317 – Mat 1330 626
1230 ὁ μὴ σ..ων μετ' ἐμοῦ ‖ Luc 1123 c
13 2 συνήχθησαν πρὸς αὐτὸν ὄχλοι πολ-
λοί ‖ Mar 41 cfr 22 b 521 b
– 47 σαγήνη – ἐκ παντὸς γένους συναγα-
γούσῃ 2210 συνήγαγον – οὓς εὗρον
1820 οὗ – εἰσιν δύο ἢ τρεῖς συνηγμένοι
2428 ἐκεῖ συναχθήσονται οἱ ἀετοί
2524 συνάγων ὅθεν οὐ διεσκόρπισας 26
– 32 συναχθήσονται – πάντα τὰ ἔθνη
– 35 ξένος ἤμην καὶ συνηγάγετέ c με 38 c
43 καὶ οὐ συνηγάγετέ c με
2717.27 συνήγαγον ἐπ' αὐτὸν – τ. σπεῖραν
Mar 630 σ..ονται b οἱ ἀπόστολοι πρὸς τὸν Ἰη-
σοῦν cfr Joh 182 πολλάκις συνήχθη b
Ἰησοῦς ἐκεῖ μετὰ τῶν μαθητῶν
Luc 1217 ποῦ συνάξω τοὺς καρπούς μου; 18
1513 συναγαγὼν πάντα ὁ νεώτερος υἱός
Joh 436 συνάγει καρπὸν εἰς ζωὴν αἰώνιον
612 συναγάγετε c τὰ – κλάσματα 13 c
1152 ἵνα καὶ τὰ τέκνα τοῦ θεοῦ τὰ διε-
σκορπισμένα συναγάγῃ εἰς ἕν
15 6 σ..ουσιν c – καὶ εἰς τ. πῦρ βάλλουσιν

Act 431 ὁ τόπος ἐν ᾧ ἦσαν συνηγμένοι
1126 ἐνιαυτὸν ὅλον συναχθῆναι d ἐν τῇ
ἐκκλησίᾳ 1427 συναγαγόντες τὴν ἐκ-
κλ. 1530 τὸ πλῆθος – 156 συνήχθη-
σάν b τε οἱ ἀπόστολοι καὶ οἱ πρεσβ.
1344 ἡ πόλις συνήχθη b ἀκοῦσαι τ. λόγον
20 7 συνηγμένων b ἡμῶν κλάσαι ἄρτον
– 8 ἐν τῷ ὑπερῴῳ οὗ ἦμεν συνηγμένοι
1 Co 5 4 ἐν τῷ ὀνόματι τοῦ κυρίου Ἰησοῦ
συναχθέντων ὑμῶν καὶ τοῦ ἐμοῦ
πνεύματος σὺν τ. δυνάμει τοῦ κυρ.
Ap 1614 εἰς τὸν πόλεμον 208 – 1616 εἰς – Ἁρ-
μαγεδών – 1919 ποιῆσαι τὸν πόλεμ.
1917 „συνάχθητε εἰς τὸ" δεῖπνον – τ. θεοῦ

συναγωγή synagoga b conventus
Mat 423 διδάσκων ἐν ταῖς σ. αὐτῶν ‖ Mar 139
κηρύσσων εἰς τὰς σ. Luc 444 τῆς Ἰου-
δαίας (vl Γαλ.) – Mat 935 Luc 415
6 2 ἐν ταῖς συναγ. καὶ ἐν ταῖς ῥύμαις 5
1017 ἐν ταῖς σ. αὐτῶν μαστιγώσουσιν ὑ-
μᾶς Mar 139 εἰς σ..ὰς δαρήσεσθε ‖
Luc 2112 – 1211 ὅταν δὲ εἰσφέρω-
σιν ὑμᾶς ἐπὶ τὰς σ. – Mat 2334 ἐξ
αὐτῶν μαστιγώσετε ἐν ταῖς σ. ὑμῶν
12 9 ἦλθεν εἰς τὴν σ. αὐτῶν ‖ Mar 31 Luc
66 εἰσελθεῖν αὐτὸν – καὶ διδάσκειν
1354 ἐδίδασκεν – ἐν τῇ σ. (Naz.) ‖ Mar 62
Luc 416.20.28 – Mar 121 (Caph.) 23
ἦν ἐν τῇ σ. αὐτῶν ἄνθρ. ἐν πνεύματι
ἀκαθάρτῳ 29 ‖ Luc 433.38 cfr Joh
659 ἐν σ..ῇ διδάσκων ἐν Καφαρν. –
Luc 1310 ἐν μιᾷ τῶν συναγωγῶν
23 6 φιλοῦσιν – τὰς πρωτοκαθεδρίας ἐν
ταῖς σ. ‖ Mar 1239 Luc 1143 2046
Luc 7 5 τὴν σ. αὐτὸς ᾠκοδόμησεν ἡμῖν
841 ἄρχων τῆς συναγωγῆς ὑπῆρχεν
Joh 1820 ἐγὼ πάντοτε ἐδίδαξα ἐν συναγωγῇ
Act 6 9 ἐκ τῆς σ. τῆς λεγομένης Λιβερτίνων
9 2 ἐπιστολὰς εἰς Δαμ. πρὸς τὰς συν.
– 20 εὐθὺς ἐν ταῖς σ. ἐκήρυσσεν τὸν Ἰη.
13 5 κατήγγελλον τὸν λόγον τοῦ θεοῦ ἐν
ταῖς σ. τῶν Ἰουδ. 14.43 λυθείσης – τῆς
σ. 141 (Iconii) 171 (Thess.) 10 (Ber.)
17 184 (Cor.) 7.19 (Eph.) 26 198 –
2414 (Jerus.)
1521 Μωϋσῆς – τοὺς κηρύσσοντας αὐτὸν
ἔχει ἐν ταῖς σ. κατὰ πᾶν σάββατον
2219 δέρων κατὰ τὰς σ. τοὺς πιστεύοντας
ἐπὶ σέ 2611 κατὰ πάσας τὰς συναγ.
Jac 2 2 ἐὰν – εἰσέλθῃ εἰς συναγωγὴν b ὑμῶν
Ap 2 9 σ. τοῦ σατανᾶ 39 ἐκ τῆς σ. τοῦ σατ.

συναγωνίζεσθαι S° – *adiuvare*
Rm 1530 σ..σασθαί μοι ἐν ταῖς προσευχαῖς
ὑπὲρ ἐμοῦ πρὸς τὸν θεόν

συναθλεῖν S° – ᵃ*collaborare* ᵇ*laborare cum*
Phl 127 μιᾷ ψυχῇ σ..οῦντεςᵃ τῇ πίστει
4 3 ἐν τῷ εὐαγγελίῳ συνήθλησάνᵇ μοι

συναθροίζειν ᵃ*congregare* ᵇ*convocare*
Act 1212ᵃ 1925 οὓς συναθροίσαςᵇ – εἶπεν

συναίρειν λόγον S° – *rationem ponere*
Mat 1823 μετὰ τῶν δούλων 24 (om λόγον) 2519

συναιχμάλωτος S° – *concaptivus*
Rm 16 7 τοὺς – σ. μου Col 410 ὁ σ. μου Phm 23

συνακολουθεῖν *sequi* Mar 537 1451 Luc 2349

συναλίζεσθαι S° – *convesci* Act14 (vl ..αυλ.)

συναλλάσσειν S° – *reconciliare* Act 726 συν-
ήλλασσεν (vl συνήλασεν) – εἰς εἰρήνην

συναναβαίνειν *simul ascendere*
Mar 1541 αἱ συναναβᾶσαι αὐτῷ εἰς Ἱεροσόλ.
Act 1331 ὃς ὤφθη – τοῖς συναναβᾶσιν αὐτῷ

συνανακεῖσθαι *discumbere cum* ᵇ*simul dis-
cumbere* ᶜ*simul accumbere* ᵈ*simul
recumbere* ᵉ*pariter recumbere*
Mat 910 τελῶναι καὶ ἁμαρτωλοὶ – συνανέκειν-
το τῷ Ἰησοῦ ‖ Mar 215 – Mat 149 διὰ –
τοὺς σ..μένουςᵉ ‖ Mar 622ᵈ – Luc 749ᶜ
1410 ἔσται σοι δόξα ἐνώπιον – τῶν σ..μέ-
νωνᵇ σοι 15 ἀκούσας τις τῶν σ..μένωνᵇ

συναναμίγνυσθαι *commisceri*
1 Co 5 9 μὴ σ. πόρνοις 11 μὴ σ. ἐάν τις ἀδελ-
φὸς – ἢ πόρνος – 2 Th 314 μὴ σ. αὐτῷ

συναναπαύεσθαι *refrigerari cum*
Rm 1532 ἵνα ἐν χαρᾷ ἐλθὼν – σ..σωμαι ὑμῖν

συναντᾶν ᵃ*obvium venire* ᵇ*obviare* ᶜ*occur-
rere* ᵈ*venturum esse*
Luc 9(18 vl) 37ᶜ 2210ᶜ Act 1025ᵃ 2022 τὰ ἐν
αὐτῇ (sc Ἱερουσ.) συναντήσονταᵈ ἐμοὶ
μὴ εἰδώς – Hb 71 ὁ „σ..ήσας“ᵇ Ἀβρ.“ 10
ὅτε „συνήντησενᵇ Μελχισέδεκ“

(εἰς συνάντησιν *obviam* vll Mt 834 Jh 1213)

συναντιλαμβάνεσθαι *adiuvare*
Luc 1040 ἵνα μοι σ..λάβηται (sc Μάρθα)
Rm 826 τὸ πνεῦμα σ..εται τῇ ἀσθενείᾳ ἡμῶν

συναπάγεσθαι (pass) ᵃ*consentire* ᵇ*duci ab
aliquo in aliquid* ᶜ*traduci* (vl *transd.*)
Rm 1216 ἀλλὰ τοῖς ταπεινοῖς σ..όμενοιᵃ
Gal 213 Βαρν. σ..ήχθηᵇ αὐτῶν τῇ ὑποκρίσει
2 Pe 317 τῇ τῶν ἀθέσμων πλάνῃ σ..χθέντεςᶜ

συναποθνήσκειν *commori*
Mar 1431 ἐὰν δέῃ με συναποθανεῖν σοι
2 Co 7 3 εἰς τὸ συναποθανεῖν καὶ συζῆν
2 Ti 211 εἰ γὰρ σ..εθάνομεν, καὶ συζήσομεν

συναπόλλυσθαι *perire cum* Hb 1131

συναποστέλλειν *mittere cum* 2 Co 1218

συναρμολογεῖσθαι (pass) S° – ᵃ*construi*
ᵇ*compingi* Eph 221 πᾶσα οἰκοδομὴ σ..ου-
μένηᵃ 416 ἐξ οὗ πᾶν τὸ σῶμα σ..ούμενονᵇ

συναρπάζειν *arripere* ᵇ*rapere*
Luc 829 συνηρπάκει αὐτόν (sc τὸ πνεῦμα)
Act 612ᵇ 1929ᵇ 2715 σ..σθέντος – τοῦ πλοίου

συναυξάνεσθαι *crescere* Mat 1330 ἀμφότερα

συνδεδεμένοι *simul vincti* Hb 133 → δέσμιος

σύνδεσμος *vinculum* ᵇ*coniunctio* ᶜ*obligatio*
Act 823ᶜ „ἀδικίας“ Eph 43 εἰρήνης
Col 219 διὰ τῶν ἁφῶν καὶ συνδέσμωνᵇ
314 ἀγάπην, ὅ ἐστιν σ. τῆς τελειότητος

συνδοξάζεσθαι (pass) S° – *conglorificari*
Rm 817 συμπάσχομεν ἵνα καὶ σ..σθῶμεν

σύνδουλος *conservus*
Mat 1828 εὗρεν ἕνα τῶν σ. αὐτοῦ 29 πεσὼν –
ὁ σ. – παρεκάλει αὐτόν 31 ἰδόντες –
οἱ σ. 33 καὶ σὲ ἐλεῆσαι τὸν σ. σου –
2449 ἐὰν – ἄρξηται τύπτειν τοὺς σ. αὐτοῦ
Col 1 7 τοῦ ἀγαπητοῦ σ. ἡμῶν 47 ὁ – πιστὸς
διάκονος καὶ σύνδουλος ἐν κυρίῳ
Ap 611 ἕως πληρωθῶσιν καὶ οἱ σύνδ. αὐτῶν
1910 ὅρα μή· σύνδουλός σού εἰμι 229

συνδρομή *concursio* Act 2130 τοῦ λαοῦ

συνεγείρειν, ..εσθαι ᵃ*conresuscitare* ᵇ*con-
surgere* ᶜ*resurgere*
Eph 2 6 ἡμᾶς – τῷ Χῷ – συνήγειρενᵃ

Col   2 12 ἐν ᾧ καὶ συνηγέρθητε^c διὰ τῆς πί-
στεως 3 1 εἰ οὖν συνηγέρθητε^b τῷ Χῷ

συνέδριον *concilium*
Mat   5 22 ῥακά, ἔνοχος ἔσται τῷ συνεδρίῳ
10 17 παραδώσουσιν γὰρ ὑμᾶς εἰς συνέ-
δρια Mar 13 9
26 59 οἱ δὲ ἀρχιερεῖς καὶ τὸ συν. ὅλον ‖
Mar 14 55 15 1 cfr Luc 22 66
Joh 11 47 συνήγαγον – οἱ ἀρχιερεῖς – συνέδριον
Act   4 15 5 21 συνεκάλεσαν τὸ σ. 27 ἔστησαν ἐν
τῷ συν. 34 ἀναστὰς – ἐν τῷ συν. 41 ἀπὸ
προσώπου τοῦ σ. 6 12. 15 22 30 συνελθεῖν
τοὺς ἀρχιερ. καὶ πᾶν τὸ σ. 23 1. 6 ἔκρα-
ζεν ἐν τῷ συνεδρίῳ 15. 20. 28 24 20

συνειδέναι (σύνοιδα) *conscium esse*
Act   5 2 συνειδυίης καὶ τῆς γυναικός
1 Co   4 4 οὐδὲν γὰρ ἐμαυτῷ σύνοιδα

συνείδησις *conscientia*
[Joh   8 9 vl ὑπὸ τῆς συν. ἐλεγχόμενοι vg^o]
Act 23 1 ἐγὼ πάσῃ σ..ει ἀγαθῇ πεπολίτευμαι
24 16 ἀσκῶ ἀπρόσκοπον σ..ιν ἔχειν πρός
Rm   2 15 συμμαρτυρούσης αὐτῶν τῆς σ. 9 1
μοι τῆς συν. μου ἐν πνεύματι ἁγίῳ
13 5 ἀνάγκη ὑποτάσσεσθαι, οὐ μόνον διὰ
τὴν ὀργὴν ἀλλὰ καὶ διὰ τὴν συνείδ.
1 Co   8 7 (vl τῇ σ. – τοῦ εἰδώλου → συνήθεια)
ἡ σ. αὐτῶν ἀσθενὴς οὖσα μολύνεται
10 ἡ σ. αὐτοῦ ἀσθενοῦς ὄντος 12 τύ-
πτοντες αὐτῶν τὴν σ. ἀσθενοῦσαν
εἰς Χὸν ἁμαρτάνετε
10 25 ἐσθίετε μηδὲν ἀνακρίνοντες διὰ τὴν
σ. 27. 28 μὴ ἐσθίετε δι᾽ ἐκεῖνον τὸν
μηνύσαντα καὶ τὴν σ. 29 σ..ιν δὲ λέ-
γω – τὴν τοῦ ἑτέρου. ἱνατί γὰρ ἡ ἐ-
λευθερία μου κρίνεται ὑπὸ ἄλλης
συνειδήσεως
2 Co   1 12 τὸ μαρτύριον τῆς συν. ἡμῶν, ὅτι ἐν
4 2 συνιστάνοντες ἑαυτοὺς πρὸς πᾶσαν
συνείδησιν ἀνθρώπων ἐνώπιον τ. θεοῦ
5 11 ἐλπίζω δὲ καὶ ἐν ταῖς συνειδήσεσιν
ὑμῶν πεφανερῶσθαι
1 Ti   1 5 ἀγάπη ἐκ – συνειδήσεως ἀγαθῆς
– 19 ἔχων πίστιν καὶ ἀγαθὴν συνείδησιν,
ἥν τινες ἀπωσάμενοι – ἐναυάγησαν
3 9 ἔχοντας τὸ μυστήριον τῆς πίστεως
ἐν καθαρᾷ συνειδήσει 2 Ti 1 3 ᾧ λα-
τρεύω – ἐν καθαρᾷ συνειδήσει
4 2 κεκαυστηριασμένων τὴν ἰδίαν συν.
Tit   1 15 μεμίανται αὐτῶν καὶ ὁ νοῦς καὶ ἡ σ.

Hb   9 9 θυσίαι – μὴ δυνάμεναι κατὰ σ..ιν τε-
λειῶσαι 14 τὸ αἷμα τοῦ Χοῦ – καθα-
ριεῖ τὴν σ. ἡμῶν ἀπὸ νεκρῶν ἔργων
10 2 μηδεμίαν ἔχειν ἔτι σ..ιν ἁμαρτιῶν
– 22 ῥεραντισμένοι – ἀπὸ σ..εως πονηρᾶς
13 18 ὅτι καλὴν συνείδησιν ἔχομεν
1 Pe   2 19 εἰ διὰ συνείδησιν θεοῦ ὑποφέρει τις
λύπας πάσχων ἀδίκως
3 16 συνείδησιν ἔχοντες ἀγαθήν, ἵνα
– 21 σ..εως ἀγαθῆς ἐπερώτημα εἰς θεόν

συνεῖναι *esse cum* ^b(ὁ συνών) *comes*
Luc   9 18 συνῆσαν αὐτῷ – Act 22 11^b

συνεισέρχεσθαι *introire cum* Joh 6 22 18 15

συνέκδημος S^o – *comes* ^b*comes peregrina-
tionis* Act 19 29 σ..ους Παύλου 2 Co 8 19^b

ἡ συνεκλεκτή S^o – *coëlecta* 1 Pe 5 13 ἐν Βαβυ.

συνέπεσθαι *comitari* Act 20 4

συνεπιμαρτυρεῖν S^o – *contestari* Hb 2 4

συνεπιτίθεσθαι *adicere* Act 24 9 σ..έθεντο

συνεργεῖν *cooperari* ^b*adiuvare*
[Mar 16 20 τοῦ κυρίου σ..οῦντος – διὰ – σημείων]
Rm   8 28 τοῖς ἀγαπῶσιν τὸν θεὸν πάντα συν-
εργεῖ [ὁ θεὸς vg^o] εἰς ἀγαθόν
1 Co 16 16 ἵνα καὶ ὑμεῖς ὑποτάσσησθε – παντὶ
τῷ συνεργοῦντι καὶ κοπιῶντι
2 Co   6 1 σ..οῦντες^b δὲ καὶ παρακαλοῦμεν
Jac   2 22 ἡ πίστις συνήργει τοῖς ἔργοις αὐτοῦ

συνεργός *adiutor* ^b*cooperator*
Rm 16 3 Πρῖσκαν καὶ Ἀκύλαν τοὺς σ. μου 9
Οὐρβανὸν τὸν σ. ἡμῶν 21 Τιμόθεος
1 Co   3 9 θεοῦ γάρ ἐσμεν συνεργοί (1 Th 3 2 vl
Τιμόθεον, τὸν – συνεργὸν (vg^o) τοῦ θ.)
2 Co   1 24 συνεργοί ἐσμεν τῆς χαρᾶς ὑμῶν
8 23 κοινωνὸς ἐμὸς καὶ εἰς ὑμᾶς σ..ός
Phl   2 25 τὸν – σ..ὸν^b καὶ συστρατιώτην μου
4 3 Κλήμεντος καὶ τῶν λοιπῶν συν. μου
Col   4 11 συνεργοὶ εἰς τὴν βασιλείαν τοῦ θεοῦ
Phm   1 Φιλήμονι τῷ ἀγαπητῷ καὶ σ. ἡμῶν
24 Μᾶρκος, –, Λουκᾶς, οἱ συνεργοί μου
3 Jo   8 ἵνα σ..οὶ^b γινώμεθα τῇ ἀληθείᾳ

συνέρχεσθαι *convenire* ^b*venire cum* ^c*comi-
tari* ^d*concurrere* ^e*congregari* ^f*ire cum*
Mat   1 18 πρὶν ἢ συνελθεῖν αὐτούς

Mar 3 20 σ..εται – [ὁ] ὄχλος Luc 5 15 – Mar 14
53 σ..ονται (vl + αὐτῷ) – οἱ ἀρχιερεῖς
Luc 23 55 αἵτινες ἦσαν συνεληλυθυῖαι b ἐκ τῆς
Γαλιλαίας αὐτῷ
Joh 11 33 τοὺς συνελθόντας b αὐτῇ 'Ιουδαίους
18 20 ὅπου πάντες οἱ 'Ιουδαῖοι σ..ονται
Act 1 6 οἱ – συνελθόντες 26 συνῆλθεν τὸ πλῆ-
θος 5 16 d 10 27 16 13 ταῖς συνελθού-
σαις γυναιξίν 19 32 (21 22 vl δεῖ συν-
ελθεῖν πλῆθος) 22 30 28 17 – 25 17
– 21 τῶν συνελθόντων e ἡμῖν ἀνδρῶν
9 39 Πέτρος συνῆλθεν b αὐτοῖς 10 23 c 45 b
11 12 f – 21 16 συνῆλθον b καὶ τῶν μαθη.
15 38 τὸν ἀποστάντα ἀπ' αὐτῶν – καὶ μὴ
συνελθόντα f αὐτοῖς εἰς τὸ ἔργον
1 Co (7 5 vl ἵνα – πάλιν ἐπὶ τὸ αὐτὸ συνέρ-
χησθε vg revertimini)
11 17 ὅτι – εἰς τὸ ἧσσον συνέρχεσθε 18 σ..
ομένων ὑμῶν ἐν ἐκκλησίᾳ 20 ἐπὶ τὸ
αὐτό 33 σ..όμενοι εἰς τὸ φαγεῖν 34
ἵνα μὴ εἰς κρίμα συνέρχησθε
14 23 ἐὰν οὖν συνέλθῃ ἡ ἐκκλησία ὅλη ἐπὶ
τὸ αὐτό 26 ὅταν συνέρχησθε

συνεσθίειν manducare cum b cibum sumere
cum c edere (cm) Luc 15 2 καὶ σ..ει αὐτοῖς
Act 10 41 οἵτινες συνεφάγομεν – αὐτῷ μετὰ τό
11 3 καὶ συνέφαγες αὐτοῖς (sc ἔθνεσιν)
1 Co 5 11 τῷ τοιούτῳ μηδὲ συνεσθίειν b
Gal 2 12 μετὰ τῶν ἐθνῶν συνήσθιεν c

σύνεσις intellectus b prudentia
Mar 12 33 „ἀγαπᾶν αὐτὸν – ἐξ ὅλης τῆς σ..εως"
Luc 2 47 ἐπὶ τῇ σ. b καὶ ταῖς ἀποκρίσεσιν
1 Co 1 19 „τὴν σ..ιν b τῶν συνετῶν ἀθετήσω"
Eph 3 4 νοῆσαι τὴν σ. b μου ἐν τῷ μυστηρίῳ
Col 1 9 ἐν πάσῃ σοφίᾳ καὶ σ..ει πνευματικῇ
2 2 πλοῦτος τῆς πληροφορίας τῆς συν.
2 Ti 2 7 δώσει – σοι ὁ κύριος σ..ιν ἐν πᾶσιν

συνετός prudens
Mat 11 25 ὅτι ἔκρυψας ταῦτα ἀπὸ σοφῶν καὶ
συνετῶν ‖ Luc 10 21 – 1 Co 1 19 → σύνεσις
Act 13 7 σὺν – Σεργίῳ Παύλῳ, ἀνδρὶ συνετῷ

συνευδοκεῖν consentire
Luc 11 48 σ..εῖτε τοῖς ἔργοις τῶν πατέρων ὑμῶν
Act 8 1 ἦν σ..ῶν τῇ ἀναιρέσει αὐτοῦ 22 20
Rm 1 32 ἀλλὰ καὶ σ..οῦσιν τοῖς πράσσουσιν
1 Co 7 12 εἰ – αὕτη σ..εῖ οἰκεῖν μετ' αὐτοῦ 13
οὗτος σ..εῖ οἰκεῖν μετ' αὐτῆς

συνευωχεῖσθαι S o – luxuriari b convivari
2 Pe 2 13 σ..ούμενοι ὑμῖν Jud 12 b ἀφόβως

συνεφιστάναι S o – currere (vl conc.) Act 16 22

συνέχειν, συνέχεσθαι tenēre, ..ri b coangu-
stare c coarctari (vl coart.) d compre-
hendi e comprimere f continēre g instare
(verbo) h vexari i urgēre
Mat 4 24 τοὺς – βασάνοις σ..ομένους d cfr Luc
4 38 πυρετῷ μεγάλῳ 8 37 φόβῳ Act
28 8 h πυρετοῖς καὶ δυσεντερίῳ
Luc 8 45 οἱ ὄχλοι σ..ουσίν e σε 19 43 συνέξου-
σίν b σε πάντοθεν 22 63 οἱ ἄνδρες οἱ
σ..οντες αὐτόν – Act 7 57 f τὰ ὦτα
12 50 πῶς σ..ομαι c ἕως ὅτου τελεσθῇ
Act 18 5 συνείχετο g τ. λόγῳ (vl πνεύ.) ὁ Παῦ.
2 Co 5 14 ἡ – ἀγάπη τοῦ Χοῦ συνέχει i ἡμᾶς
Phl 1 23 συνέχομαι c δὲ ἐκ τῶν δύο

συνήδεσθαι S o – condelectari Rm 7 22 συν-
ήδομαι – τῷ νόμῳ – κατὰ τὸν ἔσω ἄνθρωπ.

συνήθεια consuetudo Joh 18 39 ἔστιν – σ. ὑμῖν
1 Co 8 7 τῇ συνηθείᾳ (vl συνειδήσει vg con-
scientia) ἕως ἄρτι τοῦ εἰδώλου
11 16 ἡμεῖς τοιαύτην σ..αν οὐκ ἔχομεν

συνηλικιώτης S o – coaetaneus Gal 1 14

συνθάπτεσθαι S o – consepeliri Rm 6 4 συν-
ετάφημεν – αὐτῷ διὰ τοῦ βαπτίσματος
Col 2 12 συνταφέντες αὐτῷ ἐν τῷ βαπτ.

συνθλᾶσθαι confringi b conquassari
[Mat 21 44 συνθλασθήσεται] ‖ Luc 20 18 b

συνθλίβειν comprimere Mar 5 24.31

συνθρύπτειν S o – affligere Act 21 13 καρδίαν

συνιέναι (εἶμι) S o – convenire Luc 8 4 (ὄχλος)

συνιέναι (συνίημι et συνίω) intelligere
Mat 13 13.14 „οὐ μὴ συνῆτε" 15 „μήποτε – τῇ
καρδίᾳ συνῶσιν" 19 ἀκούοντος – καὶ
μὴ συνιέντος 23 ἀκούων καὶ συνιείς
‖ Mar 4 12 Luc 8 10 – Act 28 26 s –
(vl Mar 4 9 ὁ συνίων συνιέτω vg o)
– 51 συνήκατε ταῦτα πάντα; – · ναί
15 10 ἀκούετε καὶ συνίετε ‖ Mar 7 14
16 12 τότε συνῆκαν ὅτι οὐκ εἶπεν 17 13

Mar 652 οὐ – συνῆκαν ἐπὶ τοῖς ἄρτοις 817 οὔ-
πω νοεῖτε οὐδὲ συνίετε; 21 οὔπω σ.;
Luc 250 οὐ συνῆκαν τὸ ῥῆμα 1834 οὐδὲν – σ.
2445 τὸν νοῦν τοῦ συνιέναι τὰς γραφάς
Act 725 ἐνόμιζεν – συνιέναι τοὺς ἀδελφοὺς
ὅτι – · οἱ δὲ οὐ συνῆκαν
Rm 311 „οὐκ ἔστιν ὁ συνίων"
1521 „οἳ οὐκ ἀκηκόασιν συνήσουσιν"
2 Co 1012 οὐ συνιᾶσιν (vgᵒ). ἡμεῖς δέ
Eph 517 συνίετε τί τὸ θέλημα τοῦ κυρίου

συνιστάνειν, ..ιστάναι commendare, ..i ᵇex-
hibēre ᶜconsistere ᵈconstare ᵉcon-
stituere ᶠstare cum
Luc 932 τοὺς–ἄνδρας τοὺς συνεστῶταςᶠ αὐτῷ
Rm 3 5 εἰ – ἡ ἀδικία ἡμῶν θεοῦ δικαιοσύνην
συνίστησιν 58 συνίστησιν – τὴν ἑαυ-
τοῦ ἀγάπην εἰς ἡμᾶς ὁ θεός
16 1 συνίστημι δὲ ὑμῖν Φοίβην τὴν ἀδελφ.
2 Co 3 1 ἀρχόμεθα πάλιν ἑαυτοὺς σ..άνειν;
4 2 τῇ φανερώσει τῆς ἀληθείας σ..άνον-
τες ἑαυτοὺς πρὸς πᾶσαν συνείδησιν
512 οὐ πάλιν ἑαυτοὺς σ..άνομεν ὑ-
μῖν 64 σ..οντεςᵇ ἑαυτοὺς ὡς θεοῦ
διάκονοι, ἐν ὑπομονῇ πολλῇ, ἐν
711 ἐν παντὶ συνεστήσατεᵇ ἑαυτοὺς ἀ-
γνοὺς εἶναι τῷ πράγματι
1012 τισὶν τῶν ἑαυτοὺς συνιστανόντων
– 18 οὐ γὰρ ὁ ἑαυτὸν συνιστάνων, ἐκεῖ-
νός ἐστιν δόκιμος, ἀλλὰ ὃν ὁ κύριος
συνίστησιν
1211 ἐγὼ – ὤφειλον ὑφ' ὑμῶν συνίστασθαι
Gal 218 παραβάτην ἐμαυτὸν συνιστάνωᵉ
Col 117 τὰ πάντα ἐν αὐτῷ συνέστηκενᵈ
2 Pe 3 5 γῆ ἐξ ὕδατος καὶ δι' ὕδατος συνε-
στῶσαᶜ τῷ τοῦ θεοῦ λόγῳ

συνοδεύειν comitari cum Act 97 οἱ σ..οντες

συνοδία comitatus Luc 244 εἶναι ἐν τῇ συν.

συνοικεῖν cohabitare 1 Pe 37 (sc γυναιξίν)

συνοικοδομεῖσθαι coaedificari Eph 222 ἐν ᾧ
καὶ ὑμεῖς σ..σθε εἰς κατοικητήριον τ. θεοῦ

συνομιλεῖν Sᵒ – loqui cum Act 1027 αὐτῷ

συνομορεῖν coniungi Act 187 τῇ συναγωγῇ

συνορᾶν, συνιδεῖν considerare ᵇintelligere
Act 1212 συνιδών τε ἦλθεν 146 συνιδόντεςᵇ

συνοχή pressura ᵇangustia Luc 2125 σ. ἐ-
θνῶν 2 Co 24 ἐκ – σ..ῆςᵇ καρδίας ἔγραψα

συντάσσειν constituere ᵇpraecipere
Mat 216ᵇ 2619 2710 „καθὰ συνέταξεν–κύριος"

συντέλεια τοῦ αἰῶνος consummatio saeculi
Mat 1339 ὁ – θερισμὸς σ. αἰ. ἐστιν 40.49 οὕτως
ἔσται ἐν τῇ σ. τοῦ αἰ. 243 τί τὸ σημεῖον
τῆς – σ. τοῦ αἰ.; 2820 ἕως τῆς σ. τοῦ αἰ.
Hb 926 ἅπαξ ἐπὶ σ..ᾳ τῶν αἰ. – πεφανέρωται

συντελεῖν consummare
Mar 13 4 ὅταν μέλλῃ ταῦτα σ..εῖσθαι πάντα;
Luc 4 2.13 συντελέσας πάντα πειρασμόν
Act 2127 Rm 928 „λόγον – σ..ῶν καὶ συντέ-
μνων" Hb 88 „σ..έσω – διαθήκην καινήν"

συντέμνειν abbreviare (vl brev.) Rm 928

συντηρεῖν conservare ᵇcustodire
Mat 917 Mar 620ᵇ Luc 219 τὰ ῥήματα ταῦτα

συντίθεσθαι ᵃconspirare ᵇconvenit alicui
ᶜpacisci Luc 225ᶜ Joh 922ᵃ Act 2320ᵇ

συντόμως breviter [Mar brev. claus. vgᵒ]
Act 244 ἀκοῦσαί σε ἡμῶν συντόμως

συντρέχειν concurrere ᵇcurrere (vl conc.)
Mar 633 Act 311ᵇ 1 Pe 44 μὴ σ..όντων ὑμῶν

συντρίβειν comminuere ᵇconfringere ᶜcon-
terere ᵈdilaniare ᵉfrangere ᶠquassare
Mat 1220 „κάλαμον συντετριμμένονᶠ"
Mar 5 4 143ᵉ τὴν ἀλάβαστρον Luc 939ᵈ
Joh 1936 „ὀστοῦν οὐ συντριβήσεται αὐτοῦ"
Rm 1620 θεὸς συντρίψειᶜ τὸν σατανᾶν ὑπό
Ap 227 „ὡς τὰ σκεύη τὰ κεραμικὰ συντρί-
βεται" (vl σ..ήσεται vg)ᵇ (sc τὰ ἔθνη)

σύντριμμα contritio Rm 316 „σ. καὶ ταλαιπ."

σύντροφος collactaneus (vl conl.) Act 131

συντυγχάνειν adire ad Luc 819 (sc τῷ 'Ιησ.)

Συντύχη Phl 42 καὶ Συντύχην παρακαλῶ

συνυποκρίνεσθαι Sᵒ – simulationi (vl ..ne)
consentire Gal 213 σ..εκρίθησαν αὐτῷ

συνυπουργεῖν Sᵒ – adiuvare 2 Co 1 11 σ.. ούντων καὶ ὑμῶν ὑπὲρ ἡμῶν τῇ δεήσει

συνωδίνειν Sᵒ – parturire Rm 8 22 κτίσις

συνωμοσία Sᵒ – coniuratio Act 23 13

Συράκουσαι Act 28 12 καταχθέντες εἰς Σ..ας

σύρειν trahere Joh 21 8 δίκτυον Act 8 3 14 19 17 6 Ap 12 4 τὸ τρίτον τῶν ἀστέρων

Συρία Mat 4 24 Luc 2 2 Act 15 23.41 18 18 20 3 21 3 Gal 1 21 εἰς τὰ κλίματα τῆς Σ.

Σύρος Luc 4 27 εἰ μὴ Ναιμὰν ὁ Σύρος

Συροφοινίκισσα Syrophoenissa Mar 7 26

Σύρτις Act 27 17 μὴ εἰς τὴν Σύρ. ἐκπέσωσιν

συσπαράσσειν Sᵒ – conturbare ᵇdissipare Mar 9 20 συνεσπάραξεν αὐτόν ‖ Luc 9 42 ᵇ

σύσσημον signum Mar 14 44 δεδώκει – σύσσ.

σύσσωμος Sᵒ – concorporalis Eph 3 6 εἶναι τὰ ἔθνη συγκληρονόμα καὶ σ..α – ἐν Χῷ

συστατικός Sᵒ – commendatitius 2 Co 3 1 ἢ μὴ χρῄζομεν – σ..ῶν ἐπιστολῶν πρός –;

συσταυροῦσθαι Sᵒ – crucifigi cum, simul ᵇcruci configi alicui Mat 27 44 ‖ Mar 15 32 cfr Joh 19 32 Rm 6 6 ὁ παλαιὸς ἡμῶν ἄνθρωπ. συνε..ώθη Gal 2 19 Χῷ συνεσταύρωμαι ᵇ· ζῶ – οὐκέτι ἐγώ

συστέλλειν ᵃamovēre ᵇ(part pass) brevis Act 5 6ᵃ 1 Co 7 29 ὁ καιρὸς συνεσταλμένος ᵇ

συστενάζειν Sᵒ – ingemiscere (vl congem.) Rm 8 22 πᾶσα ἡ κτίσις σ..ει καὶ συνωδίνει

συστοιχεῖν Sᵒ – coniunctum esse alicui Gal 4 25 συστοιχεῖ δὲ τῇ νῦν Ἰερουσαλήμ

συστρατιώτης Sᵒ – commilito Phl 2 25 Phm 2

συστρέφειν congregare Act 28 3 φρυγάνων τι πλῆθος — σ..εσθαι Mat 17 22 σ..ομέ-νων – αὐτῶν ἐν τῇ Γαλιλαίᾳ (conversari ex vl ἀναστρεφομένων)

συστροφή ᵃconcursus ᵇ(σ..ὴν ποιεῖν) se colligere Act 19 40ᵃ 23 12ᵇ οἱ Ἰουδαῖοι

συσχηματίζεσθαι Sᵒ – ᵃconformari ᵇconfigurari Rm 12 2 μὴ σ..εσθε ᵃ τῷ αἰῶνι τούτῳ 1 Pe 1 14 μὴ σ..όμενοι ᵇ ταῖς πρό-τερον ἐν τῇ ἀγνοίᾳ ὑμῶν ἐπιθυμίαις

Σύχαρ Joh 4 6   Συχέμ Act 7 16

σφαγή occisio Act 8 32 Rm 8 36 Jac 5 5

σφάγιον victima Act 7 42 „σ..α καὶ θυσίας"

σφάζειν occidere ᵇinterficere 1 Jo 3 12 ἔσφαξεν τὸν ἀδελφὸν αὐτοῦ· καὶ χά-ριν τίνος ἔσφαξεν αὐτόν; Ap 5 6 „ἀρνίον" ἑστηκὸς ὡς „ἐσφαγμένον" 9 ὅτι ἐσφάγης 12 13 8 6 4 ἵνα ἀλλήλους σφάξουσιν ᵇ 9 τῶν ἐ-σφαγμένων ᵇ διὰ τὸν λόγον τ. θεοῦ 13 3 μίαν ἐκ τῶν κεφαλῶν αὐτοῦ ὡς ἐ-σφαγμένην εἰς θάνατον 18 24 αἷμα – εὑρέθη – „πάντων τῶν ἐσφαγ-μένων ᵇ" ἐπὶ „τῆς γῆς"

σφόδρα valde ᵇvehementer Mat 2 10 χαρὰν μεγάλην σφ. 17 6 ἐφοβήθη-σαν σφ. 27 54 – 17 23 ἐλυπήθησαν σφ.ᵇ 18 31 26 22 – 19 25 ἐξεπλήσσοντο σφόδρα Mar 16 4 ἦν – μέγας σφ. Luc 18 23 πλούσιος σφ. Act 6 7 ἐπληθύνετο ὁ ἀριθμὸς – σφόδρα Ap 16 21 „μεγάλη" – ἡ πληγὴ αὐτῆς „σφ.ᵇ"

σφοδρῶς Act 27 18 σφ. – χειμαζομένων (va-i-da (vl valide) – tempestate iactatis)

σφραγίζειν, ..εσθαι signare ᵇassignare Mat 27 66 σφραγίσαντες τὸν λίθον Joh 3 33 ἐσφράγισεν ὅτι ὁ θεὸς ἀληθής ἐστιν 6 27 τοῦτον – ὁ πατὴρ ἐσ..ισεν ὁ θεός Rm 15 28 σ..ισάμενος ᵇ αὐτοῖς τὸν καρπόν 2 Co 1 22 ὁ καὶ σ..ισάμενος ἡμᾶς καὶ δούς Eph 1 13 ἐν ᾧ καὶ πιστεύσαντες ἐσφραγίσθη-τε τῷ πνεύματι τῆς ἐπαγγελίας 4 30 τὸ πνεῦμα –, ἐν ᾧ ἐσφραγίσθητε εἰς ἡμέραν ἀπολυτρώσεως Ap 7 3 ἄχρι „σφραγίσωμεν" τοὺς δούλους τοῦ θεοῦ – „ἐπὶ τῶν μετώπων" αὐτῶν – 4 τὸν ἀριθμὸν τῶν ἐσ..ισμένων 5.8 10 4 „σφράγισον" ἃ ἐλάλησαν –, καὶ μὴ

αὐτὰ γράψῃς 2210 μὴ σφραγίσῃς
τοὺς λόγους τῆς προφητείας
Ap 20 3 ἔκλεισεν καὶ ἐσ..ισεν ἐπάνω αὐτοῦ

σφραγίς signaculum ᵇsignum ᶜsigillum
Rm 411 σφραγῖδα τῆς δικαιοσύνης τῆς πί-
στεως τῆς ἐν τῇ ἀκροβυστίᾳ
1 Co 9 2 ἡ – σφ. μου τῆς ἀποστολῆς ὑμεῖς ἐστε
2 Ti 219 θεμέλιος τοῦ θεοῦ –, ἔχων τὴν σφ.
ταύτην· „ἔγνω κύρ. τ. ὄντας αὐτοῦ"
Ap 5 1 „κατεσφραγισμένον" σφ..ῖσιν ᶜ ἑπτὰ 2
λῦσαι τὰς σφ. 5 ἀνοῖξαι – τὰς ἑπτὰ
σφ. 9 61 ἤνοιξεν τὸ ἀρνίον μίαν ἐκ
τῶν – σφ.ᶜ (vlᵃ) 3ᶜ 5ᶜ 7ᶜ 9ᶜ 12ᶜ 81ᶜ
7 2 ἔχοντα σφραγῖδαᵇ θεοῦ ζῶντος
9 4 οἵτινες οὐκ ἔχουσιν „τὴν σφραγῖδαᵇ"
τοῦ θεοῦ „ἐπὶ τῶν μετώπων"

σφυδρά (vl σφυρά), τά Sᵒ – plantae Act 37

σφυρίς → σπυρίς

σχεδόν pene Act 1344 1926 Hb 922

σχῆμα ᵃfigura ᵇhabitus
1 Co 731 παράγει γὰρ τὸ σχῆμαᵃ τοῦ κόσμου
Phl 2 7 σχήματιᵇ εὑρεθεὶς ὡς ἄνθρωπος

σχίζειν, ..εσθαι scindere, ..i ᵇaperiri ᶜdividi
ᵈrumpere ᵉsolvi
Mat 2751 ἐσχίσθη – εἰς δύο ‖ Mr 1538 Lc 2345
– 51 καὶ αἱ πέτραι ἐσχίσθησαν
Mar 110 εἶδεν σχιζομένουςᵇ τοὺς οὐρανούς
Luc 536 οὐδεὶς ἐπίβλημα ἀπὸ ἱματίου καινοῦ
σχίσας (vlᵒ) – · – καὶ τὸ καινὸν σχί-
σειᵈ – Joh 1924 μὴ σχίσωμεν αὐτόν
2111 οὐκ ἐσχίσθη τὸ δίκτυον
Act 14 4 ἐσχίσθηᶜ – τὸ πλῆθος 237ᵉ

σχίσμα Sᵒ – schisma, sci. ᵇdissensio ᶜscissura Mat 916 χεῖρον σχ.ᶜ γίν. ‖ Mar 221ᶜ
Joh 743ᵇ ἐν τῷ ὄχλῳ cfr 916 1019ᵇ
1 Co 110 ἵνα – μὴ ᾖ ἐν ὑμῖν σχίσματα
1118 ἀκούω σχίσματαᶜ ἐν ὑμῖν ὑπάρχειν
1225 ἵνα μὴ ᾖ σχίσμα ἐν τῷ σώματι

σχοινίον Joh 215 funiculus Act 2732 funis

σχολάζειν vacare
Mat 1244 ἐλθὸν εὑρίσκει σ..οντα (sc τὸν οἶκον)
1 Co 7 5 ἵνα σχολάσητε τῇ προσευχῇ

σχολή schola Act 199 Τυράννου

σῴζειν, ..εσθαι salvum facere, fieri ᵇsal-
vare, ..i ᶜsalvum esse ᵈsalvificare ᵉsa-
num fieri ᶠ(τὸ σ..εσθαι) salus ᵍliberare
Mat 121 Ἰησοῦν· αὐτὸς γὰρ σώσει τὸν λαὸν
αὐτοῦ ἀπὸ τῶν ἁμαρτιῶν αὐτῶν
825 κύριε, σῶσονᵇ (vl + ἡμᾶς vg) 1430
κύριε, σῶσόν με
921 ἐὰν μόνον ἅψωμαι τοῦ ἱματίου –,
σωθήσομαιᶜ ‖ Mar 528ᶜ 656 ὅσοι ἂν
ἥψαντο αὐτοῦ ἐσῴζοντο
– 22 ἡ πίστις σου σέσωκέν σε. καὶ ἐσώ-
θη ἡ γυνή ‖ Mar 534 Luc 848 – Mar
1052 ‖ Luc 1842 – 750 1719
1022 ὁ – ὑπομείνας εἰς τέλος, οὗτος σω-
θήσεταιᶜ 2413ᶜ ‖ Mar 1313ᶜ
1625 ὃς – ἐὰν θέλῃ τὴν ψυχὴν αὐτοῦ σῶ-
σαι ‖ Mar 835 – · ὃς δ' ἂν ἀπολέσει
τὴν ψ. αὐτοῦ ἕνεκεν ἐμοῦ –, σώσει
αὐτήν Luc 924 –, οὗτος σώσει αὐτήν
1925 τίς ἄρα δύναται σωθῆναιᶜ; ‖ Mar 10
26 καὶ τίς δύναται σωθ.; Luc 1826
2422 εἰ μὴ ἐκολοβώθησαν –, οὐκ ἂν ἐσώ-
θη πᾶσα σάρξ ‖ Mar 1320ᶜ
2740 σῶσονᵇ σεαυτόν 42 ἄλλους ἔσωσεν,
ἑαυτὸν οὐ δύναται σῶσαι ‖ Mar 15
30.31 Luc 2335 ἄλλους ἔσωσεν, σω-
σάτω ἑαυτόν 37 σῶσον σεαυτόν 39
σῶσον σεαυτὸν καὶ ἡμᾶς
– 49 εἰ ἔρχεται Ἠλίας σώσωνᵍ αὐτόν
Mar 3 4 ἔξεστιν τοῖς σάββασιν – ψυχὴν
σῶσαι ἢ ἀποκτεῖναι; ‖ Luc 69 ἢ
ἀπολέσαι;
523 ἵνα σωθῇᶜ καὶ ζήσῃ (sc τὸ θυγάτριον)
[1616 ὁ πιστεύσας καὶ βαπτ. σωθήσεταιᶜ]
Luc 812 ἵνα μὴ πιστεύσαντες σωθῶσιν
– 36 πῶς ἐσώθηᵉ ὁ δαιμονισθείς
– 50 μόνον πίστευσον, καὶ σωθήσεταιᶜ
(956 vl οὐκ ἦλθεν ψυχὰς ἀνθρώπων (vgᵒ)
ἀπολέσαι, ἀλλὰ σῶσαιᵇ)
1323 κύριε, εἰ ὀλίγοι οἱ σῳζόμενοιᵇ;
1910 ζητῆσαι καὶ σῶσαι τὸ ἀπολωλός (‖
Mat 1811 vl σῶσαιᵇ τὸ ἀπολ. vg)
Joh 317 ἵνα σωθῇᵇ ὁ κόσμος δι' αὐτοῦ
534 ταῦτα λέγω ἵνα ὑμεῖς σωθῆτεᶜ
10 9 ἐγώ εἰμι ἡ θύρα· δι' ἐμοῦ ἐάν τις
εἰσέλθῃ, σωθήσεταιᵇ
1112 κύριε, εἰ κεκοίμηται, σωθήσεταιᶜ
1227 σῶσόνᵈ με ἐκ τῆς ὥρας ταύτης
– 47 ἀλλ' ἵνα σώσωᵈ τὸν κόσμον
Act 221 „ὃς ἐὰν ἐπικαλέσηται τὸ ὄνομα κυ-
ρίου σωθήσεταιᶜ" Rm 1013ᶜ
– 40 σώθητεᵇ ἀπὸ τῆς γενεᾶς τ. σκολιᾶς

Act 2 47 προσετίθει τοὺς σῳζομένους
   4 9 ἐν τίνι οὗτος σέσωσται
   – 12 ὄνομα – ἐν ᾧ δεῖ σωθῆναι ἡμᾶς
   11 14 ῥήματα – ἐν οἷς σωθήσῃ ᶜ σὺ καί
   14 9 ἰδὼν ὅτι ἔχει πίστιν τοῦ σωθῆναι
   15 1 ἐὰν μὴ περιτμηθῆτε –, οὐ δύνασθε
   σωθῆναι ᵇ 11 ἀλλὰ διὰ τῆς χάριτος
   τοῦ κυρίου Ἰης. πιστεύομεν σωθῆναι ᵇ
   16 30 τί με δεῖ ποιεῖν ἵνα σωθῶ; 31 πίστευ-
   σον ἐπὶ – Ἰησοῦν, καὶ σωθήσῃ ᶜ σὺ
   καὶ ὁ οἶκός σου
   27 20 ἐλπὶς πᾶσα τοῦ σώζεσθαι ᶠ ἡμᾶς
   – 31 ἐὰν μὴ –, – σωθῆναι οὐ δύνασθε
Rm 5 9 σωθησόμεθα ᶜ δι' αὐτοῦ ἀπὸ τῆς ὀρ-
   γῆς 10 πολλῷ μᾶλλον καταλλαγέν-
   τες σωθησόμεθα ᶜ ἐν τῇ ζωῇ αὐτοῦ
   8 24 τῇ γὰρ ἐλπίδι ἐσώθημεν
   9 27 „τὸ ὑπόλειμμα σωθήσεται"
   10 9 ἐὰν ὁμολογήσῃς –, σωθήσῃ ᶜ 13 ᶜ
   11 14 εἴ πως – σώσω τινὰς ἐξ αὐτῶν
   – 26 οὕτως πᾶς Ἰσραὴλ σωθήσεται
1 Co 1 18 τοῖς δὲ σῳζομένοις ἡμῖν δύναμις θε-
   οῦ ἐστιν 2 Co 2 15 Χοῦ εὐωδία ἐσμὲν
   τῷ θεῷ ἐν τοῖς σῳζομένοις
   – 21 εὐδόκησεν ὁ θεὸς διὰ τῆς μωρίας
   τοῦ κηρύγματος σῶσαι τοὺς πιστεύ.
   3 15 αὐτὸς δὲ σωθήσεται ᶜ, οὕτως δέ
   5 5 ἵνα τὸ πνεῦμα σωθῇ ᶜ ἐν τῇ ἡμέρᾳ
   7 16 τί – οἶδας, γύναι, εἰ τὸν ἄνδρα σώ-
   σεις; ἢ –, εἰ τὴν γυναῖκα σώσεις;
   9 22 ἵνα πάντως τινὰς σώσω 10 33 ζητῶν
   – τὸ τῶν πολλῶν, ἵνα σωθῶσιν
   15 2 (εὐαγγέλιον) δι' οὗ καὶ σῴζεσθε ᵇ
Eph 2 5 χάριτί ἐστε σεσωσμένοι ᵇ 8 τῇ γὰρ
   χάρ. ἐστε σεσωσμένοι ᵇ διὰ πίστεως
1 Th 2 16 τοῖς ἔθνεσιν λαλῆσαι ἵνα σωθῶσιν
2 Th 2 10 τὴν ἀγάπην τῆς ἀληθείας οὐκ ἐδέ-
   ξαντο εἰς τὸ σωθῆναι αὐτούς
1 Ti 1 15 Χὸς ἦλθεν – ἁμαρτωλοὺς σῶσαι
   2 4 πάντας ἀνθρώπους θέλει σωθῆναι
   – 15 σωθήσεται ᵇ – διὰ τῆς τεκνογονίας
   4 16 σεαυτὸν σώσεις καὶ τοὺς ἀκούοντας
Ti 1 9 θεοῦ, τοῦ σώσαντος ᵍ ἡμᾶς καί
   4 18 καὶ σώσει εἰς τὴν βασιλείαν αὐτοῦ
Tit 3 5 κατὰ τὸ αὐτοῦ ἔλεος ἔσωσεν ἡμᾶς
   διὰ λουτροῦ παλιγγενεσίας
Hb 5 7 πρὸς τὸν δυνάμενον σῴζειν αὐτόν
   7 25 ὅθεν καὶ σῴζειν ᵇ – δύναται τούς
Jac 1 21 δέξασθε τὸν ἔμφυτον λόγον τὸν δυ-
   νάμενον σῶσαι ᵇ τὰς ψυχὰς ὑμῶν
   2 14 μὴ δύναται ἡ πίστις σῶσαι ᵇ αὐτόν;
   4 12 ὁ δυνάμενος σῶσαι ᵍ καὶ ἀπολέσαι

Jac 5 15 ἡ εὐχὴ – σώσει ᵇ τὸν κάμνοντα
   – 20 ὁ ἐπιστρέψας ἁμαρτωλὸν – σώσει ᵇ
   ψυχὴν αὐτοῦ ἐκ θανάτου
1 Pe 3 21 ὃ καὶ ὑμᾶς – νῦν σώζει βάπτισμα
   4 18 εἰ „ὁ δίκαιος μόλις σῴζεται ᵇ"
Jud 5 λαὸν ἐκ γῆς Αἰγύπτου σώσας ᵇ
   23 σῴζετε ᵇ „ἐκ πυρὸς ἁρπάζοντες"

σῶμα corpus ᵇmembra ᶜmancipium
Mat 5 29 καὶ μὴ ὅλον τὸ σῶμά σου βληθῇ 30
   6 22 ὁ λύχνος τοῦ σώματός ἐστιν ὁ ὀ-
   φθαλμός. –, ὅλον τὸ σ. σου φωτεινὸν
   ἔσται 23 σκοτεινὸν ἔσται ‖ Luc 11 34.
   36 εἰ οὖν τὸ σ. σου ὅλον φωτεινὸν
   – 25 μηδὲ (sc μεριμνᾶτε) τῷ σ. ὑμῶν τί
   ἐνδύσησθε· οὐχὶ – πλεῖόν ἐστιν –
   σ. τοῦ ἐνδύματος; ‖ Luc 12 22. 23
   10 28 μὴ φοβεῖσθε ἀπὸ τῶν ἀποκτεννόν-
   των τὸ σ. –· φοβεῖσθε δὲ μᾶλλον τὸν
   δυνάμενον καὶ ψυχὴν καὶ σῶμα ἀπο-
   λέσαι ἐν γεέννῃ ‖ Luc 12 4
   26 12 βαλοῦσα – τὸ μύρον – ἐπὶ τοῦ σώμα-
   τός μου ‖ Mar 14 8 μυρίσαι τὸ σ. μου
   – 26 τοῦτό ἐστιν τὸ σῶμά μου ‖ Mar 14
   22 Luc 22 19 [τὸ ὑπὲρ ὑμῶν διδόμε-
   νον] 1 Co 11 24 τοῦτό μού ἐστιν τὸ
   σῶμα τὸ ὑπὲρ ὑμῶν
   27 52 πολλὰ σ..τα τῶν κεκοιμημέν. ἁγίων
   – 58 ᾐτήσατο τὸ σῶμα τοῦ Ἰησοῦ 59 ‖
   Mar 15 43 Luc 23 52. 55 Joh 19 38. 40
Mar 5 29 ἔγνω τῷ σώματι ὅτι ἴαται
Luc 17 37 ὅπου τὸ σῶμα, ἐκεῖ καὶ οἱ ἀετοί
   24 3 οὐχ εὗρον τὸ σῶμα τοῦ κυρίου 23
Joh 2 21 ἔλεγεν περὶ τοῦ ναοῦ τοῦ σ. αὐτοῦ
   19 31 μὴ μείνῃ ἐπὶ τοῦ σταυροῦ τὰ σώμ.
   20 12 ὅπου ἔκειτο τὸ σῶμα τοῦ Ἰησοῦ
Act 9 40 ἐπιστρέψας πρὸς τὸ σῶμα εἶπεν·
Rm 1 24 τοῦ ἀτιμάζεσθαι τὰ σώματα αὐτῶν
   4 19 τὸ ἑαυτοῦ σῶμα νενεκρωμένον
   6 6 ἵνα καταργηθῇ τὸ σ. τῆς ἁμαρτίας
   – 12 μὴ οὖν βασιλευέτω ἡ ἁμαρτία ἐν τῷ
   θνητῷ ὑμῶν σώματι
   7 4 καὶ ὑμεῖς ἐθανατώθητε τῷ νόμῳ διὰ
   τοῦ σώματος τοῦ Χοῦ
   – 24 ἐκ τοῦ σώματος τοῦ θανάτου τούτου;
   8 10 τὸ μὲν σῶμα νεκρὸν διὰ ἁμαρτίαν
   – 11 ζωοποιήσει καὶ τὰ θνητὰ σ..τα ὑμῶν
   – 13 εἰ – πνεύματι τὰς πράξεις τοῦ σ. (vl
   τῆς σαρκὸς vg carnis) θανατοῦτε
   – 23 τὴν ἀπολύτρωσιν τοῦ σώματος ἡμῶν
   12 1 παραστῆσαι τὰ σώματα ὑμῶν θυσίαν
   – 4 ἐν ἑνὶ σώματι πολλὰ μέλη ἔχομεν

5 οἱ πολλοὶ ἓν σῶμά ἐσμεν ἐν Χῷ

1 Co 5 3 ἀπ ὼν τῷ σ., παρὼν δὲ τῷ πνεύματι
6 13 τὸ δὲ σῶμα οὐ τῇ πορνείᾳ ἀλλὰ τῷ
κυρίῳ, καὶ ὁ κύριος τῷ σώματι
– 15 τὰ σ. ὑμῶν μέλη Χοῦ ἐστιν; 16 ὁ κολ-
λώμενος τῇ πόρνῃ ἓν σῶμά ἐστιν;
– 18 πᾶν ἁμάρτημα – ἐκτὸς τοῦ σ. ἐστιν·
ὁ δὲ πορνεύων εἰς τὸ ἴδιον σ. ἁμαρ-
τάνει 19 τὸ σῶμα ᵇ ὑμῶν ναὸς τοῦ ἐν
ὑμῖν ἁγίου πνεύματός ἐστιν
– 20 δοξάσατε δὴ τὸν θεὸν ἐν τῷ σ. ὑμῶν
7 4 ἡ γυνὴ τοῦ ἰδίου σ..τος οὐκ ἐξουσιά-
ζει – · ὁμοίως δὲ καὶ ὁ ἀνὴρ κτλ.
– 34 ἵνα ᾖ ἁγία καὶ τῷ σ. καὶ τῷ πνεύμ.
9 27 ἀλλὰ ὑπωπιάζω μου τὸ σῶμα
10 16 οὐχὶ κοινωνία τοῦ σώμ. τοῦ Χοῦ –;
– 17 ἓν σῶμα οἱ πολλοί ἐσμεν
(11 24 → Mat 26 26) 11 27 ἔνοχος ἔσται τοῦ
σ. – τοῦ κυρίου 29 κρίμα ἑαυτῷ ἐσθί-
ει – μὴ διακρίνων τὸ σῶμα
12 12 καθάπερ – τὸ σ. ἕν ἐστιν –, πάντα δὲ
τὰ μέλη τοῦ σ. – ἕν ἐστιν σῶμα 13 ἡ-
μεῖς πάντες εἰς ἓν σ. ἐβαπτίσθημεν
– 14 τὸ σ. οὐκ ἔστιν ἓν μέλος ἀλλὰ πολλά
15 οὐκ εἰμὶ ἐκ τοῦ σ., οὐ παρὰ τοῦτο
οὐκ ἔστιν ἐκ τοῦ σ. 16.17.18.19.20.22
τὰ δοκοῦντα μέλη τοῦ σ. ἀσθενέστε-
ρα ὑπάρχειν 23.24 ὁ θεὸς συνεκέρα-
σεν τὸ σῶμα 25 ἵνα μὴ ᾖ σχίσμα ἐν
τῷ σώματι 27 ὑμεῖς δέ ἐστε σῶμα
Χοῦ καὶ μέλη ἐκ μέρους
13 3 ἐὰν παραδῶ τὸ σ. μου ἵνα καυθήσο-
15 35 ποίῳ δὲ σώματι ἔρχονται; |μαι
– 37 οὐ τὸ σ. τὸ γενησόμενον σπείρεις
– 38 θεὸς δίδωσιν αὐτῷ σῶμα καθὼς ἠ-
θέλησεν, καὶ ἑκάστῳ – ἴδιον σῶμα
– 40 σ..τα ἐπουράνια, καὶ σώματα ἐπίγεια
– 44 σπείρεται σ. ψυχικόν, ἐγείρεται σῶμα
πνευματικόν. εἰ ἔστιν σῶμα ψυχικόν,
ἔστιν καὶ πνευματικόν

2 Co 4 10 τὴν νέκρωσιν τοῦ Ἰησοῦ ἐν τῷ σώμ.
περιφέροντες, ἵνα καὶ ἡ ζωὴ τοῦ Ἰη-
σοῦ ἐν τῷ σώματι ἡμῶν φανερωθῇ
5 6 ἐνδημοῦντες ἐν τῷ σώμ. 8 εὐδοκοῦ-
μεν μᾶλλον ἐκδημῆσαι ἐκ τοῦ σώμ.
– 10 ἵνα κομίσηται ἕκαστος τὰ διὰ (vl ἴδια
vg propria) τοῦ σ. πρὸς ἃ ἔπραξεν
10 10 ἡ δὲ παρουσία τοῦ σώματ. ἀσθενής
12 2 εἴτε ἐν σ..τι οὐκ οἶδα, εἴτε ἐκτὸς τοῦ
σ..τος οὐκ οἶδα 3 – χωρὶς τοῦ σώμ.
Gal 6 17 ἐγὼ γὰρ τὰ στίγματα τοῦ Ἰησοῦ ἐν
τῷ σώματί μου βαστάζω

Eph 1 23 τῇ ἐκκλησίᾳ, ἥτις ἐστὶν τὸ σῶμα αὐ-
τοῦ Col 1 18 αὐτός ἐστιν ἡ κεφαλὴ
τοῦ σ., τῆς ἐκκλησίας 24 ὑπὲρ τοῦ
σώματος αὐτοῦ, ὅ ἐστιν ἡ ἐκκλησία
2 16 ἵνα – ἀποκαταλλάξῃ τοὺς ἀμφοτέ-
ρους ἐν ἑνὶ σώματι τῷ θεῷ Col 1 22
ἐν τῷ σώματι τῆς σαρκὸς αὐτοῦ
4 4 ἓν σ. καὶ ἓν πνεῦμα Col 3 15 εἰς ἣν
(sc εἰρήνην) καὶ ἐκλήθητε ἐν ἑνὶ σ..ατι
– 12 εἰς οἰκοδομὴν τοῦ σώματος τοῦ Χοῦ
– 16 ἐξ οὗ πᾶν τὸ σῶμα συναρμολογούμε-
νον – τὴν αὔξησιν τοῦ σώματος ποι-
εῖται Col 2 19 ἐπιχορηγούμενον
5 23 ὁ Χὸς κεφαλὴ τῆς ἐκκλησίας, αὐτὸς
σωτὴρ τοῦ σώματος
– 28 ἀγαπᾶν τὰς ἑαυτῶν γυναῖκας ὡς τὰ
ἑαυτῶν σώματα 30 ὅτι μέλη ἐσμὲν
τοῦ σώματος αὐτοῦ

Phl 1 20 μεγαλυνθήσεται Χὸς ἐν τῷ σ. μου
3 21 τὸ σ. τῆς ταπεινώσεως ἡμῶν σύμμορ-
φον τῷ σώματι τῆς δόξης αὐτοῦ

Col 2 11 ἐν τῇ ἀπεκδύσει τοῦ σ. τῆς σαρκός
– 17 ἢ σαββάτων, ἅ ἐστιν σκιὰ τῶν μελ-
λόντων, τὸ δὲ σῶμα τοῦ Χοῦ
– 23 λόγον μὲν ἔχοντα σοφίας ἐν – τα-
πεινοφροσύνῃ καὶ ἀφειδίᾳ σώματος

1 Th 5 23 καὶ τὸ σῶμα ἀμέμπτως – τηρηθείη

Hb 10 5 „σῶμα δὲ κατηρτίσω μοι"
– 10 διὰ τῆς „προσφορᾶς" τοῦ „σ." – Χοῦ
– 22 λελουσμένοι τὸ σῶμα ὕδατι καθαρῷ
13 3 ὡς καὶ αὐτοὶ ὄντες ἐν σώματι
– 11 τούτων τὰ σώματα κατακαίεται ἔξω

Jac 2 16 μὴ δῶτε δὲ – τὰ ἐπιτήδεια τοῦ σώμ.
– 26 τὸ σῶμα χωρὶς πνεύματος νεκρόν
3 2 χαλιναγωγῆσαι καὶ ὅλον τὸ σῶμα
– 3 ὅλον τὸ σῶμα αὐτῶν μετάγομεν
– 6 γλῶσσα –, ἡ σπιλοῦσα ὅλον τὸ σῶμα

1 Pe 2 24 ὃς τὰς ἁμαρτίας ἡμῶν αὐτὸς ἀνή-
νεγκεν ἐν τῷ σ. αὐτοῦ ἐπὶ τὸ ξύλον

Jud 9 διελέγετο περὶ τοῦ Μωϋσέως σ..τος

Ap 18 13 καὶ ἵππων καὶ ῥεδῶν καὶ σωμάτων ᶜ

σωματικός, ..κῶς corporalis ᵇcorporaliter
Luc 3 22 τὸ πνεῦμα τὸ ἅγιον σ.κῷ εἴδει ὡς
Col 2 9 ἐν αὐτῷ κατοικεῖ πᾶν τὸ πλήρωμα
τῆς θεότητος σωματικῶς ᵇ
1 Ti 4 8 ἡ γὰρ σ..κὴ γυμνασία πρὸς ὀλίγον

Σώπατρος (vl Σωσίπ.) Act 20 4 Βεροιαῖος

σωρεύειν ᵃcongerere ᵇonerare
Rm 12 20 „ἄνθρακας πυρὸς σωρεύσεις ᵃ"
2 Ti 3 6 γυναικάρια σεσ..μένα ᵇ ἁμαρτίαις

Σωσϑένης Act 18 17 1 Co 1 1 Σ. ὁ ἀδελφός

Σωσίπατρος Rm 16 21 (Act 20 4 vl)

σωτήρ *salvator* [b]*salutaris*
Luc 1 47 „ἐπὶ τῷ ϑεῷ τῷ σωτῆρί[b] μου"
   2 11 ὅτι ἐτέχϑη ὑμῖν σήμερον σωτήρ
Joh 4 42 οὗτός ἐστιν ἀληϑῶς ὁ σ. τοῦ κόσμου
Act 5 31 ἀρχηγὸν καὶ σωτῆρα ὕψωσεν τῇ
   13 23 ἤγαγεν τῷ Ἰσραὴλ σωτῆρα Ἰησοῦν
Eph 5 23 ὁ Χρ. –, αὐτὸς σωτὴρ τοῦ σώματος
Phl 3 20 ἐξ οὗ καὶ σωτῆρα ἀπεκδεχόμεϑα κύ-
   ριον Ἰησοῦν Χόν
1 Ti 1 1 ϑεοῦ σωτῆρος ἡμῶν 2 3 τοῦ σωτῆρος
   ἡμῶν ϑεοῦ Tit 1 3 2 10 3 4
   4 10 ϑεῷ ζῶντι, ὅς ἐστιν σωτὴρ πάντων
   ἀνϑρώπων, μάλιστα πιστῶν
2 Ti 1 10 τοῦ σωτῆρος ἡμῶν Χοῦ Ἰησοῦ Tit
   1 4 2 13 τοῦ μεγάλου ϑεοῦ καὶ σωτῆ-
   ρος ἡμῶν Χοῦ Ἰησοῦ 3 6 διὰ Ἰησοῦ
   Χοῦ τοῦ σωτῆρος ἡμῶν
2 Pe 1 1 τοῦ ϑεοῦ ἡμῶν καὶ σωτῆρος Ἰ. Χοῦ
   – 11 τοῦ κυρίου ἡμῶν καὶ σωτῆρος Ἰ. Χοῦ
   2 20 3 18.2 ἐντολῆς τοῦ κυρ. καὶ σ..ος
1 Jo 4 14 μαρτυροῦμεν ὅτι ὁ πατὴρ ἀπέσταλ-
   κεν τὸν υἱὸν σωτῆρα τοῦ κόσμου
Jud 25 μόνῳ ϑεῷ σωτῆρι ἡμῶν διὰ Ἰησοῦ
   Χοῦ τοῦ κυρίου ἡμῶν δόξα

σωτηρία *salus*
[Mar brev. claus. κήρυγμα τῆς αἰων. σ. vg[o]]
Luc 1 69 „ἤγειρεν κέρας" σωτηρίας ἡμῖν
   – 71 σωτηρίαν „ἐξ ἐχϑρῶν" ἡμῶν
   – 77 δοῦναι γνῶσιν σ..ας τῷ λαῷ αὐτοῦ
   19 9 σήμερον σ. τῷ οἴκῳ τούτῳ ἐγένετο
Joh 4 22 ὅτι ἡ σωτηρία ἐκ τῶν Ἰουδαίων ἐστίν
Act 4 12 οὐκ ἔστιν ἐν ἄλλῳ οὐδενὶ ἡ σωτηρία
   7 25 διὰ χειρὸς αὐτοῦ δίδωσιν σωτηρίαν
   13 26 ὁ λόγος τῆς σ. ταύτης ἐξαπεστάλη
   – 47 „τοῦ εἶναί σε εἰς σ..αν ἕως ἐσχάτου"
   16 17 καταγγέλλουσιν ὑμῖν ὁδὸν σωτηρίας
   27 34 πρὸς τῆς ὑμετέρας σωτηρ. ὑπάρχει
Rm 1 16 δύναμις γὰρ ϑεοῦ ἐστιν εἰς σωτηρίαν
   10 1 ἡ δέησις – ὑπὲρ αὐτῶν εἰς σωτηρίαν
   – 10 στόματι δὲ ὁμολογεῖται εἰς σωτηρίαν
   11 11 τῷ αὐτῶν παραπτώματι ἡ σωτ. τοῖς
   ἔϑν., εἰς τὸ „παραζηλῶσαι" αὐτούς
   13 11 ἐγγύτερον ἡμῶν ἡ σ. ἢ ὅτε ἐπιστεύ.
2 Co 1 6 εἴτε – ϑλιβόμεϑα, ὑπὲρ τῆς ὑμῶν πα-
   ρακλήσεως καὶ σωτηρίας
   6 2 „ἐν ἡμέρᾳ σωτηρίας ἐβοήϑησά σοι"·
   ἰδοὺ νῦν – „ἡμέρα σωτηρίας"

2 Co 7 10 μετάνοιαν εἰς σωτηρίαν – ἐργάζεται
Eph 1 13 τὸ εὐαγγέλιον τῆς σωτηρίας ὑμῶν
Phl 1 19 „τοῦτό μοι ἀποβήσεται εἰς σ..αν"
   – 28 ὑμῶν δὲ σωτηρίας (sc ἔνδειξις)
   2 12 τὴν ἑαυτῶν σωτηρίαν κατεργάζεσϑε
1 Th 5 8 „περικεφαλαίαν" ἐλπίδα „σωτηρίας"
   – 9 ἔϑετο ἡμᾶς – εἰς περιποίησιν σ..ας
2 Th 2 13 εἵλατο ὑμᾶς ὁ ϑεὸς – εἰς σωτηρίαν
2 Ti 2 10 ἵνα – σ..ας τύχωσιν τῆς ἐν Χῷ Ἰησοῦ
   3 15 σοφίσαι εἰς σωτηρίαν διὰ πίστεως
Hb 1 14 διὰ τ. μέλλοντας κληρονομεῖν σ..αν
   2 3 τηλικαύτης ἀμελήσαντες σωτηρίας
   – 10 τ. ἀρχηγὸν τῆς σ. αὐτῶν – τελειῶσαι
   5 9 ἐγένετο – αἴτιος „σωτηρίας αἰωνίου"
   6 9 πεπείσμεϑα – περὶ ὑμῶν – τὰ κρείσ-
   σονα καὶ ἐχόμενα σωτηρίας
   9 28 τοῖς αὐτὸν ἀπεκδεχομένοις εἰς σ..αν
   11 7 κιβωτὸν εἰς σωτ. τοῦ οἴκου αὐτοῦ
1 Pe 1 5 εἰς σ..αν ἑτοίμην ἀποκαλυφϑῆναι
   – 9 τέλος τῆς πίστεως σωτηρίαν ψυχῶν
   – 10 περὶ ἧς σ..ας ἐξεζήτησαν – προφῆται
   2 2 ἵνα ἐν αὐτῷ αὐξηϑῆτε εἰς σωτηρίαν
2 Pe 3 15 τὴν τοῦ κυρίου ἡμῶν μακροϑυμίαν
   σωτηρίαν ἡγεῖσϑε
Jud 3 περὶ τῆς κοινῆς ἡμῶν σωτηρίας
Ap 7 10 ἡ σ. τῷ ϑεῷ ἡμῶν 19 1 τοῦ ϑεοῦ ἡ-
   μῶν 12 10 ἄρτι ἐγένετο ἡ σωτ. καὶ ἡ δύ-
   ναμις καὶ ἡ βασιλεία τοῦ ϑεοῦ ἡμῶν

σωτήριος, τὸ σωτήριον *salutare* [b]*salus*
Luc 2 30 „εἶδον – τὸ σ. σου" 3 6 „ὄψεται πᾶσα
   σὰρξ τὸ σωτ. τοῦ ϑεοῦ" Act 28 28 „τοῖς
   ἔϑν." ἀπεστάλη τοῦτο „τὸ σ. τοῦ ϑεοῦ"
Eph 6 17 „τὴν περικεφαλαίαν τοῦ σ.[b]" δέξασϑε
Tit 2 11 ἐπεφάνη – ἡ χάρις τοῦ ϑεοῦ σ..ιος
   (vl τοῦ σωτῆρος vg *salvatoris* vl F
   salutaris) πᾶσιν ἀνϑρώποις

σωφρονεῖν S[o] – *sobrium esse* [b]*prudentem*
   esse [c](τὸ σ.) *sobrietas* [d](σ..ῶν) *sa-*
   nae mentis [e]*sana mente*
Mar 5 15 ϑεωροῦσιν τὸν δαιμονιζόμενον καϑή-
   μενον – σωφρονοῦντα[d] ‖ Luc 8 35[e]
Rm 12 3 ἀλλὰ φρονεῖν εἰς τὸ σωφρονεῖν[c]
2 Co 5 13 εἴτε γὰρ ἐξέστημεν, ϑεῷ· εἴτε σωφρο-
   νοῦμεν, ὑμῖν
Tit 2 6 τοὺς νεωτέρους – παρακάλει σ..εῖν
1 Pe 4 7 σωφρονήσατε[b] οὖν καὶ νήψατε εἰς
   προσευχάς

σωφρονίζειν S[o] – *prudentiam docēre*
Tit 2 4 ἵνα σ..ωσιν τὰς νέας φιλάνδρους εἶναι

σωφρονισμός Sᵒ – *sobrietas*
2 Ti 1 7 ἔδωκεν ἡμῖν ὁ θεὸς πνεῦμα – σ..οῦ

σωφρόνως *sobrie* Tit 2 12 ἵνα – σωφρόνως
καὶ δικαίως καὶ εὐσεβῶς ζήσωμεν

σωφροσύνη *sobrietas*
Act 26 25 ἀλλὰ ἀληθείας καὶ σ..ης ῥήματα

1 Ti 2 9 μετὰ αἰδοῦς καὶ σ..ης κοσμεῖν ἑαυ-
τάς 15 μείνωσιν ἐν ἁγιασμῷ μετὰ σ..ης

σώφρων *prudens* ᵇ*sobrius*
1 Ti 3 2 δεῖ – τὸν ἐπίσκοπον – εἶναι – σώφρονα
Tit 1 8 φιλάγαθον, σώφρονα ᵇ, δίκαιον
Tit 2 2 πρεσβύτας – εἶναι, σεμνούς, σ..ονας
– 5 πρεσβύτιδας – σώφρονας, ἁγνάς

Τ

Ταβιθά Act 9 36.40 Ταβιθά, ἀνάστηθι

τάγμα *ordo* 1 Co 15 23 ἐν τῷ ἰδίῳ τάγματι

τακτός *statutus* Act 12 21 τακτῇ – ἡμέρα

ταλαιπωρεῖν *miserum esse* Jac 4 9 τ..ήσατε

ταλαιπωρία *infelicitas* ᵇ*miseria*
Rm 3 16 „ταλαιπωρία ἐν ταῖς ὁδοῖς αὐτῶν"
Jac 5 1 ἐπὶ ταῖς τ.ᵇ ὑμῶν ταῖς ἐπερχομέναις

ταλαίπωρος *infelix* ᵇ*miser*
Rm 7 24 ταλ. ἐγὼ ἄνθρ.· τίς με ῥύσεται – ;
Ap 3 17 ὅτι σὺ εἶ ὁ ταλ.ᵇ καὶ ἐλεεινός

ταλαντιαῖος Sᵒ – (*sicut*) *talentum* Ap 16 21

τάλαντον *talentum* Mat 18 24 25 15-28

ταλιθά Sᵒ – *puella* Mar 5 41 ταλιθὰ κοῦμ

ταμιεῖον *cubiculum* ᵇ*cellarium* ᶜ*penetrale*
Mat 6 6 „εἴσελθε εἰς τὸ ταμιεῖόν σου"
24 26 ἰδοὺ ἐν τοῖς ταμ.ᶜ, μὴ πιστεύσητε
Luc 12 3 ὃ πρὸς τὸ οὖς ἐλαλήσατε ἐν τοῖς τ.
– 24 οἷς οὐκ ἔστιν ταμ.ᵇ οὐδὲ ἀποθήκη

τάξις *ordo* Luc 1 8 τῆς ἐφημερίας
1 Co 14 40 πάντα – εὐσχημόνως καὶ κατὰ τάξιν
Col 2 5 χαίρων καὶ βλέπων ὑμῶν τὴν τάξιν
Hb 5 6 „ἱερεὺς – κατὰ τὴν τ. Μελχισέδεκ" 10
ἀρχιερεύς 6 20 7 11.17 (21 vl) – 11 τίς ἔτι
χρεία – οὐ „κατὰ τὴν τ." Ἀαρὼν λέγεσθαι;

ταπεινός *humilis*
Mat 11 29 ὅτι πραῢς εἰμι καὶ ταπ. τῇ καρδίᾳ
Luc 1 52 καὶ „ὕψωσεν ταπεινούς"
Rm 12 16 ἀλλὰ τοῖς ταπεινοῖς συναπαγόμενοι

2 Co 7 6 ἀλλ' ὁ παρακαλῶν τοὺς ταπ. – ὁ ϑ.
10 1 κατὰ πρόσωπον μὲν ταπειν. ἐν ὑμῖν
Jac 1 9 καυχάσθω – ὁ ἀδελφὸς ὁ ταπεινὸς
ἐν τῷ ὕψει αὐτοῦ
4 6 „τ..οῖς δὲ δίδωσιν χάριν" 1 Pe 5 5

ταπεινοῦν, ..οῦσθαι *humiliare*, ..*ri*
Mat 18 4 ὅστις – τ..ώσει ἑαυτὸν ὡς τὸ παιδίον
23 12 ὅστις – ὑψώσει ἑαυτὸν ταπεινωθήσε-
ται, καὶ ὅστις ταπεινώσει ἑαυτὸν ὑ-
ψωθήσεται Luc 14 11 18 14
Luc 3 5 „πᾶν ὄρος καὶ βουνὸς τ..ωθήσεται"
2 Co 11 7 ἢ ἁμαρτίαν ἐποίησα ἐμαυτὸν ταπει-
νῶν ἵνα ὑμεῖς ὑψωθῆτε – ;
12 21 μή – τ..ώσῃ με ὁ θεὸς – πρὸς ὑμᾶς
Phl 2 8 ἐτ..ωσεν ἑαυτὸν γενόμενος ὑπήκοος
4 12 οἶδα καὶ τ..οῦσθαι, – περισσεύειν
Jac 4 10 τ..ώθητε ἐνώπιον κυρίου, καὶ ὑψώσει
ὑμᾶς 1 Pe 5 6 τ..ώθητε – ὑπὸ τὴν κραται-
ὰν χεῖρα τοῦ θεοῦ, ἵνα ὑμᾶς ὑψώσῃ

ταπεινοφροσύνη Sᵒ – *humilitas*
Act 20 19 δουλεύων τῷ κυρίῳ μετὰ πάσης τ..ης
Eph 4 2 περιπατῆσαι – μετὰ πάσ. τ.
Phl 2 3 τῇ ταπεινοφροσύνῃ ἀλλήλους ἡγού-
μενοι ὑπερέχοντας ἑαυτῶν
Col 2 18 θέλων ἐν τ..ῃ 23 λόγον – ἔχοντα σο-
φίας ἐν ἐθελοθρησκίᾳ καὶ τ..ῃ
3 12 ἐνδύσασθε – τ..σύνην, πραΰτητα
1 Pe 5 5 ἀλλήλοις τὴν ταπ. ἐγκομβώσασθε

ταπεινόφρων *humilis* 1 Pe 3 8 (vl φιλόφρ.)

ταπείνωσις *humilitas*
Luc 1 48 „ἐπέβλεψεν ἐπὶ τὴν ταπ. τῆς δούλης"
Act 8 33 „ἐν τῇ ταπ. ἡ κρίσις αὐτοῦ ἤρθη"
Phl 3 21 τὸ σῶμα τῆς ταπ. ἡμῶν σύμμορφον
Jac 1 10 καυχάσθω – ὁ – πλούσιος ἐν τῇ τα-
πεινώσει αὐτοῦ

ταράσσειν *turbare* [b]*conturbare* [c]*concitare*
[d]*movēre*
Mat 2 3 Ἡρῴδης ἐταράχθη Luc 1 12 Ζαχαρ.
14 26 οἱ – μαθ. – ἐταράχθησαν ‖ Mar 6 50[b]
Luc 24 38 τί τεταραγμένοι ἐστέ –;
Joh 5(vl 4[d]) 7 ὅταν ταραχθῇ τὸ ὕδωρ
11 33 Ἰησοῦς – ἐτάραξεν ἑαυτόν 13 21 ἐτα-
ράχθη τῷ πνεύματι
12 27 νῦν ἡ ψυχή μου τετάρακται
14 1 μὴ ταρασσέσθω ὑμῶν ἡ καρδία 27
Act 15 24 ὑμᾶς λόγοις 17 8[c] ὄχλον 13 ὄχλους
Gal 1 7 τινές εἰσιν οἱ τ..οντες[b] ὑμᾶς 5 10 ὁ δὲ
τ..ων[b] ὑμᾶς βαστάσει τὸ κρίμα
1 Pe 3 14 „μὴ φοβηθῆτε μηδὲ ταραχθῆτε[b]"

(ταραχή *motio* Joh 5 4 vl τοῦ ὕδατος)

τάραχος *turbatio* Act 12 18 19 23 περὶ τ. ὁδοῦ

Ταρσεύς Act 9 11 21 39

Ταρσός Act 9 30 11 25 22 3

ταρταροῦν S° – *detrahere in tartarum*
2 Pe 2 4 σιροῖς ζόφου τ..ώσας παρέδωκεν

τάσσειν *constituere* [b]*ordinare* [c]*praeordina-*
re [d]*statuere* [e](τέτακται) *oportet*
Mat 28 16 Luc 7 8 ἄνθρωπός εἰμι ὑπὸ ἐξουσίαν
τασσόμενος (vl Mat 8 9 vg, vl°)
Act 13 48 τεταγμένοι[c] εἰς ζωὴν αἰώνιον
15 2[d] 22 10 τέτακταί[e] σοι ποιῆσαι 28 23
Rm 13 1 αἱ δὲ οὖσαι (sc ἐξουσίαι) ὑπὸ θεοῦ
τεταγμέναι[b] εἰσίν
1 Co 16 15 εἰς διακονίαν – ἔταξαν[b] ἑαυτούς

ταῦρος *taurus* Mat 22 4 Act 14 13 Hb 9 13 10 4

ταφή *sepultura* Mat 27 7 εἰς τ. τοῖς ξένοις

τάφος *sepulchrum*
Mat 23 27 παρομοιάζετε τάφοις κεκονιαμένοις
– 29 οἰκοδομεῖτε τοὺς τ. τῶν προφητῶν
27 61.64 ἀσφαλισθῆναι τὸν τάφον 66 28 1
Rm 3 13 „τάφ. ἀνεῳγμένος ὁ λάρυγξ αὐτῶν"

τάχα *forsitan* Rm 5 7 ὑπὲρ – τοῦ ἀγαθοῦ τά-
χα τις καὶ τολμᾷ ἀποθανεῖν Phm 15

ταχέως *cito* Luc 14 21 16 6 Joh 11 31 1 Co 4 19
Gal 1 6 ὅτι οὕτως ταχέως μετατίθεσθε
Phl 2 19.24 2 Th 2 2 εἰς τὸ μὴ ταχέως σα-

λευθῆναι ὑμᾶς 1 Ti 5 22 χεῖρας ταχέως
μηδενὶ ἐπιτίθει – 2 Ti 4 9

ταχινός *velox* [b]*celer* 2 Pe 1 14 21[b] ἀπώλεια

τάχιον *citius* [b]*cito* [c]*celerius* Joh 13 27 ὃ ποι-
εῖς ποίησον τάχιον 20 4 προέδραμεν
τάχιον – 1 Ti 3 14[b] Hb 13 19[c] 23[c]

ὡς τάχιστα *quam celeriter* Act 17 15

τάχος, ἐν τάχει *cito* [b]*maturius* [c]*velociter*
Luc 18 8 ποιήσει τὴν ἐκδίκησιν αὐτῶν ἐν τάχ.
Act 12 7 ἀνάστα ἐν τάχει[c] 22 18[c] 25 4[b]
Rm 16 20 συντρίψει τὸν σατανᾶν – ἐν τάχει[c]
Ap 1 1 „ἃ δεῖ γενέσθαι" ἐν τάχει 22 6

ταχύ adv. *cito* [b]*velociter* Mat 5 25 ἴσθι εὐνο-
ῶν τῷ ἀντιδίκῳ σου ταχύ – 28 7.8
Mar 9 39 οὐδείς – ἐστιν ὃς – δυνήσεται ταχὺ
κακολογῆσαί με – Luc 15 22 Joh 11 29
Ap 2 16 ἔρχομαί σοι ταχύ 3 11 22 7[b] 12.20
11 14 ἡ Οὐαὶ ἡ τρίτη ἔρχεται ταχύ

ταχύς *velox* Jac 1 19 ταχὺς εἰς τὸ ἀκοῦσαι

τεῖχος *murus* Act 9 25 2 Co 11 33 – Hb 11 30
τὰ τείχη Ἱεριχώ – Ap 21 12.14.15.17.18.19

τεκμήριον *argumentum* Act 1 3 ἐν – τ..οις

τεκνίον S° – *filiolus* Joh 13 33 τεκνία, ἔτι
μικρόν 1 Jo 2 1.12.28 3 7.18 4 4 5 21

τεκνογονεῖν S° – *filios procreare* 1 Ti 5 14

τεκνογονία S° – *filiorum generatio* 1 Ti 2 15

τέκνον *filius* [b]*filiolus* [c]*filia* [d]*natus* [e]*semen*
1) proprie dictum: progenies, stirps
Mat 2 18 „Ῥαχὴλ κλαίουσα τὰ τέκνα αὐτῆς"
3 9 ἐγεῖραι τέκνα τῷ Ἀβραάμ ‖ Luc 3 8
7 11 εἰ – ὑμεῖς – οἴδατε δόματα ἀγαθὰ δι-
δόναι τοῖς τέκνοις ὑμῶν ‖ Luc 11 13
10 21 παραδώσει – εἰς θάνατον – πατὴρ τέ-
κνον, καὶ „ἐπαναστήσονται τέκνα ἐπὶ
γονεῖς" ‖ Mar 13 12
15 26 λαβεῖν τὸν ἄρτον τῶν τέκνων ‖ Mar
7 27 ἄφες πρῶτον χορτασθῆναι τὰ τ.·
οὐ γάρ ἐστιν καλὸν λαβεῖν κτλ.
18 25 πραθῆναι – τὴν γυναῖκα καὶ τὰ τέκ.

Mat 19 29 ὅστις ἀφῆκεν – ἢ μητέρα ἢ τέκνα ‖
    Mar 10 29.30 ἐὰν μὴ λάβῃ Luc 18 29
21 28 ἄνθρωπος εἶχεν τέκνα δύο· – τέκνον,
    ὕπαγε σήμερον ἐργάζου ἐν τῷ
22 24 „ἐάν τις ἀποθάνῃ μὴ ἔχων τέκνα" ‖
    Mar 12 19 „μὴ ἀφῇ τέκνον" Luc 20 31 e
23 37 ποσάκις ἠθέλησα ἐπισυναγαγεῖν τὰ
    τέκνα σου ‖ Luc 13 34
27 25 τὸ αἷμα αὐτοῦ – καὶ ἐπὶ τὰ τ. ἡμῶν
Luc 1 7 καὶ οὐκ ἦν αὐτοῖς τέκνον
  – 17 „καρδίας πατέρων ἐπὶ τέκνα"
2 48 τέκνον, τί ἐποίησας ἡμῖν οὕτως;
14 26 εἴ τις – οὐ μισεῖ – καὶ τὰ τέκνα
15 31 τέκνον, σὺ πάντοτε μετ' ἐμοῦ εἶ
19 44 „ἐδαφιοῦσίν σε καὶ τὰ τέκνα σου"
23 28 καὶ ἐπὶ τὰ τέκνα ὑμῶν (sc κλαίετε)
Joh 8 39 εἰ τέκνα τοῦ Ἀβραάμ ἐστε, τὰ ἔργα
Act 2 39 ὑμῖν – ἐστιν ἡ ἐπαγγ. καὶ τοῖς τ. ὑμῶν
7 5 οὐκ ὄντος αὐτῷ τέκνου
13 33 ὁ θεὸς ἐκπεπλήρωκεν τοῖς τ. ἡμῶν
21 5 – 21 μὴ περιτέμνειν αὐτοὺς τὰ τέκνα
Rm 9 8 οὐ τὰ τ. τῆς σαρκὸς – τέκνα τ. θεοῦ
1 Co 7 14 ἐπεὶ ἄρα τὰ τ. ὑμῶν ἀκάθαρτά ἐστιν
2 Co 12 14 οὐ γὰρ ὀφείλει τὰ τέκνα τοῖς γονεῦ-
    σιν θησαυρίζειν, ἀλλὰ οἱ γονεῖς τοῖς
    τέκνοις
Gal 4 25 δουλεύει γὰρ (sc ἡ νῦν Ἱερουσ.) με-
    τὰ τῶν τέκνων αὐτῆς 27 „πολλὰ τὰ
    τέκνα τῆς ἐρήμου" 31 οὐκ ἐσμὲν παι-
    δίσκης τέκνα ἀλλὰ τῆς ἐλευθέρας
Eph 6 1 τὰ τέκνα, ὑπακούετε τοῖς γονεῦσιν
  4 οἱ πατέρες, μὴ παροργίζετε τὰ τέ-
    κνα ὑμῶν Col 3 20.21 μὴ ἐρεθίζετε
Phl 2 22 ὡς πατρὶ τέκνον – ἐδούλευσεν
1 Th 2 7 ὡς ἐὰν τροφὸς θάλπῃ τὰ ἑαυτῆς τ.
  – 11 ὡς πατὴρ τέκνα – παρακαλοῦντες
1 Ti 3 4 ἐπίσκοπον –, τέκνα ἔχοντα ἐν ὑπο-
    ταγῇ 12 διάκονοι –, τέκνων καλῶς
    προϊστάμενοι Tit 1 6 εἴ τίς ἐστιν (sc
    πρεσβύτερος) –, τέκνα ἔχων πιστὰ
5 4 εἰ δέ τις χήρα τέκνα ἢ ἔκγονα ἔχει
Ap 12 4 ἵνα – τὸ τέκνον αὐτῆς καταφάγῃ
  – 5 ἡρπάσθη τὸ τέκνον – πρὸς τὸν θεόν

    2) τέκνον significatione translata

Mat 9 2 θάρσει, τέκνον, ἀφίενται ‖ Mar 2 5
21 28 23 37 Luc 2 48 15 31 19 44 → 1)
Mar 10 24 τέκνα b, πῶς δύσκολόν ἐστιν
Luc 7 35 ἐδικαιώθη ἡ σοφία ἀπὸ πάντων τῶν
    τέκνων αὐτῆς (‖ Mat 11 19 vl, vg)
16 25 τέκνον, μνήσθητι ὅτι ἀπέλαβες
Joh 1 12 ἐξουσίαν τέκνα θεοῦ γενέσθαι

Joh 11 52 τὰ τέκνα τοῦ θεοῦ τὰ διεσκορπισμ.
Rm 8 16 ὅτι ἐσμὲν τέκνα θεοῦ 17 εἰ δὲ τέκνα,
    καὶ κληρονόμοι 21 εἰς τὴν ἐλευθερίαν
    τῆς δόξης τῶν τέκνων τοῦ θεοῦ
9 7 οὐδ' ὅτι εἰσὶν σπέρμα Ἀβρ., πάντες
    τέκνα 8 οὐ τὰ τ. τῆς σαρκὸς ταῦτα
    τέκνα τοῦ θεοῦ, ἀλλὰ τὰ τέκνα τῆς
    ἐπαγγελίας λογίζεται εἰς σπέρμα
1 Co 4 14 ὡς τέκνα μου ἀγαπητὰ νουθετῶν
  – 17 Τιμόθεον, ὅς ἐστίν μου τέκνον ἀγα-
    πητὸν καὶ πιστὸν ἐν κυρίῳ
2 Co 6 13 ὡς τέκνοις λέγω Gal 4 19 τέκνα b μου,
    οὓς πάλιν ὠδίνω μέχρις οὗ μορφ.
Gal 4 25.27.31 → 1) – Gal 4 28 ὑμεῖς – κατὰ
    Ἰσαὰκ ἐπαγγελίας τέκνα ἐστέ
Eph 2 3 ἤμεθα τέκνα φύσει ὀργῆς
5 1 μιμηταὶ τοῦ θεοῦ, ὡς τέκνα ἀγαπη-
    τὰ 8 ὡς τέκνα φωτὸς περιπατεῖτε
Phl 2 15 „τέκνα θεοῦ ἄμωμα" μέσον γενεᾶς
1 Ti 1 2 γνησίῳ τέκνῳ ἐν πίστει 18 τέκνον Τι-
    μόθεε 2 Ti 1 2 Τιμ. ἀγαπητῷ τέκνῳ
    21 σὺ οὖν, τέκνον μου, ἐνδυναμοῦ
Tit 1 4 Τίτῳ γνησίῳ τέκνῳ κατὰ – πίστιν
Phm 10 περὶ τοῦ ἐμοῦ τέκ., ὃν ἐγέννησα ἐν
1 Pe 1 14 ὡς τέκνα ὑπακοῆς 3 6 ἧς (sc Σάρ-
    ρας) ἐγενήθητε τ..a c ἀγαθοποιοῦσαι
2 Pe 2 14 κατάρας τέκνα
1 Jo 3 1 ἵνα τέκνα θεοῦ κληθῶμεν, καὶ ἐσμέν
  2 νῦν τέκνα θεοῦ ἐσμεν 10 φανερά
    ἐστιν τὰ τέκνα τοῦ θεοῦ καὶ τὰ τέ-
    κνα τοῦ διαβόλου 5 2 ὅτι ἀγαπῶμεν
    τὰ τέκνα d τοῦ θεοῦ
2 Jo 1 ἐκλεκτῇ κυρίᾳ καὶ τοῖς τέκ. d αὐτῆς
  4 ἐκ τῶν τέκνων σου περιπατοῦντας ἐν
  13 τὰ τ. τῆς ἀδελφῆς σου τῆς ἐκλεκτ.
3 Jo 4 τὰ ἐμὰ τ. ἐν τῇ ἀληθείᾳ περιπατοῦν.
Ap 2 23 τὰ τέκνα αὐτῆς ἀποκτενῶ

τεκνοτροφεῖν S o – filios educare 1 Ti 5 10

τέκτων faber Mat 13 55 ‖ Mar 6 3

τελεῖν consummare b finire c implēre d per-
    ficere e praestare f solvere
Mat 7 28 λόγους 11 1 ἐτέλεσεν – διατάσσων 13
  53 παραβολάς 19 1 λόγους 26 1
10 23 οὐ μὴ τελέσητε τὰς πόλεις – Ἰσραήλ
17 24 ὁ διδάσκαλος – οὐ τελεῖ f δίδραχμα;
Luc 2 39 ὡς ἐτέλεσαν d – τὰ κατὰ τὸν νόμον
12 50 ἕως ὅτου τελεσθῇ d (sc τὸ βάπτισμα)
18 31 τελεσθήσεται – τὰ γεγραμμένα – τῷ
    υἱῷ τοῦ ἀνθρώπου 22 37 δεῖ τελεσθῆ-
    ναι c ἐν ἐμοί – Act 13 29

Joh 19 28 εἰδὼς – ὅτι ἤδη πάντα τετέλεσται, –
λέγει· „διψῶ" 30 εἶπεν· τετέλεσται
Rm 2 27 ἡ – ἀκροβυστία τὸν νόμον τελοῦσα
13 6 διὰ τοῦτο – καὶ φόρους τελεῖτε e
2 Co 12 9 ἡ – δύναμις ἐν ἀσθενείᾳ τελεῖται d
Gal 5 16 ἐπιθυμίαν σαρκὸς οὐ μὴ τελέσητε d
2 Ti 4 7 τὸν δρόμον τετέλεκα
Jac 2 8 εἰ μέντοι νόμον τελεῖτε d βασιλικόν
Ap 10 7 ἐτελέσθη „τὸ μυστήριον τοῦ θεοῦ"
11 7 ὅταν τελέσωσιν b τὴν μαρτυρίαν
15 1 ἐτελέσθη ὁ θυμὸς τοῦ θεοῦ 8 ἄχρι
τελεσθῶσιν αἱ „ἑπτὰ πληγαί"
17 17 ἄχρι τελεσθήσονται οἱ λόγοι τ. θεοῦ
20 3 ἄχρι τελεσθῇ τὰ χίλια ἔτη 5.7

τέλειος *perfectus*
Mat 5 48 „ἔσεσθε" – ὑμεῖς „τέλειοι" ὡς ὁ πα-
τὴρ ὑμῶν ὁ οὐράνιος τέλειός ἐστιν
19 21 εἰ θέλεις τέλειος εἶναι, – πώλησον
Rm 12 2 τί τὸ θέλημα τοῦ θεοῦ, τὸ – τέλειον
1 Co 2 6 σοφίαν – λαλοῦμεν ἐν τοῖς τελείοις
13 10 ὅταν δὲ ἔλθῃ τὸ τέλ., τὸ ἐκ μέρους
14 20 ταῖς δὲ φρεσὶν τέλειοι γίνεσθε
Eph 4 13 μέχρι καταντήσωμεν – εἰς ἄνδρα τέλ.
Phl 3 15 ὅσοι οὖν τέλειοι, τοῦτο φρονῶμεν
Col 1 28 ἵνα παραστήσωμεν πάντα ἄνθρωπον
τέλειον ἐν Χῷ 4 12 ἵνα σταθῆτε τέ-
λειοι – ἐν παντὶ θελήματι τοῦ θεοῦ
Hb 5 14 τελείων δέ ἐστιν ἡ στερεὰ τροφή
9 11 διὰ τῆς – τελειοτέρας σκηνῆς
Jac 1 4 ἡ δὲ ὑπομονὴ ἔργον τέλειον ἐχέτω,
ἵνα ἦτε τέλειοι καὶ ὁλόκληροι
– 17 πᾶν δώρημα τ..ον ἄνωθέν ἐστιν
– 25 εἰς νόμον τ..ον τὸν τῆς ἐλευθερίας
3 2 οὗτος τέλειος ἀνήρ, δυνατός
1 Jo 4 18 ἡ τ..α ἀγάπη ἔξω βάλλει τὸν φόβον

τελειότης *aperfectio* *bperfectiora*
Col 3 14 ἐπὶ πᾶσιν – τούτοις τὴν ἀγάπην, ὅ
ἐστιν σύνδεσμος τῆς τελειότητος
Hb 6 1 ἐπὶ τὴν τελειότητα b (vl a) φερώμεθα

τελειοῦν *consummare* *bperficere* *cperfec-*
tum facere *dad perfectum adducere*
Luc 2 43 τ..ωσάντων τὰς ἡμέρας, – ὑπέμεινεν
13 32 καὶ τῇ τρίτῃ τελειοῦμαι
Joh 4 34 ἵνα – τελειώσω b αὐτοῦ τὸ ἔργον
5 36 τὰ – ἔργα ἃ δέδωκέν μοι ὁ πατὴρ
ἵνα τελειώσω b αὐτά 17 4 ἐγώ σε ἐ-
δόξασα –, τὸ ἔργον τελειώσας ὅ
17 23 ἵνα ὦσιν τετελειωμένοι εἰς ἕν
19 28 ἵνα τελειωθῇ ἡ γραφή, λέγει·

Act 20 24 ὡς τ..ώσω (vl ..ῶσαι) τὸν δρόμον
Phl 3 12 οὐχ ὅτι – ἤδη τετελείωμαι b
Hb 2 10 διὰ παθημάτων τελειῶσαι 5 9 τελει-
ωθεὶς ἐγένετο – αἴτιος σωτηρίας
7 19 οὐδὲν γὰρ ἐτελείωσεν d ὁ νόμος
– 28 „υἱὸν εἰς τὸν αἰῶνα τετ..ωμένον b"
9 9 θυσίαι – μὴ δυνάμεναι κατὰ συνεί-
δησιν τ..ῶσαι c τὸν λατρεύοντα
10 1 ὁ νόμος – εἰς τὸ διηνεκὲς οὐδέποτε
δύναται τοὺς προσερχομένους τε-
λειῶσαι c 14 μιᾷ – προσφορᾷ τετε-
λείωκεν εἰς τὸ διηνεκές
11 40 ἵνα μὴ χωρὶς ἡμῶν τελειωθῶσιν
12 23 πνεύμασι δικαίων τετελειωμένων b
Jac 2 22 ἐκ τῶν ἔργων ἡ πίστις ἐτελειώθη
1 Jo 2 5 ἐν τούτῳ ἡ ἀγάπη τοῦ θεοῦ τετε-
λείωται b 4 12 ἡ ἀγάπη αὐτοῦ τετε-
λειωμένη b ἐν ἡμῖν ἐστιν
4 17 ἐν τούτῳ τετελείωται b ἡ ἀγάπη μεθ'
ἡμῶν 18 ὁ δὲ φοβούμενος οὐ τετε-
λείωται b ἐν τῇ ἀγάπῃ

τελείως *perfecte* 1 Pe 1 13 νήφοντες, τελείως
ἐλπίσατε (vel νήφοντες τ., ἐλπίσ.)

τελείωσις *aconsummatio* *b*(ἔσται τελ.) *per-*
ficientur Luc 1 45 b τοῖς λελαλημένοις
Hb 7 11 εἰ – τελ.a διὰ τῆς – ἱερωσύνης ἦν

τελειωτής S o – *consummator* Hb 12 2 εἰς
τὸν τῆς πίστεως ἀρχηγὸν καὶ τ..ωτήν

τελεσφορεῖν *referre fructum* Luc 8 14

τελευτᾶν *defungi* *bmori* Mat 2 19 9 18
Mat 15 4 „θανάτῳ τ..άτω b" ‖ Mar 7 10 b – Mat
22 25 ὁ πρῶτος γήμας ἐτελεύτησεν
Mar 9 48 ὅπου „ὁ σκώληξ αὐτῶν οὐ τ..τᾷ b"
Luc 7 2 b Joh 11 39 b Act 2 29 7 15 Hb 11 22 b

τελευτή *obitus* Mat 2 15 ἕως τῆς τ. Ἡρῴδου

τέλος *finis* *bconsummatio* *c*(εἰς τ.) *in no-*
vissimo *d*(τέλη) *tributum* *evectigal*
Mat 10 22 ὁ δὲ ὑπομείνας εἰς τέλος, οὗτος σω-
θήσεται 24 13 ‖ Mar 13 13
17 25 ἀπὸ τίνων λαμβάνουσιν τέλη d –;
24 6 ἀλλ' οὔπω ἐστὶν τὸ τέλος ‖ Mar 13 7
Luc 21 9 οὐκ εὐθέως τὸ τέλος – Mat
24 14 καὶ τότε ἥξει τὸ τέλος b
26 58 ἐκάθητο (sc Πέτρος) – ἰδεῖν τὸ τέλος
Mar 3 26 οὐ δύναται στῆναι ἀλλὰ τέλος ἔχει

Luc 1 33 τῆς βασιλείας αὐτοῦ οὐκ ἔσται τέλ.
18 5 ἵνα μὴ εἰς τέλος^c – ὑπωπιάζῃ με
22 37 καὶ γὰρ τὸ περὶ ἐμοῦ τέλος ἔχει
Joh 13 1 εἰς τέλος ἠγάπησεν αὐτούς
Rm 6 21 τὸ γὰρ τέλος ἐκείνων θάνατος
– 22 τὸ δὲ τέλος ζωὴν αἰώνιον
10 4 τέλος γὰρ νόμου Χὸς εἰς δικαιοσ.
13 7 ἀπόδοτε πᾶσιν τὰς ὀφειλάς, – τῷ τὸ
τέλος^e τὸ τέλος^e, τῷ τὸν φόβον
1 Co 1 8 ὑμᾶς ἕως τέλους ἀνεγκλήτους
10 11 εἰς οὓς τὰ τ. τῶν αἰώνων κατήντηκεν
15 24 εἶτα τὸ τ., ὅταν παραδιδοῖ
2 Co 1 13 ὅτι ἕως τέλους ἐπιγνώσεσθε
3 13 μὴ ἀτενίσαι – εἰς τὸ τέλος (vl πρόσ-
ωπον vg faciem) τοῦ καταργουμένου
11 15 ὧν τὸ τ. ἔσται κατὰ τὰ ἔργα αὐτῶν
Phl 3 19 ὧν τὸ τέλος ἀπώλεια, ὧν ὁ θεός
1 Th 2 16 ἔφθασεν – ἐπ' αὐτοὺς ἡ ὀργὴ εἰς τ.
1 Ti 1 5 τὸ δὲ τέλος τῆς παραγγελίας ἐστὶν
ἀγάπη ἐκ καθαρᾶς καρδίας
Hb 3 6 ἐὰν τὴν παρρησίαν – [μέχρι τέλους
βεβαίαν] κατάσχωμεν 14 τὴν ἀρχὴν
τῆς ὑποστάσεως μέχρι τέλους βεβ.
6 8 ἧς (sc κατάρας) τὸ τέλ.^b εἰς καῦσιν
– 11 ἐνδείκνυσθαι σπουδὴν πρὸς τὴν πλη-
ροφορίαν τῆς ἐλπίδος ἄχρι τέλους
7 3 μήτε ζωῆς τέλος ἔχων (Melch.)
Jac 5 11 καὶ τὸ τέλος (vl ἔλεος) κυρίου εἴδετε
1 Pe 1 9 κομιζόμενοι τὸ τέλος τῆς πίστεως
3 8 τὸ δὲ τέλος πάντες ὁμόφρονες
4 7 πάντων δὲ τὸ τέλος ἤγγικεν
– 17 τί τὸ τέλος τῶν ἀπειθούντων –;
Ap 2 26 ὁ τηρῶν ἄχρι τέλους τὰ ἔργα μου
21 6 ἐγώ –, ἡ ἀρχὴ καὶ τὸ τ. 22 13 (vl 1 8)

τελώνης S° – publicanus
Mat 5 46 οὐχὶ καὶ οἱ τελ. τὸ αὐτὸ ποιοῦσιν;
9 10 πολλοὶ τελ. καὶ ἁμαρτωλοὶ – συναν-
έκειντο 11 ‖ Mar 2 15.16 Luc 5 29.30
10 3 Μαθθαῖος ὁ τελ. Luc 5 27 Λευίν
11 19 τελωνῶν φίλος καὶ ἁμαρτωλῶν ‖ Luc
7 34 – 15 1 πάντες οἱ τ. καὶ οἱ ἁμαρτ.
18 17 ἔστω σοι ὥσπερ ὁ ἐθνικὸς καὶ ὁ τ.
21 31 οἱ – τ. καὶ αἱ πόρναι προάγουσιν 32
Luc 3 12 ἦλθον δὲ καὶ τ..αι βαπτισθῆναι
7 29 καὶ οἱ τελῶναι ἐδικαίωσαν τὸν θεόν
18 10 ὁ εἷς Φαρισ. καὶ ὁ ἕτερος τελ. 11 ἡ
καὶ ὡς οὗτος ὁ τελώνης 13 ὁ δὲ τελ.
μακρόθεν ἑστὼς οὐκ ἤθελεν οὐδέ

τελώνιον S° – telonium (vl ..eum)
Mat 9 9 Μαθθαῖον ‖ Mar 2 14 Λευίν Luc 5 27

τέρας prodigium ^bportentum
(σημεῖον ubique signum)
Mat 24 24 „δώσουσιν σημεῖα – καὶ τέρατα“ ‖
Mar 13 22 „ποιήσουσιν σ. καὶ τέρ.^b“
Joh 4 48 ἐὰν μὴ σημεῖα καὶ τέρατα ἴδητε
Act 2 19 „δώσω τέρατα ἐν τῷ οὐρανῷ“ ἄνω
„καὶ“ σημεῖα „ἐπὶ τῆς γῆς“ κάτω
– 22 ἀποδεδειγμένον – τέρασι καὶ σημείοις
– 43 τέρατα καὶ σημεῖα – ἐγίνετο 5 12 14 3
4 30 σημ. καὶ τ..τα – διὰ τοῦ ὀνόμ. Ἰησ.
6 8 Στέφ. – ἐποίει τ..τα καὶ σημ. μεγά.
7 36 „τέρατα καὶ σημεῖα ἐν γῇ Αἰγύπτῳ“
15 12 σημεῖα καὶ τ..τα ἐν τοῖς ἔθνεσιν
Rm 15 19 ἐν δυνάμει σημείων καὶ τεράτων
2 Co 12 12 σημείοις τε καὶ τέρασιν καὶ δυνάμ.
2 Th 2 9 ἐν – σημείοις καὶ τέρασιν ψεύδους
Hb 2 4 συνεπιμαρτυροῦντος τοῦ θεοῦ ση-
μείοις τε καὶ τέρασιν^b

Τέρτιος Rm 16 22   Τέρτυλλος Act 24 1.2

*τέσσαρες, τέσσερα quattuor
Mat 24 31 „ἐκ τῶν τεσσάρων ἀνέμων“ ‖ Mar
13 27 – Ap 7 1 „τοὺς τέσσ. ἀνέμους“
Mar 2 3 Luc 2 37 Joh 11 17 19 23 τέσσερ. μέρη
Act 10 11 11 5 12 4 21 9 θυγατέρες τέσσ. 23 27 29
Ap 4 4 θρόν. –, – πρεσβυτέρ. 10 5 8 11 16 19 4
– 6 „ζῷα“ 8 5 6.8.14 6 1.6 7 11 14 3 15 7 19 4
7 1 τέσσαρας ἀγγέλους – „ἐπὶ τὰς τ. γω-
νίας τῆς γῆς 2 9 14.15 – 20 8
9 13 ἐκ τῶν τ. κεράτων τοῦ θυσιαστηρίου

τεσσαρεσκαιδέκατος quartusdecimus
Act 27 27 τ..η νὺξ ἐγένετο 33 τ..ην – ἡμέραν

τεσσεράκοντα quadraginta ^bquadragenae
Mat 4 2 νηστεύσας ἡμέρας τεσσ. καὶ τεσσ.
νύκτας – ἐπείνασεν ‖ Mar 1 13 Luc 4 2
Joh 2 20 τεσσεράκ. καὶ ἓξ ἔτεσιν οἰκοδομήθη
Act 1 3 δι' ἡμερῶν τεσσεράκ. ὀπτανόμενος
4 22 – 7 30.36 „ἐν τῇ ἐρήμῳ“ 42 Hb 3 10.1ɜ
13 21 23 13.21 ἄνδρες πλείους τεσσεράκοντα
2 Co 11 24 πεντάκις τεσσ.^b παρὰ μίαν ἔλαβον
Ap 7 4 ἑκατὸν τεσσεράκ. τέσσαρες χιλιάδες
ἐσφραγισμένοι 14 1 ἔχουσαι τὸ ὄνο-
μα αὐτοῦ 3 οἱ ἠγορασμένοι ἀπὸ
11 2 μῆνας τεσσ. – δύο 13 5 – 21 17 πηχῶν

τεσσερακονταέτης χρόνος S° – quadra-
ginta annorum tempus Act 7 23 13 18

τεταρταῖος quatriduanus (vl ..dri..) Joh 11 39

τέταρτος *quartus* Mat 14 25 φυλακή ‖ Mar
6 48 – Act 10 30 – Ap 47 ζῷον 67 – 67
σφραγίς 8 τὸ τέταρτον (*quattuor partes*)
τῆς γῆς 8 12 ὁ τέταρτος ἄγγελος 16 8 –
21 19 θεμέλιος – ὁ τέταρτος σμάραγδος

τετραρχεῖν S° – (part.) *tetrarcha* Luc 31

τετραάρχης S° – *tetrarcha* (Herodes Antipas) Mat 14 1 ‖ Luc 97 – 319 Act 13 1

τετράγωνος *in quadro* Ap 21 16 τ. κεῖται

τετράδιον S° – *quaternio* Act 12 4

τετρακισχίλιοι *quattuor milia*
Mat 15 38 16 10 ‖ Mar 89.20 – Act 21 38

τετρακόσιοι *quadringenti* Act 5 36 76 13 20
Gal 3 17 μετὰ τ..α καὶ τριάκοντα ἔτη

τετράμηνος S° – *quattuor menses* Joh 4 35

τετραπλοῦν S° – *quadruplum* Luc 19 8

τετράποδα *quadrupedia* Act 10 12 11 6
Rm 1 23 „ἐν ὁμοιώματι" εἰκόνος – τ..πόδων

τεφροῦν S° – *in cinerem redigere*
2 Pe 2 6 πόλεις Σοδόμων καὶ Γομ. τεφρώσας

τέχνη *ars* Act 17 29 18 3 Ap 18 22

τεχνίτης *artifex* Act 19 24.38 Ap 18 22
Hb 11 10 πόλιν, ἧς τ. καὶ δημιουργὸς ὁ θεός

τήκεσθαι *tabescere* 2 Pe 3 12 στοιχεῖα

τηλαυγῶς S° – *clare* Mar 8 25 ἐνέβλεπεν τ.

τηλικοῦτος *tantus* b*magnus* c*talis*
2 Co 1 10 ἐκ τ..ου θανάτου ἐρρύσατο ἡμᾶς
Hb 2 3 τηλικαύτης ἀμελήσαντες σωτηρίας
Jac 3 4 πλοῖα, τ..αῦτα b ὄντα Ap 16 18 c

τηρεῖν *servare* b*custodire* c*conservare*
d*observare* e*reservare* f(part.) *custos*

1) = integrum servare, tueri, asservare, manere in, in custodia tenere

Mat 27 36.54 b τὸν Ἰησοῦν 28 4 οἱ τ..οῦντες f
Joh 2 10 τὸν καλὸν οἶνον 12 7 τὸ μύρον
17 11 τήρησον αὐτοὺς ἐν τῷ ὀνόματί σου

12 ἐγὼ ἐτήρουν αὐτοὺς ἐν τῷ ὀ. σου
Joh 17 15 ἵνα τηρήσῃς αὐτοὺς ἐκ τοῦ πονηροῦ
Act 12 5 Πέτρος ἐτηρεῖτο ἐν τῇ φυλακῇ 6 b
16 23 ἀσφαλῶς τηρεῖν b 24 23 b 25 4.21
1 Co 7 37 τηρεῖν τὴν ἑαυτοῦ παρθένον
2 Co 11 9 ἀβαρῆ ἐμαυτὸν ὑμῖν ἐτήρησα καὶ τηρήσω 1 Ti 5 22 σεαυτὸν ἁγνὸν τήρει b
Eph 4 3 τηρεῖν τὴν ἑνότητα τοῦ πνεύματος
1 Th 5 23 καὶ τὸ σῶμα ἀμέμπτως – τηρηθείη
2 Ti 4 7 τὴν πίστιν τετήρηκα
Jac 1 27 ἄσπιλον ἑαυτὸν τ. b ἀπὸ τοῦ κόσμου
1 Pe 1 4 εἰς κληρονομίαν ἄφθαρτον –, τετηρημένην c ἐν οὐρανοῖς εἰς ὑμᾶς
2 Pe 2 4 εἰς κρίσιν τηρουμένους e 9 εἰς ἡμέραν κρίσεως κολαζομένους τηρεῖν e
– 17 οἷς ὁ ζόφος – τετήρηται e Jud 13
3 7 εἰσὶν πυρὶ τηρούμενοι e (vl a)
1 Jo 5 18 ὁ γεννηθεὶς (vl ἡ γέννησις vg) ἐκ τοῦ θεοῦ τηρεῖ c αὐτόν (vl ἑαυτόν)
Jud 1 Ἰησοῦ Χῷ τετηρημένοις c κλητοῖς
6 ἀγγέλους τε τοὺς μὴ τηρήσαντας τὴν ἑαυτῶν ἀρχὴν – εἰς κρίσιν – ὑπὸ ζόφον τετήρηκεν e
21 ἑαυτοὺς ἐν ἀγάπῃ θεοῦ τηρήσατε
Ap 1 3 οἱ – τηροῦντες τὰ ἐν αὐτῇ (sc τῇ προφητείᾳ) γεγραμμένα 22 7 μακάριος ὁ τηρῶν b τ. λόγους τῆς προφητείας 9
3 10 ἐτήρησας τὸν λόγον τῆς ὑπομονῆς μου, κἀγώ σε τηρήσω ἐκ τῆς ὥρας τοῦ πειρασμοῦ τῆς μελλούσης
16 15 μακάριος ὁ – τηρῶν b τὰ ἱμάτια αὐτ.

2) praeceptum tenere, dicto parere

Mat 19 17 τήρει (vl τήρησον) τὰς ἐντολάς
23 3 ὅσα ἐὰν εἴπωσιν ὑμῖν – τηρεῖτε
28 20 διδάσκοντες αὐτοὺς τηρεῖν πάντα
Mar 7 9 ἵνα τὴν παράδοσιν ὑμῶν τηρήσητε (vl στήσητε)
Joh 8 51 ἐάν τις τὸν ἐμὸν λόγον τηρήσῃ 52.55 καὶ τὸν λόγον αὐτοῦ τηρῶ
9 16 ὅτι τὸ σάββατον οὐ τηρεῖ b
14 15 τὰς ἐντολὰς τὰς ἐμὰς τηρήσετε
– 21 ὁ ἔχων τὰς ἐντολάς μου καὶ τηρῶν αὐτάς 23 ἐάν τις ἀγαπᾷ με, τὸν λόγον μου τηρήσει 24 οὐ – τηρεῖ
15 10 ἐὰν τὰς ἐντολάς μου τηρήσητε, – καθὼς ἐγὼ τοῦ πατρός μου τὰς ἐντολὰς τετήρηκα 20 εἰ τὸν λόγον μου ἐτήρησαν, καὶ τ. ὑμέτερον τηρήσουσιν
17 6 καὶ τὸν λόγον σου τετήρηκαν
Act 15 5 παραγγέλλειν – τ. τὸν νόμον Μωϋσ.
1 Ti 6 14 τηρῆσαί σε τὴν ἐντολὴν ἄσπιλον

Jac 2 10 ὅστις – ὅλον τὸν νόμον τηρήσῃ

1 Jo 2 3 ἐὰν τὰς ἐντολὰς αὐτοῦ τηρῶμεν[d] 4
ὁ – τὰς ἐντολὰς αὐτοῦ μὴ τηρῶν[b]
– 5 ὃς δ᾽ ἂν τηρῇ αὐτοῦ τὸν λόγον
3 22 ὅτι τὰς ἐντολὰς αὐτοῦ τηροῦμεν[b]
24 ὁ τηρῶν 5 3 ἵνα – τηρῶμεν[b]

Ap 1 3 3 10 22 7.9 → 1)
2 26 ὁ τηρῶν[b] ἄχρι τέλους τὰ ἔργα μου
3 3 μνημόνευε – πῶς εἴληφας καὶ ἤκου-
σας, καὶ τήρει καὶ μετανόησον
– 8 ἐτήρησάς μου τὸν λόγον
12 17 πόλεμον μετὰ –, τῶν τηρούντων[b]
τὰς ἐντολὰς τοῦ θεοῦ 14 12 οἱ τη-
ροῦντες[b] τὰς ἐντολὰς τοῦ θεοῦ καὶ
τὴν πίστιν Ἰησοῦ

τήρησις   custodia   [b]observatio   Act 43 5 18

1 Co 7 19 ἀλλὰ τήρησις[b] ἐντολῶν θεοῦ

Τιβεριάς Joh 6 1.23 21 1   Τιβέριος Luc 3 1

τιθέναι, τίθεσθαι   ponere   [b]comparare   [c]con-
stituere   [d]imponere   [e]mittere   [f]propo-
nere   [g]seponere   [h]statuere
„ἐχθροὺς ὑπὸ τοὺς πόδας“ κτλ. (pon.)
ψυχὴν ὑπέρ τινος (ponere, dare)
γόνατα τιθέναι (ponere)
τιθέναι ἐν τῇ καρδίᾳ (ponere)
→ ἐχθρός, ψυχή, γόνυ, καρδία

Mat 5 15 οὐδὲ – τιθέασιν αὐτὸν ὑπὸ τὸν μό-
διον, ἀλλ᾽ ἐπί ‖ Mar 4 21 Luc 8 16 11 33
12 18 „θήσω τὸ πνεῦμά μου ἐπ᾽ αὐτόν“
24 51 τὸ μέρος αὐτοῦ μετὰ τῶν ὑποκρι-
τῶν θήσει ‖ Luc 12 46 τῶν ἀπίστων
27 60 ἔθηκεν – ἐν – μνημείῳ Mar 6 29 15 47
ἐθεώρουν ποῦ τέθειται 16 6 Luc 23 53
(Act 13 29) 55 ὡς ἐτέθη τὸ σῶμα Joh
19 41 οὐδέπω οὐδεὶς ἦν τεθειμένος 42
20 2 ποῦ ἔθηκαν αὐτόν 13.15 ποῦ ἔ-
θηκας αὐτόν – 11 34 ποῦ τεθείκατε
αὐτόν;

Mar 4 30 ἐν τίνι αὐτὴν παραβολῇ θῶμεν[b];
6 56 ἐτίθεσαν τοὺς ἀσθενοῦντας Luc 5 18
10 16 τιθεὶς[d] τὰς χεῖρας ἐπ᾽ αὐτά Ap 1 17
ἔθηκεν τὴν δεξιὰν αὐτοῦ ἐπ᾽ ἐμέ

Luc 6 48 θεμέλιον ἐπὶ τὴν πέτραν cfr 14 29
9 44 θέσθε – εἰς τὰ ὦτα – τοὺς λόγους
19 21 αἴρεις ὃ οὐκ ἔθηκας 22 ἔθηκα

Joh 2 10 πρῶτον τὸν καλὸν οἶνον τίθησιν
13 4 καὶ τίθησιν τὰ ἱμάτια (Jesus)
15 16 ἔθηκα ὑμᾶς ἵνα – καρπὸν φέρητε
19 19 τίτλον – ἔθηκεν ἐπὶ τοῦ σταυροῦ

Act 1 7 χρόνους ἢ καιροὺς οὓς ὁ πατὴρ ἔ-
θετο ἐν τῇ ἰδίᾳ ἐξουσίᾳ
3 2 ὃν ἐτίθουν – πρὸς τὴν θύραν 4 3 ἔ-
θεντο εἰς τήρησιν 35 παρὰ τοὺς πό-
δας τῶν ἀποστόλων 37 5 2 – 5 15 τι-
θέναι ἐπὶ – κραβάτων 18 ἐν τηρήσει
δημοσίᾳ 25 7 16 ἐν – μνήματι 9 37 ἐν
ὑπερῴῳ 12 4 ἔθετο[e] εἰς φυλακήν
13 47 „τέθεικά σε εἰς φῶς ἐθνῶν“
19 21 ἔθετο[f] – ἐν τῷ πνεύματι – πορεύε-
σθαι 27 12 ἔθεντο[h] βουλήν
20 28 ποιμνίῳ, ἐν ᾧ ὑμᾶς τὸ πνεῦμα – ἔ-
θετο ἐπισκόπους, ποιμαίνειν

Rm 4 17 „πατέρα πολλῶν ἐθνῶν τέθεικά σε“
9 33 τίθημι „ἐν Σιὼν λίθον“ 1 Pe 2 6
14 13 μὴ τιθέναι πρόσκομμα τῷ ἀδελφῷ

1 Co 3 10 θεμέλιον ἔθηκα 11 θεμέλιον – ἄλλον
οὐδεὶς δύναται θεῖναι παρὰ τὸν κείμ.
9 18 ἵνα – ἀδάπανον θήσω τὸ εὐαγγέλιον
12 18 ὁ θεὸς ἔθετο τὰ μέλη 28 οὓς μὲν ἔ-
θετο ὁ θεὸς – πρῶτον ἀποστόλους
16 2 ἕκαστος – παρ᾽ ἑαυτῷ τιθέτω[g] (vl[a])
θησαυρίζων ὅ τι ἐὰν εὐοδῶται

2 Co 3 13 „ἐτίθει κάλυμμα ἐπὶ τὸ πρόσωπον“
5 19 θέμενος ἐν ἡμῖν τὸν λόγον τῆς κατ-
αλλαγῆς

1 Th 5 9 οὐκ ἔθετο ἡμᾶς ὁ θεὸς εἰς ὀργὴν
ἀλλὰ εἰς περιποίησιν σωτηρίας

1 Ti 1 12 θέμενος (sc μέ) εἰς διακονίαν
2 7 εἰς ὃ ἐτέθην ἐγὼ κῆρυξ καὶ ἀπόστο-
λος 2 Ti 1 11 καὶ διδάσκαλος

Hb 1 2 ἐν υἱῷ, ὃν ἔθηκεν[c] κληρονόμον πάν-

1 Pe 2 8 εἰς ὃ καὶ ἐτέθησαν |των

2 Pe 2 6 ὑπόδειγμα μελλόντ. ἀσεβεῖν τεθεικὼς

Ap 10 2 – 11 9 τὰ πτώματα αὐτῶν οὐκ ἀφίου-
σιν τεθῆναι εἰς μνῆμα (vl ..τα vg)

τίκτειν   parere   [b]generare   [c](pass) nasci

Mat 1 21 τέξεται δὲ υἱόν 23.25 22 ὁ τεχθεὶς[c] βασ.

Luc 1 31.57 2 6.7.11 ἐτέχθη[c] ὑμῖν – σωτήρ

Joh 16 21 ἡ γυνὴ ὅταν τίκτῃ λύπην ἔχει, ὅτι

Gal 4 27 „εὐφράνθητι, στεῖρα ἡ οὐ τίκτουσα“

Hb 6 7 γῆ – ἡ – τίκτουσα[b] βοτάνην εὔθετον

Jac 1 15 ἡ ἐπιθυμία – τίκτει ἁμαρτίαν

Ap 12 2.4.5 „ἔτεκεν“ υἱόν „ἄρσεν“ 13

τίλλειν   vellere   Mat 12 1 ‖ Mar 2 23   Luc 6 1

Τιμαῖος Mar 10 46 ὁ υἱὸς Τ..ου Βαρτιμαῖος

τιμᾶν, τιμᾶσθαι   honorare   [b]honorificare
[c](med et pass) appretiare (vl adpr.)

Mat 15 4 „τίμα τὸν πατέρα κτλ.“ 6 ‖ Mar 7 10 –

Mat 19 19 ‖ Mar 10 19 Luc 18 20 – Eph 6 2
Mat 15 8 „χείλεσίν με τιμᾷ" ‖ Mar 7 6
  27 9 „τὴν τιμὴν τοῦ τετιμημένου [c] ὃν ἐτι-
    μήσαντο [c] ἀπὸ υἱῶν 'Ισραήλ"
Joh 5 23 ἵνα – τιμῶσι [b] τὸν υἱὸν καθὼς τιμῶ-
    σι [b] τὸν πατέρα. ὁ μὴ τιμῶν [b] τὸν
    υἱὸν οὐ τιμᾷ [b] τὸν πατέρα
  8 49 ἐγὼ – τιμῶ [b] τὸν πατέρα μου
  12 26 τιμήσει [b] αὐτὸν ὁ πατήρ
Act 28 10 πολλαῖς τιμαῖς ἐτίμησαν ἡμᾶς
1 Ti 5 3 χήρας τίμα τὰς ὄντως χήρας
1 Pe 2 17 πάντας τιμήσατε, –, „τὸν θεὸν φο-
    βεῖσθε", τὸν „βασιλέα" τιμᾶτε [b]

τιμή 1) *pretium* [b]*honor* (Ap 21 26)

Mat 27 6 ἐπεὶ τιμὴ αἵματός ἐστιν 9 → τιμᾶν
Act 4 34 πωλοῦντες ἔφερον τὰς τιμὰς 5 2 ἐ-
    νοσφίσατο ἀπὸ τῆς τιμῆς 3
  7 16 „ᾧ ὠνήσατο 'Αβρ." τιμῆς ἀργυρίου
  19 19 συνεψήφισαν τὰς τιμὰς αὐτῶν
1 Co 6 20 ἠγοράσθητε γὰρ τιμῆς (*pretio mag-
    no*) 7 23 τιμῆς ἠγ.· μὴ γίνεσθε δοῦ.
Ap 21 26 οἴσουσιν – τὴν τιμὴν [b] τῶν ἐθνῶν

  2) *honor*

Joh 4 44 ἐν τῇ ἰδίᾳ πατρίδι τιμὴν οὐκ ἔχει
Act 28 10 πολλαῖς τιμαῖς ἐτίμησαν ἡμᾶς
Rm 2 7 τοῖς – τιμὴν καὶ ἀφθαρσίαν ζητοῦ-
    σιν 10 δόξα δὲ καὶ τιμὴ καὶ εἰρήνη
  9 21 ὃ μὲν εἰς τιμὴν σκεῦος 2 Ti 2 20 ἃ μὲν
    εἰς τιμὴν 21 ἔσται σκεῦος εἰς τιμὴν
  12 10 τῇ τιμῇ ἀλλήλους προηγούμενοι
  13 7 ἀπόδοτε –, τῷ τὴν τιμὴν τὴν τιμήν
1 Co 12 23 τούτοις τιμὴν περισσοτέραν περιτί-
    θεμεν 24 τῷ ὑστερουμένῳ περισσοτέ-
    ραν δοὺς τιμήν
Col 2 23 οὐκ ἐν τιμῇ τινι πρὸς πλησμονὴν
    τῆς σαρκός
1 Th 4 4 ἐν ἁγιασμῷ καὶ τιμῇ, μὴ ἐν πάθει
1 Ti 1 17 θεῷ, τιμὴ καὶ δόξα εἰς τοὺς αἰῶνας
    6 16 ᾧ τιμὴ καὶ κράτος αἰώνιον
  5 17 διπλῆς τιμῆς ἀξιούσθωσαν
  6 1 πάσης τιμῆς ἀξίους ἡγείσθωσαν
Hb 2 7 „δόξῃ καὶ τιμῇ ἐστεφάνωσας" 9
  3 3 πλείονα τιμὴν ἔχει τοῦ οἴκου
  5 4 οὐχ ἑαυτῷ τις λαμβάνει τὴν τιμήν
1 Pe 1 7 εἰς – τιμὴν ἐν ἀποκαλύψει 'Ιησ. Χοῦ
  2 7 ὑμῖν – ἡ τιμὴ τοῖς πιστεύουσιν
  3 7 ἀπονέμοντες τιμὴν ὡς – συγκληρον.
2 Pe 1 17 λαβὼν – παρὰ – θεοῦ – τιμὴν καὶ δόξ.
Ap 4 9 δώσουσιν – τιμὴν – τῷ „καθημένῳ ἐπὶ

τῷ θρόνῳ" 11 ἄξιος εἶ – λαβεῖν – τὴν
  τιμὴν 5 12 τὸ ἀρνίον – λαβεῖν
Ap 5 13 7 12 ἡ τιμὴ – τῷ θεῷ ἡμῶν εἰς τοὺς αἰ.

τίμιος *pretiosus* [b]*honorabilis*

Act 5 34 νομοδιδάσκαλος τίμιος [b] – τῷ λαῷ
  20 24 οὐδενὸς λόγου ποιοῦμαι τὴν ψυχὴν
    τιμίαν (*pretiosiorem*) ἐμαυτῷ
1 Co 3 12 εἴ – τις ἐποικοδομεῖ – λίθους τιμίους
Hb 13 4 τίμιος [b] ὁ γάμος ἐν πᾶσιν
Jac 5 7 τὸν τίμιον καρπὸν τῆς γῆς
1 Pe 1 19 ἀλλὰ τιμίῳ αἵματι – Χριστοῦ
2 Pe 1 4 τὰ τίμια – ἐπαγγέλματα δεδώρηται
Ap 17 4 λίθῳ τιμίῳ 18 12 γόμον – λίθου τ. –
    καὶ πᾶν σκεῦος ἐκ ξύλου (vl λίθου vg)
    τιμιωτάτου 16 21 11 ὁ φωστὴρ αὐτῆς ὅμοι-
    ος λίθῳ τιμιωτάτῳ 19 οἱ θεμέλιοι – παντὶ
    „λίθῳ τιμίῳ" κεκοσμημένοι

τιμιότης S[o] – *pretia* Ap 18 19 αὐτῆς (Bab.)

Τιμόθεος Act 16 1 17 14.15 18 5 19 22 20 4
Rm 16 21 1 Co 4 17 16 10 2 Co 1 1.19 Phl 1 1 2 19
    Col 1 1 1 Th 1 1 3 2.6 2 Th 1 1 1 Ti 1 2.
    18 6 20 2 Ti 1 2 Phm 1
Hb 13 23 γινώσκετε – Τ..ον ἀπολελυμένον

Τίμων Act 6 5   **Τίτιος** 'Ιοῦστος Act 18 7

τιμωρεῖν *punire* Act 22 5 26 11

τιμωρία *supplicium* Hb 10 29 χείρονος – τιμ.

δίκην **τίνειν** *poenas dare* 2 Th 1 9

*(**τίς**,) **τί**; *quid?* Mat 8 29 „τί ἡμῖν καὶ σοί",
    υἱέ τοῦ θεοῦ; ‖ Mar 5 7 „τί ἐμοὶ καὶ σοί",
    'Ιησοῦ υἱὲ τοῦ θεοῦ –; Luc 8 28
Mat 27 4 τί πρὸς (*ad*) ἡμᾶς; σὺ ὄψῃ
Mar 1 24 „τί ἡμῖν καὶ σοί", 'Ιησοῦ Ναζαρηνέ;
    ἦλθες ἀπολέσαι ἡμᾶς ‖ Luc 4 34
Joh 2 4 „τί ἐμοὶ καὶ σοί", γύναι; οὔπω
  21 22 ἐὰν αὐτὸν θέλω μένειν ἕως ἔρχομαι,
    τί πρὸς (*ad*) σέ;
Phl 1 18 τί γάρ; πλὴν ὅτι παντὶ τρόπῳ – Χὸς
    καταγγέλλεται

τίτλος S[o] – *titulus* Joh 19 19.20

Τίτος 2 Co 2 13 7 6.13.14 8 6.16.23 12 18 Gal 2 1.3
    2 Ti 4 10 Tit 1 4 Τίτῳ γνησίῳ τέκνῳ

τοῖχος *paries* Act 23 3 τοῖχε κεκονιαμένε

τόκος *usura* Mat 2527 σὺν τ..ῳ ‖ Luc 1923

τολμᾶν *audēre* b(τολμήσας) *audacter*
Mat 2246 οὐδὲ ἐτόλμησέν τις – ἐπερωτῆσαι αὐ-
τόν ‖ Mar 1234 Luc 2040 cfr Joh 21
12 οὐδεὶς ἐτόλμα – ἐξετάσαι αὐτόν
Mar 1543 τολμήσαςb – ᾐτήσατο τὸ σῶμα
Act 513 οὐδεὶς ἐτόλμα κολλᾶσθαι αὐτοῖς
732 Μωϋσῆς οὐκ ἐτόλμα κατανοῆσαι
Rm 5 7 ὑπὲρ – τοῦ ἀγαθοῦ τάχα τις καὶ τολ-
μᾷ ἀποθανεῖν 1518 οὐ – τολμήσω τι
λαλεῖν ὧν οὐ κατειργάσατο Χριστός
1 Co 6 1 τ..ᾷ τις ὑμῶν – κρίνεσθαι ἐπὶ τῶν ἀ-
δίκων, καὶ οὐχὶ ἐπὶ τῶν ἁγίων;
2 Co 10 2 θαρρῆσαι τῇ πεποιθήσει ᾗ λογίζομαι
τολμῆσαι ἐπί τινας 12 οὐ – τολμῶμεν
ἐγκρῖναι ἢ συγκρῖναι ἑαυτούς
1121 ἐν ᾧ δ' ἄν τις τ..ᾷ – τολμῶ κἀγώ
Phl 114 περισσοτέρως τολμᾶν ἀφόβως τὸν
λόγον τοῦ θεοῦ λαλεῖν – Jud 9

τολμηροτέρως *audacius* Rm 1515 ἔγραψα

τολμηταί Sᵒ – *audaces* 2 Pe 210 αὐθάδεις

τομώτερος Sᵒ – *penetrabilior* Hb 412 ζῶν
– ὁ λόγος τ. θεοῦ – καὶ τ. ὑπὲρ – μάχαιραν

τόξον *arcus* Ap 62 ἔχων τόξον

τοπάζιον *topazius* Ap 2120 ὁ ἔνατος τ.

*τόπος *locus* (plur. *loca*)
Mat 1243 δι' ἀνύδρων τόπων ‖ Luc 1124
1413 ἀνεχώρησεν – εἰς ἔρημον τόπον κατ'
ἰδίαν 15 ‖ Mar 631.32.35 Luc 912 –
Mar 135.45 ‖ Luc 442
2415 „ἐν τόπῳ ἁγίῳ" Act 613.14 2128 –
Joh 420 ὁ τόπ. ὅπου προσκυνεῖν δεῖ
Luc 417 [τὸν] τόπον οὗ ἦν γεγραμμένον
14 9.10 ἀνάπεσε εἰς τὸν ἔσχατον τόπον
22 ἔτι τόπος ἐστίν (vl Mat 2028)
1628 εἰς τὸν τόπον τοῦτον τῆς βασάνου
Joh 14 2 πορεύομαι ἑτοιμάσαι τόπον ὑμῖν 3
Act 125 λαβεῖν τὸν τόπον τῆς διακονίας –,
ἀφ' ἧς παρέβη Ἰούδας πορευθῆναι
εἰς τὸν τόπον τὸν ἴδιον
2516 πρὶν ἢ – τόπον – ἀπολογίας λάβοι
Rm 1219 ἀλλὰ δότε τόπον τῇ ὀργῇ
1523 μηκέτι τόπον ἔχων ἐν τοῖς κλίμασι
1 Co 1416 ὁ ἀναπληρῶν τὸν τόπον τοῦ ἰδιώτου
Eph 427 μηδὲ δίδοτε τόπον τῷ διαβόλῳ

Hb 1217 μετανοίας γὰρ τόπον οὐχ εὗρεν
2 Pe 119 λύχνῳ φαίνοντι ἐν αὐχμηρῷ τόπῳ

τράγος *hircus* Hb 912 αἷμα τ..ων 13.19 104

τράπεζα *mensa*
Mat 1527 ἀπὸ τῆς τρ. τῶν κυρίων ‖ Mar 728
2112 τὰς τρ. τῶν κολλυβιστῶν κατέστρε-
ψεν ‖ Mar 1115 Joh 215
Luc 1621 ἀπὸ τῆς τραπέζης τοῦ πλουσίου
1923 διὰ τί οὐκ ἔδωκάς μου τὸ ἀργύριον
ἐπὶ τράπεζαν (*ad mensam*);
2221 μετ' ἐμοῦ ἐπὶ τῆς τρ. 30 ἐπὶ τῆς τρ.
μου ἐν τῇ βασιλείᾳ μου
Act 6 2 διακονεῖν τραπέζαις – 1634
Rm 11 9 „γενηθήτω ἡ τρ. αὐτῶν εἰς παγίδα"
1 Co 1021 οὐ δύνασθε „τραπέζης κυρίου" μετ-
έχειν καὶ τραπέζης δαιμονίων
Hb 9 2 ἥ τράπ. καὶ ἡ πρόθεσις τῶν ἄρτων

τραπεζίτης Sᵒ – *numularius* (vl *numm.*)
Mat 2527 βαλεῖν τὰ ἀργύριά μου τοῖς τραπ.

τραῦμα *vulnus* Luc 1034 κατέδησεν τὰ τρ.

τραυματίζειν *vulnerare* Luc 2012 Act 1916

τραχηλίζειν Sᵒ – *aperire* Hb 413 πάντα δὲ
γυμνὰ καὶ τετ..ισμένα τοῖς ὀφθαλ. αὐτοῦ

τράχηλος *collum* bcervices (vl *.vix*)
Mat 18 6 μύλος ὀνικὸς περὶ τὸν τρ. αὐτοῦ ‖
Mar 942 Luc 172 λίθος μυλικός
Luc 1520 ἐπέπεσεν ἐπὶ τὸν τράχ. – Act 2037
Act 1510 ζυγὸν ἐπὶ τὸν τράχ.b τῶν μαθητῶν
Rm 16 4 οἵτινες ὑπὲρ τῆς ψυχῆς μου τὸν ἑ-
αυτῶν τράχηλονb ὑπέθηκαν

τραχύς *asper* Luc 35 ὁδός Act 2729 τόποι

Τραχωνῖτις Luc 31 τῆς – Τρ..ίτιδος χώρας

τρεῖς, τρία *tres, tria* bterni, ..ae ctriduum
d(μετὰ ἡμέρας τρεῖς) *post tertium diem*
— μετὰ τρ. ἡμέρας, ubi resurrectionis
Jesu mentio fit, → ἐγείρειν et ἀνι-
στάναι
Mat 1333 εἰς ἀλεύρου σάτα τρία ‖ Luc 1321
1532 ἤδη ἡμέραι τρεῖςc ‖ Mar 82c
17 4 τρεῖς σκηνάς ‖ Mar 95 Luc 933
1816 „ἐπὶ στόματος δύο μαρτύρων ἢ τρι-
ῶν" 2 Co 131 1 Ti 519 – Hb 1028

Mat 18 20 οὖ – εἰσιν δύο ἢ τρεῖς συνηγμένοι
Luc 1 56 μῆνας τρεῖς 2 46 μετὰ ἡμέρας τρεῖς c
εὗρον αὐτόν 4 25 ἐπὶ ἔτη τρία 10 36 τίς –
τῶν τριῶν πλησίον δοκεῖ σοι γεγονέναι
11 5 χρῆσόν μοι τρεῖς ἄρτους 12 52 τρεῖς
ἐπὶ δυσὶν καὶ δύο ἐπὶ τρισὶν διαμερισθή-
σονται 13 7 τρία ἔτη ἀφ᾽ οὗ ἔρχομαι
Joh 2 6 μετρητὰς δύο ἢ τρεῖς b – 21 11
Act 5 7 7 20 9 9 ἡμέρας τρεῖς μὴ βλέπων (vl
10 19 vg) 11 11 17 2 19 8 20 3 25 1 c 287 c
11.12 c 17 μετὰ ἡμέρας τρεῖς d
1 Co 13 13 νυνὶ δὲ μένει –, τὰ τρία ταῦτα
14 27.29 προφῆται – δύο ἢ τρ. λαλείτωσαν
Gal 1 18 μετὰ τρία ἔτη – Jac 5 17 ἐνιαυτοὺς τρ.
1 Jo 5 7 ὅτι τρεῖς εἰσιν οἱ μαρτυροῦντες 8 καὶ
οἱ τρεῖς εἰς τὸ ἕν εἰσιν
Ap 6 6 8 13 τῶν τριῶν ἀγγέλων 9 18 ἀπὸ τῶν
τριῶν πληγῶν 11 9.11 16 13.19 21 13

Τρεῖς ταβέρναι Act 28 15 ἄχρι – Τριῶν ταβ.

τρέμειν *tremere* b *metuere*
Mar 5 33 || Luc 8 47 – 2 Pe 2 10 οὐ τρέμουσιν b

τρέφειν *pascere* b *alere* c *enutrire* d *nutrire*
Mat 6 26 ὁ πατὴρ ὑμῶν ὁ οὐράνιος τρέφει αὐ-
τά || Luc 12 24 ὁ θεὸς τρέφ. αὐτούς
25 37 πότε σε – πεινῶντα – ἐθρέψαμεν – ;
Luc 4 16 Ναζαρά, οὗ ἦν τεθραμμένος d
23 29 μαστοὶ οἳ οὐκ ἔθρεψαν (vl ἐθήλασαν
vg *lactaverunt*)
Act 12 20 b Jac 5 5 ἐθρέψατε c τὰς καρδίας ὑμ.
Ap 12 6 ἵνα ἐκεῖ τρέφωσιν αὐτήν 14

τρέχειν *currere* b *accurrere*
Mat 27 48 || Mar 15 36 – Mat 28 8 ἀπαγγεῖλαι
Mar 5 6 Luc 15 20 b (vl 24 12 vg) Joh 20 2.4
Rm 9 16 οὐ τοῦ θέλοντος οὐδὲ τοῦ τρέχον-
τος, ἀλλὰ τοῦ ἐλεῶντος θεοῦ
1 Co 9 24 ὅτι οἱ ἐν σταδίῳ τρέχοντες πάντες
μὲν τρέχουσιν, – ; οὕτως τρέχετε ἵνα
καταλάβητε 26 ἐγὼ τοίνυν οὕτως τρέ-
χω ὡς οὐκ ἀδήλως
Gal 2 2 μή πως εἰς κενὸν τρέχω ἢ ἔδραμον
Phl 2 16 ὅτι οὐκ εἰς κενὸν ἔδραμον
5 7 ἐτρέχετε καλῶς· τίς ὑμᾶς ἐνέκοψεν
2 Th 3 1 ἵνα ὁ λόγος τοῦ κυρίου τρέχῃ
Hb 12 1 δι᾽ ὑπομονῆς τρέχωμεν τὸν προκεί-
μενον ἡμῖν ἀγῶνα
Ap 9 9 „ἁρμάτων – τ..όντων εἰς πόλεμον"

τρῆμα S o – *foramen* Mat 19 24 || Luc 18 25

τριάκοντα *triginta* b *trigesimus* (vl *tric.*)
Mat 13 8 ἐδίδου καρπόν – , ὃ δὲ τριάκοντα b
23 b (vl a) || Mar 4 8 (vl b) 20 (vl b)
26 15 τριάκοντα ἀργύρια 27 3.9
Luc 3 23 ἦν Ἰησοῦς ἀρχόμενος ὡσεὶ ἐτῶν τριά-
κοντα – Joh 5 5 6 19 – Gal 3 17

τριακόσιοι *trecenti* Mar 14 5 || Joh 12 5

τρίβολος *tribulus* Mat 7 16 ἀπὸ τ..ων Hb 6 8

τρίβος *semita* Mat 3 3 || Mar 1 3 Luc 3 4

τριετία S o – *triennium* Act 20 31 τ..ίαν

τρίζειν S o – *stridēre* Mar 9 18 τ. ὀδόντας

τρίμηνον *mensibus tribus* Hb 11 23 ἐκρύβη

τρίς *ter* Mat 26 34 τρὶς ἀπαρνήσῃ με 75 || Mar
14 30.72 Luc 22 34.61 Joh 13 38
Act 10 16 τοῦτο – ἐγένετο ἐπὶ τρίς 11 10
2 Co 11 25 τρὶς ἐρραβδίσθην, –, τρ. ἐναυάγησα
12 8 τρὶς τὸν κύριον παρεκάλεσα

τρίστεγον *tertium coenaculum* Act 20 9

τρισχίλιοι *tria millia* Act 2 41 ψυχαί

*τρίτος *tertius* τῇ τρίτῃ ἡμέρᾳ → sub ἀνι-
στάναι et ἐγείρειν
Mat 20 3 – 22 26 || Mar 12 21 Luc 20 31
27 64 ἀσφαλισθῆναι – ἕως τῆς τρ. ἡμέρας
Mar 15 25 ἦν δὲ ὥρα τρίτη καὶ ἐσταύρωσαν
Luc 12 38 κἂν ἐν τῇ τρίτῃ φυλακῇ ἔλθῃ
13 32 καὶ τῇ τρίτῃ τελειοῦμαι
20 12 καὶ προσέθετο τρίτον πέμψαι
24 21 τρίτην ταύτην ἡμέραν ἄγει ἀφ᾽ οὗ
Joh 2 1 τῇ ἡμέρᾳ τῇ τρίτῃ γάμος ἐγένετο
Act 2 15 ὥρα τρίτη τῆς ἡμέρας 23 23 – 27 19
2 Co 12 2 ἁρπαγέντα – ἕως τρίτου οὐρανοῦ
Ap 4 7 ζῶον 6 5 – 6 5 σφραγίς 8 10 ἄγγελος
14 9 16 4 – 11 14 ἡ Οὐαὶ ἡ τρ. 21 19 θεμέλ.

τὸ τρίτον *tertia pars* Ap 8 7-12 9 15.18 12 4

τρίτον adv., τρ. τοῦτο, ἐκ τ..ου *tertio* b *tertio
hoc* Mat 26 44 προσηύξατο ἐκ τρ.
Mar 14 41 ἔρχεται τὸ τρίτον Luc 23 22 Joh 21 14
τοῦτο τρ. b ἐφανερώθη – ἐγερθεὶς 17
1 Co 12 28 τρ. διδασκάλους 2 Co 12 14 τρ. τοῦτο b
ἑτοίμως ἔχω ἐλθεῖν 13 1 b ἔρχομαι

τρίχινος *cilicinus* Ap 612 ὡς σάκκος τρίχ.

τρόμος *tremor* φόβος καὶ τρ. → φόβος
Mar 16 8 εἶχεν – αὐτὰς τρόμος καὶ ἔκστασις

τροπή *vicissitudo*
Jac 117 παρ᾽ ᾧ οὐκ ἔνι – τροπῆς ἀποσκίασμα

τρόπος *modus* [b](ὃν τ..ον) *quemadmodum*
       [c]*mores* Mt 2327 ὃν τρ.[b] ὄρνις ‖ Lc 1334[b]
Act 111[b] 728[b] 1511[b] 2725 καθ᾽ ὃν τρόπον[b]
Rm   3 2 πολὺ κατὰ πάντα τρ. Phl 118 πλὴν
       ὅτι παντὶ τ..ῳ – Χὸς καταγγέλλεται
2 Th 2 3 316 ἐν παντὶ τρόπῳ (vl τόπῳ vg)
2 Ti 3 8[b] – Hb 135 ἀφιλάργυρος ὁ τρόπος[c]
Jud   7 τὸν ὅμοιον τρόπον – ἐκπορνεύσασαι

τροποφορεῖν *mores sustinēre (alicuius)*
Act 1318 „ἐτ..ησεν (vl ἐτροφοφ.) αὐτοὺς ἐν"

τροφή *cibus* [b]*esca* [c]*victus*
Mat 3 4 ἡ δὲ τροφὴ[b] ἦν αὐτοῦ ἀκρίδες καὶ
       625 οὐχὶ ἡ ψυχὴ πλεῖόν ἐστιν τῆς τρο-
       φῆς[b] –; ‖ Luc 1223[b]
       1010 ἄξιος – ὁ ἐργάτης τῆς τροφῆς αὐτοῦ
       2445 – Joh 48 ἵνα τροφὰς ἀγοράσωσιν
Act 246 μετελάμβανον τροφῆς ἐν ἀγαλλιάσει
       919 1417 2733.34.36.38
Hb   512 χρείαν ἔχοντες –, οὐ στερεᾶς τ..ῆς
       – 14 τελείων δέ ἐστιν ἡ στερεὰ τροφή
Jac 215 λειπόμενοι τῆς ἐφημέρου τροφῆς[c]

Τρόφιμος Act 204 2129 2 Ti 420

τροφός *nutrix* 1 Th 27 ὡς ἐὰν τροφ. θάλπῃ

τροχιά *gressus* Hb 1213 „τροχιὰς ὀρθάς"

τροχός *rota* Jac 36 τὸν τροχ. τῆς γενέσεως

τρύβλιον [a]*paropsis* [b]*catinus* Mat 2623 ὁ
       ἐμβάψας – ἐν τῷ τρ.[a] ‖ Mar 1420[b]

τρυγᾶν *vindemiare* Luc 644 Ap 1418.19

τρυγών *turtur* Luc 224 „ζεῦγος τρυγόνων"

τρυμαλιά *foramen* Mar 1025 ῥαφίδος

(τρύπημα S° – vl Mat 1924 ῥαφίδος)

Τρύφαινα et Τρυφῶσα Rm 1612

τρυφᾶν *epulari* Jac 55 ἐπὶ τῆς γῆς

τρυφή *deliciae* Luc 725 2 Pe 213 ἐν ἡμέρᾳ

Τρῳάς Act 168.11 205.6 2 Co 212 2 Ti 413

τρώγειν S° – *manducare* [b]*comedere*
Mat 2438 ἦσαν – τρώγοντες[b] καὶ πίνοντες
Joh 654 ὁ τ..ων μου τὴν σάρκα 56.57 ὁ τ..ων
       με 58 ὁ τρώγων τοῦτον τὸν ἄρτον
       1318 „ὁ τρώγων μου τὸν ἄρτον ἐπῆρεν"

(Τρωγύλιον vl Act 2015 μείναντες ἐν Τ..ῳ)

τυγχάνειν [a]*adiuvari* [b]*agere, agere in* [c]*con-
       sequi* [d]*invenire* [e]*sortiri* [f](οὐχ ὁ τυχών)
       non quilibet [g](id.) *non modicus* [h](εἰ
       τύχοι) *ut puta* [i](τυχόν) *forsitan*
Luc 2035 τοῦ αἰῶνος ἐκείνου τυχεῖν (vg°)
Act 1911[f] 242[b] 2622[a] 273[b] 282[g]
1 Co 1410 τοσαῦτα εἰ τύχοι[h] γένη φωνῶν
       1537 γυμνὸν κόκκον εἰ τύχοι[h] σίτου
       16 6 πρὸς ὑμᾶς δὲ τυχὸν[i] καταμενῶ
2 Ti 210 ἵνα καὶ αὐτοὶ σωτηρίας τύχωσιν[c]
Hb   8 6 διαφορωτέρας τέτυχεν[e] λειτουργίας
       1135 ἵνα κρείττονος ἀναστάσεως τύχωσιν[d]

τυμπανίζεσθαι *distendi* Hb 1135

τυπικῶς S° – *in figura*
1 Co 1011 τυπικῶς συνέβαινεν ἐκείνοις, ἐγράφη
       δὲ πρὸς νουθεσίαν ἡμῶν

τύπος *forma* [b]*exemplum* [c]*exemplar* [d]*fi-
       gura* [e]*fixura* [f](ἔχειν τύπον) *continēre*
Joh 2025 ἐὰν μὴ ἴδω – τὸν τύπον[e] τῶν ἥλων
Act 743 „τοὺς τύπους[d] οὓς ἐποιήσατε" προσ-
       κυνεῖν αὐτοῖς 44 „ποιῆσαι" αὐτὴν
       „κατὰ τὸν τύπον ὃν ἑωράκει"
       2325 ἐπιστολὴν ἔχουσαν τὸν τ.[f] τοῦτον
Rm   514 Ἀδάμ, ὅς ἐστιν τύπ. τοῦ μέλλοντος
       617 ὑπηκούσατε – εἰς ὃν παρεδόθητε τύ-
       πον διδαχῆς
1 Co 10 6 ταῦτα – τύποι ἡμῶν[d] (*in fig. nostri*)
       ἐγενήθησαν, εἰς τὸ μὴ εἶναι ἡμᾶς
Phl 317 σκοπεῖτε τοὺς οὕτω περιπατοῦντας
       καθὼς ἔχετε τύπον ἡμᾶς
1 Th 1 7 ὥστε γενέσθαι ὑμᾶς τύπον πᾶσιν
2 Th 3 9 ἵνα ἑαυτοὺς τύπον δῶμεν ὑμῖν
1 Ti 412 τύπος[b] γίνου τῶν πιστῶν ἐν λόγῳ,
       ἐν ἀναστροφῇ Tit 27 σεαυτὸν παρ-
       εχόμενος τύπον[b] καλῶν ἔργων
Hb   8 5 „κατὰ τὸν τύπ.[c] τὸν δειχθέντα σοι"
1 Pe 5 3 τύποι (*f..ae*) γινόμενοι τοῦ ποιμνίου

τύπτειν *percutere*
Mat 24 49 τοὺς συνδούλους αὐτοῦ ‖ Luc 12 45
  27 30 ἔτυπτον εἰς τὴν κεφαλὴν αὐτοῦ ‖
  Mar 15 19 τὴν κεφαλὴν καλάμῳ
Luc 6 29 τῷ τύπτοντί σε ἐπὶ τὴν σιαγόνα
  18 13 ἔτυπτεν τὸ στῆθος 23 48 τύπτοντες
Act 18 17 21 32 ἐπαύσαντο τύπτοντες 23 2.3
1 Co 8 12 τύπτοντες αὐτῶν τὴν συνείδησιν

Τύραννος Act 19 9   Τύριοι Act 12 20

Τύρος   Mat 11 21.22 15 21 Mar 3 8 7 24.31 Luc
  6 17 10 13.14 − Act 21 3.7

τύφεσθαι S° − *fumigare* Mat 12 20 „λίνον"

τυφλός *caecus*
Mat 9 27 δύο τυφλοί 28 20 30 δύο τυφλοὶ − πα-
  ρὰ τὴν ὁδόν ‖ Mar 10 46 τυφλὸς προσ-
  αίτης 49.51 Luc 18 35 τυφλός τις
  11 5 „τυφλοὶ ἀναβλέπουσιν" ‖ Luc 7 21 τυ-
  φλοῖς πολλοῖς ἐχαρίσατο βλέπειν 22
  12 22 δαιμονιζόμενος τυφλὸς καὶ κωφός
  15 14 τυφλοί εἰσιν ὁδηγοὶ τυφλῶν· τυφλὸς
  δὲ τυφλὸν ἐὰν ὁδηγῇ ‖ Luc 6 39 μήτι
  δύναται τυφλὸς τυφλὸν ὁδηγεῖν;
  − 30 κυλλούς, τυφλούς 31 ὥστε − θαυμά-
  σαι βλέποντας − τυφλοὺς βλέποντας
  21 14 προσῆλθον − τυφλοὶ − ἐν τῷ ἱερῷ
  23 16 οὐαὶ ὑμῖν, ὁδηγοὶ τυφλοί 24
  − 17 μωροὶ καὶ τυφλοί 19 τυφλοί, τί − μεῖζ.
  − 26 Φαρισαῖε τυφλέ, καθάρισον πρῶτον
Mar 8 22 φέρουσιν αὐτῷ τυφλόν 23
Luc 4 18 „κηρῦξαι − τυφλοῖς ἀνάβλεψιν"

Luc 14 13 κάλει − τ..ούς 21 τοὺς − τ. − εἰσάγαγε
Joh 5 3 κατέκειτο πλῆθος −, τ..ῶν, χωλῶν
  9 1 εἶδεν − τυφλὸν ἐκ γενετῆς 2 τίς ἥ-
  μαρτεν − , ἵνα τυφλὸς γεννηθῇ; 13
  τόν ποτε τυφλόν 17-20.24.25.32
  − 39 εἰς κρίμα ἐγὼ − ἦλθον, ἵνα − οἱ βλέ-
  ποντες τυφλοὶ γένωνται 40 μὴ καὶ ἡ-
  μεῖς τυφλοί ἐσμεν; 41 εἰ τυφλοὶ ἦτε,
  οὐκ ἂν εἴχετε ἁμαρτίαν
  10 21 μὴ δαιμόνιον δύναται τυφλῶν ὀφθαλ-
  μοὺς ἀνοῖξαι;
  11 37 ὁ ἀνοίξας τοὺς ὀφθαλμοὺς τοῦ τ.
Act 13 11 καὶ ἔσῃ τυφλὸς − ἄχρι καιροῦ
Rm 2 19 σεαυτὸν ὁδηγὸν εἶναι τυφλῶν
2 Pe 1 9 ᾧ − μὴ πάρεστιν ταῦτα, τυφλός ἐστιν
Ap 3 17 οὐκ οἶδας ὅτι σὺ εἶ − πτωχὸς καὶ τ.

τυφλοῦν *excaecare* [b] *obcaecare*
Joh 12 40 „τετύφλωκεν αὐτῶν τοὺς ὀφθαλμ."
2 Co 4 4 ὁ θεὸς τοῦ αἰῶνος τούτου ἐτύφλω-
  σεν τὰ νοήματα τῶν ἀπίστων
1 Jo 2 11 ἡ σκοτία ἐτ..ωσεν [b] τοὺς ὀφθ. αὐτοῦ

τυφοῦσθαι S° − [a] *efferri in superbiam* (vl
  ..*ia*) [b] *superbum esse* [c] (part prf) *tu-
  midus* 1 Ti 3 6 ἵνα μὴ τυφωθείς [a]
1 Ti 6 4 τετύφωται [b], μηδὲν ἐπιστάμενος
2 Ti 3 4 ἔσονται − προπετεῖς, τετυφωμένοι [c]

τυφωνικός S° − *Typhonicus* Act 27 14

Τύχικος Act 20 4 (Ἀσιανός) Eph 6 21 Col 4 7
  2 Ti 4 12 Tit 3 12

Y

ὑακίνθινος *hyacinthinus* Ap 9 17

ὑάκινθος *hyacinthus* Ap 21 20 ὁ ἑνδέκατος

ὑάλινος S° − *vitreus* Ap 4 6 θάλασσα 15 2

ὕαλος *vitrum* Ap 21 18.21 ὡς ὑ. διαυγής

ὑβρίζειν *contumeliis afficere* [b] *contumeliam
  alicui facere*
Mat 22 6 τοὺς δούλους Luc 11 45 ἡμᾶς ὑ..εις [b]
Luc 18 32 ὑβρισθήσεται (vg *flagellabitur*, ex
  vl? − sc ὁ υἱὸς τοῦ ἀνθρώπου)
Act 14 5 1 Th 2 2 ὑβρισθέντες − ἐν Φιλίπποις

ὕβρις *iniuria* [b] *contumelia* Act 27 10.21
2 Co 12 10 εὐδοκῶ ἐν ἀσθενείαις, ἐν ὕβρεσιν [b]

ὑβριστής *contumeliosus* Rm 1 30 1 Ti 1 13

ὑγιαίνειν (ὑ..ων) *sanus* [b] (ὑ..ων) *salvus* [c] (ὑ..
  ειν) *sanum esse* [d] (ὑ..ειν) *valēre*
Luc 5 31 οὐ χρείαν ἔχουσιν οἱ ὑ..οντες [c] ἰα-
  τροῦ − 7 10 εὗρον τὸν δοῦλον ὑ..οντα
  15 27 ὅτι ὑ..οντα [b] αὐτὸν ἀπέλαβεν
1 Ti 1 10 εἴ τι − τῇ ὑγιαινούσῃ διδασκαλίᾳ ἀν-
  τίκειται 2 Ti 4 3 τῆς ὑγ. διδ. οὐκ ἀνέ-
  ξονται Tit 1 9 παρακαλεῖν ἐν τῇ διδ.
  τῇ ὑγ. 21 ἃ πρέπει τῇ − ὑγ. διδασκ.

1 Ti 6 3 εἴ τις – μὴ προσέρχεται ὑ..ουσιν λό-
γοις τοῖς τοῦ κυρίου – ᾽Ι. Χοῦ 2 Ti
1 13 ὑποτύπωσιν ἔχε ὑ..όντων λόγων
Tit 1 13 ἵνα ὑγιαίνωσιν c ἐν τῇ πίστει 2 2
3 Jo 2 εὔχομαί σε εὐοδοῦσθαι καὶ ὑ..ειν d

ὑγιής *sanus* b *sanitati*
Mat 12 13 ἀπεκατεστάθη (sc ἡ χείρ) ὑγιής b
15 31 βλέποντας – κυλλοὺς ὑγιεῖς (vg o)
Mar 5 34 ἴσθι ὑγιὴς ἀπὸ τῆς μάστιγός σου
Joh 5 (vl 4) 6 θέλεις ὑγιὴς γενέσθαι; 9 ἐγέ-
νετο ὑγιής 11 ὁ ποιήσας με ὑγιῆ 14
ἴδε ὑγιὴς γέγονας 15 – 7 23 ἐμοὶ χο-
λᾶτε ὅτι ὅλον ἄνθρ. ὑγιῆ ἐποίησα
ἐν σαββάτῳ; – Act 4 10
Tit 2 8 λόγον ὑγιῆ ἀκατάγνωστον

ὑγρός *viridis* Luc 23 31 εἰ ἐν ὑγρῷ ξύλῳ

ὑδρία *hydria* Joh 2 6 ὑδρίαι ἕξ 7 4 28

ὑδροποτεῖν *aquam bibere* 1 Ti 5 23

ὑδρωπικός S o – *hydropicus* Luc 14 2 ἄνθρ.

ὕδωρ *aqua*
Mat 3 11 ἐγὼ – βαπτίζω ἐν ὕδατι ‖ Mar 1 8 ὕ-
δατι Luc 3 16 Joh 1 26 ἐν ὕδ. 31. 33 3 23
ὅτι ὕδατα πολλὰ ἦν ἐκεῖ → Act 1 5
– 16 ἀνέβη ἀπὸ τοῦ ὕδατος ‖ Mar 1 10 ἐκ
8 32 ἀπέθανον ἐν τ. ὕδασιν (sc οἱ χοῖροι)
14 28. 29 Πέτρος περιεπάτησεν ἐπὶ τὰ ὕδ.
17 15 πίπτει – πολλάκις εἰς τὸ ὕδ. ‖ Mar 9 22
27 24 Πιλᾶτος – λαβὼν ὕδωρ ἀπενίψατο
Mar 9 41 ὃς – ἂν ποτίσῃ ὑμᾶς ποτήριον ὕδα-
τος ἐν ὀνόματι, ὅτι Χοῦ ἐστε
14 13 κεράμιον ὕ..ος βαστάζων ‖ Luc 22 10
Luc 7 44 ὕδωρ μοι ἐπὶ πόδας οὐκ ἔδωκας
8 24 ἐπετίμησεν – τῷ κλύδωνι τοῦ ὕδ. 25
16 24 ἵνα βάψῃ τὸ ἄκρον – ὕδατος
Joh 2 7. 9 τὸ ὕδωρ οἶνον γεγενημένον 4 46
3 5 γεννηθῇ ἐξ ὕδατος καὶ πνεύματος
4 7 ἀντλῆσαι ὕδωρ 10 ἔδωκεν ἄν σοι ὕ-
δωρ ζῶν 11. 13 ὁ πίνων ἐκ τοῦ ὕδα-
τος τούτου 14 ὃς δ᾽ ἂν πίῃ ἐκ τοῦ
ὕδ. οὗ ἐγὼ δώσω αὐτῷ, –, ἀλλὰ τὸ
ὕδ. – γενήσεται ἐν αὐτῷ πηγὴ ὕδα-
τος ἁλλομένου εἰς ζωὴν αἰώνιον 15
5 (vl 3. 4) 7 ὅταν ταραχθῇ τὸ ὕδωρ
7 38 ποταμοὶ – ῥεύσονται ὕδατος ζῶντος
13 5 βάλλει ὕδωρ εἰς τὸν νιπτῆρα
19 34 ἐξῆλθεν εὐθὺς αἷμα καὶ ὕδωρ
Act 1 5 ᾽Ιωάννης μὲν ἐβάπτισεν ὕδατι 11 16

Act 8 36 ἦλθον ἐπί τι ὕδωρ, – · ἰδοὺ ὕδωρ · τί
κωλύει με βαπτισθῆναι; 38. 39
10 47 τὸ ὕδωρ δύναται κωλῦσαί τις –;
Eph 5 26 τῷ λουτρῷ τοῦ ὕδατος ἐν ῥήματι
Hb 9 19 – 10 22 λελουσμένοι – ὕ..τι καθαρῷ
Jac 3 12 οὔτε ἁλυκὸν γλυκὺ ποιῆσαι ὕδωρ
1 Pe 3 20 ὀλίγοι –, διεσώθησαν δι᾽ ὕδατος
2 Pe 3 5 οὐρανοὶ ἦσαν – καὶ γῆ ἐξ ὕδατος καὶ
δι᾽ ὕδατος συνεστῶσα 6 ὁ τότε κό-
σμος ὕδατι κατακλυσθεὶς ἀπώλετο
1 Jo 5 6 ὁ ἐλθὼν δι᾽ ὕδατος καὶ αἵματος – ·
οὐκ ἐν τῷ ὕδατι μόνον, ἀλλ᾽ ἐν τῷ
ὕδ. καὶ ἐν τῷ αἵματι 8 οἱ μαρτυροῦν-
τες, τὸ πνεῦμα καὶ τὸ ὕδωρ
Ap 1 15 „ὡς φωνὴ ὑδάτων πολλῶν 14 2 19 6
7 17 ἐπὶ „ζωῆς πηγὰς ὑδάτων“
8 10 16 4 – 8 11 11 6 12 15 14 7 πηγὰς ὕ..ων
16 5 ἤκουσα τοῦ ἀγγέλου τῶν ὑδάτων
– 12 17 1. 15 τὰ ὕδατα – ὄχλοι εἰσίν
21 6 „τῷ διψῶντι“ δώσω ἐκ τῆς πηγῆς
„τοῦ ὕδατος τῆς ζωῆς δωρεάν“
22 1 „ποταμὸν ὕδατος ζωῆς“ 17 ὁ θέλων
λαβέτω „ὕδωρ ζωῆς δωρεάν“

ὑετός a *imber* b *pluvia* c (ὑ. βρέχει) *pluit*
Act 14 17 b 28 2 a Hb 6 7 a Jac 5 18 b Ap 11 6 c

υἱοθεσία *adoptio filiorum*
Rm 8 15 ἀλλὰ ἐλάβετε πνεῦμα υἱοθεσίας
– 23 στενάζομεν υἱ..αν ἀπεκδεχόμενοι
9 4 ᾽Ισραηλῖται, ὧν ἡ υἱ. καὶ ἡ δόξα καὶ
Gal 4 5 ἵνα τὴν υἱοθεσίαν ἀπολάβωμεν
Eph 1 5 προορίσας ἡμᾶς εἰς υἱοθεσίαν διά

υἱός *filius* → τέκνον et παῖς

1) Jesus Christus

a) filius Mariae, filius Joseph

Mat 1 21 τέξεται – υἱόν 23. 25 ἕως [οὗ] ἔτεκεν
υἱόν Luc 1· 31 τέξῃ υἱόν 27 ἔτεκεν τὸν
υἱὸν αὐτῆς τὸν πρωτότοκον
13 55 οὐχ οὗτός ἐστιν ὁ τοῦ τέκτονος υἱός;
‖ Mar 6 3 ὁ τέκτων, ὁ υἱὸς τῆς Μα-
ρίας – ; Luc 4 22 υἱός – ᾽Ιωσήφ – ;
Luc 3 23 ὢν υἱός, ὡς ἐνομίζετο, ᾽Ιωσήφ
Joh 1 45 ᾽Ιησοῦν υἱὸν τοῦ ᾽Ιωσήφ 6 42 οὐχ οὗ-
τός ἐστιν ᾽Ιησοῦς ὁ υἱὸς ᾽Ιωσήφ – ;

b) ὁ υἱὸς Δαυίδ

Mat 22 45 πῶς υἱὸς αὐτοῦ ἐστιν; → Δαυίδ

c) ὁ υἱὸς τοῦ ἀνθρώπου (υἱά.)

Mat 8 20 ὁ δὲ υἱά. οὐκ ἔχει ποῦ τὴν κεφαλὴν
κλίνῃ ‖ Luc 9 58

Mat 9 6 ἐξουσίαν ἔχει ὁ υἱά. ἐπὶ τῆς γῆς ἀφ-
ιέναι ἁμαρτίας ‖ Mar 2 10 Luc 5 24
10 23 οὐ μὴ τελέσητε –, ἕως ἔλθῃ ὁ υἱά.
11 19 ἦλθεν ὁ υἱά. ἐσθίων καὶ πίνων ‖ Luc
7 34 ἐλήλυθεν
12 8 κύριός ἐστιν τοῦ σαββάτου ὁ υἱά. ‖
Mar 2 28 καὶ τοῦ σαββάτου Luc 6 5
– 32 ὃς ἐὰν εἴπῃ λόγον κατὰ τοῦ υἱά. ‖
Luc 12 10 ὃς ἐρεῖ λόγον εἰς τὸν υἱά.
– 40 ἔσται ὁ υἱά. ἐν τῇ καρδίᾳ τῆς γῆς ‖
Luc 11 30 ἔσται – τῇ γενεᾷ ταύτῃ
13 37 ὁ σπείρων τὸ καλὸν σπέρμα ἐστὶν ὁ
υἱά. 41 ἀποστελεῖ ὁ υἱά. τοὺς ἀγγέ-
λους αὐτοῦ, καὶ συλλέξουσιν
16 13 τίνα λέγουσιν – εἶναι τὸν υἱά.;
– 27 μέλλει – ὁ υἱά. ἔρχεσθαι ἐν τῇ δόξῃ
τοῦ πατρὸς αὐτοῦ ‖ Mar 8 38 καὶ ὁ
υἱά. ἐπαισχυνθήσεται αὐτόν, ὅταν
ἔλθῃ Luc 9 26 – Mat 25 31
– 28 ἕως ἂν ἴδωσιν τὸν υἱά. ἐρχόμενον
17 9 ἕως οὗ ὁ υἱά. – ἐγερθῇ ‖ Mar 9 9
– 12 ὁ υἱά. μέλλει πάσχειν ‖ Mar 9 12
– 22 μέλλει ὁ υἱά. π α ρ α δ ί δ ο σ θ α ι ‖ Mar
9 31 Luc 9 44 – Mat 20 18 παραδοθή-
σεται ‖ Mar 10 33 Luc 18 31 τελεσθή-
σεται – τὰ γεγραμμένα – τῷ υἱά.˙ πα-
ραδοθήσεται γάρ – Mat 26 2 παρα-
δίδοται 24 ὑπάγει –, οὐαὶ δὲ τῷ ἀν-
θρώπῳ – δι' οὗ ὁ υἱά. παραδίδοται
45 ‖ Mar 14 21.41 Luc 22 22 κατὰ τὸ
ὡρισμένον πορεύεται – 24 7 λέγων
τὸν υἱά. ὅτι δεῖ παραδοθῆναι
19 28 ὅταν καθίσῃ ὁ υἱά. ἐπὶ θρόνου
20 28 ὥσπερ ὁ υἱά. οὐκ ἦλθεν διακονηθῆ-
ναι, ἀλλὰ διακονῆσαι ‖ Mar 10 45
24 27 οὕτως ἔσται ἡ π α ρ ο υ σ ί α τοῦ υἱά.
37.39 ‖ Luc 17 24 ἔσται ὁ υἱά. ἐν τῇ
ἡμέρᾳ αὐτοῦ 26 ἔσται καὶ ἐν ταῖς ἡ-
μέραις τοῦ υἱά. 30 ᾗ ἡμέρᾳ ὁ υἱά.
ἀποκαλύπτεται
30 φανήσεται τὸ σ η μ ε ῖ ο ν τοῦ υἱά. –
καὶ ὄψονται „τὸν υἱά. ἐρχόμενον ἐπὶ
τῶν νεφελῶν“ ‖ Mar 13 26 Luc 21 27
– 44 ᾗ οὐ δοκεῖτε ὥρᾳ ὁ υἱά. ἔρχεται ‖
Luc 12 40
26 64 ὄψεσθε „τὸν υἱά. καθήμενον ἐκ δε-
ξιῶν τῆς δυνάμεως καὶ ἐρχόμενον“
‖ Mar 14 62 Luc 22 69 → Act 7 56
Mar 8 31 διδάσκειν – ὅτι δεῖ τὸν υἱά. πολλὰ
παθεῖν, καὶ – ἀναστῆναι ‖ Luc 9 22
Luc 6 22 ὅταν – ἐκβάλωσιν τὸ ὄνομα ὑμῶν ὡς
πονηρὸν ἕνεκα τοῦ υἱά.

Luc 12 8 καὶ ὁ υἱά. ὁμολογήσει ἐν αὐτῷ
17 22 μίαν τῶν ἡμερῶν τοῦ υἱά. ἰδεῖν
18 8 ὁ υἱά. – ἆρα εὑρήσει τὴν πίστιν –;
19 10 ἦλθεν – ὁ υἱά. „ζητῆσαι“ καὶ σῶσαι
„τὸ ἀπολωλός“ (vl Mat 18 11 Luc 9
56 οὐκ ἦλθεν ψυχὰς – ἀπολέσαι)
21 36 ἀγρυπνεῖτε – δεόμενοι ἵνα κατισχύ-
σητε – σταθῆναι ἔμπροσθεν τοῦ υἱά.
22 48 φιλήματι τὸν υἱά. παραδίδως;
Joh 1 51 τοὺς ἀγγέλους τοῦ θεοῦ ἀναβαίνον-
τας καὶ καταβαίνοντας ἐπὶ τὸν υἱά.
3 13 ὁ ἐκ τοῦ οὐρανοῦ καταβάς, ὁ υἱά.
6 62 ἐὰν – θεωρῆτε τὸν υἱά. ἀναβαί-
νοντα ὅπου ἦν τὸ πρότερον;
– 14 ὑψωθῆναι δεῖ τὸν υἱά. 12 34 cfr 8 28
ὅταν ὑψώσητε τὸν υἱά., τότε
5 27 ἐξουσίαν ἔδωκεν αὐτῷ κρίσιν ποιεῖν,
ὅτι υἱὸς ἀνθρώπου ἐστίν
6 27 τὴν βρῶσιν τὴν μένουσαν εἰς ζωὴν
αἰώνιον, ἣν ὁ υἱά. ὑμῖν δώσει
– 53 ἐὰν μὴ φάγητε τὴν σάρκα τοῦ υἱά.
9 35 σὺ πιστεύεις εἰς τὸν υἱὸν τοῦ ἀν-
θρώπου (vl τοῦ θεοῦ vg);
12 23 ἐλήλυθεν ἡ ὥρα ἵνα δοξασθῇ ὁ υἱά.
34 τίς ἐστιν οὗτος ὁ υἱά.;
13 31 νῦν ἐδοξάσθη ὁ υἱά., καὶ ὁ θεός
Act 7 56 θεωρῶ – τὸν υἱά. ἐκ δεξιῶν ἐστῶτα
τοῦ θεοῦ

d) (ὁ) υ ἱ ὸ ς (τ ο ῦ) θ ε ο ῦ, τ ο ῦ π α-
τ ρ ό ς, ὁ υ ἱ ό ς μ ο υ, α ὐ τ ο ῦ κτλ.

Mat 2 15 „ἐξ Αἰγύπτ. ἐκάλεσα τὸν υἱόν μου“
3 17 „ὁ υἱός μου ὁ ἀγαπητός“ 17 5 ‖ Mar
1 11 9 7 Luc 3 22 9 35 ὁ ἐκλελεγμένος
→ 2 Pe 1 17
4 3 εἰ υἱὸς εἶ τοῦ θεοῦ 6 ‖ Luc 4 3.9 –
Mat 27 40 σῶσον σεαυτόν, εἰ υἱ. εἶ τ. θ.
8 29 „τί ἡμῖν καὶ σοί“, υἱὲ τοῦ θεοῦ; ‖
Mar 5 7 τοῦ θ. τοῦ ὑψίστου; Luc 8 28
– Mar 3 11 σὺ εἶ ὁ υἱὸς τοῦ θεοῦ
Luc 4 41 σὺ εἶ ὁ υἱὸς τοῦ θεοῦ
14 33 λέγοντες· ἀληθῶς θεοῦ υἱὸς εἶ
16 16 ὁ χριστὸς ὁ υἱὸς τοῦ θ. τοῦ ζῶντος
26 63 ἵνα ἡμῖν εἴπῃς εἰ σὺ εἶ ὁ χριστὸς ὁ
υἱὸς τοῦ θεοῦ ‖ Mar 14 61 σὺ εἶ ὁ
χρ. ὁ υἱὸς τοῦ εὐλογητοῦ; Luc 22 70
σὺ οὖν εἶ ὁ υἱ. τοῦ θ.;
27 43 εἶπεν γὰρ ὅτι θεοῦ εἰμι υἱός
– 54 ἀληθῶς θεοῦ υἱὸς ἦν οὗτ. ‖ Mar 15 39
Mar 1 1 ἀρχὴ τοῦ εὐαγγελίου Ἰησοῦ Χοῦ
(vl + υἱοῦ θεοῦ et τοῦ θεοῦ vg)
Luc 1 32 υἱὸς ὑψίστου κληθήσεται 35 τὸ γεν-

νώμενον „ἅγιον κληθήσ." υἱὸς θεοῦ
Joh 1 34 ὅτι οὗτός ἐστιν ὁ υἱὸς τοῦ θεοῦ
  – 49 σὺ εῖ ὁ υἱὸς τοῦ θ., σὺ βασιλεὺς εῖ
  3 18 εἰς τὸ ὄνομα τοῦ μονογενοῦς υἱοῦ
  5 25 τῆς φωνῆς τοῦ υἱοῦ τ. θ.   [τ. θεοῦ
  10 36 ὅτι εἶπον· υἱὸς τοῦ θεοῦ εἰμι
  11 4 ἵνα δοξασθῇ ὁ υἱὸς τοῦ θεοῦ
  – 27 πεπίστευκα ὅτι σὺ εῖ ὁ χριστὸς ὁ
     υἱὸς τοῦ θεοῦ cfr 20 31
  17 1 δόξασόν σου τὸν υἱόν, ἵνα ὁ υἱὸς
     (vl + σου vg) δοξάσῃ σέ
  19 7 ὅτι υἱὸν θεοῦ ἑαυτὸν ἐποίησεν
Act (8 37 vl πιστεύω τὸν υἱὸν τοῦ θεοῦ εῖναι
     τὸν Ἰησοῦν Χόν vg, vlᵒ)
  9 20 ὅτι οὗτός ἐστιν ὁ υἱὸς τοῦ θεοῦ
  13 33 „υἱός μου εῖ σύ, ἐγὼ σήμερον γε-
     γέννηκά σε" (Luc 3 22 vl D) Hb 1 5 5 5
Rm 1 3 περὶ τοῦ υἱοῦ αὐτοῦ τοῦ γενομένου
     ἐκ σπέρματος Δαυὶδ κατὰ σάρκα 4
     τοῦ ὁρισθέντος υἱοῦ θεοῦ ἐν δυνά-
     μει κατὰ πνεῦμα ἁγιωσύνης
  – 9 ἐν τῷ εὐαγγελίῳ τοῦ υἱοῦ αὐτοῦ
  5 10 διὰ τοῦ θανάτου τοῦ υἱοῦ αὐτοῦ
  8 3 ὁ θεὸς τὸν ἑαυτοῦ υἱὸν πέμψας
  – 29 συμμόρφους τῆς εἰκόνος τοῦ υἱοῦ
  – 32 τ. ἰδίου υἱοῦ οὐκ ἐφείσατο   [αὐτοῦ
1 Co 1 9 εἰς κοινωνίαν τοῦ υἱοῦ αὐτοῦ
2 Co 1 19 ὁ τοῦ θεοῦ – υἱὸς Χὸς Ἰ. – οὐκ ἐγέν.
Gal 1 16 ἀποκαλύψαι τὸν υἱὸν αὐτοῦ ἐν ἐμοὶ
  2 20 ἐν πίστει ζῶ τῇ τοῦ υἱοῦ τοῦ θεοῦ
  4 4 ἐξαπέστειλεν ὁ θεὸς τὸν υἱὸν αὐτοῦ
  6 τὸ πνεῦμα τοῦ υἱοῦ αὐτοῦ εἰς
Eph 4 13 τῆς ἐπιγνώσεως τοῦ υἱοῦ τοῦ θεοῦ
Col 1 13 μετέστησεν (sc ἡμᾶς) εἰς τὴν βασι-
     λείαν τοῦ υἱοῦ τῆς ἀγάπης αὐτοῦ
1 Th 1 10 ἀναμένειν τὸν υἱ. αὐτοῦ ἐκ τῶν οὐ-
     ρανῶν – Hb 1 5 5 5 → Act 13 33
Hb 4 14 Ἰησοῦν τὸν υἱὸν τοῦ θεοῦ
  6 6 ἀνασταυροῦντας ἑαυτοῖς τὸν υἱ. τ. θ.
  7 3 ἀφωμοιωμένος δὲ τῷ υἱῷ τοῦ θεοῦ
  10 29 ὁ τὸν υἱὸν τοῦ θεοῦ καταπατήσας
2 Pe 1 17 „ὁ υἱός μου ὁ ἀγαπητός" μου οὗτός
     ἐστιν, „εἰς ὃν ἐγὼ εὐδόκησα"
1 Jo 1 3 ἡ κοινωνία – ἡ ἡμετέρα μετὰ τοῦ πα-
     τρὸς καὶ μετὰ τοῦ υἱοῦ αὐτοῦ
  – 7 τὸ αἷμα – τοῦ υἱοῦ αὐτοῦ καθαρίζει
  3 8 ἐφανερώθη ὁ υἱ. τ. θ., ἵνα λύσῃ τά
  – 23 ἵνα πιστεύσωμεν τῷ ὀνόματι τοῦ υἱ.
     αὐτοῦ 5 13 τοῖς πιστεύουσ. εἰς τὸ ὄν. –
  4 9 τὸν υἱὸν αὐτοῦ τὸν μονογενῆ ἀπέ-
     σταλκεν ὁ θεὸς 10 τὸν υἱὸν αὐτοῦ
  – 15 ὅτι Ἰησοῦς ἐστιν ὁ υἱὸς τοῦ θ. 5 5

1 Jo 5 9 ὅτι μεμαρτύρηκεν περὶ τοῦ υἱοῦ αὐ-
     τοῦ 10 ἦν μεμαρτύρ. ὁ θεὸς περί –
  – 10 ὁ πιστεύων εἰς τὸν υἱὸν τοῦ θεοῦ
  – 11 αὕτη ἡ ζωὴ ἐν τῷ υἱῷ αὐτοῦ ἐστιν
  – 12 ὁ ἔχων τὸν υἱὸν ἔχει τὴν ζωήν· ὁ
     μὴ ἔχων τὸν υἱὸν τοῦ θεοῦ κτλ.
  – 20 ὁ υἱ. τοῦ θεοῦ ἥκει – · καὶ ἐσμὲν ἐν
     τῷ ἀληθινῷ, ἐν τῷ υἱῷ αὐτοῦ τοῦ θεοῦ
2 Jo 3 παρὰ Ἰ. Χοῦ τοῦ υἱοῦ τοῦ πατρός
Ap 2 18 τάδε λέγει ὁ υἱὸς τοῦ θεοῦ

e) ὁ υἱός (κατ᾽ ἐξοχήν)

Mat 11 27 οὐδεὶς ἐπιγινώσκει τὸν υἱὸν εἰ μὴ ὁ
     πατήρ, οὐδὲ τὸν πατέρα τις ἐπιγι-
     νώσκει εἰ μὴ ὁ υἱὸς καὶ ᾧ ἐὰν βού-
     ληται ὁ υἱὸς ἀποκαλύψαι ‖ Luc 10 22
  24 36 οὐδεὶς οῖδεν, – οὐδὲ ὁ υἱός (vl om
     οὐδὲ ὁ υἱός, vgᵒ) ‖ Mar 13 32
  28 19 εἰς τὸ ὄνομα τοῦ πατρὸς καὶ τοῦ υἱ.
Joh (1 18 vl ὁ μονογενὴς υἱ. vg) 3 16 ὥστε τὸν
     υἱ. (vl + αὐτοῦ vg) τὸν μον. ἔδωκεν
  3 17 οὐ γὰρ ἀπέστειλεν ὁ θεὸς τὸν υἱὸν
  – 35 ὁ πατὴρ ἀγαπᾷ τὸν υἱὸν 5 20 φιλεῖ
  – 36 ὁ πιστεύων εἰς τὸν υἱὸν ἔχει ζωὴν
     αἰώνιον· ὁ δὲ ἀπειθῶν τῷ υἱῷ
  5 19 οὐ δύναται ὁ υἱὸς ποιεῖν ἀφ᾽ ἑαυ-
     τοῦ οὐδέν· · – ταῦτα καὶ ὁ υἱ. – ποιεῖ
  – 21 καὶ ὁ υἱὸς οὓς θέλει ζωοποιεῖ
  – 22 τὴν κρίσιν πᾶσαν δέδωκεν τῷ υἱῷ
  – 23 ἵνα πάντες τιμῶσι τὸν υἱόν· · ὁ μὴ
     τιμῶν τὸν υἱὸν οὐ τιμᾷ τὸν πατέρα
  – 26 τῷ υἱῷ ἔδωκεν ζωὴν ἔχειν ἐν ἑαυτῷ
  6 40 ὁ θεωρῶν τὸν υἱὸν καὶ πιστεύων
  8 35 ὁ υἱὸς μένει εἰς τὸν αἰῶνα 36 ἐὰν –
     ὁ υἱὸς ὑμᾶς ἐλευθερώσῃ
  14 13 ἵνα δοξασθῇ ὁ πατὴρ ἐν τῷ υἱῷ
  17 1 ἵνα ὁ υἱὸς (vl + σου vg) δοξάσῃ σέ
1 Co 15 28 καὶ αὐτὸς ὁ υἱὸς ὑποταγήσεται
Hb 1 2 ἐλάλησεν ἡμῖν ἐν υἱῷ, ὃν ἔθηκεν
     κληρονόμον 5 „υἱός μου εῖ σύ"
  – 8 πρὸς δὲ τὸν υἱόν (sc λέγει)·
  3 6 Χὸς δὲ ὡς υἱὸς ἐπὶ τὸν οῖκον αὐ.
  5 8 καίπερ ὢν υἱός, ἔμαθεν ἀφ᾽ ὧν
  7 28 „υἱὸν εἰς τὸν αἰῶνα" τετελειωμένον
1 Jo 2 22 ὁ ἀρνούμενος τὸν πατέρα καὶ τὸν
     υἱόν 23 ὁ ἀρν. τὸν υἱὸν οὐδὲ τὸν πα-
     τέρα ἔχει· ὁ ὁμολογῶν τὸν υἱὸν καὶ
     τὸν πατέρα ἔχει 24 ἐν τῷ υἱῷ καὶ
     [ἐν] τῷ πατρὶ μενεῖτε
  4 14 ἀπέσταλκεν τὸν υἱὸν σωτῆρα τοῦ
  5 12 ὁ ἔχων τὸν υἱὸν ἔχει τὴν ζωήν
2 Jo 9 καὶ τὸν πατέρα καὶ τὸν υἱὸν ἔχει

2) υἱός, υἱοί universe (non de Jesu)

a) filii sanguinis nexu

υἱοὶ Ἰσραήλ → Ἰσραήλ

Mat 1 20 Ἰωσὴφ υἱὸς Δαυίδ, μὴ φοβηθῇς
7 9 τίς ἐστιν –, ὃν αἰτήσει ὁ υἱὸς αὐτοῦ
ἄρτον –; ‖ Luc 11 11 (υἱὸς vg°) ἰχθύν
10 37 ὁ φιλῶν υἱὸν ἢ θυγατέρα ὑπὲρ ἐμέ
12 27 οἱ υἱοὶ ὑμῶν ἐν τίνι ἐκβάλλουσιν; ‖
Luc 11 19 – Act 19 14 Σκευᾶ – υἱοί
17 15 ἐλέησόν μου τὸν υἱόν ‖ Mar 9 17 Luc
9 38 ὅτι μονογενής μοί ἐστιν 41
20 20 ἡ μήτηρ τῶν υἱῶν Ζεβεδαίου μετὰ
τῶν υἱῶν αὐτῆς 21 ‖ Mar 10 35 – Mat
26 37 27 56 Luc 5 10
21 37 ἀπέστειλεν – τὸν υἱὸν αὐτοῦ – · ἐν-
τραπήσονται τὸν υἱόν μου 38 ‖ Mar
12 6 ἔτι ἕνα εἶχεν, υἱὸν ἀγαπητόν·
κτλ. Luc 20 13 πέμψω τὸν υἱ. μου τ. ἀγ.
22 2 ἐποίησεν γάμους τῷ υἱῷ αὐτοῦ
23 31 υἱοί ἐστε τῶν φονευσάντων τοὺς προ-
φήτας 35 ἕως τοῦ αἵματος Ζαχαρίου
υἱοῦ Βαραχίου, ὃν ἐφονεύσατε
Mar 3 28 πάντα ἀφεθήσεται τοῖς υἱ. τῶν ἀνθ.
10 46 ὁ υἱὸς Τιμαίου Βαρτιμαῖος
Luc 1 13 Ἐλισάβετ γεννήσει υἱόν σοι 36. 57 3 2
ἐπὶ Ἰωάννην τὸν Ζαχαρίου υἱόν
7 12 μονογενὴς υἱὸς τῇ μητρὶ αὐτοῦ
12 53 πατὴρ ἐπὶ υἱῷ καὶ „υἱὸς ἐπὶ πατρί"
14 5 τίνος ὑμῶν υἱὸς (vl ὄνος vg) ἢ βοῦς
εἰς φρέαρ πεσεῖται –;
15 11 δύο υἱούς 13 ὁ νεώτερος υἱὸς ἀπεδή-
μησεν 19 κληθῆναι υἱός σου 21. 24 ὁ
υἱός μου νεκρὸς ἦν 25 ὁ υἱὸς αὐτοῦ
ὁ πρεσβύτερος 30 ὁ υἱός σου οὗτος
19 9 καθότι καὶ οὗτος υἱὸς Ἀβραάμ
Joh 1 42 Σίμων ὁ υἱὸς Ἰωάννου – 45. 12
4 46 ἦν τις βασιλικὸς οὗ ὁ υἱὸς ἠσθένει
47. 50 ὁ υἱός σου ζῇ 53
9 19 οὗτός ἐστιν ὁ υἱὸς ὑμῶν –; 20
Act 2 17 „προφητεύσουσιν οἱ υἱοὶ ὑμῶν"
7 16. 21 „ἑαυτῇ εἰς υἱόν" 29 13 21 υἱὸν Κίς
26 υἱοὶ γένους Ἀβραάμ – 16 1 23 16
Rm 9 9 „ἔσται τῇ Σάρρᾳ υἱός"
Gal 4 22 Ἀβρ. δύο υἱοὺς ἔσχεν 30 „ἔκβαλε
τὴν παιδίσκην καὶ τὸν υἱ. αὐτῆς" κτλ.
Eph 3 5 τῷ μυστηρίῳ τοῦ Χοῦ, ὃ – οὐκ ἐγνω-
ρίσθη τοῖς υἱοῖς τῶν ἀνθρώπων
Hb 2 6 „τί ἐστιν – υἱὸς ἀνθρώπου ὅτι ἐπι-
σκέπτῃ αὐτόν;" – 7 5 11 21. 24
Jac 2 21 „ἀνενέγκας Ἰσαὰκ τὸν υἱὸν αὐτοῦ"
Ap 1 13 εἶδον – „ὅμοιον υἱὸν (vl υἱῷ vg)

ἀνθρώπου" 14 14 „ἐπὶ – νεφέλην"
Ap 12 5 „ἔτεκεν" υἱὸν „ἄρσεν", ὃς μέλλει

b) „filii" animi quadam vel morum
communione

Mat 5 9 υἱοὶ θεοῦ κληθήσονται 45 ὅπως γέ-
νησθε υἱοὶ τοῦ πατρὸς ὑμῶν τοῦ ἐν
οὐρανοῖς ‖ Luc 6 35 ἔσεσθε υἱοὶ ὑψί-
στου – 20 36 υἱοί εἰσιν θεοῦ τῆς ἀ-
ναστάσεως υἱοὶ ὄντες
8 12 οἱ δὲ υἱοὶ τῆς βασιλείας ἐκβληθή-
σονται 13 38 οὗτοί εἰσιν οἱ υἱ. τῆς β.
9 15 μὴ δύνανται οἱ υἱοὶ τοῦ νυμφῶνος
(vl ..ίου vg) – ; ‖ Mar 2 19 Luc 5 34
13 38 τὰ – ζιζάνιά εἰσιν οἱ υἱ. τοῦ πονηροῦ
17 25 ἀπὸ τίνων λαμβάνουσιν – κῆνσον; ἀ-
πὸ τ. υἱῶν αὐτῶν ἢ ἀπὸ τ. ἀλλοτρί-
ων; 26 ἄρα γε ἐλεύθεροί εἰσιν οἱ υἱ.
23 15 ποιεῖτε αὐτὸν υἱὸν γεέννης διπλότε.
Mar 3 17 Βοανηργές, ὅ ἐστιν υἱοὶ βροντῆς
Luc 10 6 ἐὰν ἐκεῖ ᾖ υἱὸς εἰρήνης
16 8 οἱ υἱοὶ τοῦ αἰῶνος τούτου 20 34
– – φρονιμώτεροι ὑπὲρ τοὺς υἱοὺς τοῦ
φωτός cfr Joh 12 36 ἵνα υἱοὶ φωτὸς
γένησθε 1 Th 5 5 πάντες – ὑμεῖς υἱοὶ
φωτός ἐστε καὶ υἱοὶ ἡμέρας
Joh 17 12 εἰ μὴ ὁ υἱὸς τῆς ἀπωλείας 2 Th 2 3
19 26 γύναι, ἴδε ὁ υἱός σου
Act 3 25 ὑμεῖς ἐστε οἱ υἱοὶ τῶν προφητῶν καὶ
τῆς διαθήκης
4 36 Βαρναβᾶς –, – υἱὸς παρακλήσεως
13 10 υἱὲ διαβόλου, ἐχθρὲ πάσης δικαιοσ.
23 6 ἐγὼ Φαρισαῖός εἰμι, υἱὸς Φαρισαίων
Rm 8 14 οὗτοι υἱοί εἰσιν θεοῦ 19 τὴν ἀποκά-
λυψιν τῶν υἱῶν τοῦ θεοῦ ἀπεκδέχε-
ται 9 26 „κληθήσονται υἱ. θεοῦ ζῶντος"
2 Co 6 18 ἔσεσθέ „μοι εἰς υἱοὺς" καὶ θυγατέρ.
Gal 3 7 οἱ ἐκ πίστεως, οὗτοι υἱοί – Ἀβραάμ
– 26 υἱοὶ θεοῦ ἐστε διὰ τῆς πίστεως
4 6 ὅτι δέ ἐστε υἱοί, ἐξαπέστειλεν
– 7 οὐκέτι εἶ δοῦλος ἀλλὰ υἱός· εἰ δὲ
υἱός, καὶ κληρονόμος διὰ θεοῦ
Eph 2 2 ἐν τοῖς υἱοῖς τῆς ἀπειθείας 5 6 (Col
3 6 vl) – 1 Th 5 5 2 Th 2 3 → Luc et Joh
Hb 1 5 „αὐτὸς ἔσται μοι εἰς υἱόν" Ap 21 7
2 10 πολλοὺς υἱοὺς εἰς δόξαν ἀγαγόντα
12 5 ὑμῖν ὡς υἱοῖς διαλέγεται· „υἱέ μου,
μὴ ὀλιγώρει παιδείας κυρίου" 6. 7 ὡς
υἱοῖς ὑμῖν προσφέρεται ὁ θεός 8 ἄρα
νόθοι καὶ οὐχ „υἱοί" ἐστε
1 Pe 5 13 ἀσπάζεται – Μᾶρκος ὁ υἱός μου

3) υἱὸς dicitur pullus iumenti Mat 21 5

ὕλη *silva* Jac 3 5 ἡλίκην ὕλην ἀνάπτει

Ὑμέναιος 1 Ti 1 20 καὶ Ἀλέξ. 2 Ti 2 17

ὑμέτερος *vester*
Luc 6 20 ὑμετέρα ἐστὶν ἡ βασιλεία τοῦ θεοῦ
    (16 12 vl τὸ ὑμέτερον (vg *quod vestrum
    est*) τίς δώσει ὑμῖν;)
Joh 7 6 ὁ δὲ καιρὸς ὁ ὑμέτερος πάντοτέ ἐ-
    στιν ἕτοιμος
    8 17 ἐν τῷ νόμῳ – τῷ ὑμετέρῳ γέγραπται
    15 20 καὶ τὸν ὑμ. (sc λόγον) τηρήσουσιν
Act 27 34 – Rm 11 31 τῷ ὑμ. ἐλέει ἵνα – ἐλεη-
1 Co 15 31 νὴ τὴν ὑμ. καύχησιν |θῶσιν
    16 17 τὸ ὑμ. (vl ὑμῶν) ὑστέρημα (vg *quod
    vobis deerat*) – ἀνεπλήρωσαν
2 Co 8 8 τὸ τῆς ὑμετέρας ἀγάπης γνήσιον
Gal 6 13 ἵνα ἐν τῇ ὑμ. σαρκὶ καυχήσωνται

ὑμνεῖν *hymnum dicere* [b]*laudare*
Mat 26 30 ‖ Mar 14 26 – Act 16 25[b] Hb 2 12[b]

ὕμνος *hymnus* Eph 5 19 ὕμνοις Col 3 16

*ὑπάγειν *vadere* [b]*ire* [c]*abire*
Mat 4 10 ὕπαγε, σατανᾶ 16 23 ‖ Mar 8 33
    5 41 ὕπαγε μετ' αὐτοῦ δύο (sc μίλια)
    26 24 ὁ – υἱὸς τοῦ ἀνθρ. ὑ..ει ‖ Mar 14 21
Mar 5 34 ὑ..ε „εἰς εἰρήνην" καὶ ἴσθι ὑγιής
    10 52 ὕπαγε, ἡ πίστις σου σέσωκέν σε
Luc 10 3 ὑ..τε[b]· ἰδοὺ ἀποστέλλω ὑμᾶς ὡς
Joh 3 8 πόθεν ἔρχεται καὶ ποῦ ὑπάγει
    6 67 μὴ καὶ ὑμεῖς θέλετε ὑπάγειν[c];
    7 33 ὑπάγω πρὸς τὸν πέμψαντά με 16 5.
    10 ὅτι πρὸς τὸν πατέρα ὑπάγω 17
    8 14 οἶδα πόθεν ἦλθον καὶ ποῦ ὑπάγω·
    – οὐκ οἴδατε – ποῦ ὑπάγω 21 ὑπάγω
    καὶ ζητήσετέ με –· ὅπου ἐγὼ ὑπάγω
    ὑμεῖς οὐ δύνασθε ἐλθεῖν 22
    12 35 ὁ περιπατῶν ἐν τῇ σκοτίᾳ οὐκ οἶδεν
    ποῦ ὑπάγει 1 Jo 2 11[b]
    13 3 εἰδὼς ὅτι – πρὸς τὸν θεὸν ὑπάγει 33.
    36 κύριε, ποῦ ὑπάγεις; –· ὅπου ὑπ-
    άγω οὐ δύνασαί μοι νῦν ἀκολουθῆσαι
    14 4 ὅπου ἐγὼ ὑπάγω οἴδατε τὴν ὁδόν 5
    οὐκ οἴδαμεν ποῦ ὑπάγεις 28 ὑπάγω
    καὶ ἔρχομαι πρὸς ὑμᾶς
    15 16 ἔθηκα ὑμᾶς ἵνα ὑμεῖς ὑπάγητε[b] καὶ
    καρπὸν φέρητε
Jac 2 16 ὑπάγετε[b] „ἐν εἰρήνῃ", θερμαίνεσθε
Ap 14 4 οὗτοι οἱ ἀκολουθοῦντες τῷ ἀρνίῳ
    ὅπου ἂν ὑπάγῃ[b] (vg vl[c])
    17 8 εἰς ἀπώλειαν ὑπάγει[b] 11

ὑπακοή *obedientia* [b]*obeditio* [c](εἰς ὑπα-
    κοήν) *ad obediendum* [d]*obsequium*
Rm 1 5 εἰς ὑπακοήν[c] πίστεως 16 26[b]
    5 19 διὰ τῆς ὑπακοῆς[b] τοῦ ἑνὸς δίκαιοι
    6 16 ᾧ παριστάνετε ἑαυτοὺς – εἰς ὑ..ήν[c],
    δοῦλοί ἐστε – ὑ..ῆς[b] εἰς δικαιοσύνην
    15 18 δι' ἐμοῦ εἰς ὑπακοὴν ἐθνῶν
    16 19 ἡ – ὑμῶν ὑπ. εἰς πάντας ἀφίκετο
2 Co 7 15 τὴν πάντων ὑμῶν ὑπακοήν
    10 5 πᾶν νόημα εἰς τὴν ὑπ.[d] τοῦ Χοῦ
    – 6 ὅταν πληρωθῇ ὑμῶν ἡ ὑπακοή
Phm 21 πεποιθὼς τῇ ὑπακοῇ σου ἔγραψα
Hb 5 8 ἔμαθεν ἀφ' ὧν ἔπαθεν τὴν ὑπακοήν
1 Pe 1 2 εἰς ὑ..ὴν καὶ ῥαντισμὸν αἵματος Ἰ.
    – 14 ὡς τέκνα ὑπακοῆς |Χοῦ
    – 22 ἐν τῇ ὑπ. τῆς ἀληθείας (vg *charit.*)

ὑπακούειν *obedire* [b]*obtemperare* [c]*audire*
Mat 8 27 ὅτι καὶ οἱ ἄνεμοι καὶ ἡ θάλασσα αὐ-
    τῷ ὑπακούουσιν; ‖ Mar 4 41 Luc 8 25
Mar 1 27 καὶ ὑ..ουσιν αὐτῷ (sc τὰ πνεύματα)
Luc 17 6 καὶ ὑπήκουσεν ἂν ὑμῖν (sc ἡ συκά-
Act 6 7 ὑπήκουον τῇ πίστει |μ:νος)
    12 13 προσῆλθεν παιδίσκη ὑπακοῦσαι[c]
Rm 6 12 εἰς τὸ ὑπακούειν ταῖς ἐπιθυμίαις
    – 16 δοῦλοί ἐστε ᾧ ὑ..ετε, ἤτοι ἁμαρτίας
    – 17 ὑπηκούσατε – ἐκ καρδίας εἰς ὃν παρ-
    εδόθητε τύπον διδαχῆς
    10 16 οὐ πάντες ὑπήκουσαν τῷ εὐαγγελ.
Eph 6 1 τὰ τέκνα, ὑ..ετε τοῖς γονεῦσιν ὑμῶν
    5 οἱ δοῦλοι, ὑ..ετε τοῖς κατὰ σάρκα
    κυρίοις Col 3 20 κατὰ πάντα 22
Phl 2 12 καθὼς πάντοτε ὑπηκούσατε
2 Th 1 8 „τοῖς μὴ ὑ..ουσιν" τῷ εὐαγγελίῳ
    3 14 εἰ δέ τις οὐχ ὑπακούει τῷ λόγῳ ἡ-
    μῶν διὰ τῆς ἐπιστολῆς
Hb 5 9 ἐγένετο πᾶσιν τοῖς ὑπακούουσιν[b]
    αὐτῷ αἴτιος „σωτηρίας αἰωνίου"
    11 8 Ἀβρ. ὑπήκουσεν ἐξελθεῖν εἰς τόπον
1 Pe 3 6 ὡς Σάρρα ὑπήκουσεν τῷ Ἀβραάμ

ὕπανδρος *quae sub viro est* Rm 7 2 γυνή

ὑπαντᾶν *occurrere* [b]*obviam venire* [c]*obvi-
    are* Mat 8 28 ‖ Mar 5 2 Luc 8 27 – Mat
    28 9 (vl ἀπ.) Luc 14 31 Joh 4 51 11 20.30
    12 18[b] – Act 16 16 (vl ἀπαντῆσαι)[c]

εἰς ὑπάντησιν *obviam* Mat 8 34 (vl συν.)
Mat 25 1 εἰς ὑπ. τοῦ νυμφίου Joh 12 13 (vl συν.)

ὕπαρξις *substantia*
Act 2 45 τὰ κτήματα καὶ τὰς ὑπ. ἐπίπρασκον

Hb 10₃₄ κρείσσονα ὕπαρξιν καὶ μένουσαν

*ὑπάρχειν *esse* ᵇ*adesse*
1 Co 7₂₆ νομίζω οὖν τοῦτο καλὸν ὑπάρχειν
    11 ₇ „εἰκὼν" καὶ δόξα „θεοῦ" ὑπάρχων
    – 18 ἀκούω σχίσματα ἐν ὑμῖν ὑπάρχειν
2 Co 12₁₆ ὑ..ων πανοῦργος δόλῳ ὑμᾶς ἔλαβον
Gal   2₁₄ εἰ σὺ Ἰουδαῖος ὑπάρχων ἐθνικῶς
Phl   2 ₆ ὃς ἐν μορφῇ θεοῦ ὑπάρχων
    3₂₀ τὸ πολίτευμα ἐν οὐρανοῖς ὑπάρχει
2 Pe   1 ₈ ταῦτα – ὑμῖν ὑ..οντα ᵇ καὶ πλεονάζ.
    3₁₁ ποταποὺς δεῖ ὑ..ειν [ὑμᾶς] ἐν ἁγίαις
      ἀναστροφαῖς καὶ εὐσεβείαις

τὰ ὑπάρχοντα *bona* ᵇ*facultates* ᶜ*quae quis*
             possidet ᵈ*quae habes*
Mat 19₂₁ πώλησόν σου τὰ ὑπ.ᵈ Luc 12₃₃ᶜ
    24₄₇ ‖ Luc 12₄₄ᶜ – Mat 25₁₄ Luc 8₃ᵇ 11₂₁ᶜ
Luc 12₁₅ οὐκ ἐν τῷ περισσεύειν τινὶ ἡ ζωὴ
      αὐτοῦ ἐστιν ἐκ τῶν ὑπ.ᶜ αὐτῷ
    14₃₃ πᾶς – ὃς οὐκ ἀποτάσσεται πᾶσιν τοῖς
      ἑαυτοῦ ὑπάρχουσινᶜ
    16 ₁ ὡς διασκορπίζων τὰ ὑπ. αὐτοῦ
    19 ₈ τὰ ἡμίση μου τῶν ὑπ. – τοῖς πτωχοῖς
Act   4₃₂ οὐδὲ εἷς τι τῶν ὑπαρχόντωνᶜ αὐτῷ
      ἔλεγεν ἴδιον εἶναι
1 Co 13 ₃ κἂν ψωμίσω πάντα τὰ ὑπ.ᵇ μου
Hb 10₃₄ τὴν ἁρπαγὴν τῶν ὑπαρχόντων ὑμῶν
      μετὰ χαρᾶς προσεδέξασθε

ὑπείκειν *subiacēre* Hb 13₁₇ τοῖς ἡγουμένοις

ὑπεναντίος ᵃ*adversarius* ᵇ*contrarius*
Col   2₁₄ τὸ – χειρόγραφον –, ὃ ἦν ὑ..ονᵇ ἡμῖν
Hb 10₂₇ „ἐσθίειν" μέλλοντος „τοὺς ὑ..ουςᵃ"

*ὑπέρ

1) cum genitivo *pro* ᵇ*de* ᶜ*per* ᵈ*prop-*
    ter ᵉ*super* cum abl. (vl acc.)
    → ἀποθνῆσκειν ὑπέρ (*pro, Act 21*
    13 *propter*) – δέησις, δεῖσθαι (*pro*)
    – ἐντυγχάνειν (*pro*) – εὐχαρι-
    στεῖν, εὐχαριστία (*pro*) – καυ-
    χᾶσθαι, καύχημα, καύχησις (*pro*
    et *de*) – ὑπέρ τοῦ ὀνόματος (*pro*)
    – παραδιδόναι (*pro*) – προσεύ-
    χεσθαι, προσευχή (*pro*) – ψυχὴν
    τιθέναι ὑπέρ (*pro*)
Mar   9₄₀ ὃς – οὐκ ἔστιν καθ' ἡμῶν, ὑπὲρ ἡμῶν
      ἐστιν ‖ Luc 9₅₀ → Rm 8₃₁
    14₂₄ „τὸ αἷμά μου" – τὸ ἐκχυννόμενον ὑ-
      πὲρ πολλῶν ‖ Luc 22₂₀ ὑπὲρ ὑμῶν

Luc 22₁₉ [τὸ ὑπὲρ ὑμῶν διδόμενον] 1 Co 11₂₄
      τοῦτό μού ἐστιν τὸ σῶμα τὸ ὑπ. ὑμ.
Joh   1₃₀ ὑπὲρ (vl περὶ) ᵇ οὗ ἐγὼ εἶπον· ὀπίσω
    6₅₁ ἡ σάρξ μού ἐστιν ὑπὲρ τῆς τοῦ κό-
      σμου ζωῆς
    11 ₄ αὕτη ἡ ἀσθένεια – ἐστὶν – ὑπὲρ τῆς
      δόξης τοῦ θεοῦ, ἵνα δοξασθῇ
    17₁₉ ὑπὲρ αὐτῶν [ἐγὼ] ἁγιάζω ἐμαυτόν
Act 21₂₆ ὑπὲρ ἑνὸς ἑκάστου – ἡ προσφορά
    26 ₁ ἐπιτρέπεταί σοι ὑπὲρ σεαυτοῦ λέγειν
Rm   8₃₁ εἰ ὁ θεὸς ὑπὲρ ἡμῶν, τίς καθ' ἡμ.;
    9 ₃ ηὐχόμην – ἀνάθεμα εἶναι – ὑπὲρ τῶν
      ἀδελφῶν μου τῶν συγγενῶν μου
    – 27 Ἠσαΐας – κράζει ὑπὲρ τοῦ Ἰσραήλ
    15 ₈ διάκονον γεγενῆσθαι περιτομῆς ὑ-
      πὲρ ᵈ ἀληθείας θεοῦ 9 τὰ δὲ ἔθνη
      ὑπὲρ ᵉ ἐλέους δοξάσαι τὸν θεόν
    16 ₄ ὑπὲρ τῆς ψυχῆς μου τὸν ἑαυτῶν
      τράχηλον ὑπέθηκαν
1 Co   1₁₃ μὴ Παῦλος ἐσταυρώθη ὑπὲρ ὑμῶν;
    4 ₆ ἵνα μὴ εἷς ὑπὲρ τοῦ ἑνὸς φυσιοῦσθε
      κατὰ τοῦ ἑτέρου (vg inverso ordine:
      adversus alterum – pro alio)
    12₂₅ ἵνα – τὸ αὐτὸ ὑπὲρ ἀλλήλων μερι-
      μνῶσιν τὰ μέλη
    15₂₉ οἱ βαπτιζόμενοι ὑπὲρ τῶν νεκρῶν; –
      τί καὶ βαπτίζονται ὑπὲρ αὐτῶν;
2 Co   1 ₆ εἴτε – θλιβόμεθα, ὑπὲρ τῆς ὑμῶν πα-
      ρακλήσεως 7 ἡ ἐλπὶς ἡμῶν βεβαία
      ὑπὲρ ὑμῶν 8 οὐ – θέλομεν ὑμᾶς ἀ-
      γνοεῖν ὑπὲρ (vl περὶ) ᵇ τῆς θλίψεως
    5₂₀ ὑπὲρ Χοῦ – πρεσβεύομεν – · δεόμεθα
      ὑπὲρ Χοῦ Eph 6₂₀ ὑπὲρ οὗ (sc τοῦ
      εὐαγγελίου) πρεσβεύω ἐν ἁλύσει
    – 21 ὑπὲρ ἡμῶν ἁμαρτίαν ἐποίησεν Gal
      3₁₃ γενόμενος ὑπὲρ ἡμῶν κατάρα
    7 ₇ τὸν ὑμῶν ζῆλον ὑπὲρ ἐμοῦ 12 8₁₆
    8₂₃ εἴτε ὑπὲρ Τίτου 12₈ ὑπὲρ ᵈ τούτου
    12₁₀ διὸ εὐδοκῶ ἐν – στενοχωρίαις ὑπὲρ
      Χοῦ cfr Phl 1₂₉ ὑμῖν ἐχαρίσθη τὸ
      ὑπὲρ Χοῦ – καὶ – πάσχειν
    – 15 ἐγὼ – ἥδιστα δαπανήσω καὶ ἐκδαπα-
      νηθήσομαι ὑπὲρ τῶν ψυχῶν ὑμῶν
    – 19 πάντα – ὑπὲρ ᵈ τῆς ὑμῶν οἰκοδομῆς
    13 ₈ οὐ – δυνάμεθά τι κατὰ τῆς ἀληθείας,
      ἀλλὰ ὑπὲρ τῆς ἀληθείας
Gal   1 ₄ τοῦ δόντος ἑαυτὸν ὑπὲρ τῶν ἁμαρ-
      τιῶν ἡμῶν → 1 Ti 2₆ Tit 2₁₄
Eph   3 ₁ ὁ δέσμιος τοῦ Χοῦ – ὑπὲρ ὑμῶν τῶν
      ἐθνῶν 13 ἐν ταῖς θλίψεσίν μου ὑπὲρ
      ὑμῶν Col 1₂₄ χαίρω ἐν τοῖς παθήμα-
      σιν ὑπὲρ ὑμῶν καὶ ἀνταναπληρῶ τὰ

ὑστερήματα τῶν θλίψεων τοῦ Χοῦ
– ὑπὲρ τοῦ σώματος αὐτοῦ
Phl 1 7 τοῦτο φρονεῖν ὑπὲρ πάντων ὑμῶν
2 13 ἐνεργῶν ἐν ὑμῖν – ὑπ. τῆς εὐδοκίας
4 10 ἀνεθάλετε τὸ ὑπὲρ ἐμοῦ φρονεῖν
Col 1 7 πιστὸς ὑπὲρ ὑμῶν διάκονος τοῦ Χοῦ
2 1 ἡλίκον ἀγῶνα ἔχω ὑπὲρ ὑμῶν
4 12 ἀγωνιζόμενος ὑπὲρ ὑμῶν ἐν τ. προσ-
ευχαῖς 13 πολὺν πόνον ὑπὲρ ὑμῶν
1 Th 3 2 παρακαλέσαι ὑπὲρ τῆς πίστεως ὑμ.
2 Th 1 4 ὥστε – ἡμᾶς – ἐγκαυχᾶσθαι – ὑπὲρ
τῆς ὑπομονῆς ὑμῶν καὶ πίστεως
– 5 καταξιωθῆναι ὑμᾶς τῆς βασιλείας τ.
θεοῦ, ὑπὲρ ἧς καὶ πάσχετε
2 1 ἐρωτῶμεν – ὑπὲρᶜ τῆς παρουσίας τοῦ
κυρίου – καὶ ἡμῶν ἐπισυναγωγῆς
1 Ti 2 6 ὁ δοὺς ἑαυτὸν ἀντίλυτρον ὑπὲρ
πάντων Tit 2 14 ὃς ἔδωκεν ἑαυτὸν ὑ-
πὲρ ἡμῶν ἵνα „λυτρώσηται" ἡμᾶς
Phm 13 ἵνα ὑπὲρ σοῦ μοι διακονῇ
Hb 2 9 ὅπ. – ὑπὲρ παντὸς γεύσηται θανάτου
5 1 ἀρχιερεὺς – ὑπὲρ ἀνθρώπων καθίστα-
ται –, ἵνα προσφέρῃ – θυσίας ὑπὲρ
ἁμαρτιῶν 7 27 9 7 ἀγνοημάτων 10 12
μίαν ὑπὲρ ἁμαρτιῶν – θυσίαν
6 20 πρόδρομος ὑπ. ἡμῶν εἰσῆλθεν Ἰησ.
9 24 νῦν ἐμφανισθῆναι τῷ προσώπῳ τοῦ
θεοῦ ὑπὲρ ἡμῶν
13 17 ἀγρυπνοῦσιν ὑπὲρ τῶν ψυχῶν ὑμῶν
1 Pe 2 21 ὅτι καὶ Χὸς ἔπαθεν ὑπὲρ ὑμῶν

2) ὑπὲρ cum accusativo
supra ᵇsupra quam ᶜsuper ᵈCompa-
rativus cum ablativo ᵉplus quam
ᶠprae ᵍpro (vl plus)

Mat 10 24 οὐκ ἔστιν μαθητὴς ὑπὲρᶜ τὸν διδά-
σκαλον οὐδὲ δοῦλος ὑπὲρᶜ τὸν κύ-
ριον αὐτοῦ ‖ Luc 6 40 ὑ.ᶜ τὸν διδάσκ.
– 37 ὁ φιλῶν πατέρα – ὑπὲρᵉ ἐμέ· καὶ
ὁ φιλῶν υἱὸν – ὑπὲρᶜ ἐμὲ οὐκ ἔστιν
Luc 16 8 φρονιμώτεροι ὑ.ᵈ τοὺς υἱ. τ. φωτός
Act 26 13 ὑπὲρ τὴν λαμπρότητα τοῦ ἡλίου
1 Co 4 6 τὸ μὴ ὑπὲρᵇ ἃ γέγραπται 2 Co 12 6
10 13 πειρασθῆναι ὑπὲρ (vlᶜ) ὃ δύνασθε
2 Co 1 8 ὑπὲρ δύναμιν ἐβαρήθημεν
2 Co 12 13 τί – ἐστιν ὃ ἡσσώθητε ὑπὲρᶠ τὰς λοι-
πὰς ἐκκλησίας, εἰ μὴ ὅτι –;
Gal 1 14 ὑπὲρ πολλοὺς συνηλικιώτας
Eph 1 22 κεφαλὴν ὑπὲρ πάντα τῇ ἐκκλησίᾳ
3 20 τῷ – δυναμένῳ ὑπὲρ (vlᵒ vgᵒ) πάν-
τα ποιῆσαι ὑπερεκπερισσοῦ ὧν
Phl 2 9 τὸ ὄνομα τὸ ὑπὲρᶜ πᾶν ὄνομα

Phm 16 ὑπὲρᵍ δοῦλον, ἀδελφὸν ἀγαπητόν
21 ὅτι καὶ ὑπὲρᶜ ἃ λέγω ποιήσεις
Hb 4 12 τομώτερος ὑπὲρᵈ πᾶσαν μάχαιραν

3) ὑπὲρ pro adverbio dictum plus
2 Co 11 23 διάκονοι Χοῦ εἰσιν; – ὑπὲρ ἐγώ

ὑπεραίρεσθαι ᵃextolli ᵇextollit me
2 Co 12 7 ἵνα μὴ ὑ..ωμαιᵇ (bis), ἐδόθη μοι
2 Th 2 4 ὁ – „ὑ..όμενοςᵃ ἐπὶ πάντα – θεόν"

ὑπέρακμος Sᵒ – superadulta 1 Co 7 36

ὑπεράνω super ᵇsupra Hb 9 5
Eph 1 21 ὑπερά.ᵇ πάσης ἀρχῆς καὶ ἐξουσίας
4 10 ὁ ἀναβὰς ὑπ. πάντων τῶν οὐρανῶν

ὑπεραυξάνειν Sᵒ – supercrescere
2 Th 1 3 ὅτι ὑπεραυξάνει ἡ πίστις ὑμῶν

ὑπερβαίνειν supergredi 1 Th 4 6 τὸ μὴ ὑπ.

ὑπερβάλλων, -όντως ᵃabundans ᵇeminens
ᶜexcellens ᵈsupereminens ᵉsupra modum
2 Co 3 10 εἵνεκεν τῆς ὑπερβαλλούσηςᶜ δόξης
9 14 διὰ τὴν ὑ..ουσανᵇ χάριν τοῦ θεοῦ
11 23 ἐν πληγαῖς ὑπερβαλλόντωςᵉ
Eph 1 19 τί τὸ ὑπερβ.ᵈ μέγεθος τῆς δυνάμεως
2 7 τὸ ὑπ.ᵃ πλοῦτος τῆς χάριτος αὐτοῦ
3 19 γνῶναί τε τὴν ὑ..ουσανᵈ τῆς γνώσε-
ως ἀγάπην τοῦ Χριστοῦ

ὑπερβολή ᵃsublimitas ᵇmagnitudo – καθ' ὑ-
περβολήν ᶜsupra modum ᵈexcellentior
Rm 7 13 ἵνα γένηται καθ' ὑπερβ.ᶜ ἁμαρτωλός
1 Co 12 31 ἔτι καθ' ὑπερβ.ᵈ ὁδὸν ὑμῖν δείκνυμι
2 Co 1 8 καθ' ὑπ.ᶜ ὑπὲρ δύναμιν ἐβαρήθημεν
Gal 1 13 καθ' ὑ.ᶜ ἐδίωκον τὴν ἐκκλ.
4 7 ἵνα ἡ ὑ.ᵃ τῆς δυνάμεως ᾖ τοῦ θεοῦ
– 17 καθ' ὑ.ᶜ εἰς ὑ..ὴνᵃ αἰώνιον βάρος δό-
ξης κατεργάζεται ἡμῖν
12 7 τῇ ὑ..ῇᵇ τῶν ἀποκαλύψεων. διὸ (vl
om punctum et διό) ἵνα μὴ ὑπερ-
αίρωμαι (vg ne magnitudo revela-
tionum extollat me)

ὑπερέκεινα Sᵒ – ultra 2 Co 10 16 ὑπ. ὑμῶν

ὑπερεκπερισσοῦ, ..ῶς Sᵒ – abundantius
ᵇsuperabundanter Eph 3 20 τῷ – δυναμέ-
νῳ – ποιῆσαι ὑπ.ᵇ ὧν αἰτούμεθα ἢ νοοῦ.
1 Th 3 10 νυκτὸς καὶ ἡμέρας ὑπ. δεόμενοι
5 13 ἡγεῖσθαι αὐτοὺς ὑ..ῶς ἐν ἀγάπῃ

ὑπερεκτείνειν S⁰ – *superextendere* 2 Co 10₁₄

ὑπερεκχυννόμενον *supereffluens* Luc 6₃₈

ὑπερεντυγχάνειν S⁰ – *postulare pro*
Rm 8₂₆ αὐτὸ τὸ πνεῦμα ὑ..ει (vl + ὑπὲρ ἡ-
μῶν vg) στεναγμοῖς ἀλαλήτοις

ὑπερέχειν *exuperare (exs.)* ὑπερέχων ᵇ*emi-
nens* ᶜ*praecellens* ᵈ*sublimior* ᵉ*superior*
Rm 13 1 ἐξουσίαις ὑπερεχούσαιςᵈ ὑποτασσ.
Phl 2 3 ἀλλήλους ἡγούμενοι ὑ..ονταςᵉ ἑαυ.
3 8 διὰ τὸ ὑ..ονᵇ τῆς γνώσεως Χοῦ Ἰ.
4 7 ἡ εἰρήνη τοῦ θεοῦ ἡ ὑπερέχουσα
(*quae exuperat*) πάντα νοῦν
1 Pe 2₁₃ εἴτε βασιλεῖ ὡς ὑπερέχοντιᶜ

ὑπερηφανία *superbia* Mar 7₂₂ ὑπ., ἀφροσ.

ὑπερήφανος *superbus* Luc 1₅₁ „ὑ..ους"
Rm 1₃₀ ὑ..ους, ἀλαζόνας 2 Ti 3₂ ὑ..οι
Jac 4 6 „ὑ..οις ἀντιτάσσεται" 1 Pe 5₅

οἱ ὑπερλίαν S⁰ – ᵃ*magni* ᵇ*supra modum*
2 Co 11 5 μηδὲν ὑστερηκέναι τῶν ὑπ.ᵃ ἀπο-
στόλων 12₁₁ οὐδὲν – ὑστέρησα τῶν – ᵇ

ὑπερνικᾶν S⁰ – *superare* Rm 8₃₇ ἐν τούτοις

ὑπέρογκα *superba* 2 Pe 2₁₈ Jud 16 λαλεῖ

ὑπερορᾶν *despicere* Act 17₃₀ τοὺς μὲν οὖν
χρόνους τῆς ἀγνοίας ὑπεριδὼν ὁ θεός

ὑπεροχή *sublimitas* 1 Co 2₁ ἦλθον οὐ καθ'
ὑ..ὴν (*in s..te* vl *per s..tem*) λόγου
1 Ti 2 2 ὑπὲρ – πάντων τῶν ἐν ὑ..ῇ ὄντων

ὑπερπερισσεύειν S⁰ – *superabundare*
Rm 5₂₀ ὑπερεπερίσσευσεν ἡ χάρις
2 Co 7 4 ὑ..ομαι τῇ χαρᾷ ἐπὶ – τῇ θλίψει

ὑπερπερισσῶς S⁰ – *eo amplius* Mar 7₃₇

ὑπερπλεονάζειν S⁰ – *superabundare*
1 Ti 1₁₄ ὑπερεπλεόνασεν δὲ ἡ χάρις τ. κυρίου

ὑπερυψοῦν *exaltare*
Phl 2 9 διὸ καὶ ὁ θεὸς αὐτὸν ὑπερύψωσεν

ὑπερφρονεῖν *plus sapere* Rm 12₃ παρ' ὅ

ὑπερῷον *coenaculum* Act 1₁₃ 9₃₇.₃₉ 20₈

ὑπέχειν *sustinēre* Jud 7 πυρὸς αἰω. δίκην

ὑπήκοον γενέσθαι, εἶναι ᵃ*obedire* ᵇ*obedi-
entem esse* ᶜ*ob. fieri* Act 7₃₉ᵃ
2 Co 2 9 ἵνα γνῶ –, εἰ εἰς πάντα ὑ..οί ἐστεᵇ
Phl 2 8 γενόμενος ὑπ.ᶜ μέχρι θανάτου, θαν.

ὑπηρετεῖν *ministrare* ᵇ*administrare*
Act 13₃₆ᵇ τῇ τοῦ θεοῦ βουλῇ 20₃₄ 24₂₃

ὑπηρέτης *minister*
Mat 5₂₅ μήποτέ σε παραδῷ – ὁ κριτὴς τῷ ὑπ-
ηρέτῃ – 26₅₈ || Mar 14₅₄.₆₅
Luc 1 2 οἱ – ὑπηρέται γενόμενοι τοῦ λόγου
4₂₀ Act 5₂₂.₂₆ 13₅ (ex vl: *in ministerio*)
Joh 7₃₂.₄₅.₄₆ 18₃.₁₂.₁₈.₂₂ 19₆
18₃₆ οἱ ὑπ. ἂν οἱ ἐμοὶ ἠγωνίζοντο, ἵνα
Act 26₁₆ προχειρίσασθαί σε ὑπηρέτην καὶ μάρ-
τυρα ὧν τε εἶδές με (vl om)
1 Co 4 1 ὡς ὑ..ας Χοῦ καὶ οἰκονόμους μυστ.

ὕπνος *somnus* Mat 1₂₄ Luc 9₃₂ Joh 11₁₃
Act 20 9 Rm 13₁₁ ὥρα – ἐξ ὕπνου ἐγερθῆναι

*ὑπό cum accusativo *sub*
Mat 8 9 ἄνθρωπός εἰμι ὑπὸ ἐξουσίαν κτλ. ||
Luc 7 8 ὑπὸ ἐξουσ. τασσόμενος κτλ.
Luc 17₂₄ ἐκ τῆς ὑπὸ τὸν οὐρανὸν εἰς τὴν ὑπ'
οὐρανὸν λάμπει
Act 2 5 ἀπὸ παντὸς ἔθνους τῶν ὑπὸ τὸν οὐ-
ρανόν Col 1₂₃ ἐν πάσῃ κτίσει τῇ ὑ.
4₁₂ οὐδὲ – ὄνομά ἐστιν ἕτερον ὑ. τ. οὐρ.
Rm 3 9 πάντας ὑφ' ἁμαρτίαν εἶναι 7₁₄ πε-
πραμένος ὑπὸ τὴν ἁμαρτίαν Gal 3₂₂
συνέκλεισεν – πάντα ὑπὸ ἁμαρτίαν
6₁₄ οὐ γάρ ἐστε ὑπὸ νόμον ἀλλὰ ὑπὸ
χάριν 15 1 Co 9₂₀ τοῖς ὑπὸ νόμον ὡς
ὑπὸ νόμον, μὴ ὢν αὐτὸς ὑπὸ νόμον,
ἵνα τοὺς ὑπὸ νόμον κερδήσω
Gal 3₁₀ ὅσοι – ἐξ ἔργων νόμου εἰσίν, ὑπὸ
κατάραν εἰσίν
– 23 ὑπὸ νόμον ἐφρουρούμεθα 4₃ ὑπὸ
τὰ στοιχεῖα τοῦ κόσμου ἤμεθα δε-
δουλωμένοι 4 γενόμενον ὑπὸ νόμον
5 ἵνα τοὺς ὑπὸ νόμον ἐξαγοράσῃ 21
οἱ ὑπὸ νόμ. θέλοντες εἶναι 5₁₈ εἰ
πνεύματι ἄγεσθε, οὐκ ἐστὲ ὑπὸ νόμ.
– 25 οὐκέτι ὑπὸ παιδαγωγόν ἐσμεν
4 2 ὑπὸ ἐπιτρόπους ἐστὶν καὶ οἰκονόμ.
1 Ti 6 1 ὅσοι εἰσὶν ὑπὸ ζυγὸν δοῦλοι
1 Pe 5 6 ταπεινώθητε – ὑπὸ τὴν – χεῖρα τ. θεοῦ

ὑποβάλλειν *summittere* Act 611 ἄνδρας

ὑπογραμμός *exemplum* 1 Pe 221

ὑπόδειγμα *exemplum* [b]*exemplar*
Joh 1315 ὑπ. – ἔδωκα ὑμῖν ἵνα καθὼς ἐγώ
Hb 411 μὴ ἐν τῷ αὐτῷ – ὑπ. – τῆς ἀπειθείας
8 5 ὑ..ατι[b] καὶ σκιᾷ – τῶν ἐπουρανίων
923 τὰ μὲν ὑπ.[b] τῶν ἐν τοῖς οὐρανοῖς
Jac 510 ὑπ. – τῆς κακοπαθίας – τοὺς προφήτ.
2 Pe 2 6 ὑπόδ. μελλόντων ἀσεβεῖν τεθεικώς

ὑποδεικνύναι *ostendere* [b]*demonstrare*
Mat 3 7[b] ‖ Luc 37 – 647 125 Act 916 2035

ὑποδεῖσθαι [a]*se calceare* (vl ..*iare*) [b](*part
prf et aor*) *calceatus* (..*ia.*) Mar 69[b] σαν-
δάλια Act 128 ὑπόδησαι[a] Eph 615[b]

ὑποδέχεσθαι [a]*excipere* [b]*suscipere*
Luc 1038[a] Μάρθα 196[a] Act 177[b] Jac 225[b]

ὑπόδημα *calceamentum* (vl ..*cia.*)
Mat 311 ‖ Mar 17 Luc 316 Joh 127 Act 1325
1010 μηδὲ ὑ..τα μηδὲ ῥάβδον ‖ Luc 104 –
2235 ἀπέστειλα ὑμᾶς ἄτερ – ὑ..των
Luc 1522 ὑ..τα εἰς τοὺς πόδας – Act 733

ὑπόδικος S⁰ – *subditus* Rm 319 τῷ θεῷ

ὑποζύγιον *subiugale* Mat 215 2 Pe 216

ὑποζωννύναι *accingere* Act 2717 τὸ πλοῖον

ὑποκάτω *sub* [b]*subtus* [c]*scabellum* ex vl
Mat 2244 (vl ὑποπόδιον[c]) ‖ Mar 1236 (item[c])
Hb 28 „πάντα – ὑπ. τῶν ποδῶν αὐτοῦ"
Mar 611 (vg⁰) 728 Luc 816[b] Joh 150 τ. συκῆς
Ap 5 3[b] τῆς γῆς 13 (vg vl⁰) 69[b] τοῦ θυ-
σιαστηρίου
12 1 ἡ σελήνη ὑπ. τῶν ποδῶν αὐτῆς

ὑποκρίνεσθαι *simulare* Luc 2020

ὑπόκρισις *hypocrisis* [b]*simulatio* [c]*versutia*
Mat 2328 ἔσωθεν δέ ἐστε μεστοὶ ὑποκρίσεως
Mar 1215[c] – Luc 121 ζύμης, ἥτις ἐστίν ὑ..ις
Gal 213 συναπήχθη αὐτῶν τῇ ὑποκρίσει[b]
1 Ti 4 2 ἐν ὑποκρίσει ψευδολόγων
1 Pe 2 1 ἀποθέμενοι – ὑ..εις[b] καὶ φθόνους

ὑποκριτής *hypocrita*
Mat 6 2 ὥσπερ οἱ ὑπ. ποιοῦσιν 5 οὐκ ἔσεσθε

ὡς οἱ ὑπ. 16 ὡς οἱ ὑπ. σκυθρωποί
Mat 7 5 ὑ..ά, ἔκβαλε πρῶτον ‖ Luc 642
15 7 ὑ..αί, καλῶς ἐπροφήτευσεν περὶ ὑ-
μῶν Ἠσαΐας ‖ Mar 76 ὑμ. τῶν ὑ..ῶν
2218 τί με πειράζετε, ὑποκριταί;
2313 γραμματεῖς καὶ Φαρισαῖοι ὑποκρι-
ταί 15.23.25.27.29
2451 τὸ μέρος αὐτοῦ μετὰ τῶν ὑπ. θήσει
Luc 1256 ὑ..αί, τὸ πρόσωπον τῆς γῆς – οἴδατε
1315 ὑ..αί, – τῷ σαββάτῳ οὐ λύει –;

ὑπολαμβάνειν *suscipere* [b]*aestimare*
Luc 743[b] Act 215[b] – Luc 1030 (vl *suspiciens*)
Act 1 9 νεφέλη ὑπέλαβεν αὐτόν
3 Jo 8 ὀφείλομεν ὑ..ειν τοὺς τοιούτους

ὑπόλειμμα *reliquiae* Rm 927 „σωθήσεται"

ὑπολείπεσθαι *relinqui* Rm 113 „ὑπελείφθην"

ὑπολήνιον *lacus* Mar 121 „ὤρυξεν ὑπ."

ὑπολιμπάνειν S⁰ – *relinquere* 1 Pe 221 ὑπογρ.

ὑπομένειν *sustinēre* [b]*pati* [c]*perseverare*
[d]*remanēre* [e]*sufferre*
Mat 1022 ὁ δὲ ὑπομείνας[c] εἰς τέλος, οὗτος
σωθήσεται 2413[c] ‖ Mar 1313
Luc 243[d] ἐν Ἰερουσαλήμ Act 1714[d] ἐκεῖ
Rm 1212 τῇ θλίψει ὑ..οντες[b], τῇ προσευχῇ
1 Co 13 7 ἡ ἀγάπη – – πάντα ὑπομένει
2 Ti 2 10 πάντα ὑ..ω διὰ τοὺς ἐκλεκτούς 12
εἰ ὑπομένομεν, καὶ συμβασιλεύσομεν
Hb 1032 ἄθλησιν ὑπεμείνατε παθημάτων
12 2 ὅς – ὑπέμεινεν σταυρόν 3 τὸν τοιαύ-
την ὑπομεμενηκότα – ἀντιλογίαν
– 7 εἰς (vl εἰ) „παιδείαν" ὑπομένετε[c]
Jac 1 12 „μακάριος – ὃς ὑ..ει[e]" πειρασμόν
511 „μακαρίζομεν τοὺς ὑπομείναντας"
1 Pe 220 ποῖον – κλέος εἰ ἁμαρτάνοντες – ὑ..
εἶτε[e] (vl ..ετε vg); ἀλλ᾽ εἰ ἀγαθο-
ποιοῦντες καὶ πάσχοντες ὑ..εῖτε (vl
..ετε vg), τοῦτο χάρις παρὰ θεῷ

ὑπομιμνήσκειν, ..εσθαι *commonēre* [b]*admo-
nēre* [c]*suggerere* [d]*recordari*
Luc 2261 ὑπεμνήσθη[d] – τοῦ λόγου τοῦ κυρίου
Joh 1426 ὑπομνήσει[c] ὑμᾶς πάντα ἃ εἶπον
2 Ti 214 ταῦτα ὑ..κε Tit 31 ὑ..κε[b] αὐτοὺς ἀρ-
χαῖς – ὑποτάσσεσθαι – 2 Pe 112
3 Jo 10 ὑπομνήσω αὐτοῦ τὰ ἔργα
Jud 5 ὑπομνῆσαι δὲ ὑμᾶς βούλομαι

ὑπόμνησις commonitio ᵇrecordatio
2 Ti 1 5 ὑπόμνησινᵇ λαβὼν (vl λαμβάνων vg)
    τῆς ἐν σοὶ ἀνυποκρίτου πίστεως
2 Pe 1 13 διεγείρειν ὑμᾶς ἐν ὑπομνήσει 31

ὑπομονή patientia ᵇsufferentia ᶜsustinentia
    ᵈtolerantia
Luc 8 15 καὶ καρποφοροῦσιν ἐν ὑπομονῇ
    21 19 ἐν τῇ ὑπ. ὑμῶν κτήσεσθε τὰς ψυχάς
Rm 2 7 τοῖς μὲν καθ᾽ ὑπομονὴν ἔργου ἀγα-
    θοῦ δόξαν καὶ τιμὴν – ζητοῦσιν
    5 3 ἡ θλῖψις ὑπομονὴν κατεργάζεται, 4 ἡ
    δὲ ὑπομονὴ δοκιμήν
    8 25 δι᾽ ὑπομονῆς ἀπεκδεχόμεθα (sc ὃ οὐ
    βλέπομεν) 15 4 ἐγράφη, ἵνα διὰ τῆς
    ὑπομονῆς – τὴν ἐλπίδα ἔχωμεν
    15 5 ὁ δὲ θεὸς τῆς ὑπ. καὶ τῆς παρακλ.
2 Co 1 6 ἐν ὑπομονῇᵈ τῶν αὐτῶν παθημάτων
    6 4 θεοῦ διάκονοι, ἐν ὑπομονῇ πολλῇ
    12 12 τὰ σημεῖα τοῦ ἀποστόλου κατειρ-
    γάσθη ἐν ὑμῖν ἐν πάσῃ ὑπομονῇ
Col 1 11 εἰς πᾶσαν ὑ..ὴν καὶ μακροθυμίαν
1 Th 1 3 τῆς ὑ..ῆςᶜ τῆς ἐλπίδος τοῦ κυρίου
2 Th 1 4 ἡμᾶς – ἐγκαυχᾶσθαι – ὑπὲρ τῆς ὑπ.
    ὑμῶν καὶ πίστεως ἐν – τοῖς διωγμοῖς
    3 5 καὶ εἰς τὴν ὑπομονὴν τοῦ Χοῦ
1 Ti 6 11 δίωκε – ὑπομονήν, πραϋπαθίαν
2 Ti 3 10 παρηκολούθησάς μου – τῇ ὑπομονῇ
Tit 2 2 ὑγιαίνοντας – τῇ ἀγάπῃ, τῇ ὑπομονῇ
Hb 10 36 ὑ..ῆς – ἔχετε χρείαν ἵνα – κομίσησθε
    τὴν ἐπαγγελίαν 12 1 δι᾽ ὑ..ῆς τρέχω-
    μεν τὸν προκείμενον – ἀγῶνα
Jac 1 3 τὸ – δοκίμιον – τῆς πίστεως κατεργά-
    ζεται ὑ..ήν 4 ἡ δὲ ὑπ. ἔργον τέλειον
    ἐχέτω 5 11 τὴν ὑπ.ᵇ Ἰὼβ ἠκούσατε
2 Pe 1 6 ἐπιχορηγήσατε –, ἐν δὲ τῇ ἐγκρατείᾳ
    τὴν ὑπ., ἐν δὲ τῇ ὑπ. τὴν εὐσέβειαν
Ap 1 9 συγκοινωνὸς ἐν τῇ – ὑπομ. ἐν Ἰησοῦ
    2 2 οἶδα – τὸν κόπον καὶ τὴν ὑπ. σου 3.
    19 τὴν διακονίαν καὶ τὴν ὑπ. σου
    3 10 ἐτήρησας τὸν λόγον τῆς ὑπ. μου
    13 10 ὧδέ ἐστιν ἡ ὑπ. καὶ ἡ πίστις τῶν ἁ-
    γίων 14 12 ὧδε ἡ ὑπ. τῶν ἁγ. ἐστίν

ὑπονοεῖν suspicari ᵇarbitrari
Act 13 25ᵇ 25 18 ὧν – ὑπενόουν πονηρῶν 27 27

ὑπόνοια suspicio 1 Ti 6 4 ὑ..αι πονηραί

ὑποπλεῖν Sᵒ – ᵃsubnavigare ᵇadnavigare
Act 27 4ᵃ τὴν Κύπρον 7ᵇ τὴν Κρήτην

ὑποπνεῖν Sᵒ – aspirare Act 27 13

ὑποπόδιον scabellum (vl ..bill.)
Mat 5 35 μήτε ἐν „τῇ γῇ", ὅτι „ὑπ. ἐστιν τῶν
    ποδῶν αὐτοῦ" cfr Act 7 49 „μου"
Luc 20 43 „ἕως ἂν θῶ τοὺς ἐχθρούς σου ὑπ.
    τῶν ποδῶν σου" Act 2 35 Hb 1 13 10 13
Jac 2 3 στῆθι ἐκεῖ ἢ κάθου ὑπὸ τὸ ὑπ. μου

ὑπόστασις substantia
2 Co 9 4 μή πως – καταισχυνθῶμεν – ἐν τῇ ὑπ.
    ταύτῃ 11 17 τῆς καυχήσεως
Hb 1 3 ὃς ὢν – χαρακτὴρ τῆς ὑπ. αὐτοῦ
    3 14 ἐάνπερ τὴν ἀρχὴν τῆς ὑπ. (vl + αὐ-
    τοῦ vg) μέχρι τέλους – κατάσχωμεν
    11 1 ἔστιν – πίστις ἐλπιζομένων ὑπόστασις

ὑποστέλλειν, ..εσθαι ᵃsubtrahere ᵇsubtra-
    here se ᶜsubterfugere
Act 20 20 οὐδὲν ὑπεστειλάμηνᵃ τῶν συμφερόν-
    των τοῦ μὴ ἀναγγεῖλαι ὑμῖν 27ᶜ
Gal 2 12 ὑπέστειλενᵃ καὶ ἀφώριζεν ἑαυτόν
Hb 10 38 „ἐὰν ὑποστείληταιᵇ, οὐκ εὐδοκεῖ ἡ
    ψυχή μου ἐν αὐτῷ"

ὑποστολή Sᵒ – subtractio Hb 10 39 ἡμεῖς δὲ
    οὐκ ἐσμὲν „ὑποστολῆς" εἰς ἀπώλειαν

*ὑποστρέφειν Sᵒ – ᵃconverti ᵇregredi
    ᶜreverti Gal 1 17ᶜ Hb 7 1ᵇ 2 Pe 2 21 ἢ –
    ὑποστρέψαιᵃ ἐκ τῆς – ἁγίας ἐντολῆς

ὑποστρωννύειν substernere Luc 19 36 ἱμάτ.

ὑποταγή (S vl) subiectio ᵇobedientia ᶜ(ἐν
    ὑ..ῇ) subditus
2 Co 9 13 δοξάζοντες τὸν θεὸν ἐπὶ τῇ ὑ..ῇᵇ
    τῆς ὁμολογίας ὑμῶν εἰς τὸ εὐαγγ.
Gal 2 5 οὐδὲ πρὸς ὥραν εἴξαμεν τῇ ὑ..ῇ
1 Ti 2 11 γυνὴ – μανθανέτω ἐν πάσῃ ὑ..ῇ
    3 4 ἐπίσκοπον –, τέκνα ἔχοντα ἐν ὑ..ῇᶜ

ὑποτάσσειν, ..εσθαι subiicere ᵇsubiici ᶜsub-
    iectum esse ᵈsubiectus ᵉsubditum
    esse ᶠsubditus ᵍobtemperare
Luc 2 51 ἦν ὑποτασσόμενοςᶠ αὐτοῖς
    10 17 καὶ τὰ δαιμόνια ὑ..εταιᵇ ἡμῖν 20 μὴ
    χαίρετε ὅτι τὰ πνεύματα – ὑ..εταιᵇ
Rm 8 7 τῷ – νόμῳ τοῦ θεοῦ οὐχ ὑ..εταιᶜ
    (vlᵇ), οὐδὲ γὰρ δύναται (sc ἡ σάρξ)
    – 20 τῇ – ματαιότητι ἡ κτίσις ὑπετάγηᶜ,
    διὰ τὸν ὑποτάξαντα, ἐφ᾽ ἑλπίδι
    10 3 τῇ δικαιοσ. τοῦ θ. οὐχ ὑπετάγησαν
    13 1 πᾶσα ψυχὴ ἐξουσίαις ὑπερεχούσαις

ὑποτασσέσθω[e] 5 ἀνάγκη ὑ..εσθαι[e], –
διὰ τὴν συνείδησιν → Tit 31 1 Pe 213
1 Co 1432 πνεύματα προφητῶν προφήταις ὑ-
ποτάσσεται[c]
– 34 ἀλλὰ ὑ..έσθωσαν[e] (sc αἱ γυναῖκες)
1527 „πάντα – ὑπέταξεν ὑπὸ τοὺς πόδας
αὐτοῦ" (Eph 122) – πάντα ὑποτέτακ-
ται[c], δῆλον ὅτι ἐκτὸς τοῦ ὑποτάξαν-
τος 28 ὅταν δὲ ὑποταγῇ[c] αὐτῷ τὰ
πάντα, – καὶ αὐτὸς ὁ υἱὸς ὑποταγή-
σεται[c] τῷ ὑποτάξαντι αὐτῷ τὰ πάν-
τα → Hb 28
1616 ἵνα – ὑ..ησθε[e] τοῖς τοιούτοις καὶ παν-
τὶ τῷ συνεργοῦντι καὶ κοπιῶντι
Eph 521 ὑ..όμενοι[d] ἀλλήλοις ἐν φόβῳ Χοῦ
(vl 22[e]) 24 ὡς ἡ ἐκκλησία ὑποτάσ-
σεται[c] τῷ Χῷ, – καὶ αἱ γυναῖκες τοῖς
Phl 321 τοῦ δύνασθαι αὐτὸν καὶ ὑποτάξαι
αὐτῷ (vl ἑαυτῷ vg) τὰ πάντα
Col 318 αἱ γυναῖκες, ὑ..εσθε[e] τοῖς ἀνδράσιν
Tit 25[f] ἰδίοις ἀνδράσιν 1 Pe 31[f] 5[d]
Tit 2 9 δούλους ἰδίοις δεσπόταις ὑ..εσθαι[e]
ἐν πᾶσιν 1 Pe 218[e] ἐν παντὶ φόβῳ
3 1 ὑπομίμνησκε αὐτοὺς ἀρχαῖς (vl +
καὶ vg) ἐξουσίαις ὑ..εσθαι[e] 1 Pe 213
ὑποτάγητε[c] πάσῃ ἀνθρωπίνῃ κτίσει
Hb 2 5 οὐ γὰρ ἀγγέλοις ὑπέταξεν τὴν οἰ-
κουμένην τὴν μέλλουσαν 8 „πάντα
ὑπέταξας ὑποκάτω τῶν ποδῶν αὐ-
τοῦ". ἐν τῷ – „ὑποτάξαι" – τὰ „πάν-
τα" οὐδὲν ἀφῆκεν – ἀνυπότακτον.
νῦν δὲ οὔπω ὁρῶμεν αὐτῷ τὰ „πάν-
τα ὑποτεταγμένα[d]"
12 9 οὐ πολὺ μᾶλλον ὑποταγησόμεθα[g]
τῷ πατρὶ τῶν πνευμάτων –;
Jac 4 7 ὑποτάγητε[e] οὖν τῷ θεῷ· ἀντίστητε
1 Pe 213.18 31.5 → Col Tit – 322 ὑποταγέν-
των[d] αὐτῷ ἀγγέλων καὶ ἐξουσιῶν
5 5 νεώτεροι, ὑποτάγητε[e] πρεσβυτέροις

ὑποτιθέναι, ..εσθαι [a]supponere [b]proponere
Rm 16 4 τὸν ἑαυτῶν τράχηλον ὑπέθηκαν[a]
1 Ti 4 6 ταῦτα ὑποτιθέμενος[b] τοῖς ἀδελφοῖς

ὑποτρέχειν S[o] – decurrere Act 2716 νησίον

ὑποτύπωσις S[o] – [a]informatio [b]forma
1 Ti 116 πρὸς ὑ..ιν[a] τῶν μελλόντ. πιστεύειν
2 Ti 113 ὑ..ιν[b] ἔχε ὑγιαινόντων λόγων

ὑποφέρειν sustinēre 1 Co 1013 ποιήσει – καὶ
τὴν ἔκβασιν τοῦ δύνασθαι ὑπενεγκεῖν

2 Ti 311 οἵους διωγμοὺς ὑπήνεγκα
1 Pe 219 εἰ – ὑ..ει τις λύπας πάσχων ἀδίκως

ὑποχωρεῖν secedere Luc 516 910 κατ' ἰδίαν

ὑπωπιάζειν S[o] – [a]sugillare [b]castigare
Luc 18 5 μὴ εἰς τέλος ἐρχομένη ὑ..ῃ[a] με
1 Co 927 ἀλλὰ ὑ..ω (vl ὑπο-πιάζω[b]) μου τὸ
σῶμα καὶ δουλαγωγῶ

ὗς sus 2 Pe 222 λουσαμένη εἰς κυλισμόν

ὕσσωπος hyssopus (vl hyso.) Jh 1929 Hb 919

ὑστερεῖν, ..εῖσθαι deesse (deest, deerat ali-
cui) [b]deficere [c]egēre [d]minus esse a
[e]minus facere a [f]penuriam pati
Mat 1920 τί ἔτι ὑστερῶ; ‖ Mar 1021 ἕν σε ὑ-
στερεῖ· – ὅσα ἔχεις πώλησον
Luc 1514 ἤρξατο ὑ..εῖσθαι[c] – 2235 μή τινος ὑ.
ήσατε; – Joh 23 ὑ..ήσαντος[b] οἴνου
Rm 323 ὑστεροῦνται[c] τῆς δόξης τοῦ θεοῦ
1 Co 1 7 μὴ ὑστερεῖσθαι ἐν μηδενὶ χαρίσματι
8 8 οὔτε ἐὰν μὴ φάγωμεν ὑ..ούμεθα[b]
1224 τῷ ὑ..ουμένῳ (cui deerat, – sc μέ-
λει) περισσοτέραν δοὺς τιμήν
2 Co 11 5 μηδὲν ὑστερηκέναι[e] τῶν ὑπερλίαν
ἀποστόλων 1211 οὐδὲν – ὑ..ησα[d]
– 9 ὑστερηθεὶς[c] οὐ κατενάρκησα οὐθε-
νός· τὸ γὰρ ὑστέρημά μου (quod
mihi deerat) προσανεπλήρωσαν οἱ
– ἀπὸ Μακεδονίας
Phl 412 καὶ περισσεύειν καὶ ὑστερεῖσθαι[f]
Hb 4 1 μήποτε – δοκῇ τις – ὑστερηκέναι
1137 ὑστερούμενοι[c], θλιβόμενοι
1215 ἐπισκοποῦντες μή τις ὑ..ῶν ἀπὸ τῆς
χάριτος (desit gratiae) τοῦ θεοῦ

ὑστέρημα quod alicui deest [b]inopia
Luc 21 4 ἐκ τοῦ ὑστ. αὐτῆς – τὸν βίον – ἔβαλεν
1 Co 1617 τὸ ὑμέτερον ὑστ. – ἀνεπλήρωσαν
2 Co 814 τὸ ὑμῶν περίσσευμα εἰς τὸ ἐκείνων
ὑστ.[b] (illorum inopiam suppleat),
ἵνα καὶ τὸ ἐκείνων περ. γένηται εἰς
τὸ ὑμῶν ὑστ.[b] (vestrae inopiae sit
supplementum) 912 ἡ διακονία –
προσαναπληροῦσα τὰ ὑστερήματα
τῶν ἁγίων 119 → ὑστερεῖν
Phl 230 ἵνα ἀναπληρώσῃ τὸ ὑμῶν (ex vobis)
ὑστέρημα τῆς πρός με λειτουργίας
Col 124 ἀνταναπληρῶ τὰ ὑστερήματα τῶν
θλίψεων τοῦ Χοῦ ἐν τῇ σαρκί μου

1 Th 3 10 εἰς τὸ – καταρτίσαι τὰ ὑστερήματα
τῆς πίστεως ὑμῶν

ὑστέρησις S⁰ – *penuria* Mar 12 44 Phl 4 11

ὕστερον adv. *novissime* ᵇ*postea*
Mat 4 2ᵇ 21 37 22 27 (Luc 20 32) 26 60
21 30 ὕστ.ᵇ μεταμεληθεὶς ἀπῆλθεν 32ᵇ
25 11 ὕστ. δὲ ἔρχονται καὶ αἱ λοιπαὶ παρθ.
[Mar 16 14] – Joh 13 36 ἀκολουθήσεις δὲ ὕστ.ᵇ
Hb 12 11 ὕστερονᵇ δὲ καρπὸν εἰρηνικὸν – ἀπο-
δίδωσιν δικαιοσύνης

ὕστερος *novissimus* Mat 21 31 (vg⁰)
1 Ti 4 1 ἐν ὑστέροις καιροῖς ἀποστήσονται

ὑφαίνειν (vg⁰) Luc 12 27 οὔτε νήθει οὔτε ὑ-
φαίνει (vl οὐ κοπιᾷ οὐδὲ νήθει vg)

ὑφαντός *contextus* Joh 19 23 δι' ὅλου

ὑψηλός *excelsus* ᵇ*altus*
Mat 4 8 εἰς ὄρος ὑ..ὸν λίαν 17 1 κατ' ἰδίαν ||
Mar 9 2 – Ap 21 10ᵇ ὄρος 12ᵇ τεῖχος
Luc 16 15 τὸ ἐν ἀνθρώποις ὑ..ὸνᵇ βδέλυγμα
Act 13 17 „μετὰ βραχίονος ὑψηλοῦ“
Rm 11 20 μὴ ὑψηλὰᵇ φρόνει 12 16 μὴ τὰ ὑψ.ᵇ
Hb 1 3 ἐν δεξιᾷ τῆς μεγαλωσύνης ἐν ὑ..οῖς
7 26 ὑ..ότερος τῶν οὐρανῶν γενόμενος

ὑψηλοφρονεῖν S⁰ – *sublime sapere*
1 Ti 6 17 τοῖς πλουσίοις – παράγγελλε μὴ ὑψ.

ὕψιστος *altissimus* ᵇ*excelsus* ᶜ*summus*
Mat 21 9 ὡσαννὰ ἐν τοῖς ὑψ. || Mar 11 10ᵇ Luc
19 38 δόξα ἐν ὑψίστοιςᵇ 2 14 θεῷ
Mar 5 7 υἱὲ τοῦ θεοῦ τοῦ ὑψ. (vlᶜ) || Luc 8 28

Luc 1 32 υἱὸς ὑ..ου κληθήσεται 35 δύναμις ὑ..
ου ἐπισκιάσει σοι 76 προφήτης ὑ..ου
κληθήσῃ 6 35 ἔσεσθε υἱοὶ ὑψίστου
Act 7 48 οὐχ ὁ ὕψ.ᵇ ἐν χειροποιήτοις κατοι.
16 17 δοῦλοι τοῦ θεοῦ τοῦ ὑψίστουᵇ εἰσίν
Hb 7 1 „ἱερεὺς τοῦ θεοῦ τοῦ ὑψίστουᶜ“

ὕψος *altum* ᵇ*altitudo* ᶜ*exaltatio* ᵈ*sublimitas*
Luc 1 78 ἐπισκέψεται ἡμᾶς ἀνατολὴ ἐξ ὕψους
24 49 ἕως οὗ ἐνδύσησθε ἐξ ὕψους δύναμιν
Eph 3 18 τί τὸ – – ὕψοςᵈ καὶ βάθος
4 8 „ἀναβὰς εἰς ὕψος ᾐχμαλώτευσεν“
Jac 1 9 καυχάσθω – ὁ ἀδελφὸς ὁ ταπεινὸς
ἐν τῷ ὕψειᶜ αὐτοῦ, ὁ δὲ πλούσιος
Ap 21 16 καὶ τὸ ὕψοςᵇ αὐτῆς (sc τῆς πόλεως)

ὑψοῦν *exaltare* Mat 23 12 Luc 14 11 18 14
2 Co 11 7 Jac 4 10 1 Pe 5 6 → ταπεινοῦν
Mat 11 23 μὴ „ἕως οὐρανοῦ ὑψωθήσῃ;“ (vl ἢ
– ὑψώθης, et ἡ – ὑ..εῖσα) || Luc 10 15
Luc 1 52 καὶ „ὕψωσεν ταπεινούς“
Joh 3 14 καθὼς Μωϋσῆς ὕψωσεν τὸν ὄφιν –,
οὕτως ὑψωθῆναι δεῖ τὸν υἱὸν τοῦ ἀν-
θρώπου – 12 34 πῶς λέγεις ὅτι – ;
8 28 ὅταν ὑψώσητε τὸν υἱὸν τοῦ ἀνθρ.
12 32 κἀγὼ ἐὰν ὑψωθῶ ἐκ τῆς γῆς
Act 2 33 τῇ δεξιᾷ οὖν τοῦ θεοῦ ὑψωθεὶς
5 31 τοῦτον ὁ θ. ἀρχηγὸν καὶ σωτῆρα ὕ-
ψωσεν τῇ δεξιᾷ αὐτοῦ
13 17 τὸν λαὸν ὕψωσεν – ἐν γῇ Αἰγύπτου

ὕψωμα *altitudo*
Rm 8 39 οὔτε ὕψωμα οὔτε βάθος – δυνήσεται
ἡμᾶς χωρίσαι ἀπὸ τῆς ἀγάπης τοῦ θ.
2 Co 10 5 καθαιροῦντες – πᾶν ὕψωμα ἐπαιρό-
μενον κατὰ τῆς γνώσεως τοῦ θεοῦ

Φ

φαγεῖν *manducare* ᵇ*edere* ᶜ*comedere* ᵈ*de-*
vorare → ἐσθίειν, τρώγειν
Mat 6 25 μὴ μεριμνᾶτε – τί φάγητε 31 τί φά-
γωμεν; || Luc 12 22 τί φάγητε 29
12 4 „τοὺς ἄρτους τ. προθέσεως“ ἔφαγον
(vl ἔφαγεν vg)ᶜ, ὃ οὐκ ἐξὸν ἦν αὐτῷ
φαγεῖνᵇ || Mar 2 26 ἔφαγεν Luc 6 4
14 16 δότε αὐτοῖς ὑμεῖς φαγεῖν 20 ἔφαγον
πάντες || Mar 6 31 οὐδὲ φ. εὐκαίρουν
36 ἵνα – ἀγοράσωσιν – τί φάγωσιν 37
δότε κτλ. – ἀγοράσωμεν –, καὶ δώ-

σομεν αὐτοῖς φ. 42 ἔφαγον πάντες
44 ἦσαν οἱ φαγόντες Luc 9 13.17 Joh
6 5.23.26 ζητεῖτέ με – ὅτι ἐφάγετε ἐκ
τῶν ἄρτων καὶ ἐχορτάσθητε
Mat 15 20 τὸ δὲ ἀνίπτοις χερσὶν φ. οὐ κοινοῖ
– 32 οὐκ ἔχουσιν τί φάγωσιν 37 ἔφαγον
πάντες || Mar 8 1.2.8 (vg 9)
25 35 καὶ ἐδώκατέ μοι φ. 42 οὐκ ἐδώκατε
26 17 φαγεῖν τὸ πάσχα || Mar 14 12.14 Luc
22 8.11.15 τοῦτο τὸ πάσχα φ. μεθ' ὑ-
μῶν 16 οὐκέτι οὐ μὴ φάγω αὐτό

Mat 2626 λάβετε φάγετε· τοῦτό ἐστιν τὸ σῶ.
Mar 320 ὥστε μὴ δύνασθαι – ἄρτον φαγεῖν
     543 εἶπεν δοθῆναι αὐτῇ φαγ. ‖ Luc 855
     1114 μηκέτι – ἐκ σοῦ μηδεὶς καρπὸν φάγοι
Luc 42 οὐκ ἔφαγεν οὐδὲν ἐν ταῖς ἡμέραις
     736 ἠρώτα – τις αὐτὸν – ἵνα φάγῃ μετ᾽
     αὐτοῦ 141 σαββάτῳ φαγεῖν ἄρτον
     15 μακάριος ὅστις φάγεται ἄρτον ἐν
     τῇ βασιλείᾳ τοῦ θεοῦ
     1219 ἀναπαύου, φάγε ᶜ, πίε, εὐφραίνου
     1326 ἐφάγομεν ἐνώπιόν σου καὶ ἐπίομεν
     1523 καὶ φαγόντες εὐφρανθῶμεν
     178 διακόνει μοι ἕως φάγω καὶ πίω, –
     μετὰ ταῦτα φάγεσαι καὶ πίεσαι σύ
     2443 λαβὼν ἐνώπιον αὐτῶν ἔφαγεν
Joh 431 ῥαββί, φάγε 32 ἐγὼ βρῶσιν ἔχω φα-
     γεῖν ἣν ὑμεῖς οὐκ οἴδατε 33 μή τις
     ἤνεγκεν αὐτῷ φαγεῖν;
     631 οἱ πατέρες – τὸ μάννα ἔφαγον κτλ.
     49 ἔφαγον – τὸ μ. καὶ ἀπέθανον 50
     ἵνα τις ἐξ αὐτοῦ φάγῃ καὶ μὴ ἀπο-
     θάνῃ 51 ἐάν τις φάγῃ –, ζήσει εἰς
     τὸν αἰῶνα· – ἡ σάρξ μού ἐστιν 53
     – 52 πῶς δύναται – δοῦναι τὴν σάρκα φα-
     γεῖν; 53 ἐὰν μὴ φάγητε τὴν σάρκα
     τοῦ υἱοῦ τοῦ ἀνθρώπου
     1828 ἵνα μὴ – ἀλλὰ φάγωσιν τὸ πάσχα
Act 99 καὶ οὐκ ἔφαγεν οὐδὲ ἔπιεν
     1013 Πέτρε, θῦσον καὶ φάγε 14 οὐδέποτε
     ἔφαγον πᾶν κοινόν 117
     2312 μήτε φ. μήτε πεῖν ἕως οὗ ἀποκτεί-
     νωσιν τὸν Παῦλον 21 ἀνέλωσιν αὐτόν
Rm 142 ὃς μὲν πιστεύει φαγεῖν πάντα
     – 21 καλὸν τὸ μὴ φ. κρέα 23 ὁ δὲ διακρι-
     νόμενος ἐὰν φάγῃ κατακέκριται
1 Co 88 οὔτε ἐὰν μὴ φάγωμεν ὑστερούμεθα,
     οὔτε ἐὰν φάγωμεν περισσεύομεν
     – 13 εἰ βρῶμα σκανδαλίζει τὸν ἀδελφόν
     μου, οὐ μὴ φάγω κρέα εἰς τὸν αἰῶ.
     94 μὴ οὐκ ἔχομεν ἐξουσίαν φαγεῖν –;
     103 πνευματικὸν βρῶμα ἔφαγον
     – 7 „ἐκάθισεν ὁ λαὸς φαγεῖν καὶ πεῖν“
     1120 οὐκ ἔστιν κυριακὸν δεῖπνον φαγεῖν
     – 21 τὸ ἴδιον – προλαμβάνει ἐν τῷ φαγ.
     – 33 συνερχόμενοι εἰς τὸ φαγεῖν
     1532 „φάγωμεν καὶ πίωμεν, αὔριον“
2 Th 38 οὐδὲ δωρεὰν ἄρτον ἐφάγομεν
Hb 1310 ἔχομεν θυσιαστήριον ἐξ οὗ φαγεῖν ᵇ
     οὐκ ἔχουσιν ἐξουσίαν
Jac 53 ὁ ἰὸς – φάγεται τὰς σάρκας ὑμῶν
Ap 27 „φαγεῖν ᵇ ἐκ τοῦ ξύλου τῆς ζωῆς“
     – 14 „φαγεῖν ᵇ εἰδωλόθυτα“ (vgᵒ) 20

Ap 1010 ὅτε ἔφαγον ᵈ αὐτό, ἐπικράνθη
     1716 καὶ τὰς σάρκας αὐτῆς φάγονται
     1918 ἵνα „φάγητε“ σάρκας „βασιλέων“

φάγος Sᵒ – ᵃ*vorax* ᵇ*devorator* Mat 1119 ἄν-
θρωπος φάγ. ᵃ καὶ οἰνοπότης ‖ Luc 734 ᵇ

φαιλόνης Sᵒ – *penula* (vl *pae.*) 2 Ti 413

I φαίνειν, semel φαίνεσθαι, *lucēre*
Joh 15 τὸ φῶς ἐν τῇ σκοτίᾳ φαίνει
     535 ἦν ὁ λύχνος ὁ καιόμενος καὶ φαίνων
Phl 215 ἐν οἷς φαίνεσθε ὡς φωστῆρες ἐν
2 Pe 119 ὡς λύχνῳ φαίνοντι ἐν αὐχμηρῷ
1 Jo 28 τὸ φῶς τὸ ἀληθινὸν ἤδη φαίνει
Ap 116 ὡς ὁ ἥλιος φαίνει ἐν τῇ δυνάμει
     812 ἵνα – ἡ ἡμέρα μὴ φάνῃ τὸ τρίτον
     1823 φῶς λύχνου οὐ μὴ φάνῃ ἐν σοὶ ἔτι
     2123 ἵνα „φαίνωσιν“ (vl + ἐν vg) αὐτῇ

II φαίνεσθαι, φανῆναι *apparēre* ᵇ*parēre*
     ᶜ*vidēri* ᵈ(τὰ μὴ φαινόμενα) *invisibilia*
Mat 120 κατ᾽ ὄναρ ἐφάνη 213 φαίνεται 19
     27 χρόνον τοῦ φαινομένου ἀστέρος
     65 ὅπως (vl + ἄν) φανῶσιν ᶜ τοῖς ἀν-
     θρώποις 16ᵃ (vlᵇ) 18 ὅπως μὴ φανῇς ᶜ
     933 οὐδέποτε ἐφάνη οὕτως ἐν τῷ Ἰσρ.
     1326 τότε ἐφάνη καὶ τὰ ζιζάνια
     2327 ἔξωθεν μὲν φαίνονται ᵇ ὡραῖοι 28 ἔξ.
     – φαίνεσθε ᵇ τοῖς ἀνθρώποις δίκαιοι
     2427 ἀστραπὴ – φαίνεται ᵇ ἕως δυσμῶν
     – 30 φανήσεται ᵇ τὸ σημεῖον τοῦ υἱ. τ. ἀν.
Mar 1464 τί ὑμῖν φαίνεται ᶜ; οἱ δὲ πάντες
     [16 9 ἐφάνη πρῶτον Μαρίᾳ τῇ Μαγδα.]
Luc 98 διὰ τὸ λέγεσθαι – ὅτι Ἡλίας ἐφάνη
     2411 ἐφάνησαν ᶜ – ὡσεὶ λῆρος τὰ ῥήματα
Rm 713 ἡ ἁμαρτία, ἵνα φανῇ ἁμαρτία
2 Co 137 οὐχ ἵνα ἡμεῖς δόκιμοι φανῶμεν ᵃ (vlᵇ)
Hb 113 εἰς τὸ μὴ ἐκ φαινομένων ᵈ τὸ βλε-
     πόμενον γεγονέναι
Jac 414 ἀτμὶς – πρὸς ὀλίγον φαινομένη ᵇ
1 Pe 418 „ὁ – ἀσεβὴς – ποῦ φανεῖται ᵇ;“

Φάλεκ (vl Φάλεγ vg) Luc 335

*****φάναι**, praes φημί *dicere* ᵇ(φασίν) *aiunt*
     ᶜ(φησίν) *inquit* ᵈ(φασίν) *inquiunt*
Rm 38 μὴ – καθὼς φασίν ᵇ τινες ἡμᾶς λέ-
     γειν 2 Co 1010 αἱ ἐπιστολαὶ μέν, φη-
     σίν (vl φασίν ᵈ), βαρεῖαι καὶ ἰσχυραί
1 Co 729 τοῦτο δέ φημι, –, ὁ καιρὸς συνεσταλ-
     μένος ἐστίν 1550 ὅτι σὰρξ καὶ αἷμα

βασιλείαν θεοῦ κληρον. οὐ δύνανται
1 Co 1015 κρίνατε ὑμεῖς ὅ φημι 19 τί οὖν φημι;
ὅτι εἰδωλόθυτόν τί ἐστιν;
Hb 8 5 „ὅρα" γάρ φησιν[c], „ποιήσεις πάντα"

φανερός manifestus [b]manifestare, ..ri [c](ἔρ-
χεσθαι εἰς φ..όν) in palam venire
Mat 1216 ἵνα μὴ φανερὸν αὐτὸν ποιήσωσιν ‖
Mar 312[b] – 614 φανερὸν γὰρ ἐγέ-
νετο τὸ ὄνομα αὐτοῦ (sc Ἰησοῦ)
Mar 422 οὐδὲ ἐγένετο ἀπόκρυφον, ἀλλ' ἵνα
ἔλθῃ εἰς φανερόν[c] ‖ Luc 817 οὐ γάρ
ἐστιν κρυπτὸν ὃ οὐ φ..ὸν γενήσεται[b],
οὐδὲ ἀπόκρυφον ὃ οὐ μὴ γνωσθῇ
καὶ εἰς φανερὸν ἔλθῃ[c]
Act 416 πᾶσιν – φανερόν 713 φ..ὸν ἐγένετο[b]
Rm 119 τὸ γνωστὸν τοῦ θεοῦ φ..όν ἐστιν ἐν
αὐτοῖς· ὁ θεὸς – αὐτοῖς ἐφανέρωσεν
228 οὐ – ὁ ἐν τῷ φ. Ἰουδαῖός ἐστιν, οὐδὲ
ἡ ἐν τῷ φανερῷ ἐν σαρκὶ περιτομή
1 Co 313 ἑκάστου τὸ ἔργον φ..ὸν γενήσεται
1119 ἵνα – οἱ δόκιμοι φανεροὶ γένωνται
1425 ἀνακρίνεται ὑπὸ πάντων, τὰ κρυπτὰ
τῆς καρδίας αὐτοῦ φανερὰ γίνεται
Gal 519 φανερά – ἐστιν τὰ ἔργα τῆς σαρκός
Phl 113 ὥστε τοὺς δεσμούς μου φ..οὺς ἐν Χῷ
γενέσθαι ἐν ὅλῳ τῷ πραιτωρίῳ
1 Ti 415 ἵνα σου ἡ προκοπὴ φ..ὰ ᾖ πᾶσιν
1 Jo 310 ἐν τούτῳ φανερά ἐστιν τὰ τέκνα τοῦ
θεοῦ καὶ τὰ τέκνα τοῦ διαβόλου

φανεροῦν, ..οῦσθαι manifestare, ..ari, se ma-
nifestare [b]manifestum esse [c]apparēre
[d]ostendi [e]patefieri [f]propalari
Mar 422 οὐ γάρ ἐστίν τι κρυπτόν, ἐὰν μὴ ἵνα
φανερωθῇ → φανερός Mar 422
[1612 ἐφανερώθη[d] ἐν ἑτέρᾳ μορφῇ πορευ-
ομένοις 14 τοῖς ἕνδεκα ἐφανερώθη[c]]
Joh 131 ἀλλ' ἵνα φανερωθῇ τῷ Ἰσραήλ
211 ἐφανέρωσεν τὴν δόξαν αὐτοῦ
321 ἵνα φανερωθῇ αὐτοῦ τὰ ἔργα ὅτι ἐν
θεῷ ἐστιν εἰργασμένα
7 4 φανέρωσον σεαυτὸν τῷ κόσμῳ
9 3 ἵνα φ..ωθῇ τὰ ἔργα τ. θεοῦ ἐν αὐτῷ
17 6 ἐφ..ωσά σου τὸ ὄνομα τοῖς ἀνθρώπ.
21 1 ἐφανέρωσεν ἑαυτὸν – τοῖς μαθηταῖς
– · ἐφανέρωσεν δὲ οὕτως 14 τοῦτο –
τρίτον ἐφανερώθη Ἰησοῦς
Rm 119 → φανερός
321 δικαιοσύνη θεοῦ πεφανέρωται
1626 μυστηρίου – , φανερωθέντος[e] – νῦν
1 Co 4 5 φ..ώσει τὰς βουλὰς τῶν καρδιῶν

2 Co 214 τῷ – τὴν ὀσμὴν τῆς γνώσεως αὐτοῦ
φανεροῦντι δι' ἡμῶν ἐν παντὶ τόπῳ
3 3 φ..ούμενοι ὅτι ἐστὲ ἐπιστολὴ Χοῦ
410 ἵνα καὶ ἡ ζωὴ τοῦ Ἰησοῦ ἐν τῷ σώ-
ματι ἡμῶν φ..ωθῇ 11 ἐν τῇ – σαρκί
510 πάντας ἡμᾶς φ..ωθῆναι δεῖ ἔμπροσ.
– 11 θεῷ δὲ πεφανερώμεθα[b]· ἐλπίζω δὲ
καὶ ἐν ταῖς συνειδήσεσιν ὑμῶν πεφα-
νερῶσθαι[b]
712 ἔγραψα – ἕνεκεν τοῦ φανερωθῆναι
τὴν σπουδὴν ὑμῶν τὴν ὑπὲρ ἡμῶν
11 6 ἐν παντὶ φανερώσαντες (vl φ..ωθέν-
τες vg) ἐν πᾶσιν εἰς ὑμᾶς
Eph 513 πάντα – φανεροῦται· πᾶν γὰρ τὸ
φανερούμενον φῶς ἐστιν
Col 126 τὸ μυστήριον – νῦν δὲ ἐφανερώθη
τοῖς ἁγίοις 44 ἵνα φανερώσω αὐτό
3 4 ὅταν ὁ Χὸς φανερωθῇ[c], –, καὶ ὑ-
μεῖς – φανερωθήσεσθε[c] ἐν δόξῃ
1 Ti 316 ὃς (vl ὃ vg) ἐφανερώθη ἐν σαρκί
2 Ti 110 χάριν –, φανερωθεῖσαν δὲ νῦν
Tit 1 3 ἐφανέρωσεν δὲ – τὸν λόγον αὐτοῦ
Hb 9 8 μήπω πεφανερῶσθαι[f] τὴν τῶν ἁγίων
(neutr) ὁδόν
– 26 ἐπὶ συντελείᾳ τῶν αἰώνων εἰς ἀθέ-
τησιν τῆς ἁμαρτίας – πεφανέρωται[c]
1 Pe 120 Χοῦ, – φανερωθέντος δὲ ἐπ' ἐσχάτου
τῶν χρόνων δι' ὑμᾶς
5 4 φανερωθέντος[c] τοῦ ἀρχιποίμενος
1 Jo 1 2 ἡ ζωὴ ἐφανερώθη –, – ἐφ.[c] ἡμῖν
219 ἵνα φ..ωθῶσιν[b] ὅτι οὐκ εἰσίν – ἐξ ἡμ.
– 28 ἵνα ἐὰν φ..ωθῇ[c] σχῶμεν παρρησίαν
3 2 οὔπω ἐφ..ώθη[c] τί ἐσόμεθα. – ἐὰν φ..
ωθῇ[c] ὅμοιοι αὐτῷ ἐσόμεθα
– 5 ἐφανερώθη[c] ἵνα τὰς ἁμαρτίας ἄρῃ
8 ἐφανερώθη[c] ὁ υἱὸς τοῦ θεοῦ, ἵνα
λύσῃ τὰ ἔργα τοῦ διαβόλου
4 9 ἐν τούτῳ ἐφ..ώθη[c] ἡ ἀγάπη τ. θεοῦ
ἐν ἡμῖν, ὅτι τὸν υἱὸν – ἀπέσταλκεν
Ap 318 ἵνα – μὴ φ..ωθῇ[c] ἡ αἰσχύνη – σου
15 4 ὅτι τὰ δικαιώματά σου ἐφανερώθη-
σαν[b] (vl[a])

φανερῶς manifeste Mar 145 Joh 710 Act 103

φανέρωσις S° – manifestatio
1 Co 12 7 ἑκάστῳ – δίδοται ἡ φανέρωσις τοῦ
πνεύματος πρὸς τὸ συμφέρον
2 Co 4 2 τῇ φ. τῆς ἀληθείας συνιστάνοντες

φανός S° – laterna Joh 183 μετὰ φανῶν

Φανουήλ Luc 236 Ἄννα προφῆτις, θυγ. Φ.

φαντάζεσθαι *vidēri* Hb 12 21 τὸ φ..όμενον

φαντασία *ambitio* Act 25 23 μετὰ – φ..ας

φάντασμα *phantasma* Mat 14 26 ‖ Mar 6 49

φάραγξ *vallis* Luc 3 5 „πᾶσα φ. πληρωθῇ.“

Φαραώ Act 7 10.13.21 Rm 9 17 Hb 11 24

Φάρες Mat 1 3 Luc 3 33 τοῦ Ἰούδα

Φαρισαῖος, -οι *Pharisaeus, ..aei*
→ ἀρχιερεύς 1) et γραμματεύς
Mat 3 7 πολλοὺς τῶν Φ. καὶ Σαδδουκαίων
    16 1.6 προσέχετε ἀπὸ τῆς ζύμης τῶν
    11.12 τῆς διδαχῆς τῶν – 22 34 Act
    23 6 τὸ ἓν μέρος – Σ..ων τὸ δὲ ἕτερον
    Φαρισαίων 7 στάσις τῶν Φ. καὶ Σ. 8
    9 11 οἱ Φ. ἔλεγον τοῖς μαθηταῖς 14 ἡμεῖς
    καὶ οἱ Φαρ. νηστεύομεν ‖ Mar 2 18
    Luc 5 33 καὶ οἱ (sc μαθ.) τῶν Φαρ.
    – 34 12 2 ‖ Mar 2 24 Luc 6 2
    12 14 οἱ Φ. συμβούλιον ἔλαβον 22 15 ‖ Mar
    3 6 μετὰ τῶν Ἡρωδιανῶν 12 13
    – 24 15 12 οἱ Φαρισ. – ἐσκανδαλίσθησαν
    19 3 Φ..οι πειράζοντες αὐτόν ‖ Mar 10 2
    22 41 23 26 Φ..ε τυφλέ, καθάρισον πρῶτον
    ‖ Luc 11 39 ὑμεῖς οἱ Φ. τὸ ἔξωθεν
    τοῦ ποτηρίου – καθαρίζετε
Mar 7 3 οἱ – Φ. καὶ πάντες οἱ Ἰουδ. ἐὰν μὴ
    8 11.15 βλέπετε ἀπὸ τῆς ζύμης τῶν Φ.
    καὶ – Ἡρώδου ‖ Luc 12 1 ζύμης, ἥτις
    ἐστὶν ὑπόκρισις, τῶν Φαρισαίων
Luc 5 17 Φ..οι καὶ νομοδιδάσκαλοι 7 30 14 3
    7 36.37 ἐν τῇ οἰκίᾳ τοῦ Φαρ. 39 – 14 1
    11 37.38 ὁ – Φ. – ἐθαύμασεν ὅτι οὐ πρῶτον
    ἐβαπτίσθη 42 οὐαὶ ὑμῖν τοῖς Φ. 43
    13 31 16 14 οἱ Φ. φιλάργυροι ὑπάρχοντες
    17 20 ἐπερωτηθεὶς – ὑπὸ τῶν Φαρ. πότε
    18 10 ὁ εἷς Φαρ. καὶ ὁ ἕτερος τελώνης 11
    19 39 τινὲς τῶν Φ. ἀπὸ τοῦ ὄχλου εἶπαν
Joh 1 24 ἀπεσταλμένοι ἦσαν ἐκ τῶν Φαρισ.
    3 1 ἄνθρωπος ἐκ τῶν Φαρ., Νικόδημος
    4 1 ἤκουσαν οἱ Φ. ὅτι Ἰησοῦς πλείονας
    μαθητὰς ποιεῖ 7 32 τοῦ ὄχλου γογ-
    γύζοντος περὶ αὐτοῦ ταῦτα
    7 47.48 μή τις – ἐπίστευσεν εἰς αὐτὸν – ἐκ
    τῶν Φ.; 12 42 πολλοὶ ἐπίστευσαν –,
    ἀλλὰ διὰ τοὺς Φ. οὐχ ὡμολόγουν
    8 13 9 13 ἄγουσιν αὐτὸν πρὸς τοὺς Φ. 15 8
    40 11 46 12 19 οἱ – Φ. εἶπαν πρὸς ἑαυ.

Act 5 34 Φαρισαῖος ὀνόματι Γαμαλιήλ
    15 5 τινὲς τῶν ἀπὸ τῆς αἱρέσεως τῶν Φ.
    23 6 Φαρισαῖός εἰμι, υἱὸς Φαρισαίων
    – 8 Φ..οι δὲ ὁμολογοῦσιν τὰ ἀμφότερα
    – 9 τινὲς τῶν γραμματέων τοῦ μέρους
    τῶν Φαρισαίων διεμάχοντο
    26 5 κατὰ τὴν ἀκριβεστάτην αἵρεσιν τῆς
    ἡμετέρας θρησκείας ἔζησα Φ..ος
Phl 3 5 κατὰ νόμον Φ..ος, κατὰ ζῆλος

φαρμακεία *veneficia* Gal 5 20 Ap 9 21 18 23

φαρμακός *veneficus* Ap 21 8 22 15

φάσις ἀνέβη *nunciatum est* Act 21 31

φάσκειν *dicere* [b]*affirmare*
Act 24 9 25 19 ὃν ἔφασκεν[b] ὁ Παῦλος ζῆν
Rm 1 22 φ..οντες εἶναι σοφοὶ ἐμωράνθησαν

φάτνη *praesepium* Luc 2 7.12.16 – 13 15

φαῦλον *malum* [b]*male* (vl ..*um*) [c]*pravum*
Joh 3 20 ὁ φαῦλα[b] πράσσων 5 29
Rm 9 11 μήπω – πραξάντων τι ἀγαθὸν ἢ φ..
    ον 2 Co 5 10 ἵνα κομίσηται ἕκαστος –
    πρὸς ἃ ἔπραξεν, εἴτε ἀγ. εἴτε φ..ον
Tit 2 8 μηδὲν ἔχων λέγειν περὶ ἡμῶν φ..ον
Jac 3 16 ἀκαταστασία καὶ πᾶν φ..ον[c] πρᾶγμα

φέγγος *lumen* [b]*splendor* Mat 24 29 ‖ Mar
    13 24[b] – Luc 11 33 ἵνα – τὸ φ. βλέπωσιν

φείδεσθαι *parcere* φ..ομένως S° – *parce*
Act 20 29 λύκοι – μὴ φ..όμενοι τοῦ ποιμνίου
Rm 8 32 ὅς γε τοῦ ἰδίου υἱοῦ οὐκ ἐφείσατο
    11 21 εἰ – τῶν κατὰ φύσιν κλάδων οὐκ ἐ-
    φείσατο, οὐδὲ σοῦ φείσαται
1 Co 7 28 ἐγὼ δὲ ὑμῶν φείδομαι
2 Co 1 23 φ..όμενος ὑμῶν οὐκέτι (vl οὐκ vg)
    ἦλθον εἰς Κόρινθον 13 2 ἐὰν ἔλθω
    εἰς τὸ πάλιν οὐ φείσομαι
    9 6 ὁ σπείρων φ..ως φ..ως καὶ θερίσει
    12 6 φ..ομαι δέ, μή τις εἰς ἐμὲ λογίσηται
2 Pe 2 4 ἀγγέλων ἁμαρτησάντων οὐκ ἐφεί-
    σατο 5 ἀρχαίου κόσμου οὐκ ἐφείσ.

φέρειν *afferre* [b]*adducere* [c]*ferre, ferri* [d]*por-
    tare* [e]*educere* [f]*deferre* [g]*inferre* [h]*offerre*
    [i]*sustinere* – (φέρεσθαι:) [k]*advenire* [l]*de-
    labi* [m]*inspirari* [n]*intercedere*
Mat 7 18 καρποὺς πονηροὺς ἐνεγκεῖν (vl
    ποιεῖν vg), οὐδὲ – καρποὺς καλοὺς

ἐνεγκεῖν (vl ποιεῖν vg) Mar 48 ἔ-
φερεν εἰς τριάκοντα Joh 1224 πολὺν
καρπὸν φέρει 152 κλῆμα – μὴ φέ-
ρον[c] καρπόν, αἴρει αὐτό, – τὸ κ..ον
φέρον[c], καθαίρει – ἵνα κ..ον πλείονα
φέρῃ 4 οὐ δύναται καρπὸν φέρειν[c]
ἀφ᾿ ἑαυτοῦ 5 οὗτος φέρει[c] καρπὸν
πολύν 8 ἵνα – φέρητε 16 καρ. – φέρητε
Mat 1411 ἠνέχθη ἡ κεφαλή –, καὶ ἤνεγκεν (vg
vl[c]) τῇ μητρὶ αὐτῆς ‖ Mar 627.28
– 18 1717 ‖ Mar 917.19.20 – 132 ἔφερον –
τοὺς κακῶς ἔχοντας 23[c] παραλυτι-
κόν ‖ Luc 518[d] – Mar 732[b] κωφόν
822[b] τυφλόν – Act 516 ἀσθενεῖς
Mar 11 2 λύσατε – καὶ φέρετε[b] 7[e] 1215 φέρετέ
μοι δηνάριον 16 – 1522 φέρουσιν (vl
ἄγουσιν vg perducunt) αὐτὸν ἐπὶ
τὸν Γολγοθᾶν τόπον
Luc 1523 φέρετε[b] τὸν μόσχον 2326 τὸν σταυ-
ρὸν φέρειν[d] 241[d] ἀρώματα
Joh 2 8 φέρετε[c] τῷ ἀρχιτρικλίνῳ 433 μή τις
ἤνεγκεν – φαγεῖν; 1829 τίνα κατηγο-
ρίαν φέρετε –; 1939[c] 2027 φέρε[g] τὸν
δάκτυλόν σου ὧδε –, καὶ φέρε τὴν
χεῖρά σου 2110.18 ἄλλος ζώσει σε
καὶ οἴσει[e] ὅπου οὐ θέλεις
Act 2 2 ἦχος ὥσπερ φερομένης[k] πνοῆς
434 ἔφερον τὰς τιμάς 37 τὸ χρῆμα 52 μέ-
ρος τι – 1210 τὴν πύλην – τὴν φέ-
ρουσαν[e] εἰς τὴν πόλιν 1413 2518 οὐ-
δεμίαν αἰτίαν ἔφερον[f] – 2715 ἐφε-
ρόμεθα[c] 17 οὕτως ἐφέροντο[c]
Rm 922 ὁ θεὸς – „ἤνεγκεν[i]“ ἐν πολλῇ μα-
κροθυμίᾳ „σκεύη ὀργῆς“
2 Ti 413 τὸν φαιλόνην, –, ἐρχόμενος φέρε
Hb 1 3 φέρων[d] τε τὰ πάντα τῷ ῥήματι
6 1 ἐπὶ τὴν τελειότητα φερώμεθα[c]
916 ὅπου γὰρ διαθήκη, θάνατον ἀνάγκη
φέρεσθαι[n] τοῦ διαθεμένου
1220 οὐκ ἔφερον[d] – τὸ διαστελλόμενον
1313 τὸν ὀνειδισμὸν αὐτοῦ φέροντες[d]
1 Pe 113 ἐπὶ τὴν φερομένην[h] ὑμῖν χάριν
2 Pe 117 φωνῆς ἐνεχθείσης[l] αὐτῷ 18
– 21 οὐ – θελήματι ἀνθρώπου ἠνέχθη προ-
φητεία ποτέ, ἀλλὰ ὑπὸ πνεύματος
ἁγίου φερόμενοι[m] ἐλάλησαν
211 οὐ φέρουσιν[d] – βλάσφημον κρίσιν
2 Jo 10 εἴ τις – ταύτην τὴν διδαχὴν οὐ φέρει
Ap 2124 „φέρουσιν τὴν δόξαν“ αὐτῶν 26

φεύγειν fugere [b]effugere [c]profugere
Mat 213 φεῦγε εἰς Αἴγυπ., καὶ ἴσθι ἐκεῖ ἕως

Mat 3 7 φυγεῖν ἀπὸ τῆς μελλούσης ὀργῆς;
‖ Luc 37 – Mat 2333 πῶς φύγητε
ἀπὸ τῆς κρίσεως τῆς γεέννης;
833 ἔφυγον ‖ Mar 514 Luc 834
1023 φεύγετε εἰς τὴν ἑτέραν (sc πόλιν)
2416 οἱ ἐν τῇ Ἰουδαίᾳ φευγέτωσαν εἰς τὰ
ὄρη ‖ Mar 1314 Luc 2121
2656 ἀφέντες αὐτὸν ἔφυγον ‖ Mar 1450.52
γυμνὸς ἔφυγεν[c] – 168 ἔφυγον
Joh (615 vl Ἰησοῦς φεύγει (vg) – εἰς τὸ ὄρος)
10 5 φεύξονται ἀπ᾿ αὐτοῦ 12 ἀφίησιν τὰ
πρόβατα καὶ φεύγει (13 vl, vg)
Act 729 „ἔφυγεν – Μωϋσῆς“ – 2730 ἐκ –
1 Co 618 φεύγετε τὴν πορνείαν |πλοίου
1014 φεύγετε ἀπὸ τῆς εἰδωλολατρίας
1 Ti 611 ὦ ἄνθρωπε θεοῦ, ταῦτα φεῦγε
2 Ti 222 τὰς – νεωτερικὰς ἐπιθυμίας φεῦγε
Hb 1134 ἔφυγον[b] στόματα μαχαίρης
Jac 4 7 φεύξεται (sc ὁ διάβολος) ἀφ᾿ ὑμῶν
Ap 9 6 φεύγει ὁ θάνατος ἀπ᾿ αὐτῶν
12 6 ἡ γυνὴ ἔφυγεν εἰς τὴν ἔρημον
1620 πᾶσα νῆσος ἔφυγεν 2011 „ἔφυγεν ἡ
γῆ“ καὶ ὁ οὐρανός

Φῆλιξ Act 2324.26 243.22.24.25.27 2514

φήμη fama Mat 926 Luc 414 περὶ αὐτοῦ

Φῆστος Act 2427 251.4.9.12ss.22ss 2624s.32

φθάνειν pervenire [b]praevenire
Mat 1228 ἄρα ἔφθασεν ἐφ᾿ ὑμᾶς ἡ βασιλεία
τοῦ θεοῦ ‖ Luc 1120 (vg vl[b])
Rm 931 Ἰσραὴλ – διώκων νόμον δικαιοσύνης
εἰς νόμον οὐκ ἔφθασεν
2 Co 1014 ἄχρι – ὑμῶν ἐφθάσαμεν ἐν τῷ εὐαγγ.
Phl 316 εἰς ὃ ἐφθάσαμεν, τῷ αὐτῷ στοιχεῖν
1 Th 216 ἔφθασεν (vg vl[b]) δὲ ἐπ᾿ αὐτοὺς ἡ
ὀργὴ εἰς τέλος
415 ἡμεῖς οἱ ζῶντες – οὐ μὴ φθάσωμεν[b]
τοὺς κοιμηθέντας

φθαρτός corruptibilis
Rm 123 εἰκόνος φθαρτοῦ ἀνθρώπου
1 Co 925 ἵνα φθαρτὸν στέφανον λάβωσιν
1553 δεῖ – τὸ φθ. τοῦτο ἐνδύσασθαι ἀ-
φθαρσίαν 54 ὅταν δὲ τὸ φθ. τοῦτο
ἐνδύσηται ἀφθαρσίαν (vl[o] et vg[o])
1 Pe 118 ὅτι οὐ φθαρτοῖς – „ἐλυτρώθητε“ ἐκ
– 23 ἀναγεγεννημένοι οὐκ ἐκ σπορᾶς
φθαρτῆς ἀλλὰ ἀφθάρτου

φθέγγεσθαι loqui Act 418 2 Pe 216.18

φθείρειν *corrumpere, ..pi* ^b*disperdere* ^c*violare* ^d(φθείρεσθαι) *perire*
1 Co 3 17 εἴ τις τὸν ναὸν τοῦ θεοῦ φθείρει^c,
	φθερεῖ^b τοῦτον ὁ θεός
	15 33 φ..ουσιν ἤδη χρηστὰ ὁμιλίαι κακαί
2 Co 7 2 οὐδένα ἐφθείραμεν
	11 3 μή πως – φθαρῇ τὰ νοήματα ὑμῶν
		ἀπὸ τῆς ἁπλότητος – τῆς εἰς Χόν
Eph 4 22 τὸν παλαιὸν ἄνθρωπον τὸν φθειρό-
		μενον κατὰ τὰς ἐπιθυμίας
2 Pe 2 12 ἐν τῇ φθορᾷ (*corruptione*) αὐτῶν –
		φθαρήσονται^d cfr Jud 10 φ..ονται
Ap 19 2 ἔφθειρεν τ. γῆν ἐν τ. πορνείᾳ αὐτῆς

φθινοπωρινός S° – *autumnalis* Jud 12

φθόγγος ^a*sonus* ^b*sonitus* Rm 10 18 ^a
1 Co 14 7 ἐὰν διαστολὴν τοῖς φθ.^b μὴ δῷ

φθονεῖν *invidēre* Gal 5 26 ἀλλήλοις

φθόνος *invidia*
Mat 27 18 διὰ φθόνον παρέδωκαν ‖ Mar 15 10
Rm 1 29 μεστοὺς φθόνου φόνου ἔριδος
Gal 5 21 φθόνοι, μέθαι, κῶμοι
Phl 1 15 τινὲς – καὶ διὰ φθόνον καὶ ἔριν
1 Ti 6 4 λογομαχίας, ἐξ ὧν γίνεται φθόνος
Tit 3 3 ἦμεν – ἐν – φθόνῳ διάγοντες
Jac 4 5 πρὸς φθόνον (πρὸς τὸν θεόν cj,
		cfr Ps 42 2) ἐπιποθεῖ τὸ πνεῦμα
1 Pe 2 1 ἀποθέμενοι – φθόνους

φθορά *corruptio* ^b*interitus* ^c*pernicies*
Rm 8 21 ἀπὸ τῆς δουλείας τῆς φθορᾶς
1 Co 15 42 σπείρεται ἐν φθορᾷ 50 οὐδὲ ἡ φθο-
		ρὰ τὴν ἀφθαρσίαν κληρονομεῖ
Gal 6 8 ἐκ τῆς σαρκὸς θερίσει φθοράν
Col 2 22 ἅ ἐστιν πάντα εἰς φθορὰν ^b τῇ ἀπο-
		χρήσει 2 Pe 2 12 ζῷα γεγεννημένα –
		εἰς ἅλωσιν καὶ φθοράν ^c
2 Pe 1 4 ἀποφυγόντες τῆς – ἐν ἐπιθυμίᾳ φθ.
	2 12 → φθείρειν – 19 αὐτοὶ δοῦλοι ὑπ-
		άρχοντες τῆς φθορᾶς

φιάλη *phiala* (vl *fiala*)
Ap 5 8 φ..ας χρυσᾶς γεμούσας θυμιαμάτων
	15 7 ἑπτὰ φιάλας – γεμούσας τοῦ θυμοῦ
		τοῦ θεοῦ 16 1-4. 8. 10. 12. 17 17 1
	21 9 ἑπτὰ φιάλας, – τῶν „ἑπτὰ πληγῶν"

φιλάγαθος *benignus* Tit 1 8 ἐπίσκοπον –, φ.

Φιλαδέλφεια Ap 1 11 πέμψον – εἰς Φιλ. 37

φιλαδελφία ^a*fraternitatis amor* ^b*charitas*
	(vl *caritas*) *fraternitatis*
Rm 12 10 τῇ φιλ.^b εἰς ἀλλήλους φιλόστοργοι
1 Th 4 9 περὶ – τῆς φ.^b οὐ χρείαν ἔχετε γράφ.
Hb 13 1 ἡ φ.^b μενέτω 1 Pe 1 22 τὰς ψυχὰς –
		ἡγνικότες – εἰς φ..αν^a ἀνυπόκριτον
2 Pe 1 7 ἐπιχορηγήσατε – ἐν – τῇ εὐσεβείᾳ τὴν
		φιλ.^a, ἐν δὲ τῇ φιλ.^a τὴν ἀγάπην

φιλάδελφος *fraternitatis amator* 1 Pe 3 8

φιλάνδρους εἶναι S° – *viros suos amare*
Tit 2 4 ἵνα σωφρονίζωσιν τὰς νέας φ. εἶναι

φιλανθρωπία *humanitas* Act 28 2
Tit 3 4 ὅτε δὲ ἡ χρηστότης καὶ ἡ φιλ. ἐπ-
		εφάνη τοῦ σωτῆρος ἡμῶν θεοῦ

φιλανθρώπως *humane* Act 27 3 χρῆσθαι

φιλαργυρία *cupiditas* (vl F *avaritia*)
1 Ti 6 10 ῥίζα – πάντων τῶν κακῶν – ἡ φιλαρ.

φιλάργυρος ^a*avarus* ^b*cupidus*
Luc 16 14 οἱ Φαρισαῖοι φ..οι^a ὑπάρχοντες
2 Ti 3 2 ἔσονται – οἱ ἄνθρ. φίλαυτοι, φ..οι^b

φίλαυτος S° – *seipsum amans* 2 Ti 3 2

φιλεῖν *amare* ^b*diligere* ^c*osculari*
Mat 6 5 φιλοῦσιν – ἐν ταῖς γωνίαις τῶν πλα-
		τειῶν ἑστῶτες προσεύχεσθαι
	10 37 ὁ φιλῶν πατέρα ἢ μητέρα ὑπὲρ ἐμὲ
		– · – υἱὸν ἢ θυγατέρα ὑπὲρ ἐμέ
	23 6 φιλοῦσιν – τὴν πρωτοκλισίαν κτλ. ‖
		Luc 20 46 ἀσπασμοὺς ἐν τ. ἀγοραῖς
	26 48 ὃν ἂν φιλήσω^c αὐτός ἐστιν ‖ Mar
		14 44 ^c Luc 22 47 ἤγγισεν τῷ Ἰησοῦ
		φιλῆσαι^c αὐτόν
Joh 5 20 ὁ γὰρ πατὴρ φιλεῖ^b τὸν υἱόν
	11 3 ὃν φιλεῖς ἀσθενεῖ 36 πῶς ἐφίλει αὐ-
	12 25 ὁ φιλῶν τὴν ψυχὴν αὐτοῦ	⌊τόν
	15 19 ὁ κόσμος ἂν τὸ ἴδιον ἐφίλει^b
	16 27 αὐτός – ὁ πατὴρ φιλεῖ ὑμᾶς, ὅτι ὑ-
		μεῖς ἐμὲ πεφιλήκατε (vg vl *praes*)
	20 2 τὸν – μαθητὴν ὃν ἐφίλει ὁ Ἰησοῦς
	21 15 κύριε, σὺ οἶδας ὅτι φιλῶ σε 16. 17 Σί-
		μων –, φιλεῖς με; ἐλυπήθη – ὅτι εἶ-
		πεν – τὸ τρίτον· φιλεῖς με; – σὺ γι-
		νώσκεις ὅτι φιλῶ σε
1 Co 16 22 εἴ τις οὐ φιλεῖ τὸν κύριον, ἤτω
Tit 3 15 τοὺς φιλοῦντας ἡμᾶς ἐν πίστει

Ap 3 19 „ὅσους ἐὰν φιλῶ ἐλέγχω καὶ παιδ."
22 15 πᾶς φιλῶν καὶ ποιῶν ψεῦδος

φιλήδονος S⁰ – *voluptatum amator*
2 Ti 3 4 φιλήδονοι μᾶλλον ἢ φιλόθεοι

φίλημα *osculum*
Luc 7 45 φίλημά μοι οὐκ ἔδωκας· αὕτη δέ
22 48 φ..τι τὸν υἱὸν τ. ἀνθρώπ. παραδίδως;
Rm 16 16 ἀσπάσασθε ἀλλήλους ἐν φ..τι ἁγίῳ
1 Co 16 20 2 Co 13 12 1 Th 5 26 τοὺς
ἀδελφοὺς πάντας 1 Pe 5 14 ἐν φ..τι
ἀγάπης (vg *in osculo sancto*)

Φιλήμων Phm 1 **Φίλητος** 2 Ti 2 17

φιλία *amicitia* Jac 4 4 ἡ φιλία τοῦ κόσμου

Φιλιππήσιοι Phl 4 15 οἴδατε – ὑμεῖς, Φιλιππ.

Φίλιπποι Act 16 12 20 6 Phl 1 1 1 Th 2 2

Φίλιππος 1) apostolus
Mat 10 3 ‖ Mar 3 18 Luc 6 14 – Act 1 13
Joh 1 43-46. 48 6 5.7 12 21.22 14 8.9

2) unus e septem viris, evangelista
Act 6 5 8 5.6.12.13.26-40 21 8

3) Herodis et Cleopatrae filius
Mar 16 13 ‖ Mar 8 27 – Luc 3 1

4) primus Herodiadis coniux Philippus
dicitur Mat 14 3 ‖ Mar 6 17

φιλόθεος S⁰ – *Dei amator* 2 Ti 3 4

Φιλόλογος Rm 16 15 ἀσπάσασθε Φ..ον

φιλονεικία *contentio* Luc 22 24 ἐγένετο

φιλόνεικος *contentiosus*
1 Co 11 16 εἰ δέ τις δοκεῖ φ. εἶναι, ἡμεῖς τοι-
αύτην συνήθειαν οὐκ ἔχομεν

φιλοξενία S⁰ – *hospitalitas*
Rm 12 13 τὴν φιλοξενίαν διώκοντες
Hb 13 2 τῆς φιλοξενίας μὴ ἐπιλανθάνεσθε

φιλόξενος S⁰ – *hospitalis*
1 Ti 3 2 δεῖ – τὸν ἐπίσκοπον – εἶναι – φ..ον

Tit 1 8 μὴ αἰσχροκερδῆ, ἀλλὰ φ..ον
1 Pe 4 9 φ..οι εἰς ἀλλήλους ἄνευ γογγυσμοῦ

φιλοπρωτεύων S⁰ – *qui amat primatum
gerere* 3 Jo 9 ὁ φ. αὐτῶν Διοτρεφής

φίλος, φίλη *amicus* [b]*amica*
Mat 11 19 τελωνῶν φ. καὶ ἁμαρτωλ. ‖ Luc 7 34
Luc 7 6 ἔπεμψεν φίλους ὁ ἑκατοντάρχης
11 5 τίς – ἕξει φίλον, –, καὶ εἴπη αὐτῷ·
φίλε, χρῆσόν μοι τρεῖς ἄρτους, 6 ἐπ-
ειδὴ φίλος μου παρεγένετο ἐξ ὁδοῦ
πρός με 8 εἰ καὶ οὐ δώσει – διὰ τὸ
εἶναι φίλον αὐτοῦ, διά γε τὴν ἀναίδ.
12 4 λέγω δὲ ὑμῖν τοῖς φίλοις μου, μή
14 10 φίλε, προσανάβηθι ἀνώτερον
– 12 μὴ φώνει τοὺς φίλους σου μηδέ
15 6 συγκαλεῖ τοὺς φίλους 9 τὰς φίλας [b]
– 29 ἵνα μετὰ τῶν φίλων μου εὐφρανθῶ
16 9 ἑαυτοῖς ποιήσατε φίλους ἐκ τοῦ
21 16 παραδοθήσεσθε – ὑπὸ – φίλων
23 12 ἐγένοντο – φίλοι ὅ τε Ἡρ. καὶ ὁ Πιλ.
Joh 3 29 ὁ δὲ φίλος τοῦ νυμφίου, –, – χαίρει
11 11 Λάζαρος ὁ φίλος ἡμῶν κεκοίμηται
15 13 τὴν ψυχὴν – θῆ ὑπὲρ τῶν φ. αὐτοῦ
– 14 ὑμεῖς φίλοι μού ἐστε, ἐὰν ποιῆτε 15
ὑμᾶς δὲ εἴρηκα φίλους, ὅτι
19 12 οὐκ εἶ φίλος τοῦ Καίσαρος
Act 10 24 τοὺς ἀναγκαίους φίλους (Cornelii)
19 31 ὄντες αὐτῷ (sc Paulo) φίλοι 27 3 ἐπ-
έτρεψεν (sc Julius Paulo) πρὸς
τοὺς φ. πορευθέντι ἐπιμελείας τυχεῖν
Jac 2 23 Ἀβραὰμ – „φίλος θεοῦ" ἐκλήθη
4 4 βουληθῆ φίλος εἶναι τοῦ κόσμου
3 Jo 15 ἀσπάζονταί σε οἱ φίλοι. ἀσπάζου
τοὺς φίλους κατ' ὄνομα

φιλοσοφία *philosophia* Col 2 8 διὰ τὴν φ.

φιλόσοφοι *philosophi* Act 17 18 Ἐπ. καὶ Στ.

φιλόστοργος *diligens* Rm 12 10 εἰς ἀλλήλ.

φιλότεκνον εἶναι *filios diligere* Tit 2 4

φιλοτιμεῖσθαι [a]*contendere* [b]*operam dare*
Rm 15 20 φιλοτιμούμενον (vg⁰) εὐαγγελίζε-
σθαι οὐχ ὅπου ὠνομάσθη Χός
2 Co 5 9 φ..ούμεθα [a] – εὐάρεστοι αὐτῷ εἶναι
1 Th 4 11 φ.[b] ἡσυχάζειν καὶ πράσσειν τὰ ἴδια

φιλοφρόνως *benigne* Act 28 7 φιλ. ἐξένισεν

φιμοῦν ^a*silentium imponere* ^b*alligare os*
^c*obmutescere facere* – φιμοῦσθαι:
^d*obmutescere*
Mat 22 12 ὁ δὲ ἐφιμώθη^d 34 ^a τοὺς Σαδδουκ.
Mar 1 25 φιμώθητι^d καὶ ἔξελθε ‖ Luc 4 35^d
4 39 τῇ θαλάσσῃ· σιώπα, πεφίμωσο^d
1 Ti 5 18 „βοῦν ἀλοῶντα οὐ φιμώσεις^b“ (vl
infrenabis os) cfr 1 Co 9 9 vl
1 Pe 2 15 ἀγαθοποιοῦντας φιμοῦν^c τὴν τῶν
ἀφρόνων ἀνθρώπων ἀγνωσίαν

Φλέγων Rm 16 14 ἀσπάσασθε – Φλέγοντα

φλογίζειν *inflammare* Jac 3 6 ἡ – φ..ουσα
τὸν τροχὸν τῆς γενέσεως (vl + ἡμῶν
vg) καὶ φλογιζομένη ὑπὸ τῆς γεέννης

φλόξ *flamma* Luc 16 24 ὀδυνῶμαι ἐν τῇ φλο-
γὶ ταύτῃ Act 7 30 2 Th 1 8 Hb 1 7
Ap 1 14 ὀφθαλμοὶ – ὡς φ. πυρός 2 18 19 12

φλυαρεῖν S^o – *garrire in* 3 Jo 10 φ..ῶν ἡμᾶς

φλύαρος *verbosus* 1 Ti 5 13 ἀργαὶ – καὶ φ..οι

φοβεῖσθαι *timēre* ^b*pertimēre* (vl *tim.*) ^c*me-*
tuere ^d(ἀπό) *terrēri a* ^e*verēri*
1) Deum, dominum, nomen Dei
Mat 10 28 φ..εῖσθε – μᾶλλον τὸν δυνάμενον καὶ
ψυχὴν καὶ σῶμα ἀπολέσαι ‖ Luc
12 5 ὑποδείξω – ὑμῖν τίνα φοβηθῆτε·
φοβήθητε τὸν – ἔχοντα ἐξουσίαν –.
–, τοῦτον φοβήθητε
Luc 1 50 „τὸ ἔλεος αὐτοῦ – τοῖς φοβουμένοις
αὐτόν“ 18 2 κριτὴς – τὸν θεὸν μὴ φο-
βούμενος 4 εἰ καὶ τ. θ. οὐ φοβοῦμαι
– 23 40 οὐδὲ φοβῇ σὺ τὸν θεόν –;
Act 10 2 εὐσεβὴς καὶ φοβούμενος τὸν θεόν
22.35 ἐν παντὶ ἔθνει ὁ φοβούμ. αὐτόν
13 16 καὶ οἱ φοβούμενοι τὸν θεόν 26
Col 3 22 τὸν κύριον 1 Pe 2 17 „τ. θ. φοβεῖσθε“
Ap 11 18 τὸν μισθὸν – „τοῖς φοβουμένοις“ τὸ
ὄνομά σου 15 4 – 14 7 φοβήθητε τὸν
θεόν 19 5 „οἱ φοβούμενοι αὐτόν“

2) timere homines, pericula, minas
Mat 10 26 μὴ οὖν φοβηθῆτε αὐτούς 28 μὴ φο-
βεῖσθε (vl φοβηθῆτε) ἀπὸ τῶν ἀπο-
κτεννόντων τὸ σῶμα → 1) 31 μὴ οὖν
φοβεῖσθε ‖ Luc 12 4 μὴ φοβηθῆτε (vl
πτοηθῆτε)^d 5. 7 μὴ φοβεῖσθε

Mat 14 5 ἐφοβήθη (sc Ἡρώδ.) τὸν ὄχλον ‖
Mar 6 20 ἐφοβεῖτο^c τὸν Ἰωάννην
21 26 φοβούμεθα τὸν ὄχλον ‖ Mar 11 32
ἐφοβοῦντο – Mat 21 46 τοὺς ὄχλους ‖
Mar 12 12 Luc 20 19 τὸν λαόν – 22 2
Joh 9 22 τοὺς Ἰουδ. Act 5 26 τ. λαόν
Mar 11 18 ἐφοβοῦντο γὰρ αὐτόν (sc τ. Ἰησοῦν)
Luc 19 21 ἐφοβούμην γάρ σε, ὅτι – αὐστηρός
Act 9 26 πάντες ἐφοβοῦντο αὐτόν (Saulum)
Rm 13 3 θέλεις δὲ μὴ φοβεῖσθ. τὴν ἐξουσίαν;
Gal 2 12 φοβούμενος τοὺς ἐκ περιτομῆς
Eph 5 33 ἡ – γυνὴ ἵνα φοβῆται τὸν ἄνδρα
Hb 11 23 οὐκ ἐφοβήθησαν τὸ διάταγμα 27 μὴ
φοβηθείς^e τὸν θυμὸν τοῦ βασιλέως
1 Pe 3 6 „μὴ φοβούμεναι^b“ μηδεμίαν „πτόη-
σιν“ 14 „τὸν δὲ φόβον (*timorem*) αὐ-
τῶν μὴ φοβηθῆτε μηδὲ ταραχθῆτε“
Ap 2 10 μὴ (vl μηδὲν vg) φοβοῦ ἃ μέλλεις
πάσχειν

3) φοβ. cum infinitivo, μή πως, μή ποτε
Mat 1 20 μὴ φοβηθῇς παραλαβεῖν Μαρίαν
2 22 ἐφοβήθη (sc Ἰωσήφ) ἐκεῖ ἀπελθεῖν
Mar 9 32 ἐφοβοῦντο αὐτὸν ἐπερωτῆσαι ‖ Luc
9 45 ἐρωτῆσαι περὶ τοῦ ῥήματος
Act 23 10 27 17 μὴ εἰς τὴν Σύρτιν ἐκπέσωσιν 29
2 Co 11 3 φοβοῦμαι – μή πως – φθαρῇ τὰ νοή-
ματα ὑμῶν 12 20 μή πως ἐλθὼν οὐχ
οἵους θέλω εὕρω ὑμᾶς
Gal 4 11 φοβοῦμαι ὑμᾶς μή πως εἰκῆ κεκο-
πίακα εἰς ὑμᾶς
Hb 4 1 φοβηθῶμεν – μήποτε – δοκῇ τις ἐξ
ὑμῶν ὑστερηκέναι (*deesse*)

4) φοβεῖσθαι absolute positum
Mat 9 8 οἱ ὄχλοι ἐφοβήθησαν Mar 4 41 φόβον
μέγαν ‖ Luc 8 25 φοβηθέντες δὲ ἐ-
θαύμασαν – Mar 5 15 ‖ Luc 8 35 –
Mar 5 33 ἡ δὲ γυνὴ φοβηθεῖσα καὶ
τρέμουσα – Luc 2 9 ἐφοβήθησαν φό-
βον μέγαν 10 ὁ ἄγγελος· μὴ φοβεῖσθε
10 31 μὴ οὖν φοβεῖσθε ‖ Luc 12 7 → 2)
14 27 ἐγώ εἰμι· μὴ φοβεῖσθε 30 βλέπων δὲ
τὸν ἄνεμον ἐφοβήθη ‖ Mar 6 50 Joh
6 19 ἐφοβήθησαν 20 μὴ φοβεῖσθε
17 6 ἐφοβήθησαν σφόδρα 7 ἐγέρθητε καὶ
μὴ φοβεῖσθε ‖ Luc 9 34 ἐφοβήθησαν
– ἐν τῷ εἰσελθεῖν – εἰς τὴν νεφέλην
25 25 φοβηθεὶς – ἔκρυψα τὸ τάλαντον
27 54 ἰδόντες – τὰ γινόμενα ἐφοβήθησαν
28 5 μὴ φοβεῖσθε ὑμεῖς 10 μὴ φοβεῖσθε
Mar 5 36 μὴ φοβοῦ, μόνον πίστευε ‖ Luc 8 50

Mar 1032 ἐϑαμβοῦντο, οἱ δὲ ἀκολουϑοῦντες
ἐφοβοῦντο – 168 ἐφοβοῦντο γάρ
Luc 113 „μὴ φοβοῦ", Ζαχαρία 30 Μαριάμ
510 μὴ φοβοῦ· – ἀνϑρώπους ἔσῃ ζωγρῶν
1232 μὴ φοβοῦ, τὸ μικρὸν ποίμνιον·
εὐδόκησεν ὁ πατὴρ ὑμῶν
Joh 1215 „μὴ φοβοῦ, ϑυγάτηρ Σιών"
19 8 ὁ Πιλᾶτος –, μᾶλλον ἐφοβήϑη
Act 1638 ἐφοβήϑησαν – ὅτι Ῥωμαῖοι 2229
18 9 μὴ φοβοῦ, ἀλλὰ λάλει 2724 Παῦλε
Rm 1120 μὴ ὑψηλὰ φρόνει, ἀλλὰ φοβοῦ
13 4 ἐὰν δὲ τὸ κακὸν ποιῇς, φοβοῦ
Hb 13 6 „κύριος ἐμοὶ βοηϑός, οὐ φοβηϑήσ."
1 Jo 418 ὁ – φοβούμενος οὐ τετελείωται ἐν
τῇ ἀγάπῃ
Ap 117 „μὴ φοβοῦ· ἐγώ εἰμι ὁ πρῶτος –"

φοβερός terribilis ᵇhorrendus Hb 1027 φ..ά
– τις ἐκδοχὴ κρίσεως 31 φ..ὸνᵇ τὸ ἐμ-
πεσεῖν εἰς χεῖρας ϑεοῦ ζῶντος – 1221

φόβητρον terror Luc 2111 φ..α – καὶ – σημεῖα

φόβος timor ᵇmetus

1) φόβος ϑεοῦ, τοῦ κυρίου, Χριστοῦ

Act 931 πορευομένη τῷ φόβῳ τοῦ κυρίου
Rm 318 2 Co 511 εἰδότες – τὸν φ. τοῦ κυρίου
2 Co 7 1 ἐπιτελοῦντες ἁγιωσύνην ἐν φ. ϑεοῦ
Eph 521 ὑποτασσόμενοι ἀλλήλοις ἐν φ. Χοῦ
1 Pe 117 ἐν φόβῳ τὸν τῆς παροικίας ὑμῶν
χρόνον ἀναστράφητε

2) reliqui loci

Mat 1426 ἀπὸ τοῦ φ. ἔκραξαν 284 φόβ. αὐτοῦ
28 8 μετὰ φόβου καὶ χαρᾶς μεγάλης
Mar 441 ἐφοβήϑησαν φόβον μέγαν ‖ Luc 29
Luc 112 φόβος ἐπέπεσεν ἐπ' αὐτόν 65 ἐγένετο
ἐπὶ πάντας φ. 526 ἐπλήσϑησαν φό-
βου 716 ἔλαβεν – φ. πάντας 837 φό-
βῳ μεγάλῳ συνείχοντο
2126 ἀπὸ φόβου καὶ προσδοκίας τῶν ἐπ-
ερχομένων τῇ οἰκουμένῃ
Joh 713 διὰ τὸν φ.ᵇ τῶν Ἰουδ. 1938ᵇ 2019ᵇ
Act 243 ἐγένετο – πάσῃ ψυχῇ φ. 55 μέγας 11
1917 ἐπέπεσεν φόβος ἐπὶ πάντας Ap 1111
Rm 815 οὐ γὰρ ἐλάβετε πνεῦμα δουλείας πά-
λιν εἰς φόβον (in timore) cfr 1 Jo 418
13 3 οὐκ εἰσὶν φόβος τῷ ἀγαϑῷ ἔργῳ
– 7 ἀπόδοτε – τῷ τὸν φόβον τὸν φόβον
1 Co 2 3 ἐν φόβῳ καὶ ἐν τρόμῳ (tremore)
πολλῷ ἐγενόμην πρὸς ὑμᾶς – 2 Co

7 15 ὡς μετὰ φόβου καὶ τρόμου ἐδέ-
ξασϑε αὐτόν Eph 65 ὑπακούετε – με-
τὰ φόβου καὶ τρόμου Phl 212 μετὰ
φόβουᵇ καὶ τρόμου – τὴν ἑαυτῶν σω-
τηρίαν κατεργάζεσϑε
2 Co 7 5 ἔξωϑεν μάχαι, ἔσωϑεν φόβοι
– 11 πόσην κατειργάσατο ὑμῖν σπουδήν,
– ἀλλὰ φόβον, ἀλλὰ ἐπιπόϑησιν
1 Ti 520 ἵνα καὶ οἱ λοιποὶ φόβον ἔχωσιν
Hb 215 ὅσοι φόβῳ ϑανάτου διὰ παντὸς τοῦ
ζῆν ἔνοχοι ἦσαν δουλείας
1 Pe 117 ἐν φόβῳ – ἀναστράφητε
218 ὑποτασσόμενοι ἐν παντὶ φόβῳ τοῖς
3 2 τὴν ἐν φόβῳ ἁγνὴν ἀναστροφὴν ὑμ.
– 14 „τὸν – φόβον αὐτῶν μὴ φοβηϑῆτε"
– 16 μετὰ πραΰτητος καὶ φόβου
1 Jo 418 φόβος οὐκ ἔστιν ἐν τῇ ἀγάπῃ, ἀλλ'
ἡ τελεία ἀγάπη ἔξω βάλλει τὸν φό-
βον, ὅτι ὁ φόβος κόλασιν ἔχει
Jud 23 οὓς δὲ ἐλεᾶτε ἐν φόβῳ
Ap 1810 διὰ τὸν φ. τοῦ βασανισμοῦ αὐτῆς 15

Φοίβη Rm 161 συνίστημι ὑμῖν Φοίβην

Φοινίκη Act 1119 153 212 **Φοῖνιξ** Act 2712

φοῖνιξ palma Joh 1213 Ap 79

φονεύειν occidere ᵇhomicidium facere
Mat 521 „οὐ φονεύσεις"· ὃς δ' ἂν φονεύσῃ
1918 τὸ „οὐ φον. ᵇ" ‖ Mar 1019 „μὴ
φ..σῃς" Luc 1820 „μὴ φ." – Rm 139
„οὐ φ." Jac 211 εἶπεν καί· „μὴ φον."
2331 υἱοί ἐστε τῶν φ..σάντων τοὺς προφ.
– 35 Ζαχαρίου –, ὃν ἐφ..σατε μεταξύ
Jac 211 εἰ δὲ οὐ μοιχεύεις, φονεύεις δέ
4 2 φονεύετε καὶ ζηλοῦτε
5 6 ἐφονεύσατε τὸν δίκαιον

φονεύς homicida Mat 227 Act 314 284
Act 752 οὗ νῦν ὑμεῖς – φονεῖς ἐγένεσϑε
1 Pe 415 μή – τις ὑμῶν πασχέτω ὡς φονεύς
Ap 21 8 2215 ἔξω – οἱ φ. καὶ οἱ εἰδωλολάτραι

φόνος homicidium ᵇcaedes ᶜoccisio
Mat 1519 ἐξέρχονται – φόνοι ‖ Mar 721 φόνοι
Mar 15 7 ‖ Luc 2319.25 διὰ στάσιν καὶ φόνον
Act 9 1 ἐμπνέων ἀπειλῆς καὶ φόνουᵇ εἰς
Rm 129 μεστοὺς φϑόνου φόνου ἔριδος
Gal 521 φϑόνοι (vl + φόνοι vg) μέϑαι, κῶμοι
Hb 1137 ἐν φόνῳᶜ μαχαίρης ἀπέϑανον
Ap 921 οὐ μετενόησαν ἐκ τῶν φόνων αὐτῶν

φορεῖν *portare* [b]*indui* [c]*vestiri*
Mat 11 8[c] τὰ μαλακά Joh 19 5 Jac 23[b]
Rm 13 4 οὐ γὰρ εἰκῆ τὴν μάχαιραν φορεῖ
1 Co 15 49 καθὼς ἐφορέσαμεν τὴν εἰκόνα τοῦ
χοϊκοῦ, φορέσωμεν (vl ..σομεν) καὶ
τὴν εἰκόνα τοῦ ἐπουρανίου

φόρος *tributum* Luc 20 22 23 2 Rm 13 6.7

φορτίζειν *onerare* Mat 11 28 πάντες οἱ κοπι-
ῶντες καὶ πεφορτισμένοι – Luc 11 46 φ..
ετε τοὺς ἀνθρώπους φορτία (*oneribus*)

φορτίον *onus* [b]*sarcinae* Mat 11 30 ὁ – ζυγός
μου χρηστὸς καὶ τὸ φ. μου ἐλαφρόν
Mat 23 4 δεσμεύουσιν – φορτία βαρέα (vl καὶ
δυσβάστακτα vg) ‖ Luc 11 46 φορτίζετε
τοὺς ἀνθρ. φορτία δυσβ., καὶ αὐτοὶ – οὐ
προσψαύετε τοῖς φ.[b] – Act 27 10
Gal 6 5 ἕκαστος – τὸ ἴδιον φορτίον βαστάσει

Φορτουνᾶτος 1 Co 16 17 ἐπὶ τῇ παρουσίᾳ – Φ.

φραγέλλιον S[o] – *flagellum* Joh 2 15 ἐκ σχον.

φραγελλοῦν S[o] – *flagellare* [b]*flagellis
caedere* Mat 27 26 ‖ Mar 15 15[b]

φραγμός *sepes* (vl *saepe*) [b]*maceria*
Mat 21 33 „φραγμὸν – περιέθηκεν" ‖ Mar 12 1
Luc 14 23 ἔξελθε εἰς τὰς ὁδοὺς καὶ φραγμούς
Eph 2 14 τὸ μεσότοιχον τοῦ φραγμοῦ[b] λύσας

φράζειν *edisserere* Mat 15 15 παραβολήν

φράσσειν [a]*obturare* – pass: [b]*obstrui* [c]*in-
fringi* Rm 3 19 ἵνα πᾶν στόμα φραγῇ[b]
2 Co 11 10 ἡ καύχησις – οὐ φραγήσεται[c] εἰς ἐμέ
Hb 11 33 ἔφραξαν[a] στόματα λεόντων

φρέαρ *puteus* Luc 14 5 Joh 4 11.12
Ap 9 1 κλεὶς τοῦ φρέατος τῆς ἀβύσσου 2

φρεναπατᾶν S[o] – *seducere* Gal 6 3 ἑαυτόν

φρεναπάτης S[o] – *seductor* Tit 1 10 φ..αι

φρένες *sensus* 1 Co 14 20 μὴ παιδία γίνεσθε
ταῖς φρεσίν, – ταῖς δὲ φρ. τέλειοι γίνεσθε

φρίσσειν *contremiscere* (..esc.) Jac 2 19

φρονεῖν *sapere* [b]*sentire*
Mat 16 23 οὐ φρονεῖς τὰ τοῦ θεοῦ ἀλλὰ τὰ
τῶν ἀνθρώπων ‖ Mar 8 33
Act 28 22 παρὰ σοῦ ἀκοῦσαι ἃ φρονεῖς[b]
Rm 8 5 τὰ τῆς σαρκὸς φρονοῦσιν
11 20 μὴ ὑψηλὰ φρόνει 12 16 τὰ ὑψηλά
12 3 μὴ ὑπερφρονεῖν παρ' ὃ δεῖ φρονεῖν,
ἀλλὰ φρονεῖν εἰς τὸ σωφρονεῖν
– 16 τὸ αὐτὸ εἰς ἀλλήλους φρονοῦντες[b]
15 5 τὸ αὐτὸ φρ. ἐν ἀλλήλοις κατὰ
Χὸν Ἰησ. 2 Co 13 11 τὸ αὐτὸ φ..εῖτε
Phl 2 2 ἵνα τὸ αὐτὸ φ..ῆτε, –, τὸ ἓν
φ..οῦντες[b] 4 2 τὸ αὐ. φρονεῖν ἐν κυρίῳ
14 6 ὁ φρονῶν τὴν ἡμέραν κυρίῳ φρονεῖ
1 Co 13 11 ἐφρόνουν ὡς νήπιος, ἐλογιζόμην
Gal 5 10 πέποιθα – ὅτι οὐδὲν ἄλλο φρονήσετε
Phl 1 7 καθώς ἐστιν δίκαιον ἐμοὶ τοῦτο φρο-
νεῖν[b] ὑπὲρ πάντων ὑμῶν
2 5 τοῦτο φ..εῖτε[b] ἐν ὑμῖν ὃ καὶ ἐν Χ.
3 15 ὅσοι – τέλειοι, τοῦτο φρονῶμεν[b]· καὶ
εἴ τι ἑτέρως φρονεῖτε, – τοῦτο
– 19 οἱ τὰ ἐπίγεια φρονοῦντες
4 10 ἤδη ποτὲ ἀνεθάλετε τὸ ὑπὲρ ἐμοῦ
φρονεῖν[b]· ἐφ' ᾧ καὶ ἐφρονεῖτε[b]
Col 3 2 τὰ ἄνω φ..εῖτε, μὴ τὰ ἐπὶ τῆς γῆς

φρόνημα *prudentia* [b]*sapientia* [c](*τί τὸ φρό-
νημα*) *quid desideret*
Rm 8 6 τὸ – φρ. τῆς σαρκὸς θάνατος, τὸ δὲ
φρ. τοῦ πνεύματος ζωὴ καὶ εἰρήνη 7 τὸ
φρ.[b] τῆς σαρκὸς ἔχθρα εἰς θεόν 27 οἶ-
δεν τί τὸ φρόνημα[c] τοῦ πνεύματος

φρόνησις *prudentia* Luc 1 17 „ἐπιστρέψαι" –
ἀπειθεῖς ἐν φρονήσει δικαίων
Eph 1 8 χάριτος –, ἧς ἐπερίσσευσεν εἰς ἡμᾶς
ἐν πάσῃ σοφίᾳ καὶ φρονήσει

φρόνιμος, φρονίμως *prudens* [b]*prudenter*
[c]*sapiens* Mat 7 24 ἀνδρὶ φρονίμῳ[c]
Mat 10 16 γίνεσθε οὖν φρόνιμοι ὡς οἱ ὄφεις
24 45 τίς ἄρα ἐστὶν ὁ πιστὸς δοῦλος καὶ
φρ. –; ‖ Luc 12 42 οἰκονόμος ὁ φρ.
25 2 καὶ πέντε φρόνιμοι 4.8[c] 9
Luc 16 8 ὅτι φρονίμως[b] ἐποίησεν· φ..ώτεροι
ὑπὲρ τοὺς υἱοὺς τοῦ φωτός
Rm 11 25 ἵνα μὴ ἦτε ἐν (vl παρ' vg dat) ἑαυ-
τοῖς φρόνιμοι[c] 12 16 „μὴ γίνεσθε φρό-
νιμοι παρ' ἑαυτοῖς"
1 Co 4 10 ὑμεῖς δὲ φρόνιμοι ἐν Χριστῷ
10 15 ὡς φρονίμοις λέγω· κρίνατε ὑμεῖς
2 Co 11 19 ἀνέχεσθε τῶν ἀφρόνων φ..οι[c] ὄντες

φροντίζειν *curare* Tit 38 ἵνα φ..ωσιν καλῶν ἔργων προΐστασθαι οἱ πεπιστευκότες

φρουρεῖν *custodire* 2 Co 1132 τὴν πόλιν Gal 323 ὑπὸ νόμον ἐφ..ούμεθα συγκλειόμ. Phl 4 7 φ..ήσει τὰς καρδίας ὑμῶν – ἐν Χῷ 1 Pe 1 5 τοὺς – φ..ουμένους – εἰς σωτηρίαν

φρυάσσειν *fremere* Act 425 „ἐφρύαξαν"

φρύγανον *sarmentum* Act 283

Φρυγία Act 210 166 1823   Φύγελος 2 Ti 115

φυγή *fuga* Mat 2420 μὴ – χειμῶνος

φύειν [a]*germinare* – φυῆναι [b]*nasci* [c]*oriri* Luc 8 6 φυὲν[b] ἐξηράνθη 8 φυὲν[c] ἐποίησεν καρπόν – Hb 1215 „μή τις ῥίζα πικρίας ἄνω φύουσα[a] ἐνοχλῆ"

φυλακή *carcer* [b]*custodia* [c]*vigilia* [d]*hora* Mat 525 μήποτε – εἰς φυλακὴν βληθήσῃ || Luc 1258 – Mat 143 Ἰωάννην – ἐν φ..ῇ ἀπέθετο 10 ἀπεκεφάλισεν – ἐν τῇ φ. || Mar 617 ἔδησεν – ἐν φ. 27 Luc 320 κατέκλεισεν Joh 324 οὔπω – ἦν βεβλημένος εἰς τὴν φ. Ἰωάννης – Mat 1830 ἔβαλεν αὐτὸν εἰς φ. ἕως ἀποδῷ – Luc 2112 παραδιδόντες εἰς τὰς συναγωγὰς καὶ φυλακάς[b] 2319 ἦν – βληθεὶς ἐν τῇ φυλακῇ 25 1425 τετάρτῃ δὲ φυλακῇ[c] τῆς νυκτός || Mar 648 περὶ τετάρτην φυλακήν[c] 2443 ποίᾳ φυλακῇ[d] ὁ κλέπτης ἔρχεται 2536 ἐν φυλακῇ ἤμην καὶ ἤλθατε 39.43.44 Luc 2 8 ποιμένες – φυλάσσοντες φυλακάς[c] 1238 κἂν ἐν τῇ τρίτῃ φυλακῇ[c] ἔλθῃ 2233 μετὰ σοῦ – εἰς φυλ. καὶ εἰς θάνατον Act 519.22.25 οὓς ἔθεσθε ἐν τῇ φυλακῇ 8 3 ἄνδρας καὶ γυναῖκας παρεδίδου εἰς φ..ήν[b] 224[b] 2610 πολλοὺς – τῶν ἁγίων – ἐν φυλακαῖς κατέκλεισα 12 4 ὃν (sc Πέτρον) – ἔθετο εἰς φ. 5.10 διελθόντες δὲ πρώτην φυλακήν[b] 17 1623 ἔβαλεν εἰς φ. 24 εἰς τὴν ἐσωτέραν φ. 27.37.40 ἐξελθόντες – ἀπὸ τῆς φυλ. 2 Co 6 5 συνιστάνοντες ἑαυτοὺς ὡς θεοῦ διάκονοι, – ἐν πληγαῖς, ἐν φυλακαῖς 1123 ἐν φ..αῖς περισσοτέρως, ἐν πληγαῖς Hb 1136 πεῖραν ἔλαβον – δεσμῶν καὶ φ..ῆς 1 Pe 319 τοῖς ἐν φ..ῇ πνεύμασιν – ἐκήρυξεν Ap 210 μέλλει βάλλειν ὁ διάβολος ἐξ ὑμῶν

εἰς φυλακὴν ἵνα „πειρασθῆτε" Ap 18 2 φ.[b] παντὸς πνεύματος ἀκαθάρτου καὶ φ.[b] παντὸς ὀρνέου ἀκαθάρτου 20 7 λυθήσεται ὁ σαταν. ἐκ τῆς φ. αὐτοῦ

φυλακίζειν *concludere in carcerem* Act 2219 ἤμην φ..ων – τοὺς πιστεύοντας

φυλακτήριον S[o] – *phylacterium* Mat 235

φύλαξ *custos* Act 523 126.19

φυλάσσειν, ..εσθαι *custodire* [b]*conservare* [c]*observare* [d]*servare* [e]*se abstinēre* [f]*cavēre* [g]*se custodire* [h]*devitare*

1) praecepta, legem, decreta

Mat 1920 ταῦτα πάντα ἐφύλαξα (vl ..άμην) || Mar 1020 ἐφ..ξάμην[c] Luc 1821 ..ξα Luc 1128 μακάριοι οἱ ἀκούοντες τὸν λόγον τοῦ θεοῦ καὶ φυλάσσοντες Joh 1247 ἐάν τίς μου ἀκούσῃ τῶν ῥημάτων καὶ μὴ φυλάξῃ, ἐγὼ οὐ κρίνω αὐτόν Act 753 ἐλάβετε τὸν νόμον – , καὶ οὐκ ἐφυλάξατε – 2124 στοιχεῖς – φ..ων τ. νό. 16 4 φ..ειν τὰ δόγματα – (τῶν ἀποστόλ.) Rm 226 ἐὰν οὖν ἡ ἀκροβυστία τὰ δικαιώματα τοῦ νόμου φυλάσσῃ Gal 613 οὐδὲ γὰρ οἱ περιτεμνόμενοι αὐτοὶ νόμον φυλάσσουσιν 1 Ti 521 ἵνα ταῦτα φυλάξῃς χωρὶς προκρίμ.

2) reliqui loci

Luc 2 8 ποιμένες – φ..οντες – 829 1121 αὐλήν 1215 φ..εσθε[f] ἀπὸ πάσης πλεονεξίας Joh 1225 εἰς ζωὴν αἰώνιον φυλάξει αὐτήν (sc τὴν ψυχὴν αὐτοῦ) 1712 ἐφύλαξα, καὶ οὐδεὶς – ἀπώλετο εἰ μή Act 12 4 2220 ἱμάτια 2335 2816 2125 φ..εσθαι[e] αὐτοὺς τό τε εἰδωλόθυτον καὶ αἷμα καὶ πνικτόν 2 Th 3 3 ὑμᾶς – φυλάξει ἀπὸ τοῦ πονηροῦ 1 Ti 620 τὴν παραθήκην φύλαξον 2 Ti 114 τὴν καλὴν παραθήκην φύλαξον 2 Ti 112 δυνατός ἐστιν τὴν παραθήκην μου φυλάξαι[d] εἰς ἐκείνην τὴν ἡμέραν 415 Ἀλέξ. – ὃν καὶ σὺ φυλάσσου[h] 2 Pe 2 5 Νῶε δικαιοσύνης κήρυκα ἐφύλαξεν 317 φυλάσσεσθε[g] ἵνα μὴ – ἐκπέσητε τοῦ ἰδίου στηριγμοῦ 1 Jo 521 φ..ξατε[g] ἑαυτὰ ἀπὸ τῶν εἰδώλων Jud 24 φυλάξαι[b] ὑμᾶς ἀπταίστους

φυλή *tribus*

1) duodecim tribus Israel

Mat 19 28 κρίνοντες τὰς δώδεκα φυλὰς τοῦ Ἰσρ.
‖ Luc 22 30 – 2 36 ἐκ φυλῆς Ἀσήρ Act 13 21
Βενιαμίν (Rm 11 1 Phl 3 5) – Jac 1 1 ταῖς δώ-
δεκα φ. ταῖς ἐν τῇ διασπορᾷ – Ap 7 4-8 ἐσφρα-
γισμένοι ἐκ πάσης φυλῆς υἱῶν Ἰσραήλ 21 12
Hb 7 13 φυλῆς ἑτέρας μετέσχηκεν 14 ἐξ Ἰού-
δα –, εἰς ἣν φυλὴν περὶ ἱερέων οὐ-
δὲν Μωϋσῆς ἐλάλησεν
Ap 5 5 ἐνίκησεν ὁ „λέων“ ὁ ἐκ τῆς φυλῆς
Ἰούδα

2) aliae gentes

Mat 24 30 „πᾶσαι αἱ φυλαὶ τῆς γῆς“ Ap 1 7
Ap 5 9 ἠγόρασας τῷ θεῷ – ἐκ πάσης φυλῆς
7 9 11 9 13 7 ἐξουσία ἐπὶ πᾶσαν φυλήν
14 6 εὐαγγελίσαι – ἐπὶ πᾶν ἔθν. καὶ φ..ήν

φύλλον *folium* Mat 21 19 οὐδὲν – εἰ μὴ φύλλα
‖ Mar 11 13 – Mat 24 32 ‖ Mar 13 28
Ap 22 2 „τὰ φ. – εἰς θεραπείαν“ τῶν ἐθνῶν

φύραμα *massa* [b]*conspersio* Rm 9 21 11 16
1 Co 5 6 μικρὰ ζύμη ὅλον τὸ φύραμα ζυμοῖ
(Gal 5 9) 7 ἵνα ἦτε νέον φύραμα[b]

φυσικός S[o] – *naturalis* φ..ῶς S[o] – [b]*n..liter*
Rm 1 26 μετήλλαξαν τὴν φ..ὴν χρῆσιν εἰς τὴν
παρὰ φύσιν 27 ἀφέντες τὴν φ. χρῆσιν
2 Pe 2 12 ὡς – ζῷα γεγεννημένα φυσικὰ (vl
..κῶς vg[b]) εἰς ἅλωσιν Jud 10 ὅσα δὲ φυ-
σικῶς[b] ὡς τὰ ἄλογα ζῷα ἐπίστανται

φυσιοῦν, ..οῦσθαι *inflare, inflari*
1 Co 4 6 ἵνα μὴ εἷς ὑπὲρ τοῦ ἑνὸς φ..οῦσθε
κατὰ τοῦ ἑτέρου 18.19 οὐ τὸν λόγον
τῶν πεφυσιωμένων ἀλλὰ τὴν δύναμιν
5 2 πεφυσιωμένοι ἐστέ –;
8 1 ἡ γνῶσις φυσιοῖ, ἡ δὲ ἀγάπη
13 4 ἡ ἀγάπη – οὐ φυσιοῦται
Col 2 18 εἰκῆ φυσιούμενος ὑπὸ τοῦ νοὸς τῆς
σαρκὸς αὐτοῦ

φύσις *natura* [b](κατὰ φύσιν) *naturalis*
[c](φύσει semel) *naturaliter*
Rm 1 26 εἰς τὴν παρὰ φύσιν (sc χρῆσιν)
2 14 ὅταν – φύσει[c] τὰ τοῦ νόμου ποιῶσιν
– 27 κρινεῖ ἡ ἐκ φύσεως ἀκροβυστία
11 21 τῶν κατὰ φύσιν[b] κλάδων οὐκ ἐφεί-
σατο 24 ἐκ τῆς κατὰ φ.[b] – ἀγριελαίου

καὶ παρὰ φ. ἐνεκεντρίσθης –, πόσῳ
μᾶλλον – οἱ κατὰ φ. ἐγκεντρισθήσον-
ται τῇ ἰδίᾳ ἐλαίᾳ
1 Co 11 14 οὐδὲ ἡ φύσις αὐτὴ διδάσκει ὑμᾶς –;
Gal 2 15 ἡμεῖς φύσει Ἰουδαῖοι καὶ οὐκ ἐξ ἐ-
4 8 τοῖς φύσει μὴ οὖσιν θεοῖς [θνῶν
Eph 2 3 ἤμεθα τέκνα φύσει ὀργῆς
Jac 3 7 πᾶσα γὰρ φύσις θηρίων – δεδάμα-
σται τῇ φύσει τῇ ἀνθρωπίνῃ
2 Pe 1 4 ἵνα – γένησθε θείας κοινωνοὶ φύσεως

φυσίωσις S[o] – *inflatio* 2 Co 12 20 μή πως – φ.

φυτεία *plantatio* **φυτεύειν** *plantare*
[b]*pastinare* [c](pass) *transplantari*
Mat 15 13 πᾶσα φυτεία ἣν οὐκ ἐφύτευσεν ὁ
πατήρ μου ὁ οὐράνιος
21 33 „ἐφύτ. ἀμπελῶνα“ ‖ Mar 12 1[b] Luc 20 9
Luc 13 6 συκῆν – πεφυτευμένη ἐν τῷ ἀμπελ.
17 6 φυτεύθητι (vl D μεταφυτεύθητι[c]) ἐν
τῇ θαλάσσῃ (vl εἰς τὴν θάλ.)
– 28 ἐπώλουν, ἐφύτευον, ᾠκοδόμουν
1 Co 3 6 ἐγὼ ἐφύτευσα, Ἀπολλῶς ἐπότισεν
– 7 οὔτε ὁ φ..ων ἐστίν τι οὔτε ὁ ποτίζων
8 ὁ φ..ων δὲ καὶ ὁ ποτίζων ἕν εἰσιν
9 7 τίς φυτεύει ἀμπελῶνα καὶ τὸν καρ-
πὸν αὐτοῦ οὐκ ἐσθίει;

φωλεός S[o] – *fovea* Mat 8 20 ‖ Luc 9 58

*****φωνεῖν** non est nisi in Evv Act Ap
cantare [b]*clamare* [c]*exclamare*
[d]*vocare* [e]*vocem dare*
Mat 26 34 πρὶν ἀλέκτορα φωνῆσαι 74 ἐφώνη-
σεν 75 ‖ Mar 14 30 δὶς ἀλ. φω.[e] (vl
68) 72 ἐκ δευτέρου ἀλ. ἐφώ. κτλ. Luc
22 34 οὐ φωνήσει σήμερον ἀλ. ἕως
τρίς με 60.61 Joh 13 38 18 27
27 47 Ἠλίαν φωνεῖ[d] οὗτος ‖ Mar 15 35[d]
Mar 1 26 φωνῆσαν[c] φωνῇ μεγάλῃ ἐξῆλθεν
Luc 14 12 μὴ φώνει[d] τοὺς φίλους σου
23 46 φωνήσας[b] φωνῇ μεγάλῃ ὁ Ἰησοῦς
Joh 10 3 τὰ – πρόβατα φωνεῖ[d] κατ᾽ ὄνομα
17 17 ὅτε τὸν Λάζ. ἐφώνησεν ἐκ τοῦ μν.
13 13 ὑμεῖς φωνεῖτέ[d] με· ὁ διδάσκαλος

*****φωνή** *vox*
Mat 3 3 „φωνὴ βοῶντος ἐν τῇ ἐρήμῳ“ ‖ Mar
1 3 Luc 3 4 Joh 1 23 ἐγὼ „φωνή“
– 17 φωνὴ ἐκ τῶν οὐρανῶν λέγουσα· ‖
Mar 1 11 Luc 3 22 – Joh 12 28.30
17 5 φωνὴ ἐκ τῆς νεφέλης λέγουσα· ‖
Mar 9 7 Luc 9 35.36 cfr 2 Pe 1 17.18

Mat 24 31 τοὺς ἀγγέλους – „μετὰ σάλπιγγος
(vl + καὶ φωνῆς vg) μεγάλης"
27 46 ἀνεβόησεν ὁ Ἰησοῦς φωνῇ μεγάλῃ
50 ‖ Mar 15 34.37 Luc 23 46
Mar 1 26 πνεῦμα – φωνῆσαν φωνῇ μεγάλῃ ἐξ-
ῆλθεν – 5 7 Luc 4 33 8 28 → Act 8 7
Luc 17 15 μετὰ φωνῆς μεγάλης δοξάζων τὸν
θεόν 19 37 αἰνεῖν τὸν θεόν
23 23 φ..αῖς μεγ. αἰτούμενοι αὐτὸν σταυ-
ρωθῆναι, καὶ κατίσχυον αἱ φωναί
Joh 3 8 τὴν φ. αὐτοῦ (sc τοῦ πνεύ.) ἀκούεις
– 29 χαίρει διὰ τὴν φωνὴν τοῦ νυμφίου
5 25 οἱ νεκροὶ ἀκούσονται τῆς φωνῆς τοῦ
υἱοῦ τοῦ θεοῦ 28
– 37 οὔτε φωνὴν αὐτοῦ πώποτε ἀκηκόατε
10 3 τὰ πρόβατα τῆς φ. αὐτοῦ ἀκούει 4
οἴδασιν τὴν φ. αὐτοῦ 5 οὐκ οἴδασιν
τῶν ἀλλοτρίων τὴν φ. 16 τῆς φ. μου
ἀκούσουσιν 27 idem
18 37 πᾶς ὁ ὢν ἐκ τῆς ἀληθείας ἀκούει
μου τῆς φωνῆς
Act 7 31 ἐγένετο φωνὴ κυρίου· „ἐγὼ ὁ θεός"
8 7 βοῶντα φωνῇ μεγάλῃ ἐξήρχοντο
9 4 ἤκουσεν φωνήν 7 22 7.9 26 14
10 13 ἐγένετο φωνὴ πρὸς αὐτόν 15 11 7.9
12 22 θεοῦ φ. (vl φωναὶ vg) καὶ οὐκ ἀνθρ.
13 27 τὰς φ. τῶν προφητῶν – ἐπλήρωσαν
1 Co 14 7 τὰ ἄψυχα φ..ὴν διδόντα, εἴτε αὐλός
– 8 ἐὰν ἄδηλον σάλπιγξ φωνὴν δῷ 10 το-
σαῦτα – γένη φωνῶν εἰσιν ἐν κόσμῳ
11 ἐὰν οὖν μὴ εἰδῶ τὴν δύν. τῆς φ.
Gal 4 20 ἤθελον – ἀλλάξαι τὴν φωνήν μου
1 Th 4 16 ἐν φωνῇ ἀρχαγγέλου –, καταβήσεται
Hb 3 7 „σήμερον ἐὰν τῆς φ. αὐτοῦ ἀκούση-
τε" 15 4 7 – 12 19.26 – 2 Pe 2 16
Ap 1 10 φωνὴν μεγ. ὡς σάλπιγγος (41) 12.15
„ἡ φ. αὐτοῦ ὡς φ. ὑδάτων" 14 2 19 6
3 20 ἐάν τις ἀκούσῃ τῆς φωνῆς μου
4 5 „φωναὶ καὶ βρονταί" 6 1 ὡς φωνῇ (vl
..νὴν vg) βροντῆς 8 5 10 3 ἐλάλησαν
αἱ ἑπτὰ βρονταὶ τὰς ἑαυτῶν φωνάς
11 19 14 2 16 18 19 6 „ὡς φ..ὴν ὄχλου"
5 2 κηρύσσοντα ἐν φωνῇ μεγάλῃ 12 λέ-
γοντες 6 10 7 2.10 8 13 10 3 14 7.9.15 19
17 18 2 ἐν ἰσχυρᾷ φωνῇ (vl ἰσχύι vg
fortitudine vl forti voce)
– 11 φωνὴν ἀγγέλων πολλῶν 6 6 φωνὴν
ἐν μέσῳ τῶν – ζώων 7 – 8 13
9 9 ἡ. τ. πτερύγων – „ὡς φ. ἁρμάτων"
– 13 φωνὴν μίαν ἐκ τῶν – κεράτων τοῦ θυ-
σιαστηρίου 10 4 ἐκ τοῦ οὐρανοῦ 8
11 12.15 ἐν τῷ οὐρ. 12 10 14 2.13 ἐκ τοῦ

οὐρ. 16 1 „ἐκ τοῦ ναοῦ" 17 18 4 19 5
ἀπὸ τοῦ θρόνου 21 3 ἐκ τοῦ θρόνου
Ap 10 7 ἐν ταῖς ἡμέραις τῆς φωνῆς τοῦ ἑ-
βδόμου ἀγγέλου
14 2 ἡ φ. – ὡς κιθαρῳδῶν 19 1 ὄχλου 6
18 22 φ. κιθαρῳδῶν – „καὶ φ. μύλου" οὐ μὴ
ἀκουσθῇ – ἔτι 23 „φωνὴ νυμφίου καὶ
νύμφης" οὐ μὴ ἀκουσθῇ ἐν σοί

φῶς lux ᵇlumen ᶜignis
Mat 4 16 „φ. εἶδεν μέγα, – φ. ἀνέτειλεν αὐτ."
5 14 ὑμεῖς ἐστε τὸ φῶς τοῦ κόσμου
– 16 λαμψάτω τὸ φῶς ὑμῶν ἔμπροσθεν
6 23 εἰ – τὸ φ.ᵇ τὸ ἐν σοὶ σκότος ἐστίν ‖
Luc 11 35 σκόπει – μὴ τὸ φ.ᵇ – ἐστίν
10 27 εἴπατε ἐν τῷ φωτί ᵇ ‖ Luc 12 3 ἐν τῷ
φωτί ᵇ ἀκουσθήσεται
17 2 τὰ δὲ ἱμάτια αὐτοῦ ἐγένετο λευκὰ
ὡς τὸ φῶς (vl χιών vg nix)
Mar 14 54 θερμαινόμενος πρὸς τὸ φ.ᶜ ‖ Luc 22
56 καθήμενον πρὸς τὸ φῶς ᵇ
Luc 2 32 „φῶς ᵇ εἰς ἀποκάλυψιν ἐθνῶν"
8 16 ἵνα οἱ εἰσπορευόμ. βλέπωσιν τὸ φ.ᵇ
16 8 ὑπὲρ τοὺς υἱοὺς τοῦ φωτός – εἰσιν
Joh 1 4 ἡ ζωὴ ἦν τὸ φῶς τῶν ἀνθρώπων
– 5 καὶ τὸ φῶς ἐν τῇ σκοτίᾳ φαίνει
– 7 ἦλθ. –, ἵνα μαρτυρήσῃ περὶ τοῦ φ.ᵇ 8
οὐκ ἦν – τὸ φ., ἀλλ᾽ ἵνα μ. περὶ τοῦ φ.ᵇ
– 9 ἦν τὸ φῶς τὸ ἀληθινόν → 1 Jo 2 8
3 19 τὸ φῶς ἐλήλυθεν εἰς τὸν κόσμον καὶ
ἠγάπησαν οἱ ἀνθρ. μᾶλλον τὸ σκό-
τος ἢ τὸ φῶς 20 ὁ φαῦλα πράσσων
μισεῖ τὸ φῶς καὶ οὐκ ἔρχεται πρὸς
τὸ φῶς 21 ὁ δὲ ποιῶν τὴν ἀλήθειαν
ἔρχεται πρὸς τὸ φῶς
5 35 ὑμεῖς δὲ ἠθελήσατε ἀγαλλιαθῆναι
πρὸς ὥραν ἐν τῷ φωτὶ αὐτοῦ
8 12 ἐγώ εἰμι τὸ φ. τοῦ κόσμου· ὁ ἀκο-
λουθῶν μοι – ἕξει τὸ φ.ᵇ (vlᵃ) τῆς
ζωῆς 9 5 ὅταν ἐν τῷ κόσμῳ ὦ, φῶς
εἰμι τοῦ κόσμου 12 46 ἐγὼ φῶς εἰς
τὸν κόσμον ἐλήλυθα
11 9 ὅτι τὸ φ. τοῦ κόσμου τούτου βλέπει
– 10 ὅτι τὸ φῶς οὐκ ἔστιν ἐν αὐτῷ
12 35 ἔτι μικρὸν χρόνον τὸ φ.ᵇ ἐν ὑμῖν ἐ-
στιν. περιπατεῖτε ὡς τὸ φῶς ἔχετε
– 36 ὡς τὸ φ. ἔχετε, πιστεύετε εἰς τὸ φ.,
ἵνα υἱοὶ φωτὸς γένησθε (sitis)
Act 9 3 αὐτὸν περιήστραψεν φῶς ἐκ τοῦ οὐ-
ρανοῦ 22 6 φῶς ἱκανὸν περὶ ἐμέ 9 τὸ
μὲν φῶς ᵇ ἐθεάσαντο 11 ᵇ 26 13 ᵇ
12 7 ἰδοὺ ἄγγελος –, καὶ φῶς ᵇ ἔλαμψεν

Act 1347 „τέθεικά σε εἰς φῶς (vl b) ἐθνῶν"
16 29 αἰτήσας δὲ φῶτα b εἰσεπήδησεν
26 18 ἐπιστρέψαι „ἀπὸ σκότους εἰς φῶς"
– 23 φ. b μέλλει καταγγέλλειν τῷ τε λαῷ
Rm 2 19 σεαυτὸν – εἶναι – φῶς b τῶν ἐν σκότει
13 12 ἐνδυσώμεθα – τὰ ὅπλα τοῦ φωτός
2 Co 4 6 ὁ εἰπών· ἐκ σκότους φῶς λάμψει
6 14 τίς κοινωνία φωτὶ πρὸς σκότος;
11 14 μετασχηματίζεται εἰς ἄγγελον φωτός
Eph 5 8 νῦν δὲ φῶς (sc ἐστε) ἐν κυρίῳ· ὡς
τέκνα φωτὸς περιπατεῖτε, – 9 ὁ γὰρ
καρπὸς τοῦ φωτὸς ἐν πάσῃ ἀγαθω-
σύνῃ καὶ δικαιοσύνῃ καὶ ἀληθείᾳ
– 13 ἐλεγχόμενα ὑπὸ τοῦ φ. b φανεροῦ-
ται· πᾶν – τὸ φανερούμενον φ. b ἐστ.
Col 1 12 τῷ ἱκανώσαντι ὑμᾶς εἰς τὴν μερίδα
τοῦ κλήρου τῶν ἁγίων ἐν τῷ φωτί b
1 Th 5 5 υἱοὶ φωτός ἐστε καὶ υἱοὶ ἡμέρας
1 Ti 6 16 φῶς οἰκῶν ἀπρόσιτον, ὃν εἶδεν
Jac 1 17 καταβαῖνον ἀπὸ τοῦ πατρὸς τῶν φ. b
1 Pe 2 9 τοῦ ἐκ σκότους ὑμᾶς καλέσαντος εἰς
τὸ θαυμαστὸν αὐτοῦ φῶς b
1 Jo 1 5 ὅτι ὁ θεὸς φῶς ἐστιν καὶ σκοτία
– 7 ἐὰν δὲ ἐν τῷ φωτὶ περιπατῶμεν ὡς
αὐτός ἐστιν ἐν τῷ φωτί
2 8 τὸ φῶς b τὸ ἀληθινὸν ἤδη φαίνει
– 9 ὁ λέγων ἐν τῷ φ. εἶναι καὶ τὸν ἀ-
δελφὸν αὐτοῦ μισῶν 10 ὁ ἀγαπῶν
τὸν ἀδελφὸν – ἐν τῷ φωτί b μένει
Ap 18 23 „φ. λύχνου" οὐ μὴ φάνῃ ἐν σοὶ ἔτι
21 24 „περιπατήσουσιν τὰ ἔθνη διὰ τ. φω-
τὸς b" αὐτῆς (sc τῆς ἁγίας πόλεως)
22 5 οὐκ ἔχουσιν χρείαν φωτὸς b λύχνου
καὶ „φωτὸς b ἡλίου", ὅτι – ὁ θεός

φωστήρ a luminar b lumen Phl 2 15 φαίνεσθε
ὡς φωστῆρες a ἐν κόσμῳ – Ap 21 11 b

φωσφόρος S o – lucifer 2 Pe 1 19 ἕως οὗ –
φ. ἀνατείλῃ ἐν ταῖς καρδίαις ὑμῶν

φωτεινός lucidus Mat 6 22 ὅλον τὸ σῶμα ‖
Luc 11 34. 36 – Mat 17 5 νεφέλη φωτεινή

φωτίζειν illuminare
Luc 11 36 ὡς ὅταν ὁ λύχνος τῇ ἀστραπῇ (vl
τῆς ἀ..ῆς vg) φωτίζῃ σε
Joh 1 9 τὸ φῶς –, ὃ φ..ει πάντα ἄνθρωπον
1 Co 4 5 ὁ κύριος, ὃς καὶ φωτίσει τὰ κρυπτὰ
τ. σκότους καὶ φανερώσει τ. βουλάς
Eph 1 18 πεφωτισμένους τοὺς ὀφθαλμοὺς τῆς
καρδίας ὑμῶν
3 9 ἐμοὶ – ἐδόθη ἡ χάρις –, – φωτίσαι (vl
+ πάντας vg) τίς ἡ οἰκονομία τοῦ
μυστηρίου –, ἵνα γνωρισθῇ νῦν
2 Ti 1 10 Χοῦ –, – φωτίσαντος – ζωὴν καὶ ἀ-
φθαρσίαν διὰ τοῦ εὐαγγελίου
Hb 6 4 τοὺς ἅπαξ φωτισθέντας
10 32 τὰς – ἡμέρας, ἐν αἷς φωτισθέντες
Ap 18 1 ἡ γῆ ἐφωτίσθη ἐκ τῆς δόξης αὐτοῦ
21 23 „ἡ – δόξα τοῦ θεοῦ ἐφώτισεν" αὐτήν
22 5 ὅτι – „ὁ θεὸς φωτίσει" ἐπ' αὐτούς

φωτισμός illuminatio
2 Co 4 4 εἰς τὸ μὴ αὐγάσαι τὸν φωτισμὸν τοῦ
εὐαγγελίου τῆς δόξης τοῦ Χοῦ
– 6 πρὸς φ..ὸν τῆς γνώσεως τῆς δόξης
τοῦ θεοῦ ἐν προσώπῳ Χριστοῦ

Χ

χαίρειν
1) χαῖρε, χαίρετε, χαίρειν λέγειν
ave, avete (vl ha.) b ave dicere c salutem

Mat 26 49 χαῖρε, ῥαββί 27 29 χαῖρε, βασιλεῦ τῶν
Ἰουδαίων ‖ Mar 15 18 Joh 19 3
28 9 Ἰησοῦς ὑπήντησεν – λέγων· χαίρετε
Luc 1 28 χαῖρε, κεχαριτωμένη
Act 15 23 ἀδελφοῖς τοῖς ἐξ ἐθνῶν χαίρειν c
23 26 Φήλικι χαίρειν c Jac 1 1 ταῖς
δώδεκα φυλαῖς ταῖς ἐν τῇ διασπο-
ρᾷ χαίρειν c
2 Jo 10 χαίρειν αὐτῷ μὴ λέγετε b 11 b

2) laetari, gaudere vg gaudēre

Mat 2 10 ἐχάρησαν χαρὰν μεγάλην σφόδρα
5 12 χαίρετε καὶ ἀγαλλιᾶσθε ‖ Luc 6 23
18 13 χαίρει ἐπ' αὐτῷ μᾶλλον ἤ ‖ Luc 15 5
Mar 14 11 οἱ δὲ – ἐχάρησαν καὶ ἐπηγγ. ‖ Luc 22 5
Luc 1 14 ἐπὶ τῇ γενέσει αὐτοῦ χαρήσονται
10 20 ἐν τούτῳ μὴ χαίρετε, ὅτι τὰ πνεύμ.
–, χαίρετε δὲ ὅτι τὰ ὀνόματα ὑμῶν
γέγραπται – 13 17 15 32 19 6. 37 23 8
Joh 3 29 χαρᾷ χαίρει διὰ τὴν φωνὴν τοῦ
νυμφίου
4 36 ἵνα ὁ σπείρων ὁμοῦ χαίρῃ καί

Joh 856 1115 χαίρω δι' ὑμᾶς, ἵνα πιστεύσητε,
ὅτι οὐκ ἤμην ἐκεῖ
1428 ἐχάρητε ἂν ὅτι πορεύομαι πρός
1620 κλαύσετε – ὑμεῖς, ὁ δὲ κόσμος χαρή-
σεται 22 χαρήσεται ὑμῶν ἡ καρδία
2020 ἐχάρησαν οὖν – ἰδόντες τὸν κύριον
Act 541 839 1123 1348 1531 ἐπὶ τ. παρακλήσει
Rm 1212 τῇ ἐλπίδι χ..οντες 15 χ. μετὰ χ..όντων
1619 ἐφ' ὑμῖν οὖν χαίρω, θέλω δὲ ὑμᾶς
1 Co 730 οἱ χαίροντες ὡς μὴ χαίροντες
13 6 ἡ ἀγάπη – οὐ χαίρει ἐπὶ τῇ ἀδικίᾳ,
συγχαίρει δὲ τῇ ἀληθείᾳ
1617 χαίρω – ἐπὶ τῇ παρουσίᾳ Στεφανᾶ
2 Co 2 3 ἵνα μὴ ἐλθὼν λύπην σχῶ ἀφ' ὧν (de
quibus) ἔδει με χαίρειν
610 ὡς λυπούμενοι ἀεὶ δὲ χαίροντες
7 7 ὥστε με μᾶλλον χαρῆναι 13.16
– 9 χαίρω – ὅτι ἐλυπήθητε εἰς μετάνοιαν
13 9 χαίρομεν – ὅταν ἡμεῖς ἀσθενῶμεν
– 11 λοιπόν, ἀδελφοί, χαίρετε → Phl 31
Phl 118 ἐν τούτῳ χαίρω· ἀλλὰ καὶ χαρήσο-
μαι 217 εἰ καὶ σπένδομαι –, χαίρω
καὶ συγχαίρω – ὑμῖν 18 καὶ ὑμεῖς χαί-
ρετε καὶ συγχαίρετέ μοι
228 ἵνα ἰδόντες αὐτὸν πάλιν χαρῆτε
3 1 χαίρετε ἐν κυρίῳ 44 χαίρετε ἐν κυ-
ρίῳ πάντοτε· πάλιν ἐρῶ, χ..ετε 10 ἐ-
χάρην – ἐν κυρίῳ μεγάλως ὅτι
Col 124 νῦν χαίρω ἐν τοῖς παθήμασιν
2 5 χαίρων καὶ βλέπων ὑμῶν τὴν τάξιν
1 Th 3 9 ἐπὶ – τῇ χαρᾷ ᾗ χαίρομεν δι' ὑμᾶς
516 πάντοτε χ..ετε, ἀδιαλείπτως προσεύχ.
1 Pe 413 καθὸ κοινωνεῖτε τοῖς τοῦ Χοῦ πα-
θήμασιν χαίρετε, ἵνα καὶ ἐν τῇ ἀπο-
καλύψει τῆς δόξης αὐτοῦ χαρῆτε
2 Jo 4 ἐχάρην λίαν ὅτι 3 Jo 3 ἐχάρην – λίαν
Ap 1110 197 „χαίρωμεν" καὶ „ἀγαλλιῶμεν"

χάλαζα grando Ap 87 1119 1621

χαλᾶν submittere (vl summ.) ᵇdimittere
ᶜlaxare ᵈmittere Mar 24 κράβατον Luc
54ᶜ δίκτυα 5ᶜ Act 925 χαλάσαντες ἐν
σπυρίδι 2717 τὸ σκεῦος 30ᵈ 2 Co 1133ᵇ

Χαλδαῖοι Act 74 ἐξελθὼν ἐκ γῆς Χαλδαίων

χαλεπός ᵃpericulosus ᵇsaevus Mat 828ᵇ
2 Ti 3 1 ὅτι – ἐνστήσονται καιροὶ χαλεποίᵃ

χαλιναγωγεῖν Sᵒ – ᵃrefrenare ᵇfreno cir-
cumducere Jac 126ᵃ γλῶσσαν 32ᵇ τὸ σῶμα

χαλινοί frena Jac 33 freni Ap 1420

χαλκεύς aerarius 2 Ti 414 Ἀλέξ. ὁ χαλκεύς

χαλκηδών Sᵒ – calcedonius Ap 2119

χαλκίον aeramentum Mar 74

χαλκολίβανον Sᵒ – aurichalcum (vl ori..)
Ap 115 „οἱ πόδες αὐτοῦ ὅμοιοι λ..ῳ 218

χαλκός aes ᵇaeramentum ᶜpecunia
Mat 10 9 μηδὲ χαλκὸνᶜ εἰς τὰς ζώνας ὑμῶν ‖
Mar 68 – 1241 χ..ὸν εἰς τὸ γαζοφυλάκιον
1 Co 13 1 γέγονα χαλκὸς ἠχῶν – Ap 1812ᵇ

χαλκοῦς aereus Ap 920 „εἴδωλα – χ..ᾶ"

χαμαί in terram Joh 96 186 ἔπεσαν χαμαί

Χανάαν Act 711 1319   Χαναναία Mat 1522

χαρά gaudium ᵇlaetitia
Mat 210 ἐχάρησαν χαρὰν μεγάλην σφόδρα
1320 εὐθὺς μετὰ χαρᾶς λαμβάνων αὐτόν
(sc τὸν λόγον) ‖ Mar 416 Luc 813
– 44 ἀπὸ τῆς χ. – αὐτοῦ ὑπάγει – καὶ πωλεῖ
2521 εἰς τὴν χαρὰν τοῦ κυρίου σου 23
28 8 μετὰ φόβου καὶ χαρᾶς μεγάλης Luc
2452 – 1017 ὑπέστρεψαν – μετὰ χ.
Luc 114 ἔσται χαρά σοι καὶ ἀγαλλίασις
210 εὐαγγελίζομαι ὑμῖν χαρὰν μεγάλην
15 7 χ. ἐν τῷ οὐρανῷ ἔσται ἐπὶ ἑνὶ ἁμαρ-
τωλῷ 10 χαρὰ ἐνώπιον τῶν ἀγγέλων
2441 ἀπιστούντων αὐτῶν ἀπὸ τῆς χαρᾶς
Joh 329 χαρᾷ χαίρει διὰ τὴν φωνὴν τοῦ νυμ-
φίου. αὕτη οὖν ἡ χαρὰ ἡ ἐμὴ πε-
πλήρωται
1511 ἵνα ἡ χαρὰ ἡ ἐμὴ ἐν ὑμῖν ᾖ καὶ ἡ
χαρὰ ὑμῶν πληρωθῇ 1624 ᾖ πεπληρω-
μένη 1713 ἵνα ἔχωσιν τὴν χαρὰν
τὴν ἐμὴν πεπληρωμένην ἐν ἑαυτοῖς
1620 ἡ λύπη ὑμῶν εἰς χαρὰν γενήσεται
– 21 διὰ τὴν χ. ὅτι ἐγεννήθη ἄνθρωπος
– 22 τὴν χ. ὑμῶν οὐδεὶς αἴρει ἀφ' ὑμῶν
Act 8 8 πολλὴ χ. ἐν τῇ πόλει (sc Sam.) 1214
ἀπὸ τῆς χ. οὐκ ἤνοιξεν 1352 ἐπληρ-
οῦντο χαρᾶς καὶ πνεύ. ἁγ. 153 ἐ-
ποίουν χαρὰν μεγ. – τοῖς ἀδελφοῖς
2024 ὡς τελειώσω τὸν δρόμον μου (vl +
μετὰ χαρᾶς vgᵒ)
Rm 1417 εἰρήνη καὶ χαρὰ ἐν πνεύματι ἁγίῳ
1513 πληρώσαι ὑμᾶς πάσης χ. καὶ εἰρήνης

Rm 15 32 ἵνα ἐν χαρᾷ ἐλθὼν πρὸς ὑμᾶς
2 Co 1 (15 vl ἵνα δευτέραν χαρὰν σχῆτε)
  – 24 ἀλλὰ συνεργοί ἐσμεν τῆς χαρ. ὑμῶν
  2 3 ὅτι ἡ ἐμὴ χαρὰ πάντων ὑμῶν ἐστιν
  7 4 ὑπερπερισσεύομαι τῇ χαρᾷ ἐπὶ πά-
    σῃ τῇ θλίψει ἡμῶν
  – 13 μᾶλλον ἐχάρημεν ἐπὶ τῇ χαρᾷ Τίτου
  8 2 ἡ περισσεία τῆς χαρᾶς αὐτῶν
Gal 5 22 ἀγάπη, χαρά, εἰρήνη, μακροθυμία
Phl 1 4 μετὰ χαρᾶς τὴν δέησιν ποιούμενος
  – (7 socios gaudii mei omnes vos esse)
  – 25 εἰς τὴν ὑμῶν – χαρὰν τῆς πίστεως
  2 2 πληρώσατέ μου τὴν χ. ἵνα τὸ αὐτό
  – 29 προσδέχεσθε αὐτὸν – μετὰ πάσης χ.
  4 1 ἀδελφοί –, χαρὰ καὶ στέφανός μου
Col 1 11 μετὰ χαρᾶς εὐχαριστοῦντες
1 Th 1 6 μετὰ χαρᾶς πνεύματος ἁγίου
  2 19 τίς – ἡμῶν – χαρὰ ἢ στέφανος καυ-
    χήσεως –; 20 ὑμεῖς γάρ ἐστε ἡ δόξα
    (gloria) ἡμῶν καὶ ἡ χαρά
  3 9 ἐπὶ πάσῃ τῇ χ. ᾗ χαίρομεν δι᾽ ὑμᾶς
2 Ti 1 4 σὲ ἰδεῖν, –, ἵνα χαρᾶς πληρωθῶ
Phm 7 χ..ὰν – πολλὴν ἔσχον – ἐπὶ τῇ ἀγάπῃ
Hb 10 34 τὴν ἁρπαγὴν τῶν ὑπαρχόντων ὑμῶν
    μετὰ χαρᾶς προσεδέξασθε
  12 2 ἀντὶ τῆς προκειμένης αὐτῷ χαρᾶς
  – 11 πᾶσα – παιδεία – οὐ δοκεῖ χ..ᾶς εἶναι
  13 17 ἵνα μετὰ χαρᾶς τοῦτο ποιῶσιν
Jac 1 2 πᾶσαν χαρὰν ἡγήσασθε, –, ὅταν
    πειρασμοῖς περιπέσητε ποικίλοις
  4 9 καὶ ἡ χαρὰ εἰς κατήφειαν
1 Pe 1 8 χαρᾷ[b] ἀνεκλαλήτῳ καὶ δεδοξασμένῃ
1 Jo 1 4 ἵνα ἡ χ. ἡμῶν ᾖ πεπληρωμένη 2 Jo 12
3 Jo 4 μειζοτέραν – οὐκ ἔχω χαρὰν (vl χά-
    ριν vg), ἵνα ἀκούω τὰ ἐμὰ τέκνα

χάραγμα S° – character (vl ca.) [b]sculptura
Act 17 29 χ..ατι[b] τέχνης – τὸ θεῖον εἶναι ὅμοιον
Ap 13 16 χάρ. ἐπὶ τῆς χειρὸς – τῆς δεξιᾶς ἢ
  ἐπὶ τὸ μέτωπον 17 τὸ χ. (vl + ἢ vg) τὸ
  ὄνομα τοῦ θηρίου 149.11 162 1920 204

χαρακτήρ figura Hb 1 3 τῆς ὑποστάσεως

χάραξ vallum Luc 19 43 παρεμβαλοῦσιν χ..κα

χαρίζεσθαι donare [b]damnare (vl donare)
Luc 7 21 τυφλοῖς πολλοῖς ἐχαρίσατο βλέπειν
  – 42 ἀμφοτέροις ἐχαρίσατο 43 ᾧ τὸ πλεῖον
Act 3 14 ἄνδρα φονέα χαρισθῆναι ὑμῖν
  25 11 οὐδείς με δύναται αὐτοῖς (sc accu-
    satoribus) χαρίσασθαι 16 χ..εσθαί[b]

    τινα ἄνθρωπ. πρὶν – κατὰ πρόσωπον
Act 27 24 κεχάρισταί σοι ὁ θεὸς πάντας τούς
Rm 8 32 πῶς οὐχὶ καὶ σὺν αὐτῷ τὰ πάντα
  ἡμῖν χαρίσεται; (vg prf, vl fut)
1 Co 2 12 ἵνα εἰδῶμεν τὰ ὑπὸ τοῦ θεοῦ χαρι-
  σθέντα ἡμῖν· ἃ καὶ λαλοῦμεν οὐκ
2 Co 2 7 ὥστε – μᾶλλον ὑμᾶς χαρίσασθαι 10 ᾧ
  δέ τι χ..εσθε (vg prf, vl praes), κά-
  γώ· καὶ γὰρ ἐγὼ ὃ κεχάρισμαι, εἴ τι
  κεχάρισμαι, δι᾽ ὑμᾶς ἐν προσώπῳ Χοῦ
  12 13 χαρίσασθέ μοι τὴν ἀδικίαν ταύτην
Gal 3 18 τῷ δὲ Ἀβραὰμ δι᾽ ἐπαγγελίας κεχά-
  ρισται ὁ θεός
Eph 4 32 χ..όμενοι ἑαυτοῖς καθὼς καὶ ὁ θεὸς
  ἐν Χῷ ἐχαρίσατο ὑμῖν (vl ἡμῖν vg
  vl) Col 3 13 ὁ κύριος (vl Χὸς) ἐχαρ.
Phl 1 29 ὑμῖν ἐχαρίσθη τὸ ὑπὲρ Χοῦ – καὶ –
  πάσχειν, τὸν αὐτὸν ἀγῶνα ἔχοντες
  2 9 ἐχαρίσατο αὐτῷ τὸ ὄνομα τὸ ὑπέρ
Col 2 13 χαρισάμενος ἡμῖν (vl ὑμῖν vg) πάν-
  τα τὰ παραπτώματα
Phm 22 ἐλπίζω – ὅτι – χαρισθήσομαι ὑμῖν

χάριν gratiā [b]causā [c]propter
Luc 7 47 οὗ χάριν[c] λέγω σοι, ἀφέωνται
Gal 3 19 τῶν παραβάσεων χάριν[c] προσετέθη
Eph 3 1 τούτου χ. ἐγὼ Παῦλος 14 τούτου χ.
  κάμπτω τὰ γόνατά μου – Tit 1 5
1 Ti 5 14 λοιδορίας χάριν Tit 1 11 αἰσχροῦ κέρ-
  δους χάριν Jud 16 ὠφελείας χάριν[b]
1 Jo 3 12 καὶ χάριν[c] τίνος ἔσφαξεν αὐτόν;

χάρις gratia [b]gratias
Luc 1 30 εὗρες – χάριν παρὰ τῷ θεῷ Act 7 46
  Δαυίδ· ὃς εὗρεν χ. ἐνώπ. τοῦ θεοῦ
  2 40 χάρις θεοῦ ἦν ἐπ᾽ αὐτό (sc τὸ παιδ.)
  – 52 „προέκοπτεν“ ἐν τῇ σοφίᾳ – „καὶ χά-
  ριτι παρὰ θεῷ καὶ ἀνθρώποις“ Act
  7 10 „ἔδωκεν αὐτῷ (sc τῷ Ἰωσήφ)
  χάριν“ καὶ σοφίαν „ἐναντίον Φαραώ“
  4 22 ἐθαύμαζον ἐπὶ τοῖς λόγοις τῆς χάρ.
  6 32 ποία ὑμῖν χάρις ἐστίν; 33.34 – 17 9
  μὴ ἔχει χάριν τῷ δούλῳ ὅτι –;
Joh 1 14 πλήρης χάριτος καὶ ἀληθείας
  – 16 ἐλάβομεν, καὶ χάριν ἀντὶ χάριτος
  – 17 ἡ χ. καὶ ἡ ἀλήθεια διὰ Ἰ. Χοῦ ἐγέν.
Act 2 47 ἔχοντες χάριν πρὸς ὅλον τὸν λαόν
  4 33 χάρις τε μεγάλη ἦν ἐπὶ – αὐτούς
  6 8 Στέφ. – πλήρης χ..ος καὶ δυνάμεως
  11 23 ἰδὼν τὴν χάριν τὴν τοῦ θεοῦ ἐχάρη
  13 43 ἔπειθον – προσμένειν τῇ χ. τοῦ θεοῦ
  14 3 κυρίῳ τῷ μαρτυροῦντι ἐπὶ τῷ λόγῳ

τῆς χάριτος αὐτοῦ, διδόντι σημεῖα
Act 14 26 ὅθεν ἦσαν παραδεδομένοι τῇ χ. τοῦ
θεοῦ 15 40 παραδοθεὶς τῇ χ. τ. κυρ.
15 11 διὰ τῆς χ. τοῦ κυρίου Ἰησοῦ πιστεύ-
ομεν σωθῆναι 18 27 συνεβάλετο – τοῖς
πεπιστευκόσιν διὰ τῆς χάριτος (vg°)
20 24 διαμαρτύρασθαι τὸ εὐαγγέλιον τῆς
χ. τοῦ θεοῦ 32 παρατίθεμαι ὑμᾶς τῷ
κυρίῳ καὶ τῷ λόγῳ τῆς χάρ. αὐτοῦ
24 27 θέλων τε χάριτα καταθέσθαι τοῖς
Ἰουδαίοις 25 3 αἰτούμενοι χάριν 9 θέ-
λων τοῖς Ἰουδαί. χάριν καταθέσθαι
Rm   1 5 δι' οὗ ἐλάβομεν χάριν καὶ ἀποστο-
λήν 12 3 λέγω – διὰ τῆς χ. τῆς δοθεί-
σης μοι 15 15 ἐπαναμιμνήσκων ὑμᾶς
διὰ τὴν χάριν τὴν δοθεῖσάν μοι
–   7 χάρις ὑμῖν καὶ εἰρήνη ἀπὸ θεοῦ πα-
τρὸς ἡμῶν καὶ κυρίου Ἰ. Χοῦ 1 Co
1 3 2 Co 1 2 Gal 1 3 Eph 1 2 Phl 1 2 Col
1 2 (ἡμῶν.) 1 Th 1 1 (εἰρήνη.) 2 Th 1 2
(sine ἡμῶν) Phm 3 – 1 Ti 1 2 χάρις,
ἔλεος, εἰρήνη ἀπὸ θεοῦ πατρὸς καὶ
Χοῦ Ἰ. τοῦ κυρίου ἡμῶν 2 Ti 1 2 –
Tit 1 4 χάρις καὶ εἰρήνη ἀπὸ θεοῦ
πατρὸς καὶ Χοῦ Ἰ. τοῦ σωτῆρος ἡμῶν
3 24 δικαιούμενοι δωρεὰν τῇ αὐτοῦ χάρ.
4 4 ὁ μισθὸς οὐ λογίζεται κατὰ χάριν
(– 5 vg sec. propositum gratiae Dei vl°)
– 16 ἐκ πίστεως, ἵνα κατὰ χάριν
5 2 προσαγωγὴν – εἰς τὴν χάριν ταύτην
– 15 ἡ χ. τοῦ θεοῦ καὶ ἡ δωρεὰ ἐν χάρι-
τι – εἰς τοὺς πολλοὺς ἐπερίσσευσεν
– 17 οἱ τ. περισσείαν τῆς χ. – λαμβάνοντες
– 20 ὑπερεπερίσσευσεν ἡ χάρις 21 ἵνα –
καὶ ἡ χ. βασιλεύσῃ διὰ δικαιοσύνης
6 1 ἐπιμένωμεν τῇ ἁμαρτίᾳ, ἵνα ἡ χάρις
πλεονάσῃ; μὴ γένοιτο
– 14 οὐ γάρ ἐστε ὑπὸ νόμον ἀλλὰ ὑπὸ
χάριν 15 ἁμαρτήσωμεν, ὅτι οὐκ ἐσμὲν
ὑπὸ νόμον ἀλλὰ ὑπὸ χάριν;
– 17 χάρις b δὲ τῷ θεῷ ὅτι ἦτε δοῦλοι
7 25 χάρις τῷ θεῷ (vl εὐχαριστῶ et χάρις
τοῦ θεοῦ vg) διὰ Ἰ. Χοῦ τοῦ κυρ.
11 5 λεῖμμα κατ' ἐκλογὴν χ..τος γέγονεν
– 6 εἰ δὲ χάριτι, οὐκέτι ἐξ ἔργων, ἐπεὶ ἡ
χάρις οὐκέτι γίνεται χάρις
12 6 κατὰ τὴν χάριν τὴν δοθεῖσαν ἡμῖν
16 20 ἡ χάρις τοῦ κυρίου ἡμῶν Ἰησοῦ μεθ'
ὑμῶν (vl 24 vg) 1 Th 5 28 1 Co 16 23
(sine ἡμῶν) 2 Th 3 18 Ἰησ. Χοῦ μετὰ
πάντων ὑμῶν Gal 6 18 μετὰ τοῦ πνεύ-
ματος ὑμῶν, ἀδελφοί· ἀμήν Phl 4 23

(sine ἡμῶν Phm 25) 2 Co 13 13 ἡ χ.
τοῦ κυρ. Ἰ. Χοῦ καὶ ἡ ἀγάπη τοῦ θε-
οῦ καὶ ἡ κοινωνία τοῦ ἁγίου πνεύ-
ματος μετὰ πάντων ὑμῶν Eph 6 24 ἡ
χάρις μετὰ πάντων τῶν ἀγαπώντων
τὸν κύρ. ἡμῶν Ἰ. Χὸν ἐν ἀφθαρσίᾳ
Col 4 18 ἡ χάρις μεθ' ὑμῶν 1 Ti 6 21
2 Ti 4 22 Tit 3 15 μετὰ πάντων ὑμῶν
1 Co   1 4 εὐχαριστῶ τῷ θεῷ – ἐπὶ τῇ χάρ. τοῦ
θεοῦ τῇ δοθείσῃ ὑμῖν ἐν Χῷ Ἰησοῦ
3 10 κατὰ τὴν χ. τοῦ θεοῦ τὴν δοθεῖσάν
μοι – θεμέλιον ἔθηκα 15 10 χάριτι –
θεοῦ εἰμι ὅ εἰμι, καὶ ἡ χάρις αὐτοῦ
ἡ εἰς ἐμὲ οὐ κενὴ ἐγενήθη, – περισ-
σότερον – ἐκοπίασα, οὐκ ἐγὼ δὲ ἀλ-
λὰ ἡ χάρις τοῦ θεοῦ σὺν ἐμοί
10 30 εἰ ἐγὼ χάριτι (cum gratia) μετέχω
15 57 τῷ δὲ θεῷ χάρις b τῷ διδόντι ἡμῖν τὸ
νῖκος → 2 Co 2 14
16 3 ἀπενεγκεῖν τὴν χ. ὑμῶν εἰς Ἰερουσ.
2 Co   1 12 οὐκ ἐν σοφίᾳ σαρκικῇ ἀλλ' ἐν χάρι-
τι θεοῦ ἀνεστράφημεν ἐν τῷ κόσμῳ
– 15 ἵνα δευτέραν χάριν (vl χ..ἀν) σχῆτε
2 14 θεῷ χάρις b τῷ πάντοτε θριαμβεύ-
οντι ἡμᾶς 8 16 χ. b – τῷ θεῷ τῷ διδόν-
τι – σπουδήν 9 15 b ἐπὶ τῇ ἀνεκδιηγή-
τῳ αὐτοῦ δωρεᾷ
4 15 ἵνα ἡ χάρις πλεονάσασα – περισ-
σεύσῃ εἰς τὴν δόξαν τοῦ θεοῦ
6 1 μὴ εἰς κενὸν τὴν χ. τ. θ. δέξασθαι
8 1 τὴν χάρ. τοῦ θεοῦ τὴν δεδομένην ἐν
ταῖς ἐκκλησίαις τῆς Μακεδ. 4 δεόμε-
νοι ἡμῶν τὴν χάρ. καὶ τὴν κοινωνίαν
τῆς διακονίας 6 ἵνα – ἐπιτελέσῃ εἰς
ὑμᾶς καὶ τὴν χάριν ταύτην 7 ἵνα –
ἐν ταύτῃ τῇ χάριτι περισσεύητε
– 9 γινώσκετε γὰρ τὴν χάριν τοῦ κυρί-
ου –, ὅτι δι' ὑμᾶς ἐπτώχευσεν
– 19 συνέκδημος ἡμῶν ἐν τῇ χάρ. ταύτῃ
9 8 πᾶσαν χάριν περισσεῦσαι εἰς ὑμᾶς
– 14 διὰ τὴν ὑπερβάλλουσαν χ. τοῦ θεοῦ
12 9 ἀρκεῖ σοι ἡ χάρις μου· ἡ – δύναμις
Gal   1 6 τοῦ καλέσαντος ὑμᾶς ἐν χ..τι Χοῦ
– 15 ὁ – καλέσας (sc με) διὰ τῆς χ. αὐτοῦ
2 9 γνόντες τὴν χάριν τὴν δοθεῖσάν μοι
– 21 οὐκ ἀθετῶ τὴν χάριν τοῦ θεοῦ
5 4 τῆς χάριτος ἐξεπέσατε
Eph   1 6 εἰς ἔπαινον δόξης τῆς χ..τος αὐτοῦ
– 7 κατὰ τὸ πλοῦτος τῆς χ. αὐτοῦ 27
τὸ ὑπερβάλλον πλού. τῆς χ. αὐτοῦ
2 5 χάριτί ἐστε σεσῳσμένοι 8 τῇ γὰρ χ.
ἐστε σεσῳσμ. διὰ πίστεως· – οὐκ ἐξ

Eph 3 2 τὴν οἰκονομίαν τῆς χάρ. τοῦ θεοῦ
τῆς δοθείσης μοι εἰς ὑμᾶς 7 κατὰ τὴν
δωρεὰν τῆς χ. τοῦ θ. τῆς δοθείσης
μοι 8 ἐμοὶ – ἐδόθη ἡ χάρις αὕτη, –
εὐαγγελίσασθαι τὸ – πλοῦτος
　4 7 ἑκάστῳ ἡμῶν ἐδόθη ἡ χάρις κατὰ
　– 29 ἵνα δῷ (sc ὁ λόγος) χάριν τοῖς ἀκού-
ουσιν Col 4 6 ὁ λόγος ὑμῶν πάντοτε
ἐν χάριτι, ἅλατι ἠρτυμένος
Phl 1 7 συγκοινωνούς μου τῆς χάριτος (vg
gaudii) πάντας ὑμᾶς ὄντας
Col 1 6 ἐπέγνωτε τὴν χ. τοῦ θ. ἐν ἀληθείᾳ
3 16 ἐν τῇ χάρ. ᾄδοντες ἐν ταῖς καρδίαις
2 Th 1 12 κατὰ τὴν χάριν τοῦ θεοῦ ἡμῶν καὶ
κυρίου Ἰησοῦ Χοῦ
2 16 ὁ – δοὺς – ἐλπίδα ἀγαθὴν ἐν χάριτι
1 Ti 1 12 χάριν[b] ἔχω (ago) τῷ ἐνδυναμοῦντί
με Χῷ 2 Ti 1 3[b] τῷ θεῷ, ᾧ λατρεύω
　– 14 ὑπερεπλεόνασεν – ἡ χάρις τοῦ κυρίου
2 Ti 1 9 κατὰ ἰδίαν πρόθεσιν καὶ χάριν, τὴν
δοθεῖσαν ἡμῖν ἐν Χῷ Ἰησοῦ
2 1 ἐνδυναμοῦ ἐν τῇ χάριτι τῇ ἐν Χῷ Ἰ.
Tit 2 11 ἐπεφάνη – ἡ χάρ. τοῦ θεοῦ σωτήριος
3 7 δικαιωθέντες τῇ ἐκείνου χάριτι
Hb 2 9 ὅπως χάριτι (vl χωρὶς) θεοῦ ὑπὲρ
παντὸς γεύσηται θανάτου
4 16 προσερχώμεθα – τῷ θρόνῳ τῆς χά-
ριτος, ἵνα – χάριν εὕρωμεν
10 29 τὸ πνεῦμα τῆς χάριτος ἐνυβρίσας
12 15 μή τις ὑστερῶν ἀπὸ τῆς χ. τοῦ θεοῦ
　– 28 ἔχωμεν (vl ..ομεν vg) χάριν, δι' ἧς
λατρεύωμεν εὐαρέστως τῷ θεῷ
13 9 καλὸν – χάριτι βεβαιοῦσθαι τὴν καρ-
δίαν, οὐ βρώμασιν
　– 25 ἡ χάρις μετὰ πάντων ὑμῶν
Jac 4 6 μείζονα δὲ „δίδωσιν χάριν· – ταπει-
νοῖς δὲ δίδωσιν χάριν" 1 Pe 5 5
1 Pe 1 2 χάρις ὑμῖν καὶ εἰρήνη πληθυνθείη
2 Pe 1 2 πληθ. ἐν ἐπιγνώσει τοῦ θεοῦ
καὶ Ἰησοῦ τοῦ κυρίου ἡμῶν
　– 10 οἱ περὶ τῆς εἰς ὑμᾶς χάριτος προ-
φητεύσαντες 13 τελείως ἐλπίσατε ἐπὶ
τὴν φερομένην ὑμῖν χάριν
2 19 τοῦτο γὰρ χ. εἰ 20 τοῦτο χ. παρὰ θεῷ
3 7 συγκληρονόμοις χάριτος ζωῆς
4 10 οἰκονόμοι ποικίλης χάριτος θεοῦ
5 10 ὁ δὲ θεὸς πάσης χάριτος
　– 12 ἐπιμαρτυρῶν ταύτην εἶναι ἀληθῆ χά-
ριν τοῦ θεοῦ, εἰς ἣν στῆτε
2 Pe 3 18 αὐξάνετε – ἐν χάριτι καὶ γνώσει τ. κυ.
2 Jo 3 ἔσται μεθ' ἡμῶν (vl ὑμῶν vg) χάρις
ἔλεος εἰρήνη παρὰ θεοῦ πατρός, καὶ

παρὰ Ἰησοῦ Χοῦ κτλ.
(3 Jo 4 vl μειζοτέραν – οὐκ ἔχω χάριν vg)
Jud 4 τὴν τοῦ θεοῦ ἡμῶν χάριτα μετατι-
θέντες εἰς ἀσέλγειαν
Ap 1 4 χάρις ὑμῖν καὶ εἰρήνη ἀπὸ „ὁ ὢν"
καὶ ὁ ἦν καὶ ὁ ἐρχόμενος κτλ.
22 21 ἡ χάρις τοῦ κυρίου Ἰ. μετὰ πάντων

χάρισμα gratia [b]donum [c]donatio [d]charisma
Rm 1 11 ἐπιποθῶ – ἰδεῖν ὑμᾶς, ἵνα τι μεταδῶ
χάρισμα ὑμῖν πνευματικόν
5 15 οὐχ ὡς τὸ παράπτωμα, οὕτως – τὸ
χάρισμα[b] 16 τὸ δὲ χάρισμα ἐκ πολ-
λῶν παραπτωμάτων εἰς δικαίωμα
6 23 τὸ δὲ χάρισμα τοῦ θεοῦ ζωὴ αἰώνιος
11 29 ἀμεταμέλητα – τὰ χ..τα[b] – τοῦ θεοῦ
12 6 ἔχοντες δὲ χ..τα[c] – διάφορα, εἴτε
1 Co 1 7 ὑμᾶς μὴ ὑστερεῖσθαι ἐν μηδενὶ χ..τι
7 7 ἕκαστος ἴδιον ἔχει χάρισμα[b] ἐκ θεοῦ
12 4 διαιρέσεις δὲ χ..άτων εἰσίν, τὸ δὲ αὐ-
τὸ πνεῦμα 9 χ..τα ἰαμάτων 28. 30
　– 31 ζηλοῦτε δὲ τὰ χ..τα[d] τὰ μείζονα (vl
κρείττονα vg meliora vl maiora)
2 Co 1 11 ἵνα – τὸ εἰς ἡμᾶς χάρισμα[c] διὰ πολ-
λῶν εὐχαριστηθῇ ὑπὲρ ἡμῶν
1 Ti 4 14 μὴ ἀμέλει τοῦ ἐν σοὶ χαρίσματος
2 Ti 1 6 ἀναζωπυρεῖν τὸ χάρ. τοῦ θεοῦ, ὃ
ἐστιν ἐν σοὶ διὰ τῆς ἐπιθέσεως
1 Pe 4 10 ἕκαστος καθὼς ἔλαβεν χάρισμα

χαριτοῦν [a]gratificare [b](part prf pass) gra-
tia plena Luc 1 28 χαῖρε, κεχαριτωμένη[b]
Eph 1 6 τῆς χάριτος αὐτοῦ, ἧς (vl ἐν ᾗ ᾗ vg)
ἐχαρίτωσεν[a] ἡμᾶς ἐν τῷ ἠγαπημένῳ

Χαρράν Act 7 2.4 κατῴκησεν ἐν Χαρράν

χάρτης charta 2 Jo 12 διὰ χ..ου καὶ μέλανος

χάσμα chaos Luc 16 26 χ. μέγα ἐστήρικται

χεῖλος labium [b]ora
Mat 15 8 „τοῖς χείλεσίν με τιμᾷ" ‖ Mar 7 6
Rm 3 13 1 Co 14 21 „ἐν χείλεσιν ἑτέρων"
Hb 11 12 „ὡς ἡ ἄμμος παρὰ τὸ χ.[b] τῆς θαλ."
13 15 „καρπὸν χ..έων" ὁμολογούντων
1 Pe 3 10 „παυσάτω – χείλη τοῦ μὴ λαλῆσαι

χειμάζεσθαι S⁰ – tempestate iactari
Act 27 18 σφοδρῶς – χειμαζομένων ἡμῶν

χειμάρρους torrens Joh 18 1 τοῦ Κεδρών

χειμών   *hiems*   ^b*tempestas*   Mat 16 3^b
Mat 24 20 ἵνα μὴ γένηται ἡ φυγὴ ὑμῶν χειμῶ-
νος μηδὲ σαββάτῳ ‖ Mar 13 18
Joh 10 22 χ. ἦν   Act 27 20^b   2 Ti 4 21 πρὸ χ..ος

χείρ   *manus* ἐκτείνειν χεῖρα (χεῖρας), ἐπι-
τιϑέναι (τιϑέναι) χεῖρας, ἐπίϑεσις
τῶν χειρῶν → ἐκτείνειν κτλ.

1) χεὶρ (χεῖρες) ϑεοῦ, κυρίου

Luc 1 66 χεὶρ κυρίου ἦν μετ' αὐτοῦ (Joh.)
   23 46 „εἰς χεῖράς σου παρατίϑεμαι τὸ πν."
Joh 10 29 ἁρπάζειν ἐκ τῆς χειρὸς τοῦ πατρός
Act   4 28.30   7 50   11 21 ἦν χ. κυρίου μετ' αὐτῶν
   13 11 χεὶρ κυρίου ἐπὶ σέ, καὶ ἔσῃ τυφλός
Rm 10 21 „ἐξεπέτασα τὰς χ. μου πρὸς λαόν"
Hb   1 10   10 31 ἐμπεσεῖν εἰς χ..ας ϑεοῦ ζῶντος
1 Pe   5 6 ὑπὸ τὴν κραταιὰν χεῖρα τοῦ ϑεοῦ

2) reliqui loci

Mat   3 12 τὸ πτύον ἐν τῇ χ. αὐτοῦ ‖ Luc 3 17
   4 6 „ἐπὶ χειρῶν ἀροῦσίν σε" ‖ Luc 4 11
   5 30 εἰ ἡ δεξιά σου χεὶρ σκανδαλίζει σε
     18 8 εἰ – ἡ χ. σου – σκ. σε, – · – ἢ δύο
     χεῖρας – ἔχοντα βληϑῆναι ‖ Mar 9 43
   8 15 ἥψατο τῆς χ. αὐτῆς ‖ Mar 1 31 κρα-
     τήσας – Mat 9 25 ‖ Mar 5 41 Luc 8 54
     – Mar 9 27   8 23 ἐπιλαβόμενος τῆς χ.
   12 10 ἰδοὺ ἄνϑρωπος χεῖρα ἔχων ξηράν 13
     ‖ Mar 3 1.3.5 Luc 6 6.8.10
   15 2 οὐ – νίπτονται τὰς χ. 20 τὸ – ἀνί-
     πτοις χερσὶν φαγεῖν ‖ Mar 7 2.3.5
   17 22 παραδίδοσϑαι εἰς χεῖρας ἀνϑρώ-
     πων ‖ Mar 9 31 Luc 9 44 – Mat 26 45
     ἁμαρτωλῶν ‖ Mar 14 41 Luc 24 7 Act
     2 23 ἔκδοτον διὰ χειρὸς ἀνόμων –
     21 11 28 17 τῶν Ῥωμαίων
   22 13 δήσαντες αὐτοῦ πόδας καὶ χεῖρας
   26 23 ὁ ἐμβάψας μετ' ἐμοῦ τὴν χεῖρα Luc
     22 21 ἡ χεὶρ τοῦ παραδιδόντος με
   – 50 ἐπέβαλον τὰς χ. ἐπὶ τὸν Ἰησοῦν ‖
     Mar 14 46 – Luc 20 19 Joh 7 30 οὐδεὶς
     ἐπέβαλεν 44 – Luc 21 12 ἐπιβαλοῦ-
     σιν ἐφ' ὑμᾶς τὰς χ. Act 4 3 5 18 ἐπὶ
     τοὺς ἀποστόλους 12 1 21 27
   27 24 ἀπενίψατο τὰς χ. ἀπέναντι τ. ὄχλου
Mar   6 2 αἱ δυνάμεις τοιαῦται διὰ τῶν χειρῶν
     αὐτοῦ γινόμεναι; Act 5 12 τῶν ἀπο-
     στόλων 14 3 19 11 Παύλου
Luc   1 71 σωτηρίαν – „ἐκ χειρὸς – τῶν μισούν-
     των" ἡμ. 74 ἐκ χ. ἐχϑρῶν ῥυσϑέντας
   6 1 τοὺς στάχυας ψώχοντες ταῖς χερσίν

Luc   9 62 οὐδεὶς ἐπιβαλὼν τὴν χ. ἐπ' ἄροτρον
   15 22 δακτύλιον εἰς τὴν χεῖρα αὐτοῦ
   24 39 ἴδετε τὰς χ. μου (vl 40 vg) Joh 20
     20.25.27 φέρε τὴν χ. σου καὶ βάλε
   – 50 ἐπάρας τὰς χ. – εὐλόγησεν αὐτούς
Joh   3 35 πάντα δέδωκεν ἐν τῇ χ. αὐτοῦ 13 3
   10 28 οὐχ ἁρπάσει τις αὐτὰ ἐκ τῆς χειρός
     μου 29 ἐκ τῆς χειρὸς τοῦ πατρός
   – 39 καὶ ἐξῆλϑεν ἐκ τῆς χειρὸς αὐτῶν
   11 44 δεδεμένος τοὺς πόδας καὶ τὰς χεῖρ.
   13 9 καὶ τὰς χεῖρας καὶ τὴν κεφαλήν
Act   3 7 πιάσας αὐτὸν τῆς δεξιᾶς χειρός
     7 25 ὅτι ὁ ϑεὸς διὰ χειρὸς αὐτοῦ δίδωσιν
     σωτηρίαν 35 τοῦτον – λυτρωτὴν ἀπέ-
     σταλκεν σὺν χειρὶ ἀγγέλου
   – 41.50 9 41 δοὺς – αὐτῇ χεῖρα ἀνέστησεν
   11 30 διὰ χειρὸς Βαρναβᾶ cfr 15 23
   12 7.17 13 16 19 33 21 40 – 12 11 ἐκ χ..ός
   17 25 οὐδὲ ὑπὸ χειρῶν ἀνϑρωπίνων ϑερα-
     πεύεται 19 26 ὅτι οὐκ εἰσὶν ϑεοὶ οἱ διὰ
     χειρῶν γινόμενοι
   20 34 ταῖς χρείαις μου – ὑπηρέτησαν αἱ
     χεῖρες αὗται 1 Co 4 12 κοπιῶμεν ἐρ-
     γαζόμενοι ταῖς ἰδίαις χερσίν
   21 11 23 19 (vl 24 7 vg) 28 3.4
1 Co 12 15 ὁ πούς· ὅτι οὐκ εἰμὶ χεὶρ 21 τῇ χ.
   16 21 ὁ ἀσπασμὸς τῇ ἐμῇ χειρὶ Παύλου
     Gal 6 11 Col 4 18 2 Th 3 17 Phm 19 ἔ-
     γραψα τῇ ἐμῇ χειρί, ἐγὼ ἀποτίσω
2 Co 11 33 ἐξέφυγον τὰς χεῖρας αὐτοῦ
Gal   3 19 τί οὖν ὁ νόμος; – διαταγεὶς δι' ἀγ-
     γέλων, ἐν χειρὶ μεσίτου
Eph   4 28 κοπιάτω ἐργαζόμενος ταῖς ἰδίαις
     χερσὶν τὸ ἀγαϑόν 1 Th 4 11
1 Ti   2 8 ἐπαίροντας ὁσίους χεῖρας
Hb   (2 7 vl „ἐπὶ τὰ ἔργα τῶν χειρῶν σου" vg)
   8 9 12 12 „τὰς παρειμένας χεῖρας"
Jac   4 8 καϑαρίσατε χεῖρας, ἁμαρτωλοί
1 Jo   1 1 ὃ – αἱ χεῖρες ἡμῶν ἐψηλάφησαν
Ap   1 16 (*in dextera*) 6 5 7 9 φοίνικες ἐν ταῖς
     χερσὶν αὐτῶν 8 4 9 20 οἳ – οὐδὲ μετενόη-
     σαν ἐκ „τῶν ἔργων τῶν χειρῶν αὐτῶν"
     10 2.5 „ἦρεν τὴν χεῖρα αὐτοῦ τὴν δεξιὰν
     (vl° vg°) εἰς τὸν οὐρανόν" 8.10 13 16
     χάραγμα – ἐπὶ τῆς χειρός 14 9 20 4 –
     14 14 17 4 19 2 20 1

χειραγωγεῖν   S vl – ^a*ad manus trahere*
     ^b*ad manum deducere* Act 9 8^a 22 11^b

χειραγωγός   S° – *qui alicui manum dat*
Act 13 11 περιάγων ἐζήτει χειραγωγούς

χειρόγραφον *chirographum*
Col 214 ἐξαλείψας τὸ καθ' ἡμῶν χειρόγραφ.

χειροποίητος *manufactus* [b]*manu factus*
Mar 1458 καταλύσω τὸν ναὸν τοῦτον τὸν χ.[b]
Act 748 οὐκ – ἐν χ..οις κατοικεῖ 1724 ναοῖς
Eph 211 ὑπὸ τῆς – περιτομῆς ἐν σαρκὶ χ..ου[b]
Hb 911 διὰ τῆς – σκηνῆς οὐ χ..ου 24 οὐ γὰρ
εἰς χειροποίητα εἰσῆλθεν ἅγια Χός

χειροτονεῖν Sº – [a]*constituere* [b]*ordinare*
Act 1423[a] πρεσβυτέρους 2 Co 819 χ..ηθεὶς[b]
ὑπὸ τῶν ἐκκλησιῶν συνέκδημος

χείρων, χεῖρον [a]*deterior, us* [b]*maior* [c]*peior, us* Mat 916 χ..ον[c] σχίσμα ‖ Mar 221[b]
Mat 1245 τὰ ἔσχατα τοῦ ἀνθρώπου – χείρονα[c]
τῶν πρώτων ‖ Luc 1126[c] – Mat 2764 ἔσται
ἡ ἐσχάτη πλάνη χ.[c] τ. πρώτης – 2 Pe 220
γέγονεν αὐτοῖς τὰ ἔσχ. χ..ονα[a] τῶν πρώ.
Mar 526 ἀλλὰ μᾶλλον εἰς τὸ χεῖρον[a] ἐλθοῦσα
Joh 514 ἵνα μὴ χεῖρόν[a] σοί τι γένηται
1 Ti 5 8 καὶ ἔστιν ἀπίστου χείρων[a]
2 Ti 313 πονηροὶ – προκόψουσιν ἐπὶ τὸ χεῖρ.[c]
Hb 1029 πόσῳ – χ..ος[a] ἀξιωθήσεται τιμωρίας

Χερουβίν Hb 95 Χερ. δόξης κατασκιάζοντα

χήρα *vidua*
(Mat2314 vl, vg, vlº) Mar 1240 οἱ κατέσθοντες τὰς οἰκίας τῶν χηρῶν ‖ Luc 2047
Mar 1242 ἐλθοῦσα μία χήρα πτωχὴ ἔβαλεν
λεπτὰ δύο 43 ‖ Luc 212.3
Luc 237 Ἄννα 425 πολλαὶ χῆραι – ἐν ταῖς ἡμέραις Ἠλίου 26 „πρὸς γυν. χήραν"
712 τῇ μητρὶ αὐτοῦ, καὶ αὕτη ἦν χήρα
18 3 χήρα δὲ ἦν ἐν τῇ πόλει ἐκείνῃ 5
Act 6 1 ὅτι παρεθεωροῦντο – αἱ χῆραι αὐτῶν
939 πᾶσαι αἱ χῆραι κλαίουσαι 41
1 Co 7 8 λέγω – τοῖς ἀγάμοις καὶ ταῖς χήραις
1 Ti 5 3 χήρας τίμα τὰς ὄντως χήρας
– 4 εἰ δέ τις χήρα τέκνα ἢ ἔκγονα ἔχει
5 ἡ δὲ ὄντως χήρα καὶ μεμονωμένη
16 εἴ τις πιστὴ ἔχει χήρας –, ἵνα ταῖς
ὄντως χήραις ἐπαρκέσῃ
– 9 χήρα καταλεγέσθω μὴ ἔλαττον ἐτῶν
ἑξήκοντα γεγονυῖα, ἑνὸς – γυνή
– 11 νεωτέρας δὲ χήρας παραιτοῦ
Jac 127 ἐπισκέπτεσθαι ὀρφανοὺς καὶ χήρας
Ap 18 7 „χήρα οὐκ εἰμὶ καὶ πένθος οὐ μή"

χιλίαρχος *tribunus* Mar 621 Ap 615 1918 –

Joh 1812 – Act 2131-33.37 2224.26-29
2310.15.17-19.22 24(vl 7 vg)22 2523

χιλιάς *mille* Luc 1431 Act 44 1 Co 108
Ap 511 „χιλιάδες χ..ων" 74-8 ἐκ. τεσσ. τέσσ.
χ..ες ἐσφραγισμένοι κτλ. 1113 141.3 2116

χίλιοι *mille* 2 Pe 38 μία ἡμέρα παρὰ κυρίῳ ὡς χ..α ἔτη καὶ „χίλια ἔτη ὡς"
Ap 11 3 126 1420 202 ἔδησεν αὐτὸν χίλια ἔτη 3.4 ἐβασίλευσαν μετὰ τοῦ Χριστοῦ χίλια ἔτη 5.6.7 ὅταν τελεσθῇ τὰ χίλια ἔτη

Χίος Act 2015 κατηντήσαμεν ἄντικρυς Χίου

χιτών *tunica* [b]*vestimentum*
Mat 540 τῷ θέλοντι – τὸν χιτῶνά σου λαβεῖν ‖ Luc 629 τὸν χιτῶνα μὴ κωλύσῃς
1010 μηδὲ δύο χιτῶνας ‖ Mar 69 Luc 93
Mar 1463 ὁ δὲ ἀρχιερεὺς διαρρήξας τοὺς χιτ.[b]
Luc 311 ὁ ἔχων δύο χ. μεταδότω τῷ μὴ ἔχ.
Joh 1923 καὶ τὸν χ..α. ἦν δὲ ὁ χιτ. ἄρραφος
Act 939 – Jud 23 τὸν – ἐσπιλωμένον χιτῶνα

χιών *nix* Mat 283 ὡς χ. (Mar 93 vl) Ap 114

χλαμύς *chlamys* (vl *cl.*) Mat 2728.31

χλευάζειν *irridēre* Act 1732 οἱ μὲν ἐχ..ον

χλιαρός Sº – *tepidus* Ap 316 ὅτι χλιαρὸς εἶ

Χλόη 1 Co 111 ἐδηλώθη – ὑπὸ τῶν Χλόης

χλωρός *viridis* [b]*pallidus* Mar 639 Ap 87 94
– 68 ἰδοὺ ἵππος χλωρός[b]

χοϊκός Sº – *terrenus* 1 Co 1547 „ὁ" πρῶτος „ἄνθρωπος ἐκ γῆς χ." 48 οἷος ὁ χ.,
τοιοῦτοι καὶ οἱ χοϊκοί 49 καθὼς ἐφορέσαμεν τὴν εἰκόνα τοῦ χοϊκοῦ

χοῖνιξ *bilibris* Ap 66 σίτου –, – κριθῶν

χοῖρος *porcus* Mat 76 μηδὲ βάλητε τοὺς μαργαρίτας ὑμῶν ἔμπροσθεν τῶν χοίρων
Mat 830 ἀγέλη χ..ων 31.32 ‖ Mar 511-13.16 Luc
832.33 – 1515 βόσκειν χοίρους 16

χολᾶν *indignari* Joh 723 ἐμοὶ χ..ᾶτε ὅτι –;

χολή *fel* Mat 2734 οἶνον μετὰ χ..ῆς Act 823

Χοραζίν Mat 11 21 οὐαί σοι, Χ. ‖ Luc 10 13

χορηγεῖν ᵃpraestare ᵇadministrare
2 Co 9 10 χορηγήσει ᵃ – τὸν σπόρον ὑμῶν
1 Pe 4 11 ὡς ἐξ ἰσχύος ἧς χορηγεῖ ᵇ ὁ θεός

χορός chorus Luc 15 25 συμφωνίας καὶ χ..ῶν

χορτάζειν, ..εσθαι saturare, ..ri ᵇsatiari
Mat 5 6 ὅτι αὐτοὶ χ..σθήσονται ‖ Luc 6 21
14 20 ἐχ..σθησαν 15 33 ὥστε χ..σαι ὄχλον
τοσοῦτον; 37 ‖ Mar 6 42 8 4.8 Luc 9 17
Joh 6 26 ὅτι ἐφάγετε – καὶ ἐχ..σθητε
Mar · 7 27 ἄφες πρῶτον χ..σθῆναι τὰ τέκνα
Luc 16 21 ἐπιθυμῶν χ..σθῆναι ἀπὸ (vl 15 16)
Phl 4 12 καὶ χορτάζεσθαι ᵇ καὶ πεινᾶν
Jac 2 16 θερμαίνεσθε καὶ χορτάζεσθε
Ap 19 21 „πάντα τὰ ὄρνεα ἐχορτάσθησαν ἐκ
τῶν σαρκῶν" αὐτῶν

χόρτασμα cibus Act 7 11 οὐχ ηὕρισκον χ..τα

χόρτος foenum (vl fae.) ᵇherba
Mat 6 30 τὸν χ. τοῦ ἀγροῦ ‖ Luc 12 28 – Mat
13 26 ὅτε – ἐβλάστησεν ὁ χόρτος ᵇ
14 19 ἐπὶ τοῦ χόρτου ‖ Mar 6 39 Joh 6 10
Mar 4 28 πρῶτον χόρτον ᵇ, εἶτεν στάχυν
1 Co 3 12 λίθους τιμίους, ξύλα, χόρτον
Jac 1 10 „ὡς ἄνθος χόρτου" παρελεύσεται 11
ὁ ἥλιος – „ἐξήρανεν τὸν χόρτον"
1 Pe 1 24 „πᾶσα σὰρξ" ὡς „χόρτος κτλ."
Ap 8 7 πᾶς χόρτος χλωρὸς κατεκάη – 9 4

Χουζᾶς Luc 8 3 Ἰωάννα γυνὴ Χουζᾶ

χοῦς pulvis Mar 6 11 ἐκτινάξατε τὸν χοῦν
Ap 18 19 „ἔβαλον χοῦν ἐπὶ τὰς κεφαλὰς αὐτ."

χρεία (χρεία ἐστίν, χρείαν ἔχειν)
opus est (alicui) ᵇopus ᶜopus habēre
ᵈnecessitas ᵉnecessitatem habēre ᶠne-
cessitatem pati ᵍnecesse est ʰnecesse
habēre ⁱnecessarium esse ᵏdebēre ˡde-
siderare ᵐegēre ⁿindigēre ᵒdesiderium
ᵖusus
Mat 3 14 ἐγὼ χρείαν ἔχω ᵏ ὑπὸ σοῦ βαπτι-
σθῆναι 14 16 οὐ χρ. ἔχουσιν ʰ ἀπελ-
θεῖν Joh 13 10 οὐκ ἔχει χρ. ⁿ – νίψα-
σθαι 1 Th 1 8 ὥστε μὴ χρ. ἔχειν ᵍ ἡ-
μᾶς λαλεῖν τι 4 9 οὐ χρ. ἔχετε (vl
..ομεν vg) ʰ γράφειν ὑμῖν 5 1 οὐ χρ.
ἔχετε ⁿ ὑμῖν γράφεσθαι
6 8 οἶδεν – ὁ πατὴρ – ὧν χρείαν ἔχετε

Mat 9 12 οὐ χρ. ἔχουσιν οἱ ἰσχύοντες ἰατροῦ
‖ Mar 2 17 ʰ Luc 5 31 ᵐ οἱ ὑγιαίνοντες
21 3 ὁ κύριος αὐτῶν χρ. ἔχει ᶜ ‖ Mar 11 3
αὐτοῦ χρ. ἔχει ⁱ Luc 19 31 ˡ (operam ei-
us desiderat) 34 (necessarium habet)
26 65 τί ἔτι χρ. ἔχομεν ᵐ μαρτύρων; ‖ Mar
14 63 ˡ Luc 22 71 ˡ μαρτυρίας –;
Mar 2 25 ὅτε χρ. ἔσχεν ᵉ καὶ ἐπείνασεν (Dav.)
Luc 9 11 τοὺς χρ. ἔχοντας ⁿ θεραπείας ἰᾶτο
10 42 ὀλίγων δέ ἐστιν χρεία ἢ ἑνός (vl
ἑνὸς δέ ἐστιν χρεία ⁱ vg)
15 7 οἵτινες οὐ χρ. ἔχουσιν ⁿ μετανοίας
Joh 2 25 οὐ χρ. εἶχεν ἵνα τις μαρτυρήσῃ 16 30
οὐ χρείαν ἔχεις ἵνα τίς σε ἐρωτᾷ
13 29 ἀγόρασον ὧν χρείαν ἔχομεν εἰς
Act 2 45 καθότι ἄν τις χρείαν εἶχεν 4 35
6 3 οὓς καταστήσομεν ἐπὶ τῆς χρ. ᵇ ταύ.
20 34 ταῖς χρ. μου – ὑπηρέτησαν αἱ χεῖρες
28 10 ἐπέθεντο τὰ πρὸς τὰς χρείας ⁱ
Rm 12 13 ταῖς χρ. ᵈ τῶν ἁγίων κοινωνοῦντες
1 Co 12 21 τῇ χειρί· χρείαν σου οὐκ ἔχω ⁿ (ope-
ra tua non indigeo) – τοῖς ποσίν·
χρ. ὑμῶν οὐκ ἔχω ⁱ 24 τὰ δὲ εὐσχή-
μονα ἡμῶν οὐ χρείαν ἔχει ᵐ
Eph 4 28 ἵνα ἔχῃ μεταδιδόναι τῷ χρείαν ἔ-
χοντι ᶠ 1 Jo 3 17 ὃς δ' ἂν – θεωρῇ τὸν
ἀδελφὸν αὐτοῦ χρείαν ἔχοντα ᵉ (vl ʰ)
– 29 εἴ τις (sc λόγος) ἀγαθὸς πρὸς οἰ-
κοδομὴν τῆς χρείας (vl πίστεως vg)
Phl 2 25 λειτουργὸν τῆς χρείας ᵈ μου 4 16 εἰς
τὴν χρ. ᵖ μοι ἐπέμψατε 19 ὁ δὲ θεός
μου πληρώσει πᾶσαν χρείαν ᵒ ὑμῶν
1 Th 4 12 ἵνα – μηδενὸς χρείαν ἔχητε ˡ
Tit 3 14 εἰς τὰς ἀναγκαίας χρείας ᵖ
Hb 5 12 πάλιν χρείαν ἔχετε ⁿ τοῦ διδάσκειν
ὑμᾶς τινα (vl τίνα vg) τὰ στοιχεῖα
–, καὶ γεγόνατε χρείαν ἔχοντες
γάλακτος
7 11 τίς ἔτι χρεία ⁱ – ἕτερον ἀνίστασθαι –;
10 36 ὑπομονῆς γὰρ ἔχετε χρείαν ⁱ ἵνα
1 Jo 2 27 οὐ χρ. ἔχετε ʰ ἵνα τις διδάσκῃ ὑμᾶς
Ap 3 17 λέγεις ὅτι – οὐδὲν χρείαν ἔχω ᵐ
21 23 ἡ πόλις οὐ χρ. ἔχει ᵐ τ. ἡλίου 22 5 ᵐ

χρεοφειλέτης debitor Luc 7 41 16 5

χρή oportet Jac 3 10 οὐ χρή – οὕτως γίνεσθαι

χρήζειν indigēre ᵇegēre ᶜnecessarium ha-
bēre Mat 6 32 ὅτι χ..ετε τούτων ‖ Luc 12 30
Luc 11 8 δώσει αὐτῷ ὅσων χ..ει ᶜ – Rm 16 2
2 Co 3 1 χ..ομεν ᵇ – συστατικῶν ἐπιστολῶν –;

χρῆμα, χρήματα pecunia, ..ae ᵇpretium
Mar 10₂₃ οἱ τὰ χρ. ἔχοντες (vl 24 τοὺς πεποι-
θότας ἐπὶ χρήμασιν) ‖ Luc 18₂₄ ἔχοντες
Act 4₃₇ ἤνεγκεν τὸ χρ.ᵇ – 8₁₈.₂₀ ὅτι τὴν δω-
ρεὰν τ. θεοῦ ἐνόμισας διὰ χ..ων κτᾶσθαι
24₂₆ ἐλπίζων ὅτι χ..τα δοθήσεται αὐτῷ

χρηματίζειν act: ᵃloqui ᵇcognominari ᶜvo-
cari pass: ᵈresponsum accipere
ᵉresponsum est alicui ᶠadmonēri
Mat 2₁₂ χ..σθέντεςᵈ κατ' ὄναρ 22ᶠ Luc 2₂₆
ἦν αὐτῷ κεχ..σμένονᵈ ὑπὸ τοῦ πνεύμα-
τος τοῦ ἁγίου Act 10₂₂ᵈ ὑπὸ ἀγγέλου
Act 11₂₆ χρηματίσαιᵇ τε πρώτως ἐν Ἀντιο-
χείᾳ τοὺς μαθητὰς Χριστιανούς
Rm 7 3 ζῶντος τοῦ ἀνδρὸς μοιχαλὶς χ..ίσειᶜ
ἐὰν γένηται ἀνδρὶ ἑτέρῳ
Hb 8 5 καθὼς κεχρημάτισταιᵉ Μωϋσῆς
11 7 πίστει χ..ισθεὶςᵈ Νῶε περὶ τῶν
12₂₅ εἰ – ἐκεῖνοι οὐκ ἐξέφυγον ἐπὶ γῆς
παραιτησάμενοι τὸν χρηματίζονταᵃ

χρηματισμός divinum responsum
Rm 11 4 τί λέγει αὐτῷ (sc Ἠλίᾳ) ὁ χρηματ.;

χρῆσθαι uti ᵇagere ᶜtractare
Act 27 3 φιλανθρώπως – τῷ Παύλῳ χρησάμε-
νοςᶜ – 17 βοηθείαις ἐχρῶντο
1 Co 7₂₁ ἀλλ' εἰ καὶ δύνασαι ἐλεύθερος γενέ-
σθαι, μᾶλλον χρῆσαι
– 31 οἱ χρώμενοι τὸν κόσμον ὡς μὴ κα-
ταχρώμενοι (tamquam non utantur)
9₁₂ οὐκ ἐχρησάμεθα τῇ ἐξουσίᾳ ταύτῃ
15 ἐγὼ – οὐ κέχρημαι οὐδενὶ τούτων
2 Co 1₁₇ μήτι ἄρα τῇ ἐλαφρίᾳ ἐχρησάμην;
3₁₂ πολλῇ παρρησίᾳ χρώμεθα
13₁₀ ἵνα παρὼν μὴ ἀποτόμως χρήσωμαιᵇ
1 Ti 1 8 ἐάν τις αὐτῷ νομίμως χρῆται
5₂₃ οἴνῳ ὀλίγῳ χρῶ διὰ τὸν στόμαχον

χρήσιμος utilis (Mat 20₂₈ D vgᵒ)
2 Ti 2₁₄ μὴ λογομαχεῖν, ἐπ' οὐδὲν χρήσιμον

χρῆσις usus Rm 1₂₆ φυσικὴν χρῆσιν 27

χρηστεύεσθαι Sᵒ – benignum esse 1 Co 13₄

χρηστολογία Sᵒ → εὐλογία Rm 16₁₈

χρηστός benignus ᵇ(τὸ χρ.) benignitas ᶜbo-
nus, melior (ex vl) ᵈdulcis ᵉsuavis
Mat 11₃₀ ὁ – ζυγός μου χρ.ᵉ καὶ τὸ φορτίον

Luc 5₃₉ ὁ παλαιὸς χρ. (vl ..ότεροςᶜ) ἐστιν
6₃₅ χρηστός ἐστιν ἐπὶ τοὺς ἀχαρίστους
Rm 2 4 τὸ χρ.ᵇ τοῦ θεοῦ εἰς μετάνοιάν σε
1 Co 15₃₃ φθείρουσιν ἤδη χ..ὰᶜ ὁμιλίαι κακαί
Eph 4₃₂ γίνεσθε δὲ εἰς ἀλλήλους χρηστοί
1 Pe 2 3 εἰ „ἐγεύσασθε ὅτι χρ.ᵈ ὁ κύριος"

χρηστότης bonitas ᵇbenignitas ᶜbonum
ᵈsuavitas Rm 24 ἡ τοῦ πλούτου τῆς
χρηστότητος αὐτοῦ – καταφρονεῖς, –;
Rm 3₁₂ „οὐκ ἔστιν ὁ ποιῶν χρηστότηταᶜ"
11₂₂ ἴδε οὖν χρ..τα καὶ ἀποτομίαν θεοῦ ·
–, ἐπὶ δὲ σὲ χρηστότης θεοῦ, ἐὰν
ἐπιμένῃς τῇ χρηστότητι
2 Co 6 6 ὡς θεοῦ διάκονοι, – ἐν χρηστότητιᵈ
Gal 5₂₂ καρπὸς τοῦ πνεύματός ἐστιν – χρ.ᵇ
Eph 2 7 ἐν χρ..τι ἐφ' ἡμᾶς ἐν Χῷ Ἰησοῦ
Col 3₁₂ ἐνδύσασθε – χρ..ταᵇ, ταπεινοφροσύ.
Tit 3 4 ὅτε δὲ ἡ χρ.ᵇ – ἐπεφάνη τοῦ σωτῆ.

χρίειν ungere χρῖσμα unctio
Luc 4₁₈ „ἔχρισέν με εὐαγγελίσασθαι πτωχοῖς"
Act 4₂₇ παῖδά σου Ἰησοῦν, „ὃν ἔχρισας"
10₃₈ ὡς „ἔχρισεν" αὐτὸν „ὁ θ. πνεύματι"
2 Co 1₂₁ ὁ δὲ – χρίσας ἡμᾶς θεός
Hb 1 9 „ἔχρισέν σε – ἔλαιον ἀγαλλιάσεως"
1 Jo 2₂₀ ὑμεῖς χρῖσμα ἔχετε ἀπὸ τοῦ ἁγίου
– 27 τὸ χρῖσμα ὃ ἐλάβετε ἀπ' αὐτοῦ μέ-
νει ἐν ὑμῖν ·– τὸ αὐτοῦ χρῖσμα δι-
δάσκει ὑμᾶς περὶ πάντων

Χριστιανός, ..οί Christianus, ..i
Act 11₂₆ χρηματίσαι – τοὺς μαθητὰς Χ..ούς
26₂₈ ἐν ὀλίγῳ με πείθεις Χ..ὸν ποιῆσαι
1 Pe 4₁₆ εἰ δὲ ὡς Χ..ός (sc πάσχει), μὴ αἰ-
σχυνέσθω, δοξαζέτω δὲ τὸν θεὸν ἐν
τῷ ὀνόματι τούτῳ

χριστός, Χριστός, Χὸς Ἰησοῦς, Ἰησ. Χός
S χριστός adiectivum
ὁ κύριος (ἡμῶν) Ἰ. Χός κτλ. – ἐν Χῷ
κτλ. – ἀπόστολος, ἀπ..οι Χοῦ κτλ. –
δοῦλος, δ..οι Χοῦ κτλ. – ὄνομα, ἐν,
ἐπὶ τῷ ὀνόματι, ὑπὲρ τοῦ ὀν. Χοῦ κτλ.
– χάρις ἀπὸ Χοῦ Ἰ., ἡ χάρις τοῦ κυ-
ρίου ἡμῶν Ἰ. Χοῦ κτλ. → κύριος, ἐν,
ἀπόστολος, δοῦλος etc.
Mat 1 1 βίβλος γενέσεως Ἰησοῦ Χοῦ 16 ἐξ
ἧς ἐγεννήθη Ἰ. ὁ λεγόμενος Χός 17
ἕως τοῦ Χοῦ γενεαὶ δεκατέσσαρες
– 18 τοῦ δὲ Ἰ. Χοῦ ἡ γένεσις (vl γέννη-
σις) οὕτως ἦν 24 ποῦ ὁ χρ. γεννᾶται

Mat 11 2 Ἰωάν. ἀκούσας – τὰ ἔργα τοῦ Χοῦ
16 16 σὺ εἶ ὁ χρ. ὁ υἱὸς τοῦ θεοῦ τοῦ ζῶν-
τος ‖ Mar 8 29 σὺ εἶ ὁ χρ. Luc 9 20
τίνα με λέγετε εἶναι; – · τὸν χριστὸν
τοῦ θεοῦ → Joh 11 27
– 20 ἵνα μηδενὶ εἴπωσιν ὅτι αὐτός ἐστιν ὁ
χριστός 21 ἤρξατο Ἰ. Χὸς (vl ὁ Ἰ.)
δεικνύειν τοῖς μαθηταῖς ὅτι δεῖ αὐτόν
22 42 τί ὑμῖν δοκεῖ περὶ τοῦ χοῦ; τίνος
υἱός ἐστιν; ‖ Mar 12 35 πῶς λέγουσιν
οἱ γραμματεῖς ὅτι ὁ χριστὸς υἱὸς
Δαυίδ ἐστιν; Luc 20 41 τὸν χριστόν
23 10 καθηγητὴς ὑμῶν ἐστιν εἷς ὁ Χριστός
24 5 ἐλεύσονται – λέγοντες· ἐγώ εἰμι ὁ
χρ. 23 ἐάν τις ὑμῖν εἴπῃ· ἰδοὺ ὧδε ὁ
χριστός –, μὴ πιστεύσητε ‖ Mar 13 21
26 63 ἵνα ἡμῖν εἴπῃς εἰ σὺ εἶ ὁ χρ. ὁ υἱὸς
τοῦ θεοῦ ‖ Mar 14 61 σὺ εἶ ὁ χρ. ὁ
υἱὸς τοῦ εὐλογητοῦ; Luc 22 67 εἰ σὺ
εἶ ὁ χρ., εἰπὸν ἡμῖν – Joh 10 24 εἰ
σὺ εἶ ὁ χρ., εἰπὸν ἡμῖν παρρησίᾳ
– 68 προφήτευσον ἡμῖν, χριστέ, τίς ἐστιν
27 17 ἢ Ἰησοῦν τὸν λεγόμενον χριστόν; 22
τί οὖν ποιήσω Ἰησοῦν τὸν λεγόμε-
νον χριστόν;
Mar 1 1 ἀρχὴ τοῦ εὐαγγελίου Ἰησοῦ Χοῦ
9 41 ἐν ὀνόμ. (vl + μου vg), ὅτι Χοῦ ἔστε
15 32 ὁ χρ. ὁ βασιλεὺς Ἰσραὴλ καταβάτω
νῦν ‖ Luc 23 35 σωσάτω ἑαυτόν, εἰ
οὗτός ἐστιν ὁ χρ. τοῦ θεοῦ ὁ ἐκλε-
κτός 39 οὐχὶ σὺ εἶ ὁ χρ.; σῶσον σε-
αυτὸν καὶ ἡμᾶς
Luc 2 11 σωτήρ, ὅς ἐστιν χὸς κύριος ἐν πόλει
– 26 πρὶν ἢ ἂν ἴδῃ τὸν χριστὸν κυρίου
3 15 μήποτε αὐτὸς (sc Ἰω.) εἴη ὁ χρ. cfr
Joh 1 20 ὡμολόγησεν ὅτι ἐγὼ οὐκ εἰ-
μὶ ὁ χρ. 25 εἰ σὺ οὐκ εἶ ὁ χριστός
3 28 ὅτι εἶπον· οὐκ εἰμὶ ἐγὼ ὁ χρ.
4 41 οὐκ εἴα αὐτὰ (sc τὰ δαιμόνια) λα-
λεῖν, ὅτι ᾔδεισαν τὸν χρ. αὐτὸν εἶναι
(vl Mar 1 34 ᾔδεισαν αὐτὸν χὸν εἶν.)
23 2 λέγοντα ἑαυτὸν χὸν βασιλέα εἶναι
24 26 οὐχὶ – ἔδει παθεῖν τὸν χρ. –; 46 ὅτι
οὕτως γέγραπται παθεῖν τὸν χρ.
Joh 1 17 ἡ χάρις καὶ ἡ ἀλήθεια διὰ Ἰ. Χοῦ
ἐγένετο – Joh 1 20.25 3 28 → Luc 3 15
– 41 τὸν Μεσσίαν (ὅ ἐστιν μεθερμηνευ-
όμενον χριστός) 4 25 ὁ λεγόμεν. χρ.
4 29 μήτι οὗτός ἐστιν ὁ χριστός; (vl 42)
7 26 ἔγνωσαν – ὅτι οὗτός ἐστιν ὁ χρ.;
– 27 ὁ δὲ χρ. ὅταν ἔρχηται, οὐδεὶς γινώ-
σκει πόθεν ἐστίν 31 ὁ χριστὸς ὅταν

ἔλθῃ, μὴ πλείονα σημεῖα ποιήσει –;
Joh 7 41 ἄλλοι ἔλεγον· οὗτός ἐστιν ὁ χρ.· –
μὴ – ἐκ τῆς Γαλιλαίας ὁ χρ. ἔρχεται;
42 ἀπὸ Βηθλέεμ – ἔρχεται ὁ χρ.;
9 22 ἐάν τις αὐτὸν ὁμολογήσῃ χριστόν
11 27 πεπίστευκα ὅτι σὺ εἶ ὁ χρ. ὁ υἱὸς
τοῦ θεοῦ ὁ εἰς τ. κόσμ. ἐρχόμενος
12 34 ὅτι ὁ χριστὸς μένει εἰς τὸν αἰῶνα
17 3 καὶ ὃν ἀπέστειλας Ἰησοῦν Χόν
20 31 ἵνα πιστεύητε (vl ..σητε) ὅτι Ἰησοῦς
ἐστιν ὁ χριστὸς ὁ υἱὸς τοῦ θεοῦ
Act 2 31 ἐλάλησεν περὶ τῆς ἀναστάσεως τοῦ
Χοῦ 36 ὅτι κύριον αὐτὸν καὶ χριστὸν
ἐποίησεν ὁ θεός, τοῦτον τὸν Ἰησοῦν
3 18 ὁ – θεὸς ἃ προκατήγγειλεν –, παθεῖν
τὸν χρ. αὐτοῦ, ἐπλήρωσεν οὕτως
– 20 ὅπως ἂν – ἀποστείλῃ τὸν προκεχει-
ρισμένον ὑμῖν χριστὸν Ἰησοῦν
4 26 „καὶ κατὰ τοῦ χριστοῦ αὐτοῦ“
5 42 εὐαγγελιζόμενοι τὸν χριστὸν Ἰησοῦν
8 5 ἐκήρυσσεν αὐτοῖς τὸν Χριστόν 12
(– 37 vl πιστεύω τὸν υἱὸν τοῦ θεοῦ εἶναι
τὸν Ἰησοῦν Χόν vg, vl°)
9 22 συμβιβάζων ὅτι οὗτός ἐστιν ὁ χρ.
– 34 Αἰνέα, ἰᾶταί σε Ἰησοῦς Χός
10 36 εὐαγγελιζόμ. εἰρήνην διὰ Ἰησ. Χοῦ
17 3 παρατιθέμενος ὅτι τὸν χρ. ἔδει πα-
θεῖν –, καὶ ὅτι οὗτός ἐστιν ὁ χρ., ὁ
Ἰησοῦς 18 5 διαμαρτυρόμενος τοῖς
Ἰουδαίοις εἶναι τὸν χρ. Ἰησοῦν 28
24 24 περὶ τῆς εἰς Χὸν Ἰησοῦν πίστεως
26 23 εἰ παθητὸς ὁ χρ., εἰ πρῶτος ἐξ
Rm 1 6 καὶ ὑμεῖς κλητοὶ Ἰησοῦ Χοῦ
– 8 εὐχαριστῶ τῷ θεῷ μου διὰ Ἰησοῦ
Χοῦ 2 16 κρίνει ὁ θεὸς – διὰ Χοῦ Ἰ.
5 17 βασιλεύσουσιν διὰ τοῦ ἑνὸς Ἰ.
Χοῦ 7 4 ἐθανατώθητε – διὰ τοῦ σώ-
ματος τοῦ Χοῦ 16 27 μόνῳ σοφῷ θεῷ,
διὰ Ἰ. Χοῦ, ᾧ (vl°) ἡ δόξα
3 22 διὰ πίστεως [Ἰησοῦ] Χοῦ
– 24 6 11.23 8 1.2.39 9 1 12 5 15 17 16 3.7.9.10
→ ἐν pag 165
5 6 Χὸς – ὑπὲρ ἀσεβῶν ἀπέθανεν 8 ἔτι
ἁμαρτωλῶν ὄντων ἡμῶν Χὸς ὑπὲρ
ἡμῶν ἀπέθανεν
– 15 ἡ δωρεὰ ἐν χάριτι τῇ τοῦ ἑνὸς ἀν-
θρώπου Ἰησοῦ Χοῦ – ἐπερίσσευσεν
6 3 ὅσοι ἐβαπτίσθημεν εἰς Χὸν Ἰησοῦν
– 4 ὥσπερ ἠγέρθη Χὸς ἐν νεκρῶν
– 8 εἰ δὲ ἀπεθάνομεν σὺν Χῷ
– 9 Χὸς ἐγερθεὶς – οὐκέτι ἀποθνήσκει
8 9 εἰ δέ τις πνεῦμα Χοῦ οὐκ ἔχει, οὐ-

τος οὐκ ἔστιν αὐτοῦ 10 εἰ δὲ Χὸς ἐν
ὑμῖν, –, τὸ – πνεῦμα ζωή

Rm 8 11 ὁ ἐγείρας – Χὸν Ἰησοῦν ζωοποιήσει
– 17 συγκληρονόμοι – Χοῦ, εἴπερ συμπά-
σχομεν 34 τίς ὁ κατακρινῶν; Χὸς Ἰ.
ὁ ἀποθανών, μᾶλλον δὲ ἐγερθείς
– 35 τίς ἡμᾶς χωρίσει ἀπὸ τῆς ἀγάπης
τοῦ Χοῦ; 39 τῆς ἐν Χῷ Ἰησοῦ
9 3 ἀνάθεμα εἶναι – ἀπὸ τοῦ Χοῦ ὑπέρ
– 5 ἐξ ὧν ὁ Χὸς τὸ κατὰ σάρκα
10 4 τέλος γὰρ νόμου Χὸς εἰς δικαιοσ.
– 6 τοῦτ᾽ ἔστιν Χὸν καταγαγεῖν 7 τοῦτ᾽
ἔστιν Χὸν ἐκ νεκρῶν ἀναγαγεῖν
– 17 ἡ δὲ ἀκοὴ διὰ ῥήματος Χοῦ
14 9 εἰς τοῦτο – Χ. ἀπέθανεν καὶ ἔζησεν
– 15 μὴ – ἀπόλλυε, ὑπὲρ οὗ Χ. ἀπέθανεν
– 18 ὁ γὰρ ἐν τούτῳ δουλεύων τῷ Χῷ
15 3 καὶ – ὁ Χὸς οὐχ ἑαυτῷ ἤρεσεν 5 τὸ
αὐτὸ φρονεῖν ἐν ἀλλήλοις κατὰ Χὸν
Ἰ. 7 καθὼς καὶ ὁ Χὸς προσελάβετο
ἡμᾶς 8 λέγω γὰρ Χὸν διάκονον γε-
γενῆσθαι περιτομῆς
– 16 εἰς τὸ εἶναί με λειτουργὸν Χοῦ Ἰ.
εἰς τὰ ἔθνη 18 οὐ – τολμήσω τι λα-
λεῖν ὧν οὐ κατειργάσατο Χὸς δι᾽ ἐ-
μοῦ 19 ὥστε με – πεπληρωκέναι τὸ
εὐαγγέλιον τοῦ Χοῦ 20 εὐαγγελί-
ζεσθαι οὐχ ὅπου ὠνομάσθη Χός 29
ἐν πληρώματι εὐλογίας Χ. ἐλεύσομαι
16 5 ὅς ἐστιν ἀπαρχὴ τῆς Ἀσίας εἰς Χόν
– 16 αἱ ἐκκλησίαι πᾶσαι τοῦ Χοῦ
– 25 κατὰ – τὸ κήρυγμα Ἰησοῦ Χοῦ
1 Co 1 2.4.30 31 4 15.17 15 18.22 16 24 → ἐν
pag 165
– 6 τὸ μαρτύριον τοῦ Χοῦ ἐβεβαιώθη
– 9 εἰς κοινωνίαν τοῦ υἱοῦ αὐτοῦ Ἰησοῦ
Χοῦ τοῦ κυρίου ἡμῶν
– 12 ἐγὼ δὲ Χοῦ 13 μεμέρισται ὁ Χός;
– 17 οὐ γὰρ ἀπέστειλέν με Χὸς βαπτί-
ζειν ἀλλὰ εὐαγγελίζεσθαι, οὐκ ἐν
σοφίᾳ λόγου, ἵνα μὴ κενωθῇ ὁ σταυ-
ρὸς τοῦ Χοῦ 23 ἡμεῖς δὲ κηρύσσο-
μεν Χὸν ἐσταυρωμένον 24 τοῖς κλη-
τοῖς, –, Χὸν θεοῦ δύναμιν καὶ – σοφ.
2 2 οὐ γὰρ ἔκρινά τι εἰδέναι ἐν ὑμῖν εἰ
μὴ Ἰ. Χὸν καὶ τοῦτον ἐσταυρωμένον
– 16 ἡμεῖς δὲ νοῦν Χοῦ ἔχομεν
3 11 θεμέλιον –, ὅς ἐστιν Ἰησοῦς Χός
– 23 ὑμεῖς δὲ Χοῦ, Χριστὸς δὲ θεοῦ
4 1 ἡμᾶς – ὡς ὑπηρέτας Χριστοῦ
– 10 ἡμεῖς μωροὶ διὰ Χόν, ὑμεῖς δὲ φρό-
νιμοι ἐν Χῷ· ἡμεῖς ἀσθενεῖς

1 Co 5 7 „τὸ πάσχα“ ἡμῶν „ἐτύθη“ Χός
6 15 οὐκ οἴδατε ὅτι τὰ σώματα ὑμῶν μέ-
λη Χοῦ ἐστιν; ἄρας οὖν τὰ μέλη
τοῦ Χοῦ ποιήσω πόρνης μέλη;
8 11 ἀπόλλυται –, ὁ ἀδελφὸς δι᾽ ὃν Χὸς
ἀπέθανεν 12 εἰς Χὸν ἁμαρτάνετε
9 12 ἵνα μή τινα ἐγκοπὴν δῶμεν τῷ εὐαγ-
γελίῳ τοῦ Χοῦ 21 μὴ ὢν ἄνομος θε-
οῦ ἀλλ᾽ ἔννομος Χοῦ
10 4 ἡ πέτρα δὲ ἦν ὁ Χριστός
– 16 οὐχὶ κοινωνία ἐστιν τοῦ αἵματος τοῦ
Χοῦ; – τοῦ σώματος τοῦ Χοῦ –;
11 1 μιμηταί μου –, καθὼς κἀγὼ Χοῦ
– 3 παντὸς ἀνδρὸς ἡ κεφαλὴ ὁ Χ. ἐστιν,
–, κεφαλὴ δὲ τοῦ Χοῦ ὁ θεός
12 12 οὕτως καὶ ὁ Χ. 27 ὑμεῖς δέ ἐστε σῶ-
μα Χοῦ καὶ μέλη ἐκ μέρους
15 3 Χὸς ἀπέθανεν ὑπὲρ τῶν ἁμαρτιῶν
ἡμῶν 12 εἰ δὲ Χ. κηρύσσεται ὅτι –
ἐγήγερται 13 οὐδὲ Χ. ἐγήγερται 14 εἰ
δὲ Χ. οὐκ ἐγήγερται 15 ὅτι ἤγειρεν
τὸν Χ. 16.17.18 οἱ κοιμηθέντες ἐν Χῷ
ἀπώλοντο 19 εἰ ἐν τῇ ζωῇ ταύτῃ ἐν
Χῷ ἠλπικότες ἐσμὲν μόνον 20 νυνὶ
δὲ Χὸς ἐγήγερται 22 ἐν τῷ Χῷ πάν-
τες ζωοποιηθήσονται 23 ἀπαρχὴ Χ.,
ἔπειτα οἱ τοῦ Χοῦ
2 Co 1 5 καθὼς περισσεύει τὰ παθήματα τοῦ
Χ. εἰς ἡμᾶς, οὕτως διὰ τοῦ Χ. πε-
ρισσεύει καὶ ἡ παράκλησις ἡμῶν
– 19 ὁ τοῦ θεοῦ – υἱὸς Χὸς Ἰησοῦς
– 21 ὁ δὲ βεβαιῶν ἡμᾶς σὺν ὑμῖν εἰς Χ.
2 10 κεχάρισμαι – ἐν προσώπῳ Χοῦ
– 12 ἐλθὼν – εἰς τὸ εὐαγγέλιον τοῦ Χοῦ
– 14.17 3 14 5 17.19 12 2 → ἐν pag 166
– 15 Χοῦ εὐωδία ἐσμὲν τῷ θεῷ
3 3 φανερούμενοι ὅτι ἐστὲ ἐπιστολὴ Χοῦ
– 4 πεποίθησιν – διὰ τοῦ Χ. πρὸς – θεόν
4 4 τοῦ εὐαγγελίου τῆς δόξης τοῦ Χοῦ
– 6 δόξης τοῦ θεοῦ ἐν προσώπῳ Χοῦ
5 10 ἔμπροσθεν τοῦ βήματος τοῦ Χοῦ
– 14 ἡ – ἀγάπη τοῦ Χοῦ συνέχει ἡμᾶς
– 16 εἰ καὶ ἐγνώκαμεν κατὰ σάρκα Χόν
– 18 καταλλάξαντος ἡμᾶς ἑαυτῷ διὰ Χοῦ
19 θεὸς ἦν ἐν Χῷ κόσμον καταλλάσ-
σων ἑαυτῷ 20 ὑπὲρ Χοῦ οὖν πρε-
σβεύομεν· δεόμεθα ὑπὲρ Χοῦ
6 15 τίς δὲ συμφώνησις Χοῦ πρὸς Βελίαρ
8 23 ἀπόστολοι ἐκκλησιῶν, δόξα Χοῦ
9 13 εἰς τὸ εὐαγγέλιον τοῦ Χοῦ
10 1 διὰ τῆς – ἐπιεικείας τοῦ Χ. 5 εἰς τὴν
ὑπακοὴν τοῦ Χοῦ 7 εἴ τις πέποιθεν

ἑαυτῷ Χοῦ εἶναι, τοῦτο λογιζέσθω
πάλιν –, ὅτι καθὼς αὐτὸς Χοῦ, οὕ-
τως καὶ ἡμεῖς

2 Co 10 14 ἄχρι – καὶ ὑμῶν ἐφθάσαμεν ἐν τῷ
εὐαγγελίῳ τοῦ Χοῦ
11 2 ὑμᾶς – παρθένον ἁγνὴν παραστῆσαι
τῷ Χ. 3 μή πως – φθαρῇ τὰ νοήματα
ὑμῶν ἀπὸ τῆς ἁπλότητος – τῆς εἰς
Χόν 10 ἔστιν ἀλήθεια Χοῦ ἐν ἐμοί
– 23 διάκονοι Χοῦ εἰσιν; –, ὑπὲρ ἐγώ
12 9 ἵνα ἐπισκηνώσῃ ἐπ' ἐμὲ ἡ δύναμις
τοῦ Χοῦ 10 εὐδοκῶ ἐν ἀσθενείαις –,
ὑπὲρ Χοῦ· ὅταν – ἀσθενῶ, τότε
13 3 τοῦ ἐν ἐμοὶ λαλοῦντος Χοῦ
– 5 ἢ οὐκ ἐπιγινώσκετε ἑαυτοὺς ὅτι Ἰη-
σοῦς Χριστὸς ἐν ὑμῖν;

Gal 1 6 τοῦ καλέσαντος ὑμᾶς ἐν χάριτι Χοῦ
– 7 μεταστρέψαι τὸ εὐαγγέλιον τοῦ Χοῦ
– 12 ἀλλὰ δι' ἀποκαλύψεως Ἰησοῦ Χοῦ
– 22 24 3 14 → ἐν pag 166
2 16 ἐὰν μὴ διὰ πίστεως Χοῦ Ἰησοῦ, καὶ
ἡμεῖς εἰς Χὸν Ἰησοῦν ἐπιστεύσαμεν,
ἵνα δικαιωθῶμεν ἐκ πίστεως Χοῦ
– 17 εἰ – ζητοῦντες δικαιωθῆναι ἐν Χῷ
εὑρέθημεν καὶ αὐτοὶ ἁμαρτωλοί, ἆρα
Χὸς ἁμαρτίας διάκονος;
– 19 Χῷ συνεσταύρωμαι 20 ζῶ δὲ οὐκέτι
ἐγώ, ζῇ δὲ ἐν ἐμοὶ Χός
– 21 εἰ – –, ἄρα Χὸς δωρεὰν ἀπέθανεν
3 1 οἷς – ʼΙ. Χ. προεγράφη ἐσταυρωμένος
– 13 Χὸς ἡμᾶς ἐξηγόρασεν ἐκ τῆς κατάρ.
– 16 „τῷ σπέρματί σου", ὅς ἐστιν Χός
– 22 ἵνα ἡ ἐπαγγελία ἐκ πίστεως Ἰησοῦ
Χοῦ δοθῇ τοῖς πιστεύουσιν
– 24 ὥστε ὁ νόμος παιδαγωγὸς ἡμῶν γέ-
γονεν εἰς Χόν
– 26 υἱοὶ θεοῦ ἐστε διὰ τῆς πίστεως ἐν
Χῷ Ἰησοῦ 27 ὅσοι γὰρ εἰς Χὸν ἐβα-
πτίσθητε, Χὸν ἐνεδύσασθε
– 28 εἷς ἐστε ἐν Χῷ ʼΙησ. 29 εἰ δὲ ὑμεῖς
Χοῦ, ἄρα – κατ' ἐπαγγ. κληρονόμοι
4 14 ἐδέξασθέ με, ὡς Χὸν Ἰησοῦν
– 19 μέχρις οὗ μορφωθῇ Χριστὸς ἐν ὑμῖν
5 1 τῇ ἐλευθερίᾳ ἡμᾶς Χὸς ἠλευθέρωσεν
2 ἐὰν περιτέμνησθε Χὸς ὑμᾶς οὐδὲν
ὠφελήσει 4 καταργήθητε ἀπὸ Χοῦ
οἵτινες ἐν νόμῳ δικαιοῦσθε 6 ἐν –
Χῷ Ἰησοῦ οὔτε περιτομή → ἐν
– 24 οἱ δὲ τοῦ Χοῦ ʼΙ. τὴν σάρκα ἐσταύ-
ρωσαν σὺν τοῖς παθήμασιν καὶ ταῖς
ἐπιθυμίαις
6 2 ἀναπληρώσετε τὸν νόμον τοῦ Χοῦ

Gal 6 12 μόνον ἵνα τῷ σταυρῷ τοῦ Χοῦ [ʼΙ.]
μὴ διώκωνται 14 → κύριος 2) a)
Eph 1 5 εἰς υἱοθεσίαν διὰ ʼΙ. Χοῦ εἰς αὐτόν
– 10.12.20 2 6.7.10.13 3 6.11.21 4 32 → ἐν
pag 166
2 5 ἡμᾶς – συνεζωοποίησεν τῷ Χῷ
– 12 ἦτε τῷ καιρῷ ἐκείνῳ χωρὶς Χοῦ
– 13 νυνὶ – ἐν Χῷ Ἰησοῦ – ἐγενήθητε ἐγ-
γὺς ἐν τῷ αἵματι τοῦ Χοῦ
– 20 ὄντος ἀκρογωνιαίου αὐτοῦ Χοῦ Ἰησ.
3 1 ἐγὼ Παῦλος ὁ δέσμιος τοῦ Χοῦ
– 4 δύνασθε – νοῆσαι τὴν σύνεσίν μου ἐν
τῷ μυστηρίῳ τοῦ Χοῦ
– 8 εὐαγγελίσασθαι τὸ ἀνεξιχνίαστον
πλοῦτος τοῦ Χοῦ 17 κατοικῆσαι τὸν
Χὸν διὰ τῆς πίστ. ἐν ταῖς καρδίαις
– 19 γνῶναί τε τὴν ὑπερβάλλουσαν τῆς
γνώσεως ἀγάπην τοῦ Χοῦ
4 7 κατὰ τὸ μέτρον τῆς δωρεᾶς τοῦ Χοῦ
– 12 εἰς οἰκοδομὴν τοῦ σώματος τοῦ Χοῦ
– 13 εἰς μέτρον ἡλικίας τοῦ πληρώματος
τοῦ Χοῦ 15 αὐξήσωμεν εἰς αὐτὸν –,
ὅς ἐστιν ἡ κεφαλή, Χός
– 20 ὑμεῖς – οὐχ οὕτως ἐμάθετε τὸν Χόν
5 2 καθὼς καὶ ὁ Χ. ἠγάπησεν ὑμᾶς 25
τὴν ἐκκλησίαν 29 ἐκτρέφει
– 5 οὐκ ἔχει κληρονομίαν ἐν τῇ βασιλείᾳ
τοῦ Χοῦ καὶ θεοῦ
– 14 καὶ ἐπιφαύσει σοι ὁ Χριστός
– 21 ὑποτασσόμενοι ἀλλήλοις ἐν φόβῳ
Χοῦ 23 ὡς καὶ ὁ Χ. κεφαλὴ τῆς ἐκ-
κλησίας 24 ὡς ἡ ἐκκλησία ὑποτάσσε-
ται τῷ Χῷ 32 μυστήριον –, ἐγὼ δὲ
λέγω εἰς Χὸν καὶ – τὴν ἐκκλησίαν
6 5 ὑπακούετε τοῖς – κυρίοις – ὡς τῷ Χῷ
Phl 1 1.13.26 2 1.5 3 3.14 4 7.19.21 → ἐν pag
167. 166
– 6 ἐπιτελέσει ἄχρι ἡμέρας Χοῦ Ἰησ. 10
ἀπρόσκοποι εἰς ἡμέραν Χοῦ 2 16 εἰς
καύχημα ἐμοὶ εἰς ἡμέραν Χοῦ
– 8 ἐπιποθῶ – ὑμ. ἐν σπλάγχνοις Χοῦ ʼΙ.
– 11 καρπὸν δικαιοσύνης τὸν διὰ ʼΙ. Χοῦ
– 15 δι' εὐδοκίαν τὸν Χὸν κηρύσσουσιν
– 17 ἐξ ἐριθείας τὸν Χ. καταγγέλλουσιν
18 ὅτι παντὶ τρόπῳ, –, Χὸς καταγ-
γέλλεται, καὶ ἐν τούτῳ χαίρω
– 19 διὰ – ἐπιχορηγίας τοῦ πνεύματος Ἰη-
σοῦ Χριστοῦ
– 20 ὅτι – μεγαλυνθήσεται Χ. ἐν τῷ σώ-
ματί μου 21 ἐμοὶ γὰρ τὸ ζῆν Χός
– 23 ἀναλῦσαι καὶ σὺν Χριστῷ εἶναι
– 27 μόνον ἀξίως τοῦ εὐαγγελίου τοῦ Χ.

πολιτεύεσθε 29 ὑμῖν ἐχαρίσθη τὸ ὑ-
πὲρ Χοῦ, – καὶ – πάσχειν

Phl 221 τὰ ἑαυτῶν ζητοῦσιν, οὐ τὰ Χοῦ ᾿Ιη.
– 30 διὰ τὸ ἔργον Χοῦ μέχρι θανάτου ἤγγ.
3 3 οἱ – καυχώμενοι ἐν Χῷ ᾿Ιησοῦ
– 7 ταῦτα ἥγημαι διὰ τὸν Χ. ζημίαν 8 διὰ
τὸ ὑπερέχον τῆς γνώσεως Χοῦ ᾿Ι. –,
–, ἵνα Χὸν κερδήσω 9 ἔχων –, – τὴν
(sc δικαιοσύνην) διὰ πίστεως Χοῦ
– 12 ἐφ᾿ ᾧ καὶ κατελήμφθην ὑπὸ Χοῦ ᾿Ι.
– 18 τοὺς ἐχθροὺς τοῦ σταυροῦ τοῦ Χοῦ
Col 1 2.4.28 → ἐν pag 167. 166
– 7 πιστὸς ὑπὲρ ὑμῶν διάκονος τοῦ Χοῦ
– 24 τὰ ὑστερήματα τῶν θλίψεων τοῦ Χ.
– 27 τοῦ μυστηρίου τούτου ἐν τοῖς ἔθνε-
σιν, ὅς ἐστιν Χὸς ἐν ὑμῖν
2 2 εἰς ἐπίγνωσιν τοῦ μυστ. τοῦ θεοῦ,
Χοῦ, ἐν ᾧ εἰσιν – „οἱ θησαυροί"
– 5 στερέωμα τῆς εἰς Χὸν πίστεως ὑμ.
– 8 κατὰ τὰ στοιχεῖα τοῦ κόσμου καὶ οὐ
κατὰ Χόν 11 ἐν ᾧ – περιετμήθητε –
ἐν τῇ περιτομῇ τοῦ Χοῦ
– 17 νεομηνίας ἢ σαββάτων, ἅ ἐστιν σκιὰ
τῶν μελλόντων, τὸ δὲ σῶμα τοῦ Χοῦ
– 20 εἰ ἀπεθάνετε σὺν Χῷ ἀπὸ τῶν στοι-
χείων τοῦ κόσμου, τί ὡς ζῶντες – ;
3 1 εἰ – συνηγέρθητε τῷ Χ., τὰ ἄνω ζη-
τεῖτε, οὗ ὁ Χ. ἐστιν 3 ἡ ζωὴ ὑμῶν
κέκρυπται σὺν τῷ Χ. ἐν τῷ θεῷ 4 ὅ-
ταν ὁ Χ. φανερωθῇ, ἡ ζωὴ ἡμῶν
– 11 ἀλλὰ πάντα καὶ ἐν πᾶσιν Χός
(– 13 vl καθὼς καὶ ὁ Χ. ἐχαρίσατο ὑμῖν)
– 15 ἡ εἰρήνη τοῦ Χ. βραβευέτω ἐν ταῖς
καρδίαις ὑμῶν 16 ὁ λόγος τοῦ Χ. ἐν-
οικείτω ἐν ὑμῖν πλουσίως
4 3 λαλῆσαι τὸ μυστήριον τοῦ Χοῦ
1 Th 214 416 1 Ti 114 2 Ti 11.9 21.10 312 Phm
8.20.23 → ἐν pag 167
3 2 διάκονον – ἐν τῷ εὐαγγελίῳ τοῦ Χοῦ
2 Th 3 5 κατευθύναι ὑμῶν τὰς καρδίας – εἰς
τὴν ὑπομονὴν τοῦ Χοῦ
1 Ti 1 1 κατ᾿ ἐπιταγὴν – Χοῦ ᾿Ι. τῆς ἐλπίδος
ἡμῶν cfr 2 Ti 11 ζωῆς τῆς ἐν Χῷ ᾿Ι.
– 15 Χὸς ᾿Ι. ἦλθεν – ἁμαρτωλοὺς σῶσαι
– 16 ἵνα ἐν ἐμοὶ πρώτῳ ἐνδείξηται ᾿Ι. Χὸς
τὴν ἅπασαν μακροθυμίαν
2 5 εἷς καὶ μεσίτης –, ἄνθρωπος Χὸς ᾿Ι.
313 ἐν πίστει τῇ ἐν Χῷ ᾿Ιησοῦ 2 Ti 315
4 6 καλὸς ἔσῃ διάκονος Χοῦ ᾿Ιησοῦ
511 ὅταν – καταστρηνιάσωσιν τοῦ Χοῦ
– 21 ἐνώπιον τοῦ θεοῦ καὶ Χοῦ ᾿Ι. καὶ τῶν
ἐκλεκτῶν ἀγγέλων 613 καὶ Χοῦ ᾿Ι.

τοῦ μαρτυρήσαντος – τὴν καλὴν ὁ-
μολογίαν 2 Ti 41 τοῦ μέλλ. κρίνειν
2 Ti 1 10 διὰ τῆς ἐπιφανείας τοῦ σωτῆρος
ἡμῶν Χοῦ ᾿Ι. Tit 14 213 τοῦ μεγάλου
θεοῦ καὶ σωτῆρος ἡμῶν Χοῦ ᾿Ι. 36
διὰ ᾿Ιησοῦ Χοῦ τοῦ σωτῆρος ἡμῶν
2 3 ὡς καλὸς στρατιώτης Χοῦ ᾿Ιησοῦ
– 8 μνημόνευε ᾿Ιησοῦν Χὸν ἐγηγερμένον
Phm 1 δέσμιος Χοῦ ᾿Ι. 9 νυνὶ δὲ καὶ δέσμ.
6 ἐν ἐπιγνώσει παντὸς ἀγαθοῦ τοῦ ἐν
ἡμῖν εἰς Χριστόν (vg in Ch..o J.)
Hb 3 6 Χὸς δὲ ὡς υἱὸς ἐπὶ τὸν οἶκον αὐτοῦ
– 14 μέτοχοι γὰρ τοῦ Χοῦ γεγόναμεν
5 5 καὶ ὁ Χὸς οὐχ ἑαυτὸν ἐδόξασεν
6 1 ἀφέντες τὸν τῆς ἀρχῆς τοῦ Χ. λόγον
911 Χὸς δὲ παραγενόμενος ἀρχιερεύς
– 14 πόσῳ μᾶλλον τὸ αἷμα τοῦ Χοῦ – κα-
θαριεῖ τὴν συνείδησιν ἡμῶν
– 24 οὐ γὰρ εἰς χειροποίητα εἰσῆλθεν ἅ-
για Χός 28 ὁ Χ., ἅπαξ προσενεχθείς
1010 προσφορᾶς τοῦ σώματος ᾿Ιησ. Χοῦ
1126 „τὸν ὀνειδισμὸν τοῦ Χριστοῦ"
13 8 ᾿Ι. Χὸς ἐχθὲς καὶ σήμερον ὁ αὐτός
– 21 διὰ ᾿Ι. Χοῦ, ᾧ ἡ δόξα εἰς τοὺς αἰῶν.
Jac 1 1 21 → κύριος 2) a) pag 299
1 Pe 1 2 εἰς – ῥαντισμὸν αἵματος ᾿Ιησοῦ Χοῦ
– 3 δι᾿ ἀναστάσεως ᾿Ι. Χοῦ ἐκ νεκρῶν 321
– 7 εἰς – τιμὴν ἐν ἀποκαλύψει ᾿Ι. Χοῦ 13
– 11 τὸ ἐν αὐτοῖς πνεῦμα Χοῦ προμαρ-
τυρόμενον τὰ εἰς Χὸν παθήματα
– 19 αἵματι ὡς ἀμνοῦ ἀμώμου – Χριστοῦ
2 5 θυσίας – θεῷ διὰ ᾿Ιησοῦ Χοῦ
– 21 ὅτι καὶ Χριστὸς ἔπαθεν ὑπὲρ ὑμῶν
316 510.14 Jud 1 → ἐν pag 167
– 18 Χὸς ἅπαξ περὶ ἁμαρτιῶν ἀπέθανεν
4 1 Χοῦ οὖν παθόντος σαρκὶ καὶ ὑμεῖς
– 11 ἵνα – δοξάζηται ὁ θεὸς διὰ ᾿Ιησ. Χοῦ
– 13 καθὸ κοινωνεῖτε τοῖς τοῦ Χοῦ παθή-
μασιν 51 μάρτυς τῶν τοῦ Χ. παθημ.
2 Pe 1 1 ἐν δικαιοσύνῃ τοῦ θεοῦ ἡμῶν καὶ
σωτῆρος ᾿Ιησοῦ Χοῦ 11 βασιλείαν
τοῦ κυρίου ἡμῶν καὶ σωτῆρος ᾿Ι. Χοῦ
220 ἐπιγνώσει τοῦ κυ. καὶ σωτ. 318
1 Jo 1 3 ἡ κοινωνία – ἡ ἡμετέρα μετὰ τοῦ πα-
τρὸς καὶ μετὰ τοῦ υἱοῦ αὐτοῦ ᾿Ιησοῦ
Χοῦ 2 Jo 3 παρὰ ᾿Ιησοῦ Χοῦ τοῦ υἱ.
2 1 παράκλητον ἔχομεν πρὸς τ. πατέρα,
᾿Ι. Χὸν δίκαιον· καὶ αὐτὸς ἱλασμός
– 22 ὁ ἀρνούμενος ὅτι ᾿Ιησοῦς οὐκ ἔστιν
ὁ χριστός 51 ὁ πιστεύων ὅτι ᾿Ιησοῦς
ἐστιν ὁ χριστός
4 2 πᾶν πνεῦμα ὃ ὁμολογεῖ ᾿Ι. Χὸν ἐν

σαρκὶ ἐληλυθότα 2 Jo 7 οἱ μὴ ὁμο-
λογοῦντες Ἰ. Χ. ἐρχόμενον ἐν σαρκί
1 Jo 5 6 ὁ ἐλθὼν δι' ὕδατος καὶ αἵματος, Ἰη-
σοῦς Χ..ός· οὐκ ἐν τῷ ὕδατι μόνον
– 20 ἐσμὲν ἐν τῷ ἀληθινῷ, ἐν τῷ υἱῷ (vg
simus in vero Filio) αὐτοῦ Ἰησοῦ
Χριστῷ
2 Jo 9 ὁ – μὴ μένων ἐν τῇ διδαχῇ τοῦ Χ.
Αp 1 1 ἀποκάλυψις Ἰησοῦ Χριστοῦ
– 2 τὴν μαρτυρίαν Ἰης. Χοῦ, ὅσα εἶδεν
– 5 ἀπὸ Ἰης. Χοῦ, „ὁ μάρτυς ὁ πιστός"
11 15 „τοῦ κυρίου" ἡμῶν „καὶ τοῦ χριστοῦ
αὐτοῦ" 12 10 ἐγένετο – ἡ ἐξουσία τοῦ
χριστοῦ αὐτοῦ, ὅτι ἐβλήθη
20 4 ἐβασίλευσαν μετὰ τοῦ Χ. χίλια ἔτη
– 6 „ἱερεῖς τοῦ θεοῦ" καὶ τοῦ Χριστοῦ

χρονίζειν moram facere (venire) ᵇtardare
Mat 24 48 χρονίζει μου ὁ κύριος || Luc 12 45
25 5 χ..οντος – τοῦ νυμφίου – Luc 1 21ᵇ
Hb 10 37 „ὁ ἐρχόμενος ἥξει καὶ οὐ χρονίσει ᵇ"

χρόνος tempus ᵇ(μικρὸν χ..ον) modicum
Mat 2 7 τὸν χρ. τοῦ φαινομένου ἀστέρος 16
25 19 μετὰ – πολὺν χρ. ἔρχεται ὁ κύριος τῶν
δούλων Luc 20 9 ἀπεδήμησεν χρόνους
ἱκανούς. 10 καὶ καιρῷ ἀπέστειλεν
Mar 2 19 ὅσον χ..ον ἔχουσιν τὸν νυμφίον μετ'
9 21 πόσος χρ. ἐστὶν ὡς – γέγονεν αὐτῷ
Luc 1 57 ἐπλήσθη ὁ χρόνος τοῦ τεκεῖν αὐτήν
4 5 ἐν στιγμῇ (momento) χρόνου
8 27.29 23 8 18 4 οὐκ ἤθελεν ἐπὶ χρόνον
Joh 5 6 γνοὺς ὅτι πολὺν ἤδη χρόνον ἔχει
7 33 ἔτι χ..ον μικρὸν μεθ' ὑμῶν εἰμι 12 35 ᵇ
τὸ φῶς ἐν ὑμῖν ἐστιν
14 9 τοσοῦτον χρόνον μεθ' ὑμῶν εἰμι
Act 1 6 εἰ ἐν τῷ χρ. τούτῳ ἀποκαθιστάνεις
τὴν βασιλείαν τῷ Ἰσραήλ; 7 οὐχ ὑ-
μῶν ἐστιν γνῶναι χ..ους ἢ καιρούς
– 21 ἐν παντὶ χρ. ᾧ εἰσῆλθεν καὶ ἐξῆλθεν
3 21 ἄχρι χ..ων ἀποκαταστάσεως πάντων
7 17 ἤγγιζεν ὁ χρόνος τῆς ἐπαγγελίας
– 23 8 11 13 18 14 3.28 χ..ον οὐκ ὀλίγ. 15 33
17 30 τοὺς – χρ. τῆς ἀγνοίας ὑπεριδὼν
18 20 ἐπὶ πλείονα χρ. μεῖναι 23 ποιήσας
χ..ον τινὰ 19 22 ἐπέσχεν χ..ον 20 18 27 9
Rm 7 1 ἐφ' ὅσον χρ. ζῇ (sc ὁ ἄνθρωπος)
1 Co 7 39 ὁ ἀνὴρ αὐτῆς Gal 4 1 ἐφ' ὅ-
σον χρ. ὁ κληρονόμος νήπιός ἐστιν
16 25 κατὰ ἀποκάλυψιν μυστηρίου χρόνοις
αἰωνίοις σεσιγημένου 2 Ti 1 9 χάριν,
τὴν δοθεῖσαν ἡμῖν – πρὸ χρόνων αἰω.

Tit 1 2 ζωῆς αἰωνίου, ἣν ἐπηγγείλα·
το ὁ – θεὸς πρὸ χρόνων αἰωνίων
1 Co 16 7 ἐλπίζω – χρόνον τινὰ ἐπιμεῖναι πρός
Gal 4 4 ὅτε – ἦλθεν τὸ πλήρωμα τοῦ χρόνου
1 Th 5 1 περὶ δὲ τῶν χρόνων καὶ τῶν καιρῶν
Hb 4 7 5 12 11 32 ἐπιλείψει με – ὁ χρόνος
1 Pe 1 17 τὸν τῆς παροικίας ὑμῶν χρόνον
– 20 φανερωθέντος – ἐπ' ἐσχάτου τῶν χρ.
(novissimis t.) – 4 2 τὸν ἐπίλοιπον
ἐν σαρκὶ – χρ. 3 ὁ παρεληλυθὼς χρ.
Jud 18 ἐπ' ἐσχάτου τοῦ χρόνου (in novis-
simo tempore) ἔσονται (vl ἐλεύσον-
ται vg) ἐμπαῖκται
Αp 2 21 ἔδωκα αὐτῇ χρόνον ἵνα μετανοήσῃ
6 11 ἵνα ἀναπαύσωνται – χρόνον μικρόν
10 6 ὅτι χρόνος οὐκέτι ἔσται
20 3 δεῖ λυθῆναι αὐτὸν μικρὸν χρόνον

χρονοτριβεῖν Sᵒ – Act 20 16 μὴ γένηται αὐ-
τῷ χ..ῆσαι (nequa mora illi fieret) ἐν

χρυσίον aurum cfr χρυσός
Act 3 6 ἀργύριον καὶ χρ. οὐχ ὑπάρχει μοι
20 33 χρυσίου – οὐδενὸς ἐπεθύμησα
1 Co 3 12 εἰ δέ τις ἐποικοδομεῖ – χρυσίον
1 Ti 2 9 μὴ ἐν πλέγμασιν καὶ χρυσίῳ
Hb 9 4 περικεκαλυμμένην πάντοθεν χρυσίῳ
1 Pe 1 7 τὸ δοκίμιον ὑμῶν τῆς πίστεως πολυ-
τιμότερον χ..ου τοῦ ἀπολλυμένου,
διὰ πυρὸς δὲ δοκιμαζομένου
– 18 ὅτι οὐ φθαρτοῖς, „ἀργυρίῳ" ἢ χρυ-
σίῳ, „ἐλυτρώθητε"
3 3 οὐχ ὁ ἔξωθεν – περιθέσεως χρυσίων
ἢ ἐνδύσεως ἱματίων κόσμος
Αp 3 18 ἀγοράσαι παρ' ἐμοῦ χρ. πεπυρωμ.
17 4 κεχρυσωμένη (inaurata) χρυσίῳ 18 16
κεχρ. (deaurata) ἐν χρυσίῳ
21 18 ἡ πόλις χρυς. καθαρόν 21 ἡ πλατεῖα

χρυσοδακτύλιος Sᵒ – aureum annulum (vl
anu.) habens Jac 2 2 ἀνὴρ χρ..ιος

χρυσόλιθος chrysolithus Αp 21 20

χρυσόπρασος Sᵒ – chrysoprasus Αp 21 20

χρυσός aurum
Mat 2 11 „χρυσὸν καὶ λίβανον" καὶ σμύρναν
10 9 μὴ κτήσησθε χρυσὸν μηδὲ ἄργυρον
23 16 ὃς δ' ἂν ὀμόσῃ ἐν τῷ χρ. τοῦ ναοῦ
17 ὁ χρ. ἢ ὁ ναὸς ὁ ἁγιάσας τὸν χ.;
Act 17 29 χρυσῷ – τὸ θεῖον εἶναι ὅμοιον

Jac 5 3 ὁ χρ. ὑμῶν καὶ ὁ ἄργυρος κατίωται
Ap 9 7 ὡς στέφανοι ὅμοιοι χρυσῷ 1812

χρυσοῦν → χρυσίον Ap 174 1816

χρυσοῦς *aureus*
2 Ti 220 οὐκ ἔστιν μόνον σκεύη χ..ᾶ Hb 94
Ap 112 ἑπτὰ λυχνίας χ..ᾶς 20 21 – 113 ζώνην
χ..ᾶν 156 – 44 στεφάνους χ..οῦς 1414 –
58 φιάλας χ..ᾶς 157 – 83 λιβανωτὸν χ..
οῦν κτλ. 913 – 920 „τὰ εἴδωλα τὰ χ..ᾶ"
– 174 „ποτήριον χ..οῦν" – 2115 „μέτρον
κάλαμον" χρυσοῦν (2116 vg, vlᵒ)

χρώς *corpus* Act 1912 ἀπὸ τ. χρωτὸς αὐτοῦ

χωλός *claudus* ᵇ*claudicans*
Mat 11 5 χωλοὶ περιπατοῦσιν ‖ Luc 722
1530.31 βλέποντας – χ..οὺς περιπατοῦντας
18 8 εἰσελθεῖν εἰς τ. ζωὴν – χ..όν ‖ Mar 945
2114 προσῆλθον – χωλοὶ ἐν τῷ ἱερῷ
Luc 1413 κάλει – χωλούς, τυφλούς 21 εἰσάγαγε
Joh 5 3 κατέκειτο πλῆθος τῶν – χωλῶν
Act 3 2 χωλὸς ἐκ κοιλίας μητρός 148 – 87
Hb 1213 ἵνα μὴ τὸ χωλὸνᵇ ἐκτραπῇ, ἰαθῇ δέ

χώρα *regio* ᵇ*ager*
Mat 212 416 „ἐν χώρᾳ καὶ σκιᾷ θανάτου"
828 Γαδαρηνῶν ‖ Mar 51.10 Luc 826
Mar 1 5 ἐξεπορεύετο πᾶσα ἡ Ἰουδαία χώρα
655 περιέδραμον ὅλην τὴν χώραν ἐκείνην
Luc 2 8 31 1216 πλουσίου εὐφόρησεν ἡ χ.ᵇ
1513 εἰς χώραν μακρὰν 14.15 – 1912
2121 οἱ ἐν ταῖς χ. μὴ εἰσερχέσθωσαν εἰς
Joh 435 θεάσασθε τὰς χ., ὅτι λευκαί εἰσιν
1154 εἰς τὴν χώραν ἐγγὺς τῆς ἐρήμου
– 55 πολλοὶ εἰς Ἱεροσόλ. ἐκ τῆς χώρας
Act 8 1 διεσπάρησαν κατὰ τὰς χ. τῆς Ἰουδ.
καὶ Σαμαρ. 1039 2620 – 1220 1349
16 6 τὴν – Γαλατικὴν χώραν 1823
2727 ὑπενόουν προσάγειν τινὰ – χώραν
Jac 5 4 τῶν ἀμησάντων τὰς χώρας ὑμῶν

χωρεῖν *capere* ᵇ*reverti* ᶜ*vadere*
Mat 1517 εἰς τὴν κοιλίαν χωρεῖᶜ
1911 οὐ πάντες χωροῦσιν τὸν λόγον τοῦ-
τον 12 ὁ δυνάμενος χωρεῖν χωρείτω
Mar 2 2 συνήχθησαν πολλοί, ὥστε μηκέτι χω-
ρεῖν μηδὲ τὰ πρὸς τὴν θύραν
Joh 2 6 ὑδρίαι –, χ..οῦσαι ἀνὰ μετρητὰς δύο
837 ὁ λόγος ὁ ἐμὸς οὐ χωρεῖ ἐν ὑμῖν
2125 οὐδ᾽ αὐτὸν οἶμαι τὸν κόσμον χωρή-
σειν τὰ γραφόμενα βιβλία

2 Co 7 2 χωρήσατε ἡμᾶς· οὐδένα ἠδικήσαμεν
2 Pe 3 9 ἀλλὰ πάντας εἰς μετάνοιαν χ..ῆσαιᵇ

χωρίζειν, ..εσθαι *separare* ᵇ*segregare* –
(pass) ᶜ*discedere* ᵈ*egredi*
Mat 19 6 ὃ οὖν ὁ θεὸς συνέζευξεν, ἄνθρωπος
μὴ χωριζέτω ‖ Mar 109
Act 1 4 ἀπὸ Ἱεροσολύμων μὴ χ..εσθαιᶜ 181
χ..σθεὶςᵈ ἐκ τῶν Ἀθηνῶν 2 χ..εσθαιᶜ
– τοὺς Ἰουδαίους ἀπὸ τῆς Ῥώμης
Rm 835 τίς ἡμᾶς χωρίσει ἀπὸ τῆς ἀγάπης
τοῦ Χοῦ; 39 οὔτε τις κτίσις ἑτέρα
δυνήσεται ἡμᾶς χωρίσαι ἀπὸ τῆς ἀ-
γάπης τοῦ θεοῦ
1 Co 710 γυναῖκα ἀπὸ ἀνδρὸς μὴ χωρισθῆ-
ναιᶜ 11 ἐὰν δὲ καὶ χωρισθῇᶜ 15 εἰ δὲ
ὁ ἄπιστος χ..εταιᶜ, χ..έσθωᶜ
Phm 15 τάχα – ἐχωρίσθηᶜ πρὸς ὥραν, ἵνα
Hb 726 κεχωρισμένοςᵇ ἀπὸ τῶν ἁμαρτωλῶν

χωρίον *ager* ᵇ*praedium* ᶜ*villa*
Mat 2636 εἰς χ.ᶜ λεγόμ. Γεθσημανί ‖ Mar 1432ᵇ
Joh 4 5ᵇ Act 118.19 Ἀκελδαμάχ – 287ᵇ
Act 434 ὅσοι – κτήτορες χωρίων – ὑπῆρχον
5 3 νοσφίσασθαι ἀπὸ τῆς τιμῆς τοῦ χω-
ρίου; 8 εἰ τοσοῦτο τὸ χ. ἀπέδοσθε;

χωρίς *sine* ᵇ*absque* ᶜ*extra* ᵈ*exceptis...*
ᵉ*praeter* ᶠ(adv.) *separatim*
Mat 1334 χ. παραβολῆς οὐδὲν ἐλάλ. ‖ Mar 434
1421 χωρὶςᵈ γυναικῶν καὶ παιδίων 1538ᶜ
Luc 649 οἰκίαν ἐπὶ τὴν γῆν χωρὶς θεμελίου
Joh 1 3 χ. αὐτοῦ ἐγένετο οὐδὲ ἓν ὃ γέγονεν
15 5 χωρ. ἐμοῦ οὐ δύνασθε ποιεῖν οὐδέν
20 7 χωρὶςᶠ ἐντετυλιγμένον εἰς ἕνα τόπον
Rm 321 χωρὶς νόμου „δικαιοσύνη θεοῦ" 28
χωρὶς ἔργων νόμου 46 ᾧ ὁ θεὸς λο-
γίζεται δικαιοσύνην χωρὶς ἔργων
7 8 χωρὶς γὰρ νόμου ἁμαρτία νεκρά 9
ἐγὼ δὲ ἔζων χωρὶς νόμου ποτέ
1014 πῶς – ἀκούσωσιν χωρ. κηρύσσοντος;
1 Co 4 8 χωρὶς ἡμῶν ἐβασιλεύσατε
1111 οὔτε γυνὴ χωρὶς ἀνδρὸς οὔτε ἀνὴρ
χωρὶς γυναικὸς ἐν κυρίῳ
2 Co 1128 χωρὶςᵉ τῶν παρεκτὸς ἡ ἐπίστασις
12 3 εἴτε ἐν σώματι εἴτε χ.ᶜ τοῦ σώματος
Eph 212 ὅτι ἦτε τῷ καιρῷ ἐκείνῳ χωρὶς Χοῦ
Phl 214 πάντα ποιεῖτε χωρὶς γογγυσμῶν
1 Ti 2 8 χωρὶς ὀργῆς καὶ διαλογισμοῦ
521 ἵνα ταῦτα φυλάξῃς χ. προκρίματος
Phm 14 χωρὶς – τῆς σῆς γνώμης οὐδὲν ἠθέ-
λησα ποιῆσαι

Hb (2 9 vl ὅπως χ. θεοῦ – γεύσηται θανάτου)
4 15 πεπειρασμένον – χωρὶς [b] ἁμαρτίας
7 7 χ. – πάσης ἀντιλογίας 20 ὁρκωμοσίας
9 7 ὁ ἀρχιερεύς, οὐ χωρὶς αἵματος 18. 22
χ. αἱματεκχυσίας οὐ γίνεται ἄφεσις
– 28 ὁ Χὸς – χωρὶς ἁμαρτίας ὀφθήσεται
10 28 χωρὶς οἰκτιρμῶν – „ἀποθνήσκει"
11 6 χ. – πίστεως ἀδύνατον „εὐαρεστῆσαι"
– 40 ἵνα μὴ χωρὶς ἡμῶν τελειωθῶσιν

Hb 12 8 εἰ δὲ χωρίς [c] ἐστε „παιδείας"
– 14 ἁγιασμόν, οὗ χ. οὐδεὶς ὄψεται τ. κύρ.
Jac 2 18 δεῖξόν μοι τὴν πίστιν σου χωρὶς τῶν
ἔργων 20 θέλεις δὲ γνῶναι, –, ὅτι ἡ πί-
στις χ. τῶν ἔργων ἀργή ἐστιν; 26 ὥσπερ
– τὸ σῶμα χ. πνεύματος νεκρόν ἐστιν, οὕ-
τως καὶ ἡ πίστις χ. ἔργων νεκρά ἐστιν

χῶρος Sº – corus (vl ch.) Act 27 12 κατὰ χ..ν

ψ

ψάλλειν psallere [b]cantare
Rm 15 9 „καὶ τῷ ὀνόματί σου ψαλῶ [b]"
1 Co 14 15 ψαλῶ τῷ πνεύματι, ψαλῶ δὲ καὶ τῷ
νοΐ (et mente)
Eph 5 19 ψ..οντες τῇ καρδίᾳ ὑμῶν τῷ κυρίῳ
Jac 5 13 εὐθυμεῖ τις; ψαλλέτω

ψαλμός psalmus Luc 20 42 ἐν βίβλῳ ψαλμῶν
Act 1 20 – Luc 24 44 ἐν – τοῖς – ψ..οῖς Act
13 33 ἐν τῷ ψ. – τῷ δευτέρῳ (vl ἐν τ. ψ..οῖς)
1 Co 14 26 ἕκαστος ψαλμὸν ἔχει, διδαχὴν ἔχει
Eph 5 19 λαλοῦντες ἑαυτοῖς ψ..οῖς Col 3 16

ψευδάδελφοι Sº – falsi fratres 2 Co 11 26
κινδύνοις ἐν ψ..οις Gal 2 4 διὰ δὲ τοὺς
παρεισάκτους ψ..ους, οἵτινες παρεισῆλθον

ψευδαπόστολοι Sº – pseudoapostoli 2 Co 11 13

ψεύδεσθαι mentiri [b]mendacem esse
Mat 5 11 ὅταν – εἴπωσιν πᾶν πονηρὸν καθ' ὑ-
μῶν ψευδόμενοι (vl º) ἕνεκεν ἐμοῦ
Act 5 3 ψεύσασθαί σε τὸ πνεῦμα τὸ ἅγιον
– 4 οὐκ ἐψεύσω ἀνθρώποις ἀλλὰ τ. θεῷ
Rm 9 1 ἀλήθειαν λέγω ἐν Χῷ, οὐ ψ..ομαι
2 Co 11 31 ὁ θεὸς – οἶδεν, –, ὅτι οὐ ψ..ομαι Gal
1 20 ἰδοὺ ἐνώπιον τοῦ θεοῦ ὅτι οὐ
ψ..ομαι 1 Ti 2 7 ἀλήθειαν λέγω, οὐ ψ.
Col 3 9 μὴ ψεύδεσθε εἰς ἀλλήλους
Hb 6 18 διὰ δύο πραγμάτων ἀμεταθέτων, ἐν
οἷς ἀδύνατον ψεύσασθαι θεόν
Jac 3 14 μὴ – ψεύδεσθε [b] κατὰ τῆς ἀληθείας
1 Jo 1 6 ψ..όμεθα καὶ οὐ ποιοῦμεν τὴν ἀλήθ.
Ap 3 9 οὐκ εἰσὶν (sc Ἰουδαῖοι) ἀλλὰ ψ..ονται

ψευδής mendax [b]falsus
Act 6 13 ἔστησάν τε μάρτυρας ψευδεῖς [b]
Ap 2 2 καὶ εὖρες αὐτοὺς ψευδεῖς
21 8 πᾶσιν τοῖς ψευδέσιν τὸ μέρος αὐτῶν

ψευδοδιδάσκαλοι Sº – magistri mendaces
2 Pe 2 1 ὡς καὶ ἐν ὑμῖν ἔσονται ψ..οι

ψευδολόγοι Sº – loquentes mendacium
1 Ti 4 2 ἐν ὑποκρίσει ψευδολόγων

ψευδομάρτυρες Sº – falsi testes Mat 26 60
1 Co 15 15 εὑρισκόμεθα δὲ καὶ ψ. τοῦ θεοῦ

ψευδομαρτυρεῖν falsum testimonium dicere
[b]f. t. ferre Mat 19 18 „οὐ ψ..ήσεις" ‖ Mar 10
19 Luc 18 20 – Mar 14 56 πολλοὶ – ἐψ..ουν 57 [b]

ψευδομαρτυρία Sº – falsum testimonium
Mat 15 19 ἐξέρχονται – ψ..αι 26 59 ἐζήτουν ψ..αν

ψευδοπροφήτης pseudopropheta [b]falsus pr.
Mat 7 15 προσέχετε ἀπὸ τῶν ψ..ῶν [b]
24 11 πολλοὶ ψ..αι ἐγερθήσονται 24 ψευδό-
χριστοι καὶ „ψ..αι" ‖ Mar 13 22
Luc 6 26 οὐαὶ ὅταν καλῶς ὑμᾶς εἴπωσιν –
κατὰ τὰ αὐτὰ – ἐποίουν τοῖς ψ..αις
(vg vl prophetis) οἱ πατέρες αὐτῶν
Act 13 6 ἄνδρα τινὰ μάγον ψ..ην Ἰουδαῖον
2 Pe 2 1 ἐγένοντο δὲ καὶ ψ..αι ἐν τῷ λαῷ
1 Jo 4 1 πολλοὶ ψ. ἐξεληλύθασιν εἰς τ. κόσμ.
Ap 16 13 19 20 20 10 τὸ θηρίον καὶ ὁ ψ.

ψεῦδος mendacium [b](ψεύδους) mendax
Joh 8 44 ὅταν λαλῇ τὸ ψ., ἐκ τῶν ἰδίων λαλεῖ
Rm 1 25 μετήλλαξαν τὴν ἀλήθειαν τοῦ θεοῦ
ἐν τῷ ψεύδει (in mendacio vl ..um)
Eph 4 25 ἀποθέμενοι τὸ ψ. „λαλεῖτε ἀλήθειαν"
2 Th 2 9 οὗ ἐστιν ἡ παρουσία – ἐν – τέρασιν
ψεύδους [b] 11 εἰς τὸ πιστεῦσαι – τῷ ψ.
1 Jo 2 21 πᾶν ψ. ἐκ τῆς ἀληθείας οὐκ ἔστιν
– 27 τὸ αὐτοῦ χρίσμα διδάσκει ὑμᾶς –,
καὶ ἀληθές ἐστιν καὶ οὐκ ἔστιν ψ.

Ap 14 5 „ἐν τῷ στόματι" αὐτῶν „οὐχ εὑρέθη
ψεῦδος"· ἄμωμοί εἰσιν
21 27 „οὐ μὴ εἰσέλθῃ εἰς αὐτὴν – " – [ὁ]
ποιῶν βδέλυγμα καὶ ψεῦδος 22 15
ἔξω – πᾶς φιλῶν καὶ ποιῶν ψεῦδος

ψευδόχριστοι S⁰ – pseudochristi
→ ψευδοπροφήτης Mat 24 24 ‖ Mar 13 22

ψευδώνυμος S⁰ – falsi nominis
1 Ti 6 20 τὰς – ἀντιθέσεις τῆς ψ..ου γνώσεως

ψεῦσμα S⁰ – mendacium Rm 3 7 εἰ – ἡ ἀλή-
θεια τ. θεοῦ ἐν τῷ ἐμῷ ψ. ἐπερίσσευσεν

ψεύστης mendax
Joh 8 44 ὅτι ψεύστης ἐστὶν καὶ ὁ πατὴρ αὐτοῦ
– 55 ἔσομαι ὅμοιος ὑμῖν ψεύστης
Rm 3 4 „πᾶς" δὲ „ἄνθρωπος ψεύστης"
1 Ti 1 10 ἀνδραποδισταῖς, ψεύσταις, ἐπιόρκοις
Tit 1 12 Κρῆτες ἀεὶ ψ..αι, κακὰ θηρία
1 Jo 1 10 ψεύστην ποιοῦμεν αὐτόν (sc θεόν)
5 10 ὁ μὴ πιστεύων τῷ θεῷ (vl υἱῷ
vg) ψεύστην πεποίηκεν αὐτόν
2 4 ὁ λέγων ὅτι ἔγνωκα αὐτόν, καὶ τὰς
ἐντολὰς αὐτοῦ μὴ τηρῶν, ψ. ἐστίν
– 22 τίς ἐστιν ὁ ψ. εἰ μὴ ὁ ἀρνούμενος
4 20 ἐάν τις εἴπῃ ὅτι ἀγαπῶ τὸν θεόν,
καὶ τὸν ἀδελφὸν αὐτοῦ μισῇ, ψ. ἐστίν

ψηλαφᾶν ᵃ attrectare (vl adtract.) ᵇ contrec-
tare ᶜ palpare ᵈ (part pass) tractabilis
Luc 24 39 ψ..ήσατέᶜ με καὶ ἴδετε, ὅτι πνεῦμα
Act 17 27 εἰ ἄρα γε ψηλαφήσειανᵃ αὐτόν
Hb 12 18 οὐ γὰρ προσεληλύθατε ψηλαφωμέ-
νῳᵈ (vl + ὄρει vg, vlᵒ) καὶ κεκαυμ.
1 Jo 1 1 ὃ – αἱ χεῖρες ἡμῶν ἐψηλάφησανᵇ

ψηφίζειν computare Luc 14 28 Ap 13 18

ψῆφος ᵃ calculus ᵇ sententia Act 26 10 κατ-
ήνεγκα ψ..ονᵇ Ap 2 17 ψ..ονᵃ λευκήν

ψιθυρισμός susurratio 2 Co 12 20 ψ.ᵒί

ψιθυριστής S⁰ – susurro Rm 1 29 ψ..άς

ψιχίον S⁰ – mica Mat 15 27 ‖ Mar 7 28

ψύχεσθαι refrigescere
Mat 24 12 ψυγήσεται ἡ ἀγάπη τῶν πολλῶν

ψυχή anima ᵇ animus ᶜ (μιᾷ ψυχῇ) una-
nimes
Mat 2 20 τεθνήκασιν – οἱ ζητοῦντες τὴν ψ. τοῦ
παιδίου Rm 11 3 „ζητοῦσιν τὴν ψ. μου"

Mat 6 25 μὴ μεριμνᾶτε τῇ ψυχῇ ὑμῶν τί φάγη-
τε – · οὐχὶ ἡ ψυχὴ πλεῖόν ἐστιν τῆς
τροφῆς – ; ‖ Luc 12 22. 23
10 28 τὴν δὲ ψ. μὴ δυναμένων ἀποκτεῖναι·
– τὸν δυνάμενον καὶ ψυχὴν καὶ σῶμα
ἀπολέσαι ἐν γεέννῃ
– 39 ὁ εὑρὼν τὴν ψ. αὐτοῦ ἀπολέσει αὐ-
τήν, καὶ ὁ ἀπολέσας τὴν ψ. – εὑρή-
σει αὐτήν 16 25 ὃς – ἐὰν θέλῃ τὴν ψ.
αὐτοῦ σῶσαι, ἀπολέσει αὐτήν· ὃς δ'
ἂν ἀπολέσῃ τὴν ψυχὴν αὐτοῦ ἕνεκεν
ἐμοῦ, εὑρήσει αὐτήν 26 τί – ὠφελη-
θήσεται ἄνθρ., ἐὰν τὸν κόσμον – κερ-
δήσῃ, τὴν δὲ ψ. αὐτοῦ ζημιωθῇ; ἢ τί
δώσει ἄνθρ. ἀντάλλαγμα τῆς ψ. αὐ-
τοῦ; ‖ Mar 8 35. 36. 37 Luc 9 24 17 33 ὃς
ἐὰν ζητήσῃ τὴν ψ. αὐτοῦ περιποιή-
σασθαι, ἀπολέσει αὐτήν, – – ζωογο-
νήσει αὐτήν
11 29 „εὑρήσετε ἀνάπαυσιν ταῖς ψ. ὑμῶν"
12 18 „ὃν εὐδόκησεν ἡ ψυχή μου"
20 28 διακονῆσαι καὶ δοῦναι τὴν ψυχὴν
αὐτοῦ λύτρον ἀντὶ πολλῶν ‖ Mar 10 45
22 37 „ἀγαπήσεις – τὸν θεόν σου – ἐν ὅλῃ
τῇ ψ. σου" ‖ Mar 12 30 „ἐξ ὅλης" Luc
10 27 cfr Eph 6 6 Col 3 23
26 38 „περίλυπός ἐστιν ἡ ψυχή μου" ‖ Mar
14 34 Joh 12 27 τετάρακται
Mar 3 4 ἔξεστιν τοῖς σάββασιν –, ψυχὴν σῶ-
σαι ἢ ἀποκτεῖναι (vg perdere); ‖
Luc 6 9 ἢ ἀπολέσαι (perdere)
Luc 1 46 μεγαλύνει „ἡ ψυχή μου τ. κύριον"
2 35 σοῦ – τὴν ψ. διελεύσεται ῥομφαία
(9 56 vl ὁ υἱὸς τοῦ ἀνθρώπου οὐκ ἦλθεν
ψυχὰς ἀνθρώπων ἀπολέσαι ἀλλὰ
σῶσαι vg)
12 19 ἐρῶ τῇ ψ. μου· ψυχή, ἔχεις πολλά
– 20 τὴν ψυχήν σου ἀπαιτοῦσιν ἀπὸ σοῦ
14 26 εἴ τις ἔρχεται πρός με καὶ οὐ μισεῖ
–, ἔτι τε καὶ τὴν ψυχὴν ἑαυτοῦ
21 19 ἐν τῇ ὑπομονῇ ὑμῶν κτήσεσθε τὰς
ψυχὰς ὑμῶν cfr Hb 10 39
Joh 10 11 τὴν ψ. αὐτοῦ τίθησιν (dat) ὑπὲρ τῶν
προβάτων 15 τὴν ψ. μου τίθημι (po-
no) 17 ὅτι ἐγὼ τίθημι τὴν ψ. μου, ἵνα
πάλιν λάβω αὐτήν 18 οὐδεὶς ἦρεν (vl
αἴρει vg) αὐτὴν ἀπ' ἐμοῦ, ἀλλ' ἐγὼ
τίθημι αὐτὴν ἀπ' ἐμαυτοῦ
– 24 ἕως πότε τὴν ψυχὴν ἡμῶν αἴρεις;
12 25 ὁ φιλῶν τὴν ψ. αὐτοῦ ἀπολλύει αὐτήν,
καὶ ὁ μισῶν τὴν ψ. αὐτοῦ ἐν τῷ κόσμῳ
τούτῳ εἰς ζωὴν αἰώνιον φυλάξει αὐτήν

Joh 13₃₇ τὴν ψ. μου ὑπὲρ σοῦ θήσω (ponam)
  – 38 τὴν ψ. σου ὑπὲρ ἐμοῦ θήσεις;
15₁₃ ἵνα τις τὴν ψ. αὐτοῦ θῇ (ponat) ὑ-
  πὲρ τῶν φίλων αὐτοῦ cfr 1 Jo 3₁₆

Act 2 ₂₇ „ὅτι οὐκ ἐγκαταλείψεις τὴν ψυχήν
  μου εἰς ᾅδην"
  – 41 ψυχαὶ ὡσεὶ τρισχίλιαι 7₁₄ „ἐν ψυχαῖς
  ἑβδομήκοντα πέντε" 27₃₇ ἤμεθα – αἱ
  πᾶσαι ψυχαὶ κτλ. 1 Pe 3₂₀ ὀκτὼ ψ..αί
  – 43 πάσῃ ψυχῇ φόβος – 3₂₃ πᾶσα ψ.
  4₃₂ τοῦ – πλήθους – ἦν καρδία καὶ ψ. μία
14 ₂ ἐκάκωσαν τὰς ψ. τῶν ἐθνῶν κατά
  – 22 ἐπιστηρίζοντες τὰς ψ. τῶν μαθητῶν
15₂₄ ἀνασκευάζοντες τὰς ψυχὰς ὑμῶν
  – 26 παραδεδωκόσι τὰς ψυχὰς αὐτῶν ὑ-
  πὲρ τοῦ ὀνόματος τοῦ κυρίου ἡμῶν
20₁₀ ἡ γὰρ ψυχὴ αὐτοῦ ἐν αὐτῷ ἐστιν
  – 24 οὐδενὸς λόγου ποιοῦμαι τὴν ψυχὴν
  τιμίαν ἐμαυτῷ
27₁₀ μετὰ – ζημίας – καὶ τῶν ψυχῶν ἡμῶν
  – 22 ἀποβολὴ – ψυχῆς οὐδεμία ἔσται (44
  πάντας διασωθῆναι omnes animae)

Rm 2 ₉ θλῖψις – ἐπὶ πᾶσαν ψυχὴν ἀνθρώπου
  τοῦ κατεργαζομένου τὸ κακόν
13 ₁ πᾶσα ψυχὴ ἐξουσίαις – ὑποτασσέσθω
16 ₄ ὑπὲρ τῆς ψυχῆς μου τὸν ἑαυτῶν τρά-
  χηλον ὑπέθηκαν – 11₃ → Mat 2₂₀
1 Co 15₄₅ „ἐγένετο – Ἀδὰμ εἰς ψυχὴν ζῶσαν"
2 Co 1₂₃ μάρτυρα τὸν θεὸν ἐπικαλοῦμαι ἐπὶ
  τὴν ἐμὴν ψυχήν, ὅτι φειδόμενος
12₁₅ ἐγὼ – ἥδιστα δαπανήσω καὶ ἐκδαπα-
  νηθήσομαι ὑπὲρ τῶν ψυχῶν ὑμῶν

Eph 6 ₆ ποιοῦντες τὸ θέλημα τοῦ θεοῦ ἐκ
  ψυχῆς[b] Col 3₂₃ ὃ ἐὰν ποιῆτε, ἐκ ψυ-
  χῆς[b] ἐργάζεσθε ὡς τῷ κυρίῳ

Phl 1₂₇ μιᾷ ψυχῇ[c] συναθλοῦντες τῇ πίστει
2₃₀ παραβολευσάμενος τῇ ψυχῇ, ἵνα

1 Th 2 ₈ μεταδοῦναι ὑμῖν – καὶ τὰς – ψυχάς
  5₂₃ ἡ ψυχὴ καὶ τὸ σῶμα ἀμέμπτως ἐν τῇ
  παρουσίᾳ τοῦ κυρίου – τηρηθείη

Hb 4₁₂ ἄχρι μερισμοῦ ψυχῆς καὶ πνεύματος
  6₁₉ ὡς ἄγκυραν ἔχομεν τῆς ψ. ἀσφαλῆ
10₃₈ „οὐκ εὐδοκεῖ ἡ ψυχή μου ἐν αὐτῷ"
  – 39 ἡμεῖς δὲ οὐκ ἐσμὲν „ὑποστολῆς" –,
  ἀλλὰ „πίστεως" εἰς περιποίησιν ψ..ῆς
12 ₃ ἵνα μὴ κάμητε ταῖς ψυχαῖς ὑμῶν ἐκ-
  λυόμενοι
13₁₇ ἀγρυπνοῦσιν ὑπὲρ τῶν ψυχῶν ὑμῶν

Jac 1₂₁ δέξασθε τὸν ἔμφυτον λόγον τὸν δυ-
  νάμενον σῶσαι τὰς ψυχὰς ὑμῶν
5₂₀ ὁ ἐπιστρέψας ἁμαρτωλὸν ἐκ πλάνης
  – σώσει ψυχὴν αὐτοῦ ἐκ θανάτου

1 Pe 1 ₉ τέλος τῆς πίστεως σωτηρίαν ψ..ῶν
  – 22 τὰς ψυχὰς ὑμῶν ἡγνικότες ἐν τῇ ὑπ-
  ακοῇ τῆς ἀληθείας
2₁₁ αἵτινες στρατεύονται κατὰ τῆς ψυχῆς
  – 25 ποιμένα καὶ ἐπίσκοπον τῶν ψ. ὑμῶν
4₁₉ πιστῷ κτίστῃ παρατιθέσθωσαν τὰς
  ψυχὰς αὐτῶν ἐν ἀγαθοποιΐᾳ

2 Pe 2 ₈ ὁ δίκαιος – ψ..ὴν δικαίαν – ἐβασάνιζεν
  – 14 δελεάζοντες ψυχὰς ἀστηρίκτους

1 Jo 3₁₆ ὑπὲρ ἡμῶν τὴν ψ. αὐτοῦ ἔθηκεν (po-
  suit)· καὶ ἡμεῖς ὀφείλομεν ὑπὲρ τῶν
  ἀδελφῶν τὰς ψυχὰς θεῖναι (ponere)

3 Jo 2 καθὼς εὐοδοῦταί σου ἡ ψυχή

Ap 6 ₉ εἶδον – τὰς ψ. τῶν ἐσφαγμένων – διὰ
  τὴν μαρτυρίαν 20₄ πεπελεκισμένων
8 ₉ ἀπέθανεν –, τὰ ἔχοντα ψυχάς
12₁₁ καὶ οὐκ ἠγάπησαν τὴν ψυχὴν αὐτῶν
  (animas suas) ἄχρι θανάτου
16 ₃ πᾶσα ψυχὴ ζωῆς (vivens) ἀπέθανεν
18₁₃ σωμάτων, καὶ „ψυχὰς ἀνθρώπων"
  – 14 ἡ ὀπώρα σου τῆς ἐπιθυμίας τῆς ψυ-
  χῆς (a..ae tuae) ἀπῆλθεν ἀπὸ σοῦ

ψυχικός animalis

1 Co 2₁₄ ψυχικὸς δὲ ἄνθρωπος οὐ δέχεται τὰ
  τοῦ πνεύματος τοῦ θεοῦ
15₄₄ σπείρεται σῶμα ψ..όν, ἐγείρεται σ.
  πνευματικόν. εἰ ἔστιν σ. ψ..όν, ἔστιν
  καὶ πν..όν 46 ἀλλ' οὐ πρῶτον τὸ πν..
  ὸν ἀλλὰ τὸ ψυχικόν, ἔπειτα τὸ πν..όν

Jac 3₁₅ οὐκ ἔστιν αὕτη ἡ σοφία ἄνωθεν κατ-
  ερχομένη, ἀλλὰ ἐπίγειος, ψυχική

Jud 19 ψυχικοί, πνεῦμα μὴ ἔχοντες

ψῦχος frigus Joh 18₁₈ ὅτι ψῦχος ἦν
Act 28 ₂ – 2 Co 11₂₇ ἐν ψ..ει καὶ γυμνότητι

ψυχρός frigidus – ψυχρόν aqua frigida
Mat 10₄₂ ποτήριον ψυχροῦ μόνον
Ap 3₁₅ οὔτε ψυχρὸς εἶ οὔτε ζεστός κτλ. 16

ψωμίζειν [a]cibare [b]distribuere in cibos pau-
  perum Rm 12₂₀ „ἐὰν πεινᾷ ὁ ἐχθρός
  σου, ψώμιζε[a] αὐτόν" 1 Co 13₃ κἂν ψω-
  μίσω[b] πάντα τὰ ὑπάρχοντά μου

ψωμίον S° – panis [b]buccella
Joh 13₂₆ ᾧ ἐγὼ βάψω τὸ ψ. καὶ δώσω αὐτῷ.
  βάψας οὖν [τὸ] ψ. 27 μετὰ τὸ ψ.[b] τότε
  εἰσῆλθεν εἰς ἐκεῖνον ὁ σατανᾶς 30 λα-
  βὼν – τὸ ψωμίον[b] – ἐξῆλθεν

ψώχειν S° – confricare Luc 6₁ στάχυας

Ω

ὦ, τό Sº – vg ω Ap 18 „ἐγώ εἰμι" τὸ ἄλ-
φα καὶ τὸ ὦ 216 ἐγὼ τὸ ἄλφα καὶ τὸ ὦ,
ἡ ἀρχὴ καὶ τὸ τέλος 2213 ὁ πρῶτος καὶ
ὁ ἔσχατος, ἡ ἀρχὴ καὶ τὸ τέλος

*ὧδε hic ᵇ(τὰ ὧδε) quae hic aguntur ᶜhuc
ᵈillic
Mat 829 ἦλθες ὧδεᶜ πρὸ καιροῦ βασανίσαι –;
12 6 τοῦ ἱεροῦ μεῖζόν ἐστιν ὧδε 41 ἰδοὺ
πλεῖον Ἰωνᾶ ὧδε 42 ἰδοὺ πλεῖον Σο-
λομῶνος ὧδε ‖ Luc 1132.31
2423 ἰδοὺ ὧδε ὁ χριστός, ἤ· ὧδεᵈ ‖ Mar 13
21 –, ἴδε ἐκεῖ – Luc 1721 οὐδὲ ἐροῦ-
σιν· ἰδοὺ ὧδε (sc ἡ βασιλεία) ἤ· ἐκεῖ
Joh 1121 εἰ ἦς ὧδε, οὐκ ἂν ἀπέθανεν 32
Col 4 9 πάντα ὑμῖν γνωρίσουσιν τὰ ὧδεᵇ
Hb 1314 οὐ γὰρ ἔχομεν ὧδε μένουσαν πόλιν
Ap 1310 ὧδέ ἐστιν ἡ ὑπομονὴ καὶ ἡ πίστις
τῶν ἁγίων 1412 1318 ὧδε ἡ σοφία ἐ-
στίν 179 ὧδε ὁ νοῦς ὁ ἔχων σοφίαν

ὠδή canticum ᾄδειν cantare
Eph 519 λαλοῦντες ἑαυτοῖς – ᾠδαῖς πνευμα-
τικαῖς, ᾄδοντες – τῇ καρδίᾳ ὑμῶν τῷ κυ-
ρίῳ Col 316 ᾠδαῖς πν..αῖς ἐν τῇ χάριτι
ᾄδοντες ἐν ταῖς καρδίαις ὑμῶν τῷ θεῷ
Ap 5 9 „ᾄδουσιν ᾠδὴν καινήν" 143 „ᾄδ. (vl
+ ὡς) ᾠδ. καιν. – καὶ οὐδεὶς ἐδύνατο μα-
θεῖν τὴν ᾠδὴν εἰ μή – 153 „ᾄδουσιν τὴν
ᾠδ. Μωϋσέως" – καὶ τὴν ᾠδὴν τοῦ ἀρνίου

ὠδίν dolor Mat 248 ἀρχὴ ὠ..ων ‖ Mar 138
Act 224 λύσας τὰς ὠδῖνας τοῦ θανάτου
1 Th 5 3 ὥσπερ ἡ ὠδὶν τῇ ἐν γαστρὶ ἐχούσῃ

ὠδίνειν parturire
Gal 419 τέκνα μου, οὓς πάλιν ὠδίνω μέχρις
οὗ μορφωθῇ Χὸς ἐν ὑμῖν – 27
Ap 12 2 „κράζει ὠ..ουσα" καὶ βασανιζομένη

ὦμος humerus (vl um.) Mat 234 Luc 155

ὁ ὤν qui est Ap 14.8 48 qui es 1117 165

ὠνεῖσθαι Sº – emere Act 716 „ὠνήσατο Ἀβρ."

ᾠόν ovum Luc 1112 ἢ καὶ αἰτήσει ᾠόν, –;

ὥρα hora
Mat 813 ἰάθη ὁ παῖς ἐν τῇ ὥρᾳ ἐκείνῃ 922

(Mat) ἐσώθη ἡ γυνὴ ἀπὸ τῆς ὥ. **ἐκ. 1528**
1718 ἐθεραπεύθη ὁ παῖς ἀπὸ **τῆς ὥ.**
Mat 1019 δοθήσεται – ὑμῖν ἐν ἐκείνῃ τῇ **ὥρᾳ τί**
λαλήσετε ‖ Mar 1311 Luc 1212
1415 ἡ ὥρα ἤδη παρῆλθεν ‖ Mar 635 **ὥρας**
πολλῆς γενομένης – · ἤδη ὥρα **πολ-**
λή – 1111 ὀψὲ ἤδη οὔσης τῆς **ὥρας**
18 1 ἐκ ἐκείνῃ τῇ ὥρᾳ προσῆλθον 2655 εἶ-
πεν ὁ Ἰησοῦς Luc 721 ἐθεράπευσεν
πολλούς 1021 ἐν αὐτῇ τῇ ὥ. ἠγαλ-
λιάσατο 1331 προσῆλθάν τινες 2019
ἐζήτησαν – ἐπιβαλεῖν ἐπ' αὐτὸν τὰς χ.
20 3 ἐξελθὼν περὶ τρίτην ὥραν 5 περὶ ἕ-
κτην καὶ ἐνάτην ὥ. 6.9 ἐλθόντες – οἱ
περὶ τὴν ἑνδεκάτην ὥ. 12 οὗτοι οἱ ἔ-
σχατοι μίαν ὥραν ἐποίησαν
2436 περὶ δὲ τῆς ἡμέρας ἐκείνης καὶ ὥρας
οὐδεὶς οἶδεν 44 ᾗ οὐ δοκεῖτε ὥρᾳ –
ἔρχεται 50 ἥξει – ἐν ὥρᾳ ᾗ οὐ γινώ-
σκει 2513 οὐκ οἴδατε – οὐδὲ τὴν ὥ-
ραν ‖ Mar 1332 Luc 1239 εἰ ᾔδει –
ποίᾳ ὥρᾳ ὁ κλέπτης 40.46 → Ap 33
2640 οὐκ ἰσχύσατε μίαν ὥραν γρηγορῆσαι
μετ' ἐμοῦ; 45 ἤγγικεν ἡ ὥρα ‖ Mar
1435 ἵνα – παρέλθῃ ἀπ' αὐτοῦ ἡ ὥ.
37 μίαν ὥραν γρηγ.; 41 ἦλθεν ἡ ὥρα
2745 ἀπὸ δὲ τῆς ἕκτης ὥρας σκότος –
ἕως ὥρας ἐνάτης 46 περὶ δὲ τὴν ἐ-
νάτην ὥ. ἀνεβόησεν ‖ Mar 1525 ἦν δὲ
ὥρα τρίτη καὶ ἐσταύρωσαν 33.34 Luc
2344 ἦν ἤδη ὡσεὶ ὥρα ἕκτη καὶ σκό-
τος – ἕως ὥρας ἐνάτης
Luc 1 10 τῇ ὥ. τοῦ θυμιάματος 1417 δείπνου
238 αὐτῇ τῇ ὥρᾳ 2433 – 2214.59
2253 ἀλλ' αὕτη ἐστὶν ὑμῶν ἡ ὥρα
Joh 139 ὥρα ἦν ὡς δεκάτη 46 ἕκτη 1914
2 4 οὔπω ἥκει ἡ ὥρα μου 730 οὔπω ἐλη-
λύθει ἡ ὥ. αὐτοῦ 820 – 131 εἰδὼς –
ὅτι ἦλθεν αὐτοῦ ἡ ὥρα ἵνα μεταβῇ
– πρὸς τὸν πατέρα
421 ἔρχεται ὥ. ὅτε οὔτε ἐν τῷ ὄρει τούτῳ
23 ἔρχ. ὥ. καὶ νῦν ἐστιν, ὅτε οἱ ἀλη-
θινοὶ προσκυνηταί – 525 ὅτε οἱ νεκροὶ
ἀκούσουσιν 28 ἔρχ. ὥ. ἐν ᾗ πάντες οἱ
ἐν τοῖς μνημείοις 162 ἔρχ. ὥ. ἵνα πᾶς
ὁ ἀποκτείνας ὑμᾶς 25 ὅτε οὐκέτι ἐν
παροιμίαις 32 ἔρχ. ὥ. καὶ ἐλήλυθεν
ἵνα σκορπισθῆτε – κἀμὲ μόνον ἀφῆτε

Joh 4 52 ἐπύθετο – τὴν ὥ. – ἐν ᾖ κομψότερον
      ἔσχεν· – ἐχθὲς ὥραν ἑβδόμην 53
    5 35 ἠθελήσατε ἀγαλλιαθῆναι πρὸς ὥραν
      (ad horam) ἐν τῷ φωτὶ αὐτοῦ
  11 9 οὐχὶ δώδεκα ὥραί εἰσιν τῆς ἡμέρας;
  12 23 ἐλήλυθεν ἡ ὥ. ἵνα δοξασθῇ ὁ υἱός
    17 1 ἐλήλυθ. ἡ ὥ.· δόξασόν σου τ. υ.
  – 27 σῶσόν με ἐκ τῆς ὥ. ταύτης. ἀλλὰ διὰ
    τοῦτο ἦλθον εἰς τὴν ὥραν ταύτην
  16 4 ταῦτα λελάληκα ὑμῖν ἵνα ὅταν ἔλθῃ
    ἡ ὥρα αὐτῶν 21 γυνὴ – λύπην ἔχει,
    ὅτι ἦλθεν ἡ ὥρα αὐτῆς
  19 27 ἀπ᾿ ἐκείνης τῆς ὥρας ἔλαβεν – αὐτήν
Act 2 15 ἔστιν γὰρ ὥρα τρίτη τῆς ἡμέρας
  3 1 ἐπὶ τὴν ὥ. τῆς προσευχῆς τὴν ἐνά-
    την 10 3.9 ἕκτην 30 τὴν ἐνάτην (sc ὥ.)
  5 7 ὡς ὡρῶν τριῶν διάστημα 10 30 ἀπὸ
    τετάρτης ἡμέρας μέχρι ταύτης τῆς
    ὥρας 16 18 αὐτῇ τῇ ὥρᾳ 33 19 34 ἐπὶ
    ὥρας δύο 22 13 αὐτῇ τῇ ὥρᾳ 23 23
Rm 13 11 ὅτι ὥρα ἤδη ὑμᾶς – ἐγερθῆναι
1 Co 4 11 ἄχρι τῆς ἄρτι ὥρας καὶ πεινῶμεν
  15 30 τί – κινδυνεύομεν πᾶσαν ὥραν;
2 Co 7 8 εἰ καὶ πρὸς ὥραν ἐλύπησεν ὑμᾶς
Gal 2 5 οἷς οὐδὲ πρὸς ὥραν εἴξαμεν
1 Th 2 17 ἀπορφανισθέντες ἀφ᾿ ὑμῶν πρὸς και-
    ρὸν ὥρας προσώπῳ οὐ καρδίᾳ
Phm 15 ἐχωρίσθη πρὸς ὥραν, ἵνα αἰώνιον
1 Jo 2 18 ἐσχάτη ὥρα ἐστίν, –, καὶ νῦν ἀντί-
    χριστοι πολλοὶ γεγόνασιν· ὅθεν γι-
    νώσκομεν ὅτι ἐσχάτη ὥρα ἐστίν
Ap 3 3 ἥξω ὡς κλέπτης, καὶ οὐ μὴ γνῷς ποί-
    αν ὥραν ἥξω ἐπὶ σέ
  – 10 κἀγώ σε τηρήσω ἐκ τῆς ὥρας τοῦ
    πειρασμοῦ τῆς μελλούσης ἔρχεσθαι
  9 15 ἄγγελοι οἱ ἡτοιμασμένοι εἰς τὴν ὥ.
  11 13 ἐν ἐκείνῃ τῇ ὥρᾳ ἐγένετο σεισμός
  14 7 ὅτι ἦλθεν ἡ ὥρα τῆς κρίσεως αὐτοῦ
    15 „ὅτι ἦλθεν ἡ ὥρα θερίσαι"
  17 12 ἐξουσίαν – μίαν ὥραν λαμβάνουσιν
  18 10 μιᾷ ὥρᾳ ἦλθεν ἡ κρίσις σου 17. 19 ὅτι
    μιᾷ ὥρᾳ „ἠρημώθη" (sc Βαβυλών)

ὡραῖος speciosus Mat 23 27 ἔξωθεν μὲν φαί-
  νονται ὥ..οι – Act 3 2 θύραν – τὴν λεγο-
  μένην ὡραίαν 10 – Rm 10 15 „ὡς ὡραῖοι"

ὠρύεσθαι rugire 1 Pe 5 8 ὡς λέων ὠρυόμενος

„ὡσαννά" S° – hosanna (vl os.) Mat 21 9 ὡσ.
  τῷ υἱῷ Δαυίδ· – ὡσ. ἐν τοῖς ὑψίστοις 15
  ὡσ. τῷ υἱῷ Δ. ‖ Mar 11 9 ὡσ.· 10 ὡσ. ἐν
  τοῖς ὑψίστοις Joh 12 13 ὡσαννά

Ὡσηέ Rm 9 25 ὡς καὶ ἐν τῷ Ὡσηὲ λέγει·

ὠτάριον S° – auricula Mar 14 47 Joh 18 10

ὠτίον auricula Mat 26 51 Luc 22 51 Joh 18 26

ὠφέλεια ᵃutilitas ᵇquaestus Rm 3 1 τίς ἡ
  ὠφ.ᵃ τῆς περιτομῆς; – Jud 16 θαυμά-
  ζοντες πρόσωπα ὠφελείαςᵇ χάριν

ὠφελεῖν, ..εῖσθαι prodesse ᵇproficere
Mat 15 5 δῶρον ὃ ἐὰν ἐξ ἐμοῦ ὠφεληθῇς (vl
    ὠφελήθῃς) ‖ Mar 7 11 κορβᾶν
  16 26 τί – ὠφεληθήσεται ἄνθρωπος ἐὰν ‖
    Mar 8 36 τί – ὠφελεῖ (vl ..ήσει vg) ἄν-
    θρωπον κερδῆσαι Luc 9 25 τί – ὠφε-
    λεῖταιᵇ ἄνθρωπος κερδήσας
  27 24 ἰδὼν – ὅτι οὐδὲν ὠφελεῖᵇ – Joh 12 19
    θεωρεῖτε ὅτι οὐκ ὠφελεῖτεᵇ οὐδέν
Mar 5 26 γυνὴ – μηδὲν ὠφεληθεῖσαᵇ ἀλλὰ μᾶλ-
    λον εἰς τὸ χεῖρον ἐλθοῦσα
Joh 6 63 ἡ σὰρξ οὐκ ὠφελεῖ οὐδέν
Rm 2 25 περιτομὴ – ὠ. εῖ ἐὰν νόμον πράσσῃς
1 Co 13 3 ἐὰν –, ἀγάπην δὲ μὴ ἔχω, οὐδὲν ὠ-
    φελοῦμαι (nihil mihi prodest)
  14 6 ἐὰν ἔλθω – γλώσσαις λαλῶν, τί ὑμᾶς
    ὠφελήσω, ἐὰν μὴ ὑμῖν λαλήσω ἢ ἐν
    ἀποκαλύψει ἢ ἐν γνώσει – ἢ διδαχῇ;
Gal 5 2 Χριστὸς ὑμᾶς οὐδὲν ὠφελήσει
Hb 4 2 οὐκ ὠφέλησεν ὁ λόγος τῆς ἀκοῆς
    ἐκείνους μὴ συγκεκερασμένος
  13 9 ἐν οἷς (sc βρώμασιν) οὐκ ὠφελήθη-
    σαν οἱ περιπατοῦντες (vl ..ήσαντες)

ὠφέλιμος S° – utilis
1 Ti 4 8 ἡ – σωματικὴ γυμνασία πρὸς ὀλίγον
    ἐστὶν ὠφέλιμος· ἡ δὲ εὐσέβεια πρὸς
    πάντα ὠφέλιμός ἐστιν
2 Ti 3 16 πᾶσα γραφὴ θεόπνευστος καὶ (vl
    om καί vg, vl et) ὠφέλιμος πρὸς δι-
    δασκαλίαν, πρὸς ἐλεγμόν
Tit 3 8 ταῦτά ἐστιν καλὰ καὶ ὠφέλιμα τοῖς
    ἀνθρώποις